Monteiro Lobato

Obra completa

Biblioteca
Luso-brasileira
Série brasileira

Monteiro Lobato
Obra completa em três volumes

VOLUME 1
Livros infantis e juvenis
Caderno iconográfico

VOLUME 2
Livros infantis e juvenis

VOLUME 3
Livros adultos
Álbum de memórias

Monteiro Lobato. [Foto: arquivo familiar. Cedida por Cedae /IEL /Unicamp.]

Monteiro Lobato

Obra completa

VOLUME 3
Livros adultos
Álbum de memórias

Editora
Nova
Aguilar

Sumário

FICÇÃO

CONTOS

13   Urupês (1918)

101   Cidades mortas (1919)

219   Negrinha (1920)

ROMANCE

353   O presidente negro (1926)

NÃO FICÇÃO

449   Problema vital (1918)

501   Ideias de Jeca Tatu (1919)

615   A onda verde (1921)

667   Mundo da Lua (1923)

713   Mister Slang e o Brasil (1927)

811   Ferro (1931)

845   América (1932)

967   Na antevéspera (1933)

1089   O escândalo do petróleo (1936)

1201   A barca de Gleyre 1º tomo (1944)

1359   A barca de Gleyre 2º tomo (1944)

1519   Miscelânea e Fragmentos (1947)

FICÇÃO

CONTOS

Urupês (1918)

Urupês
OS FAROLEIROS

— Navio?

Dava azo à dúvida uma luz vermelha a piscar na escuridão da noite. Escuridão, não direi de breu, que não é o breu de sobejo escuro para referir um negror daqueles. De cego de nascença, vá.

Céu e mar fundia-os um só carvão, sem fresta nem pique além da pinta vermelha que, súbito, se fez amarela.

— Lá mudou de cor. É farol.

E, como era farol, a conversa recaiu sobre faróis.

Eduardo interpelou-me de chofre sobre a ideia que eu deles fazia.

— A ideia de toda gente, ora essa!

— Quer dizer, uma ideia falsa. "Toda gente" é um monstro com orelhas d'asno e miolos de macaco, incapaz duma ideia sensata sobre o que quer que seja. Tens na cabeça, respeito a farol, uma ideia de rua, recebida do vulgo e nunca recunhada na matriz das impressões pessoais. Erro?

— Confesso-me capaz de abrir a boca a um auditório de casaca, se me desse na telha discursar sobre o tema; mas não afianço que o farol descrito venha a parecer-se com algum...

— Pois eu te asseguro, sem fazer pouco no teu engenho, que tal conferência, ouvida por um faroleiro, poria o homem de olho parvo, a dizer como o outro: Se percebo, sebo!

— Acredito. Mas perceberia melhor uma tua? — retorqui abespinhado.

— É de crer. Já vivi uma inesquecível temporada no farol dos Albatrozes e falaria de cadeira.

— Viveste em farol?!... — exclamei com espanto.

— E lá fui comparsa numa tragédia noturna de arrepiar os cabelos. O escuro desta noite evoca-me o tremendo drama...

Estávamos ambos de bruços na amurada do *Orion*, em hora propícia ao esbagoar dum dramalhão inédito. Esporeado na curiosidade, provoquei-o.

— Vamos ao caso, que estes negrumes clamam por espetros que o povoem. É calamidade a Shakespeare ou a Ibsen?

— Assina o meu drama um nome maior que o de Shakespeare...

— ? ? ?

— ... a Vida, meu caro, a grande mestra dos Shakespeares maiores e menores.

Eduardo começou do princípio.

— O farol é um romance. Um romance iniciado na antiguidade com as fogueiras armadas nos promontórios para norteio das embarcações de remo e continuado séculos em fora até nossos possantes holofotes elétricos. Enquanto subsistir no mundo o homem, o romance "Farol" não conhecerá epílogo. Monótono como as calmarias, embrecham-se nele, a espaços, capítulos de tragédia e loucura — pungentes gravuras de Doré quebrando a monotonia de um diário de bordo. O caso dos Albatrozes foi um deles. Gerebita meteu-se no farol aos vinte e três anos. É raro isso.

— Quem é Gerebita?

— Sabe-lo-ás em tempo. É raro isso porque no geral só se metem nas torres homens maduros, quarentões batidos pela vida e descrentes das suas ilusões. Deixar a terra na quadra verdolenga dos vinte anos é apavorante. A terra!... Nós mal damos tento da nossa profunda adaptação ao meio terreno. A sua fixidez, o variegado de aspectos, o bulício humano, a cidade, os campos, a mulher, as árvores... Conhecem os faroleiros melhor do que ninguém o valor dessas teias. Enlurados num bioco de pedra, tudo quanto para nós é sensação de todos os instantes neles é saudade ou desejo. Cessam os ouvidos de ouvir a música da terra — rumorejo de arvoredo, vozes amigas, barulho de rua, as mil e uma notas duma polifonia que nós sabemos que o é, e encantadora, unicamente quando a segregação prolongada nos ensina a lhe conhecer o valor. Cessam os olhos de rever as imagens que desde a meninice lhes são habituais. Para os ouvidos só há ali, dia e noite, ano e ano, o marulho das ondas às chicotadas no enrocamento da torre; e para a vista, a eterna massa que ondula, ora torva, ora azul. Variantes únicas, as velas que passam de largo, donairosas como garças, ou os transatlânticos penachados de fumo. Figura a vida de um homem arrancado à querência e assim posto, qual triste galé, dentro duma torre da pedra, grudada como craca a um ilhéu. Terá poesia de longe; de perto é alucinante.

— Mas o Gerebita...

— Uma leitura de Kipling despertara-me a curiosidade de conhecer um farol por dentro.

— *O Perturbador do Tráfego*...

— Parabéns pela argúcia. Foi justamente a história do Dowse o ponto inicial do meu drama. Esse desejo incubou-se-me cá dentro à espera d'ocasião para brotar.

Certo dia fui espairecer ao cais — e lá estava, de mãos às costas, a seguir o voo dos joão-grandes e a notar a gama dos verdes luzentes que a sombra dos barcos ondeia na água represada dos portos, quando uma lancha abicou, e vi descer um homem de feições duras e pele encorreada. Ao passar por um magote de catraeiros um deles chasqueou em tom insinuativo:

— "Gerebita, como vai a Maria Rita?"

O desembarcadiço rosnou um palavrão de grosso calibre, e seguiu caminho, de sobrecenho carregado.

Interessou-me aquele tipo.

— "Quem é?" — indaguei.

— "Pois quem há de ser senão o faroleiro dos Albatrozes? Não vê a lancha?"

De fato, a lancha era do farol. A velha ideia deu-me cotoveladas: é hora! Fui-lhe no encalço.

— "Sr. Gerebita!..."

O homem entreparou, como admirado de ouvir-se nomear por boca desconhecida. Emparelhei-me com ele e, enquanto andávamos, fui-lhe expondo os meus projetos.

— "Não pode ser", — respondeu — "o regulamento proíbe sapos na torre. Só com ordem superior".

Ora, eu tenho corrido mundo, sei que marosca é essa de ordens superiores. Meti a mão no bolso e cochichei-lhe o argumento decisivo. O faroleiro relutou uns instantes, mas corrompeu-se mais depressa do que esperei. Guardou o dinheiro e disse:

— "Procure o Dunga, patrão da Gaivota Branca, terceiro armazém. Diga-lhe que já falou comigo. De quinta-feira em diante. E bico, veja lá!"

Prometi-lhe caladíssimo, e tornei ao cais à cata do Dunga. Que sim — foi a resposta do catraeiro, ilhéu palavroso, logo que expus o negócio — já fizera isso certa vez a "outro maluco" e sabia prender a língua para não atanazar a vida aos amigos. E como me informasse do faroleiro:

— É o Gerebita, d'apelido ganho no Purus, onde serviu como grumete. Ao depois se meteu na lanterna, p'r'amor d'amores, o alarve, como se faltassem elas por aí, e bem catitas. Mulheres! A mim é que não me empecem, não, as songuinhas. O demo que as tolha que eu...

E foi pelas mulheres além, a dar de rijo, com razões nem melhores nem piores que as de Schopenhauer.

No dia aprazado, antemanhã, a Gaivota largou de rumo ao farol. Saltei num rude atracadouro de difícil abordagem, e encontrei o faroleiro ocupado em polir os metais da lanterna. Recebeu-me de boa sombra, largando o esfregão para fazer as honras da casa. Examinei tudo, dos alicerces ao lanternim, e à hora do almoço já entendia de farol mais que uma enciclopédia. Gerebita deu trela à língua e falou do ofício com melancólica psicologia. Também contou sua vida desde menino, a grumetagem no Purus, sua paixão pelo mar e por fim a entrada para o farol aos vinte e três anos de idade.

— Por que assim tão moço?

— Caprichos do coração, má sorte, coisas... — respondeu com ar triste; e acrescentou após uma pausa, mudando de tom:

— Pois a vida é cá isto que vê. Boazinha, hein? Entretanto, boa ou má, temos, os faroleiros, um orgulho: sem nós, essa bicharada de ferro que passeia nas águas fumando seus dois, seus três charutos...

— Lá vem um! — interrompeu-se, fisgando com a luneta uma fumaça remota.

— Bandeira alemã... duas chaminés... rumo sul... Há de ser um Cap— o *Trafalgar*, talvez. Seja lá que diabo for, vá com Deus. Mas, como ia dizendo, sem os faroleiros a manobrarem a "óptica" esses comedores de carvão haviam de rachar atoinha aí pelos bancos de areia. Basta cair a cerração e já se põem tontos, a urrar de medo pela boca das sereias, que é mesmo um cortar a alma à gente. Porque então nem farol nem caracol. É a cegueira. Navegam com a Morte no leme. Fora disso, salva-os o foguinho lá de cima. Pouco antes de minha entrada para aqui houve desgraça. Um cargueiro da Bremen rachou o bico ali no Capelão... Quem é o Capelão? Ah! ah! ah! O Capelão... Pois o Capelão é o raio da terceira pedra a boreste. São três deste lado, a Menina, que é a primeira, a Curutuba, que é a do meio. A criminosa é o Capelão, que reponta mais ao largo e só mostra a coroa nas grandes vazantes. Cá a bombordo ainda há duas, a Virgem e a Maldita, onde bateu o cargueiro *Rotterdam*.

— E aquela lisinha, acolá?

— Uma coitada que nem nome tem. É mansa, está muito perto da terra, não faz mal a navio. Ali mora um anequim,[1] bichanca de tamanho do diabo, que gosta de

---
[1] Espécie de tubarão.

virar canoas. Mas, aqui para nós, moço, isso é embromação. Peixe mora em todo o mar, não tem toca como bicho de terra. É abusão de pescador. Quando há mar, não se enxerga nada por ali; mas se a água serena e vem vindo a vazante, vai aparecendo um lombo de pedra lisa com jeito de peixe. Passa um pescador atolambado, vê aquilo de longe. — É anequim! É anequim! — e toca a safar, com o medão n'alma. Se acontece embravecer a água, e dá temporal, e a canoa vira: — Qu'é de Fulano? — Tá, tá, tá, foi o anequim! Toda gente pega, feito mulher velha. "Foi o anequim do Farol!" Ora aí está como são as coisas. Ele há muito anequim e tintureira[2] por aqui. Onde é mar sem cação? Mas dizer que um tal mora aqui ou ali, isso é embroma.

E na sua pinturesca linguagem de marítimo, que às vezes se tornava prodigiosamente técnica, narrou-me toda a história daquelas paragens malditas. Falou de como, segundo a tradição, se foram batizando os arrecifes; falou dos crimes de cada um; das hecatombes periódicas de aves noturnas que, cegadas pela luz, batem de peito contra os vidros da lanterna, juncando o chão de corpinhos latejantes; das medonhas tormentas nas quais o farol estremece como a tiritar de pavor. De que não falou Gerebita naquele inesquecível dia?

— E o ajudante? Tem-no cá? — perguntei.

O rosto do meu faroleiro mudou de expressão. Vi de relance que eram inimigos.

— É aquele estupor que lá pesca — disse, apontando da janela um vulto imóvel, acocorado num penedo. Está a apanhar garoupinhas. É o Cabrea. Mau companheiro, mau homem...

Entreparou. Percebi que mascava uma confidência difícil. Mas a confidência denunciou-se apenas. Gerebita sacudiu a cabeça e murmurou como de si para si:

— Está cá de pouco, e é o único homem no mundo que não podia cá estar. Já reclamei do capitão do porto, já mostrei o perigo. Mas, qual!...

Estranha criatura, o homem! Insulados do mundo naquela frágua, ambos náufragos da vida, o ódio os separava... Não faltavam no farol, entretanto, acomodações para as famílias dos seus guardiães. Por que não as tinham ali? Seria um bocado de mundo a lenir as agruras do emparedamento. Interpelei-o; Gerebita retrucou-me de modo enviesado.

— Família não tenho, isto é, tenho e não tenho. Tenho, porque sou casado, e não tenho porque... Histórias! Estas coisas de famílias é bom que fiquem com a gente.

Notei de novo que a pique duma revelação mascara o segredo por desconfiança ou pudor. Suas feições endureceram. Sombras más anuviaram-lhe a fisionomia. E mais torvo ainda me pareceu quando Cabrea entrou, sobraçando um balaio de pescado. Tipo de má cara, passou em direitura à cozinha sem nos volver um olhar. Mal se sumiu, Gerebita exclamou — "Raio do diabo!" assentando num caixote expiatório um murro de fender pinho. Depois:

— O mundo é tão grande, há tanta gente no mundo, e cai-me aqui justamente o único ajudante que eu não podia ter...

— Por quê?

— Por quê?... Porque... é um louco.

---

[2] Espécie de tubarão.

Entre o primeiro e o segundo "porque" notei transição radical. Dúbio o primeiro, o segundo afigurou-se-me resoluto, como iluminado pelo clarão duma ideia brotada no momento.

Desde esse dia nunca mais o faroleiro abandonou o tema da loucura do outro. Demonstrava-ma de mil maneiras.

— "E aqui onde até os sãos perdem a tramontana," argumentava ele, "um já assim rachado de telha aos três por dois rebenta como bomba no fogo. Eu jogo que ele não vara o mês. Não vê seus modos?"

Metade por sugestão, metade por observação leviana, razoável me pareceu a profecia; e como sem cessar Gerebita malhasse na mesma tecla, acabei por convencer-me de que o casmurro ajudante era um fadado ao hospício, com pouco tempo de equilíbrio nos miolos.

Um dia Gerebita abordou a questão nestes termos:

— "Quero que o senhor me resolva um caso. Estão dois homens numa casa; de repente um enlouquece e rompe, como cação esfomeado, para cima do outro. Deve o outro deixar-se matar como carneiro ou tem o direito de atolar a faca na garganta do bicho?"

Era por demais clara a consulta. Respondi como um rábula positivo:

— Se Cabrea enlouquecesse e o agredisse, matá-lo seria um direito natural de defesa — não havendo socorro à mão. Matar para não morrer não é crime — mas isto só em último caso, você compreende.

— Compreendo, compreendo, — respondeu-me distraidamente, como quem lá segue os volteios duma ideia secreta; e depois de longa pausa: "Seja o que Deus quiser" — murmurou entre si, suspirando e recaindo em cismas.

Deixei-me ficar à janela a ver cair a noite. Nada mais triste do que as ave-marias no ermo. A treva espessava as águas e absorvia no céu os derradeiros palores da luz. No poente, um leque aluarado enrubescia nas varetas, com dedadas sangrentas de nuvens a barrá-lo de listrões horizontais.

Triste...

A ardósia do mar; as primeiras estrelinhas entreluzindo a medo; o marulho na pedra, tchá, tchá, compassado, eterno... A alma confrangeu-se-me de angústia. Vi-me náufrago, retido para sempre num navio de pedra, grudado como desconforme craca na pedranceira da ilhota. E pela primeira vez na vida senti profundas saudades dessa coisa sórdida, a mais reles de quantas inventou a civilização — o "café", com o seu tumulto, a sua poeira, o seu bafio a tabaco e a sua freguesia habitual de vagabundíssimos "agentes de negócios"...

Correram dias. Minto. No vazio daquele dessaborido viver no ermo o tempo não corria — arrastava-se com a lentidão da lesma por sobre chão liso e sem fim. Gerebita tornara-se enfadonho. Não mais narrava pinturescos incidentes da sua vida de marujo. Aferrado à ideia fixa da loucura do Cabrea, só cuidava de demonstrar-me os seus progressos. Fora desse tema sinistro, sua ocupação era seguir de olhos os navios que repontavam ao largo, té vê-los sumirem-se na curva do horizonte.

Velas, poucas alvejavam, tirante barquinhas de pescadores. Mas uma que surgisse lá nos levava os olhos e a imaginação. Como se casa bem com o mar o barco de vela! E que sórdido baratão craquento é ao pé dele o navio a vapor!

Escunas, corvetas, pequeninos *cutters*, fragatas, lugres, brigues, iates... O que lá vai passado de leveza e graça!... Substituem-nas, às garças leves, os feios escaravelhos de ferro e piche; a elas, que viviam de brisas, os negros comedores de carvão, bicharocos que mugem roncos de touro enrouquecido.

Progresso amigo, tu és cômodo, és delicioso, mas feio... Que fizeste da coisa linda que é a vela enfunada? Do barco à antiga, onde ressoavam canções de maruja, e todo se enleava de cordame, e trazia gajeiro na gávea, e lendas de serpentes marinhas na boca dos marinheiros, e a Nossa Senhora dos Navegantes em todas as almas, e o medo das sereias em todas as imaginações?

Desfez-se a poesia do reino encantado de Anfitrite ao ronco dos Lusitânias, hotéis flutuantes com garçons em vez de "lobos do mar", incaracterísticos, cosmopolitas, sem donaire, sem capitães de suíças pitorescos no falar como seiscentos milhões de caravelas. O fumo da hulha sujou a aquarela maravilhosa que desde Hanon e Ulisses vinha o veleiro pintando sobre a tela oceânica...

— Se paras o caso dos loucos e te metes por *intermezzos* líricos para uso de meninas olheirudas, vou dormir. Volta ao farol, romanticão de má morte.

— Eu devia castigar o teu prosaísmo sonegando-te o epílogo do meu drama, ó filho do "café" e do carvão!

— Conta, conta...

Certa tarde Gerebita chamou minha atenção para o agravamento da loucura de Cabrea, e aduziu várias provas concludentes.

— "Queira Deus não seja hoje!..."

— "Tens medo?"

— "Medo? Eu? De Cabrea?"

Queria que visses a estranha expressão de ferocidade que lhe endureceu o rosto!...

A conversa parou aí. Gerebita chupava cachimbadas nervosas, fechado de sobrecenho como quem rumina uma ideia fixa. Deixou-me, e logo em seguida subiu. Como anoitecesse, recolhi-me pouco depois e deitei-me. Dormi e sonhei. Sonhei um sonho guinholesco, agitadíssimo, com lutas, facadas, o diabo. Lembro-me que, agredido por um facínora, desfechei contra ele cinco tiros de revólver; as balas, porém, grudaram-se à parede e deram de ressoar dum modo que me despertou. Mas acordado continuei a ouvir o mesmo barulho, vindo de cima, da lanterna.

Pressinto a catástrofe esperada. Salto da cama e aguço o ouvido: barulho de luta. Corro à escada, galgo-a aos três degraus e no topo esbarro com a porta fechada. Tento abri-la: não cede. Escuto: era de fato luta. Rolavam corpos pelo chão, fazendo retinir os vidros da lanterna, e ouvia-se um resfolego surdo, entremeado de embates contra os móveis. Trevas absolutas. Nenhuma résteas de luz coava para a escada.

Minha situação era esquerda. Ficar ali, inútil, quando portas a dentro dois homens se entrematavam? Permanecia eu nessa dubiedade, quando choque violento escancarou-me a porta. Um clarão de sol chocou-me os olhos. Senti nas pernas um tranco — e rodei escada abaixo de cambulha com dois corpos engalfinhados. Ergui-me, tonto, e vi em rebolo no chão os dois faroleiros.

Atirei-me à luta em auxílio de Gerebita.

— "Dois contra um!" — gemeu Cabrea, sufocado. — "É covardia!"

Pela primeira vez lhe ouvi a voz — e hoje noto que nada nela denunciava loucura. No momento pensei diversamente, se é que pensei alguma coisa.

Gerebita, com grande assombro meu, também me repeliu.

— "Não! Não! Eu só!"

Nisto, um pegão de nortada, varrendo a torre, trancou a porta do lanternim com estrondo. Envolveu-nos de novo a escuridão.

E começa aqui o horror... Os rugidos que ouvi, os arrancos e sacões formidáveis da luta nas trevas, a minha ansiedade... Pavorosos minutos de vida que não desejo renovados.

Perdi a noção do tempo. Durou muito aquilo? Não sei dizer. Só sei que a tantas ouvi escapar-se ao peito de Gerebita um urro de dor, e logo em seguida uma imprecação, "Desgraçado!" cujas derradeiras sílabas morreram num trincar de dentes atassalhando carnes. Cabrea grugulejou uns roncos que se casaram com o arquejar do peito de Gerebita, e a luta esmoreceu.

Sem palavras na boca, cegado pela escuridão, eu só ouvia, fora, os uivos da nortada, e ali, aquele arquejo do vencedor exausto caído à beira do vencido. Com os olhos da imaginação eu via esse quadro, que com os da cara enxergava tanto como se os tivera envoltos em veludo negro.

Não te conto os pormenores do epílogo. Obtive luz e o que vi não te conto. Impossível pintar o hediondo aspecto de Cabrea com a carótida estraçalhada a dente, caído num lago de sangue. Ao seu lado Gerebita, com a cara e o peito vermelhos, a mão sangrenta, estatelava-se no chão, sem sentidos. Os meus transes diante daqueles corpos martirizados, àquela hora da noite — daquela terrível noite negra como esta e sacudida por um vento do inferno!...

Na manhã seguinte Gerebita pousou-me a mão sobre o ombro e disse:

— "O mar não leva daqui os corpos à praia e o mundo não precisa saber de que morreu Cabrea. Caiu n'água — morte de marinheiro, e o moço é testemunha de que matei para não morrer. Foi defesa. Agora vai jurar-me que isto ficará para sempre entre nós."

Jurei-o lealmente, tocando de leve a mão mutilada. E ele, num acesso de infinito desalento, quedou-se imóvel, a olhar para o chão, murmurando insistentemente:

— "Eu bem avisei. Não me acreditaram. Agora, está aí, está aí, está aí."

Nesse mesmo dia veio buscar-me o Dunga. Mal a Gaivota largou, narrei-lhe a morte do faroleiro, romanceando-a: Cabrea, louco, a despenhar-se torre abaixo e a sumir-se para sempre no seio das ondas.

Dunga, assombrado, susteve no ar os remos.

— "Pois morreu? E louco?"

— "Está claro!"

— "Claro que lhe parece, que a mim..."

— "Conhecia-o?"

— "Não conhecia outra coisa. Des'que furtou a Maria Rita..."

— "Que Maria Rita?"

— "Pois a Maria Rita, mulher do Gerebita, então não sabe? Que ele seduziu, hom'essa."

Abri a minha maior boca e arregalei o que pude os olhos.

— "Como sabe disso?"
— "É boa! Sei porque sei, como sei que aquela gaivota que ali vai é uma e que este mar é mar. A Maria Rita era uma morena de truz, perigosa como o demo. O tolo do Gerebita derreou-se d'amores pela bisca e lá casou. E vai ela, a songuinha, mal o homem saía no Purus, metia em casa ao Cabrea. E nesse jogo viveram até que um dia fugiram juntos para outras terras. O pobre Gerebita se não acabou de paixão é que era teso. Mas entrou para o farol, o que é também um modo de morrer p'r'o mundo. Pois bem. A bola vira, o tempo corre, e vai, senão quando, quem mete o Governo no farol em lugar do defunto Gavriel? Ao Cabrea! Ao Cabrea que também andava descrente da vida porque a Rita lhe fugira com terceiro. Coisas do mundo. Diz-me agora vossoria que o homem enlouqueceu, e rolou do penedo, e lá o rói o peixe. Está bem. Antes assim, que do contrário era em ponta de faca que aquilo acabaria..."

Calei-me. Há situações na vida que as ideias embaralham de tal forma que é de bom conselho deixarmo-las se assentarem por si. Eis como...

— ...o meu grande amigo Eduardo foi empulhado por um assassino vulgar!

— Perdão. O fato de se não manejarem floretes não tira àquele pugilato o caráter de duelo.

— *Cavaleria rusticana*, então?

E por que não?

1915

O ENGRAÇADO ARREPENDIDO

Francisco Teixeira de Souza Pontes, galho bastardo duns Souza Pontes de trinta mil arrobas afazendados no Barreiro, só aos trinta e dois anos de idade entrou a pensar seriamente na vida.

Como fosse de natural engraçado, vivera até ali à custa da veia cômica, e com ela amanhara casa, mesa, vestuário e o mais. Sua moeda corrente eram micagens, pilhérias, anedotas de inglês e tudo quanto bole com os músculos faciais do animal que ri, vulgo homem, repuxando risos ou matracolejando gargalhadas.

Sabia de cor a *Enciclopédia do Riso e da Galhofa* de Fuão Pechincha, o autor mais dessaborido que Deus botou no mundo; mas era tal a arte do Pontes, que as sensaborias mais relambórias ganhavam em sua boca um chiste raro, de fazer os ouvintes babarem de puro gozo.

Para arremedar gente ou bicho, era um gênio. A gama inteira das vozes do cachorro, da acuação aos caititus ao uivo à lua, e o mais, rosnado ou latido, assumia em sua boca perfectibilidade capaz de iludir aos próprios cães — e à lua.

Também grunhia de porco, cacarejava de galinha, coaxava de untanha, ralhava de mulher velha, choramingava de fedelho, silenciava de deputado governista ou perorava de patriota em sacada. Que vozeio de bípede ou quadrúpede não copiava ele às maravilhas, quando tinha pela frente um auditório predisposto?

Descia outras vezes à pré-história. Como fosse d'algumas luzes, quando os ouvintes não eram pecos ele reconstituía os vozeirões paleontológicos dos bichos extintos — roncos de mastodontes ou berros de mamutes ao avistarem-se com peludos homos repimpados em fetos arbóreos — coisa muito de rir e divulgar a ciência do sr. Barros Barreto.

Na rua, se pilhava um magote de amigos parados à esquina, aproximava-se de mansinho e — nhoc! — arremessava um bote de munheca à barriga da perna mais a jeito. Era de ver o pinote assustado e o — passa! nervoso do incauto, e logo em seguida as risadas sem fim dos outros, e a do Pontes, o qual gargalhava dum modo todo seu, estrepitoso e musical — música d'Offenbach.

Pontes ria parodiando o riso normal e espontâneo da criatura humana, única que ri além da raposa bêbeda; e estacava de golpe, sem transição, caindo num sério de irresistível cômico.

Em todos os gestos e modos, como no andar, no ler, no comer, nas ações mais triviais da vida, o raio do homem diferençava-se dos demais no sentido de amolecá-los prodigiosamente. E chegou a ponto de que escusava abrir a boca ou esboçar um gesto para que se torcesse em risos a humanidade. Bastava sua presença. Mal o avistavam, já as caras refloriam; se fazia um gesto, espirravam risos; se abria a boca, espigaitavam-se uns, outros afrouxavam os cóses, terceiros desabotoavam os coletes. E se entreabria o bico, Nossa Senhora! eram cascalhadas, eram rinchavelhos, eram guinchos, engasgos, fungações e asfixias tremendas.

— É da pele, este Pontes!

— Basta, homem, você me afoga!

E se o pândego se inocentava, com cara palerma:

— Mas que estou fazendo? Se nem abri a boca...

— Quá, quá, quá! — a companhia inteira, desmandibulada, chorava no espasmo supremo dos risos incoercíveis.

Com o correr do tempo não foi preciso mais que seu nome para deflagrar a hilaridade. Pronunciando alguém a palavra "Pontes", acendia-se logo o estopim das fungadelas pelas quais o homem se alteia acima da animalidade que não ri.

Assim viveu Pontes até a idade do Cristo, numa parábola risonha, a rir e fazer rir, sem pensar em nada sério — vida de filante que dá momos em troca de jantares e paga continhas miúdas com pilhérias de truz.

Um negociante caloteado disse-lhe um dia entre frouxos de riso babado:

— Você ao menos diverte, não é como o major Carapuça que caloteia de carranca.

Aquele recibo sem selo mortificou seu tanto ao nosso pândego; mas a conta subia a quinze mil réis — valia bem a pelotada. Entretanto, lá ficou a lembrança dela espetada como alfinete na almofadinha do amor próprio. Depois vieram outros e outros, estes fincados de leve, aqueles até à cabeça.

Tudo cansa. Farto de tal vida, entrou o hilarião a sonhar as delícias de ser tomado a sério, falar e ser ouvido sem repuxo de músculos faciais, gesticular sem promover a quebra da compostura humana, atravessar uma rua sem pressentir na peugada um coro de — "Lá vem o Pontes!" em tom de quem se espreme na contensão do riso ou se ajeita para uma barrigada das boas.

Reagindo, tentou Pontes a seriedade.

Desastre.

Pontes sério mudava de tecla, caia no humorismo inglês. Se antes divertia como o Clown, passava agora a divertir como o Tony.

O estrondoso êxito do que a toda a gente se afigurou uma faceta nova da sua veia cômica verteu mais sombras na alma do engraçado arrependido. Era certo que não poderia traçar outro caminho na vida além daquele, ora odioso? Palhaço, então, eternamente palhaço à força?

Mas a vida de um homem feito tem exigências sisudas, impõe gravidade e até casmurrice dispensáveis nos anos verdes. O cargo mais modesto da administração, uma simples vereança, requer na cara a imobilidade da idiotia que não ri. Não se concebe vereador risonho. Falta ao dito de Rabelais uma exclusão: o riso é próprio à espécie humana, fora o vereador.

Com o dobar dos anos a reflexão amadureceu, o brio cristalizou-se, e os jantares cavados deram a saber-lhe a azedo. A moeda pilhéria tornou-se-lhe dura ao cunho; já a não fundia com a frescura antiga; já usava dela como expediente de vida, não por folgança despreocupada, como outrora. Comparava-se mentalmente a um palhaço de circo, velho e achacoso, a quem a miséria obriga a transformar reumatismo em caretas hílares como as quer o público pagante.

Entrou a fugir dos homens e despendeu bons meses no estudo da transição necessária ao conseguimento de um emprego honesto. Pensou no balcão, na indústria, na feitoria duma fazenda, na montagem dum botequim — que tudo era preferível à paspalhice cômica de até ali.

Um dia, bem maturados os planos, resolveu mudar de vida. Foi a um negociante amigo e sinceramente lhe expôs os propósitos regeneradores, pedindo por fim um lugar na casa, de varredor que fosse. Mal acabou a exposição, o galego e os que espiavam de longe à espera do desfecho torceram-se em estrondoso gargalhar, como sob cócegas.

— Esta é boa! É de primeiríssima! Quá! quá! quá! Com que então... Quá! quá! quá! Você me arruína os fígados, homem! Se é pela continha dos cigarros, vá embora que me dou por bem pago! Este Pontes tem cada uma...

E a caixeirada, os fregueses, os sapos de balcão e até passantes que pararam na calçada para "aproveitar o espírito", desbocaram-se em quás de matraca até lhe doerem os diafragmas.

Atarantado e seriíssimo, Pontes tentou desfazer o engano.

— Falo sério, e o senhor não tem o direito de rir-se. Pelo amor de Deus não zombe de um pobre homem que pede trabalho e não gargalhadas.

O negociante desabotoou o cós da calça.

— Fala sério, pff! Quá! quá! quá! Olha Pontes, você...

Pontes largou-o em meio da frase, e se foi com a alma atenazada entre o desespero e a cólera. Era demais. A sociedade o repelia, então? Impunha-lhe uma comicidade eterna?

Correu outros balcões, explicou-se como melhor pôde, implorou. Mas por voz unânime o caso foi julgado como uma das melhores pilhérias do "incorrigível" — e muita gente o comentou com a observação do costume:

— Não se emenda o raio do rapaz! E olhem que já não é criança...

Barrado no comércio, voltou-se para a lavoura. Procurou um velho fazendeiro que despedira o feitor e expôs-lhe o seu caso.

Depois de ouvir-lhe atentamente as alegações, conclusas com o pedido do lugar de capataz, o coronel explodiu num ataque de hilaridade.

— O Pontes capataz! Ih! Ih! Ih!

— Mas...

— Deixe-me rir, homem, que cá na roça isto é raro. Ih! Ih! Ih! É muito boa! Eu sempre digo: graça como o Pontes, ninguém!

E berrando para dentro:

— Maricota, venha ouvir esta do Pontes. Ih! Ih! Ih!

Nesse dia o infeliz engraçado chorou. Compreendeu que não se desfaz do pé p'r'a mão o que levou anos a cristalizar-se. A sua reputação de pândego, de impagável, de monumental, de homem do chifre furado ou da pele, estava construída com muito boa cal e rijo cimento para que assim esboroasse de chofre.

Urgia, entretanto, mudar de tecla, e Pontes volveu às vistas para o Estado, patrão cômodo e único possível nas circunstâncias, porque abstrato, porque não sabe rir nem conhece de perto as células que o compõem. Esse patrão, só ele, o tomaria a sério — o caminho da salvação, pois, embicava por ali.

Estudou a possibilidade da agência do correio, dos tabelionatos, das coletorias e do resto. Bem ponderados os prós e contras, os trunfos e naipes, fixou a escolha na coletoria federal, cujo ocupante, major Bentes, por avelhantado e cardíaco, era de crer não durasse muito. Seu aneurisma andava na berra pública, com rebentamento esperado para qualquer hora.

O ás de Pontes era um parente do Rio, sujeito de posses, em via de influenciar a política no caso da realização de certa reviravolta no governo. Lá correu atrás dele e tantas fez para movê-lo à sua pretensão que o parente o despediu com promessa formal.

— Vai sossegado que, em a coisa arrebentando por cá e o teu coletor rebentando por lá, ninguém mais há de rir-se de ti. Vai, e avisa-me da morte do homem sem esperar que esfrie o corpo.

Pontes voltou radioso de esperança e pacientemente aguardou a sucessão dos fatos, com um olho na política e o outro no aneurisma salvador.

A crise afinal veio; caíram ministros, subiram outros e entre estes um politicão negocista, sócio do tal parente. Meio caminho já era andado. Restava apenas a segunda parte.

Infelizmente, a saúde do major encruara, sem sinais patentes de declínio rápido. Seu aneurisma, na opinião dos médicos que matavam pela alopatia, era coisa grave, de estourar ao menor esforço; mas o precavido velho não tinha pressa de ir-se para melhor, deixando uma vida onde os fados lhe conchegavam tão fofo ninho, e lá engambelava a doença com um regime ultra-metódico. Se o mataria um esforço violento, sossegassem, ele não faria tal esforço.

Ora, Pontes, mentalmente dono daquela sinecura, impacientava-se com o equilíbrio desequilibrador dos seus cálculos. Como desembaraçar o caminho daquela travanca? Leu no Chernoviz o capítulo dos aneurismas, decorou-o; andou em indagações de tudo quanto se dizia ou se escreveu a respeito; chegou a entender da matéria mais que o doutor Iodureto, médico da terra, o qual, seja dito aqui à puridade, não entendia de coisa nenhuma desta vida.

O pomo da ciência, assim comido, induziu-o à tentação de matar o homem, forçando-o a estourar. Um esforço o mataria? Pois bem, Souza Pontes o levaria a esse esforço!

— A gargalhada é um esforço — filosofava satanicamente de si para si. A gargalhada, portanto, mata. Ora, eu sei fazer rir...

Longos dias passou Pontes alheio ao mundo, em diálogo mental com a serpente.

— Crime? Não! Em que código fazer rir é crime? Se disso morresse, o homem, culpa era da sua má aorta.

A cabeça do maroto virou picadeiro de luta onde o "plano" se batia em duelo contra todas as objeções inundadas ao encontro pela consciência. Servia de juiz a sua ambição amarga e Deus sabe quantas vezes tal juiz prevaricou, levado de escandalosa parcialidade por um dos contendores.

Como era de prever, a serpente venceu, e Pontes ressurgiu para o mundo um tanto mais magro, de olheiras cavadas, porém com um estranho brilho de resolução vitoriosa nos olhos. Também notaria nele o nervoso dos modos quem o observasse com argúcia — mas a argúcia não era virtude sobeja entre os seus conterrâneos, além de que estados d'alma do Pontes eram coisa de somenos, porque o Pontes...

— Ora o Pontes...

O futuro funcionário forjicou, então, meticulosos planos de campanha. Em primeiro era mister aproximar-se do major, homem recolhido consigo e pouco amigo de lérias; insinuar-se-lhe na intimidade; estudar suas venetas e cachacinhas até descobrir em que zona do corpo tinha ele o calcanhar d'Aquiles.

Começou frequentando com assiduidade a coletoria, sob pretextos vários, ora para selos, ora para informações sobre impostos, que tudo era ensejo de um parolar manhoso, habilíssimo, calculado para combalir a rispidez do velho.

Também ia a negócios alheios, pagar sisas, extrair guias, coisinhas; fizera-se muito serviçal para os amigos que traziam negócios com a fazenda.

O major estranhou tanta assiduidade e disse-lho.

Pontes escamoteou-se à interpelação montado numa pilhéria de truz, e perseverou num bem calculado dar tempo ao tempo que fosse desbastando as arestas agressivas do cardíaco.

Dentro de dois meses já se habituara Bentes àquele serelepe, como lhe chamava, o qual, em fim de contas, lhe parecia um bom moço, sincero, amigo de servir e sobretudo inofensivo... Daí a lá em dia d'acúmulo de serviço pedir-lhe um obséquio, e depois outro, e terceiro, e tê-lo afinal como espécie de adido à repartição, foi um passo. Para certas comissões não havia outro. Que diligência! Que finura! Que tato! Advertindo certa vez o escrevente, o major puxou aquela diplomacia como lembrete.

— Grande pasmado! Aprenda com o Pontes, que tem jeito para tudo e inda por cima tem graça.

Nesse dia convidou-o para jantar. Grande exultação na alma do Pontes! A fortaleza abria-lhe as portas.

Aquele jantar foi o início duma série em que o serelepe, agora factótum indispensável, teve campo de primeira ordem para evoluções tácticas.

O major Bentes, entretanto, possuía uma invulnerabilidade: não ria, limitava suas expansões hílares a sorrisos irônicos. Pilhéria que levava outros comensais a erguerem-se da mesa atabafando a boca nos guardanapos, encrespava apenas os seus lábios. E se a graça não era de superfina agudeza, ele desmontava sem piedade o contador.

— Isso é velho, Pontes, já num almanaque Laemmert de 1850 me lembra de o ter lido.

Pontes sorria com ar vencido; mas lá por dentro consolava-se, dizendo, dos fígados para o rim, que se não pegara daquela, doutra pegaria.

Toda a sua sagacidade enfocava no fito de descobrir o fraco do major. Cada homem tem predileção por um certo gênero de humorismo ou chalaça. Este morre por pilhérias fesceninas de frades bojudos. Aquele pela-se pelo chiste bonacheirão da chacota germânica. Aquel'outro dá a vida pela pimenta gaulesa. O brasileiro adora a chalaça onde se põe a nu a burrice tamancuda de galegos e ilhéus.

Mas o major? Por que não ria à inglesa, nem à alemã, nem à francesa, nem à brasileira? Qual o seu gênero?

Um trabalho sistemático de observação, com a metódica exclusão dos gêneros já provados ineficientes, levou Pontes a descobrir a fraqueza do rijo adversário: o major lambia as unhas por casos de ingleses e frades. Era preciso, porém, que viessem juntos. Separados, negavam fogo. Esquisitices do velho. Em surgindo bifes vermelhos, de capacete de cortiça, roupa enxadrezada, sapatões formidolosos e cachimbo, juntamente com frades redondos, namorados da pipa e da polpa feminina, lá abria o major a boca e interrompia o serviço da mastigação, como criança a quem acenam com cocada. E quando o lance cômico chegava, ele ria com gosto, abertamente, embora sem exagero capaz de lhe destruir o equilíbrio sanguíneo.

Com infinita paciência Pontes bancou nesse gênero e não mais saiu dali. Aumentou o repertório, a gradação do sal, a dose de malícia, e sistematicamente bombardeou a aorta do major com os produtos dessa hábil manipulação.

Quando o caso era longo, porque o narrador o floria no intento de esconder o desfecho e realçar o efeito, o velho interessava-se vivamente, e nas pausas manhosas pedia esclarecimento ou continuação.

— "E o raio do bife?" "E daí?" "Mister John apitou?"

Embora tardasse a gargalhada fatal, o futuro coletor não desesperava, confiando no apólogo da bilha que de tanto ir à fonte lá ficou. Não era mau o cálculo. Tinha a psicologia por si — e teve também por si a quaresma.

Certa vez, findo o carnaval, reuniu o major os amigos em torno a uma enorme piabanha recheada, presente dum colega. O entrudo desmazorrara a alma dos comensais e a do anfitrião, que estava naquele dia contente de si e do mundo, como se houvera enxergado o passarinho verde. O cheiro vindo da cozinha, valendo por todos os aperitivos de garrafaria, punha nas caras um enternecimento estomacal.

Quando o peixe entrou, cintilaram os olhos do major. Pescado fino era com ele, inda mais cozido pela Gertrudes. E naquele bródio primara a Gertrudes num tempero que excedia às raias da culinária e se guindava ao mais puro lirismo. Que peixe! Vatel o assinaria com a pena da impotência molhada na tinta da inveja, disse o escrevente, sujeito lido em Brillat-Savarin e outros praxistas do paladar.

Entre goles de rica vinhaça ia a piabanha sendo introduzida nos estômagos com religiosa unção. Ninguém se atrevia a quebrar o silêncio da bromatológica beatitude.

Pontes pressentiu oportuno o momento do golpe. Trazia engatilhado o caso dum inglês, sua mulher e dois frades barbadinhos, anedota que elaborara à custa da melhor matéria cinzenta de seu cérebro, aperfeiçoando-a em longas noites de insônia. Já de dias a tinha de tocaia, só aguardando o momento em que tudo concorresse para levá-la a produzir o efeito máximo.

Era a derradeira esperança do facínora, seu último cartucho. Negasse fogo e, estava resolvido, metia duas balas nos miolos. Reconhecia impossível manipular-se torpedo mais engenhoso. Se o aneurisma lhe resiste ao embate, então é que o aneurisma era uma potoca, a aorta uma ficção, o Chernoviz um palavrório, a medicina uma miséria, o doutor Iodureto uma cavalgadura e ele, Pontes, o mais chapado sensaborão ainda aquecido pelo sol — indigno, portanto, de viver.

Matutava assim o Pontes, negaceando com os olhos da psicologia a pobre vítima, quando o major veio ao seu encontro: piscou o olho esquerdo — sinal de predisposição para ouvir.

— É agora! pensou o bandido — e com infinita naturalidade, pegando como por acaso uma garrafinha de molho, pôs-se a ler o rótulo.

— *Perrins; Lea and Perrins*. Será parente daquele lord Perrins que bigodeou os dois frades barbadinhos?

Inebriado pelos amavios do peixe, o major alumiou um olho concupiscente, guloso de chulice.

— Dois barbadinhos e um lord! A patifaria deve ser marca X. P. T. O. Conta lá, serelepe.

E, mastigando maquinalmente, absorveu-se no caso fatal.

A anedota correu capciosa pelos fios naturais até às proximidades do desfecho, narrada com arte de mestre, segura e firme, num andamento estratégico em que havia gênio. Do meio para o fim a maranha empolgou de tal forma o pobre velho que o pôs suspenso, de boca entreaberta, uma azeitona no garfo detida a meio caminho. Um ar de riso — riso parado, riso estopim, que não era senão o armar bote da gargalhada, iluminou-lhe o rosto.

Pontes vacilou. Pressentiu o estouro da artéria. Por uns instantes a consciência brecou-lhe a língua, mas Pontes deu-lhe um pontapé e com voz firme puxou o gatilho.

O major Antônio Pereira da Silva Bentes desferiu a primeira gargalhada da sua vida, franca, estrondosa, de ouvir-se no fim da rua, gargalhada igual à de Teufelsdrock diante de João Paulo Richter. Primeira e última, entretanto, porque no meio dela os convivas, atônitos, viram-no cair de borco sobre o prato, ao tempo que uma onda de sangue avermelhava a toalha.

O assassino ergueu-se alucinado; aproveitando a confusão, esgueirou-se para a rua, qual outro Caim. Escondeu-se em casa, trancou-se no quarto, bateu dentes a noite inteira, suou gelado. Os menores rumores retransiam-no de pavor. Polícia?

Semanas depois é que entrou a declinar aquele transtorno d'alma que toda gente levara à conta de mágoa pela morte do amigo. Não obstante, trazia sempre nos olhos a mesma visão: o coletor de bruços no prato, golfando sangue, enquanto no ar vibravam os ecos da sua derradeira gargalhada.

E foi nesse deplorável estado que recebeu a carta do parente do Rio. Entre outras coisas dizia o ás: "Como não me avisaste a tempo, conforme o combinado, só pelas folhas vim a saber da morte do Bentes. Fui ao ministro mas era tarde, já estava lavrada a nomeação do sucessor. A tua leviandade fez-te perder a melhor ocasião da vida. Guarda para teu governo este latim: *tarde venientibus ossa*, quem chega tarde só encontra os ossos — e sê mais esperto para o futuro."

Um mês depois descobriram-no pendente duma trave, com a língua de fora, rígido.

Enforcara-se numa perna de ceroula.

Quando a notícia deu volta pela cidade, toda gente achou graça no caso. O galego do armazém comentou para os caixeiros:

— Vejam que criatura! Até morrendo fez chalaça. Enforcar-se na ceroula! Esta só mesmo do Pontes...

E reeditaram em coro meia dúzia de "quás" — único epitáfio que lhe deu a sociedade.

1916

A COLCHA DE RETALHOS

— Upa!
Cavalgo e parto.

Por estes dias de março a natureza acorda tarde. Passa as manhãs embrulhada num roupão de neblina e é com espreguiçamentos de mulher vadia que despe os véus da cerração para o banho de sol.

A névoa esmaia o relevo da paisagem, desbota-lhe as cores. Tudo parece coado através dum cristal despolido.

Vejo a orla de capim tufada como debrum pelo fio dos barrancos; vejo o roxo-terra da estrada esmaecer logo adiante; e nada mais vejo senão, a espaços, o vulto gotejante dalguns angiqueiros marginais.

Agora, uma porteira.

Ali, a encruzilhada do Labrego.

Tomo à destra, em direitura ao sítio do José Alvorado. Este barba-rala mora-me a jeito de empreitar um roçado no capoeirão do Bilu, nata da terra que pelas bocas do caeté legítimo,[1] da unha-de-vaca[2] e da caquera[3] está a pedir foice e covas de milho.

Não é difícil a puxada: com cinquenta braças de carreador boto a roça no caminho.

Três alqueires, só no bom. Talvez quatro. A noventa por um — nove vezes quatro trinta e seis; trezentos e sessenta alqueires de oito mãos. Descontadas as bandeiras[4] que o porco estraga e o que comem a paca e o rato...

Será a filha do Alvorada?

— Bom dia, menina! O pai está em casa?

É a filha única. Pelo jeito não vai além de quatorze anos. Que frescura! Lembra os pés d'avenca viçados nas grotas noruegas. Mas arredia e itê[5] como a fruta do

---

1 Padrões de terra boa.
2 Padrões de terra boa.
3 Padrões de terra boa.
4 Bandeira de milho, diz-se de qualquer trecho do milharal.
5 Sabor agreste, adstringente, ácido.

gravatá. Olhem como se acanhou! D'olhos baixos, finge arrumar a rodilha.[6] Veio pegar água a este cor'go e é milagre não se haver esgueirado por detrás daquela moita de taquaris, ao ver-me.

— O pai está lá? — insisti.

Respondeu um "está" enleado, sem erguer os olhos da rodilha.

Como a vida no mato asselvaja estas veadinhas! Note-se que os Alvoradas não são caipiras. Quando comprou a situação dos Periquitos, o velho vinha da cidade; lembro-me até que entrava em sua casa um jornal.

Mas a vida lhes correu áspera na luta contra as terras ensapezadas e secas, que encurtam a renda por mais que dê de si o homem. Foram rareando as idas à cidade e ao cabo de todo se suprimiram. Depois que lhes nasceu a menina, rebento floral em anos outoniços, e que a geada queimou o café novo — uma tamina,[7] três mil pés — o velho, amuado, nunca mais espichou o nariz fora do sítio.

Se o marido deu assim em urumbeva, a mulher, essa enraizou de peão para o resto da vida. Costumava dizer: mulher na roça vai à vila três vezes — uma a batizar, outra a casar, terceira a enterrar.

Com tais casmurrices na cabeça dos velhos, era natural que a pobrezinha da Pingo d'Água (tinha esse apelido a Maria das Dores) se tolhesse na desenvoltura ao extremo de ganhar medo às gentes. Fora uma vez à vila com vinte dias, a batizar. E já lá ia nos quatorze anos sem nunca mais ter-se arredado dali.

Ler? Escrever? Patacoadas, falta de serviço, dizia a mãe. Que lhe valeu a ela ler e escrever que nem uma professora, se des'que casou nunca mais teve jeito de abrir um livro? Na roça, como na roça.

Deixei a menina às voltas com a rodilha e embrenhei-me por um atalho conducente à morada.

Que descalabro!...

Da casa velha aluíra uma ala, e o restante, além da cumieira selada, tinha o oitão fora do prumo.

O velho pomar, roído de formiga, morrera de inanição; na ânsia de sobreviver, três ou quatro laranjeiras macilentas, furadas de broca e sopesando o polvo retrançado da erva-de-passarinho, ainda abrolhavam rebentos cheios de compridos acúleos. Fora disso, mamoeiros, a silvestre goiaba e araçás, promiscuamente com o mato invasor que só respeitava o terreirinho batido, fronteiro à casa. Tapera quase e, enluradas nela, o que é mais triste, almas humanas em tapera.

Bati palmas.

— Ó de casa!

Apareceu a mulher.

— Está seu Zé?

— Inda agorinha saiu, mas não demora. Foi queimar um mel na massarandu-va do pasto. Apeie e entre.

Amarrei o cavalo a um moirão de cerca e entrei.

Acabadinha, a Sinh'Ana. Toda rugas na cara — e uma cor... Estranhei-lhe aquilo.

— Doença! — gemeu. — Estou no fim. Estômago, fígado, uma dor aqui no peito que responde na cacunda. Casa velha, é o que é.

---

6   Rodela de pano torcido que os carregadores de água usam entre a cabeça e o pote ou a lata.
7   Ninharia, coisa de nada.

— Metade é cisma, — disse-lhe para consolo.

— Eu é que sei! — retrucou-me suspirando.

Entrementes, surgiu da cozinha uma velhota bem apessoada, no cerne, rija e tesa, que saudou e:

— Está espantado do jeito de Nhana? Esta gente de agora não presta para nada. Olhe, eu com setenta no lombo não me troco por ela. Criei minha neta e inda lavo, cozinho e coso. Admira-se? Coso, sim!...

— Mecê é gabola porque nunca padeceu doença — nem dor de dente! Mas eu? Pobre de mim! só admiro ainda estar fora da cova... Aí vem o Zé.

Chegava o Alvorada. Ao ver-me abriu a cara.

— Ora viva quem se lembra dos pobres! Não pego na sua mão porque estou assim... É só melado. Bonito, hein? Estava difícil, num oco muito alto e sem jeito. Mas sempre tirei. Não é jiti, não! É mel-de-pau.

Depôs num mocho a cuia dos favos e se foi à janela, lavar as mãos à caneca d'água que a mulher despejava. Pôs os olhos no meu cavalo.

— Hoje veio no picaço... Bom bicho! Eu sempre digo: animais aqui no redor, só este picaço e a ruana do Izé de Lima. O mais é eguada de moenda.

Neste momento entrou a menina de pote à cabeça. Ao vê-la o pai apontou para a cuia de mel.

— Está aí, filha, o doce da aposta. Perdi, paguei. Que aposta? Ah! ah! Brincadeira. A gente cá na roça, quando não tem serviço com qualquer coisa se diverte. Vinha passando um bando de maritacas. Eu disse à toa: "São mais de dez!" Pingo negou: "Não chega lá!" Apostamos. Eram nove. Ela ganhou o doce. Doce da roça mel é. Esta songuinha só vendo; não é o que parece, não...

A loquacidade daquele homem não desmedrara com o atraso da vida. Em se lhe dando corda, ressurgia nele o tagarela da cidade.

Expus-lhe o negócio. Alvorada enrugou a testa; refletiu um bocado, de queixo preso. Depois:

— Eu hoje, franqueza, não valho mais nada. Des'que caí daquela amaldiçoada ponte do Labrego, fiquei assim como quebrado por dentro. Não escoro serviço, e para lidar com camaradas no eito não basta ter boca. Sem puxar a enxada de par com eles, a coisa não vai, não! Lembra-se da empreitada do ano retrasado? Pois saí perdendo. O tranca do João Mina me quebrou um machado e furtou uma foice. Com esses prejuízos, não livrei o jornal. Desde então fiz cruz em serviço alheio. Se ainda teimo neste sapezal amaldiçoado é por via da menina; senão, largava tudo e ia viver no mato, como bicho. É Pingo que inda me dá um pouco de coragem, — concluiu com ternura.

A velhinha sentara-se à luz da janela e, abrindo uma caixeta, pusera-se a coser, de óculos na ponta do nariz.

Aproximei-me, admirativo.

— Sim, senhora! Com setenta anos!

Sorriu, lisonjeada.

— É para ver. E isto aqui tem coisa. É uma colcha de retalhos que venho fazendo há quatorze anos, des'que Pingo nasceu. Dos vestidinhos dela vou guardando cada retalho que sobeja e um dia os coso. Veja que galantaria de serviço...

Estendeu-me ante os olhos um pano variegado, de quadrinhos maiores e menores, todos de chita, cada qual de um padrão.

— Esta colcha é o meu presente de noivado. O último retalho há de ser do vestido de casamento, não é, Pingo?

Pingo d'Água não respondeu. Metida na cozinha, percebi que nos espiava por uma fresta.

Mais dois dedos de prosa com Alvorada, um cafezinho ralo — escolha[8] com rapadura — e,

— Está bem, — rematei, levantando-me do mocho de três pernas. Como não pode ser, paciência. Apesar disso acho que deve pensar um bocado. Olhe que este ano se estão pagando os roçados a oitenta mil réis o alqueire. Dá para ganhar, não?

— Que dá, sei que dá — mas também sei para quem dá. Um perrengue como eu não pensa mais nisso, não. Quando era gente, muitos peguei a sessenta e não me arrependi. Mas hoje...

— Nesse caso...

Transcorreram dois anos sem que eu tornasse aos Periquitos. Nesse intervalo Sinh'Ana faleceu. Era fatal a dor que respondia na cacunda. E não mais me aflorava à memória a imagem daqueles humildes urupês, quando me chegou aos ouvidos o zum-zum corrente no bairro, uma coisa apenas crível: o filho de um sitiante vizinho, rapaz de todo pancada, furtara Pingo d'Água aos Periquitos.

— Como isso? Uma menina tão acanhada!...

— É para ver! Desconfiem das sonsas... Fugiu, e lá rodou com ele para a cidade — não para casar, nem para enterrar. Foi ser "moça", a pombinha...

O incidente ficou a azoinar-me o bestunto. À noite perdi o sono, revivendo cenas da minha última visita ao sítio, e nasceu-me a ideia de lá tornar. Para? Confesso: mera curiosidade, para ouvir os comentários da triste velhinha. Que golpe! Desta feita ia-se-lhe a rijeza de cerne.

Fui.

Setembro entumecia gomos em cada arbusto. Nenhuma neblina. A paisagem desenhava-se nítida até aos cabeços dos morros distantes.

Por amor à simetria, montava eu o mesmo picaço. Transpus a mesma porteira. Atalhei pelo mesmo trilho.

No córrego vi, com os olhos da imaginação, o vulto da menina envergonhada com o pote em repouso na laje e toda às voltas com a rodilha. Mais uns passos e a tapera antolhou-se-me, deserta. As três árvores do pomar extinto eram já galhaça resseca e poenta. Só os mamoeiros subsistiam, mais crescidos, sempre apinhados de frutos. O resto piorara, descambando para o lúgubre. Ruíra o oitão e o terreirinho pintalgara-se de moitas de guanxuma, cordão-de-frade e joás.

— Ó de casa! — gritei.

Silêncio. Três vezes repeti o apelo. Por fim surgiu dos fundos uma sombra acurvada e trêmula.

— Bom dia, nhá Joaquina. Está seu Zé?

Não me reconheceu a velhinha. Zé fora à vila, vender a sitioca para mudar de terra.

---

8 Café de ínfima qualidade – resíduo do "café escolhido".

Fez-me entrar, logo que me dei a conhecer, pedindo escusas da má vista.

— Tem coragem de estar aqui sozinha?

— Eu? Sozinha estou em toda parte. Morreu-me tudo, a filha, a neta... Sente-se, — murmurou apontando para o mocho de dois anos atrás.

Sentei-me, com um nó na garganta. Não sabia o que dizer. Por fim:

— O que é a vida, nhá Joaquina! Parece que foi ontem que estive aqui. Apesar das doenças, iam vivendo felizes. Hoje...

A velha limpou no canhão da manga uma lágrima.

— Viver setenta e dois anos para acabar assim... Felizmente a morte não tarda. Já a sinto cá dentro.

Confrangia-me o coração aquele ermo onde tudo era passado — a terra, as laranjeiras, a casa, as vidas, salvo — trêmulo espetro sobrevivente como a alma da tapera — a triste velhinha encanecida, cujos olhos poucas lágrimas estilavam, tantas chorara.

— Que mais agora? — murmurou pausadamente em voz de quem já não é deste mundo. — Até à "desgraça", eu não queria morrer. Velha e inútil, inda gostava do mundo. Morreu-me a filha, mas restava a neta — que era duas vezes filha e o meu consolo. Desencaminharam a pobrezinha... Agora, que mais? Só peço a Deus que me retire, logo e logo.

Relanceei um olhar pela sala vazia. A caixeta de costura inda estava sobre a arca no lugar de sempre. Meus olhos pousaram ali, marasmados.

A velha adivinhou-me o pensamento e, levantando-se, tomou-a nas mãos mal firmes. Abriu-a. Tirou de dentro a colcha inacabada, contemplou-a longamente. Depois, com tremuras na voz:

— Dezesseis anos — e não pude acabar a colcha... Ninguém imagina o que é para mim esta prenda. Cada retalho tem sua história e me lembra um vestidinho de Pingo d'Água. Aqui leio a vidinha dela des'que nasceu.

Este, olhe, foi da primeira camiseta que vestiu... Tão galantinha! Estou a vê-la no meu braço, tentando pegar os óculos com a mãozinha gorda...

Este azul, de listas, lembra um vestido que a madrinha lhe deu aos três anos. Ela já andava pela casa inteira armando reinações, perseguindo o Romão — que um dia, por sinal, lhe meteu as unhas no rostinho. Chamava-me "óó aquina"...

Este vermelho de rosinhas foi quando completou os cinco anos. Estava com ele por ocasião do tombo na pedra do córrego, donde lhe veio aquela marquinha no queixo, não reparou?

Este cá, de xadrezinho, foi pelos sete anos, e eu mesma o fiz, e o fiz de saia comprida e paletó de quartinho. Ficou tão engraçada, feita uma mulherzinha!

Pingo d'Água já sabia temperar um virado, quando usou este aqui, de argolinhas roxas em fundo branco. Digo isto porque foi com ele que entornou uma panela e queimou as mãos.

Este cor de batata foi quando tinha dez anos e caiu com sarampo, muito malzinha. Os dias e as noites que passei ao pé dela, a contar histórias! Como gostava da Gata Borralheira!...

A velha enxugou na colcha uma lágrima perdida e calou-se.

— E este? — perguntei para avivá-la, apontando um retalho amarelo.

Pausou um bocado a triste avó, em contemplação. Depois:

silêncio. Sabiam por dolorosa experiência pessoal que o ponto acima era o porretinho de sapuva.

Se a mulher emudecia, emudecia com ela a razão, porque o Teixeirinha Maneta era um carapina ruim inteirado, dos que vivem de biscates e remendos. Só a um bêbado como o Nunes bacorejaria a ideia de meter a monjoleiro um taramela daqueles, maneta e, inda por cima, cego duma vista. Mas era compadre e acabou-se. Bééé!

Uma nova semana passou Nunes em trabalhos de "maginação". Coçava lentamente a cabeça, pitava enormes cigarrões, muito absorto, com os olhos no milharal e o sentido em coisas futuras. Decidiu-se, por fim. Rumou à Ponte Alta e trouxe de lá o velho carapina, com a ferramenta capenga.

Só restava resolver o problema da madeira. Nas suas terras não havia senão pau de foice. Pau de machado, capaz de monjolo, só a peroba da divisa, velha árvore morta que era o marco entre os dois sítios, tacitamente respeitada de lá e de cá. Deitá-la-ia por terra sem dar contas ao outro lado — como lhe fizeram à paca.

Boa peça! Nunes gozava-se da picuinha, planeando derrubar a árvore à noite, de modo que pela madrugada, quando os Porungas dessem pela coisa, nem Santo Antônio remediaria o mal.

— Está resolvido: derrubo a peroba!

Dito e feito. Dois machados roncaram no pau alta noite, e ainda não raiava a manhã quando a peroba estrondeou por terra, tombada do lado do Nunes.

Mal rompeu o dia, os Porungas, advertidos pela ronqueira, saíram a sondar o que fora. Deram logo com a marosca, e Pedro, à frente do bando, interpelou:

— Com ordem de quem, seu...

— Com ordem da paca, ouviu? — revidou Nunes provocativamente.

— Mas paca é paca e essa peroba era o marco do rumo, meia minha, meia sua.

— Pois eu quero gastar a minha parte. Deixo a sua p'r'aí!... — retrucou Nunes apontando com o beiço a cavacaria cor-de-rosa.

Pedro continha-se a custo.

— Ah, cachorro! Não sei onde estou que não...

— Pois eu sei que estou em minha casa e que bate fogo na primeira "cuia" que passar o rumo!...

Esquentou o bate-boca. Houve nome feio a valer O mulherio interveio com grande descabelamento de palavrões. De espingardinha na mão, radiante no meio da barulhada, Nunes dizia ao Maneta:

— Vá lavrando, compadre, que eu sozinho escoro este cuiame!...[1]

A Porungada, afinal, abandonou o campo — para não haver sangue.

— Você fica com o pau, cachaceiro à toa, mas inda há de chorar muita lágrima p'r'amor disso...

— Bééé!... — estrugiu Nunes triunfalmente.

Os Porungas desceram resmoneando em conciliábulo, seguidos do olhar vitorioso do Nunes.

— Então, compadre, viu que cuiada choca? É só chá de língua, *pé, pé, pé*; mas, chegar mesmo, quando! O guampudo conheceu a arruda pelo cheiro!

---

[1] Porção de cuias. Jogo de palavras; as cuias se fazem das cabaças, ou porungas.

mente abocar o parasita inatingível. Que preasse. Cachorro é bicho ladino e o mato anda cheio de preás atolambadas. E tudo mais no Varjão afinava pela mesma tecla.

Certa vez contaram ao Nunes que Pedro Porunga trazia negócio duma besta arreada. Besta arreada, o Porunga! Doeu-lhe aquilo no fundo da alma. Era atrepar demais.

— Quê! Já roncam assim? — bravateou. — Pois hei de mostrar à Porungada quem é o João Nunes Eusébio dos Santos, da Ponte-Alta!

E entrou-se, desd'aí, de grandes atarefamentos.

A mulher pasmava da súbita reviravolta do marido, duvidando e esperando.

— Durará esse fogo? Quem sabe?!

Planeava Nunes grandes coisas, roça de três alqueires, conserto da casa, monjolo...

Aqui a mulher repuxou os lábios num muxoxo de dúvida.

— Monjolo? Ché, qu'esperança!

Nunes, metido em brios, roncou:

— Boto, mulher, boto monjolo, boto moenda, boto até moinho! Hei de fazer a Porungada morder a munheca de inveja. Vai ver!...

Com assombro de todos não ficou em prosa fiada a promessa. Nunes remendou mal e mal a casa, derrubou um capoeirão descansado de oito anos e, num esforço de mouro, meteu na terra nove quartas de milho.

Pedro Porunga soube logo da bravata. Riu-se e profetizou:

— Eh! Aquilo é fogo de jacá velho, pinguço não dura...

O ano correu bem. Vieram chuvas a tempo, de modo que em janeiro o milho desembrulhava pendão, muito medrado de espigas.

Nunes não cabia em si. Visitava as roças muito contente da vida, unhando os caules viçosos já em pleno arreganhamento da dentuça vermelha, ou apalpando as bonecas tenras, a madeixarem-se da cabelugem louro-translúcida. Segurava então a barbica do queixo e sonhava opulências futuras, balanceando prós e contras. Os contras já estavam de fora. Só havia prós. E concluía, entrando em casa, para a mulher:

— Este ano quebro um milhão desgramado!

Carecia, pois, de armar monjolo. Desdobrado em farinha o milho, vinham dobrados os lucros. Não foi o que empolou os Porungas, a farinha? Uma resolução de tal vulto, porém, não se toma assim do pé p'ra mão: era preciso meditar, calcular. E Nunes maginava... O *choo-pan* do futuro engenho batia-lhe na cabeça como um ritornelo de música do céu.

— Hei de mostrar ao Porunga que ele não é o único monjoleiro do mundo. Empreito o serviço com o compadre Teixeirinha da Ponte Alta.

A mulher botou as mãos na cabeça.

— Nossa Virgem! É coisa de louco! Pois o compadre nem braço tem...

— Béééé! — urrou Nunes, estomagado. — Cale essa boba! Mulher não entende das coisas...

E ela, nas encolhas:

— Tá bom. Depois não se queixe.

— Béééé! — rematou o marido.

Esta troada era o argumento decisivo de Nunes nas relações familiares. Quando ali roncava o "bééé", mulher, filhas, Pernambi, Brinquinho, todos se escoavam em

Sabida como um vigário, dizia o Nunes, nem cachorro mestre, nem mundéu, podiam com a vida dela. Escapulia sempre. A gente do outro lado não ignorava isso. Paca velha e matreira tem sempre a biografia na boca dos caçadores. Paca muito conhecida, portanto; moradora em suas terras. Paca do Nunes, hom'essa. Ora, justamente no dia em que, numa batida feliz, ele a apanhara desprevenida, fazer aquilo o Porunguinha?

— "Mas é uma criança!"

Sim, mas o pai não aprovou? Não disse, entre risadas, "o Nunes que se fomente"? Haviam de pagar!

Veio daí a malquerença. O espigão vinha do período um pouco mais remoto em que a crosta da terra se solidificou.

Agravava a dissenção uma rivalidade quase de casta. Pertencia Nunes à classe dos que decaem por força de muita cachaça na cabeça e muita saia em casa. Filho homem só tinha o José Benedito, d'apelido Pernambi, um passarico desta alturinha, apesar de bem entrado nos sete anos. O resto era uma récula de "famílias mulheres" — Maria Benedita, Maria da Conceição, Maria da Graça, Maria da Glória, um rosário de oito mariquinhas de saia comprida. Tanta mulher em casa amargava o ânimo do Nunes, que nos dias de cachaça ameaçava afogá-las na lagoa como se fossem uma ninhada de gatos.

O seu consolo era amimar Pernambi, que aquele ao menos logo estaria no eito, a ajudá-lo no cabo da enxada, enquanto o mulherio inútil mamparrearia por ali a espiolhar-se ao sol. Pegava, então, do menino e dava-lhe pinga. A princípio com caretas que muito divertiam o pai, o engrimanço pegou lesto no vício. Bebia e fumava, muito sorna, com ares palermas de quem não é deste mundo. Também usava faca de ponta à cinta.

— Homem que não bebe, não pita, não tem faca de ponta, não é homem, — dizia o Nunes.

E cônscio de que já era homem o piquirinha batia nas irmãs, cuspilhava de esguicho, dizia nomes à mãe, além de muitas outras coisas próprias de homem.

Do outro lado tudo corria pelo inverso. Comedido na pinga, Pedro Porunga casara com mulher sensata, que lhe dera seis "famílias", tudo homem.

Era natural que prosperasse, com tanta gente no eito. Plantava cada setembro três alqueires de milho; tinha dois monjolos, moenda, sua mandioquinha, sua cana, além duma égua e duas porcas de cria. Caçava com espingarda de dois canos, "imitação Laporte", boa de chumbo como não havia outra. Morava em casa nova, bem coberta de sapé de boa lua, aparado a linha, com mestria, no beiral; os esteios e portais eram de madeira lavrada; e as paredes, rebocadas à mão por dentro, coisa muito fina.

Já o Nunes — pobre do Nunes! — não punha na terra nem um alqueire de semente. Teve égua, mas barganhou-a por um capadete e uma espingarda velha. Comido o porquinho, sobrou do negócio o caco da pica-pau, dum cano só e manhosa de tardar fogo.

Sua casa, de esteios com casca e portas de embaúba rachada, muito encardida de picumã, prenunciava tapera próxima.

Capado, nenhum. Galinhada escassa.

Ao cachorro Brinquinho não lhe valia ser mestre paqueiro de fama; andava de barriga às costas, com bernes no toitiço. O pobrezinho não caminhava dez passos sem que parasse, pondo-se aos rodopios sobre os quartos traseiros, tentando inutil-

— Este é novo. Já tinha quinze anos quando o vestiu pela primeira vez num mutirão[9] do Labrego. Não gosto dele. Parece que a desgraça começa aqui. Ficou um vestido muito assentadinho no corpo, e galante, mas pelas minhas contas foi o culpado do Labreguinho engraçar-se da coitada. Hoje sei disso. Naquele tempo de nada suspeitava.

— Este, — disse-lhe eu, fingindo recordar-me, — é o que ela vestia quando cá estive.

— Engano seu. Era, quer ver qual? Era este de pintas vermelhas, repare bem.

— É verdade, é verdade! — menti. — Agora me lembro, isso mesmo. E este último?

Após uma pausa dorida, a pobre criatura oscilou a cabeça e balbuciou:

— Este é o da desgraça. Foi o derradeiro que fiz. Com ele fugiu... e me matou.

Calou-se, a lacrimejar, trêmula.

Calei-me também, opresso dum infinito apertão d'alma.

Que quadro imensamente triste, aquele fim de vida machucado pela mocidade louca!...

E ficamos ambos assim, imóveis, de olhos presos à colcha.

Ela por fim quebrou o silêncio.

— Ia ser o meu presente de noivado. Deus não quis. Será agora a minha mortalha. Já pedi que me enterrassem com ela.

E guardou-a dobradinha na caixa, envolta num suspiro arrancado ao imo do coração.

Um mês depois morria. Vim a saber que lhe não cumpriram a última vontade. Que importa ao mundo a vontade última duma pobre velhinha da roça? Pieguices...

1915

A VINGANÇA DA PEROBA

A cidade duvidará do caso. Não obstante, aquele monjolo do João Nunes no Varjão foi durante meses o palhaço da zona. Sobretudo no bairro dos Porungas, onde assistia Pedro Porunga, mestre monjoleiro de larga fama, fungavam-se à conta do engenho risos sem fim.

Sitiantes ambos em terras próprias, convizinhavam separados pelo espigão do Nheco — e por malquerença antiga. Levantara Nunes uma paca, certo domingo; mas ao dobrar o morro a bicha esbarrou de frente com um Porunguinha que casualmente lenhava por ali. *Záz!* Certeiro golpe de foice dá com ela em terra.

Até aí nada.

Mas comeram-na, sem ao menos mandarem um quarto de presente ao legítimo dono. Legítimo, sim, porque, afinal de contas, aquela paca era uma paca de nomeada.

---

9 Ajuntamento de vizinhos num serviço de roça.

E assombrou o velho com muitos lances heroicos, quebramentos de cara, escoras de três e quatro, o diabo.

— O dia está ganho, compadre, largue disso e vamos molhar a garganta.

A molhadela da garganta excedeu a quanta bebedeira tinham na memória. Nunes, Maneta e Pernambi confraternizaram num bolo acachaçado, comemorativo do triunfo, até que uma soneira letárgica os derreou pelo chão. Com a derradeira Maria pendurada do seio magro, a mulher olhava para aquilo sacudindo a cabeça, a cismar...

— Que monjolo sairá disto, mãe do céu!...

Esvaídos os fumos da pinga, tornaram no dia seguinte à peroba, muito acamaradados. A cachaça cimentara o compadresco antigo, e a feitura do monjolo teve início com grande quebreira de corpo. Nunes passava os dias na obra, vendo o compadre desbastar a madeira com um braço só. Pasmava daquilo, e do ajutório que ao braço perfeito dava o toco aleijado. O velho Maneta sabia casos e casos, que Nunes respondia com outros, sempre tendentes a patentear a ruindade dos Porungas.

Falquejado o toro, correram um barbante embebido num mingau de carvão. "Pegue nesta ponta, compadre, dizia o velho; agora estique; isso." E tomando entre os dedos o cordel pelo meio, plaf, chicoteava a madeira, riscando nela um traço negro.

Nunes revelou grande vocação para esfria-verruma. Esfria-verrumas são os "empaliadores" dos carapinas. Sentam-se com uma nádega à beira da banca e durante horas pasmam do rebote correr na tábua encaracolando fitas, ou do formão ir lentamente abrindo uma fura. Ora pegam da enxó, examinam-na, passam o dedo pelo fio e perguntam: "É Grive? (Greaves) Quanto custou?" E quando sai da madeira a verruma, quente da fricção, pegam-na e põem-se a soprá-la muito sérios.

Enquanto isso, muito desajeitadamente ia o Maneta escavando o cocho[2] a machado e enxó. Depois rasgou as furas da haste[3] e afeiçoou a munheca.[4] Prontas que foram, atacou o pilão.[5] Escava que escava, em três dias pô-lo de banda, concluso. Restava somente aparelhar a "virgem".[6]

— O compadre sabe a história do pau de feitiço?

Nunes não sabia. Nunes não sabia coisa alguma, tirante emborcar o gargalo e difamar os Porungas. Sem interromper o esquadrejamento da virgem, Maneta narrou o caso que ouvira ao pai, o Teixeirão serrador, madeireiro de fama.

— Em cada eito de mato, dizia o meu velho, há um pau vingativo que pune a malfeitoria dos homens. Vivi no mato toda vida, lidei toda casta de árvore, desdobrei desde embaúva e embiruçu até bálsamo, que é raro por aqui. Dormi no estaleiro quantas noites! Homem, fui um bicho do mato. E de tanto lidar com paus, fiquei na suposição de que as árvores têm alma, como a gente.

— T'esconjuro! — espirrou Nunes.

— Isto dizia lá o velho; eu por mim não dou opinião. E têm alma, dizia ele, porque sentem a dor e choram. Não vê como gemem certos paus ao caírem?

---

2 Parte traseira do monjolo, que recebe a água.
3 Madeiro comprido que constitui a parte principal do monjolo.
4 Mão de monjolo, peça que serve para pilar.
5 Recipiente de madeira (tronco escavado) que recebe o milho a ser pilado.
6 Peça em cuja forquilha gira a haste.

E outros como choram tanta lágrima vermelha, que escorre e vira resina? Ora pois têm alma, porque neste mundo tudo é criatura de Deus.

— Lá isso...

— Então, dizia ele, há em cada mato um pau que ninguém sabe qual é, a modo que peitado p'r'a desforra dos mais. É o pau de feitiço. O desgraçado que acerta meter o machado no cerne desse pau pode encomendar a alma p'r'o diabo, que está perdido. Ou estrepado, ou de cabeça rachada por um galho seco que despenca de cima, ou mais tarde por artes da obra feita com a madeira, de todo jeito não escapa. Não 'dianta se precatar: a desgraça peala mesmo, mais hoje, mais amanhã, a criatura marcada.

Isto dizia o velho — e eu por mim tenho visto muita coisa. Na derrubada do Figueirão, alembra-se? morreu o filho do Chico Pires. Estava cortando um guamirim quando, de repente, soltou um grito. Acode que acode, o moço estava com o peito varado até às costas. Como foi? Como não foi? Ninguém entendeu aquilo. Eu fiquei cismando e disse: "É feitiço de pau..." Como este um, quantos casos? O mundo está cheio. O Sebastiãozinho da Ponte Alta fez uma casa, o pau da cumieira ele mesmo o derrubou. Pois não é que a cumieira arreia e estronda a cabeça do rapaz? Por isso meu pai, sabido que era, especulava primeiro se por ali perto não tinha havido desgraça. Era para ver se o feitiço estava solto ou preso, e precatar-se.

Com estas e outras ia Maneta florejando de lérias as horas de serviço, enquanto dava os derradeiros retoques no engenho.

Estava pronto o monjolo. Jubiloso, via Nunes quase realizado o primeiro sonho das futuras grandezas. Faltava apenas o assentamento, que é pouco — e ele batia tapas amigos na peroba vermelha.

— Aí, minha velha! Mansinha, hein? Há de chamar-se Tira-prosa — tira-prosa de Porungas, Cabaças e Cuias, eh! eh!

Recolheram cedo nesse dia para solenizar o feito à custa dum ancorote[7] de cachaça, que esvaziaram a meio.

Dias depois, bem fincado, bem socado o pilão, o monjolo recebeu água. Aberta a bica, um jorro d'enxurro espumejou no cocho, encheu-o, desbordou para o "inferno".[8] A engenhoca gemeu na virgem e alçou o pescoço. O cocho despejou a aguaceira — *chóó*! A munheca bateu firme no pilão — *pan*!

Nunes pulava d'alegria.

— Conheceu, porungada choca, quem é João Nunes Eusébio da Ponte-Alta?

Mas não lhe bastou aquele barulho, nem a gritaria da meninada a palmear, nem os ladridos do Brinquinho que, espantado da maluqueira, latia de longe, a salvo de pontapés. Queria mais. Correu à espingarda, espoletou-a e, erguendo-a para o "outro lado", desfechou. Mas o caco velho da picapau não compartilhou da sua alegria, rebentou a espoleta e calou-se. Nunes inda a manteve uns segundos alçada, esperando o tiro. Como o fogo tardasse demais, remessou com ela para longe, embrulhada num palavrão. Lembrou-se depois de três foguetes sobejados de uma reza; foi buscá-los; atacou-os em direção aos Porungas.

— Cheira essa pólvora, cuiada!

---

7 Barrilete próprio para transportar pinga em lombo de burro.
8 Inferno — lugar onde a água que move o monjolo despeja depois de enchido o cocho.

Infelizmente as bombas, muito úmidas, negaram fogo por sua vez.

— Tudo nega, compadre! Vamos ver se o ancorote nega também.

Não negou. E a prova foi roncarem logo p'ali como dois gambás.

No outro dia partiu Maneta para a Ponte Alta, com grande sentimento do Nunes que perdia nele um companheirão. Quanto ao monjolo, como não houvesse milho a pilar, ficou sua estreia para quando se quebrasse a roça.

Cessaram as chuvas de verão. Entrou o outono, refrescado, limpo. Amarelaram as folhas do milharal, as espigas penderam, maduras. Começou a quebra. Muito impaciente, Nunes debulhou o primeiro jacá recolhido e atochou o pilão. Ai! Não há felicidade completa no mundo. O engenho provou mal. Não rendia a canjica. Desproporcionada ao cocho, a haste não dava o jogo da regra. A mão, por muito leve ou por defeito de esquadria na virgem, guinava à esquerda ao bater, espirrando milho para fora. Por mal dos pecados, à primeira chuvinha o pilão entrou a rever água. Fora escavado em madeira ventada.[9] Não prestava.

Nunes, de má sombra, represando a cólera, meteu-se a reparar tantas "torturas". Diminuiu o peso ao macaco,[10] engrossou as águas, amarrou ali, especou acolá, calafetou fendas. Consumiu dias em luta surda contra as manhas do mal engonçado. Mas a peste do mostrengo respondia a cada arranjo com uma reincidência de desalentar.

O pobre homem explodiu, então. Da boca lhe espirraram injúrias sem fim contra o patife do carapina.

— Excomungado do diabo de maldelazento de maneta...

Impossível meter no papel todas as contas do rosário; as miúdas inda cabem, mas as graúdas não podem sair do Varjão. Além de injúrias, ameaças. Que iria à Ponte-Alta rachar o compadre a foice; que lhe vazava a outra vista; que...

Num desses desabafos a tola da mulher meteu a colher torta no meio.

— Eu bem disse, eu bem avisei. Mas o "queixo duro" não fez caso...

Ai! Nunes, que só esperava por aquilo, passou a mão na sapuva[11] e encarnando na esposa o odiado maneta deslombou-a numa sova de consertar negro ladrão.

— Toma, cachorro! Toma, excomungado do inferno! Aprende a fazer monjolo, porco sujo! — e malhava...

A mulher sumiu-se aos pinotes mata a dentro, seguida do mulherio miúdo; e por oito dias andou em esfregações de salmoura pela polpa avergoada. Nunes, porém, melhorou consideravelmente com o derivativo. Mundificou-se da bílis.

A nova de tais sucessos chegou à Porungada. Pedro, exultante, não teve mão de si, quis ver com os próprios olhos a caranguejola que o vingava tão a pique. Meditou um plano, e lá um dia transpôs o espigão, rumo à casa do rival. Voltou uma hora depois espremendo risos fungados.

— Eh, eh, minha gente! Vocês não calculam. Quando virei o espigão já ouvi o barulho — *chóó-pan* — uma ronqueira dos diabos! Disse comigo: roncar, ele ronca, eh, eh!

Fui chegando. O Nunes, jururu, estava debulhando milho na porta. Quando me viu entreparou, amode que assombrado.

---

9 Madeira naturalmente rachada.
10 Contrapeso destinado a assegurar o bom equilíbrio de haste do monjolo.
11 Madeira de que se fazem bons porretes.

— "É de paz!" eu disse, e me plantei diante dele. "Dois chefes de família, inda mais vizinhos, não podem viver toda a vida assim, de focinho 'trucido' um p'r'o outro. O que foi, foi. Acabou-se. Toque."

Ele relanceou os olhos p'r'o lado da ronqueira — eh, eh! — e muito desconchavado me espichou a mão sem abrir o bico.

— "Traga um café!" gritou p'ra dentro.

Enfiei os olhos pela casa: estava "assim" de mulherada na cozinha! Peguei de prosa. Ele foi respondendo. Conversa sem graça, amarradinha. Por fim especulei: "E o monjolo, vizinho, ficou na ordem?" Nunes amarelou que nem esta folha!

— "É bonzinho, rende bem..."

— "Quero ver", disse eu, "se não é curiosidade..."

— "Pois vá", respondeu sem se mexer do lugar.

Eu fui.

Nossa Virgem! Aquilo nunca foi monjolo, nem aqui nem na casa do diabo! Só se vê amarrilhos de cipó e espeques e macacos. A haste tem nove palmos e o cocho a mó que tem dez!...

— Quiá! quiá! quiá! — cacarejou a roda, que em matéria de monjolo era entendidíssima.

— A mão não pesa, home, não pesa nem arroba e meia! A virgem está errada e fora do prumo. Milho está que está alvejando o chão. A mão pincha duma banda.

Os Porunguinhas babavam.

— Então, roncar ele ronca?

— Nossa! Ronca que nem uma trumenta. Mas, socar? O boi soca! Nem três litros rende por dia. Homem, gentes, aquilo é coisa que só vendo!

A cara dos Porungas, anuviada desde o incidente da peroba, refloriu dali por diante nos saudáveis risos escarninhos do despique. As nuvens foram escurentar os céus do Varjão. Era um nunca se acabar de troças e pilhérias de toda ordem. Inventavam traços cômicos, exageravam as trapalhices do mundéu. Enfeitavam-no como se faz ao mastro de São João. Sobre as linhas gerais debuxadas pelo velho, os Porunguinhas iam atando cada qual o seu buquê, de modo a tornar o pobre monjolo uma coisa prodigiosamente cômica. A palavra Ronqueira entrou a girar nas vizinhanças como termo comparativo de tudo quanto é risível ou sem pé nem cabeça.

Aos ouvidos do Nunes foram bater tais rumores. O orgulho, muito medrado no período dos sonhos de grandeza, murchara-lhe como fruta verde colhida antes do tempo. Mas impossibilitado de vingar-se deu de criar um rancor surdo contra a Ronqueira, que, trôpega, lá ia malhando, dia e noite, *chóó-pan*, muito lerda, muito parca de rendimento. Para acalmar a bílis Nunes dobrou as doses de cachaça.

A mulher amanhava a casa num grande desconsolo da vida, esmolambada, sem mais esperanças d'arranjo p'r'aquele homem.

Sempre rentando o pai, sorníssimo, Pernambi parecia um velhinho idiota. Não tirava da boca o pito e cada vez batia mais forte no mulherio miúdo.

Brinquinho desnorteara. Sentado nas patas traseiras olhava, inclinando a cabeça, ora para um, ora para outro, sem saber o que pensar da sua gente.

E assim, meses.

Afinal, veio a desgraça. Feitiço de pau ou não, o caso foi que o inocente pagou o crime do pecador, como é da justiça bíblica. Certo dia soube Nunes que o José Cuitelo da Pedra Branca, outro compadre, pusera nome a uma égua lazarenta de Ronqueira. Era demais.

— Até aquele cachorro do Cuitelo! — gemeu o mísero, passando a mão na garrafa.

Sorveu um gole e:

— Pernambizinho, vem cá. Bebe com teu pai, meu filho.

O menino não esperou novo convite: bebeu um, dois e três goles, estalando a língua. O resto da garrafa sovertreu-se no bucho do caboclo. Mal tonteado pelos eflúvios do álcool, o menino banzou um bocado por ali e depois saiu. Nunes estirou-se ao sol para dormir.

Era um dia feio de agosto. Céu turvo do fumo das queimadas. Sol de cobre, sem brilho, a modorrar no ocaso. Folhinhas carbonizadas a descerem lentas do alto, regirantes.

Transcorrida uma hora o bêbedo acordou, relanceou em torno os olhos mortiços.

— Quedele Pernambi? — disse às filhas acocoradas à soleira da porta.

As meninas não sabiam do irmão.

— Chamem Pernambi, — engrolou o bêbedo, recaindo em cochilo.

Uma das pequenas saiu no encalço do menino.

Os olhos de Nunes a custo se abriam; sua cabeça oscilava, como se lhe houvessem desossado o pescoço. Da boca escorria-lhe baba, e molhadas nela as palavras vinham vagas, mal atadas.

Súbito, um grito lancinante ao longe alvorotou a casa.

A mulher, estonteada, surge de dentro do casebre, para à porta, orienta-se e corre para onde a voz. As filhas disparam-lhe atrás, rumo ao monjolo.

Silêncio trágico.

Depois, novos gritos — gritos em coro — gritos de desespero.

— Coitadinho do meu filho! — uivava lá longe a mãe.

Nunes soergue-se, amparado ao portal.

— Que é isso? — grunhe.

Ninguém lhe responde. Não há ninguém por ali. Mas no monjolo recrudesce a grita. Para lá segue o bêbedo, cambaleante. Em caminho dá de cara com a mulher, que voltava descabelada, a falar sozinha.

— Que é que foi, mulher?

Arrostando com o marido, a pobre mãe afuzila nos olhos um raio de cólera incoercível.

— O que é? É tua obra, cachaceiro do inferno! É a tua pinga, homem à toa, esterco imundo! Vá ver, vá ver, vá ver, desgraçado!...

Nunes alcança o monjolo com dificuldade. E topa um quadro horrendo. No meio das filhas em grita, o corpinho magro de Pernambi de borco no pilão. Para fora, pendentes, duas pernas franzinas — e o monjolo impassível, a subir e a descer, *chóó-pan*, pilando uma pasta vermelha de farinha, miolos e pelanca...

Esvaem-se-lhe os vapores do álcool e em semi-demência. Nunes corre ao machado, ringindo os dentes, aos uivos.

— Chegou teu dia, desgraçado!

Cena lúgubre foi aquela! Entre rugidos de cólera o louco arremessava golpes tremendos contra o engenho assassino. Uma pancada na mão — toma Barbazu! Outra na haste — rebenta demônio! Outra no pilão — estoura feiticeiro do diabo! — E *pan, pan, pan* — dez, vinte, cem machadadas como nunca as desferiu derrubador nenhum com tal rijeza de pulso.

Cavacos saltavam para longe, róseos cavacos da peroba assassina. E lascas. E achas...

Longo tempo durou o duelo trágico da demência contra a matéria bruta. Por fim, quando o monjolo maldito era já um monte escavacado de peças em desmantelo, o mísero caboclo tombou por terra, arquejante, abraçado ao corpo inerte do filho. Instintivamente sua mão trêmula apalpava o fundo do pilão em procura da cabecinha que faltava.

1915

Um suplício moderno

Todas as crueldades de que foi useira a Inquisição para reduzir hereges, as torturas requintadas da "questão" medieval, o empalamento otomano, o suplício chinês dos mil pedaços, o chumbo em fusão metido a funil gorgomilos a dentro — toda a velha ciência de martirizar subsiste ainda hoje encapotada sob hábeis disfarces. A humanidade é sempre a mesma cruel chacinadora de si própria, numerem-se os séculos anterior ou posteriormente ao Cristo. Mudam de forma as coisas; a essência nunca muda. Como prova denuncia-se aqui um avatar moderno das antigas torturas: o estafetamento.

Este suplício vale o torniquete, a fogueira, o garrote, a polé, o touro de bronze, a empalação, o bacalhau, o tronco, a roda hidráulica de surrar. A diferença é que estas engenharias matavam com certa rapidez, ao passo que o estafetamento prolonga por anos a agonia do paciente.

Estafeta-se um homem da seguinte maneira: o governo, por malévola indicação dum chefe político, hodierno sucedâneo do "familiar" do Santo Ofício, nomeia um cidadão-estafeta do correio entre duas cidades convizinhas não ligadas por via férrea.

O ingênuo vê no caso honraria e negócio. É honra penetrar na falange gorda dos carrapatos orçamentívoros que pacientemente devoram o país; é negócio lambiscar ao termo de cada mês um ordenado fixo, tendo arrumadinha, no futuro, a cama fofa da aposentadoria.

Note-se aqui a diferença entre os ominosos tempos medievos e os sobre-excelentes da democracia de hoje. O absolutismo agarrava às brutas a vítima e, sem tir-te nem habeas-corpus, trucidava-a; a democracia opera com manhas de Tartufo, arma arapucas, mete dentro rodelas de laranja e espera aleivosamente que, *sponte sua*, caia no laço o passarinho. Quer vítimas ao acaso, não escolhe. Chama-se a isto — arte pela arte...

Nomeado que é o homem, não percebe a princípio a sua desgraça. Só ao cabo de um mês ou dois é que entra a desconfiar; desconfiança que por graus se vai fazendo certeza, certeza horrível de que o empolaram no lombilho duro do pior matungo das redondezas, com, pela frente, cinco, seis, sete léguas de tortura a engolir por dia, de mala postal à garupa.

Eis as puas do aparelho de tormento, as tais léguas! Para o comum dos mortais, uma légua é uma légua; é a medida duma distância que principia aqui e acaba lá. Quem viaja, feito o percurso chega e é feliz.

As léguas do estafeta, porém, mal acabam voltam "da capo", como nas músicas. Vencidas as seis (suponhamos um caso em que sejam só seis) renascem na sua frente de volta. É fazê-las e desfazê-las. Teia de Penélope, rochedo de Sísifo, há de permeio entre o ir e o vir a má digestão do jantar requentado e a noite mal dormida; e assim um mês, um ano, dois, três, cinco, enquanto lhes restarem, a ele nádegas, e ao sendeiro lombo.

Quando cruza um viandante a jornadear, morde-o a inveja: aquele breve "chegará", ao passo que para o estafeta tal verbo é uma irrisão. Mal apeia, derreado, com o coranchim em fogo, ao termo dos trinta e seis mil metros da caminheira, come lá o mau feijão, dorme lá a má soneca e a aurora do dia seguinte estira-lhe à frente, à guisa de "Bom dia!", os mesmos trinta e seis mil metros da véspera, agora espichados ao contrário...

Breve o animal, pisado, dá de si, fraqueia. Já os topes o cavaleiro galga a pé. Não possui meios de adquirir outra montada. O ordenado vai-se-lhe em milho e "rapador"[1] para a alimária, água de sal para os semicúpios e mais remédios às pisaduras de ambos, cavalgante e cavalgado. Não sobeja sequer para roupa.

Dá-lhe o Estado — o mesmo que custeia enxundiosas tatoranas burocráticas a contos por mês, e baitacas parlamentares a duzentos mil réis por dia — dá-lhe o generoso Estado... *cem mil réis mensais*. Quer dizer "um real" por nove braças de tormento. Com um vintém paga-lhe trezentos e trinta metros de suplício. Vem a sair a sessenta réis o quilômetro de martírio. Dor mais barata é impossível.

O estafeta entra a definhar de canseira e fome. Vão-se-lhe as carnes, as bochechas encovam, as pernas viram parênteses dentro dos quais mora a barriga do desventurado rocim.

Além das calamidades fisiológicas, econômicas e sociais, chovem-lhe em cima as meteorológicas. O tempo inclemente não lhe poupa judiarias.

No verão não se dói o sol de assá-lo como se assam pinhões nas cinzas. Se chove, de nenhuma gota se livra. Pelos fins de maio, à entrada do frio, é entanguido como um súdito de Nicolau exilado nas Sibérias que devora as léguas infernais. No dia de S. Bartolomeu, agarrado de unhas à crina da escanzelada égua, é por milagre que não os despeja a ambos, perambeiras abaixo, o endemoninhado vento.

O patrão-governo pressupõe que ele é de ferro e suas nádegas são de aço; que o tempo é um permanente céu com "brisas fagueiras" ocupadas em soprar sobre os caminhantes os olores da "balsamina em flor".

Pressupõe ainda que os cem mil réis do salário são uma paga real de lamber as unhas. E, nestas angelicais pressuposições, quando há crises financeiras e lhe

---
[1] Pasto de aluguel muito sovado; rapado.

lembram economias, corta seus cinco, seus dez mil réis no pingue ordenado, para que haja sobras permitidoras d'ir à Europa um genro em comissão de estudos sobre "a influência zigomática do periélio solar no regime zaratústrico das democracias latinas".

E assim o exército dos estafetas, dia a dia mais encanifrado, encalacrado de dívidas, enchagado de pisaduras, ao sol de dezembro ou à garoa entanguente de junho, trota, trota sem cessar, morro acima, morro abaixo, por atoleiros e areões, caldeirões e escorregadoiros, sacudido pela miseranda cavalgadura que de tanto padecer, coitada, já nem jeito de cavalo tem.

O lombo delas é todo uma chaga viva; as costelas, um ripado. Caricaturas contristadoras do nobre *Equus*, um dia rebentam de fome, exaustas, a meio de viagem.

O estafeta toma às costas os arreios, a mala, e conclui a caminheira a pé. Nesse dia chega fora de horas, e o agente do correio oficia ao centro sobre a "irregularidade."

O centro move-se; faz correr um papelório através de várias salas onde, comodamente espapaçada em poltronas caras, a burocracia gorda palestra sobre espiões alemães. Depois de demorada viagem o papelório chega a um gabinete onde impa em secretaria de imbuia, fumegando o seu charuto, um sujeito de boas carnes e ótimas cores. Este vence dois contos de réis por mês; é filho d'algo; é cunhado, sogro ou genro d'algo; entra às onze e sai às três, com folga de permeio para uma "batida" no frege da esquina.

O canastrão corre os olhos mortiços de lombeira por sobre o papel e grunhe:

— Estes estafetas, que malandros!

E assina a demissão daquele a bem do serviço público.

(E se isso não acontece, acontece pior. Certa vez o agente do correio duma cidadezinha paulista oficiou ao centro queixando-se do estafeta. O centro respondeu autorizando-o a "punir com severidade o faltoso". O agente medita a sério sobre o caso; depois, mostrando o ofício ao estafeta, e com muita dor de coração, ferra-lhe em nome do Governo a maior sova de chicote de que há memória no lugar. Em seguida oficia ao centro dando conta do desempenho da missão e declarando que o serviço ficaria interrompido por uma quinzena, visto o paciente estar de cama, a curar-se com salmoura...)

O supliciado, posto no olho da rua, sem saúde, sem cavalo, sem nádegas, coberto de dívidas, com o fígado e mais vísceras fora do lugar em virtude do muito que "chacoalharam", vê-se logo rodeado pela chusma de credores, ávidos como urubus de charqueada. Como está nu, mais nu que Job, não pode pagar a nenhum — e ganha fama de caloteiro.

— Parecia um homem sério, e no entanto roubou-me cinco alqueires de milho, — diz o da venda, calabrês gordo, enricado no passamento de notas falsas.

— Tomou-me emprestados cem mil réis para a compra de um cavalo, a jurinho d'amigo (cinco por cento ao mês), já lá vão cinco anos, e por muito favor pagou-me o premiozinho e deu os arreios por conta. Que ladrão! — diz o onzeneiro, sócio do outro na nota falsa.

A loja de fazenda chora umas calças de algodão mineiro que lhe fiou em tempo. A farmácia, um quilo de sal-amargo falsificado. Abeberado de insultos, o mártir só vê pela frente uma saída: fincar o pé na estrada e fugir... fugir para uma terra qualquer onde o desconheçam e o deixem morrer em paz.

Dest'arte, o moderno suplício do estafetamento, além de charquear as carnes duma criatura humana limpa de crimes, dá-lhe ainda de lambuja uma bela mortezinha moral. Tudo isto afim de que não falte aos soletradores de tais e tais bibocas do sertão o pábulo diário da graxa preta em fundo branco, por meio do qual se estampam em língua bunda as facadas que Pé Espalhado deu no Camisa Preta, o queijo que furtou o Baianinho ao Manoel da Venda, o romance traduzido do Jorge Ohnet, o salvamento da pátria pela alta volataria nacional, o palavreado gordo das ligas disto e daquilo, a descoberta de espiões onde nada há que espiar, a policultura, o zebu, o analfabetismo, o aliadismo, o germanismo, as potocas da Piavas e quanta papalvice grela por massapés e terras roxas deste país das arábias.

A política do coronel Evandro em Itaoca deu com o rabo na cerca des'que em tal pleito o competidor Fidêncio, também coronel, guindou a cotação dos votos de gravata a quinhentos mil réis, e a dos votos de pé-no-chão a dois parelhos de roupa, mais um chapéu.

O primeiro ato do vencedor foi correr a vassoura do Olho da Rua em tudo quanto era olhodarruável em matéria de funcionalismo público. Entre os varridos estava a gente do correio, inclusive o estafeta, para cuja substituição inculcou-se ao governo o Izé Biriba.

Era este Biriba um caranguejo humano, lerdo de maneiras e atolambado de ideias, com dois percalços tremendos na vida — a política e o topete.

O topete consistia num palmo de grenha teimosa em lhe cair sobre a testa, e tão insistente nisto que gastava ele metade do dia erguendo a mão esquerda à altura da fronte para, num movimento maquinal, botar p'r'arriba a crina rebelde. A política escusa dizer o que é.

Coligados ambos, topete e política comiam-lhe o tempo inteiro, de jeito a não lhe deixar folga nenhuma para o amanho do sítio, que, afinal, roído pelo cupim da hipoteca, lá foi parar nas unhas dum onzeneiro ladrão.

Montou em seguida botequim mas faliu. Enquanto Biriba arrumava o topete, os fregueses surrupiavam-lhe os mata-bichos; e nas cavaqueiras políticas os correligionários, de passo que expeliam diatribes contra o governo, sorviam capilés refrescantes e mascavam bolinhos de peixe por conta da vitória futura.

Além do topete tinha Biriba o sestro do "sim senhor" alçado às funções de vírgula, ponto e vírgula, dois pontos e ponto final de todas as parvoiçadas emitidas pelo parceiro; e às vezes, pelo hábito, quando o freguês parando de falar entrava a comer, continuava ele escandindo a "sim senhores" a mastigação do bolinho filado.

Ao tempo da queda do outro e subida de sua gente, andava Biriba reduzido à conspícua posição de "fósforo" eleitoral. No pleito trabalhara como nenhum. Deram-lhe as piores missões — acuar eleitores tabaréus embibocados nos socavões das serras, negociar-lhes a consciência, debater preço de votos, barganhá-los com éguas lazarentas e provar aos desconfiados, com argumentos de cochicho ao ouvido, que o governo estava com eles.

Após a vitória sentiu pela primeira vez um gozo integral de coração, cabeça e estômago.

Vencer! Oh, néctar! Oh, ambrosia incomparável!

O nosso homem regalou as vísceras com o petisco dos deuses. Até que enfim os negrores da vida de misérias lhe alvorejavam em aurora. Comer à farta, serrar de cima... Delícias do triunfo!

Que lhe daria o chefe?

No antegozo da pepineira iminente, viveu a rebolar-se em cama de rosas até que rebentou sua nomeação para o cargo de estafeta.

Sem queda para aquilo, quis relutar, pedir mais; na conferência que teve com o chefe, entretanto, as objeções que lhe vinham à boca transmutavam-se no habitual "sim senhor", de modo a convencer o coronel de que era aquilo o seu ideal.

— Veja, Biriba, quanto vale a felicidade! Pilha um empregão! Vai o Regino para agente e você para estafeta.

O mais que ele pôde alegar foi que não tinha cavalgadura.

— Arranja-se, — resolveu de pronto o coronel; — tenho lá uma égua moira legítima, de passo picado, que vale duzentos mil réis. Por ser para você, dou-a por metade. O dinheiro? É o de menos. Você toma-o de empréstimo ao Leandrinho. Arranja-se tudo, homem.

O arranjo foi adquirir Biriba uma égua trotona pelo dobro do valor, com dinheiro tomado a três por cento ao tal Leandro, que outra coisa não era senão o testa de ferro do próprio Fidêncio. Dess'arte, carambolando, o matreiro chefe punha a juros o pior sendeiro da fazenda, além de conservar pelo cabresto da gratidão ao idiota estafetado.

Iniciou Biriba o serviço: seis léguas diárias a fazer hoje e a desfazer amanhã, sem outra folga além do último dia dos meses ímpares.

Inda bem se fora devorar as léguas na só companhia da chupada mala postal. Mas não lhe saiu serena assim a empresa. Como Itaoca não passasse de mesquinho lugarejo empoleirado no espinhaço da serra e desprovido de tudo, não transcorria vez sem que os amigos políticos não viessem com encomendas a aviar na cidade. À hora de partir surgiam aproveitadores com listinhas de miudezas, ou negras com recados.

— Sinhá disse assim p'r'a suncê comprar três carretéis de linha cinquenta, um papel de agulhas, uma peça de cadarço branco, cinco maços de grampo miúdo e, se sobejar um tostão, p'r'a trazer uma bala de apito p'r'o seu Juquinha.

Todos aqueles artigos existiam em Itaoca, um tantinho mais caros, porém; o encomendá-los fora visava apenas a economia do tostão da bala de apito.

— Sim senhor, sim senhor!...

Não lhe escapava da boca outro som, embora o exasperasse a contínua repetição do abuso.

Além das pequenas encomendas, pouco trabalhosas, surgiam outras de vulto, como levar um cavalo arreado ao sr. Fulano que vinha em tal dia, acompanhar a mulher de Etcetrano, e que tais. A Tibúrcia, cozinheira preta do coletor, cada vez que ia de férias descansar à cidade era o Biriba o indicado para conduzi-la.

Foi como o conheci, guardando cesta às amazonas. De viagem para Itaoca, a meio caminho topo um homem encavalgado na mais avariada égua que jamais meus olhos viram. À garupa iam malas do correio e vários picuás; no sant'antônio, mais picuás além duma vassoura nova enganchada nos arreios com a palha para cima. Estava parado, em atitude idiotizada, segurando pelo cabresto um cavalinho de silhão. Abordei-o, pedindo fogo. Aceso o cigarro, indaguei de quem montava a cavalgadura vazia.

— "Não vê" que estou acompanhando a dona Engrácia, que é parteira em Itaoca. Ela apeou um bocadinho e...

Ouvi rumor atrás: saía do mato uma mulheraça rúbida, de saias tufadas de goma, tendo na cabeça um toucadinho coevo de S. M. Fidelíssima... Para não vexá-la pus-me a caminho, não sem, voltando a cara de soslaio, regular-me com os apuros do estafeta para entalar nas andilhas as cinco arrobas da parteira aliviada.

E descomposturas...

— Seu Biriba, não foi linha quarenta que eu encomendei. O senhor parece bobo!

Quando a fazenda era má:

— Não viu que a chita desbotava? Que moda!

Doía-lhe, sobretudo, carretear para a execrável gente da oposição. O coronel contrário não se pejava de pôr intromissão de terceiro, neutro ou oposicionista encapotado, abusar da boa-fé do mártir. Lembrava-se Biriba, com dor d'alma, de um bode de raça que lhe dera grandes trabalhos pelo caminho — e várias marradas de lambuja; afinal, chegando, verificou que vinha para o inimigo.

Toda gente gozou do caso, entre espirros de riso e galhofa.

— É um pax-vobis o Biriba! Trazer o bode da oposição! Quiá! Quiá! Quiá!

Estas e outras foram-lhe azedando os fígados e as vísceras circunvizinhas. Biriba emagreceu. Biriba amarelou.

A égua, coitada, perdeu a feição cavalar. Seu lombo selara em meia lua, de modo que por um nadinha não raspavam o chão os pés do cavaleiro. Montado, Biriba afundava. Sua cabeça caía quase ao nível duma linha tirada da anca às orelhas da égua. Horrendamente pisada, trazia a bicha nos olhos permanentes lágrimas de dor; mas em vez de tanta mazela mover ao dó o coração dos itaoquenses, regalava-os, e eram chufas sem fim e piadas idiotas acerca do "Estafeta da Triste Figura mais a sua Bucéfala", como os batizou um engraçado local.

Lazarento como eles, só o Cunegundes, cão sem dono, coberto de sarna, que perambulava a esmo pela cidade, fugindo a moscas e pontapés. Pois não lhe mudaram o nome para Biribinha? Cachorrada!

Não tardou muito viesse o governo dar sua volta ao torniquete, cortando dez mil réis no ordenado dos estafetas — para salvar-se em certa ocasião de apuros financeiros. E salvou-se, esta é que é!...

A roupa no fio. À entrada das chuvas uma alma caridosa deu-lhe uma velha capa de borracha; mas no primeiro aguaceiro verificou Biriba que tal capote vazava como peneira, de modo a piorar-lhe a situação com a sobrecarga dum panejamento absorvedor de litros d'água.

Biriba, perdida a paciência, murmurou.

Ai! Soube-o logo o chefe e fê-lo vir a contas.

— É certo que o senhor me anda arrenegando do emprego que lhe demos? Queria, acaso, ser eleito senador ou vice-presidente? Um pedaço de porcalhão que andava aí lambendo embira, morre não morre de fome, passa, por generosidade nossa, a ocupar um cargo federal com ordenado relativamente bom (aqui Biriba tossiu um... "Sim senhor"), encontra todas as facilidades, recebe um bom animal e ainda se queixa? Que quer então Vossa Excelência?

Biriba entumeceu-se de coragem e declarou querer uma coisa só: a demissão. Estava doente, surradíssimo, ameaçado de perder de um momento para outro a égua e as nádegas. Queria mudar de vida.

— Muda-se, então, de vida assim do pé para a mão? Quer abandonar os amigos? E a disciplina partidária onde fica, meu caro palerma?

Não convinha a ninguém a saída do Biriba. Quem mais serviçal? Lembravam-se dos estafetas anteriores, malcriados, inimigos de trazer um papel d'agulha fosse para quem fosse. Não sairia. Itaoca impunha-lhe o sacrifício de ficar.

Mas a tortura do diário chocalhar por sete léguas das vísceras do Biriba acabou por desconjuntar nele o cimento da lealdade partidária. O mártir abriu os olhos. Lembrou-se com saudades dos ominosos tempos do coronel Evandro, das delícias do botequim e até do calamitoso período da degradação "fosfórica". Piorara após o triunfo, não havia dúvida.

Este livre exame de consciência — crede-me — foi o início da queda do coronel Fidêncio em Itaoca. Biriba, o firme esteio, apodrecia pelo nabo; viria abaixo, e com ele a cumieira do pardieiro político. A víbora da traição armara ninho em sua alma.

Como o novo pleito se aproximasse, nova vitória lhe seria novo termo de martírio. Biriba ponderou de si para sua égua que a salvação de ambos estava na derrota. Demitiam-no, e ele, veterano e mártir do fidencismo, continuaria com jus ao apoio do partido, sem padecer por via coccigiana o contacto odioso das sete horas diárias de socado.

Deliberou trair.

Na véspera da eleição incumbiu-o Fidêncio de trazer da cidade um papel importantíssimo para o tribofe das urnas. Sei lá o que era! Um "papel". A palavra "papel" dita assim em tom de mistério trás no bojo "coisas"...

Fidêncio frisou a gravidade da incumbência — a maior prova de confiança jamais dada por ele a um cabo eleitoral.

— Veja lá! A nossa sorte está nas suas mãos. Isto é que é confiança, hein?

Partiu Biriba. Recebeu na cidade o "papel" e rodou para trás. A meio caminho, porém, tomou por uma errada, foi ter à biboca dum negro velho, soltou a égua, pegou de prosa com o gorila. Caiu a noite: Biriba deixou-se ficar. Alvoreceu o dia seguinte: Biriba quieto. Dez dias se passaram assim. Ao cabo, arreou a égua, montou e botou-se para Itaoca como se nada houvera acontecido.

Foi um assombro a sua aparição. Baldadas as tentativas para apanhá-lo no dia do pleito e nos posteriores, deram-no como papado pelas onças, ele, égua, mala postal e "papel". Vê-lo agora surgir sãozinho da silva foi um abrir de boca e um pasmar à vila inteira. Que houve? Que não houve?

A todas as perguntas Biriba armava na cara a suprema expressão da idiotia. Nada explicava. Não sabia de nada. Sono cataléptico? Feitiço? Não compreendia o sucedido. Afigurava-se-lhe ter partido na véspera e estar de volta no dia certo.

Ficaram todos maravilhados, com asníssimas caras.

Fidêncio delirava na cama, com febre cerebral. Perdera a eleição redondamente. "Derrota fedida", arrolavam os vencedores, atochando foguetes de assobio.

Em consequência do inexplicável eclipse do estafeta senhoreou-se do rebenque o ex-ominoso Evandro. Começou a derrubada. O olho-da-rua recebeu em seu seio tudo quanto cheirava a fidencismo. A vassoura da demissão, porém, poupou a... Biriba.

O novo cacique aproximou-se dele e disse:

— Demiti toda a canalha, Biriba, menos a você. Você é a única coisa que se salva da quadrilha do Fidêncio. Fique sossegado, que do seu lugarzinho ninguém o arranca, nem que o céu chova torqueses.

Pela derradeira vez em Itaoca Biriba balbuciou o "Sim senhor". À noite deu um beijo no focinho da égua e saiu de casa pé ante pé. Ganhou a estrada e sumiu.

E nunca mais ninguém lhe pôs a vista em cima...

1916

Meu conto de Maupassant

Conversavam no trem dois sujeitos. Aproximei-me e ouvi:

— "Anda a vida cheia de contos de Maupassant; infelizmente há pouquíssimos Guys...

— "Por que Maupassant e não Kipling, por exemplo?

— "Porque a vida é amor e morte, e a arte de Maupassant é nove em dez um enquadramento engenhoso do amor e da morte. Mudam-se os cenários, variam os atores, mas a substância persiste — o amor, sob a única face impressionante, a que culmina numa posse violenta de fauno incendido de luxúria, e a morte, o estertor da vida em transe, o quinto ato, o epílogo fisiológico. A morte e o amor, meu caro, são os dois únicos momentos em que a jogralice da vida arranca a máscara e freme num delírio trágico.

— "?

— "Não te rias. Não componho frases. Justifico-me. Na vida, só deixamos de ser uns palhaços inconscientes a mentirmos à natureza quando esta, reagindo, põe a nu o instinto hirsuto ou acena o "basta" final que recolhe o mau ator ao pó. Só há grandeza, em suma, e "seriedade", quando cessa de agir o pobre jogral que é o homem feito, guiado e dirigido por morais, religiões, códigos, modas e mais postiços de sua invenção — e entra em cena a natureza bruta.

— "A propósito de que tanta filosofia, com este calor de janeiro?..

O comboio corria entre S. José e Quiririm. Região arrozeira em plena faina do corte. Os campos em sega tinham o aspecto de cabelos louros tosados à escovinha. Pura paisagem europeia de trigais.

A espaços feriam nossos olhos quadros de Millet, em fuga lenta, se longe, ou rápida, se perto. Vultos femininos de cesta à cabeça, que paravam a ver passar o trem. Vultos de homens amontoando feixes de espigas para a malhação do dia seguinte. Carroções tirados a bois recolhendo o cereal ensacado. E como caía a tarde e a Mantiqueira já era uma pincelada opaca de índigo a barrar a imprimadura evanescente do azul, vimos em certo trecho o original do "Angelus"...

— "Já te digo a propósito de quê vem tanta filosofia.

E, enfiando os olhos pela janela, calou-se. Houve uma pausa de minutos. Súbito, apontando um velho saguaraji avultado à margem da linha e logo sumido para trás, disse:

— "A propósito dessa árvore que passou. Foi ela comparsa no "meu conto de Maupassant".

— "Conta lá, se é curto.

O primeiro sujeito não se ajeitou no banco, nem limpou o pigarro, como é de estilo. Sem transição foi logo narrando.

— "Havia um italiano, morador destas bandas, que tinha vendola na estrada. Tipo mal encarado e ruim. Bebia, jogava, e por várias vezes andou às voltas com as autoridades. Certo dia — eu era delegado de polícia — uns piraquaras vieram dizer-me que em tal parte jazia o "corpo morto" de uma velha, picado à foice.

Organizei a diligência e acompanhei-os. — "É lá naquele saguaraji", disseram ao aproximarem-se da árvore que passou. Espetáculo repelente! Ainda tenho na pele o arrepio de horror que me correu pelo corpo ao dar uma topada balofa num corpo mole. Era a cabeça da velha, semioculta sob folhas secas. Porque o malvado a decepara do tronco, lançando-a a alguns metros de distância.

Como por sistema eu desconfiasse do italiano, prendi-o. Havia contra ele indícios fortes. Viram-no sair com a foice, a lenhar, na tarde do crime.

Entretanto, por falta de provas foi restituído à liberdade, mau grado meu, pois cada vez mais me capacitava da sua culpabilidade. Eu pressentia naquele sórdido tipo — e negue-se valor ao pressentimento! — o miserável matador da pobre velha.

— "Que interesse tinha no crime?

— "Nenhum. Era o que alegava. Era como argumentava a logicazinha trivial de toda gente. Não obstante, eu o trazia de olho, certo de que era o homicida.

O patife, não demorou muito, traspassou o negócio e sumiu-se. Eu do meu lado deixei a polícia e do crime só me ficou, nítida, a sensação da topada mole na cabeça da velha.

Anos depois o caso reviveu. A polícia obteve indícios veementes contra o italiano, que andava por São Paulo num grau extremo de decadência moral, pensionista do xadrez por furtos e bebedices. Prenderam-no e remeteram-no para cá, onde o júri iria decidir da sua sorte.

— "Os teus pressentimentos...

O sujeito sorriu com malícia e continuou.

— "Não resistiu, não reagiu, não protestou. Tomou o trem no Brás e veio de cabeça baixa, sem proferir palavra, até S. José; daí por diante (quem o conta é um soldado da escolta) metia amiúde os olhos pela janela, como preocupado em ver qualquer coisa na paisagem, até que defrontou o saguaraji. Nesse ponto armou um pincho de gato e despejou-se pela janela fora. Apanharam-no morto, de crânio rachado, a escorrer a couve-flor dos miolos perto da árvore fatal.

— "O remorso!

— "Está aqui o "meu conto de Maupassant". Tive a impressão dele nas palavras do soldado da escolta: "veio de cabeça baixa até S. José, daí por diante enfiou os olhos pela janela até enxergar a árvore e pinchou-se". No progresso ingênuo da narrativa li toda a tragédia íntima daquele cérebro, senti todo um drama psicológico que nunca será escrito...

— "É curioso! — comentou o outro, pensativamente.

Mas o primeiro sujeito acendeu o cigarro e concluiu sorridente, com pausada lentidão:

— "O curioso é que mais tarde um dos piraquaras denunciadores do crime, e filho da velha, preso por picar um companheiro a foiçadas, *confessou-se também o assassino da velhinha, sua mãe...*

— "?

— "Meu caro, aquele pobre Oscar Fingall O'Flahertie Wills Wilde disse muita coisa, quando disse que a vida sabe melhor imitar a arte do que a arte sabe imitar a vida.

1915

"Pollice verso"

Dos dezesseis filhos do coronel Inácio da Gama cedo revelou o caçula singulares aptidões para médico. Pelo menos assim julgara o pai, como quer que o encontrasse na horta interessadíssimo em destripar um passarinho agonizante.

— Descobri a vocação do Nico, — disse o arguto sujeito à mulher. — Dá um ótimo esculápio. Inda agorinha o vi lá fora dissecando um sanhaço vivo.

Hão de duvidar os naturalistas estremes que o homem dissesse dissecar. Um coronel indígena falar assim com este rigor de glótica é coisa inadmissível aos que avaliam o gênero inteiro pela meia dúzia de pafúncios agaloados do seu conhecimento. Pois disse. Este coronel Gama abria exceção à regra; tinha suas luzes, lia seu jornal, devorara em moço o *Rocambole*, as *Memórias de Um Médico* e acompanhava debates da Câmara com grande admiração pelo Rui Barbosa, o Barbosa Lima, o Nilo e outros. Vinha-lhe daí um certo apuro na linguagem, destoante do achavascado ambiente glóssico da fazenda, onde morava.

Quem nada percebeu foi dona Joaquininha, a avaliar pelo ar emparvecido que deu à cara.

— Dissecando, — explicou superiormente o marido, — quer dizer destripando.

— E deixou você que ele cometesse semelhante malvadeza? — exclamou a excelente senhora, compadecida.

— Lá vens com a pieguice!...Deixá-lo brincar, que é da idade, eu em pequeno fazia piores e nem por isso virei nenhum ogre.

(Outra vez! "Ogre!" O homem nascera precioso. Este ogre devia ser reminiscência do Ogre da Córsega, Napoleão chamado. Perdoem-lho à guisa de compensação à parcimônia da esposa, cujo vocabulário era dos mais restritos.)

Dona Joaquina fechou a cara, e quando o pequeno facínora entrou do quintal pediu-lhe contas da perversidade, asperamente. O coronel, que nesse momento lia na rede as folhas recém-chegadas, houve por bem interromper a ingestão de um flamante discurso sobre a questão do Amapá para acudir em apoio ao fedelho.

— Uma vez que será médico, não vejo mal em ir-se familiarizando com a anatomia...

— A anatomia está ali! — rematou a encolerizada senhora apontando a vara de marmelo oculta atrás da porta. — Eu que saiba que o senhor me anda com judiarias aos pobres animaizinhos, que te disseco o lombo com aquela anatomia, ouviu, seu carniceiro?

O menino raspou-se; o coronel retomou resignado o fio do discurso; e o caso do sanhaço ficou por ali.

Mas não ficou por ali a malvadez do Nico. Acautelava-se agora. Era às escondidas que "depenava" moscas, brinquedo muito curioso, consistente em arrancar-lhes todas as pernas e asas para gozar o sofrimento dos corpinhos inertes. Aos grilos cortava as saltadeiras, e ria-se de ver os mutilados caminharem como qualquer bichinho de somenos.

Gatos e cães farejavam-no de longe, aterrorizados. Fora ele quem cortara o rabo ao mísero Joli da agregada Emiliana, e era quem descadeirava todos os gatos da fazenda. Isso, longe. Em casa, um anjinho. E assim, anjo internamente e demônio extramuros, cresceu até à mudança de voz. Entrou nesse período para um colégio, e deste pulou para o Rio, matriculado em medicina.

O emprego que lá deu aos seis anos do curso soube-o ele, os amigos e as amigas. Os pais sempre viveram empulhados, crentes de que o filho era uma águia a plumar-se, futuro Torres Homem de Itaoca, onde, vendida a fazenda, então moravam. Nesta cidade tinham em mente encarreirar o menino, para desbanque dos quatro esculápios locais, uns onagros, dizia o coronel, cuja veterinária rebaixava os itaoquenses à categoria de cavalos.

Pelas férias o doutorando aparecia por lá, cada vez "mais outro", desempenado, com tiques de carioca, "ss" sibilantes, roupas caras e uns palavreados técnicos de embasbacar.

Quando se formou e veio de vez, estava já definitivo, nos vinte e quatro anos. Não se lhe descreve aqui a cara, porque retratos por meio de palavras têm a propriedade de fazer imaginar feições às vezes opostas às descritas. Dir-se-á unicamente que era um rapaz espigado, entre louro e castanho, bonito mas antipático — com o olhar do Stuart Holmes, diziam as meninas doutoras em cinemas. No queixo trazia barba de médico francês, coisa que muito avulta a ciência do proprietário.

Doentes há que entre um doutor barbudo e um glabro, ambos desconhecidos, pegam sem tir-te no peludo, convictos de que pegam no melhor.

O doutor Inacinho, entretanto, aborrecia aquele meio acanhado "onde não havia campo".

— "Isto aqui," contava em carta aos colegas do Rio, "é um puro degredo. Clínica escassa e mal pagante, sem margem para grandes lances, e inda assim repartida por quatro curandeiros que se dizem médicos, perfeitas vacas de Hipócrates, estragadores de pepineira com suas consultinhas de cinco mil réis. O cirurgião da terra é um Doyen de sessenta anos, emérito extrator de bichos de pé e cortador de verrugas com fio de linha. Dá iodureto a todo mundo e tem a imbecilidade de arrotar cepticismo, dizendo que o que cura é a Natureza. Estes rábulas é que estragam o negócio", etc.

Negócio, pepineira, grandes lances — está aqui a psicologia do novo médico. Queria pano verde para as boladas gordas.

— "Além disso," continuava, "é-me insuportável a ausência da Yvonne e de vocês. Não há cá mulheres, nem gente com quem uma pessoa palestre. Uma pocilga! As boas pândegas do nosso tempo, hein?"

Ora aqui está: Yvonne, os amigos, as pândegas foram o melhor do curso. Com mão diurna e noturna manuseou-os a estes tratadistas de anatomia, da fisiologia, da calaçaria, e agora torturavam-no saudades.

Yvonne voltara à pátria, deixando cá a meia dúzia de amantes que depenara a morrerem de saudades dos seus encantos. Antes de ir-se deu a cada parvo uma estrelinha do céu, para que, a tantas, se encontrassem nela os amorosos olhares. Os seis idiotas todas as noites ferravam os olhos, um no "Taureau" (ela distribuíra as constelações em francês), outro na "Écrevisse", outro na "Chevelure de Bérénice", o quarto, no "Bélier", o quinto em "Antarés", e o derradeiro na "Épi de la Vièrge".

A garota morria de rir no colo dum apache monmartrino, contando-lhe a história cômica dos seis parvos brasileiros e das seis constelações respectivas. Liam juntos as seis cartas recebidas a cada vapor, nas quais os protestos amorosos em temperatura de ebulição faziam perdoar a ingramaticalidade do francês antártico. E respondiam de colaboração, em carta circular, onde só variava o nome da estrela e o endereço.

Esta circular era o que havia de terno. Queixava-se a rapariga de saudades, "essa palavra tão poética que fora aprender no Brasil, o belo país das palmeiras, do céu azul, e dos michês". Acoimava-os de ingratos, já em novos amores, ao passo que a pobrezinha, solitária e triste "comme la juriti", consagrava os dias a rememorar o doce passado.

Eis explicada a razão pela qual, nas noites límpidas, ficava Inacinho à janela, pensativo, de olhos postos na "Chevelure de Bérénice".

O sonho do moço era enriquecer às rápidas para reatar a gostosura do idílio interrompido.

— Paris!... — balbuciava à meia voz nos momentos de devaneio, semicerrando os olhos no antegozo do paraíso. Sonhava-se lá, riquinho, com Yvonne pelo braço, flanando no "Bois", tal qual nos romances; e a realização deste sonho era o alvo de todos os seus anelos. Jurara à amiga ir ter com ela logo que a prosperidade lhe abastasse meios. O tempo, entretanto, corria sem que nenhuma piabanha de vulto lhe caísse na rede. Tardava a bolada...

Entre os médicos antigos de Itaoca o doutor Inacinho gozava péssimo renome — se renome péssimo pode ser coisa de gozo.

— Uma bestinha! — dizia um. — Eu fico pasmado mas é de saírem da Faculdade cavalgaduras daquele porte! É médico no diploma, na barbicha e no anel do dedo. Fora d'aí, que cavalo!

— E que topete! — acrescentava outro. — Presumido epomadista como não há segundo. Não diz humores ou sífilis; é mal luético. Eu o que queria era pilhá-lo numa conferência, para escachar...

O pai, já viúvo então, esse babava-se d'orgulho. Filho médico, e ainda por cima destabocado e bem falante como aquele... Era de moer de inveja aos mais. Enlevava-o, sobretudo, aquele modo alcandorado de exprimir-se. Revia-se no filho, o coronel...

— A terminologia inteira da ciência alopata, coisas, em grego e latim, circunvolve naquela cabecinha, — disse ele uma vez ao vigário, que o olhou de revés, por cima, dos óculos, ao som daquele mirífico circunvolve.

E assim corria o tempo, entre as diatribes das duas ciências, a moça e a velha, com entremeio dos belos vocábulos que o coronel nunca perdia de meter na falação.

Entrementes adoeceu o major Mendanha, capitalista aposentado com trezentas apólices federais, o Rockefeller de Itaoca. Deu-lhe uma súbita aflição, uma canseira, e a mulher alvoroçou-se.

— Não é nada, isto passa, — acalmou ele.

— Passará ou não!... O melhor é chamar um médico.

— Qual, médico! Isto é nada.

Não era tão nada assim, como pretendia. À noite agravou-se-lhe o mal estar, e o velho, apreensivo, cedeu às instâncias da esposa. Chamar a qual deles, porém?

— Pois o Moura, — disse a mulher, para quem o da sua confiança era este Moura.

— Deus me livre! — retrucou o doente. — Aquilo é homem mal azarado. Pois não foi quem tratou o Zeca, o Peixoto, o Jerônimo? E não esticaram a canela todos três?

— O doutor Fortunato, então...

— O Fortunato! Já esqueceu você do que me ele fez por ocasião do júri, o tranca? Cobrar cinquenta mil réis por um atestado falso? Não me pilha mais um vintém, o pirata...

No doutor Elesbão não se falou: era adversário político.

— Chama-se o Galeno...

— É tão mosca-morta o Galeno... — gemeu o doente com cara de desconsolo. — Andou anos a tratar o Faria do Hotel como diabético, e já o dava por morto quando um curandeiro da roça o pôs saníssimo com um coco da Bahia comido em jejum. Eram solitárias os diabetes do homem... Só se vier o filho do Inácio?!

Aqui foi a mulher quem protestou.

— Eu, a falar a verdade, prefiro a ruindade do Galeno, a má sorte do Moura, e até o Elesbão...

— Esse, nunca!... — interrompeu o velho, num assomo de rancor político.

— ...do que a antipatia do tal doutorzinho. Os outros ao menos têm a experiência da vida, ao passo que este...

— Este, que?

— Este, Mendanha, é moço bonito, que o que quer é dinheiro e pândega, você não vê?

— Qual!... — emberrinchou o teimoso. — Sempre há de saber um pouco mais que os velhos; aprendeu coisas novas. No caso de Nhazinha Leandro, não a pôs boa num ápice?

— Também que doença! Prisão de ventre...

— Seja prisão ou soltura, o caso foi que a curou. Mande chamar o menino.

— Olhe, olhe! Depois não se arrependa!...

— Mande, mande chamá-lo e já, que não me estou sentindo bem.

Inacinho veio. Interrogou detidamente o major, tomou-lhe o pulso, auscultou-o com o semblante carregado e disse, depois de longa pausa:

— Não diagnostico por enquanto, porque não sou leviano como "certos" por aí. Sem auscultação estetoscópica nada posso dizer. Voltarei mais tarde.

— Vê? — disse Mendanha à esposa logo que o moço partiu. — Fosse o Moura, ou qualquer dos tais, e já dali da porta vinha beirando que era isto mais aquilo. Este é consciencioso. Quer fazer uma auscultação, quê?

— Estereoscópica, parece.

— Seja o que for. Quer fazer a coisa pelo direito, é o que é.

Voltou o moço logo depois e com grande cerimonial aplicou o instrumento no peito magro do doente. Vincou de novo a fisionomia das rugas da concentração e concluiu com imponente solenidade:

— É uma pericardite aguda agravada por uma flegmasia hepático-renal.

O doente arregalou o olho. Nunca imaginara que dentro de si morassem doenças tão bonitas, embora incompreensíveis.

— E é grave, doutor? — perguntou a mulher, assustada.

— É e não é! — respondeu o sacerdote. — Seria grave se, modéstia de lado, em vez de me chamarem a mim chamassem a um desses matassanos que por aí rabulejam. Comigo é diferente. Tive no Rio, na clínica hospitalar, numerosos casos mais graves e a nenhum perdi. Fique descansada que porei o seu marido completamente são dentro de um mês.

— Deus o ouça! — rematou a mulher acompanhando-o até à porta e já meio reconciliada com a "antipatia".

— Então? — perguntou-lhe o doente. — Fiz ou não fiz bem em chamar este moço?

— Parece... Deus queira tenhamos acertado, porque isto de médicos é sorte.

— Não é tanto assim, — reguingou o velho. — Os que sabem, conhecem-se por meia dúzia de palavras, e este moço, ou muito me engano ou sabe o que diz. Fosse o Fortunato...

E riu-se lá consigo ao imaginar as doencinhas caseiras que o Fortunato descobriria nele...

A doença do major Mendanha ninguém soube qual fosse. O lindo diagnóstico de Inacinho não passava de mera sonoridade pelintra. Bacorejara ao moço que o velho tinha o coração fraco e qualquer maromba no fígado. Isto porque lhe doía, a ele, aqui no "vazio"; aquilo por ser natural. Confessá-lo com esta sem-cerimônia, porém, seria fazer clínica à moda do Fortunato, e desmoralizar-se. Além do mais, quem sabe lá se não estaria ali o sonhado lance? Prolongar a doença... Engordar a maquia...

Inácio não enxergava em Mendanha o doente, mas uma bolada maior ou menor, conforme a habilidade do seu jogo. A saúde do velho importava-lhe tanto como as estrelas do céu — exceção feita à "Cabeleira de Berenice". Como desadorasse a medicina, não vendo nela mais que um meio rápido de enriquecer, nem sequer lhe interessava o "caso clínico" em si, como a muitos. Queria dinheiro, porque o dinheiro lhe daria Paris, com Yvonne de lambuja. Ora, o major tinha trezentas apólices... Dependia pois da sua artimanha malabarizar aquele fígado, aquele coração, aquelas palavras gregas e, num prestidigitar manhoso, reduzir tudo a uns tantos contos de réis bem sonantes.

Mandou carta à francesinha: "Os negócios melhoraram. Estou metido em uma empresa que se me afigura rendosa. Saindo tudo a contento, tenho esperanças de inda este ano beijar-te sob a luz do tema confluente dos nossos olhares..."

O velho piorou com a medicação. Injeções hipodérmicas, cápsulas, pílulas, poções, não houve terapêutica que se não experimentasse desastrosamente.

— É mais grave o caso do que eu supunha — disse o doutor à mulher — e os escrúpulos do meu sacerdócio aconselham-me a pedir conferência médica. Os colegas da terra são o que a senhora sabe; entretanto, submeto-me a ouvi-los.

— Não, doutor! Mendanha não quer ouvir falar nos seus colegas; só tem confiança no doutor Inácio Gama.

— Nesse caso...

Inacinho voltou para casa esfregando as mãos. Estava só em campo, com todos os ventos favoráveis. Paris corria-lhe ao encontro...

Mau grado seu, na semana seguinte, inesperadamente, o raio do major apresentou melhoras. Sarava, o patife! E a Inácio palpitou que com mais uma quinzena daquela arribação o homem se punha de pé.

Fez os cálculos: trinta visitas, trinta injeções e tal e tal: três contos. Uma miséria! Se morresse, já o caso mudava de figura, poderia exigir vinte ou trinta.

Era costume dos tempos fazerem-se os médicos herdeiros dos clientes. Serviços pagos em caso de cura aí com centenas de mil réis, em caso de morte reputavam-se em contos. Se os interessados relutavam no pagamento, a questão subia aos tribunais, com base no arbitramento. Os árbitros, mestres do mesmo ofício, sustentavam o pedido por coleguismo, dizendo em latim: *Hodie mihi, cras tibi*, cuja tradução médica é: prepare-se você para me fazer o mesmo, que também pretendo dar a minha cartada.

Inácio ponderou tudo isto. Mediu prós e contras. Consultou acórdãos. E tão absorvido no problema andou que à noite se deixava ficar à janela até tarde, mergulhado em cismas, sem erguer os olhos para a Berenice estelar.

O que a sua cabeça pensou ninguém o saberá jamais. Têm as ideias para escondê-las a caixa craniana, o couro cabeludo, a grenha; isso por cima; pela frente têm a mentira do olhar e a hipocrisia da boca. Assim entrincheiradas, elas, já de si imateriais, ficam inexpugnáveis à argúcia alheia. E vai nisso a pouca de felicidade existente neste mundo sublunar. Fosse possível ler nos cérebros claro como se lê no papel e a humanidade crispar-se-ia de horror ante si própria...

Positivo como era Inacinho, supomos que meteu em equação o problema das duas vidas.

Primeira hipótese:
Cura do major = três contos.
Três contos = Itaoca, pasmaceira, etc....

Segunda hipótese:
Morte do major = trinta contos.
Trinta contos = Paris, Yvonne, "Bois"...

Depois desta sólida matemática, esta anavalhante filosofia. "A morte é um preconceito. Não há morte. Tudo é vida. Morrer é transitar de um estado para outro. Quem morre, transforma-se. Continua a viver inorganicamente, transmutado em gases e sais, ou organicamente, feito lucílias, necróforas e uma centena de outras vidinhas esvoaçantes. Que importa para a universal harmonia das coisas esta ou aquela forma? Tudo é vida. A vida nasce da morte. Eu preciso, eu "quero" viver a minha vida. Há óbices no caminho? Afasto-os..."

Fiquemos por aqui. Não há tempo para filosofias, porque o Major Mendanha piorou subitamente e lá agoniza. Morreu.

O atestado de óbito deu como "causa-mortis" flegmatite complicada com necrose elipsoidal. Podia batizá-la de embolia estourada, nó cego na tripa, tuberculose mesentérica, estupor granuloso peristáltico, ou qualquer outro dos cem mil modos de morrer à grega.

Morreu, e está dito tudo. Morreu, e o doutor Inacinho apresentou no inventário uma conta de chegar: trinta e cinco contos de réis.

Os herdeiros impugnaram o pagamento. Move-se a traquitana da Justiça. Mói-se o palavreado tabelionesco. Saem das estantes caruncosos trabucos romanos. Procede-se ao arbitramento.

Os árbitros são Fortunato e Moura, os quais disseram entre si:

— Que grande velhaco! Mata o homem e ainda por cima quer ficar-se herdeiro! O tratamento, alto e malo, não vale cem mil réis. Que valha duzentos. Que valha um conto ou três. Mas trinta e cinco? É ser ladrão!...

No laudo, entretanto, acharam relativamente módico o pedido — sem dizer relativo ao quê.

A justiça engoliu aquele papel, gestou-o com outros ingredientes da praxe e, a cabo de prazos, partejou um monstrozinho chamado sentença, o qual obrigava o espólio a aliviar-se de trinta e cinco contos de réis em proveito do médico, mais as custas da esvurmadela forense. Inacinho, radiante, embolsou os cobres e reconciliou-se com os dois colegas que, afinal de contas, não eram os cretinos que supusera.

— Colegas, o passado, passado; agora, para a vida e para a morte!

— Pois está visto! — disse Fortunato. — Tolo andou você em abrir luta com os que ajudam o negócio. O coleguismo: eis a nossa grande força!...

— Tem razão, tem razão. Criançada minha, ilusões, farofas que a idade cura...

Que mais? Que voou a Paris? É claro. Voou e lá está sob o pálio da grenha astral, a passear com a Yvonne no "Bois".

Ao pai escreveu:

— Isto é que é vida! Que cidade! Que povo! Que civilização! Vou diariamente à Sorbonne ouvir as lições do grande Doyen e opero em três hospitais. Voltarei não sei quando. Fico por cá durante os trinta e cinco contos, ou mais, se o pai entender de auxiliar-me neste aperfeiçoamento de estudos.

A Sorbonne é o apartamento em Montmartre onde compartilha com o apache da Yvonne o dia da rapariga. Os três hospitais são os três cabarés mais à mão.

Não obstante, o pai cismou naquilo cheio d'orgulho, embora pesaroso: não estar viva a Joaquininha para ver em que alturas pairava o Nico — o Nico do sanhaço estripado... Em Paris! Na Sorbonne!... Discípulo querido do Doyen, o grande, o imenso Doyen!...

Mostrou a carta aos médicos reconciliados.

— Isso de hospitais, — gemeu o invejoso Fortunato, — é uma mina. Dá nome. Para botar nos anúncios é de primeiríssima.

— E o Doyen? — murmurou, baboso, o embevecido pai. — Não há como a gente apropinquar-se das celebridades...

— É isso mesmo, — concluiu o Moura, relanceando um olhar ao Fortunato num comentário mudo àquele mirífico apropinquamento. E os dois enxugaram, à uma, os copos da cerveja comemorativa mandada abrir pelo bem-aventurado coronel.

1916

BUCÓLICA

Tanta chuva ontem!... O cedrão do posto fendido pelo raio — e hoje, que manhã!

A natureza orvalhada tem a frescura de uma criancinha ao deixar o banho. Inda há rolos de cerração vadia nas grotas. O sol já nado e ela com tanta preguiça de recolher os véus de neblina... A vegetação toda a pingar orvalho, bisbilhante de gotas que caem e tremelicam, sorri como em êxtase. Há em cada vergôntea folhinhas de esmeralda tenra brotadas durante a noite. A mão de quem passa não resiste; colhe-as de alcance, porque é um gosto mordiscar-lhes a polpa macia.

Meu Deus! O que vai de aranhóis pela relva — nos galhinhos de joveva, nas flechas de capim, grandes e pequeninos, todos mimosos de desenho, tecidos a fio de seda... Compraz-se a noite em agrumar neles milhões de diamantezinhos que a luz da manhã irisa. Malmequeres por toda a parte — amarelos, brancos. E tanta flor sem nome...

— Flor à toa, — diz a gente roceira.

São coitadinhas, a plebe humílima. A nobreza floral mora nos jardins, esplendendo cores de dança serpentina sob formas luxuriosas de odaliscas. A duquesa Dália, sua majestade a Rosa, o samurai Crisântemo — que fidalguia! Bem longe estão destas aqui, azuleguinhas, pouco maiores do que uma conta de rosário.

Não obstante, vejo nestas mais alma. Leio mil coisas na sua modéstia. Lutaram sem tréguas contra o solo tramado de raízes concorrentes, contra as lagartas, contra os bichos que pastam. Que tenacidade, que prodígio de economia não representam estas iscas de pétalas, e o perfume agreste que as oloriza, e a cor — tentativa de azul — com que se enfeitam, as feiticeirinhas!

São belas, sim — da sua beleza, a beleza selvática das coisas que jamais sofreram a domesticação do homem.

As flores de jardim: escravas de harém... Adubo farto, terra livre, tutores para a haste, cuidados mil — cuidados do homem para com a rês na ceva... As agrestes morrem livres no hastil materno; as fidalgas, na guilhotina da tesoura. Fábula do lobo e do cão...

Que ar! A gente das cidades, afeita a sorver um indecoroso gás feito de pó em suspensão num misto de mau azoto e pior oxigênio, ignora o prazer sadio que é sentir os pulmões borbulhantes deste fluido vital em estado de virgindade. O oxigênio fresquinho foi elaborado naquele momento pela vegetação viçosa. Respirá-lo é sorver vida à nascente.

Ali, o rio. Ingazeiros desgalhados pendem sobre ele as franças, cujas pontas lhe arrepiam o espelho das águas. Caem na corrente flores mortas. O movediço esquife condu-las com mimo até à barulhenta corredeira próxima; lá, irritado, amarfanha-as, fá-las pedaços — e as coitadinhas viram babugem.

Margeia o rio a estrada, ora d'ocre amarelo, ora roxo-terra; aqui, túnel sob a verdura picada no alto de nesgões de luz; além, escampa. Nos barrancos há tocos de raízes decepadas pelo enxadão, e covas de formigueiros mortos onde as corruílas armam ninho.

Surgem casebres de palha.

Lá na aguada bate roupa uma mulher.

Rumor no mato... Sai dele, de lenha ao ombro, uma cabocla.

— Sinh'Ana, bom dia! Que é do Luiz?

— No eito, coitado.

— Sarou bem?

— Ché que esperança! Melhorzinho. Panarício é uma festa!...

Baitacas em bando, bulhentas, a sumirem-se num capão d'angico. Borboletas amarelas nos úmidos. Parece um debulho de flores de ipê.

Uma preá que corta o caminho.
— Pega, Vinagre!

Outra casinha, lá longe. É a toca do Urunduva, caboclo maleiteiro. Este diabo tem no sítio a coisa mais bela da zona — a paineira grande. Dirijo-me para lá. Um carreirinho entre roças, a pinguela, um valo a saltar... Ei-la! Que maravilha!

Derreada de flores cor-de-rosa, parece uma só imensa rosa crespa. Beija-flores como ali ninguém jamais viu tantos. Milheiros não digo — mas centenas, uma centena pelo menos lá está zunindo. Chegam de longe todas as manhãs enquanto dura a festa floral da paineira mãe. Voejam rápidos como o pensamento, ora librados no ar, sugando uma corola, ora riscando curvas velocíssimas, em trabalhos de amor.

Que lindo amor — alado, rutilante de pedrarias!...

Respiro um ar cheiroso, adocicado, e fico-me em enlevo a ver as flores que caem regirantes. Se afla mais forte a brisa, despegam-se em bando e recamam o chão. Devem ser assim as árvores do país das fadas...

O Urunduva? É ele mesmo. Amarelo, inchado, a arrastar a perna...
— Então, meu velho, na mesma?
— Melhorzinho. A quina sempre é remédio.
— Isso mesmo, quina, quina.
— É... mas está cara, patrão! Um vidrinho assim, três cruzados. Estou vendo que tenho de vender a paineira.
— ??
— Não vê que o Chico Bastião dá dezoito mil réis por ela — e inda um capadinho de choro. Como este ano carregou demais, vem paina p'r'arrobas. Ele quer aproveitar; derruba e...
— Derruba!...
— Derruba e...
— Por que não colhe a paina com vara, homem de Deus?
— Não vê que é mais fácil de derrubar...
— Derruba!...

Fujo dali com este horrível som a azoinar-me a cabeça. Aquela maleita ambulante é "dona" da árvore. O Urunduva está classificado no gênero "Homo". Goza de direitos. É rei da criação e dizem que feito à imagem e semelhança de Deus.

Roças de milho. A terra calcinada, com as cinzas escorridas pelo aguaceiro da véspera, inça-se de tocos carbonizados, e árvores enegrecidas até meia altura, e paulama em carvão. Entremeio, covas de milho já espontando folhinhas tenras.
— Derruba!...

Adiante, feijão. O terreno varrido, cor de sépia, pontilhado pelo verde das plantas recém-vindas, lembra chita de velha: as velhas gostam de chitas escuras com pintas verdes.

É aqui o sítio da Maria Veva. Tem ruim fama esta mulher papuda. Má até ali, dizem.

O marido — coitado — um bobo que anda pelo cabresto — Pedro Suã. Ganhou este apelido desde o célebre dia em que a mulher o surrou com um suã de porco. Lá vem ele, de espingardinha...
— Vai caçar?
— Antes fosse. Vou cuidar do enterro.
— Enterro?...
— Pois morreu lá a menina, a Anica.
— Pobrezinha! De quê?
— A gente sabe? Morreu de morte...
Estúpido!
Sem querer, dirijo-me para a casa dele. Não gosto da Veva. É horrenda, beiço rachado, olhar mau — e aquele papo!
— Então, Nhá, morreu a menina? Soube-o inda agora pelo Suã...
— É.
Que resposta seca!
— E de que morreu?
— Deus é que sabe.
Peste! E como a atrevidaça me olha duro! Sinto-me mal em sua presença.
— Adeus, Sicorax!
Para alguma coisa sirva a literatura...

Arrepio caminho, entristecido. A manhã vai alta, já crua de luz. O sol, estúpido; o azul, de irritar. Que é dos aranhóis? Sumiram-se com o orvalho que os visibiliza. Estão agora invisíveis, a apanhar insetinhos incautos que Nhá Veva Aranha devora. A paisagem perdeu o encanto da frescura e da bruma. Está um lugar comum. Não vejo flores nem pássaros. O excesso de luz dilui as flores, o calor esconde as aves. Só um caracará resiste ao mormaço, empoleirado num tronco seco de peroba. Está de tocaia aos pintos do Urunduva, o rapinante.
Um vulto... É mulher... Será a Inácia? Vem de trouxa à cabeça. É ela mesma, a preta agregada aos Suãs.
— Então, rapariga?
— Ai, seu moço, vou-me embora. Alguém há de ter dó da velha. Na casa da peste papuda, nem mais um dia! Antes morrer de fome...
— Que coisa houve?
— Não sabe que morreu a aleijadinha? Pois é, morreu. Morreu, a pobre, só porque ontem esta sua negra foi no bairro do Libório e a chuva me prendeu lá. Se eu pudesse adivinhar...
— Mas de que morreu a menina, criatura?
— Sabe do que morreu? Morreu... de sede! Morreu, sim, eu juro, um raio me parta pelo meio se a coitadinha não morreu...
Aqui soluços de choro cortaram-lhe a voz.
— ... de seeeede! Meu Deus do céu, o que a gente não vê neste mundo!
A menina era entrevada e a mãe, má como a irara. Dizia sempre: Pestinha, por que não morre? Boca à toa, a comer, a comer. Estica o cambito, diabo! Isto dizia a mãe — mãe, hein? A Inácia, entretanto, morava lá só para zelar da aleijadinha. Era quem a vestia, e a lavava, e arrumava o pratinho daquele passarico enfermo. Sete anos assim. Excelente negra!

— Coisa de três dias garrou uma doencinha, dor de cabeça, febre. Dei chá de hortelã; nada. Dei cidreira; nada. Sempre a quentura da febre. Disse comigo: — Vou lá no bairro e trago uma dose. Fui, é longinho, três quartos de légua. O curador me deu a dose, mas quem disse de poder voltar? Uma chuvarada... Pousei no Libório. Hoje, manhãzinha, vim.

Entrei alegre, pensando: a coitadinha vai sarar. Eu que pisei na alcova, dou com a menina espichada na esteira, fria. Anica! Anica! Quando vi bem que estava morta de verdade, ah, seu moço, berrei como nunca na minha vida.

— "Nhá Veva, de que jeito morreu Anica, conte, conte!"

Nhá Veva quieta, repuxando a boca. Uma pedra! Caí em cima da menina, beijei, chorei. Nisto, uma cutucada — era o Zico, aquele negrinho, sabe? Olhei p'ra ele: fez jeito de me falar longe da tatorana. Lá fora me contou tudo. A menina, des'que eu saí piorou. Mas quietinha sempre. Noite alta, gemeu.

— "Cala a boca, peste"! — gritou do outro quarto a mãe — mãe, veja!

— "Quero água, nhá mãe.

— "Cala a boca, peste!

A menina calou. Mas tarde gemeu outra vez, baixinho.

— "Quero água! Quero água!

Ninguém se mexeu.

— "E tu, negrinho safado, por que não acudiu a menina?

— "Não vê! Eu conheço nhá Veva!...

Seu Pedro, aquele trapo, esse estava na pinga de todo dia. Ninguém na casa para chegar uma caneca d'água à boca da doentinha. Ela, um chorinho ainda; depois, mais nada. De manhã...

Lágrimas escorriam a fio pela cara da preta e soluços de dor cortavam-lhe as palavras.

— De manhã foram encontrar a menina morta na cozinha, rente ao pote d'água. Arrastou-se até lá, o anjinho que nem se mexer na cama podia — e morreu de sede diante da água!...

— Quem sabe se...

— Não bebeu, não! O pote, em cima da caixa, ficava alto, e a caneca estava tal e qual no lugarzinho do costume. Não bebeu, não! Morreu de sede, o anjo!

Enxugou as lágrimas na manga.

— Agora vou no Libório. Se ele me quiser, fico. Se não, sou bem capaz de me pinchar nesse rio. Este mundo não paga a pena...

Sol a pino. Desânimo, lassidão infinita...

O MATA-PAU

Píncaros arriba e perambeiras abaixo, a serra do Palmital escurece de mataria virgem, sombria e úmida, tramada de taquaruçus, afestoada de taquaris, com grandes árvores velhas de cujos galhos pendem cipós e escorrem barbas-de-pau e musgos.

Quem sobe da várzea, depois de transpostas as capoeiras da raiz, ao emboscar-se de chofre no frio túnel vegetal que é ali a estrada inevitavelmente espirra. E se é homem das cidades, pouco afeito aos aspectos bravios do sertão, depois do espirro abre a boca, pasmado da paulama. Extasia-se ante a graciosa copa dos samambaiuçus, ante as borboletas azuis, ante as orquídeas, os líquens, tudo.

Sofreia o animal sem o sentir mas não para. Vai parar adiante, na Volta Fria, onde um broto d'água gelada, a fluir entremeio às pedras, o tenta a sorver um gole aparado em folha de caeté. Bebida a água, e dito que nas cidades não há daquilo, leva-lhe a vista o soberbo mata-pau que domina o grotão.

— Que raio de árvore é esta? — pergunta ele ao capataz, pasmado mais uma vez.

E tem razão de parar, admirar e perguntar, porque é duvidoso existir naquelas sertanias exemplar mais truculento da árvore assassina.

Eu, de mim, confesso, fiz as três coisas. O camarada respondeu à terceira:

— Não vê que é um mata-pau.

— E que vem a ser o mata-pau?

— Não vê que é uma árvore que mata outra. Começa, quer ver como? — disse ele escabichando as frondes com o olhar agudo em procura dum exemplar típico. — Está ali um!

— Onde? — perguntei, tonto.

— Aquele fiapinho de planta, ali no gancho daquele cedro, — continuou o cicerone, apontando com dedo e beiço uma parasita mesquinha grudada na forquilha de um galho, com dois filamentos escorridos para o solo. — Começa assinzinho, meia dúzia de folhas piquiras; bota p'ra baixo esse fio de barbante na tenção de pegar a terra. E vai indo, sempre naquilo, nem p'ra mais nem p'ra menos, até que o fio alcança o chão. E vai então o fio vira raiz e pega a beber a sustância da terra. A parasita cria fôlego e cresce que nem embaúva. O barbantinho engrossa todo dia, passa a cordel, passa a corda, passa a pau de caibro e acaba virando tronco de árvore e matando a mãe — como este guampudo aqui, — concluiu, dando com o cabo do relho no meu mata-pau.

— Com efeito! — exclamei admirado. — E a árvore deixa?

— Que é que há de fazer? Não desconfia de nada, a boba. Quando vê no seu galho uma isca de quatro folhinhas, imagina que é parasita e não se precata. O fio, pensa que é cipó. Só quando o malvado ganha alento e garra de engrossar, é que a árvore sente a dor dos apertos na casca. Mas é tarde. O poderoso daí por diante é o mata-pau. A árvore morre e deixa dentro dele a lenha podre.

Era aquilo mesmo! O lenho gordo e viçoso da planta facinorosa envolvia um tronco morto, a desfazer-se em carcoma. Viam-se por ele arriba, intervalados, os terríveis cíngulos estranguladores; inúteis agora, desempenhada já a missão constritora, jaziam frouxos e atrofiados.

Imaginação envenenada pela literatura, pensei logo nas serpentes de Laocoonte, na víbora aquecida no seio do homem da fábula, nas filhas do rei Lear, em todas as figuras clássicas da ingratidão. Pensei e calei, tanto o meu companheiro era criatura simples, pura dos vícios mentais que os livros inoculam. Encavalgamos de novo e partimos.

Não longe dali a serra complana-se em rechã e a mata mingua em capoeira rala, no meio da qual, em terreiro descoivarado, entremostra-se uma tapera.

Esverdece o melão de São Caetano por sobre o derruído tapume do quintalejo, onde laranjeiras com erva-de-passarinho e uma ou outra planta doméstica marasmam agoniadas pelo mato sufocante.

— Antigo sítio do Elesbão do Queixo d'Anta, — explicou o camarada.

— Largado? — perguntei.

— Há que anos! Des'que mataram o homem ficou assim.

Bacorejou-me história como as quero.

— Mataram-no? Conte lá isso como foi.

O camarada contou a história que para aqui traslado com a possível fidelidade. O melhor dela evaporou-se, a frescura, o correntio, a ingenuidade de um caso narrado por quem nunca aprendeu a colocação dos pronomes e por isso mesmo narra melhor que quantos por aí sorvem literaturas inteiras, e gramáticas, na ânsia de adquirir o estilo. Grandes folhetinistas andam por este mundo de Deus perdidos na gente do campo, ingramaticalíssima, porém pitoresca no dizer como ninguém.

Elesbão morava com o pai no Queixo d'Anta, onde nascera. Quando a puberdade lhe engrossou a voz, disse ao velho:

— Meu pai, quero casar.

O pai olhou para o filho pensativamente; em seguida falou:

— Passarinho cria pena é para voar. Se você já é homem, case.

O rapaz pediu-lhe que pusesse em prova a sua virilidade.

O pai refletiu e disse:

— Derrube o jataí da grotinha, sem tomar fôlego.

Elesbão afiou o machado, arregaçou as mangas e feriu o pau. Em toada de compasso, bateu firme a manhã inteira. À hora do almoço, o panpan continuava sem esmorecimento. Só quando o sol aprumou no pino é que a madeira gemeu o primeiro estalido.

— Está no chão, — disse o pai, que se acercara do filho exausto mas vitorioso. — Pode casar. É homem.

Elesbão trazia d'olho uma menina das redondezas filha do balaieiro João Poca, a Rosinha, bilro sapiroquento de treze anos, feiosa como um rastolho.

— Meu pai, eu quero a Rosinha Poca.

— Case. Mas ouça o que digo. Os Pocas não são boa gente. Os machos ainda servem — o João é um coitado, o Pedro não é má bisca; mas as saias nunca valeram nada. A mãe da Rosa é falada. Laranjeira azeda não dá laranja lima. Você pense.

— Meu pai, o futuro é de Deus. Eu quero casar com a Rosinha.

— Pois case.

Deliberado com tal firmeza, Elesbão tratou de sitiar-se. Arrendou a rechã da tapera, roçou, derrubou, queimou, plantou, armou a choça. Barreadas que foram as paredes, pediu a menina e casou-se.

Rosa só o era no nome. No corpo, simples botão inverniço, desses que melam aos frios extemporâneos de maio. Olhos cozidos e nariz arrebitado, tal qual a mãe. Feia, mas da feiura que o tempo às vezes conserta. Talvez se fiasse nisso o noivo.

Elesbão, rijo no trabalho, prosperou. Aos três anos de labuta era já sitiante de monjolo, escaroçador e cevadeira,[1] com dois agregados no eito.

---

[1] Aparelho rústico de ralar mandioca.

Prole, até esse tempo nenhuma; e isso entristecia a casa. Mas resignavam-se já ao vazio da esterilidade quando certa noite soou choro de criança no terreiro.

Não se conta o terror de ambos — que aquilo era na certa alma penada de criança morta pagã. Como, entretanto, a pobre alma berrasse com pulmões muito da terra, e cada vez mais, Elesbão duvidou do bruxedo e, acendendo uma braçada de palha, lançou-a fora pela janela. O terreiro clareou até longe e eles viram, a pouca distância, uma criaturinha de gatas a berrar com desespero de quem é absolutamente deste mundo.

— E não é que é uma criança de verdade? — exclamou ele, saído de um assombro e entrado noutro. — E agora?

— Pois é recolhê-la, — disse Rosa, cujo instinto de mulher só via no caso um pobre enjeitadinho ao léu, a reclamar conchego.

Recolheu-o Elesbão, depondo o chorincas no colo da esposa. Rosa o estreitou ao seio, acalmando-o, ao mesmo tempo que "assentava" o marido.

— Se não aparecer a mãe, cria-se o aparecido. Faz tanta falta um chorinho por aqui...

No dia seguinte bateram as vizinhanças em indagações, sem nada colherem explicativo do estranho caso. Resolveram, pois, adotar o pequeno.

O pai de Elesbão, consultado, ponderou:

— Não presta criar filho alheio.

Mas como o consulente armasse cara de vacilação, remendou logo a sua filosofia:

— Também não é caridade enjeitar um enjeitado, — e ficou-se nisso.

Rosa conservou o pequeno e deu com ele criado à força de leite de cabra e caldinhos.

À medida, porém, que medrava, o menino punha a nu a má índole congenial. Não prometia boa coisa, não.

— Eu avisei, — recordou o velho, como Elesbão se queixasse um dia da ruim casta do recolhido.

— Meu pai disse também que não era caridade enjeitar um enjeitado...

— É verdade, é verdade... — confirmou o filósofo de pé-no-chão, e calou-se.

Manoel Aparecido era o nome do rapazinho. Como tivesse olhos gateados e cabelos louros de milho, denunciadores de origem estrangeira, puseram-lhe os vizinhos a alcunha de Ruço.

Ganhou fama de madraço, e o era perfeito, inimigo de enxada e foice, só atento a negociatas, barganhas, espertezas. Amado pela Rosa como filho, livrava-o ela da sanha do esposo escondendo suas malandragens, porque Elesbão vivia ameaçando endireitá-lo a rabo de tatu.

Não endireitou coisa nenhuma. Com dezoito anos era o Ruço a peste do bairro, atarantador dos pacíficos e traiçoeiro para com os escoradores.

— É ruim inteirado! — dizia o povo.

Por esse tempo navegava Rosa na casa dos trinta anos. Como a não estragaram filhos, nem se estragou ela em grosseiros trabalhos de roça, valia muito mais do que em menina. O tempo curou-lhe a sapiroca, e deu-lhe carnes a boa vida. De tal forma consertou que todo mundo gabava o arranjo.

— Ninguém perca a esperança. Olhem a mulher do Elesbão, aquela Poquinha sapiroquenta, como está chibante!...

A sua boniteza residia na saúde dos olhos e na gordura. Na roça, gordura é sinônimo de beleza — gordura e "olhos azuis que nem uma conta"...

Além disso Rosinha cuidava de si. Virou faceira. Sempre limpa, vestida de boas chitas da sua cor, cabelos bem alisados para trás, torcidos em pericote lustroso à força de pomada de lima, não havia na serra pimpona assim nem moça de fazenda com pai coronel.

Suas relações com o Ruço, maternais até ali, principiaram a mudar de rumo, como quer que espigasse em homem o menino. Por fim degeneraram em namoro — medroso no começo, descarado ao cabo. A má casta das Pocas, desmentida no decurso da primavera, reafirmava-se em plena sazão calmosa. O verão das Pocas! Que forno...

Tudo transpira. Transpirou nas redondezas a feia maromba daqueles amores. Boas línguas, e más, boquejavam o quase incesto.

Quem de nada nunca suspeitou foi o honradíssimo Elesbão; e como na porta dos seus ouvidos paravam os rumores do mundo, a vida das três criaturas corria-lhes na toada mansa a que se dá o nome de felicidade.

Foi quando caiu de cama o pai de Elesbão, doente de velhice.

Mandou chamar o filho e falou-lhe com voz de quem está com o pé na cova:

— Meu filho, abra os olhos com a Poca...

— Por que fala assim, meu pai?

O velho ouvira o zunzum da má vida; vacilava, entretanto, em abrir os olhos ao empulhado. Correu a mão trêmula pela cabeça do filho, afagou-a e morreu sem mais palavra. Sempre fora amigo de reticências, o bom velho.

Elesbão regressou ao sítio com aquele aviso a verrumar-lhe os miolos. Passou dias de cara amarrada, acastelando hipóteses.

Vendo o marido assim demudado, casmurro, de prazenteiro que era, Rosa caiu em guarda. Chamou de banda o Ruço e disse-lhe:

— Lesbão, des'que morreu o pai, anda amode que ervado. Mas não é sentimento, não. Ele desconfia... Às vezes pega de olhar para mim dum jeito esquisito, que até me gea o coração...

Manuel segurou o queixo e refletiu. Continuar naquela vida era arriscado. Ir-se, pior; nada possuía de seu e trabalhar para outrem não era com ele. Se Elesbão morresse...

Não se sabe se houve concerto entre os amásios. Mas Elesbão morreu. E como!

Certa vez, de volta da vila próxima ali pelo escurecer, caiu de borco na Volta Fria, barbaramente foiçado na nuca. Descobriram-lhe o cadáver pela manhã, bem rente ao mata-pau.

A justiça, coitadinha, apalpou daqui e dali, numa cegueira... Desconfiou do Ruço — mas cadê provas? Era o Ruço mais fino que o delegado, o promotor, o juiz — mais até que o vigário da vila, um padre gozador da fama de enxergar através das paredes.

A viúva chorou como mamoeiro lanhado — fosse de sentimento, de remorso ou para iludir aos outros. Talvez sem cálculo nenhum pelos três motivos.

Manoel permaneceu na casa. Viviam como filho e mãe, dizia ela; como marido e mulher, resmungava o povo.

O sítio, porém, entrou logo a desmedrar. Comiam do plantado, sem lembrança de meter na terra novas sementes. O moço ambicionava vender as benfeitorias para mergulhar no Oeste, e como Rosa relutasse deu de maltratá-la.

Estes amores serôdios são como a vide: mais judiam deles, mais reviçam. Às brutalidades do Ruço respondia a viúva com redobros de carinho. Seu peito maduro, onde o estio no fim anunciava o inverno próximo, chamejava em fogo bravo, desses que roncam nas retrançãs dos taquaruçuzais. E isso vingava Elesbão, esse amor sem jeito, sem conta, sem medida, duas vezes criminoso sobre sacrílego e, o que era pior, aborrecido pelo facínora, já farto.

— Coroca! Sapiquá de defunto! Cangalha velha!

Não havia insulto com o peão do veneno plantado na nota da velhice que lhe não desfechasse, o monstro.

Rosa depereceu a galope. Adeus, gordura! Boniteza outoniça, adeus! Saias a ruflar tesas de goma, pericote luzidio rescendente a lima, quando mais?

Os vizinhos comentavam:

— O Ruço dá cabo dela, como deu cabo do marido — e é bem feito.

Voz do povo...

Um dia o Ruço ameaçou de largá-la, se não vendesse tudo, já e já; e a pobre mulher deu ao bandido essa derradeira prova de amor. Vendeu por uma bagatela o que restava acumulado pelo esforço do defunto — a moenda, o monjolo, a casa, o canavial em soca. E combinaram para o outro dia o ambicionado mergulho na terra roxa.

Nessa noite Rosa despertou sufocada por violenta fumaceira. A casa ardia. Saltou como louca da enxerga e berrou pelo Ruço.

Ninguém lhe respondeu.

Atirou-se contra a porta: estava fechada por fora. O instinto fê-la agarrar o machado e romper a furiosos golpes as tábuas rijas. Escapa-se da fornalha, rola para o terreiro com as vestes em fogo, precipita-se no tanque e, livre das chamas, cai inerte para um lado — justamente onde vinte anos atrás vira o enjeitadinho chorando ao relento...

Quando de manhã passantes a recolheram, estava d'olhos pasmados, muda. Levaram-na em maca para o hospital, onde sarou das queimaduras, mas nunca mais do juízo. Foi feliz, Rosa. Enlouqueceu no momento preciso em que seu viver ia tornar-se puro inferno.

— E o Ruço?

— Abalou com o dinheiro...

Aí parava a história do Elesbão, como a sabia o meu camarada. Um crime vulgar como os há na roça às dezenas, se a lembrança do mata-pau o não colorisse com tintas de símbolo.

— Não é só no mato que há mata-paus!... — murmurei eu filosoficamente, à guisa de comentário.

O capataz entreparou um momento, como quem não entende. Depois abriu na cara o ar de quem entendeu e gostou.

— Não é por gabar, mas vosmecê disse aí uma palavra que merece escrita. É tal e qual...

E calou-se, de olho parado, pensativo.

1915

Bocatorta

A quarto de légua do arraial do Atoleiro começam as terras da fazenda de igual nome, pertencente ao major Zé Lucas. A meio entre o povoado e o estirão das matas virgens dormia de papo acima um famoso pântano. Pego de insidiosa argila negra fraldejado de velhos guembês nodosos, a taboa esbelta cresce-lhe à tona, viçosa na folhagem eréctil que as brisas tremelicam. Pela inflorescência, longas varas soerguem-se a prumo, sustendo no ápice um chouriço cor de telha que, maturado, se esbruga em paina esvoaçante. Corre entre seus talos a batuíra de longo bico, e saltita pelas hastes a corruíla do brejo, cujo ninho bojudo se ouriça nos espinheiros marginais. Fora disso, rãs, mimbuias pensativas e, a rabear nas poças verdinhentas de algas, a traíra, esse voraz esqualozinho do lodo. Um brejo, enfim, como cem outros.

Notabiliza-o, porém, a profundidade. Ninguém ao vê-lo tão calmo sonha o abismo traidor oculto sob a verdura. Dois, três bambus emendados que lhe tentem alcançar o fundo subvertem-se na lama sem alcançar pé.

Além de vários animais sumidos nele, conta-se o caso do Simas, português teimoso que, na birra de salvar um burro já atolado a meio, se viu engolido lentamente pelo barro maldito. Desd'aí ficou o atoleiro gravado na imaginativa popular como uma das bocas do próprio inferno.

Transposto o abismo a vegetação encorpa, até formar a mata por cujo seio corre a estrada mestra da fazenda.

Na manhã daquele dia passara por ali o trole do fazendeiro, de volta da cidade. Além do velho, de sua mulher Don'Ana e de Cristina a filha única, vinha a passeio o bacharel Eduardo, primo longe e noivo da moça. Chegaram e agora ouviam na varanda, da boca do Vargas, fiscal, a notícia do sucedido durante a ausência. Já contara Vargas do café, da puxada dos milhos e estava na criação.

— Porcos têm sumido alguns. Uma leitoa rabicó e um capadete malhado dos "Polanchan",[2] há duas semanas que moita. Para mim — ninguém me tira da cabeça — o ladrão foi o negro, inda mais que essa criação costumava se alongar das bandas do brejo. Eu estou sempre dizendo: é preciso tocar de lá o raio do maldelazento. Aquilo, Deus me perdoe, é bicho ruim inteirado. Mas não "querem" me acreditar...

O major sorriu àquele "querem". Vargas, com ojeriza velha ao mísero Bocatorta, não perdia ensanchas de lhe atribuir malefícios e de estumar o patrão a corrê-lo das terras — que aquilo, Nossa Senhora! até enguiçava uma fazenda...

Interessado, o moço indagou da estranha criatura.

— Bocatorta é a maior curiosidade da fazenda, — respondeu o major. — Filho duma escrava de meu pai, nasceu, o mísero, disforme e horripilante como não há memória de outro. Um monstro, de tão feio. Há anos que vive sozinho, escondido no mato, donde raro sai e sempre de noite. O povo diz dele horrores — que come crianças, que é bruxo, que tem parte com o demo. Todas as desgraças acontecidas no arraial correm-lhe por conta. Para mim, é um pobre diabo cujo crime único é ser feio demais. Como perdeu a medida, está a pagar o crime que não cometeu...

Vargas interveio, cuspilhando com cara de asco:

---

2 Poland Chine.

— Se o doutorzinho o visse!... É a coisa mais nojenta deste mundo.

— Feio como o Quasímodo?

— Esse não conheço, seu doutor, mas estou aqui estou jurando que o negro passa adiante do... como é?

Eduardo apaixonava-se pelo caso.

— Mas, amigo Vargas, feio como? Por que feio? Explique-me lá essa feiura.

Grande parola quando lhe davam trela, Vargas entreparou um bocado e disse:

— O doutor quer saber como é o negro? Venha cá. Vossa Senhoria 'garre um juda de carvão e judie dele; cavoque o buraco dos olhos e afunde dentro duas brasas alumiando; meta a faca nos beiços e saque fora os dois; 'ranque os dentes e só deixe um toco; entorte a boca de viés na cara; faça uma coisa desconforme, Deus que me perdoe. Depois, como diz o outro, vá judiando, vá entortando as pernas e esparramando os pés. Quando cansar, descanse. Corra o mundo campeando feiura braba e aplique o pior no estupor. Quando acabar 'garre no juda e ponha rente de Bocatorta. Sabe o que acontece? O juda fica lindo!...

Eduardo desferiu uma gargalhada.

— Você exagera, Vargas. Nem o diabo é tão feio assim, criatura de Deus!

— Homem, seu doutor, quer saber? Contando não se acredita. Aquilo é feiura que só vendo!

— Nesse caso quero vê-la. Um horror desse naipe merece bem uma pernada.

Nesse momento surgiu Cristina à porta, anunciando café na mesa.

— Sabe? — disse-lhe o noivo. — Temos um belo passeio em perspectiva: desentocar um gorila que, diz o Vargas, é o bicho mais feio do mundo.

— Bocatorta? — exclamou Cristina com um reverbero de asco no rosto. — Não me fale. Só o nome dessa criatura já me põe arrepios no corpo.

E contou o que dele sabia.

Bocatorta representara papel saliente em sua imaginação. Pequenita, amedrontavam-na as mucamas com a cuca, e a cuca era o horrendo negro. Mais tarde, com ouvir às criolinhas todos os horrores correntes à conta dos seus bruxedos, ganhou inexplicável pavor ao notâmbulo. Houve tempo no colégio em que, noites e noites a fio, o mesmo pesadelo a atropelou. Bocatorta a tentar beijá-la, e ela, em transes, a fugir. Gritava por socorro, mas a voz lhe morria na garganta. Despertava arquejante, lavada em suores frios. Curou-a o tempo, mas a obsessão vincara fundos vestígios em su'alma.

Eduardo, não obstante, insistia.

— É o meio de te curares de vez. Nada como o aspecto cru da realidade para desmanchar exageros de imaginação. Vamos todos, em farrancho — e asseguro-te que a piedade te fará ver no espantalho, em vez dum monstro, um simples desgraçado digno do teu dó.

Cristina consultou-se por uns momentos e,

— Pode ser, — disse. — Talvez vá. Mas não prometo! Na hora verei se tenho coragem...

A maturação do espírito em Cristina desbotara a vivacidade nevrótica dos terrores infantis. Inda assim vacilava. Renascia o medo antigo, como renasce a encarquilhada rosa de Jericó ao contacto de humílima gota d'água. Mas vexada de aparecer aos olhos do noivo tão infantilmente medrosa, deliberou que iria; desde essa instante, porém, uma imperceptível sombra anuviou-lhe o rosto.

Ao jantar foram o assunto as novidades do arraial — eternas novidades de aldeia, o fulano que morreu, a sicrana que casou. Casara um boticário e morrera uma menina de quatorze anos, muito chegada à gente do major. Particularmente condoída, Don'Ana não a tirava da ideia.

— Pobre da Luizinha! Não me sai dos olhos o jeito dela, tão galante, quando vinha aqui pelo tempo das jaboticabas. Ali, naquela porta — "Dá licença, Don'Ana!" — tão cheia de vida, vermelhinha do sol... Quem diria...

— E ainda por cima a tal história de cemitério... — interveio Cristina. — Papai soube?

Corriam no arraial rumores macabros. No dia seguinte ao enterramento o coveiro topou a sepultura remexida, como se fora violada durante a noite; e viu na terra fresca pegadas misteriosas de uma "coisa" que não seria bicho nem gente deste mundo. Já duma feita sucedera caso idêntico por ocasião da morte da Sinhazinha Esteves; mas todos duvidaram da integridade dos miolos do pobre coveiro sarapantado. Esses incréus não mofavam agora do visionário, porque o padre e outras pessoas de boa cabeça, chamadas a testemunhar o fato, confirmavam-no.

Imbuído do cepticismo fácil dos moços da cidade, Eduardo meteu a riso a coisa com muita fortidão de espírito.

— A gente da roça duma folha d'embaúva pendurada no barranco faz logo, pelo menos, um lobisomem e três mulas sem cabeça. Esse caso do cemitério: um cão vagabundo entrou lá e arranhou a terra. Aí está todo o grande mistério!

Cristina objetou:

— E os rastos?

— Os rastos! Estou a apostar como tais rastos são os do próprio coveiro. O terror impediu-lhe de reconhecer o molde do casco...

— E o padre Lisandro? — acudiu Don'Ana, para quem um testemunho tonsurado era documento de muito peso.

Eduardo cascalhou uma risada anticlerical e, trincando um rabanete, expectorou:

— Ora, o padre Lisandro! Pelo amor de Deus, Don'Ana! O padre Lisandro é o próprio coveiro de batina e coroa! A propósito...

E contou a propósito vários casos daquele tipo, os quais no correr do tempo vieram a explicar-se naturalmente, com grande cara d'asno dos coveiros e Lisandros respectivos.

Cristina ouviu, com o espírito absorto em cismas, a bela demonstração geométrica. Don'Ana concordou da boca para fora, por delicadeza. Mas o major, esse não piou sim nem não. A experiência da vida ensinara-lhe a não afirmar com despotismo, nem negar com "oras".

— Há muita coisa estranha neste mundo... — disse, traduzindo involuntariamente a safada réplica de Hamlet ao cabeça forte do Horácio.

Zangara o tempo quando à tarde o rancho se pôs de rumo ao casebre de Bocatorta.

Ventava. Rebojos de nuvens prenhes sorviam as últimas nesgas do azul.

Os noivos breve se distanciaram dos velhos que, a passos tardos, seguiam comentando a boa composição do futuro casal. Não havia nisso exagero de pais. Eduardo, embora vulgar, tinha a esbeltez necessária para ouvir sem favor o encômio de rapagão, e Cristina era um ramalhete completo das graças que os dezoito anos sabem compor.

Donaire, elegância, distinção... pintam lá vocábulos esbeiçados pelo uso esse punhado de quês particularíssimos, cuja soma a palavra "linda" totaliza?

Lábios de pitanga, a magnólia da pele acesa em rosas nas faces, olhos sombrios como a noite, dentes de pérola... as velhas tintas de uso em retratos femininos desde a Sulamita não pintam melhor que o "linda!" dito sem mais enfeites além do ponto de admiração.

Vê-la mordiscando o hastil duma flor de catingueiro colhida à beira do caminho, ora risonha, ora séria, a cor das faces mordida pelo vento frio, madeixas louras a brincarem-lhe nas têmporas, vê-la assim formosa no quadro agreste duma tarde de junho, era compreender a expressão dos roceiros: Linda que nem uma santa.

Olhos, sobretudo, tinha-os Cristina de alta beleza. Naquela tarde, porém, as sombras de sua alma coavam neles penumbras de estranha melancolia. Melancolia e inquietação. O amoroso enlevo de Eduardo esfriava amiúde ante suas repentinas fugas. Ele a percebia distante, ou pelo menos introspectiva em excesso, reticência que o amor não vê de boa cara. E à medida que caminhavam recrescia aquela esquisitice. Um como intáctil morcego diabólico riscava-lhe a alma de voejos pressagos. Nem o estimulante das brisas ásperas, nem a ternura do noivo, nem o "cheiro de natureza" exsolvido da terra, eram de molde a esgarçar a misteriosa bruma de lá dentro.

Eduardo interpelou-a:

— Que tens hoje, Cristina? Tão sombria...

E ela, num sorriso triste:

— Nada!... Por quê?

Nada... É sempre nada quando o que quer que é lucila avisos informes na escuridão do subconsciente, como sutilíssimos ziguezagues de sismógrafo em prenúncio de remota comoção telúrica. Mas esses nadas são tudo!...

— À esquerda, pelo trilho!

A voz do major chamou-os à realidade. Um carreiro mal batido na macega esgueirava-se coleante até à beira dum córrego, onde se reuniram de novo.

O major tomou a frente, e guiou-os floresta a dentro pelos meandros duma picada. Era ali o mato sinistro onde se alapavam Bocatorta e o seu cachorro lazarento, Merimbico, nome tresandante a satanismo para o faro do poviléu. Às sextas-feiras, na voz corrente do arraial, Merimbico virava lobisomem e se punha de ronda ao cemitério, com lamentosos uivos à lua e abocamentos às pobres almas penadas — coisa muito de arrepiar.

O sombrio da mata enoiteceu de vez o coração de Cristina.

— Mas, afinal, para onde vamos, meu pai? Afundar no atoleiro, como o Simas? Meu pai já fez o testamento?

— Já, minha filha, — chasqueou o major — e deixo o Bocatorta para você...

Cristina emudeceu. Retransia-a em doses crescentes o velho medo de outrora, e foi com um estremecimento arrepiado que ouviu o ladrido próximo de um cão.

— É Merimbico, — disse o velho. — Estamos quase.

Mais cem passos e a mata rasgou-se em clareira, na qual Cristina entreviu a biboca do negro. Fez-se toda pequenina e achegou-se a Don'Ana, apertando-lhe nervosamente as mãos.

— Bobinha! Tudo isso é medo?

— Pior que medo, mamãe; é... não sei quê!

Não tinha feição de moradia humana a alfurja do monstro. À laia de paredes, paus a pique mal juntos, entressachados de ramadas secas. Por cobertura, presos com pedras chatas, molhos de sapé no fio, defumado e podre. Em redor, um terreirinho atravancado de latas ferrugentas, trapos e cacaria velha. A entrada era um buraco por onde mal passaria um homem agachado.

— Olá, caramujo! Sai da toca, que estão cá o sinhô moço e mais visitas! — gritou o major.

Respondeu de dentro um grunhido cavo. Ao ouvir tão desagradável som, Cristina sentiu correr na pele o arrepio dos pesadelos antigos, e num incoercível movimento de pavor abraçou-se com a mãe.

O negro saiu da cova meio de rastos, com a lentidão de monstruosa lesma. A princípio surdiu uma gaforinha arruçada, depois o tronco e os braços, e a traparia imunda que lhe escondia o resto do corpo, entremostrando nos rasgões o negror da pele craquenta.

Cristina escondeu o rosto no ombro de Don'Ana — não queria, não podia ver.

Bocatorta excedeu a toda pintura. A hediondez personificara-se nele, avultando, sobretudo, na monstruosa deformação da boca. Não tinha beiços, e as gengivas largas, violáceas, com raros cotos de dentes bestiais fincados às tontas, mostravam-se cruas, como enorme chaga viva. E torta, posta de viés na cara, num esgar diabólico, resumindo o que o feio pode compor de horripilante. Embora se lhe estampasse na boca o quanto fosse preciso para fazer daquela criatura a culminância da ascosidade a natureza malvada fora além, dando-lhe pernas cambaias e uns pés deformados que nem remotamente lembravam a forma do pé humano. E olhos vivíssimos, que pulavam das órbitas empapuçadas, veiados de sangue na esclerótica amarela. E pele grumosa, escamada de escaras cinzentas. Tudo nele quebrava o equilíbrio normal do corpo humano, como se a teratologia caprichasse em criar a sua obra prima.

À porta do casebre, Merimbico, cachorro à toa, todo ossos, pele e bernes, rosnava contra os importunos.

Don'Ana e a filha afastaram-se, engulhadas. Só os homens resistiram à nauseante vista, embora a Eduardo o tolhesse uma emoção jamais experimentada, misto de asco, piedade e horror. Aquele quadro de suprema repulsão, novo para seus nervos, desnorteava-lhe as ideias. Estarrecido como em face da Górgona, não lhe vinha palavra que dissesse.

O major, entretanto, trocava língua com o monstro, que em certo ponto, a uma pergunta alegre do velho, arregaçou na cara um riso. Eduardo não teve mão de si. Aquele riso naquela cara sobrexcedia a sua capacidade de horripilação. Voltou o rosto e se foi para onde as mulheres, murmurando:

— É demais! É de fazer mal a nervos de aço...

Seus olhos encontraram os de Cristina e neles viram a expressão de pavor da preá engrifada nas puas da suindara — o pavor da morte...

Quando deixaram a floresta, morria a tarde sob o chicote dum vento precursor de chuva.

— Foi imprudência, Cristina, vires sem um chalinho de cabeça ao menos!... Queira Deus...

A moça não respondeu. D'olhos baixos, retransida, respirava a largos haustos, para desafogo dum aperto de coração nunca sentido fora dos pesadelos.

Generalizara-se o silêncio. Só o major tentava espanejar a impressão penosa, chasqueando ora o terror da filha, ora o asco do moço; mas breve calou-se, ganho também pelo mal estar geral.

Triste anoitecer o daquele dia, picado a espaços pelo surdo revoo dos curiangos. O vento zunia, e numa lufada mais forte trouxe da mata o uivo plangente de Merimbico. Ao ouvi-lo, um comentário apenas escapou da boca do major:

— Diabo!

Fechara-se a noite e vinham as primeiras gotas de chuva quando pisaram no alpendre do casarão.

Cristina sentiu pelo corpo inteiro um calafrio, como se a sacudisse a corrente elétrica.

No dia seguinte amanheceu febril, com ardores no peito e tremuras amiudadas. Tinha as faces vermelhas e a respiração opressa.

O reboliço foi grande na casa.

Eduardo, mordido de remorsos, compulsava com mão nervosa um velho Chernoviz, tentando atinar com a doença de Cristina; mas perdia-se sem bússola no báratro das moléstias. Nesse em meio Don'Ana esgotava o arsenal da medicina anódina dos símplices caseiros.

O mal, entretanto, recalcitrava às chazadas e sudoríferos. Chamou-se o boticário da vila. Veio a galope o Eusébio Macário e diagnosticou pneumonia.

Quem já não assistiu a uma dessas subitâneas desgraças que de golpe se abatem, qual negro avejão de presa, sobre uma família feliz, e estraçoam tudo quanto nela representa a alegria, e esperança, o futuro?

Noites em claro, o rumor dos passos abafados... E o doente a piorar... O médico da casa apreensivo, cheio de vincos na testa... Dias e dias de duelo mudo contra a moléstia incoercível... A desesperança, afinal, o irremediável antolhado iminente; a morte pressentida de ronda ao quarto...

Ao oitavo dia Cristina foi desenganada; no décimo o sino do arraial anunciou o seu prematuro fim.

— Morta!...

Eduardo escondia as lágrimas entre as almofadas do leito, repetindo cem vezes a mesma palavra.

Alcançava-lhe o significado tremendo e, no entanto, quantas vezes a ouvira como a um som oco de sentido!

A imagem de Cristina morta, a esfervilhar na dissolução dentro da terra gelada, contrapunha-se às visões da Cristina viva, toda mimos d'alma e corpo, radiosa manhã humana de cuja luz toda se impregnara sua alma. Cerrando os olhos, revia-a durante o passeio fatal, envolta nas brumas de vagos pressentimentos. Vinham-lhe à memória as suas palavras dúbias, a sua vacilação. E arrepelava-se por não ter adivinhado na repulsa da moça os avisos informes de qualquer coisa secreta que tenazmente a defendia. Tais pensamentos, enxameantes como moscas em torno à carne viva da dor de Eduardo, coavam nele venenos cruéis.

Fora, o sol redoirava cruamente a vida.

Brutalidade!...

Morria Cristina e não se desdobravam crepes pelo céu, nem murchavam as folhas das árvores, nem se recobria de cinzas a terra...

Espezinhado pela fria indiferença das coisas, fechou-se na clausura de si próprio, turvo e dolorido, sentindo-se amarfanhar pela pata cega do destino.

Correram horas. Noite alta, acudiu-lhe a ideia de ir ao cemiterinho beijar num último adeus o túmulo da noiva.

Por sobre a vegetação adormecida coava-se o palor cinéreo da minguante. Raras estrelas no céu, e na terra nenhum rumorejo além do remoto uivar de um cão — Merimbico talvez — a escandir o concerto das untanhas que coaxavam glú-glús nas aguadas.

Eduardo alcançou o cemitério. Estava encadeado o portão. Apoiou a testa nos frios varões ferrugentos e mergulhou os olhos queimados de lágrimas por entre os carneiros humildes, em busca do que recebera Cristina.

No ar, um silêncio de eternidade.

Brisas intermitentes carreavam o olor acre dos cravos-de-defunto floridos na tristeza daquele cemitério da roça.

Seu olhar pervagava de cruz em cruz na tentativa de atinar com o sítio onde Cristina dormia o grande sono, quando um rumor suspeito lhe feriu os ouvidos. Diríeis um arranhar de chão em raspões cautelosos, ao qual se casava o resfôlego sôfrego duma criatura viva.

Pulsou-lhe violento o sangue. Os cabelos cresceram-lhe na cabeça. Alucinação? Apurou os ouvidos: o rumor estranho lá continuava, vindo de um ponto sombreado de ciprestes. Firmou a vista: qualquer coisa agachava-se na terra.

Súbito, num relâmpago, fulgurou em sua memória a cena do jantar, o caso de Luizinha, as palavras de Cristina. Eduardo sentiu arrepiarem-se-lhe os cabelos e, ganho dum pânico desvairado, deitou a correr como um louco rumo à fazenda, em cujo casarão penetrou de pancada, sem fôlego, lavado em suor frio, despertando de sobressalto a família.

Com gritos de espanto, que o cansaço e o bater dos dentes entrecortavam, exclamou entre arquejos:

— Estão desenterrando Cristina... Eu vi uma coisa desenterrando Cristina...

— Que loucura é essa, moço?

— Eu vi... — continuava Eduardo com os olhos desmesuradamente abertos. — Eu vi uma coisa desenterrando Cristina...

O major apertou entre as mãos a testa. Esteve assim imóvel uns instantes. Depois sacudiu a cabeça num gesto de decisão e, horrivelmente calmo, murmurou entre dentes, como em resposta a si próprio:

— Será possível, meu Deus?

Vestiu-se de golpe, meteu no bolso o revólver e atirando três palavras enigmáticas à estarrecida Don'Ana gritou para Eduardo com inflexão de aço na voz:

— Vamos!

Magnetizado pela energia do velho, o moço acompanhou-o qual sonâmbulo.

No terreiro apareceu-lhes o capataz.

— Venha conosco. A "coisa" está no cemitério.

Vargas passou mão de uma foice.

— Vai ver que é ele, patrão, até juro!

O major não respondeu — e os três homens partiram a correr pelos campos em fora.

A meio caminho Eduardo, exausto de tantas emoções, atrasou-se. Seus músculos recusaram-lhe obediência. Ao defrontar com o atoleiro as pernas lhe fraquearam de vez e ele caiu, ofegante.

Entrementes, o major e o feitor alcançavam o cemitério, galgavam o muro e aproximavam-se como gatos do túmulo de Cristina.

Um quadro hediondo antolhou-se-lhes de golpe: um corpo branco jazia fora do túmulo — abraçado por um vulto vivo, negro e coleante como o polvo.

O pai de Cristina desferiu um rugido de fera, e qual fera mal ferida arrojou-se para cima do monstro. A hiena, mau grado a surpresa, escapou ao bote e fugiu. E, coxeando, cambaio, seminu, de tropeço nas cruzes, a galgar túmulos com agilidade inconcebível em semelhante criatura, Bocatorta saltou o muro e fugiu, seguido de perto pela sombra esganiçante de Merimbico.

Eduardo, que concentrara todas as forças para seguir de longe o desfecho do drama, viu passar rente de si o vulto asqueroso do necrófilo, para em seguida desaparecer mergulhando na massa escura dos guembês.

Voando-lhe no encalço, viu passar em seguida o vulto dos perseguidores.

Houve uma pausa, em que só lhe feriu o ouvido o rumor da correria. Depois, gritos de cólera, d'envolta a um grunhir de queixada caído em mundéu — e tudo se misturou ao barulho da luta que o uivo de Merimbico dominava lugubremente.

O moço correu a mão pela testa gelada: estaria nas unhas dum pesadelo? Não; não era sonho. Disse-lho a voz alterada do feitor, esboçando o epílogo da tragédia:

— Não atire, major, ele não merece bala. P'ra que serve o atoleiro?

E logo após Eduardo sentiu recrudescer a luta, entre imprecações de cólera e os grunhidos cada vez mais lamentosos do monstro. E ouviu farfalhar o mato, como se por ele arrastassem um corpo manietado, a debater-se em convulsões violentas. E ouviu um rugido cavo de supremo desespero. E após, o baque fofo de um fardo que se atufa na lama.

Uma vertigem escureceu-lhe a vista; seus ouvidos cessaram de ouvir; seu pensamento adormeceu...

Quando voltou a si, dois homens borrifavam-lhe o rosto com água gelada. Encarou-os, marasmado. Ergueu-se, mal firme, apoiado a um deles. E reconheceu a voz do major, que entre arquejos de cansaço lhe dizia:

— Seja homem, moço. Cristina já está enterrada, e o negro...

— ...está beijando o barro, — concluiu sinistramente o Vargas.

Ao raiar do dia Merimbico ainda lá estava, sentado nas patas traseiras, a uivar saudosamente com os olhos postos no sítio onde sumira o seu companheiro.

Nada mais lembrava a tragédia noturna, nem denunciava o túmulo de lodo açaimador da boca hedionda que babujara nos lábios de Cristina o beijo único de sua vida.

1915

O COMPRADOR DE FAZENDAS

Pior fazenda que a do Espigão, nenhuma. Já arruinara três donos, o que fazia dizer aos praguentos: — Espiga é o que aquilo é!

O detentor último, um Davi Moreira de Souza, arrematara-a em praça, convicto de negócio da China; mas já lá andava, também ele, escalavrado de dívidas, coçando a cabeça, num desânimo...

Os cafezais em vara, ano sim ano não batidos de pedra ou esturrados de geada, nunca deram de si colheita de entupir tulha. Os pastos ensapezados, enguanxumados, ensamambaiados nos topes, eram acampamentos de cupins com entremeios de macegas mortiças, formigantes de carrapatos. Boi entrado ali punha-se logo de costelas à mostra, encaroçado de bernes, triste e dolorido de meter dó.

As capoeiras substitutas das matas nativas revelavam pela indiscrição das tabocas a mais safada das terras secas. Em tal solo a mandioca bracejava a medo varetinhas nodosas; a cana caiana assumia aspecto de caninha, e esta virava um taquariço magrela dos que passam incólumes entre os cilindros moedores.

Piolhavam os cavalos. Os porcos escapos à pestê encruavam na magrém faraônica das vacas egípcias.

Por todos os cantos imperava o ferrão das saúvas, dia e noite entregues à tosa dos capins para que em outubro se toldasse o céu de nuvens de içás, em saracoteios amorosos com enamorados savitus.

Caminhos por fazer, cercas no chão, casas d'agregados engoteiradas, combalidas de cumieira, prenunciando feias taperas. Até na moradia senhorial insinuava-se a breca, aluindo panos de reboco, carcomendo assoalhos. Vidraças sem vidro, mobília capengante, paredes lagarteadas... intacto que é que havia lá?

Dentro dessa esborcinada moldura, o fazendeiro, avelhuscado por força das sucessivas decepções e, a mais, roído pelo cancro feroz dos juros, sem esperança e sem conserto, coçava cem vezes ao dia a coroa da cabeça grisalha.

Sua mulher, a pobre dona Isaura, perdido o viço do outono, agrumava no rosto quanta sarda e pé-de-galinha inventam os anos de mãos dadas à trabalhosa vida.

Zico, o filho mais velho, saíra-lhes um pulha, amigo de erguer-se às dez, ensebar a pastinha até às onze e consumir o resto do dia em namoriscos mal azarados.

Afora este malandro tinham a Zilda, então nos dezessete, menina galante, porém sentimental mais do que manda a razão e pede o sossego da casa. Era um ler Escrich, a moça, e um cismar amores de Espanha!...

Em tal situação só havia uma aberta: vender a fazenda maldita para respirar a salvo de credores. Coisa difícil, entretanto, em quadra de café a cinco mil réis, botar unhas num tolo das dimensões requeridas. Iludidos por anúncios manhosos alguns pretendentes já haviam abicado ao Espigão; mas franziam o nariz, indo-se a arrenegar da pernada sem abrir oferta.

— De graça é caro! — cochichavam de si para consigo.

O redemoinho capilar do Moreira, a cabo de coçadelas, sugeriu-lhe um engenhoso plano mistificatório: entreverar de caetés, cambarás, unhas-de-vaca e outros padrões de terra boa, transplantados das vizinhanças, a fímbria das capoeiras e uma ou outra entrada acessível aos visitantes. Fê-lo, o maluco, e mais: meteu em certa grota um pau d'alho trazido da terra roxa, e adubou os cafeeiros margeantes ao caminho no suficiente para encobrir a mazela do resto.

Onde um raio de sol denunciava com mais viveza um vício da terra, ali o alucinado velho boiava a peneirinha...

Um dia recebeu carta de um agente de negócios anunciando novo pretendente. "Você tempere o homem," aconselhava o pirata, "e saiba manobrar os padrões que este cai. Chama-se Pedro Trancoso, é muito rico, muito moço, muito prosa, e quer fazenda de recreio. Depende tudo de você espigá-lo com arte de barganhista ladino."

Preparou-se Moreira para a empresa. Advertiu primeiro aos agregados para que estivessem a postos, afiadíssimos de língua. Industriados pelo patrão, estes homens respondiam com manha consumada às perguntas dos visitantes, de jeito a transmutar em maravilhas as ruindades locais.

Como lhes é suspeita a informação dos proprietários, costumam os pretendentes interrogar à socapa os encontradiços. Ali, se isso acontecia — e acontecia sempre, porque era Moreira em pessoa o maquinista do acaso — havia diálogos desta ordem:

— "Gea por aqui?"

— "Coisinha, e isso mesmo só em ano brabo."

— "O feijão dá bem?"

— "Nossa Senhora! Inda este ano plantei cinco quartas e malhei cinquenta alqueires. E que feijão!"

— "Berneia o gado?"

— "Qual o quê! Lá um ou outro carocinho de vez em quando. Para criar, não existe terra melhor. Nem erva nem feijão bravo.[1] O patrão é porque não tem força. Tivesse ele os meios e isto virava um fazendão."

Avisados os espoletas, debateram-se à noite os preparativos da hospedagem, alegres todos com o reviçar das esperanças emurchecidas.

— Estou com palpite que desta feita a "coisa" vai! — disse o filho maroto. E declarou necessitar, à sua parte, de três contos de réis para estabelecer-se.

— Estabelecer-se com quê? perguntou admirado o pai.

— Com armazém de secos e molhados na Volta Redonda...

— Já me estava espantando uma ideia boa nessa cabeça de vento. Para vender fiado à gente da Tudinha, não é?

O rapaz, se não corou, calou-se; tinha razões para isso.

Já a mulher queria casa na cidade. De há muito trazia d'olho uma de porta e janela, em certa rua humilde, casa baratinha, d'arranjados.

Zilda, um piano — e caixões e mais caixões de romances...

Dormiram felizes essa noite e no dia seguinte mandaram cedo à vila em busca de gulodices de hospedagem — manteiga, um queijo, biscoitos.

Na manteiga houve debate.

— Não vale a pena! — reguingou a mulher. — Sempre são seis mil réis. Antes se comprasse com esse dinheiro a peça de algodãozinho que tanta falta me faz.

— É preciso, filha! Às vezes uma coisa de nada engambela um homem e facilita um negócio. Manteiga é graxa — e a graxa engraxa!

---

[1] Plantas venenosas para o gado.

Venceu a manteiga.

Enquanto não vinham os ingredientes, meteu dona Isaura unhas à casa, varrendo, espanando e arrumando o quarto dos hóspedes; matou o menos magro dos frangos e uma leitoa manquitola; temperou a massa do pastel de palmito, e estava a folheá-la quando:

— "Ei vem" ele! — gritou Moreira da janela, onde se postara desde cedo, muito nervoso, a devassar a estrada por um velho binóculo; e sem deixar o posto de observação foi transmitindo à ocupadíssima esposa os pormenores divisados.

— É moço... Bem trajado... Chapéu panamá... Parece o Chico Canhambora...

Chegou, afinal, o homem. Apeou-se. Deu cartão: Pedro Trancoso de Carvalhais Fagundes. Bem apessoado. Ares de muito dinheiro. Mocetão e bem falante mais que quantos até ali aparecidos.

Contou logo mil coisas com o desembaraço de quem no mundo está de pijama em sua casa — a viagem, os acidentes, um mico que vira pendurado num galho d'embaúva.

Entrados que foram para a saleta de espera, Zico, incontinente, grudou-se de ouvido ao buraco da fechadura, a cochichar para as mulheres ocupadas na arrumação da mesa o que ia pilhando à conversa.

Súbito, esganiçou para a irmã, numa careta sugestiva:

— É solteiro, Zilda!

A menina largou disfarçadamente os talheres e sumiu-se.

Meia hora depois voltava trazendo o melhor vestido e no rosto duas redondinhas rosas de carmim.

Quem a ess'hora penetrasse no oratório da fazenda notaria nas vermelhas rosas de papel de seda que enfeitavam o Santo Antônio a ausência de várias pétalas, e aos pés da imagem uma velinha acesa. Na roça, o ruge e o casamento saem do mesmo oratório.

Trancoso dissertava sobre variados temas agrícolas.

— O canastrão? Pff! Raça tardia, meu caro senhor, muito agreste. Eu sou pelo Poland Chine. Também não é mau, não, o Large Black. Mas o Poland! Que precocidade! Que raça!

Moreira, chucro na matéria, só conhecedor das pelhancas famintas, sem nome nem raça, que lhe grunhiam nos pastos, abria insensivelmente a boca.

— Como em matéria de pecuária bovina, — continuou Trancoso, — tenho para mim que, de Barreto a Prado, andam todos erradíssimos. Pois não! Er-ra-dís--si-mos! Nem seleção, nem cruzamento. Quero a adoção i-me-di-a-ta das mais finas raças inglesas, o Polled Angus, o Red Lincoln. Não temos pastos? Façamo-los. Plantemos alfafa. Fenemos. Ensilemos. O Assis[2] confessou-me uma vez...

O Assis! Aquele homem confessava os mais altos paredros da agricultura! Era íntimo de todos eles — o Prado,[3] o Barreto,[4] o Cotrim...[5] E de ministros! "Eu já aleguei isso ao Bezerra..."[6]

---
[2] Assis Brasil.
[3] Antônio Prado.
[4] Luiz Pereira Barreto.
[5] Eduardo Cotrim, homens de muita autoridade em assuntos de pecuária, na época.
[6] José Bezerra, ministro da agricultura.

Nunca se honrara a fazenda com a presença de cavalheiro mais distinto, assim bem relacionado e tão viajado. Falava da Argentina e de Chicago como quem veio ontem de lá. Maravilhoso!

A boca de Moreira abria, abria, e acusava o grau máximo de abertura permitida a ângulos maxilares, quando uma voz feminina anunciou o almoço.

Apresentações.

Mereceu Zilda louvores nunca sonhados, que a puseram de coração aos pinotes. Também os teve a galinha ensopada, o tutu com torresmos, o pastel e até a água do pote.

— Na cidade, senhor Moreira, uma água assim, pura, cristalina, absolutamente potável, vale o melhor dos vinhos. Felizes os que podem bebê-la!

A família entreolhou-se; nunca imaginaram possuir em casa semelhante preciosidade, e cada um insensivelmente sorveu o seu golezinho, como se naquele instante travassem conhecimento com o precioso néctar. Zico chegou a estalar a língua...

Quem não cabia em si de gozo era dona Isaura. Os elogios à sua culinária puseram-na rendida; por metade daquilo já se daria por bem paga da trabalheira.

— Aprenda, Zico, — cochichava ela ao filho, — o que é educação fina.

Após o café, brindado com um "delicioso!", convidou Moreira o hóspede para um giro a cavalo.

— Impossível, meu caro, não monto em seguida às refeições; dá-me cefalalgia.

Zilda corou. Zilda corava sempre que não entendia uma palavra.

— À tarde sairemos, não tenho pressa. Prefiro agora um passeiozinho pedestre pelo pomar, a bem do quilo.

Enquanto os dois homens em pausados passos para lá se dirigiam, Zilda e Zico correram ao dicionário.

— Não é com S, — disse o rapaz.

— Veja com C, — alvitrou a menina.

Com algum trabalho encontraram a palavra cefalalgia.

— "Dor de cabeça!" Ora! Uma coisa tão simples...

À tarde, no giro a cavalo, Trancoso admirou e louvou tudo quanto ia vendo, com grande espanto do fazendeiro que, pela primeira vez, ouvia gabos às coisas suas. Os pretendentes em geral malsinam de tudo, com olhos abertos só para defeitos; diante de uma barroca, abrem-se em exclamações quanto ao perigo das terras frouxas; acham más e poucas as águas; se enxergam um boi, não despregam a vista dos bernes.

Trancoso, não. Gabava! E quando Moreira, nos trechos mistificados, com dedo trêmulo assinalou os padrões, o moço abriu a boca.

— Caquera? Mas isto é fantástico!...

Em face do pau d'alho culminou-lhe o assombro.

— É maravilhoso o que vejo! Nunca supus encontrar nesta zona vestígios de semelhante árvore! — disse, metendo na carteira uma folha como lembrança.

Em casa abriu-se com a velha.

— Pois, minha senhora, a qualidade destas terras excedeu de muito à minha expectativa. Até pau d'alho! Isto é positivamente famoso!...

Dona Isaura baixou os olhos. A cena passava-se na varanda. Era noite. Noite trilada de grilos, coaxada de sapos, com muitas estrelas no céu e muita paz na terra.

Refestelado numa cadeira preguiçosa, o hóspede transfez o sopor da digestão em quebreira poética.

— Este cri-cri de grilos, como é encantador! Eu adoro as noites estreladas, o bucólico viver campesino, tão sadio e feliz...

— Mas é muito triste!... aventurou Zilda.

— Acha? Gosta mais do canto estridente da cigarra, modulando cavatinas em plena luz? — disse ele, amelaçando a voz. — É que no seu coraçãozinho há qualquer nuvem a sombreá-lo...

Vendo Moreira assim atiçado o sentimentalismo, e dessa feita passível de consequências matrimoniais, houve por bem dar uma pancada na testa e berrar: "Oh, diabo! Não é que ia me esquecendo do..." Não disse do que, nem era preciso. Saiu precipitadamente, deixando-os sós.

Prosseguiu o diálogo, mais mel e rosas.

— O senhor é um poeta! — exclamou Zilda a um regorjeio dos mais sucados.

— Quem o não é debaixo das estrelas do céu, ao lado duma estrela da terra?

— Pobre de mim! — suspirou a menina, palpitante.

Também do peito de Troncoso subiu um suspiro.

Seus olhos alçaram-se a uma nuvem que fazia no céu as vezes da Via Láctea, e sua boca murmurou em solilóquio um rabo d'arraia desses que derrubam meninas.

— O amor!... A Via Láctea da vida!... O aroma das rosas, a gaze da aurora! Amar, ouvir estrelas... Amai, pois só quem ama entende o que elas dizem.

Era zurrapa de contrabando; não obstante, ao paladar inexperto da menina soube a fino moscatel. Zilda sentiu subir à cabeça um vapor. Quis retribuir. Deu busca aos ramilhetes retóricos da memória em procura da flor mais bela. Só achou um bogari humílimo:

— Lindo pensamento para um cartão postal!

Ficaram no bogari; o café com bolinhos de frigideira veio interromper o idílio nascente.

Que noite aquela! Dir-se-ia que o anjo da bonança distendera suas asas de ouro por sobre a casa triste. Via Zilda realizar-se todo o Escrich deglutido. D. Isaura gozava-se da possibilidade de casá-la rica. Moreira sonhava quitações de dívidas, com sobras fartas a tilintar-lhe no bolso. E imaginariamente transfeito em comerciante, Zico fiou, a noite inteira, em sonhos, à gente da Tudinha, que, cativa de tanta gentileza, lhe concedia afinal a ambicionada mão da pequena.

Só Trancoso dormiu o sono das pedras, sem sonhos nem pesadelos. Que bom é ser rico!

No dia imediato visitou o resto da fazenda, cafezais e pastos, examinou criação e benfeitorias; e como o gentil mancebo continuasse no enlevo, Moreira, deliberado na véspera a pedir quarenta contos pela Espiga, julgou de bom aviso elevar o preço. Após à cena do pau d'alho, suspendeu-o mentalmente para quarenta e cinco; findo o exame do gado, já estava em sessenta. E quando foi abordada a magna questão, o velho declarou corajosamente, na voz firme de um "alea jacta":

— Sessenta e cinco! — e esperou de pé atrás a ventania.

Trancoso, porém, achou razoável o preço.

— Pois não é caro, — disse, — está um preço bem mais razoável do que imaginei.

O velho mordeu os lábios e tentou emendar a mão.

— Sessenta e cinco, sim, mas... o gado fora!...

— É justo, — respondeu Trancoso.

— ...e fora também os porcos!...

— Perfeitamente.

— ... e a mobília!

— É natural.

O fazendeiro engasgou; não tinha mais o que excluir e confessou de si para consigo que era uma cavalgadura. Por que não pedira logo oitenta?

Informada do caso, a mulher chamou-lhe "pax-vóbis."

— Mas, criatura, por quarenta já era um negocião! — justificou-se o velho.

— Por oitenta seria o dobro melhor. Não se defenda. Eu nunca vi Moreira que não fosse palerma e sarambé. É do sangue. Você não tem culpa.

Amuaram um bocado; mas a ânsia de arquitetar castelos com a imprevista dinheirama varreu para longe a nuvem. Zico aproveitou a aura para insistir nos três contos do estabelecimento — e obteve-os. Dona Isaura desistiu da tal casinha. Lembrava agora outra maior, em rua de procissão — a casa do Eusébio Leite.

— Mas essa é de doze contos, — advertiu o marido.

— Mas é outra coisa que não aquele casebre! Muito mais bem repartida. Só não gosto da alcova pegada à copa; escura...

— Abre-se uma claraboia.

— Também o quintal precisa de reforma; em vez do cercado das galinhas...

Até noite alta, enquanto não vinha o sono, foram remendando a casa, pintando-a, transformando-a na mais deliciosa vivenda da cidade. Estava o casal nos últimos retoques, dorme-não-dorme, quando Zico bateu à porta.

— Três contos não bastam, papai; são precisos cinco. Há a armação, de que não me lembrei, e os direitos, e o aluguel da casa, e mais coisinhas...

Entre dois bocejos o pai concedeu-lhe generosamente seis.

E Zilda? Essa vogava em alto mar dum romance de fadas. Deixemo-la vogar.

Chegou enfim o momento da partida. Trancoso despediu-se. Sentia muito não poder prolongar a deliciosa visita, mais interesses de monta o chamavam. A vida do capitalista não é livre como parece... Quanto ao negócio, considerava-o quase feito; daria a palavra definitiva dentro de semana.

Partiu Trancoso, levando um pacote de ovos — gostara muito da raça de galinhas criada ali; e um saquito de carás — petisco de que era mui guloso. Levou ainda uma bonita lembrança, o rosilho do Moreira, o melhor cavalo da fazenda. Tanto gabara o animal durante os passeios, que o fazendeiro se viu na obrigação de recusar uma barganha proposta e dar-lho de presente.

— Vejam vocês! — disse Moreira, resumindo a opinião geral. — Moço, riquíssimo, direitão, instruído como um doutor e no entanto amável, gentil, incapaz de torcer o focinho como os pulhas que cá têm vindo. O que é ser gente!

À velha agradara sobretudo a sem-cerimônia do jovem capitalista. Levar ovos e carás! Que mimo!

Todos concordaram, louvando-o cada um a seu modo. E assim, mesmo ausente, o gentil ricaço encheu a casa durante a semana inteira.

Mas a semana transcorreu sem que viesse a ambicionada resposta. E mais outra. E outra ainda.

Escreveu-lhe Moreira, já apreensivo e nada. Lembrou-se dum parente morador na mesma cidade e endereçou-lhe carta pedindo que obtivesse do capitalista a solução definitiva. Quanto ao preço, abatia alguma coisa. Dava a fazenda por cinquenta e cinco, por cinquenta e até por quarenta, com criação e mobília.

O amigo respondeu sem demora. Ao rasgar do envelope, os quatro corações da Espiga pulsaram violentamente: aquele papel encerrava o destino de todos quatro.

Dizia a carta: "Moreira. Ou muito me engano ou estás iludido. Não há por aqui nenhum Trancoso Carvalhais capitalista. Há o Trancosinho, filho da Nhá Veva, vulgo Sacatrapo. É um espertalhão que vive de barganhas e sabe iludir aos que o não conhecem. Ultimamente tem corrido o estado de Minas, de fazenda em fazenda, sob vários pretextos. Finge-se às vezes comprador, passa uma semana em casa do fazendeiro, a caceteá-lo com passeios pelas roças e exames de divisas; come e bebe do bom, namora as criadas, ou a filha, ou o que encontra — é um vassoura de marca! — e no melhor da festa some-se. Tem feito isto um cento de vezes, mudando sempre de zona. Gosta de variar de tempero, o patife. Como aqui Trancoso só há este, deixo de apresentar ao pulha a tua proposta. Ora o Sacatrapo a comprar fazenda! Tinha graça..."

O velho caiu numa cadeira, aparvalhado, com a missiva sobre os joelhos. Depois o sangue lhe avermelhou as faces e seus olhos chisparam.

— Cachorro!

As quatro esperanças da casa ruíram com fragor, entre lágrimas da menina, raiva da velha e cólera dos homens.

Zico propôs-se a partir incontinente na peugada do biltre, afim de quebrar-lhe a cara.

— Deixe, menino! O mundo dá voltas. Um dia cruzo-me com o ladrão e justo contas.

Pobres castelos! Nada há mais triste que estes repentinos desmoronamentos de ilusões. Os formosos palácios d'Espanha, erigidos durante um mês à custa da mirífica dinheirama, fizeram-se taperas sombrias. Dona Isaura chorou até os bolinhos, a manteiga e os frangos.

Quanto a Zilda, o desastre operou como pé de vento através de paineira florida. Caiu de cama, febricitante. Encovaram-se-lhe as faces. Todas as passagens trágicas dos romances lidos desfilaram-lhe na memória; reviu-se na vítima de todos eles. E dias a fio pensou no suicídio.

Por fim habituou-se a essa ideia e continuou a viver. Teve azo de verificar que isso de morrer de amores, só em Escrich.

Acaba-se aqui a história — para a plateia; para as torrinhas segue ainda por meio palmo. As plateias costumam impar umas tantas finuras de bom gosto e tom muito de rir; entram no teatro depois de começada a peça e saem mal as ameaça o epílogo.

Já as galerias querem a coisa pelo comprido, a jeito de aproveitar o rico dinheirinho até ao derradeiro vintém. Nos romances e contos pedem esmiuçamento completo do enredo; e se o autor, levado por fórmulas de escola, lhes arruma para cima, no melhor da festa, com a caudinha reticenciada a que chama "nota impressionista", franzem o nariz. Querem saber — e fazem muito bem — se Fulano morreu, se a menina casou e foi feliz, se o homem afinal vendeu a fazenda, a quem e por quanto.

Sã, humana e respeitabilíssima curiosidade!

— Vendeu a fazenda o pobre Moreira?

Pesa-me confessá-lo: não! E não a vendeu por artes do mais inconcebível quiproquó de quantos tem armado neste mundo o diabo — sim, porque afora o diabo quem é capaz de intrincar os fios da meada com laços e nós cegos, justamente quando vai a feliz remate o crochê?

O acaso deu a Trancoso uma sorte de cinquenta contos na loteria. Não se riam. Por que motivo não havia Trancoso de ser o escolhido, se a sorte é cega e ele tinha no bolso um bilhete? Ganhou os cinquenta contos, dinheiro que para um pé--atrás daquela marca era significativo de grande riqueza.

De posse do bolo, após semanas de tonteira deliberou afazendar-se. Queria tapar a boca ao mundo realizando uma coisa jamais passada pela sua cabeça: comprar fazenda. Correu em revista quantas visitara durante os anos de malandragem, propendendo, afinal, para a Espiga. Ia nisso, sobretudo, a lembrança da menina, dos bolinhos da velha e a ideia de meter na administração ao sogro, de jeito a folgar-se uma vida vadia de regalos, embalada pelo amor de Zilda e os requintes culinários da sogra. Escreveu, pois ao Moreira anunciando-lhe a volta, afim de fechar-se o negócio.

Ai, ai, ai! Quando tal carta penetrou na Espiga houve rugidos de cólera, entremeio a bufos de vingança.

— É agora! — berrou o velho. — O ladrão gostou da pândega e quer repetir a dose. Mas desta feita curo-lhe a balda, ora se curo! — concluiu, esfregando as mãos no antegozo da vingança.

No murcho coração da pálida Zilda, entretanto, bateu um raio de esperança. A noite de su'alma alvorejou ao luar de um "Quem sabe?" Não se atreveu, todavia, a arrostar a cólera do pai e do irmão, concertados ambos num tremendo ajuste de contas. Confiou no milagre. Acendeu outra velinha a Santo Antônio...

O grande dia chegou. Trancoso rompeu à tarde pela fazenda, caracolando o rosilho.

Desceu Moreira a esperá-lo em baixo da escada, de mãos às costas.

Antes de sofrear as rédeas, já o amável pretendente abria-se em exclamações.

— Ora viva, caro Moreira! Chegou enfim o grande dia. Desta vez, compro-lhe a fazenda.

Moreira tremia. Esperou que o biltre apeasse e mal Trancoso, lançando as rédeas, dirigiu-se-lhe de braços abertos, todo risos, o velho saca de sob o paletó um rabo de tatu e rompe-lhe para cima com ímpeto de queixada.

— Queres fazenda, grandissíssimo tranca? Toma, toma fazenda, ladrão! — e lepte, lepte, finca-lhe rijas rabadas coléricas.

O pobre rapaz, tonteando pelo imprevisto da agressão, corre ao cavalo e monta às cegas, de passo que Zico lhe sacode no lombo nova série de lambadas de agravadíssimo ex-quase-cunhado.

Dona Isaura atiça-lhe os cães:

— Pega, Brinquinho! Ferra, Joli!

O mal azarado comprador de fazendas, acuado como raposa em terreiro, dá de esporas e foge à toda, sob uma chuva de insultos e pedras. Ao cruzar a porteira inda teve ouvidos para distinguir na grita os desaforos esganiçados da velha:

— Comedor de bolinhos! Papa-manteiga! Toma! Em outra não hás de cair, ladrão de ovo e cará!...

E Zilda?

Atrás da vidraça, com os olhos pisados do muito chorar, a triste menina viu desaparecer para sempre, envolto em uma nuvem de pó, o cavaleiro gentil dos seus dourados sonhos.

Moreira o caipora, perdia assim naquele dia o único negócio bom que durante a vida inteira lhe deparara a Fortuna: o duplo descarte — a filha e da Espiga...

1917

O ESTIGMA

Fui um dia a Itaoca levado pelas simples indicações do sujeito que me alugou a cavalgadura.

— Não tem errada, é ir andando. Em caso de dúvida, pegue a trilha dos carros que vai certo.

Assim fiz e lá cheguei sem novidade.

No dia da volta, porém, choveu à noite como só chove por aqueles socavões, e na primeira encruzilhada parei desnorteado. Como o enxurro houvesse diluído todos os sulcos da carraria, ali fiquei alguns minutos feito o asno de Buridan, à espera dalgum passante que me abrisse os olhos. Não apareceu viv'alma, e minha impaciência empurrou-me ao acaso por uma das pernas do V embaraçador. Caminhei cerca de hora na dúvida, até que a vista duma fazenda desconhecida me deu a certeza do transvio.

Resolvi portar. Abeiro-me do portão e grito o "ó de casa".

Abre-mo um negro velho, ocupado em abanar feijão no terreiro.

— O patrãozinho é lá em cima, na casa grande.

Dirijo-me para lá, depois de entregue o cavalo, e subo a escadaria de pedra fronteiriça ao casarão senhorial.

Um grupo de crianças brincava por ali, em torno duma fogueirinha de cavacos fumarentos.

— Fumaça para lá, santinha para cá!

Ao avistarem-me calaram-se e fugiram, com exceção da mais taluda, que permaneceu no lugar, esfregando os olhos avermelhados e lacrimosos do fumo.

— Papai está?

Estava e ia chamá-lo, respondeu, esgueirando-se pela casa a dentro.

As outras, com o dedinho na boca, vi-as a me espiarem da porta, à qual logo assomou esbelta menina aí entre quatorze e dezesseis anos, de avental azul e corada como quem esteve a lidar em forno.

— Faça o favor de entrar! — disse-me com linda voz, sorridente, de passo que seus olhos vivos todo me examinavam d'alto a baixo, num relance.

— Sente-se e espere um bocadinho.

— A menina é filha do...

— Não, senhor. Prima. Mas moro aqui des'que morreram meus pais.

— Tão nova e já órfã!...

— De pai e mãe. Tinha seis anos quando os perdi na febre amarela de Campinas. O primo trouxe-me de lá e...

Aqui rangeu a porta e enquadrou-se nela o dono da casa.

Reconhecemo-nos incontinente, com igual espanto.

— Bruno! — berrou ele. — Que milagre!

— E tu, Fausto, onde te vim desentocar, eu que esperava ver surgir um matutão desconfiado!

Abraços, explicações, perguntas atropeladas.

Fausto não cessava de admirar a coincidência.

— Há quantos anos não nos vemos? Dez, no mínimo...

— Desd'a opa da colação de grau. Como passa o tempo!... Pois, meu caro, prendo-te por cá. Já não te vais daqui sem conhecer o meu seio de Abraão e matar bem matadas as saudades.

Durante estas expansões a menina do avental não arredou pé da sala, e eu volta e meia regalava meus olhos na linda criatura que ela era.

Fausto, percebendo-o, apresentou-ma.

— Laurita, minha prima...

— Já nos conhecemos, — disse eu.

— Donde? — exclamou Fausto surpreso.

— Daqui mesmo, de há cinco minutos.

— Farsista! Olha, Laura, vê lá que nos tragam o café para aqui.

A menina ao retirar-se pôs no andar esse requebro que o instinto aconselha às moças na presença de um homem casadoiro.

— Galantinha, hein? — disse Fausto, mal se fechou a porta.

— Linda! — exclamei, carregando com fúria o i. — Que frescura! Que corado!

— O corado corre à conta do forno. Estão lá todos a assar bolinhos de milho. Não conheces minha mulher? Família Leme, da Pedra Fria. Casei-me logo depois de formado, e aqui vivo alternando seis meses de roça com outros tantos de capital.

— Excelente vida! É o sonho de toda gente.

— Não me queixo, nem quero outra.

— Colheste, então, o pomo da felicidade?

Fausto não respondeu, e como o café entrasse no momento a conversa mudou de rumo. Trouxe-o Laura, com bolinhos quentes.

— Estou adivinhando, dona Laurita, que este foi enrolado pelas suas mãos! — galanteei eu, tomando um deles.

— Qual? — acudiu a menina. — Esse que tem marca de carretilha?

— Sim!

Ela desferiu a mais sonora das risadinhas.

— Justamente os que têm marca são da Lucrécia...

— Ora você, — cascalhou Fausto, a confundir as artes da prima com as da preta!

— Os meus são estes, — disse Laura, apontando os não carretilhados.

Provei um, e:

— Realmente, a diferença é enorme.

Novo "pizzicato" da menina.

— Pois a massa é a mesma e tudo tempero da Lucrécia...

Fausto pôs fim aos meus desazos convidando-me para sair.

— Estás muito chucro no galanteio. Vem daí ver a criação, que é o melhor.

Saímos e percorremos toda a fazenda, o chiqueirão dos canastrões, o cercado das aves de raça, o tanque dos Pekins; vimos as cabras Toggenburg, o gado Jersey, a máquina de café, todas essas coisas comuns a todas as fazendas e que no entanto examinamos sempre com real prazer.

Fausto era fazendeiro amador. Tudo ali demonstrava largo dispêndio de dinheiro sem a preocupação da renda proporcional; trazia-a no pé de quem não necessita da propriedade para viver.

Ao jantar apresentou-me sua mulher.

Não condisse com o molde que cá tenho de boa mulher a esposa do meu amigo. De feições duras, olhar d'ave de rapina, nariz agudo, era positivamente feia e provavelmente má.

Compreendi o caso do meu Fausto: casara rico. A fazenda viera-lhe às mãos por intermédio da esposa.

Na presença dela Fausto mudava de tom. De natural brincalhão, embezerrava-se numa sisudez que me era estranha; isso me disse que casaram os bens, os corpos, mas não as almas.

Também Laurita se coibia, e as crianças mostravam um odioso bom comportamento de meter dó. A mulher gelava-os a todos com o olhar duro e mau de senhora absoluta.

Foi um alívio o erguer-nos da mesa. Fausto lembrara um giro pelos cafezais e como já estivessem arreadas as cavalgaduras partimos. Sem demora voltou o meu amigo à expansibilidade anterior, com a alegre despreocupação dos anos acadêmicos. A conversa correu por mil veredas e por fim embicou para o tema casamento.

— Aquele nosso horror à coleira matrimonial! Como esbanjávamos diatribes contra o amor sacramento, benzido pelo padre, gatafunhado pelo escrivão... Lembras-te?

— E estamos a pagar a língua. É sempre assim na vida: a libérrima teoria por cima e a trama férrea das injunções por baixo. O casamento!... Não o defino hoje com o petulante entono de solteiro. Só digo que não há casamento — há casamentos. Cada caso é um caso especial.

— Tendo aliás de comum, — disse eu, — um mesmo traço: restrição da personalidade.

— Sim. É mister que o homem ceda cinquenta por cento e a mulher outros tantos para que haja o equilíbrio razoável a que chamamos felicidade conjugal.

— "Felicidade conjugal", dizes bem, restringindo com o adjetivo a amplidão do substantivo.

A vista do cafezal interrompeu-nos as confidências. Era setembro, e o aspecto das árvores estrelejadas de florinhas dava uma sensação farta de riqueza e futuro. Corremo-lo em parte, gozando o "prazer paulista" de ver ondular por espigões e grotas a onda verde-escuro dos cafeeiros alinhados.

— No teu caso, — perguntei, — foste feliz?

Fausto retardou a resposta, mastigando-a.

— Não sei. Cedi os cinquenta, e espero que minha mulher imite a minha abnegação. Ela porém, mais tenaz, embirra em não chegar a tanto. Procuramos o equilíbrio ainda...

— E Laura? — perguntei estouvadamente...

Fausto voltou-se de golpe, ferido pela pergunta.

Encarou-me a fito, vacilante em revelar-me o fundo de sua alma. Depois, como atravessássemos um sombrio trecho de caminho, com, barrancos acima, avenças viçosas, samambaias e begônias agrestes, disse, apontando para aquilo:

— Sabes o que é uma face noruega? Cá tens uma. Não bate o sol. Muita folha, muito viço, verdes carregados, mas nada de flores ou frutas. Sempre esta frialdade úmida. Laura... é como um raio de sol matutino que folga e ri na face noruega da minha vida...

Calou-se, e até à casa não mais pronunciou uma só palavra. Compreendi a situação do meu querido Fausto, e não lhe invejei as riquezas adquiridas por semelhante preço.

Deixei o Paraíso, que assim se chamava a fazenda, com três impressões n'alma: deliciosa, a da menina dos bolinhos, no seu avental azul, corada como as romãs; penosa, a da megera entrevista na criatura feia e má, rica o suficiente para adquirir marido como quem adquire um animal de luxo. A terceira não a define aí qualquer adjetivo espipado — complexa, sutil em demasia para caber em moldes vulgares. Era o vago pressentir duma equação sentimental cujos termos — o raio de sol, a face noruega e o meu Fausto — vagamente perambulavam dentro da minha imaginativa, às cabriolas.

Nunca tornei àquelas bandas, nem o acaso me fez encontradiço com qualquer das três personagens.

Este mundo, entretanto, é uma bola pequenina. Volvidos vinte anos estava eu parado diante duma vitrina no Rio de Janeiro quando alguém me cutucou as costelas.

— Tu, Fausto!

— Eu, sim Bruno!

Envelhecera Fausto quarenta anos naqueles vinte de desencontro, e o tempo murchara-lhe a expansibilidade folgazã. Enquanto palestrávamos, uma a uma subiam-me à tona da memória as cenas e pessoas do Paraíso, a fascinante Laurita à frente. Perguntei por ela em primeiro.

— Morta! — foi a resposta seca e torva.

Como nas horas claras do verão nuvem erradia tapando às súbitas o sol põe na paisagem manchas mormacentas de sombra, assim aquela palavra nos velou a ambos a alegria do encontro.

— E tua mulher? Os filhos?

— Também morta, a mulher. Os filhos, por aí, casados uns, o último ainda comigo. Meu caro Bruno, o dinheiro não é tudo na vida, e principalmente não é para-raios que nos ponha a salvo de coriscos a cabeça. Moro na rua tal; aparece lá à noite que te contarei minha história — e gaba-te, pois serás a única pessoa a quem revelarei o inferno que me saiu o Paraíso...

Eis o que ouvi:

— "Quando a febre amarela em Campinas orfanou Laurita, eu, como o parente melhor condicionado, trouxe-a a morar conosco. Tinha ela cinco anos e já prenunciava nas graças infantis a encantadora menina que seria.

Eu estava casado de fresco e errara no casamento. Minha mulher — não o suspeitaste naquele jantar? — era uma criatura visceralmente má.

O "má" na mulher diz tudo; dispensa maior gasto de expressões. Quando ouvires de uma mulher que é má, não peças mais: foge a sete pés. Se eu fora refazer o Inferno, acabaria com tantos círculos que lá pôs o Dante, e em lugar meteria de guarda aos precitos uma dúzia de megeras. Haviam de ver que paraíso eram, em comparação, os círculos...

Confesso que não casei por amor. Estava bacharel e pobre. Vi pela frente o marasmo da magistratura e a vitória rápida do casamento rico. Optei pela vitória rápida, descurioso de sondar para onde me levaria a áurea vereda. O dote, grande, valia, ou pareceu-me valer, o sacrifício. Errei. Com a experiência de hoje agarrava a mais reles das promotorias. O viver que levamos não o desejo como castigo ao pior celerado.

— A face noruega!...

— Era exata a comparação, gélida como nos corria o viver conjugal no período em que, iludidos, contemporizávamos, tentando um equilíbrio impossível. Depois tornou-se-nos infernal.

Laura, à proporção que desabrochava, reunia em si quanta formosura de corpo, alma e espírito um poeta concebe em sonhos para meter em poemas. Conluiava-se nela a beleza do Diabo, própria da idade, com a beleza de Deus, permanente — e o pobre do teu Fausto, um exilado em fria Sibéria matrimonial, coração virgem de amor, não teve mão de si, sucumbiu. No peito que supunha calcinado viçou o perigosíssimo amor dos trinta anos.

O vê-la deslizando por ali como a fada mimosa da triste mansão, ora a florir um vaso, ora a ameigar os pequenos, já curando os doentes pobres da fazenda, sempre irradiando beleza, felicidade e graça, foi-se-me tornando a razão do viver. Todas as generosidades e todas as coragens dos anos adolescentes borbulharam em meu peito. Compreendi a minha desgraça: era um cego a quem restituíam os olhos e que, deslumbrado, via do fundo de um cárcere, através das reixas encruzadas, a aurora, a luz, a vida, tudo inacessível... Vitimava-me a pior casta de amor — o amor secreto...

Correram meses.

Ao cabo, ou porque me traísse o fogo interno ou porque o ciúme desse à minha mulher uma visão de lince, tudo leu ela dentro de mim, como se o coração me pulsasse num peito de cristal. Conheci, então, um lúgubre pedaço de alma humana: a caverna onde moram os dragões do ciúme e do ódio. O que escabujou minha mulher contra os "amásios"!

A caninana envolvia no mesmo insulto a inocência ignorante e a nobreza dum sentimento puríssimo, recalcado no fundo do meu ser.

Intimou-me a expulsá-la incontinente.

Resisti.

Afastaria Laura, mas não com a bruteza exigida e de modo a me trair perante ela e todo mundo. Era a primeira vez que eu depois de casado resistia, e tal firmeza encheu de assombro a "senhora". Tenho cá na visão o riso de desafio que nesse momento lhe crispou a boca, e tenho n'alma as cicatrizes das áscuas que espirraram aqueles olhos.

Apanhei a luva.

Estas guerras conjugais portas a dentro!... Não há aí luta civil que se lhes compare em crueza. Na frente de estranhos, de Laura e dos filhos, continha-se. Mal tratava a pobre menina, mas sem revelar a verdadeira causa da perseguição. A sós comigo, porém, que inferno!

Durou pouco isso. Escrevi a parentes, e dava os primeiros passos para a arrumação de Laura, quando...

Não te recordas do bosque de pinheiros plantados em seguimento ao pomar?

— O pinhal d'Azambuja!¹

— Foi o nome que lhe pus, como andassem uns lagartões, seus fregueses, a me pilharem as capoeiras. Esse pinhal era o passeio favorito de Laura. Emboscava-se nele com um livro, ou com a costura, e dess'arte sossegava um momento da inferneira doméstica.

Um dia em que saí à caça, menos pela caçada do que para retemperar-me da guerra caseira na paz das matas, ao montar a cavalo vi-a dirigir-se para lá com o cestinho de costura.

Demorei-me mais do que o usual, e em vez de paca trouxe uma longa meditação desanimadora, feita de papo acima, inda me lembro, sob a fronde de enorme guabirobeira.

Ao pisar no terreiro vi as crianças a me esperarem na escada, assustadinhas.

— Papai não viu Laura?

— Laura?...

Estranhei a pergunta, e mais ainda vendo aproximar-se a velha Lucrécia, que disse:

— Não vá ter acontecido alguma para Nhá Laurita, patrão! Saiu cedo, antes do café, já é quase noite e nada de voltar.

— A senhora... — comecei eu a perguntar não sabia ainda o quê.

— Sinhá está no quarto. Andou pelo pomar, voltou e se trancou por dentro. Não quer enxergar ninguém, parece que comeu cobra...

O coração palpitou-me violento e saí em procura de Laurinha. Indaguei no terreiro: ninguém a vira. Lembrei-me do pinhal e organizei uma alvoroçada batida ao bosque. Com fachos incendidos de galhaça morta quebramos a escuridão reinante.

Nada!

Eu desanimava já de encontrá-la por ali, quando um capataz, desgarrado à frente, gritou:

— Está aqui um cestinho!

Corremos todos. Estava lá o cestinho de costura e, mais adiante... o corpo frio da menina.

Morta, a bala!

A blusa entreaberta mostrava no entresseio uma ferida: um pequeno furo negro donde fluía para as costelas fina estria de sangue. Ao lado da mão direita inerte, o meu revólver.

---

1 Certo bosque de Portugal onde se juntavam bandidos.

Suicidara-se...

Não te digo o meu desespero. Esqueci mundo, conveniências, tudo, e beijei-a longamente entre arquejos e sacões de angústia.

Trouxeram-na a braços. Em casa minha mulher, então grávida, recusou-se a ver o cadáver com pretexto do estado, e Laura desceu à cova sem que ela por um só momento deixasse a clausura. Note você isto: "Minha mulher não viu o cadáver da menina."

Dias depois humanizou-se. Deixou a cela, voltando à vida do costume, muito mudada de gênio, entretanto. Cessara a exaltação ciumosa do ódio, sobrevindo em lugar um mutismo sombrio. Pouquíssimas palavras lhe ouvi daí por diante.

A mim o suicídio de Laura, sobre sacudir-me o organismo como o pior dos terremotos, preocupava-me como insolúvel enigma.

Não compreendia aquilo.

Suas últimas palavras em casa, seus últimos atos, nada induzia o horrível desenlace. Porque se mataria Laura? Como conseguira o revólver, guardado sempre no meu quarto, em lugar só de mim e de minha mulher sabido?

Uma inspeção nos seus guardados não me esclareceu melhor; nenhuma carta ou escrito indicioso.

Mistério!

Mas correram os meses e um belo dia minha mulher deu à luz um menino.

Que tragédia! Dói-me a cabeça o recordá-la.

A velha Lucrécia, auxiliar da parteira, foi quem veio à sala com a notícia do bom sucesso.

— Desta vez foi um menino! — disse ela. — Mas nasceu marcado...

— Marcado?

— Tem uma marca no peito, uma cobrinha coral de cabeça preta.

Impressionado com a esquisitice, dirigi-me para o quarto. Acerquei-me da criança e desfiz as faixas o necessário para examinar-lhe o peitinho. E vi... vi um estigma que reproduzia com exatidão o ferimento de Laurinha: um núcleo negro, imitante ao furo da bala, e a "cobrinha", uma estria enviesada pelas costelas abaixo.

Um raio de luz inundou-me o espírito. Compreendi tudo. O feto em formação nas entranhas da mãe fora a única testemunha do crime e, mal nascido, denunciava-o com esmagadora evidência.

— Ela já viu isto? — perguntei à parteira.

— Não! Nem é bom que veja antes de sarada.

Não me contive. Escancarei as janelas, derramei ondas de sol no aposento, despi a criança e ergui-a ante os olhos da mãe, dizendo com frieza de juiz:

— Olha, mulher, quem te denuncia!

A parturiente ergueu-se de golpe, recuou da testa as madeixas soltas e cravou os olhos no estigma. Esbugalhou-os como louca, à medida que lhe alcançava a significação. Depois ergueu-se de golpe, e pela primeira vez aqueles olhos duros se turvaram ante a fixidez inexorável dos meus. Em seguida moleou o corpo, descaindo para os travesseiros, vencida.

Sobreveio-lhe uma crise à noite. Acudiram médicos. Era febre puerperal sob forma gravíssima. Minha mulher recusou obstinadamente qualquer medicação e morreu sem uma palavra, fora as inconscientes escapas nos momentos de delírio..."

Mal concluíra Fausto a confidência daqueles horrores, abriu-se a porta e entrou na sala um rapazinho imberbe.

— Meu filho, — disse ele, — mostra ao Bruno a tua cobrinha.

O moço desabotoou o colete; entreabriu a camisa. Pude então ver o estigma. Era perfeita a ilusão: lá estava a imagem do orifício aberto pelo projétil e do fio de sangue escorrido.

— Veja você, — concluiu o meu triste amigo, — os caprichos da Natureza...

— Caprichos de Nêmesis... — ia eu dizendo, mas o olhar do pai cortou-me a palavra: o moço ignorava o crime de que fora ele próprio o eloquente delator.

1915

Prefácio da segunda edição de Urupês

Esgotada num mês a primeira edição deste livro, sai agora a segunda, aumentada, revista e com vários pronomes recolocados pelo sr. Adalgiso Pereira, excelente amigo que ainda a enriqueceu de numerosas vírgulas, aspas, hífens e outras miudezas cuja ausência empobrecia o original. E para ela entra mais uma, como direi? — o gênero é inclassificável — mais uma "indignação": Velha Praga. E também o artigo Urupês.

Explica-se. Velha Praga é a verdadeira mãe deste livro, e não seria justo separar a mãe do filho.

Foi assim o caso. Em 1914, nos primeiros meses da guerra, o autor não passava de humilde lavrador, incrustado na Serra da Mantiqueira. Terrível ano de seca foi aquele! O fogo lavrou durante dois meses a fio, com fúria infernal. O céu toldado, o ar espesso, o crepitar permanente das matas em chama, a fumarada invadindo a casa, os olhos a arderem...

Um fim de mundo.

E sempre notícias más, a toda hora.

— Rebentou outro fogo no Varjão! — vinha dizer um agregado...[1]

Mal se ia aquele, vinha outro:

— Patrão, o Trabiju está queimando!

— Então, já seis?

— É verdade. Há o fogo do Teixeirinha, o fogo do Maneta, o fogo do Jeca...

— Fogos "signés"!... Que patifes! Mas hão de pagar. Denuncio-os todos à polícia.

O capataz sorriu.

— Não vale a pena. São eleitores do governo; o patrão não arranja nada.

— Mas não haverá ao menos um incendiário oposicionista que possa pagar o pato?

— Não vê! Caboclo é ali firme no governo justamente p'r'amor do fogo.

Tinha razão o homem. Eram todos do governo. E o eleitor da roça, em paga da fidelidade partidária, goza-se do direito de queimar o mato alheio.

---

[1] Categoria dos que lavram por conta própria um pedaço de terra duma fazenda, pagando o uso do terreno com porcentagem nas colheitas; meeiro.

Impossibilitado de agir contra eles por meio da justiça o pobre fazendeiro limitou-se a "tocar" alguns que eram seus agregados e... a "vir pela imprensa". Escreveu e mandou para as "Queixas e Reclamações" d' "*O Estado de S. Paulo*" a tal catilinária mãe dos *Urupês*. Esse jornal, publicando-a fora da seção de queixas, estimulou o fazendeiro a reincidir. Reincidiu. E quando deu acordo de si, virara o que os noticiaristas gravemente chamam um "homem de letras".

Ora aí está como as coisas se arrumam, e como, por obra e graça de meia dúzia de Neros de pé-no-chão entra a correr mundo mais um livro.

Setembro, 1918.

O artigo "Velha Praga" com que o tal fazendeirinho
"veio pela imprensa", era o seguinte:

Velha praga

Andam todos em nossa terra por tal forma estonteados com as proezas infernais dos belacíssimos "vons" alemães, que não sobram olhos para enxergar males caseiros.

Venha, pois, uma voz do sertão dizer às gentes da cidade que se lá fora o fogo da guerra lavra implacável, fogo não menos destruidor devasta nossas matas, com furor não menos germânico.

Em agosto, por força do excessivo prolongamento do inverno, "von Fogo" lambeu montes e vales, sem um momento de tréguas, durante o mês inteiro.

Vieram em começos de setembro chuvinhas de apagar poeira e, breve, novo "verão de sol" se estirou por outubro a dentro, dando azo a que se torrasse tudo quanto escapara à sanha de agosto.

A serra da Mantiqueira ardeu como ardem aldeias na Europa, e é hoje um cinzeiro imenso, entremeado aqui e acolá de manchas de verdura — as restingas úmidas, as grotas frias, as nesgas salvas a tempo pela cautela dos aceiros. Tudo mais é crepe negro.

À hora em que escrevemos, fins de outubro, chove. Mas que chuva cainha! Que miséria d'água! Enquanto caem do céu pingos homeopáticos, medidos a conta-gotas, o fogo, amortecido mas não dominado, amoita-se insidioso nas piúcas,[1] a fumegar imperceptivelmente, pronto para rebentar em chamas mal se limpe o céu e o sol lhe dê a mão.

Preocupa à nossa gente civilizada o conhecer em quanto fica na Europa por dia, em francos e cêntimos, um soldado em guerra; mas ninguém cuida de calcular os prejuízos de toda sorte advindos de uma assombrosa queima destas. As velhas camadas de húmus destruídas; os sais preciosos que, breve, as enxurradas deitarão fora, rio abaixo, via oceano; o rejuvenescimento florestal do solo paralisado e retrogradado; a destruição das aves silvestres e o possível advento de pragas insetiformes; a alteração para pior do clima com a agravação crescente das secas; os vedos

---
1 Tocos semicarbonizados.

e aramados perdidos; o gado morto ou depreciado pela falta de pastos; as cento e uma particularidades que dizem respeito a esta ou aquela zona e, dentro delas, a esta ou aquela "situação" agrícola.

Isto, bem somado, daria algarismos de apavorar; infelizmente no Brasil subtrai-se; somar ninguém soma...

É peculiar de agosto, e típica, esta desastrosa queima de matas; nunca, porém, assumiu tamanha violência, nem alcançou tal extensão, como neste tortíssimo 1914 que, benza-o Deus, parece aparentado de perto com o célebre ano 1000 de macabra memória. Tudo nele culmina, vai logo às do cabo, sem conta nem medida. As queimas não fugiram à regra.

Razão sobeja para, desta feita, encararmos a sério o problema. Do contrário a Mantiqueira será em pouco tempo toda um sapezeiro sem fim, erisipelado de samambaias — esse dois términos à uberdade das terras montanhosas.

Qual a causa da renitente calamidade?

É mister um rodeio para chegar lá.

A nossa montanha é vítima de um parasita, um piolho da terra, peculiar ao solo brasileiro como o "Argas" o é aos galinheiros ou o "Sarcoptes mutans" à perna das aves domésticas. Poderíamos, analogicamente, classificá-lo entre as variedades do "Porrigo decalvans", o parasita do couro cabeludo produtor da "pelada", pois que onde ele assiste[2] se vai despojando a terra de sua coma vegetal até cair em morna decrepitude, nua e descalvada. Em quatro anos, a mais ubertosa região se despe dos jequitibás magníficos e das perobeiras milenárias — seu orgulho e grandeza, para, em achincalhe crescente, cair em capoeira, passar desta à humildade da vassourinha e, descendo sempre, encruar definitivamente na desdita do sapezeiro — sua tortura e vergonha.

Este funesto parasita da terra é o CABOCLO, espécie de homem baldio, seminômade, inadaptável à civilização, mas que vive à beira dela na penumbra das zonas fronteiriças. À medida que o progresso vem chegando com a via férrea, o italiano, o arado, a valorização da propriedade, vai ele refugindo em silêncio, com o seu cachorro, o seu pilão, a picapau[3] e o isqueiro, de modo a sempre conservar-se fronteiriço, mudo e sorna. Encoscorado numa rotina de pedra, recua para não adaptar-se.

É de vê-lo surgir a um sítio novo para nele armar a sua arapuca de "agregado"; nômade por força de vagos atavismos, não se liga à terra, como o campônio europeu, "agrega-se", tal qual o "sarcopte", pelo tempo necessário à completa sucção da seiva convizinha; feito o que, salta para diante com a mesma bagagem com que ali chegou.

Vem de um sapezeiro para criar outro. Coexistem em íntima simbiose: sapé e caboclo são vidas associadas. Este inventou aquele e lhe dilata os domínios; em troca o sapé lhe cobre a choça e lhe fornece fachos para queimar a colmeia das pobres abelhas.

Chegam silenciosamente, ele e a "sarcopta" fêmea, esta com um filhote no útero, outro ao peito, outro de sete anos à ourela da saia — este já de pitinho na boca e faca à cinta. Completam o rancho um cachorro sarnento — Brinquinho, a foice, a enxada, a picapau, o pilãozinho de sal, a panela de barro, um santo encardido, três ga-

---

2   Reside; está estabelecido.
3   Espingarda de carregar pela boca.

linhas pevas e um galo índio. Com estes simples ingredientes, o fazedor de sapezeiros perpetua a espécie e a obra de esterilização iniciada com os remotíssimos avós.

Acampam.

Em três dias uma choça, que por eufemismo chamam casa, brota da terra como um urupê. Tiram tudo do lugar, os esteios, os caibros, as ripas, os barrotes, o cipó que os liga, o barro das paredes e a palha do teto. Tão íntima é a comunhão dessas palhoças com a terra local, que dariam ideia de coisa nascida do chão por obra espontânea da natureza — se a natureza fosse capaz de criar coisas tão feias.

Barreada a casa, pendurado o santo, está lavrada a sentença de morte daquela paragem.

Começam as requisições. Com a picapau o caboclo limpa a floresta das aves incautas. Pólvora e chumbo adquire-os vendendo palmitos no povoado vizinho. É este um traço curioso da vida do caboclo e explica o seu largo dispêndio de pólvora; quando o palmito escasseia, rareiam os tiros, só a caça grande merecendo sua carga de chumbo; se o palmital se extingue, exultam as pacas: está encerrada a estação venatória.

Depois ataca a floresta. Roça e derruba, não perdoando ao mais belo pau. Árvores diante de cuja majestosa beleza Ruskin choraria de comoção, ele as derriba, impassível, para extrair um mel-de-pau escondido num oco.

Pronto o roçado, e chegado o tempo da queima, entra em funções o isqueiro. Mas aqui o "sarcopte" se faz raposa. Como não ignora que a lei impõe aos roçados um aceiro de dimensões suficientes à circunscrição do fogo, urde traças para iludir a lei, cocando dest'arte a insigne preguiça e a velha malignidade.

Cisma o caboclo à porta da cabana.[4]

Cisma, de fato, não devaneios líricos, mas jeitos de transgredir as posturas com a responsabilidade a salvo. E consegue-o. Arranja sempre um álibi demonstrativo de que não esteve lá no dia do fogo.

Onze horas.

O sol quase a pino queima como chama. Um "sarcopte" anda por ali, ressabiado. Minutos após crepita a labareda inicial, medrosa, numa touça mais seca; oscila incerta; ondeia ao vento; mas logo encorpa, cresce, avulta, tumultua infrene e, senhora do campo, estruge fragorosa com infernal violência, devorando as tranqueiras, estorricando as mais altas frondes, despejando para o céu golfões de fumo estrelejado de faíscas.

É o fogo-de-mato!

E como não o detém nenhum aceiro, esse fogo invade a floresta e caminha por ela a dentro, ora frouxo, nas capetingas[5] ralas, ora maciço, aos estouros, nas moitas de taquaruçu; caminha sem tréguas, moroso e tíbio quando a noite fecha, insolente se o sol o ajuda.

E vai galgando montes em arrancadas furiosas, ou descendo encostas a passo lento e traiçoeiro até que o detenha a barragem natural dum rio, estrada ou grota noruega.[6]

---

4 Verso de Ricardo Gonçalves.
5 Capins de mato dentro, sempre ralos, magrelas.
6 Grota fria onde não bate o sol.

Barrado, inflete para os flancos, ladeia o obstáculo, deixa-o para trás, esgueira-se para os lados — e lá continua o abrasamento implacável. Amordaçado por uma chuva repentina, alapa-se nas piúcas, quieto e invisível, para no dia seguinte, ao esquentar do sol, prosseguir na faina carbonizante.

Quem foi o incendiário? Donde partiu o fogo?

Indaga-se, descobre-se o Nero: é um urumbeva qualquer, de barba rala, amoitado num litro[7] de terra litigiosa.

E agora? Que fazer? Processá-lo?

Não há recurso legal contra ele. A única pena possível, barata, fácil e já estabelecida como praxe, é "tocá-lo".

Curioso este preceito: "ao caboclo, toca-se".

Toca-se, como se toca um cachorro importuno, ou uma galinha que vareja pela sala. E tão afeito anda ele a isso, que é comum ouvi-lo dizer: "Se eu fizer tal coisa o senhor não me toca?"

Justiça sumária — que não pune, entretanto, dado o nomadismo do paciente.

Enquanto a mata arde, o caboclo regala-se.

— Êta fogo bonito!

No vazio de sua vida semisselvagem, em que os incidentes são um jacu abatido, uma paca fisgada n'água ou o filho novimensal, a queimada é o grande espetáculo do ano, supremo regalo dos olhos e dos ouvidos.

Entrado setembro, começo das "águas", o caboclo planta na terra em cinzas um bocado de milho, feijão e arroz; mas o valor da sua produção é nenhum diante dos males que para preparar uma quarta de chão ele semeou.

O caboclo é uma quantidade negativa. Tala cinquenta alqueires de terra para extrair deles o com que passar fome e frio durante o ano. Calcula as sementeiras pelo máximo da sua resistência às privações. Nem mais, nem menos. "Dando para passar fome", sem virem a morrer disso, ele, a mulher e o cachorro — está tudo muito bem; assim fez o pai, o avô; assim fará a prole empanzinada que naquele momento brinca nua no terreiro.

Quando se exaure a terra, o agregado muda de sítio. No lugar fica a tapera e o sapezeiro. Um ano que passe e só este atestará a sua estada ali; o mais se apaga como por encanto. A terra reabsorve os frágeis materiais da choça e, como nem sequer uma laranjeira ele plantou, nada mais lembra a passagem por ali do Manoel Peroba, do Chico Marimbondo, do Jeca Tatu ou outros sons ignaros, de dolorosa memória para a natureza circunvizinha.

Urupês

Esboroou-se o balsâmico indianismo de Alencar ao advento dos Rondons que, ao invés de imaginarem índios num gabinete, com reminiscências de Chateaubriand

---

[7] A terra se mede pela quantidade de milho que nela pode ser plantada; daí, um alqueire, uma quarta, um litro de terra.

na cabeça e a Iracema aberta sobre os joelhos, metem-se a palmilhar sertões de Winchester em punho.

Morreu Peri, incomparável idealização dum homem natural como o sonhava Rousseau, protótipo de tantas perfeições humanas que no romance, ombro a ombro com altos tipos civilizados, a todos sobreleva em beleza d'alma e corpo.

Contrapôs-lhe a cruel etnologia dos sertanistas modernos um selvagem real, feio e brutesco, anguloso e desinteressante, tão incapaz, muscularmente, de arrancar uma palmeira, como incapaz, moralmente, de amar Ceci.

Por felicidade nossa — e de D. Antônio de Mariz — não os viu Alencar; sonhou-os qual Rousseau. Do contrário lá teríamos o filho de Araré a moquear a linda menina num bom braseiro de pau brasil, em vez de acompanhá-la em adoração pelas selvas, como o Ariel benfazejo do Paquequer.

A sedução do imaginoso romancista criou forte corrente. Todo o clã plumitivo deu de forjar seu indiozinho refegado de Peri e Atala. Em sonetos, contos e novelas, hoje esquecidos, consumiram-se tabas inteiras de aimorés sanhudos, com virtudes romanas por dentro e penas de tucano por fora.

Vindo o público a bocejar de farto, já céptico ante o crescente desmantelo do ideal, cessou no mercado literário a procura de bugres homéricos, inúbias, tacapes, borés, piagas e virgens bronzeadas. Armas e heróis desandaram cabisbaixos, rumo ao porão onde se guardam os móveis fora de uso, saudoso museu de extintas pilhas elétricas que a seu tempo galvanizaram nervos. E lá acamam poeira cochichando reminiscências com a barba de D. João de Castro, com os frankisks de Herculano, com os frades de Garrett e que tais...

Não morreu, todavia.

Evoluiu.

O indianismo está de novo a deitar copa, de nome mudado. Crismou-se de "caboclismo". O cocar de penas de arara passou a chapéu de palha rebatido à testa; a ocara virou rancho de sapé; o tacape afilou, criou gatilho, deitou ouvido e é hoje espingarda troxada; o boré descaiu lamentavelmente para pio de inambu; a tanga ascendeu a camisa aberta ao peito.

Mas o substrato psíquico não mudou: orgulho indomável, independência, fidalguia, coragem, virilidade heroica, todo o recheio em suma, sem faltar uma azeitona, dos Peris e Ubirajaras.

Este setembrino rebrotar duma arte morta inda se não desbagoou de todos os frutos. Terá o seu "I Juca-Pirama", o seu "Canto do Piaga" e talvez dê ópera lírica.

Mas, completado o ciclo, virão destroçar o inverno em flor da ilusão indianista os prosaicos demolidores de ídolos — gente má e sem poesia. Irão os malvados esgaravatar o ícone com as curetas da ciência. E que feias se hão de entrever as caipirinhas cor de jambo de Fagundes Varela! E que chambões e somas os Peris de calça, camisa e faca à cinta!

Isso, para o futuro. Hoje ainda há perigo em bulir no vespeiro: o caboclo é o "Ai Jesus!" nacional.

É de ver o orgulhoso entono com que respeitáveis figurões batem no peito exclamando com altivez: — Sou raça de caboclo!

Anos atrás o orgulho estava numa ascendência de tanga, inçada de penas de tucano, com dramas íntimos e flechaços de curare.

Dia virá em que os veremos, murchos de prosápia, confessar o verdadeiro avô: — um dos quatrocentos de Gedeão trazidos por Tomé de Souza[1] num barco daqueles tempos, nosso mui nobre e fecundo "Mayflower".

Porque a verdade nua manda dizer que entre as raças de variado matiz, formadoras da nacionalidade e metidas entre o estrangeiro recente e o aborígene de tabuinha no beiço, uma existe a vegetar de cócoras, incapaz de evolução, impenetrável ao progresso. Feia e sorna, nada a põe de pé.

Quando Pedro I lança aos ecos o seu grito histórico e o país desperta estrouvinhado à crise duma mudança de dono, o caboclo ergue-se, espia e acocora-se do novo.

Pelo 13 de Maio, mal esvoaça o florido decreto da Princesa e o negro exausto larga num uf! o cabo da enxada, o caboclo olha, coça a cabeça, 'magina e deixa que do velho mundo venha quem nele pegue de novo.

A 15 de Novembro troca-se um trono vitalício pela cadeira quadrienal. O país bestifica-se ante o inopinado da mudança.[2] O caboclo não dá pela coisa.

Vem Floriano; estouram as granadas de Custódio; Gumercindo bate às portas de Roma; Incitatus derranca o país.[3] O caboclo continua de cócoras, a modorrar...

Nada o esperta. Nenhuma ferrotoada o põe de pé. Social, como individualmente, em todos os atos da vida Jeca, antes de agir, acocora-se.

Jeca Tatu é um piraquara do Paraíba, maravilhoso epítome de carne onde se resumem todas as caraterísticas da espécie.

Ei-lo que vem falar ao patrão. Entrou, saudou. Seu primeiro movimento após prender entre os lábios a palha de milho, sacar o rolete de fumo e disparar a cusparada d'esguicho, é sentar-se jeitosamente sobre os calcanhares. Só então destrava a língua e a inteligência.

— "Não vê que..."

De pé ou sentado as ideias se lhe entramam, a língua emperra e não há de dizer coisa com coisa.

De noite, na choça de palha, acocora-se em frente ao fogo para "aquentá-lo", imitado da mulher e da prole.

Para comer, negociar uma barganha, ingerir um café, tostar um cabo de foice, fazê-lo noutra posição será desastre infalível. Há de ser de cócoras.

Nos mercados, para onde leva a quitanda domingueira, é de cócoras, como um faquir do Bramaputra, que vigia os cachinhos de brejaúva ou o feixe de três palmitos.

Pobre Jeca Tatu! Como és bonito no romance e feio na realidade!

Jeca mercador, Jeca lavrador, Jeca filósofo...

Quando comparece às feiras, todo mundo logo adivinha o que ele traz: sempre coisas que a natureza derrama pelo mato e ao homem só custa o gesto de espichar a mão e colher — cocos de tucum ou jiçara, guabirobas, bacuparis, maracujás, jatais, pinhões, orquídeas; ou artefatos de taquara-poca — peneiras, cestinhas, sam-

---

1 Tomé de Souza veio ao Brasil com um carregamento de 400 degredados e uns tantos jesuítas.
2 Aristides Lobo: "O país assistiu bestificado à proclamação da República."
3 O Presidente Hermes da Fonseca!

burás, tipitis, pios de caçador; ou utensílios de madeira mole — gamelas, pilõezinhos, colheres de pau.

Nada mais.

Seu grande cuidado é espremer todas as consequências da lei do menor esforço — e nisto vai longe.

Começa na morada. Sua casa de sapé e lama faz sorrir aos bichos que moram em toca e gargalhar ao joão-de-barro. Pura biboca de bosquímano. Mobília, nenhuma. A cama é uma espipada esteira de peri posta sobre o chão batido.

Às vezes se dá ao luxo de um banquinho de três pernas — para os hóspedes. Três pernas permitem equilíbrio; inútil, portanto, meter a quarta, o que ainda o obrigaria a nivelar o chão. Para que assentos, se a natureza os dotou de sólidos, rachados calcanhares sobre os quais se sentam?

Nenhum talher. Não é a munheca um talher completo — colher, garfo e faca a um tempo?

No mais, umas cuias, gamelinhas, um pote esbeiçado, a pichorra e a panela de feijão.

Nada de armários ou baús. A roupa, guarda-a no corpo. Só tem dois parelhos; um que traz no uso e outro na lavagem.

Os mantimentos apaiola nos cantos da casa.

Inventou um cipó preso à cumieira, de gancho na ponta e um disco de lata no alto: ali pendura o toucinho, a salvo dos gatos e ratos.

Da parede pende a espingarda picapau, o polvarinho de chifre, o S. Benedito defumado, o rabo de tatu e as palmas bentas de queimar durante as fortes trovoadas. Servem de gaveta os buracos da parede.

Seus remotos avós não gozaram maiores comodidades. Seus netos não meterão quarta perna ao banco. Para que? Vive-se bem sem isso.

Se pelotas de barro caem, abrindo seteiras na parede, Jeca não se move a repô-las. Ficam pelo resto da vida os buracos abertos, a entremostrarem nesgas de céu.

Quando a palha do teto, apodrecida, greta em fendas por onde pinga a chuva, Jeca, em vez de remendar a tortura, limita-se, cada vez que chove, a aparar numa gamelinha a água gotejante...

Remendo... Para que? se uma casa dura dez anos e faltam "apenas" nove para que ele abandonar aquela? Esta filosofia economiza reparos.

Na mansão de Jeca a parede dos fundos bojou para fora um ventre empanzinado, ameaçando ruir; os barrotes, cortados pela umidade, oscilam na podriqueira do baldrame. Afim de neutralizar o desaprumo e prevenir suas consequências, ele grudou na parede uma Nossa Senhora enquadrada em moldurinha amarela — santo de mascate.

— "Por que não remenda essa parede, homem de Deus?

— "Ela não tem coragem de cair. Não vê a escora?

Não obstante, "por via das dúvidas", quando ronca a trovoada Jeca abandona a toca e vai agachar-se no oco dum velho embiruçu do quintal — para se saborear de longe com a eficácia da escora santa.

Um pedaço de pau dispensaria o milagre; mas entre pendurar o santo e tomar da foice, subir ao morro, cortar a madeira, atorá-la, baldeá-la e especar a parede, o sacerdote da Grande Lei do Menor Esforço não vacila. É coerente.

Um terreirinho descalvado rodeia a casa. O mato o beira. Nem árvores frutíferas, nem horta, nem flores — nada revelador de permanência.

Há mil razões para isso; porque não é sua a terra; porque se o "tocarem" não ficará nada que a outrem aproveite; porque para frutas há o mato; porque a "criação" come; porque...

— "Mas, criatura, com um vedozinho por ali... A madeira está à mão, o cipó é tanto..."

Jeca, interpelado, olha para o morro coberto de moirões, olha para o terreiro nu, coça a cabeça e cuspilha.

— "Não paga a pena."

Todo o inconsciente filosofar do caboclo grulha nessa palavra atravessada de fatalismo e modorra. Nada paga a pena. Nem culturas, nem comodidades. De qualquer jeito se vive.

Da terra só quer a mandioca, o milho e a cana. A primeira, por ser um pão já amassado pela natureza. Basta arrancar uma raiz e deitá-la nas brasas. Não impõe colheita, nem exige celeiro. O plantio se faz com um palmo de rama fincada em qualquer chão. Não pede cuidados. Não a ataca a formiga. A mandioca é sem vergonha.

Bem ponderado, a causa principal da lombeira do caboclo reside nas benemerências sem conta da mandioca. Talvez que sem ela ele se pusesse de pé e andasse. Mas enquanto dispuser de um pão cujo preparo se resume no plantar, colher e lançar sobre brasas, Jeca não mudará de vida. O vigor das raças humanas está na razão direta da hostilidade ambiente. Se a poder de estacas e diques o holandês extraiu de um brejo salgado a Holanda, essa joia do esforço, é que ali nada o favorecia. Se a Inglaterra brotou das ilhas nevoentas da Caledônia, é que lá não medrava a mandioca. Medrasse, e talvez os víssemos hoje, os ingleses, tolhiços, de pé no chão, amarelentos, mariscando de peneira no Tâmisa. Há bens que vêm para males. A mandioca ilustra este avesso de provérbio.

Outro precioso auxiliar da calaçaria é a cana. Dá rapadura, e para Jeca, o simplificador da vida, dá garapa. Como não possui moenda, torce a pulso sobre a cuia de café um rolete, depois de bem macetados os nós; açucara assim a beberagem, fugindo aos trâmites condutores do caldo de cana à rapadura.

Todavia, *est modus in rebus*. E assim como ao lado do restolho cresce o bom pé de milho, contrasta com a cristianíssima simplicidade do Jeca a opulência de um seu vizinho e compadre que "está muito bem". A terra onde mora é sua. Possui ainda uma égua, monjolo e espingarda de dois canos. Pesa nos destinos políticos do país com o seu voto e nos econômicos com o polvilho azedo de que é fabricante, tendo amealhado com ambos, voto e polvilho, para mais de quinhentos mil réis no fundo da arca.

Vive num corrupio de barganhas nas quais exercita uma astúcia nativa muito irmã da de Bertoldo. A esperteza última foi a barganha de um cavalo cego por uma égua de passo picado. Verdade é que a égua mancava das mãos, mas inda assim valia dez mil réis mais do que o rocinante zanaga.

Esta e outras celebrizaram-lhe os engrimanços potreiros num raio de mil braças, granjeando-lhe a incondicional e babosa admiração do Jeca, para quem, fino como o compadre, "home"... nem mesmo o vigário de Itaoca!

Aos domingos vai à vila bifurcado na magreza ventruda da Serena; leva apenso à garupa um filho e atrás o potrinho no trote, mais a mulher, com a criança nova enrolada no xale. Fecha o cortejo o indefectível Brinquinho, a resfolgar com um palmo de língua de fora.

O fato mais importante de sua vida é sem dúvida votar no governo. Tira nesse dia da arca a roupa preta do casamento, sarjão furadinho de traça e todo vincado de dobras; entala os pés num alentado sapatão de bezerro; ata ao pescoço um colarinho de bico e, sem gravata, ringindo e mancando, vai pegar o diploma de eleitor às mãos do chefe Coisada, que lho retém para maior garantia da fidelidade partidária.

Vota. Não sabe em quem, mas vota. Esfrega a pena no livro eleitoral, arabescando o aranhol de gatafunhos e que chama "sua graça".

Se há tumulto, chuchurreia de pé firme, com heroísmo, as porretadas oposicionistas, e ao cabo segue para a casa do chefe, de galo cívico na testa e colarinho sungado para trás, afim de novamente lhe depor nas mãos o "dipeloma".

Grato e sorridente, o morubixaba galardoa-lhe o heroísmo, flagrantemente documentado pelo latejar do couro cabeludo, com um aperto de munheca e a promessa, para logo, duma inspetoria de quarteirão.

Representa este freguês o tipo clássico do sitiante já com um pé fora da classe. Exceção, díscolo que é, não vem ao caso. Aqui tratamos da regra e a regra é Jeca Tatu.

O mobiliário cerebral de Jeca, à parte o suculento recheio de superstições, vale o do casebre. O banquinho de três pés, as cuias, o gancho de toucinho, as gamelas, tudo se reedita dentro de seus miolos sob a forma de ideias: são as noções práticas da vida, que recebeu do pai e sem mudança transmitirá aos filhos.

O sentimento de pátria lhe é desconhecido. Não tem sequer a noção do país em que vive. Sabe que o mundo é grande, que há sempre terras para diante, que muito longe está a Corte com os graúdos e mais distante ainda a Bahia, donde vêm baianos pernósticos e cocos.

Perguntem ao Jeca quem é o presidente da República.

— "O homem que manda em nós tudo?
— "Sim.
— "Pois de certo que há de ser o imperador.

Em matéria de civismo não sobe de ponto.

— "Guerra? T'esconjuro! Meu pai viveu afundado no mato p'ra mais de cinco anos por causa da guerra grande.[4] Eu, para escapar do "reculutamento", sou inté capaz de cortar um dedo, como o meu tio Lourenço...

Guerra, defesa nacional, ação administrativa, tudo quanto cheira a governo resume-se para o caboclo numa palavra apavorante — "reculutamento".

Quando em princípios da Presidência Hermes andou na balha um recenseamento esquecido a Offenbach, o caboclo tremeu e entrou a casar em massa. Aquilo "haverá de ser reculutamento", e os casados, na voz corrente, escapavam à redada.

A sua medicina corre parelhas com o civismo e a mobília — em qualidade. Quantitativamente, assombra. Da noite cerebral pirilampejam-lhe apózemas, cerotos, arrobes a eletuários escapos à sagacidade cômica de Mark Twain. Compendia-os um Chernoviz não escrito, monumento de galhofa onde não há rir, lúgubre

---

[4] Guerra do Paraguai.

como é o epílogo. A rede na qual dois homens levam à cova as vítimas de semelhante farmacopeia é o espetáculo mais triste da roça.

Quem aplica as mezinhas é o "curador", um Eusébio Macário de pé no chão e cérebro trancado como moita de taquaruçu. O veículo usual das drogas é sempre a pinga — meio honesto de render homenagem à deusa Cachaça, divindade que entre eles ainda não encontrou heréticos.

Doenças hajam que remédios não faltam.

Para bronquite, é um porrete cuspir o doente na boca de um peixe vivo e soltá-lo: o mal se vai com o peixe água abaixo...

Para "quebranto de ossos", já não é tão simples a medicação. Tomam-se três contas de rosário, três galhos de alecrim, três limas de bico, três iscas de palma benta, três raminhos de arruda, três ovos de pata preta (com casca; sem casca desanda) e um saquinho de picumã; mete-se tudo numa gamela d'água e banha-se naquilo o doente, fazendo-o tragar três goles da zurrapa. É infalível!

O específico da brotoeja consiste em cozimento de beiço de pote para lavagens. Ainda há aqui um pormenor de monta; é preciso que antes do banho a mãe do doente molhe na água a ponta de sua trança. As brotoejas saram como por encanto.

Para dor de peito que "responde na cacunda", cataplasma de "jasmim de cachorro" é um porrete.

Além desta alopatia, para a qual contribui tudo quanto de mais repugnante e inócuo existe na natureza, há a medicação simpática, baseada na influição misteriosa de objetos, palavras e atos sobre o corpo humano.

O ritual bizantino dentro de cujas maranhas os filhos do Jeca vêm ao mundo, e do qual não há fugir sob pena de gravíssimas consequências futuras, daria um in-fólio d'alto fôlego ao Sílvio Romero bastante operoso que se propusesse a compendiá-lo.

Num parto difícil nada tão eficaz como engolir três caroços de feijão mouro, de passo que a parturiente veste pelo avesso a camisa do marido e põe na cabeça, também pelo avesso, o seu chapéu. Falhando esta simpatia, há um derradeiro recurso: colar no ventre encruado a imagem de S. Benedito.

Nesses momentos angustiosos outra mulher não penetre no recinto sem primeiro defumar-se ao fogo, nem traga na mão caça ou peixe: a criança morreria pagã. A omissão de qualquer destes preceitos fará chover mil desgraças na cabeça do chorincas recém-nascido.

A posse de certos objetos confere dotes sobrenaturais. A invulnerabilidade às facadas ou cargas da chumbo é obtida graças à flor da samambaia.

Esta planta, conta Jeca, só floresce uma vez por ano, e só produz em cada samambaial uma flor. Isto à meia noite, no dia de S. Bartolomeu. É preciso ser muito esperto para colhê-la, porque também o diabo anda à cata. Quem consegue pegar uma, ouve logo um estouro e tonteia ao cheiro de enxofre — mas livra-se de faca e chumbo pelo resto da vida.

Todos os volumes do Larousse não bastariam para catalogar-lhe as crendices, e como não há linhas divisórias entre estas e a religião, confundem-se ambas em maranhada teia, não havendo distinguir onde para uma e começa outra.

A ideia de Deus e dos santos torna-se jecocêntrica. São os santos os graúdos lá de cima, os coronéis celestes, debruçados no azul para espreitar-lhes a vidinha e intervir nela ajudando-os ou castigando-os, como os metediços deuses de Homero. Uma torcedura de pé, um estrepe, o feijão entornado, o pote que rachou, o bicho que arruinou — tudo diabruras da corte celeste, para castigo de más intenções ou atos.

Daí o fatalismo. Se tudo movem cordéis lá de cima, para que lutar, reagir? Deus quis. A maior catástrofe é recebida com esta exclamação, muito parenta do "Allah Kébir" do beduíno.

E na arte?

Nada.

A arte rústica do campônio europeu é opulenta a ponto de constituir preciosa fonte de sugestões para os artistas de escol. Em nenhum país o povo vive sem a ela recorrer para um ingênuo embelezamento da vida. Já não se fala no camponês italiano ou teutônico, filho de alfobres mimosos, propícios a todas as florações estéticas. Mas o russo, o hirsuto mujique a meio atolado em barbárie crassa. Os vestuários nacionais da Ucrânia nos quais a cor viva e o sarapantado da ornamentação indicam a ingenuidade do primitivo, os isbás da Lituânia, sua cerâmica, os bordados, os móveis, os utensílios de cozinha, tudo revela no mais rude dos campônios o sentimento da arte.

No samoieda, no pele-vermelha, no abexim, no papua, um arabesco ingênuo costuma ornar-lhes as armas — como lhes ornam a vida canções repassadas de ritmos sugestivos.

Que nada é isso, sabido como já o homem pré-histórico, companheiro do urso das cavernas, entalhava perfis de mamutes em chifres de rena.

Egresso à regra, não denuncia o nosso caboclo o mais remoto traço de um sentimento nascido com o troglodita.

Esmerilhemos o seu casebre: que é que ali denota a existência do mais vago senso estético? Uma chumbada no cabo do relho e uns ziguezagues a canivete ou fogo pelo roliço do porretinho de guatambu. É tudo.

Às vezes surge numa família um gênio musical cuja fama esvoaça pelas redondezas. Ei-lo na viola: concentra-se, tosse, cuspilha o pigarro, fere as cordas e "tempera". E fica nisso, no tempero.

Dirão: e a modinha?

A modinha, como as demais manifestações de arte popular existentes no país, é obra do mulato, em cujas veias o sangue recente do europeu, rico de atavismos estéticos, borbulha d'envolta com o sangue selvagem, alegre e são do negro.

O caboclo é soturno.

Não canta senão rezas lúgubres.

Não dança senão o cateretê aladainhado.

Não esculpe o cabo da faca, como o cabila.

Não compõe sua canção, como o felá do Egito.

No meio da natureza brasílica, tão rica de formas e cores, onde os ipês floridos derramam feitiços no ambiente e a infolhescência dos cedros, às primeiras chuvas de setembro, abre a dança dos tangarás; onde há abelhas de sol, esmeraldas vivas, cigarras, sabiás, luz, cor, perfume, vida dionisíaca em escachoo permanente, o caboclo é o sombrio urupê de pau podre a modorrar silencioso no recesso das grotas.

Só ele não fala, não canta, não ri, não ama.

Só ele, no meio de tanta vida, não vive...

Ficção

CONTOS

Cidades Mortas (1919)

Cidades Mortas

A quem em nossa terra percorre tais e tais zonas, vivas outrora, hoje mortas, ou em via disso, tolhidas de insanável caquexia, uma verdade, que é um desconsolo, ressinto de tantas ruínas: nosso progresso é nômade e sujeito a paralisias súbitas. Radica-se mal. Conjugado a um grupo de fatores sempre os mesmos, reflui com eles duma região para outra. Não emite peão. Progresso do cigano, vive acampado. Emigra, deixando atrás do si um rastilho de taperas.

A uberdade nativa do solo é o fator que o condiciona. Mal a uberdade se esvai, pela reiterada sucção de uma seiva não recomposta, como no velho mundo, pelo adubo, o desenvolvimento da zona esmorece, foge dela o capital — e com ele os homens fortes, aptos para o trabalho. E lentamente cai a tapera nas almas e nas coisas.

Em S. Paulo temos perfeito exemplo disso na depressão profunda que entorpece boa parte do chamado Norte.

Ali tudo foi, nada é. Não se conjugam verbos no presente. Tudo é pretérito.

Umas tantas cidades moribundas arrastam um viver decrépito, gasto em chorar na mesquinhez de hoje as saudosas grandezas de dantes.

Pelas ruas ermas, onde o transeunte é raro, não matracoleja sequer uma carroça; de há muito, em matéria de rodas, se voltou aos rodízios desse rechinante símbolo do viver colonial — o carro de boi. Erguem-se por ali soberbos casarões apalaçados, de dois e três andares, sólidos como fortalezas, tudo pedra, cal e cabiúna; casarões que lembram ossaturas de megatérios donde as carnes, o sangue, a vida, para sempre refugiram.

Vivem dentro, mesquinhamente, vergônteas mortiças de famílias fidalgas, de boa prosápia entroncada na nobiliarquia lusitana. Pelos salões vazios, cujos frisos dourados se recobrem da pátina dos anos e cujo estuque, lagarteado de fendas, esboroa à força de goteiras, paira o bafio da morte. Há nas paredes quadros antigos, "crayons", figurando efígies de capitães-mores de barba em colar. Há sobre os aparadores Luiz XV brônzeos candelabros de dezoito velas, esverdecidos de azinhavre. Mas nem se acendem as velas, nem se guardam os nomes dos enquadrados — e por tudo se agruma o bolor râncido da velhice.

São os palácios mortos da cidade morta.

Avultam em número, nas ruas centrais, casas sem janelas, só portas, três e quatro: antigos armazéns hoje fechados, porque o comércio desertou também. Em certa praça vazia, vestígios vagos de "monumento" de vulto: o antigo teatro — um teatro onde já ressoou a voz da Rosina Stolze, da Candiani...

Não há na cidade exangue nem pedreiros, nem carapinas; fizeram-se estes remendões; aqueles, meros demolidores — tanto vai da última construção. A tarefa se lhes resume em espear muros que deitam ventres, escorar paredes rachadas e remendá-las mal e mal. Um dia metem abaixo as telhas: sempre vale trinta mil réis o milheiro — e fica à inclemência do tempo o encargo de aluir o resto.

Os ricos são dois ou três forretas, coronéis da Briosa, com cem apólices a render no Rio; e os sinecuristas acarrapatados ao orçamento: juiz, coletor, delegado. O resto é a "mob": velhos mestiços de miserável descendência, ruídos de opilação e álcool; famílias decaídas, a viverem misteriosamente umas, outras à custa do parco auxílio enviado de fora por um filho mais audacioso que emigrou. "Boa gente", que vive de aparas.

Da geração nova, os rapazes debandam cedo, quase meninos ainda; só ficam as moças — sempre fincadas de cotovelos à janela, negaceando um marido que é um mito em terra assim, donde os casadouros fogem. Pescam, às vezes, as mais jeitosas, o seu promotorzinho, o seu delegadozinho de carreira — e o caso vira prodigioso acontecimento histórico, criador de lendas.

Toda a ligação com o mundo se resume no cordão umbilical do correio — magro estafeta bifurcado em pontiagudas éguas pisadas, em eterno ir e vir com duas malas postais à garupa, murchas como figos secos.

Até o ar é próprio; não vibraram nele *fonfons* de auto, nem cornetas de bicicletas, nem campainhas de carroça, nem pregões de italianos, nem *ten-tens* de sorveteiros, nem *plás-plás* de mascates sírios. Só os velhos sons coloniais — o sino, o chilreio das andorinhas na torre da igreja, o rechino dos carros de boi, o cincerro de tropas raras, a taralhar das baitacas que em bando rumoroso cruzam e recruzam o céu.

Isso, nas cidades. No campo não é menor a desolação. Léguas a fio se sucedem de morraria áspera, onde reinam soberanos a saúva e seus aliados, o sapé e a samambaia. Por ela passou o Café, como um Átila. Toda a seiva foi bebida e, sob forma de grão, ensacada e mandada para fora. Mas do ouro que veio em troca nem uma onça permaneceu ali, empregada em restaurar o torrão. Transfiltrou-se para o Oeste, na avidez de novos assaltos à virgindade da terra nova; ou se transfez nos palacetes em mina; ou reentrou na circulação europeia por mão de herdeiros dissipados.

À mãe fecunda que o produziu nada coube; por isso, ressentida, vinga-se agora, enclausurando-se numa esterilidade feroz. E o deserto lentamente retoma as posições perdidas.

Raro é o casebre de palha que fumega e entremostra em redor o quartelzinho de cana, a rocinha de mandioca. Na mor parte os escassíssimos existentes, descolmados pelas ventanias, esburaquentos, afestoam-se do melão de São Caetano — a hera rústica das nossas ruínas.

As fazendas são Escoriais de soberbo aspecto vistas de longe, entristecedoras quando se lhes chega ao pé. Ladeando a Casa Grande, senzalas vazias e terreiros de pedra com viçosas guanxumas nos interstícios. O dono está ausente. Mora no Rio, em São Paulo, na Europa. Cafezais extintos. Agregados dispersos. Subsistem unicamente, como lagartixas na pedra, um pugilo de caboclos opilados, de esclerótica biliosa, inermes, incapazes de fecundar a terra, incapazes de abandonar a querência, verdadeiros vegetais de carne que não florescem nem frutificam — a fauna cadavérica de última fase a roer os derradeiros capões de café escondidos nos grotões.

— Aqui foi o Breves. Colhia oitenta mil arrobas!...

A gente olha assombrada na direção que o dedo cicerone aponta. Nada mais!... A mesma morraria nua, a mesma saúva, o mesmo sapé de sempre. De banda a banda, o deserto — o tremendo deserto que o Átila Café criou.

Outras vezes o viajante lobriga ao longe, rente ao caminho, uma ave branca pousada no topo dum espeque. Aproxima-se devagar ao chouto rítmico do cavalo; a ave esquisita não dá sinais de vida; permanece imóvel. Chega-se inda mais, franze a testa, apura a vista. Não é ave, é um objeto de louça... O progresso cigano, quando um dia levantou acampamento dali, rumo Oeste, esqueceu de levar consigo aquele isolador de fios telegráficos... E lá ficará ele, atestando mudamente uma grandeza morta, até que decorram os muitos decênios necessários para que a ruína consuma o rijo poste de "candeia" ao qual o amarraram um dia — no tempo feliz em que Ribeirão Preto era ali...

1908

A vida em Oblivion
OS TRÊS LIVROS

A cidadezinha onde moro lembra soldado que fraqueasse na marcha e, não podendo acompanhar o batalhão, à beira do caminho se deixasse ficar, exausto e só, com os olhos saudosos pousados na nuvem de poeira erguida além.

Desviou-se dela a civilização. O telégrafo não a põe à fala com o resto do mundo, nem as estradas de ferro se lembram de uni-la à rede por intermédio de humilde ramalzinho.

O mundo esqueceu Oblivion, que já foi rica e lépida, como os homens esquecem a atriz famosa logo que se lhes desbota a mocidade. E sua vida de vovó entrevada, sem netos, sem esperança, é humilde e quieta como a do urupê escondido no sombrio dos grotões.

Trazem-lhe os jornais o rumor do mundo, e Oblivion comenta-o com discreto parecer. Mas como os jornais vêm apenas para meia dúzia de pessoas, formam estas a aristocracia mental da cidade. São "Os Que Sabem". Lembra o primado dos Dez de Veneza, esta sabedoria dos Seis de Oblivion.

Atraídos pelas terras novas, de feracidade sedutora, abandonaram-na seus filhos; só permaneceram os de vontade anemiada, débeis, faquirianos. "Mesmeiros", que todos os dias fazem as mesmas coisas, dormem o mesmo sono, sonham os mesmos sonhos, comem as mesmas comidas, comentam os mesmos assuntos, esperam o mesmo correio, gabam a passada prosperidade, lamuriam do presente e pitam — pitam longos cigarrões de palha, matadores do tempo.

Entre as originalidades de Oblivion uma pede narrativa: o como da sua educação literária.

Promovem-se três livros veneraveis, encardidos pelo uso, com as capas sujas, consteladas de pingos de vela — lidos e relidos que foram em longos serões familiares por sucessivas gerações. São eles: *La mare d'Auteuil*, de Paulo de Kock, para uso dos conhecedores do francês; uns volumes truncados do *Rocambole*, para enlevo das imaginações femininas; e *A Ilha Maldita*, de Bernardo Guimarães, para deleite dos paladares nacionalistas.

O dono primitivo seria talvez algum padre morto sem herdeiros. Depois, à força de girarem de déu em déu, esses livros forraram-se à propriedade individual. Quem, por exemplo, deseja ler o *Rocambole*, diz na rodinha da farmácia:

— Onde andará o *Rocambole*?

Informam-no logo, e o candidato toma-o das mãos do detentor último, ficando desde esse momento como o seu novo depositário. Processo sumaríssimo e inteligente.

Quando se esgotou a minha provisão de livros e, ignorante ainda da riqueza literária da terra, deliberei recorrer ao *stock* local, dirigi-me a um dos Seis. O homem enfunou-se de legítimo orgulho ao dar-me os informes pedidos.

— Temos obras de fôlego, poucas mas boas, e para todos os paladares. Gênero pândego, para divertir, temos, "por exemplo", *La mare d'Auteuil*, de Paulo de Kock. Impagável!

— Obrigado. De Kock, nem a tuberculina.

— Temos o célebre *Rocambole*, "gênero imaginoso"; infelizmente está incompleto; faltam uns dezessete volumes.

— Não me serve o resto.

— E temos uma obra prima nacional, *A Ilha Maldita*, do "nosso" Bernardo Guimarães.

Parando aí o catálogo, era forçoso escolher.

No concerto dos nossos romancistas, onde Alencar é o piano querido das moças e Macedo a sensaboria relambória dum flautim piegas, Bernardo é a sanfona. Lê-lo é ir para o mato, para a roça — mas uma roça adjetivada por menina de Sion, onde os prados são amenos, os vergéis *floridos*, os rios *caudalosos*, as matas *viridentes*, os píncaros *altíssimos*, os sabiás *sonorosos*, as rolinhas *meigas*. Bernardo descreve a natureza como um cego que ouvisse contar e reproduzisse as paisagens com os qualificativos surrados do mau contador. Não existe nele o vinco enérgico da impressão pessoal. Vinte vergéis que descreva são vinte perfeitas e invariáveis amenidades. Nossas desajeitadíssimas caipiras são sempre lindas morenas cor de jambo.

Bernardo falsifica o nosso mato. Onde toda a gente vê carrapatos, pernilongos, espinhos, Bernardo aponta doçuras, insetos maviosos, flores olentes.

Bernardo mente.

Mas como mente menos que o Paulo de Kock ou o truculento Ponson, pai do *Rocambole*, escolhi-o.

Veio o livro. Volume velho como um monumento egípcio e como ele revestido de inscrições. Cada leitor que passava ia deixando o rastro gravado a lápis.

"Li e gostei", dizia um, "Li e apreciei", afirmava certa senhorita. Inscrição quase em cuneiforme rezava "Fulano leu e apreciou o talento do grande escritor brasileiro". Outro versificava: "Já foi lido — Pelo Walfrido". Tal moça notara parcimoniosamente: "Li" e assinou. Um amigo da ordem inversa pôs: "Li e muito gostei".

Houve quem discordasse. "Li e não gostei", declarou um fulano.

O patriotismo literário dum anônimo saiu a campo em prol do autor: "Os porcos preferem milho a pérolas", escreveu ele embaixo.

Monograma complicadíssimo subscrevia isto "O *Rocambole* diverte mais".

E assim, por quanto espaço em branco tinha o livro, margens ou fins de capítulo, as apreciações se alastravam com levíssimas variantes ao sóbrio "Li e gostei" inicial. Havia nomes bem antigos, de pessoas falecidas, e nomes das meninas casadeiras da época.

Os intelectuais de Oblivion bebiam à farta naquela veneranda fonte. Em Bernardo abeberavam-se de "estilo e boa linguagem", conforme afirmou um; no *Rocambole* truncado exercitavam os músculos da imaginativa; e no Paulo de Kock, os eleitos, os Sumos (os que sabiam francês!) fartavam-se da *grivoiserie* permitida a espíritos superiores.

Essa trindade impressa bastava à educação literária da cidade. Feliz cidade! Se é de temer o homem que só conhece um livro, a cidade que só conhece três é de venerar. Veneração, entretanto, que não virá, porque o mundo desconhece totalmente a pobrezinha da Oblivion...

1908

Os perturbadores do silêncio

O silêncio em Oblivion é como o frio nas regiões árticas: uma permanente. Não se compreende a segunda sem o primeiro. Ele a completa; ela o define.

Durante a noite aquele silêncio faz-se inteiriço como a escuridão. Por mais que se apurem, os ouvidos nada ouvem a não ser um vago e remoto ressoar, que lembra miríade de grilos microscópicos em imperceptível surdina chiadeira.

Durante o dia, porém, a integridade do silêncio em Oblivion sofre lesões. Uns tantos rumores, sempre os mesmos e periodicamente repetidos, constelam-no de quebras de continuidade. O velho inimigo do Silêncio, o Som, a espaços berra dentro dele gritos sediciosos, tal o relâmpago que momentaneamente destrói o império das trevas. Mas o Silêncio logo subjuga e absorve o intruso.

À frente desse grupo de Irreverências está o Sino da igreja. Repicando missa aos domingos ou chorando a defunto, alegre ou fúnebre, é o Sino o mais violento perturbador do Silêncio em Oblivion.

Outra, é a capina trimestral das ruas: o raspar das enxadas perturba o silêncio com a insistência do coaxar do sapo-ferreiro.

Outra, é o fim das aulas. Quando soam quatro horas o portão do Grupo Escolar borbota um fluxo de meninos rompidos em algazarra, a berrar, a cantar — e adeus, silêncio.

Outra, e esta deveras notável, é o carrinho da Câmara.

O carrinho da Câmara constitui o veículo mais importante de Oblivion — que além dele só conta mais um, o Zé Burro, sólido preto mina empregado no transporte das coisas pesadas. E é o principal por várias razões ponderosas, entre as quais a de ser ele todo de ferro, ao passo que o outro é de carne. Verdade que o carrinho só tem uma roda e o preto tem duas pernas... Mas como a roda do carrinho é bem centrada e as pernas do Zé são cambaias, aquela superioridade desaparece e o carrinho instala-se de vez no primado.

Mas esta questão de primazias não vem ao caso. O caso é a perturbação do Silêncio determinada pelo carrinho, fato que se dá da seguinte maneira. Como o carrinho tem pouco serviço e passa a mor parte do tempo a cochilar no depósito, a ferrugem, insidiosa inimiga da inação, sub-repticiamente vem pintar de vermelho o eixo das rodas, de modo que, mal sai à rua o veículo, o pobrezinho do eixo grita como um gotoso, geme, range, ringe — perturbando lamentavelmente o Silêncio de Oblivion.

Quando Isaac Fac-Totum — um mulato retaco, grosso e curto como certas tatoranas — recebe ordem para ir a tal parte atacar um olheiro de saúvas, o rolete d'homem mete as garrafas de formicida, a enxada e o fósforo dentro do carrinho e, imagem da Compenetração, símbolo da Convicção Inabalável, parte, *nhem-nhim, nhem-nhim*, através das vias principais da cidade, em busca do mal aventurado olheiro.

De sobrecenho carregado, Isaac leva o olhar atentamente fito à frente — para "evitar algum desastre". Nas ruas desertas apenas um ou outro cachorrinho se estira ao sol. Isaac, a vinte passos, divisando o vulto de um, para, ergue a mão em viseira, firma os olhos.

— Diabo! À mó que é o *Joli* do Pedro Surdo? — e com uma pedra o espanta: "Sai porqueira! Não ouve o carro? Não tem medo de morre masgaiado?"

E, convencido de que salvou a vida a um cristão, Isaac-Garrafa-de-Licor-de--Cacau retoma os varais e lá segue por Oblivion afora, *nhem-nhim, nhem-nhim*, com solenidade de dalai lama do Tibé.

Às janelas acode gente. Crianças repimpadas no peitoril gritam para dentro:
— Mamãe, o carrinho "evém" vindo!
Muita moça nervosa deixa a costura e tapa os ouvidos:
— Que inferneira! Não se pode com essa barulhada!

Não obstante, o terrível veículo passa, indiferente à admiração como à censura, garboso, todo de ferro e ferrugem, *nhem-nhim, nhem-nhim*, empurrado pela dignidade infinita de Isaac-Toco-de-Vela.

Enquanto o carrinho da Câmara não torna ao depósito municipal, o Silêncio não reentra na posse dos seus domínios.

1908

Vidinha ociosa

Apólogo

O velho Torquato dá relevo ao que conta à força de imagens engraçadas ou apólogos. Ontem explicava o mal da nossa raça: preguiça de pensar. E restringindo o asserto à classe agrícola:

— Se o governo agarrasse um cento de fazendeiros dos mais ilustres e os trancasse nesta sala, com cem machados naquele canto e uma floresta virgem ali adiante; e se naquele quarto pusesse uma mesa com papel, pena e tinta, e lhes dissesse: "Ou vocês pensam meia hora naquele papel ou botam abaixo aquela mata", daí a cinco minutos cento e um machados pipocavam nas perobas!...

A MESMICE

Um coronel inglês suicidou-se *tired of buttoning and unbuttoning* — cansado de abotoar e desabotoar a farda.

A vida em Oblivion é um perpétuo *buttoning and unbuttoning* que não desfecha no suicídio.

Salvam-na a botica e o jogo. A botica, porque nela há uma sessão permanente de mexerico, e o mexerico é a ambrosia dos lugarejos pobres. E o jogo, porque quem perdeu não pode suicidar-se antes da desforra, e quem ganhou vai alegre, a cantarolar que afinal de contas a vida é boa. Dessa forma escapam todos ao cansaço da mesmice.

A FOLHINHA

A folhinha inventou-a algum boticário do interior para uso de sua cidade-aldeia, onde correm os dias tão iguais e parecidos que só por meio dela podemos distinguir uma segunda duma terça ou quarta-feira.

Um só dia tem feição própria; o domingo. Assinala-o a roupa limpa, a roupa nova, a roupa preta que surge pelas ruas a tomar sol no corpo de toda gente. Redobram de movimento as praças. Caras novas de gente extramuros dão ares de sua graça. Há mercado cedo, missas até às onze; depois, pelo resto da tarde, continuam a assinalar o Dia do Senhor caboclos e negros encachaçados, aglomerados pelas vendas. Vendem elas mais pinga nesse dia do que durante a semana inteira. Todos voltam para casa mais ou menos chumbeados. Os "de cair", dormem na cidade. Os de pinga exaltada, no xadrez. E assim transcorre o belo domingo sem necessidade de irmos à folhinha para sabermos que dia é.

TOURADAS

Transformaram o antigo velódromo em circo de touros; metade das arquibancadas virou *Sombra*, a mil réis; e a outra metade, *Sol*, a quinhentos. Num camarote enfeitado de cetim amarelo e verde está um *inteligente* pegado a laço e imensamente bronco. Ao seu lado, um *clarim* tuberculoso; cada vez que sopra na corneta falta-lhe fôlego para um som completo — e o povo ri-se.

Toureiro de verdade há um, o Antônio Corajoso, empresário, bilheteiro e assessor do *inteligente*. Mais dois açougueiros vestidos de *toreros*, com o competente rabicho, completam a *cuadrilla*.

A cada passinho Corajoso berra para o *inteligente*: "Dê ordem de recolhida, faça isto, faça aquilo". E o pobre diabo se vê tonto para conciliar uma burrice inata com os deveres do cargo.

O povo vaia ou aplaude num tom amolecado que é toda a graça da festa. Reles, mas divertido. "Feche a boca, negro! Está com fome?" (isto para um toureiro mulato). "Recolham esse canivete aleijado!" (para um zebuzinho preto muito magro). "Hu! hu! Tira leite dessa vaca, ó canudo de pito!"

Uma farpa fere um boi na veia; o sangue começa a correr. Enternecimento geral. Para-se a tourada para remendar-se o boi. Laçam-no, cosem-lhe a ferida —

operação demorada que consome vinte minutos. Tomado de piedade, o povo não consente que farpem os restantes.

Há palhaço — um palhaço que faz jus ao cinturão de ouro do Desenxabimento e da Moleza. Tem preguiça até de andar, preferindo apanhar marradas a correr. Lá quando a banda de música ataca a valsa *Amoureuse*, o ladrão atravessa a arena dançando. Mas dança com tamanha preguiça que o povo rompe num berreiro "Lincha o cínico! Mata!" E chovem-lhe em cima toda sorte de desaforos — e cascas de pinhão......

Remata a festa a "pantomina", como diz o programa. Consiste no *Pançudo*, figura de um cômico prodigioso. Tem tanto de largo como de alto. Perfeita esfera encimada por uma cabeça e "embaixada" por dois pés. É um homem acolchoado. Mal aparece, em passinhos miúdos e lentos, uma voz o denuncia: "É o Zé de Mamã! Aí, negro safado!" E toda a gente morre de rir, adivinhando o pobre preto, muito sério, a suar em bicas dentro da couraça de colchões. O boi investe, marra-o, arremessa-o longe. Os toureiros reerguem-no. Nova investida, novo rebolar. E assim até que o touro, desconfiado, se recuse à pagodeira. Soa por fim o toque de recolher e, todo esburacado, com a palhaça à mostra, lá vai para os bastidores o pobre Zé de Mamã, rolado qual uma pipa.

A enxada e o parafuso

Cada terra com seu uso. O nosso teatrinho sempre usou campainha para as chamadas. Campainha é eufemismo. Havia lá dentro uma enxada velha, pendurada de um arame, com um parafuso de cama, cabeçudo, ao lado. Os sinais eram batidos ali.

Veio um mambembe pernóstico e calou a enxada, substituindo os seus sonidos por três pancadas no assoalho.

No primeiro dia o povo da plateia entreolhou-se ao ouvir aquilo, e lá pelo poleiro houve risadas e assobios. O delegado resolveu intervir.

— Este mambembe parece que está mangando conosco!

Explicações. O empresário provou que aquele sistema era a última moda de Paris. Os espectadores remexeram-se, desconfiados. Estavam nessa indecisão, quando o Major dirimiu a pendenga com o peso de sua autoridade:

— Mas isto aqui não é Paris!...

— Bravos! Bravos!

E a velha enxada sonorosa voltou a ser tangida com o parafuso de cabeça.

Rabulices

Nos dias de Júri reúnem-se os advogados e rábulas na antessala do tribunal, os primeiros a virem, os últimos a saírem, como gente que procura gozar, bem gozado, um ambiente poucas vezes fornecido pelas circunstâncias. E, como peixes n'água, à vontade, dão trela à comichão mexeriqueira da rabulice, esquecendo-se em interminável prosa sobre processos, atos judiciários, movimento forense, nomeações, negócios profissionais, pilhérias jurídicas. As cabeças estão abarrotadas de leis, regulamentos, decretos e fatos jurídicos, de modo a só tomarem conhecimento das relações entre o fato e a lei escrita, e nunca entre o fato e a lei natural — o que é próprio do filósofo. Na natureza só veem coisas fungíveis, infungíveis, móveis, imóveis, semoventes, bens, *res nullius*, artigos de *enfiteuse* — a carne e o osso, enfim, da propriedade. Essa janelinha que o artista e o filósofo trazem aberta para a natureza bruta, ou para a humanidade, vistas, uma como turbilhão de forças em perene esfervilhar, outra como oceano de paixões onde se debate o *Homo* — animal filho da natureza, todo ele vegetação viçosa de instintos irredutíveis — o homem de leis abre-a para a rede de fios que a Lei trama e destrama, fios que atam os homens entre si ou à Natureza convertida em propriedade.

E toda a maranha velhaca que isso é engloba-se dentro da mais bela concepção do idealismo — a Justiça.

Pé no chão

Fica no extremo da rua o Grupo Escolar, de modo que a meninada passa e repassa à frente da minha janela. Notei que muitas crianças sofriam dos pés, pois traziam um no chão e outro calçado. Perguntei a uma delas:

— Que doença de pés é essa? Bicho arruinado?

O pequeno baixou a cabeça com acanhamento; depois confessou:

— É "inconomia".

Compreendi. Como nos Grupos não se admitem crianças de pé-no-chão, inventaram as mães pobres aquela pia fraude. Um pé vai calçado; o outro, doente de imaginário mal crônico, vai descalço. Um par de botinas dura assim por dois. Quando o pé de botina em uso fica estragado, transfere-se a doença de um pé para outro, e o pé de botina de reserva entra em funções. Dest'arte, guardadas as conveniências, fica o dispêndio cortado pelo meio. Acata-se a lei e guarda-se o cobre.

Benditas sejam as mães engenhosas!

Barquinha de papel

Quando chove, logo que passa o aguaceiro e o enxurro transforma a rua num sistema de rios e riachos lamacentos, começam a derivar barquinhas de papel. A casa do Joaquim, o moleque-chefe da rua, vira estaleiro. Saem de lá as grandes, com bandeirolas. A mocinha de frente também deita, a medo, a sua; e quem seguir esta barquinha, verá o rapaz moreno, que mora na outra esquina e está à janela, correr à sarjeta, apanhá-la e ler risonho a mensagem a lápis da sua namorada...

O herege

Os filhos do capitão Zarico brincam todos os dias debaixo da minha janela. É a ciranda, é o pregador, é a senhora pastora. A preta Esmeria fica o tempo todo com o caçula ao colo, vigiando-os. Ainda hoje estava lá às voltas com o pequerrucho.

— Quem tirou o toucinho daqui?

— Foi o gato.
— Que é do gato?
— Está no mato.
— Que é do mato?
— O fogo queimou.
— Que é do fogo?
— A água apagou.
— Que é da água?
— O boi bebeu.
— Que é do boi?
— Está dizendo missa...
— Credo! — resmungou a preta. — Tão pequenino e já herege como o pai...

Juquita

É Juquita o terror da bicharia miúda. Cães e gatos conhecem-no de longe. Esta manhã encontrei-o a brincar com um sanhaço semimorto que, de repente, não se sabe como, sumiu. O menino procurava-o quando passei.

— Não viu o meu sanhaço? — perguntou-me.
— Com certeza algum gato o pegou, — sugeri.
— Gato! — e Juquita riu-se com a maior comiseração da minha ingenuidade: "Não há gato que tenha coragem de chegar perto de mim."

O Jesuíno

Quando os juízes de fato se fecham (ou são fechados) na sala secreta, ficam à porta de guarda os dois oficiais de justiça. O único interessante é o Jesuíno, mulato velhusco, grandalhão, lento no falar como um carro de boi ladeira acima.

Desfila o seu rosário de aventuras, onde ele sempre trunfa às avessas. Tem absorvido muita pancada, e até cargas de chumbo. Como é homem da lei, não reage senão por meio da lei. É comezinho ir citar um caboclo na roça, ser hospedado a guatambu e vir dar conta ao juiz da façanha com vergões pelo corpo, galos na testa, e às vezes descadeirado. Considera a pancada um osso do ofício. Conta de um soco tão violento que o derrubou a duas braças de distância. Como os valentões exageram as proezas, Jesuíno exagera os martírios que padeceu a bem da lei.

Isso no fundo é ganância de gorjetas. À parte por amor da qual levou pancada paga-lhe os galos.

Mas nesse caso do soco há um apêndice — para os colegas, onde não há de vir gorjeta. Conta que mal se ergueu, meio tonto, e se aprumou, o escacha-meirinho veio-lhe para cima de porrete e o desancou sem dó. Mas ele afinal atracou-se ao bicho e conseguiu ferrar-lhe as munhecas no gasnete. Deitou o "sojeito" no chão, socou um joelho na boca do estômago, e leu-lhe na cara o mandado. Só não disse com que mão tirou do bolso o papel, (pois as duas estavam ferradas no pescoço do intimado). Mas é pormenor sem importância, esse. Depois fugiu a cavalo. Diz que a arma do oficial de justiça é a pena. O "sojeito" puxa pela garrucha; o oficial puxa da pena, tira o papel do bolso, e: — Espere aí! Vá berrando e pregando tiros enquanto eu escrevo; vamos a ver quem pode mais!

Carlyle esqueceu de incluir no seu livro famoso esta categoria do herói obscuro da intimação judicial.

Para realce da sua grandeza d'alma, contraposta à ferócia do "sojeito", Jesuíno conta como este lhe apareceu no dia seguinte ao pega. Jesuíno disse consigo: "Vou mostrar como se recebe um inimigo com civilização." Fê-lo entrar, mandou vir café e não tocou na sova. A folhas tantas o homem quis explicar a sua loucura da véspera. Jesuíno interrompeu: "Eu nada tenho contra o Sr., porque o Sr. agravou e esbofeteou mas foi o Dr. Juiz e é com ele que tem de avir-se".

Com esta subtileza vai traspassando ao meritíssimo a bordoeira velha — porque afinal, como "homem", nunca levou pancada. "Queria só ver esse peitudo que erguesse a mão para mim! Ia parar no inferno!"

1908

CAVALINHOS

Elsa entrou da rua repuxando com o dedo a gola da blusa de seda carmesim, para refrescar com abanos frenéticos de leque o pescoço afogueado. Falou da procissão, que estivera linda — povaréu, muitas palmas. Disse que nunca vira tanta gente na igreja; que nem se podia respirar, que estava assim! (e apinhava os dedos). Que a filha de Nhá Vica fizera um berreiro dos demônios; que não sabe porque levam crianças à igreja. Depois interpelou o primo:

— Por que não foi, Lauro?

— Eu... — ganiu o rapaz derreado na cadeira de balanço.

Não terminou. Entrava dos fundos dona Didi. Elsa, sua filha casada, beijou-lhe a mão, abraçou-a.

— Por que não foi, mamãe, aos cavalinhos, ontem? Esperei-a lá. Não imagina o que perdeu! A companhia é ótima.

— Não pude, passei mal o dia — dor de cabeça, visitas...

— Pois perdeu. Há lá um menino que é um prodígio — pouco maior que o Juquinha, completamente desengonçado. Faz trabalhos pasmosos, que contados ninguém acredita. Pega nas duas perninhas, cruza-as na cabeça, aqui na nuca, e com as mãos pula como um sapo. Depois desengonça a cabeça e gira com ela como se a tivesse presa por um barbante. Uma coisa extraordinária! O sujeito do trapézio não trabalha mal Achei muita graça no Juquinha — era a primeira vez que ele ia ao circo: "De que é que você gostou mais, meu filho?" perguntei. "Gostei mais do homem que se balança na rede e cai na peneira." A rede é o trapézio e a peneira é a rede de malhas...

Todos riram; a vovó, com delícias; Lauro, complacente — e Juquinha, que estava à janela cuspilhando nos transeuntes, recebeu olhares cheios de amorosa admiração.

Elsa parolou inda um bocado. Depois, voltando-se para o primo:

— Que horas são, Lauro?

— Sete e meia, expectorou o moço, com um pigarro que foi cuspir à janela.

— Quase horas!... Começa às oito. Não vai, mamãe? Vá, a senhora precisa de distrações. É por causa desse aferrolhamento em casa que anda assim magra e amarela. Saia, espaneje-se!

Nisto espocaram foguetes. Elsa contou-os, de dedo para o ar.

— Três! É o sinal. E você, Lauro, vai ou...

— Pode ser que sim, pode ser que não, — gemeu o filósofo.

— Diabo de rapaz este! "Pode ser!..." Ô velho de cem anos! Ó caramujo! Desate isso, vá!

— Fazer? Ver trapézios? Meninos desossados? Palhaços?... Iria, se não houvesse lá nenhuma dessas coisas, nem a moça que corre no cavalo, nem o homem do arame, nem...

— Mas que é então que havia de haver?

— Nada. Gente nas prateleiras, cochilando, e no picadeiro um gato morto... a cheirar.

— Só? Ai, que já é mania de originalidade! Pois vou eu. Não tanto pelos trabalhos, como pela troça, o farrancho. Bole-se com um, atira-se uma casca de pinhão noutro, e assim corre a noite alegremente. E quem não fizer isto neste cinismo de terra, morre encarangado, cria orelha de pau.

Ajeitou sobre o penteado o fichu de sedinha vermelha, deu diante do espelho uns retoques à cara e, com um "Até logo, corujas!" saiu com o Juquinha pela mão.

Dona Didi recolheu.

Lauro ficou outra vez só na saleta, uma perna sobre o braço da cadeira, fumando pensativamente. Zoava-lhe ao ouvido a parolice trêfega da prima. Consultou o relógio: quase oito! Ergueu-se, tomou do chapéu e saiu.

Noite linda. No alto, a lua cheia apascentando um rebanho de nuvenzinhas acarneiradas.

Lauro deambulou a esmo, de mãos cruzadas às costas, batendo o calcanhar com o ponteiro da bengala. Famílias deslizavam pelas ruas, de rumo ao circo; deslizavam como sombras, à luz baça dos lampiões de querosene. Magotes de pretas passavam, taralhando, num rufo de saias engomadas. Iam com pressa, numa açodada ânsia pelas molecagens do palhaço.

E Lauro rememorou os tempos em que também ele se tomava daquela sofreguidão, nos dias magníficos em que o pai anunciava ao jantar: "Aprontem-se, que hoje vamos aos cavalinhos". Com longa antecedência já ele e os irmãos vestiam a roupa nova, punham o gorro de marinheiro e de bengalinha de junco na mão sentavam-se à porta da rua à espera do anoitecer.

Lauro reviu nitidamente o Laurinho de outrora, trotando para o circo à frente do farrancho, e depois sentado na terceira fila das arquibancadas, com olhadelas gulosas para a última, rente ao pano, onde se repimpavam os moleques. Lá é que era a pândega!

Soava a sineta. O povo pedia o "paiaço". Vinha um "casaca de ferro" espevitar os lampiões. Grosso berreiro: "Arara! Arara! Ó caradura"! Impassível, o homem graduava a luz dos belgas, um por um, sem pressa; depois pegava da corda e içava aquela coroa de lampiões acesos, aos goles, até meio mastro.

Rompia a música. Bem maçante a música. Dava sono...

Afinal, começava a função e o palhaço entrava como um bólide, rolando às cambalhotas. Tão engraçado!... O relógio dos fundilhos do calção marcava meio dia. Na cabeça, inclinado para a orelha, o chapelinho de funil, microscópico. Bastava ver o palhaço e Lauro desandava a espremer risos sem fim. A cara caiada, as enormes sobrancelhas de zarcão, os modos, a roupa, tinha tudo tanta graça...

Mas o melhor eram as micagens e as histórias. "Vem cá, seu cara de burro: quem de 20 tira 2 quanto fica?" O "casaca de ferro" respondia: "Dezoito, naturalmente". "Ó asno! Fica zero!" O povo estourava de riso — e Lauro com ele...

Vinham depois os trabalhos. Não gostava. O arame, que cacetação! O trapézio, maçante... Mas gostava dos cavalos porque com eles reaparecia o palhaço e mais o Tony.

Oh, como era bom quando havia Tony! A gente estava distraída e de repente plaf! Que foi? Foi o Tony que caiu! E cada tombo...

No melhor da festa aparecia um idiota com uma tabuleta: INTERVALO. Era um desmancha prazeres e por isso objeto de ódio. Todos saíam. Ficava só a mulherada. Lauro cochilava então, e às vezes dormia recostado na tábua dura. Ao termo dum quarto de hora voltavam todos, e o papai trazia embrulhos de doces, empadas, pastéis.

A pantomima! Era o melhor. *Os Salteadores da Calábria, A Estátua de Carne*...

E a *Maria Borralheira*? Vira-a duas vezes, e nunca havia de esquecer aquele desfile de figurões históricos — Garibaldi de muletas, o general Deodoro, Napoleão...

Suas recordações estavam em Napoleão, quando Lauro chegou à praça onde zumbia o circo. Reviu a clássica barraca iluminada por dentro, deixando ver, desenhada no pano, a silhueta dos espectadores repimpados nos bancos de cima. Em redor, tabuleiros com lanternas dúbias a alumiarem as cocadinhas queimadas, os pés-de-moleques, os bombocados; e mulatas gordas ao pé, vendendo; e baús de pastéis, cestas de amendoim torrado, balaios de pinhão cozido. E, grulhantes em torno, os pés-rapados de bolso vazio, que namoram as cocadas, engolindo em seco, e admiram com respeito os "peitudos" que chegam à bilheteria e malham na tábua um punhado de níqueis, pedindo com entono:

— Uma geral!

O encanto de tudo aquilo, porém, estava morto, tanto é certo que a beleza das coisas não reside nelas senão na gente.

1900

Noite de São João

— À fogueira!

Confluem todos para ela. A palhoça de milho sotoposta à lenha miúda que lhe serve de intestinos vê-se ateada em fogo pelos quatro lados. O fogo pega e é a princípio indecisa crepitação acompanhada de leve e discreto fumegar. Depois, estrepitante, estala e de dentro da prisão de toros, que quatro espeques de jiçara mantêm em forma, escorados nos encruzes, rola em bojos um fumo espesso.

Panos de labareda esgarçam-se, tentando seguir a fumaça faulhenta em seu vertiginoso arranco para o alto. Vermelho clarão ilumina o terreiro e chapeia os vultos de debruns de cobre polido.

Barulham gritos, palmear de crianças, apupos e vivas, aos quais os bambus do recheio casam os seus estouros de bomba. A faiscalha ascendente galga o céu recamado de estrelas, qual invertido chuveiro.

O frio fino da noite atrai para a fogueira os fandanguistas, de mãos espichadas para o calor irradiante. Mãos e pés. Um dilúvio de pés entanguidos — pés de marmanjões, pés calçados e pés-no-chão, pezinhos de crianças, pés brancos, pés pretos e pés mulatos — das criadinhas e molecotes crias da casa — em alegre confraternizar apinham-se junto a ela nas mil atitudes do "aquentar fogo".

As crianças furtam-lhe os tições a jeito, e guiadas pelas mais peraltas dividem-se em grupos para queimar traques da China ou bichas de rabear. O ar estreleja ao estalo daqueles, enquanto estas ziguezagueiam pelo chão, chiando faíscas, como buscapezinhos de Liliput. À porta da casa escorva-se o primeiro pistolão de cor.

— Caminho, gente! "Evai" fogo!

Abre-se uma ala por onde, num repuxo de faíscas, jorra a primeira bomba dum verde de doer nos olhos. O esverdeamento da cena atrai todos os olhares, seguido de espontâneo e sincero "Bonito!" Vem outra mais forte, vermelha, e outra azul, e outra branca... A cada *bláf* há um volver geral de caras, e ao último um "Que pena! Outro! Outro!". E os pistolões se sucedem, com reboliços na molecada ao fim de cada um para a disputa do canudo.

Aqui o quadro perde a unidade. De cada lado cenazinhas pitorescas dividem a atenção.

— Mamãe, Zequinha queimou eu!

Um menino aparece berrando, a sacudir um dedo enegrecido pelo chamusco da bicha que o irmão, "de propósito", lhe atacara em cima. Acodem mulheres, que rodeiam a criança com exclamações de piedade. Uma velhota lembra o querosene como o melhor porrete para queimadura. Surge a lamparina de petróleo às mãos duma criadinha, e conserta-se o dedo ao Jojoca, que, mal sarado, ainda fungando e soluçando, lá se volta às bichas, seguido de longe pelos olhares ressabiados do Zequinha, ao qual a mãe, estalando os dedos, ameaçou com um "amanhã você me paga!".

Num grupo de taludotes conspira-se visivelmente. Tudo ali são meias-palavras e cochichos: *buscapés... no meio do povo... vai ser uma pândega!*...

Noutro, de fedelhinhos, o Zequinha se faz centro de minuciosa atenção, e no silêncio só quebrado por um ou outro soluço do Jojoca, desmancha pistolões à cata das bombas, distribuindo a pólvora pelos amigos.

Nisto, rebentam palmas no grupo dos moços.

— Bravo! Viva a sanfona!

Era o Quim da Venda que chegava, a espremer um velho dobrado na sanfona fanhosa. Rodeiam-no; "inspiram-no" com uma vez de caninha, e cada qual vai pedindo a música da sua predileção. Quim sorri perguntando: "Mas afinal que é que mecêis querem?".

Teve maioria uma *Não te esqueças de mim* — "muito dançante", na opinião de Sinhazinha Lopes — a cujos primeiros acordes os pares se uniram de peito e iniciaram o giro valsado em torno à fogueira. Aos ouvidos das moças ressoam as eternas amabilidades do galanteio.

Em certo magote comenta-se:

— Parzinho jeitoso, a Miloca e o Lulu, não?

— E gostam-se desde meninos; ouvi dizer que ele já a pediu.

— Histórias. Quem foi pedida, um dia destes, foi a Nenê. Mas parece que o sujeitinho levou tábua.

— Bem feito! Tenho birra àquele coisinha. Pensa que é gente... Não viu o que andou dizendo de mim? Como coisa que eu era capaz de dar confiança a um moleque daquela marca...

A sanfona gemia cadenciada, com o Quim deitado sobre ela, alheio ao mundo. Tocava bem, o ladrão, sobretudo quando lhe graduavam o estro com sábias doses de pinga. Aqueles sons ritmavam o movimento dos pares, enlanguecidos num misto de amor e bem estar físico. Perto deles inutilmente espocavam as bichas e chiavam fogos; nem sequer lhes atraía os olhos o *puf!* balofo dos derradeiros pistolões.

Súbito, chiou ao longe um buscapé de limalha que, qual raio epilético, enveredou pelo meio do povo aos corcovos, criando o pânico e a debandada. Os dançarinos fugiram espavoridos, com as damas penduradas ao peito, e a meninada prorrompeu em atroadora grita — meio medo, meio contentamento. Os velhos protestaram igualmente, que era uma patifaria, que aquilo não se fazia. No meio da desorganização geral só não largou o posto o Quim, sempre deitado na sanfona, alheio ao mundo, absorto nas sonoridades fanhosas que su'alma de artista bárbaro ia arrancando ao instrumento querido.

Cessado o pânico com o estouro final do buscapé, surgiu um tio Pedro, de porretinho em punho, para "ensinar" o malvado.

Quem foi? Quem não foi?

Não fora ninguém; ninguém vira.

Ferviam ainda o comentário e a indignação, quando apareceram duas criadas carregando bandejas com xícaras e bules.

— A gengibrada! "Evem" a gengibrada!

Foi água na fervura. Todos se esqueceram do buscapé para só se lembrarem da garganta. Era a vez de consertar os gorgomilos e matar no ovo a possível constipação. Por minutos um soprar de xícaras e um chuchurrear com estalos de língua dominaram todos os barulhos.

— Está supimpa!

— Isto regenera o fígado.

— Corrobora, pois não.

— Mais uma xícara, dona Lulu?

— Ardidinha, mas boa que dói!

— Está d'apetite, como diz o Eça.

Este comentário saiu do literalelho da roda, Júlio da Silva de nome, Julius d'Altamira no pseudônimo com que desovava sonetos semanais nas folhas da terra. A Candoquinha, de há muito pelo beiço, encantou-se com a frase.

— É da pele, este seu Júlio!

Bem gengibrados, dispersaram-se de novo.

O Quim anunciou quadrilha, que foi organizada num ápice. Quem a marcava era o Júlio. Ah, o Júlio tinha tanta graça para marcar...

— "En avant turco!" — "Grande chaine"! — "Tour, à pas de 'porca'"!

Gargalhadas, *quiás, quiás, quiás*. A Candoca fundia-se de gosto.

— Este seu Júlio tem cada uma!...

Certa ex-musa do poeta não se conteve:

— Credo, Candoca! Você está escandalosa.

— Deixe. Isto é p'ra quem pode...

— "Joujou d'enfant"! — "Grande confusion!" — "Tour"!

— Seu Júlio, outra vez "Joujou d'enfant"!

— Arre, Candoca!

Para lá da fogueira enchia-se um grande balão. A criançada rodeava-o, acotovelando-se, na ânsia de ver melhor. O Zequinha era quem punha a mecha e distribuía tabefes aos atrapalhadores.

O bojo multicor encheu-se dum fumo sujo.

— Está pronto, pode largar!

— Ainda não, bobo! Falta gás...

— Agora!

Sentindo-o com força, o "segurador" largou-o, e o balão hesitante subiu a prumo.

Rompeu o berreiro.

— Viva o balão! Viva Santos Dumont!

O Júlio, que nesse momento estilizava o décimo "tour" com sua "vis-à-vis", a Candoca, aproveitou a ensancha para poetar.

— O amor, dona Candoca, é como o balão: quanto mais rápido sobe, mais rápido desaparece.

— Adorável pensamento para um cartão postal! — suspirou ingenuamente a menina, envolvendo-o num olhar de mel.

Nisto a fogueira desmoronou, golfando para o céu escuro bulcões de fagulhas vivíssimas.

— Bonito! Parece o Vesúvio!

O Júlio incontinente "cascou" para a Candoca.

— Sabe como Deus criou as estrelas? Mandou que os anjos cortassem grandes florestas e armassem enorme fogueira da altura do Himalaia. Acendeu-a e, quando tudo estava em brasa, despegou um pedaço do céu e arremessou-o contra ela. Ergueu-se então um repuxo imenso de faíscas, que foram subindo, foram subindo, até se grudarem na abóbada negra do firmamento...

— Lindo! Há de escrever isso no meu álbum, esse lindíssimo pensamento, sim? O que é ter alma de poeta...

E Candoca lambusou-o de um novo olhar de mel, onde não se sabia o que mais babava, se o amor, se a admiração pela esteta...

1990

O PITO DO REVERENDO

Itaoca é uma grande família com presunção de cidade, espremida entre montanhas, lá nos confins do Judas, precisamente no ponto onde o demo perdeu as botas. Tão isolada vive do resto do mundo, que escapam à compreensão dos forasteiros muitas palavras e locuções de uso local, puros itaoquismos. Entre eles este, que seriamente impressionou um gramático em trânsito por ali: *Maria, dá cá o pito*!

Usado em sentido pejorativo para expressar decepção ou pouco caso, e aplicado ao próprio gramático, mal descobriram que ele era apenas isso e não "influência política", como o supunham, descreve-se aqui o fato que lhe deu origem. E pede-se perdão aos gramáticos de má morte pelo crime de introduzir a anedota na tão sisuda quão circunspecta ciência de torturar crianças e ensandecer adultos.

O reverendo tomou do estojo os velhos óculos de ouro, encavalgou-os no batatão nasal e leu pausadamente a carta do compadre, que dava notícias, pedia-as, e comunicava a próxima ida para ali do doutor Emerêncio do Val, "nosso ex-ministro na Áustria, homem de muito saber e distinção de maneiras, um desses diplomatas à antiga, como já os não há nesta república que etc. etc.", em viagem de recreio pelo interior, a matar saudades do país.

O reverendo coçou o toitiço com dedos sornas, e releu a carta demorando o pensamento nos trechos que pintavam o alto figurão itinerante, em via de honrar-lhe a casa com a sua nobilíssima presença.

Verdade é que dispensava tal honraria, boa seca à pacatez do seu viver abacial, repartido entre missinhas de cinco mil réis (mais um frango), cachimbadas de muito bom fumo de corda e os pitéus (senão ainda a ternura, como propalavam as más línguas) da ótima caseira e afilhada, a Maria Prequeté. Culpa toda sua, aliás. Quem lhe mandara a ele possuir a melhor casa de Itaoca e ser, modéstia à parte, um homem de luzes notórias, autor de vários acrósticos em latim?

Já doutra feita hospedara um eloquente inspetor agrícola e, logo depois, o tal sábio que colecionava pedrinhas — grande falta de serviço! Um diplomata agora... Ahn! A coisa variava...

Que viesse, respondeu ao compadre, mas não esperasse encontrar na roça desses "confortos e excelências de vida que é de hábito nas grandes terras".

Escrita a resposta, foi o reverendo à cozinha conferenciar com a caseira sobre a hospedagem, e longamente confabularam sobre o pato a sacrificar-se (se o patão de peito branco ou aquele mais novo com que a viúva do João das Bichas lhe pagara a missa, a gatuna!); sobre a toalha de mesa e a roupa de cama; sobre o tratamento a dispensar — Vossa Excelência, Vossa Senhoria ou Vossa Diplomacia.

Após longo bate-boca, salpicado de injúrias em calão e algum latim, assentaram no pato da missa, na toalha de renda e no Vossa Excelência.

Combinadas essas minúcias uma nuvem de nostalgia ensombrou a nédia cara do reverendo. Os olhos penduraram-se-lhe no vago, saudosos, e de lá só desciam para envolver, com ternura viciosa, o velho pito de barro que lhe fedia na mão.

Notou a Prequeté aquelas sombras e:

— Acorda, boi sonso! A mó'que está ervado?...

O reverendo abriu-se. Era o pito. Eram já saudades do velho pito... Pois não ia privar-se desse amigo de tantos anos durante a estadia do "empata"? Tinha educação. Não desejava impressionar mal a um homem de raro primor de maneiras. E o pito, se é bom, é também plebeu e, mais que plebeu, chulo.

Reconhecia-o, reconhecia-o...

Entretanto, três, quatro dias — sabia lá a quantos iria a seca? — de abstenção forçada, sem que a boca sentisse o bendito contacto do saboroso canudo amarelo de sarro?... Doloroso...

E o reverendo sorveu com delícia uma baforada maciça. Tragou-a. Depois, recostada a cabeça ao espaldar, semicerrados os olhos, semiaberta a boca, deixou-se fumegar gostosamente, como piúca de queimada. Coisas boas da vida!...

Mas, que remédio? O homem fora diplomata e em Viena d'Áustria! Confabulara com arquiduques e cardeais. Homem de requintes, portanto. Era forçoso transigir com o pito, o rico pito, o amor de pito. Sim, porque a dignidade do clero antes de tudo! Lá isso...

Uma semana depois nova carta anunciava que "o tal das Europas" em tal data repontaria por ali.

Grande alvoroço de saia e batina. A Prequeté arregaçou as mangas — braços à Machado de Assis tinha a morena! — e pôs de pernas para o ar a casa. Varreu, esfregou, escovou tudo, demoliu teias de aranha, limpou o vidro do lampião, matou o pato e desfez com decoada os muitos pingos de gema d'ovo que constelavam a batina do padrinho.

— Arre, que até parece uma gemada! reguingou ela, entre repreensiva e caçoísta. Depois, relanceando-lhe o olhar pelo alto da cabeça:

— Chi!... A coroa está que é uma tapera! — exclamou.

E, expedita, *zás! zás!* deu nela uma alimpa de tesoura.

— E o breviário? — inquiriu de súbito o padre.

Andava de muito tempo sumido, o raio do livro; procura que procura, descobrem-no afinal no quarto dos badulaques, feito calço duma cômoda capenga. A Prequeté — maravilhosa caseira! — com uma dedada de banha pô-lo escorreito e envernizado, a fingir com tanta perfeição uso diário que nem Deus desconfiaria da marosca.

— Que mais? — disse ela depois, plantando-se à distância para uma vista de conjunto no seu restaurado padrinho. E como d'alto abaixo tudo estivesse a contento: "Está mesmo *pshut!*" concluiu, brejeira, borrifando-lhe por cima um chuvilho d'Água Florida, para disfarçar o ranço.

Ficou o padre um amor de reverendo, liso e bem amanhado como cônego de oleografia. Ele próprio o reconheceu ao espelho e, nadando nas delícias daquele carinho sem par — e muito agradável a Deus, pois não! — sorriu-se babosamente, acariciando-a no queixo:

— Esta marota!

Conclusa a arrumação, da coroa do padre à cozinha, postou-se a Prequeté de vigia à janela, indagando os extremos da rua, enquanto o reverendo, lindo como no dia da sua primeira missa, passeava pela saleta a chupar as derradeiras cachimbadas.

Súbito,

— "Evem" vindo o *reis!* — exclamou a atalaia.

O reverendo meteu o pito na gaveta, passou a mão no breviário e assumindo cara de circunstância rumou para a porta da rua. Instante depois defrontava-o um cavaleiro. O padre correu a segurar-lhe a rédea e o estribo.

— Queira apear-se V. Excia, que esta choupana é de V. Excia. Sou o padre vigário de Itaoca, humilde servo de V. Excia.

O diplomata, como que ressabiado com tão respeitosa acolhida, deixou-se descavalgar. Mas sem garbo, esquerdão e reles, como aí um pulha qualquer.

Entrou.

Trocaram-se rapapés, palacianos da parte do reverendo, mal achavascados (quem o diria?) da parte do cortesão que conversara arquiduques e cardeais. Houve etiquetas revividas, sempre claudicantes do lado diplomático. Houve cerimônia.

Mas o doutor não era positivamente o que se esperava. Já no físico desiludia. Em vez duma fina figura de mundano, saíra-lhes um magrela de barba recrescida, roupa surrada, chambão e alvar. Enfim, pensou lá consigo o reverendo, o hábito não faz o monge. Quem sabe, sob aquelas aparências vulgares e talvez rebuscadas não luzia o espírito de um Talleyrand ou as manhas dum Metternich?

Foram para a mesa e no decurso do jantar acentuou-se a desilusão. O homem comia com a faca, baforava no copo, chupava os dentes. Um puro pai-da-vida.

Observando-o por cima dos óculos, o reverendo piscava para a caseira, que da cozinha, pela fresta da porta, torcia o nariz à pífia excelência excursionista. Ao trincar o pato, desastre. O doutor deixou cair no chão um osso, que logo apanhou, muito encalistrado. Depois, às voltas com a asa do palmípede, falseou-se-lhe a faca, resultando espirrar-lhe à cara um chuvisco de arroz. A Prequeté por sua vez espirrou lá dentro uma risadinha de mofa, acompanhada dum mortificante — *ché!*...

O reverendo entrou-se de dúvidas. Era lá possível que o doutor Emerêncio do Val fosse um estupor daqueles?

À sobremesa caiu a conversa sobre a política, e o doutor desmanchou-se em bobagens graúdas. Enquanto asneava, o padre ia matutando lá consigo:

— E eu com cerimônias, e eu com bobices, e eu querendo até privar-me do pito por amor a um cretino destes! Fumo-lhe nas ventas e já!

Nisto veio o café. Enquanto o ingeriam, o doutor entrou a falar de remédios, farmácias e projetos de estabelecimento.

O reverendo, decifrando o mistério, deteve a xícara no ar.

— Mas... mas então o senhor...

— Sou farmacêutico, e vim estudar a localidade a ver se é possível montar aqui uma botica. Portei em sua casa porque...

O padre mudou de cara.

— Então não é o doutor Emerêncio, o diplomata?

— Não tenho diploma, não senhor, sou farmacêutico prático...

O padre sorveu dum trago o café e refloriu a cara de todos os sorrisos da beatitude; desabotoou a batina, atirou com os pés para cima da mesa, expeliu um suculento arroto de bem-aventurança e berrou para a cozinha:

— Maria, dá cá o pito!

Pedro Pichorra

Quem dobra o morro da Samambaia, com a vista saturada pela verdura monótona, espairece na Grota Funda ao dar de chapa com uma sitioca pitoresca. E passa levando nos olhos a impressão daquela sépia afogada em campo verde: casebre de palha, terreirinho de chão limpo, mastro de Santo Antônio com os desenhos já escorridos pela chuva e a bandeira rota trapejante ao vento. Dois mamoeiros no quintal apinhados de frutos; canteiros de esporinhas com periquito em redor e manjericões entreverados. Um pé de girassol, magro e desenxabido, a sopesar no alto a rodela cor de canário; laranjeiras semimortas sob o toucado da erva-de-passarinho.

Nos fundos da casa vê-se o lavadouro, descoivorado apenas, num poço onde o corgo rebrilha três palmos d'água. Sobre um tabuão emborcado a meio, lá está batendo roupa a Marianinha Pichorra, mulher do Pedro Pichorra, mãe de nove Pichorrinhas. É ali o sítio dos Pichorras e até a Grota Funda já é conhecida por Fundão da Pichorrada.

Por que os antigos Pereiras de Sousa, do Barro Branco, vieram a chamar-se Pichorras?

É toda uma história.

Pedrinho ia nos onze anos. Já se destabocara e já preferia, em matéria de fumo, o forte, bem melado. Na véspera realizara o sonho de toda criança da roça — a faca de ponta. Dera-lha o pai como um diploma de virilidade.

— Menino, d'ora em diante você é homem. Agredido, não gritará por gente grande; é mão a faca, pé atrás e corisco nos olhos.

Não lhe falou assim o pai, mas leu Pedrinho essa fala na lâmina rebrilhante. Por isso irradiava d'orgulho, imaginando pegas, aloites, tempos-quentes e tocaias onde a "sardinha" alumiasse.

O pai, naquele momento de pé na soleira da porta, assuntava o céu. Viu que chover não chovia — e:

— Pedrinho! — gritou para os fundos.

— Pai?

— Vá pegar a égua.

O menino passou mão do cabresto e mergulhou no pasto. Minutos depois repontava trotando em pelo na Serena, égua velha, de muita barriga mas aguentadeira.

— Dê milho, do mole, e arreie.

O pequeno debulhou duas espigas no embornal e, enquanto a égua mascava o lambisco, alisou-a, ajeitou-lhe no lombo pisado um saco velho, depois a carona, o lombilho, o pelego.

— Não coche demais a barrigueira. Tem potrinho.

O menino folgou dois dedos o arrocho e esperou um bocado, enrolando o cigarro, até que a Serena parasse de mastigar. Por fim, arrumou o freio e montou.

— Agora você vai no sítio do Nheco e diz p'r'aquele tranca que dou o capadete pelos vinte e cinco mil réis.

Pedrinho abriu cara de quem estranhava a ordem.

— Sozinho?

— Ué! E a faca, então? Não é "companheiro"?

O argumento valeu. Pedrinho, sem mais palavra, deu rédea e, *lept*! *lept*! arrancou estrada afora.

O pai, alisando maquinalmente um palhão de milho, acompanhou-o com os olhos até perdê-lo de vista na primeira curva. Depois monologou:

— "Sozinho?" Ué! Até quando? Precisa acostumar. Onze anos. É homem. Eu com dez varava sertão.

Pedrinho trotava pela fita vermelha da estrada, sobe e desce morro, quebra à direita, à esquerda, *pac, pac, pac*... Ia pensando na volta. Teria tempo de transpor a figueira antes de escurecer? A figueira... Passavam-se ali coisas de arrepiar o cabelo. Pela meia noite — diziam — o capeta juntava debaixo dela sua corte inteira para pinoteamento de um samba infernal. Os sacis marinhavam galhos acima em cata de figuinhos, que disputavam aos morcegos. E os lobisomens, então? Vinham aos centos focinhar o esterco das corujas. Almas penadas, isso nem era bom falar! Quando o Quincas da Estiva contava casos da figueira, não havia chapéu que parasse na cabeça.

Mas de dia, nada; passarinhada miúda só, a debicar frutinhas. Foi o que o menino viu naquela tarde ao cruzar com a árvore. Mesmo assim passou rápido e encolhidinho — por via das dúvidas.

Chegou ao Nheco ainda com sol e deu o recado.

Nheco, marotíssimo, coçou o cabelo de milho da barbicha e embromou:

— Pois não. Mas... "não vê" que o toicinho baixou. De Minas tem descido um "poder" de capadaria que mete medo. De sorte que você diga p'r'o pai que nestes "causos" eu não sustento o trato. Se ele quiser vinte e três mil réis... Diga assim, ouviu? Vinte e três, ouviu?

Pedrinho desandou para trás, pensando consigo: "Safado!" E veio todo o caminho absorvido em xingar mentalmente o aproveitador.

Ao defrontar com a figueira o medo agarrou-o. Escurecia. A luz do céu estava morrendo, pálida no alto, laranja esmaiada no poente. Por felicidade cruzaria a figueira antes da noite. Fechou os olhos, conjurou o encardido Santo Antônio da família e transpôs dum galão o passo perigoso.

— Arre!... — exclamou, com desabafo, olhando para trás e vendo a árvore maldita diminuir de porte. E *pac, pac, pac*, estrada em fora, rumo ao sítio paterno.

Mas escureceu e, já perto de casa, vai senão quando a égua empina a orelha e passarinha.

— Égua velha passarinhou é saci! — sugeriu dentro dele o medo. E o menino retransido viu de repente no barranco um saci de braços espichados, barrigudo, "com um olho de fogo que passeava pelo corpo".

— Nossa Senhora da Conceição, valei-me!

Assustado por aquele berro, o "olho do saci voou pelo ar, piscando"...

Pedrinho bateu em casa de cabelos em pé, olhos saltados. Agarrou-se com o pai, trêmulo, sem fala. A custo desfez o nó da língua.

— O saci, pai!...
— ?
— ... P'ra cá da figueira... na curva... Barrigudinho... preto...

O pai deu-lhe água na cuia.

— Sossegue um pouco, menino.

E depois duma pausa:

— Você está bobeando, Pedrinho. Não há saci destas bandas.

— Juro, pai! Por Deus do céu que vi.

E contou a viagem por miúdo, até à aparição.

— Altinho? Pretinho? indagou o pai.

— Pretinho era, mas chatola, barrigudo, assim que nem pichorra grande.

— Então não é saci, — concluiu o velho, entendidíssimo em demonologia rural. E depois:

— Fedeu enxofre?

— Não.

— 'ssobiou?

— Não.

— Mexeu do lugar?

— Não. Só o olho. O olho andava e voava.

O caboclo refletiu um bocado, até que por fim uma ideia lhe iluminou a cara.

— Onde foi isso — p'ra cá do corguinho?

— É...

— No barranco?

— É...

— O olho andou e depois voou, piscando?

— Tal e qual...

— E o corpo ficou parado?

— Isso mesmo...

O velho clareou a cara e, desmanchando as rugas da testa, disse rindo:

— O que mais não se aprende neste mundo!... Sabe o que você viu, menino? Você viu o saci pichorra...

E mudando de tom, depois de refletir durante um par de minutos:

— "Quedele" a faca?

— P'ra que? — perguntou o menino, desconfiado.

— Deixe ver, dê cá a faca.

Pegou-a e pô-la à cinta. E, ríspido:

— Vá dormir.

Pedrinho, compreendendo a degradação, ergueu-se com lágrimas nos olhos.

— E a faca?

— Fica comigo. P'ra você, porquerinha, é canivete marca anzol ainda.

E com infinita ironia:

— Vá dormir, Pedro Pichorra!...

O menino recolheu-se sacudido de soluços. O velho pegou do borralho um tição para acender na brasa viva o cigarro. Baforou uma fumaça com o pensamento no falecido sogro Chico Vira, o caboclo mais medroso da Estiva.

— Por quem havia de puxar o Pedrinho, pelo Chico Vira...

E assim o rebento masculino dos Pereiras do Barro Branco virou, por troça do próprio pai, o tronco duma nova família, essa Pichorrada que hoje põe a nota sépia da sitioca na verdura da Samambaia. Tudo porque a velha Miquelina havia deixado naquele dia a pichorra d'água a refrescar ao relento à beira do barranco, e um vagalume-guaçu pousara nela por acaso, justamente quando o menino ia passando...

1910

Cabelos compridos

— Coitada da Das Dores, tão boazinha...

Das Dores é isso, só isso — boazinha. Não possui outra qualidade. É feia, é desengraçada, é inelegante, é magérrima, não tem seios, nem cadeiras, nem nenhuma rotundidade posterior; é pobre de bens e de espírito; e é filha daquele Joaquim da Venda, ilhéu de burrice ebúrnea — isto é, dura como o marfim. Moça que não tem por onde se lhe pegue fica sendo apenas isso — boazinha.

— Coitada da Das Dores, tão boazinha...

Só tem uma coisa a mais que as outras — cabelo. A fita da sua trança toca-lhe a barra da saia. Em compensação, suas ideias medem-se por frações de milímetro, tão curtinhas são. Cabelos compridos, ideias curtas — já o dizia Schopenhauer.

A natureza pôs-lhe na cabeça um tabloide homeopático de inteligência, um grânulo de memória, uma pitada de raciocínio — e plantou a cabeleira por cima. Essa mesquinhez por dentro. Por fora ornou-lhe a asa do nariz com um grão de ervilha, que ela modestamente denomina verruga, arrebitou-lhe as ventas, rasgou-lhe boca de dimensões comprometedoras e deu-lhe uns pés... Nossa Senhora, que pés! E tantas outras pirraças lhe fez que ao vê-la todos dizem comiserados:

— Coitada da Das Dores, tão boazinha...

Das Dores só faz o que as outras fazem e porque as outras o fazem. Vai à igreja aos domingos de livrinho na mão, ouve a missa, ouve a prédica, reza. Nunca falhou um dia. Se lhe perguntarem o porque daqueles atos, responderá, muito admirada da pergunta:

— Mas se todas vão!

O grande argumento de Das Dores é esse: as outras. Ouve o sermão do padre e chora nos lances trágicos, não porque compreenda algo daquela retórica, nem porque sinta vontade de chorar — mas porque as outras choram.

Toma tudo quanto ouve ao pé da letra, incapaz que é de galgar do concreto ao abstrato. Se ouve falar em "fazer pé de alferes", fica a pensar em pés e mãos de alferes e tenentes.

— Tão boazinha, a Das Dores...

Uma vez foi à prédica de um padre em missão pela zona, orador famoso pelas muitas almas que desatolara do chafurdeiro de Satanás. Ouviu-lhe muita coisa que não entendeu mas entendeu um pedacinho que terminava assim: "Meditai, meus irmãos, refleti em cada uma das palavras das vossas orações quotidianas, pois do contrário não terão elas nenhum valor".

Das Dores saiu da igreja impressionada com o estranho conselho, e se foi de consulta à tia Vicência, velha sabidíssima em mezinhas e teologias.

— Tia Vicência "viu" o que o seu cônego disse? P'ra gente pensar em cada palavra senão a reza não vale?...

A tia mastigou um "pois é" que dava toda a razão ao padre.

— Que coisa, não? — foi o comentário final de Das Dores, que continuava a achar esquisitíssima aquela ideia.

À noite era seu costume rezar umas tantas orações preventivas dos mil males possíveis no dia seguinte. Mas até ali as rezara qual um fonógrafo, psi, psi, psi, amém. Tinha agora que pensar nas palavras. Diabo! Havia de ficar engraçada a reza...

Caiu a noite.

Das Dores meteu-se na cama, cobriu a cabeça com o lençol e deu início à novidade. Abriu com o Padre Nosso.

— *Padre Nosso que estais no céu*; padre, padre; os padres, padre Pereira, padre vigário... Padre Luiz... Coitado, já morreu e que morte feia — estuporado!... Padre... Que ideia do seu cônego mandar a gente pensar nas palavras! Nem se pode rezar direito...

— ... *nosso*, nosso é o que é da gente; nossa casa; nossa vida; nosso pai... P'ra quem seria que foi o Nosso-Pai ontem? Para a nhá Veva não é, que ela já melhorou. Seria para o major Lesbão? Coitado! Quem sabe se a estas horas já não está no outro mundo? Bom homem, aquele... Tão caridoso... Ó diabo! Estou me distraindo! "Nosso", "nosso"... Em certas palavras não se tem jeito de pensar...

— ... *que estais no céu*: estar no céu, que lindeza não será! Os anjos voando, as estrelinhas, Nossa Senhora tão bonita com o Menino no braço, os santos passeando de lá para cá... O céu; céu; céu da boca; céu azul. Por que será que se diz céu da boca?

— ... *santificado*, san-ti-fi-ca-do; que é santo: dia santificado, dia santo...

— ... *seja vosso nome*; nome; nome bonito... Nomes feios! Quem me ensinava era aquela bruxa da Cesária. Peste de negrinha! Onde andará ela? "Nome de gente"; "nome de cachorro". Gustavo, bonito nome. Está ali um que se quisesse... Mas nem me enxerga, o mauzinho; é só a Loló p'r'aqui, a Loló p'r'ali, aquela caraça de broa... Gustavo é o nome de homem mais bonito para mim. De mulher é... Rosinha? Não. Merenda? Não... "Home", a falar verdade nenhum. Gustavo. Gustavinho... Ahn, que sono!

— *O pão nosso*; pão; pão... Por que será que quando a gente repete muitas vezes uma palavra ela perde o jeito e fica assim esquisita? Pão; pão; pã-o... Por falar em pão, como anda minguando o pão do Zé Padeiro! E que pão ruim! Azedo... Pão sovado; pão de cará; pão de Petrópolis...

— ... *de cada dia*; dia; dia; marido da noite; dia de sol; dia de chuva; dia das almas; dia de anos; dia bonito... E que dia bonito fez ontem! Vão ver que domingo chove. É sempre assim. Havendo uma festinha, chove mesmo. Amanhã, se fizer bom dia, vou à casa da Iná. Coitada da Iná! Acontece cada coisa nesta vida...

— ... *dai-nos hoje*; hoje, hoje... Que é que eu fiz hoje? Ahn! Que soneira!

— ... *e livrai-nos Senhor*; senhor; ilustríssimo senhor Gustavo de Silva. Bonito nome! Senhor amado; Senhor morto; senhor; se-nhor, nhor, nhor-se...

— ... *de todo o mal*; mal; mal... mal... al...

Os olhos de Das Dores fecharam-se, o corpo moleou e seu sono foi um só até romper o dia. Ao despertar lembrou-se logo do caso da véspera. Sorriu. Achou que a ideia do cônego — um padre de tanta fama! — não passava de grossa asneira. E pela primeira vez na vida duvidou.

— Ora, titia, foi ela dizer à tia Vicência, aquilo é asneira. Se a gente for pensar em cada palavra, não pode rezar direito. O cônego que me perdoe, mas ele disse uma grande bobagem...

Não se sabe se a tia lhe deu razão ou não; mas o fato é que Das Dores continuou a rezar pelo sistema antigo, mais rápido, mais correntio e com certeza mais agradável a Deus. Quem se saiu mal do incidente foi o pobre missionário. Cada vez que se referiam a ele perto de Das Dores, ela floria a cara de uma risadinha irônica.

— Está aí um que pode estar dizendo as coisas, que eu...

E concluía a frase com o mais convencido muxoxo de pouco caso.

1904

"O RESTO DE ONÇA"

— Leram o conto de Alberto de Oliveira?

— O imortal?

— Sim.

— Perdemos alguma coisa?

— Não perderam coisa nenhuma, que aquilo é maçador. Confesso que bocejei de enfado e, consoante velho costume, passei-o à minha cozinheira, velha mulata sabidíssima, parenta da cozinheira de Molière.

— "Josefa, lê-me isto e bota opinião."

A excelente criatura lavou as munhecas, diminuiu o gás ao fogão, acavalou no nariz os óculos através de cujos vidros costuma coar-se-lhe para o cérebro todo o rodapé dos jornais e albertizou-se durante meia hora. Ao cabo, veio ter comigo.

— "Pronto, sinhozinho, está lido."

— "E que tal?"

Josefa tem um maravilhoso paladar quituteiro. Seus tutus com torresmo, o picadinho que ela faz, as moquecas!... São puríssimas obras de arte capazes de rematar de inveja ao próprio Vatel, se Vatel acaso ressuscitasse. Pois bem: o mesmo gênio que a Zefa demonstra na confeição de uma obra prima culinária, revela-o no julgamento das coisas de literatura. Tem o faro que não falha do rato, o qual entre cem queijos escolhe sempre o melhor. Por essa razão, quando me sinto em dúvidas apelo para o seu juízo instintivo, e acato-lhe a sentença como emanada da própria Minerva.

— "Então, Zefa?" — insisti.

Ela refranziu os lábios num muxoxo.

— "Não fede, nem cheira," — disse; — "é virado de feijão velho mexido com farinha mal torrada. Falta sal, tem gordura demais — parece comida feita por menina da Escola Normal," — concluiu, com sorriso de veterano ao ouvir falar em proezas de recruta.

— "Mas, Zefa, que diz o homem, afinal de contas?"

— "Não diz nada; engrola, engrola, vai p'ra lá, vem pra cá e a gente fica na mesma. É dos tais perobinhas da miúda que outro dia mecê chamou... como é mesmo?... pici... pici."

— "... cólogos, psicólogos. Os homens dos estados d'alma. Penso como você, Josefa. Quero conto que conte coisas; conto donde eu saia podendo contar a um amigo o que aconteceu, como o fulano morreu, se a menina casou, se o mau foi enforcado ou não. Contos, em suma, como os de Maupassant ou Kipling..."

— "Ou de seu Cornélio Pires..."

— "Perfeitamente, do Cornélio, do Artur Azevedo, contos onde haja drama, comédia ou pelo menos uma anedota original. Mas estas pretensiosas águas panadas, este fantasiar por páginas e páginas sem lance que arrepie os cabelos ou repuxe músculos faciais, esta gelatina insossa da Academia de Letras de Itaoca..."

Josefa, quando lhe falam na Academia de Itaoca, regala-se toda, e toda se expande em risos. Ficou assim desde que leu a *Condessa Hermínia* e outras imortalices quejandas.

— "E então este seu Alberto também é imortal, dos tais que escrevem homem sem h?"

— "É, Zefa, é imortal vitalício, com patente e direito de podar os hh da língua e comer o s de sciência, e — o que é pior — com privilégio de maçar a humanidade com sornices pacóvias, que só não engolem criaturas como tu, sãs de paladar e sinceridade."

E a conversa recaiu sobre contos. Disse um da roda:

— Contos andam aí aos pontapés, a questão é saber apanhá-los. Não há sujeito que não tenha na memória uma dúzia de arcabouços magníficos, aos quais, pra virarem obra d'arte, só falta o vestuário da forma, bem cortado, bem cosido, com pronomes bem colocadinhos. Querem vocês a prova? Vou arrancar um conto ao primeiro conhecido que entrar.

E pusemo-nos de tocaia.

Não tardou muito, surge o Cerqueira César.

— Viva! Fazia-te ainda no sertão, homem, — comecei eu.

— Pois estou cá. Cheguei ontem, refeito, oxigenado, reverdecido de alma e corpo. Que delícia o sertão!

— Muita caçada?

— Dez queixadas, três onças... E, por falar — já ouviram vocês a história do "Resto de Onça"?

— "Resto de Onça?!" — exclamamos, aparvalhados.

César gozou o nosso espanto. Depois narrou.

— Estávamos organizando uma batida às onças. Quem tudo dirigia era lá o meu capataz, Quim da Peroba, o mais terrível caçador das redondezas. Quando é ele quem dirige o serviço, a bicharia sofre destroço pela certa, tão hábil se mostra na escolha dos companheiros, dos cães e das disposições estratégicas.

— "Vai," dizia o Quim contando nos dedos, "vai o Nico, vai o Peva, vai o 'Resto de Onça'..."

— "Resto de Onça"? — exclamei eu, — tão aparvalhado como vocês inda agora. — Que diabo de bicho é esse?

Quim sorriu e disse, depois de sacar uma palha:

— É um pedaço de homem; um homem a quem a onça comeu uma parte e que continua a viver com o resto do corpo. Pois assim mesmo ainda é um cuera que eu não troco por três sujeitos inteiros da cidade. Mecê vai ver."

De fato, vi. Tudo organizado, na véspera da caçada, à tarde, o primeiro a apresentar-se foi "Resto de Onça".

— "Stardes".

Era um caboclo chupado, sem o braço direito sem um olho, sem um pedaço de cara. Horrível! Uma bochecha fora lanhada e despegara com parte dos lábios e um dos olhos, de modo que aquilo por ali era uma só pavorosa cicatriz, repuxada em várias direções. Entreabriu a camisa: no peito, a mama esquerda, arrancada a unhaço, era outra horrível cicatriz de arrepiar.

Pedi-lhe que contasse a sua história. "Resto" não se fez de rogado.

— "Não vê que — foi dizendo — lá na fazenda do coronel Eusébio, na beira do sertão, havia onça que era um castigo. Foi preciso bater nelas, de cachorrada e chumbo, um ano inteiro para livrar o gado. O coronel, tanto lidou que venceu. As que não caíram mortas afundaram para longe. Mas ficou uma. Era uma bela onça pintada, matreira como cachorro do mato. Tinha manhas de negro fujão. Nem mundéu, nem cachorro mestre, nem o Leopoldino Onceiro, que é um cabra-macho para desiludir uma bicha mesquinha, nunca puderam atinar com ela de jeito a barrear a volta do apá com um lote de paula-sousa. Escapava sempre e de birra vinha pegar os porcos no chiqueiro.

Um dia — o coronel estava na mesa almoçando — rebentou uma tormenta no chiqueirão, detrás da casa. Corremos todos: estava a onça ferrada na mais bonita porca da fazenda, já moída com um munhecaço. Corre que corre, grita, atira: — ela escapuliu.

O coronel virou bicho e jurou que seria a última vez.

— 'Ela volta,' disse eu, 'ela não desiste da porca. O melhor é ficar um bom atirador de plantão, dia e noite.'

— 'Pois fica você.'

Fiquei na tocaia, escondido de jeito que a onça não pudesse desconfiar.

Varei a noite de olho aceso: nada. Rompeu a manhã: nada. Eu disse comigo:

— 'Agora dou um pulo lá dentro, bebo café e volto.'

Fui, engoli um cafezinho com mistura, depressa, depressa; mas quando voltei... quedele a porca? A onça tinha me logrado!...

Quando soube da coisa, o coronel bufou que nem queixada em mundéu.

— 'Quim,' disse ele, 'vá juntar gente e cachorrada. Bote um exército aqui p'ra domingo, e vamos picar de bala essa malvada. Quero ver o couro dela aqui no chão, com seiscentos milhões de diabos!'

Eu saí, corri a vizinhança e apalavrei para domingo tudo quanto era espingarda, foice e cachorro de cinco léguas de roda.

Chegado o momento, começou uma batida em regra.

Tudo corria bem, senão quando, de repente, *au!, au!,* o meu Brinquinho — conheci a voz! — acuou primeiro de todos. E logo a cachorrada inteira, uns cinquenta — *au! au! au!* — música de arrepiar a gente. Ah, moço, que festa foi esse dia! A bicha de cada tapa esmigalhava um cão... Ia parando na carreira, de tocaia atrás dos troncos e mal o cachorro dianteiro fronteava, ela, *baf!* tripas de fora! Um castigo...

Já levara um tiro, mas nem conta fez; e, assim, fugindo, ia arrasando os cachorros onceiros. Eu corria na frente, seco por ganhar a glória da caçada, e por via disso me distanciei dos companheiros. De repente, sem ver nada, *paf!* um manotaço de unha na cara me pinchou de costas no chão; um corpo caiu sentado em cima de mim. Ah, mundo! Que luta aquela! Eu c'os braços só defendia a cara, que se a onça me abocava era o fim; e como a espingarda me ficasse debaixo do corpo, minha porfia era passar a unha nela.

O que me salvou foi a coragem do Brinquinho. Como os caçadores e os outros cães ainda não tivessem chegado, só ele me ajudava, latindo com desespero e ferrando o dente nos traseiros da fera. A cada dentada a onça se voltava para estapear o cachorro, que fugia — que fugia para atacar de novo, logo que a onça virava p'ra mim.

Tudo isto que levo agora um tempão contando se passou num corisco de minuto. Lá em certo momento pude alcançar a faca — faquinha à toa de matar porco. Saquei a faca e casquei no pescoço da bicha. Quem disse enterrar? Vergou, a porqueira, como se fosse de lata, sem calar nem a pontinha! Me vi perdido. "Ferra, Brinquinho!" Aquela pessoa de quatro pés, com uma coragem louca, *zás!* outra dentada. A onça me folgou, e eu vi romper do mato o primeiro caçador. Era justamente meu sogro.

— 'Atira, nhô Vadô!' — gritei.

Que atirar nada! O raio do maleiteiro ficou tão estuporado de me ver na goela da onça, que estarreceu no lugar.

— 'Atira, nhô Vadô!'

Que, nada! Nisto houve jeito d'eu desentalar a espingarda e entrouxar o cano na boca da onça. Estrondei o tiro; a bicha moleou de banda.

Eu estava em pedaços, mas não sentia dor nenhuma. Só me lembro que, ainda no chão, puxei a espingarda de dentro da boca da onça, virei o cano p'r'o lado do meu sogro e sapequei nele o segundo tiro, junto com um nome ofensivo à defunta avó da minha mulher, Deus que me perdoe! De reiva... Depois veio a dor e perdi os sentidos.

"Resto de Onça" tomou fôlego.

— "E fiquei assim. O braço direito, sem carne, sem osso inteiro, foi preciso o médico cortar c'a serra; a cara e o peito foram sarando e fiquei assim resto de onça, caco de gente, mas homem ainda pra escorar o diabo!"

— Então, que lhes dizia eu? — comentou, voltando-se para os companheiros, o que prometera extrair um conto ao primeiro conhecido que passasse.

— Sim — retrucou o ranzinza do grupo — mas não é bem um conto, não passa dum caso, duma anedota de caçador.

— Está enganado. Tem todas as qualidades do conto e tem a principal: poder ser contado adiante, de modo a interessar por um momento o auditório.

Dê ao fato forma literária, umas pitadas de descritivo, pronomes p'r'ali, uns enfeites pimpões e pronto! — vira conto dos autênticos, dos que não secam a paciência da humanidade com a arquimaçadora psicologia do sr. Alberto de Oliveira...

1923

Por que lopes se casou

— Pois, meu caro, — dizia Lucas ao seu amigo Lopes, — fiz essa asneira, casei-me.

— E és pai duma legião...

— Tenho doze filhos e já alguns avós do décimo terceiro.

— E tudo quanto produz o teu trabalho some-se em bugigangas, leite, farinha, cueiros, fraldas, cavalinhos de pau...

— Um trabalho de negro cativo mal dá para mantê-los no pé de decência que minha posição requer. E é uma voragem a minha casa. Quando entro numa sapataria é para comprar doze, quatorze pares de sapato! Das lojas nunca trouxe fazenda aos metros, é às peças. De feijão gasto meia saca por quinzena. Uma voragem!

E se visses que jararaca me saiu minha mulher... Uma fera, Lopes! Dessas que lançam com o prato à cara do marido se este torce o nariz ao quitute. E feia, desleixada, lambona, cabelos despenteados, um fedelho aos berros no braço, as chinelas a se arrastarem pela casa, *trec, trec, trec*. Traz à cinta a penca de chaves e um rabo de tatu que até a mim inspira respeito. Dirige o movimento da casa a lambadas. Grita sem parar, deblatera, diz nomes, arranca a orelha às criadinhas. É um despotismo de saias a serviço dum estado de sítio que suprimiu o meu poder marital, o meu pátrio poder, o meu poder animal de homem, e me põe na casa humilde e caladinho, d'orelhas murchas como um lazarento burro de carroça. Felizmente o trabalho na repartição afasta-me da inferneira oito horas por dia. É quando vivo. Mas logo que a tarefa termina e volto para a geena, ah, Lopes, nunca saberás com que angústia o faço... O lar! Falam poetas nas delícias do lar, no remanso do lar... A avaliar pelo meu, o lar é círculo que esqueceu ao Dante. Em caminho para o "remanso do lar" rememoro tudo o que me espera. No topo da escada, de mãos à cintura, a minha tremenda metade em atitude de juiz em face do réu.

— "Trouxe a pimenta? Comprou o sabão? Chamou o homem para consertar a torneira?"

E se acaso me esquece alguma coisa, lá desaba o temporal.

— "É isto. Não presta para nada, não sei porque casou, já que não serve nem para trazer da cidade um pão de sabão de cinza para a burra da mulher que fica em casa a se matar de trabalho", e tá, tá, tá. Não imaginas a minha vida, Lopes...

Arrepiado ante as confidências do amigo, Lopes alvitrou certas soluções desesperadas.

— Em teu caso, Lucas, eu recorria a meios extremos, ao divórcio, à bolinha...

— Caçoa, caçoa. Eu também caçoava...

— Mas, Lucas, estás a exagerar. Dou de barato que seja assim. Mas há compensações. Os filhos, por exemplo, as sãs alegrias da paternidade...

— Os filhos... Tem muita graça o primeiro, o segundo e ainda o terceiro. Depois, do quarto ao décimo segundo... que pestinhas infernais! Destroem tudo, põem a casa imunda, vivem num corrupio de travessuras capazes de endoidecer um santo. Não sei se os filhos dos outros são assim, mas os meus batem os recordes. Há um, senhor Lulu, que prenuncia novo Átila. Diverte-se em quebrar, furar, judiar, escangalhar o que encontra. Ontem procurei um livro — livro de contas, sossega! — e fui encontrá-lo no quintal, dentro duma poça d'água, à guisa de barragem de dique. Só em louça quebrada esse patife me dá um rombo de quarenta mil réis por mês.

E não é só ele.

O Eduardinho tem a mania de encafuar os talheres nos buracos dos ratos, nas frestas do assoalho.

Outro especializou-se em quebrar os dentes aos garfos. Chegamos à perfeição de ter em casa apenas um garfo com quatro dentes! Já as facas são uma dentadura completa. Quem é o dentista? O sr. Lulu. Aparece uma cadeira com três pernas. Quem foi o carpinteiro? O sr. Lulu.

A Inazita tem a bossa da costura. Está praticando no corte... Em pilhando a tesoura, esconde-se nos cantos e vai picando o que encontra. Há dias recortou um corpinho no oleado da mesa, um oleado adquirido na véspera — e tão caro...

O Leandro é o homem da balística. Vive com o papo da camisa cheio de pedregulho e cacos de telha — "tentos", diz ele — e brinca de partir vidraças aos vizinhos. Tem, para mal meu, mão certa como o Guilherme Tell.

O Lucas, esse chora. Chora doze horas por dia, à toa, por brincadeira. É o rei da manha, mas daquelas manhas intermináveis que deixam os nervos da gente em carne viva.

O Bentinho, que é torto, o coitado, já fuma pontas de cigarro e coleciona nomes feios apanhados na rua.

O mais velho foge de casa pela janela e entra de madrugada. Anda-me sorumbático, com umas perebas suspeitas.

O Juvenal...

— Para um bocado, Lucas. Deixa-me tomar fôlego e fazer uma observação. Sendo assim como dizes, travessos, insubordinados, insuportáveis, a culpa é só tua. É que lhes não dás a devida disciplina, não os corriges, não lhes torces o pepino no tempo propício, homem!

— Será, mas que queres? Não posso, não tenho energia. Sou uma tapera, um homem arrasado que me fiz fatalista para ter uma filosofia que me dê paz à consciência. Bem me acusa ela de inépcia e frouxidão extrema... às vezes vêm-me ímpetos de reagir, entrar em casa de guatambu em punho e ir deslombando às cegas a escadinha inteira, coisa de começar no frangote das perebas e acabar nos seis gatos ladrões do Chiquinho, com escala pelos cães sarnentos do Manoel, pelos canários azucrinantes do Júlio e pelas bonecas de pano de Mariquinha. Moê-los em massa, a granel e ir entregar-me à polícia e pedir ao júri, de joelhos, trinta deliciosos anos de paz e silêncio no fundo duma cela. Mas fica em ímpetos. Sou uma tapera, incapaz dum movimento enérgico...

O pobre Lucas consultou o relógio e assustou-se.

— Três horas! Minha cara metade deve estar furiosa. Adeus, Lopes, vou-me ao "repouso do lar", concluiu, despedindo-se com um riso amargo.

E foi-se o Lucas apressadamente, cheio de pacotes pelos nós nos dedos, embrulhos nos bolsos e um queijo sobraçado...

Lopes ficou imóvel no lugar, com os olhos parados, recordando. Veio-lhe à mente o Lucas de quinze anos antes. Era um rapagão alegre, todo esperanças no futuro e amigo de arquitetar castelos de Espanha. Poetara. Amara uma dúzia de meninas em duas centenas de sonetos parnasianos, e por fim elegeu como diva a

Nonoca Fagundes, uma loura translúcida, de fala melíflua — Botticelli temperado à moderna, dizia ele.

Era bonitinha, dezessete anos, em pleno viço da beleza do diabo, um mimo de fragilidade grácil, boazinha como não havia outra — boa, "boa constrictor"... Muito ingênua e amiga de reticências graciosas, corava a todo instante. Dizia ele: *Moram em suas faces duas rosas Bela-Helena*. Andar saltitante como de sílfide. Um verso dele rezava:

> Das plumas tens no andar
> a suave macieza...

Lucas amou-a em regra, e sonetou-a inteira dos cabelos aos pés, parnasianamente, nefelibatamente, com lirismo de comover as pedras. Não a tratou antropofagicamente, porque a antropofagia guindada a escola estética ainda não fora inventada.

Sonhou-a ao seu lado, "amiga peregrina d'alma e coração", num arroubo perene de felicidade celestial pela estrada da vida afora...

Amou-a três anos seguidos, com o dispêndio duma arroba de versos arrancados à carne viva da inspiração. Bateu-se a punhadas com vários rivais temíveis. Rompeu com a família, que desaprovava o casamento. Cantou-lhe à janela, com muito choro de violão, todas as modinhas do tempo — *Quisera amar-te, Acorda donzela*, além de outras adrede compostas para aquele fim. Amou-a loucamente, "como só se ama uma vez na vida". Foi desses que dizem em prosa, verso e cochicho: Ver-te e amar-te foi obra de um só momento". Intercalou em alexandrinos o clássico "anjo, mulher ou visão". Esgotou inteirinho o alforje romântico das imagens enluaradas; recorreu à botânica e assolou o reino vegetal à cata de flores comparativas. Não contente com isso, ainda deambulou pelos céus e mergulhou no oceano em busca de imagens — que nada era bastante à imensidade daquele amor.

Casou por fim e estava reduzido àquilo...

Em vista do que, Lopes, que andava noivo e irresoluto se casaria ou não, tendo já no ativo uma dúzia de sonetos amorosíssimos, decidiu-se incontinente — casou.

Se tinha de acabar como o Lucas, levasse sobre ele, ao menos, a vantagem de menor cópia de versos à futura cascavel. Porque lhe pareceu que o maior sofrimento do Lucas havia de ser o remorso da enorme bagagem de versos pré-nupciais.

E era.

1903

JÚRI NA ROÇA

Não é meu este caso, mas dum tio, juiz numa Itaoca beira-mar. Homem sessentão, cheio de rabugens, pigarros e mais macacoas da velhice, nem por isso deixa de ser amigo da pulha, como diria Mestre Machado. Gosta de contar pilhérias e casos de truz, que a meio descambam em caretas reumáticas, muito de apiedar corações sobrinhos.

Os seus domínios jurídicos são o reino da própria Pacatez. Os anos ali fluem para o Esquecimento no deslizar preguiçoso dos ribeirões espraiados, sem cascatas nem corredeiras encrespadoras do espelho das águas — distúrbio, tiro ou escândalo passional. O povo, escasso como penas em frango impúbere, vive de apanhar tainhas e mariscos. Feito o que, "da capo" às tainhas e mariscos.

É extrema a penúria de emoções. Vidas há que ardem inteirinhas sem o tremelique duma comoção forte. Só a Morte pinga, a espaços, no cofre dos acontecimentos, o vintém azinhavrado dum velho mariscador morto de pigarro senil, ou o tostão duma pessoa grada, coletor de rendas, fiscal, agente do correio. Em tempos deu cédula graúda, um visconde da Jamanta, último varão conspícuo de que ficou memória no lugar.

Fora disso nada mais bole com a sensibilidade em perpétua coma do excelente povo — nem dramas de amor, nem rixas eleitorais, nem coisa nenhuma destoante dos mandamentos do Pasmado Viver.

A taramelagem das más línguas vê-se forçada, nos serões familiares, ou na venda do José Inchado (clube da ralé), ou na *Botica do Cação de Ouro* (aqui o escol), a esgaravatar as castanhas chochas do assunto sovado ou frívolo. Sempre conversinhas que não vão nem vêm.

A grande preocupação de todos é matar o tempo. Matam-no, os homens, pitando cigarrões de palha, e as mulheres, gestando a prole enfermiça. E assim escorregam-se para o Nirvana os dias, os meses, os anos, como lesmas de Cronos, deixando nas memórias um rastilho dúbio que rapidamente se extingue.

Nessa lagoa urbana rebentou com estardalhaço a notícia duma sessão do júri. O povo rejubilou. Vinte anos havia que o realejo da justiça popular empoeirava num desvão do Fórum, mudo à falta dum capadócio que lhe metesse no bojo o níquel dum modesto ferimento leve. Fizera-o agora o Chico Baiano, ave d'arribação despejada ali por um navio da Costeira. Que regalo! Ia o promotor cantar a tremenda ária da Acusação; o Zezeca Esteves, solicitador, recitaria a *Douda de Albano* disfarçada em Defesa. Sua Excelência o Meritíssimo Juiz faria de ponto e contrarregra. Delícias da vida!

Ao pé do fogo, em casebre humilde, o pai explicava ao filho:

— Aquilo é que é, Manequinho! Você vai ver uma estrumela de gosto, que até parece missa cantada de Taubaté. O juiz, feito um gavião pato, senta no meio da mesa, num estrado deste porte; à mão direita fica o doutor promotor com uma maçaroca de papéis na frente. Embaixo, na sala, uma mesa comprida com os jurados em roda. E a coisa garra num falatório até noite alta: o Chico lê que lê; o promotor fala e refala; o Zezeca rebate e tal e tal. Uma lindeza!

O assunto era o mesmo na venda do José Inchado.

— Lembra-se, compadre, daquele júri, deve fazer vinte anos, que "absorveu" o Pedro Intanha? Eh, júri macota! O Dr. Gusmão veio de Pinda especialmente, e falou que nem um vigário. Era só o "nobre orgo do ministério" p'r'aqui, o "meretrício doutor juiz" p'r'ali. Sabia dizer as coisas, o ladrão! Também, comeu milho grosso! p'ra mais de quinhentos bagos, dizem. Mas valia. Isso lá valia.

Na *Botica do Cação de Ouro* o assunto ainda era o mesmo.

— Não, não; você está enganado; não foi desse jeito, não! Ora! Pois se eu até servi de testemunha!... Não teime, homem de Deus!... Sabe como foi? Eu conto. O

Pedro Intanha teve um bate-boca com o major Vaz, perdeu a cabeça e chamou ele de estupor bem ali defronte da Nhá Veva; e vai o major e diz: "Estupor é a avó". Foi então o Pedro e...

Só não gostou da notícia o meu tio juiz. Maçada. Incomodarem-no por causa dum crimezinho tão à toa. E tinha razão. O delito do mulato não valia uma casca de ostra.

Chico Baiano costumava todas as noites "soverter" um martelo da "legítima" no botequim do Bento Ventania. Ficava alegrete, chasqueador, mas não passava disso. Certa vez, porém, errou a dose, e em vez do martelo do costume chamou ao papo três. A pinga era forte; subiu-lhe imediatamente à torre das ideias. A princípio Baiano destabocou. Deu grandes punhadas no balcão; berrou que o Sul é uma joça; que o Norte é que é; que baiano é ali no duro; que quem fosse homem que pulasse para fora, etc., etc. O botequim estava deserto; não havia quem lhe apanhasse a luva, a não ser o Ventania; mas este acendeu o cigarro pachorrentamente, trancou as portas na cara do bêbedo e foi dormir.

Chico Baiano, na rua, continuou a desafiar o mundo — que rachava, partia caras, arrancava fígados. Infelizmente também a rua estava deserta e nem sequer a minguante a pino lhe dava sombras com que esgrimisse. Foi quando saltou do corredor da casa dos Mouras o Joli, cachorrinho de estimação de Sinharinha Moura, bicho de colo, metade pelado, metade peludo, e deu de ladrar, feito um bobo, diante do insólito perturbador do silêncio.

O baiano sorriu-se. Tinha contendor, afinal.

— 'guenta, lixo! — berrou e, cambeteando, descreveu uma "letra" de capoeiragem, cujo remate foi o valentíssimo pontapé com que projetou o Totó a cinco metros de distância. Joli rompeu num ganir de cortar a alma, e o ofensor, perdido o equilíbrio, veio de lombo ao chão.

A Mourisma despertou de sobressalto, surgindo logo à porta o redondo intendente da Câmara, Maneco Moura, de camisola, carapuça de dormir e vela na mão. Estrouvinhado, o homem não enxergava coisa nenhuma desta vida, a não ser o clarão da luz à sua frente.

— Que é lá aí? — berrou ele para a rua.

— É pimenta cumari! — roncou o mulato já a prumo; e enquanto, esfregando os olhos, o Moura perguntava a si próprio se não era aquilo pesadelo, o facínora desenhou no chão uma figura de capoeiragem chamada "rabo de arraia". Consequência: o pesado vereador aluiu com vela e tudo, esborrachando o nariz no cimento da calçada.

Era esse o fato sobre o qual ia a Justiça manifestar-se.

Fale o tio: — Foi uma seca sem nome o tal júri. O promotor, sequioso por falar, com a eloquência ingurgitada por vinte anos de choco, atochou no auditório cinco horas maciças duma retórica do tempo do onça, que foram cinco horas de pigarros e caroços de encher balaios. Principiou historiando o direito criminal desde o Pitecantropo Erecto, com estações em Licurgo e Vedas, Moisés e Zend-Avesta. Analisou todas as teorias filosóficas que vêm de Confúcio a Freixo Portugal; aniquilou Lombroso e mais "lérias" de Garófalo (que dizia Garofalo); provou que o livre arbítrio é a maior das verdades absolutas e que os deterministas são uns cavalos, inimigos da religião de nossos pais; arrasou Comte, Spencer e Haeckel, representantes do

Anticristo na terra; esmoeu Ferri. Contou depois sua vida, sua nobre ascendência entroncada na alta prosápia duns Esteves do Rio Cávado, em Portugal: o heroísmo de um tio morto na guerra do Paraguai e o não menos heroico ferimento de um primo, hoje escriturário do Ministério da Guerra, que no combate de Cerro-Corá sofreu uma arranhadura de baioneta na "face lateral do lobo da orelha sinistra".

Provou em seguida a imaculabilidade da sua vida; releu o cabeçalho da acusação feita no julgamento-Intanha; citou períodos de Bossuet — a águia de Meaux, de Rui — a águia de Haia, e de outras aves menores; leu páginas de Balmes e Donoso Cortez sobre a resignação cristã; aduziu todos os argumentos do Doutor Sutil a respeito da Santíssima Trindade; e concluiu, finalmente, pedindo a condenação da "fera humana que cinicamente me olha como para um palácio" a trinta anos de prisão celular, mais a multa da lei.

Aqui o tio parou, acabrunhado. Correu a mão lívida pela testa em suor. Negrejaram-se-lhe as olheiras.

— Sinto um cansaço d'alma ao recordar esse dia. Como é fértil em recursos a imbecilidade humana! Houve réplica. Houve tréplica. O Zezeca bateu o promotor em asnice. Engalfinharam-se, disputando, acirrados, o cinturão de ouro do Ornejo. Horror... O borbotão de asneiras era caudal sem fim e o conselho já dava evidentes sinais de canseira. A tantas, um jurado levantou-se e pediu licença para ficar de cócoras no banco, porque, "com perdão da palavra, estava com escandescência." Veja você!...

— Afinal...

— Afinal foram os jurados para a sala secreta. Noite alta já. Os candeeiros de petróleo, com os vidros fumados, modorravam funeriamente. O Fórum, deserto de curiosos, estava quase às escuras. O destacamento policial (duas praças e o cabo) cabeceava, a dormir em pé. Três horas já haviam corrido, de sonolenta expectação, quando da sala secreta saem os jurados com o papelório. Entregam-mo. Corro os olhos e esfrio. Tudo errado! Era impossível julgar com base na salada de batata e ovos que me fizeram dos quesitos. Tive de reenviá-los ao curral do conselho. Expliquei-lhes novamente, com infinita paciência, como deveriam proceder. Façam isto, assim, assado, entenderam?

— "Entendemos, sim, senhor," respondeu um por todos, "mas por via das dúvidas era bom que o seu doutor mandasse cá dentro o João Carapina, p'ra nos ajudar."

Abri a minha maior boca e olhei assombrado para o escrivão: "E esta, amigo Chico?" O escrivão cochichou-me que era sempre assim. Em não sorteado o João Carapina, não havia meio da coisa correr bem na sala secreta. E citou vários antecedentes comprobatórios. Não me contive — berrei, chamei-lhes nomes, asnos de Minerva, onagros de Têmis, e fi-los trancafiar de novo na saleta.

— "Ou a coisa vem conforme o formulário, ou vocês, cambada, ficam aí toda vida!"

Decorreu mais outra hora e nada. Nenhum ruído promissor na sala secreta. Perdi a esperança e acabei perdendo a paciência. Chamei o oficial de justiça.

— "Vá desentocar-me esse Carapina e ponha-mo cá debaixo de vara, dormindo ou acordado, vivo ou morto. Depressa!..."

O oficial saiu, lépido, e meia hora depois voltava com o carpinteiro dos nós górdios a bocejar, estremunhado, de chinelas e cobertor vermelho ao pescoço.

— Senhor João, — gritei, — meta-se na sala secreta e amadrinhe-me esse lote de cavalgaduras. Com seiscentos milhões de réus, é preciso acabar com isto!

O carpinteiro foi introduzido na sala secreta.

Logo em seguida, porém, *toc, toc, toc*, batem lá de dentro. O oficial de justiça abre a porta. Surge-me o Carapina com cara idiota.

— "Que há?" perguntei, escamado.

— "O que há, senhor doutor, é que não há ninguém na sala; os jurados fugiram pela janela!"

— !!!

— "E deixaram em cima da mesa este bilhetinho para Vossa Excelência."

Li-o. "Sr. doutor Juiz, nos desculpe, mas nós condenamos o bicho no grau máximo."

Máximo foi a palavra que decifrei pelo sentido: estava escrito "maquecimo".

Levantei-me, possesso.

— "Está suspensa a sessão! Senhor comandante, recolha o réu à... Que é do réu?"

Firmei a vista: não vi sombra de réu no banquinho. O comandante, que estava a dormir de pé, despertou sobressaltado, esfregando o olho.

— "Senhor comandante, que é do réu?" gritei.

O pobre cabo, com a ajuda dos dois soldados a caírem de sono, deu busca embaixo da mesa, pelos cantos, no mictório, dentro das escarradeiras. Como nada encontrasse, perfilou-se e disse com respeitosa indignação:

— "Saberá Vossa Excelência que o safado escafedeu..."

O relógio da matriz badalava três horas — três horas da madrugada!... Era demais. Perdi a compostura e explodi.

— "Sabem duma coisa? Vão todos a..." e berrei a plenos pulmões o grande palavrão da língua portuguesa.

— E?...

— E fui dormir.

1909

"Gens ennuyeux"

— Queres ir? — indagou Lino, espichando-me um convite. Li: *A Sociedade Científica, ahn, ahn... convida, ahn... a conferência versará sobre a História da Terra.*

— É; a tese é catita; vais?

— Está-me apetecendo conhecê-los aos nossos sábios.

— Sábios, — rosnei, — *gens ennuyeux...*

— Nem sempre, — contraveio Lino. — O assunto é magnífico — e depois, que diabo! uma penitenciazinha de vez em quando, por amor à ciência...

— Pois vamos, resolvi com intrepidez.

— Às oito, rua tal.

— Lá estarei sem falta.

Ao assomarmos à porta já as cadeiras do grande salão se pintalgavam de graves sobrecasacas científicas, encimadas por carecas luzidias, em cujo espelho punha gangrenas de luz (perdão, Apolo!) a luz violácea do arco voltaico.

Entramos com religiosa compostura, pisando com passos humílimos o augusto piso do Pagode da Ciência.

No rosto do meu amigo vi uma leve expressão de terror sagrado. Os quíchuas, quando davam de chofre com o Eldorado, haviam de ficar assim... Lino comovia-se deveras e foi balbuciando que cochichou:

— Sábios, hein?

Sentamo-nos devagarinho e pusemo-nos a olhar. Novas sobrecasacas chegavam, aos magotes de três e quatro, compenetradas, pensabundas. Eram novos sábios de variegado estilo. Havia o estilo-fiambre: gente vermelha, com sangue à flor da pele em permanente congestão. O estilo-melado: gênero de importação alemã. O estilo-*ball*: queijos de Palmira com o vermelho substituído por um palor circular de cabelugens ralas. O estilo-clorose: rapazelhos de peito cavo e barba a espontar ingenuamente, macilentos de tez, olhos de bezerro disentérico, em cujas meninas — meninas dos olhos — pareciam boiar hipotenusas de braços dados a binômios de Newton.

À nossa destra suava uma rubra apoplexia alemã, enchouriçada em sobrecasaca de debrum contemporânea do iguanodonte, cujas costuras cediam à pressão das enxúndias comprimidas; sua mão gordita, recoberta de dourados pelinhos, alisava a grenha cor de fogo como quem alisa um gato de luxo.

Mais adiante, um amplo burguês, barbaçudo, verrugoso, bexiguento, fungava a suar.

À sua frente, sorrindo com bondade em meio dum grupinho amigo, uma espécie de criatura do sexo neutro, acondicionada em alpaca, sem um só enfeite e cujos cabelos grisalhantes se erguiam em ríspido pericote sob a copa acartolada dum chapéu masculino. Discutia Cuvier.

— É a doutora Mariote... — sussurrou-me o Lino. — Uma sábia sapientíssima!...

Mais além, um oculista de nomeada; depois, um pomólogo; em seguida um filósofo, uma parteira, um charlata, um lente de geometria, um fisiopsicopatologista.

Nós, miserandos intrusos, vexados da nossa espessa ignorância a dois, comentávamos baixinho, com respeitosa deferência, as efígies hirsutas daqueles paredros que davam de tu a Minerva. Lino nem falava: ciciava tatibitate. Aquela face da sociedade nos era de todo desconhecida. Tudo ali cheirava a novidade. O próprio ar nada tinha do ar comum das ruas: pairava nele um cheirinho sutil a raízes cúbicas.

À frente do salão havia uma comprida mesa em cujo centro o presidente da Sociedade — um rolete d'homem cor de salame — cofiava os bigodinhos ruivos, bamboleando no ar pés que não alcançavam o chão. Ladeavam-no dois bonitos secretários a remexerem atas. Sobre a mesa, enfileirada, uma récua de bichos pré-históricos em miniatura — estegossauros, plesiossauros, iguanodontes e um mamutezinho que escancarava a goela vermelha num urro mudo.

— *Dlin, dlin, dlin!...* Está aberta a sessão, — rosnou o presidencial salame.

O secretário mascou a ata — tá, tá, tá...

— Tem a palavra o conferencista.

Corre pela sala o bisbilho da curiosidade. Galga a tribuna um homem. Roliço e pipote, tem a calva resplendente, traz casaca, óculos e convicção profunda. Prepara os papéis, tosse.

Novo *psst*! desliza pelo salão. Cai nele o silêncio curioso da expectativa.

— Minhas senhoras e meus senhores! Me parece que a outro e não a mim, que sou o mais modesto membro da Sociedade...

Entreolhamo-nos àquele *me* com piscadelas gramaticais, e entregamos nossos quatro ouvidos às palavras do Sábio. Após o exórdio da praxe, o orador veste o escafandro da observação, apoia-se no pau ferrado da crítica, encavalga na penca os nasóculos da análise e, sem tir-te, cai de mergulho no fundo sombrio das idades. Vai aos períodos *eos* examinar *gneiss* e *micaxistos*; mostra exemplares ao auditório, descreve-os com minúcia. Narra como vieram os primeiros vegetais — samambaiuçus enormes e molengos — e como à sombra deles foram surgindo bichinhos tontos, sem experiência da vida, admiradíssimos de verem casa tão grande posta a seres tão pequenos. — Fala com a segurança de um feto arborescente, testemunha ocular daquilo, transfeito em sábio moderno. Diz e rediz. Vai e volta — porque o *gneiss* p'ra aqui, porque o *gneiss* p'ra lá, porque, o *gneiss*, o *gneiss*, o *gneiss*...

Depois agarra os *trilobitas*, os *amonitas*, e mói, remói, tremói, pulveriza os pobres bichinhos, digressiona, gesticula, sua: o *amonita... porque o trilobita...* não obstante o *amonita... bita... nita...* e *nita* e *bita*, lá borbota ele ciência pura, híspida, hirsuta, inexorável, num fluxo que berra por tampões de percloreto de ferro.

O tempo corre, e da torneira aberta deflui caudaloso o jorro hermafrodita do palavreado greco-latino. O espelho da sua careca tremeluz de inspiração. Seu dedo pontifical coleia riscos explicatórios. E a linfa científica a jorrar, a jorrar durante quinze, trinta minutos, uma hora, hora e meia...

O esgoelado urro do mamutezinho já não é mais urro, sim bocejo formidoloso. E não o único. Pela sala outros se escancaram, incoercíveis. A doutora reprime os seus com caretas. Algumas sobrecasacas cochilam. O burguês das verrugas resfolga com maior estrépito e mais bagas de suor na testa.

E na tribuna a ciência a correr... a farragem fóssil a desfilar inesgotável numa sarabanda sem fim: — porque o *gneiss*, o *micaxisto*... não obstante o *bita*, o *nita*... os conglomerados da Westfália, as superposições devonianas, a sedimentação terciária, *tá, tá, tá, tá...*

Nesse ponto penetrou na sala um delicioso casal, pisando de leve os passinhos de lã preventivos dos *pssts*. Ele, alto e elegante; ela, mimosa e feminina, tom exótico de teteia cara. Sentam-se. Ele abre os ouvidos. Ela espevita o *lorgnon* e corre os olhos vivos de malícia irônica pela assembleia inteira: pousa-os por fim na figura salpiçonesca do orador.

Lino segue-os.

— Que graciosos! — diz, furando-me as costelas a cotoveladas — repara na ironia daqueles dois diamantes negros. Pousam na careca do homem... alisam-na com bonomia malandra... agora descem, examinam o nariz... Riem-se, os marotos — é da verruga talvez... Tentam arrancá-la... irritam-se... fogem da penca... examinam o feitio da sobrecasaca. Bom, deixaram em paz o homem... passeiam pela sala... dão com o chapéu da doutora Mariote... Como se riem perdidamente, os moleques!

Enquanto os olhos do meu amigo estudam os maliciosos olhos da linda criatura, barafustam-se os meus pela goela do mamutezinho que o dedo do sábio apontava naquele momento.

— ... e apareceu então, — dizia ele, — um animal de pelos duros e pretos, de presas recurvadas, cujo esqueleto foi encontrado na embocadura do Iena e se chamou mamute...

Lino arrancou-me de golpe às goelas do monstro e ao caçanje do sábio.

— Vê como ela boceja com graça.

De fato, a petulante boquinha da moça escondia no leque um bocejo saciado; saciado e contagioso, porque logo em seguida o sociólogo escancarou o seu, o pomólogo lá ao fundo abriu outro, e o alemão da nossa direita reprimiu um que prometia levar as lampas ao do mamute.

— Dez horas já! — espantou-se o Lino, consultando o relógio. — Há esperanças de fim?

— Qual! — gemi. — Ele ainda está no megatério.

— E é comprido o megatério?

— Enorme. E tem vasta parentela. Só depois de descritos os gliptodontes, os megáceros, os rinoceros e as hienas é que há esperanças de entrarmos em terra do nosso avô pitecantropo. Coragem!

Às dez e meia inda o corrimento paleontológico continuava copioso, sem sintomas de exaustão. Sistemas sobre sistemas amontoavam-se, induções sobre induções e hipóteses, num mascar monótono de realejo elétrico. Nossas nádegas protestavam. Novos bocejos insolentes amiudavam exigências: queriam sair já e já, queriam passagem franca, bocas bem escancaradas — e nós lutávamos por conter-lhes a má-criação.

E o chafariz científico a despejar.

— Há esperanças, — sussurrei para o Lino. — Já estamos no *Homo sapiens*.

— Bendito sejas, ó rei da criação!

Era verdade. O sábio penetrara no homem. Mais cinquenta minutos de seca e pingou o ponto, convidando a assistência a examinar de perto os fósseis amontoados sobre a mesa.

Estrepitaram palmas, e após o *uf!* de ressurreição encheu o recinto o sussurro do "à vontade", das cadeiras recuadas, do frufrutar surdo dos capotes enfiados, dos espreguiçamentos risonhos.

— Que gostosura, um fim de seca!

A assistência aflui aos magotes para junto à mesa a fim de examinar os bichos. Fomos na onda. Todos comentavam, queriam pegar, apalpar os fósseis, cheirá-los, prová-los.

Com um estegossauro de palmo e meio seguro pelo cangote, o sociólogo explicava ao pomólogo "de como pela restauração de Cuvier se tinha ali um elo da vasta cadeia da evolução que Darwin descobrira."

Ao centro da mesa o conferencista desfazia-se em amabilidades de caixeiro, fragmentando sua ciência e distribuindo-a em pílulas.

— Olhe, doutor, — dizia ao filólogo, — olhe a *baculite* de transição de que falei.

E para outro sujeito:

— Já viu, doutor, o magnífico exemplar de *hipurite* que nos veio de Berlim?

Nisto ouvi ao meu lado um resfôlego adiposo; voltei-me: era o burguês das verrugas, com a toicinhenta consorte pelo braço, a examinar uma lasca de pedra azulega que de mão em mão viera ter às suas. O bicharoco olhava a pedra como quem olha talismã. Não resisti, atirei-lhe a esmo:

— É o *gneiss*.

O burguês encarou-me com o respeito devido a Quem Sabe e, virando-se para a mulher, repetiu gravemente:

— Este é o *gneiss*, Maricota.

Dona Maricota tomou-o nos dedos, examinou-o sob todas as faces e em seguida passou-o a uma sua amiga, gaguejando de geológica emoção:

— O *gneiss*, Nhanhã!

Na rua esfumada pela garoa, um friozinho de tiritar. De golas erguidas estugamos o passo, enquanto íamos extraindo a moralidade da festa.

Ciência e Arte nasceram para viver juntas, porque Arte é harmonia e Ciência é verdade. Quando se divorciam, a verdade fica desarmônica e a harmonia falsa. Se este senhor sábio trouxesse pela mão direita a Ciência e pela esquerda a Arte, para fundi-las no momento de falar, que coisa esplêndida não faria de um tal tema! Trouxe uma só e por isso maçou-nos, empanturrou-nos a alma de coisas duras, indigeríveis, misturadas com mil pronomes fora dos mancais. Além disso...

Foi-nos impossível prosseguir na filosofia. Um carro passava estalando rumorosamente as pedras da rua. Dentro vinha a nossa diva.

— Ela...

— A Verdade e a Harmonia...

Nossas bocas emudeceram, porque a imaginação, tomando as rédeas nos dentes, nos levava a galope no encalço da teteia de olhos negros.

1901

O FÍGADO INDISCRETO

Que há um Deus para o namoro e outro para os bêbados, está provado — a *contrario sensu*. Sem eles, como explicar tanto passo falso sem tombo, tanto tombo sem nariz partido, tanta beijoca lambiscada a medo sem maiores consequências afora uns sobressaltos desagradáveis, quando passos inoportunos põem termo a duos de sofá em sala momentaneamente deserta?

Acontece, todavia, que esses deuses, ao jeito dos de Homero, também cochilam: e o borracho parte o nariz de encontro ao lampião, ou futura sogra lá apanha Romeu e Julieta em flagrante contacto de mucosas petrificando-os com o clássico: "Que pouca vergonha!..."

Outras vezes acontece aos protegidos decaírem da graça divina.

Foi o que sucedeu a Inácio, o calouro, e isso lhe estragou o casamento com a Sinharinha Lemos, boa menina a quem cinquenta contos de dote faziam ótima.

Inácio era o rei dos acanhados. Pelas coisas mínimas avermelhava, saía fora de si e permanecia largo tempo idiotizado.

O progresso do seu namoro foi, como era natural, menos obra sua que da menina, e da família de ambos, tacitamente concertadas numa conspiração contra o celibato do futuro bacharel. Uma das manobras constou do convite que ele recebeu para jantar nos Lemos, em certo dia de aniversário familiar comemorado a peru.

Inácio barbeou-se, laçou a mais famosa gravata, floriu de orquídeas a botoeira, friccionou os cabelos com loção de violetas e lá foi, de roupa nova, lindo como se saíra da forma naquel'hora. Levou consigo, entretanto, para mal seu, o acanhamento — e daí proveio a catástrofe...

Havia mais moças na sala, afora a eleita, e caras estranhas, vagamente suas conhecidas, que o olhavam com a benévola curiosidade a que faz jus um possível futuro parente.

Inácio, de natural mal firme nas estribeiras, sentiu-se já de começo um tanto desmontado com o papel de galã à força que lhe atribuíam. Uma das moças, criaturinha de requintada malícia, muito "saída" e "semostradeira", interpelou-o sobre coisas do coração, ideias relativas ao casamento e também sobre a "noivinha" — tudo com meias palavras intencionais, sublinhadas de piscadelas para a direita e a esquerda.

Inácio avermelhou e tartamudeou palavras desconchavadas, enquanto o diabrete maliciosamente insistia: "Quando os doces, seu Inácio?"

Respostas mascadas, gaguejadas, ineptas, foram o que saiu de dentro do moço, incapaz de réplicas jeitosas sempre que ouvia risos femininos em redor de si. Salvou-o a ida para a mesa.

Lá, enquanto engoliam a sopa, teve tempo de voltar a si e arrefecer as orelhas. Mas não demorou muito no equilíbrio. Por dá cá aquela palha o pobre rapaz mudava-se de si para fora, sofrendo todos os horrores consequentes. A culpada aqui foi a dona da casa. Serviu-lhe dona Luiza um bife de fígado sem consulta prévia.

Esquisitice dos Lemos: comiam-se fígados naquela casa até nos dias mais solenes.

Esquisitice do Inácio: nascera com a estranha idiossincrasia de não poder sequer ouvir falar em fígado — seu estômago, seu esôfago e talvez o seu próprio fígado tinham pela víscera biliar uma figadal aversão. E não insistisse ele em contrariá-los: amotinavam-se, repelindo indecorosamente o pedaço ingerido.

Nesse dia, mal dona Luiza o serviu, Inácio avermelhou de novo, e novamente saiu fora de si. Viu-se só, desamparado e inerme ante um problema de inadiável solução. Sentiu lá dentro o motim das vísceras; sentiu o estômago, encrespado de cólera, exigir, com império, respeito às suas antipatias. Inácio parlamentou com o órgão digestivo, mostrou-lhe que mau momento era aquele para uma guerra intestina. Tentou acalmá-lo a goles de clarete, jurando eterna abstenção para o futuro. Pobre Inácio! A porejar suor nas asas do nariz, chamou a postos o heroísmo, evocou todos os martírios sofridos pelos cristãos na era romana e os padecidos na era cristã pelos heréticos; contou um, dois, três e *glug*! engoliu meio fígado sem mastigar. Um gole precipitado de vinho rebateu o empache. E Inácio ficou a esperar, de olhos arregalados, imóvel, a revolução intestina.

Em redor a alegria reinava. Riam-se, palestravam ruidosamente, longe de suspeitarem o suplício daquele mártir posto a tormentos de uma nova espécie.

— "Você já reparou, Miloca, na 'ganja' da Sinharinha?" — disse uma sirigaita de "beleza" na testa. — "Está como quem viu o passarinho verde..." — e olhou de soslaio para Inácio.

O calouro, entretanto, não deu fé da tagarelice; surdo às vozes do mundo, todo se concentrava na auscultação das vozes viscerais. Além disso, a tortura não estava concluída: tinha ainda diante de si a segunda parte do fígado engulhento. Era mister atacá-la e concluir de vez a ingestão penosa. Inácio engatilhou-se de novo e — um, dois, três: *glug!* — lá rodou, esôfago abaixo, o resto da miserável glândula.

Maravilha! Por inexplicável milagre de polidez, o estômago não reagiu. Estava salvo Inácio. E como estava salvo, voltou lentamente a si, muito pálido, com o ar lorpa dos ressuscitados. Chegou a rir-se. Riu-se alvarmente, de gozo, como riria Hércules após o mais duro dos seus trabalhos. Seus ouvidos ouviam de novo os rumores do mundo, seu cérebro voltava a funcionar normalmente e seus olhos volveram outra vez às visões habituais.

Estava nessa doce beatitude, quando.

— Não sabia que o senhor gostava tanto de fígado, — disse dona Luiza, vendo-lhe o prato vazio. — Repita a dose.

O instinto de conservação de Inácio pulou em guarda. E fora de si outra vez o pobre moço exclamou, tomado de pânico:

— Não! Não! Muito obrigado!...

— Ora, deixe-se de luxo! Tamanho homem com cerimônias em casa de amigos. Coma, coma, que não é vergonha gostar de fígado. Aqui está o Lemos, que se pela por uma isca.

— Iscas são comigo, — confirmou o velho. — Lá isso não nego. Com elas ou sem elas, nunca as enjeitei.[1] Tens bom gosto, rapaz. Serve-lhe, serve-lhe mais, Luiza.

E não houve salvação! Veio para o prato de Inácio um novo naco — este formidável, dose dupla.

Não se descreve o drama criado no seu organismo. Nem um Shakespeare, nem Conrad — ninguém dirá nunca os lances trágicos daquela estomacal tragédia sem palavras. Nem eu, portanto. Direi somente que à memória de Inácio acudiu o caso da Nora de Ibsen na *Casa de Boneca*, e disfarçadamente ele aguardou o milagre.

E o milagre veio! Um criado estouvadão, que entrava com o peru, tropeçou no tapete e soltou a ave no colo de uma dama. Gritos, reboliço, tumulto. Num lampejo de gênio, Inácio aproveitou-se do incidente para agarrar o fígado e metê-lo no bolso.

Salvo! Nem dona Luiza nem os vizinhos perceberam o truque — e o jantar chegou à sobremesa sem maior novidade.

Antes da dançata lembrou alguém recitativos e a espevitadíssima Miloca veio ter com Inácio.

— A festa é sua, doutor. Nós queremos ouvi-lo. Dizem que recita admiravelmente. Vamos, um sonetinho de Bilac. Não sabe? Olhe o luxinho! Vamos, vamos! Repare quem está ao piano. *Ela...* Nem assim? Mauzinho!... Quer decerto que a Sinharinha insista?... Ora, até que enfim! A *Douda de Albano?* Conheço sim, é linda, embora um pouco fora da moda. Toque a *Dalila*, Sinharinha, bem piano... assim...

Inácio, vexadíssimo, vermelhíssimo, já em suores, foi para pé do piano onde a futura consorte preludiava a *Dalila* em surdina. E declamou a *Douda de Albano*.

Pelo meio dessa hecatombe em verso, ali pela quarta ou quinta desgraça, uma baga de suor escorrida da testa parou-lhe na sobrancelha, comichando qual

---

[1] Iscas com elas ou sem elas é como os restaurantes portugueses anunciam fígado com ou sem batatas.

importuna mosca. Inácio lembra-se do lenço e saca-o fora. Mas com o lenço vem o fígado, que faz *plaf*! no chão. Uma tossida forte e um pé plantado sobre a infame víscera, manobras do instinto, salvam o lance.

Mas desde esse momento a sala começou a observar um extraordinário fenômeno. Inácio, que tanto se fizera rogar, não queria agora sair do piano. E mal terminava um recitativo, logo iniciava outro, sem que ninguém lho pedisse. É que o acorrentava àquele posto, novo Prometeu, o implacável fígado...

Inácio recitava. Recitou, sem música, o *Navio negreiro*, *As duas ilhas*, *Vozes da África*, *O Tejo era sereno*.

Sinharinha, desconfiada, abandonou o piano. Inácio, firme. Recitou *O Corvo* de Edgar Poe, traduzido pelo senhor João Kopke; recitou o *Quisera amar-te*, o *Acorda donzela*; borbotou poemetos, modinhas e quadras.

Num canto da sala Sinharinha estava chora-não-chora. Todos se entreolhavam. Teria enlouquecido o moço?

Inácio, firme. Completamente fora de si (era a quarta vez que isso lhe acontecia naquela festa) e falto já de recitativos de salão, recorreu aos *Lusíadas*. E declamou *As armas e os barões*, *Estavas linda Inez*, *Do reino a rédea leve*, *o Adamastor* — tudo!...

E esgotado Camões ia-lhe saindo um "ponto" de Filosofia do Direito — *A escola de Bentham* — a coisa última que lhe restava de cor na memória, quando perdeu o equilíbrio, escorregou e caiu, patenteando aos olhos arregalados da sala a infamérrima víscera de má morte...

O resto não vale a pena contar. Basta que saibam que o amor de Sinharinha morreu nesse dia; que a conspiração matrimonial falhou; e que Inácio teve de mudar de terra. Mudou de terra porque o desalmado major Lemos deu de espalhar pela cidade inteira que Inácio era, sem dúvida, um bom rapaz, mas com um grave defeito: quando gostava de um prato não se contentava de comer e repetir — ainda levava escondido no bolso o que podia...

1904

O PLÁGIO

— Você sai, Nenesto, com um tempo destes?
— Não há outro.
— Dia de S. Bartolomeu, inda mais?...
— Importa-me lá o santo.
— Está bem. Depois não se arrependa...

Isto dizia dona Eucaris ao "queixo duro" do seu marido Ernesto d'Olivais, ao vê-lo tomar o chapéu do cabide para sair.

Fora, remoinhava o vento, anunciando tempestade próxima.

Por castigo, nem bem caminhara o teimoso duzentos passos e desaba o aguaceiro. Tão repentino, que mal teve tempo de barafustar por um "sebo" adentro, no instante preciso em que o belchior cerrava a última folha de porta. Mesmo assim resfriou-se e foi com três espirros que retribuiu à saudação do homem.

— *Atchim!...*
— Viva!
— *Atchim!...*
— Viva!
— *Atchim...* Brr! P'ra burro! Espirro p'ra burro. *C'est le diable.*

(Século trinta! Se por acaso um exemplar deste livro chegar ao conhecimento dos teus fariscadores de antigualhas, não se assombrem eles com a expressão curralina do meu Ernesto. Nem quebrem a cabeça a interpretá-la com ajuda da filologia comparada, da veterinária e mais ciências conexas. Cá fica a chave do enigma. A expressão "p'ra burro" viveu corrente pelas imediações da Grande Guerra, com significação de abundante, excessivo ou estupendo. Nascida nalguma cocheira, alargou-se às ruas e passou destas aos salões. Penetrou até na retórica amorosa. Romeus houve que, pintando a formosura das respectivas Julietas, substituíam o arcaico — linda como os amores — por este soberbo jacto de impressionismo cavalar: É linda p'ra burro! Não obstante, as Julietas casavam com eles e eram felizes. Lá se entendiam.)

O belchior era francês, e Ernesto taramelava na língua adotiva do sr. Jacques d'Avray o necessário para embrulhar língua com um belchior francês. Sabia diferenciar *femme sage de sage femme*, distinguia *chair de viande* e alambicava a primor os uu gauleses. Além disso tinha ciência de vários idiotismos, usando amiúde o *qu'est-ce que c'est que ça?*; sabia de cor a história do *Didon dit-on*, além duma dúzia de prosopopeias d'alto calibre, forrageadas nos *Miseráveis* de Vitor Hugo — o que já é bagagem glóssica de peso para um carrapato orçamentário com seis anos de sucção.

Tais conhecimentos, mensalmente postos em jogo, bastavam para espezinhar a paciência do livreiro, a quem Ernesto, em todo dia dois de cada mês, tomava alugado um bacamarte de Escrich, matador das horas vazias da repartição.

Naquela tarde, porém, Ernesto não queria livros, sim um teto, razão pela qual falhou o usual encetamento da seca. (Esse ritual começava assim: *Qu'est-ce que vous avez de nouveau, monsieur?*).

Fora, em regougos sibilantes, o vento pulverizava a chuva.

Tinha de esperar.

Ernesto esperou. Esperou a remexer as estantes, a folhear revistas, a ler a meia-voz os títulos dourados. De longe em longe tomava dum volume e perguntava ao francês acurvado na escrituração de um livro de capa preta:

— *Combien, monsieur?...*

E à resposta do homem repicava invariavelmente:

— *C'est très salé, cest très salé, cest très salé,* — estribilho trauteado em surdina até que novo livro lhe empolgasse a atenção.

Empolgou-lha, logo depois, uma brochura esborcinada: *A Maravilha*, de Ernesto Souza.

— Olé! Um xará! *Combien, monsieur?*

O livreiro, sem maior atenção, rosnou qualquer coisa, enquanto Ernesto, absorto no manuseio do livro, ia murmurando maquinalmente o *très salé...*

Leu-lhe o período inicial e o final, vezo antigo adquirido no colégio, onde colecionava num caderninho a primeira e a última frase de quanto livro lhe transitava pela carteira.

A *Maravilha* era um desses romances esquecidos, que trazem o nome do autor à frente duma comitiva de identificações, à laia de passaporte à posteridade, muito em moda no tempo do onça:

ALFREDO MARIA JACUACANGA

(Natural do Recife)
3.º anista da Escola de Medicina da Bahia

OU

DOUTOR CORNELIO RODRIGUES FONTOURA

Ex-lente disto, ex-diretor daquilo, ex-membro do Pedagogium,
ex-deputado provincial, ex-cavaleiro da Cruz Preta, etc., etc.

Romances descabelados, onde há lágrimas grandes como punhos, punhais vingativos e virtudes premiadíssimas, de par com vícios arquicastigados pela intervenção final e apoteótica do Dedo de Deus — livros que a traça rendilhou nos poucos exemplares escapos à função, sobre todas bendita, de capear bombas de foguetes.

O período final rezava assim: "E um rubro fio de sangue correu do níveo seio da donzela apunhalada como uma víbora de coral num mármore pagão".

Ernesto, *né* de Oliveira mas d'Olivais por contingências estéticas, enrubesceu de apolíneo prazer. E assoou-se, demonstração muito sua de entusiasmo chegado a ponto de arrepio.

— Sim, senhor! Está aqui uma frase soberba! "Como víbora de coral..." Magnífico! E este "mármore pagão"...

Foi ter com o Monsieur e leu-lha "com alma"; mas o tipo, absorvido numa adição, miou apenas o *oui, oui*, sem sequer erguer a cabeça.

Ernesto não comprou o livro (não era dois do mês) mas escondeu-o num desvão para que até o dia aquisitivo ninguém lhe pusesse a vista em cima.

Entrementes a chuva amainara.

Ernesto entreabriu a porta para a rua murmurejante e resolveu abalar.

— *Monsieur, au revoir!*

— *Oui, oui,* — miou pela última vez o belchior.

Na rua endireitou para casa, ruminando que, sim, senhor, era ter fogo sagrado! Uma frase daquelas fazia um nome. O xará tinha talento. Bem dizia Vitor Hugo nos *Miseráveis*, que o gênio... é o gênio!

E foi pelo caminho a redizê-la com cariciosa unção, a remirá-la de todos os lados, sob todas as luzes. Degustou-a em surdina inúmeras vezes; pela forma, revendo o jeito com que a fixaram no papel os caracteres tipográficos; pelas correlações associadas, evocando vagos helenismos clássicos que o padre mestre Jordão lhe embutira no cérebro a palmatoadas — Frineia, o cão de Alcebíades, as Termópilas, o barril de Diógenes.

Por fim, à noite, já a preciosa frase se lhe encrustara nos miolos, no lugar onde costumam encruar as ideias fixas. Chegou a repeti-la à dona Eucaris. Mas dona

Eucaris, uma criatura sovada, toda virtudes conjugais e preocupações caseiras, interrompeu-o prosaicamente:

— E você trouxe, Nenesto, o pavio de lampião que encomendei?

Ernesto d'Olivais arrepanhou a cara num assomo de dó ante a chinfrinice mental da companheira. Dó, despeito e meia cólera, coisa rara em seu imo de amanuense gomoso e manso.

— Que pavio? Que me importa o pavio? Quem fala aqui de pavio? Ora não me aborreça com histórias de pavio!

E voltando-se para o canto (que a cena se passava na cama) embezerrou.

O sono dessa noite não foi bom conselheiro, e no dia seguinte Ernesto andou pela repartição mais meditativo que do costume, com olhos parados — olhos de cabra morta que olham sem ver.

É que uma ideia...

Não era bem uma ideia ainda, mas células vagas, destroços vogantes de ideias mortas, lampejos de ideias futuras, coisas tão afins que ao cabo de três dias se englobavam numa ideia-mãe de imperiosa vitalidade.

— Escrever um conto, uma simples "variedade", em linguagem bem caprichada, com floreados bem bonitos, arabescos de alto estilo... Duas ou três personagens — não gostava de muita gente. Um conde, uma condessa pálida, a cidade de Três Estrelinhas, o ano de 18... Como enredo, uma paixão violenta da condessa de X pelo pintor Gontran. Gostava muito deste nome. A cena, já se sabe, passava-se em França, que nunca achara jeito em personagens nacionais, vivendo em nosso meio, ao nosso lado. Perdiam o encanto. A narrativa vinha crescendo até engastar-se naquele final... oh, sim!... naquele final, porque, em suma, o conto só viveria para justificar a exibição daquela joia de "celínio lavor". E logo abaixo o seu nome por extenso: Ernesto da Cunha Olivais.

Esse remate furtado ao xará d'*A Maravilha* insinuou-se aos poucos na consciência de Ernesto como coisa muito sua, propriedade artística indiscutível.

A Maravilha, ora! Um miserável caco de livro cuja existência ninguém conhecia...

Plágio? Como plágio? Por que plágio? É tão comum duas criaturas terem a mesma ideia... Coincidência, apenas. E, além disso, quem daria pela coisa?

Ernesto era literato.

"Fazer literatura" é a forma natural da calaçaria indígena. Em outros países o desocupado caça, pesca, joga o murro. Aqui beletreia. Rima sonetos, escorcha contos ou tece desses artiguetes inda não classificados nos manuais de literatura, onde se adjetiva sonoramente uma aparência de ideia, sempre feminina, sem pé e raramente com cabeça, que goza a propriedade, aliás preciosa, de deixar o leitor na mesma. A gramática sofre umas tantas marradas, os tipógrafos lá ganham sua vida, as beldades se saboreiam na cândi-adjetivação e o sujeito autor lucra duas coisas: mata o tempo, que entre nós em vez de dinheiro é uma simples maçada, e faz jus a qualquer academia de letras, existente ou por existir, de Sapopemba a Icó.

Ernesto não fugira à regra. Em moço, enquanto vivia às sopas do pai à espera de que lhe caísse do céu um amanuensado, fundara *A Violeta*, órgão literário e recreativo, com charadas, sonetos, variedades e mais mimos de Apolo e Minerva. Redigiu depois certa folha "crítica, científica e literária" com dois tt, *O Combatente*, que morreu aos sete meses, combatendo a gramática até no derradeiro transe. Compôs nesse intervalo, e publicou, um livro de sonetos, cuja impressão deu com o pai na miséria.

Incompreendido pelo público, que não percebia o advento de um novo gênio, Ernesto amargou como peroba da miúda, deixou crescer grenha e barba, esgrouviou-se e disse cobras cascavéis do país, do público, da crítica, de José Veríssimo e da "cambada" da Academia de Letras. Citava amiúde Schopenhauer e Kropotkine, mostrando tendências para saltar dum pessimismo inofensivo ou perigoso niilismo russo. Foi quando o pai, farto das atitudes teatrais do filho, meteu-o numa roda de guatambu e pô-lo fora de casa com um valente pontapé: — "Vá ganhar a vida, seu anarquista de borra!"

Ernesto, jururu, achegou-se a um tio influente na política e afinal cavou o empreguinho. No empreguinho amou, casou e tomou a seu cargo a seção "Conselhos Úteis" d'*O Batalhador*. Estava nisso quando ventou, choveu, entrou no sebo, pilhou *A Maravilha* e patinhou como Hamlet no pego da indecisão, até que...

Ernesto, em tiras de papel do governo, lançou em belo cursivo um lindo começo bem arredondado:

"Era por uma dessas noites de abril, em que o céu recamado de estrelas lembra um manto negro com mil buraquinhos..."

Na roda de orçamentívoros que domingueiramente bebericavam o chá com torradas de dona Eucaris, todos afinados pela cravelha do Ernesto — vítimas imbeles da incompreensão — o conto estampado n'*O Lírio* causou agradável surpresa. O João Damasceno foi o primeiro a dar-lhe um abraço num vai-e-vem de café.

— Olha, li o teu "Never more" n'*O Lírio*. Esplêndido! O final, então, divino! Tens miolo, meu caro! Pagas o chope?

Nesse dia Ernesto contou à esposa toda a vida do João, terminando cismático: É um caráter, Eucaris, um nobilíssimo caráter...

O capitão Prelidiano, chefe da sua seção, foi comedido e pausado como o convinha à eminência do seu tamanco: "Li o seu trabalho, senhor Ernesto e gostei; termina com brilhantismo; continue, continue..."

E o Claro Vieira? Fora brutal, esse.

— Que ótimo fecho arranjaste para o teu conto! O resto está pulha, mas o final é *un morceau de roi*!

O que nessa noite dona Eucaris ouviu relativo ao caráter baixo, infame e vil do Claro...

Ernesto entrou-se de receios. Pareceu-lhe que o Claro estava no segredo do "encontro de ideias". Como medida de precaução deu busca aos sebos em cata de quanto exemplar d'*A Maravilha* empoava por lá. Encontrou meia dúzia, adquiriu-os e queimou-os, com grande assombro de dona Eucaris, que duvidou da integridade dos miolos maritais ao vê-lo transfeito em Torquemada de inocentes brochuras carunchosas.

Mas nem assim sossegou.

— Quem me assegura não existirem outras, espalhadas aí pelas bibliotecas públicas? Se ao menos houvesse eu variado a forma, conservando apenas a ideia...

Fora audacioso, não havia dúvida. Fora tolo, pois não.

— Sou uma besta, bem mo dizia o pai...

Ernesto arrependeu-se do plagiato — sim, porque, afinal de contas, vamos e venhamos, era um plágio aquilo! Sua consciência proclamava-o de cabeça erguida, reagindo contra as chicanas peitadas em provar o contrário. E Ernesto arrependia-se, sobretudo por causa do "Dizem..." d'*O Cromo*. Constava ser Claro o enredeiro daquelas maldades — e o Claro era impiedoso na mofina. Sabia revestir as palavras dum jossá urente de urtiga.

Fizera mal, sim, porque afinal de contas, um plágio... é sempre um plágio.

Quando no domingo seguinte recebeu *O Cromo*, tremeu ao correr os olhos pelo "Dizem..." Mas não vinha nada e respirou. No "Recebemos e Agradecemos" havia boa referência ao conto, muito elogiosa para o remate.

Também *A Dália* desse dia trouxe algo: "O conto do sr. F. é um desses etc., etc. O final é uma dessas frases que chispam beleza helênica, etc.".

— O final, sempre o final! Estão todos apostados em fazerem-me perder a paciência. Ora pistolas!

Ernesto deblaterou contra os jornalistas, contra os amigos, contra os dez exemplares d'*O Lírio* em seu poder — dez arautos do seu crime. E queimou-os.

Na repartição, a um novo elogio do Damasceno Ernesto rompeu desabridamente.

— Ora vá ser besta na casa da sogra!

Damasceno abriu a boca.

Nas palavras mais inocentes o pobre autor via alusões irônicas, diretas, claras, brutais. Num simples "bom dia" enxergava risinhos de mofa. O próprio capitão Prelidiano, honestíssima cavalgadura incapaz de ironias, afigurava-se-lhe o chefe da tropa.

Conspiravam contra ele, não havia dúvida.

Ernesto pôs-se em guarda. Fugiu aos amigos. Deu cabo do mate domingueiro. Não podia sequer ouvir falar em literatura, o assunto dileto de tantos anos. Emagreceu.

Dona Eucaris, pensabunda, matutava:
— Serão lombrigas?
E deu-lhe quenopódio às ocultas.

— Afinal...
— Afinal? É o diabo ser a vida tão pouco romântica como é! Os casos mais interessantes descambam a meio para o mais reles prosaísmo. Este do Ernesto d'Olivais, por exemplo. Merecia fim trágico, duelo ou quebramento de cara. Quando nada, uma remoçãozinha a pedido.

Mas seria mentir. Nem toda a gente encontra, como Ernesto, remates de estrondo à mão.

É o caso deste caso.

Ernesto adoeceu, mas sarou. O quenopódio revelou-se um porrete para o seu mal. Depois, com o decorrer do tempo, esqueceu o plágio. Os amigos esqueceram o "Never more". *O Lírio* morreu como morrem *Lírios*, *Dálias* e *Cromos*: calote na tipografia. Ernesto engordou. Já é major. Tem seis filhos. Continua a fazer literatura — clandestinamente, embora. E se encontrar a talho de foice um novo final de estrondo, plagiará de novo.

Moralidade há nas fábulas. Na vida, muito pouca — ou nenhuma...

O romance do chopim

Ouvíamos no cine a música precursora da primeira fita, quando entrou na sala um curioso casal. Ela, feiarona, na idade em que a natureza começa a recolher uma a uma todas as graças da mocidade, como a lavadeira recolhe as roupas do varal. Tirara-lhe já a frescura da pele e o viço da cor, deixando-lhe em troca as sardas e os primeiros pés-de-galinha. Tirara-lhe também os flexuosos meneios de corpo, a garridice amável, os tiques todos que, somados, formam essa teia de sedução feminina onde se enreda o homem para proveito multiplicativo da espécie. Quase gorda, as linhas do rosto entravam a perder-se num empaste balofo. Certa pinta da face, mimo que aos dezoito anos inspiraria sonetos, virara verruga, com um sórdido fio de cabelo no píncaro. No nariz amarelecido, o *pince-nez* clássico da professora que se preza. Em matéria de vestuário, suas roupas escuriças, mais atentas à comodidade do que à elegância, denunciavam a transição da "moda" para o "fora da moda".

Ele, bem mais moço, tinha um ar vexado e submisso de "coisa humana", em singular contraste com o ar mandão da companheira. O estranho do casal residia sobretudo nisso, no ar de cada um, senhoril do lado fraco, servil do lado forte. Inquilino e senhorio; quem manda e quem obedece; quem dá e quem recebe. Ela falava d'alto; ele ouvia de baixo e mansinho; caso evidente em que cantava a galinha e o galo chocava os pintos.

Meu amigo apontou o homem com o beiço e murmurou:

— Um chopim.

— Chopim? — repeti interrogativamente, estranhando a palavra que ouvia pela primeira vez.

— Quer dizer *marido de professora*. O povo alcunha-os desse modo por analogia com o passarinho preto que vive à custa do tico-tico. Conheces?

Lembrei-me da cena tão comum em nossos campos do tico-tico a pajear um graúdo filho de chopim, e pus-me a observar o casal com maior interesse, mormente depois de começada a fita, relíssima salgalhada francesa. Já eles não tiravam os olhos da tela, salvo o marido, que para melhor ouvir algum comentário da esposa não se limitava a dar-lhe ouvidos, dava-lhe olhos também.

— Os chopins, — prosseguiu o meu cicerone, — são homens falhos, *ratés* da virilidade — a moral, está claro, que a outra lhes é indispensável para o bom desempenho do cargo.

— Cargo?

— Cargo, sim. Eles desempenham o cargo importantíssimo de maridos. Em troca as esposas ganham-lhes a vida e dirigem os negócios do casal, desempenhando todos os papéis normalmente atribuídos aos machos. Tais mulheres apenas fazem aos maridos a concessão suprema de engravidarem por obra e graça deles, já que é impossível a revogação de certas leis naturais.

Quando a mulher vai à escola, fica o chopim em casa cocando os filhos, arrumando a sala ou mexendo a marmelada. Há sempre para eles uma recomendaçãozinha à hora da saída para a aula.

— As vidraças da frente estão muito feias. Você hoje, quando as Moreiras saírem, passe um pano com gesso. (As Moreiras são as vizinhas da frente.)

O chopim acostuma-se à submissão e acaba usando em casa as saias velhas da mulher, para economia de calças.

— Para aí, homem de Deus! Do contrário acabas contando a história de um que chegou a dar à luz um crianço!...

A fita chegara ao fim. Surgiu o galo vermelho da Pathé, que boleou o pescoço num coricocó mudo e sumiu-se para dar lugar ao reacender das lâmpadas.

A mulher ergueu-se, espanejou-se e saiu, seguida do chopim solícito. Acompanhamo-los de perto, estudando o caso, e na rua, depois que os perdemos de vista, o meu amigo retomou o assunto.

— Em matéria de chopins conheço um caso interessante, que segui desde os primórdios.

Eduardinho Tavares, filho de tio e sobrinha, nascera sem tara aparente, a não ser extrema dubiedade de caráter, uma timidez de menina do tempo em que a timidez nas meninas era moda. Espécie de criatura intermediária entre os dois sexos.

Em criança brincava de boneca, de preferência às nossas touradas, ao jogo dos "caviúnas", ao "pegador". Em meninote, enquanto os da sua idade descadeiravam gatos pela rua, lia *Paulo e Virgínia* à sombra das mangueiras, chorando sentidas lágrimas nos lances lacrimogênios.

Fomos colegas de escola, e lembro-me que um dia lá nos apareceu Eduardo com um papagaio de missanga verde, obra sua. Eu, estouvadão de marca, ri-me daquilo e escangalhei com a prenda, enquanto o maricas, abrindo uma bocarra de urutau, rompia num choro descompassado, como choram mulheres. Irritado, dei-lhe valentes cachações. Eduardo não reagiu; acovardou-se, humilhou-se, feito o meu carneirinho. Só procurava a mim dentre cem companheiros. Acamaradamo-nos daí por diante, o que me não impediu de o fazer armazém de pancadas. Por qualquer coisinha, uma cacholeta. Ele ria-se, meigo, e cada vez mais me rentava. Pus-lhe o apelido de Maricota. Não se zangou, gostou até, confessando achar mais graça nesse nome do que no seu.

Hoje eu estudaria esse tipo à luz de Freud, como caso deveras notável; naquele tempo feliz da sadia ingenuidade limitava-me a tirar partido da sua submissão, transformando-o em peteca, em escravo, em coisa de que a gente põe e dispõe.

Saídos do colégio continuamos camaradas, de modo que pude acompanhá-lo por um bom pedaço da vida afora. Nunca perdeu a timidez donzelesca. Fugia às meninas, sobretudo se eram românticas, ou acentuadamente mulheris — o meu gênero.

Fez-se misógino.

Por essas alturas casei-me — casei-me com a moça mais feminina da época, uma romântica escapulida a Escrich, dessas que têm medo às baratas e caem de fanico se um rato lhes corre pela sala — o meu gênero, enfim.

Eduardo permaneceu solteiro, sempre às sopas do pai, até que este morreu e lhe deixou de herança uns prédios, mais uns títulos. Sem tino comercial, passaram-lhe a perna, comeram-lhe casas e apólices; quando o pobre rapaz abriu os olhos estava a nenhum. Recorrendo a mim para um bom conselho de arrumação de vida, vi que não dava para coisa nenhuma — e receitei-lhe professora.

— Casa-te. Incapaz de ação como és, tua saída única se resume em tirar partido da tua qualidade de macho. Casa com moça rica, ou, então, com mulher trabalhadeira.

Nada valeu o conselho. Eduardo não tinha jeito para requestar mãos femininas, quer bem aneladas, quer muito calejadas. Embaraçava-o a irredutível timidez.

Mas o diabo as arma.

Um belo dia apareceu na terra uma professora nova, mais ou menos ao molde desta de há pouco. Tipo de mulheraça máscula, angulosa, ar enérgico, autoritária. Gostava de discutir política, entendia de cavalos, lia jornais, tinha ideias sobre a seca do Ceará e o saneamento dos sertões. Apesar de bem conservada, andava perto dos quarenta, não fazendo nenhum mistério disso. Se não se casara até então, não é que fosse infensa ao matrimônio: — não achara ainda o seu tipo d'homem, dizia.

Pois não é que o raio da pedagoga vê Eduardo e se engraça dele? Examina-o fulminantemente, como quem examina um cavalo; mira-o d'alto abaixo, interpela-o, dá-lhe balanço às ideias e aos sentimentos, pesa-lhe o valor monetário, pede-lhe, ou antes, toma-lhe a mão, leva-o à igreja e casa-o consigo.

Foi um relâmpago tudo aquilo. Em três tempos namorado, noivado, casado e metido no gineceu, o pobre moço, quando abriu os olhos, estava chopim para todo o sempre.

Dona Zenóbia sabia avir-se com a vida. Ganhava-a folgadamente. Além da escola particular que dirigia tinha a juros um pequeno capital que não cessava de crescer, colocado a quatro e cinco por cento ao mês, sob garantias de toda ordem. Casada, continuou à testa dos negócios; o marido, se aparecia nominalmente nalguma transação, era *pro forma*.

Encaramujado em casa da professora, Eduardinho foi sonegado ao mundo e o mundo acabou esquecendo Eduardinho. Nunca mais o viram na rua, ou nas festas, sem ser pelo braço da mulher, na atitude encolhida daquele chopim do cinema.

Um filho nasceu-lhes nesse entretempo, e começa aqui o mais engraçado da comédia.

A tantas, dona Zenóbia deu de gabar as qualidades artísticas do esposo. Eduardo era um grande talento literário, capaz de obras deveras notáveis.

— Vocês, — dizia ela às professoras do colégio, — não sabem que tesouro perderam. Eduardo saiu-me uma verdadeira revelação. É dessas criaturas privilegiadas que possuem o dom divino da arte, mas que às vezes passam a vida inteira sem se revelarem a si próprias. Aqueles seus modos, aquela timidez: gênio puro, minhas amigas! Vocês hão de vê-lo um dia aparecer qual meteoro, alcançar a glória e cair como um bólide dentro da Academia. Está escrevendo um romance que é um suquinho! Lindo, lindo!...

Esse romance levou meses a compor-se. Todos os dias, no quarto de hora de folga que juntava as professoras na saleta de espera, dona Zenóbia vinha com notícias da obra.

— Está ficando que dá gosto! O capítulo acabado esta manhã parece uma coisa do outro mundo!

E desfiava o enredo. Era o caso dum moço loucamente apaixonado por uma donzela de cabelos loiros e olhos azuis. A primeira parte do romance ia toda na pintura desse amor, lindo como não havia outro, puro poema em prosa. E dona Zenóbia revirava os olhos, em êxtase.

As outras professoras acabaram por interessar-se a fundo pelo romance de Eduardo — *Núpcias Fatais*, o qual virara folhetim vocalizado aos pedacinhos, dia a dia, pela pitoresca dona Zenóbia.

A notícia correu pela cidade e isso acabou reabilitando Eduardo da sua fama de Zé-faz-formas, pax-vobis e mais apelidos deprimentes de que é fértil o povo.

— Como a gente se engana! — diziam; — parecia uma lesma de pernas, ninguém dava nada por ele e no entanto é um romancista!...

As professoras davam à trela e o enredo das *Núpcias Fatais* corria de boca em boca pela cidade, os lances de efeito gabados, com citação das melhores tiradas. *O Popular*, noticiando o aniversário do moço, consagrou-o — "festejado homem de letras".

Dona Zenóbia sabia dosar a narração de modo a manter as professoras suspensas nos lances mais comoventes. Houve um trecho que as pôs pálidas de espanto. Era assim: Lúcia fora pedida pelo rival de Lauro, o galã infeliz. O pai de Lúcia e toda a família queriam o casamento, porque o monstro era riquíssimo, tinha casa em Paris, iate de recreio e um título de conde prometido pelo papa. Já o triste do Lauro, coitado, para cúmulo de desgraça perdera uma demanda e estava mais pobre que Job. As cartas em que ele contava isso a Lúcia eram de chorar! Todos contra o mísero e tudo a favor do monstro...

O pai fizera uma cena horrível.

— "Antes ver-te morta do que ligada a esse miserável... poeta!"

E a coitadinha, alanceada no mais dolorido do coração, doida de amor, chorava noite e dia, encerrada no fundo de escura cela.

— Pobre mártir! — exclamavam com um nó na garganta as compassivas professoras. — Por que não há de sair a sorte grande para um desditoso destes? Peça ao seu marido, dona Zenóbia, que lhe faça sair a sorte, sim?

— Não pode. Prejudicaria o desfecho e, ademais, não é estético, — respondeu preciosamente dona Zenóbia.

E assim corria o tempo.

O romance era à moda antiga, em vários volumes, sistema *Rocambole*. Já tinha acontecido o diabo. A moça fugira de casa, raptada em noite de tempestade pelo cavaleiro gentil; mas o dinheiro do monstro vencia tudo: foram presos e encarcerados, ela num convento, ele num calabouço infecto.

Mas quem pode vencer o amor? O cavaleiro conseguira, iludindo os guardas, abrir um subterrâneo que ia ter ao convento. Que tarefa ingente! Como as professoras deliraram acompanhando a obra desesperada do homem-toupeira, a escavar com as unhas em sangue a terra fria!

Venceu, porém; alcançou o pavimento da cela onde Lúcia chorava de amor e conseguiu falar-lhe. Que lance este, quando Lúcia percebe o estranho murmúrio da voz subterrânea que a chamava! Era a redenção, afinal!

Entendem-se e combinam a fuga. Um barqueiro esperá-los-ia em tal lugar, à meia-noite, etc., etc.

Dona Zenóbia parava nos trechos mais empolgantes, deixando a assembleia ora em lágrimas, ora em arroubos de indizível êxtase. Às vezes, quando estava de saia preta, em seus dias de azedume, não adiantava a novela de um passo sequer.

— Hoje, descanso. Eduardo está com um pouco de dor de cabeça e não escreveu uma linha.

As professoras ficavam pensativas...

Chegou por fim o dia da fuga, ponto culminante da obra. Dona Zenóbia, perita na arte de armar efeitos, anunciou-o de véspera.

— É amanhã o grande dia!

— Mas escapam, dona Zenóbia? — indagou uma torturada do romantismo, com a mão no seio palpitante.

— Não sei...

— Pelo amor de Deus, dona Zenóbia! Eu não posso mais! Se o monstro ganha a partida ainda esta vez, diga logo, porque eu tiro umas férias e vou para a roça esquecer este maldito romance que já me está deixando histérica.

— Paciência, filha! Como posso saber o que lá se passa na imaginação do artista?

— Mas peça a ele, peça por nós todas, que desta vez não deixe os espiões do monstro descobrirem os fugitivos. Pelo menos agora. Mais tarde vá, mas agora eles precisam de uns meses de recompensa. Arre, que também é demais!...

No dia seguinte dona Zenóbia apareceu sorridente. As professoras em ânsias, ao vê-la assim, criaram alma nova.

— Então? — exclamaram palpitantes.

Dona Zenóbia fez um muxoxo.

— Esperem lá. A coisa vai a matar. Eduardo neste momento atinge o ponto culminante da obra. Deixei-o com o olhar em fogo — o fogo da inspiração! — os cabelos revoltos, a cabeça febril. É o momento supremo do *fiat*! Toda a obra depende deste fecho de abóbada. Como a solução do caso vem das profundas do subconsciente estético, e ainda não viera até a hora de eu sair, pedi-lhe que me comunicasse o resultado pelo telefone. Esperemos...

As moças puseram os olhos no céu e as mãos no peito.

— Meu Deus! disse uma. Estou com o coração aos pinotes! Se Lauro é preso, se os emboscados o matam... O monstro é capaz de tudo!

Nisto, vibrou a campainha do telefone. Dona Zenóbia piscou para as amigas estarrecidas e foi atender.

Ficaram todas no ar, imóveis, trocando olhares de interrogação, enquanto no compartimento vizinho dona Zenóbia conversava com o grande artista.

— "Ele não para de chorar, Zenóbia. Ao meu ver é cólica o que ele tem. Desde que você saiu que é um berro só. Já fiz tudo, dei chá de erva-doce, dei banho quente — nada! Berra que nem um bezerro!"

— "Você já cantou o '*Guarani*?'"

— "Cantei tudo, o '*Guarani*', o '*Tutu já lá vem*', o '*Somos da pátria a guarda*'... Mas é pior".

— "Deu camomila?"

— "A camomila acabou. Quis mandar a negrinha buscar um pacote na botica, mas não achei o dinheiro..."

— "Lerdo! E aqueles dois mil réis de ontem? Não sobrou metade?"

— "É que... é que comprei um maço de cigarros..."

— "Sempre o maldito vício! Olhe atrás do espelho, perto da saboneteira azul, está uma pratinha de quinhentos. Mande buscar a camomila, mas no Ferreira, que a do Brandão não presta, é falsificada. Ferva uma pitada numa xícara d'água e dê às colherinhas. Dê também um clister de polvilho. Mudou os paninhos?"

— "Três vezes, já."
— "Verde?"
— "Verde carregado, como espinafre."
— "Bem. Eu hoje volto mais cedo. Faça o que eu disse, e fique com ele na rede. Cante a ária da *Mignon*, mas não berre como daquela vez, que assusta o menino. Em surdina, ouviu? Olhe: ponha já as fraldas sujas na barrela. Escute: veja se tem água no bebedouro dos pintos. A marmelada? Ora bolas! Deixe isso para amanhã. Bom, até logo!"

Dona Zenóbia largou o fone e voltou às companheiras, que continuavam suspensas.

— Estes artistas!... — começou ela. — Que é que vocês pensam que Lauro fez?
— Fugiu! — disse uma.
— Deixou-se prender! — aventou outra.
— Suicidou-se! — declarou a terceira.
— Ninguém adivinha. Lauro rompeu o pavimento; entrou na cela e depois de uma grande cena resolveu fazer-se frade!...

Foi um oh! geral de desapontamento. Aquele fim imprevisto decepcionára a todas. Protestaram, e dona Zenóbia, condoída, voltou atrás.

— Estou brincando. Eduardo está hoje com uma dor de cabeça danada e eu o aconselhei a descansar um bocadinho. Ficou para outro dia o fim. Esperemos.

O romance do chopim tem hoje onze anos. Já é menino de escola. Chama-se Lauro e, para reabilitação do sexo barbado, puxou o caráter da mãe.

1923

O LUZEIRO AGRÍCOLA

Sizenando Capistrano é o inspetor agrícola do vigésimo distrito. Incumbe-lhe fomentar a pecuária, elaborar relatórios, ensinar o uso de máquinas agrícolas, preconizar a policultura, combater a rotina e ao fim de cada mês perceber na coletoria a realidade de setecentos mil réis.

Antes de inspetor Capistrano fora poeta. Cultivara as musas. Não sabia que coisa era um pé de café, mas entendia de pés métricos, pés quebrados e fazia pé d'alferes a todas as musas do Parnaso. Tal cultura, entretanto, emagrecia-o. A sua produção de hendecassílabos, alexandrinos, quadras, odes, sonetos, poemas, vilancetes, églogas, sátiras, anagramas, logogrifos, charadas elétricas e enigmas pitorescos, conquanto copiosa, não lhe dava pão para a boca, nem cigarro para o vício. A palidez de Capistrano, sua cabeleira à Alcides Maia, sua magreza à Fagundes Varela, seu *spleen* à Lord Byron e suas atitudes fatais, ao invés de lhe aureolarem a face dos nimbos da poesia, comiseravam o burguês, que, ao vê-lo deslizar como alma penada pela cidade, horas mortas, de mãos no bolso e olho nostalgicamente ferrado na lua, murmurava condoído:

— Não é poesia, não, coitado, é fome...

O editor artilhava a cara de carrancas más quando Capistrano lhe surgia escritório a dentro com a maçaroca de versos candidatos à edição.

— São versos puros, senhor, versos sentidos, cheios d'alma. Virão enriquecer o patrimônio lírico da humanidade.

— E arruinar o meu patrimônio econômico, — retorquia a fera. — De lirismo bastam-me aquelas prateleiras que editei no tempo em que era tolo e não se vendem nem a peso.

— Ó vil metal! — murmurava o poeta, franzindo os lábios num repuxo de supremo enojo. — Ó mundo vil! Ó torpe humanidade! Em que te distingues, Homem, rei grotesco da criação, do suíno toucinhento que espapaça nos lameiros? Manes de Juvenal! Eumênides! Musas da Cólera! Inspirai-me versos candentes com que cauterize até aos penetrais da alma este verme orgulhoso e mesquinho! Baudelaire, dá-me os teus venenos...

— Rapazes, — berrava o livreiro à caixeirada, — ponham-me este vate no olho da rua!

Ante o *manu-militari* irretorquível, o poeta apanhava a papelada lírica e moscava-se para a zona neutra do passeio, onde, readquirida a altivez ossiânica, objurgava para dentro da loja hostil:

— A Posteridade me vingará, javardos!

E sacudia à porta do editor o pó das suas sandálias, que no caso eram surradas e já risonhas botinas de bezerro. Em seguida, remessando para trás a cabeleira, num repelão, ia fincar-se sinistramente à esquina próxima, em torva atitude, à espera dum conhecido esfaqueável, a quem, com gestos soberbos de Cirano, extorquisse um níquel.

Cansado, entretanto, de ouvir estrelas em jejum, de amar a lua no céu sem possuir um queijo na terra, acatou a voz do estômago e quebrou a lira — para viver. Meteu a tesoura nas melenas, deu brilho aos sapatos, desfatalizou o semblante, substituiu o ar absorto do aedo pelo ar avacalhado do pretendente, e à força de pistolões guindou-se às cumeadas do Morro de Graça.[1] Todo mundo o recomendou ao Gaúcho Onipotente, porque todos andavam fartos daquela perpétua fome lírica a deambular pelas ruas, caçando rimas e filando cigarros. Que fosse acarrapatar-se ao Estado. O Estado é um boi gordo, semelhante àquela estátua equestre de Hindenburg, feita de madeira, em que os alemães pregavam pregos de ouro. A diferença está em que no Estado, em vez de tachas de ouro, pregam-se Capistranos vivos.

Foi apresentado ao Pinheiro.

— Então, menino, que quer?

— Um empreguinho qualquer que Vossa Onipotência haja por bem conceder-me.

— E para que presta você, menino?

— Eu? Eu...fui poeta. Cantei o amor, a Mulher, a Beleza, as manhãs cor-de-rosa, as auroras boreais, a natureza, enfim. Romântico, embriaguei-me na Taverna de Hugo. Clássico, bebi o mel do Himeto pela taça de Anacreonte. Evoluído para o parnasianismo, burilei mármores de Paros com os cinzéis de Heredia. Quando quebrei a lira, estava ascendendo ao cubismo transcendental. Sim, general, sou um

---

[1] Residência do general Pinheiro Machado, o mandão da política na época.

gênio incompreendido, novo Asverus a percorrer todas as regiões do ideal em busca da Forma Perfeita. Qual Prometeu, vivi atado ao potro do *Inania Verba*, onde me roeu o Abutre da Perfeição Suprema. Fui um Torturado da Forma...

O general, que era amigo das belas imagens, iluminou o rosto de um sorriso promissor.

— Poeta, — disse ele, — também sou poeta. Rimo homens. Componho poemas herói-cômicos. Conheces a *Hermeida*? É obra minha. Amo as belas imagens e tenho lançado algumas imortais. "A mulher de César!" "Os levitas do Alcorão!" Hein? Tu me caíste em graça e, pois, acolho-te sob o meu pálio. Que queres ser?

— Inspetor.

— De quarteirão?

— Isso não.

— Agrícola?

— Ou avícola...

— De que região?

— Não faço questão.

— Sê-lo-ás do vigésimo distrito. Conheces as culturas rurais?

— Já cultivei batatas gramaticais.

— E de pecuária entendes? Distingues um Zebu dum galo Brama? um pampa dum morzelo?

— Já cavalguei Pégaso em pelo.

— Conheces a suinocultura? Sabes como se cria o canastrão?

— Sei trincá-lo com tutu de feijão.

— És um gênio, não há que ver. Talvez faça de ti, um dia, presidente da República. Teu nome?

— Sizenando. Capistrano é sobrenome.

— Cá me fica. Vai, que estás aí, estás fomentando a agricultura como inspetor do vigésimo distrito com setecentos bagos por mês. Os poetas dão ótimos inspetores agrícolas e tu tens dedo para a coisa. Vai, levita do Ideal...

II

Sizenando Capistrano, mal se pilhou transformado de famélico ouvidor de estrelas em peça mestra do Ministério da Agricultura... casou, luademelou três meses e por fim compareceu perante o ministro para saber em que rumos nortear a sua atividade.

O ministro franziu a testa: é tão difícil dar ocupação aos fósforos ministeriais... Pensou um bocado e:

— Escreva um relatório, sugeriu.

— Sobre que, Excia.?

— Sobre qualquer coisa. Relate, vá relatando. A função capital do nosso ministério é produzir relatórios de arromba sobre o que há e o que não há. Relate.

— Mas, Excia., eu desejava ao menos uma sugestãozinha emanada do alto critério de V. Excia., sobre o tema do relatório que a bem da lavoura V. Excia., com tanto descortino, me incumbe de escrever...

— Já disse: sobre qualquer coisa que lhe dê na veneta. Relate, vá relatando e depois apareça.

Sizenando saiu tonto com os processos expeditos do dr. Grifado[2] com assento na pasta, e passou três meses de papo ao ar, procurando uma tese conveniente. Como por essa época a lua de mel entrasse em plena minguante, houve certo dia rusga brava ao jantar, e a consorte, mulherzinha de pelo crespo no nariz, pespegou-lhe pela cara com um prato de salada de beldroega. Tal o célebre estalo que abriu a inteligência do padre Antônio Vieira em menino, aquele obus culinário teve a estranha ação de iluminar os refolhos cerebrais do inspetor.

— Eureka! — berrou ele radiante. E com um grande riso de gozo na cara emplastada de verdura ergueu-se da mesa precipitadamente e correu ao escritório. A mulherzinha, entre colérica e pasmada, perguntou de si para si:

— Estará louco?

Sizenando deitou mãos à tarefa e levou a cabo um estudo botânico-industrial da beldroega, com afã tal que, transcorridos dez meses, dava a prelo o Relatório sobre o *Papalvum brasiliensis*, vulgo *Beldroega*, e sua aplicação na culinária.

O ano seguinte gastou-o em rever as provas do calhamaço, a modo de escoimá-lo dos mínimos vícios de linguagem. O antigo torturado da Forma ressortia ali... Saiu obra papa-fina, em ótimo papel e com muitas gravuras elucidativas. Entre estas, em belo destaque, os retratos do Ministro e do Diretor da Agricultura, do Marechal Hermes, do tenente Pulquério, do Frontim, do Pinheiro e mais protuberantes beldroegas do momento. Pronta a edição, embaraçou-se Sizenando quanto ao destino a dar-lhe. Que fazer de tanta beldroega?

Foi ao ministro.

— Excelência! De acordo com as sábias ordens de V. Excia., venho comunicar a V. Excia. que se acha pronta a edição do relatório sobre o *Papalvum*.

— Que papalvo? Que relatório? — inquiriu o ministro, deslembrado.

— O que V. Excia. me incumbiu de escrever.

— Quando?

— Haverá dois anos.

— Não me recordo, mas é o mesmo. Mande a papelada para o forno de incineração da Casa da Moeda.

Sizenando abriu a maior boca deste mundo. Compreendendo aquela estuporação, o ministro sorriu.

— Então? Que queria que eu fizesse de cinco mil exemplares de um relatório sobre a Beldroega? Que o pusesse à venda? Ninguém o compraria. Que o distribuísse grátis? Ninguém o aceitaria. Se é assim, se sempre foi assim, se sempre será assim com todas as publicações deste Ministério, o mais prático é passar a edição diretamente da tipografia ao forno. Isso evitará a maçada de nos preocuparmos com ela e de a termos por aí a atravancar os arquivos. Não acha V. que é o mais razoável? Retire o que quiser e forno com o resto.

— E depois que devo fazer? — indagou Sizenando, ainda tonto com o expeditismo ministerial.

— Escrever outro relatório, — respondeu sem vacilar o ministro.

---

2 Um ministro da Agricultura da época que não era doutor mas não protestava contra o tratamento.

— Para ser queimado novamente? — atreveu-se a murmurar o poeta-inspetor.

— Está claro, homem! Para que diabo despendeu o governo tanto dinheiro na montagem do forno? Está claro que para incinerar as notas velhas e os relatórios novos. Deste modo se conservam em perpétua atividade o pessoal da Imprensa, o do Forno e o dos Ministérios. Veja como é sabia a nossa organização administrativa! A montagem do forno foi a melhor ideia do governo passado. Antes dele a Imprensa Nacional vivia entulhada de impressos; a produção de relatórios, função capital deste Ministério, periclitava; e era tudo uma desordem, um desequilíbrio capaz de induzir o governo à supressão da Imprensa e do meu Ministério. O forno sanou a situação. O *fervet opus* é magnífico e a espada de Dâmocles está para sempre arredada de nossas cabeças. Hein? Vá. Escreva outro relatório, sobre... sobre... o caruru, por exemplo.

Sizenando deixou o gabinete do ministro profundamente meditativo. S. Excia. derrancara-o!

Viu com dor d'alma as chamas do Forno lerem aquele relatório tão bem acabadinho, tão de encher o olho... E sacou seis meses de licença com vencimentos para descansar.

Esgotada a licença, ia Sizenando começar a pensar em preparar-se para escolher o papel e a tinta com que relatasse o caruru quando a política apeou da administrança o Dr. Grifado. Sizenando deixou que transcorressem mais seis meses, ao termo dos quais se apresentou ao novo ministro para lhe sondar a orientação.

O novo ministro era bacharel em ciências jurídicas e sociais, ex-chefe de polícia e tão entendido em agricultura como em arqueologia inca. Mas lera uns números de *Chácaras e Quintais* e ali se abeberara de umas tantas noções sobre avicultura, policultura, criação de canários, etc. Fez dessas uras o seu programa. No discurso de apresentação, ao empossar-se no cargo, emitiu os seguintes conceitos, louvadíssimos pelos circunstantes, empregados no Ministério quase todos e verdadeiros hortaliças em matéria agrícola.

— "A monocultura, senhores, é o grande mal; a policultura é o grande bem; no dia em que produzirmos cebola, alho, batata, repolho, coentro, alpiste, cerefólio, grão-de-bico, tremoço, quiabo, espargo, espinafre, alcachofra..."

(Um arrepio de entusiasmo percorreu a espinha dos assistentes, que se entreolharam gozosos, como quem diz: Temos homem pela proa!)

— "... cebolinha, couve-flor, sorgo, soja amarela, centeio, aveia, figos da Trácia, uvas de Corinto, violetas de Parma..."

— Bravíssimo!

— "... violetas de Parma... e outros cereais europeus (vermelhidão no rosto), a prosperidade nacional se assentará num solo basáltico, do qual não a arrancarão as mais rijas lufadas dos vendavais econômicos. Conduzir a pátria a essa Canaã da policultura: eis a mira permanente dos meus esforços, eis o meu programa, eis o fim supremo colimado pela minha atividade. Espero, pois, que, etc., etc."

Palmas, bravos, guinchos, silvos e outros sons denunciadores de entusiasmo em grau de ebulição estrugiram pela sala. O ministro foi abraçado e beijado — nas mãos. Aquele salvara a pátria, não havia a menor dúvida!

O novo ministro da Agricultura era positivamente uma águia — igual às anteriores. Tinha programa. Visava confundir a rotina monocultora com demonstrações práticas das magnificências da policultura mecânica.

Sizenando recebeu ordem de ir desatolar a vigésima região do atascal da rotina. Aquela gente ainda vivia em pleno período da pedra lascada do café; era mister tangê-la à estação áurea da policultura, da avicultura, da sericultura, da criação de canários hamburgueses, etc., preluzida no discurso do ministro.

Chegado à sede do distrito, com séquito numeroso e abundante farragem mecânica, Sizenando distribuiu convites para a inauguração dum curso prático. Escolheu para campo de demonstração um "rapador" a um quilômetro da cidade, e lá, no dia emprazado, reuniu os convivas. Veio o prefeito municipal, o porteiro da Câmara, o coletor federal, o promotor público, três jornalistas, quatro professores, o diretor do grupo escolar com a meninada, o vigário da paróquia, o fiscal da iluminação pública, o zelador do cemitério, o carcereiro, dois guarda-chaves da Central, cinco inspetores de quarteirão, o delegado, o cabo do destacamento — e um fazendeiro recém-despojado da sua propriedade por dívidas. A turma docente e os bois do arado formavam grupo à parte.

Sizenando trepou a um cupim e pronunciou breve alocução alusiva à personalidade sobre-excelente do ministro, e ao papel dos novos métodos racionais na agricultura moderna.

— O novo método, meus senhores, é baseado na ciência pura. Vem dos laboratórios de braços dados à química. Começarei pela demonstração do arado, ou charrua, a pedra angular de todo o progresso agrícola. Senhor Primeiro Arador, arado para a frente!

Despegou-se da turma um capataz, que empurrou para perto do cupim tribunício um belo arado de disco. Rodearam-no os circunstantes, como a um animal raro.

— Eis, meus senhores, um arado de disco. Esta parte se chama cabo; esta é a roda, serve para rodar; estas rodelas são os discos, servem para sulcar a terra; este ferrinho é a manivela graduadora; este pauzinho é o balancim. Aqui se atrelam os bois e cá toma assento o condutor.

A assistência abria a boca.

— Vejamo-lo agora em ação. Senhor Primeiro Condutor de Primeira Classe, atrelar!

Adiantou-se da turma um carreiro e tangeu os bois para a máquina, jungindo-os à canga. Os assistentes riram-se. Acharam imensa graça no Tomé Pichorra, que nunca fora senão o Tomé Pichorra, carreiro, transformado em Primeiro Condutor de Primeira Classe! Era de primeiríssima.

— Senhor Primeiro Arador, arar!

O Primeiro Arador saltou à boleia e empunhou as manivelas. O Primeiro Condutor aguilhoou a junta de bois.

— 'amo, Bordado! Puxa, Malhado!

Os dois caracus moveram-se pesadamente. A terra, sulcada pelo ferro, abriu-se em leivas. Sizenando exultou.

— Vejam, senhores, que maravilha! Faz o trabalho de vinte homens, além de que deixa a terra desatada, com grande receptividade para a meteorização atmosférica — o que equivale a um adubamento copioso.

Este pedacinho encantou sobremodo ao zelador do cemitério, o qual não conteve um sincero *Muito bem*!

Sizenando agradeceu com um gesto de cabeça. O arado deu umas tantas voltas e emperrou. A banda de música, para disfarçar a entaladela, rompeu o *Vem cá mulata*. E assim terminou a primeira parte da bela demonstração agrícola.

A segunda constituiu no destorroamento e no gradeamento da terra, feitos com o mesmo luxuoso aparato. Havia Primeiro e Segundo Destorroador, Primeiro e Segundo Gradeador. Um mimo de hierarquia!

Ao terminar o serviço, a banda zabumbou um tanguinho.

A terceira parte foi absorvida pelo plantio de cebolas, batatas, alho, alfafa e outras salvações nacionais.

— Os senhores verão, — concluiu Sizenando, — que maravilhosa messe vai brotar, farta, deste torrão sáfaro e ingrato só porque aplicamos sumariamente os processos modernos da cultura racional, os quais centuplicam a produção e diminuem o trabalho. A máquina agrícola é a verdadeira alavanca do progresso!

— Protesto! A alavanca do progresso sempre foi a imprensa, — contraveio um jornalista, cioso da velha prerrogativa.

— Será, — retrucou Sizenando; — mas se uma, a imprensa, alçaprema o progresso moral, a outra, a máquina agrícola, alçaprema o progresso econômico!

— Bravíssimo! — rugiu o zelador do cemitério, inimigo pessoal do Zé Tesoura. — Isto é que é!

— Sim, senhor, muito bem! — grunhiram outros.

Rubro de gozo pelo sucesso da tirada, Capistrano espichou o dedo para a filarmônica, a pedir o hino nacional.

Desbarretaram-se todos. Erecto sobre o pedestal de cupim, Capistrano imobilizou-se em atitude de religiosa unção, d'olhos fixos no futuro da pátria. E à derradeira nota pôs fim à festa com um escarlate viva à República com três "erres".

Acompanharam-no, como um eco, o coletor, o zelador do cemitério, o agente do correio e os funcionários federais demissíveis, além dos bois, que mugiram.

Meses mais tarde procedeu-se à colheita. As cebolas haviam apodrecido na terra, devido às chuvas; os alhos vieram sem dentes, devido ao sol; as batatas não foram por diante, devido às vaquinhas; as outras "policulturas" negaram fogo devido à saúva, à quenquém, à geada, a isto e mais aquilo.

Não obstante, seguiu para o Rio um soporoso relatório de trezentas páginas onde Capistrano, entre outras maravilhas, notava: "Os resultados práticos do nosso método demonstrativo *in loco* têm sido verdadeiramente assombrosos! Os lavradores acodem em massa às lições, aplaudem-nos com delírio e, de volta às suas terras, lançam-se com furor à cultura poli, em tão boa hora lembrada pelo claro espírito de V. Excia. O Senhor Ministro pode felicitar-se de ter aberto de par em par as portas da idade de ouro da agricultura nacional".

Os jornais transcreveram com gabos estes e outros pedacinhos de ouro. E o Conde de Afonso Celso se encheu de mais um bocado de ufania por este nosso maravilhoso país.

1910

"Cruz de ouro"

— Entre, quem é.
— O Feroz não está solto?
— Viva, compadre! Suba!...

Um barbaças de óculos e cachenê de lã ringiu o portão de ferro e galgou a passos trôpegos a escadinha que levava ao alpendre de ipomeias. Lá o aguardava, de cara amável, um segundo barbaças, o coronel Liberato, vestido duma farda consentânea com a sua belicosidade: chambre de palha de seda, chinelo cara-de-gato e gorro de veludo negro com cercadura de ponto russo.

O que subia também era coronel. Coronel Antônio Leão Carneiro Lobo de Souza Guerra, ou simplesmente Nhô Gué. Chegaram ambos àquele alto posto militar pela razão estratégica de colherem para mais de dez mil arrobas de café. Se em vez de dez colhessem apenas cinco mil, seriam majores ou capitães. Este inteligentíssimo critério econômico do nosso militarismo é garantia de paz muito mais segura do que a Liga das Nações.

— Que milagre foi esse? — disse o de cima, abraçando o velho amigo.

— Quem é vivo sempre aparece e eu ainda não morri, apesar desta sufocação que me escangalha o peito.

— Você é o peito, eu a enxaqueca. Não valemos mais nada, compadre. Mas como lá vão todos? a comadre?

— Boa, todos bons, isto, é, a Chiquinha... Ui!

— A cutucada?

— Não, este ventinho encanado...

— Pois vamos entrar.

E os dois urumbevas penetraram na sala de fora.

A sala de fora do Coronel Liberato merece relatório para que a posteridade se deleite em conhecer como era uma sala de visitas de coronel brasileiro no século XX. Cadeiras austríacas, sofá e cadeiras de balanço, tudo enfeitado com os crochezinhos das filhas. Mesinha central de cipó com embrechados, obra de um "curioso" do lugar. Duas almofadas no sofá, uma tendo um gato estufado, de lã, com olhos de vidro; outra, um papagaio de missanga verde — maravilhas feitas por certa afilhada prendadíssima. Dois aparadores com vasos para flores artificiais, figurinhas de louça — "bibelotes" como lá dizia o dono, e várias curiosidades naturais — caramujos, conchas, um ninho de João-de-barro, um mico seco e duas famílias de içás vestidos. Nas paredes, espelho oval, dois retratos grandes a carvão e fotografias em porta-cartões de talagarça, bordados pelas meninas. Pendurado do lampião belga suspenso ao teto, grande abacaxi de papel de seda. Piano de armário. Tapete com grande onça. Que mais? Iam-me esquecendo as duas "escarradeiras de sobrado", com caraças de leões... Viva o naturalismo!

Entrados que foram, os dois coronéis refestelaram-se nas cadeiras de balanço, o do "ui!" com cautelas, gemidos e caretas ao dobrar as juntas. Liberato puxou o cigarro de palha e, enquanto afrouxava o fumo na palma da mão, reatou a conversa.

— Ahn! Com que então a dona Chiquinha...

— Compadre, entre nós não há segredos; a doença dela são amores. Quer casar, ora aí tem.

— Não vejo mal nisso. Está na idade. Só se...

— Mas adivinhe lá com quem a tolinha emberrinchou de casar.

— ?

— Com o José de Paula!

— O filho da Nhá Vé?

— Esse mesmo. Um moço sem vintém de seu, gente do Chicão de Paula... Sair do nicho de filha única, onde vive como uma Nossa Senhorinha, para ligar-se a um lorpa de marido, ser criada, escrava dele! Se pudéssemos, nós que temos experiência da vida, abrir os olhos dessas mariposinhas tontas... Mas é inútil. Encasqueta-se-lhes na cabeça que o amor, o amoor, o amooor é tudo na vida, e adeus. O que nos vale é que o rapaz é pobre mas direitinho — quanto ao moral.

Liberato interveio com cara purgativa.

— Homem, não sei. Não é por falar, mas não me cheira bem aquele sujeitinho. Você o acha moralizado. Será. Mas a família dele é droga e a prudência manda atentar não só nas qualidades do galho como também nas do tronco. Olhe o que sucedeu outro dia com o primo dele, o Chiquinho...

— Não soube de nada, compadre. Que foi?

— Você anda no mundo da lua, homem! Refiro-me ao escândalo da Recreativa.

À palavra escândalo Nhô Gué esqueceu o reumatismo e arrastou a cadeira para mais perto.

— Escândalo?

O coronel Liberato, gozoso de contar uma novidade, limpou o pigarro e disse:

— Foi no último domingo, na festa anual da Recreativa. Discursos, recitativos e uma peça — aquela endrômina de sempre. A sociedade mandou convite a toda gente, aos jornais, aos grêmios e d'entre estes à *Camélia Branca*, da qual é secretário o Chiquinho de Paula, primo lá do teu. Por sinal que para a *Camélia* foi um camarote, o 7, justamente aquele donde assistimos ao *Poder do Ouro,* lembra-se?

— Se me lembro! Pois uma representação daquela é lá de esquecer? Montepin! e inda mais pelo Furtado Coelho! Noitão! Hoje é que não há mais disso. São umas comediazinhas indecentes, e cinemas, e drogas.

— A Lucinda Simões, hein? Mulherão!

Este "mulherão" foi dito com um arregalar de olho em que toda a concupiscência retrospectiva se espojava arreitada.

— Nem fale! — disse o outro num tom de inexprimível saudade.

— Pois muito bem: o teatro encheu-se. Estava lá o coronel Totó Fernandes com a família; a família do dr. Izidoro; o major Gonçalves com a mulher — e por falar, como está acabada a dona Elisa!

— É verdade! Quem a viu e quem a vê! A Elisinha do Rincão, como lhe chamávamos, menina sapeca, da pá virada, semostradeira até ali... Os anos, compadre, os anos...

— Só não vi lá a gente da oposição. Isso, nenhum, nem o Zé Penetra, aquele caradura.

Riram ambos, gostosamente, à lembrança da ausência dos adversários. (Esqueceu-me dizer que estes coronéis faziam parte do diretório situacionista, colunas fortíssimas que eram da força governamental no distrito).

— Era ali entre nove e dez, — continuou Liberato, — quando, de repente, adivinhe, se for capaz, compadre, quem surge pelo camarote nº 7 adentro.

Nhô Gué aparvalhou a cara com ar de quem não é capaz.

— A "Cruz de Ouro"! — concluiu o Liberato, de pé, chupando uma, duas, três baforadas do cigarro apagado, num triunfo.

Nhô Gué pasmou.

— Não me diga!...

— Pois é o que digo: a "Cruz de Ouro".

Liberato riscou triunfalmente um fósforo e prosseguiu:

— O reboliço foi grande. Toda gente se pôs a murmurar, olhando uns para os outros. A família do Totó quis retirar-se. A mulher do Gonçalves virou bicha, abanava-se com frenesi, indignada com a pouca vergonha. O dr. Izidoro, presidente da Recreativa, que no palco já se preparava para deitar o verbo, espia pelo buraco do pano, percebe o negócio, fica possesso e berra lá dentro, de ouvir-se cá na plateia, que processava, que partia a cara, que mais isto e mais aquilo — um fim do mundo! Houve pedidos de informação à bilheteria. Era preciso desagravar a moralidade pública ofendida com a execrável presença da "coisa à toa" em festa puramente familiar. Afinal a polícia interveio. O delegado foi ter com a descarada e com muito bons modos fê-la sair. Só então, onze horas, começou o espetáculo. No primeiro intervalo, porém, soube-se tudo: o Chiquinho de Paula, secretário da *Camélia*, recebera o convite para a festa, mas em vez de organizar uma comissão que dignamente representasse o grêmio, pega do camarote e o dá à "jereba", de quem é...

Aqui o coronel Liberato, para remate da frase, fez uma cara de supremo nojo:
— ... o queridinho!

Voltando em seguida à cara anterior, disse, grave e pundonorosamente, bamboleando a cabeça:
— Veja você que refinadíssimo tranca!

E concluiu com desalentada severidade:
— E é com o primo de semelhante crápula que dona Chiquinha quer casar-se!

Na noite desse dia, altas horas, Liberato deixou em casa a enxaqueca e foi sorrateiramente bater à porta da "Cruz de Ouro". Apareceu a criada. Confabularam baixinho.
— Não pode ser, — disse a Libéria, — está cá seu coronel Nhô Gué.

Liberato fez uma careta.
— E amanhã? — perguntou.
— Amanhã é a vez do dr. Izidoro.
— E depois d'amanhã?
— Quarta-feira? Deixe ver — fez cálculos nos dedos e disse; — Quarta-feira é o dia de seu Gonçalves.
— E quinta?
— Pois não sabe que as quintas são de seu Totó?

Liberato não desanimou.
— E domingo?

A Libéria despejou uma gargalhada sonora.
— Os "home"! Pois então sinhazinha não há de ter um descansinho na "somana"?

E fechou-lhe a porta na cara.

DE COMO QUEBREI A CABEÇA À MULHER DO MELO

— Olha, esperam-te hoje em casa para o jantar.
— Impossível. Não janto fora.
— Abre uma exceção e vai.

— Impossível, já disse. Não insistas.

— Põe de lado a esquisitice e vai.

— Não é esquisitice, meu caro, é sibaritismo e prudência. Tenho para mim que comer é uma das boas coisas da vida. Mas comer o que se quer, como se quer, quando se quer. Gosto, por exemplo, de lombo de porco, mas a meu modo, assado cá dum jeito que sei. Se o como fora de casa, nunca o tenho ao sabor do meu paladar. Gosto ainda de comer quando tenho fome. Detesto o horário forçado, almoço às onze, jantar às seis, haja ou não apetite. Ora, a não ser em minha casa, onde não tenho horário, raramente o apetite coincidirá com o momento do bródio. Esta circunstância, aliada ao fato de ser induzido a comer o que está na mesa e não o que me pede a veneta, leva-me a recusar sistematicamente convites para jantar.

— Mas, homem de Deus, para tudo há remédio. Farás tu mesmo o cardápio, darás as receitas e só se porá a mesa à voz do teu apetite.

— Não. Em tua casa são todos de tal modo amáveis que receio não chegar à sobremesa sem cometer um homicídio.

— !!!

— Nunca te contei o meu rompimento com a família Melo? Éramos amicíssimos de longos anos, e sê-lo-íamos até hoje, se não fosse a minha imprudência aceitando um convite para lá jantar em dia de anos da dona Vidoca. Havia à mesa umas dez pessoas, todas íntimas, e as filhas, os genros — um povaréu. D. Vidoca, como sabes, é uma criatura excessivamente amável e nesse dia excedeu-se. Serviu-me sopa, ela própria, mas carregando a mão como se eu fora um frade. Arrepiou-me aquele pantagruelismo brutal, mas calei a exasperação e ingeri com paciência toda a maranha de fios amarelos, boiantes num caldo untuoso. Mal absorvera a última colherada, a boa senhora, sem consulta prévia, atocha feijão num prato e passa-mo.

— "Não, minha senhora, muito obrigado!"

— "Ora, coma! Deixe-se de história. Coma feijão que dá sustância."

Não houve escapatória possível; tive que aceitar o truculento prato de caroços pretos, coisa que detesto. Olhei para a rodela escura, cor de chocolate, que se me esparramava pelo prato inteiro sem deixar transparecer uma nesga sequer da louça branca, enchi-me de resignação e empreendi o trabalho de Hércules que era trasladar tudo aquilo para o estômago. Mas meu sangue começou a esquentar e senti o nó das cóleras surdas a subir-me à garganta. Estava eu em meio da empreitada, quando vi a excelente senhora dirigir para o meu prato um enorme naco de carne fisgado no garfo.

— "Doutor, um pedacinho de carne assada?"

Gaguejei, mal firme nas estribeiras:

— "Mas, minha senhora, eu..."

— "Sempre com cerimônias! Olhe que aqui não se usa disso! Coma lá!"

E soltou-me no prato o boi...

Senti bagas de suor frio borbulharem-me na testa. O nó da garganta engrossou. Baixei a cabeça, resignado, e encetei silenciosamente a mastigação, matutando sobre o modo de dar cabo daquilo. Comer tudo era impossível; deixar no prato, impolidez...

— "Agora um pouco de arroz!"

Lancei um olhar facinoroso à santa criatura, que o interpretou de maneira errônea, como de assentimento.

— "Eu bem vi que estava querendo arroz."

— "Impossível, dona Vidoca! Peço-lhe perdão, mas estou satisfeito. Como pouco e o que tenho no prato janta-me por três dias."

— "Luxento! Coma lá!"

E *zás*! uma, duas, três colheradas, das grandes.

Uma onda de sangue escureceu-me a vista. Tive ímpetos de saltar pela janela. Contive-me, porém, e com a resignação dos verdadeiros mártires recomecei a mastigar.

— "Um pastelzinho agora?"

Era demais! A virtuosa criatura abusava da minha situação. Recusei desabridamente, áspero.

— "Já sei porque não quer.... E que foram feitos por mim... Mas deixe estar..."

— "Dona Vidoca! Pelo amor de Deus!" — gaguejei.

— "Unzinho só! Para me dar opinião sobre o tempero da massa, sim? Apare lá estezinho tostadinho, sim?"

Conheces o meu gênio, sabes com que facilidade saio fora de mim e cometo as maiores loucuras. Esse estado de superexcitação nervosa preludia por um tremor da voz e excessiva quentura nas faces. Naquele momento, sentindo os pródromos da erupção, entreguei-me a esforços sobre-humanos para conter a fera que mora em mim. E contive-a. Curvei de novo a cabeça e levei à boca mais umas garfadas.

Aqui Melo principia a trinchar o leitão.

Refleti: se mo oferecem, estouro. E fiquei de sobreaviso, engatilhado para o revide.

Não tardou muito que dona Vidoca espetasse no garfo uma alentadíssima costela de leitão e fizesse pontaria para o meu lado.

Ah! Perdi a tramontana! Agarrei na garrafa que estava na minha frente e abri a cabeça da santa criatura com uma pancada horrível!

De nada mais me lembro. Ouvi um berro, um clamor. Senti o pânico em redor de mim e corri para a rua como um ébrio. Foi quando...

Não concluiu. O amigo havia abalado.[1]

1908

O ESPIÃO ALEMÃO

Abre a história. Escuta. Só ouvirás rumores de guerra. Aquele tropel desapoderado? É a avalanche tártara. Tamerlão, o tigre coxo, derrama sobre a Pérsia legiões de feras — e leva a chacina a proporções inauditas. Seu capricho exige em Ispahan setenta

---

1   Esta história deu origem a curioso incidente. Publicada em julho de 1906, sob o pseudônimo de Antão de Magalhães, no *Minarete*, que circulava não só em Pinda como nas cidades vizinhas caiu sob os olhos de um hoteleiro da cidade de S. Bento, de nome Melo e por coincidência esposo de uma senhora de apelido Vidoca. O excelente homem viu no artigo alusões pessoais e ofensivas a ele e sua família. – e apresentou queixa- crime. Aqui vai a petição, transcrita no Minarete:

Ilmo. e Exmo. Sr. Dr. Juiz de Direito desta Comarca.

Diz F. F. Melo, por seu procurador, que sentindo-se ofendido, com sua família, pelo injurioso artigo do Minarete, periódico de imprensa desta cidade, ora junto, distribuído por mais de 15 pessoas, intitulado "De como quebrei a cabeça à mulher do Melo", de 19 de julho de 1906, assinado por Antão de Magalhães, edição n.º 159, e querendo a bem de seus direitos promover a responsabilidade criminal do autor, que não é pessoa conhecida, pelas injúrias que afetam ao suplicante e sua família, vem requerer a V. Exa. que se digne mandar intimar ao editor, ou gerente da tipografia do dito periódico, sr. José Monteiro Salgado, que é quem assumiu a responsabilidade da publicação do Minarete perante a Câmara, preliminarmente, para exibir em juízo o respectivo autógrafo, em dia, lugar e hora previamente designados, requerendo também o suplicante a V. Exa. para isso uma audiência extraordinária, visto ser urgente a diligência, etc., etc. Nestes termos, o suplicante requer que D. e A. esta, com os documentos inclusos, se proceda na forma da lei, a fim de que, terminadas as diligências, a exibição do referido autógrafo e pagas as custas do processo, sejam os autos originais entregues ao procurador do suplicante independente de traslado, para deles fazer o uso que convier ao suplicante.

P. deferimento E. R. M. Pinda, 26 de Julho de 1906. Com a proc. inclusa — o advogado J. M. F. J.

O processo não foi por diante, irrisório que era. Apesar disso a brincadeira custou ao escamado hoteleiro perto de um conto de réis...

mil cabeças humanas. Cada seção do exército lhe há de fornecer uma quota. Fartos, cansados de cortá-las, os soldados entram a adquiri-las, pagando a moeda de ouro cada uma. Era bom negócio, a oferta cresceu e o preço baixou a meia moeda. Reunidas as setenta mil, Timur construiu torres de crânios em redor da cidade.

Ruge a sangueira além. É em Délhi. Timur, tigre precavido, antes de bater-se com Maomé IV delibera aliviar o exército de cem mil prisioneiros incômodos. Solução magistral: degola-os... A vaga prossegue, chega a Ancira, esmaga Bajazet, o grande sultão, e passa...

E acolá? Assíria. De Nínive, antro de leões famintos, descem para a carniçaria os reis flecheiros. Assurbanípal canta os próprios feitos em inscrições chegadas até nós: "Construí um muro diante das portas da cidade e forrei-o com a pele dos chefes. A outros emparedei vivos, a outros empalei ao longo das muralhas. Fiz arrancar o couro, em minha presença, a inúmeros, e revesti paredes com esse couro semivivo. Reuni cabeças em forma de coroas e os corpos entrelacei como guirlandas".

A vida da Assíria é toda uma primorosa carnificina. Tuklatabazar, Assurbanípal, Nabuco, Sargão — todos os magarefes reais viram a sua perícia em arrancar o couro a criaturas humanas cantada pelos poetas, comemorada pela arquitetura, admirada pelos pósteros.

Timur passou. Passou a Assíria.

Homens e coisas passam, mas a guerra fica.

É a guerra uma permanente. O homem tem a vocação do morticínio. A arte apoteosa a carniça. Os poetas só ascendem ao épico se o bafio de sangue lhes fumega a inspiração. A beleza suprema é Aquiles fendendo crânios do frontal à nuca, e a história da humanidade não passa dum sistema potamográfico de enxurros vermelhos, musicado pelos gemidos de dor dos vencidos.

A guerra sempre!

Sempre guerras!

A guerra dos Sete Chefes, a guerra de Troia, as guerras púnicas, as guerras de Roma — escravos, Numância, mercenários, Jugurtha, Mitrídates, civil...

Depois, as guerras de invasão. As cruzadas depois. E as guerras de religião. E as guerras dinásticas. A dos Cem Anos, a dos Trinta Anos, a guerra das Duas Rosas, a da sucessão da Espanha. A guerra americana de secessão. As napoleônicas, a russo-turca, a hispano-americana, a sino-japonesa, a franco-prussiana, a anglo-boer...

Depois, depois a Guerra Geral, a guerra do mundo contra a Alemanha.

O rosário para aqui. Mas como não para o Ódio e como a Estupidez Humana é irredutível, o futuro verá tantas guerras quantas viu o passado.

Os grandes condutores de povos: simples vontades de aço despidas de inteligência, incapazes doutra filosofia que não a das maxilas da hiena. Por que eles perpetuam a guerra, a humanidade os erige em semideuses. E com eles, poetas, pensadores, generais, a indústria, o comércio, a imprensa, todos, todos e tudo — fora as mães — zelam, como vestais, para que se não extinga o fogo sagrado do Ódio. Já para os deuses, de Júpiter a Jeová, era a vingança o prazer supremo. Se sabe assim a guerra a paladares divinos, que admira saber tanto ao macaco glabro que se classificou a si próprio *Homo sapiens*, ignorante de como o classificariam os cavalos?

Também nós temos tido por aqui nossas guerras. A grande, do Paraguai, onde chacinamos os selvagens do Chaco e as pequenas, internas — intestinais. Temos a Guerra dos Mascates, onde torceu o pé um reinol e, consta, se arranhou um nativo. Temos a do Alecrim e da Manjerona, que não arranhou ninguém. Mas a guerra grande, a guerra-guerra, a guerra de encher o olho a Marte e berrar por poetas que a botem em Ilíadas parnasianas com o retrato de Belona no frontispício, ah! temo-la em a nossa guerra contra a Alemanha!

Essa nação formidável, Assíria encouraçada de aço, máquina monstruosa que apavorou o mundo, Golias de tremenda catadura temperado nas forjas de Krupp, viu saltar-lhe à frente um Davi de iverapema em punho.

E o caso foi que mais uma vez Davi venceu o gigante!... Quem duvidar do milagre, leia *O Lírio* de Itaoca, semanário literário, recreativo e comercial, número extra, de oito páginas, comemorativo do Armistício. Diz ele:

"Vencemos! O gigante jaz por terra, exangue. A esquadra dispersa, os exércitos rotos, a arrogância abatida — a invencível Alemanha dobra os joelhos e entrega-nos a espada sangrenta! Honra aos gloriosos estadistas que nos impulsaram à luta! Honra ao Exmo. Dr. Wenceslau Braz Pereira Gomes, digníssimo Presidente da República, e honra, sobretudo, ao ínclito coronel José Pedro Teixeira Marcondes, honradíssimo presidente do diretório político de Itaoca e chefe honorário da heroica linha de tiro "Frei Gaspar da Madre de Deus"! Avé! Avé! Evoé!"

É força que os novelistas fixem estes aspectos heroicos do país, já que descuram deles os Pombos e Capistranos sisudos.

A ação de Itaoca durante a guerra foi de fato notável; mas como Itaoca não passa de pobre lugarejo perdido no espinhaço da serra, sem bons correspondentes para os jornais do Rio, toda a sua agitação mavórtica permanecerá sem notícia se não lhe acode romanceador.

Itaoca tem, oficialmente, cinco mil habitantes — estatística feita a olho. O chefe da terra mandou carregar vinte por cento de "créscima" no cálculo do vigário, em virtude de velha rivalidade com Itapuca, cidade vizinha, onde o olhômetro municipal acusara quatro mil e quinhentas almas, afora as penadas. Itaoca não se abaixa! Já a sua filarmônica era a melhor, o jornal tinha mais estilo e o mercado mais verdura. Ficou mais populosa também, depois do patriótico recenseamento.

Itaoca é regida politicamente pelo coronel José Pedro, e intelectualmente pelo vigário, monsenhor Acácio da Silva, um homem que sabe tudo, até astronomia! Além deste luzeiro, há outras possantes candeias em Itaoca: o juiz, velho bacharel pelo Pedro II; o Leão Lobo, mulatinho disfarçado, emérito em versos, charadas, enigmas e logogrifos. Há ainda o Pimenta, secretário da Câmara; o major Ventania, veterano de Itararé, e outros, que leram o *Rocambole* a fio e assinam as folhas governistas.

Quando rebentou a guerra, grande foi a emoção de Itaoca. Sensação de estupor. Mas o coronel, expedito que era, sem vacilar um minuto convocou o diretório. Reunidos que foram os seus oito membros, o presidente expôs com palavras soleníssimas a gravidade do momento e pediu alvitres. Pimenta tomou a palavra e propôs ficasse o diretório em sessão permanente até o fim da guerra. Leão Lobo aventou a ideia dum Comitê de Salvação Pública, bem como a dum vereador sem pasta. Outros alvitres de primeiríssima foram lembrados, mas só logrou aprovação a ideia sensata do presidente: não fazerem coisa nenhuma antes das outras municipalidades se manifestarem. Aguardariam os acontecimentos de olho ferrado nos jornais e no patriótico presidente da República, ao qual oficiaram no mais alevantado estilo. Quanto à sessão permanente, achavam isso uma grande maçada.

Assim se fez, e Itaoca, não podendo revelar gênio criador, portou-se durante a guerra como a mais direitinha das Maria-vai-com-as-outras.

A primeira resultante da guerra valeu no país inteiro pelo incremento das linhas de tiro. Itaoca não ficou atrás — deitou também o seu tirozinho.

Que revolução no seu pacífico viver não foi aquilo! Veio instrutor de fora, e a coisa se fez "por música", com duzentos homens de efetivo — no papel. Efetivos na realidade, apenas vinte. Os mais, homens de oitenta quilos, negociantes, fazendeiros, "gente grada", constituíam o "enchimento". Cooperavam com dinheiro e boa vontade, mas isso de exercícios, e ginástica, e tiro ao alvo — "coisas de meninada".

Apesar de serem só vinte, os rapazes de perneiras e chapéu à americana transformaram Itaoca em praça de guerra e varreram do coração das meninas todos os rivais civis. Era de vê-los passar, garbosos, em marcha cadenciada, sob o corisco dos olhares lânguidos das Sinhazinhas e Mariquitas janeleiras. Da pobre ralé de paletó saco e palheta salvou-se um ou outro, de rubi no dedo. Vênus sempre foi doidinha por Marte...

O armamento requisitado ao Ministério da Guerra para o Tiro "Frei Gaspar da Madre de Deus", apesar de prometido, nunca chegou a Itaoca. Não obstante, exercitavam-se os voluntários com uma carabina Flaubert do Pimenta. Aos sábados, na sede da linha, compareciam os vinte heroicos atiradores e cada um dava o seu tirozinho na lata de banha posta como alvo a vinte metros de distância. A munição, porém, encareceu. As balas chegaram ao preço de cem réis por cabeça. Era um desperdício gastarem-se vinte cada semana para transformar lata velha em crivo. Daí a grande ideia do major Ventania, comandante superior do "Frei Gaspar". Ponderou ele: alvo por alvo, tanto faz uma lata como um passarinho; ora, mirando passarinho, o atirador exercita-se da mesma maneira e sempre apanha um ou outro, com proveito duplo — do treino e do jantar. Sendo assim, não será mais lógico aproveitarem-se as vinte balas semanais no pomar, em caçada às rolinhas, sabiás e sanhaços? Sensata que era a ideia, foi logo posta em prática, e o exercício de tiro ficou reorganizado deste modo: cada domingo a Flaubert e vinte balas eram entregues a dois voluntários para que caçassem onde quisessem, sob a condição de repartirem a caça abatida com Ventania, pai da ideia-mãe e muito guloso de arroz com passarinho. O major emitiu ainda um conselho de alta estratégia culinária.

— Deem preferência às rolinhas: são mais carnudas que os sanhaços. Quanto aos sabiás, não me parece patriótico atirar nos rouxinóis de Gonçalves Dias — além de que a carne não vale nada...

Este mirífico sistema deu resultado tríplice: desbaste nas laranjas e passarinhos pomareiros, muita precisão nos tiros dos rapazes e engorda do major.

Apurado o seu aparelho de defesa, Itaoca dormiu sossegada, à espera do inimigo. Viessem os bárbaros germânicos e cairiam ceifados como rolinhas.

Não foram tolos. Não vieram, Não veio um ulano sequer. Mas que a Alemanha pôs o seu olho de águia em Itaoca, disso não resta a menor dúvida. Aqui muito em segredo o confessamos hoje: andaram espiões por lá!

— ???!!!!

— Sim, espiões, e dos piores. Andaram rondando a cidade, tomando plantas, tirando desenhos... Agora que se acabou a guerra, é permitido confessar o fato. Antes, não; por isso foi o segredo religiosamente oculto pelas autoridades locais, por Leão Lobo e até pelas mulheres, tão palreiras.

Nobilíssimo povo de Itaoca! Quantos males não poupou ao país a tua severa discrição!...

Foi assim o caso. Leão Lobo saía da ximbica do costume na casa do Pimenta, às onze da noite, quando, no largo da matriz, cruzou com um vulto desconhecido, ruivo de cabelos, maltrapilho, ar suspeitíssimo e trouxa mais suspeita ainda sobraçada. Um profético relâmpago lucilou-lhe no cérebro: Espião! Sobresteve a alma aos pinotes, meditou três segundos e, como flecha do patriotismo despedida do arco da salvação pública, voou à casa do coronel José Pedro, já na paz dos lençóis àquel'hora. Leão Lobo bateu na vidraça freneticamente, três, quatro, cinco vezes. O coronel apareceu de chambre, gorro de lã e vela na mão — assustadíssimo.

— Que é lá?

— Espiões na terra, coronel!...

O pobre homem, mal acordado, estremeceu da base ao topo num dos maiores abalos sísmicos de sua vida. Engasgou. Tartamudeou. E ao termo de uns segundos de tonteira pôde apenas murmurar em voz débil um imperceptível — "Entre!" — A porta abriu-se e Leão Lobo entrou.

— Com que então, espiões?... — disse o coronel, de olho arregalado.

— E dos piores! *Daqueles*, coronel!...

A entonação do "daqueles" foi tão impressionadora que José Pedro se encostou à parede para conservar o aprumo coronelício.

A situação era de tal modo imprevista que o chefe não sabia o que fazer. Salvou-o Leão Lobo, afeito a lidar com charadas e logogrifos dos mais crespos.

— Coragem, coronel! O momento não é para vacilações. Proponho que se desperte Ventania, que se mobilize o "Frei Gaspar", mais o destacamento policial, e que se monte guarda rigorosa às saídas da cidade durante o resto da noite. Amanhã, engaiola-se o melro!

— Bem ponderado! — exclamou o chefe, já mais seguro de si. — Vá você mesmo avisar os homens, enquanto eu...

Leão Lobo, sem esperar o fim, saiu aos pinotes, enquanto o coronel... enquanto o coronel voltava para a cama bastante apreensivo.

— A gente tão "sossegado" aqui e aquele peste do Kaiser... — murmurou ele ao deitar-se.

— Que foi? — indagou a mulher num bocejo.

— Espiões na terra, Candoca! Raios de espiões!

Dona Candoca era um poço de bom senso. Disse apenas:

— O que me admira é vocês andarem pela cabeça daquele bodinho...

E, virando-se para o canto, adormeceu.

Leão Lobo acordou Ventania e o delegado. Horas depois o destacamento policial — um cabo e duas praças — mais o Tiro inteiro, estavam em pé de guerra, com grande pavor de várias damas despenteadas que à janela, em camisa, punham as mãos, invocando as várias Nossas Senhoras adequadas ao lance — que aquilo era por certo o fim do mundo.

Nenhum luar no céu, e como os lampiões já de semanas não se acendessem por precaução contra os zepelins mortíferos, o escuro era de breu. Mesmo assim às apalpadelas as forças mobilizadas agiram com tal estratégia que "três horas" após o rebate todas as saídas de Itaoca estavam hermeticamente sentineladas. Numa delas ficou metade do "Frei Gaspar" com a Flaubert à frente. A outra metade conseguiu munir-se de uma velha garrucha de dois canos, carregada de chumbo Paula Souza.

A senha era impiedosa: não deixar passar viv'alma loura ou ruiva; em caso de resistência, fogo de barragem!

Não passou ninguém, afora o Vinagre, cachorro veadeiro do Pimenta, o qual, como o seu dono, tinha incoercíveis hábitos noturnos.

Amanheceu, enfim.

Quando o astro rei, desdobrando as róseas gases da aurora, espargiu sobre o orbe os seus primeiros raios — como esplendidamente disse mais tarde *O Lírio*, historiando os fatos — o major Ventania e o delegado deram começo à rigorosa pesquisa.

Não foi preciso muito. O espião lá estava, espichado no *trottoir* da igreja, roncando com a cabeça apoiada na valise suspeita. (Adivinha-se aqui o estilo do "Pall--Mall-Lírio", seção evidentemente influenciada pelo mirífico José Antônio José da *Gazeta de Notícias*...)

O major Ventania não vacila: mete dois dedos na boca e produz um assobio agudíssimo.

Era o sinal. Acode logo o Tiro, mais o destacamento e a molecada, e solenemente, num sherlockiano *nhoc*!, agarram, em nome da lei, o perigosíssimo agente do Kaiser.

Não há memória em Itaoca de lance mais repassado de dramaticidade. O patriotismo engasgava os pró-homens da terra, emudecendo-os de sagrada emoção. Naquele momento augusto salvava-se a Pátria querida!...

Dali seguiu para a cadeia o infame dolicocéfalo louro, e lá lhe montou guarda o Tiro. Ao detentor da Flaubert foi marcado o posto de maior responsabilidade, à porta do xadrez, com ordem de conservá-la engatilhada.

— Se o bicho tentar fugir, nada de molezas, ordenou o major. Fogo nele — fogo de barragem!

Às dez estava tudo pronto para o interrogatório. Mas aqui surgiu imprevista dificuldade: o espião insistia em não falar língua de gente, e na terra, fora os membros da colônia alemã, ninguém pescava um ya da odiosa língua de Goethe. (A colônia alemã de Itaoca compunha-se do velho boticário Muller, estabelecido com farmácia havia sessenta anos e uma sua criada nascida em Blumenau.)

— E agora? — indagou a autoridade, atarantada. — Só se convidarmos o Muller para intérprete.

Leão Lobo, com a sua clara visão de patriota exaltado, obtemperou incontinente:

— Não! Não é possível! Muller, como germânico, é suspeito. Pode alterar as respostas do agente. Proponho para "língua" o monsenhor Acácio. Há de saber alemão. Que é que ele não sabe? Até astronomia...

Era verdade. Monsenhor Acácio sabia tudo, dissertava *de omni re scibili*, e em línguas vivas e mortas ganhava até de D. Pedro II, que sabia quatorze.

Veio o padre. Solenemente, por meia hora, bateu língua com o espião, sob o olhar aparvalhado dos assistentes. Por fim,

— O alemão deste homem, — concluiu ele sentenciosamente, — é o alemão turíngio da baixa germanidade valona da Silésia hanoveriana. Ininteligível, portanto, a quem, como eu, só conhece o alemão gramatical da alta germanidade dos Goethes, dos Lessings, dos Bergsons, dos Schneider-Canets.

Leão Lobo, entusiasmado, cochichou para Ventania. "Eu não disse? Ele é um bicho!"

Do pouco que o espião dissera, uma frase, por muito repetida, gravou-se na memória dos itaoquenses: *ai éme inglix*. Leão Lobo, afeito a lidar com os mais embaraçantes enigmas, tentou decifrar a misteriosa frase por meio dos processos charadísticos. *Ai éme inglix*: Ai, uma; éme, uma; inglix, duas. Conceito? Engasgava no conceito. Estava nisso, quando o padre cortou o nó górdio.

— *Ai éme inglix*, — disse ele enrugando a testa, — quer dizer, se me não falham as analogias glotológicas — "estou com fome." E é natural. Já bateu meio dia. Deem-lhe, pois, almoço, e a mim licença para retirar-me pois que estou de hora passada.

E pondo na cabeça o chapéu felpudo, saiu solene e sábio como a própria Minerva de batina e coroa.

Leão Lobo namorou-o até certa distância, com o olhar úmido de ternura.

— É um baita o nosso monsenhor!... Pena viver neste fim de mundo. Se "atuasse" no Rio, hein? Que figurão!...

Na impossibilidade de arrancar ao espião palavra inteligível, resolveram enviá-lo à capital, de presente ao chefe de polícia. Iria escoltado por quatro voluntários, tirados à sorte.

Assim se fez, e no dia solene da partida houve choradeira de mulheres e um discurso de bota-fora. "Ide-vos", disse o orador oficial, "a Pátria exige de vós esse sacrifício. Não ocultamos os perigos que correis. Este facínora poderá ser membro duma quadrilha de sicários emboscados à beira da estrada. Podeis ser chacinados em massa, atacados a gases lacrimogênios, picotados pelas metralhadoras. Não importa! Ide-vos! A Pátria exige o vosso sangue! Se cairdes, tereis como recompensa a nossa gratidão eterna!"

— E o nome numa rua! — aparteou o presidente da Câmara.

Bravos em à toarda abafaram as palavras do orador. Bem merecidos!

Partiram, afinal, os jovens heróis e nunca se viu maior resignação ao sacrifício. Malbaratavam a vida como bravos de raça que eram, com antepassados na guerra do Alecrim e a Manjerona e outras.

Itaoca distava duas léguas da via férrea e quarenta da capital. Os rapazes da escolta, apesar do quadro horrível que o orador desenhara, arreceavam-se menos das emboscadas do inimigo, perigo problemático, do que da viagem pela via férrea Central do Brasil, vezeira em descarrilamentos, choques, telescopagens, etc. Razão por que só empalideceram quando na estação ouviram o apito do trem mortífero. Antes do embarque remeteram para Itaoca um despacho conciso mas eloquente: "Chegamos. O espião sempre na unha. Viva a República!" Quando o Zé Burro, preto recadeiro que fazia carretos a pé a mil réis por légua, entregou o zéburrograma ao major Ventania, o prefeito municipal comemorou a auspiciosa notícia mandando soltar uma dúzia de foguetes — pela verba "socorros públicos."

Nesse mesmo dia um grupo de exaltados promoveu imponente manifestação patriótica. Falou na praça Sete de Setembro, com patética eloquência, o ínclito Leão Lobo, produzindo a mais veemente oração da sua vida.

"Ali, senhores — disse a apontar com dedo enérgico o *trottoir* d'ora avante histórico — esteve deitado, fingindo que dormia, mas de fato *espiando*, um dos mais perigosos agentes da espionagem alemã. O celerado não confessou. Mas havia de confessar? Havia de denunciar os tenebrosos planos do Anticristo moderno, esse Kaiser assassino que está assassinando o mundo?

A situação é gravíssima, senhores! Itaoca está sobre um vulcão! Minada de todos os lados, a vida das nossas famílias, a honra das nossas esposas, as mãozinhas das nossas crianças (sensação) correm o maior dos riscos! Lembrai-vos da Bélgica, essa heroica crucificada na cruz de ferro do monstro kruppeano (sensação)! Senhores! Um desagravo se impõe. Precisamos manifestar a nossa repulsa perante a colônia alemã que, como víbora, alimentamos em nosso seio. Viva a França! Viva o Exmo. Dr. Wenceslau Braz Pereira Gomes, nosso impertérrito presidente!"

Foi um delírio. Estrepitaram palmas, d'envolta com imprecações de vingança contra a colônia alemã — o boticário e sua criada.

— Abaixo o Muller! Morra a Gretche!

A onda popular, arrastada pelos impulsos do mais nobre civismo, despejou-se, como avalanche, para os lados da velha botica. Leão Lobo à frente, com o patriotismo a cem graus centígrados, desfechava vivas e morras truculentos. Viveu Clemenceau, Joffre, Foch; morreu Hindenburg, Mackensen e Enver-Pachá.

Os gavroches (está n'*O Lírio*) iam pelo caminho juntando pedras para o bombardeio da colônia. Defrontados que foram com a odiosa farmácia, nela choveram projéteis, entre apupos e assobios. Não ficou vidraça intacta. Um obus, penetrando na prateleira das drogas, quebrou ali o vidro de sal-amargo. Também a ipeca e a tintura de iodo foram seriamente maltratadas. Mas a colônia alemã não deu mostras de si. Nem Muller, nem a criada tiveram a coragem de mostrar a ponta do nariz.

— Covardes!

Os patriotas, cansados de apedrejar e desafiar, arrancaram a placa da botica e levaram-na à guisa de troféu para a redação d'*O Lírio*, onde beberam várias garrafas de champanha (soda), sempre pela verba "socorros públicos".

Na noite desse dia a esposa do coronel José Pedro teve uma violentíssima cólica intestinal. Receitaram-lhe sal-amargo. Correu à botica uma negrinha, que voltou de mãos abanando.

— Seu Muller manda dizer que não tem; que os patriotas quebraram o vidro; que se serve sal de azedas, que tem.

A pobre da dona Candoca estorceu-se e,

— É isto! — exclamou. — Aquele bodinho faz das suas e quem paga o pato é a pobre de mim. Ai, Ai!...

— Mulher! — interveio o marido. — A Pátria acima de tudo!

— Vocês são uns...

O cronista não ouviu o qualificativo de dona Candoca, mas a avaliar pela cara do marido foi forte. O homem passou embezerrado o resto do dia.

À noite chegou telegrama do chefe de polícia: "Verificamos prisioneiro súdito inglês. Receios complicação diplomática. Guardem reserva grotesco incidente".

O coronel José Pedro, desapontadíssimo, esteve meia hora com o papelucho na mão, meditando. Depois reuniu os paredros e disse:

— Recebi telegrama confidencial do chefe de polícia. O caso é mais grave do que supus. Sou obrigado a guardar reserva. Altos segredos de estado, vocês compreendem...

Apatetamento geral. Cada um comentou a seu modo o caso, e Leão Lobo, incontinente, recorreu ao método charadístico: Telegrama, reserva, segredo de estado... Conceito? Engasgou no conceito. Era a segunda vez na semana que por falta de conceito perdia uma charada.

Assim permaneceram até à volta dos heroicos expedicionários.

Que bela festa, a recepção! Foi a banda esperá-los à boca da cidade, e com ela os patriotas, o Tiro, as moças. Mal os avistaram, romperam em vivas. A banda malhou o hino. Depois, a *accolade* (*Lírio*). Mariquinha Fagundes ofereceu a cada qual sua coroa de louros, feita de folhas de jaboticaba. Ela mesma enfiou-as na Flaubert de um, na garrucha de outro e nos guatambus chumbados dos restantes. Itaoca sabia ser grata aos seus heróis.

E a coisa não ficou nisso, note-se. Na primeira sessão da Câmara foi proposta a cunhagem duma medalha comemorativa, tendo no verso um cambito de perneira esmagando víboras e no anverso um lindo dístico em latim. É verdade que este projeto caiu. Mas vingou outro mais econômico: dar a quatro ruas o nome dos quatro heróis. Dess'arte, e com muita justiça, pois não, as antigas ruas General Osório, Duque de Caxias, Regente Feijó e Rio Branco, passaram a denominar-se, respectivamente, rua Tenente Teixeira, rua Aristeu da Silva, rua José Joaquim de Souza e rua Aristogiton Pereira.

Mas Leão Lobo, o infatigável patriota, não está satisfeito. Entre uma charada e outra, perde-se em meditabundos devaneios. Como ainda não se abriu com os amigos, ninguém sabe qual é a grande ideia que lá lhe fulgura sob a gaforinha.

Mas há meios de devassar o pensamento secreto dos homens generosos que pronunciam cem vezes ao dia a palavra pátria com P maiúsculo. Ele — nobilíssima criatura! — está amadurecendo a ideia de pedir a Clemenceau a fita da Legião de Honra para a lapela da mui leal e invicta Itaoca.

E vão ver que Clemenceau acaba por fazer-lhe a vontade, dando ainda a ele, Leão Lobo, de lambuja, a comenda do *Mérite Agricole*.

Merecidíssima, aliás, pois não!

1916

Café! Café!

E o velho major recaiu em cisma profunda. A colheita não prometia pouco: florada magnífica, tempo ajuizado, sem ventanias nem geadas. Mas os preços, os preços! Uma infâmia! Café a seis mil réis, onde se viu isso? E ele que anos atrás vendera-o a trinta! E este governo, santo Deus, que não protege a lavoura, que não cria bancos regionais, que não obriga o estrangeiro a pagar o precioso grão a peso de ouro!

E depois não queriam que ele fosse monarquista... Havia de ser, havia de detestar a república porque era ela a causa de tamanha calamidade, ela com seu Campos Sales de bobagem.

Que tempos! Pois até o Chiquinho Alves, um menino que ele vira em fraldas de camisa brincando na rua, não estava agora na chapa oficial para deputado? Que tempos!

E com as magras mãos de velho engorovinhado o major torcia com frenesi os bigodes amarelos de sarro.

Todo ele rescendia a passado e rotina. Na cabeça já branca habitavam ideias de pedra. Como essas famílias de caboclos que vegetam ao pé dos morros numa casa de palha, cercada de taquara, com um terreirinho, moenda e o chiqueiro e toda a imensidade azul e verde das serras e dos céus a insuladas da civilização, assim a cabeça do major. As primeiras ideias que ali abicaram, e isso já de sessenta anos, nas remotas eras do b-a-bá na escola do Ganimedes, meteram a foice na capoeira, fincaram os paus da cerca, aprumaram os esteios da morada, cobriram-na de sapé; e lentamente, à medida que vinham entrando, compelidas pela vara de marmelo e a rija palmatória do feroz pedagogo, foram erigindo a casa mental do nosso herói. Depois, no começo da vida prática, como administrador da fazenda paterna, novas ideias e novos conhecimentos, filhos da experiência, tiveram guarida na choça daquele cérebro, acrescendo-o de mais uns puxados ou telheirinhos. Juízos sobre o governo, apreciações sobre Suas Majestades, conceitos transmitidos por pais de família e coronéis da Guarda Nacional, ideias religiosas embutidas pelo roliço padre Pimenta, oráculo da família, receitas para quebrantos, a trenzama toda moral e intelectual da sua psíquica de matuto ricaço, por lá se arrumou com o tempo, apesar do acanhamento da choça e das dependências. Para o chiqueirinho foram as anedotas frescas e as chalaças pesadas aprendidas na botica do Zeca Pirula. E ficou nisso o meu major; se uma ideiazita nova voava para ele, batia de peito em seus ouvidos moucos, como rolinhas em paredes caiadas, caindo morta no chão; ou como borboleta em casa aberta, entrava por uma orelha e saía por outra. Ficou naquilo o major Mimbuia, uma pedra, um verdadeiro monólito que só cuidava de colher café, de secar café, de beber café, de adorar o café. Se algum atrevido ousava insinuar-lhe a necessidadezinha de plantar outras coisinhas, um mantimentozinho humilde que fosse, Mimbuia fulminava-o com apóstrofes.

— O café dá para tudo. Isso de plantar mantimento é estupidez. Café, só café.

— Mas, com seu perdão, major, se algum dia, que Deus nos livre, o café baixar e...

— O café não baixa e se baixar sobe de novo. Vocês não entendem dessa história — e depois, olhe, eu não admito ideias revolucionárias em minha casa, já ouviu?

E estava acabado, o pedreiro livre murchava as orelhas e abalava de rabo encolhido.

Veio, porém, a baixa; as excessivas colheitas foram abarrotando os mercados, dia a dia os *stocks* do Havre e de Nova York aumentavam, os preços baixavam sempre, cada vez mais; chegaram a dez mil réis, a nove, a oito, a seis. O major ria-se e limpando as unhas profetizava: "Em janeiro o café está a 35 mil réis".

Chegou janeiro; o café desceu a 5 mil e quinhentos. "Em fevereiro eu aposto que vai a 40!" Foi a 5.

O major emagrecia. "Em março eu juro pela alma de meu pai, que Deus haja, como o café há de subir a 45 mil réis!" O café em março desceu a 4.

O major enlouquecia. Estava à míngua de recursos, endividado, a fazenda penhorada, os camaradas desandando, os credores batendo à porta. Já ia para três anos que o produto das safras não bastava para cobrir o custeio. Três déficits sucessivos devoraram-lhe as economias e estancaram as fontes. Mas o velho não desanimava. O cafezal estava um brinco, sem um pezinho de capim. As casas desmoronavam, o mato viçava nos terreiros, invadindo as tulhas, inundando tudo de clara verdura vitoriosa, o caruru já estava cansado de nascer nos lugares proibidos onde, outrora, nem bem repontava medroso, já vinha um negro cambaio a arrancá-lo sem dó. O major passava a mandioca assada e canjica: nem pitava mais daqueles longos cigarros de palha, por economia. Todo dinheirinho que entrava das vendas do gado, de pedaços de terra, de empréstimos, de velhas dívidas pagas, tudo ia para o Moloch insaciável do cafezal. Chegado o tempo da colheita, colhia muito, as safras eram ótimas, porém o produto das vendas nenhum alívio trazia à situação, antes agravava-a com um novo déficit. E como não, se o café estava beirando os 3 mil a arroba e lhe saía a 6 a produção, de cada uma?

Aconselharam-lhe o plantio de cereais; o feijão andava caro, o milho dava bom lucro. Nada! O homem encolerizava-se e rugia:

— Não! Só café! Só café! Há de subir há de subir muito. Sempre foi assim. Só café. Só café!

E ninguém o tirava dali. A fazenda era uma desolação, a penúria extrema; os agregados andavam esfomeados, as roupas em trapos, imundos, mas a trabalhar ainda, a limpar café, a colher café, a socar café. Os salários, caídos no mínimo, uma ninharia, o quanto bastasse para matar a fome. O velho roía as unhas rancorosamente, vomitando injúrias contra os tempos modernos, contra a estrangeirada, o governo, os comissários, numa cólera perene, e trabalhava no eito com os camaradas a limpar café, a colher café.

— Sobe, há de subir, há de chegar a trinta mil réis.

Para sustentar a luta vendeu uma nesga da fazenda — um pedaço da sua própria carne.

Depois vendeu outra, mais outra e outra. O Moloch insaciável, porém, engoliu tudo e pediu mais. Ele vendeu mais: vendeu os pastos, vendeu por fim a casa de morada com todas as benfeitorias e foi residir num ranchinho no cafezal.

A situação piorava, os preços continuavam a cair, o velho já estava sem unhas para roer e sem mandioca para se alimentar. Só possuía o cafezal, sempre limpo, sempre sem um matinho. Um dia desertou uma leva de camaradas: outros seguiram aqueles e em breve Mimbuia viu-se completamente só no seu ranchinho do cafezal. Levantava-se antes de clarear o dia e saía de enxada em punho, numa raiva surda, a capinar, a capinar o dia inteiro como um possesso.

Depois, como o cafezal fosse grande e ele um só, o mato brotou luxuriante, numa alegria verde claro de vitória. O velho, possesso, dentes cerrados, surdo ao sol e à chuva, seminu, esfarrapado e macilento, baba a escorrer dos cantos da boca, torrado pela soalheira, sujo de terra, já não podendo vencer o mato exuberante, andava a arrancar as ervas mais atrevidas ou graúdas, catando uma aqui, outra ali.

A luta era gigantesca, de vida ou de morte. Pelo cafezal todo as ruas outrora vermelhas e varridas eram extensas faixas do verde vitorioso. A beldroega alastrava-se, o caruru já florescia, o picão derrubava as sementes novas para nova seara mais farta e pujante.

Pintassilgos inúmeros trilavam pelo chão banqueteando-se à farta nas sementes dos capins. As rolinhas rebolavam, arrulhando, roliças, de papinho duro. Os tico-ticos, como legiões de bárbaros, tagarelavam fabricando ninhos, pondo ovos, chocando-os, tirando ninhadas famintas. O sol rompia todas as madrugadas, fecundo, forte, vencedor, criando seiva intensa, acariciando as ervas transbordantes. Chuvas contínuas davam à terra magnífica um fofo de alfobre. O velho Mimbuia estava um espetro, já nu de todo, os olhos esbugalhados a se revirarem nas órbitas com desvario. Um espetro sem carnes, só pele calcinada e ossos pontiagudos. Mas quando a boca se abria naquela barba hirsuta, o que vinha era uma coisa só:

— Há de subir, há de subir, há de chegar a sessenta mil réis em julho. Café, café, só café!...

1900

Toque outra

— Ora toque, Sinhazinha, toque!
— Mas eu não sei...
— Não faz mal, toque assim mesmo, não se faça de rogada. Aquela valsinha...

A pálida menina geme novos luxinhos faceiros, torce os pingentes da almofada e por fim levanta-se, toda dengues, a desculpar-se.

— Vou errar tudo, não tenho estudado há muitos dias, estou esquecida...
— Não faz mal, toque!...

Sinhazinha senta-se ao piano, folheia a maçaroca de músicas e preguiçosamente abre diante de si uma valsa de Aurélio Cavalcanti.

E toca: *blem, blem, belelem...*

A sala então, que só por aquilo esperava, afunda na conversa. O barulho do piano, abafando o tom geral da palestra, dá azo à delícia dos duos, em que cada um pega de cochicho com quem mais o atende. As matronas, donas de casa, caem no assunto dileto — os criados!

— Ai, *os criados!* Que gente, prima! Que pestes! Não fazem "isto" sem uma pessoa estar em cima; se vão a compras, roubam no troco... E não se lhes diga uma palavrinha! Pedem a conta e dizem desaforos; os demônios...

As meninas rodeiam o moço, que impa como um galo e desdobra o farnel da banalidade tão cara às mulheres; todas ouvem-no atentas, bebem-lhe os ditos, riem das suas pilhérias, acham-no "levado".

Titinha diz, sorvendo-o com os olhos:

— Este seu Raul é mesmo da pele!

Num desvão da janela cochicha-se um namoro; a das Dores conta à do Carmo que não gosta mais do Luizinho por umas certas coisas que viu no último baile. Do Carmo comenta, sentenciosa:

— Os homens! os homens!...

Duas em outro canto riem perdidamente, em casquinadas argentinas.

Nisto Sinhazinha acaba a valsa. A sala dá pela coisa, interrompe a tagarelice e pede mais:

— Muito bem, Sinhazinha, muito bem! Toque outra!...

Sinhazinha ataca uma *schottisch*.

A sala retorna aos temas interrompidos.

— Mas... como eu ia contando...

Impossível negar as vantagens sociais da música.

Um homem de consciência

Chamava-se João Teodoro, só. O mais pacato e modesto dos homens. Honestíssimo e lealíssimo, com um defeito apenas: não dar o mínimo valor a si próprio. Para João Teodoro, a coisa de menos importância no mundo era João Teodoro.

Nunca fora nada na vida, nem admitia a hipótese de vir a ser alguma coisa. E por muito tempo não quis nem sequer o que todos ali queriam: mudar-se para terra melhor.

Mas João Teodoro acompanhava com aperto de coração o deperecimento visível de sua Itaoca.

— Isto já foi muito melhor, — dizia consigo. — Já teve três médicos bem bons — agora só um e bem ruinzote. Já teve seis advogados e hoje mal dá serviço para um rábula ordinário como o Tenório. Nem circo de cavalinhos bate mais por aqui. A gente que presta se muda. Fica o restolho. Decididamente, a minha Itaoca está se acabando...

João Teodoro entrou a incubar a ideia de também mudar-se, mas para isso necessitava dum fato qualquer que o convencesse de maneira absoluta de que Itaoca não tinha mesmo conserto ou arranjo possível.

— É isso, — deliberou lá por dentro. — Quando eu verificar que tudo está perdido, que Itaoca não vale mais nada de nada de nada, então arrumo a trouxa e boto-me fora daqui.

Um dia aconteceu a grande novidade: a nomeação de João Teodoro para delegado. Nosso homem recebeu a notícia como se fosse uma porretada no crânio. Delegado, ele! Ele que não era nada, nunca fora nada, não queria ser nada, não se julgava capaz de nada...

Ser delegado numa cidadinha daquelas é coisa seriíssima. Não há cargo mais importante. É o homem que prende os outros, que solta, que manda dar sovas, que vai à capital falar com o governo. Uma coisa colossal ser delegado — e estava ele, João Teodoro, de-le-ga-do de Itaoca!...

João Teodoro caiu em meditação profunda. Passou a noite em claro, pensando e arrumando as malas. Pela madrugada botou-as num burro, montou no seu cavalinho magro e partiu.

Antes de deixar a cidade foi visto por um amigo madrugador.

— Que é isso João? Para onde se atira tão cedo, assim de armas e bagagens?

— Vou-me embora, — respondeu o retirante. — Verifiquei que Itaoca chegou mesmo ao fim.

— Mas, como? Agora que você está delegado?

— Justamente por isso. Terra em que João Teodoro chega a delegado, eu não moro. Adeus.

E sumiu.

Anta que berra

História propriamente não é o que vou contar, mas simples episódio — coisa de um aparte inocente que atrapalhou a façanha narrada pelo meu saudoso amigo major Pedro Falaverdade, de Itaquaquecetuba.

Apesar de grande caçador o meu amigo não mentia: atrapalhava-se às vezes, confundia uma caçada com outra: mas mentir deliberadamente, como a maioria dos devotos de S. Huberto, isso nunca! Para narrar feitos venatórios não havia outro; imitava ao vivo os cães na acuação, os anseios da espera, a corrida, o tiro, levando o naturalismo a ponto de reproduzir até o estrebuchamento final da caça ferida, para o que se atirava ao chão e tremelicava de pernas entre roncos e arquejos de animal agonizante.

É impossível reproduzir as suas histórias com o encanto que lhes emprestava a mímica pitoresca e o seu maravilhoso estilo técnico de caçador encanecido nas lides cinegéticas.

Além disso, confesso aqui à puridade, não sou literato; não fiz versos aos vinte anos e nem sequer coloco decentemente os pronomes.

Mas vamos ao caso.

Por uma tarde modorrenta de agosto o major narrava-me em sua fazenda a mais bela proeza da sua vida: "caçada de que me orgulho", dizia ele, "como Napoleão se orgulhava de Marengo".

Passou-se o feito nos sertões do Peripipeva, Serra do Mar, às margens do Itaguaçu. Para encurtar caminho e não amolar os leitores, começo do meio. Fale o major:

— ... "E aí soltei a cachorrada. O Vinagre, como sempre, rompeu na dianteira. Cachorro fantasista, amigo de contemplações, pegou logo de namoro com os tangarás, e moita — não correu. Olho Verde, Molho Pardo e Tatuíra, esses afundaram firmes por uns carreiros velhos.

Mozart partiu por último, depois de um consciencioso farejo pela beira do rio.

Mozart! Que cachorrão! Era o mestre da matilha, e único que fazia fé. Os outros às vezes negavam fogo, mentiam, perdiam a caça ou mudavam de rasto. Mozart, nunca!

Sóbrio, comedido, de poucas vozes, mas certo como um relógio. Quando ele acuava, eu me punha a postos, que era caça, na certeza matemática; e conforme o número de acuos, já de antemão eu sabia que animal levantara. Um sinal, paca; dois, veado; três, porco; quatro, anta.

Aos bichos vagabundos, irara, cotia, quati, ouriço, ele magoava com o silêncio de um desprezo olímpico.

Nesse dia, a primeira voz que me chegou aos ouvidos foi a acuação do Olho Verde. Não fiz caso. Olho mentia como um cachorro.

Depois latiu a Tatuíra. Era mais sério. Tatuíra, por Mozart e Minerva, herdara do pai as sólidas qualidades de mestre, prejudicadas, porém, por umas excentricidades histéricas da mãe, que, coitada, morreu hidrófoba. E assim, como *chienne souvent varie*, eu que estava deitado de papo acima sob a copa de um ingazeiro marginal, ergui-me, mas só nos cotovelos.

Nisto acuou Mozart — au, au, au, au: — anta! De um pulo pus-me na espera, atento. Logo depois os latidos amiudaram e percebi que todos os cães, exceto aquele tranca do Vinagre, corriam no calcanhar da anta.

Como você sabe, corrida de anta no mato é um castigo. Não há barulho igual. Anta acuada mete-se num trote rompente por meio dos tramados, e vara caminho em linha reta, amassando o reino vegetal como um tanque de carne.

E por isso enche a floresta de uma barulhada infernal, de fazer pequeno o coração do caçador novato.

Vinha para meu lado a bicha, margeando o rio. O estrépito das taquaras rachadas, e da galhaça feita em lascas, crescia de vulto rapidamente. Eu postei-me em posição de fogo, no eixo de um valado, onde forçosamente ela havia de entreparar, e engatilhei a Lafourché, bem encaroçada de paula-sousa.

Au! au! au! Estava a bicha a coisa de cem metros, mais minuto e rompia na clareira onde a esperava o meu tiro. O barulho fez-se atroador! Parecia um furacão do inferno em trabalhos de arrasar a floresta! Os taquaruçus rebentavam com estampidos de bomba; e embaúvas de foice gemiam estaladas nas sapopembas. Vinte metros! O fragor já ensurdecia os meus ouvidos. Dez passos! Só tinha o monstro de vencer um moitão de taquaruçus para cair no limpo da espera. *Bá, bá, tá, tá* — a moita estremeceu, rasgou-se, estrondeante, e uma anta cascuda, que mais parecia um rinoceronte, rompeu da tranqueira verde e estacou apalermada à beira do valo. — Eu — *pum! pum!* — tiro de barragem no pé do ouvido. Ela moleou o corpo e sumiu o corpanzil para dentro do buraco, estrebuchando, e lá desferiu um berro que parecia fim do mundo!

Neste ponto eu interrompi o major com um aparte inocente:

— Será que anta berra, major?

O homem vacilou um segundo; mas tomando pé incontinente disse:

— Ora, que diabo! Estou confundido. Não era "propriamente" anta o que eu caçava nesse dia, era um veado! É isso mesmo, um lindo veado catingueiro... Mas, como ia dizendo, o veado berrou e eu...

O veado berrou e o major continuou a história da maior façanha da sua vida com uma impavidez que é privilégio dos heróis. E eu tive lado de verificar quanta razão assistia ao povo em tê-lo na conta do caçador mais verídico da zona. O major positivamente não mentia, confundia apenas uma caçada com outra, por defeito de memória, coisa aliás desculpável em quem já trazia sobre si o peso de sessenta janeiros. Agora que o meu pobre amigo jaz a dormir o derradeiro sono, presto aqui a homenagem desta confissão às altas qualidades do seu espírito superiormente fidedigno.

O avô do Crispim

— Somos todos aqui uns pulhas, uns seixos rolados, — dizia-me Crispim Paradeda. — Sabe o que é seixo rolado? Essas pedras de fundo de rio que de tanto baterem umas nas outras acabam sem arestas. A civilização nos iguala, nos arredonda, nos tira a coragem da originalidade. Ah, o meu avô Paradeda...

Impossível uma conversa com o Crispim sem que esse avô aparecesse. Dias antes contara-me como o homem viera de Portugal, fugido à polícia, sob o melhor disfarce da época: uma batina de jesuíta. Ao por pé na terra nova achou de bom conselho experimentar a vida de padre clandestino pelos sertões, e levou bom tempo assim. Fez comércio de relíquias; vendeu muito osso de santo, e sobretudo "tabuinhas aplainadas por São José" — sem que ninguém lhe objetasse não haver plainas naquele tempo e serem de bacurubu aquelas tabuinhas, madeira inexistente na Terra Santa.

Quando as autoridades eclesiásticas lhe deram em cima, o homem já estava cheio de dobrões. Lançou então às urtigas a batina salvadora e, mudando de zona, apareceu no mundo como o major Crispim Paradeda, o mesmo nome do meu amigo.

Dias antes tinha-me o Crispim contado essa história — e ia contar outra. Crispim nunca citava o avô sem "vir com uma".

— Esta manhã fiz um péssimo negócio, — disse ele, — unicamente porque não passo de um seixo rolado. Imagine que emprestei quinhentos mil réis a um sujeito que além de não pagar dívidas se diverte em difamar os credores. Ah, se eu fosse como o meu avô!...

Um novo caso vinha vindo. Preparei-me para ouvi-lo.

— Meu avô, depois daquela patifaria da batina, que você conhece, enriqueceu com o capital juntado.

— Comércio de madeira, as tabuinhas, sei...

— Sim. Reduziu a tabuinhas todo um velho bacurubu do seu quintal e salvou-se. Em seguida mudou de negócio. Comprou tropas e depois terras. Afazendouse. Aos sessenta anos era dono de muitos escravos, da excelente fazenda do Pinhal e de regular soma de ouro e prata em moeda, que escondia num cofre de cabiúna de grandes ferragens nos cantos. A arca! Começou a fazer empréstimos, mas os primeiros calotes induziram-no a arrepiar caminho.

— "Chega", — disse consigo. "De hoje em diante ninguém me leva uma só pataca."

Ora, aconteceu que justamente no dia seguinte lhe aparece pela fazenda um novo candidato ao seu dinheiro. O homem apeia, entra, explica-se. Meu avô recebe-o risonhamente, com cara de porta aberta.

— "Só cem patacas?" — pergunta.

Tais palavras, que nenhum dador de dinheiro jamais teve, estarreceu o pretendente, o qual, já em estado de levitação, elevou o montante a cento e cinquenta — "já que o Major..."

— "É indiferente, meu caro. Cem, cento e cinquenta ou duzentas. Por que não leva logo duzentas?"

Ficou assentado que o empréstimo seria de duzentas e vinte patacas, e depois de combinados os termos da transação, prazo e juros — prazo longo e juros baixíssimos — entram os dois para o escritório a fim de porem o preto no branco. Enquanto meu avô abre a arca e religiosamente vai tirando as moedas, contando-as e empilhando-as sobre a mesa em montinhos de dez, o pretendente, radiante, totalmente levitado, traça a obrigação com as palavras sacramentais: "Devo que pagarei, etc."

Naquele tempo as coisas eram mais simples do que hoje. Bastava uma folha de papel — um papel levemente azulado, lembro-me ainda, sem selos. Papel Manilha, creio...

— Sei. Adiante.

— Pois é. O pretendente traça com ótima letra o "Devo que pagarei..." assina e mostra-o a meu avô. O endiabrado velho põe os óculos, lê tudo demoradamente, reclama contra uma falha qualquer de redação e obriga o homem a repetir o escrito. Por fim concorda. Acha que o documento está perfeito.

— "Muito bem", — diz então, esparramando-se na cadeira de braços, com uma das mãos sobre o documento. — Agora quero que o amiguinho (tinha a mania de tratar toda gente assim) repita as palavras que vou dizer: 'O Major é um ladrão!'"

O radiante pretendente perde metade da radiância, Fica atônito. Não entende. Olha para meu avô com olhos arregalados e boca entreaberta.

— "Sim amiguinho", — continua o velho. — "Repita o que eu disse — 'O Major é um ladrão!'"

O assombro do ex-radiante pretendente sobe de ponto. Continua a não entender coisa nenhuma de coisa nenhuma. Gagueja. Sua na asa do nariz.

— "Vamos, repita o que eu disse", — teima o velho, — "pois do contrário não apanha os cobres. Levante-se. Fique ali no meio da sala e diga: 'O Major é um ladrão!'"

A cena prolonga-se por alguns instantes, até que a insistência de um supera a resistência do outro. E o pobre homem, muito desconchavado, repete desconvencidamente a frase da encomenda.

— "Assim não serve", — reclama o meu avô. — "Quero que diga isso com calor, com indignação, a cara bem vermelha, batendo o punho na mesa, assim: O MAJOR É UM LADRÃO! Berrado, amiguinho. Bem berrado! Vamos! Ah, não quer? Pois nesse caso o negócio está desfeito" — e faz menção de varrer para dentro da gaveta os deliciosos montinhos de patacas.

A tal ponto o gesto assusta o arrasado pretendente, que ele repete a frase ofensiva ainda com mais veemência do que a encomendada.

O meu diabólico avô incha-se de gozo. Sorri inteirinho. Esfrega as mãos.

— "Ótimo! Exatamente como eu queria. Agora vai o amiguinho dizer mais alguma coisa. Vai dizer, com o mesmo calor, com outro soco na mesa, mais isto: 'O Major tira a camisa dos pobres!'"

— "Mas, Major, eu..." — protesta o homem, cada vez mais atrapalhado. — "Não posso estar a dizer o que não penso. Conheço o major, sou seu amigo, sei da sua generosidade e, portanto..."

— "Nada de desvios, amiguinho! Ou repete o que mando ou não fazemos o negócio" — e pela segunda vez leva as mãos às patacas no gesto de varrê-las para o gavetão.

A ameaça valeu. O triste pretendente declama, com a voz mais indignada que pode, aquele horror: O MAJOR TIRA A CAMISA DOS POBRES! Bem berrado!...

— "Isso!" — aprova o velho. — "Está perfeito. Está exatamente no tom que o amiguinho vai adotar quando a obrigação vencer-se e eu mandar cobrá-lo. E o irá dizer pelas esquinas, nas vendas, nos chás do Chico Mendes — por toda parte onde encontrar desafetos meus ou ouvidos vadios. Resultado: fico sem minhas patacas e perco um excelente amigo. Ora, se vai ser assim, por que não podarmos o mal pela raiz? O meio é simples. Retenho as minhas patacas (e ao dizer isto varre-as para a gaveta) e o amiguinho fica lá com a sua obrigação. Tome-a..."

Maquinalmente o náufrago pegou o papel azul, enquanto ia ouvindo o doloroso som das moedas a caírem no gavetão.

— "Perder o meu dinheiro", — concluiu o meu avô Paradeda, — não me parece o pior, porque, graças a Deus, tenho-o de sobra. Mas perder um amigo? Isso nunca! Como tenho menos amigos do que patacas, zelo mais pela conservação deles do que delas."

E, cinicamente, mudando de assunto:

— "Escute cá, amiguinho. Será verdade o que andam dizendo por aí do filho da Nhana Lisa com a enteada do coronel Xandó? Francamente, esse negócio não me cheira bem. Você, que acha?"

Era no paraíso...

Era no paraíso e Deus estava contente. Tinha criado a luz, as estrelas, o ar, a água e por fim criou a Vida, semeando-a sob milhares de formas por cima da terra fresquinha e nua. E esfervilhou de viventes o orbe, aqui bactéria e mastodonte, ali musgo e baobá, além craca e baleia — a suma variedade de aspecto dentro da perfeita unidade de plano.

E Deus, que achara aquilo bom, deliberou consolidar sua obra de vida *perseculasculorum* com o invento da Fome e do Amor, dois apetites tremendos engastados no âmago das criaturas à guisa de moto-contínuo da Perpetuação. E cofiando a imensa barba branca, velha como o Tempo, lançou a palavra mágica que tudo move e tudo explica:

— Comei-vos uns aos outros e nos intervalos amai!

Em seguida elaborou para regência da animalidade o Código da Sabedoria ingênita.

Não deu esse nome ao Código, visto como, no começo, não existindo homem, não existiam nomes.

— Não existindo homens?...

— Sim, o homem não estava nos planos do Criador. Esta revelação mirífica, que ainda há de roer pelos alicerces as caducas verdades oficiais (e talvez me conquiste o prêmio Nobel), está ansiosinha por me fugir da pena. Que fuja, que se espoje no espírito do leitor. Adeus, filha!...

Não era escrito esse código. Lei escrita vale por pura invenção humana — donde a rapidez com que envelhecem os códigos humanos e as humanas leis. Escrever é fixar e fixar é matar. Perpétuo movimento, a vida é infixa.

Entretanto, se o não escreveu, foi além Jeová: impregnou com ele cada uma das criaturas recém-formadas, de modo que ao nascer já viessem ricas da sabedoria infusa e agissem automaticamente de acordo com os imutáveis preceitos da lei natural.

Este saber sem aprender receberia do homem o nome de Intuição, assim como o Código Ingênito receberia o nome de Instinto. Os futuros homens se caracterizariam pelo vezo de dar nome às coisas, gozando-se da fama de sábios os que com maior entono e mais pomposamente as nomeassem. Grande doutor, o que tomasse o pulso a um doente, lhe espiasse a língua e gravibundo dissesse, tirando do nariz os óculos de ouro: *polinevrite metabólica*; e grande mestre, o que apontasse o dedo para um grupo de estrelas e declarasse com voz firme: *constelação do Centauro*. Doença e estrelas, com ou sem nome, seguiriam o seu curso prefixo — mas nada de louvores ao médico que apenas dissesse: *doença*, ou ao mestre que humilde murmurasse: *astros*. Paga ou louvor não os teria o ignorante, isto é, o homem que não sabe nomes. Viva o nome!

Assim, inoculou Deus em todos os seres a sabedoria da vida e pô-los no orbe como notas cromáticas do *pot-pourri* sinfônico de cuja audição integral somente os seus ouvidos gozariam o privilégio.

E Deus achou que estava ótimo.

Grandes coisas tinha feito. A gravitação dos mundos era jogo de movimentos que mais tarde derrubaria o queixo a Newton — mas não passava de mecânica pura.

A concepção do éter, da luz, do calor, assombrosas invenções eram — mas mecânica fria.

O bonito fora a criação da Vida, porque, obra d'arte das mais autênticas, só ela dava medida completa dos imensos recursos do alto engenho de Deus.

Quanta afinação no tumulto aparente! A bactéria às voltas com o mastodonte, o musgo em simbiose com o baobá, a craca aparasitada à baleia... Vida em vida, vida devorando vida, vida sobrepondo-se a vida, vida criando vida... O perpétuo ressoar dos uivos de cólera, berros de dor, guinchos de alegria, gemidos de gozo sonorizando o perpétuo agitar-se das formas — voo de ave, arranque de tigre, coleio de serpe, rabanar de peixe, tocaiar de sáurio...

Tão pitoresca saiu a ópera VIDA, que o Sumo Esteta a elegeu para recreio de sua Eterna Displicência. E, debruçado na amplidão, as longas barbas dispersas ao vento, o contemplativo Jeová antecipou a figura do sábio que no seu antro dorme em cima do microscópio.

Ora, pois, certo dia de estuporante mormaço, um casal de chimpanzés dormitava beatificamente no esgalho de enorme embaúva. Digeriam as bananas comidas e prelibavam, risonhos, as bananas da manhã seguinte.

Eram chimpanzés como os demais, sábios da sabedoria inculcada pelo Eterno, e bem comportadinhas notas da ópera paradisíaca.

Mas Eolo suspirou no seu antro e um forte pé de vento deu, que vascolejou com frenesi a árvore e fez o chimpanzé macho, perdido o equilíbrio, precipitar-se de ponta-cabeça ao chão.

Seria aquilo um tombo como qualquer outro, sem consequências funestas, se a malícia da serpente não houvesse colocado ao pé da embaúva uma grande laje, na qual se chocou o crânio do infeliz desarvorado.

Perdeu os sentidos o macaco; e a macaca, presa de grande aflição, pulou incontinente a socorrê-lo. Rondou-lhe em torno aos guinchos, soprou-lhe nos olhos, amimou-o, beliscou-lhes as carnes insensíveis e, por fim, convencida de que estava bem morto, deu de ombros, já com a ideia na escolha de quem lhe consolasse a viuvez.

Mas não morrera o raio do chimpanzé. Minutos depois entreabria os olhos, piscava sete vezes e levava as mãos à fonte, significando que lhe doía.

Neste comenos funga no juncal próximo um tigre. Desde o Paraíso que os tigres "adoram" os macacos, como desde o Paraíso que os macacos arrenegam dos tigres. Em virtude de tal divergência, a fungadela felina valeu por frasco de amoníaco nas ventas do contuso. Pôs-se de pé, inda tonto e, ajudado da companheira, marinhou embaúva acima, rumo ao galho de pouso, onde, a bom recato, pudesse distrair a dor de cabeça com a linda cena que é um tigre faminto à caça de bicho que não seja chimpanzé.

Desd'essa desastrada queda nunca mais funcionou normalmente o cérebro do pobre macaco. Doíam-lhe os miolos, e ele queixava-se de vágados e de estranho mal-estar.

É que sofrera seriíssima lesão.

Digo isto porque sou homem e sei dar nomes aos bois; homem ignorante, porém, não vou mais longe, nem ponho nome grego à lesão. Afirmo apenas que era lesão, certo de que me entendem os meus incontáveis colegas em ignorância nomenclativa.

Lesão grave, gravíssima, e de resultados imprevisíveis à própria presciência de Jeová.

A Bíblia já tratou do assunto; de modo simbólico, entretanto, fugindo de tomar a Queda ao pé da letra. Moisés, redator do *Gênesis*, tinha veleidade poéticas — mas não previra Darwin, nem a força do prêmio Nobel como áureo pai de grandes descobertas. Moisés poetizou... Fez um Adão, uma Eva, uma serpente e um pomo, que certos exegetas declaram ser a maçã e outros, a banana. Compôs assim uma peça com a mestria consciente de Edgard Poe ao carpinteirar *O Corvo*, mas sem deixar, como Poe, um estudo da psicologia da composição, onde demonstrasse que fez aquilo por a + b e com bem estudada pontaria. E foi pena! Quanto papel, tinta e sangue tal esclarecimento não pouparia à humanidade, sempre rixenta na interpretação dos textos bíblicos!

Vem daí que é o *Gênesis* uma peça de fina psicologia, e por igual penetrante nas cabeças duras e nas dos Pascais, permeabilíssimas; o que escasseia ao *Gênesis* é acordo com a verdade dos fatos. Essa verdade, mais preciosa que o diamante Cullinan, eu a achei sob o montão de cascalho das hipóteses e sem nenhum alarde aqui a estampo de graça. Já é ser generoso! Tenho nas unhas a verdade das verdades e não requeiro do Congresso um prêmio de cinquenta contos! Contento-me com este apenas...

A partir da Queda, o nosso macaco entrou a mudar de gênio. Sua cabeça perdeu o frescor da antiga despreocupação e deu de elaborar uns mostrengozinhos, informes, aos quais, com alguma licença, caberia o nome de ideias.

Vacilava, ele que nunca vacilara e sempre agira com os soberbos impulsos do automatismo. Entre duas bananas pateteava na escolha tomado de incompreensíveis indecisões — e por vezes perdeu a ambas, iludido por monos de bote pronto que não vacilavam nem escolhiam.

Para galgar de um ramo a outro calculava agora não só a distância como a força do salto — e errava, ele que antes da lesão nunca errara pulo.

Até em suas relações sentimentais com a velha companheira o chimpanzé variou. Ganho de malsãs curiosidades, examinava as outras macacas do bando, comparava-as à sua e cometia o pecado de desejar a macaca do próximo.

Como também claudicasse na escolha das frutas, comeu diversas impróprias à alimentação símia, daí provindo as primeiras perturbações gastrointestinais observadas na higidez do Paraíso — enterites, colites, disenteria ou o que seja.

Quando iam águias pelo céu, punha-se a contemplar os seus harmoniosos voos, com vagos anseios nas tripas e muito desejo n'alma de ser águia. Era a inveja a nascer, má cuscuta que vicejaria luxuriantemente na execrável descendência desse mono. Invejou as aves que dormiam em ninho fofo e os animais que moravam em boas tocas de pedras. Abandonou o viver em árvore, prescrito para os da sua laia pelo Código Ingênito, e deu de andar sobre a terra de pé sobre as patas traseiras, com as dianteiras — futuras mãos — ocupadas em construir ninho, como os via fazer às perdizes, ou toca, como as tem o tatu.

E sempre nervoso e inquieto, e descontente com a ordem das coisas estabelecida no Éden, imaginava mudanças e "melhoramentos". E variava e tresvariava, e malucava, arrastando consigo a pobre companheira que, sem nada compreender de tudo aquilo, em tudo o imitava passivamente, dócil e meiga.

Aconteceu o que tinha de acontecer. A admirável disciplina reinante no Éden viu-se logo perturbada pelo estranho proceder do macaco, advindo daí murmurações e por fim queixas a Jeová. E tais e tantas foram as queixas, que o Sumo, zangado com a nota desafinadora da sua música divina, ordenou ao anjo Gabriel que pusesse no olho da rua o sustenido anárquico.

Até esse ponto vai certo Moisés. Onde começa a fazer poesia é daí por diante. De fato, Jeová ordenou a expulsão do rebelde e São Gabriel deu para executá-la os primeiros passos. A curiosidade, porém, que dizem feminina mas aqui se vê que é divina, fez o Criador reconsiderar.

— Suspende, Gabriel! Estou curioso de ver até que extremos irá o desarranjo mental do meu macaco.

Era Gabriel o Sarrazani daquele jardim zoológico e, graças ao convívio com o Eterno, adquirira alguma coisa da divina presciência. Assim foi que objetou:

— Vossa Eternidade me perdoe, mas se lá deixamos o trapalhão aquilo vira em "humanidade"...

— Sei disso, — retorquiu o Soberano Senhor de todas as coisas. — A lesão do cérebro do meu macaco põe-no à margem da minha Lei Natural e fa-lo-á discrepar da harmonia estabelecida. Nascerá nele uma *doença*, que seus descendentes, cheios de orgulho, chamarão inteligência — e que, ai deles! lhes será funestíssima. Esse mal, oriundo da Queda, transmitir-se-á de pais a filhos — e crescerá sempre, e terrivelmente influirá sobre a terra, modificando-lhe a superfície de maneira muito curiosa. E, deslumbrados por ela, os homens ter-se-ão na conta de criaturas privilegiadas, entes à parte no universo, e olharão com desprezo para o restante da animalidade. E será assim até que um senhor Darwin surja e prove a verdadeira origem do *Homo sapiens*...

— ?!

— Sim. Eles nomear-se-ão *Homo sapiens* apesar do teu sorriso, Gabriel, e ter-se-ão como feitos por mim de um barro especial e à minha imagem e semelhança.

— ?!!

— Os demais chimpanzés permanecerão como eu os criei; só o ramo agora a iniciar-se com a prole do lesado é que se destina a sofrer a diferenciação mórbida, cuja resultante será cair o governo da terra nas unhas de um bicho que não previ.

— ?!!!

— Essa inteligência se caracterizará pela ânsia de ver-me através das coisas, e para que bem a compreendas, Gabriel, te direi que será como asas sem ave, luz sem sol, dedos sem pés...

Gabriel não compreendeu coisa nenhuma da longa definição de Jeová — e como sucederia o mesmo com os meus leitores, interrompo-a nos dedos sem pés. Até aí ainda a percepção é possível; mas no ponto em que Jeová lhe assinalou a essência última, nem Einstein pescaria um x...

Vendo o ar aparvalhado de Gabriel, o Criador pulou da metagênese abaixo e falou fisicamente.

— Essa inteligência apurará aos extremos a crueldade, a astúcia e a estupidez. Por meio da astúcia se farão eles engenhosos, porque o engenho não passa da astúcia aplicada à mecânica. E à força de engenho submeterão todos os outros animais, e edificarão cidades, e esfuracarão montanhas, e rasgarão istmos, destruirão florestas, captarão fluidos ambientes, domesticarão as ondas hertzianas, descobrirão os raios cósmicos, devassarão o fundo dos mares, roerão as entranhas da terra...

Gabriel estremeceu. Apavorou-o a força futura da inteligência nascente; mas Jeová sorriu, e quando Jeová sorria Gabriel serenava.

— Nada receies. Essa inteligência terá alguns atributos da minha, como o carvão os tem do diamante, mas estará para a minha como o carvão está para o diamante. A fraqueza dela provirá da sua jaça de origem. Inteligência sem memória, inteligência de chimpanzé, o homem *esquecerá* sempre. Esquecerá o que ensinei aos seus precursores peludos e esquecerá de colher a boa lição da experiência nova.

Seu engenho criará engenhosíssimas armas de alto poder destrutivo — e empolgados pelo ódio se estraçalharão uns aos outros em nome de pátrias, por meio de lutas tremendas a que chamarão guerras, vestidos macacalmente, ao som de músicas, tambores e cornetas — esquecidos de que não criei nem ódio, nem corneta, nem pátria.

E transporão mares, e perfurarão montes, e voarão pelo espaço, e rodarão sobre trilhos na vertigem louca de vencer as distâncias e chegar depressa — esquecidos de que eu não criei a pressa nem o trilho.

E viverão em guerra aberta com os animais, escravizando-os e matando-os pelo puro prazer de matar — esquecidos de que eu não criei o prazer de matar por matar.

E inventarão alfabetos e línguas numerosas, e disputarão sem tréguas sobre gramática, e quanto mais gramáticas possuírem menos se entenderão. E se entenderão de tal modo imperfeito, que aclamarão o messias do entendimento geral, um dr. Zamenhoff...

— Já sei! Um que proporá a supressão das línguas.

Jeová sorriu.

— Não! Apenas o criador de mais uma. E eles elaborarão ciências, e excogitarão toda a mecânica das coisas, adivinhando o átomo e o planeta invisível, e saberão tudo — menos o segredo da vida.

E um Pascal, muito cotado entre eles, dará murros na cabeça, na tortura de compreender os xx supremos — e os homens admirarão grandemente esses murros.

E criarão artes numerosas, e terão sumos artistas e jamais alcançarão a única arte que implantei no Éden — a arte de ser biologicamente feliz.

E organizarão o parasitismo na própria espécie, e enfeitar-se-ão de vícios e virtudes igualmente antinaturais. E inventarão o Orgulho, a Avareza, a Má-fé, a Hipocrisia, a Gula, a Luxúria, o Patriotismo, o Sentimentalismo, o Filantropismo, a Colocação dos Pronomes — esquecidos de que eu não criei nada disso e só o que eu criei é.

E em virtude de tais e tais macacalidades, a inteligência do homem não conseguirá nunca resolver nenhum dos problemas elementares da vida, em contraste com os outros seres, que os terão a todos solvidos de maneira felicíssima.

Não saberá comer; e ao lado das minhas abelhas, de tão sábio regime alimentar — sábio porque por mim prescrito — o homem morrerá de fome ou indigestão, ou definhará achacoso em consequência de erros ou vícios dietéticos.

Não saberá morar — e ao lado das minhas aranhas, tão felizes na casa que lhes ensinei, habitarão ascorosas espeluncas sem luz, ou palácios.

Não resolverá o problema da vida em sociedade, e experimentará mil soluções, errando em todas. E revoluções tremendas agitarão de espaço em espaço os homens no desespero de destruir o parasitismo criado pela inteligência — e as novas formas de equilíbrio surgidas afirmar-se-ão com os mesmos vícios das velhas formas destruídas. E o homem olhará com inveja para os meus animaizinhos gregários, que são felizes porque seguem a minha lei sapientíssima.

E não solverá o problema do governo; e mais formas de governo invente, mais sofrerá sob elas — *esquecido de que não criei governo*. E criará o Estado, monstro de maxilas leoninas, por meio do qual a minoria astuta parasitará cruelmente a maioria estúpida. E a fim de manter nédio e forte esse monstro, os sábios escreverão livros, os matemáticos organizarão estatísticas, os generais armarão exércitos, os juízes erguerão cadafalsos, os estadistas estabelecerão fronteiras, os pedagogos atiçarão patriotismos, os reis deflagrarão guerras tremendas e os poetas cantarão os heróis da chacina — para que jamais a guerra cesse de ser uma permanente.

— Queres ver ao vivo, Gabriel, o que vai ser a chimpanzeização do mundo? Corre essa cortina do futuro e espia por um momento a humanidade.

Gabriel correu a cortina do futuro e espiou. E viu sobre a crosta da terra uma certa poeira movediça. Mas, ansioso de detalhes, Gabriel microscopou e distinguiu uma dolorosa caravana de chimpanzés pelados, em atropelada marcha para o desconhecido.

Miserável rebanho! Uns grandes, outros pequenos; estes louros, aqueles negríssimos — nada que recordasse a perfeição somática dos outros viventes, tão iguaizinhos dentro do tipo de cada espécie. Que feia variedade! Ao lado do Apolo, o torto, o capenga, o cambaio, o corcovado, o corcunda, o raquítico, o trôpego, o careteante, o zanaga, o zarolho, o careca, o manco, o cego, o tonto, o surdo, o espingolado, o nanico... Caricaturas móveis, com os mais grotescos disparates nas feições, era impossível apanhar-lhes de pronto o tipo padrão. E Gabriel evocou mentalmente a linda coisa que é um desfile de abelhas ou pinguins, no qual não há um só indivíduo que destoe do padrão comum.

Da manada humana subia um rumor confuso. Gabriel desencerrou os ouvidos e pôde distinguir sons para ele inéditos: tosse, espirros, escarradelas, fungos, borborigmos, ronqueira asmática, gemidos nevrálgicos, ralhos, palavrões de insulto, blasfêmias, gargalhadas, guinchos de inveja, rilhar de dentes, bufos de cólera, gritos histéricos...

Depois observou que à frente das multidões caminhavam seres de escol, semideuses lantejoulantes, vestidos fantasiosamente, pingentados de cristaizinhos embutidos em engastes metálicos, com penas de aves na cabeça, cordões e fitas, crachás e missangas...

— Quem são?

— Os chefes, os magnatas, os reis: os condutores de povos. Conduzem-n'os... não sabem para onde.

E viu, entremeio à multidão, homens armados, tangendo o triste rebanho a golpes de espada ou vergalho. E viu uns homens de toga negra que liam papéis e davam sentenças, fazendo pendurar de forcas miseráveis criaturas, e a outras cortar a cabeça, e a outras lançar em ergástulos para o apodrecimento em vida. E viu homens a cavalo, carnavalescamente vestidos, empenachados de plumas, que arregimentavam as massas, armavam-nas e atiravam-nas umas contra as outras. E viu que depois de tremenda carnificina um grupo abandonava o campo em desordem, e outro, atolado em sangue e em carne gemebunda, cantava o triunfo num delírio orgíaco, ao som de músicas marciais. E viu que os homens de penacho organizadores das chacinas eram tidos em elevadíssima conta. Todos os aplaudiam, delirantes, e os carregavam em charolas de apoteose. E viu que a multidão caminhava sempre inquieta e em guarda, porque o irmão roubava o irmão, e o filho matava o pai, e o amigo enganava o amigo, e todos se maldiziam e se caluniavam, e se detestavam e jamais se compreendiam...

Horrorizado, Gabriel cerrou a cortina do futuro e disse ao Criador:

— Se vai ser assim, cortemos pela raiz tanto mal vindouro. Um chimpanzé a menos no paraíso e estará evitado o desastre.

— Não! — respondeu o Criador. — Tenho um rival: o Acaso. Ele criou o homem, provocando a lesão desse macaco, e quero agora ver até a que extremos se desenvolverá essa criatura aberrante e alheia aos meus planos.

Gabriel piscou por uns momentos (quatorze vezes ao certo), desnorteado pela expressão "quero ver" jamais caída dos lábios do Senhor. Haveria porventura algo fechado, ou obscuro, à presciência divina?

E Gabriel ousou interpelar Jeová.

— Não sois, então, Senhor, a Presciência Absoluta?

Jeová franziu os sobrolhos terríveis e murmurou apenas:

— Eu Sou, e se Sou, Sou também O que se não interpela.

Gabriel encolheu-se como fulminado pelo raio e sumiu-se da presença do Eterno com pretexto de uma vista d'olhos pelo Éden.

Linda tarde! O sol moribundo chapeava debruns de cobre nos gigantescos samambaiuçus, a cuja sombra dormitavam megatérios de focinhos metidos entre as patorras.

As arqueópterix desajeitadonas chocavam na areia seus grandes ovos.

Um urso das cavernas catava as pulgas da companheira com a minuciosa atenção dum entomologista apaixonado, e de longe vinham urros de estegossauros perseguidos por mutucões venenosos.

Ao fundo dum vale de avencas viçosas como bambus, dois labirintodontes amavam-se em silencioso e pacato idílio, não longe de um leão fulvo que comia a carne fumegante da gazela caçada.

Aves gorjeavam amores nos ramos; serpes monstruosas magnetizavam monstruosas rãs; flores carnívoras abriam a goela das corolas para a apanha de animaizinhos incautos.

Paz. Paz absoluta. Felicidade absoluta. A Vida comia a Vida e a Vida amava para que não se extinguisse a Vida — tudo rigorosamente de acordo com a senha divina.

Só Adão, o macaco lesado, discrepava, piscando os olhinhos vivos, como a ruminar certa ideia.

Gabriel parou perto dele e deixou-se ficar a observá-lo. Viu que Adão, de olhos ferrados numa toca de onça, *raciocinava*: "Ela sai e eu entro, e fecho a porta com uma pedra, e a casa fica sendo minha..."

Eva, a macaca ilesa, permanecia muda ao lado, embevecida no macho pensante. Não o compreendia — não o compreenderia nunca! — mas admirava-o, *imitava-o* e obedecia-lhe passivamente.

Nisto, a onça deixou o antro e foi tocaiar uma veadinha.

— "Acompanhe-me!" — disse Adão à companheira — e ambos precipitaram-se para a toca da onça, cuja entrada fecharam por dentro com uma grande pedra roliça. E ficaram *donos*.

Gabriel, que acompanhara toda aquela maromba, acendeu um cigarro de papiro, baforou para o céu três fumaças e murmurou:

— Ele já é inteligência. Ela não passa de imitação. É lógico só ele foi lesado no cérebro; mas vão ver que Eva, a instintiva, ainda acabará fingindo-se lesada...

E o primeiro difamador da mulher foi jogar sua partida de gamão com o Todo Poderoso.

1924

Um homem honesto

— Excelente criatura! Dali não vem mal ao mundo. E honesto, ah! honesto como não existe outro — era o que todos diziam do João Pereira.

João Pereira trabalhava em repartição pública. Estivera a princípio num tabelionato, e depois no comércio como caixeiro do empório *Ao Imperador dos Gêneros*.

Deixou o empório por discordância com a técnica comercial do imperante, que toda se resumia no velhíssimo lema: gato por lebre. E deixou o cartório por não conseguir aumentar com extras o lucro legal do honradíssimo tabelião. Atinha-se ao regimento de custas, o ingênuo, como se aquilo fora a tábua da lei de Moisés, coisa sagrada.

Na repartição vegetava já de dez anos sem conseguir nunca mover passo à frente. Ninguém se empenhava por ele, e ele, por honestidade, não orgulho, era incapaz de recorrer aos expedientes com tanta eficácia empregados pelos colegas na luta pela promoção.

— Quero subir por merecimento, legalmente, ho-nes-ta-men-te! — costumava dizer, provocando risinhos piedosos nos lábios dos que "sabem o que é a vida".

João Pereira casara cedo, por amor — não compreendia outra forma de casamento — e já tinha duas filhas mocetonas. Como fossem sobremaneira curtos os seus vencimentos, a pequena família remediava-se com a renda complementar dos trabalhos caseiros. Dona Maricota fazia doces; as meninas faziam crochê — e lá empurravam a pulso o carrinho da vida.

Viviam felizes. Felizes, sim! Nenhuma ambição os atormentava e o ser feliz reside menos na riqueza do que nessa discreta conformidade dos humildes.

— Haja saúde que vai tudo muito bem, — era o moto de João Pereira e dos seus.

Mas veio um telegrama...

Nos lares humildes telegrama é acontecimento de monta, anunciador certo de desgraça. Quando o estafeta bate na porta e entrega o papelucho verde, os corações tumultuam violentos.

— Que será, santo Deus?

Não anunciava desgraça aquele. Um tio de João Pereira, residente no interior, convidava-o a servir de padrinho no casamento da filha.

Era distinção inesperada e Pereira, agradecido, foi. E muito naturalmente foi de segunda classe, porque nunca viajara de primeira, nem podia.

Bem recebido, apesar de sua roupa preta fora da moda, funcionou gravemente de testemunha, disse aos nubentes as chalaças do uso, comeu os doces da festa, beijou a afilhada e no dia seguinte se fez de volta.

Acompanharam-no à estação o tio e os noivos, amáveis e contentes; mas protestaram indignados ao vê-lo meter a maleta num carro de segunda.

— Não admitimos!... Tem que ir de primeira.

— Mas se já comprei o bilhete de volta...

— É o de menos, — contraveio o tio. — Mais vale um gosto do que quatro vinténs. Pago a diferença. Tinha graça!...

E comprou-lhe bilhete de primeira, sacudindo a cabeça:
— Este João...

João Honesto, assim forçado, pela primeira vez na vida embarcou em vagão de luxo, e o conforto do Pullman, mal o trem partiu, levou-o a meditar sobre as desigualdades humanas. A conclusão foi dolorosa. Verificou que é a pobreza o maior de todos os crimes, ou, pelo menos, o mais severa e implacavelmente punido.

Aqui, por exemplo, neste vagão dos ricos, refletia ele: poltronas de couro, boas molas no *truck*, asseio meticuloso, janelas amplas, criado às ordens. Tudo pelo melhor. Já nos carros dos pobres é o reverso, demonstrando-se o propósito de castigar com requinte de crueldade o crime de pobreza dos que neles embarcam. Nada de molas nos *trucks* para que o rodar áspero, solavancado, faça padecer a carne humilde. Nos bancos de tábua, tudo reto e anguloso, sem sequer um boleio que favoreça o repouso das nádegas. Bancos feitos de tabuinhas estreitas, separadas entre si de modo a martirizar o corpo. O espaldar — uma tábua a prumo — vai só até meia altura, negando assim a esmolinha dum apoio à triste cabeça do "sentado". Bancos, em suma, que parecem estudados pacientemente por grandes técnicos da judiaria com o fim de obter o mínimo de comodidades no máximo de possibilidades torturantes. As janelas sem vidraças, só de venezianas, dir-se-iam ajeitadas ao duplo fim de impedir o recreio da vista e canalizar para dentro todo o pó de fora. Nada de lavatórios: o pobre deve ser mantido na sujeira. Água para beber? Vá ter sede na casa do senhor seu sogro!

João sorriu. Veio-lhe à ideia lindo "melhoramento" escapo à sagacidade dos técnicos: encanar para dentro dos vagões de segunda a fumaça quente da locomotiva.

— Incrível não terem ainda pensado nisso!...

Lembrou-se depois dos teatros, e viu que eram a mesma coisa. As torrinhas são construídas de jeito a manter bem viva na consciência do espectador a sua odiosa condição social.

— És pobre? Toma! Aguenta a dor de espinha do banco sem espaldar nos trens e nos teatros resigna-te a não ver nem ouvir o que vai no palco.

João Pereira ainda filosofava estas desconsoladoras filosofias, quando o trem chegou.

Desembarcaram todos — à rica, pacotes e malas por mãos de solícitos carregadores. Só ele conduzia a sua, pequenina mala barata de papelão a fingir couro.

Saiu. Na rua, porém...

— "*Diário P'ular, Plateia...*"

... lembrou-se dum jornal comprado em caminho e que deixara no carro. Não vale nada um jornal lido? Vale, sim, e tanto que Pereira voltou depressa a buscá-lo. Sempre é um bocado a mais de papel na casa. Ao penetrar no *Pullman* vazio tropeçou num pacote largado no chão.

— Não sou eu só o esquecido! — refletiu Pereira a sorrir, apanhando-o.

A curiosidade não é privilégio das mulheres. João apalpou o pacote, cheirou-o e por fim rasgou de leve um canto do invólucro.

— Dinheiro!

Era dinheiro, muito dinheiro, um pacotão de dinheiro!

Pereira sentiu um tremelique d'alma e corou. Se o vissem naquele momento, sozinho no carro, com o pacote a queimar-lhe as mãos... "Pega o larápio!" Esqueceu do jornal lido e partiu incontinente à procura do chefe da estação.

— Dá licença?

O chefe interrompeu o que fazia e olhou-o com displicência.

— Encontrei num carro do expresso este pacote de dinheiro.

À magica voz de dinheiro o chefe perfilou-se e, arregalando os olhos num dos bons assombros da sua vida, exclamou pateticamente:

— Dinheiro?!...

— Sim, dinheiro, — confirmou João. — Num carro do expresso. Eu voltava de Himenópolis, e ao desembarcar...

— Deixe ver, deixe ver...

João depôs sobre a mesa o pacote. Com os óculos erguidos para a testa, o chefe desfez o amarrilho, desembrulhou o bolo e assombrado viu que era na verdade dinheiro, muito dinheiro, um dinheirão!

Contou-o, com dedos comovidos.

Pasmou. Encarou a fito o homem sobrenatural.

— Trezentos e sessenta contos!

Piscou. Abriu a boca. Depois, erguendo-se, disse em tom sincero, espichando-lhe a mão:

— Quero ter a honra de apertar a mão do homem mais honesto que ainda topei na vida. O senhor é a própria honestidade sob forma humana. Toque!

João apertou-lha humildemente, e também a de outros auxiliares que se haviam aproximado.

— O seu caso, — continuou o chefe, — marcará época. Há trinta anos que sirvo nesta companhia e nunca tive conhecimento de coisa idêntica. Dinheiro perdido é dinheiro sumido. Só não é assim quando o encontra um... como é o seu nome?

— João Pereira, para o servir.

— Um João Pereira, o Honrado. Toque de novo!

João saiu nadando em delícias. A virtude tem suas recompensas, deixem falar, e a consciência dum ato como aquele cria n'alma inefável estado de êxtase. João sentia-se muito mais feliz do que se tivera no bolso, suas para sempre, aquelas três centenas de contos.

Em casa narrou o fato à mulher, minuciosamente, sem todavia indicar o *quantum* achado.

— Fez muito bem, — aprovou a esposa. — Pobres, mas honrados. Um nome limpo vale mais do que um saco de dinheiro. Eu sempre o digo às meninas e puxo o exemplo deste nosso vizinho da esquerda, que está rico, mas sujo como um porco.

João abraçou-a comovido e tudo teria ficado por ali se o demônio não viesse espicaçar a curiosidade da honrada mulher. D. Maricota, depois do abraço, interpelou-o:

— Mas quanto havia no pacote?

— Trezentos e sessenta contos.

A mulher piscou seis vezes, como se jogada de areia nos olhos.

— Quan... quan... quanto?

— Tre-zen-tos e ses-sen-ta!

Dona Maricota continuou a piscar por vários segundos. Em seguida arregalou os olhos e abriu a boca. A palavra dinheiro nunca lhe sugerira a ideia de contos. Pobre que era, dinheiro significava-lhe cem, duzentos, no máximo quinhentos mil réis. Ao ouvir a história do pacote imaginou logo que se trataria aí duns centos de mil réis apenas. Quando, porém, soube que a soma atingia a vertigem de trezentos e sessenta contos, sofreu o maior abalo de sua existência. Esteve uns momentos estarrecida, com as ideias fora do lugar. Depois, voltando a si de salto, avançou para o marido num acesso de cólera histérica, agarrou-o pelo colarinho, sacudiu-o nervosamente.

— Idiota! Trezentos e sessenta contos não se entregam nem à mão de Deus Padre! Idiota! Idiota!... Idioooota...

E caiu numa cadeira, tomada de choro convulso.

João pasmou. Seria possível que morasse tantos anos com aquela criatura e ainda lhe não conhecesse a alma a fundo? Tentou explicar-lhe que seria absurdo variar de proceder só porque variava a quantia; que tanto é ladrão quem furta um conto como quem furta mil; que a moral...

Mas a mulher o interrompeu com outra série de "idiotas" esganiçados, histéricos, e retirou-se para o quarto, descabelando-se, louca de desespero.

As filhas estavam na rua; quando voltaram e souberam do caso, puseram-se incontinentes ao lado da mãe, furiosíssimas contra a *tal honestidade* que lhes roubava uma fortuna.

— Você, papai...

João quis impor a sua autoridade paterna. Ralhou, e fê-las ver quão indecoroso era pensarem de semelhante maneira. Foi pior. As meninas riram-se, escarninhas, e deram de suspirar com o pensamento posto na vida de regalos que teriam se o pai possuísse melhor cabeça.

— Automóvel, um bangalô em Higienópolis, meias de seda...

— ... com *baguettes*...

— ... chapéus de Mme. Lucille, vestido de tafetá...

— Tafetá? Seda *lamée*!...

— Meninas! — esbravejou Pereira. — Eu não admito!

Elas sorriram com ironia e retiraram-se da sala, murmurando com desprezo.

— Coitado! Até dá dó!

Aquele nunca imaginado desrespeito magoou-o inda mais do que a repulsa da mulher. Pois quê?! Ter aquela recompensa uma vida inteira de sacrifícios norteados no culto severo da honra? Insultos da esposa, censura e sarcasmo das filhas? Teria, acaso, errado?

Verificou que sim. Errara num ponto. Devia ter entregue o dinheiro em segredo, de modo que ninguém viesse a ter notícia do incidente...

Os jornais do dia seguinte trouxeram notas sobre o grande acontecimento. Louvaram com calor aquele "gesto raro, nobilíssimo, denunciador das finas qualidades morais que alicerçam o caráter do nosso povo".

A mulher leu a notícia em voz alta, por ocasião do almoço e como não houvesse sobremesa disse à filha:

— Leva, Candoca, leva este elogio ao armazém e vê se nos compra com ele meio quilo de marmelada...

João encarou-a com infinita tristeza. Não disse palavra. Largou o prato, ergueu-se, tomou o chapéu e saiu.

Na repartição consolou-se. Receberam-no com parabéns e louvores.

— O teu ato é daqueles que nobilitam a espécie humana, — disse, dando-lhe a mão, um companheiro. — Toque.

Pereira apertou-lha, mas já sem comoção nenhuma, preferindo no íntimo que não lhe falassem naquilo.

Estavam todos curiosos de saber como fora a coisa e rodearam-no.

— Conta por miúdo a história, João.

— Muito simples, respondeu ele com secura. Encontrei um pacote de dinheiro que não era meu e entreguei-o, aí está.

— Ao dono?

— Não. A um chefe, a um chefe lá...

— Muito bem, muito bem. Mas, escuta: não devias ter entregue o dinheiro antes de saber a quem pertencia.

— Perfeitamente, — acudiu outro. — Antes de saber a quem pertencia e antes que o dono reclamasse...

— ... e provasse — pro-vas-se, entendes? que era dele! — concluiu um terceiro.

João irritou-se.

— Mas que é que têm vocês com isso? Fiz o que a minha consciência ordenava e pronto! Não compreendo essa meia-honestidade que vocês preconizam, ora bolas!

— Não se abespinhe, amigo. Estamos dando nossa opinião sobre um fato público que os jornais noticiaram. Você hoje é um caso — e os casos debatem-se.

O chefe de seção entrou nesse momento. A palestra cessou. Cada qual foi para sua mesa e João absorveu-se no trabalho, de cara amarrada e coração pungido.

À noite, na cama, já mais conformada, dona Maricota voltou ao assunto.

— Você foi precipitado, João. Não devia ter tanta pressa em entregar o pacote. Por que não o trouxe primeiro aqui? Eu queria ao menos ver, pegar...

— Que ideia! "Ver, pegar"...

— Já contenta uma pé-rapada como eu, que nunca enxergou pelega de quinhentos. Trezentos e sessenta contos!...

— Não suspire assim, Maricota! Basta a cena de ontem..

— Impossível. É mais forte do que eu...

— Mas, venha cá, Maricota, fale sinceramente, fale de coração: acha mesmo que fiz mal procedendo honestamente?

— Acho que você devia ter trazido o dinheiro e devia consultar-me. Guardávamos o pacote e esperávamos que o dono o reclamasse — e provasse — pro-vas-se que era dele...

— Dava na mesma. Esse dinheiro nunca seria meu.

— Ficava sendo, é boa! Mas, olhe João, você nunca pensou bem. Você não tem boa cabeça. É por isso que vivemos toda vida esta vidinha miserável, comendo o pão que o diabo amassou...

— "Vidinha miserável!"... Sempre fomos felizes, nunca percebemos que éramos pobres...

— Sim, mas percebo-o agora, porque só agora nos surgiu a ocasião de enriquecer. Foi uma sorte grande que Deus nos mandou.

— "Deus"...
— Deus, sim, e você o ofendeu afastando-a com o pé. Poderíamos estar ricos, fazendo caridade, beneficiando os doentes... Quanta coisa! Mas a *tal honestidade*...
— "A tal honestidade!..."
— Sim, sim! Tudo tem conta na vida, homem! Ladrão é quem furta um; quem pega mil é barão, você bem sabe. Veja os seus companheiros. O Nunes, que começou com você no cartório, já ronca automóvel e tem casa.
— Mas é um gatuno!
— Gatuno, nada! O Claraboia, esse já tem fábrica de chapéus. O seu Miguel — até quem, meu Deus! — comprou outro dia um terrenão em Vila Mariana.
— Mas é um passador de nota falsa, mulher!
— Passador de nota falsa, nada! Tem boa cabeça, é o que é. Não vai na onda. Não é um trouxa como você...

E não teve mais arranjo a vida do homem honrado. Adeus, paz! Adeus, concórdia! Adeus, humildade! A casa tornou-se-lhe um perfeito inferno. Só se ouviam suspiros, palavras duras. João perdeu a esposa. Impossível reconhecer na meiga companheira de outrora a criatura amarga, irredutível de ideias, que a visão dos trezentos e sessenta contos produzira.

E aquele coro que com ela faziam as meninas, sempre irônicas, sarcásticas...
— O vestido da Climene custou quinhentos mil réis. Quando teremos um assim!
— Pois, olhe, às vezes a gente acha na rua vestidos assim, não um, mas centenas...
— Que adianta? *Acha*, mas *desacha*...

E suspiros.

Também na repartição foi-se-lhe o sossego. Todos os dias torturavam-no com alusões e indiretas irônicas.

Certa vez um dos colegas disse logo ao entrar:
— Sabem? Encontrei na rua um lindo broche de brilhantes.
— E levaste-o logo ao *chefe*, digo, ao Gabinete dos Objetos Achados...
— Não sou nenhum trouxa! Levei-o, sim, ao prego. Deu-me trezentos e sessenta mil réis — e desde já vos convido a todos para uma vasta farra no domingo próximo.
— Vai também, seu Pereira?

O mártir não respondeu, fingindo-se absorto no trabalho.
— Não dá a honra... É um homem honééééstos... Raça privilegiada, superior, que não se mistura, que não liga... Pois vamos nós, beber à beça, beber o broche inteirinho! Nem todos nascem com vocação para santo do calendário.

E o pior foi que desde o malfadado encontro do dinheiro João Pereira entrou a decair socialmente. Parentes e conhecidos deram de fazer pouco caso no "trouxa". Se alguém lhe lembrava o nome para algum negócio, era fatal o sorrisinho de piedade.
— Não serve, o João não serve. É um coitado...

Convenceram-se todos de que João Pereira não era "um homem do seu tempo". O segredo de todas as vitórias está em ser um homem do seu tempo...

Seis meses depois o descalabro da casa era completo. Perdida a alegria de outrora, dona Maricota azedara de gênio. Vivia num desânimo, lambona, descuidada dos afazeres domésticos, sempre aos suspiros.

— Para que lutar? Nunca sairemos disto... As ocasiões não aparecem duas vezes e quem deixa de agarrá-las pelos cabelos está perdido.

Aquele desleixo agravou a situação financeira da casa. Todos os encargos recaiam agora sobre os ombros do chefe, cujo ordenado não aumentava.

João enojou-se da vida e perdeu o ânimo de vivê-la até o fim. Desejou a morte e acabou pensando no suicídio. Só a morte poria termo àquele martírio de todos os momentos, forte demais para uma alma bem formada como a sua.

Um dia o proprietário do prédio suspendeu o aluguel. Dona Maricota deu a notícia ao marido, cheia de indiferença.

— Esteve cá o homem da casa e disse que do próximo mês em diante são mais cinquenta...

— Mais cinquenta mil réis, sim, ali na ficha! Ou, então, olho da rua!

— Mas é uma exploração miserável! — exclamou Pereira. — A casa é um pardieiro e nós não podemos, positivamente não podemos...

— Pois é. E quando uns diabos destes perdem pacotes — porque você bem sabe que só eles possuem pacotes para perder — inda aparece quem lhos restitua.. Você está vendo agora como eles formam os tais pacotes. Arrancando o pão da boca duns miseráveis como nós — dos *honestos*...

— Pelo amor de Deus, Maricota, não me fale mais assim que sou capaz duma loucura!...

— Está arrependido? Está convencido de que foi tolo? Pois quando encontrar outro pacote faça o que todos fariam: meta-o no bolso. Quem rouba a ladrão tem cem anos de perdão.

Estavam à mesa, sozinhos, tomando o magro café da noite.

— E você ainda não sabe de uma coisa, — continuou ela depois duma pausa, como indecisa se contaria ou não.

— Que é?

— Disse-me hoje a Ligiazinha que você anda por aí de apelido às costas...

— Quê?

— João *Trouxa*! Ninguém diz mais Pereira...

O mártir ergueu-se, lançado por violento impulso interno.

— Basta! — exclamou, num tom de desvario que assustou a mulher — e largando de chofre a xícara retirou-se para o quarto precipitadamente.

Dona Maricota, ressabiada, susteve a sua caneca a meio caminho da boca. E assim ficou, suspensa, até que tombou para trás, estarrecida.

Reboara no quarto um tiro — o tiro que matou o último homem honesto...[1]

1923

---

[1] João Pereira não era na realidade o último homem honesto, e sim o penúltimo. O último é o engenheiro Prestes Maia, prefeito de S. Paulo.

O RAPTO

Sou oculista.

Dentre tantas especialidades abertas ao anel de pedra verde, barafustei pela oftalmologia, movido de nobres razões sentimentais. Lutar contra a noite, arrebatar presas à treva: poderá existir profissão mais abençoada?

Assim pensei, e jamais me arrependi de o ter pensado. Minha melhor paga nunca foi o dinheiro ganho em troca dos milagres da faca de de Graefe,[2] senão o êxtase da triste criatura imersa na escuridão ao ver-se de súbito restituída à luz.

O oculista, fora dos grandes centros, é um animal andejo. Não pode estacionar permanentemente no mesmo ponto, a exemplo dos colegas que curam todas as moléstias conhecidas e *quibusdam aliis*. Encontra em cada zona um reduzido grupo de clientes, curados os quais, ou desenganados, força é que abale de freguesia.

Fiz-me andejo. Andei de déu em déu, por Ceca e Meca, desfazendo cataratas, recompondo nervos óticos; e se não enriqueci, vale um tesouro o livro da minha carreira clínica, tão cheio o tenho de impressões suculentas de psicologia ou pitoresco.

Estampo cá uma delas: o caso do cego do Rio Manso. Não é caso cômico e não será trágico; duvido, porém, que me apresentem outro mais humano — e de tão grande rigor de lógica.

Rio Manso é viloca que os fados plantaram seis léguas além de Itaguaçu, cidadezinha onde permaneci três meses de consultório aberto.

Parti para Rio Manso — lembro-me tão bem! — bifurcado em aspérrimo sendeiro de aluguel, avatar evidente do Rocinante, salvo o trote, que o tinha capaz de desfazer em pandarecos a nobre vestimenta de lata do herói manchego.

Meu Sancho era o Geremário, excelente cabrocha a quem extirpei uma catarata e que virou desd'aí o meu fidelíssimo escudeiro.

Nem eu, nem ele, conhecíamos o caminho. Não obstante, funcionou Geremário como perfeita bússola, agudíssimo que é o senso de orientação adquirido pela gente da roça no traquejo da vida ao ar livre.

A terra é para eles um mapa vivo; e o chão das estradas, um roteiro luminoso. Conhecem a primor a linguagem dos sinais impressos no solo vermelho — sulcos de carros, pegadas de animais, galhos partidos, restos de fogueirinhas — e os leem como nós lemos a letra de forma. Foi assim que o arguto Geremário em certo ponto da viagem murmurou convictamente, com os olhos postos no caminho:

— Estamos chegando!

Olhei em redor e nada vi senão a mesma morraria desnuda, as mesmas samambaias. Nada denunciativo de povoado próximo.

— Como sabe, se nunca viajou destas bandas?

O meu cabrocha sorriu com malícia e explicou:

— A estrada está piorando. Estrada ruim, câmara municipal perto...

De fato, o caminho, bom até ali, principiava a esburacar-se. Pus-me a observar a mudança, rápida transição para pior, até que, dobrada uma curva, de chofre avistamos as primeiras casas da vila.

---

[2] Instrumento cirúrgico usado nas operações de catarata.

— Não disse? — exclamou jubiloso o pajem. — Câmara municipal é marca que não nega...

Ri-me por fora, e por dentro admirei a suave ironia daquela agudeza de altos quilates.

Todos os nossos povoados possuem o mesmo aspecto suburbano — a mesma somática, como diria o meu velho professor de patologia, no seu preciosismo de acadêmico.

A estrada principia de repente a margear-se de humildes casebres de sapé e barro, com cercas de bambu atrepadas do melão de São Caetano, ou cercas vivas de pinhão do Paraguai, cactos e outras plantas da zona. Aos poucos os casebres melhoram. Começam a surgir casas de telha, já rebocadas, já caiadas; e vendinhas; e tendas de ferradores; e assim vai em gradação insensível até virar rua, com passeios e espaçados lampiões de querosene.

Também a categoria social dos moradores acompanha tal ascensão. De mendigos, de velhos negros capengas, de sórdidas pretas que se espiolham ao sol — perfeita varredura humana de entristecedor aspecto — a população passa a jornaleiros, a gente pobre mas arranjadinha até chegar à "gente limpa". E como a rua, no crescendo em que vai, desfecha em praça — o largo da matriz, com gramados, coreto de música e casas de comércio — assim também as "almas" sobem do mendigo roto ao senhor doutor delegado e ao excelentíssimo senhor coronel N. N., chefe da política local, semideus, dono e tutu-marambaia da terra.

Ao entrar em Rio Manso, vencidos os primeiros casebres, chamou-me a atenção um berreiro. Em certa casinhola fechada ia rolo velho, surra ou luta, a avaliar pelos gritos que de lá vinham. Não posso ver dessas coisas sem intervir. Parei à porta e com rompante de autoridade dei com a argola do relho.

— Que é lá isso aí?

O rumor interno cessou, mas ninguém me respondeu. Nisto aproximaram-se alguns vizinhos, de mãos no bolso e ar velhaco.

— Que terra é esta? — gritei. — Mata-se gente dentro das casas e ninguém se move?...

Retrucou-me um deles:

— Se a gente fosse se incomodar cada vez que o Bento Cego desce o guatambu nos filhos...

Bento Cego... O caso interessava-me. Pedi informações.

— É um cego que mora aqui, o Bento. Ele gosta da sua pinguinha. Bebe às vezes demais, vira valente e mete a lenha nos filhos. Tranca a porta e é, como diz o outro, pancada de cego!

Fiquei na mesma e, vendo que o sujeito não me adiantava o expediente, bati de novo na porta com o cabo do relho. Abriu-ma dessa feita um rapazinho aí dos seus quatorze anos. Interpelei-o. O menino, a coçar-se, olhou para a gente reunida atrás de mim e riu-se.

— Bem se vê que o senhor não é daqui. Papai é assim mesmo. Bebe seus martelinhos[3] e quando esquenta a cabeça o gosto dele é bater. "Nós deixa", e até "se diverte" com isso...

---

3 Martelo — medida de pinga, correspondente a litro 0,165.

Assombrei-me. Um pai cujo gosto é bater na prole e filhos que se divertem com a surra! Mas como cada roca tem seu fuso e eu não conhecia o uso daquela terra, não pedi mais — toquei para o hotel, vivamente interessado pelo estranho costume daquela família.

Armei tenda em Rio Manso e pus-me a consertar olhos. Entrementes, enfronhei-me na história do Bento Cego. Nascera arranjado, filho dum fiscal da câmara, e quando casou morava em casa própria, legada pelo pai e sita em rua de procissão. Maus negócios fizeram-no perdê-la e passar a rua mais modesta. Vieram filhos, vieram doenças, macacoas de toda espécie, urucas, e Bento, a decair mais e mais, foi rolando para pior até acabar cego, à beira da cidade, na zona da mendicância.

Como e por quê?

Era Bento um triste incapaz. Não prestava para coisa nenhuma. Começasse por onde começasse, seu destino seria sempre aquele, acabar na rua chorando esmolas. Bobo em negócios, tinha, entretanto, fumos de esperto. Piscava o olho a cada transação que fazia, e quando os arregalava via-se logrado, tungado, embrulhado, furtado pelos "passadores de perna".

Fez-se barganhista, e jamais a barganha[4] lhe deu o menor lucro. Começou pela casa. Barganhou-a por outra, muito inferior, tentado pela "volta". Em três meses comeu a "volta" e ficou a nenhum em matéria monetária.

Mas a tentação da "volta" não o abandonou mais. Iria barganhando e comendo as "voltas": solução mirífica, pensou ele piscando o olho.

E assim fez.

Casão por casa, casa por casinha, casinha por dois carros e quatro juntas de bois, os carros por dois cavalos, os dois cavalos por uma besta de fama que fazia e acontecia e não sei quem dava por ela oitocentos "bagos" — um negoção, sempre um negoção!

A ciganagem espigatória[5] viu nele uma perfeita mina incapaz de resistir ao sésamo "volta"!

E tantas voltas deram no pisca-olho, que Bento se viu por fim com toda a herança paterna reduzida à mula, que não valia nem metade do preço. O freguês dos oitocentos bagos era fantástico e por muito feliz se deu ele de passá-la adiante por duzentos e sessenta mil réis, mais uma garrucha velha de lambuja.

Os filhos, já taludos por esse tempo, saíram ao pai. Nunca frequentaram escolas, nem queriam saber de trabalho. Não se "sojeitavam". Pelas vendas, à toa pelas ruas, viraram os piores moleques da terra e transformaram num inferno a casa do Bento. Exigências, brigas diárias, palavrões imundos e uma lambança das mais sórdidas. E como o pai, frouxíssimo de caráter, nunca tivesse ânimo de lhes torcer o pepino, eles acabaram torcendo o pepino ao pai. Tratavam-no como alguém trata cachorro, aos pontapés, e por fim, quando a miséria chegou e faltou um dia feijão à panela, foram às ultimas — espancaram-no.

Bento não reagiu.

Reagir como, se eram três e ele não chegava a um? Resignou-se. Estimulados por tamanha covardia, entraram os filhos a repetir as doses, a amiudarem-nas, até o meterem para ali, num canto, bode expiatório e armazém de pancadas.

---

4 Existe pelo interior a "arte da barganha" — em que na troca de um objeto por outro o mais esperto ganha uma "volta em dinheiro".
5 Os que na barganha sabem lograr o parceiro ingênuo.

Bento deixou de ser homem. Passou a coisa humana, triste molambo de carne pensante, tímida, apavorada; desprezado de todos, seu consolo único era o álcool, em cujo sopor vivia agora imerso.

Tal situação durou até à venda da besta. Aí explodiu. Quando entraram em casa os duzentos e sessenta mil réis, mais a garrucha, Bento anunciou que ia aplicá-los num excelente negócio. Fartos de excelentes negócios, os filhos opuseram-se. Ele havia que repartir o cobre.

Bento resistiu, retesando as vagas fibras da energia ainda restante em sua alma. Os filhos quebraram-lhe a cara com o cabo da garrucha e fugiram com o dinheiro.

Datou daí a cegueira do homem; do espancamento resultou traumatismo do nervo ótico e consequente catarata.

Bento passou a mendigo.

Viúvo que era, sem cão em casa, arranjou um cão, um porrete, um negrinho sarambé para guia e iniciou vida nova.

Como em Rio Manso não existissem cegos, todos se apiedaram dele. Davam-lhe roupas velhas, chapéus, mantimentos, dinheiro — afora consolações verbais.

Resultou disso que uma relativa abundância veio substituir-se à miséria de até então. Chapéus, possuía-os às dúzias, e de todos os formatos, inclusive cartola! Calças, paletós e coletes, às pilhas. Até fraques e uma formosa sobrecasaca de debrum vieram enriquecer-lhe o guarda-roupa.

Bento dizia:

— Deus dá nozes a quem não tem dentes. Agora que é um corpo só na casa, tanta roupa, até fraque...

Mas os filhos marotos cheiraram de longe a reviravolta da fortuna e bateu-lhes a pacuera do arrependimento. Hoje um, amanhã outro, vieram os três, cabisbaixos e humílimos, implorar perdão ao velho.

Que não perdoará um cego, inda mais pai? Bento perdoou-os e readmitiu-os em casa. A esmola sempre farta havia de dar para todos.

E deu. Nunca daí por diante faltou feijão à panela, nem roupa ao corpo, nem dinheirinho para o resto, inclusive cachaça e fumo.

Milagre! Aquele homem que de olhos perfeitos jamais conseguira coisa alguma na vida além do desprezo público e da pancada dos filhos, recebia agora provas de carinho, gozava certa consideração, fazia-se chefe da casa, respeitado, ouvido — e até temido!

Acostumou-se a mandar e a ser obedecido. E não o fizessem! E não o fizessem depressa! Sua mão, outrora tão frouxa, esmagava agora todas as resistências. Sua vontade encorpou, enrijou, deitou os galhos da veneta.

Até da viuvez se remendou o Bento. Surgiu logo uma parenta pobre que lhe escreveu propondo-se a morar com ele e cuidar da casa. Veio a mulher, arrumou-se, deu boa aparência de limpeza e ordem ao tugúrio da lambança e do desmazelo, fazendo coisa fina, que a toda a gente causava pasmo.

Bento chegou a pensar na aquisição da casinha, e para isso foi apartando cobres.

Mais tarde, novo parente em petição de miséria veio achegar-se à sua sombra — um misantropo que lhe contava lorotas e lia capítulos do Bertoldo e da *História de Carlos Magno e dos Doze Pares da França*.

Bento era fanático de Roldão e nunca admitiu que fosse lida a segunda parte do livro, em que Bernardo Del Carpio vence os doze pares.

— Mentira! Não venceu nada, — dizia ele. — Veja se um Bernardo, seja donde diabo for, é lá capaz de aguentar uma só lambada da durindana de Roldão! Venceu coisa nenhuma...

Uma nuvem apenas toldava a paz da família restaurada. Bento bebia, e se errava a dose, sorvendo a mais um martelo que fosse, esquentava a cabeça. Aspectos da vida antiga vinham-lhe então à memória: o caso da besta, a cena da pancadaria, e Bento, com grande furor, apostrofava os filhos criminosos. Em seguida castigava-os. Corria o ferrolho da porta e, chispando maldições tremendas, deslombava-os à cega.

Os filhos suportavam o tratamento sem a mínima reação. Mereciam-no e, além disso, era tão gostosa aquela vidinha esmolenga...

Foi por essas alturas que cheguei a Rio Manso, e o caso do Bento, que desde o primeiro dia me interessara à curiosidade, interessou-me depois à piedade.

Resolvi curá-lo.

Examinei-o e vi que cegara em virtude de catarata de origem traumática, sob forma de fácil remoção. A faca de de Graefe punha-o bom em três tempos.

Propus-lhe o tratamento.

— Deus que o abençoe! Que vontade tenho de ver de novo o sol! O sol, as cores, as gentes... Só quem perdeu a vista sabe o que valem os olhos. Esta noite sem fim...

— Terá fim a tua, meu velho. O caso é simples e tenho a certeza de por-te sãozinho como dantes. Apronto-te um quarto em minha casa, donde só sairás curado.

— Deus o ouça! Sempre pensei em procurar curar-me. Mas não havia médico por aqui, era preciso ir longe, viagem cara... Se os "videntes" soubessem o que é a cegueira...

"Videntes"! Ele chamava videntes aos cegos que enxergam...

— Pois está combinado. Amanhã cedo vais ao meu consultório e amanhã mesmo te opero. E verás de novo o sol, as flores, o céu...

A fisionomia do cego irradiava.

— Sabe o que mais desejo ver? — disse revirando nas órbitas os olhos branquicentos. — A cara dos meus filhos. Eram tão maus e são hoje tão bonzinhos...

No dia seguinte, cedo, preparada a ferramenta, fiquei à espera do meu homem.

Oito, nove horas, dez, onze e nada. Bento não aparecia.

— Geremário, já aprontou o quarto do cego?

— Não, senhor.

— Por que? Não ordenei isso ontem?

Geremário sorriu maliciosamente.

— O homem não vem, seu doutor. Vai ver que não vem. Pois se a sorte dele é ser cego...

Revoltou-me aquele cinismo de opinião e ordenei-lhe com rispidez que cumprisse minhas ordens sem mais filosofias. E inda de vincos na testa saí de rumo à casa do Bento.

Encontrei-a fechada. Bati e ninguém me respondeu. Insistia nisso quando à janela do casebre fronteiro assomou a trunfa duma bodarrona em camisa.

— Pode dizer-me que fim levou a gente desta casa? — perguntei-lhe.

— Seu Bento? Seu Bento foi-se embora. Ali pelas dez da noite os filhos "vieram" com um carro de boi e um recado seu.

— Meu?...

— Seu sim! Que o doutor mandou dizer que fosse já, já, por causa da operação — uma história comprida. Seu Bento trepou no carro, com aquela coruja que mora com ele, mais o leitor de livros, e as roupas, e o cachorro, e o negrinho, e a cacaria inteira. Até uma cartola desta altura levaram! Depois o carro seguiu por esse mundo fora. Os filhos consumiram com ele...

Fiquei parvo, inteiramente desnorteado de ideias.

A boda prosseguiu:

— Mas se ele só presta porque é cego... Se sarasse, toda a família afundava na miséria outra vez...

No meu primeiro ímpeto de dar queixa à polícia disparei para a casa do delegado. A meio caminho, porém, estava arrefecida essa inspiração e ao chegar à delegacia, gelada de todo. Parei à porta. Vacilei.

Em seguida dei de ombros, convencido de que o Geremário tinha razão e tinha razão a boda, e os filhos do cego tinham razão e todo mundo tem razão.

Polícia! A polícia viria romper ineptamente esse maravilhoso equilíbrio das coisas de que resulta a harmonia universal.

Rodei para casa.

Logo ao entrar apareceu-me o Geremário com ar de quem adivinhou tudo.

— Ponha o almoço, — ordenei-lhe secamente.

— Sim, senhor. E... posso desarrumar o quarto do cego?

Olhei bem para ele, ainda irritado. Mas a irritação caiu logo. Que culpa tinha o Geremário de conhecer a vida melhor do que eu?

Humilhei-me e respondi apenas:

— Desarrume...

1924

A nuvem de gafanhotos

Ser empregado público de inferior categoria e por mal de pecados demissível: será isso programa que seduza alguém?

— É.

E para Pedro Venâncio mais que seduzia — sorria. Foi, pois, com enlevo d'alma que recebeu a notícia de sua nomeação para fiscal da câmara-municipalzinha de Itaoca.

— Vou sossegar, — disse consigo, esfregando as mãos de contentamento. — Cavei o meu osso e agora é roê-lo pela vida em fora na santa paz do Senhor.

E ferrou o dente no ossinho.

Mas acontece que há osso e osso. Osso de bom tutano e osso pedra-pomes. No andar dos tempos verificou Venâncio que o tal ossinho era desses que embotam os dentes sem dar o mínimo de suco.

Gastar a vida inteira naquilo? É ser tolo, cochichou-lhe a humana ambição de melhoria, engenhosa fada a quem se devem todos os progressos do mundo. Assim espicaçado, entrou Venâncio a fariscar tutanos. Recorreu antes de mais nada à loteria, pois que é a Sorte Grande o supremo engodo dos pé-rapados. Venham gasparinhos! Todas as semanas adquiria um — e sonhava. O mesmo vendeiro que lhe fornecia aos sábados a semanal quarta de feijão, os semanais oito litros de arroz e o semanal cento de cigarros, juntava na conta mil réis de sonhos. E Venâncio, comido o feijão, fumado o cigarro, sonhava. Sonhava o doce beijo da Fortuna, boa deusa que o despegaria do atoleiro com um simples toque de sua asa potente.

Em matéria de cultura não era Venâncio de todo cru. Lia suas coisas e tinha lá suas ideias. Revelara desde cedo grande embocadura para a lavoura e documentava o pendor assinando quanta publicação oficial existe. Publicações gratuitas...

Assim, nas palestras da farmácia ninguém piava sobre lavoura sem que ele pulasse no meio com a sua colher torta. E era de ver o calor da sua argumentação e a riqueza das suas citações estatísticas.

Fazendeiro que nesses momentos passasse, havia que parar e abrir bem aberta a boca. Venâncio possuía planos grandiosos para salvar o café e pô-lo aí a quarenta mil réis a arroba...

— Quarenta mil réis, Venâncio? Não acha meio muito?

Venâncio incendiava-se.

— Por que muito? Não somos os maiores produtores? Não temos o quase privilégio dessa cultura? Se é assim, o lógico é que imponhamos o preço. Eu disse quarenta, não foi? Pois digo agora quarenta e cinco! Digo cinquenta!

— !!!

— Não se espantem. Eu provo que pode ser assim e que os americanos têm que gemer ali no dolarzinho, queiram ou não queiram!

— !!!

— Quei-ram ou não quei-ram! — reafirmava o salvador, escandindo as palavras.

E provava.

Também extinguia em menos de um ano a lagarta rosada, mais o curuquerê; e triplicava a corrente imigratória; e extraía o azoto do ar, pondo o adubo ao alcance do todos, a cem réis o quilo, talvez mesmo a setenta.

— Porque, como os senhores sabem, a química agrícola demonstra que...

E demonstrava.

Num desses rompantes demonstrativos o coronel da terra, de passagem pela rua, deteve-se a ouvi-lo e, finda a tirada, disse-lhe à queima-roupa:

— Que excelente ministro da Agricultura não daria você! Duvido que os Calmons e os Bezerras[1] entendam mais de lavoura...

— Está caçoando, coronel! — murmurou Venâncio com modéstia, embora no íntimo convencido da justiça da apreciação.

— Falo sério. Bem sabe que não brinco.

Os circunstantes sorriram discretamente, enquanto o massa-de-ministro se lambia todo, como boi feliz.

Em casa repetiu à esposa a opinião do chefe político.

---

1 Ministros da Agricultura.

— Brincadeira dele, Pedro! — objetou a sensatíssima consorte. — Não está vendo?

— Brincadeira nada! O coronel é homem que não brinca, você bem sabe...

Desde esse dia, imaginariamente, Venâncio transformou-se num maravilhoso ministro da Agricultura. Plantou-se de armas e bagagens no casarão da Praia Vermelha e com raro tino administrativo salvou o país. Que eficácia de medidas! Que sábias leis protetoras! Que maravilhosos resultados! Lagarta nos algodoais? Nem umazinha para remédio! Curuquerê? Nem sombra! O café trepou à casa dos quarenta...

— Por arroba?

— Por dez quilos, homem!

E, firmíssimo, revelava tendências para alta ainda maior. Os mais pessimistas já concediam que não era de admirar fosse a cinquenta.

A borracha do norte arrancou-se ao marasmo em que emperrara e voltou a ser um Pactolo de esterlinas.

Azoto andava por aí aos pontapés, como um trambolho.

E na cabeça de Venâncio os sonhos lotéricos desapareceram trocados pelos sonhos administrativos, muito mais amplos e de muito maior alcance patriótico.

A consequência foi que Venâncio se eternizou no ministério. Vários presidentes se sucederam sem que nenhum ousasse tocar em sua pasta. Era sagrado aquele ministro de gênio, que salvara o país, enriquecera a lavoura, desafogara o comércio, consolidara a indústria e que, adorado pela nação, teria estátua em vida.

Que teria? Que teve! Por mais que em sua infinita modéstia o grande ministro recusasse tal homenagem, a gratidão nacional teimou em glorificá-lo no bronze.

Inesquecível a manhã em que Venâncio, de lágrimas nos olhos, viu rasgarem-se os véus do seu monumento.

AO SALVADOR DA PÁTRIA, O POVO AGRADECIDO.

Agradecido ou enriquecido? A turvação dos olhos não lhe permitiu distinguir a expressão exata — e por longo tempo semelhante dúvida o torturou.

Mas a grande recompensa teve-a ele em casa, ouvindo à esposa estas deliciosas palavras:

— Agora, sim, Venâncio, acredito que você é mesmo o que dizia. Até estátua!...

A boa senhora só se convencia com provas de bronze...

O doloroso, porém, era o contraste das duas vidas — ministro por dentro e fiscal da câmara por fora, obrigado a interromper a matutação de um projeto salvador da pátria para ir, de bonezinho na cabeça, cercar na rua carros de boi não aferidos.

Um ano se passou assim, no qual os gasparinhos falharam lamentavelmente. O mesmo dinheiro; zero, zero, zero; o mesmo dinheiro; zero, zero. Os seus rapapés à Sorte Grande recebiam da grande cortesã apenas esta magra resposta. Tábuas sobre tábuas; carranca amarrada sempre e jamais o sorrisozinho de uma "aproximação" para consolo.

Mas um dia...

Nesse dia Venâncio disputava com a esposa, que pedia dinheiro para umas compras.

— Estamos com a louça reduzida a cacos. Xícara de chá, duas e desbeiçadas. De café, três e sem asas. Ontem, quando aquele cacetão de Freitas esteve aqui, fui obrigada a pedir emprestada uma xícara da vizinha Veja que vergonha...

Venâncio relutou.

— Mas por que é que quebram a louça? O ano passado, lembro-me, eu mesmo comprei meia dúzia de cada.

Dona Fortunata pôs as mãos na cintura.

— Por que quebram? A pergunta é bem idiotazinha... A louça quebra-se porque é quebrável. Se fosse inquebrável não se quebraria. Parece incrível que um homem já indicado para ministro...

— Não admito ironias! Quer louça? Compre com o dote que trouxe...

— Já esperava por essa resposta. Está mesmo uma resposta de ministro... do coronel, — concluiu dona Fortunata venenosamente.

Venâncio, engasgado de cólera, ia replicar, quando a porta da sala se abriu e o vendeiro irrompeu como um pé de vento:

— Deixe ver o seu bilhete! Se é o 3743, deu a tacada!

O improviso do lance transformou em estupor a cólera de Venâncio, que entrou a piscar, numa tonteira, como quem leva porretada no crânio.

— Que? Que há? — tartamudeava ele.

O vendeiro bateu o pé, impaciente.

— O bilhete, homem! Deixe ver o seu bilhete, homem de Deus! Parece estuporado...

Custou a Venâncio encontrar na papelada agrícola que lhe enchia os bolsos o raio do bilhete. Suas mãos tremiam e o cérebro andava-lhe à roda.

Por fim achou-o.

Era o 3743.

Pegara os vinte contos.

Estas revoluções operadas pela sorte em cérebros venancinos não há aí quem as conte. É banho de ópio, é fumarada de haxixe, é gole de cocaína, é bebedeira que rompe toda a velha cristalização dos miolos. A ebriez do ouro vale pela soma da essência última de todas as mais ebriedades. Só ela abre a gaiola a "todos" os sonhos e põe o homem leve, com pequeninas asas em cada célula do corpo.

No caso do Venâncio, porém, não houve muita vacilação. Sua diretriz estava traçada pelo insopitável pendor agrícola.

Uma fazenda, uma grande fazenda, a melhor fazenda do município — a fazenda modelo da zona. Da zona? Do país, por que não? E depois — quem sabe? — o ministério, desta vez de verdade. O mundo dá tantas voltas...

E faria isto mais aquilo, e mais isto e mais aquilo, Meu Deus! Como a fazenda se foi aperfeiçoando, e a que requintes de primor atingiu! Legiões de curiosos vinham de longe visitá-la, e pasmavam. A fama corria, os jornais estudavam-na em artigos longos. Por fim o governo, impressionado com a voz pública, mandava examiná-la e propunha-lhe compra. Era forçoso que pertencesse ao patrimônio da nação uma coisa daquelas, para que todos pudessem aprender na maravilhosa escola as palavras últimas do aperfeiçoamento agrícola.

Mas, vendê-la? A um particular, nunca! À nação, sim, coagido pelo patriotismo. Isso mesmo, porém, sob uma condição! Oh, sim, uma condição *sine qua non*: darem-lhe a pasta da Agricultura...

— Porque eu, senhores, farei do Brasil inteiro o mimo que fiz da minha fazenda. Um vergel florido! A nova Califórnia! O paraíso terreal!...

O governo chorava de emoção e dava-lhe a pasta, sob as aclamações do povo agradecido...

Infelizmente, os vinte contos não eram elásticos e Venâncio teve que arrepiar da vertigem megalomaníaca e adquirir um pequeno sítio aí de trinta contos de réis. Deu quinze à vista e ficou a dever quinze sob hipoteca.

Sítio velho de terras cansadas; mas isso mesmo queria ele, para estrondosa demonstração do axioma tantas vezes berrado na botica:

— Não há terras más, há más cabeças. Com a química agrícola na mão esquerda e o arado na direita, eu faço o Saara produzir milho de pipoca!

— Mas, Venâncio...

— Não há "mas", há "más"; más cabeças, já disse. De pipoca!

Tinha agora de provar o asserto.

Começou mudando o nome antigo — Sítio do Embirussu por este muito mais adiantado — Granja Modelo de Pomona.

Apesar do lindo nome, o sítio permaneceu a pinoia que sempre fora. Barba-de-bode, guanxuma, saúva, cupins, joveva, geadas — todos os mimos da brasileiríssima deusa Praga.

Em compensação, no tocante ao pitoresco poucos haveria mais bem arranjados. Tudo velho e musgoso e carcomido, como o quer a estética. Vate de cabeleira que ali caísse, desentranhava-se logo em sonetos do mais repassado bucolismo; e o pintor de paisagens encontrava quadrinhos já feitos, encantadores, que era um gosto trasladar para a tela.

As paineiras laterais à casa faziam em setembro o enlevo dos colibris e das abelhas — mas a paina produzida mal dava para encher um travesseiro.

O pomar, velhíssimo, lembrava um ninho de faunos tocadores de avena; laranjeiras de cinquenta anos, pitangueiras altíssimas, ameixeiras musgosas, jaboticabeiras, romeiras — o que há de virgiliano e romântico e sombrio e parasitado. Renda, porém, zero.

Tudo mais pelo mesmo teor.

Venâncio mediu com os olhos penetrantes a grandeza da sua tarefa e sorriu. Tinha tanta convicção de transmutar aquele bucolismo em fonte de lucros...

Começou pelas aves. Em vez daquele sórdido restolho de galinhame da terra, sem sangue de pedigree, venham Leghorns para ovos e Orpingtons para carne. Imbecil o fazendeiro que não adota as belas raças americanas!

A mesma coisa com os porcos. Nada de canastrões ou tatuzinhos, tardios ou degenerados. Venham o Yorkshire, o Duroc-Jersey!

E venham mudas de boas árvores frutíferas, caquis, ameixas do Japão, damascos, maçãs, peras, tudo isto com explicações ao eterno nariz torcido da esposa:

— Porque você vê, Fortunata, dá o mesmo trabalho e vale cinco vezes mais. Um ovo de Orpington, por exemplo: quanto vale no Rio? Dois mil réis; mais que uma dúzia de ovos crioulos!

E venham sementes de capim de Rodes para as pastagens.

E venham um aradinho de disco, e agora uma semeadeira, e uma carpideira, e uma grade...

E venham isto e mais aquilo — e as novidades vinham vindo e os cinco contos iam indo muito mais depressa do que ele o imaginou.

Tudo isso não seria nada se não viesse também uma coisa bem fora dos cálculos de Venâncio: visitas.

Um belo dia o correio trouxe uma carta do Rio: "... e soubemos que V. está de maré, empacotado pela sorte grande (200 ou 500?) e já montado em linda fazenda. E como andamos todos aqui muito amarelos, e a Bibi necessitada, a conselho médico, de ares de campo, lembramo-nos de passar uns dias aí, se o caro parente não levar isso a mal..."

— "Caro parente?!"...

Venâncio releu a missiva.

— Quem será este novo parente, Ladislau Teixeira?

Consultou a mulher. Dona Fortunata refranziu a testa.

— Vai ver que é aquele filho da Carola...

— ??

— ... que casou por lá com uma tipa de beiço rachado...

— Ahn!...

— ... e esteve uma vez em Itaoca um ano atrás.

— Em casa do Estevinho, sei...

— Isso. Um tal Lalau.

— Sei sei... Mas que diabo de parentesco tem ele comigo? Só se por parte de Adão e Eva...

— Você já reparou, Venâncio, quantos parentes estão aparecendo agora?

— É verdade. Com este, cinco. E amigos, então? Nunca imaginei que os possuísse tantos...

Venâncio respondeu que a casa, casa de pobres, estava às ordens; que viessem.

Vieram. Quinze dias depois um trole despejava no terreiro um senhor de meia idade, sua esposa Filoca, três filhas empalamadas, Bibi, Babá, Bubu, e mais uma preta mucama. Venâncio reconheceu-os vagamente, mas por delicadeza fingiu intimidade.

— Bem-vindos sejam à casa do parente pobre!

Lalau abraçou-o carinhosamente.

— Não diga isso! Você é hoje a glória da família. Recebeu a recompensa que merecia. Quantas vezes eu não disse à Filoca: aquele nosso parente vai longe, porque quem planta colhe. Não é verdade, Filoca?

Dona Filoca sibilou através do beiço rachado uma confirmação plena:

— É sim! Nós nunca duvidamos do futuro do "primo" Venâncio.

Venâncio ficou sabendo que eram primos...

Nisto um novo trole assomou à porteira. Lalau explicou:

— Ia-me esquecendo... Vieram conosco umas vizinhas, moças muito boazinhas, as Seixas. Não te avisei na carta porque foi coisa de última hora. Devem ser parentas de dona Fortunata, ao que me disseram...

Venâncio interrogou furtivamente a esposa com o olhar, a qual lhe respondeu com um imperceptível movimento de beiço.

Apearam do segundo trole três moças e uma negrinha. Lalau apresentou-as.

— Dona Fafá, dona Fifi, dona Fufu.

As moças abraçaram os fazendeiros com grande cordialidade e abriram-se em louvores às belezas bucólicas.

— Veja, Fifi, que coisa estupenda esta paineira!

— Nem diga! E aquele maravilhoso beija-flor? Que belezinha? Como ficaria bem no meu chapéu azul...

E Babá para Venâncio:

— Que ar, primo! Que pureza de ar! A vida aqui deve ser um encanto. E que apetite dá! Eu, que não como nada, seria capaz de devorar um leitão inteiro hoje!

A Bibi conversava com a "prima" Fortunata:

— Leite há muito, já sei. Fazenda quer dizer fartura. Lá na capital o leite é água de polvilho, e caríssimo! É como os ovos: pela hora da morte e metade chocos. Sua galinhada quantas dúzias põe por dia?

E a Fifi para a Bubu:

— Pesei-me antes de vir: quarenta e nove quilos, veja que miséria! Mas daqui não saio sem alcançar cinquenta e oito! Ah, não saio! O meu peso normal deve ser este, diz o médico.

Dona Fortunata atendia a todos, sorrindo amavelmente, enquanto Lalau, já no pomar, investia contra as laranjas com fúria de "retirante".

— A minha conta, quando me pilho num pomar, são três dúzias. Pelo-me por laranjas!

Venâncio, armando cara alegre, dizia-lhe que era chupar, chupar...

Mas lá consigo pensava que naquele toada não venderia aquele ano uma dúzia, sequer. Só o Lalau daria cabo da safra inteira em quinze dias...

À décima quinta laranja Lalau parou, entupido.

— Estou por aqui! — grugulejou, riscando no pescoço o nível do caldo.

E, confidencial, ao ouvido do primo:

— Agora, que ninguém nos ouve, diga lá a verdade: duzentos ou quinhentos contos?

Venâncio não teve ânimo de pronunciar a palavra vinte. Também não quis mentir, e marombou:

— Não chega lá. Tirei apenas uns cobrinhos...

O primo cutucou-lhe a barriga:

— Está escondendo o leite? Faz muito bem, que isso de arrotar grandeza é transformar-se em "fruteira": todo o mundo pega a aproveitar-se.

E dando-lhe o braço:

— Conselho de velho: defenda os arames, enforque a cobreira! Do contrário, começam a aparecer amigos e parentes que não acaba mais.

Venâncio entreparou pasmado.

— É o que lhe digo, — prosseguiu Lalau. — Enquanto não possuímos nada, ninguém se importa com a gente. Mas logo que a maré chega, brotam da terra aproveitadores — como cogumelos!

Venâncio pasmou dois pontos mais, e Lalau, lendo a seu modo aquele pasmo insistiu:

— É o que lhe digo! Como cogumelos! Você é inexperiente ainda, não tem os anos que tenho, e deve, portanto, ouvir-me. Como parente próximo, zelo pela família e faço grande empenho em abrir os seus olhos contra a caterva de parasitas que vai por este mundo de Cristo. Quer saber de uma coisa? Foi por esse motivo que eu vim. Motivo real. O resto foi pretexto, você compreende. Eu disse à Filoca: é preciso abrir os olhos ao primo; dinheiro escorrega das mãos como peixe e se lhe não acudo com os meus conselhos, adeus sorte grande! Vê? Foi por este motivo que vim.

Inda atônito, Venâncio balbuciou umas palavras de agradecimento pela generosa intenção, e Lalau, colhendo nova laranja, continuou:

— Porque, cá comigo, é assim: para salvar um parente não poupo sacrifícios! Ah, não poupo! Vou longe atrás dele, gasto dinheiro, mas aviso-o. Pensa que não foi um sacrifício esta minha viagem? Só de trem, duzentos mil réis! Mas, como já disse, não olho a despesas. É parente? É amigo? Não olho a despesas. Ah, não olho! Não acha que deve ser assim?

— Está claro, — sussurrou Venâncio.

— Parece claro, mas poucos pensam deste modo e, em vez de sacrificarem um bocado das suas comodidades e virem abrir os olhos ao parente em perigo, sabe o que fazem?

— ?

— Vêm explorá-lo. Vêm ex-plo-rá-lo, primo! Admira-se? Pois saiba que o mundo está cheio de gente assim. Olhe, eu conheço um caso que...

Nessa noite o casal de fazendeiros passou a dormir na cozinha. Tiveram que ceder seu quarto ao Lalau e à esposa. As B... acomodaram-se na sala de espera. As F... numa alcova. As duas criadas, na despensa. Ficou a casa repleta, tendo a cozinheira de dormir fora, no paiol.

Venâncio perdeu o sono. Altas horas inda matutava:

— Não sei como está para ser! De um momento para outro, onze bocas a mais...

— E que bocas! — observou dona Fortunata. — Como comem! A tal Fifi, que é um bilro e parece viver de brisas, bebeu um litro de leite para "rebater" meia dúzia de ovos. E sabe o que disse, toda espevitada? "Isto é para começarrrr... O médico mandou-me ir aumentando as doses aox poucox..." Veja você!

— Parece que chegaram da seca do Ceará! Lalau chupou duma assentada quinze laranjas, e das de umbigo...

— Esse não me admiro, que é homem e grandalhão. Mas aquele figo seco da tal prima Filoca? Com partes de enfastiada, foi à cozinha e chamou para o bucho todos os torresmos que eu tinha guardado para você. Dizem que é o ar...

— Ar! Ar! Eu respiro o mesmo ar e nunca tenho apetite. Esfaimados por natureza é o que eles são.

— E depois isto de comer à custa alheia deve ser um regalo! — concluiu dona Fortunata, valente criatura que jamais provara um quitute que não fosse preparado por suas próprias mãos.

O sono custou a vir, mas veio, e com ele um sonho. Sonhou Venâncio que uma nuvem de gafanhotos vinda do sul se abatera no sítio, deixando-o nu em pelo, sem folha nas árvores, nem soca de capim nos pastos.

Despertou sobressaltado. A manhã ia alta, com réstias de sol a coarem-se pelos vidros. Saltou da cama e foi à janela. Um vulto caminhava rumo ao pomar, de pijama, faca de mesa na mão, assobiando despreocupadamente o "Pé de Anjo".

— Lá vai ele, — murmurou Venâncio. — Lá vai às laranjas baianas...

— Quem? — indagou a esposa, interrompendo o amarrar da saia.

— Ora quem! O gafanhoto-mor.

E como a esposa fizesse cara de interrogação, Venâncio contou-lhe o sonho da nuvem.

Dona Fortunata concluiu o nó da saia apreensivamente:

— Queira Deus não dê certo!

Deu certo. Nunca um sonho profético antepintou o futuro com maior precisão. Os hóspedes devoraram o sítio do Venâncio em poucas semanas. Foram-se todos os porcos, transfeitos em torresmos, lombo assado e linguiça. Os lindos leitõezinhos que brincavam no terreiro acabaram no espeto, um por um. O mesmo destino tiveram as aves, com exceção do casal de Orpingtons amarelas, que muito tentou a gula dos hóspedes, mas que Venâncio, por precaução, mandou esconder em casa de um vizinho. Os ovos, porém, se perderam.

— Sabe, — disse dona Fortunata ao marido uma noite (era sempre à noite, na cama, que murmuravam contra a praga dos gafanhotos), — sabe que a ninhada de ovos de raça já se foi?

— Não me diga! — exclamou Venâncio.

— Pois escondi-os num canto, no quarto dos badulaques, mas aquele pau de virar tripa da Bubu meteu o nariz lá e descobriu-os e veio berrando muito lampeira: "Prima, suas galinhas estão botando no quarto dos cacaréus. Olhe que lindos ovos encontrei lá! Duas dúzias: a continha certa para hoje".

Expliquei-lhe o caso, contei que eram ovos de raça, caros, que você reservava para chocar. Sabe o que a bisca respondeu? "Ora, não seja somítica. Nós vamos embora logo e suas galinhas ficam por aqui botando ovos pelo resto da vida".

Venâncio suspirou.

Um mês. Dois meses. Três meses.

No dia em que os hóspedes se foram, Venâncio mais a esposa deram uma volta pelo sítio, em desconsoladora inspeção. Tudo deserto. Nem um frango no galinheiro, nem uma goiaba no pomar, nem um porquinho na ceva.

— Comeram até o cachaço! — murmurou Venâncio, sacudindo a cabeça.

Na horta, as leiras de couve só apresentavam talos esguios — folhas nenhuma. Os pés de abóbora davam dó: nem uma abobrinha, nem um broto...

— Como eles gostavam de cambuquira! — recordou dona Fortunata.

Finda a inspeção, um olhou para o outro, com desanimadíssimos focinhos.

— E agora? — indagou a mulher.

— Agora? — repetiu Venâncio — agora é fazer a trouxa e tocar para Itaoca antes que morramos de fome.

— E volta você para o empreguinho?

— Que remédio! Os "primos" devoraram a carne; tenho que roer o osso.

E foi graças ao apetite daqueles bem-aventurados primos que Itaoca viu reintegrar-se em seu seio um precioso elemento social. As palestras da botica andavam mortas, e sempre que se ventilava um ponto agrícola todos lamentavam a ausência do argumentador seguro, que sempre detivera com tanto brilho a palma da vitória.

Mas a volta de Venâncio foi uma decepção. O antigo entusiasmo murchara-lhe e nunca mais em sua vida piou sobre o tema favorito. E se acaso falavam perto dele em pragas da lavoura, geada, ferrugem, curuquerê ou o que seja, sorria melancolicamente, murmurando de si para si:

— Conheço uma muito pior...

E conhecia.

1923

Tragédia dum capão de pintos

Nasceram na mesma semana um pinto, um peruzinho e um marreco. Até aqui, nada. Todos os dias vêm ao mundo marrecos, perus e pintos sem que isso ponha comichões na pena dos novelistas. O estranho do caso foi que nasceram irmãos, contra todos os preceitos biológicos.

— ??

Explica-se. Tio Pio, preto cambaio que tomava conta do terreiro, tivera a ideia de reunir sob certa galinha, em choco sobre apenas cinco ovos, mais três de perua e dois de marreca salvos de ninhadas infelizes, conseguindo assim dar vida aquela estranha irmandade de nova espécie.

Dos nove ovos só vingaram três, e lá estavam os produtos já crescidotes sob a guarda solícita do Peva-de-raça, capão de pintos posto a pajeá-los para que dona galinha não perdesse tempo com tão pífia ninhada.

Triste sorte na fazenda a dos galos cotós de pernas! Tio Pio os punha de parte para capões de pintos, transformando os belicosos "clarins da aurora" em tristes eunucos, bichos metade galo, metade galinha, senhores de crista, espora e cauda flamante não mais destinadas a seduzir frangas, senão a divertir pintinhos.

Peva-de-raça tinha este nome pelas razões que o nome indica. Mas vá lição para os leitores da cidade, gente que de galos e galinhas só conhece os da torre das igrejas e as que aparecem ao jantar em molho pardo. *Peva*: perna curta; *de raça*: raça estrangeira.

— A mó que Plimu, — explicava Pio aos interpelantes.

Excelente sujeito o Peva! Tomara os órfãos no primeiro dia sem nenhuma relutância, e dera com eles criados à custa de infinitos de pachorra.

Muitos dissabores sofreu. O marrequinho, sobretudo, causou-lhe sérios aborrecimentos.

Havia na fazenda um tanque bordado de taboas esbeltas, rico de traíras e sapinhos de cauda. Esse tanque era a mania do lindo pompom de arminho amarelo. Quantas vezes não ficou o Peva à beira d'água seguindo de olhos aflitos as evoluções do mimoso palmípede, que nela penetrava e nadava, e mergulhava com louca afoiteza, inconcebível para o velho capão!

Já os outros não o afligiam tanto. Divertiam-no até. O capão gostava de ver o peruzinho em caça às moscas. Magricela e tonto, como sabia marcar a presa, achegar-se com extrema lentidão e, de repente — *zás!* — uma bicada certeira!

O pinto, esse era mestre em travessuras. Subia-lhe às costas, tenteando-se nas asinhas, e trepava-lhe pelo pescoço até alcançar a crista, cujas carúnculas bicava.

Era muito cauteloso, o Peva. Se vinha chuva, punha-se logo de agacho para abrigo dos guris — de dois apenas, que o terceiro, o marreco, nenhum caso d'água fazia, antes pelava-se por chuva, só recolhendo ao sentir-se entanguido.

E era muito metódico, o Peva. Mal a tarde fechava a carranca anunciativa da noite, lá ia ele de rumo ao terreiro aninhar-se rente ao muro, sempre no mesmo lugar. Escarrapachava-se ali ao jeito das galinhas, e esperava que os órfãos, depois dumas derradeiras voltas por perto, viessem chegando e se metessem dentro da plumosa casa viva.

Entrava primeiro o peru, um friorento de marca: depois o pinto; o marreco por último.

E o Peva cochilava, transfeito em esquisito animal de quatro cabeças: a sua, grande, cristuda, e mais três cabecinhas curiosas que abriam seteiras na plumagem e espiavam o mistério do mundo a envolver-se nas sombras da noite.

Aquela singularidade deu nome e renome aos três bichinhos. Quantos pintos, perus e marrecos houvesse na fazenda eram todos conhecidos por pinto, peru e marreco, genericamente. Só eles se personalizavam. Eram o Pinto Sura, o Peruzinho do Capão e o Reco-Reco. Seres privilegiados, libertos da disciplina comum do galinheiro, tornaram-se logo as criaturinhas mais populares daquele pequeno mundo. Viviam soltos sem lei nem grei, como boêmios errantes encontradiços por toda parte — nos chiqueiros, nos pastos, ao pé das tulhas, à porta das cozinhas, onde quer que aparecesse fartura de milho, siriris e quireras.

Havia na fazenda outros animais populares. Havia a Ruça, mulinha de carroça, bastante velha e próxima da aposentadoria. Só trabalhava em serviços leves de terreiro, puxando a "carrocinha de dentro". Pertencera à tropa, transportara muito café para a cidade, sempre com carga de oito arrobas, façanha de que, com saudades se recordava agora.

Entre as vacas era a Princesa a mais popular. Vaca de estimação. Enriquecera a fazenda de numerosos filhos, entre os quais o possante Beethoven, agora pastor do rebanho. Dera ainda a Rosita, leiteira de truz fiel à estirpe e certa nas doze garrafas diárias. E quantas outras crias que já andavam por sua vez de bezerrinho novo, ou na canga, a puxar carros! Vivia às soltas, livre de cercas, sempre no pasto dos porcos, ocupando o tempo em mascar babosamente boas palhas de milho.

Quem mais? Sim, o Vinagre — fiel guardião da "casa grande", veadeiro de fama outrora, hoje um dorminhoco que o que fazia era cochilar ao sol, de focinho entre as patas e olhos lacrimejantes. Todo ele era passado. Durante as sonecas vinham agitá-lo pesadelos, nos quais reviviam as cenas violentas das caçadas de antanho. E o glorioso veterano acuava a dormir.

Os homens nunca prestam grande atenção aos animais que os rodeiam. Brutinhos, dizem, e desprezam-n'os. Mas a verdade é que a esses nossos manos o que os inferioriza é não gozarem o dom da fala, pelo menos de fala inteligível para nós, visto como pensam e superiormente raciocinam, possuindo sobre os homens e as coisas ideias terrivelmente lógicas.

Ali na fazenda eram todos concordes num ponto: a supremacia de Tio Pio sobre os demais seres humanos. Era Ti'Pio a atenção que nada esquece, a justiça que dá e pune, o amor que compreende, o deus que cura, a ordem que tudo simplifica.

Para o trio do Peva era Ti'Pio o Recolhe-ovos, o Deita-ninhadas, o Mata-piolho, o Varre-galinheiro, o Pega-frango, o Arruma-ninho, o Traz-quirera, o Rebenta-cupim, o Espanta-cachorro — modalidades várias dum alto espírito de providência.

Para a Princesa era o Traz-milho, o Tira-leite, o Prende-bezerro, e Esvurma-berne, o Fecha-porteira, o Bota-no-pasto.

Para a mulinha era o Põe-carroça, o Arruma-arreios, o Escova-pelo, o Dá-ração.

Para o Vinagre era o Lava-cachorro, o Traz-angu, o Atiça-atiça, o Prega-pontapés.

Só ele, entre tantos homens da fazenda, revelava-se, apesar de preto, claro de intenções e compreensível; só ele não podia desaparecer sem grave dano geral. Lembravam-se de como todos padeceram certa ocasião em que Ti'Pio caiu de cama. Houve desordem grossa. Pintos morreram de fome; Vinagre emagreceu; a Princesa viu-se privada de palha, o Peva dormiu fora do terreiro pela primeira vez. Ao cabo de dez dias, quando o preto ressurgiu, recém-sarado, foi como se repontasse o sol em seguida a longo tempo de chuvas. Que alegria!

As demais criaturas humanas afiguravam-se-lhes misteriosas e sobretudo ilógicas. Impossível ao Vinagre entender o patrão. Já de cara alegre, já de cara amarrada, recebia-o alternativamente com carinho ou pontapés. E o velho cachorro filosofava: como é que um mesmo ato meu, sempre gesto de afago e submissão, ora recebe prêmio, ora castigo? Não entendia...

E muito menos o entendiam o Peva, a Princesa e a Ruça. Sua presença no curral ou no pasto era signo certo de calamidade — morte, prisão, tortura. "Mate aquele boi", "Pegue aquele frango", "Arreie aquele cavalo", "Cape aquele porco". Mate, pegue, arreie, cape, venda, esfole — não se lhe ouviam outras palavras. E toda gente corria pressurosa a executar-lhe as ordens, por mais tirânicas que fossem.

Igualmente incompreensíveis eram os filhotes do homem. Que criaturinhas variáveis, irrequietas, cruéis! Sempre de vara na mão, perseguiam abelhas e borboletas, esmagavam os sapos, atropelavam as galinhas. Ao vê-las, Vinagre disfarçadamente saía para longe e o Peva bandeava-se com seus órfãos para o outro lado dalgum vedo. Só a Princesa nenhum caso deles fazia, certa do terror que lhes inspiravam os seus longos chifres.

Já a Dona, mulher do Senhor, não infundia medo senão às aves. Terrível inimiga do galinheiro! Depredava os ovos e condenava à morte justamente os mais belos frangos e as mais respeitáveis matronas de pena — "galinhas velhas", como dizia a ingrata.

Para os outros animais a Dona significava apenas ignorância. Era a "Perguntativa" e a "Muda-cor". Hoje de cor de rosa, amanhã de azul, não usava cor fixa. E vivia interrogando:

— Pio, que burro é esse?

— Não é burro, Sinhá, é a mulinha ruça.

Perguntava sempre. Que caroços eram aqueles na vaca? Que boi estava *rinchando* no pasto? Que *trepadeira* andavam a tirar das árvores?

Viera duma cidade grande, havia pouco tempo, cheia de gritinhos e medo aos bichos. Ignorava tudo, fora pilhar ninhos. *Papa-ovo*, apelidou-a o Peva, como já havia apelidado tio Pio de *É-hora*, e aos demais camaradas da fazenda de *Sim-Senhores*, porque *Sim-Senhor* era o estribilho com que habitualmente retrucavam a todas as ordens do Dono.

Por uma tarde igual às outras recolhia-se Peva ao pouso do costume seguido dos três órfãos já marmanjões. No céu, a caraça vermelha do sol escondia-se detrás do morro, e na terra os primeiros grilos ensaiavam as asas cricrilantes. Rente à porteira a mulinha, solta no pasto minutos antes, espoja-se regalada.

— Boa tarde! — saudou-a o Peva. — Cansadinha, hein?

A mula interrompeu a cabriola e abanou as orelhas como quem diz: "É verdade". Depois, falou:

— Acho prudente que tome cuidado com seus filhos. A Perguntativa anda interessada por eles — e isso é mau sinal. Vi-a em conversa com É-hora e pilhei este pedacinho: "O marreco do capão está no ponto". Não sei o que quer dizer, mas boa coisa não será.

O Peva enrugou a testa, apreensivo. Jamais a Perguntativa se referia a alguma ave sem que sobreviesse desgraça. "Está no ponto" — que quereria dizer aquilo?

A mulinha ignorava-o. Sabia de algumas palavras triviais, conhecia o *pegue*, o *prenda*, o *mate* — mas o *está no ponto* era-lhe coisa nova.

— Quem há de saber disto é o Vinagre. Mora na casa grande e entende a língua dos homens melhor do que nenhum de nós. Consulte-o, e não deixe também de consultar a Princesa, cuja experiência da vida é grande.

Peva se foi à Princesa, que encontrou mascando as palhas do costume.

— *Está no ponto* — poderá dizer-me, senhora Princesa, que coisa significa na língua dos homens?

A vaca interrompeu a mascação e disse:

— Já ouvi essa palavra aplicada ao meu filho segundo, o Barroso. Tinha ele dois anos e meio. O Dono passava em companhia de um Sim-Senhor. Avistou de longe o meu Barroso no pasto e ordenou: "Aquele boizinho está no ponto. Carro com ele!" No dia seguinte laçaram-no, meteram-no na canga e o pobre do meu garrote muito que padeceu a puxar um carro pesadíssimo. Deste incidente concluo que *estar no ponto* quer dizer *carro*.

Peva, um tanto curto de ideias, tremeu ante aquela revelação. Horror, meterem no carro ao seu querido marrequinho! Em seguida duvidou. Andar no carro era coisa que só vira fazer aos bois. Não podia ser. A vaca errara evidentemente.

— Resta-me consultar o Vinagre, — refletiu — e todo pepé, com ruguinhas de apreensão na crista, foi ter com o velho cachorro.

Vinagre não resolveu o enigma, embora respondesse como o mais sábio dos oráculos.

— Pode ser muita coisa. A linguagem dos homens varia, ora quer dizer isto, ora aquilo. Mas que não é coisa boa, isso eu asseguro.

Nesse dia o capão, seguido dos órfãos, recolheu-se ao pouso habitual sem a despreocupação de outrora. Custou-lhe conciliar o sono. Não lhe saíam da cabeça as palavras misteriosas e de sentido inapreensível. Por fim dormiu e sonhou. Sonhou que ao lado do Barroso jungiam ao carro o pobre marrequinho. O sonho virou pesadelo e Peva sofreu horrores ante o quadro do filho adotivo a debater-se sob a monstruosa canga...

No dia seguinte, no momento da ração de milho, Ti'Pio inesperadamente agarrou o marrequinho pelas pernas e lá se foi com ele para a Cozinha.

Aflitíssimo, tomado de imenso desespero, Peva inda alimentou esperanças de vê-lo. Mas a noite chegou e com ela a primeira desilusão de sua vida. Nada do marreco. Pela manhã, nada. Meio-dia, nada.

À hora do jantar encontrou Vinagre roendo uns ossos no terreiro.

— Que é isso, amigo?

— Ossos de marreco.

— De marreco! — exclamou Peva, surpreso.

— Sim. Que admiras? Que os marrecos tenham ossos? Tem-n'os, e excelentes...

Peva estarreceu. Compreendia afinal o tremendo sentido das palavras misteriosas. *Está no ponto* significava condenação à morte. Horror!...

Guardou consigo, entretanto, aquela mágoa. Nada disse ao peruzinho nem ao frango, prevendo para os dois sorte idêntica.

— Bem triste a vida sob o domínio cruel do homem! Nada de bom vem deles... — filosofou.

Nessa mesma tarde Peva cruzou-se com a Princesa e disse-lhe:

— Erraste, Princesa. *Está no ponto* quer dizer *morte*.

A vaca parou a mastigação da palha e sorriu da ingenuidade do Peva. Ela tinha tanta certeza de que queria dizer *carro*...

A vida na fazenda rolava na mesmice de sempre. Tudo continuava. A Ruça, a puxar a carrocinha; a Princesa, a mascar palhas; o Vinagre, a acuar em sonhos. Só na tribo do Peva a alegria não era a mesma. Saudades do marreco. Várias vezes o frango indagou do destino de Reco-Reco, forçando o capão a mentir. "Anda de viagem, uma longa viagem... Um dia volta."

Mas com que tristeza punha os olhos no tanque ou nas poças de enxurro que se formavam em dias de aguaceiro, pensando lá consigo: Nunca mais!...

O tempo corre, as estações se sucedem. A primavera anunciou-se nos mil botões que se arredondavam nas laranjeiras. Os órfãos do capão já eram mais companheiros de ciscagem do que filhotes pipilantes. Já dispensavam a sua solícita assistência. O peruzinho, grandalhudo e bem empenado, fez-se independente. O frango punha crista, com as esporas abotoadinhas. Mudara de gênio, e se via alguma franga ia arrastar-lhe a asa até que algum galo de verdade o escorraçasse.

Certa manhã a Perguntativa veio assistir à amilhagem das aves. Fez várias perguntas e deu várias ordens ao Pio, concluindo, de dedo apontado para o frango:

— Está pedindo panela, aquele!

— Qual, Sinhá? O Sura?

— Sura quer dizer sem rabo? É. É ele mesmo.

Peva, que tudo ouvira, engasgou-se com o grão de milho que tinha no bico, perdeu a fome e incontinente saiu do bando. Embora não compreendesse o sentido daquelas palavras, previu que "boa coisa não seria", como filosofava o Vinagre.

E acertou. O frango, no dia imediato, desapareceu misteriosamente. Peva procurou-o por todos os cantos e, desconfiado, foi rondar os fundos da cozinha na esperança de ouvi-lo piar lá dentro. Não ouviu pio nenhum — mas encontrou penas suspeitas no monte de lixo...

Adquirida a certeza do novo desastre, fez-se ainda mais tristonha a vida do pobre capão. A Cozinha! Era nas goelas daquele horrendo Moloch que sucessivamente iam desaparecendo os seus queridos órfãos. Engolira o marreco, engolira o frango... Engoliria também o peruzinho, por que não?

Velho e desalentado, com o coração sempre saudoso dos travessos garotinhos que criara, tornou-se macambúzio. Inda passeava com o peru, apesar da cada vez maior independência deste. Chegou a notar que era ele, Peva, quem o acompanhava agora. Notou-o, mas procurou iludir-se e simulava amadrinhá-lo, como outrora...

Pela força do hábito inda dormiam juntos, no antigo pouso ao pé do muro. Mas logo o peru, que é amigo de poleiro, elegeu um cômodo, em certa escada velha, e o capão teve de acompanhá-lo na mudança. E ali passaram a dormir juntinhos e encorujados no mesmo degrau.

Assim viveram até à chegada do Ano Bom.

Na véspera a Perguntativa apareceu no momento do dar milho e disse ao Pio:

— Olhe, amanhã temos o peru. Não esqueça de comprar pinga.

Desta feita Peva não vacilou quanto ao sentido da expressão. *Está no ponto — panela — temos o peru —* deviam ser frases equivalentes. Estava pois condenado a entrar para a Cozinha o seu derradeiro filho...

Cheio de resignação e com a alma em transes, Peva passou o dia num canto, jururu, remoendo as doces recordações de outrora. Ao cair da noite recolheu-se. Empoleirou-se na velha escada e achou muito natural que o peru não comparecesse.

Dormiu tarde, e teve o sono agitado de contínuos estremeções de angústia.

No dia seguinte notou movimento fora do comum na casa grande. Vinha gente de longe, mulheres de trole, homens a cavalo. Vinagre, esquecido da soneca do costume, entrava e saía, abanando a cauda com vivacidade de cachorro novo.

Num destes vai-e-vens Peva o deteve.

— Que há na casa grande? Tanta gente...

— Há peru, — respondeu o cão. — Quando há peru, os homens se assanham, vestem roupas novas, brincam e dançam. Tenho notado que a presença do peru à mesa provoca nos homens uma espécie de delírio, como entre as galinhas a queda de içás.

Esta observação do cachorro, embora muito lisonjeira para a raça dos perus, não consolou nada ao nosso Peva, que se sentia ganho menos de tristeza que de funda indiferença pela vida. O sucessivo sacrifício dos filhotes calejara-lhe por partes o coração. No dia do marreco a dor que sentiu foi verdadeira dor de pai; em seguida, pela morte do frango, a sua dor foi dor de pai adotivo; agora, ao perder o peru, a dor era calma e resignada. Dor de filósofo. Compreendia, afinal, que a vida foi, e é assim, e não melhora...

Os capões inspiram desprezo aos galos e talvez piedade irônica às senhoras galinhas. Por isso Peva, em sua triste solidão, deambulava pelo terreiro como criatura sem lugar na vida. As lindas frangas, as viçosas poedeiras e até as velhas galinhas aposentadas, tinham pela sua honesta companhia um profundo desdém. E como nem os frangotes o procuravam, o isolamento do triste eunuco era completo.

Esse errar à toa fê-lo notado de Ti'Pio, que se lembrou de pô-lo a criar nova ninhada.

— Anda vadiando aqui, este diabo... Espera que te arrumo.

Agarrou-o, levou-o ao galinheiro, esfregou-lhe urtiga no abdômen e deitou-o sobre uma ninhada de dez pintos nascidos na véspera.

Não ofereceu Peva a menor resistência. Deixou fazer. Agachou-se como dantes e cobriu lindamente os gentis recém-nascidos.

Altas horas, porém, ergueu-se e tomou rumo do poleiro, abandonando aos frios da noite, a roda de vidinhas pipilantes. Não mais queria exercer a profissão de mãe. Para quê?

— Se têm de morrer na Cozinha, morram agora enquanto ainda não lhes tenho amor.

Os pintos amanheceram mortos, entanguidos de frio.

Quando Ti'Pio tomou conhecimento do desastre, ficou furioso.

— Cachorro! Você fez mas paga!

Houve um corre-corre. A galinhada assustadiça debandou; os marrecos meteram-se no tanque.

Cotó de pernas, frouxo de asas, Peva pouco resistiu à perseguição do negro. Rendeu-se e, seguro pelas patas, de cabeça para baixo, com as ideias perturbadas pela congestão do cérebro, por sua vez transpôs a soleira da Cozinha, insaciável sorvedouro de vidas, odioso túmulo de Reco-Reco, do Sura, do Peru e agora do venerável tutor da estranha irmandade...

Quem na manhã do dia seguinte passasse pelo fundo da horta veria no monte de lixo um punhado de penas escaldadas, escorridas, sem cor, sujas de cinza. E veria duas pernas rugosas de longas esporas recurvas. E veria ainda uma dolorosa cabeça de crista violácea, com os olhos semiabertos, em cujas pupilas de vidro várias formiguinhas se miravam.

Horríveis, aqueles despojos?

Um urubu pousado ali perto não pensava assim...

FICÇÃO

CONTOS

NEGRINHA (1920)

Negrinha

Negrinha era uma pobre órfã de sete anos. Preta? Não; fusca, mulatinha escura, de cabelos ruços e olhos assustados.

Nascera na senzala, de mãe escrava, e seus primeiros anos vivera-os pelos cantos escuros da cozinha, sobre velha esteira e trapos imundos. Sempre escondida, que a patroa não gostava de crianças.

Excelente senhora, a patroa. Gorda, rica, dona do mundo, amimada dos padres, com lugar certo na igreja o camarote de luxo reservado no céu. Entaladas as banhas no trono (uma cadeira de balanço na sala de jantar), ali bordava, recebia as amigas e o vigário, dando audiências, discutindo o tempo. Uma virtuosa senhora em suma — "dama de grandes virtudes apostólicas, esteio da religião e da moral", dizia o reverendo.

Ótima, a dona Inácia.

Mas não admitia choro de criança. Ai! Punha-lhe os nervos em carne viva. Viúva sem filhos, não a calejara o choro da carne de sua carne, e por isso não suportava o choro da carne alheia. Assim, mal vagia, longe, na cozinha, a triste criança, gritava logo nervosa:

— Quem é a peste que está chorando aí?

Quem havia de ser? A pia de lavar pratos? O pilão? O forno? A mãe da criminosa abafava a boquinha da filha e afastava-se com ela para os fundos do quintal, torcendo-lhe em caminho beliscões de desespero.

— Cale a boca, diabo!

No entanto, aquele choro nunca vinha sem razão. Fome quase sempre, ou frio, desses que entanguem pés e mãos e fazem-n'os doer...

Assim cresceu Negrinha — magra, atrofiada, com os olhos eternamente assustados. Órfã aos quatro anos, por ali ficou feito gato sem dono, levada a pontapés. Não compreendia a ideia dos grandes. Batiam-lhe sempre, por ação ou omissão. A mesma coisa, o mesmo ato, a mesma palavra provocava ora risadas, ora castigos. Aprendeu a andar, mas quase não andava. Com pretexto de que às soltas reinaria no quintal, estragando as plantas, a boa senhora punha-a na sala, ao pé de si, num desvão da porta.

— Sentadinha aí, e bico, hein?

Negrinha imobilizava-se no canto, horas e horas.

— Braços cruzados, já, diabo!

Cruzava os bracinhos a tremer, sempre com o susto nos olhos. E o tempo corria. E o relógio batia uma, duas, três, quatro, cinco horas — um cuco tão engraçadinho! Era seu divertimento vê-lo abrir a janela e cantar as horas com a bocarra vermelha, arrufando as asas. Sorria-se então por dentro, feliz um instante.

Puseram-na depois a fazer crochê, e as horas se lhe iam a espichar trancinhas sem fim.

Que ideia faria de si essa criança que nunca ouvira uma palavra de carinho? Pestinha, diabo, coruja, barata descascada, bruxa, pata choca, pinto gorado, mosca morta, sujeira, bisca, trapo, cachorrinha, coisa ruim, lixo — não tinha conta o número de apelidos com que a mimoseavam. Tempo houve em que foi bubônica. A epidemia andava na berra, como a grande novidade, e Negrinha viu-se logo apelidada assim — por sinal que achou linda a palavra. Perceberam-no e suprimiram-na da lista. Estava escrito que não teria um gostinho só na vida — nem esse de personalizar a peste...

O corpo de Negrinha era tatuado de sinais, cicatrizes, vergões. Batiam nele os da casa todos os dias, houvesse ou não houvesse motivo. Sua pobre carne exercia para os cascudos, cocres e beliscões a mesma atração que o imã exerce para o aço. Mão em cujos nós de dedos comichasse um cocre, era mão que se descarregaria dos fluidos em sua cabeça. De passagem. Coisa de rir e ver a careta...

A excelente dona Inácia era mestra na arte de judiar de crianças. Vinha da escravidão, fora senhora de escravos — e daquelas ferozes, amigas de ouvir cantar o bolo e estalar o bacalhau. Nunca se afizera ao regime novo — essa indecência de negro igual a branco e qualquer coisinha: a polícia! "Qualquer coisinha": uma mucama assada ao forno porque se engraçou dela o senhor; uma novena de relho[1] porque disse: "Como é ruim, a sinhá!"...

O 13 de Maio tirou-lhe das mãos o azorrague, mas não lhe tirou da alma a gana. Conservava Negrinha em casa como remédio para os frenesis. Inocente derivativo.

— Ai! Como alivia a gente uma boa roda de cocres bem fincados!...

Tinha de contentar-se com isso, judiaria miúda, os níqueis da crueldade. Cocres: mão fechada com raiva e nós de dedos que cantam no coco do paciente. Puxões de orelha: o torcido, de despegar a concha (bom! bom! bom! gostoso de dar!) e o a duas mãos, o sacudido. A gama inteira dos beliscões: do miudinho, com a ponta da unha, à torcida do umbigo, equivalente ao puxão de orelha. A esfregadela: roda de tapas, cascudos, pontapés e safanões a uma — divertidíssimo! A vara de marmelo, flexível, cortante: para "doer fino" nada melhor!

Era pouco, mas antes isso do que nada. Lá de quando em quando vinha um castigo maior para desobstruir o fígado e matar as saudades do bom tempo. Foi assim com aquela história do ovo quente.

Não sabem? Ora! Uma criada nova furtara do prato de Negrinha — coisa de rir — um pedacinho de carne que ela vinha guardando para o fim. A criança não sofreou a revolta — atirou-lhe um dos nomes com que a mimoseavam todos os dias.

— "Peste?" Espere aí! Você vai ver quem é peste — e foi contar o caso à patroa.

Dona Inácia estava azeda, necessitadíssima de derivativos. Sua cara iluminou-se.

— Eu curo ela! — disse — e desentalando do trono as banhas foi para a cozinha, qual perua choca, a rufar as saias.

— Traga um ovo.

Veio o ovo. Dona Inácia mesma pô-lo na água a ferver; e de mãos à cinta, gozando-se na prelibação da tortura, ficou de pé uns minutos, à espera. Seus olhos contentes envolviam a mísera criança que, encolhidinha a um canto, aguardava trêmula alguma coisa de nunca visto. Quando o ovo chegou a ponto, a boa senhora chamou:

— Venha cá!

Negrinha aproximou-se.

---

[1] Surra de chicote durante nove dias.

— Abra a boca!

Negrinha abriu a boca, como o cuco, e fechou os olhos. A patroa, então, com uma colher, tirou da água "pulando" o ovo e *zás*! na boca da pequena. E antes que o urro de dor saísse, suas mãos amordaçaram-na até que o ovo arrefecesse. Negrinha urrou surdamente, pelo nariz. Esperneou. Mas só. Nem os vizinhos chegaram a perceber aquilo. Depois:

— Diga nomes feios aos mais velhos outra vez, ouviu, peste?

E a virtuosa dama voltou contente da vida para o trono, a fim de receber o vigário que chegava.

— Ah, monsenhor! Não se pode ser boa nesta vida... Estou criando aquela pobre órfã, filha da Cesária — mas que trabalheira me dá!

— A caridade é a mais bela das virtudes cristãs, minha senhora, — murmurou o padre.

— Sim, mas cansa...

— Quem dá aos pobres empresta a Deus.

A boa senhora suspirou resignadamente.

— Inda é o que vale...

Certo dezembro vieram passar as férias com Santa Inácia duas sobrinhas suas, pequenotas, lindas meninas louras, ricas, nascidas e criadas em ninho de plumas.

Do seu canto na sala do trono Negrinha viu-as irromperem pela casa como dois anjos do céu — alegres, pulando e rindo com a vivacidade de cachorrinhos novos. Negrinha olhou imediatamente para a senhora, certa de vê-la armada para desferir contra os anjos invasores o raio dum castigo tremendo.

Mas abriu a boca: a sinhá ria-se também... Quê? Pois não era crime brincar? Estaria tudo mudado — e findo o seu inferno — e aberto o céu? No enlevo da doce ilusão, Negrinha levantou-se e veio para a festa infantil, fascinada pela alegria dos anjos.

Mas a dura lição da desigualdade humana lhe chicoteou a alma. Beliscão no umbigo, e nos ouvidos o som cruel de todos os dias: "Já para o seu lugar, pestinha! Não se enxerga?"

Com lágrimas dolorosas, menos de dor física que de angústia moral — sofrimento novo que se vinha acrescer aos já conhecidos — a triste criança encorujou-se no cantinho de sempre.

— Quem é, titia? — perguntou uma das meninas, curiosa.

— Quem há de ser? — disse a tia num suspiro de vítima. — Uma caridade minha. Não me corrijo, vivo criando essas pobres de Deus... Uma órfã. Mas brinquem, filhinhas, a casa é grande, brinquem por aí afora.

"Brinquem!" Brincar! Como seria bom brincar! — refletiu com suas lágrimas, no canto, a dolorosa martirzinha, que até ali só brincara em imaginação com o cuco.

Chegaram as malas e logo,

— Meus brinquedos! — reclamaram as duas meninas.

Uma criada abriu-as e tirou os brinquedos.

Que maravilha! Um cavalo de pau!... Negrinha arregalava os olhos. Nunca imaginara coisa assim tão galante. Um cavalinho! E mais... Que é aquilo? Uma criancinha de cabelos amarelos... que falava "mamã"... que dormia...

Era de êxtase o olhar de Negrinha. Nunca vira uma boneca e nem sequer sabia o nome desse brinquedo. Mas compreendeu que era uma criança artificial.

— É feita?... — perguntou extasiada.

E dominada pelo enlevo, num momento em que a senhora saiu da sala a providenciar sobre a arrumação das meninas, Negrinha esqueceu o beliscão, o ovo quente, tudo, e aproximou-se da criaturinha de louça. Olhou-a com assombrado encanto, sem jeito, sem ânimo de pegá-la.

As meninas admiraram-se daquilo.

— Nunca viu boneca?

— Boneca? — repetiu Negrinha. — Chama-se Boneca?

Riram-se as fidalgas de tanta ingenuidade.

— Como é boba! — disseram. — E você como se chama?

— Negrinha.

As meninas novamente torceram-se de riso; mas vendo que o êxtase da bobinha perdurava, disseram, apresentando-lhe a boneca:

— Pegue!

Negrinha olhou para os lados, ressabiada, com o coração aos pinotes. Que aventura, santo Deus! Seria possível? Depois, pegou a boneca, E muito sem jeito, como quem pega o Senhor Menino, sorria para ela e para as meninas, com assustados relanços d'olhos para a porta. Fora de si, literalmente... Era como se penetrara no céu e os anjos a rodeassem, e um filhinho de anjo lhe tivesse vindo adormecer ao colo. Tamanho foi o seu enlevo que não viu chegar a patroa, já de volta. Dona Inácia entreparou, feroz, e esteve uns instantes assim, apreciando a cena.

Mas era tal a alegria das hóspedes ante a surpresa extática de Negrinha, e tão grande a força irradiante da felicidade desta, que o seu duro coração afinal bambeou. E pela primeira vez na vida foi mulher. Apiedou-se.

Ao percebê-la na sala Negrinha havia tremido, passando-lhe num relance pela cabeça a imagem do ovo quente e hipóteses de castigos ainda piores. E incoercíveis lágrimas de pavor assomaram-lhe aos olhos.

Falhou tudo isso, porém. O que sobreveio foi a coisa mais inesperada do mundo — estas palavras, as primeiras que ela ouviu, doces, na vida:

— Vão todas brincar no jardim, e vá você também, mas veja lá, hein?

Negrinha ergueu os olhos para a patroa, olhos ainda de susto e terror. Mas não viu mais a fera antiga. Compreendeu vagamente e sorriu.

Se alguma vez a gratidão sorriu na vida, foi naquela surrada carinha...

Varia a pele, a condição, mas a alma da criança é a mesma — na princesinha e na mendiga. E para ambas é a boneca o supremo enlevo. Dá a natureza dois momentos divinos à vida da mulher: o momento da boneca — preparatório, e o momento dos filhos — definitivo. Depois disso, está extinta a mulher.

Negrinha, coisa humana, percebeu nesse dia da boneca que tinha uma alma. Divina eclosão! Surpresa maravilhosa do mundo que trazia em si e que desabrochava, afinal, como fulgurante flor de luz. Sentiu-se elevada à altura de ente humano. Cessara de ser coisa — e d'ora avante ser-lhe-ia impossível viver a vida de coisa. Se não era coisa! Se sentia! Se vibrava!

Assim foi — e essa consciência a matou.

Terminadas as férias, partiram as meninas levando consigo a boneca, e a casa voltou ao ramerrão habitual. Só não voltou a si Negrinha. Sentia-se outra, inteiramente transformada.

Dona Inácia, pensativa, já a não atenazava tanto, e na cozinha uma criada nova, boa de coração, amenizava-lhe a vida.

Negrinha, não obstante, caíra numa tristeza infinita. Mal comia e perdera a expressão de susto que tinha nos olhos. Trazia-os agora nostálgicos, cismarentos.

Aquele dezembro de férias, luminosa rajada de céu trevas a dentro do seu doloroso inferno, envenenara-a.

Brincara ao sol, no jardim. Brincara!... Acalentara, dias seguidos, a linda boneca loura, tão boa, tão quieta, a dizer mamã, a cerrar os olhos para dormir. Vivera realizando sonhos da imaginação. Desabrochara-se de alma.

Morreu na esteirinha rota, abandonada de todos, como um gato sem dono. Jamais, entretanto, ninguém morreu com maior beleza. O delírio rodeou-a de bonecas, todas louras, de olhos azuis. E de anjos... E bonecas e anjos remoinhavam-lhe em torno, numa farandola do céu. Sentia-se agarrada por aquelas mãozinhas de louça — abraçada, rodopiada.

Veio a tontura; uma névoa envolveu tudo. E tudo regirou em seguida, confusamente, num disco. Ressoaram vozes apagadas, longe, e pela última vez o cuco lhe apareceu de boca aberta.

Mas, imóvel, sem rufar as asas.

Foi-se apagando. O vermelho da goela desmaiou...

E tudo se esvaiu em trevas.

Depois, vala comum. A terra papou com indiferença aquela carnezinha de terceira — uma miséria, trinta quilos mal pesados...

E de Negrinha ficaram no mundo apenas duas impressões. Uma cômica, na memória das meninas ricas.

— "Lembras-te daquela bobinha da titia, que nunca vira boneca?"

Outra de saudade, no nó dos dedos de dona Inácia.

— "Como era boa para um cocre!..."

1923

As fitas da vida

Perambulávamos ao sabor da fantasia, noite a dentro, pelas ruas feias do Brás, quando nos empolgou a silhueta escura duma pesada mole tijolácea, com aparência de usina vazia de maquinismos.

— Hospedaria dos Imigrantes, — informa o meu amigo.

— É aqui então...

Paramos a contemplá-la. Era ali a porta do Oeste Paulista, essa Canaã em que o ouro espirra do solo, era ali a antessala da Terra Roxa — essa Califórnia do rubídio, oásis cor de sangue coalhado onde cresceu a árvore do Brasil de amanhã, uma coisa um pouco diferente do Brasil de ontem, luso e perro; era ali o ninho da nova raça, liga, amálgama, justaposição de elementos étnicos que temperam o neo-bandeirante industrial, anti-jeca, anti-modorra, vencedor da vida à moda americana.

    Onde pairam os nossos Walt Whitmans, que não vêm estes aspectos do país e os não põem em cantos? Que crônica, que poema não daria aquela casa da Esperança e do Sonho! Por ela passaram milhares de criaturas humanas, de todos os países e de todas as raças, miseráveis, sujas, com o estigma das privações impresso nas faces — mas refloridas de esperança ao calor do grande sonho da América. No fundo, heróis, porque só os heróis esperam e sonham.

    Emigrar: não pode existir fortaleza maior. Só os fortes atrevem-se a tanto. A miséria do torrão natal cansa-os e eles se atiram à aventura do desconhecido, fiando na paciência dos músculos a vitória da vida. E vencem.

    Ninguém ao vê-los na Hospedaria, promíscuos, humildes, quase muçulmanos na surpresa da terra estranha, imagina o potencial da força neles acumulado, à espera de ambiente propício para explosões magníficas.

    Cérebro e braço do progresso americano, gritam o Sésamo às nossas riquezas adormidas. Estados Unidos, Argentina, S. Paulo devem dois terços do que são a essa varredura humana, trazida a granel para aterrar os vazios demográficos das regiões novas. Mal cai no solo novo, transforma-se, floresce, dá de si a apojadura farta com que se aleita a Civilização.

    Aquela Hospedaria... Casa do Amanhã, corredor do futuro...

    Por ali desfilam, inconscientes, os formadores duma raça nova.

    — Dei-me com um antigo diretor desta almanjarra, — disse o meu companheiro, — ao qual ouvi muita coisa interessante acontecida cá dentro. Sempre que passo por esta rua, avivam-se-me na memória vários episódios sugestivos, e entre eles um, romântico, patético, que até parece arranjo para terceiro ato de dramalhão lacrimogêneo. O romantismo, meu caro, existe na natureza, não é invenção dos Hugos; e agora que se fez cinema, posso assegurar-te que muitas vezes a vida plagia o cinema escandalosamente.

    Foi em 1906, mais ou menos. Chegara do Ceará, então flagelado pela seca, uma leva de retirantes com destino à lavoura de café, na qual havia um cego, velho de mais de sessenta anos. Na sua categoria dolorosa de indesejável, por que cargas d'água dera com os costados aqui? Erro de expedição, evidentemente. Retirantes que emigram não merecem grande cuidado dos prepostos ao serviço. Vêm a granel, como carga incômoda que entope o navio e cheira mal. Não são passageiros, mas fardos de couro vivo com carne magra por dentro, a triste carne de trabalho, irmã da carne de canhão.

    Interpelado o cego por um funcionário da Hospedaria, explicou sua presença por engano de despacho. Destinavam-no ao Asilo dos Inválidos da Pátria, no Rio, mas pregaram-lhe às costas a papeleta do "Para o eito" e lá veio. Não tinha olhos para guiar-se, nem teve olhos alheios que o guiassem. Triste destino o dos cacos de gente...

    — Por que para o Asilo dos Inválidos? — perguntou o funcionário. — É voluntário da Pátria?

— Sim, — respondeu o cego, — fiz cinco anos de guerra no Paraguai e lá apanhei a doença que me pôs a noite nos olhos. Depois que ceguei caí no desamparo. Para que presta um cego? Um gato sarnento vale mais.

Pausou uns instantes, revirando nas órbitas os olhos esbranquiçados. Depois:

— Só havia no mundo um homem capaz de me socorrer: o meu capitão. Mas, esse, perdi-o de vista. Se o encontrasse — tenho a certeza! — até os olhos me era ele capaz de reviver. Que homem! Minhas desgraças todas vêm de eu ter perdido meu capitão...

— Não tem família?

— Tenho uma menina — que não conheço. Quando veio ao mundo, já meus olhos eram trevas.

Baixou a cabeça branca, como tomado de súbita amargura.

— Daria o que me resta de vida para vê-la um instantinho só. Se o meu capitão...

Não concluiu. Percebera que o interlocutor já estava longe, atendendo ao serviço, e ali ficou, imerso na tristeza infinita da sua noite sem estrelas.

O incidente, entretanto, impressionara o funcionário, que o levou ao conhecimento do diretor. O diretor da Imigração era nesse tempo o major Carlos, nobre figura de paulista dos bons tempos, providência humanizada daquele departamento. Ao saber que o cego fora um soldado de 70, interessou-se e foi procurá-lo. Encontrou-o imóvel, imerso no seu eterno cismar.

— Então, meu velho, é verdade que fez a campanha do Paraguai?

O cego ergueu a cabeça, tocado pela voz amiga.

— Verdade, sim, meu patrão. Fui soldado do 33.

— O 33 de S. Paulo? Como isso, se você é do norte? — objetou o major.

— Verdade sim, patrão. Vim no 13, e logo depois de chegar ao império do Lopes entrei em fogo. Tivemos má sorte. Na batalha de Tuiuti nosso batalhão foi dizimado como milharal em tempo de chuva de pedra. Salvamo-nos eu e mais um punhado de camaradas. Fomos incorporados ao 33 paulista para preenchimento dos claros, e nele fiz o resto da campanha.

O major Carlos também era veterano do Paraguai, e por coincidência servira no 33. Interessou-se, pois, vivamente pela história do cego, pondo-se a interrogá-lo a fundo.

— Quem era o seu capitão?

O cego suspirou.

— Meu capitão era um homem que se eu o encontrasse de novo até a vista me era capaz de dar! Mas não sei dele, perdi-o — para mal meu...

— Como se chamava?

— Capitão Boucault.

Ao ouvir esse nome o major sentiu eletrizarem-se-lhe as carnes num arrepio intenso; dominou-se, porém, e prosseguiu:

— Conheci esse capitão. Foi meu companheiro de regimento. Mau homem, por sinal, duro para com os soldados, grosseiro...

O cego, até ali vergado na atitude humilde do mendigo, ergueu altivamente o busto e, com indignação a fremir na voz, disse com firmeza:

— Pare aí! Não blasfeme! O capitão Boucault era o mais leal dos homens, amigo, pai do soldado. Perto de mim ninguém o insulta. Conheci-o em todos os momentos, acompanhei-o durante anos como sua ordenança e nunca o vi praticar o menor ato de vileza.

O tom firme do cego comoveu estranhamente o major. A miséria não conseguira romper no velho soldado as fibras da lealdade, e não há espetáculo mais arrebatador do que o de uma lealdade assim vivedoira até aos limites extremos da desgraça. O major, quase rendido, sobresteve-se por um instante. Depois, friamente, prosseguiu na experiência.

— Engana-se, meu caro. O capitão Boucault era um covarde...

Um assomo de cólera transformou as feições do cego. Seus olhos anuviados pela catarata revolveram-se nas órbitas, num horrível esforço para ver a cara do infame detrator. Seus dedos crisparam-se; todo ele se retesou, como fera prestes a desferir o bote. Depois, sentindo pela primeira vez em toda a plenitude a infinita fragilidade dos cegos, recaiu em si, esmagado. A cólera transfez-se-lhe em dor, e a dor assomou-lhe aos olhos sob forma de lágrimas. E foi lacrimejando que murmurou em voz apagada:

— Não se insulta assim um cego...

Mal pronunciara estas palavras, sentiu-se apertado nos braços do major, também em lágrimas, que dizia:

— Abrace, amigo, abrace o seu velho capitão! Sou eu o antigo capitão Boucault...

Na incerteza, aparvalhado ante o imprevisto desenlace e como receoso de insídia, o cego vacilava.

— Duvida? — exclamou o major. — Duvida de quem o salvou a nado na passagem do Tebiquari?

Aquelas palavras mágicas a identificação se fez e, esvanecido de dúvidas, chorando como criança, o cego abraçou-se com os joelhos do major Carlos Boucault, a exclamar num desvario:

— Achei meu capitão! Achei meu pai! Minhas desgraças se acabaram!...

E acabaram-se de fato.

Metido num hospital sob os auspícios do major, lá sofreu a operação da catarata e readquiriu a vista.

Que impressão a sua, quando lhe tiraram a venda dos olhos! Não se cansava de "ver", de matar as saudades da retina. Foi à janela e sorriu para a luz que inundava a natureza. Sorriu para as árvores, para o céu, para as flores do jardim. Ressurreição!...

— Eu bem dizia! — exclamava a cada passo, — eu bem dizia que se encontrasse o meu capitão estava findo o meu martírio. Posso agora ver minha filha! Que felicidade, meu Deus!...

E lá voltou para a terra dos verdes mares bravios onde canta a jandaia. Voltou a nado — nadando em felicidade. A filha, a filha!...

— Eu não dizia? Eu não dizia que se encontrasse o meu capitão até a luz dos olhos me havia de voltar?

1925

O DRAMA DA GEADA

Junho. Manhã de neblina. Vegetação entanguida de frio. Em todas as folhas o recamo de diamantes com que as adereça o orvalho.

Passam colonos para a roça, retransidos, deitando fumaça pela boca.

Frio. Frio de geada, desses que matam passarinhos e nos põem sorvete dentro dos ossos.

Saímos cedo a ver cafezais, e ali paramos, no viso do espigão, ponto mais alto da fazenda. Dobrando o joelho sobre a cabeça do socado, o major voltou o corpo para o mar de café aberto ante nossos olhos e disse num gesto amplo:

— Tudo obra minha, veja!

Vi. Vi e compreendi-lhe o orgulho, sentindo-me orgulhoso também de tal patrício. Aquele desbravador de sertões era uma força criadora, dessas que enobrecem a raça humana.

— Quando adquiri esta gleba, — disse ele, — tudo era mata virgem, de ponta a ponta. Rocei, derrubei, queimei, abri caminhos, rasguei valos, estiquei arame, construí pontes, ergui casas, arrumei pastos, plantei café — fiz tudo. Trabalhei como negro cativo durante quatro anos. Mas venci. A fazenda está formada, veja.

Vi. Vi o mar de café ondulando pelos seios da terra, disciplinado em fileiras de absoluta regularidade. Nem uma falha! Era um exército em pé de guerra.

Mas bisonha ainda. Só no ano vindouro entraria em campanha. Até ali, os primeiros frutos não passavam de escaramuças de colheita. E o major, chefe supremo do verde exército por ele criado, disciplinado, preparado para a batalha decisiva da primeira safra grande, a que liberta o fazendeiro dos ônus da formação, tinha o olhar orgulhoso dum pai diante de filhos que não mentem à estirpe.

O fazendeiro paulista é alguma coisa séria no mundo. Cada fazenda é uma vitória sobre a fereza retrátil dos elementos brutos, coligados na defesa da virgindade agredida. Seu esforço de gigante paciente nunca foi cantado pelos poetas, mas muita epopeia há por aí que não vale a destes heróis do trabalho silencioso. Tirar uma fazenda do nada é façanha formidável. Alterar a ordem da natureza, vencê-la, impor-lhe uma vontade, canalizar-lhe as forças de acordo com um plano preestabelecido, dominar a réplica eterna do mato daninho, disciplinar os homens da lida, quebrar a força das pragas... — batalha sem tréguas, sem fim, sem momento de repouso e, o que é pior, sem certeza plena da vitória. Colhe-a muitas vezes o credor, um onzeneiro que adiantou um capital caríssimo e ficou a seu salvo na cidade, de cócoras num título de hipoteca, espiando o momento oportuno para cair sobre a presa como um gavião.

— Realmente, major, isto é de enfunar o peito! É diante de espetáculos destes que vejo a mesquinharia dos que lá fora, comodamente, parasitam o trabalho do agricultor.

— Diz bem. Fiz tudo, mas o lucro maior não é meu. Tenho um sócio voraz que me lambe, ele só, um quarto da produção: o governo. Sangram-na depois as estradas de ferro — mas destas não me queixo porque dão muita coisa em troca. Já não digo o mesmo dos tubarões do comércio, esse cardume de intermediários que começa ali em Santos, no zangão, e vai numa cadeia até ao torrador americano. Mas não importa! O café dá para todos, até para a besta do produtor... — concluiu, pilheriando.

Tocamos os animais a passo, com os olhos sempre presos ao cafezal intérmino. Sem um defeito de formação, as paralelas de verdura ondeavam, acompanhando o relevo do solo, até se confundirem ao longe em massa uniforme. Verdadeira obra d'arte em que, sobrepondo-se à natureza, o homem lhe impunha o ritmo da simetria.

— No entanto, — continuou o major, — a batalha ainda não está ganha. Contraí dividas; a fazenda está hipotecada a judeus franceses. Não venham colheitas fartas e serei mais um vencido pela fatalidade das coisas. A natureza depois de subjugada é mãe; mas o credor é sempre carrasco...

A espaços, perdidas na onda verde, perobeiras sobreviventes erguiam fustes contorcidos, como galvanizadas pelo fogo numa convulsão de dor. Pobres árvores! Que destino triste verem-se um dia arrancadas à vida em comum e insuladas na verdura rastejante do café, como rainhas prisioneiras à cola de um carro de triunfo! Órfãs da mata nativa, como não hão de chorar o conchego de outrora? Vede-as. Não têm o desgarre, o frondoso de copa das que nascem em campo aberto. Seu engalhamento, feito para a vida apertada da floresta, parece agora grotesco; sua altura desmesurada, em desproporção com a fronde, provoca o riso. São mulheres despidas em público, hirtas de vergonha, não sabendo que parte do corpo esconder. O excesso de ar as atordoa, o excesso de luz as martiriza — afeitas que estavam ao espaço confinado e à penumbra sonolenta do habitat.

Fazendeiros desalmados — não deixeis nunca árvores pelo cafezal... Cortai-as todas, que nada mais pungente do que forçar uma árvore a ser grotesca.

— Aquela perobeira ali, — disse o major, — ficou para assinalar o ponto de partida deste talhão. Chama-se a peroba do Ludgero, um baiano valente que morreu ao pé dela estrepado numa jiçara...

Tive a visão do livro aberto que seriam para o fazendeiro aquelas paragens.

— Como tudo aqui lhe há de falar à memória, major!

— É isso mesmo. Tudo me fala à recordação. Cada toco de pau, cada pedreira, cada volta de caminho tem uma história que sei, trágica às vezes, como essa da peroba, às vezes cômica — pitoresca sempre. Ali... — está vendo aquele toco de jerivá? Foi por uma tempestade de fevereiro. Eu abrigara-me num rancho coberto de sapé, e lá em silêncio esperávamos, eu e a turma, o fim do dilúvio, quando estalou um raio quase em cima das nossas cabeças.

— "Fim do mundo, patrão!" lembro-me que disse, numa careta de pavor, o defunto Zé Coivara... E parecia!... Mas foi apenas o fim de um velho coqueiro, do qual resta hoje — *sic transit*... esse pobre toco... Cessada a chuva, encontramo-lo desfeito em ripas.

Mais adiante abria-se a terra em boçoroca vermelha. esbarrondada em coleios até morrer no córrego. O major apontou-a, dizendo:

— Cenário do primeiro crime cometido na fazenda. Rabo de saia, já se sabe. Nas cidades e na roça, pinga e saia são o móvel de todos os crimes. Esfaquearam-se aqui dois cearenses. Um acabou no lugar; outro cumpre pena na correição. E a saia, muito contente da vida, mora com o *tertius*. A história de sempre.

E assim, de evocação em evocação, às sugestões que pelo caminho iam surgindo, chegamos à casa de moradia, onde nos esperava o almoço. Almoçamos, e não sei se por boa disposição criada pelo passeio matutino ou por mérito excepcional da cozinheira, o almoço desse dia ficou-me na memória gravado para sempre. Não sou poeta, mas se Apolo algum dia me der na cabeça o estalo do padre Vieira, juro que antes de cantar Lauras e Natércias hei de fazer uma beleza de ode à linguiça com angu de fubá vermelho desse almoço sem par, única saudade gustativa com que descerei ao túmulo...

Em seguida, enquanto o major atendia à correspondência, saí a espairecer pelo terreiro, onde me pus de conversa com o administrador. Soube por ele da hipoteca que pesava sobre a fazenda e da possibilidade de outro, não o major, vir a colher o fruto do penoso trabalho.

— Mas isso, — esclareceu o homem, — só no caso de muito azar — chuva de pedra ou geada, daquelas que não vêm mais.

— Que não vêm mais, por que?

— Porque a última geada grande foi em 1895. Daí para cá as coisas endireitaram. O mundo, com a idade, muda, como a gente. As geadas, por exemplo, vão-se acabando. Antigamente ninguém plantava café onde o plantamos hoje. Era só de meio morro acima. Agora não. Viu aquele cafezal do meio? Terra bem baixa; no entanto, se bate geada ali é sempre coisinha — um tostado leve. De modo que o patrão, com uma ou duas colheitas, paga a dívida e fica o fazendeiro mais "prepotente" do município.

— Assim seja, que grandemente o merece, — rematei.

Deixei-o. Dei umas voltas, fui ao pomar, estive no chiqueiro vendo brincar os leitõezinhos e depois subi. Estava um preto dando nas venezianas da casa a última demão de tinta. Por que será que as pintam sempre de verde? Incapaz por mim de solver o problema, interpelei o preto, que não se embaraçou e respondeu sorrindo:

— Pois veneziana é verde como o céu é azul. É da natureza dela...

Aceitei a teoria e entrei.

À mesa a conversa girou em torno da geada.

— É o mês perigoso este, — disse o major. — O mês da aflição. Por maior firmeza que tenha um homem, treme nesta época. A geada é um eterno pesadelo. Felizmente a geada não é mais o que era dantes. Já nos permite aproveitar muita terra baixa em que os antigos nem por sombras plantavam um só pé de café. Mas, apesar disso, um que facilitou, como eu, está sempre com a pulga atrás da orelha. Virá? Não virá? Deus sabe!...

Seu olhar mergulhou pela janela, numa sondagem profunda ao céu límpido.

— Hoje, por exemplo, está com jeito. Este frio fino, este ar parado...

Ficou a cismar uns momentos. Depois, espantando a nuvem, murmurou:

— Não vale a pena pensar nisto. O que tem de ser lá está gravado no livro do destino.

— Livra-te dos ares!... — objetei.

— Cristo não entendia de lavoura, — replicou o fazendeiro sorrindo.

E a geada veio! Não geadinha mansa de todos os anos, mas calamitosa, geada cíclica, trazida em ondas do sul.

O sol da tarde, mortiço, dera uma luz sem luminosidade, e raios sem calor nenhum. Sol boreal, tiritante. E a noite caíra sem preâmbulos.

Deitei-me cedo, batendo o queixo, e na cama, apesar de enleado em dois cobertores, permaneci entanguido uma boa hora antes que ferrasse no sono. Acordou-me o sino da fazenda, pela madrugada. Sentindo-me enregelado, com os pés a doerem, ergui-me para um exercício violento. Fui para o terreiro.

O relento estava de cortar as carnes — mas que maravilhoso espetáculo! Brancuras por toda parte. Chão, árvores, gramados e pastos eram, de ponta a ponta, um só atoalhado branco. As árvores imóveis, inteiriçadas de frio, pareciam emersas dum banho de cal.

Rebrilhos de gelo pelo chão, águas envidradas. As roupas dos varais, tesas, como endurecidas em goma forte. As palhas do terreiro, os sabugos de ao pé do cocho, a telha dos muros, o topo dos moirões, a vara das cercas, o rebordo das tábuas — tudo polvilhado de brancuras, lactescente, como chovido por um saco de farinha. Maravilhoso quadro! Invariável que é a nossa paisagem, sempre nos mansos tons do ano inteiro, encantava sobremodo vê-la súbito mudar, vestir-se dum esplendoroso véu de noiva — noiva da morte, ai!...

Por algum tempo caminhei a esmo, arrastado pelo esplendor da cena. O maravilhoso quadro de sonho breve morreria, apagado pela esponja de ouro do sol. Já pelos topes e faces de batedeira andavam-lhe os raios na faina de restaurar a verdura. Abriam manchas no branco da geada, dilatavam-nas, entremostrando nesgas do verde submerso.

Só nas baixadas, encostas noruegas ou sítios sombreados pelas árvores, é que a brancura persistia ainda, contrastando sua nítida frialdade com os tons quentes ressurretos. Vencera a vida, guiada pelo sol. Mas a intervenção do fogoso Febo, apressada demais, transformara em desastre horroroso a nevada daquele ano — a maior de quantas deixaram marca nas embaubeiras de São Paulo.

A ressurreição do verde fora aparente. Estava morta a vegetação. Dias depois, por toda parte, a vestimenta do solo seria um burel imenso, com a sépia a mostrar a gama inteira dos seus tons ressecos. Pontilhá-lo-ia apenas, cá e lá, o verde-negro das laranjeiras e o esmeraldino sem-vergonha da vassourinha.

Quando regressei, sol já alto, estava a casa retransida do pavor das grandes catástrofes. Só então me acudiu que o belo espetáculo que eu até ali só encarara pelo prisma estético tinha um reverso trágico: a ruína do heroico fazendeiro. E procurei-o ansioso.

Tinha sumido. Passara a noite em claro, disse-me a mulher: de manhã, mal clareara, fora para a janela e lá permanecera imóvel, observando o céu através dos vidros. Depois saíra sem ao menos pedir o café, como de costume. Andava a examinar a lavoura, provavelmente.

Devia ser isso. Mas como tardasse a voltar — onze horas e nada — a família entoou-se de apreensões.

Meio dia. Uma hora, duas, três e nada.

O administrador, que a mandado da mulher saíra a procurá-lo, voltou à tarde sem notícias.

— Bati tudo e nem rasto. Estou com medo dalguma coisa... Vou espalhar gente por aí, à cata.

D. Ana, inquieta, de mãos enclavinhadas, só dizia uma coisa:

— Que será de nós, santo Deus! Quincas é capaz duma loucura...

Pus-me em campo também, em companhia do capataz. Corremos todos os caminhos, varejamos grotas em todas as direções — inutilmente.

Caiu a tarde. Caiu a noite — a noite mais lúgubre de minha vida — noite de desgraça e aflição.

Não dormi. Impossível conciliar o sono naquele ambiente de dor, sacudido de choro e soluços.

Certa hora os cães latiram no terreiro, mas silenciaram logo.

Rompeu a manhã, glacial como a da véspera. Tudo apareceu geado novamente.

Veio o sol. Repetiu-se a mutação da cena. Esvaiu-se a alvura, e o verde morte da vegetação envolveu a paisagem num sudário de desalento.

Em casa repetiu-se o corre-corre do dia anterior — o mesmo vai-e-vem, o mesmo "quem sabe?", as mesmas pesquisas inúteis.

À tarde, porém — três horas — um camarada apareceu esbaforido, gritando de longe, no terreiro:

— Encontrei! Está perto da boçoroca!...

— Vivo? — perguntou o capataz.

— Vivo, sim, mas...

D. Ana surgira à porta e ao ouvir a boa nova exclamou, chorando e sorrindo:

— Bendito sejas, meu Deus!...

Minutos depois partimos todos de rumo à boçoroca e a cem passos dela avistamos um vulto às voltas com os cafeeiros requeimados. Aproximamo-nos. Era o major. Mas em que estado! Roupa em tiras, cabelos sujos de terra, olhos vítreos e desvairados. Tinha nas mãos uma lata de tinta e uma brocha — brocha do pintor que andava a olear as venezianas. Compreendi o latido dos cães à noite...

O major não se deu conta da nossa chegada. Não interrompeu o serviço: *continuou a pintar, uma a uma, do risonho verde esmeraldino das venezianas, as folhas requeimadas do cafezal morto...*

D. Ana, estarrecida, entreparou atônita. Depois, compreendendo a tragédia, rompeu em choro convulso.

BUGIO MOQUEADO

— *Uno*!

Ugarte...

— *Dos*!

Adriano...

— *Cinco*...

Vilabona...

— ...

Má colocação! Minha pule é a 32 e já de saída o azar me põe na frente Ugarte... Ugarte é furão. Na quiniela anterior foi quem me estragou o jogo. Querem ver que também me estraga nesta?

— *Mucho*, Adriano!

Qual Adriano, qual nada! Não escorou o saque, e lá está Ugarte com um ponto já feito. Entra Genua agora? Ah, é outro ponto seguro para Ugarte. Mas quem sabe se com uma torcida...

— *Mucho*, Genua!

Raio de azar! Genua "malou" no saque. Entra agora Melchior... Este Melchior às vezes faz o diabo. Bravos! Está aguentando... Isso, rijo! Uma cortadinha agora! *Buena! Buena!* Outra agora... Oh!... Deu na lata! Incrível...

Se o leitor desconhece o jogo da pelota em cancha pública — Frontão da Boa--Vista, por exemplo, nada pescará desta gíria, que é na qual se entendem todos os aficionados que jogam em pules ou "torcem".

Eu jogava, e portanto falava e pensava assim. Mas como vi meu jogo perdido, desinteressei-me do que se passava na cancha e pus-me a ouvir a conversa de dois sujeitos velhuscos, sentados à minha esquerda.

"... coisa que você nem acredita, — dizia um deles. — Mas é verdade pura. Fui testemunha, vi! Vi a mártir, branca que nem morta, diante do horrendo prato..."

"Horrendo prato?" Aproximei-me dos velhos um pouco mais e pus-me de ouvidos alerta.

— "Era longe a tal fazenda, — continuou o homem. — Mas lá em Mato Grosso tudo é longe. Cinco léguas ó 'ali', com a ponta do dedo. Este troco miúdo de quilômetros que vocês usam por cá, em Mato Grosso não tem curso. É cada estirão!...

"Mas fui ver o gado. Queria arredondar uma ponta para vender em Barretos, e quem me tinha os novilhos nas condições requeridas, de idade e preço, era esse coronel Teotônio, do Tremedal.

"Encontrei-o na mangueira, assistindo à domação dum potro zaino, ainda me lembro... E, palavra d'honra! não me recordo de ter esbarrado nunca tipo mais impressionante. Barbudo, olhinhos de cobra muito duros e vivos, testa entiotada de rugas, ar de carrasco... Pensei comigo: Dez mortes no mínimo. Porque lá é assim. Não há *soldados rasos*. Todo mundo traz *galões*... e aquele, ou muito me enganava ou tinha divisas de general.

"Lembrou-me logo o célebre Pânfilo do Rio Verde, um de "doze galões", que "resistiu" ao tenente Galinha e graças a esse benemérito "escumador de sertões" purga a esta hora no tacho de Pedro Botelho os crimes cometidos.

"Mas, importava-me lá a fera! — eu queria gado, pertencesse a Belzebu ou São Gabriel. Expus-lhe o negócio e partimos para o que ele chamava a invernada de fora.

"Lá escolhi o lote que me convinha. Apartamo-lo e ficou tudo assentado.

"De volta do rodeio caía a tarde e eu, almoçado às oito da manhã e sem café de permeio até aquel'hora, chiava numa das boas fomes da minha vida. Assim foi que, apesar da repulsão inspirada pelo urutu humano, não lhe rejeitei o jantar oferecido.

"Era um casarão sombrio, a casa da fazenda. De poucas janelas, mal iluminado, mal arejado, desagradável de aspecto, e por isso mesmo toante na perfeição com a cara e os modos do proprietário. Traste que se não parece com o dono é roubado, diz muito bem o povo. A sala de jantar semelhava uma alcova. Além de escura e abafada, rescendia a um cheiro esquisito, nauseante, que nunca mais me saiu do nariz — cheiro assim de carne mofada...

"Sentamo-nos à mesa, eu e ele, sem que viva alma nos surgisse a fazer companhia. E como de dentro não viesse nenhum rumor, concluí que o urutu morava sozinho — solteiro ou viúvo. Interpelá-lo? Nem por sombras. A secura e a má cara do facínora não davam azo à mínima expansão de familiaridade; e, ou fosse real ou efeito do ambiente, pareceu-me ele inda mais torvo em casa do que fora em pleno sol.

"Havia na mesa feijão, arroz e lombo, além dum misterioso prato coberto em que se não buliu. Mas a fome é boa cozinheira. Apesar de engulhado pelo bafio a mofo, pus de lado o nariz, achei tudo bom e entrei a comer por dois.

"Correram assim os minutos.

"Em dado momento o urutu, tomando a faca, bateu no prato três pancadas imperiosas. Chama a cozinheira, calculei eu. Esperou um bocado e, como não aparecesse ninguém, repetiu o apelo com certo frenesi. Atenderam-no desta vez. Abriu-se devagarinho uma porta e enquadrou-se nela um vulto branco de mulher.

"Sonâmbula?

"Tive essa impressão. Sem pinga de sangue no rosto, sem fulgor nos olhos vidrados, cadavérica, dir-se-ia vinda do túmulo naquele momento. Aproximou-se, lenta, com passos de autômato, e sentou-se de cabeça baixa.

"Confesso que esfriei. A escuridão da alcova, o ar diabólico do urutu, aquela morta-viva morre-morrendo a meu lado, tudo se conjugava para arrepiar-me as carnes num calafrio de pavor. Em campo aberto não sou medroso — ao sol, em luta franca, onde vale a faca ou o 32. Mas escureceu? Entrou em cena o mistério? Ah! — bambeio de pernas e tremo que nem geleia! Foi assim naquele dia...

"Mal se sentou a morta-viva, o marido, sorrindo, empurrou para o lado dela o prato misterioso e destampou-o amavelmente. Dentro havia um petisco preto, que não pude identificar. Ao vê-lo a mulher estremeceu, como horrorizada.

— "Sirva-se!" — disse o marido.

Não sei porque, mas aquele convite revelava uma tal crueza que me cortou o coração como navalha de gelo. Pressenti um horror de tragédia, dessas horrorosas tragédias familiares, vividas dentro de quatro paredes, sem que de fora ninguém nunca as suspeite. Desd'aí nunca ponho os olhos em certos casarões sombrios sem que os imagine povoados de dramas horrendos. Falam-me de hienas. Conheço uma: o homem...

"Como a morta-viva permanecesse imóvel, o urutu repetiu o convite em voz baixa, num tom cortante de ferocidade glacial.

— "Sirva-se, faça o favor!" — E fisgando ele mesmo a nojenta coisa, colocou-a gentilmente no prato da mulher.

"Novas tremuras agitaram a mártir. Seu rosto macilento contorceu-se em esgares e repuxos nervosos, como se o tocasse a corrente elétrica. Ergueu a cabeça, dilatou para mim as pupilas vítreas e ficou assim uns instantes, como à espera dum milagre impossível. E naqueles olhos de desvario li o mais pungente grito de socorro que jamais a aflição humana calou...

"O milagre não veio — infame que fui! — e aquele lampejo de esperança, o derradeiro, talvez, que lhe brilhou nos olhos, apagou-se num lancinante cerrar de pálpebras. Os tiques nervosos diminuíram de frequência, cessaram. A cabeça descaiu-lhe de novo para o seio; e a morta-viva, revivida um momento, reentrou na morte lenta do seu marasmo sonambúlico.

"Enquanto isso, o urutu espiava-nos de esguelha, e ria-se por dentro venenosamente...

"Que jantar! Verdadeira cerimônia fúnebre transcorrida num escuro cárcere da Inquisição. Nem sei como digeri aqueles feijões!

"A sala tinha três portas, uma abrindo para a cozinha, outra para a sala de espera, a terceira para a despensa. Com os olhos já afeitos à escuridão, eu divisava melhor as coisas; enquanto aguardávamos o café, corri-os pelas paredes e pelos móveis, distraidamente. Depois, como a porta da despensa estivesse entreaberta, enfiei-os por ela a dentro. Vi lá umas brancuras pelo chão — sacos de mantimento — e, pendurada a um gancho, uma coisa preta que me intrigou. Manta de carne seca? Roupa velha? Estava eu de rugas na testa a decifrar a charada, quando o urutu, percebendo-o, silvou em tom cortante:

— "É curioso? O inferno está cheio de curiosos, moço...

"Vexadíssimo, mas sempre em guarda, achei de bom conselho engolir o insulto e calar-me. Calei-me. Apesar disso o homem, depois duma pausa, continuou, entre manso e irônico:

— "Coisas da vida, moço. Aqui a patroa pela-se por um naco de bugio moqueado, e ali dentro há um para abastecer este pratinho... Já comeu bugio moqueado, moço?

— "Nunca! Seria o mesmo que comer gente...

— "Pois não sabe o que perde!... — filosofou ele, como um diabo, a piscar os olhinhos de cobra.

Neste ponto o jogo interrompeu-me a história. Melchior estava colocado e Gaspar, com três pontos, sacava para Ugarte. Houve luta; mas um "camarote" infeliz de Gaspar deu o ponto a Ugarte. "Pintou" a pule 13, que eu não tinha. Jogo vai, jogo vem, "despintou" a 13 e deu a 23. Pela terceira vez Ugarte estragava-me o jogo. Quis insistir mas não pude. A história estava no apogeu e antes "perder de ganhar" a próxima quiniela do que perder um capítulo da tragédia. Fiquei no lugar, muito atento, a ouvir o velhote.

— "Quando me vi na estrada, longe daquele antro, criei alma nova. Fiz cruz na porteira. 'Aqui nunca mais! Credo!' e abri de galopada pela noite a dentro.

"Passaram-se anos.

"Um dia, em Três Corações, tomei a serviço um preto de nome Zé Esteves. Traquejado da vida e sério, meses depois virava Esteves a minha mão direita. Para um rodeio, para curar uma bicheira, para uma comissão de confiança, não havia outro. Negro quando acerta de ser bom vale por dois brancos. Esteves valia quatro.

"Mas não me bastava. O movimento crescia e ele sozinho não dava conta. Empenhado em descobrir um novo auxiliar que o valesse, perguntei-lhe uma vez:

— Não teria você, por acaso, algum irmão de sua força?

— "Tive, — respondeu o preto, — tive o Leandro, mas o coitado não existe mais...

— "De que morreu?

— "De morte matada. Foi morto a rabo de tatu... e comido.

— "Comido? — repeti com assombro.

— "É verdade. Comido por uma mulher.

A história complicava-se e eu, aparvalhado, esperei a decifração.

— "Leandro, — continuou ele, — era um rapaz bem apessoado e bom para todo serviço. Trabalhava no Tremedal, numa fazenda em...

... em Mato-Grosso? Do coronel Teotônio?

— "Isso! Como sabe? Ah, esteve lá!... Pois dê graças de estar vivo; que entrar na casa do carrasco era fácil, mas sair? Deus me perdoe, mas aquilo foi a maior peste que o raio do diabo do barzabu do canhoto botou no mundo!...

— "O urutu... — murmurei recordando-me. — Isso mesmo...

— "Pois o Leandro — não sei que intrigante malvado inventou que ele... que ele, com perdão da palavra, andava com a patroa, uma senhora muito alva, que parecia uma santa. O que houve, se houve alguma coisa, Deus sabe. Para mim, tudo foi feitiçaria da Liduína, aquela mulata amiga do coronel. Mas, inocente ou não, o caso foi que o pobre Leandro acabou no tronco, lanhado a chicote. Uma novena de martírio — *lepte! lepte!* E pimenta em cima... Morreu. E depois que morreu, foi moqueado.

— "???

— "Pois então! Moqueado, sim, como um bugio. E comido, dizem. Penduraram aquela carne na despensa e todos os dias vinha à mesa um pedacinho para a patroa comer...

Mudei-me de lugar. Fui assistir ao fim da quiniela a cinquenta metros de distância. Mas não pude acompanhar o jogo. Por mais que arregalasse os olhos, por mais que olhasse para a cancha, não via coisa nenhuma, e até hoje não sei se deu ou não deu a pule 13...

1925

O jardineiro Timóteo

O casarão da fazenda era ao jeito das velhas moradias coloniais: — frente com varanda, uma ala e pátio interno. Neste ficava o jardim, também à moda antiga, cheio de plantas antigas cuja flores punham no ar um saudoso perfume d'antanho. Quarenta anos havia que lhe zelava dos canteiros o bom Timóteo, um preto branco por dentro. Timóteo o plantou quando a fazenda se abria e a casa inda cheirava a reboco fresco e tintas d'óleo recentes, e desd'aí — lá se iam quarenta anos — ninguém mais teve licença de pôr a mão em "seu jardim".

Verdadeiro poeta, o bom Timóteo.

Não desses que fazem versos, mas dos que sentem a poesia sutil das coisas. Compusera, sem o saber, um maravilhoso poema onde cada plantinha era um verso que só ele conhecia, verso vivo, risonho ao reflorir anual da primavera, desmedrado e sofredor quando junho sibilava no ar os látegos do frio. O jardim tornara-se a memória viva da casa. Tudo nele correspondia a uma significação familiar de suave encanto, e assim foi desd'o começo, ao riscarem-se os canteiros na terra virgem ainda rescendente à escavação. O canteiro principal consagrava-o Timóteo ao "Sinhô velho", tronco da estirpe e generoso amigo que lhe dera carta d'alforria muito antes da Lei Áurea. Nasceu faceiro e bonito, cercado de tijolo novos vindos do forno para ali ainda *quentes*, e embutidos no chão como rude cíngulo de coral; hoje, semisdesfeitos pela usura do tempo e tão tenros que a unha os penetra, esses tijolos esverdecem nos musgos da velhice.

— Veludo de muro velho, — é como chama Timóteo a essa muscínea invasora, filha da sombra e da umidade. E é bem isso, porque o musgo foge sempre aos muros secos, vidrentos, esfogueados de sol, para estender devagarinho o seu veludo prenunciador de tapera sobre os muros alquebrados, de emboco já carcomido e todo aberto em fendas.

Bem no centro erguia-se um nodoso pé de jasmim do Cabo, de galhos negros e copa dominante, ao qual o zeloso guardião nunca permitiu que outra planta sobrexcedesse em altura. Simbolizava o homem que o havia comprado por dois contos de réis, dum importador de escravos de Angola.

— Tenha paciência, minha negra! — conversava ele com as roseiras de setembro, teimosas em espichar para o céu brotos audazes. Tenha paciência, que aqui ninguém olha de cima para o Sinhô velho.

E sua tesoura afiada punha abaixo, sem dó, todos os rebentos temerários.

Cercado o jasmineiro havia uma coroa de periquitos, e outra menor de cravinas. Mais nada.

— Ele era homem simples, pouco amigo de complicações. Que fique ali sozinho com o periquito e as irmãzinhas do cravo.

Dos outros canteiros dois eram em forma de coração.

— Este é o de Sinhazinha; e como ela um dia há de casar, fica a par dele o canteiro do Sinhô moço.

O canteiro de Sinhazinha era de todos o mais alegre, dando bem a imagem de um coração de mulher rico de todas as flores do sentimento. Sempre risonho, tinha a propriedade de prender os olhos de quantos penetravam no jardim. Tal qual a moça, que desde menina se habituara a monopolizar os carinhos da família e a dedicação dos escravos, chegando esta a ponto de ao sobrevir a Lei Áurea nenhum ter ânimo de afastar-se da fazenda. Emancipação? Loucura! Quem, uma vez cativo de Sinhazinha, podia jamais romper as algemas da doce escravidão?

Assim ela na família, assim o seu canteiro entre os demais. Livro aberto, símbolo vivo, crônica vegetal, dizia pela boca das flores toda a sua vidinha de moça. O pé de flor-de-noiva, primeira "planta séria" ali brotada, marcou o dia em que foi pedida em casamento. Até então só vicejavam nele flores alegres de criança: — esporinhas, bocas-de-leão, "borboletas", ou flores amáveis da adolescência — amores-perfeitos, damas-entre-verdes, beijos-de-frade, escovinhas, miosótis.

Quando lhe nasceu, entre dores, o primeiro filho, plantou Timóteo os primeiros tufos de violeta.

— Começa a sofrer...

E no dia em que lhe morreu esse malogrado botãozinho de carne rósea, o jardineiro, em lágrimas, fincou na terra os primeiros goivos e as primeiras saudades. E fez ainda outras substituições: as alegres damas-entre-verdes cederam o lugar aos suspiros roxos, e a sempre-viva foi para o canto onde viçavam as ridentes bocas-de-leão.

Já o canteiro de Sinhô-moço revelava intenções simbólicas de energia. Cravos vermelhos em quantidade, roseiras fortes, ouriçadas de espinhos; palmas de Santa Rita, de folhas laminadas; junquilhos nervosos.

E tudo mais assim.

Timóteo compunha os anais vivos da família, anotando nos canteiros, um por um, todos os fatos dalgumas significações. Depois, exagerando, fez do jardim um canhenho de notas, o verdadeiro diário da fazenda. Registrava tudo. Incidentes corriqueiros, pequenas rusgas de cozinha, um lembrete azedo dos patrões, um namoro de mucama, um hóspede, uma geada mais forte, um cavalo de estimação que morria — tudo memorava ele, com hieróglifos vegetais, em seu jardim maravilhoso.

A hospedagem de certa família do Rio — pai, mãe e três sapequíssimas filhas — lá ficou assinalada por cinco pés de "ora-pro-nóbis". E a venda do pampa calçudo, o melhor cavalo das redondezas, teve a mudança de dono marcada pela poda dum galho do jasmineiro.

Além desta comemoração anedótica, o jardim consagrava uma planta a cada subalterno ou animal doméstico. Havia a roseira-chá da mucama de Sinhazinha; o sangue-de-Adão do Tibúrcio cocheiro; a rosa-maxixe da mulatinha Cesária, sirigaita enredeira, de cara fuxicada como essa flor. O Vinagre, o Meteoro, a Manjerona, a Teteia, todos os cães que na fazenda nasceram e morreram, ali estavam lembrados pelo seu pezinho de flor, um resedá, um tufo de violetas, uma touça de perpétuas. O cão mais inteligente da casa, Otelo, morto hidrófobo, teve as honras duma sempre-viva rajada.

— Quem há de esquecer um bicho daqueles, que até parecia gente?

Também os gatos tinham memória. Lá estava a cinerária da gata branca morta nos dentes do Vinagre, e o pé de alecrim relembrativo do velho gato Romão.

Ninguém, a não ser Timóteo, colhia flores naquele jardim. Sinhazinha o tolerava desde o dia em que ele explicou:

— Não *sabem*, Sinhazinha! Vão lá e atrapalham tudo. Ninguém *sabe* apanhar flor...

Era verdade. Só Timóteo sabia escolhê-las com intenção e sempre de acordo com o destino. Se as queriam para florir a mesa em dia de anos da moça, Timóteo combinava os buquês como estrofes vivas. Colhia-as resmungando:

— Perpétua? Não. Você não vai p'ra mesa hoje. É festa alegre. Nem você, dona violetinha!... Rosa maxixe? Ah! ah! Tinha graça a Cesária em festa de branco!...

E sua tesoura ia cortando os caules com ciência de mestre. Às vezes parava, a filosofar:

— Ninguém se lembra hoje do anjinho... P'ra que, então, goivo nos vasos? Quieto fique aqui o senhor goivo, que não é flor de vida, é flor de cemitério...

E sua linguagem de flores? Suas ironias, nunca percebidas de ninguém? Seus louvores, de ninguém suspeitados? Quantas vezes não depôs na mesa, sobre um prato, um aviso a um hóspede, um lembrete à patroa, uma censura ao senhor, composto sob forma dum ramalhete? Ignorantes da língua do jardim, riam-se eles da maluquice do Timóteo, incapazes de lhe alcançar o fino das intenções.

Timóteo era feliz. Raras criaturas realizam na vida mais formoso delírio de poeta. Sem família, criara uma família de flores; pobre, vivia ao pé de um tesouro.

Era feliz, sim. Trabalhava por amor, conversando com a terra e as plantas — embora a copa e a cozinha implicassem com aquilo.

— Que tanto resmunga o Timóteo! Fica ali mamparreando horas, a cochichar, a rir, como se estivesse no meio duma criançada!...

É que na sua imaginação as flores se transfiguravam em seres vivos. Tinham cara, olhos, ouvidos... O jasmim do Cabo, pois não é que lhe dava a benção todas as manhãs? Mal Timóteo aparecia, murmurando "A benção, Sinhô", e já o velho, encarnado na planta, respondia com voz alegre: "Deus te abençoe, Timóteo."

Contar isso aos outros? Nunca! "Está louco", haviam de dizer. Mas bem que as plantinhas falavam...

— E como não hão de falar, se tudo é criatura de Deus, hom'essa!...

Também dialogava com elas.

— Contentinha, hein? Boa chuva a de ontem, não?

— Sim, lá isso é verdade. As chuvas miúdas são mais criadeiras, mas você bem sabe que não é tempo. E o grilo? Voltou? Voltou, sim, o ladrão... E aqui roeu mais esta folhinha... Mas deixe estar, que eu curo ele!

E punha-se a procurar o grilo. Achava-o.

— Seu malfeitor!... Quero ver se continua agora a judiar das minhas flores.

Matava-o, enterrava-o. "Vira esterco, diabinho!"

Pelo tempo da seca era um regalo ver Timóteo a chuviscar amorosamente sobre as flores com o seu velho regador.

— O sol seca a terra? Bobice!... Como se o Timóteo não estivesse aqui de chovedor na mão.

— Chega também, ué! Então quer sozinho um regador inteiro? Boa moda! Não vê que as esporinhas estão com a língua de fora?

— E esta boca-de-leão, ah! ah! está mesmo com uma boca de cachorro que correu veado! Tome lá, beba, beba!

— E você também, seu resedá, tome lá seu banho pr'a depois namorar aquela dona hortênsia, moça bonita do "zoio" azul...

E lá ia...

Plantas novas que abrolhavam o primeiro botão punham alvoroço de noivo no peito do poeta, que falava do acontecimento na copa, provocando as risadinhas impertinentes da Cesária.

— Diabo do negro velho, cada vez caducando mais! Conversa com flor como se fosse gente.

Só a moça, com o seu fino instinto de mulher, lhe compreendia as delicadezas do coração.

— Está aqui, Sinhá, a primeira rainha margarida deste ano!

Ela fingia-se extasiada e punha a flor no corpete.

— Que beleza!

E Timóteo ria-se, feliz, feliz...

Certa vez falou-se na reforma do jardim.

— Precisamos mudar isto, — lembrou o moço, de volta dum passeio a S. Paulo. — Há tantas flores modernas, lindas, enormes, e nós toda a vida com estas cinerárias, estas esporinhas, estas flores caipiras... Vi lá crisandálias magníficas, crisântemos deste tamanho e uma rosa nova, branca, tão grande que até parece flor artificial.

Quando soube da conversa, Timóteo sentiu gelo no coração. Foi agarrar-se com a moça. Ele também conhecia essas flores de fora, vira crisântemos em casa do coronel Barroso, e as tais dálias mestiças no peito duma faceira, no leilão do Espírito Santo.

— Mas aquilo nem é flor, Sinhá! Coisas da estranja que o Canhoto inventa para perder as criaturas de Deus. Eles lá que plantem. Nós aqui devemos zelar das plantas de família. Aquela dália rajada, está vendo? É singela, não tem o crespo das dobradas; mas quem troca uma menina de sainha de chita cor de rosa por uma semostradeira da cidade, de muita seda no corpo mas sem fé no coração? De manhã "fica assim" de abelhas e cuitelos em roda dela!... E eles sabem, eles não ignoram quem merece. Se as das cidades fossem de mais estimação, por que é que esses bichinhos de Deus ficam aqui e não vão pra lá? Não, Sinhá! É preciso tirar essa ideia da cabeça de Sinhô-moço. Ele é criança ainda, não sabe a vida. É preciso respeitar as coisas de dantes...

E o jardim ficou.

Mas um dia... Ah! Bem sentira-se Timóteo tomado de aversão pela família dos "ora-pro-nóbis"! Pressentimento puro... O "ora-pro-nóbis" pai voltou e esteve ali uma semana em conciliábulo com o moço. Ao fim deste tempo, explodiu como bomba a grande notícia: estava negociada a fazenda, devendo a escritura passar-se dentro de poucos dias.

Timóteo recebeu a nova como quem recebe uma sentença de morte. Na sua idade, tal mudança lhe equivalia a um fim de tudo. Correu a agarrar-se à moça, mas desta vez nada puderam contra as armas do dinheiro os seus pobres argumentos de poeta.

Vendeu-se a fazenda. E certa manhã viu Timóteo arrumarem-se no trole os antigos patrões, as mucamas, tudo o que constituía a alma do velho patrimônio.

— Adeus, Timóteo! — disseram alegremente os senhores-moços, acomodando-se no veículo.

— Adeus! Adeus!...

E lá partiu o trole, a galope... Dobrou a curva da estrada... Sumiu-se para sempre...

Pela primeira vez na vida Timóteo esqueceu de regar o jardim. Quedou-se plantado a um canto, a esmoer o dia inteiro o mesmo pensamento doloroso:

— Branco não tem coração...

Os novos proprietários eram gente da moda, amigos do luxo e das novidades. Entraram na casa com franzimentos de nariz para tudo.

— Velharias, velharias...

E tudo reformaram. Em vez da austera mobília de cabiúna, adotaram móveis pechisbeques, com veludinhos e frisos. Determinaram o empapelamento das salas, a abertura de um hall, mil coisas esquisitas... Diante do jardim, abriram-se em gargalhadas.

— É incrível! Um jardim destes, cheirando a Tomé de Souza, em pleno século das crisandálias!

E correram-no todo, a rir, como perfeitos malucos.

— Olhe Yvette, esporinhas! É inconcebível que inda haja esporinhas no mundo!

— E periquito, Odete! Pe-ri-qui-to!... — disse uma das moças, torcendo-se em gargalhadas.

Timóteo ouvia aquilo com mil mortes n'alma. Não restava dúvida, era o fim de tudo, como pressentira: aqueles bugres da cidade arrasariam a casa, o jardim e o mais que lembrasse o tempo antigo. Queriam só o moderno.

E o jardim foi condenado. Mandariam vir o Ambrogi para traçar um plano novo de acordo com a arte moderníssima do jardins ingleses. Reformariam as flores todas, plantando as últimas criações da floricultura alemã. Ficou decidido assim.

— E para não perder tempo, enquanto o Ambrogi não chega ponho aquele macaco a me arrasar isto — disse o homem apontando para Timóteo.

— Ó tição, vem cá!

Timóteo aproximou-se, com ar apatetado.

— Olha, ficas encarregado de limpar este mato e deixar a terra nuazinha. Quero fazer aqui um lindo jardim. Arrasa-me isto bem arrasadinho, entendes?

Timóteo, tremulo, mal pôde engrolar uma palavra:

— Eu?

— Sim, tu! Por que não?

O velho jardineiro, atarantado e fora de si, repetiu a pergunta:

— Eu? Eu, arrasar o jardim?

O fazendeiro encarou-o, espantado da sua audácia, sem nada compreender daquela resistência.

— Eu? Pois me acha com cara de criminoso?

E não podendo mais conter-se explodiu num assomo estupendo de cólera — o primeiro e o único de sua vida.

— Eu vou mas é embora daqui, morrer lá na porteira como um cachorro fiel. Mas olhe, moço, que hei de rogar tanta praga que isto há de virar uma tapera de lacraias! A geada há de torrar o café. A peste há de levar até as vacas de leite! Não há de ficar aqui nem uma galinha, nem um pé de vassoura! E a família amaldiçoada, coberta de lepra, há de comer na gamela com os cachorros lazarentos!... Deixa estar, gente amaldiçoada! Não se assassina assim uma coisa que dinheiro nenhum paga. Não se mata assim um pobre negro velho que tem dentro do peito uma coisa que lá na cidade ninguém sabe o que é. Deixa estar, branco de má casta! Deixa estar, caninana! Deixa estar!...

E fazendo com a mão espalmada o gesto fatídico, saiu às arrecuas, repetindo cem vezes a mesma ameaça:

— Deixa estar! Deixa estar!...

E longe, na porteira, ainda espalmava a mão para a fazenda, num gesto mudo:

— Deixa estar!...

Anoitecia. Os curiangos andavam a espacejar silenciosos voos de sombra pelas estradas desertas. O céu era todo um recamo fulgurante de estrelas. Os sapos coaxavam nos brejos e vagalumes silenciosos piscavam piques de luz no sombrio das capoeiras.

Tudo adormecera na terra, em breve pausa de vida para o ressurgir do dia seguinte.

Só não ressurgirá Timóteo. Lá agoniza ao pé da porteira. Lá morre. E lá o encontrará a manhã enrijecido pelo relento, de borco na grama orvalhada, com a mão estendida para a fazenda num derradeiro gesto de ameaça:

— Deixa estar!...

1924

O Fisco

(Conto de Natal)

Prólogo

No princípio era o pântano, com valas de agrião e rãs coaxantes. Hoje é o parque do Anhangabaú, todo ele relvado, com ruas de asfalto, pérgola grata a namoriscos noturnos, a Eva de Brecheret, a estátua dum adolescente nu que corre — e mais coisas. Autos voam pela via central, e cruzam-se pedestres em todas as direções. Lindo parque, civilizadíssimo.

Atravessando-o certa tarde, vi formar-se ali um bolo de gente, rumo ao qual vinha vindo um polícia apressado.

Fagocitose, pensei. A rua é a artéria; os passantes, o sangue. O desordeiro, o bêbado, o gatuno são os micróbios maléficos, perturbadores do ritmo circulatório. O soldado de polícia é o glóbulo branco — o fagócito de Metchnikoff. Está de ordinário parado no seu posto, circunvagando olhares atentos. Mal se congestiona o tráfego pela ação antissocial do desordeiro, o fagócito move-se, caminha, corre, cai ao fundo sobre o mau elemento e arrasta-o para o xadrez.

Foi assim naquele dia.

Dia sujo, azedo. Céu dúbio, de decalcomania vista pelo avesso. Ar arrepiado.

Alguém perturbara a paz do jardim, e em redor desse rebelde logo se juntou um grupo de glóbulos vermelhos, vulgo passantes. E lá vinha agora o fagócito fardado restabelecer a harmonia universal.

O caso girava em torno de uma criança maltrapilha, que tinha a tiracolo uma caixa tosca de engraxate, visivelmente feita pelas suas próprias mãos. Muito sarapantado, com lágrimas a brilharem nos olhos cheios de pavor, o pequeno murmurava coisas de ninguém atendidas. Sustinha-o pela gola um fiscal da câmara.

— Então, seu cachorrinho, sem licença, hein? — exclamava entre colérico e vitorioso o mastim municipal, focinho muito nosso conhecido. É um que não é um mas sim legião, e sabe ser tigre ou cordeiro conforme o naipe do contraventor.

A miserável criança evidentemente não entendia, não sabia que coisa era aquela de licença, tão importante, reclamada assim a empuxões brutais. Foi quando entrou em cena o polícia.

Este glóbulo branco era preto. Tinha beiço de sobejar e nariz invasor de meia cara, aberto em duas ventas acesas, relembrativas das cavernas de Trofônio. Aproximou-se e rompeu o magote com um napoleônico — "Espalha!"

Humildes alas se abriram àquele Sésamo, e a Autoridade, avançando, interpelou o Fisco:

— Que encrenca é esta, chefe?

— Pois este cachorrinho não é que está exercendo ilegalmente a profissão de engraxate? Encontrei-o banzando por aqui com estes troços, a fisgar com os olhos os pés dos transeuntes e a dizer "Engraxa, freguês".

Eu vi a coisa de longe. Vim pé ante pé, disfarçando e, de repente, *nhoc*! "Mostre a licença", gritei. "Que licença?", perguntou ele com arzinho de inocência. "Ah, você diz que licença, cachorro? Está me debochando, ladrão? Espera que te ensino o que é licença, trapo!" E agarrei-o. Não quer pagar a multa. Vou levá-lo ao depósito, autuar a infração para proceder de acordo com as posturas, — concluiu com soberbo entono o cariado canino da Maxila Fiscal.

O solene Mata-Piolho da Manopla Policial concordou.

— É isso mesmo. Casca-lhes!

E chiando por entre os dentes uma cusparada de esguicho, deu a sua sacudidela suplementar no menino. Depois voltou-se para os basbaques e ordenou com império de soba africano:

— Circula, paisanada! É "purivido" ajuntamentos de mais de um.

Os glóbulos vermelhos dispersaram-se em silêncio. O buldogue lá seguiu com o pequeno nas unhas. E o Pau-de-Fumo, em atitude de Bonaparte em face das pirâmides, ficou, de dedo no nariz e boca entreaberta, a gozar a prontidão com que, num ápice, sua energia resolvera o tumor maligno formado na artéria sob a sua fiscalização.

O BRÁS

Também lá, no princípio, era o charco — terra negra, fofa, turfa tressuante, sem outra vegetação além dessas plantinhas miseráveis que sugam o lodo como minhocas. Aquém da várzea, na terra firme e alta, São Paulo crescia. Erguiam-se casas nos cabeços, e esgueiravam-se ladeiras encostas abaixo: a Boa Morte, o Carmo, o Piques; e ruas, Imperador, Direita, S. Bento. Poetas cantavam-lhes as graças nascentes:

Ó Liberdade, ó Ponte Grande, ó Glória...

Deram-lhe um dia o Viaduto do Chá, esse arrojo... Os paulistanos pagavam sessenta réis para, ao atravessá-lo, conhecerem a vertigem dos abismos. E em casa narravam a aventura às esposas e mães, pálidas de espanto. Que arrojo de homem, o Jules Martin que construíra aquilo!

Enquanto S. Paulo crescia o Brás coaxava. Enluravam-se naquele brejal legiões de sapos e rãs. À noite, do escuro da terra um coral subia de coaxos, *pan-pans* de ferreiro, latidos de mimbuias, *glus-glus* de untanhas; e por cima, no escuro do ar, vagalumes ziguezagueantes riscavam fósforos às tontas.

E assim foi até o dia da avalanche italiana.

Quando lá no Oeste a terra roxa se revelou mina de ouro das que pagam duzentos por um, a Itália vazou para cá a espuma da sua transbordante taça de vida E São Paulo, não bastando ao abrigo da nova gente, assistiu, atônito, ao surto do Brás.

Drenos sangraram em todos os rumos o brejal turfoso; a água escorreu; os espavoridos sapos sumiram-se aos pulos para as baixadas do Tietê; rã comestível não ficou uma para memória da raça; e, breve, em substituição aos guembês, ressortiu a cogumelagem de centenas e centenas de casinhas típicas — porta, duas janelas e platibanda.

Numerosas ruas, alinhadas na terra cor de ardósia que já o sol ressequira e o vento erguia em nuvens de pó negro, margearam-se com febril rapidez desses prediozinhos térreos, iguais uns aos outros, como saídos do mesmo molde, pífios, mas únicos possíveis então. Casotas provisórias, desbravadoras da lama e vencedoras do pó à força de preço módico.

E o Brás cresceu, espraiou-se de todos os lados, comeu todo o barro preto da Mooca, bateu estacas no Marco da Meia Légua, lançou-se rumo à Penha, pôs de pé igrejas, macadamizou ruas, inçou-se de fábricas, viu surgirem avenidas e vida própria, e cinemas, e o Colombo, e o namoro, e o corso pelo Carnaval. E lá está hoje enorme, feito a cidade do Brás, separado de São Paulo pelo faixão vermelho da Várzea aterrada — Pest da Buda à beira do Tamanduateí plantada.

São duas cidades vizinhas, distintas de costumes e de almas já bem diversas. Ir ao Brás é uma viagem. O Brás não é ali, como o Ipiranga; é lá do outro lado, embora mais perto que o Ipiranga. Diz-se — vou ao Brás, como quem diz — vou à Itália. Uma Itália agregada como um bócio recente e autônomo a uma *urbs* antiga, filha do país; uma Itália função da terra negra, italiana por sete décimos e *algo nuevo* pelos restantes.

O Brás trabalha de dia e à noite gesta. Aos domingos fandanga ao som do bandolim. Nos dias de festa nacional (destes tem predileção pelo 21 de Abril: vagamente o Brás desconfia que o barbeiro da Inconfidência, porque barbeiro, havia de ser um patrício), nos dias feriados o Brás vem a São Paulo. Entope os bondes no travessio da Várzea e cá ensardinha-se nos autos: o pai, a mãe, a sogra, o genro e a filha casada no banco de trás; o tio, a cunhada, o sobrinho e o Pepino escoteiro no da frente; filhos miúdos por entremeio; filhos mais taludos ao lado do motorista; filhos engatinhantes debaixo dos bancos; filhos em estado fetal no ventre bojudo das matronas. Vergado de molas, o carro geme sob a carga e arrasta-se a meia velocidade, exibindo a Pauliceia aos olhos arregalados daquele exuberante cacho humano.

Finda a corrida, o auto debulha-se do enxame no Triângulo e o bando toma de assalto as confeitarias para um regabofe de spumones, gasosas, croquetes. E tão a sério toma a tarefa, que ali pelas nove horas não restam iscas de empada nos armários térmicos, nem vestígios de sorvete no fundo das geladeiras. O Brás devora tudo, ruidosa, alegremente, e com massagens ajeitadoras do abdômen sai impando bem-aventurança estomacal. Caroços de azeitonas, palitos de camarões, guardanapos de papel, pratos de papelão seguem nas munhecas da petizada como lembrança da festa e consolo ao bersalherzinho que lá ficou de castigo em casa, berrando com goela de Caruso.

Em seguida, toca para o cinema! O Brás abarrota os de sessão corrida. O Brás chora nos lances lacrimogêneos da Bertini e ri nas comédias a gás hilariante da L-Ko mais do que autorizam os mil e cem da entrada. E repete a sessão, piscando o olho: é o jeito de dobrar a festa em extensão e obtê-la a meio preço — 550 réis, uma pechincha.

As mulheres do Brás, ricas de ovário, são vigorosíssimas de útero. Desovam quase filho e meio por ano, sem interrupções, até que se acabe a corda ou rebente alguma peça essencial da gestatória.

É de vê-las na rua. Bojudas de seis meses, trazem um Pepininho à mão e um choramingas à mama. À tarde o Brás inteiro chia de criançalha a chutar bolas de pano, a jogar pião, ou a piorra, ou o tento de telha., ou o tabefe, com palavreados mistos de português e dialetos de Itália. Mulheres escarranchadas às portas, com as mãos ocupadas em manobras de agulha de osso, espigaitam para os maridos os sucessos do dia, que eles ouvem filosoficamente, cachimbando calados ou cofiando a bigodeira à Humberto Primo.

De manhã esfervilha o Brás de gente estremunhada a caminho das fábricas. A mesma gente reflui à tarde aos magotes — homens e mulheres de cesta no braço, ou garrafas de café vazias penduradas do dedo; meninas, rapazes, raparigotas de pouco seio, galantes, tagarelas, com o namoro rente.

Desce a noite, e nos desvãos de rua, nos becos, nas sombras, o amor lateja. Ciciam vozes cautelosas das janelas para os passeios; pares em conversa disfarçada nos portões emudecem quando passa alguém ou tosse lá dentro o pai.

Durante o escuro das fitas, nos cinemas, há contactos longos, febricitantes; e quando nos intervalos irrompe a luz, não sabem os namorados o que se passou na tela — mas estão de olhos langues, em quebreira de amor.

É o latejar da messe futura. Todo aquele eretismo por música, com cicios de pensamentos de cartão postal, estará morto no ano seguinte — legalizado pela igreja e pelo juiz, transfeita a sua poesia em choro de criança e nas trabalheiras sem fim da casa humilde.

Tal menina rosada, leve de andar, toda requebros e dengues, que passa na rua vestida com graça e atrai os olhares gulosos dos homens, não a reconhecereis dois anos depois na lambona filhenta que deblatera com o verdureiro a propósito do feixe de cenouras em que há uma menor que as outras.

Filho da lama negra, o Brás é como ela um sedimento de aluvião. É São Paulo, mas não é a Pauliceia. Ligadas pela expansão urbana, separa-os uma barreira. O velho caso do fidalgo e do peão enriquecido.

PEDRINHO, SEM SER CONSULTADO, NASCE

Viram-se ele e ela. Namoraram-se. Casaram.

Casados, proliferaram.

Eram dois. O amor transformou-os em três. Depois em quatro, em cinco, em seis...

Chamava-se Pedrinho o filho mais velho.

A VIDA

De pé na porta a mãe espera o menino que foi à padaria. Entra o pequeno com as mãos abanando.

— Diz que subiu; custa agora oitocentos.

A mulher, com uma criança ao peito, franze a testa desconsolada.

— Meu Deus! Onde iremos parar? Ontem era a lenha: hoje é o pão... Tudo sobe. Roupa, pela hora da morte. José ganhando sempre a mesma coisa. Que será de nós, Deus do céu!

E voltando-se para o filho:

— Vá a outra padaria, quem sabe se lá... Se for a mesma coisa, traga só um pedaço.

Pedrinho sai. Nove anos. Franzino, doentio, sempre mal alimentado e vestido com os restos das roupas do pai.

Trabalha este num moinho de trigo, ganhando jornal insuficiente para a manutenção da família. Se não fosse a bravura da mulher, que lavava para fora, não se sabe como poderiam subsistir. Todas as tentativas feitas com o intuito de melhorarem a vida com indústrias caseiras esbarraram no óbice tremendo do Fisco. A fera condenava-os à fome. Assim escravizados, José perdeu aos poucos a coragem, o gosto de viver, a alegria. Vegetava, recorrendo ao álcool para alívio de uma situação sem remédio.

Bendito sejas, amável veneno, refúgio derradeiro do miserável, gole inebriante de morte que faz esquecer a vida e lhe resume o curso! Bendito sejas!

Apesar de moça, 27 apenas, Mariana aparentava o dobro. A labuta permanente, os partos sucessivos, a chiadeira da filharada, a canseira sem fim, o serviço emendado com o serviço, sem folga outra além da que o sono força, fizeram da bonita moça que fora à escanzelada besta de carga que era.

Seus dez anos de casada... Que eternidade de canseiras!...

Rumor à porta. Entra o marido. A mulher, ninando a pequena de peito, recebe-o com a má nova.

— O pão subiu, sabe?

Sem murmurar palavra o homem senta-se, apoiando nas mãos a cabeça. Está cansado.

A mulher prossegue:

— Oitocentos réis o quilo agora. Ontem foi a lenha; hoje é o pão... E lá? Sempre aumentaram o jornal?

O marido esboçou um gesto de desalento e permaneceu mudo, com o olhar vago. A vida era um jogo de engrenagens de aço entre cujos dentes se sentia esmagar. Inútil resistir. Destino, sorte.

Na cama, à noite, confabulavam. A mesma conversa de sempre. José acabava grunhindo rugidos surdos de revolta. Falava em revolução, saque. A esposa consolava-o, de esperança posta nos filhos.

— Pedrinho tem nove anos. Logo estará em ponto de ajudar-nos. Um pouco mais de paciência e a vida melhora.

Aconteceu que nessa noite Pedrinho ouviu a conversa e a referência à sua futura ação. Entrou a sonhar. Que fariam dele? Na fábrica, como o pai? Se lhe dessem a escolher, iria a engraxador. Tinha um tio no ofício, e em casa do tio era menor a miséria. Pingavam níqueis.

Sonho vai, sonho vem, brota na cabeça do menino uma ideia, que cresceu, tomou vulto extraordinário e fê-lo perder o sono. Começar já, amanhã, por que não? Faria ele mesmo a caixa; escovas e graxa, com o tio arranjaria. Tudo às ocultas, para surpresa dos pais! Iria postar-se num ponto por onde passasse muita gente. Diria com os outros: "Engraxa, freguês"! e níqueis haviam de juntar-se no seu bolso. Voltaria para casa recheado, bem tarde, com ar de quem as fez... E mal a mãe começasse a ralhar, ele lhe taparia a boca despejando na mesa o monte de dinheiro. O espanto dela, a cara admirada do pai, o regalo da criançada com a perspectiva da ração em dobro! E a mãe a apontá-lo aos vizinhos: "Estão vendo que coisa? Ganhou, só ontem, primeiro dia, dois mil réis!" E a notícia a correr... E murmúrios na rua quando o vissem passar: "É aquele!"

Pedrinho não dormiu essa noite. De manhãzinha já estava a dispor a madeira dum caixote velho sob forma de caixa de engraxate ao molde clássico. Lá a fez. Os pregos, bateu com o salto de uma velha botina. As tábuas, serrou pacientemente com um facão dentado. Saiu coisa tosca e mal ajambrada, de fazer rir a qualquer carapina e pequena demais — sobre ela só caberia um pé de criança igual ao seu. Mas Pedrinho não notou nada disso, e nunca trabalho nenhum de carpintaria lhe pareceu mais perfeito.

Conclusa a caixa, pô-la a tiracolo e esgueirou-se para a rua, às escondidas. Foi à casa do tio e lá obteve duas velhas escovas fora de uso, já sem pelos, mas que à sua exaltada imaginação se afiguraram ótimas. Graxa, conseguiu alguma raspando o fundo de quanta lata velha encontrou no quintal.

Aquele momento marcou em sua vida um apogeu de felicidade vitoriosa. Era como um sonho — e sonhando saiu para a rua. Em caminho viu o dinheiro crescer-lhe nas mãos, aos montes. Dava à família parte: e o resto encafuava. Quando enchesse o canto da arca onde tinha suas roupas, montaria um "corredor", pondo a jornal outros colegas. Aumentaria as rendas! Enriqueceria! Compraria bicicletas, automóvel, doces todas as tardes na confeitaria, livros de figura, uma casa, um palácio, outro palácio para os pais. Depois...

Chegou ao parque. Tão bonito aquilo — a relva tão verde, tosadinha... Havia de ser bom o ponto. Parou perto de um banco de pedra e, sempre sonhando as futuras grandezas, pôs-se a murmurar para cada passante, fisgando-lhe os pés: "Engraxa, freguês!"

Os fregueses passavam sem lhe dar atenção. "É assim mesmo", refletia consigo o menino, "no começo custa. Depois se afreguesam."

Súbito, viu um homem de boné caminhando para o seu lado. Olhou-lhe para as botinas. Sujas. Viria engraxar, com certeza — e o coração bateu-lhe apressado, no tumulto delicioso da estreia. Encarou o homem já a cinco passos e sorriu com infinita ternura nos olhos, num agradecimento antecipado em que havia tesouros de gratidão.

Mas em vez de lhe espichar o pé, o homem rosnou aquela terrível interpelação inicial:

— Então, cachorrinho, que é da licença?

EPÍLOGO? NÃO! PRIMEIRO ATO...

Horas depois o fiscal aparecia em casa de Pedrinho com o pequeno pelo braço. Bateu. O pai estava, mas quem abriu foi a mãe. O homem nesses momentos não aparecia, para evitar explosões. Ficou a ouvir do quarto o bate-boca.

O fiscal exigia o pagamento da multa. A mulher debateu-se, arrepelou-se. Por fim, rompeu em choro.

— Não venha com lamúrias, rosnou o buldogue; conheço o truque dessa aguinha nos olhos. Não me embaça, não. Ou bate aqui os vinte mil réis, ou penhoro toda esta cacaria. Exercer ilegalmente a profissão! Ora dá-se! E olhe cá, madama, considere-se feliz de serem só vinte. Eu é de dó de vocês, uns miseráveis; senão, aplicava o máximo. Mas se resiste dobro a dose!

A mulher limpou as lágrimas. Seus olhos endureceram, com uma chispa má de ódio represado a faiscar. O Fisco, percebendo-o, motejou:

— Isso. É assim que as quero — tesinhas, ah, ah.

Mariana nada mais disse. Foi à arca, reuniu o dinheiro existente — dezoito mil réis ratinhados havia meses, aos vinténs, para o caso dalguma doença, e entregou-os ao Fisco.

— É o que há, murmurou com tremura na voz.

O homem pegou o dinheiro e gostosamente o afundou no bolso, dizendo:

— Sou generoso, perdoo o resto. Adeusinho, amor! E foi à venda próxima beber dezoito mil réis de cerveja.

Enquanto isso, no fundo do quintal, o pai batia furiosamente no menino.

1921

Os Negros

I.

Viajávamos certa vez pelas regiões estéreis por onde há um século, puxado pelo Negro, o carro triunfal de Sua Majestade o Café passou, quando grossas nuvens reunidas no céu entraram a desmanchar-se.

Sinal certo de chuva.

Para confirmá-lo, um vento brusco, raspante, veio quebrar o mormaço, vascolejando a terra como a preveni-la do iminente banho meteórico. Remoinhos de poeira somam folhas secas e gravetos, que lá torvelinhavam em espirais pelas alturas.

Sofreando o animal, parei, a examinar o céu.

— Não há dúvida, — disse ao meu companheiro, — temo-la e boa! O remédio é acoutar-nos quanto antes nalgum socavão, que água vem aí de rachar.

Circunvaguei o olhar em torno. Morraria áspera a perder-se de vista, sem uma casota de palha a acenar-nos com um "Vem cá".

— E agora? — exclamou desnorteado o Jonas, marinheiro de primeira viagem que tudo fiava da minha experiência.

— Agora é galopar. Atrás deste espigão fica uma fazenda em ruínas, de má nota, mas único oásis possível nesta emergência. Casa do Inferno, chama-lhe o povo.

— Pois toca para o inferno, já que o céu nos ameaça, — retorquiu Jonas, dando de esporas e seguindo-me por um atalho.

— Tens coragem? — gritei-lhe. — Olha que é casa mal assombrada!...

— Bem-vinda seja. Anos há que procuro uma, sem topar coisa que preste. Correntes que se arrastam pela calada da noite?

— Dum preto velho que foi escravo do defunto capitão Aleixo, fundador da fazenda, ouvi coisas de arrepiar...

Jonas, a criatura mais gabola deste mundo, não perdeu vasa duma pacholice:

— De arrepiar a ti, que a mim, bem sabes, só me arrepiam correntes de ar...

— Acredito, mas toca, que o dilúvio não tarda.

O céu enegrecera por igual. Um relâmpago fulgurou, seguido de formidável ribombo, que lá se foi às cabeçadas pelos morros até perder-se distante. E os primeiros pingos vieram, escoteiros, pipocar no chão ressecado.

— Espora, espora!

Em minutos vingávamos o espigão, de cujo topo vimos a casaria maldita, tragada a meio pelo mataréu invasor. Os pingões mais e mais se amiudavam, e já eram água de molhar quando a ferradura das bestas estrepitou, com faíscas, no velho terreiro de pedra. Sururucados por ele adentro rumo a um telheiro em aberto, lá apeamos afinal, esbaforidos, mas a salvo da molhadela.

E as bátegas vieram, furiosas, em cordas d'água a prumo, como devia ser no chuveiro bíblico do dilúvio universal.

Examinei o couto. Telheiro de carros e tropa, derruído em parte. Os esteios, da cabiúna eterna, tinham os nabos[1] à mostra — tantos enxurros correram por ali erodindo o solo. Por eles marinhava a caetaninha,[2] essa mimosa alcatifa dos tapumes, toda rosetada de flores amarelas e pingentada de melõezinhos de bico, cor de canário.

Também aboboreiras viçavam na tapera, galgando vitoriosas pelos espeques para enfolharem no alto, entremeio das ripas e caibros a nu. Suas flores grandalhudas, tão caras às mamangavas, manchavam d'amarelo pálido o tom cru da folhagem verde-negra.

Fora, a pouca distância do telheiro, a "casa grande" se erguia, vislumbrada apenas através da cortina d'água.

E a água a cair.

E a trovoada a escalejar seus ecos pela morraria intérmina.

E o meu amigo, tão calmo sempre e alegre, a exasperar-se:

— Raio de peste de tempo desgraçado! Já não posso almoçar em Vassouras amanhã, como pretendia.

— Chuva de corda não dura hora, consolei-o.

— Sim, mas será possível alcançar o tal pouso do Alonso ainda hoje?

Consultei o pulso.

— Cinco e meia. É tarde. Em vez de Alonso, temos que gramar o Aleixo. E dormir com as bruxas, mais a alma do capitão infernal.

— Inda é o que nos vale, — filosofou o impenitente Jonas. — Que assim, ao menos, haverá o que contar amanhã.

II.

O temporal durou meia hora e ao cabo amainou, com os relâmpagos espacejados e os trovões a roncarem muito longe dali. Apesar de próxima a noite, inda tínhamos uma hora de luz para sondar o terreno.

---

[1] Parte mais grossa dum esteio, que fica enterrada.
[2] Melão de S. Caetano.

— Há de morar aqui por perto algum urumbeva, — disse eu. — Não existe tapera sem lacraia. Vamos à cata desse abençoado urupê.

Encavalgamos de novo e saímos a rodear a fazenda.

— Acertaste, amigo! — exclamou de repente Jonas, ao divisar uma casinhola erguida entre moitas, a duzentos passos de distância. Bico-de-papagaio, pé de mamão, terreiro limpo; é o urumbeva sonhado!

Para lá nos dirigimos e já do terreiro gritamos o "Ó de casa!" Uma porta abriu-se, enquadrando o vulto dum negro velho, de cabelos ruços. Com que alegria o saudei...

— Pai Adão, viva!

— Vassuncristo! — respondeu o preto.

Era dos legítimos...

— P'ra sempre! — gritei eu. — Estamos aqui trancados pela chuva e impedidos de prosseguir viagem. Tio Adão há de...

— Tio Bento, pr'a servir os brancos.

— Tio Bento há de arranjar-nos pouso por esta noite.

— E boia, — acrescentou Jonas, — visto que temos a caixa das empadas a tinir.

O excelente negro sorriu-se, com a gengiva inteira à mostra e disse:

— Pois é apeá. Casa de pobre, mas de bom coração. Quanto a "de comer", comidinha de negro velho, já sabe...

Apeamos, alegremente.

— Angu? — chasqueou o Jonas.

O negro riu-se:

— Já se foi o tempo do angu com "bacalhau"...[3]

— E não deixou saudades, hein, tio Bento?

— Saudades não deixou, não, eh! eh!...

— Para vocês, pretos; porque entre os brancos muitos há que choram aquele tempo de vacas gordas. Não fosse o Treze de Maio e não estava agora eu aqui a arrebentar as unhas neste raio de látego, que encruou com a chuva e não desata. Era servicinho do pajem...

Desarreamos as bestas e depois de soltá-las penetramos na casinha, sobraçando os arreios. Vimos, então, que era pequena demais para nos abrigar aos três.

— Amigo Bento, olha, não cabemos tanta gente aqui. O melhor é acomodar-nos na casa grande, que isto cá não é casa de bicho-homem, é ninho de cuitelo...

— Os brancos querem dormir na casa mal-assombrada? — exclamou admirado o preto. Não aconselho, não. Alguém já fez isso mas se arrependeu depois.

— Arrepender-nos-emos também depois, amanhã, mas já com a dormida no papo, — disse Jonas.

E como o preto abrisse a boca:

— Você não sabe o que é coragem, tio Bento. Escoramos sete. E almas do outro mundo, então, uma dúzia! Vamos lá. Está aberta a casa?

— A porta do meio emperrou, mas à força de ombros deve abrir.

— Abandonada há muito tempo?

— "Quizano!" Des'que morreu o último filho do capitão Aleixo ficou assim, ninho de morcego e suindara.

---

[3] Chicote de vários rabos com que se chibatavam os negros.

— E por que a abandonaram?

— "Descabeçada" do moço. P'r'a mim, castigo de Deus. Os filhos pagam a ruindade dos pais, e o capitão Aleixo, Deus que me perdoe, foi mau, mau, mau inteirado. Tinha fama! Aqui em dez léguas de roda, quem queria ameaçar um negro reinador era só dizer: "Espera, diabo, que te vendo p'r'o capitão Aleixo." O negro ficava que nem uma seda!... Mas o que ele fez os filhos pagaram. Eram quatro: Sinhozinho, o mais velho, que morreu "masgaiado" num trem; Nhá Zabelinha...

III.

Enquanto o preto falava, insensivelmente fomos caminhando para a casa maldita.

Era o casarão clássico das antigas fazendas negreiras. Assobradado, erguido em alicerces e muramento de pedra até meia altura e daí por diante de pau a pique. Esteios de cabreúva, entremostrando-se picados a enxó nos trechos donde se esboroara o reboco. Janelas e portas em arco, de bandeiras em pandarecos. Pelos interstícios da pedra amoitavam-se as samambaias; e nas faces de sombra, avenquinhas raquíticas. Num cunhal crescia anosa figueira, enlaçando as pedras na terrível cordoalha tentacular. À porta de entrada ia ter uma escadaria dupla, com alpendre em cima e parapeito esborcinado.

Pus-me a olhar para aquilo, invadido da saudade que sempre me causam ruínas, e parece que em Jonas a sensação era a mesma, pois que o vi muito sério, de olhar pregado na casa, como quem recorda. Perdera o bom humor, o espírito brincalhão de inda há pouco. Emudecera.

— Está visto, — murmurei depois dalguns minutos. — Vamos agora à boia, que não é sem tempo.

Voltamos.

O negro, que não parara de falar, dizia agora de sua vida ali.

— Morreu tudo, meu branco, e fiquei eu só. Tenho umas plantas na beira do rio, palmito no mato e uma paquinha lá de vez em quando na ponta do chuço. Como sou só...

— Só, só, só?

— "Suzinho, suzinho!" A Merenda morreu, faz três anos. Os filhos, não sei deles. Criança é como ave: cria pena, avoa. O mundo é grande — andam pelo mundo avoando...

— Pois, amigo Bento, saiba que você é um herói e um grande filósofo por cima, digno de ser memorado em prosa ou verso pelos homens que escrevem nos jornais. Mas filósofo de pior espécie está me parecendo aquele sujeito... — conclui referindo-me ao Jonas, que se atrasara e parara de novo em contemplação da casa.

Gritei-lhe:

— Mexe-te, ó poeta que ladras às lagartixas! Olha que saco vazio não se põe de pé, e temos dez léguas a engolir amanhã.

Respondeu-me com um gesto vago e ficou-se no lugar, imóvel.

Larguei mão do cismabundo e entrei na casinhola do preto, que, acendendo luz — um candeeiro de azeite — foi ao borralho buscar raízes de mandioca assada. Pô-las sobre um mocho, quentinhas, dizendo:

— É o que há. Isto é um restico de paca moqueada.
— E achas pouco, Bento? — disse eu, metendo os dentes na raiz deliciosa. — Não sabes que se não fosse tua providencial presença teríamos de manducar viradinho de brisas com torresmos de zéfiros até alcançarmos a venda do Alonso amanhã? Deus que te abençoe e te dê no céu um mandiocal imenso, plantado pelos anjos.

IV.

Caíra de todo a noite. Que céu! Alternavam estrelas vivíssimas com rebojos negros de nuvens acasteladas. Na terra, escuridão de breu, rasgada de piques de luz pelas estrelinhas avoantes. Uma coruja berrava longe, num esgalho morto de perobeira.

Que solidão, que espessura de trevas é a de uma noite assim, no deserto! Nesses momentos é que um homem bem compreende a origem tenebrosa do Medo...

V.

Acabada a magra refeição, observei ao preto:
— Agora, amigo, é agarrarmos estas mantas e pelegos, mais a luz, e irmo-nos à casa grande. Dormes lá conosco, à guisa de para-raios de almas. Topas?

Contente de ser-nos útil, tio Bento sobraçou a quitanda e deu-me a levar o candeeiro. E lá fomos pelo escuro da noite, a chapinhar nas poças e na grama empapada.

Encontrei Jonas no mesmo lugar, absorto em frente à casa.
— Estás louco, rapaz? Não comeres, tu que estalavas de fome, e ficares aí como pererca diante da cascavel?

Jonas olhou-me dum modo estranho e como única resposta esganiçou um "deixa-me". Fiquei a encará-lo por uns instantes, deveras desnorteado por tão inexplicável atitude. E foi assim, de rugas na testa, que galguei a escadaria musgosa do casarão.

Estava perra de fato a porta, como dissera o negro, mas com valentes ombradas abria-a no preciso para dar passagem a um homem. Mal entramos, morcegos às dezenas, assustados com a luz, debandaram às tontas, em voejos surdos.
— Macacos me lambam se isto aqui não é o quartel general de todos os ratos de asas deste e dos mundos vizinhos!
— E das suindaras, patrãozinho. Mora aqui um bandão delas que até dá medo, acrescentou o preto, ao ouvir-lhes os pios no forro.

A sala de espera toava com o restante da fazenda. Paredes lagarteadas de rachas, escorridas de goteiras, com vagos vestígios do papel. Móveis desaparelhados — duas cadeiras Luiz XV, de palhinha rota, e mesa de centro do mesmo estilo, com o mármore sujo pelo guano dos morcegos. No teto, tábuas despregadas, entremostrando rombos escuros.

Lúgubre...

— Tio Bento, — disse eu, procurando iludir com palavras a tristeza do coração, — isto aqui cheira-me à sala nobre do sabá das bruxas. Que não venham hoje atropelar-nos, nem apareça a alma do capitão-mor a nos infernizar o sono. Não é verdade que a alma do capitão-mor vagueia por aqui a desoras?

— Dizem, — respondeu o preto. — Dizem que aparece ali na casa do tronco, não às dez, mas à meia-noite, e que sangra as unhas a arranhar as paredes...

— E depois vem cá arrastar correntes pelos corredores, hein? Como é pobre a imaginativa popular! Sempre e em toda parte a mesma ária das correntes arrastadas! Mas vamos ao que serve. Não haverá um quarto melhor do que isto, nesta hospedaria de mestre tinhoso?

— Haver, há — trocadilhou sem querer o preto, — mas é o quarto do capitão-mor. Tem coragem?

— Ainda não está convencido, Bento, de que sou um poço de coragem?

— Poço tem fundo, — retrucou ele, sorrindo filosoficamente. — O quarto é aqui à direita.

Dirigi-me para lá. Entrei. Quarto amplo e em melhor estado que a sala de espera. Guarneciam-no duas velhas marquesas de palhinha bolorenta, além de várias cadeiras rotas. Na parede, um retrato na moldura clássica da época dourada, de cantos redondos, com florões. Limpei com o lenço a poeira acumulada no vidro e vi que era um daguerreótipo esmaiado, representando imagem de mulher.

Bento percebeu a minha curiosidade e explicou:

— É o retrato da filha mais velha do capitão Aleixo, nhá Zabé, uma moça tão desgraçada...

Contemplei longamente aquela antigualha venerável, vestida à moda da época.

— Tempo das anquinhas, hein Bento? Lembras-te das anquinhas?

— Se me lembro! A sinhá velha, quando vinha da cidade, era assim que ela andava, que nem uma perua choca...

Recoloquei na parede o daguerreótipo e pus-me a arranjar as marquesas, arrumando numa e noutra pelegos, à guisa de travesseiros. Em seguida fui ao alpendre, de luz na mão, a ver se amadrinhava o meu relapso companheiro. Era demais aquela maluquice! Não jantar e agora ficar-se ali ao relento...

VI.

Perdi meu requebrado. Chamei-o, mas nem com o "deixa-me" respondeu desta vez. Tal atitude pôs-me seriamente apreensivo.

— Se lhe desarranja a cabeça, aqui nestas alturas...

Torturado por esta ideia, não pude sossegar. Confabulei com o Bento e resolvemos sair em procura do transviado.

Fomos felizes. Encontramo-lo no terreiro, em face da antiga casa do tronco. Estava imóvel e mudo.

Ergui-lhe a luz à altura do rosto. Que estranha expressão a sua! Não parecia o mesmo — não *era* o mesmo. Deu-me a impressão de retesado no último arranco duma luta suprema, com todas as energias crispadas numa resistência feroz. Sacudi-o com violência.

— Jonas! Jonas!

Inútil. Era um corpo largado da alma. Era um homem "vazio de si próprio!" Assombrado com o fenômeno, concentrei todas as minhas forças e, ajudado pelo Bento, trouxe-o para casa.

Ao penetrar na sala de espera, Jonas estremeceu; parou, arregalou os olhos para a porta do quarto. Seus lábios tremiam. Percebi que articulavam palavras incompreensíveis. Precipitou-se, depois, para o quarto e, dando com o daguerreótipo de Izabel, agarrou-o com frenesi, beijou-o, rompido em choro convulsivo. Em seguida, como exausto duma grande luta, caiu sobre a marquesa, prostrado, sem articular nenhum som.

Inutilmente interpelei-o, procurando a chave do enigma. Jonas permanecia vazio... Tomei-lhe o pulso: normal. A temperatura: boa. Mas largado, como um corpo morto.

Fiquei ao pé dele uma hora, com mil ideias a me azoinarem a cabeça. Por fim, vendo-o calmo, fui ter com o preto.

— Conta-me o que sabes desta fazenda, pedi-lhe. Talvez que...

Meu pensamento era deduzir das palavras do negro algo explicativo da misteriosa crise.

VII.

Nesse entremeio zangara de novo o tempo. As nuvens recobriam inteiramente o céu, transformado num saco de carvão. Os relâmpagos voltaram a fulgurar, longínquos, acompanhados de reboos surdos. E para que ao horror do quadro nenhum tom faltasse, a ventania cresceu, uivando lamentosa nas casuarinas.

Fechei a janela.

Mesmo assim, pelas frinchas, o assobio lúgubre entoava a me ferir os ouvidos...

Bento falou em voz baixa, receoso de despertar o doente. Contou como viera ali, comprado pelo próprio capitão Aleixo, na feira de escravos do Valongo, molecote ainda. Disse da formação da fazenda e do caráter cruel do senhor.

— Era mau, meu branco, como deve ser mau o canhoto. Judiava da gente à toa, pelo gosto de judiar.

No começo não era assim, mas foi piorando com o tempo.

No caso da Liduína... A Liduína era uma bonita crioula aqui da fazenda. Muito viva, desde bem criança passou da senzala pra casa grande, como mucama de Sinhazinha Zabé...

Isso foi... deve fazer sessenta anos, antes da guerra do Paraguai. Eu era molecote novo e trabalhava aqui dentro, no terreiro. Via tudo. A mucama, uma vez que Sinhazinha Zabé veio da Corte passar as férias na roça, protegeu o namoro dela com um portuguesinho, e foi então...

Na marquesa, onde dormia, Jonas estremeceu. Olhei. Estava sentado e em convulsões. Os olhos exorbitados fixavam-se nalguma coisa invisível para mim. Suas mãos crispadas mordiam a palhinha rota.

Agarrei-o, sacudi-o.

— Jonas, Jonas, que é isso?

Olhou-me sem ver, com a retina morta, num ar de desvario.

— Jonas, fala!

Tentou murmurar uma palavra. Seus lábios tremeram na tentativa de articular um nome. Por fim enunciou-o, arquejante:

— "Izabel"...

Mas aquela voz já não era a voz de Jonas. Era uma voz desconhecida. Tive a sensação plena de que um "eu" alheio lhe tomara de assalto o corpo vazio. E falava por sua boca, e pensava com seu cérebro. Não era Jonas, positivamente, quem estava ali. Era "outro"!...

Tio Bento, ao pé de mim, olhava assombrado para aquilo, sem compreender coisa nenhuma; e eu, num horroroso estado de superexcitação, sentia-me à beira do medo pânico. Não fossem os trovões ecoantes e o ululu da ventania nas casuarinas denunciarem-me lá fora um horror talvez maior, e é possível que não resistisse ao lance e fugisse da casa maldita como um criminoso. Mas ali ao menos havia luz, aquele humilde candeeiro de azeite, no momento mais precioso do que todos os bens da terra.

Estava escrito, entretanto, que ao horror dessa noite de trovoada e mistério não faltaria uma nota sequer. Assim foi que, altas horas, a luz principiou a esmorecer. Estremeci, e fiquei de cabelos eriçados quando a voz do negro murmurou a única frase que eu não queria ouvir:

— O azeite está no fim...

— E há mais lá em tua casa?

— Era o restinho...

Estarreci...

Os trovões ecoavam longe, e o uivar do vento nas casuarinas era o mesmo de sempre. Parecia empenhada a natureza em pôr em prova a resistência dos meus nervos. Súbito, um estalido no candeeiro. A luz bruxuleou um clarão final e extinguiu-se.

Trevas. Trevas absolutas...

Corri à janela. Abri-a.

As mesmas trevas lá fora...

Senti-me sem olhos.

Procurei a cama às apalpadelas e caí de bruços na palhinha bolorenta.

VIII.

Pela madrugada começou Jonas a falar sozinho, como quem se recorda. Mas não era o meu Jonas quem falava — era o "outro".

Que cena!...

Tenho até agora gravadas a buril no cérebro todas as palavras dessa misteriosa confidência, proferida pelo íncubo no silêncio das trevas profundas. Mil anos que viva e nunca se me apagará da memória o ressoar daquela voz de mistério. Não reproduzo suas palavras da maneira como as enunciou. Seria impossível, sobre nocivo à compreensão de quem lê. O "outro" falava ao jeito de quem pensa em voz alta, como a recordar. Linguagem taquigráfica. ponho-a aqui traduzida em língua corrente.

IX.

"Meu nome era Fernão. Filho de pais incógnitos, quando me conheci por gente já rolava no mar da vida como rolha sobre a onda. Ao léu, solto nos vai-e-vens da miséria, sem carinhos de família, sem amigos, sem ponto de apoio no mundo.

Era no Reino, na Póvoa do Varzim; e do Brasil, a boa colônia preluzida em todas as imaginações como o Eldorado, eu ouvia os marinheiros de torna-viagem contarem maravilhas.

Fascinado, deliberei emigrar.

Parti um dia para Lisboa, a pé, como vagabundinho de estrada. Caminhada inesquecível, faminta, mas rica dos melhores sonhos da minha existência. Via-me na terra nova feito mascate de bugigangas. Depois, vendeiro; depois, comerciante com casa forte no Rio. Depois, já casado, com linda cachopa, via-me de novo na Póvoa, rico, morando em quinta, senhor de vinhedo e terras de semeadura.

Assim embalado em sonhos áureos, alcancei o porto de Lisboa, onde passei o primeiro dia no cais, namorando os navios surtos no Tejo. Um havia em aprestos para largar de rumo à colônia, a caravela "Santa Tereza". Acamaradando-me com velhos marujos de gandaia por ali, consegui nela, por intermédio deles, o engajamento necessário.

— Lá, foges, — aconselhou-me um, — e afundas para o sertão. E mercadejas, e enriqueces, e voltas cá excelentíssimo. É o que faria eu se tivesse os verdes anos que tens.

Assim fiz e, grumete do "Santa Tereza", boiei no oceano, rumo às terras de Ultramar.

Aportamos em África para recolher pretos d'Angola, metidos nos porões como fardos de couro suado com carne viva por dentro. Pobres pretos! Desembarcado no Rio, tive ainda ocasião de vê-los no Valongo, seminus, expostos à venda como reses. Os pretendentes chegavam, examinavam-n'os, fechavam negócio.

Foi assim, nessa tarefa, que conheci o capitão Aleixo. Era um homem alentado, de feições duras, olhar de gelo. Trazia botas, chapéu largo e rebenque na mão. Atrás dele, como sombra, um capataz mal encarado.

O capitão notou o meu tipo, fez perguntas e ao cabo propôs-me serviço em sua fazenda. Aceitei e fiz a pé, em companhia do lote de negros adquiridos, essa viagem pelo interior de um país onde tudo me era novidade.

Chegamos.

Sua fazenda, formada de pouco tempo, ia então no apogeu, riquíssima de canaviais, gado e café em inícios. Deram-me servicinhos leves, compatíveis com a idade e a minha nenhuma experiência da terra. E, sempre subindo de posto, ali continuei até ver-me homem.

A família do capitão morava na Corte. Os filhos vinham todos os anos passar temporadas na roça, enchendo a fazenda de travessuras loucas. Já as meninas, então no colégio, lá se deixavam ficar mesmo nas férias. Só vieram uma vez, com a mãe, dona Teodora — e foi isso a minha desgraça...

Eram duas, Inês, a caçula, e Izabel, a mais velha, lindas meninas de luxo, radiosas de mocidade. Eu as via de longe, como nobres figuras de romance, inacessíveis e lembro-me do efeito que naquele sertão bruto, asselvajado pela escravaria retinta, fazia a presença das meninas ricas, sempre vestidas à moda da Corte. Eram princesinhas de conto de fadas que só provocam uma atitude: adoração.

Um dia...

Aquela cachoeira — lá lhe ouço o remoto rumorejo — era a piscina da fazenda. Escondida numa grota, como joia de cristal vivo a defluir com permanente escachoo num engaste rústico de taquaris, caetês e ingazeiros, formava um recesso grato ao pudor dos banhistas.

Um dia...

Lembro-me bem — era domingo e eu, de vadiagem, saíra cedo a passarinhar. Seguia pela margem do ribeirão tocaiando os pássaros ribeirinhos.

Um pica-pau de cabeça vermelha zombou de mim. Errei a bodocada e, metido em brios, afreimei-me em persegui-lo. E, salta daqui, salta dali, quando dei acordo estava embrenhado na grota da cachoeira, onde, num galho de ingá, pude visar melhor a minha presa e espeloteá-la.

Caiu a avezinha longe do meu alcance; barafustei pela trama dos taquaris para colhê-la. Nisto, por uma aberta na verdura, avistei embaixo a bacia de pedra onde a água chofrava. Mas estarreci. Duas ninfas nuas brincavam na espuma. Reconheci-as. Eram Izabel e sua mucama dileta, da mesma idade, a Liduína.

O improviso da visão ofuscou-me os olhos. Quem há insensível à beleza da mulher em flor e, a mais, vista assim em nudez num quadro agreste daqueles?

Izabel deslumbrou-me.

Corpo escultural, nesse período entontecedor em que florescem todas as promessas da puberdade, diante dele senti a explosão subitânea dos instintos. Ferveu-me nas veias o sangue. Fiz-me cachoeira de apetites. Vinte anos! O momento das erupções incoercíveis...

Imóvel como estátua, ali me quedei em êxtase o tempo que durou o banho. E estou ainda com o quadro na imaginação. A graça com que ela, de cabeça erguida, boca entreaberta, apresentava os pequeninos seios ao jacto das águas... Os sustos e gritinhos nervosos quando gravetos derivantes lhe esfrolavam a epiderme... Os mergulhos de sereia na bacia de pedra e o emergir do corpo aljofrado de espuma...

Durou minutos o banho fatal. Depois vestiram-se numa laje a seco e lá se foram, contentes como borboletinhas ao sol.

Fiquei-me por ali, extático, rememorando a cena mais linda que meus olhos viram.

Impressão de sonho...

Águas de cristal rumorejante; frondes orvalhadas pendidas para a linfa como a lhe escutar o murmúrio; um raio de sol matutino, coado pelas franças, a pintalgar de ouro tremeluzente a nudez menineira das náiades.

Quem poderá esquecer um quadro assim?

X.

Essa impressão matou-me. Matou-nos.

XI.

Sai dali transformado.

Não era mais o humilde serviçal da fazenda, contente de sua sorte. Era um homem branco e livre que desejava uma mulher formosa.

Daquele momento em diante minha vida iria girar em torno dessa aspiração. Nascera em mim o amor, vigoroso e forte como as ervas loucas da tiguera. Dia e noite só um pensamento ocuparia meu cérebro: Izabel. Um só desejo: vê-la. Um só objetivo à minha frente: possuí-la.

Todavia, apesar de branco e livre, que abismo me separava da filha do fazendeiro! Eu era pobre, Era um subalterno. Era nada.

Mas o coração não raciocina, nem o amor olha para conveniências sociais. E assim, desprezando obstáculos, cresceu o amor no meu peito como crescem rios em tempo de cheia.

Aproximei-me da mucama e, depois de lhe cair em graça e lhe conquistar a confiança, contei-lhe um dia a minha tortura.

— Liduína, tenho um segredo n'alma que me mata, mas tu poderás salvar-me. Só tu. Preciso do teu socorro... Juras auxiliar-me?

Ela espantou-se da confidência, mas, insistida, rogada, implorada, prometeu tudo quanto pedi.

Pobre criatura! Tinha alma irmã da minha e foi ao compreender su'alma que pela primeira vez alcancei todo o horror da escravidão...

Abri-lhe o meu peito e revelei-lhe em frases candentes a paixão que me consumia.

Liduína a princípio assustou-se. Era grave o caso. Mas quem resiste à dialética dos apaixonados? E Liduína, vencida afinal, prometeu auxiliar-me.

XII.

A mucama agiu por partes, fazendo desabrochar o amor no coração da senhora sem que esta o percebesse. A princípio, uma vaga e discreta referência à minha pessoa.

— Sinhazinha conhece o Fernão?
— Fernão?!... Quem é?
— Um moço que veio do reino e toma conta do engenho...
— Se já o vi, não me lembro.
— Pois repare nele. Tem uns olhos...
— É teu namorado?
— Quem me dera!...

Foi essa a abertura do jogo. E assim, ao poucos, em dosagem hábil, hoje uma palavra, amanhã outra, no espírito de Izabel nasceu a curiosidade — passo número um do amor.

Certo dia Izabel quis ver-me.

— Falas tanto nesse Fernão, nos olhos desse Fernão, que estou curiosa de vê-lo.

E viu-me.

Eu estava no engenho, dirigindo a moagem da cana, quando as duas apareceram de copo na mão. Vinham com o pretexto da garapa.

Liduína, achegou-se a mim e,

— Seu Fernão, uma garapinha de espuma para Sinhá Izabel.

A menina olhou-me de frente, mas não lhe pude sustentar o olhar. Baixei os meus olhos, conturbado. Eu tremia, balbuciava apenas, nessa ebriez do primeiro encontro.

Dei ordens aos pretos e logo jorrou da bica um jacto fofo de garapa espumejante. Tomei o copo da mão da mucama, enchi-o e ofereci-o à náiade. Ela o recebeu com simpatia, bebeu aos golinhos e pagou-me o serviço com um gentil "obrigada", olhando-me de novo nos olhos.

Pela segunda vez baixei os meus.

Saíram.

Mais tarde Liduína contou-me o resto — um pequenino diálogo.

— Tinha razão, — dissera-lhe Izabel, — é um bonito rapaz. Mas não lhe vi bem os olhos. Que acanhamento! Parece que tem medo de mim... Duas vezes que o olhei de frente, duas vezes que os baixou.

— Vergonha, — disse Liduína. — Vergonha ou...

— ...ou quê?

— Não digo...

A mucama, com o seu fino instinto de mulher, compreendeu que não era ainda tempo de pronunciar a palavra amor. Pronunciou-a dias mais tarde, quando percebeu a menina suficientemente madura para ouvi-la sem escândalo.

Passeavam pelo pomar da fazenda, então no auge da florescência.

O ar embriagava, tanto era o perfume nele solto.

Abelhas aos milhares, e colibris, zumbiam e esfuziavam num delírio orgíaco.

Era a festa anual do mel.

Percebendo em Izabel o trabalho dos amavios ambientes, Liduína aproveitou o ensejo para um passo a mais.

— Quando eu vinha vindo vi seu Fernão sentado na pedra do muro. Uma tristeza...

— Que será que ele tem? Saudades da terra?

— Quem sabe?! Saudades ou...

— ...ou quê?

— ...ou amor.

— Amor! amor! — disse Izabel sorvendo com volúpia o ar embalsamado. Que linda palavra, Liduína! Eu, quando vejo um laranjal assim florido, a palavra que me vem à ideia é essa: amor! Mas amará ele a alguém?

— Pois de certo. Quem não ama neste mundo? Os passarinhos, as borboletas, as vespas...

— Mas a quem amará ele? A alguma preta do eito, com certeza... — e Izabel riu-se desabaladamente.

— Aquele? — fez Liduína num muxoxo. — Não é desses, não, Sinhazinha. Moço pobre, mas de condição. Para mim, até penso que ele é filho dalgum fidalgo do reino. Anda por aqui escondido...

Izabel quedou-se pensativa.

— Mas a quem amará, então, aqui, neste deserto de brancas?

— Pois as brancas...

— Que brancas?

— Dona Inezinha... Dona Izabelinha...

A mulher desapareceu por um momento para ceder o lugar à filha do fazendeiro.

— Eu? Engraçadinha! Era só o que faltava...

FICÇÃO NEGRINHA (1920)

Liduína calou-se. Deixou que a semente lançada corresse o prazo da germinação. E, vendo um tal casal de borboletas a perseguirem-se com estalidos de asas, mudou o rumo à conversa.

— Sinhazinha já reparou nestas borboletas de perto? Têm dois números debaixo das asas — oito, oito. Quer ver?

Correu atrás delas.

— Não pegas! — gritou Izabel, divertida.

— Mas pego esta aqui, — retrucou Liduína apanhando outra, lerdota, e trazendo-a a espernejar entre os dedos.

— É ver uma casca de árvore com musgo. Espertalhona! Assim se disfarça, que ninguém a percebe quando está sentadinha. É como o periquito, que está gritando numa árvore, em cima da cabeça da gente, e a gente nada vê. Por falar em periquito, por que Sinhazinha não arranja um casal?

Izabel tinha o pensamento longe dali. A mucama bem o sentia, mas muito de indústria continuava na tagarelice.

— Dizem que se querem tanto, os periquitos, que quando um morre o companheiro se mata. Tio Adão teve um assim, que se afogou numa pocinha d'água no dia em que a periquita morreu. Só entre os pássaros há coisas dessas...

Izabel continuava absorta. Mas em dado momento quebrou o mutismo.

— Por que lembraste de mim nesse negócio do Fernão?

— Por quê? — repetiu Liduína cavorteiramente. — Porque é tão natural isso...

— Alguém te disse alguma coisa?

— Ninguém. Mas se ele ama de amor, aqui neste sertão, e ficou assim agora, depois que Sinhazinha chegou, a quem há de amar?... Ponha o caso em si. Se Sinhazinha fosse ele, e ele fosse Sinhazinha...

Calaram-se ambas e o passeio terminou no silêncio de quem dialoga consigo mesmo.

XIII.

Izabel dormiu tarde essa noite. A ideia de que sua imagem enchia o coração de um homem esvoaçava-lhe na imaginação como as abelhas no laranjal.

— "Mas é um subalterno!" — alegava o Orgulho.

— "Qu'importa, se é um moço rico de bons sentimentos?" — retorquiu a Natureza.

— "E bem pode ser que fidalgo!..." — acrescentava, insinuante, a Fantasia.

A Imaginação também veio à tribuna.

— "E pode vir a ser um poderoso fazendeiro. Quem era o capitão Aleixo na idade dele? Um simples arreador..."

Já era o Amor quem assoprava tais argumentos.

Izabel ergueu-se da cama e foi à janela. A lua em minguante quebrava de tons cinéreos o escuro da noite. Os sapos no brejal coaxavam melancólicos. Vagalumes tontos riscavam fósforos no ar.

Era aqui... Era aqui neste quarto, era aqui nesta janela!...

Eu a espiava de longe, nesse estado de êxtase que o amor provoca na presença do objeto amado. Longo tempo a vi assim, imersa em cisma. Depois fechou-se a persiana, e o mundo para mim se encheu de trevas.

XIV.

No outro dia, antes que Liduína abordasse o tema dileto, disse-lhe Izabel:
— Mas, Liduína, que é amor?
— Amor? — respondeu a arguta mucama em quem o instinto substituía a cultura. — Amor é uma coisa...
— ... que...
— ... que vem vindo, vem vindo...
— ... e chega!
— ... e chega e toma conta da gente. Tio Adão diz que o amor é doença. Que a gente tem sarampo, catapora, tosse comprida, caxumba e amor — cada doença no seu tempo.
— Pois eu tive tudo isso, — replicou Izabel, — e não tive amor...
— Sossegue que não escapa. Teve as piores e não há de ter a melhor? Espere que um dia ele vem...
Silenciaram.
Súbito, agarrando o braço da mucama, Izabel encarou-a a fito nos olhos.
— És minha amiga do coração, Liduína?
— Um raio me parta neste momento se...
— És capaz dum segredo, mas dum segredo eterno, eterno, eterno?
— Um raio me parta se...
— Cala a boca.
Izabel vacilava.
Depois, nessa ânsia de confidência que nasce ao primeiro luar do amor, disse, corando:
— Liduína, parece-me que estou ficando doente... da doença que faltava.
— Pois é tempo, — exclamou a finória arregalando os olhos. — Dezessete anos...
— Dezesseis.
E Liduína, cavilosa:
— Algum fidalguinho da Corte?
Izabel vacilou de novo; por fim disse:
— Eu tenho um namorado no Rio — mas é namoro só. Amor, amor, desse que bole cá dentro com o coração, desse que vem vindo, vem vindo e chega, não! Não, lá...
E em cochicho ao ouvido da mucama, corando:
— Aqui!...
— Quem? — perguntou Liduína, simulando espanto.
Izabel não respondeu com palavras. Ergueu-se e:
— Mas é um comecinho só. Vem vindo...

XV.

O amor veio vindo e chegou. Chegou e destruiu todas as barreiras. Destruiu nossas vidas e acabou destruindo a fazenda. Estas ruínas, estas corujas, este morcegal, tudo não passa da florescência de um grande amor...

Por que há de ser a vida assim? Por que hão de os homens, à força do orgulho, impedir que o botão da maravilhosa planta passe a flor? E por que hão de transformar o que é céu em inferno, o que é perfume em dor, o que é luz em negrume, o que é beleza em caveira?

Izabel, mimo de fragilidade feminil avivada de graça brasília, tinha o quê perturbador das orquídeas. Sua beleza não era ao molde da beleza rechonchuda e corada, forte e sadia, das cachopas da minha terra. Por isso mesmo mais fortemente me seduzia a pálida princesinha tropical.

Ao inverso, o que em mim a seduzia era a força varonil e transbordante, e a nobre rudeza dos meus instintos, que iam até à audácia de pôr os olhos na altura em que ela pairava.

XVI.

O primeiro encontro foi... casual. Meu acaso chamava-se Liduína. Seu gênio instintivo fê-la a boa fada de nossos amores.

Foi assim.

Estavam as duas no pomar diante duma pitangueira enrubescida de frutos.

— Lindas pitangas! — disse Izabel. — Sobe, Liduína e apanha um punhado.

Aproximou-se Liduína da pitangueira e fez vãs tentativas para trepar.

— Impossível, Sinhazinha, só chamando alguém. Quer?

— Pois vai chamar alguém.

Liduína partiu correndo e Izabel teve a previsão nítida de quem viria. De fato, momentos depois apareci eu.

— Senhor Fernão, desculpe-me, — disse a moça. — Pedi àquela maluca que chamasse algum preto para colher pitangas — e foi ela incomodá-lo.

Perturbado pela sua presença e com o coração aos pulos, gaguejei, para dizer algo:

— São pitangas que quer?

— Sim. Mas falta uma cestinha que Liduína foi buscar.

Pausa.

Izabel, tão senhora de si, percebi-a nesse momento embaraçada como eu. Não tinha o que dizer. Silenciava. Por fim:

— Moem cana hoje? — perguntou-me.

Gaguejei que sim e novo silêncio se fez. Para quebrá-lo, Izabel gritou em direção da casa:

— Anda depressa, rapariga! Que lesmice...

E depois, para mim:

— Não tem saudades de sua terra?

Despregou-se-me a língua. Perdi o embaraço. Respondi que tive, mas não as tinha mais.

— Os primeiros anos passei-os a suspirar à noite, saudoso de tudo de lá. Só quem emigrou sabe a dor do fruto arrancado à arvore. Conformei-me, afinal. E hoje... o mundo inteiro para mim está aqui nestas montanhas.

Izabel compreendeu-me a intenção e quis perguntar-me por quê. Mas não teve ânimo. Saltou para outro assunto.

— Por que motivo só as pitangas desta árvore prestam? As outras são tão azedas...

— Vai ver, — disse eu, — que esta arvore é feliz e as outras não. O que azeda os homens e as coisas é a desgraça. Fui doce como a lima, logo que vim para cá. Hoje sou amargo...

— Julga-se infeliz?

— Mais do que nunca.

Izabel arriscou-se:

— Por quê?

Respondi intrepidamente:

— Dona Izabel, que é menina rica, não imagina a posição desgraçada de quem é pobre. O pobre forma neste mundo uma casta maldita, sem direito a coisa nenhuma. O pobre não pode nada...

— Pode, sim. Pode uma coisa...

— ?

— Deixar de ser pobre.

— Não falo da riqueza do dinheiro. Essa é fácil de alcançar, depende apenas de esforço e habilidade. Falo de coisas mais preciosas que o ouro. Um pobre, tenha o coração que tiver, seja a mais nobre das almas, não tem o direito de erguer os olhos para certas *alturas*...

— Mas se a *altura* quiser descer até ele? — retrucou audaciosa e vivamente a menina.

— Esse caso acontece às vezes nos romances. Na vida, nunca...

Calamo-nos de novo. Neste entremeio Liduína reapareceu, esbaforida, com a cestinha na mão.

— Custou-me a achar, — disse a velhaca, justificando a demora. — Estava caída atrás do toucador.

O olhar que lhe lançou Izabel dizia: "Mentirosa!"

Tomei a cesta e preparei-me para trepar à arvore.

Izabel, porém, interveio:

— Não! Não quero mais pitangas. Vão tirar-me o apetite para a garapa do meio-dia. Ficam para outra vez.

E para mim, amável:

— Queira desculpar-me...

Saudei-a, ébrio de felicidade, e lá me fui de aleluias n'alma, com o mundo a dançar em torno de mim.

Izabel seguiu-me com o olhar, pensativamente.

— Tinha razão, Liduína, é um rapagão que vale todos os pelintras da Corte. Mas, coitado!... Queixa-se tanto do seu destino...

— Bobagens, — muxoxou a mucama, trepando à pitangueira com agilidade de macaco.

Vendo aquilo, Izabel sorriu e murmurou, entre repreensiva e maliciosa:

— Você, Liduína...

A rapariga, que tinha entre os dentes alvíssimos o vermelho duma pitanga, esganiçou uma risada velhaca.

— Pois Sinhazinha não sabe que sou mais sua amiga do que sua escrava?

XVII.

O amor é o mesmo em toda parte e em todos os tempos. Aquele enleio do primeiro encontro é o eterno enleio dos primeiros encontros. Aquele diálogo à sombra da pitangueira é o eterno diálogo da abertura. Assim, nosso amor, tão novo para nós, reproduzia um jogo velho qual o mundo.

Nascera em Izabel e em mim um sexto sentido maravilhoso. Compreendíamo-nos, adivinhávamo-nos e descobrimos meios de inventar os mais imprevistos encontros — encontros deliciosos, em que um olhar bastava para a permuta de mundos de confidências...

Izabel amou-me.

Que período de vida, esse!

Eu sentia-me alto como as montanhas, forte como o oceano e todo a coruscar de estrelas por dentro.

Era rei.

A terra, a natureza, os céus, a lua, a luz, a cor, tudo existia para ambiente do meu amor. Não era mais vida aquele meu viver, sim um êxtase contínuo.

Alheado de tudo, uma só coisa eu via, duma só coisa me alimentava.

Riquezas, poderio, honras — que vale tudo isso ante a sensação divina de amar e ser amado?

Nessa ebriedade vivi — quanto tempo não sei. O tempo não contava para o meu amor. Vivia — tinha a impressão de que só nessa época entrara a viver. Antes, a vida não me fora mais que simples agitação animalesca.

Poetas! Como vos compreendi a voz interior ressoada em rimas, como me irmanei convosco no esvoaçar pelos intermúndios do sonho!...

Liduína comportava-se como a fada boa dos nossos destinos. Sempre vigilante, a ela devíamos inteirinho o mar de felicidade em que boiávamos. Lépida, mimosa, travessa, a gentil crioula enfeixava em si toda a artimanha da raça perseguida — e todo o gênio do sexo escravizado à prepotência do homem.

Entretanto, o bem que nos fizeste como se avinagrou para ti, Liduína!... Em que fel horroroso se transfez para ti, afinal...

Eu sabia que o mundo é governado pelo monstro Estupidez. E que Sua Majestade não perdoa o crime de Amor. Mas nunca supus que esse monstro fosse a fera delirante que é — tão sanguissedenta, tão requintada em ferócia. Nem que houvesse monstro mais bem servido que esse.

Que comitiva numerosa traz!

Que servos diligentes possui!

A sociedade, as leis, os governos, as religiões, os juízes, as morais, tudo que é força social organizada presta mão forte à Estupidez Onipotente.

E assanha-se em punir, em torturar o ingênuo que, conduzido pela natureza, arrosta com os mandamentos da megera.

Ai dele, se comete um crime de lesa-Estupidez! Mãos de ferro constringem-lhe a garganta. Seu corpo rola por terra, espezinhado; seu nome perpetua-se com pechas infames.

Nosso crime — que lindo crime: amar! — foi descoberto. E a monstruosa engrenagem de aço triturou-nos, ossos e almas, aos três...

XVIII.

Uma noite...

A lua, bem no alto, empalidecia as estrelas e eu, triste, velava, rememorando o último encontro com Izabel. Fora à tardinha, numa volta do ribeirão, à sombra dum tufo de marianeiras cacheadas de frutos. Mãos unidas, cabeça contra cabeça, num enlevo de comunhão d'alma, assistíamos ao alvoroto da peixaria assanhada na disputa das frutinhas amarelas que a espaços pipocavam na água remansosa do rio. Izabel, absorta, mirava aquelas ariscas linguinhas de prata, apinhadas em torno das iscas.

— Sinto-me triste, Fernão. Tenho medo da nossa felicidade. Qualquer coisa me diz que isso vai ter fim — e fim trágico...

Minha resposta foi aconchegá-la inda mais ao meu peito.

Um bando de saíras e sanhaços, de pouso nas marianeiras, entraram a debicar energicamente os cachos da frutinha silvestre. E o espelho das águas piriricou ao chuveiro das migalhas caídas. Coalhou-se o rio de lambaris famintos, engalfinhados num delírio de regabofe, com saltos de prata faiscantes no ar.

Izabel, sempre absorta, dizia:

— Como são felizes!... E são felizes porque são livres. Nós — pobres de nós!... Nós somos inda mais escravos do que os escravos do eito...

Duas "viuvinhas" pousaram numa haste de peri emersa da margem fronteira. A vara vergou-se-lhe ao peso, oscilou uns instantes e estabilizou-se de novo. E o lindo casal permaneceu imóvel, juntinho, comentando talvez, como nós, a festa glutona dos peixes.

Izabel murmurou num sorriso de infinita melancolia:

— Que cabecinha sossegada eles têm...

Eu rememorava frase por frase esse último encontro com a minha amada, quando, dentro da noite, ouvi bulha à porta.

Alguém corria o ferrolho e entrava.

Sentei-me na cama, de sobressalto.

Era Liduína. Tinha os olhos esgazeados de pavor e foi em voz arquejante que atropelou as derradeiras palavras que lhe ouvi na vida.

— Fuja! O capitão Aleixo sabe tudo. Fuja, que estamos perdidos...

Disse, e esgueirou-se para o terreiro como sombra.

XIX.

O choque foi tamanho que me senti vazio de cérebro. Parei de pensar...

O capitão Aleixo...

Lembro-me bem dele. Era o *plenipotenciário* de Sua Majestade a Estupidez nestas paragens. Frio e duro, não reconhecia sensibilidade em carne alheia. Recomendava sempre aos feitores a sua receita de bem conduzir os escravos: "Angu por dentro e relho por fora, sem economia e sem dó."

Consoante tal programa, a vida na fazenda escoava-se entre trabalhos de eito, comezaina farta e "bacalhau."

Com o tempo desenvolveu-se nele a crueldade inútil. Não se limitava a impor castigos: ia presenciá-los. Gozava de ver a carne humana avergoar-se aos golpes do couro cru.

Ninguém, entretanto, estranhava aquilo. Os pretos sofriam como predestinados à dor. E os brancos tinham como dogma que de outra maneira não se levavam pretos.

O sentimento de revolta não latejava em ninguém, salvo em Izabel, que se fechava no quarto, de dedos fincados nos ouvidos, sempre que na casa-do-tronco o bacalhau arrancava urros a um pobre infeliz.

A mim, em começo, também me era indiferente a dor alheia. Ao depois — depois que o amor me floriu a alma de todas as flores do sentimento — aquelas barbaridades diárias punham-me fremente de cólera.

Uma vez tive ímpetos de estrangular o déspota. Foi o caso dum vizinho que lhe trouxera um cão de fila para vender.

XX.

— É bom? Bem bravo? — perguntou o fazendeiro examinando o animal.
— Uma fera! Para apanhar negro fugido, nada melhor.
— Não compro nabos em sacos, — disse o capitão. — Experimentemo-lo.

Ergueu os olhos para o terreiro que fulgurava ao sol. Deserto. A escravaria inteira na roça. Mas naquele momento o portão se abriu e um preto velho entrou, cambaio, de jacá ao ombro, rumo ao chiqueiro dos porcos. Era um estropiado do eito que pagava o que comia tratando da criação.

O fazendeiro teve uma ideia. Tirou o cão da corrente e atiçou-o contra o preto.
— Pega, Vinagre!

O mastim partiu como bala e instantes depois ferrava o pobre velho, dando com ele em terra. Estraçalhou-o...

O fazendeiro sorria-se com entusiasmo.
— É de primeira, — disse ao sujeito. — Dou-lhe cem mil réis pelo Vinagre.

E como o sujeito, assombrado daqueles processos, lamentasse a desgraça do estraçalhado, o capitão fez cara de espanto.
— Ora bolas! Um caco de vida...

XXI.

Pois foi esse homem que vi subitamente penetrar no meu quarto, essa noite, logo depois que se sumiu Liduína. Acompanhavam-no dois feitores, como sombras.

Entrou e fechou a porta sobre si. Parou a alguma distância. Olhou-me e sorriu.
— Vou dar-te uma bela noivinha, — disse ele. E num gesto ordenou aos carrascos que me amarrassem.

Despertei da vacuidade. O instinto de conservação retesou-me todas as energias e, mal os capangas vieram a mim, atirei-me a eles com furor de onça fêmea a quem roubam os cachorrinhos.

Não sei quanto tempo durou a luta horrorosa; sei apenas que a tantas perdi os sentidos em virtude das violentas pancadas que me racharam a cabeça.

Quando despertei pela madrugada vi-me por terra, com os pés doridos entalados no tronco. Levei a mão aos olhos sujos de pó e sangue e entrevi à minha esquerda, no extremo do madeiro hediondo, um corpo desmaiado de mulher.

Liduína...

Percebi ainda que havia mais gente ali.

Olhei.

Dois homens de picaretas abriam um largo rombo no espesso muro de taipa. Outro, um pedreiro, misturava cal e areia no chão, rente a uma pilha de tijolos.

O fazendeiro também ali estava, de braços cruzados, dirigindo o serviço. Vendo-me desperto, aproximou-se do meu ouvido e murmurou com gélido sarcasmo as últimas palavras que ouvi sobre a terra:

— Olhe! A tua noivinha é aquela parede...

Compreendi tudo: iam emparedar-me vivo...

XXII.

Aqui se interrompeu a história do "outro", como a ouvi naquela horrorosa noite. Repito que não a ouvi assim, nessa ordem literária, mas murmurada em solilóquio, aos arrancos, às vezes entre soluços, outras num cicio imperceptível. Tão estranha era essa forma de narrar que o velho Tio Bento não apanhou coisa nenhuma.

E foi com ela a me doer no cérebro que vi chegar a manhã.

— Benditas sejas, luz!

Ergui-me, alvoroçado.

Abri a janela, todo a renascer-me dos horrores noturnos.

O sol lá estava espiando-me dentre a copa do arvoredo. Seus raios de ouro invadiram-me a alma. Varreram dela os frocos de trevas que a entenebreciam qual cabelugem de pesadelo.

O ar lavado e alerta encheu-me os pulmões da delirante vida matutina. Respirei-o alegremente, em haustos largos.

E Jonas? Dormia ainda, repousado de feições.

Era "ele" outra vez. O "outro" fugira com as trevas da noite.

— Tio Bento, — exclamei, — conte-me o resto da história. Que fim teve Liduína?

O velho preto recomeçou a contá-la a partir do ponto em que a interrompera na véspera.

— Não! — gritei eu, — dispenso isso tudo. Só quero saber que fim teve Liduína depois que o capitão deu sumiço ao moço.

Tio Bento abriu cara de espanto.

— Como o meu branco sabe disso?

— Sonhei, tio Bento.

Ele permaneceu ainda uns instantes admirado, custando a crer. Depois narrou:

— Liduína morreu no chicote, a coitadinha — tão na flor, dezenove anos... O Gabriel e o Estêvão, os carrascos, retalharam o seu corpinho de criança com os rabos do bacalhau... A mãe dela, que só na hora do castigo soube do acontecido na véspera, correu feito louca para a casa do tronco. No momento em que empurrou a porta e olhou, uma chicotada cortava o seio esquerdo da filha. Antônia deu um grito e caiu para trás como morta.

Apesar do radioso da manhã meus nervos fremiram às palavras do preto.

— Basta, basta... De Liduína basta. Só quero agora saber o que sucedeu a Izabel.

— Nhá Zabé ninguém mais viu ela na fazenda. Foi levada para a Corte e acabou mais tarde no hospício, é o que dizem.

— E Fernão?

— Esse sumiu. Ninguém nunca soube dele — nunca, nunca...

Jonas acabava de despertar. E ao ver luz no quarto sorriu. Queixava-se de peso na cabeça.

Interpelei-o sobre o eclipse noturno de sua alma, mas Jonas mostrou-se alheio a tudo. Enrugou a testa, recordando-se.

— Lembro-me que uma coisa me invadiu, que fui empolgado, que lutei com desespero...

— E depois?

— Depois?... Depois um vácuo...

Saímos para fora.

A casa maldita, mergulhada na onda de luz matutina, perdera o aspecto trágico.

Disse-lhe adeus — para sempre...

— *Vade retro*!...

E fomo-nos à casinhola do preto engolir o café e arrear os animais.

De caminho espiei pelas grades da casa-do-tronco: na taipa grossa da parede havia um trecho murado a tijolo...

Afastei-me horripilado.

E guardei comigo o segredo da tragédia de Fernão. Só eu no mundo a conhecia, contada por ele mesmo, oitenta anos após à catástrofe.

Só eu!

Mas como não sei guardar segredo, revelei-o em caminho ao Jonas.

Jonas riu-se à larga e disse, estendendo-me o dedo minguinho:

— Morde aqui!...

1922

BARBA AZUL

Jantávamos no Hotel d'Oeste, eu e o Lucas, um amigo que sabe histórias. A tantas, como percebesse certo vulto lá no fundo do salão, o rapaz firmou a vista e murmurou em solilóquio:

— Será ele?...

— Ele, quem?

— Estás vendo aquele sujeito gordo, na terceira mesinha à esquerda?

— O de luto?

— Sim... O patife anda sempre de luto...

— Quem é?

— Um celerado que tem muito dinheiro e teve muitas mulheres.

— Até aí nada vejo de mais.

— *Tem muito dinheiro porque teve muitas mulheres.* Está poderoso. Ri-se do mundo e de sua justiça. Inventou um crime inédito não previsto pelas leis e com isso enriqueceu. Se um de nós o denunciasse, o patife nos processaria e nos meteria na cadeia. Note-lhe bem o tipo; raras vezes terás ocasião de topar um celerado desse tamanho.

— Mas...

— Lá fora contarei tudo. Toca a jantar.

Enquanto jantávamos examinei o sujeito, sem que nada no seu físico me parecesse estranho. Deu-me a impressão dum médico aposentado que vivesse de rendas.

Por que de médico? Não sei. As criaturas dão-me ar disto ou daquilo por força duma aura que pressinto a envolvê-las. Confesso, todavia, que minha adivinhação erra bastante. Sai-me fazendeiro um que eu previa médico, e surge-me corretor de negócios outro que eu jurava engenheiro. Creio que a falha do diagnóstico vem dos homens desrespeitarem as vocações, e adotarem na vida atitudes profissionais diversas das que, por injunção natural, deviam eleger. Como no entrudo. As máscaras nunca dizem das caras verdadeiras que escondem.

Terminado o jantar, saímos em direção ao Triângulo, e lá nos abancamos num sórdido café. O meu amigo voltou ao assunto.

— Caso notável, o daquele homem! Caso merecedor de novela ou conto, já que a justiça não tem forças para metê-lo na cadeia. Conheci-o no Oeste, prático de farmácia em Brotas. Um dia casou-se. Lembro-me disso porque assisti ao casamento a convite dos pais da moça. Era a Pequetita Mendes, filha dum sitiante arranjado.

Pequetita! Bem posto apelido, que não era bem mulher aquela isca de gente. Miudinha, magrinha, sequinha, sem cadeiras, sem ombros, sem seios, Pequetita não passava de um desses restolhos enfermiços que aparecem ao lado das espigas viçosas — sabuguinho débil, um grão aqui, outro ali. Apesar dos seus vinte e cinco anos, representava treze, e o escolhê-la Panfilo — chama-se Panfilo Novais o meu facínora — espantou a todos, a começar pela moça. Como, porém, era ele pobre e ela arranjada, explicou-se financeiramente a união.

Mas nada poderia resultar de bom duma união dessa ordem, que repugnava aos homens e à natureza. Pequetita não viera ao mundo para o matrimônio. O instinto da espécie fizera-a ponto final. "Pararás aí."

Ninguém pensou nisso, nem ela, nem os pais, nem ele — nem ele, que depois só pensaria nisso...

— ?

— Ouve. Casaram-se e tudo correu excelentemente até que...

— ... se separaram...

— ... até que os separou a morte. Pequetita não resistiu ao primeiro parto; faleceu após cruel intervenção cirúrgica.

Panfilo, dizem, chorou amargamente a morte da esposa, embora viessem consolá-lo os trinta contos de um seguro por ela constituído em seu favor.

A meu ver é daqui por diante que surge o criminoso. O desastre do primeiro casamento criou-lhe no cérebro um pensamento sinistro — pensamento que o iria nortear pela vida afora e que o fez, como te disse, rico e poderoso. A morte de Pequetita ensinou-lhe um crime inédito, não previsto pelas leis humanas.

— ?

— Espera. Compreenderás tudo dentro em pouco. Decorrido um ano, o nosso homem, já dono da farmácia, apresentou-se novamente enliçado pelo amor. Aparecera por lá uma família de fora, gente pobre, mãe viúva com quatro filhas casadeiras. Três delas, lindas e viçosas, viram-se logo requestadas por todos os moços desimpedidos do lugar. Já a quarta, restolho manenguera que fazia lembrar Pequetita, só teve um par d'olhos que a cobiçassem, os de Panfilo.

Pediu-a em casamento.

A mãe opôs-se — que era loucura, aquilo; que a menina lhe nascera enfezada; que se queria mulher, escolhesse uma das três sadias.

Nada conseguiu. Panfilo fez pé firme e afinal casou-se.

Foi um assombro. Arranjadote que já era, coisa nenhuma justificava tal preferência. Ele defendia-se hipocritamente, lamecha e sentimental:

— É o meu gênero. Gosto dos bibelôs e esta me lembra a minha amada Pequetita...

Resumindo: dez meses depois o patife enviuvava de novo nas mesmas circunstâncias da primeira vez. Morreu-lhe de parto a mulher.

— Novo seguro?

— E grande. Desta feita a bolada subiu a cem contos. Mudou-se de terra, então. Vendeu a farmácia e perdi-o de vista.

Anos depois fui encontrá-lo no Rio, numa casa de chá. Estava outro, elegantemente vestido, denunciando prosperidade por todos os poros. Viu-me, reconheceu-me e chamou-me para sua mesa. Conversa vai, conversa vem, contou-me que se casara pela quarta vez, havia coisa de um ano.

Assombrei-me.

— "Pela quarta?"

— "É verdade. Depois que sai daquela abençoada terrinha Onde o destino me fez enviuvar duas vezes, casei-me em Uberaba com a filha do Coronel Tolosa. Mas continuei perseguido pelo destino: faleceu-me essa também.."

— "Gripe?"

— "Parto..."

— "Como a primeira, então? Mas, doutor, perdoe-me a liberdade: o senhor escolhe mal as mulheres! Vai ver que essa terceira era miudinha como as anteriores", disse eu irrefletidamente.

O homem franziu os sobrolhos e encarou-me dum modo estranho, como se lhe batera a pacuera ante a ironia dum Sherlock disfarçado. Voltou logo ao natural, porém, e prosseguiu com serenidade:

— "Que quer? É o meu gênero. Não suporto mulheraças."

E mudou de assunto.

Ao deixá-lo fiquei apreensivo, com a suspeita a gerar-se-me no cérebro. Liguei a estranheza dos seus modos ante a minha observação ao olhar perscrutador com que devassara meu íntimo, e deixei escapar em voz alta um — *Hum!* que chamou a atenção de dois ou três passantes. E o caso do doutor Panfilo ficou a verrumar-me os miolos dias e dias.

— Doutor, dizes tu?

— Está claro. O diploma veio logo atrás dos seguros, como consequência lógica. Quem nesta terra, com algumas centenas de contos no banco, permanece *senhor*?

Por curiosidade, no intuito exclusivo de esclarecer-me, tomei informações relativas à sua quarta esposa.

Soube que era de Cachoeira e fisicamente do mesmo naipe das outras.

Fui além. Tratei de indagar nas companhias de seguros que negócios trazia nelas o *doutor* Panfilo e soube que a vida da quarta mulher estava garantida em mais de duzentos contos. Com os trezentos e cinquenta já embolsados, arredondaria ele, pela morte desta, um pecúlio de alto bordo para quem começara humildemente como prático de farmácia.

Tudo isso me consolidou em convicção a suspeita de que Panfilo era de fato um grande criminoso. Segurava as esposas e matava-as...

— Como, se morriam de parto?

— Está aí o maquiavelismo do celerado. O Barba Azul aproveitou singularmente bem a lição do primeiro matrimônio. Viu que perdera a Pequetita no primeiro parto em virtude da sua má conformação, da sua inaptidão procriativa. Franzina em excesso, muito estreita de bacia...

— Hum!

— Foi um *hum*! assim que deixei escapar em plena rua do Ouvidor...

O miserável, que tinha olho médico, só se casou daí por diante com mulheres de vício orgânico semelhante ao da primeira. Cuidadosamente escolhia as esposas entre as predestinadas. E foi amontoando a sua fortuna.

Imagina tu agora a vida desse miserável, sempre alternando a fase de tocaia da viuvez com um ano de casamento criminoso. Escolhia a vítima, representava a comédia do amor, sagrava a união e... seguro de vida! Depois, imagina o sadismo dessa alma ao ver desenvolver-se no ventre da vítima, não o filho que ela docemente esperava, mas a bolada gorda que viria acrescentar os seus cabedais! Afez-se a tal caçada e nela aperfeiçoou-se de maneira a nunca errar o bote.

A quarta, soube-o logo depois, fora pelo mesmo caminho das outras em seguida a uma nova intervenção cirúrgica. E entraram os duzentos contos. Vês tu que monstro?...

No outro dia lá estava na mesma mesa o doutor Panfilo. Entraram na sala várias moças, e pela força do hábito o seu olhar mortiço mediu num relance as ancas de cada uma. Bem feitas de corpo que eram, nenhuma o interessou — e seu olhar desceu calmamente para o jornal que lia.

— Está viúvo, — pensei comigo. — Anda evidentemente tocaiando a quinta mal conformada...

1922

O COLOCADOR DE PRONOMES

Aldrovando Cantagalo veio ao mundo em virtude dum erro de gramática.

Durante sessenta anos de vida terrena pererecou como um peru em cima da gramática.

E morreu, afinal, vítima dum novo erro de gramática.

Mártir da gramática, fique este documento da sua vida como pedra angular para uma futura e bem merecida canonização.

Havia em Itaoca um pobre moço que definhava de tédio no fundo de um cartório. Escrevente. Vinte e três anos. Magro. Ar um tanto palerma. Ledor de versos lacrimogêneos e pai duns acrósticos dados à luz no "Itaoquense", com bastante sucesso.

Vivia em paz com as suas certidões quando o frechou venenosa seta de Cupido. Objeto amado: a filha mais moça do coronel Triburtino, o qual tinha duas, essa Laurinha, do escrevente, então nos dezessete, e a do Carmo, encalhe da família, vesga, madurota, histérica, manca da perna e um tanto aluada.

Triburtino não era homem de brincadeiras. Esgoelara um vereador oposicionista em plena sessão da câmara e desd'aí se transformou no tutu da terra. Toda gente lhe tinha um vago medo; mas o amor, que é mais forte que a morte, não receia sobrecenhos enfarruscados nem tufos de cabelos no nariz.

Ousou o escrevente namorar-lhe a filha, apesar da distância hierárquica que os separava. Namoro à moda velha, já se vê, pois que nesse tempo não existia a gostosura dos cinemas. Encontros na igreja, à missa, troca de olhares, diálogos de flores — o que havia de inocente e puro. Depois, roupa nova, ponta de lenço de seda a entremostrar-se no bolsinho de cima e medição de passos na rua d'Ela, nos dias de folga. Depois, a serenata fatal à esquina, com o

Acorda, donzela...

sapecado a medo num velho pinho de empréstimo. Depois, bilhetinho perfumado.

Aqui se estrepou...

Escrevera nesse bilhetinho, entretanto, apenas quatro palavras, afora pontos exclamativos e reticências:

Anjo adorado!
Amo-lhe!

Para abrir o jogo bastava esse movimento de peão.

Ora, aconteceu que o pai do anjo apanhou o bilhetinho celestial e, depois de três dias de sobrecenho carregado, mandou chamá-lo à sua presença, com disfarce de pretexto — para umas certidõezinhas, explicou.

Apesar disso o moço veio um tanto ressabiado, com a pulga atrás da orelha.

Não lhe erravam os pressentimentos. Mal o pilhou portas aquém, o coronel trancou o escritório, fechou a carranca e disse:

— A família Triburtiuo de Mendonça é a mais honrada desta terra, e eu, seu chefe natural, não permitirei nunca — nunca, ouviu? — que contra ela se cometa o menor deslize.

Parou. Abriu uma gaveta. Tirou de dentro o bilhetinho cor-de-rosa, desdobrou-o.

— É sua esta peça de flagrante delito?

O escrevente, a tremer, balbuciou medrosa confirmação.

— Muito bem! — continuou o coronel em tom mais sereno. — Ama, então, minha filha e tem a audácia de o declarar... Pois agora...

O escrevente, por instinto, ergueu o braço para defender a cabeça e relanceou os olhos para a rua, sondando uma retirada estratégica.

— ... é casar! — concluiu de improviso o vingativo pai.

O escrevente ressuscitou. Abriu os olhos e a boca, num pasmo. Depois, tornando a si, comoveu-se e com lágrimas nos olhos disse, gaguejante:

— Beijo-lhe as mãos, coronel! Nunca imaginei tanta generosidade em peito humano! Agora vejo com que injustiça o julgam aí fora!...

Velhacamente o velho cortou-lhe o fio das expansões.

— Nada de frases, moço, vamos ao que serve: declaro-o solenemente noivo de minha filha!

E, voltando-se para dentro, gritou:

— Do Carmo! Venha abraçar o teu noivo!

O escrevente piscou seis vezes e, enchendo-se de coragem, corrigiu o erro.

— Laurinha, quer o coronel dizer...

O velho fechou de novo a carranca.

— Sei onde trago o nariz, moço. Vassuncê mandou este bilhete à Laurinha dizendo que ama-"lhe". Se amasse a ela deveria dizer amo-"te". Dizendo "amo-lhe" declara que ama a uma terceira pessoa, a qual não pode ser senão a Maria do Carmo. Salvo se declara amor à minha mulher...

— Oh, coronel...

— ... ou à preta Luzia, cozinheira. Escolha!

O escrevente, vencido, derrubou a cabeça, com uma lágrima a escorrer rumo à asa do nariz. Silenciaram ambos, em pausa de tragédia. Por fim o coronel, batendo-lhe no ombro paternalmente, repetiu a boa lição da sua gramática matrimonial.

— Os pronomes, como sabe, são três: da primeira pessoa — quem fala, e neste caso vassuncê; da segunda pessoa — a quem se fala, e neste caso Laurinha; da terceira pessoa — de quem se fala, e neste caso do Carmo, minha mulher ou a preta. Escolha!

Não havia fuga possível.

O escrevente ergueu os olhos e viu do Carmo que entrava, muito lampeira da vida, torcendo acanhada a ponta do avental. Viu também sobre a secretaria uma garrucha com espoleta nova ao alcance do maquiavélico pai. Submeteu-se e abraçou a urucaca, enquanto o velho, estendendo as mãos, dizia teatralmente:

— Deus vos abençoe, meus filhos!

No mês seguinte, solenemente, o moço casava-se com o encalhe, e onze meses depois vagia nas mãos da parteira o futuro professor Aldrovando, o conspícuo sabedor da língua que durante cinquenta anos a fio coçaria na gramática a sua incurável sarna filológica.

Até aos dez anos não revelou Aldrovando pinta nenhuma. Menino vulgar, tossiu a coqueluche em tempo próprio, teve o sarampo da praxe, mais a caxumba e a catapora. Mais tarde, no colégio, enquanto os outros enchiam as horas de estudo com invenções de matar o tempo — empalamento de moscas e moidelas das respectivas cabecinhas entre duas folhas de papel, coisa de ver o desenho que sai — Aldrovando apalpava com erótica emoção a gramática de Augusto Freire da Silva. Era o latejar do furúnculo filológico que o determinaria na vida, para matá-lo, afinal...

Deixemo-lo, porém, evoluir e tomemo-lo quando nos serve, aos quarenta anos, já a descer o morro, arcado ao peso da ciência e combalido de rins. Lá está ele em seu gabinete de trabalho, fossando à luz dum lampião os pronomes de Filinto Elísio. Corcovado, magro, seco, óculos de latão no nariz, careca, celibatário impenitente, dez horas de aulas por dia, duzentos mil réis por mês e o rim volta e meia a fazer-se lembrado.

Já leu tudo. Sua vida foi sempre o mesmo poento idílio com as veneráveis costaneiras onde cabeceiam os clássicos lusitanos. Versou-os um por um com mão diurna e noturna. Sabe-os de cor, conhece-os pela morrinha, distingue pelo faro uma seca de Lucena duma esfalfa de Rodrigues Lobo. Digeriu todas as patranhas de Fernão Mendes Pinto. Obstruiu-se da broa encruada de Fr. Pantaleão do Aveiro. Na idade em que os rapazes correm atrás das raparigas, Aldrovando escabichava belchiores na pista dos mais esquecidos mestres da boa arte de maçar. Nunca dormiu entre braços de mulher. A mulher e o amor — mundo, diabo e carne eram para ele os alfarrábios freiráticos do quinhentismo, em cuja soporosa verborreia espapaçava os instintos lerdos, como porco em lameiro.

Em certa época viveu três anos acampado em Vieira. Depois vagabundeou, como um Robinson, pelas florestas de Bernardes.

Aldrovando nada sabia do mundo atual. Desprezava a natureza, negava o presente. Passarinho, conhecia um só: o rouxinol de Bernardim Ribeiro. E se acaso o sabiá de Gonçalves Dias vinha bicar "pomos de Hespérides" na laranjeira do seu quintal, Aldrovando esfogueteava-o com apóstrofes:

— Salta fora, regionalismo de má sonância!

A língua lusa era-lhe um tabu sagrado que atingira a perfeição com Fr. Luiz de Sousa, e daí para cá, salvo lucilações esporádicas, vinha chafurdando no ingranzéu barbaresco.

— A ingresia d'hoje, — declamava ele, — está para a Língua, como o cadáver em putrefação está para o corpo vivo.

E suspirava, condoído dos nossos destinos:

— Povo sem língua!... Não me sorri o futuro de Vera-Cruz...

E não lhe objetassem que a língua é organismo vivo e que a temos a evoluir na boca do povo.

— Língua? Chama você língua à garabulha bordalenga que estampam periódicos? Cá está um desses galicígrafos. Deletreemo-lo ao acaso.

E, baixando as cangalhas, lia:

— *Teve lugar ontem*... É língua esta espurcícia negral? Ó meu seráfico Frei Luiz, como te conspurcam o divino idioma estes sarrafaçais da moxinifada!

— *... no Trianon*... Por que, Trianon? Por que este perene barbarizar com alienígenos arrevesos? Tão bem ficava — a *Benfica*, ou, se querem neologismo de bom cunho — o *Logratório*... Tarelos é que são, tarelos!

E suspirava deveras compungido.

— Inútil prosseguir. A folha inteira cacografa-se por este teor. Ai! Onde param os boas letras d'antanho? Fez-se peru o níveo cisne. Ninguém atende a lei suma — Horácio! Impera o desprimor, e o mau gosto vige como suprema regra. A gálica intrujice é maré sem vazante. Quando penetro num livreiro o coração se me confrange ante o pélago de óperas barbarescas que nos vertem cá mercadores de má morte. E é de notar, outrossim, que a elas se vão as preferências do vulgacho. Muito não faz que vi com estes olhos um gentil mancebo preferir uma sordícia de Oitavo Mirbelo, *Canhenho duma dama de servir*,[1] creio, à... adivinhe ao quê, amigo? À *Carta de Guia* do meu divino Francisco Manoel!...

— Mas a evolução...

— Basta. Conheço às sobejas a escolástica da época, a "evolução" darwínica, os vocábulos macacos — pitecofonemas que "evolveram", perderam o pelo e se vestem hoje à moda de França, com vidro no olho. Por amor a Frei Luiz, que ali daquela costaneira escandalizado nos ouve, não remanche o amigo na esquipática sesquipedalice.

Um biógrafo ao molde clássico separaria a vida de Aldrovando em duas fases distintas: a estática, em que apenas acumulou ciência, e a dinâmica, em que, transfeito em apóstolo, veio a campo com todas as armas para contrabater o monstro da corrupção.

Abriu campanha com memorável ofício ao congresso, pedindo leis repressivas contra os ácaros do idioma.

— "Leis, senhores, leis de Dracão, que diques sejam, e fossados, e alcáçares de granito prepostos à defensão do idioma. Mister sendo, a forca se restaure, que mais o baraço merece quem conspurca o sacro patrimônio da sã vernaculidade, que quem ao semelhante a vida tira. Vede, senhores, os pronomes, em que lazeira jazem..."

Os pronomes, ai! eram a tortura permanente do professor Aldrovando. Doía-lhe como punhalada vê-los por aí pré ou pospostos contra regras elementares do dizer castiço. E sua representação alargou-se nesse pormenor, flagelante, concitando os pais da pátria à criação dum Santo Ofício gramatical.

Os ignaros congressistas, porém, riram-se da memória, e grandemente piaram sobre Aldrovando as mais cruéis chalaças.

— Quer que instituamos patíbulo para os maus colocadores de pronomes! Isto seria autocondenar-nos à morte! Tinha graça!

Também lhe foi à pele a imprensa, com pilhérias soezes. E depois, o público. Ninguém alcançara a nobreza do seu gesto, e Aldrovando, com a mortificação n'alma, teve que mudar de rumo. Planeou recorrer ao púlpito dos jornais. Para isso mister foi, antes de nada, vencer o seu velho engulho pelos "galicígrafos de papel e graxa". Transigiu e, breve, desses "pulmões da pública opinião" apostrofou o país com o verbo tonante de Ezequiel. Encheu colunas e colunas de objurgatórias ultra violentas, escritas no mais estreme vernáculo.

Mas não foi entendido. Raro leitor metia os dentes naqueles intermináveis períodos engrenados à moda de Lucena; e ao cabo da aspérrima campanha viu que pregara em pleno deserto. Leram-no apenas a meia dúzia de Aldrovandos que vegetam sempre em toda parte, como notas resinguentas da sinfonia universal.

A massa dos leitores, entretanto, essa permaneceu alheia aos flamívomos pelouros da sua colubrina sem raia. E por fim os "periódicos" fecharam-lhe a porta no nariz, alegando falta de espaço e coisas.

— Espaço não há para as sãs ideias, — objurgou o enxotado, — mas sobeja, e pressuroso, para quanto rescende à podriqueira!... Gomorra! Sodoma! Fogos do céu

---

[1] Octave Mirbeau — *Journal d'une Femme de Chambre*.

virão um dia alimpar-vos a gafa!... — exclamou, profético, sacudindo à soleira da redação o pó das cambaias botinas de elástico.

Tentou em seguida ação mais direta, abrindo consultório gramatical.

— Têm-n'os os físicos (queria dizer médicos), os doutores em leis, os charlatas de toda espécie. Abra se um para a medicação da grande enferma, a língua. Gratuito, já se vê, que me não move amor de bens terrenos.

Falhou a nova tentativa. Apenas moscas vagabundas vinham esvoejar na salinha modesta do apóstolo. Criatura humana nem uma só lá apareceu a fim de remendar-se filologicamente.

Ele, todavia, não esmoreceu.

— Experimentemos processo outro, mais suasório.

E anunciou a montagem da "Agência de Colocação de Pronomes e Reparos Estilísticos".

Quem tivesse um autógrafo a rever, um memorial a expungir de cincas, um calhamaço a compor-se com os "afeites" do lídimo vernáculo, fosse lá que, sem remuneração nenhuma, nele se faria obra limpa e escorreita.

Era boa a ideia, e logo vieram os primeiros originais necessitados de ortopedia, sonetos a consertar pés de versos, ofícios ao governo pedindo concessões, cartas de amor.

Tais, porém, eram as reformas que nos doentes operava Aldrovando, que os autores não mais reconheciam suas próprias obras. Um dos clientes chegou a reclamar.

— Professor, v. s. enganou-se. Pedi limpa de enxada nos pronomes, mas não que me traduzisse a memória em latim...

Aldrovando ergueu os óculos para a testa:

— E traduzi em latim o tal ingranzéu?

— Em latim ou grego, pois que o não consigo entender...

Aldrovando empertigou-se.

— Pois, amigo, errou de porta. Seu caso é ali com o alveitar da esquina.

Pouco durou a Agência, morta à míngua de clientes. Teimava o povo em permanecer empapado no chafurdeiro da corrupção...

O rosário de insucessos, entretanto, em vez de desalentar exasperava o apóstolo.

— Hei de influir na minha época. Aos tarelos hei de vencer. Fogem-me à férula os maraus de pau e corda? Ir-lhes-ei empós, filá-los-ei pela gorja... Salta rumor!

E foi-lhes "empós". Andou pelas ruas examinando dísticos e tabuletas com vícios de língua. Descoberta a "asnidade", ia ter com o proprietário, contra ele desfechando os melhores argumentos catequistas.

Foi assim com o ferreiro da esquina, em cujo portão de tenda uma tabuleta — "Ferra-se cavalos" — escoicinhava a santa gramática.

— Amigo, — disse-lhe pachorrentamente Aldrovando, — natural a mim me parece que erre, alarve que és. Se erram paredros, nesta época de ouro da corrupção...

O ferreiro pôs de lado o malho e entreabriu a boca.

— Mas da boa sombra do teu focinho espero, — continuou o apóstolo, — que ouvidos me darás. Naquela tábua um dislate existe que seriamente à língua lusa ofende. Venho pedir-te, em nome do asseio gramatical, que o expunjas.

— ???

— Que reformes a tabuleta, digo.

— Reformar a tabuleta? Uma tabuleta nova, com a licença paga? Estará acaso rachada?

— Fisicamente, não. A racha é na sintaxe. Fogem ali os dizeres à sã gramaticalidade.

O honesto ferreiro não entendia nada de nada.

— Macacos me lambam se estou entendendo o que v. s. diz...

— Digo que está a forma verbal com eiva grave. O "ferra-se" tem que cair no plural, pois que a forma é passiva e o sujeito é "cavalos".

O ferreiro abriu o resto da boca.

— O sujeito sendo "cavalos", — continuou o mestre, — a forma verbal é "ferram-se" — "ferram-se cavalos!"

— Ahn! — respondeu o ferreiro, — começo agora a compreender. Diz v. s. que...

— ... que "ferra-se cavalos" é um solecismo horrendo e o certo é "ferram-se cavalos".

— V. s. me perdoe, mas o sujeito que ferra os cavalos sou eu, e eu não sou plural. Aquele "se" da tabuleta refere-se cá a este seu criado. É como quem diz: Serafim ferra cavalos — Ferra Serafim cavalos. Para economizar tinta e tábua abreviaram o meu nome, e ficou como está: Ferra Se (rafim) cavalos. Isto me explicou o pintor, e entendi-o muito bem.

Aldrovando ergueu os olhos para o céu e suspirou.

— Ferras cavalos e bem merecias que te fizessem eles o mesmo!... Mas não discutamos. Ofereço-te dez mil réis pela admissão dum "m" ali...

— Se v. s. paga...

Bem empregado dinheiro! A tabuleta surgiu no dia seguinte dessolecismada, perfeitamente de acordo com as boas regras da gramática. Era a primeira vitória obtida e todas as tardes Aldrovando passava por lá para gozar-se dela.

Por mal seu, porém, não durou muito o regalo. Coincidindo a entronização do "m" com maus negócios na oficina, o supersticioso ferreiro atribuiu a macaca à alteração dos dizeres e lá raspou o "m" do professor.

A cara que Aldrovando fez quando no passeio desse dia deu com a vitória borrada! Entrou furioso pela oficina adentro, e mascava uma apóstrofe de fulminar quando o ferreiro, às brutas, lhe barrou o passo.

— Chega de caraminholas, ó barata tonta! Quem manda aqui, no serviço e na língua, sou eu. E é ir andando, antes que eu o ferre com bom par de ferros ingleses!

O mártir da língua meteu a gramática entre as pernas e moscou-se.

— *Sancta simplicitas!* — ouviram-no murmurar na rua, de rumo à casa, em busca das consolações seráficas de Fr. Heitor Pinto. Chegado que foi ao gabinete de trabalho, caiu de borco sobre as costaneiras venerandas e não mais conteve as lágrimas, chorou...

O mundo estava perdido e os homens, sobre maus, eram impenitentes. Não havia desviá-los do ruim caminho, e ele, já velho, com o rim a rezingar, não se sentia com forças para a continuação da guerra.

— Não hei de acabar, porém, antes de dar a prelo um grande livro onde compendie a muita ciência que hei acumulado.

E Aldrovando empreendeu a realização de um vastíssimo programa de estudos filológicos. Encabeçaria a série um tratado sobre a colocação dos pronomes, ponto onde mais claudicava a gente de Gomorra.

Fê-lo, e foi feliz nesse período de vida em que, alheio ao mundo, todo se entregou, dia e noite, à obra magnífica. Saiu trabuco volumoso, que daria três tomos de quinhentas páginas cada um, corpo miúdo. Que proventos não adviriam dali para a lusitanidade! Todos os casos resolvidos para sempre, todos os homens de boa vontade salvos da gafaria! O ponto fraco do brasileiro falar resolvido de vez! Maravilhosa coisa...

Pronto o primeiro tomo — *Do pronome Se* — anunciou a obra pelos jornais, ficando à espera das chusmas de editores que viriam disputá-la à sua porta. E por uns dias o apóstolo sonhou as delícias da estrondosa vitória literária, acrescida de gordos proventos pecuniários.

Calculava em oitenta contos o valor dos direitos autorais, que, generoso que era, cederia por cinquenta. E cinquenta contos para um velho celibatário como ele, sem família nem vícios, tinha a significação duma grande fortuna. Empatados em empréstimos hipotecários, sempre eram seus quinhentos mil réis por mês de renda, a pingarem pelo resto da vida na gavetinha onde, até então, nunca entrara pelega maior de duzentos. Servia, servia!... E Aldrovando, contente, esfregava as mãos de ouvido alerta, preparando frases para receber o editor que vinha vindo...

Que vinha vindo mas não veio, ai!... As semanas se passaram sem que nenhum representante dessa miserável fauna de judeus surgisse a chatinar o maravilhoso livro.

— Não me vêm a mim? Salta rumor! Pois me vou a eles!

E saiu em via sacra, a correr todos os editores da cidade.

Má gente! Nenhum lhe quis o livro sob condições nenhumas. Torciam o nariz, dizendo: "Não é vendável"; ou: "Por que não faz antes uma cartilha infantil aprovada pelo governo?"

Aldrovando, com a morte n'alma e o rim dia a dia mais derrancado, retesou-se nas últimas resistências.

— Fá-la-ei imprimir à minha custa! Ah, amigos! Aceito o cartel. Sei pelejar com todas as armas e irei até ao fim. Bofé!...

Para lutar era mister dinheiro e bem pouco do vilíssimo metal possuía na arca o alquebrado Aldrovando. Não importa! Faria dinheiro, venderia móveis, imitaria Bernardo de Pallissy, não morreria sem ter o gosto de acaçapar Gomorra sob o peso da sua ciência impressa. Editaria ele mesmo um por um todos os volumes da obra salvadora.

Disse e fez.

Passou esse período de vida alternando revisão de provas com padecimentos renais. Venceu. O livro compôs-se, magnificamente revisto, primoroso na linguagem como não existia igual.

Dedicou-o a Fr. Luiz de Souza:

À memória daquele que me sabe as dores,

O AUTOR.

Mas não quis o destino que o já trêmulo Aldrovando colhesse os frutos de sua obra. Filho dum pronome impróprio, a má colocação doutro pronome lhe cortaria o fio da vida.

Muito corretamente havia ele escrito na dedicatória: ... *daquele que me sabe*... e nem poderia escrever doutro modo um tão conspícuo colocador de pronomes. Maus fados intervieram, porém — até os fados conspiram contra a língua! — e por artimanha do diabo que os rege empastelou-se na oficina esta frase. Vai o tipógrafo e recompõe-na a seu modo... daquele que sabe-me as dores... E assim saiu nos milheiros de cópias da avultada edição.

Mas não antecipemos.

Pronta a obra e paga, ia Aldrovando recebê-la, enfim. Que glória! Construíra, finalmente, o pedestal da sua própria imortalidade, ao lado direito dos sumos cultores da língua.

A grande ideia do livro, exposta no capítulo VI — *Do método automático de bem colocar os pronomes* — engenhosa aplicação duma regra mirífica por meio da qual até os burros de carroça poderiam zurrar com gramática, operaria como o "914" da sintaxe, limpando-a da avariose produzida pelo espiroqueta da pronominúria.

A excelência dessa regra estava em possuir equivalentes químicos de uso na farmacopeia alopata, de modo que a um bom laboratório fácil lhe seria reduzi-la a ampolas para injeções hipodérmicas, ou a pílulas, pós ou poções para uso interno.

E quem se injetasse ou engolisse uma pílula do futuro PRONOMINOL CANTAGALO, curar-se-ia para sempre do vício, colocando os pronomes instintivamente bem, tanto no falar como no escrever. Para algum caso de pronomorreia agudo, evidentemente incurável, haveria o recurso do PRONOMINOL N. 2, onde entrava a estricnina em dose suficiente para libertar o mundo do infame sujeito.

Que glória! Aldrovando prelibava essas delícias todas quando lhe entrou casa adentro a primeira carroçada de livros. Dois brutamontes de mangas arregaçadas empilharam-n'os pelos cantos, em rumas que lá se iam; e concluso o serviço um deles pediu:

— Me dá um mata-bicho, patrão!...

Aldrovando severizou o semblante ao ouvir aquele "Me" tão fora dos mancais, e tomando um exemplar da obra ofertou-a ao "doente".

— Toma lá. O mau bicho que tens no sangue morrerá asinha às mãos deste vermífugo. Recomendo-te a leitura do capítulo sexto.

O carroceiro não se fez rogar; saiu com o livro, dizendo ao companheiro:

— Isto no "sebo" sempre renderá cinco tostões, Já serve!...

Mal se sumiram, Aldrovando abancou-se à velha mesinha de trabalho e deu começo à tarefa de lançar dedicatórias num certo número de exemplares destinados à crítica. Abriu o primeiro, e estava já a escrever o nome de Rui Barbosa quando seus olhos deram com a horrenda cinca:

"daquele QUE SABE-ME as dores".

— Deus do céu! Será possível?

Era possível. Era fato. Naquele, como em todos os exemplares da edição, lá estava, no hediondo relevo da dedicatória a Fr. Luiz de Souza, o horripilantíssimo — "que sabe-me..."

Aldrovando não murmurou palavra. De olhos muito abertos, no rosto uma estranha marca de dor — dor gramatical inda não descrita nos livros de patologia — permaneceu imóvel uns momentos.

Depois empalideceu. Levou as mãos ao abdômen e estorceu-se nas garras de repentina e violentíssima ânsia.

Ergueu os olhos para Frei Luiz de Souza e murmurou:

— *Luiz! Luiz! Lamma Sabacthani?!*

E morreu.

De que não sabemos — nem importa ao caso. O que importa é proclamarmos aos quatro ventos que com Aldrovando morreu o primeiro santo da gramática, o mártir número um da Colocação dos Pronomes.

Paz à sua alma.

1924

Uma história de mil anos

— *Hu... hu...*

É como nos ínvios da mata soluça a juriti.

Dois *hus* — um que sobe, outro que desce.

O destino do *u!...* Veludo verde-negro transmutado em som — voz das tristezas sombrias. Os aborígenes, maravilhosos denominadores das coisas, possuíam o senso impressionista da onomatopeia. *Urutau, uru, urutu, inambu* — que sons definirão melhor essas criaturinhas solitárias, amigas da penumbra e dos recessos?

A juriti, pombinha eternamente magoada, é toda *us*. Não canta, geme em *u* — geme um gemido aveludado, lilás, sonorização dolente da saudade.

O caçador passarinheiro sabe como ela morre sem luta ao mínimo ferimento. Morre em *u...*

Já o sanhaço é todo *as*. Ferido, debate-se, desfere bicadas, pia lancinante.

A juriti apaga-se como chama de algodão. Frágil torrão de vida, extingue-se como se extingue a vida do torrão de açúcar ao simples contacto da água. Um *u* que se funde.

Como vivem e morrem juritis, assim viveu e morreu Vidinha, a linda criança afinada em *u*. E como não seria assim, se era Vidinha uma juriti humana — meiguice feita menina-e-moça, begônia sensível dos grotões?

Que amiga dos contrastes é a natureza!

Ali naquele barranco crescem no árido as samambaias. Rijas, ásperas, corajosas, resistem aos ventos, aos enxurros, ao cargueiro que as esbarra, ao viandante distraído que as chicoteia. Batidas, reerguem-se. Cortadas, rebrotam. Esmagadas, reviçam. Cínicas!

Mais adiante, na grota fria onde tudo é sombra e cerração, ergue-se a espaços, em meio dos caetés valentes e dos fetos rendados, a solitária begônia.

Tímida e frágil, o menor contacto a magoa. Toda ela — caule, folhas, flores — é a mesma carne tenra de criança.

Sempre os contrastes.

Os eleitos da sensibilidade, os mártires da dor — e os fortes. A juriti e o sanhaço. A begônia e a samambaia.

Vidinha, a inocente criança, era juriti e begônia.

O Destino, como os sábios, também faz suas experiências. Permite vidas a título de experiência, na tentativa de aclimar na terra seres que não são da terra.

— Vingará Vidinha, solta no mundo em meio da alcateia humana?

Janeiro. Dia de mormaço a envolver o mundo sob a curva do céu imensamente azul.

A casa onde mora Vidinha é a única das cercanias — garça pousada no oceano verde-sujo das samambaias e sapezeiros.

Que terra! Ondula em mamelões verdolengos até encontrar o céu, longe, no horizonte. Hispidez, aridez — terra outrora bendita, que o homem, senhor do fogo, transfez em deserto maldito.

Os olhos pervagam: cá e lá, até aos confins, sempre o chamalote verde-oliva da samambaia áspera — esse musgo da esterilidade.

Entristece, aquilo. Cansa a vista o sem-fim da morraria nua de árvores — e o consolo é pousar os olhos na pombinha branca da casinhola.

Como a cal das paredes cintila ao sol! E como nos enleva a alma sua pequenina moldura de árvores domésticas! Aquele pé de espirradeira todo florido; o cercado de taquara; a horta, o canteirinho de flores; o poleiro das aves nos fundos sob a fronde da guabirobeira...

Vidinha é a manhã da casa. Vive entre duas estações: a mãe — um outono, e o pai — inverno em começos. Ali nasceu e cresceu. Ali morrerá. Inocente e ingênua, do mundo só conhece o centímetro quadrado de mundo que é o pequeno sítio paterno. Imagina as coisas — não as sabe. O homem: seu pai. Quantos homens haja, todos serão assim: bons e pais. A mulher: sua mãe — um tudo.

Bichos? O gato, o cão, o galo índio que canta pela alvorada, as galinhas suras. Sabe por ouvir dizer de outros muitos: da onça — gatão feroz; da anta — bicho enorme; da capivara — porco dos rios; da sucuri — cobra "desta" grossura! Veados e pacas já viu diversos mortos nas caçadas.

Longe do ermo onde está o sítio, é o mundo. Há nele cidades — casas e mais casas, pequenas e grandes, em linha, com estradas pelo meio a que chamam ruas. Nunca as viu, sonha-as. Sabe que nelas moram os ricos, seres de outra raça, poderosos que compram fazendas, plantam cafezais e mandam em tudo.

As ideias que povoam sua cabecinha bebeu-as ali na conversa caseira dos pais.

Um Deus no céu, bom, imenso, que tudo vê e ouve até o que a boca não diz. Ao lado dele, Nossa Senhora, tão boa, resplandecente, rodeada de anjos...

Os anjos! Crianças de asas e longas túnicas esvoaçantes. No oratório da casa há o retrato de um.

Seus prazeres: a vida da casa, os incidentes do terreiro.

— Venha ver, mamãe, depressa!

— Alguma bobagem...

— ... o pintinho sura trepado nas costas do capão peva, tenteando-se nas asinhas! Venha ver que galanteza. Ei, ei... caiu!

Ou:

— Brinquinho quer por força pegar a cauda. Está que parece um pião, corrupiando.

É bonita? Vidinha o ignora. Não se conhece, não faz de si nenhuma ideia. Se nem espelho possui... É, no entanto, linda, dessa lindeza das telas raras que jazem fora de moldura nos desvãos ignorados. Vestida à maneira dos pobrezinhos, vale o que não está vestido: o corado das faces, a expressão de inocência, o olhar de criança, as mãos irrequietas. Tem a beleza das begônias silvestres. Deem-lhe um vaso de porcelana e cintilará.

Cinderela, a eterna história...

O pai vive na luta silenciosa contra a aridez do solo, disputando às formigas, às geadas, à esterilidade, umas colheitinhas curtas. Não importa. Vive contente. A mãe moureja o dia inteiro nos trabalhos da casa. Cose, arruma, remenda, varre.

E Vidinha, entre eles, orquídea que floriu em tronco rude, brinca e sorri. Brinca e sorri com seus amigos: o cão, o gato, os pintos, as rolas que descem ao terreiro. Em noites escuras vêm visitá-la, cirandando em torno à casa, seus amiguinhos luminosos — os vagalumes.

Os anos passam. Os botões se fazem flor.

Um dia Vidinha entrou a sentir vagas perturbações de alma. Fugia aos brinquedos e cismava. A mãe notou a mudança.

— Em que está pensando, menina?

— Não sei. Em nada... — e suspirou.

A mãe observou-a inda uns tempos e disse ao marido:

— É lado de casar Vidinha. Está moça. Já não sabe o que quer.

Mas, casá-la como? Com quem? Não havia ali vizinhos naquele deserto, e a criança corria o risco de estiolar-se como flor estéril sem que olhos de homem casadoiro pusessem reparo em seus encantos.

Não será assim, todavia. O destino levará por diante mais uma cruel experiência.

O lobo fareja de longe a menina da capinha vermelha.

A begônia daquele deserto, filha das selvas, será caça. Será caçada por um caçador...

Está na idade do sacrifício.

O caçador não tardará.

Vem perto, piando de inambu, com a espingarda nas mãos. Trocará de bom grado, vão ver, os inambus perseguidos pela inocente juriti incauta.

— Ó de casa!

— ??

— Venho de longe. Perdi-me nestes carrascais, coisa de dois dias, e não posso comigo de canseira e fome. Venho pedir pousada.

Os ermitões do samambaial acolhem de braços abertos o transviado gentil.

Bonito moço da cidade. Bem falante, maneiroso — uma sedução!

Como são belos os gaviões caçadores de inocências...

Deixou-se ficar a semana inteira. Contava coisas maravilhosas. O pai esquecia a roça para ouvi-lo, e a mãe desleixava a casa. Que sereia!

No pomar, sob o dossel das laranjeiras abotoadas:

— Nunca pensou em sair daqui, Vidinha?

— Sair? Aqui tenho casa, pai, mãe — tudo...

— Acha muito isso? Oh, lá fora é que é o lindo! Que maravilha é lá fora! O mundo! As cidades! Aqui é o deserto, prisão horrível, aridez, melancolia...

E ia contando contos das Mil e Uma Noites sobre a vida das cidades. Dizia do luxo, da magnificência, das festas, das pedrarias que cintilam, das sedas que acariciam o corpo, dos teatros, da música inebriante.

— Mas isso é um sonho...

O príncipe confirmava.

— A vida lá fora é um sonho.

E desfiava rosários inteiros de sonhos.

Vidinha, num deslumbramento, murmurava:

— É lindo! Mas tudo só para ricos.

— Para os ricos e para a beleza. Beleza vale mais que riqueza — e Vidinha é bela!

— Eu?...

O espanto da criança...

— Bela, sim — e riquíssima, se o quiser. Vidinha é diamante a lapidar. É Cinderela, hoje no borralho, amanhã princesa. Seus olhos são estrelas de veludo.

— Que ideia...

— Sua boca, ninho de colibri feito para o beijo...

— !...

A iniciação começa. E tudo na alma de Vidinha se aclara. As ideias vagas se definem. Os hieróglifos do coração se decifram. Compreende a vida enfim. Sua inquietação era amor, em casulo ainda, a agitar-se nas trevas. Amor sem objeto, perfume sem destino. O amor é febre da idade, e Vidinha chegara à idade da febre sem o saber. Sentia-lhe o queimar no coração, mas ignorava. E sonhava.

Tinha agora a chave de tudo. O príncipe encantado viera afinal. Estava ali ele, o grande mago de palavras maravilhosas, senhor do Abre-te Sésamo da Felicidade.

E o casulo do amor rompeu-se — e a crisálida do amor, ébria de luz, fez-se ardente borboleta de amor...

O gavião da cidade, fino de faro, havia descido no momento oportuno. Dizia-se doente e ia ficando. Sua doença chamava-se — desejo. Desejo de caçador. Ânsia de caçador por mais uma perdiz.

E a perdiz veio-lhe para as garras, fascinada pela estonteante miragem do amor.

O primeiro beijo...

A florada maravilhosa dos beijos...

O último beijo, à noite...

Pela manhã do décimo dia:

— Que é do caçador?

Fugira...

Já não rescendem os manacás. São negras as flores do jardim. Não brilham as estrelas do céu. Não cantam os passarinhos. Não luzem os vagalumes. O sol não alumia. A noite só traz pesadelos.

Uma coisa só não mudou: o *hu, hu* magoado da juriti lá no recesso das grotas.

Os dias de Vidinha são agora vagueios agitados pelo campo. Detém-se às vezes ante uma flor, de olhos parados, como recrescidos no rosto. E monologa mentalmente:

— Vermelha? Mentira. Cheirosa? Mentira. Tudo mentira, mentira, mentira...

Mas Vidinha é juriti, corpo, e alma afinados em *u*. Não desespera, não luta, não explode. Chora por dentro e definha. Begônia silvestre que o passante brutal chicoteou, dobra no hastil quebrado, pende para a terra e murcha. Chama de algodão... Torrão de açúcar...

Estava concluída a experiência do Destino. Mais uma vez provava-se que não vive na terra o que não é da terra.

Uma cruz...

E dali por diante, se alguém falava em Vidinha, o velho pai murmurava:

— Era a nossa luz de alegria. Apagou-se...

E a mãe lacrimejante:

— Não me sai da memória a última palavra dela: "Agora um beijo, mamãe, um beijo *seu*..."

1925

Os pequeninos

Ouvi certa vez uma conversa inesquecível. A esponja de doze anos não a esmaeceu em coisa nenhuma. Por que motivo certas impressões se gravam de tal maneira e outras se apagam tão profundamente?

Eu estava no cais, à espera do *Arlanza*, que me ia devolver de Londres um velho amigo já de longa ausência. O nevoeiro atrasara o navio.

— Só vai atracar às dez horas, — informou-me um sabe-tudo de boné.

Bem. Tinha eu de matar uma hora de espera dentro dum nevoeiro absolutamente fora do comum, dos que negam aos olhos o consolo da paisagem distante. A visão morria a dez passos; para além, todas as formas desapareciam no algodoamento da névoa. Pensei nos "fogs" londrinos que o meu amigo devia trazer n'a alma, e comecei a andar por ali à toa, entregue a esse trabalho, tão frequente na vida, de "matar o tempo". Minha técnica em tais circunstâncias se resume em recordar passagens da vida. Recordar é reviver. Reviver os bons momentos tem as delícias do sonho.

Mas o movimento do cais interrompia amiúde o meu sonho, forçando-me a cortar e a reatar de novo o fio das recordações. Tão cheio de nós foi ele ficando que o abandonei. Uma das interrupções me pareceu mais interessante que a evocação do passado, porque a vida exterior é mais viva que a interior — e a conversa dos três carregadores era inegavelmente "água-forte".

Três portugueses bem típicos, já maduros; um deles de rosto singularmente amarrotado pelos anos. Um incidente qualquer ali do cais dera origem à conversa.

— Pois esse caso, meu velho, — dizia um deles, — me lembra a história da ema que tive num cercado. Também ela foi vítima dum animalzinho muitíssimo menor, e que seria esmagado, como esmagamos moscas, se lhe ficasse ao alcance do bico — mas não ficava...

Esse começo assanhou a curiosidade dos companheiros.

— Como foi? — perguntaram.

— Eu nesse tempo estava de cima, dono de terras, com casa minha, meus animais de cocheira, família. Foi um ano antes daquela rodada que me levou tudo... Peste de mundo! Tão bem que eu ia indo e afundei, perdi tudo, tive de rolar morro abaixo até bater com o lombo neste cais, entregue ao mais baixo dos serviços, que é o de carregador...

— Mas como foi o caso da ema?

Os ouvintes não queriam filosofias; ansiavam por pitoresco — e o homem por fim contou, depois de sacar o cachimbo, enchê-lo, acendê-lo. Devia ser história das que exigem pontuação a baforadas.

— Eu morava em minhas terras, lá onde vocês sabem — na Vacaria, zona de campos e mais campos, aquela planura sem fim. E há lá muita ema. Conhecem? É a avestruz do Brasil, menor que a avestruz africana, mas mesmo assim um avejão dos mais alentados. Que força tem! Domar uma ema corresponde a domar um potro. Exige o mesmo muque. Mas são aves de boa índole. Domesticam-se facilmente e eu andava querendo ter uma em meus cercados.

— São de utilidade? — perguntou o utilitário da roda.

— De nenhuma; apenas enfeitam a casa. Aparece um visitante. "Viu minha ema?" — e lá o levamos a examiná-la de perto, a assombrar-se do tamanhão, a abrir a boca diante dos ovos. São assim como uma laranja baiana das graúdas.

— E o gosto?

— Nunca provei. Ovos para mim só os de galinha. Mas, como ia dizendo, fiquei com ideia de apanhar uma ema nova para domesticá-la — e um belo dia eu mesmo o consegui graças à ajuda dum quiri-quiri.

A história começava a interessar. Os companheiros do narrador ouviam-no suspensos.

— Como foi? Ande logo.

— Foi um dia em que saí a cavalo para uma chegada à fazendinha do João Coruja, que morava a uns seis quilômetros do meu rancho. Montei no meu pampa e fui varando a macega. Aquilo lá não há caminho, só trilhas de vai-um pelo capim rasteiro. Os olhos alcançam longe naquele mar de verde sujo que some na distância. Fui andando. De repente vi a uns trezentos metros longe qualquer coisa que se movia na macega. Parei. Firmei a vista. Era uma ema a dar voltas num círculo estreito. "Que diabo disto será aquilo?" perguntei comigo mesmo. Emas eu vira muitas, mas sempre a pastarem sossegadas ou a fugirem no galope, nadando com as asas curtas. Assim a dar voltas era novidade. Fiquei de rugas na testa. Que será? A gente da roça conhece muito bem a natureza de tudo; se vê qualquer coisa na "forma da lei", não se espanta porque é o natural; mas se vê qualquer coisa fora da lei, fica logo de orelha em pé — porque não é natural. Que tinha aquela ema para dar tantas voltas em torno do mesmo ponto? Não era da lei. A curiosidade me fez esquecer o negócio do João Coruja. Torci a rédea ao pampa e lá me fui para a ema.

— E ela fugiu no galope...

— O natural seria isso, mas não fugiu. Ora, não há ema que não fuja do homem — nem ema, nem animal nenhum. Nós somos o terror da bicharia toda. Parei o pampa a cinco passos dela e nada, nada da ema fugir. Nem me viu; continuou nas suas voltas, com ar aflito. Pus-me a observá-la, intrigado. Seria seu ninho ali? Não era. Não havia sinal de ninho. A pobre ave girava e regirava, fazendo movimentos de pescoço sempre na mesma direção, para a esquerda, como se quisesse alcançar qualquer coisa com o bico. A roda que fazia era de raio curto, aí duns três metros, e pelo amassamento do capim calculei que já havia dado umas cem voltas.

— Interessante! — murmurou um dos companheiros.

— Foi o que pensei comigo mesmo. Mais que interessante: esquisitíssimo. Primeiro, não fugir de mim; segundo, continuar nas voltas aflitas, sempre com aqueles movimentos de pescoço para a esquerda. Que seria? Apeei e fui chegando. Olhei-a de bem perto. "A coisa é embaixo da asa", vi logo. A pobre criatura tinha qualquer coisa sob a asa, e aquelas voltas e aquele movimento de pescoço eram para alcançar o sovaco. Aproximei-me mais. Segurei-a. A ema, arquejante, não fez a menor resistência. Deixou-se agarrar. Ergui-lhe a asa e vi...

Os ouvintes suspenderam o fôlego.

— ... e vi uma coisa vermelha atracada ali, uma coisa que se assustou e voou, e foi pousar num galho seco a vinte passos de distância. Sabem o que era? Um quiri-quiri...

— Que é isso?

— Um gaviãozinho dos menores que existem, assim do tamanho dum sanhaço — um gaviãozinho carijó.

— Mas não disse que era vermelho?

— Estava vermelho do sangue da ema. Agarrara-se-lhe ao sovaco, que é um ponto despido de penas, e aferrara-se à carne com as unhas, enquanto com o bico ia arrancando nacos de carne viva e devorando-os. Aquele ponto do sovaco é o único sem defesa num corpo de ema, porque ela não o alcança com o bico. É como esse ponto que temos nas costas e não podemos coçar com as unhas. O quiri-quiri conseguira localizar-se ali e estava a seguro de bicadas.

Examinei a ferida. Pobre ema! Uma ferida enorme, assim dum palmo de diâmetro e onde o bico do quiri-quiri fizera menos mal que suas garras, pois, como tinha de manter-se aferrado, ia mudando as garras à proporção que a carne dilacerada cedia. Nunca vi ferida mais arrepiante.

— Coitada!

— As emas são duma estupidez famosa, mas o sofrimento abriu a inteligência daquela. Fê-la compreender que eu era o seu salvador — e a mim entregou-se como quem se entrega a um deus. O alívio que minha chegada lhe produziu, fazendo que o quiri-quiri a largasse, iluminou-lhe os miolos.

— E o gaviãozinho?

— Ah, o patife, muito vermelho do sangue da ema, lá ficou no galho seco à espera de que eu me afastasse. Pretendia retornar ao banquete! "Eu já te curo, malvado!" exclamei, sacando o revólver. Um tiro. Errei. O quiri-quiri voou para longe.

— E a ema?

— Levei-a para casa, curei-a e tive-a lá por uns meses num cercado. Por fim soltei-a. Não vai comigo isso de escravizar os pobres animaizinhos que Deus fez para vida solta. Se no cercado estava livre dos quiri-quiris, era em compensação uma escrava saudosa das correrias pelo campo. Se fosse consultada, certamente que preferiria os riscos da liberdade à segurança da escravidão. Soltei-a. "Vai, minha filha, segue o teu destino. Se outro quiri-quiri te apanhar, arruma-te lá com ele."

— Mas então é assim?

— Um velho caboclo da zona informou-me que aquilo é frequente. Esses minúsculos gaviõezinhos procuram as emas. Ficam traiçoeiramente a rondá-las, à espera de que se descuidem e levantem a asa. Eles, então, rápidos como setas, lançam-se; e se conseguem alcançar-lhes o sovaco, ali enterram as garras e ficam como carrapatos. E as emas, apesar de imensas comparadas com eles, acabam vencidas. Caem exaustas; morrem; e os malvadinhos repastam-se no carname durante dias.

— Mas como eles sabem? É o que mais admiro...

— Ah, meu caro, a natureza está inçada de coisas assim, que para nós são mistérios. Com certeza houve um quiri-quiri que por acaso fez isso uma primeira vez, e como deu certo ensinou a lição aos outros. Estou convencido de que os animais ensinam uns aos outros o que vão aprendendo. Oh, vocês, criaturas da cidade, não imaginam que coisas interessantes há na natureza da roça...

O caso da ema foi comentado sob todos os ângulos — e deu um broto. Fez sair da memória do carregador de cara amarrotada uma história vagamente similar, em que bichinhos muito pequenos destruíram a vida moral dum homem.

— Sim, destruíram a vida dum bicho imensamente maior, como sou eu em comparação com as formigas. Fiquem vocês sabendo que a mim aconteceu coisa ainda pior que o acontecido à ema. Fui vítima dum formigueiro...

Todos arregalaram os olhos.

— Só se já foste hortelão e as formigas te comeram a fazenda, — sugeriu um.

— Nada disso. Comeram-me mais que a fazenda, comeram-me a alma. Destruíram-me moralmente — mas foi sem querer. Pobrezinhas! Não as culpo de nada,

— Conta lá isso depressa, Manoel. O *Arlanza* não tarda.

E o velho contou.

— Eu era o fiel da firma Toledo & Cia., com obrigação de tomar conta daquele grande armazém da rua Tal. Vocês sabem que tomar conta dum depósito de mercadorias é coisa séria, porque o homem se torna o único responsável por tudo quanto entra e sai. Ora, eu, português dos antigos, desses de antes quebrar que torcer, fui escolhido para "fiel" porque era fiel — era e sou. Não valho nada, sou um pobre homem ao léu, mas honradez está aqui. Meu orgulho sempre foi esse. Criei reputação desde menino. "O Manoel é dos bons; quebra mas não torce." Pois não é que as formigas me quebraram?

— Conta lá isso depressa...

— A coisa foi assim. Na qualidade de fiel do armazém, nada entrava nem saía sem ser por minhas mãos. Eu fiscalizava tudo e com tal severidade que Toledo & Cia. juravam sobre mim como sobre a bíblia. Certa vez entrou lá uma partida de trinta e dois sacos de arroz, que contei, conferi e fiz empilhar a um canto, junto a uma pilha de velhos caixões que lá estavam encostados de muito tempo. Trinta e dois. Contei--os e recontei-os e escrevi no livro de entradas trinta e dois, nem mais um, nem menos um. E no dia seguinte, conforme velho hábito meu, ainda me fui à pilha e recontei os sacos. Trinta e dois.

Pois muito que bem. O tempo se passa. O arroz lá fica meses à espera de negócio, até que um dia recebo do escritório ordem para entregá-lo ao portador. Vou dirigir a entrega. Fico na porta do armazém conferindo os sacos que por ali passavam às costas de dois carregadores — um, dois, vinte, trinta e um... Faltava o último.

— Anda com isso! — berrei ao carregador que fora buscá-lo, mas o bruto apareceu-me lá dos fundos com as mãos vazias: "Não há mais nada".

— Como não há mais nada? — exclamei. — São trinta e dois. Falta um. Vá buscá-lo, vá ver.

Ele foi e voltou na mesma: "Não há mais nada."

— Impossível! e fui eu mesmo fazer a verificação e nada achei. Misteriosamente desaparecera um saco de arroz da pilha...

Aquilo pôs-me tonto de cabeça. Esfreguei os olhos. Cocei-me. Voltei ao livro de entradas; reli o assento; claro como o dia: trinta e dois. Além disso eu lembrava-me muito bem daquela partida por causa dum incidente agradável. Logo que terminei a contagem eu havia dito "trinta e dois, última dezena do Camelo!" e aproveitei o palpite na venda da esquina. Mil réis na dezena trinta e dois: de tarde apareceu-me o empregadinho com oitenta mil réis. Dera o Camelo com trinta e dois.

Vocês bem sabem que essas coisas a gente não esquece. Eram pois trinta e dois sacos — e como então só estavam lá trinta e um? Pus-me a parafusar. Furtar ninguém furtara, porque eu era o mais fiel dos fiéis, não arredava pé da porta e dormia lá dentro. Janelas gradeadas de ferro. Porta uma só. Que ninguém furtara o saco de arroz era coisa que eu juraria perante todos os tribunais do mundo, como o jurava para a minha consciência. Mas o saco de arroz desaparecera... e como era?

Tive de comunicar ao escritório o desaparecimento — e foi o maior vexame da minha vida. Porque nós, operários, temos a nossa honra, e a minha honra era aquela — era ser o único responsável por tudo quanto entrasse e saísse daquele depósito.

Chamaram-me ao escritório.

— Como explica a diferença, Manoel?

Cocei a cabeça.

— Meu senhor, — respondi ao patrão, — bem quisera eu explicá-la, mas por mais que torça os miolos não o consisto. Recebi os trinta e dois sacos de arroz; contei-os e recontei-os, e tanto eram trinta e dois que nesse dia deu essa dezena e "mamei" do vendeiro da esquina oitenta "paus". O arroz demorou lá meses. Agora recebo ordem para entregá-lo ao caminhão. Vou presidir à retirada e só encontro trinta e um. Furtá-lo, ninguém o furtou; isso juro, porque a entrada do armazém é uma só e eu sempre fui cão de fila — mas o fato é que o saco de arroz desapareceu. Não sei explicar o mistério.

As casas comerciais têm que seguir certas normas, e se eu fosse o patrão faria o que ele fez. Já que era o Manoel o responsável único, se não havia explicação para o mistério, pior para o Manoel.

— Manoel, — disse o patrão, — a nossa confiança em você sempre foi completa, como você muito bem sabe, confiança de doze anos; mas o arroz não podia ter-se evaporado como água ao fogo. E como desapareceu um saco podem desaparecer mil. Quero que você mesmo nos diga o que devemos fazer.

Respondi como devia.

— O que há de fazer, meu senhor, é despedir o Manoel. Ninguém furtou o saco de arroz mas o saco de arroz confiado à guarda do Manoel desapareceu. O que o patrão tem a fazer é fazer o que o Manoel faria se estivesse em seu lugar: despedi-lo e contratar outro.

O patrão disse:

— Muito lamento ter de agir assim, Manoel, mas tenho sócios que me fiscalizam os atos, e serei criticado se não fizer como você mesmo me aconselha.

O velho carregador parou para avivar o cachimbo.

— E foi assim, meus caros, que depois de doze anos de serviço no armazém de Toledo & Cia., fui para o olho da rua, suspeitado de ladrão por todos os meus colegas. Se ninguém podia furtar aquele arroz e o arroz desaparecera, qual o culpado? O Manoel, evidentemente.

Fui para a rua, meus caros, já velhusco e sem carta de recomendação, porque recusei a que a firma me quis dar por esmola. Em boa consciência, que carta poderiam dar-me os srs. Toledo & Cia.?

Ah, o que sofri! Saber-me inocente e sentir-me suspeitado — e sem meios de defesa. Roubar é roubar, seja um mil réis, sejam contos. Cesteiro que faz um cesto faz um cento. E eu, que era um homem feliz porque compensava a minha pobreza com a fama de honestidade sem par, rolei para a classe dos duvidosos. E o pior era o rato que me roía os miolos. Os outros podiam satisfazer-se atribuindo a mim o furto, mas eu, que sabia da minha inocência, não arrancava aquele rato da cabeça. Quem tiraria de lá o saco de arroz? Esse pensamento ficou-me lá dentro como um berne dos cabeludos.

Dois anos se passaram, em que envelheci dez. Um dia recebo recado da firma, "que aparecesse no escritório". Fui.

— Manoel, — disse-me o mesmo chefe que me despedira, — o misterioso desaparecimento do saco de arroz está decifrado e você reabilitado da maneira mais completa. Ladrões tiraram de lá o arroz sem que você visse...

— Não pode ser, meu senhor! Tenho orgulho do meu trabalho de guarda. Sei que ninguém entrou lá durante aqueles meses. Sei.

O chefe sorriu.

— Pois saiba que inúmeros ladrõezinhos entraram e saíram com o arroz.

Fiquei tonto. Abri a boca.

— Sim, as formigas...

— As formigas? Não estou entendendo nada, patrão...

Ele contou então tudo. A partida dos trinta e dois sacos fora arrumada, como já disse, junto a uma pilha de velhos caixões vazios. E o último saco ficava pouco acima do nível do último caixão — disso eu me lembrava perfeitamente. Fora esse o saco desaparecido. Pois bem. Um belo dia o escritório dá ordem ao novo fiel para remover de lá os caixões. O fiel executa-a — mas ao fazê-lo nota uma coisa: grãos de arroz derramados no chão, em redor dum olheiro de formigas saúvas. Foram as saúvas as roubadoras do saco de arroz número trinta e dois!

— Como?

— Subiram pelos interstícios da caixotaria e furaram o saco último, o qual ficava um pouco acima do nível do último caixão. E foram retirando os grãos um a um. Com o progressivo esvaziar-se, o saco perdeu o equilíbrio e escorregou da pilha para cima do último caixão — e nessa posição as formigas completaram o esvaziamento...

— E...

— Os srs. Toledo & Cia., pediram-me desculpas e ofereceram-me de novo o lugar, com paga melhorada a título de indenização, Sabem o que respondi? "Meus senhores, é tarde. Já não me sinto o mesmo. O desastre matou-me por dentro. Um rato roubou-me todo o arroz que havia dentro de mim. Deixou-me o que sou: carregador do porto, saco vazio. Já não tenho interesse em nada. Continuarei portanto carregador. É serviço de menos responsabilidade — além de que este mundo é uma pinoia. Pois um mundo onde uns bichinhos inocentes dão cabo da alma dum homem, então isso é lá mundo? Obrigado, meus senhores!" e saí.

Nesse momento o *Arlanza* apitou. O grupo dissolveu-se e também eu fui colocar-me a postos. O Amigo de Londres causou-me má impressão. Magro, corcovado.

— Que te aconteceu, Marinho?

— Estou com os pulmões afetados.

Hum! sempre a mesma coisa — o pequenininho a derrear o grande. Quiri-quiri, saúva, bacilo de Koch...

1939

A FACADA IMORTAL

Todos os tratados de xadrez descrevem a célebre partida jogada por Philidor no século XVIII, a mais romântica que os anais enxadrísticos mencionam. Tão sábia foi, tão imprevista e audaciosa, que recebeu o nome de *Partida Imortal*. Embora depois dela se jogassem pelo mundo milhões de partidas de xadrez, nenhuma ofuscou a obra prima do famoso Philidor André Danican.

Também a "facada" do Indalício Ararigboia, um saudoso amigo morto, se vem perpetuando nos anais da alta malandragem como a *La Gioconda* do gênero ou — como está admitido nas rodas técnicas — a Facada Imortal. Indalício foi positivamente o Philidor dos faquistas.

Lembro-me bem: era um rapaz lindo, de olhos azuis e voz suavíssima; as palavras vinham-lhe como pêssegos embrulhados em paina, e sabiamente camaralentadas, porque, dizia ele, o homem que fala depressa é um perdulário que deita fora o melhor ouro da sua herança. Ninguém dá tento ao que esse homem diz, porque *quod abundat nocet*. Se não valorizamos nós mesmos as nossas palavras, como pretendermos que os outros as prezem? Meu mestre nesse ponto foi o general Pinheiro Machado, num discurso que lhe ouvi certa vez. Que astuciosa e bem calculada lentidão! Entre uma palavra e outra o Pinheiro punha um intervalo de segundos, como se sua boca estivesse perdigotando pérolas. E a assistência o ouvia com religiosa unção absorvendo como pérolas o que como pérolas era emitido. Substantivos, adjetivos, verbos, advérbios e conjunções caíam sobre os ouvintes como seixos lançados à lagoa; e antes que cada um chegasse bem lá no fundo, o general não soltava outro, Cacetíssimo, mas de alta eficiência.

— Foi ele então o teu mestre na arte de falar valorizadamente...

— Não. Nasci sonolento. O Pinheiro apenas me abriu os olhos quanto ao valor monetário do dom que a natureza me dera. Depois de ouvir esse seu discurso é que passei a dedicar-me à nobre arte de fazer com os homens o que fazia Moisés nas rochas do deserto.

— Fazê-los "sangrar"...

— Exatamente. Vi que se somasse minha natural lentidão do falar com alguma psicologia vienense (Freud, Adler), o dinheiro dos homens me atenderia como as galinhas atendem ao *quit, quit* das donas de casa. Para cada bolso há uma chave Yale. Minha técnica se resume hoje em só abordar a vítima depois de descobrir a chave certa.

— E como o consegue?

— Tenho minha álgebra. Considero os homens equações do terceiro grau — equações psicológicas, está claro. Estudo-os, deduzo, concluo — e esfaqueio com precisão praticamente absoluta. O mordedor comum é um ser indecoroso, digno do desprezo que lhe dá a sociedade. Pedincha, implora; apenas desenvolve, sem a menor preocupação estética, o surrado cantochão do mendigo: "Uma esmolinha pelo amor de Deus!" Comigo, não! Assumi essa atitude (porque o pedir é uma atitude na vida), primeiro, por esporte; depois, com o fito de reabilitar uma das mais velhas profissões humanas.

— Realmente, a intenção é nobilíssima...

Indalício racionalizara a "mordedura" ao ponto da sublimação. Citava filósofos gregos. Mobilizava músicos de fama.

— Liszt, Mozart, Debussy, — dizia ele, — nobilitaram essa coisa comum chamada "som" à força de harmonizá-lo de certo modo. O escultor nobilitará até um paralelepípedo de rua, se lhe der forma estética. Por que não nobilitaria eu o deprimentíssimo ato de pedir? Quando lanço a minha facada, sempre depois de sérios estudos, a vítima não me *dá* o seu dinheiro, apenas *paga* a finíssima demonstração técnica com que o tonteio. Paga-me a facada do mesmo modo que o amador de pintura paga o arranjo de tintas que o pintor faz sobre uma estopa, um quadrado de papelão, uma relíssima tábua. O faquista comum, notem, nada dá em troca do miserável dinheirinho que tira. Eu dou emoções gratíssimas à sensibilidade das criaturas finas. Minha vítima tem que ser fina. O simples fato da minha escolha já é um honroso diploma, porque nunca me desonrei em esfaquear criaturas vulgares, de alma grosseira. Só procuro gente na altura de compreender as sutilezas das paisagens de Corot ou dos versos de Verlaine.

Como se requintava a formosura do Indalício nos momentos em que discorria assim! Envolvia-o a aura dos predestinados, dos apóstolos que se sacrificam para aumentar de alguma coisa a beleza do mundo. De sua barba loura, à Cristo, escapavam os suaves reflexos do cendré. As frases fluíam-lhe da boca de fino desenho como o óleo ou o mel escorre duma ânfora grega suavemente inclinada. Suas palavras traziam patins aos pés. Tudo no Indalício eram mancais de esferas. Talvez o ajudasse a circunstância de ser surdinho. Isso de não ouvir bem põe veludos em certas pessoas, dá-lhes um macio de violoncelo. Como não se distraem com a vulgaridade dos sons que todos nós normalmente ouvimos, atentam mais em si próprios, "ouvem-se mais", concentram-se.

Nosso costume naquele tempo era reunir-nos todas as noites no velho "Café Guarany" com y grego — a reforma ortográfica ainda dormia no calcanhar do Medeiros e Albuquerque; ficávamos ali horas trabalhando para a Antártica e comentando as proezas de cada um. Rodinha muito interessante e vária, cada um com a sua mania, a sua arte ou a sua tara. Ligava-nos apenas uma coisa: o pendor comum pelas finuras mentais em qualquer campo que fosse, literatura, perfídia, oposição ao governo, arte de viver, amor. Um deles era absolutamente ladrão — desses que a sociedade trancafia. Mas que ladrão engraçado! Estou hoje convencido de que roubava unicamente com um fim: deslumbrar a rodinha com a primorosa estilização das proezas. Outro era bêbedo profissional — e talvez pela mesma razão: informar à roda sobre o que é a vida do clã de adoradores do álcool que passam a vida nas "botecas". Outro era o Indalício...

— E antes, Indalício? Que é que fazia?

— Ah, perdia o tempo numa escola do Rio como professor de meninos. Nada mais desinteressante. Fugi, farto e refarto. Odeio qualquer atividade vazia dessa "emoção da caça" que considero a coisa suprema da vida. Fomos caçadores durante milhões e milhões de anos, na nossa longuíssima fase de homens primitivos. A civilização agrícola é coisa de ontem, e por isso ainda espinoteiam com tanta vivacidade, dentro do nosso modernismo, os velhos instintos do caçador. Continuamos os caçadores que éramos, apenas mudados de caça. Como nestas cidades de hoje não existem aqueles *Ursus speleus* que no período das cavernas nós caçávamos (ou nos caçavam), matamos a sede do instinto com as amáveis cacinhas da civilização. Uns caçam meninas bonitas, outros caçam negócios, outros caçam imagens e rimas. O Breno Ferraz caça boatos contra o governo...

— E eu que caço? — perguntei.

— Antíteses, — respondeu de pronto o Indalício. — Fazes contos, e que é o conto senão uma antítese estilizada? Eu caço otários, com a espingarda da psicologia. E como isso me dá para viver folgadamente, não quero outra profissão. Tenho prosperado. Calculo que nestes últimos três anos consegui remover do bolso alheio para o meu cerca de duzentos contos de réis.

Aquela revelação fez que o nosso respeito pelo Indalício aumentasse de dez pontos.

— E sem abusar, — continuou ele, — sem forçar a nota, porque meu intento nunca foi acumular dinheiro. Em dando para o passadio à larga, está ótimo. O lucro maior que obtenho, entretanto, está na contenteza de alma, na paz da consciência — coisas que nunca tive nos anos em que, como professor de educação moral, eu transmitia às inocentes crianças noções que hoje considero absolutamente falsas. As nevralgias da minha consciência naquela época, quando provava nas aulas, com infames sofismas, que a linha reta é o caminho mais curto entre dois pontos!

Com o perpassar do tempo o Indalício desprezou completamente as facadas simples, ou do "primeiro grau", como dizia ele, isto é, as que apenas produzem dinheiro. Passou a interessar-se unicamente pelas que representavam "soluções de problemas psicológicos" e lhe davam, além do íntimo prazer da façanha, a mais pura glória ali na rodinha. Uma noite desenvolveu-nos o teorema do máximo...

— Sim cada homem, em matéria de facada, tem o seu máximo; e o faquista que arranca cem mil réis dum freguês cujo máximo é de um conto, lesa-se a si próprio — e ainda perturba a harmonia universal. Lesa-se em novecentos mil réis e interfere na ordem preestabelecida do cosmos. Aqueles oitocentos mil réis estavam predestinados a mudarem-se de bolso *naquele dia*, *naquela hora*, por meio *daqueles agentes* a inépcia do mau faquista perturba a predestinação, dess'arte criando uma ondulazinha de desarmonia que até ser reabsorvida contribui para o mal estar do Universo.

Essa filosofia ouvimo-la no dia do seu "grande deslize", quando o Indalício nos apareceu no Guarany seriamente incomodado com a perturbação que essa sua "mancada" podia estar determinando na harmonia das esferas.

— Errei, — disse ele. — Meu assalto foi contra o Macedo, que, vocês sabem, é a maior vítima dos mordedores de S. Paulo. Mas fui precipitado em minhas conclusões quanto ao seu máximo, e dei-lhe um golpe de dois contos apenas. A prontidão com que atendeu, *reveladora de que estava ganhando* três, demonstrou-me, da maneira mais evidente, que o máximo do Macedo é de cinco contos! Perdi, pois, três contos... E o pior não está nisso, mas na desconfiança em que fiquei de mim mesmo. Estarei por acaso decaindo? Nada mais grotesco do que ferir em oitenta ao otário cujo máximo é de cem. O bom atirador não gosta de acertar *perto*. Há de enfiar as balas, exatinho, no centro geométrico do alvo.

Nesse dia foram necessários dez chopes para abafar a inquietação do Indalício; e ao recolher-nos, lá pela meia noite, saí com ele a pretexto de consolá-lo, mas na realidade para impedi-lo de passar pelo Viaduto. Mas afinal descobri a aspirina adequada ao caso.

— Só vejo um meio de te restaurares na confiança perdida, meu caro Indalício: dares uma facada no Raul! Se o consegues, terás realizado a proeza suprema de tua vida. Que tal?

Os olhos de Indalício iluminaram-se, como os do caçador que depois de perder um coati dá de frente com um precioso veado — e foi assim que teve início a construção da grande obra prima do nosso saudoso Indalício Ararigboia.

O Raul, velho companheiro de roda, tinha-se, e era tido, como absolutamente imune a facadas. Rapaz de modestas posses, vivia duns quatrocentos mil réis mensalmente drenados do governo; mas tratava-se bem, vestia-se com singular apuro, usava lindas gravatas de seda, bons sapatos; para perpetuar semelhante proeza, entretanto, adquirira o hábito de não pôr fora dinheiro nenhum, e hermeticamente fechara o corpo a facadas, por mínimas que fossem. Recebido o ordenado no começo do mês, pagava as contas, as prestações, retinha os miúdos do bonde e pronto — ficava até o mês seguinte leve como um beija-flor. Em matéria de facadas sua teoria sempre fora de negação absoluta.

— "Morre" quem quer, — dizia ele. — Eu por exemplo não sangrarei nunca porque de há muito *deliberei* não sangrar! O mordedor pode atacar-me de qualquer lado, norte, sul, leste, oeste, a jusante ou a montante, e com uso de todas as armas inclusive as do arsenal do Indalício: inútil! Não sangro, pelo simples fato de haver deliberado não sangrar — além de que por sistema não ando com dinheiro no bolso.

Indalício não ignorava a inexpugnabilidade do Raul, mas como se tratasse dum companheiro de roda nunca pensou em tirar o ponto a limpo. Minha sugestão daquele dia, porém, fê-lo mudar de ideia. A inexpugnabilidade do Raul entrou a irritá-lo como intolerável desafio à sua genialidade.

— Sim, — disse o Indalício, — porque verdadeiramente imune a facadas não creio que haja ninguém no mundo. E se alguém, como o Raul, faz essa ideia de si, é que nunca foi abordado por um verdadeiro mestre — um Balzac como eu. Hei de destruir a inexpugnabilidade do Raul; e se meu golpe vier a falhar, talvez até me suicide com a pistola de Vatel. Viver desonrado aos meus próprios olhos, nunca!

E Indalício pôs-se a estudar o Raul a fim de descobrir-lhe o máximo — sim, porque até no caso do Raul aquele gênio insistia em ferir no máximo! Duas semanas depois confessou-me com a habitual suavidade:

— O caso está resolvido. O Raul realmente jamais levou facadas e considera-se em absoluto imune — mas lá no fundo da alma, ou do inconsciente, está inscrito o seu máximo: cinco mil réis! Tenho orgulho em revelar a minha descoberta. Raul considera-se inesfaqueável, e jurou morrer sem a menor cicatriz no bolso; a sua consciência, portanto, não admite máximo nenhum. *Mas o máximo do Raul é de cinco!* Para chegar a essa conclusão tive de insinuar-me nos desvãos de sua alma com a gazua do Freud.

— Só cinco?

— Sim. Só cinco — o máximo absoluto! Se o Raul se psicanalisasse, descobriria, com assombro, que apesar das suas juras de imunidade a natureza o colocou na casa dos cinco.

— E vai o nosso Balzac sujar-se com uma facada de cinco mil réis! Em que ficou a tua fixação do mínimo em duzentos?

— De fato, hoje não dou facadas de menos de duzentos, e me julgaria desonrado se me abaixasse a uma de cento e oitenta. Mas o caso do Raul, especialíssimo, me força a abrir uma exceção. Vou esfaqueá-lo em cinquenta mil réis...

— Por que cinquenta?

— Porque ontem, inopinadamente, a minha álgebra psicológica demonstrou que há possibilidade de um segundo máximo no Raul, não de cinco, como está inscrito no seu inconsciente, mas de dez vezes isso, como consegui ler na aura desse inconsciente!...

— No inconsciente do inconsciente!...

— Sim, na verdadeira estratosfera do inconsciente raulino. Mas só serei bem sucedido se não errar na escolha do momento mais favorável, e se conseguir deixá-lo em ponto de bala por meio da aplicação de diversas cocaínas psicológicas. Só quando Raul se sentir levitado, expandido, com a alma bem rarefeita, é que sangrará no máximo astral que eu descobri!...

Mais um mês gastou o Indalício em estudos do Raul. Certificou-se do dia em que lhe pagavam no Tesouro, do quanto lhe levavam as contas e prestações, e quanto costumava sobrar-lhe depois de satisfeitos todos os compromissos. E não há por aqui toda a série de preparos psicológicos, físicos, metapsíquicos, mecânicos e até gastronômicos a que o gênio do Indalício submeteu o Raul; encheria páginas e páginas. Resumirei dizendo que o ataque em voo *piqué* só seria realizado depois do completo "condicionamento" da vítima por meio da sábia aplicação de todos os "matadores". O nosso pobre Indalício faleceu sem saber que estava lançando os fundamentos do moderno totalitarismo...

No dia 4 do mês seguinte avisou-me da iminência do golpe.

— Vai ser amanhã, às oito da noite, no Bar Baron, quando o Raul cair na leve crise sentimental que lhe provocam certas passagens do *Petit Chose* de Daudet, recordadas entre a segunda e a terceira dose do *meu* vinho...

— Que vinho?

— Ah, um que descobri em estudos *in anima nobile* — nele mesmo: a única vinhaça que de mistura com o Daudet do *Petit Chose* deixa o Raul, durante meio minuto, sangrável no máximo astral! Vocês vão abrir a boca. Estou positivamente criando a minha obra prima! Aparece amanhã no Guarany às nove horas para ouvires o resto...

No dia seguinte fui ao Guarany às oito e já lá encontrei a roda. Pu-los ao par dos desenvolvimentos da véspera e ficamos a comentar os prós e contras do que àquela hora estaria se passando no Bar Baron. Quase todos jogavam no Raul.

Às nove entrou o Indalício, suavemente. Sentou-se.

— Então? — perguntei.

Sua resposta foi tirar do bolso e sacudir no ar uma nota nova de cinquenta mil réis.

— Fiz um trabalho preparatório perfeito demais para que me falhasse o golpe, — disse ele. — No momento decisivo bastou-me um *quit, quit* dos mais simples. Os cinquenta *fluíram* do bolso do Raul para o meu — contentes, felizes, alegrinhos...

O assombro da roda chegou ao auge. Era realmente escachante aquele prodígio!

— Maravilhoso, Indalício! Mas põe isso em troco miúdo, — pedimos. E ele contou:

— Nada mais simples. Depois do preparo do terreno, a técnica foi, entre a segunda e a terceira dose da vinhaça e o Daudet, ferir fundo nos cinquenta — e o que eu esperava ocorreu. Ultrassurpreso de haver no globo quem o avaliasse em cinquenta mil réis, a ele, que na intimidade trevosa do subconsciente só admitia o miserável máximo de cinco, Raul deslumbrou-se... Raul perdeu o controle de si próprio... sentiu-se levitado, rarefeito por dentro, estratosférico — e com os olhos emparvecidos meteu a mão no bolso, sacou tudo quanto havia lá, exatamente esta nota, e entregou-ma, sonambúlico, num incoercível impulso de gratidão! Instantes depois voltava a si. Corou como a romã, formalizou-se e só não me agrediu porque a minha sábia fuga estratégica não lhe deu tempo...

Maravilhamo-nos sinceramente. Aquela Yale psicológica era talvez a única, dos milhões de chaves existentes no universo, capaz de abrir a carteira do Raul para um faquista; e o tê-la descoberto e manejado com tanta segurança era coisa que indiscutivelmente vinha fechar com chave de ouro a gloriosa carreira do Indalício — como de fato fechou: meses depois a gripe espanhola de 1918 nos levava esse precioso e amável amigo.

— Parabéns, Indalício! — exclamei. — Só a má fé te negará o dom da genialidade. A *Partida Imortal* do grande Philidor já não está sem *pendant* no mundo. Criaste a *Facada Imortal*.

Como ninguém da roda jogasse xadrez, todos me olharam perguntativamente. Mas não houve tempo para explicações. Vinha entrando o Raul. Sentou-se, calado, contido. Pediu uma caninha (sinal de rarefação no bolso). Ninguém disse nada. Esperamos que ele se abrisse. Indalício estava profundamente absorvido nos "Pingos e Respingos" dum *Correio da Manhã* sacado do bolso.

Súbito, veio-me uma infinita vontade de rir, e foi rindo que rompi o silêncio:

— Então, seu Raul, caiu, hein?...

Realmente desapontado, o querido Raul não achou a palavra chistosa, o "espírito" com que em qualquer outra circunstância comentaria um seu desaso qualquer. Limitou-se a sorrir amareladamente e a emitir um "Pois é!..." — o mais desenxabido "Pois é" ainda pronunciado no mundo. Tão desenxabido, que o Indalício engasgou-se de rir... com o "Pingo" que lia.

1942

A policitemia de Dona Lindoca

Dona Lindoca não era feliz. Quarentona bem puxada apesar dos trinta e sete anos em que fizera finca-pé, via pouco a pouco chegar a velhice com seu empaste de feições, rugas e macacoas.

Não era feliz, porque nascera com o gênio da ordem e do asseio meticuloso — e gente assim passa a vida a amofinar-se com criados e coisinhas. E como também nascera casta e amorosa, não ia com o desamor e desrespeito do mundo. O marido jamais lhe retribuíra o amor com os mimos entressonhados em noiva. Não tinha "caídos", nem usava para a sua sensibilidade, sempre menineira, desses pequeninos nadas cariciosos que para certas criaturas constituem a suprema felicidade na terra.

Isso, porém, não traria a dona Lindoca mal de monta, excedente a suspiros e queixas às amigas, se a certeza da infidelidade do Fernando não viesse um dia estragar tudo. Estava a boa senhora a escovar-lhe o paletó quando sentiu vago aroma suspeito. Foi logo aos bolsos — e apanhou o corpo de delito num lencinho perfumado.

— Fernando, você deu agora para usar perfume? — indaga a santa esposa aspirando o lenço comprometedor. — E *Coeur de Jeannette*, inda mais...

O marido, pegado de surpresa, armou a cara mais alvar de toda a sua coleção de "caras circunstanciais" e murmurou o primeiro rebate sugerido pelo instinto de defesa:

— Você está sonhando, mulher...

Mas teve que render-se à evidência, logo que a esposa lhe chegou ao nariz o crime.

Há coisas inexplicáveis, por mais lépida que seja a presença de espírito de um homem traquejado. Lenço cheiroso em bolso de marido que jamais usou perfume, eis uma. Põe em ti o caso, leitor, e vai estudando desde já uma saída honrosa para a hipótese de te suceder o mesmo.

— Pilhéria de mau gosto do Lopes...

O melhor que lhe acudiu foi lançar à conta do espírito brincalhão do seu velho amigo Lopes mais aquela. Dona Lindoca, está claro, não engoliu a grosseira pílula — e desde aquele dia entrou a suspirar suspiros de um novo gênero, com muita queixa às amigas sobre a corrupção dos homens.

Mas a realidade era diferente de tudo aquilo. Dona Lindoca não era infeliz; seu marido não era um mau marido; seus filhos não eram maus filhos. Gente toda ela muito normal, vivendo a vida que todas as criaturas normais vivem. Dava-se apenas o que se dá sempre na existência da generalidade dos casais pacíficos. A peça matrimonial "Multiplicai-vos" tem um segundo ato em excesso trabalhoso na procriação e criação dos rebentos. É uma dobadoura de anos, na qual os atores principais mal têm tempo de cuidar de si, tanto lhes monopolizam as energias os cuidados absorventes da prole. Nesse período longo e rotineiro, quanto perfume vago não trouxe da rua o doutor Fernando! Mas o olfato da esposa, sempre saturado com o cheirinho das crianças, jamais deu tento de nada.

Um dia, porém, começou a dispersão. Casaram-se as filhas e os filhos foram deixando o borralho um por um, como passarinhos que já sabem fazer uso das asas.

E como o esvaziamento do lar ocorreu no período muito curto de dois anos, o vácuo trouxe a dona Lindoca uma penosa sensação de infelicidade.

O marido não mudara em coisa nenhuma, mas como só agora dona Lindoca tinha tempo de dar-lhe atenção, parecia-lhe mudado. E queixava-se dos seus eternos negócios fora de casa, de sua indiferença, do seu "desamor". Certa vez, perguntou-lhe ao jantar:

— Fernando, que dia é hoje?

— Treze, filha.

— Treze só?

— Está claro que treze só. Impossível que fosse treze e mais alguma coisa. É da aritmética.

Dona Lindoca arrancou um suspiro dos mais sucados.

— Essa aritmética antigamente era bem mais amável. Pela aritmética antiga, hoje não seria treze só — e sim treze de julho...

O doutor Fernando bateu na testa.

— É verdade, filha! Não sei como me escapou que é hoje dia dos teus anos. Esta cabeça...

— Essa cabeça não falha quando as coisas a interessam. É que para você eu já passei... Mas console-se, meu caro. Não me ando sentindo bem e breve deixarei você livre no mundo. Poderá então, sem remorso, regalar-se com as Jeannettes...

Como as recriminações alusivas ao caso do lenço perfumado fossem uma *scie*, o marido adotara a boa política de "passar", como no pôquer. "Passava" todas as alusões da esposa, meio eficaz de torcer em germe o pepino de um debate tão inútil quão indigesto. Fernando "passou" a Jeannette e aceitou a doença.

— Sério? Sente qualquer coisa, Lindoca?

— Uma ansiedade, uma canseira, isto desde que vim de Teresópolis.

— Calor. Estes verões cariocas derrancam até aos mais pintados.

— Sei quando é calor. O mal-estar que sinto deve ter outra causa.

— Nervoso, então. Por que não vai ao médico?

— Já pensei nisso. Mas, a qual médico?

— Ao Lanson, filha. Que ideia! Pois não é o médico da casa?

— Deus me livre. Depois que matou a mulher do Esteves? Isso quer você...

— Não matou tal, Lindoca. É tolice propalar essa maldade inventada por aquela caninana da Marocas. Ela é que diz isso.

— Ela e todos. Voz corrente. Além do mais, depois daquele caso da corista do Trianon...

O doutor Fernando espirrou uma gargalhada.

— Não diga mais nada! — exclamou. — Adivinho tudo. A eterna mania.

Sim, era a mania. Dona Lindoca não perdoava infidelidade do marido, nem no seu nem no das outras. Em matéria de moralidade sexual não cedia milímetro. Como fosse de natural casta, exigia castidade de todo mundo. Daí o desmerecerem ante seus olhos todos os maridos que na voz das comadres andavam de amores fora do ninho conjugal. Aquele doutor Lanson perdera-se no conceito de dona Lindoca não porque houvesse "matado" a mulher do Esteves — pobre tuberculosa que mesmo sem médico tinha de morrer — mas porque andara às voltas com uma corista.

A gargalhada do marido enfureceu-a.

— Cínicos! São todos os mesmos... Pois não vou ao Lanson. É um sujo. Vou ao doutor Lorena, que é homem limpo, decente, um puro.

— Vai, filha. Vai ao Lorena. A pureza desse médico, que eu cá chamo hipocrisia requintada, com certeza lhe há de ajudar muito a terapêutica.

— Vou, sim, e nunca mais me há de entrar aqui outro médico. De Lovelaces ando eu farta, — concluiu Dona Lindoca sublinhando a indireta.

O marido olhou-a de soslaio, sorriu filosoficamente e, "passando" o "Lovelaces", pôs-se a ler os jornais.

No dia seguinte, dona Lindoca foi ao consultório do médico puritano e voltou radiante.

— Tenho uma policitemia, foi logo dizendo. Garante ele que não é grave, embora requeira tratamento sério e longo.

— Policitemia? — repetiu o marido com vincos na testa, sinal de que entendia suas pitadas de medicina.

— Que espanto é esse? Policitemia, sim, a doença da rainha Margarida e da grã-duquesa Estefânia, disse-me o doutor. Mas cura-me, assegurou — e ele sabe o que diz. Como é fino o doutor Lorena! Como sabe falar!...

— Sobretudo falar...

— Já vem você. Já começa a implicar com o homem só porque é um puro... Pois, quanto a mim, só sinto tê-lo conhecido agora. É um médico decente, sabe? Fino, amável, muito religioso. Religioso, sim! Não perde a missa das onze na Candelária. Diz as coisas de um modo que até lisonjeia a gente. Não é um sujo como o tal Lanson, que anda metido com atrizes, que vê humores em tudo e põe as clientes nuas para examiná-las.

— E o teu Lorena como as examina? Vestidas?

— Vestidas, sim, está claro. Não é nenhum libertino. E se o caso exige que a cliente se dispa em parte, ele aplica os ouvidos mas fecha os olhos. É decente, ora aí está! Não faz do consultório casa de encontros.

— Venha cá, minha filha. Noto que você fala com leviandade de sua doença. Tenho minhas noções de medicina e parece-me que essa tal policitemia...

— Parece nada. O doutor Lorena afirmou-me que não é coisa de matar, embora de cura lenta. Doença até distinta, de fidalgos.

— De rainhas, grã-duquesas, sei...

— Só que exige muito tratamento — sossego, regime alimentar, coisas impossíveis nesta casa.

— Por que?

— Ora essa. Quer você que uma dona de casa possa cuidar de si tendo tanta coisa em que olhar? Vá a pobre de mim deixar de matar-se na trabalheira, para ver como isto vira de pernas para o ar. Tratamento na regra, só para essas que tomam o marido das outras. A vida é para elas...

— Deixemos isso, Lindoca, até cansá.

— Mas vocês não se cansam delas.

— Elas, elas! Que elas, mulher? — exclamou já exasperado o marido.

— As perfumadas.

— Bolas.

— Não briguemos. Basta. O doutor... ia-me esquecendo. O doutor Lorena quer que você apareça por lá, no consultório.

— Para quê?

— Ele dirá. Das duas às cinco.

— Muita gente a essa hora?

— Como não? Um médico daqueles... Mas a você não fará esperar. É negócio à parte da clínica. Vai?

O doutor Fernando foi. O médico desejava adverti-lo de que a doença da dona Lindoca era grave, havendo perigo sério caso o tratamento que prescrevera não fosse seguido à risca.

— Muito sossego, nada de contrariedades, mimos. Principalmente mimos. Indo tudo a contento, num ano poderá estar boa. Do contrário, teremos mais um viúvo em pouco tempo.

A possibilidade da morte da esposa, quando assim se antolha pela primeira vez a um marido de coração sensível, abala profundamente. O doutor Fernando deixou o consultório e rodando para casa ia a recordar o tempo róseo do namoro, o noivado, o casamento, o enlevo dos primeiros filhos. Não era mau marido. Poderia até figurar entre os ótimos, no juízo dos homens que se perdoam uns aos outros os pequenos arranhões no pacto conjugal, filhos da curiosidade adâmica. Já as mulheres não compreendem assim, e dão demasiado vulto a borboleteios que muitas vezes só servem para valorizar as esposas aos olhos dos maridos. Assim é que a notícia da gravidade da moléstia de dona Lindoca despertou em Fernando um certo remorso, e o desejo de redimir com carinhos de noivo os anos de indiferença conjugal.

— Pobre Lindoca. Tão boa de coração... Se azedou um bocado, a culpa foi só minha. O tal perfume... Se ela pudesse compreender a absoluta insignificância do frasco donde emanou aquele perfume...

Ao entrar em casa indagou logo da esposa.

— Está em cima, — respondeu a criada.

Subiu. Encontrou-a no quarto, numa preguiçosa.

— Viva a minha doentezinha! — E abraçou-a e beijou-a na testa.

Dona Lindoca espantou-se.

— Ué! Que amores esses agora? Até beijos, coisas que me dizias fora da moda...

— Vim do médico. Confirmou-me o diagnóstico. Não há gravidade nenhuma, mas exige tratamento de rigor. Muito sossego, nada de amofinações, nada que abale o moral. Vou ser o enfermeiro da minha Lindoca e hei de pô-la sãzinha.

Dona Lindoca arregalou os olhos. Não reconhecia no indiferente Fernando de tanto tempo aquele marido amável, tão perto do padrão com que sempre sonhara. Até diminutivos...

— Sim, — disse ela, — tudo isso é fácil de dizer — mas sossego de fato, repouso absoluto, como, nesta casa?

— Por que não?

— Ora, você será o primeiro a dar-me aborrecimentos.

— Perdoe-me, Lindoca. Compreenda a situação. Confesso que não fui contigo o esposo entressonhado. Mas tudo mudará. Você está doente e isso vai fazer que tudo renasça — até o velho amor dos vinte anos, que não morreu nunca, apenas encasulou-se. Não imagina como me sinto cheio de ternura para com a minha mulherzinha. Estou todo lua de mel por dentro.

— Os anjos digam amém. Só receio que com tanto tempo o mel já esteja azedo...

Apesar de mostrar-se assim tão incrédula, a boa senhora irradiava. O seu amor pelo marido era o mesmo dos primeiros tempos, de modo que aquela ternura o fez logo reflorir, à imitação das árvores desfolhadas pelo inverno a um chuvisco de primavera.

E a vida de dona Lindoca de fato mudou. Os filhos passaram a vir vê-la com frequência — logo que o pai os advertiu da vida periclitante da boa mãe. E mostravam-se muito carinhosos e solícitos. Os parentes mais chegados, também por influxo do marido, amiudaram as visitas, de tal jeito que dona Lindoca, sempre queixosa outrora de isolamento, se fosse queixar-se agora seria de solicitude excessiva.

Veio uma tia pobre do interior tomar conta da casa, chamando a si todas as preocupações amofinantes.

Dona Lindoca sentia um certo orgulho da sua doença, cujo nome lhe soava bem aos ouvidos e fazia abrir a boca aos visitantes — *policitemia*... E como o marido e os demais lhe lisonjeassem a vaidade enaltecendo o chique das policitemias, acabou por considerar-se uma privilegiada.

Falavam muito na rainha Margarida e na grã-duquesa Estefânia como se fossem pessoas da casa, havendo um dos filhos conseguido e posto na parede o retrato de ambas. E certa vez em que os jornais deram um telegrama de Londres noticiando achar-se enferma a princesa Mary, dona Lindoca sugeriu logo, convencidamente:

— Vai ver que uma policitemia...

A prima Elvira trouxe de Petrópolis uma novidade de sensação.

— Viajei com um doutor Maciel na barca. Contou-me que a baronesa de Pilão Arcado também está com policitemia. E também aquela grandalhona loura, mulher do ministro francês — a Grouvion.

— Sério?

— Sério, sim. É doença de gente graúda, Lindoca. Este mundo!... Até em questão de doenças as bonitas vão para os ricos e as feias vão para os pobres! Você, a Pilão Arcado e a Grouvion, com policitemia — e lá a minha costureirinha do Catete, que morre dia e noite em cima da máquina de costura, sabe o que lhe deu? Tísica mesentérica...

Dona Lindoca fez cara de nojo.

— Eu nem sei onde "essa gente" apanha tais coisas...

Outra ocasião, ao saber que uma sua ex-criada de Teresópolis fora ao médico e viera com diagnóstico de policitemia, exclamou, incrédula, a sorrir com superioridade:

— Duvido! A Liduína com policitemia? Duvido!.. Vai ver que quem disse tal bobagem foi o Lanson, aquela toupeira.

A casa virou perfeita maravilha de ordem. As coisas surgiam à hora e no ponto, como se anões invisíveis estivessem a prover tudo. A cozinheira, ótima, fazia pitéus de arregalar o olho. A arrumadeira alemã dava ideia de uma abelha em forma de gente. A tia Gertrudes era uma governante de casa como jamais existiu outra.

E nenhum barulho, todos na ponta dos pés, com "pssius" aos estouvados. E presentinhos. Os filhos e noras jamais esqueciam a boa mamãe, ora com flores, ora com os doces de que ela mais gostava. O marido fizera-se caseiro. Deu jeito aos negócios e pouco saía, e à noite nunca, passando a ler para a esposa os crimes dos jornais nas raras vezes em que não tinham visitas.

Dona Lindoca começou a viver vida de céu aberto.

— Como me sinto feliz agora! — dizia. — Mas para que nada haja perfeito, tenho a policitemia. Verdade é que esta doença não me incomoda em nada. Não a sinto absolutamente — além de que é doença fina...

O médico vinha vê-la amiúde, mostrando boa cara à doente e má ao marido.

— Demora ainda, meu caro. Não nos iludamos com aparências. As policitemias são insidiosas.

O curioso era que dona Lindoca realmente não sentia coisa nenhuma. O mal-estar, a ansiedade do começo que a levara a consultar o médico, de muito que havia passado. Mais quem sabia da sua doença não era ela e sim o médico. De modo que enquanto ele não lhe desse alta, teria de continuar nas delícias daquele tratamento.

Certa vez chegou a dizer ao doutor Lorena:

— Sinto-me boa, doutor, completamente boa.

— Parece-lhe, minha senhora. O característico das policitemias é iludir assim os doentes, e pô-los derreados, ou liquidados, à menor imprudência. Deixe-me cá levar o barco a meu modo, que para outra coisa não queimei as pestanas na escola. A grã-duquesa Estefânia também se julgou boa, certa vez, e contra o parecer do médico assistente deu-se alta a si própria...

— E morreu?

— Quase. Recaiu e foi um custo pô-la de novo no ponto em que estava. O abuso, minha senhora, a falta de confiança no médico, tem levado muita gente para o outro mundo...

E repetiu ao marido aquele parecer, com grande encanto de dona Lindoca, que não cessava de abrir-se em elogios ao grande clínico.

— Que homem! Não é à toa que ninguém diz "isto" dele, neste Rio de Janeiro das más línguas. "Amantes, minha senhora", declarou ele outro dia à prima Elvira, "ninguém me apontará jamais nenhuma."

O doutor Fernando ia se saindo com uma ironia à moda antiga, mas recolheu-se a tempo, por amor ao sossego da esposa, com a qual jamais esgrimira depois da doença. E resignou-se a ouvir o estribilho de sempre: "É um homem puro e muito religioso. Fossem todos assim e o mundo seria um paraíso".

Durou seis meses o tratamento de dona Lindoca e duraria doze, se um belo dia não rebentasse um grande escândalo — a fuga do doutor Lorena para Buenos Aires com uma cliente, moça da alta sociedade.

Ao receber a notícia dona Lindoca recusou-se a dar crédito.

— Impossível! Há de ser calúnia. Vai ver como ele logo aparece por aqui e tudo se desmente.

O doutor Lorena jamais apareceu; o fato confirmou-se, fazendo dona Lindoca passar pela maior desilusão de sua vida.

— Que mundo, meu Deus! — murmurava. — Em que mais acreditar, se até o doutor Lorena faz dessas?

O marido rejubilou-se por dentro. Sempre vivera engasgado com a pureza do charlatão, comentada todos os dias em sua presença sem que ele pudesse explodir o grito d'alma que lhe punha um nó na garganta: "Puro nada! É um pirata igual aos outros".

O abalo moral não fez dona Lindoca recair enferma, como era de supor. Sinal de que estava perfeitamente curada. Para melhor certificar-se disso o marido lembrou-se de consultar outro médico.

— Pensei no Lemos de Souza, — sugeriu ele. — Está com muito nome.

— Deus me livre! — acudiu logo a doente. — Dizem que é amante da mulher do Bastos.

— Mas trata-se de um grande clínico, Lindoca. Que importa o que lá do seu namoro dizem as más línguas? Neste Rio ninguém escapa.

— A mim importa muito. Não quero. Veja outro. Escolha um decente. Sujeiras não admito aqui.

Depois de comprido debate acordaram em chamar o Manuel Brandão, professor da Escola e já em adiantado grau de senilidade. Não constava que fosse amante de ninguém.

Veio o novo doutor. Examinou cuidadosamente a doente e ao cabo concluiu com absoluta segurança.

— Vossa Excelência não tem nada, — disse ele. — Absolutamente nada.

Dona Lindoca pulou, muito lépida, da sua preguiçosa.

— Então sarei de uma vez, doutor?

— Sarou... se é que esteve doente. Não consigo ver sinal nenhum em seu organismo de doença presente ou passada. Quem foi o médico?

— O doutor Lorena...

O velho clínico sorriu, e voltando-se para o marido:

— É o quarto caso de doença imaginária que o meu colega Lorena (aqui entre nós, um refinadíssimo patife) leva a explorar durante meses. Felizmente raspou-se para Buenos Aires, ou "desinfetou" o Rio, como dizem os capadócios.

Foi um assombro. O doutor Fernando abriu a boca.

— Mas então...

— É o que lhe digo, — reafirmou o médico. — A sua senhora teve qualquer crise nervosa que passou com o repouso. Mas, policitemia, nunca! Policitemia!... Até me espanta que tão grosseiramente pudesse o tal Lorena iludir a todos com essa pilhéria...

A tia Gertrudes voltou para sua casa no interior. Os filhos foram se tornando mais parcos nas visitas — e os demais parentes idem. O doutor Fernando retomou a vida de negócios e nunca mais teve tempo de ler crimes para a desconsolada esposa, sobre cujos ombros recaiu a velha trabalheira de zelar pela casa.

Em suma, a infelicidade de dona Lindoca voltou com armas e bagagens, fazendo-a suspirar suspiros ainda mais profundos que os de outrora. Suspiros de saudade. Saudade da policitemia...

Duas Cavalgaduras

Um grande amigo dos livros, o estudante Batista de Ribeiro Couto.[1]

Na sua dolorosa miséria de rapaz pobre, solto sem padrinhos na voragem carioca, desses bons amigos se socorria para desafogo da alma crestada ao vento das decepções. Falhava-lhe o sonhado emprego? Abria *Dom Casmurro* e logo a

---

1 *O Crime do Estudante Batista*, livro de contos de Ribeiro Couto.

malícia da Capitu o empolgava, levando-o para casos bem distantes do seu dorido caso pessoal. Traía-o algum amigo? O moço embarcava para Florença no *Lys Rouge*, hospedava-se com Miss Bell e, de visita às igrejas com Dechartre, ei-lo embriagado no ardente amor da condessa.

O estômago, porém, é Sancho. Não lhe digere contemplações. Exige pão. E a fome, um dia, apresentou ao estudante o seu inexorável ultimatum. Mata-me ou mato-te.

Um só recurso lhe restava: reduzir a pão duro os seus amados livros,

Fê-lo, mas com que mágoa! Como vacilou na escolha da primeira vítima! E como lhe doeu o sórdido negocismo do belchior, miserável depreciador da "mercadoria" com o fito de obtê-la pelo mínimo!

Era este belchior certo judeu mulato com um "sebo" à rua do Catete. Mulato de barbicha irônica, própria para coçadelas nos momentos de engatilhar o preço. Tinha um jeito irritante de tomar os livros e ler o título por baixo dos óculos, como se os cheirasse. Tipo desagradável de múmia ressurreta, em perfeita harmonia com a sordidez da casa.

Que vitrina! Já ali se lhe anunciava a alma. Livros encardidos, brochuras de cantos surrados, canetas de vintém, lápis "quebra-a-ponta", tinteiros de refugo — tudo desbotado pelo sol e tamisado pela horrível poeira negra da rua. Dentro, um cheiro de velhice, misto de mofo e ranço — bafio proveniente metade da múmia, metade das estantes prenhes de brochuras infectas.

Pois foi nas garras de tal aranha barbada que o pobre contemplativo caiu, e um a um lhe sorvia ela todos os volumes da amada biblioteca, sempre a ratinhar, a rosnar, a espichar níqueis para o que valia notas.

Uma vez recebeu o moço más notícias de casa e instante pedido de uma linda irmãzinha que deixara em Catalão. Era forçoso servi-la, inda que houvesse de vender a alma ao diabo.

O jeito era um só: negociar em bloco os livros restantes. Que vá, que vá! Uma grande dor única é de preferir-se a mil dorezinhas parceladas. Que vá tudo!

Contou-os. Trezentos. Pelo preço médio que o judeu lhe pagava por unidade, obteria com aquele sacrifício os duzentos mil réis necessários e mais uns bicos. Que vá.

Batista retesou-se d'alma, amordaçou o coração, meteu na carroça os velhos amigos e, como vai para a guilhotina o condenado, foi com eles para a rua do Catete.

O judeu examinou os volumes um por um, cheirou-os, sopesou-os e depois de longas manobras, engasgos, meias palavras e coçadelas da barbicha, abriu a oferta.

— Dou-lhe quarenta mil réis, moço, por ser para o senhor. E lamba as unhas, hein?

Tomado de súbita onda de cólera homicida o estudante não lambeu as unhas: lambeu-lhe a vida. Estrangulou-o...

Havia eu lido esse formoso conto e ficara com os tipos gravados em relevo na memória, tanta nitidez dera à pintura o autor. O judeu mulato, sobretudo, passara a viver dentro de mim em lugar de honra na "sala da Harpagão".

Somos todos nós uns museus de tipo apanhados na rua ou colhidos na literatura. Museus classificados, com salas disto e daquilo. A minha sala dos usurários encerrava bom número de shylockzinhos modernos, fisgados à porta de cartórios ou diretamente nos antros onde costumam empoleirar-se como harpias pacientes à espera dos náufragos da vida. Ombro a ombro conviviam eles com os patriarcas do clã — mestre Harpagão, tio Grandet e o João Antunes de Camilo Castelo Branco.

Lida a novela de Couto, entrou para a sala mais um — o judeu mulato do Catete, tipo de tal vida que uma suspeita breve me tomou: "Este diabo existe. Não pode ser ficção. Há nele traços que se não inventam. E se existe, hei de vê-lo".

E pus-me a procurá-lo em certo dia de folga.

Fui feliz. Logo adiante do palácio do Catete certa vitrina atraiu-me a atenção. Acerquei-me dela com cara de Colombo. Aqueles livros desbotados, aquelas canetas... Tudo exato!

Mas... e aquele coelhinho?...

Sim, havia a mais, na sórdida vitrina, um coelhinho de lã do tamanho de um punho fechado. Encardido, os olhos de louça já bambos, as longas orelhas roídas — visivelmente brinquedo já muito brincado.

Aquele coelhinho!

Uma criança existe de quem o usurário comprou o coelhinho...

Meu Deus! Poderá haver em corpo humano almas assim?

Shakespeare, Balzac: que fraca imaginação a vossa! Criastes Shylock, Grandet, mas a potência do vosso gênio não previu este caso extremo. O judeu mulato reabilita os vossos heróis e atinge a suprema expressão do sórdido.

Furtou o coelhinho à criança...

Furtou-o com a gazua dum níquel...

Privou a pobrezinha do seu único brinquedo, do seu único amigo, talvez...

Abra-se um parêntesis

Aqui intervém a imaginação.

Bastou que meus olhos vissem na sórdida vitrina o coelhinho de lã, para que a irrequieta rainha Mab me viesse cabriolar na cachola.

E todo um drama infantil se me antolhou, nitidamente.

Era um menino de poucos anos, filho de pais miseráveis.

O homem bebia e a mãe definhava nas unhas "da pertinaz moléstia". Minto: da tísica. "Pertinaz moléstia" é a tísica dos ricos...

O clássico operário bêbedo, em suma, e a clássica mãe tuberculosa. É sempre assim nos romances e é sempre assim na vida, essa impiedosa plagiária dos romances.

Reina a miséria na cafua úmida em que vivem, ele a delirar o seu eterno delírio alcoólico, ela a tossir os pulmões cavernosos — a triste criança, sempre de olhos assustados, a criar-se um mundinho de sonhos para refúgio da almazinha que teima em ser alma.

Só tem um amigo essa criança: o coelhinho de lã que a mãe lhe deu em certo dia de doença grave.

Excelente quinino! A febre cedeu incontinente e dois dias depois o enfermo se punha de pé.

Desd'aí ficou sendo o coelhinho o amigo único da criança triste, seu confidente de todas as horas, seu irmãozinho mais novo.

Conversavam o dia inteiro, brincavam, contavam-se mutuamente lindas histórias; e à noite, muito abraçados, dormiam o sono dos anjos e dos coelhos.

Aquele coelhinho de lã...

É preciso ser Dickens para compreender o papel dos brinquedos únicos na vida das crianças miseráveis.

O comum dos homens não vê nisso coisa nenhuma.

Triste coisa, o comum dos homens...

Um dia, o pai desapareceu.

Inutilmente a tísica o esperou até altas horas, e o esperou no dia seguinte, e o esperou a semana inteira.

Desapareceu, e está dito tudo.

Na vida os miseráveis desaparecem, tal qual nos romances.

Vida, romance; romance, vida: será tudo um?

A tísica piorou, e certa manhã não pôde erguer-se da cama.

E a fome veio.

E foi mister vender, hoje isto, amanhã aquilo, todos os trapos e cacos da mansarda em crise.

A *mansarda*! Que lindo efeito faz em romance esta palavra lúgubre! A *man-sar-da*!...

Vendeu-se tudo.

Luizinho era o leva-e-traz.

Levava o trapo, o caco, e trazia os níqueis do pão. E assim até que as reservas se esgotaram e a mansarda ficou nua como Job.

— E agora?

A tísica lançou os olhos cansados pelas paredes nuas, pelos cantos nus.

Nada. Só viu o coelhinho. Mas era um crime sacrificar o coelhinho de lã...

Resistiu ainda algum tempo.

Por fim, disse:

— Vai, meu filho, vai vender o coelhinho de lã...

A criança relutou, mas cedeu ao cabo de muitas lágrimas. A fome impunha-lhe aquele sacrifício: trocar o seu tesouro por um pão.

O que chorou nessa manhã!

Como apertava contra o peito o amiguinho, sem ânimo de notificá-lo da tragédia iminente!

Resolveu mentir.

— Sabe? — disse ao coelho. — Vou pôr você numa casa que tem vitrina para a rua. Fica lá sentadinho, a ver quem passa, os bondes, os automóveis tão bonitos! E eu vou todos os dias espiar você através do vidro. Quer?

O coelhinho não compreendeu aquilo e desconfiou.

— Mas por que? Estou tão bem aqui...

Não era fácil iludi-lo; a fome, porém, é capciosa e Luizinho continuou a mentir:

— É cá uma coisa que sei. Uma pândega! Por enquanto é segredo. Fica você lá quietinho uns tempos, depois volta para cá de novo e eu conto a história.

O coelhinho de lã piscou para o menino, cavorteiramente. Gostava desses mistérios...

Luizinho levou-o ao belchior. Mostrou-o ao judeu; ofereceu-lho. O aranho tomou o coelhinho entre os dedos rapinantes, examinou-o, apalpou-o, cheirou-o e abrindo a gaveta suja tirou de dentro o menor níquel.

— Toma!

Luizinho ressentiu-se. Já conhecia o valor do dinheiro; achou aquilo "pouco demais". Vendo, porém, pela cara do judeu que era inútil insistir, pegou do níquel, beijou o coelhinho e disparou a correr.

No dia seguinte reapareceu no Catete. Parou diante da vitrina e longo tempo esteve a namorar o amigo, trocando com ele sinais de inteligência. O coelhinho piscava-lhe com uma vontade doida de rir e ele piscava para o coelhinho com uma vontade doida de chorar. E assim todos os dias, a semana inteira.

— "A semana inteira, senhor novelista? Não estou compreendendo nada. Vosmecê disse que o último recurso dos famintos fora o coelhinho de lã, que trocaram por um pão. Ora, comido o pão, e nada mais havendo para vender, manda a lógica que mãe e filho tenham morrido de fome.

— Obrigado, senhor lógico! Vejo que leu Stuart Mill e Bain, mas que nunca leu Dickens, nem Escrich, nem Montepin. Devia ser como dizes, se a vida fosse feita pelos lógicos. Mas Deus não era lógico, era apenas romancista. Não morreram, não, nem mãe nem filho. E não morreram porque justamente naquele dia o pai bêbedo reapareceu...

— "Oh!...

— Sim, meu Bain, reapareceu. E sabe que mais? Reapareceu regenerado...

— "Oh! Oh!...

— ... e com dinheiro no bolso. Quer mais? E rico! Quer mais? E milionário, com a sorte grande da Espanha no papo. Quer mais? Quer mais? Nos romances há o epílogo e não sabe que o epílogo é o esparadrapo que une os bordos da ferida? o dedo de Deus que recompensa? o suspiro de consolo que nos reconcilia com a vida?

— "Mas isto, afinal de contas, é vida ou romance?

— Grande tolo... É a vida com a lição da arte. A arte corrige a vida, dizendo-lhe: se não és assim, megera, devias sê-lo; se não procedeste assim, harpia, devias ter procedido; se não fizeste o bêbedo reaparecer no momento oportuno, carcaça, devias tê-lo feito. A arte ensina à vida o seu dever.

Imagina tu, amigo lógico, que quando Deus criou o mundo...

Feche-se o parêntesis

Mas acordei. A rainha Mab fugiu-me do cérebro a galope em sua carruagenzinha *made by the joiner squirrel*, e entrei no belchior.

Lá estava no balcão o judeu mulato com sua barbicha de bode, os óculos de latão, o gorro sebento.

Não morrera, o aranho; apesar de estrangulado na novela de Ribeiro Couto, passava muito bem de saúde, o infame.

Era ele mesmo!

Naquele momento cheirava o lombo de um livro que um novo estudante Batista lhe oferecera.

Enquanto negociava, pus-me à espreita disfarçadamente.

Exatinho! Couto fotografara-o com objetiva Zeiss. Até a voz...

— Hum! hum! — fungou ele depois de lido o título. — Oscar Wilde... Isto não se vende, já passou da moda. Tenho carradas de *Dorian Gray*... A pior coisa que ele escreveu...

— Mas quanto oferece? — indagou o estudante, aborrecido de tantas micagens.

— Por ser freguês, pago sete tostões. E lamba as unhas, que hoje me pegou de veia!

O meu estudante Batista não fez como o de Ribeiro Couto. Não lhe lambeu a vida. Lambeu-lhe os sete níqueis oferecidos e saiu a pegar o bonde, displicentemente.

— E o senhor, que deseja? — disse-me então o pirata, depois de encafuar o livro na estante.

Eu não desejava coisa nenhuma, além de vê-lo, apalpá-lo, cheirá-lo, talvez estrangulá-lo de verdade. Não obstante, fiz-me de tolo.

— Ando à procura de um livro. Um livro de Wilde. Tem aí qualquer coisa deste escritor?

A fisionomia do estrangulado iluminou-se.

— Tenho a melhor coisa que Wilde escreveu, *O Retrato de Dorian Gray*, conhece? — disse, puxando fora da estante o volume adquirido momentos antes. Coisa papafina!

Tomei o livro, folheei-o. Edição francesa vulgar. Valeria, novo, quatro mil réis,

— Quanto pede?

— Seis mil réis, por ser para o amiguinho.

Sorri-me por dentro e por fora. Larguei o volume e acendi o cigarro.

— Não interessa. É caro.

— Caro? Um livro destes, nesta encadernação, deste editor, deste autor? Nem me diga isso! E o senhor deve saber que *Dorian Gray* é a obra prima de Oscar Wilde.

Meus dedos se crisparam. Que prazer estrangular aquela harpia! Contive-me porém.

— E aquele coelhinho? — perguntei-lhe. — Quanto?

— Que coelhinho? — exclamou o aranho, mudando de cara.

— Um que está na vitrina.

— Ah, sim... Aquele coelhinho não vendo.

— Por que o expõe, então?

— Expu-lo ao sol. Mora aqui na minha mesa, mas como a casa é úmida ponho-o às vezes lá para evitar o bolor.

Diabo! O homem principiava a desnortear-me. Tinha em casa um objeto que não vendia. Era lá possível que um judeu daqueles não vendesse até a alma?

Insisti:

— Dou-lhe cinco mil réis pelo coelhinho.

— Já lhe disse que não é de venda. Cinco mil réis! Nem cinco contos, sabe?

Revoltei-me. Veio-me à imaginação toda a tragédia do Luizinho e tive ímpetos de insultá-lo.

Contive-me e disse apenas:

— No entanto, furtou-o a uma pobre criança miserável...

O meu Shylock abriu a mais expressiva cara de espanto que já topei na vida. Depois encarou-me a fito e seus olhos lacrimejaram. Sentou-se, como aniquilado de súbita dor e explicou, em voz entrecortada:

— Não sou casado, não tenho filhos, não tenho ninguém no mundo. Mas tive uma criança. Enjeitaram-na aqui à minha porta e recolhi-a. Criei-a. Durante sete anos constituiu a minha única alegria. O Antoninho... Um dia veio a gripe e levou-o para o céu. Seu último brinquedo foi esse coelhinho de lã. Conservo-o aqui na minha mesa como joia preciosa, pois me fala do Antoninho melhor que um livro aberto.

Como quer que o venda? Não há no mundo o que para mim valha esse coelhinho...

Foi à vitrina e recolheu o brinquedo. Pô-lo sobre a mesa ao lado do tinteiro. E depois de uma pausa exclamou, olhando-o com um sorriso que me pareceu divino:

— Tinha um nome. O Antoninho só dizia o Labi...

— ?

— Sim, Rabi... Quer dizer rabicó, sem cauda. O Antoninho trocava o *r* pelo *l*.

Saí da casa do judeu completamente desorientado. Fui ao telégrafo e expedi ao autor d'*O Crime do Estudante Batista* o seguinte despacho: "Couto, somos duas cavalgaduras!"

1924

O BOM MARIDO

Enquanto a mulher morria no trabalho, com oito filhos à cola, Teofrasto, o bom marido, procurava emprego.

Teofrasto Pereira da Silva Bermudes. Magro, alto, arcado, feio. Bigodeira, orelhas cabanas, pastinha na testa.

Dona Belinha casara-se contra a vontade dos seus, movida, quem sabe, menos de amor que de dó. Apiedou-a a humildade romântica de Téo, cujo palavrear de namoro feria habilmente uma tecla apenas — sua pobreza.

— Que vale haver dentro de mim um coração de ouro, nicho que habitarias a vida inteira, Izabel? Que vale este meu amor puríssimo, forte como a morte, feito de todas as abnegações, renúncias e delicadezas, se sou pobre? Que crime horroroso, ser "pobrezinho"!... — e ele armava a cara dolorida das presas da Fatalidade.

O noivado inteiro foi esse ferir a nota exata. Teofrasto adivinhou por instinto que a corda sensível da moça era a da piedade e fê-la vibrar de mil maneiras. Lido que era nas *Tristezas à Beira-mar*, em Graziela, Escrich e mais lacrimogêneos do ultrassentimentalismo, seu cérebro virou arsenal de glândulas peritas em verter lágrimas de 1840 sobre o coração das mulheres de hoje.

Venceu assim aquela, e fê-la romper com a família — burgueses arranjados de límpida visão prática.

Inutilmente tentaram os pais abrir os olhos à moça.

— É um vagabundo, Belinha, sem eira nem beira, incapaz de ganhar a vida, malandro completo. Esteve na venda do Souza, mas foi posto no olho da rua por excesso de preguiça. Também esteve no cartório um mês e perdeu o lugar pelas mesmas razões. Além disso, é filho do Chico Manteiga, o maior parasitão que já vegetou por estes lados. Puxou ao pai...

— Falta de sorte, — exclamava Belinha. — Téo ainda não se arrumou porque ainda não foi compreendido.

— Sorte!... Incapacidade é que é. Teofrasto não presta. Quem chega aos trinta e dois anos sem achar o que fazer na vida, está julgado: não presta. Ele inventou esse casamento contigo por uma razão só: viver a tua custa.

— Isso não! Téo jurou que há de trabalhar feito um mouro para que eu tenha a melhor das vidas. Sou professora, mas ele não admite que eu tire cadeira.

— Diz isso agora. Casa-te e verás como tudo muda. Nasceu para chopim o malandro, e escolheu-te para tico-tico...

A moça, entretanto, teimou. Preferiu romper com a família a soltar o romântico pretendente. As juras de Téo, suas cartas de arrancar lágrimas às pedras, recebidas todos os dias, e aquele seu modo de olhar com infinitos de meiguice, deram à menina forças para resistir à sensatez dos conselhos.

— Ninguém te conhece, Téo. Desprezam-te porque és pobre. Mas para mim a riqueza que vale é a que me ofereces: esse tesouro de amor e carinho que sinto em teu peito.

Téo respondia dando corda às glândulas lacrimais e estilando grossos pingos.

— Anjo de bondade, tu és o orvalho que reanima a planta queimada do sol, és a chuva que abranda o fogo do deserto, és o pão que mata a fome ao faminto, és Deus, és Tudo...

E abraçava-a, soluçante.

— Isabel, meu anjo da guarda, meu paraíso, minha salvação... Abençoado o momento em que te encontrei na vida...

Repousava a cabeça no colo da moça e ficava a soluçar baixinho, enquanto Izabel lhe alisava maternalmente as melenas revoltas.

Realizado o casamento, Teofrasto, ganho de súbito furor, deu de procurar emprego. Passava os dias fora de casa, na "labuta", e só vinha para as refeições, cansado.

— Uf! Não posso mais...

— Conseguiste alguma coisa?

— Promessas por enquanto.

Izabel revoltava-se contra a dureza dos homens. Por que motivo repeliam assim criatura tão boa, tão honesta, tão esforçada e de tanta capacidade? Todos se arrumavam, aqui, ali, bem ou mal; só Teofrasto se debatia em vão. Por quê? Três meses já de caça ao trabalho e nada...

Resolveu ajudá-lo. Obteria uma cadeira, mesmo contra a vontade dele, e lecionaria. Trezentos mil réis por mês! Já dá...

Quando o marido soube desses projetos, indignou-se.

— Não consinto! Para trabalhar aqui estou eu, homem e forte. Tinha graça ver-te a ensinar meninos e a custear as despesas da casa...

— Mas, Téo, tu vives a te matar sem conseguires coisa nenhuma...

— Mas conseguirei. Insistirei até o fim. Fecham-me as portas? Arrombá-las-ei. Habilitações não me faltam, tu sabes; falta-me sorte apenas.

— Sei disso. Ninguém o reconhece melhor do que eu. Mas havemos de ficar assim toda a vida, esperando?...

— Peço-te um mês de prazo. Juro-te que dentro de um mês estará tudo arrumado. O que não quero, o que de maneira nenhuma consinto, é que digam por aí: "Olhem o Téo, um homenzarrão, a viver do trabalho da pobre mulher". Isso nunca!

Passou-se o mês concedido, e mais outro, e o terceiro. Agravando-se a situação, resolveu Izabel requerer cadeira às escondidas do esposo. Fê-lo e foi feliz, vendo-se nomeada logo.

Nesse dia esteve Teofrasto na farmácia, como de costume. Lá se reuniam todas as tardes diversos amigos para comentário dos fatos locais e encrencas da alta política. Nenhum dissertava tão bem quanto ele. Ninguém como ele para "descangicar" aquela trapalhada de "hermismo" e "civilismo" que dividia o país.

Era hermista. Adorava o marechal Hermes, o Pinheiro Machado, o Surucucu e *tutti quanti*.

— Precisamos endireitar este país, custe o que custar. Basta de conselheiros! Venha a espada! Venha o pulso forte que diz — quero, posso e mando. É de despotismo, de um sábio e largo despotismo, que o país precisa.

Os civilistas troçavam.

— Espada burocrática, que vale? Antes a pena luminosa da Águia de Haia.

Téo pulava da cadeira, furioso.

— Águia de Haia? Sabem quem foi a verdadeira Águia de Haia? Foi o Barão do Rio Branco! Rui não passou dum fonógrafo. Os discos iam daqui, pelo telégrafo.

Tomou fôlego, gozando-se da piada e prosseguiu:

— Depois, respondam-me cá: E as emissões? Rui é emissor, e eu sou contra a emissão!

Um coronel lido em jornais saltou-lhe à frente.

— Calúnia velha! Rui já provou que o ministro da fazenda que emitiu menos foi ele.

— Será. Mas a Revisão? A Constituição, como diz o Pinheiro, deve ser a arca santa, a deusa intangível — e Rui é revisionista.

— Está claro! Foi ele quem fez a joça e sabe melhor do que ninguém os vícios que ela encerra. O Pinheiro, um pente-fino de marfim, que é que entende de constituições? Entende de cavalos e pôquer, e nada mais...

— Não admito!

— Vá não admitir na casa do diabo!

Teofrasto abandonou a arena e foi para casa furioso. Entrou e caiu na rede, já com a habitual cara de vítima.

— Que infeliz sou, Izabel! O mundo me persegue Corri Ceca e Meca. Nada...

— Não faz mal, — respondeu a moça, cuja fisionomia irradiava. — Requeri às escondidas uma cadeira e obtive-a!...

Téo sentou-se de golpe.

— Quê?

— É verdade. Fui nomeada hoje adjunta ao grupo escolar.

Téo desmanchou a pastinha.

— Fado cruel! Destino espezinhador! Eu, que te adoro, que te quero com todas as veras d'alma, ser obrigado a viver do produto do teu trabalho? Nunca!

— Mas que tem isso, bobo? Não sou vadia, gosto de serviço e a escola me distrairá.

— Nunca! Não consinto, não admito que minha adorada esposa trabalhe. Antes rebentar os miolos a bala!

— Não digas isso, Téo!...

— Digo, digo porque sinto! És um anjo e não me conformo com a situação.

E arrepelando a grenha, de olhos cravados no teto:

— Em que signo maldito nasci eu? Que te fiz, meu Deus, para me castigares desta maneira?

A criadinha veio nesse momento chamá-lo para o jantar. À mesa Téo prosseguiu na lamúria, alternando imprecações com garfadas.

— Não me conformo! Não me sujeito! Pensas que não tenho brio, Izabel? Como me conheces pouco ainda! Passa-me o arroz...

Izabel acalmava-o.

— Tolice. Todo o mundo trabalha. A mulher do Pessegueiro não está a lecionar depois de velha? O marido perdeu o emprego e ela agora é quem... Coma deste bolinho, que está muito bom.

— Sim, mas ali o caso é diferente. Ele perdeu o emprego, mas logo arranja outro. Tem sorte, tem a proteção de todo o mundo. Cerveja!... Oh! Isto é então um banquete?

— Natural. Quis fazer-te surpresa dupla: nomeação e jantarzinho melhor.

— Nomeação! Não pronuncies tal palavra, Izabel, que me ofendes sem querer. Hamburguesa? Porque não compraste Brahma? Gosto mais da Brahma.

Houve sobremesa e Téo repetiu o papo-de-anjo.

Entraram em fase nova. O ordenado da professora veio salvar as finanças do casal. E seriam perfeitamente felizes se não fora a resistência de Téo. Mas não se conformava, o homem.

Depois do almoço, todos os dias, saíam ambos, ela para a escola, ele para o "serviço exaustivo" de procurar emprego — na farmácia, onde crescia de virulência o eterno bate-boca político.

Assim viveram até a vinda do primeiro filho, cuja presença perturbou o regime da casa. Fazia-se necessário meter nova criada, simples pajem que fosse.

Téo achou que não.

— É boa! E quem pajeia o menino durante a minha ausência? — quis saber a esposa.

— Ora quem! Eu, Izabel.

— Não consinto. Nada mais ridículo que um homem de bigodes a pegar criança. Prefiro tomar costuras para fazer à noite e com o rendimento pôr criada.

— Mas eu é que não consinto que redobres de trabalho! Costurar à noite, que horror! Nunca!

Izabel, que já conhecia o gênio do marido, cedeu provisoriamente, e finda a licença retomou as aulas, deixando em casa o marido às voltas com o pimpolho.

Correu tudo muito bem durante os primeiros dias, enquanto brincar com o filho era para Téo novidade. Ao termo de duas semanas, porém, fartou-se e principiou a sentir saudades da farmácia. Disse-o à esposa, estilizadamente.

— Não vai bem assim, Izabel. Perco o meu tempo aqui a lidar com o menino e desse modo não arrumo a vida. Quinze dias já que não procuro emprego.

— Não to dizia? O melhor é fazer como pensei. Tomo costuras de fora e ponho criada.

— Mas não posso conformar-me com esse redobro de trabalho, Izabel! Vá que ensines, mas costurar para fora...

— Que é que tem? Nada me custa, sou forte — e além disso é o jeito...

Veio a criada. Dona Izabel tomou costuras e passava as noites à máquina, pedalando. Cosia habitualmente até às onze. Inúmeras vezes ao recolher encontrava o marido no vale dos lençóis, ressonando. Entrava de manso na ponta dos pés e despia-se sem rumor para não acordar o coitadinho. Como o queria! Tão carinhoso... Incapaz de entrar a desoras, às oito já estava ali ao lado dela, brincando com o pequeno enfiando a agulha da máquina, contando os casos do dia.

— Tive com o Bragadas hoje uma discussão violenta na farmácia. Provei que o Hermes vai ser a salvação do país e ele embuchou. Ninguém pode comigo na polêmica! Nasci para advogado.

— Por falar, por que não tiras cartas de solicitador? O João Candó não vive tão bem como rábula?

Téo segurou o queixo.

— É verdade. Está aí uma ideia que não me ocorreu ainda. Vou pensar nisso.

Teofrasto Pereira da Silva Bermudes pensou naquilo durante vários anos. Nesse intervalo vieram novos filhos, dois, três, quatro, cinco. Os encargos da família redobraram e dona Izabel teve que fazer prodígios para assegurar a subsistência do clã.

Pobre criatura! Perdera a mocidade. Seus vinte e seis anos pareciam quarenta. A beleza fora-se-lhe, minada pela gravidez ininterrupta. Por fim, em consequência de certo aborto infeliz, entrou a perder a saúde. Era já com esforço que prosseguia na tarefa penosa, muito acima das suas forças.

Não se queixava, entretanto. Gabava-se até de feliz. Ao receber visitas, puxava logo a palestra para o tema clássico das mulheres, *os maridos*, e louvava o seu.

— Não é por me gabar, prima Biluca, mas marido como o meu não há outro. Téo me adora! A nossa lua de mel não acabou, nem acabará nunca. Que carinhos! Que meiguice! Sempre entrou cedo em casa, nunca me disse palavra dura, vive para mim, faz tudo quanto quero. Um mimo!

Biloca já não dizia o mesmo do seu. Casara com um homem forte, de rara atividade, que se absorvia nos negócios e estava prosperando magnificamente. Dava à família o máximo conforto, educava os filhos muito bem, mas... não era carinhoso. Muito ocupado sempre, não a punha ao colo, não lhe dizia palavrinhas doces.

Izabel irradiava.

— Téo não é assim. Beija-me sempre, ao sair e ao entrar. Tem caídos de noivo. E se você soubesse como se amofina de me ver trabalhar... Coitado!

Abria pausa de ternura e prosseguia:

— Sim, porque isso de homem para uso externo, uma figa! Quero maridinho para mim e não para as outras, não acha?

— Pois decerto!

— Téo mata-se no trabalho, passa os dias no serviço...

— No serviço?

— Sim... procurando emprego. Você sabe que não tem sorte nenhuma, o pobre; não há pior serviço do que esse. Mas não consegue colocar-se...

A fama do bom marido correu mundo. Todas as mulheres apontavam-no como o exemplo a seguir.

Os homens exemplares, porém, enfureciam-se.

— Um vagabundo daqueles! Um miserável chopim!

— Que tem isso? — disse uma. — Eu, franqueza, preferia que fosses também chopim, mas que me desses o carinho que ele dá à Izabel.

— É o cúmulo! Pois não vês que aquilo é da profissão? Tipo asqueroso!... Agrada à mulher porque vive dela. É o seu negócio. Como há de um malandro daqueles encher o dia senão conversando bobagens na farmácia ou beijocando a idiota da esposa em casa?

Todos os homens pensavam assim: as mulheres, entretanto, liam pela cartilha de dona Izabel — e invejavam-na.

Dez anos se passaram sem que o emprego viesse. Estava escrito no livro do destino que Teofrasto morreria a procurar emprego. Fatalidade...

O triste é que viviam em penúria crescente. O trabalho da professora, por mais estirado que fosse, já não dava para vestir e alimentar os oito filhos pequenos e mais o nono, de bigodes.

A doença começou a derreá-la.

Mas como se galvanizava! Como insistia na terrível luta sem tréguas! Dona Izabel transformava em alento os carinhos do esposo. Comovia-se com eles, e enlevava-se à noite a ouvi-lo dizer, da rede onde se balançava de pernas cruzadas, lançando baforadas para o ar.

— Izabel, como me dói ver-te sempre pedalando essa máquina! Por que não descansas um pouco? (Baforada). Tenho o coração em chaga viva, pisado, torturado pela dor de não poder aliviar-te. (Baforada). Tu te matas, Izabel e eu...

Numa dessas vezes espicaçou-o uma ideia. Ergueu-se de salto e disse:

— Isso não pode ficar assim. Vou agarrar o coronel na rua e obrigá-lo a dar-me o posto de fiscal da Câmara. Se o não fizer, mato-o!

A mulher, assustada, interrompeu a costura.

— Pelo amor de Deus, Téo, não me vás cometer alguma loucura!

— Não me detenhas, Izabel! Tudo tem fim na vida. Hei de conseguir, hei de extorquir, hei de arrancar o emprego! Não se martiriza assim um homem...

E saiu — ou vai ou racha — deixando a esposa apavoradíssima.

Fora, o ar livre acalmou-o e Téo seguiu para a farmácia, onde penetrou dizendo,

— Aposto o que vocês quiserem como antes do fim do mês os russos estão em Berlim. Assumiu o governo o Kerensky, e o Kerensky é um bicho!

— Como sabe?

— Li. Como também aposto que o General Cadorna vai envolver os austríacos por cima e dar um pealo por baixo, — exclamou fazendo gestos no ar, indicativos das operações estratégicas.

O diálogo se passava durante a Grande Guerra.

— Pois eu aposto, — retrucou um germanófilo, — que o Ludendorff esfrega toda essa canalha em três tempos!

A conversa pegou fogo. Aquela gente entendia de guerra muito mais que os beligerantes, e o ardor de Teofrasto excedia ao do próprio Clemenceau. O debate só arrefeceu quando o relógio da matriz soou as dez.

— Diabo! Perdi a conta esta vez! — exclamou Téo.

Despediu-se e tocou para casa apressadamente. Dona Izabel, assustada com a demora, recebeu-o convencida de tragédia.

— Que houve, Téo? Fizeste alguma para ele?

— Ele, quem?

— O coronel...

— Ah, sim o coronel... Ficou para amanhã. Não houve meio de encontrá-lo.

A mulher calou-se, compreendendo tudo...

O estado de dona Izabel agravava-se dia a dia. Por mais que se fizesse de tesa, tinha de arrear a carga. Ponderou tudo com o seu raro bom senso e escreveu à família: "Fiz o que pude, mas estou vencida. Não me queixo. Sou feliz, imensamente feliz. Téo me adora e faz o possível para colocar-se. Não tem sorte. Persegue-o a mais cruel das fatalidades. Venham olhar por estas crianças, que o meu fim está próximo".

Téo nada soube desse passo e muito admirado ficou de ver chegarem os sogros.

Os velhos olharam-no com rancor e dirigiram-se para o quarto da filha.

Foi dolorosa a cena do encontro. Separados de dez anos, mal a reconheciam agora.

— Em que estado te encontramos, Belinha! Por que não nos chamou há mais tempo? O orgulho te matou...

Izabel, no fundo da cama, sorria.

— Perdoe, mamãe, e lembre-se que não me queixo. Fui feliz. Téo é para mim um anjo de bondade. O que nos fez mal foi a miséria e agora a doença. Estou no fim.

Os pais choravam, assombrados em face da múmia a que se reduzira a linda menina de outrora. E culpavam-se de a terem abandonado, de não a terem socorrido a tempo.

Veio o doutor. Os velhos conferenciaram com ele a um canto.

— Caso perdido. Galopante. Morre exausta de canseira, de trabalheira excessiva, de partos e abortos mal conduzidos — de miséria, em suma. Aquele infame assassinou-a...

Dona Izabel morreu nos braços do bom marido, beijando-o e abençoando-o. Suas últimas palavras foram:

— O que mais me dói, Téo, é deixar-te sozinho no mundo, ao desamparo. Mas já pedi... e mamãe... olhará... por...

Não teve forças para o *ti*. Enunciou-o com os olhos e fechou-os para sempre.

Após o enterro, o sogro dispôs tudo para levar consigo o batalhãozinho de órfãos. Quanto ao chopim, puseram-no incontinente no olho da rua.

— Fora daqui, assassino! Vá procurar outra!...

Teofrasto humildemente obedeceu. Saiu, procurou outra e achou. Um mês mais tarde ligava-se a certa mulata doceira, cuja quitanda ia próspera.

Guardou, entretanto, luto rigoroso e só dois meses mais tarde reapareceu na farmácia.

— *Resurrexit*! — exclamaram os amigos.

Teofrasto cumprimentou-os com cara de circunstância triste como se recebera pêsames. E falou da morta.

— Uma santa! O meu consolo é que tenho a consciência tranquila. Fui o melhor dos maridos e fi-la a mais contente das esposas.

— Lá isso parece. Ela o dizia e todas o repetem. Mas, olha, isto aqui não é sala de visitas de casa de defunto. Está na berlinda a declaração de guerra do Brasil à Alemanha. Que achas?

Teofrasto mudou de cara, esquecido já da santa e todo nas unhas da paixão política.

— Acho que fizemos muito bem. Precisamos entrar na guerra e mostrar aos alemães de quantos paus se faz uma canoa. O presidente Wenceslau Braz é um bicho!...

1924

MARABÁ

Bom tempo houve em que o romance era coisa de aviar com receitas à vista, qual faz o honesto boticário com os seus xaropes.

Quer trabuco histórico? Tome tanto de Herculano, tanto de Walter Scott, um pajem, um escudeiro e o que baste de Briolanjas, Urracas e Guterres.

Quer indianismo? Ponha duas arrobas de Alencar, uns laivos de Fenimore, pitadas de Chateaubriand, graúnas *quantum satis*, misture e mande.

Receitas para tudo. Para começo (fórmula Herculano): "Era por uma dessas tardes de verão em que o astro rei, etc., etc."

E para fim (fórmula Alencar): "E a palmeira desapareceu no horizonte..."

Arrumado o cenário da natureza, surgia, lá em Portugal, um lidador com o seu espadagão, todo carapaçado de ferro e erecto no lombo de ardego morzelo; ou, aqui no Brasil, um cacique de feroz catadura, todo arco, flechas e inúbias.

E vinha, ou uma castelã de olhos com cercadura de violetas, ou uma morena virgem nua, de pulseira na canela e mel nos lábios.

E não tardava um donzel trovadoresco que "cantava" a castelã, ou um guerreiro branco que fugia com a Iracema à garupa.

Depois, a escada de corda, o luar, os beijos — multiplicação da espécie à moda medieval; ou um sussurro na moita — multiplicação da espécie à moda natural.

A tantas o pai feroz descobria tudo e, à frente dos seus peões, voava à caça do sedutor em desabalada corrida, rebentando dúzia de corcéis; ou o cacique de rabos de arara na cabeça erguia as mãos para o céu de Tupã, implorando vingança.

E Dom Bermudo, apanhando o trovador pirata, o objurgava em estilo de catedral com a toledana erguida sobre sua cabeça:

— "Mentes pela gorja, perro infame!"

Ou o cacique, filando o guerreiro branco, o trazia para a taba ao som da inúbia, e lá o assava em fogueira de pau brasil; vingança tremenda, porém não maior que a de Dom Bermudo a fender o crânio do pajem e a arrancar-lhe o coração fumegante, para depô-lo no regaço da castelã manchada.

E a moça desmaiava, e o leitor chorava e a obra recebia etiqueta de histórica, se passada unicamente entre Dons e Donas, ou de indianista, se na manipulação entravam ingredientes do empório Gonçalves Dias, Alencar & Cia.

Veio depois Zola com o seu naturalismo, e veio a psicologia e a preocupação da verdade, tudo por contágio da ciência que Darwin, Spencer e outros demônios derramaram no espírito humano.

Verdade, Verdade!... Que musa tirânica! Como faz mal aos romancistas — e como os *força* a ter talento!

Foram-se as receitas, os figurinos. Cada qual faça como entender, contanto que não discrepe do *veritas super omnia*, latim que em arte significa mentir com verossimilhança.

— Tudo isso para quê? — perguntará o leitor atônito.

É que trago nos miolos uma novela tão ao sabor antigo, tão fora da moda, que não me animo a impingi-la sem preâmbulo. E não é feia, não. Vem de Alencar, esse filho dalguma Sherazade aimoré, que a todos nós, na juventude, nos povoou a imaginação de lindas coisas inesquecíveis. E compõe-se de um guerreiro branco, duas virgens das selvas, caciques, danças guerreiras, fuga heroica, etc.

Chama-se *Marabá* e principia assim:

— Era por uma dessas noites enluaradas de verão, em que a natureza parece chovida de cinzas brancas.

Dorme a taba, e dorme a floresta circundante, sem sussurros de brisas, nem regorjeio de aves.

Só o urutau pia longe, e uma ou outra suindara perpassa, descrevendo voos de veludo ao som dum *clu, clu, clu*... que ora se aproxima, ora se perde distante.

No centro do terreiro, atado a um poste da canjerana rija, o prisioneiro branco vela. Foi vencido em combate cruento, teve todos os seus homens trucidados e vai agora pagar com a vida o louco ousio de pisar terra aimoré. Será sacrificado pela manhã ao romper do sol, cabendo ao potente Anhembira, cacique invicto, a honra de fender-lhe o crânio com a ivirapema de pau-ferro. Seu corpo será destroçado pelas horrendas megeras da tribo, sua carne devorada pelos ferozes canibais.

O guerreiro branco rememora com melancolia o viver tão breve — sua meninice de ontem, o engajamento numa nau, a viagem por mar, as aventuras nas terras novas de Santa Cruz, norteadas pela desmedida ambição do ouro.

É louro e tem olhos azuis. Em suas veias corre o melhor sangue do reino. Seu avô caiu nas Índias, varado duma zagaia cingalesa; seu pai, nos sertões inóspitos dos Brasis, acabou na paralisia do curare que seta fatal lhe inoculou.

Chegara a vez do mal-aventurado rebento último dessa estirpe de heróis...

Em redor, guerreiros cor de bronze, exaustos da dança e bêbados de cauim, jazem estirados, as mãos soltas dos tacapes terríveis. Também dormita o velho pajé, de cócoras rente à ocara, com o maracá em silêncio ao lado.

Que mais? Sim, a lua... A lua que no alto passeia o seu crescente.

Súbito, um vulto se destaca de moita vizinha e aproxima-se cauteloso, com pés sutis de corça arisca.

É Iná, a mais formosa virgem das selvas, oriunda do sangue cacical de Anhembira o Morde-corações.

A virgem caminha em direção do prisioneiro. Para-lhe defronte e por instantes o contempla, como presa de indecisas ideias.

Por fim decide e, ligeira como a irara, desfaz os nós da mussurana fatal e dá de beber ao guerreiro branco o trago de cauim desentorpecedor dos músculos adormentados. Em seguida mira-o a furto nos olhos, perturbada, e num gesto indica-lhe a mata, sussurrando em língua da terra:

— Foge!

O guerreiro branco vacila. Não conhece a mata, que é imensa, e teme encontrar em seu seio morte mais cruel que a pelo tacape de Anhembira.

Iná compreende o seu enleio e, tomando-lhe a mão, leva-o consigo; conhece a mata a palmo e sabe o caminho de pô-lo a seguro em sítio até onde não ousa alongar-se a gente aimoré.

A noite inteira caminham, e só quando um grande rio de águas negras lhe tranca o passo é que a virgem morena se detém. Aponta o rio ao moço guerreiro e nesse gesto diz que está finda a sua missão, pois que o rio leva ao mar e o mar é o caminho dos guerreiros brancos.

O moço tem o peito a estourar de gratidão, e amor, e como não pode significá-los com palavras lusas, recorre ao esperanto da natureza: abraça a virgem morena, beija-a e, a céu aberto, ao som múrmuro das águas eternas, louco de paixão, a possui.

Reticências.

Ao romper da madrugada:

— É a cotovia que canta!... — diz ela.

— Não; é o rouxinol, — retruca Romeu.

— É a cotovia...

— É o rouxinol...

Vence a cotovia. O moço beija-a pela última vez e parte. Não esquece, porém, de enfiar no dedo de Julieta um anel — joia indispensável ao desfecho da nossa tragédia.

PRIMEIRO ATO

A tribo está apreensiva. As velhas murmuram e o pajé inquieta-se.

— Marabá! — sussurram todos.

Castigo de Tupã? Sinal do céu que marca o termo da glória de Anhembira, o chefe da tribo?

Uma criança nascera ali, de olhos azuis e loura, evidentemente marabá. E nascera de Iná, a virgem bronzeada em cujas veias corre o sangue do grande morubixaba.

Traição!

A mãe mentira à raça, e do contacto com o estrangeiro invasor, cruel inimigo que do seio do mar surgiu para desgraça do povo americano, teve aquela filha. O louro dos cabelos, o azul dos olhos, a alvura da pele, denunciavam claramente o imperdoável crime.

— Marabá! — sussurram todos.

E um vago terror espalha-se pela tribo.

O pajé reúne em concílio os velhos para decidirem sobre o gravíssimo caso. E após longas ponderações a assembleia resolve o sacrifício da pequena marabá, em holocausto aos manes irritados da tribo.

Levam a sentença ao cacique, que é pai, mas que antes de pai é o Chefe, o inexorável guardião da Lei velha como o tempo.

Anhembira cerra o sobrecenho, baixa a cabeça e queda-se imóvel como a própria estátua da dor.

Entre parêntesis.

Uma coisa me espanta: que haja inda hoje, nestes nossos atropelados dias modernos, quem *escreva* romances! E quem os *leia*!...

Conduzir por trezentas páginas a fio um enredo, que estafa!

Nada disso. Sejamos da época. A época é apressada, automobilística, aviatória, cinematográfica, e esta minha *Marabá*, no andamento em que começou, não chegaria nunca ao epílogo.

Abreviemo-la, pois, transformando-a em entrecho de filme. Vantagem tríplice: não maçará o pobre do leitor, não comerá o escasso tempo do autor e ainda pode ser que acabe filmada, quando tivermos por cá miolo e ânimo para concorrer com a Fox ou Paramount.

Vá daqui para diante a cem quilômetros por hora, dividida em *quadros e letreiros*.

QUADRO

Enquanto Anhembira, de cabeça derrubada sobre o peito, medita sobre a sentença que condenou a criança loura, uma índia velha corre a avisar Iná.

Iná é mãe e as mães não vacilam. Toma a filhinha nos braços e foge para as selvas...

QUADRO

Lindo cenário. Trecho de mata-virgem trancado de cipoeira, trançado de taquaruçus. Vê-se à direita um velho tronco de enorme jequitibá ocado. É nesse oco que mora a menina loura de olhos azuis. A mãe ajeitou-a para esconderijo seguro; tapetou-o de musgos macios; fez dele um ninho de meter inveja às aves.

Ali dorme o lindo anjo, filho do amor a céu aberto. Ali recebe a mãe inquieta, que de fuga lhe traz o seio nutriz. De fuga, pois a tribo ignora o estratagema e está certa de que a filha de Anhembira arrojou ao abismo das águas o fruto maldito do seu ventre.

LETREIRO

Marabá cresceu no sombrio da mata, como a ninfa mimosa do ermo. Iná ensinou-lhe a vida e deu-lhe armas com que abatesse as aves que piam no subosque, e a caça ligeira que entoca, e os peixes faiscantes que se alapam nas pedras.

QUADRO

Marabá despede-se de sua mãe.

Já pode viver por si e quer seguir para ermos distantes onde não chegue o som das inúbias de Anhembira — lá onde o rio é como um deus irrequieto que ora escabuja nas fragas, ora brinca com as pétalas mortas remoinhantes em seus remansos.

Iná despede-se da filha e, repetindo o gesto do guerreiro branco, põe-lhe no dedo o anel de núpcias.

QUADRO

A vida solitária de Marabá. Seu namoro com o rio. Nele banha-se e mergulha e nada, com a linda coma loura flutuante, e nele mira seus olhos feitos de pedaços do céu.

É seu amante, é seu deus o rio eterno. É o ser vivo em cuja companhia refoge à depressão do ermo absoluto.

LETREIRO

Em Marabá confluem duas psíquicas — a da terra, herdada de sua mãe, e a do moço louro vindo d'além-mar, duma plaga distante que em sonhos indecisos su'alma em botão adivinha.

QUADRO

Mas pouco cisma, a linda Marabá. O tempo lhe é escasso para a delirante vida de ninfa que é o seu viver ali.

Ora perde a manhã inteira na perseguição do gamo que veio beber ao rio; ora galga a pedranceira em prodígios de arrojo para colher uma flor que se abriu no mais alto da penha.

Persegue borboletas — e que quadro é vê-la no campo, veloz como a gazela, a loura cabeleira solta ao vento!

Sua nudez de virgem esplende em fulgor de escultura divina. Deus a esculpiu — e escultor nenhum jamais concebeu corpo assim, de linhas mais puras, seios mais firmes, ancas mais esgalgas, braços de torneio mais fino.

Tem a nudez divina, Marabá — porque existe a nudez humana: das criaturas que convivem entre humanos e sofrem todos os vincos da humanidade.

Marabá não viciou sua nudez no contacto humano: é nua como é nu o lírio — sem saber que o é.

Mas é mulher. Adivinha de instinto que as flores fê-las Deus para a mulher, e colhe-as, e tece-as em guirlandas, e com elas enfeita os cabelos e o colo e a cintura. E assim, toda flores, mira-se no espelho das águas e sorri. E porque sorri, logo salta, alegre, e dança. E porque dança, anima as selvas da luz maravilhosa que os helenos ensinaram ao mundo.

Súbito, um rumor fá-la estacar. A filha de Dionísio se apaga e surge Diana. Ei-la de arco em punho, em louca desabalada, na pista do cervo incauto que lhe interrompeu a bela improvisação coreográfica.

Quem lhe ensinou a dançar?

Tudo. O sangue estuante em suas veias, o vento que agita a fronde das jiçaras, o remoinho das águas, as aves. Viu dançarem os tangarás, um dia, e desde esse momento sua vida é uma contínua e maravilhosa criação em que a alma da terra americana se exsolve em movimentos rítmicos.

Sempre mulher, Marabá amansou uma veadinha de leite e tem-na consigo como inseparável companheira, dócil às suas expansões de carinho. Com a pequena corça brinca horas a fio, e abraça-a, e beija-a no mimoso focinho róseo.

Que festa, a vida de Marabá!

Ninguém a vence em riquezas. Ouro, dá-lhe o sol às catadupas, e todo só para ela. Perfume, não em frascos microscópicos o tem, mas ambiente, perenal; as flores só exalam para ela, e todas as brisas se ocupam em trazê-lo de longe, tomado da corola das orquídeas mais raras.

E as abelhas ofertam-lhe o mel puríssimo; e os ingazeiros de beira-rio dão-lhe a nívea polpa dos seus frutos invaginados; e cem árvores da floresta parecem precipitar a maturescência de suas bagas rubras, roxas, verdoengas, para que mais cedo os alvos dentes da ninfa as mordam com delícia.

E os dias de Marabá são assim um delírio de luz, de perfumes, de movimentos sadios e livres, capaz de enlouquecer a imaginação dos pobres seres chamados homens, que vivem em prisões chamadas cidades, dentro de gaiolas chamadas casas, com poeira para os pulmões em vez de ar, catinga de gasolina em vez de vida...

NOTA A MR. CECIL B. DEMILLE

Este papel de Marabá tem que ser feito por Annette Kellermann. Como, porém, Annette já está madura e Marabá é o que existe de mais botão, torna-se preciso inventar um processo que rejuvenesça de trinta anos a intérprete.

QUADRO

Um dia, um caçador tresmalhado surpreende a ninfa no banho.

É Ipojuca, o filho dileto de Anhembira e seu sucessor no cacicado. Três dias e três noites correu ele em perseguição de um jaguar; mas no momento em que dobrava o arco para desferir a flecha certeira, descaiu-lhe das mãos a arma e seus olhos se dilataram de assombro.

O corpo nu da virgem loura emergira das águas à sua frente.

— Iara?

No primeiro momento o medo sobressaltou-o — mas o sangue de Anhembira reagiu em suas veias, e não seria o filho do guerreiro que jamais conheceu o medo quem tremesse diante de mulher, Iara que fosse.

E Ipojuca imobilizou-se à margem do rio, em muda contemplação, até que a ninfa, percebendo-o, fugisse para o lado oposto, mais arisca do que a tabarana.

Ipojuca atravessou o rio e logo mergulhou na floresta, em sua perseguição.

Jamais as ninfas venceram a faunos na corrida. Foi assim na Grécia; seria assim sob o céu de Colombo. O filho do cacique alcançou-a. Seu braço de ferro enlaçou-a; suas mãos potentes quebraram-lhe a resistência e dobraram-lhe a cabeça loura para o beijo de núpcias.

Mas a virgem vencida abriu para o macho vitorioso os grandes olhos azuis e, encarando-o a fito, murmurou a tremenda palavra que afasta:

— Sou marabá!

Ipojuca estarrece, como fulminado pelo raio, e deixa que a presa loura fuja para o recesso das selvas.

QUADRO

Ipojuca, o vencedor vencido, caminha de cabeça baixa, absorto em sonhos. Vai de regresso à taba. O jaguar que vinha perseguindo cruza-se-lhe à frente. Ipojuca não o vê. A seta que lhe destinara cravou-lha Eros no coração.

QUADRO

Na taba. Ipojuca, desde que regressou, vive arredio. Pensa.

A cabeça lhe estala. Travam-se de razões seu cérebro e seu coração — o dever de solidariedade para com a tribo e o amor. Um impõe-lhe o desprezo da criatura maldita; outro pede-a para o beijo.

LETREIRO

Vence o Amor — o eterno vencedor, e Ipojuca volta ao ermo em procura de Marabá.

A virgem loura, desde o encontro fatal, perdida tem a sua serenidade de lírio. Cisma.

Horas e horas passa imóvel, com o olhar absorto. Sua veadinha ao lado inutilmente espera as carícias de sempre. Marabá não a vê. Marabá esqueceu-a. Como esqueceu as borboletas amarelas que douram o úmido em redor da laje onde jaz reclinada. Como não vê o casal de martim-pescadores que a três passos a espiam curiosos.

Marabá só vê o guerreiro de pele bronzeada que a subjugou com o braço potente, que lhe premiu com violência a carne virgem, que lhe derramou n'alma um veneno mortal.

Marabá só vê o seu guerreiro.

Vê-lhe o vulto erecto, firme e forte como os penedos. Vê-lhe a musculatura mais rija que o tronco da peroba. Vê o fogo que seus olhos chispam.

E com tamanha nitidez o vê, que para ele estende os braços, amorosamente.

E Ipojuca, pois era Ipojuca em pessoa e não sua sombra o que ela via, cai-lhe nos braços e esmaga-lhe nos lábios o primeiro beijo.

QUADRO

Idílio. Marabá espera o seu guerreiro no alto de uma canjerana.

Ipojuca chega, procura-a, chama-a, aflito.

A resposta é um punhado de bagas rubras que a virgem lhe lança da fronde.

Ágil como o gorila, Ipojuca abarca o tronco da canjerana e marinha galhos acima.

Ao ser alcançada, Marabá despenha-se no rio e mergulha.

Susto do índio, logo seguido de alegria ao vê-la emergir além. Lança-se à água, persegue-a — e são dois peixes de pasmosa agilidade que brincam.

Agarra-a — e a luta finda-se na doce quebreira dos beijos.

QUADRO

Moema, a formosa virgem por Anhembira destinada para esposa de Ipojuca, desconfia dos modos de seu noivo. Aquelas contínuas ausências, aquele incessante cismar, seu alheamento a tudo, dizem-lhe com clareza que uma rival se interpõe entre ambos.

E, como desconfia, segue-o cautelosa. E tudo descobre, pois alcança o rio onde, o coração varado de crudelíssima flecha, assiste, oculta em propícia moita, às expansões amorosas dos ternos amantes. Adivinha quem é a rival, pois que ainda tem vivo na memória o caso da marabazinha misteriosamente desaparecida.

QUADRO

Moema regressa à tribo e, sequiosa de vingança, denuncia ao pajé o esconderijo da virgem maldita.

O velho reúne os guerreiros, arenga-os, incita-os à vingança antes que volte Anhembira, alongado numa expedição de vindita contra os brancos invasores. Receia que o cacique perdoe à neta, movido pelas lágrimas da velha Iná.

QUADRO

Os guerreiros em marcha para a vingança.

QUADRO

Surpreendidos pelos índios, os amantes fogem rio abaixo numa piroga. (É difícil explicar o aparecimento dessa providencial piroga, mas não impossível. Derivou rio abaixo, por exemplo, e ali ficou enredada numa tranqueira. Não esquecer de introduzir num dos quadros anteriores um *close up* da piroga.)

Os índios metem-se em outras pirogas. (Mais pirogas! É que não derivou uma só, sim várias...) E remam com fúria na esteira dos fugitivos.

QUADRO

     Continua a perseguição. Não há flechaços, para evitar-se o perigo de ferir-se Ipojuca. Perseguição silenciosa, à força de remos que estalam.

QUADRO

     A noite vem e a regata continua ao luar.

QUADRO

     E descem os fugitivos até que, de súbito, dão de cara com um fortim português.

LETREIRO

     Entre dois fogos!

QUADRO

     Os remos caem das mãos de Ipojuca. Marabá aninha-se-lhe ao peito rijo, indiferente à morte — que nada há mais suave do que acabar assim, a dois, em pleno apogeu do delírio do amor.

QUADRO

     Os índios perseguidores ganham terreno. São avistados pelos portugueses, que logo acodem com os seus trabucos de boca de sino e abrem fuzilaria.

QUADRO

     Os perseguidores fogem desordenadamente. Ipojuca, ferido no peito, é aprisionado juntamente com Marabá.

QUADRO

     Na praia, ao lado do seu arco, Ipojuca estorce-se nas dores da agonia, enquanto Marabá é levada à presença do capitão do forte, que demora um minuto para apresentar-se.

QUADRO

     Rodeiam-na os lusos e admiram-lhe a beleza do tipo europeu.

Nisto o capitão do fortim aparece.

Interroga-a; examina-a cheio de pasmo, como que tomado de vagos pressentimentos.

Marabá tem o anel que Iná lhe deu.

O capitão examina-o e, assombrado, o reconhece.

— Minha filha! — exclama.

E numa delirante explosão de amor paterno abraça-a e beija-a com frenesi.

QUADRO

Ipojuca, à distância, estorce-se na agonia. Vê a cena e, sem compreender o que se passa, julga que o capitão, como um sátiro, lhe rouba a amante querida.

Reúne as últimas forças, toma do arco, ajusta uma flecha e despede-a contra Marabá.

QUADRO

A flecha crava-se no peito da virgem loura, que desfalece e morre nos braços do pai atônito, enquanto na praia o heroico Ipojuca exala o derradeiro suspiro, murmurando:

LETREIRO

— *Minha ou de ninguém!*

(Acendem-se as luzes e enxugam-se as lágrimas).

FATIA DE VIDA

Não era homem querido o doutor Bonifácio Torres. Não era querido pela ponderosa razão de pensar com sua própria cabeça. Para ser querido é força pensar como toda gente.

"Toda gente!"

Moloch social cujos mandamentos havemos de seguir de cabecinha baixa, sob pena dos mais engenhosos castigos. Um deles: incidir na pecha de esquisitice.

"É um esquisitão!"

Inútil dizer mais. O homem marcado vê-se logo posto de través e à margem, como o leproso. Torna-se um indesejável. É um suspeito. Haja meio e eliminam-no do grêmio como a um corpo estranho, de malsão convívio.

Assombramo-nos ao recordar os crimes de grupo que enchem a história — Santo Oficio, guerras, matanças religiosas. Transportados à época vemos que o progredir humano não passa da consolidação das vitórias do "esquisitão" sobre "Toda gente".

"Toda gente" não tolerava dúvidas sobre a fixidez da terra. Vem um esquisitão e diz: A terra move-se em redor do sol. "Toda gente", por intermédio de seus representantes legais, agarra o velho pelo gasnete e força-o a retratar-se.

— Renega a heresia, infame, ou asso-te já na fogueira! — Galileu baixou a cabeça encanecida e abjurou. E a Terra, que começara a girar em torno do Sol, teve que mudar de política e imobilizar-se por muito tempo ainda. Hoje, roda livremente. O monstro deu-lhe essa liberdade...

Como se vê, apesar da guerra que "Toda gente" move aos esquisitões as ideias destes influenciam e aos poucos transformam a mentalidade do Moloch. No começo o monstro encarcera, esquarteja, empala, sufoca. Depois volta atrás, medita e murmura: "Ele tinha razão!" e adere com a maior inocência.

"Toda gente" tem hoje a caridade como dogma infalível, e por esse motivo encarou com assombro o dr. Bonifácio quando o esquisitão sorriu a uma frase nédia e lisa do cônego Eusébio. O cônego Eusébio, conspícuo representante legal do Moloch, dissera no tom solene dos que monopolizam a verdade sobre o orbe:

— Não há virtude mais sublime. Só ela tem forças para resolver a questão social. Aquele movimento belíssimo durante a epidemia da gripe em S. Paulo — que réplica de escachar ao espírito que nega! Todos, a uma, governos, matronas, meninas, associações, todos empenhados em lenir o sofrimento dos pobres, como que a derramar Deus nos corações!...

O dr. Bonifácio sorrira e o padre olhara-o de revés, com saudades, quem sabe, do bem-aventurado tempo em que sorrisos assim recebiam a réplica do fogo pio.

— Sorri-se o herege? — interpelou o padre. — Nega até a caridade?

— Não nego, — respondeu mansamente o filósofo, — porque não nego nem afirmo coisa nenhuma. Negam e afirmam os atores, os que se agitam no palco da vida. Eu tenho meu lugar na plateia e, como não represento, observo. E como observo, sorrio — sorrio para não chorar...

— Seja mais claro.

— Serei. Quando o reverendo se abriu em louvores à caridade, não desfiz nessa cristianíssima virtude. Apenas me lembrei de certo drama a que assisti — e, repito, sorri para não chorar...

Depois de breve pausa de interrogativa expectação o dr. Bonifácio principiou.

— Isaura a minha lavadeira...

As anedotas têm força de imã. Vários curiosos aproximaram-se e ficaram a ouvir.

— Minha lavadeira, como todas as lavadeiras, era uma pobre mulher de incomparável heroísmo, desse que os épicos não cantam, o estado não recompensa e ninguém sequer observa. Para mim, entretanto, é a forma nobre por excelência do heroísmo — a luta silenciosa contra a miséria.

— Que esquisitice!

— Porque é heroísmo ininterrupto, sem tréguas, — continuou o dr. Bonifácio, — sem momento de repouso e, além disso, sem nenhuma esperança de qualquer espécie de paga.

— Vamos ao caso...

— Viúva com quatro filhos, a heroica Isaura matava-se no trabalho incessante. Aquelas mãos vermelhas e curtidas... Aqueles braços requeimados... Que máquinas!

Era do movimento deles que vinha o sustento da casa. Parassem, repousassem — e a Fome, esquálida megera que ronda os bairros pobres, meter-se-ia porta adentro.

— Romantismo... "Esquálida megera"...

— No primeiro sábado da Grande Gripe, Isaura, minha pontualíssima lavadeira, não me apareceu como de costume com a sua bandeja de roupa lavada. Em lugar dela veio uma vizinha.

— "A Isaura? — perguntei-lhe.

— "Anda às voltas com os filhos. Deu lá a "espanhola" e a pobre está que está numa roda viva.

— "Hei de ir vê-la, coitada...

— "É caridade, senhor. A pobre é bem capaz de endoidecer...

Não fui. Impediu-mo a própria gripe, cujos primeiros sintomas nesse mesmo dia comecei a sentir. Passei de molho três semanas e quando me levantei e me preparava para ir ver Isaura, eis que ela me reaparece em pessoa.

Em que estado, porém! Envelhecera vinte anos, tinha os cabelos brancos, os olhos no fundo, o ar de uma coisa vencida pelo destino. E tossia.

— "Sente-se e conte-me tudo.

Sentou-se e, sem derramar uma só lágrima, pois já as chorara todas, narrou-me a sua tragédia.

Tinha em casa uma filha de dezoito anos, que trabalhava na costura; outra de dezesseis que a ajudava na lavagem; um filho de quinze, entregador de roupa, e mais uma netinha de seis anos, órfã.

A gripe apanhou-os a todos e a ela também. Mas a pobre criatura não soube disso, não o notou. Como perceber que estava doente, se suas faculdades eram poucas para atentar nos filhos? E lá sarou de pé, sem um remédio. E como ela também sarariam os filhos todos se...

O dr. Bonifácio voltou-se para o cônego.

— ...Se a caridade não interviesse...

— Já sei onde quer bater, — exclamou o cônego. — Mas cumpre notar que quando falo de caridade não me refiro à assistência pública, nem sequer à filantropia. Falo da caridade-sentimento, da caridade virtude cristã — concluiu baforando o cigarro, alegre, com ar de quem cortou vasas.

O dr. Bonifácio prosseguiu:

— ... se a caridade-sentimento não sobreviesse por intermédio do coração bondoso de uma vizinha. Esta vizinha, compadecida daquele angustioso transe, telefonou a um posto médico, narrando o caso e pedindo assistência. A ambulância veio justamente durante a ausência da Isaura, que saíra a compras, e levou-lhe todos os filhos para o Hospital da Imigração.

Corriam boatos apavorantes a respeito desse hospital improvisado, onde — murmuravam — só se recebiam os pobres bem pobres e o tratamento era o que devia ser, porque pobre bem pobre não é bem gente. De modo que nada apavorava tanto o povinho miúdo como ir para a Imigração.

Assim, ao voltar da rua e saber do acontecido Isaura estarreceu. Foi como se o próprio inferno houvesse aberto as goelas e engolidos os adorados doentes. Quem zelaria por eles? Sozinhas no meio de desconhecidos, de enfermeiros mercenários, que seria das pobres crianças?

Correu para aqueles lados, inquirindo às tontas: "A Imigração? Onde fica a Imigração?" "É por aqui". "Dobre à direita." "É lá naquela casa grande", informavam-na pelo caminho.

Chegou. Bateu. Esperou à porta um tempo enorme. Entravam e saiam pessoas apressadas, médicos, ajudantes, homens de avental. "Não é comigo", diziam. "Espere". "Bata outra vez".

Afinal uma alma caridosa...

— Ca-ri-do-sa, — repetiu o cônego, sorrindo.

— ... uma alma caridosa apareceu e deu-lhe a informação pedida. Os filhos estavam lá, mais a netinha. A de dezesseis anos, porém, atacada de tifo.

— "Tifo?!" — exclamou, alanceada, a pobre mãe.

A alma caridosa enterrou mais fundo o punhal:

— "Sim, tifo, e do bravo."

A mulher já não ouvia. De olhos esbugalhados, como fora de si, repetia a esmo a palavra tremenda — "Tifo!" Conhecia-o muito bem. Fora a doença malvada que lhe arrebatara o marido.

— "Quero vê-la, quero ver minha filha!..."

— "Impossível!"

Isaura lutou, insistiu.

Inútil.

A porta fechou-se com chave e a pobre mulher se viu despejada na rua.

Andou muito tempo à toa, como ébria, sem destino. "Olha a louca!" gritavam os moleques. E parecia mesmo, senão louca, pelo menos aluada.

Súbito Isaura resolveu-se. Havia de ver os filhos. Era mãe. "São meus, o mundo nada tem com eles. Eu os tive, eu os criei, só eu os quero no mundo. São tudo para mim. Como gentes estranhas me roubam assim os filhos, me impedem que eu, mãe, os veja? Nem ver, apenas ver? Oh, isso é demais.

Havia de vê-los.

Galvanizada pela resolução Isaura correu a implorar socorro de um homem influente cuja roupa lavava.

O influente deu-lhe uma carta. "Vá com isto que as portas se abrem."

Nova corrida ao hospital. Nova espera angustiosa. Por fim a mesma alma caridosa...

O dr. Bonifácio entreparou, olhou para o sacerdote. E, como desta vez ele silenciasse, prosseguiu:

— Por fim a alma caridosa reapareceu e disse à desolada mãe:

— "Posso ir lá dentro saber de seus filhos, mas deixá-la entrar, não!

— "E a carta?

— "Inútil. É expressamente proibido.

— "Pois dê-me notícias de meus filhos, então.

A alma caridosa foi saber dos doentinhos e a triste mãe, embrulhada em seu xale humilde, ficou a um canto, esperando. Minutos depois reaparecia a alma caridosa.

— "Olhe, sua filha morreu.

— "Morr...

E os olhos da miseranda mãe exorbitaram, seus dedos se crisparam...

FICÇÃO NEGRINHA (1920)

— "Morreu!... Mas qual delas?
— "Uma delas.
— "Mas qual? Qual?...

Já eram gritos lancinantes que lhe saíam da boca. A alma caridosa fechou a porta e sumiu-se...

O infinito desespero de Isaura nessa noite em casa, a revolver-se na cama, a remorder o travesseiro... "Qual? Qual das minhas filhas morreu?..." A dor requintava-se ante a incerteza. "Seria a Inezinha? Seria a Marietinha?" E o cérebro lhe estalava na ânsia de adivinhar. "Qual delas, meu Deus?"

São dores que a palavra não diz. Imagina-as a imaginação de cada um. Adiante.

No outro dia a mulher correu de novo ao hospital. Repete-se a mesma cena — a ansiosa espera de sempre, os pedidos com lágrimas a saltarem dos olhos. O ambiente é o mesmo — de indiferença geral. Só não há indiferença na alma caridosa, que reaparece e pergunta:

— "Que quer de novo, santinha?
— "Meus filhos... saber...
— "Seus filhos? Não estão mais aqui. Foram removidos para o hospital do Isolamento, os dois.
— "Os dois?!...
— "Os dois, sim, porque a mais pequena também morreu.
— "A minha netinha morreu?!...
— "Coragem, minha velha, a vida é isto mesmo.

E a porta fechou-se pela última vez.

As três ou quatro pessoas reunidas em torno do dr. Bonifácio ansiavam pelo final da história. "E depois?" era a sugestão de todos os olhos.

O dr. Bonifácio prosseguiu:

— "Depois? Depois a gripe declinou, a normalidade foi se restabelecendo e os dois filhos restantes voltaram à casa materna. Em que estado! O menino, semimorto, cadavérico e a Inez (só ao vê-la chegar soube Isaura qual das duas morrera) e a Inez com uma tosse de tuberculosa. E ali ficaram, destroços de horrível naufrágio, aqueles três miseráveis molambos de vida, sob a assistência da negra enfermeira — a Fome. Continuaram a viver, sem saber como, por instinto — num desvario, numa alucinação...

Da última vez que vi a pobre Isaura, disse-me ela, entre dois acessos de tosse:

— Tudo porque me levaram de casa os filhos. Se ficassem nada lhes teria acontecido. A nossa vizinha, tão boa, coitada, quis fazer o bem e fez a nossa desgraça. É um perigo ser muito bom...

O dr. Bonifácio calou-se. O cônego não achou que fosse caso de comentar. A roda dissolveu-se em silêncio.

A MORTE DO CAMICEGO

Foi o Edgard quem "lançou" esse monstro. O Camicego era para sua imaginação de quatro anos um "bicho malvado", grande como o guarda-louça. Depois foi crescendo, chegou a ficar do tamanho do morro.

Morávamos na fazenda, num casarão rodeado de morros, e ser grande como o morro avistado da "porta da rua" era algo sério...

Comia gente o Camicego, e tinha um bico assim! Este assim não era explicado com palavras, mas figurado numa careta de lábios abrochados em bico e olhos esbugalhados.

Com tão gentil focinho não devia ser má rês o monstro — pensava a "gente grande" que, de passagem, via o Edgard refranzir os beicinhos naquela onomatopeia muscular. Mas para os nervosos cinco anos de sua irmã, a Marta, era de crer que fosse horrendo, tal o ríctus de pavor com que, enfitando a macaquice do irmão, instintivamente lhe arremedava o muxoxo.

E todas as noites, na rede da sala de jantar, ficavam os dois absorvidos no caso do Camicego — ele a desfiar as proezas incontáveis do monstro, ela a interrompê-lo com perguntas.

— E come gente?

(Preocupava à Marta, sempre que se lhe antolhava algo desconhecido, visto pela primeira vez — um besourão, um lagarto, uma coruja — saber o grau de antropofagia da novidade. Para ela o mundo se dividia em duas classes: a dos seres bons, que não comem gente, e a dos maus, que comem gente.)

— Come sim! — inventava o Edgard. — Pois não sabe que comeu o filhinho da Mariana, no dia da chuvarada?

Marta volvia os olhos sonhadores para a paisagem enquadrada na janela e quedava-se a cismar...

Nisto vinha para a rede um terceiro, o Guilherme, cujos dois anos e pico o traziam ainda muito amodorrado de imaginativa. Ouvia as histórias mas não se impressionava coisa nenhuma, e no meio da papagueada hoffmânica saltava ao chão e pedia coisa mais positiva — o pão-de-ló, o bolinho de milho, a gulodice qualquer do dia, entrevista no armário.

E a história continuava a dois, sempre na rede onde eles se balançavam isócronos como dois ponteiros de metrônomo — sempre entremeada das perguntas da menina, futura leitora de Wallace e cabalmente dilucidada pelo Edgard, um Wells em embrião.

— E onde mora o Camicego?

No quarto escuro, no porão, debaixo da cama, no buraco do forno, naquele barranco onde caiu a vaca pintada — o Edgard encontrava incontinente uma dúzia de biocos tenebrosos onde encafuar a sua criação.

Às vezes brincavam de casinha na sala de visitas, um grande salão sempre mergulhado em penumbra. Sob o sofá antigo, de canela preta, armavam com álbuns de música e almofadas a casinha da Irene, a grande boneca de louça sem uma perna.

Que maravilhosa mobília tinha a casa da Irene! Coloridos cacos de tigela figuravam de suntuosa porcelana.

Havia travessas e sopeiras "de mentira". Em torno sentavam-se sabugos de milho representando as grandes personagens da fazenda — Anastácia, a cozinheira; Esaú, o preto tirador de leite; Leôncio, o domador. Quando comparecia à mesa este herói, não deixava de figurar também, solidamente amarrado a um pé de cadeira, o último animal que ele amansara. Este último animal era sempre o mesmo chuchu com quatro palitos à guisa de pernas, uma pena de galinha como cauda e três caroços de feijão figurando boca e olhos — sugestiva escultura da cozinheira que aquelas crianças preferiam aos mais bem feitos cavalinhos de pau vindos da cidade.

Assim brincavam horas, até que, de súbito, farto já, o Edgard apontava para um canto da sala, onde eram mais intensas as sombras, e berrava com cara de terror:

— O Camicego!

Debandavam todos em grita, tomados de pânico, rumo à sala de jantar, a rirem-se do susto.

Um dia apareceu no quintal um grande morcego moribundo, de asas rotas por uma vassourada da copeira.

O Edgard foi quem o descobriu; trouxe-o para dentro e sem vacilar o identificou:

— O Camicego!

Reuniram-se os três em torno do monstro, em demorada contemplação: a menina mais arredada, no instintivo asco da sua sensibilidade feminil; o Guilherme espichado de barriga, o rosto moreno apoiado nas duas mãos; o Edgard pegando sem nojo nenhum no bicharoco, estirando-lhe as asas em gomos de guarda-chuva, abrindo-lhe a boca para mostrar a serrilha dos alvos dentinhos. E explicava petas a respeito.

— E este Camicego também come gente? — perguntou a menina.

— Boba! Pois não vê que é um coitado que nem come esta palhinha? — e Edgard enfiou uma palha goela a dentro do bicho já morto.

Nesse momento "gente grande" apareceu na sala e pilhou-os na "porcaria" e com ralhos ásperos dispersou o bando, pondo termo à lição anatômica.

O morcego pegado com asco pela pontinha da asa, lá voou por cima do muro, pinchado e xingado — "... esta imundície..."

Mas de nada valeu a energia. O improvisado necrotério transferiu-se ali da sala para detrás do muro, à sombra de uma laranjeira onde caíra o morcego. O Edgard, com uma faca de mesa, procurava abrir a barriga do "porco" para ver o que tinha dentro. Depois teve uma grande ideia: fazer sabão da barrigada!

A faca, porém, não cortava aquelas pelancas moles e rijas, o "porco" fugia à direita e à esquerda, e assim foi até que a Anastácia, de passagem para a horta em busca de coentro, pilhou-os de novo na "porcaria".

— Cambadinha! Vou já contar p'ra mamãe!...

Nova dispersão do grupo, e voo final da nojenta pelanca do vampiro, que desta vez foi parar em poleiro inacessível — em cima do telhado.

Datou daí a morte do Camicego. Não amedrontava mais.

Se Edgard o relembrava, os outros riam-se, porque a imaginação dos guris passara a encarnar o monstro na figura triste do pobre morcego morto, a estorricar-se ao sol do telhado.

Os homens, crianças grandes, não procedem de outra maneira. Os seus mais temerosos Camicegos saem-lhes morcegos relíssimos, sempre que uma boa vassourada da crítica os pespega para cima da mesa anatômica...

"Quero ajudar o Brasil"

Já contei este caso. Vou contá-lo de novo. Hei de contá-lo toda a vida, porque é um grande conforto d'alma. É a coisa mais bonita que ainda vi.

Foi no começo de nossa tremenda campanha pró-petróleo. Havíamos com Oliveira Filho e Pereira de Queiroz lançado a Companhia Petróleos do Brasil — em que ambiente, santo Deus! Tudo contra. Todos contra. O governo contra. Os homens de dinheiro contra. Os bancos contra. A "sensatez", contra.

Cepticismo absoluto em todas as camadas. Uma guerra surda por baixo, subterrânea, que naquele tempo não sabíamos donde emanava. Guerra de difamação ao ouvido — a pior de todas. As coisas ditas em voz alta não causam efeito; ao ouvido, sim.

— "Fulano é um escroque".

Enunciadas assim ao natural não impressionam a ninguém, tanto andamos afeitos a ouvir acusações dessas. Mas a mesma frase dita muito em reserva, ao ouvido, com a mão em tapa-som, "para que ninguém mais ouça", cala fundo, faz-se imediatamente crida — e quem a recebe corre a propagá-la como dogma.

A guerra contra os promotores da nova companhia era assim: de ouvido em ouvido, as mãos sempre em tapa-som — *para que ninguém mais ouvisse o que era preciso que todos soubessem*. A calúnia é a rainha da técnica.

Nos seus manifestos os incorporadores haviam sido em extremo leais. Admitiam a possibilidade de fracasso, com perda total do capital empatado. Pela primeira vez na vida comercial deste país se propunha ao público um negócio com admissão das duas faces: vitória esplêndida, em caso de encontro do petróleo, ou perda total dos dinheiros invertidos, no caso reverso. Esta franqueza impressionou. Inúmeros subscritores vieram arrastados por ela.

— "Vou tomar tantas ações só por terem os senhores mencionado a hipótese da perda total dos dinheiros, isso me convenceu de que se trata de negócio sério. Os negócios não-sérios só acenam com lucros, jamais com possibilidades de perda".

A lealdade dos incorporadores foi vencendo o público miúdo. Só aparecia no escritório gente simples, tentada pelas vantagens tremendas do negócio em caso de sucesso. O raciocínio de todos era o mesmo de na compra dum bilhete das grandes loterias do Natal.

Os incorporadores levaram o escrúpulo a ponto de lembrar a cada novo subscritor a hipótese da perda total do dinheiro.

— "Sabe que corre o risco de perder o seu cobre? Sabe que se não tocarmos em petróleo o fracasso da empresa será completo?

— "Sei. Li o manifesto.

— "Mesmo assim subscreve?

— "Mesmo assim.

— "Então assine.

E desse modo iam sendo as ações absorvidas pelo público.

Certo dia entrou-nos pela sala um preto modestamente vestido, de ar humilde. Recado de alguém, certamente.

— "Que deseja?
— "Quero tomar umas ações.
— "Para quem?
— "Para mim mesmo.

Oh! O fato surpreendeu-nos. Aquele homem tão humilde a querer comprar ações. E logo no plural. Queria duas, com certeza, uma para si, e outra para a mulher. Isso importaria em duzentos mil réis, quantia que já pesa num orçamento de pobre. Quantos sacrifícios não teria de fazer o casal para pôr de lado duzentos mil réis ratinhados ao salário miserável? Para um ricaço tal quantia corresponde a um níquel; para um operário é uma fortuna, é um capital. Os salários no Brasil são a miséria que sabemos.

Repetimos ao extraordinário preto a cantiga de sempre.

— "Sabe que há mil dificuldades neste negócio e que corremos o risco de perder a partida, com destruição de todo o capital empatado?
— "Sei.
— "E mesmo assim quer tomar ações?
— "Quero.
— "Está bem. Mas se houver fracasso não se queixe de nós. Estamos a avisá-lo com toda a lealdade. Quantas ações quer? Duas?
— "Quero trinta.

Arregalamos os olhos e, duvidando dos nossos ouvidos, repetimos a pergunta.
— "Trinta, sim, — confirmou o preto.

Entreolhamo-nos. O homem devia estar louco. Tomar trinta ações, empatar três contos de réis num negócio em que a gente mais endinheirada não se atrevia a ir além de algumas centenas de mil réis, era evidentemente loucura. Só se aquele homem de pele preta estava escondendo o leite — se era rico, muito rico. Na América existem negros riquíssimos, até milionários; mas no Brasil não há negros ricos. Teria aquele, por acaso, ganho algum pacote na loteria?

— "Você é rico, homem?
— "Não. Tudo quanto tenho são estes três contos que juntei na Caixa Econômica. Sou empregado na Sorocabana há muitos anos. Fui juntando de pouquinho em pouquinho. Hoje tenho três contos.
— "E quer pôr tudo num negócio que pode falhar?
— "Quero.

Entreolhamo-nos de novo, incomodados. Aquele raio de negro nos atrapalhava seriamente. Forçava-nos a uma inversão de papéis. Em vez de acentuarmos as probabilidades felizes do negócio, passamos a acentuar as infelizes. Enfileiramos todos os contras. Quem nos ouvisse, jamais suporia estar diante de incorporadores duma empresa que pede dinheiro ao público — mas de difamadores dessa empresa. Chegamos a afirmar que pessoalmente não tínhamos muitas esperanças de vitória.

— "Não faz mal, — respondeu o preto na sua voz inalteravelmente serena.
— "Faz, sim! — insistimos. — Jamais nos perdoaríamos se fôssemos os causadores da perda total das reservas duma vida inteira. Se quer mesmo arriscar, tome duas ações só. Ou, três. Trinta é demais. Não é negócio. Ninguém põe tudo quanto possui num cesto só, e muito menos num cesto incertíssimo como este. Tome três.
— "Não. Quero trinta.

— "Mas por que, homem de Deus? — indagamos, ansiosos por descobrir o segredo daquela decisão inabalável. Seria a cobiça? Crença de que com trinta ações ficaria milionário em caso de jorrar o petróleo?

— "Venha cá. Abra o seu coração. Diga tudo. Qual o verdadeiro motivo de você, um homem humilde, que só tem três contos de réis, insistir desta maneira em jogar tudo neste negócio? Ambição? Pensa que pode ficar um Matarazzo?

— "Não. Não sou ambicioso, — respondeu ele serenamente. — Nunca sonhei em ficar rico.

— "Então por que é, homem de Deus?

— "É que eu quero ajudar o Brasil..."

Derrubei a caneta debaixo da mesa e levei uma porção de tempo a procurá-la. Maneco Lopes fez o mesmo, e foi embaixo da mesa que nos entreolhamos, com caras que diziam: "Que caso, hein?". Em certas ocasiões só mesmo derrubando uma caneta e custando a achá-la, porque há umas tais glândulas que nos turvam os olhos com umas aguinhas impertinentes...

Nada mais tínhamos a dizer. O humilde negro subscreveu as trinta ações, pagou-as e lá se foi. na sublime serenidade de quem cumpriu um dever de consciência.

Ficamos a olhar uns para os outros, sem palavras. Que palavras comentariam aquilo? Essa coisa chamada Brasil, que é de vender, que até os ministros vendem, ele queria ajudar... De que brancura deslumbrante nos saíra aquele negro! E como são negros certos ministros brancos!

O incidente calou fundo em nossas almas. Cada um de nós jurou lá por dentro levar avante a campanha do petróleo custasse o que custasse, sofrêssemos o que sofrêssemos, houvesse o que houvesse. Tínhamos de nos manter na altura daquele negro.

A campanha do petróleo tem sofrido variados desenvolvimentos. Guerra grande. Luta peito a peito. E se o desânimo não nos vem nunca, é que as palavras do negro ultrabranco não nos saem dos ouvidos. Nos momentos trágicos das derrotas parciais (e têm sido muitas), nos momentos em que os lidadores no chão ouvem o juiz contar o tempo do nocaute, aquelas palavras sublimes fazem que todos se ergam antes do DEZ fatal.

— "É preciso ajudar o Brasil..."

Hoje sabemos de tudo. Sabemos das forças invisíveis, externas e internas, que puxam para trás. Sabemos os nomes dos homens. Sabemos da sabotagem sistemática, dos móveis da difamação ao ouvido, do perpétuo dar-para-trás da administração. Isso, entretanto, deixa de ser obstáculo porque é menor que a força haurida nas palavras do negro.

Abençoado negro! Um dia teu nome será revelado. O primeiro poço de petróleo em São Paulo não terá o nome de nenhum ministro nem presidente. Terá o teu. Porque talvez tenham sido tuas palavras a secreta razão da vitória. Os teus três contos foram mágicos. Amarraram-nos para sempre. Trancaram com pregos a porta da deserção...

1938

Sorte grande

Foi numa quieta cidadezinha entrevada, dessas que se alheiam do mundo com a discrição humilde dos musgos. Havia lá a gente do Moura, o arrecadador de taxas municipais no mercado. A morte arrecadou o Moura muito fora de tempo e propósito. Consequência: viúva e sete filhos na dependura.

Dona Teodora, quarentona que nunca soubera a significação da palavra descanso, viu-se de trabalhos dobrados. Encher sete estômagos, vestir sete nudezas, educar outras tantas individualidades... Se houvesse justiça no mundo, quantas estátuas a certos tipos de mães!

A vida em tais lugarejos lembra a dos líquens na pedra. Tudo se encolhe no "limite" — no mínimo que a civilização comporta. Não há "oportunidades". Os meninos mal empenam emigram. As meninas, como não podem emigrar, viram moças; as moças passam a "tias"; e as tias evoluem para velhinhas enrugadas como o maracujá murcho — sem que nunca venha ensejo para a realização dos dois grandes sonhos: casamento ou ocupação decentemente remunerada.

Os empreguinhos públicos, de paga microscópica, são tremendamente disputados. Quem se aferra a um, dali só é arrancado pela morte — e passa a vida invejado. Uma só saída para as mulheres, afora o casamento: a meia dúzia de cadeiras das escolinhas locais.

O mulherio de Santa Rita lembra os rizomas de gladíolos de certas casas de "cera e sementes" pouco frequentadas. O dono do negócio os expõe numa cesta à porta, à espera do freguês eventual. Não aparece freguês nenhum — e o homem os vai retirando da cesta à proporção que murcham. Mas o estoque não diminui porque entram sempre rizomas novos. O dono da casa de "cera e sementes" de Santa Rita é a Morte.

A boa mãe revolta-se. Tinha culpa de terem vindo ao mundo as cinco meninas e os dois meninos, e de nenhum modo admitia que elas virassem maracujás secos e eles se estiolassem na lambança viciosa dos zés-ninguéns.

O problema não era totalmente insolúvel com os meninos, porque podia mandá-los para fora no momento oportuno — mas as meninas? Como arranjar a vida de cinco moças numa terra em que havia seis para cada homem casadouro — e só cinco cadeirinhas?

A mais velha, Maricota, herdara o temperamento, a valentia materna. Estudou o que pôde e como pôde. Fez-se professora — mas já estava nos vinte e quatro e nem sombra de colocação. As vagas iam sempre para as de maior peso político, ainda que analfabetas. Maricota, um peso-pluma, que poderia esperar?

Mesmo assim dona Teodora não desanimava.

— Estudem. Preparem-se. De repente qualquer coisa acontece e vocês se arrumam.

Os anos, entretanto, passavam sem que a esperadíssima "qualquer coisa" viesse — e os apertos recresciam. Por muito que trabalhassem em cocadas, bordados de enxoval e costurinhas, a renda não se distanciava do zero.

Dizem que as desgraças gostam de vir juntas. Quando a situação dos Mouras atingiu o ponto perigoso da "dependura", nova calamidade sobreveio. Maricota recebeu do céu um estranho castigo: a singularíssima doença que lhe atacou o nariz.

No começo não deram importância ao caso; só no começo, porque a doença entrou a progredir, com desorientação de todos os entendidos em medicina das redondezas. Nunca, verdadeiramente nunca, ninguém soubera por lá de coisa assim.

O nariz da moça crescia, engordava, esgrouvinhava, lembrando o de certos bêbedos incorrigíveis. A deformação nessa parte do rosto é sempre desastrosa. Dá à fisionomia um ar cômico. Todos se apiedavam da Maricota — mas riam-se sem querer.

A maldade dos lugarejos tem a insistência de certas moscas. Aquele nariz foi virando o prato predileto do Comentário. Nos momentos de escassez de assunto era infalível porem-no à mesa.

— Se aquilo pega, ninguém mais planta rabanetes em Santa Rita. É só levar a mão ao rosto e colher um...

— E dizem que está crescendo...

— Se está! A moça já não põe o pé na rua — nem para a missa. Aquela negrinha, cria de dona Teodora, me disse que já não é nariz — é beterraba...

— Sério?

— Cresce tanto que se a coisa continua vamos ter um nariz com uma moça atrás e não uma moça com um nariz na frente. O maior, o principal, ficará sendo o rabanete...

Nos galinheiros também é assim. Quando aparece uma ave doente, ou ferida, as sãs correm-na a bicadas — e bicam-na até destruí-la. Em matéria de maldade o homem é galináceo. A tal ponto chegou a de Santa Rita que quando aparecia alguém de fora não vacilavam em enfileirar entre as curiosidades locais a doença da moça.

— Temos várias coisas dignas de ver-se. Há a igreja, cujo sino tem um som sem igual no mundo Bronze do céu. Há o pé de cáctus da casa do major Lima, com quatro metros de roda na altura do peito. E há o rabanete da Maricota...

O visitante espantava-se, está claro.

— Rabanete?

O informante desfiava a crônica do famoso nariz com invençõezinhas cômicas de sua lavra. "Não poderei ver isso?" "Creio que não, porque ela já não tem ânimo de pôr o pé na rua — nem para a missa".

Chegou o momento de recorrer aos médicos especialistas. Como por lá não houvesse nenhum, dona Teodora lembrou-se de um doutor Clarimundo, especialista de todas as especialidades na cidade próxima. Tinha de mandar-lhe a filha. O nariz de Maricota estava ficando clamoroso demais. Mas... mandar como? A distância era grande. Viagem por água — pelo rio S. Francisco, em cuja margem direita se assentava Santa Rita. O percurso custaria dinheiro; e custariam dinheiro a consulta, o tratamento, a estada lá — e onde o dinheiro? Como reunir os duzentos mil réis necessários?

Não há barreiras para o heroísmo das mães. Dona Teodora redobrou de faina, operou milagres de gênio e por fim reuniu o dinheiro da salvação.

Chegou o dia. Muito vexada de mostrar-se em público depois de tantos meses de segregação, Maricota embarcou para a viagem de dois dias. Embarcou numa gaiola — o *Comandante Exupério* — e logo que se viu a bordo tratou de descobrir um cantinho em que ficasse a salvo da curiosidade dos passageiros. Inutilmente. Deu logo nos olhos de vários, sobretudo nos dum moço de bom aspecto, que entrou a mirá-la com singular insistência. Maricota esgueirou-se de sua presença e, de bruços na amurada, fingiu-se absorta na contemplação da paisagem. Fraude pura, coitadinha. A única paisagem que via era a sua — a nasal. O passageiro, entretanto, não a largava.

— Quem é essa moça? — quis saber — e um de boca perdigotante, também embarcado em Santa Rita, regalou-se em contar pormenorizadamente tudo quanto sabia a respeito.

O moço refranziu a testa. Reconcentrou-se a meditar. Por fim seus olhos brilharam.

— Será possível? — murmurou em solilóquio, e resolutamente encaminhou-se na direção da triste criatura absorvida na contemplação da paisagem.

— Perdão, minha senhora, eu sou médico e...

Maricota voltou para ele os olhos, muito vexada, sem saber o que dizer. Como um eco, repetiu:

— Médico?...

— Sim, médico — e o seu caso está me interessando profundamente. Se é o que suponho, talvez que... Mas, venha cá — conte-me tudo — conte-me como isso começou. Não se vexe. Sou médico — e para os médicos não há segredos. Vamos...

Maricota, depois de alguma resistência, contou tudo, e à medida que falava o interesse do moço recrescia.

— Com licença, — disse ele — e pôs-se a examinar-lhe o nariz, sempre com perguntas cujo alcance a moça não percebia.

— Como é seu nome? — atreveu-se a indagar Maricota.

— Doutor Cadaval.

A expressão do médico lembrava a do garimpeiro que encontra um diamante de valor fabuloso — um Cullinan! Nervosamente ele insistia:

— Conte, conte...

Queria saber tudo; como aquilo começara, como se desenvolvera, que perturbação ela sentira e outras coisinhas técnicas. E as respostas da moça tinham o condão de aumentar-lhe o entusiasmo. Por fim,

— Maravilhoso! — exclamou. — Um caso único de boa sorte...

Tais exclamações desnortearam a doente. "Maravilhoso?" Que maravilhamento poderia causar a sua desgraça? Chegou a ressentir-se. O médico tentou sossegá-la.

— Perdoe-me, dona Maricota, mas o seu caso é positivamente extraordinário. De momento não posso firmar parecer — estou sem livros; mas macacos me lambam se o que a senhora tem não é um rinofima — um RINOFIMA, imagine!

Rinofima! aquela palavra estranha, dita naquele tom de entusiasmo, em coisa nenhuma melhorou a situação de atrapalhamento de Maricota. O fato de sabermos o nome de uma doença não nos consola nem cura.

— E que tem isso? — perguntou ela.

— Tem, minha senhora, que é uma doença raríssima. Pelo que sei a respeito, não se conhece ainda um só caso em toda a América do Sul... Compreende agora o meu entusiasmo de profissional? Médico que descobre casos únicos é médico de nome feito...

Maricota começa a compreender.

Longamente Cadaval debateu a situação, informando-se de tudo — da família, do objeto da viagem. Ao saber de sua ida à cidade próxima em busca do Dr. Clarimundo, revelou-se.

— Qual Clarimundo, minha senhora! Esses médicos da roça não passam de perfeitas cavalgaduras. Formam-se e afundam nos lugarejos, nunca leem nada. Atrasadíssimos. Se a senhora vai consultá-lo, perderá o seu tempo e o seu dinheiro. Ora o Clarimundo!

— Conhece-o?

— Claro que não, mas adivinho. Conheço a classe. O seu caso, minha senhora, é a maravilha das maravilhas, desses que só podem ser tratados pelos grandes médicos dos grandes centros — e estudado pelas academias. A senhora vai mas é para o Rio de Janeiro. Tive a sorte de encontrá-la e não a largo mais. Ora esta! Um rinofima destes nas mãos do Clarimundo! Tinha graça...

A moça alegou que a sua pobreza não lhe permitia tratar-se na capital. Eram paupérrimos.

— Sossegue. Eu farei todas as despesas. Um caso como o seu vale ouro. Rinofima! O primeiro observado na América do Sul! Isso é ouro em barra, minha senhora...

E tanto falou, e tanto gabou a beleza do rinofima, que Maricota deu de sentir uns começos de orgulho. Depois de duas horas de debates e combinações, já estava outra — sem vexame nenhum dos passageiros — e a exibir pelo tombadilho o seu rabanete como quem exibe algo fascinante.

O doutor Cadaval era um moço extremamente expansivo, dos que não param de falar. O empolgamento em que ficou fê-lo debater o assunto com todos de bordo.

— Comandante, — disse ao capitão horas depois, — aquilo é uma preciosidade sem par. Único na América do Sul, imagine! O sucesso que vou fazer no Rio — na Europa! É dessas coisas que arrumam a carreira de um médico. Um rinofima! Um ri-no-fi-ma, capitão!...

Não houve passageiro que se não inteirasse da história do rinofima da moça — e o sentimento de inveja tornou-se geral. Evidentemente Maricota fora marcada pelo Destino. Possuía algo único, uma coisa de fazer a carreira de um médico e de figurar em todos os tratados de medicina. Muitos houve que instintivamente correram os dedos pelo nariz na esperança de apalpar um comecinho da maravilha...

Maricota, ao recolher-se à cabina, escreveu à mãe:

"Tudo está mudando da maneira mais esquisita, mamãe! Encontrei a bordo um médico distintíssimo, que ao dar com o meu nariz abriu a boca no maior entusiasmo. Eu só queria que a senhora visse. Acha que é uma grande — uma grandíssima coisa, a coisa mais rara do mundo, única na América do Sul, imagine! Disse que vale um tesouro, que para ele foi o mesmo que ter encontrado um tal diamante Cullinan. Quer que eu vá para o Rio de Janeiro. Paga tudo. Como aleguei que somos muitos pobres, prometeu que depois da operação me arranja um lugar de professora. Imagine, eu professora no Rio de Janeiro! Que ponta, hein? Estou que não caibo em mim. Professora no Rio!... Até a vergonha lá se foi. Passeio com o nariz bem à mostra, alto. E, coisa incrível, mamãe, todos me olham com inveja! Inveja, sim — eu leio nos olhos de todos. Decore esta palavra: RINOFIMA. É o nome da doença. Ah, eu só queria ver a cara desses bobos de Santa Rita que tanto caçoavam de mim — quando souberem..."

Maricota mal conseguiu dormir essa noite. Grande mudança de ideias se operava em sua cabeça. Qualquer coisa a advertia de que era chegado o momento de uma grande tacada. Tinha de tirar vantagens da situação — e como ainda não dera resposta definitiva ao Dr. Cadaval, deliberou executar um plano.

No dia seguinte o médico abordou-a de novo.

— Então, dona Maricota, está resolvida, afinal?

A moça estava resolvidíssima; mas, boa mulher que era, fingiu.

— Não sei ainda. Escrevi a mamãe... Há a minha situação pessoal e a da minha gente. Para que eu vá ao Rio preciso ficar sossegada quanto a estes dois pontos. Tenho dois irmãos e quatro irmãs — e como é? Ficar lá no Rio sem eles, impossível. E como deixá-los sozinhos em Santa Rita, se sou o esteio da casa?

O Dr. Cadaval refletiu uns momentos. Depois disse:

— Os rapazes eu posso colocar facilmente. Já suas irmãs, não sei. Que idade têm elas?

— Alzira, a logo abaixo de mim, está com vinte e cinco anos. Muito boa criatura. Borda que é um primor. Bonitinha.

— Se tem essas prendas, poderemos colocá-la numa boa casa de modas. E as outras?

— Há a Anita, com vinte e dois, mas essa só sabe ler e escrever versos. Sempre teve um jeito extraordinário para a poesia.

O Dr. Cadaval coçou a cabeça. Colocar uma poetisa não é nada fácil — mas veria. Há os empregos do governo, nos quais cabem até os poetas.

— Há a Olga, com vinte anos, que só pensa em casar. Essa não quer outro emprego. Nasceu para o casamento — e lá em Santa Rita está secando porque não há homens — todos emigram.

— Arranjaremos um bom casamento para a Olga, — prometeu o médico.

— E há a Odete, com dezenove anos, que ainda não revelou disposição para coisa nenhuma. Boa criatura, mas muito criançola, bobinha.

— Vai ser outro casamento, — sugeriu o médico. — Arranja-se. Arranjaremos a vida de todos.

O Dr. Cadaval ia prometendo com aquela facilidade porque no íntimo não tinha intenção de colocar tanta gente. Poderia, sim, arrumar a vida de Maricota — depois de operá-la. Mas o resto da família, que se fomentasse.

Assim não sucedeu, entretanto. As aperturas da vida tinham dado a Maricota um senso das realidades verdadeiramente totalitário. Percebendo que aquela oportunidade era a maior da sua vida, resolveu não deixá-la escapar. De modo que ao chegar ao Rio antes de entregar-se ao tratamento e exibir na Academia de Medicina o seu caso único, impôs condições. Alegou que sem a irmã Alzira não tinha jeito de ficar sozinha na capital — e o remédio foi a vinda de Alzira. Mal pilhou lá a irmã, insistiu em colocá-la — porque não tinha o menor propósito ficarem as duas nas costas do médico. "Assim, a Alzira acanha-se e volta."

Ansioso por dar início à exploração do rinofima, o médico pulou para arranjar a colocação da Alzira. E depois disso deu novos pulos para mandar vir e colocar a Anita. E depois da Anita chegou a vez da Olga. E depois da Olga chegou a vez da Odete. E depois da Odete chegou a vez de dona Teodora e dos dois rapazes.

O caso da Olga foi difícil. Casamento! Mas Cadaval teve uma ideia filha do desespero: intimou um seu ajudante no consultório, português quarentão de nome Nicéforo, a casar-se com a menina. Ultimatum da Moral.

— Ou casa-se ou vai para o olho da rua. Não quero mais saber de auxiliares solteirões.

Nicéforo, tipo bastante pai-da-vida, coçou a cabeça mas casou-se — e foi o mais feliz dos Nicéforo.

A família já estava toda arrumada, quando Maricota se lembrou de dois primos. O médico, porém, resistiu.

— Não. Isso também é demais. Se continua assim, a senhora acaba forçando-me a arranjar um bispado para o padre de Santa Rita. Não e não.

A vitória do Dr. Cadaval foi verdadeiramente estrondosa. Encheram-se as revistas médicas e os jornais com a notícia da solene apresentação à Academia de Medicina do belíssimo caso — único na América do Sul — dum maravilhoso rinofima, o mais belo dos rinofimas. As publicações estrangeiras acompanharam as nacionais. O mundo científico de todos os continentes ficou sabendo de Maricota, do seu "rabanete" e do eminente Doutor Cadaval Lopeira — luminar da ciência médica sul-americana.

Dona Teodora, felicíssima, não cessava de comentar o estranho curso dos acontecimentos.

— Bem se diz que Deus escreve direito por linhas tortas. Quando havia eu de imaginar, ao nos surgir aquela horrível coisa no nariz de minha filha, que era para o bem geral de todos!

Restava a parte última — a operação. Maricota, entretanto, ainda nas vésperas do dia marcado vacilava.

— Que acha, mamãe? Deixo ou não deixo que o doutor me opere?

Dona Teodora abriu a boca.

— Que ideia, menina! Claro que deixa. Pois há de ficar toda vida assim com esse escândalo na cara?

Maricota não se decidia.

— Podemos demorar um pouco mais, mamãe. Tudo quanto nos veio de bom saiu do rinofima. Quem sabe se nos rende mais alguma coisa? Há ainda o Zezinho a colocar — e o pobre do Quindó, que nunca achou emprego...

Mas dona Teodora, arquifarta do rabanete, ameaçou de levá-la de volta para Santa Rita, se ela teimasse na asneira de retardar, por um só dia, a operação. E Maricota foi operada. Perdeu o rinofima, ficando com um nariz igual ao de todas as outras, apenas levemente enrugadinho em consequência dos enxertos de epiderme.

Quem positivamente desapontou foi a gente maldosa do lugarejo. O maravilhoso romance de Maricota era comentado em todas as rodinhas com grandes exageros — até com o exagero de que ela estava noiva do Dr. Cadaval.

— Como a gente se engana neste mundo! — filosofou o farmacêutico. — Todos pensamos que aquilo fosse doença — mas o verdadeiro nome de tais rabanetes, sabem qual é?

— ?

— Sorte Grande, minha gente! Sorte Grande da Espanha...

1939

Dona Expedita

— Minha idade? Trinta e seis...

— Então, venha.

Sempre que dona Expedita se anunciava no jornal, dando um número de telefone, aquele diálogo se repetia. Seduzidas pelos termos do anúncio, as donas de casa telefonavam-lhe para "tratar" — e vinha inevitavelmente a pergunta sobre a idade, com a também inevitável resposta dos trinta e seis anos. Isso desde antes da Grande Guerra. Veio o 1914 — ela continuou nos trinta e seis. Veio a batalha do Marne; veio o armistício — ela firme nos trinta e seis. Tratado de Versalhes — trinta e seis. Começos de Hitler e Mussolini — trinta e seis. Convenção de Munich — trinta e seis...

A futura guerra a reencontrará nos trinta e seis. O mais teimoso dos empaques! Dona Expedita já está "pendurada", escorada de todos os lados, mas não tem ânimo de abandonar a casa dos trinta e seis anos — tão simpática!

E como só tem trinta e seis anos, veste-se à moda dessa idade, um pouco mais vistosamente do que a justa medida aconselha. Erro grande! Se à força de cores claras, ruges e batons, não mantivesse aos olhos do mundo os seus famosos trinta e seis, era provável que desse a ideia duma bem aceitável matrona de sessenta...

Dona Expedita é "tia". Amor só teve um lá pela juventude, do qual às vezes, nos "momentos de primavera", ainda fala. Ah, que lindo moço! Um príncipe.

Passou um dia a cavalo pela sua janela. Passou na tarde seguinte e ousou um cumprimento. Passou e repassou durante duas semanas — e foram duas semanas de cumprimentos e olhares de fogo. E só. Não passou mais — desapareceu da cidade para sempre.

O coração da gentil Expedita pulsou intensamente naqueles maravilhosos quinze dias — e nunca mais. Nunca mais namorou ou amou ninguém — por causa da casmurrice do pai.

Seu pai era um caturra de barbas à von Tirpitz, português irredutível, desses que fogem de certos romances de Camilo e reentram na vida. Feroz contra o sentimentalismo. Não admitia namoros em casa, e nem que se pronunciasse a palavra casamento. Como vivesse setenta anos, forçou as duas únicas filhas a se estiolarem ao pé da sua catarreira crônica. "Filhas são para cuidar da casa e da gente".

Morreu, afinal e arruinado. As duas "tias" venderam a casa para pagamento das contas e tiveram de empregar-se. Sem educação técnica, os únicos empregos antolhados foram os de criada grave, dama de companhia ou "tomadeira de conta" — graus levemente superiores à crua profissão normal de criada comum. O fato de serem de "boa família" autorizava-as ao estacionamento nesse degrau um pouco acima do último.

Um dia a mais velha morreu. Dona Expedita ficou só no mundo. Que fazer, senão viver? Foi vivendo e especializando-se em lidar com patroas. Por fim distraía-se com isso. Mudar de emprego era mudar de ambiente — ver caras novas, coisas novas, tipos novos. Um cinema — o seu cinema! O ordenado, sempre mesquinho. O maior de que se lembrava fora de cento e cinquenta mil réis. Caiu depois para cento e vinte; depois para cem; depois para oitenta. Inexplicavelmente as patroas iam-lhe diminuindo a paga a despeito da sua permanência na linda idade dos trinta e seis anos...

Dona Expedita colecionava patroas. Teve-as de todos os tipos e naipes — das que obrigavam as criadas a comprar o açúcar com que adoçam o café, às que voltam para casa de manhã e nunca lançam os olhos sobre o caderno de compras. Se fosse escritora teria deixado o mais pitoresco dos livros. Bastava que fixasse metade do que viu e "padeceu". O capítulo das pequeninas decepções seria dos melhores — como aquele caso dos quatrocentos mil réis...

Foi certa vez em que, saída de um emprego, andava em procura de outro. Nessas ocasiões costumava encostar-se à casa de uma família que se dera com a sua, e lá ficava um mês ou dois até conseguir nova colocação. Pagava a hospedagem fazendo doces, no que era perita, sobretudo num certo bolo inglês que mudou de nome, passando a chamar-se o "bolo de dona Expedita". Nesses interregnos comprava todos os dias um jornal especializado em anúncios domésticos, no qual lia atentamente a seção do "Procura-se". Com a velha experiência adquirida, adivinhava pela redação as condições reais do emprego.

— Porque "elas" publicam aqui uma coisa e querem outra, — comentava filosoficamente, batendo no jornal. — Para esconder o leite, não há como as patroas!

E ia lendo, de óculos na ponta do nariz: "Precisa-se duma senhora de meia idade para servicinhos leves".

— Hum! Quem lê isto pensa que é assim mesmo — mas não é. O tal servicinho leve não passa de isca — é a minhoca do anzol. A mim é que não me enganam, as biscas...

Lia todos os "procura-se", com um comentário para cada um, até que se detinha no que lhe cheirava melhor. "Precisa-se duma senhora de meia idade para serviços leves em casa de fino tratamento."

— Este, quem sabe? Se é casa de fino tratamento, pelo menos fartura há de haver. Vou telefonar.

E vinha a telefonada do costume com a eterna declaração dos trinta e seis anos.

O hábito de lidar com patroas manhosas levou-a a lançar mão de vários recursos estratégicos; um deles: só "tratar" pelo telefone e não dar-se como ela mesma. "Estou falando em nome duma amiga que procura emprego." Desse modo tinha mais liberdade e jeito de sondar a "bisca".

— "Essa amiga é uma excelente criatura" — e vinham bem dosados elogios. — "Só que não gosta de serviços pesados."

— "Que idade?"

— "Trinta e seis anos. Senhora de muito boa família — mas por menos de cento e cinquenta mil réis nunca se empregou.

— "É muito. Aqui o mais que pagamos é cento e dez — sendo boa.

— "Não sei se ela aceitará. Hei de ver. Mas qual é o serviço?"

— "Leve. Cuidar da casa, fiscalizar a cozinha, espanar — arrumar...

— "Arrumar? Então é arrumadeira que a senhora quer?"

E dona Expedita pendurava o fone, arrufada, murmurando: "Outro ofício!"

O caso dos quatrocentos mil réis foi o seguinte. Ela andava sem emprego e a procurá-lo na seção do "precisa-se". Súbito, esbarrou com esta maravilha: "Precisa-se duma senhora de meia idade para fazer companhia a uma enferma; ordenado, quatrocentos mil réis".

Dona Expedita esfregou os olhos. Leu outra vez. Não acreditou. Foi em busca duns óculos novos adquiridos na véspera. Sim. Lá estava escrito quatrocentos mil réis!...

A possibilidade de apanhar um emprego único no mundo fê-la pular. Correu a vestir-se, a pôr o chapeuzinho, a avivar as cores do rosto e voou pelas ruas afora.

Foi dar com os costados numa rua humilde; nem rua era — numa "avenida". Defronte à casa indicada — casinha de porta e duas janelas — havia uma dúzia de pretendentes.

— Será possível? O jornal saiu agorinha e já tanta gente por aqui?

Notou que entre as postulantes predominavam senhoras bem vestidas, com o aspecto de "damas envergonhadas". Natural que assim fosse porque um emprego de quatrocentos mil réis era positivamente um fenômeno. Nos seus... trinta e seis anos de vida terrena jamais tivera notícia de nenhum. Quatrocentos por mês! Que mina! Mas como um emprego assim em casa tão modesta? "Já sei. O emprego não é aqui. Aqui é onde se trata — casa do jardineiro, com certeza..."

Dona Expedita observou que as postulantes entravam de cara risonha e saíam de cabeça baixa. Evidentemente a decepção da recusa. E o seu coração batia de gosto ao ver que todas iam sendo recusadas. Quem sabe? Quem sabe se o destino marcara justamente a ela como a eleita?

Chegou por fim a sua vez. Entrou. Foi recebida por uma velha na cama. Dona Expedita nem precisou falar. A velha foi logo dizendo:

— "Houve erro no jornal. Mandei pôr quarenta mil réis e puseram quatrocentos... Tinha graça eu pagar quatrocentos a uma criada, eu que vivo à custa do meu filho, sargento da polícia, que nem isso ganha por mês..."

Dona Expedita retirou-se com cara exatamente igual à das outras.

O pior da luta entre criados e patroas é que estas são compelidas a exigir o máximo, e as criadas, por natural defesa, querem o mínimo. Nunca jamais haverá acordo, porque é choque de totalitarismo com democracia.

Um dia, entretanto, dona Expedita teve a maior das surpresas: encontrou uma patroa absolutamente identificada com suas ideias quanto ao "mínimo ideal" — e, mais que isso, entusiasmada com esse minimalismo — a ajudá-la a minimizar o minimalismo!

Foi assim. Dona Expedita estava pela vigésima vez na tal família amiga, à espera de nova colocação. Lembrou-se de recorrer a uma agência, para a qual telefonou. "Quero uma colocação assim, assim, de duzentos mil réis, em casa de gente arranjada, fina e, se for possível, em fazenda. Serviços leves, bom quarto, banho. Aparecendo qualquer coisa deste gênero, peço que me telefonem" — e deu o número do aparelho e da casa.

Horas depois retinia a campainha do portão.

— É aqui que mora Madame Expedita? — perguntou em língua atrapalhada uma senhora alemã, cheia de corpo, de bom aspecto.

A criadinha que atendeu disse que sim, fê-la entrar para o *hall* de espera e foi correndo avisar dona Expedita. "Uma estrangeira gorda, querendo falar com *Madame*!"

— Que pressa, meu Deus! — murmurou a solicitada, correndo ao espelho para os retoques. — Nem três horas faz que telefonei. Agência boa, sim...

Dona Expedita apareceu no *hall* com um excessozinho de ruge nos beiços de múmia. Apareceu e conversou — e maravilhou-se, porque pela primeira vez na vida encontrava a patroa ideal. A mais *sui generis* das patroas, de tão integrada no ponto de vista das "senhoras de meia idade que procuram serviços leves".

O diálogo travou-se num crescendo de animação.

— Muito boa tarde! — disse a alemã com a maior cortesia. — Então foi Madame quem telefonou para a agência?

O "madame" causou espécie a dona Expedita.

— É verdade. Telefonei e dei as condições. A senhora gostou?

— Muito, mas muito mesmo! Era exatamente o que eu queria. Perfeito. Mas vim ver pessoalmente, porque o costume é anunciarem uma coisa e a realidade ser outra.

A observação encantou dona Expedita, cujos olhos brilharam.

— A senhora parece que está pensando com a minha cabeça. É justamente isso o que se dá, vivo eu dizendo. As patroas escondem o leite. Anunciam uma coisa e querem outra. Anunciam serviços leves e botam em cima das pobres criadas a maior trabalheira que podem. Eu falei, eu insisti com a agência: *servicinhos leves*...

— Isso mesmo! — concordou a alemã, cada vez mais encantada. — Serviços leves, bem leves, porque afinal de contas uma criada é gente — não é burro de carroça.

— Claro! Mulheres de certa idade não podem fazer serviços de mocinhas, como arrumar, lavar, cozinhar quando a cozinheira não vem. Ótimo! Quanto à acomodação, falei à agência em "bom quarto"...

— Exatamente! — concordou a alemã. — Bom quarto — com janelas. Nunca pude conformar-me com isso das patroas meterem as criadas em desvãos escuros, sem ar, como se fossem malas. E sem banheiro em que tomem banho.

Dona Expedita era toda risos e sorrisos. A coisa lhe estava saindo maravilhosa.

— E banho quente! — acrescentou com entusiasmo.

— Quentíssimo! — berrou a alemã batendo palmas. — Isso para mim é ponto capital. Como pode haver asseio numa casa onde nem banheiro há para as criadas?

— Ah, minha senhora, se todas as patroas pensassem assim! — exclamou dona Expedita erguendo os olhos para o céu. — Que felicidade não seria o mundo! Mas no geral as patroas são más — e iludem as pobres criadas, para agarrá-las e explorá-las.

— Isso mesmo! — apoiou a alemã. — A senhora está falando como um livro de sabedoria. Para cada cem patroas haverá cinco ou seis que tenham coração — que compreendam as coisas...

— Se houver! — duvidou dona Expedita.

O entendimento das duas era perfeito: uma parecia o *doublé* da outra. Debateram o ponto dos "serviços leves" com tal mútua compreensão que os serviços ficaram levíssimos, quase-nulos — e dona Expedita viu erguer-se diante de si o grande sonho de sua vida: um emprego em que não fizesse nada, absolutamente nada...

— Quanto ao ordenado, disse ela (que sempre pedia duzentos para deixar por oitenta), fixei-o em duzentos...

Avançou isso medrosamente e ficou à espera da inevitável repulsa. Mas a repulsa do costume pela primeira vez não veio. Bem ao contrário disso, a alemã concordou com entusiasmo.

— Perfeitamente! Duzentos por mês — e pagos no último dia de cada mês.

— Isso! — berrou dona Expedita levantando-se da cadeira. — Ou no comecinho. Essa história de pagamento em dia incerto nunca foi comigo. Dinheiro de ordenado é sagrado.

— Sacratíssimo! — urrou a alemã levantando-se também.

— Ótimo, — exclamou dona Expedita. — Está tudo como eu queria.

— Sim, ótimo, — repetiu a alemã. — Mas a senhora também falou em fazenda...

— Ah, sim, fazenda. Uma fazenda boa, com bastante frutas, bastante leite, bastante ovos — e bonita, porque há fazendas muito feias.

O quadro da fazenda bonita, toda frutas, leite e ovos, extasiou a alemã. Que maravilha...

Dona Expedita continuou:

— Gosto muito de lidar com pintinhos.

— Pintos! Ah, é o maior dos encantos! Adoro os pintos — as ninhadas... O nosso entendimento vai ser absoluto, Madame...

O êxtase de ambas sobre a vida de fazenda foi subindo numa vertigem. Tudo quanto havia de sonhos incubados naquelas almas refloriu viçoso. Infelizmente a alemã teve a ideia de perguntar:

— E onde fica a *sua* fazenda, Madame?

— A *minha* fazenda — repetiu dona Expedita refranzindo a testa.

— Sim, a sua fazenda — a fazenda para onde Madame quer que eu vá...

— Fazenda para onde eu quero que a senhora vá? — tornou a repetir dona Expedita, sem entender coisa nenhuma. — Fazenda, eu? Pois se eu tivesse fazenda lá andava a procurar emprego?

Foi a vez da alemã arregalar os olhos, atrapalhadíssima. Também não estava entendendo coisa nenhuma. Ficou uns instantes no ar. Por fim:

— Pois Madame não telefonou para a agência dizendo que tinha um emprego assim, assim, na sua fazenda?

— Minha fazenda uma ova! Nunca tive fazenda. Telefonei procurando emprego, se possível numa fazenda, isso sim...

— Então, então, então... — e a alemã enrubesceu como uma papoula.

— Pois é, — disse dona Expedita percebendo afinal o quiproquó. — Estamos aqui feito duas idiotas, cada qual querendo emprego e pensando que a outra é a patroa...

O cômico da situação fê-las rirem-se — e gostosamente, já retornadas à posição de "senhoras de meia idade que procuram serviços leves".

— Esta foi muito boa! — murmurou a alemã levantando-se para sair. — Nunca me aconteceu coisa assim. Que agência, hein?

Dona Expedita filosofou.

— Eu bem que estava desconfiada. A esmola era demais. A senhora ia concordando com tudo que eu dizia — até com os banhos quentes! Ora, isso nunca foi linguagem de patroa — dessas biscas. A agência errou, talvez por causa do telefone, que estava danado hoje — além do que sou meio dura dos ouvidos...

Nada mais havia a dizer. Despediram-se. Depois que a alemã bateu o portão, dona Expedita fechou a porta, com um suspiro arrancado do fundo das tripas.

— Que pena, meu Deus! Que pena não existirem no mundo patroas que pensem como as criadas...

1939

Herdeiro de si mesmo

O povo de Dois Rios não cessava de comentar a inconcebível "sorte" do coronel Lupércio Moura, o grande milionário local. Um homem que saíra do nada. Que começara modesto menino de escritório dos que mal ganham para os sapatos, mas cuja vida, dura até aos trinta e seis anos, fora daí por diante a mais espantosa subida pela escada do Dinheiro, a ponto de aos sessenta ver-se montado numa hipopotâmica fortuna de sessenta mil contos de réis.

Não houve o que Lupércio não conseguisse da Sorte — até o posto de Coronel, apesar de já extinta a pitoresca instituição dos coronéis. A nossa velha Guarda Nacional era uma milícia meramente decorativa, com os galões de capitão, major e coronel reservados para coroamento das vidas felizes em negócios. Em todas as cidades havia sempre um coronel: o homem de mais posses. Quando Lupércio chegou aos vinte mil contos, a gente de Dois Rios sentiu-se acanhada de tratá-lo apenas de "senhor Lupércio". Era pouquíssimo. Era absurdo que um detentor de tanto dinheiro ainda se conservasse "soldado raso" — e por consenso unânime promoveram-no, com muita justiça, a coronel, o posto mais alto da extinta milícia.

Criaturas há que nascem com misteriosa aptidão para monopolizar dinheiro. Lembram imãs humanos. Atraem a moeda com a mesma inexplicável força com que o imã atrai a limalha. Lupércio tornara-se imã.

O dinheiro procurava-o de todos os lados, e uma vez aderido não o largava mais. Toda gente faz negócios em que ora ganha, ora perde. Ficam ricos os que ganham mais do que perdem e empobrecem os que perdem mais do que ganham. Mas caso de homens de mil negócios sem uma só falha, existia no mundo apenas um — o do coronel Lupércio.

Até aos trinta e seis anos ganhou dinheiro de modo normal, e conservou-o à força da mais acirrada economia. Juntou um pecúlio de quarenta e cinco contos e quinhentos mil réis como o juntam todos os forretas. Foi por essas alturas que sua vida mudou. A Sorte "encostou-se" nele, dizia o povo. Houve aquela tacada inicial de Santos e a partir daí todos os seus negócios foram tacadas prodigiosas. Evidentemente, uma Força Misteriosa passara a protegê-lo.

Que tacada inicial fora essa? Vale a pena recordá-lo.

Certo dia, inopinadamente, Lupércio apareceu com a ideia, absurda para o seu caráter, de uma estação de veraneio em Santos. Todo mundo se espantou. Pensar em veraneio, em flanar, botar dinheiro fora, aquela criatura que nem sequer fumava para economia dos níqueis que custam os maços de cigarros? E quando o interpelaram, deu uma resposta esquisita:

— Não sei. Uma coisa me empurra para lá...

Lupércio foi para Santos. Arrastado, sim, mas foi. E lá se hospedou no hotelzinho mais barato, sempre atento a uma só coisa: o saldo que ficaria dos quinhentos mil réis que destinara à "maluquice". Nem banhos de mar tomou, apesar da grande vontade, para economia dos vinte mil réis da roupa de banho. Contentava-se com ver o mar.

Que enlevo d'alma lhe vinha da imensidão líquida, eternamente a aflar em ondas e a refletir os tons do céu! Lupércio extasiava-se diante de tamanha beleza.

— Quanto sal! Quantos milhões de milhões de toneladas de sal! — dizia lá consigo — e seus olhos em êxtase ficavam a ver pilhas imensas de sacas de sal amontoadas por toda a extensão das praias.

Também gostava de assistir à puxada das redes dos pescadores, enlevando-se no cálculo do valor da massa de peixes recolhida. Seu cérebro era a mais perfeita máquina de calcular que o mundo ainda produzira.

Num desses passeios afastou-se mais que de costume e foi ter à Praia Grande. Um enorme trambolho ferrugento semienterrado na areia chamou-lhe a atenção.

— Que é aquilo? — indagou dum passante.

Soube tratar-se dum cargueiro inglês que vinte anos antes dera à costa naquele ponto. Uma tempestade arremessara-o à praia onde encalhara e ficara a afundar-se lentissimamente. No começo o grande casco aparecia quase todo de fora — "mas ainda acaba engolido pela areia", concluiu o informante.

Certas criaturas nunca sabem o que fazem nem o que são, nem o que as leva a isto e não àquilo. Lupércio era assim. Ou andava assim agora, depois do "encostamento" da Força. Essa Força o puxava às vezes como o cabreiro puxa para a feira um cabrito — arrastando-o. Lupércio veio para Santos arrastado. Chegara até àquele casco arrastado — e era a contragosto que permanecia diante dele, porque o sol estava terrível e Lupércio detestava o calor. Travava-se dentro dele uma luta. A Força obrigava-o a atentar no casco, a calcular o volume daquela massa de ferro, o número de quilos, o valor do metal, o custo do desmantelamento — mas Lupércio resistia. Queria sombra, queria escapar ao calor terrível. Por fim venceu. Não calculou coisa nenhuma — e fez-se de volta para o hotelzinho com cara de quem brigou com a namorada — evidentemente amuado.

Nessa noite todos os seus sonhos giraram em torno do casco velho. A Força insistia para que ele calculasse a ferralha, mas mesmo em sonhos Lupércio resistia, alegava o calor reinante — e os pernilongos. Oh, como havia pernilongos em Santos! Como calcular qualquer coisa com o termômetro perto de quarenta graus e aquela infernal música anofélica? Lupércio amanheceu de mau humor, amuado. Amuado com a Força.

Foi quando ocorreu o caso mais inexplicável de sua vida: o casual encontro de um corretor de negócios que o seduziu de maneira estranha. Começaram a conversar bobagens e gostaram-se. Almoçaram juntos. Encontraram-se de novo à tarde para o jantar. Jantaram juntos e depois... a farrinha!

A princípio a ideia da farra tinha assustado Lupércio. Significava desperdício de dinheiro — um absurdo. Mas como o homem lhe pagara o almoço e o jantar, era bem possível que também custeasse a farrinha. Essa hipótese fez que Lupércio não repelisse de pronto o convite, e o corretor, como se lhe adivinhasse o pensamento, acudiu logo:

— Não pense em despesas. Estou cheio de "massa". Com o negocião que fiz ontem, posso torrar um conto sem que meu bolso dê por isso.

A farra acabou diante de uma garrafa de uísque, bebida cara que só naquele momento Lupércio veio a conhecer. Uma, duas, três doses. Qualquer coisa levitante começou a desabrochar dentro dele. Riu-se à larga. Contou casos cômicos. Referiu cem fatos de sua vida e depois, oh, oh, oh, falou em dinheiro e confessou quantos contos possuía no banco!

— Pois é! Quarenta e cinco contos — ali na batata!

O corretor passou o lenço pela testa suada. Uf! Até que enfim descobrira o peso metálico daquele homem. A confissão dos quarenta e cinco contos era algo absolutamente aberrante na psicologia de Lupércio. Artes do uísque, porque em estado normal ninguém nunca lhe arrancaria semelhante confissão. Um dos seus princípios instintivos era não deixar que ninguém lhe conhecesse "ao certo" o valor monetário. Habilmente despistava os curiosos, dando a uns a impressão de possuir mais, e a outros a de possuir menos, do que realmente possuía. Mas *in uísque veritas*, diz o latim — e ele estava com quatro boas doses no sangue.

O que se passou dali até a madrugada Lupércio nunca o soube com clareza. Vagamente se lembrava de um estranhíssimo negócio em que entravam o velho casco do cargueiro inglês e uma companhia de seguros marítimos.

Ao despertar no dia seguinte, ao meio-dia, numa ressaca horrorosa, tentou reconstruir o embrulho da véspera. A princípio, nada; tudo confusão. De repente, empalideceu. Sua memória começava a abrir-se.

— Será possível?

Fora possível, sim. O corretor havia "roubado" os seus quarenta e cinco contos! Como? Vendendo-lhe o ferro velho. Esse corretor era agente da companhia que pagara o seguro do cargueiro naufragado e ficara dona do casco. Havia muitos anos que recebera a incumbência de apurar qualquer coisa daquilo — mas nunca obtivera nada, nem cinco, nem três, nem dois contos — e agora o vendera àquele imbecil por quarenta e cinco!

A entrada triunfal do corretor no escritório da companhia, vibrando no ar o cheque! Os abraços, os parabéns dos companheiros tomados de inveja...

O diretor da sucursal fê-lo vir ao escritório.

— Quero que receba o meu abraço, — disse-lhe. — A sua façanha vem pô-lo no primeiro lugar entre os nossos agentes. O senhor acaba de tornar-se a grande estrela da Companhia.

Enquanto isso, lá no hotelzinho, Lupércio amarfanhava o travesseiro desesperadamente. Pensou na polícia. Pensou em contratar o melhor advogado de Santos. Pensou em dar tiro — um tiro na barriga do infame ladrão; na barriga, sim, por causa da peritonite. Mas nada pôde fazer. A Força lá dentro o inibia. Impedia-o de agir neste ou naquele sentido. Forçava-o a esperar.

— Mas esperar que coisa?

Ele não sabia, não compreendia, mas sentia aquela impulsação tremenda que o forçava a esperar. Por fim, exausto da luta, ficou de corpo largado — vencido.

Sim, esperaria. Não faria nada — nem polícia, nem advogado, nem peritonite, apesar de ser um caso de escroqueria pura, desses que a lei pune.

E como não tivesse ânimo de regressar a Dois Rios, deixou-se ficar em Santos num empreguinho dos mais modestos — esperando, esperando... não sabia o quê.

Não esperou muito. Dois meses depois rebentava a Grande Guerra, e a tremenda alta dos metais não demorou a sobrevir. No ano seguinte Lupércio revendeu o casco do *Sparrow* por trezentos e vinte contos de réis. A notícia encheu Santos — e o corretor-estrela foi tocado da companhia de seguros quase a pontapés. O mesmo diretor que o promovera ao "estrelato", despediu-o com palavras ferozes:

— Imbecil! Esteve anos e anos com o *Sparrow* e vai vendê-lo por uma ninharia justamente nas vésperas da valorização. Rua! Faça-me o favor de nunca mais me pôr os pés aqui, seu coisa!

Lupércio voltou para Dois Rios com os trezentos e vinte contos no bolso e perfeitamente reconciliado com a Força. Daí por diante nunca mais houve amuos, nem hiatos na sua ascensão ao milionarismo. Lupércio dava ideia do demônio. Enxergava no mais escuro de todos os negócios. Adivinhava. Recusava muitos que todos consideravam da China, para realizar outros que todos refugavam — e o que inevitavelmente sucedia era o fracasso desses negócios da China e a vitória dos de todos refugados.

No jogo dos marcos alemães o mundo inteiro perdeu — menos Lupércio. Um belo dia deliberou "embarcar nos marcos", contra o conselho de todos os prudentes locais. A moeda alemã estava a cinquenta réis. Lupércio comprou milhões e mais milhões, empatou nela todas as suas disponibilidades. E com espanto geral o marco principiou a subir. Foi a sessenta, a setenta, a cem réis. O entusiasmo pelo negócio tornou-se imenso. Iria a duzentos a trezentos e réis, diziam todos — e não houve quem não se atirasse à compra daquilo.

Quando a cotação chegou a cento e dez réis, Lupércio foi à capital consultar um banqueiro das suas relações, verdadeiro oráculo em finanças internacionais — o "infalível", como diziam nas rodas bancárias.

— Não venda, foi o conselho do homem. A moeda alemã está firmíssima, vai a duzentos, pode chegar mesmo a trezentos — e só então será o momento de vender.

As razões que o banqueiro deu para demonstrar matematicamente o asserto eram de perfeita solidez; eram a própria evidência materializada em raciocínio.

Lupércio ficou absolutamente convencido daquela matemática — mas arrastado pela Força encaminhou-se para o banco onde tinha os seus marcos — arrastado como o cabritinho que o cabreiro conduz à feira — e lá, em voz sumida, submisso, envergonhado, deu ordens para a venda imediata dos seus milhões.

— Mas, coronel, — objetou o empregado a quem se dirigiu, — não acha que é erro vender agora que a alta está numa vertigem? Todos os prognósticos são unânimes em garantir que teremos o marco a duzentos, a trezentos, e isso antes de um mês...

— Acho, sim, que é isso mesmo, — respondeu Lupércio, como que agarrado pela garganta. — Mas quero, sou "forçado" a vender. Venda já, já, hoje mesmo.

— Olhe. olhe... — disse ainda o empregado. — Não se precipite. Deixe essa resolução para amanhã. Durma sobre o caso.

A Força quase estrangulou Lupércio, que com os últimos restos de voz apenas pôde dizer:

— É verdade, tem razão — mas venda, e hoje mesmo...

No dia seguinte começou a degringolada final dos marcos alemães, na descida vertiginosa que os levou ao zero absoluto.

Lupércio, comprador a cinquenta réis, vendera-os pelo máximo da cotação alcançada — e justamente na véspera da debacle! O seu lucro foi de milhares de contos.

Os contos de Lupércio foram vindo aos milhares, mas também lhe vieram vindo os anos, até que um dia se convenceu de estar velho e inevitavelmente próximo do fim. Dores aqui e ali — doencinhas insistentes, crônicas. Seu organismo evidentemente decaía à proporção que a fortuna aumentava. Ao completar os sessenta anos Lupércio tomou-se de uma sensação nova, de pavor — o pavor de ter de largar a maravilhosa fortuna reunida. Tão integrado estava no dinheiro, que a ideia de separar-se dos milhões lhe parecia uma aberração da natureza. Morrer! Teria então de morrer, ele que era diferente dos outros homens? ele que viera ao mundo com a missão de chamar a si quanto dinheiro houvesse? ele que era o imã atrator da limalha?

O que foi a sua luta com a ideia da inevitabilidade da morte não cabe em descrição nenhuma. Exigiria volumes. Sua vida ensombreceu. Os dias iam se passando e o problema se tornava cada vez mais angustioso. A morte é um fato universal. Até àquela data não lhe constava que ninguém houvesse deixado de morrer. Ele, portanto, morreria também — era o inevitável. O mais que poderia fazer era prolongar a vida até os setenta, até oitenta. Poderia mesmo chegar a quase cem, como o Rockefeller — mas ao cabo teria de ir-se, e então? Quem ficaria com os duzentos ou trezentos mil contos que deveria ter por essa época?

Aquela história de herdeiros era o absurdo dos absurdos para um celibatário de sua marca. Se a fortuna era dele, só dele, como deixá-la a quem quer que fosse? Não. Tinha de descobrir um jeito de não morrer, ou...

Lupércio interrompeu-se no meio do raciocínio, tomado de súbita ideia. Uma ideia tremenda, que por minutos o deixou de cérebro paralisado. Depois sorriu.

— Sim, sim... Quem sabe? — e seu rosto iluminou-se de uma luz nova. As grandes ideias emitem luz...

Desde esse momento Lupércio revelou-se outro, com preocupações que nunca tivera antes. Não houve em Dois Rios quem o não notasse.

— O homem mudou completamente, — diziam. — Está se espiritualizando. Compreendeu que a morte vem mesmo e começa a arrepender-se da sua feroz materialidade.

Lupércio fez-se espiritualista. Comprou livros, leu-os, meditou-os. Passou a frequentar o Centro Espírita local e a ouvir com a maior atenção as vozes do Além, transmitidas pelo Chico Vira, o famoso médium da zona.

— Quem havia de dizer! — era o comentário geral. — Esse usurário que passou a vida inteira só pensando em dinheiro e nunca foi capaz de dar um tostão de esmola, está virando santo. E vão ver que faz como o Rockefeller: deixa toda a fortuna para o Asilo de Mendigos...

Lupércio, que nunca lera coisa nenhuma, estava agora se tornando um sábio, a avaliar pelo número de livros que adquiria. Entrou a estudar a fundo. Sua casa fez-se centro de reuniões de quanto médium aparecia por lá — e muitos de fora vieram a Dois Rios a convite seu. Generosamente hospedava-os, pagava-lhes a conta do hotel — coisa inteiramente aberrante dos seus princípios financeiros. O assombro da população não tinha limites.

Mas o dr. Dunga, diretor do Centro Espírita, começou a estranhar uma coisa: o interesse do coronel Lupércio pela metapsíquica centrava-se num só ponto — a reencarnação. Só isso o preocupava realmente. Pelo resto passava como gato por brasas.

— Escute, irmão, — disse ele um dia ao dr. Dunga. — Há na teoria da reencarnação um ponto para mim obscuro e que no entanto me apaixona. Por mais autores que eu leia, não consigo firmar as ideias.

— Que ponto é esse? — indagou o dr. Dunga.

— Vou dizer. Já não tenho dúvidas sobre a reencarnação. Estou plenamente convencido de que a alma, depois da morte do corpo, volta — reencarna-se em outro ser. Mas em quem?

— Como em quem?

— Em quem, sim. Meu ponto é saber se a alma do desencarnado pode escolher o corpo em que vai novamente encarnar-se.

— Está claro que escolhe.

— Até aí vou eu. Sei que escolhe. Mas "quando" escolhe?

O dr. Dunga não percebia o alcance da pergunta.

— Escolhe quando chega o momento de escolher, — respondeu.

A resposta não contentou o coronel. O momento de escolher! Bolas! Mas que momento é esse?

— Meu ponto é o seguinte: saber se a alma de um vivo pode antecipadamente escolher a criatura em que vai futuramente encarnar-se.

O dr. Dunga estava tonto. Fez cara de não entender nada.

— Sim, — continuou Lupércio. — Quero saber, por exemplo, se a alma de um vivo pode antes de morrer marcar a mulher que vai ter um filho em quem essa alma se encarne.

A perplexidade do dr. Dunga recrescia.

— Meu caro, — disse por fim Lupércio, — estou disposto a pagar até cem contos por uma informação segura — seguríssima. Quero saber se a alma de um vivo pode antes de desencarnar-se escolher o corpo da sua futura reencarnação.

— Antes de morrer?

— Sim...

— Em vida ainda?

— Está claro...

O dr. Dunga quedou-se pensativo. Estava ali uma hipótese em que jamais refletira e sobre que nada lera.

— Não sei, coronel. Só vendo, só consultando os autores — e as autoridades. Nós aqui somos bem pouco neste assunto, mas há mestres na Europa e nos Estados Unidos. Podemos consultá-los.

— Pois faça-me o favor. Não olhe as despesas. Darei cem contos, e até mais, em troca de uma informação segura.

— Sei. Quer saber se ainda em vida do corpo podemos escolher a criatura em que vamos reencarnar-nos...

— Exatamente.

— E por que isso?

— Maluquices de velho. Como ando a estudar as teorias da reencarnação, lógico que me interesse pelos pontos obscuros. Os pontos claros esses já os conheço. Não acha natural a minha atitude?

O dr. Dunga teve de achar naturalíssima aquela atitude.

Enquanto as cartas de consulta cruzavam o oceano, endereçadas às mais famosas sociedades psíquicas do mundo, o estado de saúde do coronel Lupércio agravou-se — e concomitantemente se agravou a sua pressa pela solução do problema. Chegou a autorizar pedido de resposta pelo telégrafo — custasse o que custasse.

Certo dia o dr. Dunga, tomado de vaga desconfiança, foi procurá-lo em casa. Encontrou-o mal, respirando com esforço.

— Nada ainda, coronel. Mas a minha visita tem outro fim. Quero que o amigo fale claro, abra esse coração. Quero que me explique a verdadeira causa do seu interesse pela consulta. Francamente, não acho natural isso. Sinto, percebo, que o coronel tem uma ideia secreta na cabeça...

Lupércio olhou-o de revés, desconfiado. Mas resistiu. Alegou que era apenas curiosidade. Como nos seus estudos sobre a reencarnação nada vira sobre aquele ponto, viera-lhe a lembrança de esclarecê-lo. Só isso...

O dr. Dunga não se satisfez. Insistiu:

— Não, coronel, não é isso, não. Eu sinto, eu vejo, que o senhor tem uma ideia oculta na cabeça. Seja franco. Bem sabe que sou seu amigo.

Lupércio resistiu ainda por algum tempo. Por fim confessou, com relutância.

— É que estou no fim, meu caro — e tenho de fazer o testamento...

Não disse mais, nem foi preciso. Um clarão iluminou o espirito do dr. Dunga. O coronel Lupércio, a mais pura encarnação humana do dinheiro, não admitia a ideia de morrer e deixar a fortuna aos parentes. Não se conformando com a hipótese de separar-se dos sessenta mil contos, pensava em fazer-se o herdeiro de si mesmo em outra reencarnação... Seria isso?

Dunga olhou-o firmemente, sem dizer palavra. Lupércio leu-lhe o pensamento nos olhos inquisidores. Corou — pela primeira vez na vida. E, baixando a cabeça, abriu o coração.

— Sim, Dunga, é isso. Quero que vocês me descubram a mulher em que vou nascer de novo — para fazê-la em meu testamento, a depositária de minha fortuna...

1939

FICÇÃO

ROMANCE

O PRESIDENTE NEGRO OU O CHOQUE DAS RAÇAS (ROMANCE AMERICANO DO ANO 2228) (1926)

Capítulo I
O DESASTRE

Achava-me um dia diante dos guichês do London Bank à espera de que o pagador gritasse a minha chapa, quando vi a cochilar num banco ao fundo certo corretor de negócios meu conhecido. Fui-me a ele, alegre da oportunidade de iludir o fastio da espera com uns dedos de prosa amiga.

— Esperando sua horinha, hein? — disse-lhe com um tapa amigável no ombro, enquanto me sentava ao seu lado.

— É verdade. Espero pacientemente que me cantem o número, e enquanto espero filosofo sobre os males que traz à vida a desonestidade dos homens.

— ?

— Sim, porque se não fosse a desonestidade dos homens tudo se simplificaria grandemente. Esta demora no pagamento do mais simples cheque, donde provém? Da necessidade de controle em vista dos artifícios da desonestidade. Fossem todos os homens sérios, não houvesse hipótese de falsificações ou abusos, e o recebimento de um dinheiro far-se-ia instantâneo. Ponho-me às vezes a imaginar como seriam as coisas cá na terra se um sábio eugenismo desse combate à desonestidade por meio da completa eliminação dos desonestos. Que paraíso!

— Tem razão, — concordei eu, com os olhos parados de quem pela primeira vez reflete uma ideia. — A vida é complicada, existem leis, polícia, embaraços de toda espécie, burocracia e mil peias, tudo porque a desonestidade nas relações humanas constitui, como dizes, um elemento constante. Mas é mal sem remédio...

E por aí fomos, no filosofar vadio de quem não possui coisa melhor a fazer e apenas procura matar o tempo. Passamos depois a analisar vários tipos ali presentes, ou que entravam e saíam, na azáfama peculiar aos negócios bancários. O meu amigo, frequentador que era dos bancos, conhecia muitos deles e foi-me enumerando particularidades curiosas relativas a cada qual. Nisto entrou um velho de aparência distinta, já um tanto dobrado pelos anos.

— E aquele velho que ali vem? — perguntei.

— Oh! Aquele é um caso sério. O professor Benson, nunca ouviu falar?

— Benson... Esse nome me é desconhecido.

— Pois o professor Benson é um homem misterioso que passa a vida no fundo dos laboratórios, talvez à procura da pedra filosofal. Sábio em ciências naturais e sábio ainda em finanças, coisa ao meu ver muito mais importante. E tão sábio que jamais perde. Dou-me com esses rapazes todos que trabalham nas seções de câmbio e por eles sei deste homem coisas impressionantes. Benson joga no câmbio, mas com tal segurança que não perde.

— Sorte!

— Não é bem sorte. A sorte caracteriza-se por um afluxo de paradas felizes, por uma média mais alta do lucro do que de perda. Mas Benson não perde nunca.

— Será possível?

— É mais que possível, é fato. Deve possuir hoje enorme fortuna. Mora em um complicado castelo lá dos lados de Friburgo, mas não cultiva relações sociais.

Não tem amigos, ninguém ainda viu o interior do casarão onde vive em companhia de uma filha, servido por criados mudos, ao que dizem. Você sabe que depois da guerra o mundo inteiro jogou no marco alemão.

— Sei, sim, e fui uma das vítimas...

— Pois o mundo inteiro perdeu, menos ele.

— Absurdo! Só se fabricava marcos para vender.

— Ao contrário, comprava e revendia marcos já feitos. O marco, talvez você se lembre, teve em certo período uma oscilação de alta. Renasceram as esperanças dos jogadores e o movimento de compras foi enorme. Benson vendeu nessa ocasião. Logo em seguida começou o marco desandar até zero e para nunca mais se erguer.

— Vendeu no momento exato, como quem *sabe* qual o momento exato de vender...

— Isso mesmo. Com o franco fez coisa idêntica. Comprou exatamente nos dias de maior baixa e vendeu exatamente nos dias de maior alta. Tem ganho o que quer ganhar, o raio do homenzinho...

— E para que necessita de tanto dinheiro?

— Ignoro. Não leva a vida comum dos nossos ricaços, não dá festas, não consta que seja explorado por mulheres. É positivamente misterioso o professor Benson — um verdadeiro mágico que vê através do futuro.

Ri-me da expressão do meu amigo e qual filósofo barato murmurei com superioridade:

— Como pode ver através do que não existe? O futuro não existe...

O corretor respondeu-me com uma frase que naquele momento não compreendi:

— Não existe, sim, mas vai existir *necessariamente*.

— Dois mais dois — é o presente. A soma quatro é o futuro. Um futuro previsível...

— "Vinte e dois!" — gritou uma voz da pagadoria.

Era o meu número.

— Dois mais dois também podem ser vinte e dois, — gracejei eu, despedindo-me do filósofo. — Adeus, meu caro. Na próxima oportunidade você continuará com a demonstração.

Recebi o dinheiro e saí para o torvelinho das ruas, onde breve se me apagou do cérebro a impressão do professor Benson e das palavras do meu amigo.

Mas dá a vida misteriosas voltas e um belo dia, ao despertar de um sono letárgico, quem vi eu diante dos meus olhos, qual um espetro? O professor Benson!...

Não antecipemos, porém; e antes de mais nada permitam-me que fale um bocado da minha pessoa.

Era eu um pobre diabo para toda gente, exceto para mim mesmo. Para mim tinha-me na conta de centro do universo. *Penso e sou*, dizia comigo, repetindo certo filósofo francês. Tudo gira em redor do meu ser. No dia em que eu deixar de pensar, o mundo acaba-se. Mas isto parece que não tinha grande originalidade, pois todos os meus conhecidos se julgavam da mesma forma.

Eu vivia do meu trabalho, recebendo dele, não o produto, mas uma pequena quota, o necessário para pagar o quarto onde morava, a pensão onde comia e a roupa que vestia. Quem propriamente se gozava do meu trabalho era a dupla Sá, Pato &

Cia., gordos e sólidos negociantes que me enterneciam a alma nas épocas de balanço ao concederem-me a pequena gratificação constituidora do meu lucro. Com eles trabalhei vários anos, conseguindo reunir o modesto pecúlio que transformei em marcos e, com grande dor d'alma, vi se reduzirem a zero absoluto, apesar da teoria de que tudo é relativo.

Continuei no trabalho por mais quatro anos, daí por diante já curado de jogatinas e megalomanias.

Mas todos nós possuímos um ideal na vida. Meu amigo corretor sonha dirigir a carteira cambial de um banco. Aquele pobre que ali passa, tocando o realejo que herdou do pai e ao qual faltam três notas, sonha com um realejo novo em que não falte nota nenhuma. Eu sonhava... com um automóvel. Meu Deus! As noites que passei pensando nisso, vendo-me no volante, de olhar firme para a frente, fazendo, a berros de klaxon, disparar do meu caminho os pobres e assustadiços pedestres! Como tal sonho me enchia a imaginação!

Meu serviço na casa era todo de rua, recebimentos, pagamentos, comissões de toda espécie. De modo que posso dizer que morava na rua, e o mundo para mim não passava de uma rua a dar uma porção de voltas em torno da terra. Ora, na rua eu via a humanidade dividida em duas castas, *pedestres* e *rodantes*, como os batizei aos homens comuns e aos que circulavam sobre quatro pneus. O pedestre, casta em que nasci e em que vivi até aos vinte e seis anos, era um ser inquieto, de pouco rendimento, forçado a gastar a sola das botinas, a suar em bicas nos dias quentes, a molhar-se nos dias de chuva e a operar prodígios para não ser amarrotado pelo orgulhoso e impassível rodante, o homem superior que não anda, mas desliza veloz. Quantas vezes não parei nas calçadas para gozar o espetáculo do formigamento dos meus irmãos pedestres, a abrirem alas inquietas à Cadillac arrogante que por eles se metia, a reluzir esmaltes e metais. O ronco de porco do klaxon parecia-me dizer — "Arreda canalha!".

Sonhei, portanto, mudar de casta e por minha vez levar os pedestres a abrirem-me alas, sob pena de esmagamento. E o novo pecúlio, com tanto esforço acumulado depois do desastre germânico, não visava outra coisa. Foi, pois, com o maior enlevo d'alma que entrei certa manhã numa agência e comprei a máquina que me mudaria a situação social. Um Ford.

Os efeitos dessa compra foram decisivos na minha vida. Ao verem-me chegar ao escritório fonfonando, os patrões abriram as maiores bocas que ainda lhes vi e vacilaram entre porem-me no olho da rua ou dobrarem-me o ordenado. Por fim dobraram-me o ordenado, quando demonstrei o quanto lhes aumentaria o renome da firma o terem um auxiliar possuidor de automóvel próprio. E tudo correria pelo melhor, no melhor dos mundos possíveis, se eu me não excedesse na fúria de fordizar a todo o transe com o fito de embasbacar pedestres. A paixão da carreira grelara em mim e, depois de um mês, já não contente com a velocidade desenvolvida por aquele carro, pus-me a sonhar a aquisição de outro, que chispasse cem quilômetros por hora. O aumento de ordenado permitiu-me várias excursões de maluco, nas quais me embriagava aos domingos da delícia de devorar quilômetros. Paguei diversas multas, matei meia dúzia de cães e cheguei a atropelar um pobre surdo que não atendera ao meu insolente "Arreda!".

Tornou-se-me o pedestre uma criatura odiosa, embaraçadora do meu direito à rapidez e à linha reta. Pensei até em representar ao governo, sugerindo uma lei que proibisse a semelhantes trambolhos semoventes o trânsito pelas vias asfaltadas. Adquiri, em suma, a mentalidade dos rodantes, passando a desprezar o pedestre como coisa vil e de somenos importância na vida.

Por essa época um dos meus patrões encarregou-me de liquidar pessoalmente certo negócio com um freguês morador perto de Friburgo.

Muito fácil me seria lá ir de trem, mas um rodante da minha marca sorria dos trens. Fui no meu auto, apesar das ruins informações que me deram do caminho. Meti boa reserva de gasolina e atirei-me qual um doido por estradas de tropa em que, suponho, nenhum automóvel ainda se arriscara a passar. Numerosos contratempos sofri nessa minha "viagem a Damasco", mas mesmo assim tudo acabaria sem novidade se a estrada infame não desembocasse de improviso numa ótima, recém-feita e tão bem conservada como a melhor das pistas de corrida. Mal me vi naquele sétimo céu de macadame, dei toda a força à máquina e desforrei-me da lentidão de até ali com uma chispada a sessenta por hora, o máximo que o meu fordinho permitia.

A região que eu atravessava era de maravilhosa beleza. Serras azuis ao longe, quais muralhas de safira a sopesarem um céu de cobalto. Dia de limpidez absoluta. Paisagem das que vibram de nitidez. Desafeito aos formosos quadros da natureza, distraí-me com a novidade do espetáculo e... *catapruz!*

Dormi um longo sono. Quando acordei achava-me num quarto desconhecido, tendo na minha frente... o velho jogador de câmbio que eu vira no banco — o professor Benson!

Grande foi a minha surpresa, e ainda maior seria se uma forte dor no meu braço direito me permitisse pensar em alguma coisa além da lesão sofrida nesse apêndice do eixo central do universo.

— Onde estou? — murmurei, olhando muito espantado para o professor Benson.

— Em minha casa, — respondeu ele. — Um dos meus homens o encontrou sem sentidos no fundo de um despenhadeiro, ao lado de um Ford em pandarecos.

— O meu Ford em pandarecos! Desgraçado que sou... — gemi.

A dor do braço ofendido era grande, mas a minha dor moral muito maior. Creio até que entre perder o carro e perder um braço eu não vacilaria na escolha. Custara-me tanto consegui-lo... E, além do mais, dada a psicologia dos meus patrões, o certo era reduzirem-me o ordenado, já que eu voltaria a servi-los a pé como outrora...

Tão negra notícia me sombreou de crepes a alma. Não podia conformar-me com o desastre. Delirei. Soube mais tarde, pelo professor, que nesse delírio uma obsessão única transparecia: o desespero ante o meu retorno à miserável casta dos pedestres...

Mas tudo passa. A dor do braço foi atenuando e a dor moral acompanhou-a nesse amortecimento, de modo que pude erguer-me da cama ao cabo de quinze ou vinte dias.

Vi então desenhar-se na minha frente um problema terrível. Davam-me alta em breve e, não havendo mais razão para permanecer naquela casa estranha, forçoso me seria regressar à cidade. E teria de me apresentar diante dos senhores Sá, Pato & Cia. a pé, murcho, resignado às suas pilhérias e à lógica redução de salário. Revoltado, deliberei mudar de vida. Quando na manhã seguinte o professor Benson me apareceu no quarto, abri-me com ele.

— Professor, não sei como agradecer o bem que me fez!...

— Fiz o meu dever apenas, — declarou com simplicidade o velho.

— Salvou-me a vida, professor. Não fosse a sua preciosa assistência e o provável era estar eu agora esvoaçando pelo outro mundo, como froco de paina psíquica. Minha gratidão é imensa. Mas seria infinita se o professor me ajudasse a resolver o problema muito sério que vejo armar-se diante de mim.

— Diga qual é. Já resolvi diversos tidos como insolúveis, e ser-me-ia grato resolver mais um...

Animado pela bonomia do velho, abri meu coração. Contei-lhe a mediocridade da minha vida, os meus esforços para juntar o pecúlio empatado no automóvel, a transformação que as quatro rodas me operaram na mentalidade e o horror com que via agora o forçado regresso ao pedestrianismo.

— O professor é opulento e pelo que vejo possui uma grande e linda propriedade. Precisará, portanto, de homens que trabalhem nela. Eu não queria sair daqui. Arranje-me uma ocupação qualquer, seja lá qual for. Tenho algumas aptidões e, como a boa vontade é grande, para isto ou aquilo sempre hei de servir. O que não desejo é voltar à cidade e ter de apresentar-me, assim decaído, ante os meus truculentos patrões...

O professor Benson pareceu meditar. Tirou do nariz os óculos de ouro, limpou-lhes os vidros num lenço de linho e depois disse:

— Não necessito aqui de ninguém. Possuo o número de criados estritamente precisos para conservação desta propriedade e nela não vejo função que o amigo possa desempenhar. E não o admitiria em hipótese alguma, se de dias a esta parte não sentisse cá no coração prenúncios de que minha vida está no fim. Isto me faz sair da política que tenho levado até hoje e aceitá-lo em minha companhia como... confidente.

— Confidente?... — repeti, sem compreender o alcance da expressão.

— Sim, confidente. Aproveito-me do acaso tê-lo trazido ao meu encontro para confiar-lhe a história da minha vida. Mas desde já dou um conselho: guarde segredo de tudo, depois que eu morrer. Não que seja caso de segredo, mas vai o amigo ouvir e ver coisas tão extraordinárias que, se o for contar lá fora, o agarram e o metem no hospício como doido varrido. Digo que guarde segredo para seu bem apenas. Agora saia. Dê pelos campos o seu primeiro passeio de convalescente e antes do almoço procure-me no gabinete.

Findo o discurso o professor premiu o botão duma campainha. Sem demora vi surgir um criado.

— Acompanhe este moço num passeio pelos arredores e de volta conduza-mo ao gabinete.

Capítulo II
A MINHA AURORA

Pela primeira vez depois de recolhido àquela mansão punha eu o nariz fora do meu quarto de doente.

Senti-me surpreso. A casa do professor Benson não era ao tipo da casa vulgar. Dava antes ideia de uma espécie de castelo, não pelo estilo, que não lembrava nenhum dos castelos clássicos que eu vira reproduzidos em cartões postais, mas pela massa e o estranho da construção. Olhei para aquilo com marcado espanto. Além do corpo fronteiro, evidentemente moradia familiar, erguiam-se pavilhões, galerias envidraçadas e vários minaretes altíssimos, ou, melhor, torres de ferro enxadrezado, entretecidas de fios de arame.

— Que diabo de casa é esta? — perguntei ao criado, voltando-me para ele.

O criado, um tipo de misterioso aspecto e mais com ar de autômato do que de gente, permaneceu imóvel atrás de mim, sem mostras de ter ouvido.

Repeti-lhe a pergunta, e nada. Lembrei-me então da minha conversa com o corretor, quando me deu informes sobre o sábio Benson e contou que vivia misteriosamente, servido por criados mudos. Sem dúvida era aquele um dos tais. Isto fez-me estremecer. O pouco que eu vira já me provara não ser o morador do castelo um homem comum — e o viver servido por mudos inda mais me aguçava a ponta do enigma.

Prossegui, entretanto, no meu passeio, conformado em fazê-lo em silêncio, uma vez que o mutismo era a senha da casa.

Em redor do castelo estendiam-se campos e florestas. Região montanhosa mas de relevo suave, coxilhas mansas que ao longe ganhavam corpo até se erguerem na morraria de um dos contrafortes da serra do Mar. Nos vales, belos capões de mata virgem; e nas lombas, um tapete de gramíneas crioulas, naquela época revestidas de florinhas róseas.

Notei logo que a natureza não era ali trabalhada. Tudo vivia em estado selvagem, sem sombra de intervenção humana além da impressa nos caminhos. Nem gado nas pastagens, nem sombras de cultura — porteiras ou cercas. Um pedaço de natureza virgem onde o homem só abriria passagens que lhe dessem o gozo das perspectivas naturais.

Compreendi que não estava numa fazenda. Homem de posses, o professor Benson teria aquilo apenas para recreio dos sentidos, sem o menor recurso às possibilidades do solo. Unicamente em redor da casa havia algo beneficiado: belo jardim todo garrido de rosas; aos fundos, o pomar.

Caminhei por espaço de meia hora e, no alto de uma colina, sentei-me no topo de um cupim para admirar a vista soberba dali descortinada. Impressionava estranhamente aquele castelo de inexplicável arquitetura, em meio duma natureza rude e calma, onde só uma ou outra ave silvestre rompia o silêncio com o seu piar.

Afeito ao meu viver de cidade, no tumulto das ruas, aquele silêncio e aquela solidão punham-me novidades n'alma. Senti no cérebro um referver de ideias novas, a saírem da casca que nem pintos.

A impressão geral que tive diante da natureza liberta da presença e ação do homem, coisa que via pela primeira vez, foi da minha absoluta niilidade — da niilidade absoluta dos meus patrões, naquele momento a se esbofarem no escritório e a maldizerem do empregado desaparecido sem licença. Para eles era eu o empregado — e também vinte dias antes eu me considerava apenas um empregado, isto é, humilde peça da máquina de ganhar dinheiro que os senhores Sá, Pato & Cia. houveram por bem montar dentro de uma certa aglomeração humana. Mas ali não me via empregado de ninguém; era um ser igual às ervas que esverdeiam as colinas, às árvores que frondejavam nas grotas e às aves que piavam nas moitas. Sentia-me deliciosamente integrado na natureza.

Minha loquela desaparecera. A necessidade de falar a todo o transe, tamanha que me fazia às vezes falar sozinho, se substituíra pela necessidade do silêncio. Cheguei a agradecer a finura do velho sábio em dar-me um companheiro mudo, compreendendo que, se em vez dele ali estivesse o meu barbeiro, terrível alto-falante de futebol e jogo de bicho, bem certo que eu chegaria ao extremo de amordaçá-lo. Talvez até nem fosse mudo de nascença o criado, mas apenas emudecido por influição local. Comigo vi que também emudeceria, se permanecesse algum tempo naquele deserto.

O ar livre abriu-me o apetite e o apetite aberto fez-me lembrar do almoço e da ordem de aparecer antes dele no gabinete do professor Benson. Tratei de voltar — e ao pôr pé no castelo já me sentia bem outro homem, varrido das preocupações de outrora e absolutamente exonerado, por incompatibilidade psicológica, das funções de factótum crônico dos senhores Sá, Pato & Cia.

Capítulo III
O CAPITÃO NEMO

Quando o criado me fez entrar no gabinete do doutor Benson o velho não se achava ali. Aproveitei o ensejo para correr os olhos pelas paredes e admirar, ou antes, embasbacar-me com as estranhas coisas que via. Devo dizer que não compreendi nada de nada. Conhecia o gabinete de trabalho dos meus patrões e o de muitos outros negociantes. Também conhecia consultórios médicos, salas de advogado, salões de hotel, e facilmente tomava pé num deles. Os móveis, os quadros das paredes, os objetos de cima de mesa, os bibelôs, as estatuetas, essas coisas todas me valiam por marcas digitais das que revelam a profissão do dono. No gabinete do professor Benson, porém, tudo me era desnorteante e, fora as poltronas, nas quais o corpo afundava, como nas do Derby Club, onde estive uma vez à procura dum figurão, tudo mais me valia por citações em caracteres chineses numa página em língua materna. Pelas paredes, quadros — não quadros comuns com pinturas ou retratos, mas quadros de mármore, como os das usinas elétricas, inçados de botõezinhos de ebonite. E reentrâncias, afundamentos que se metiam pelos muros como cornetas de gramofone, lâmpadas elétricas dos mais estranhos aspectos, grupos de fios que vinham aos quatro, aos cinco aos vinte e de repente se sumiam pelo muro a dentro. Todavia, o que mais me prendeu a atenção foi, ao lado da secretária do professor, um enorme globo de cristal, e sobre ela, apontado para o globo, um curioso instrumento de olhar, ou que me pareceu tal por uma vaga semelhança com o microscópio.

Eu lera em criança um romance de Júlio Verne, *Vinte Mil Léguas Submarinas*, e aquele gabinete misterioso logo me evocou várias gravuras representando os aposentos reservados do capitão Nemo. Lembrei-me também do professor Aronnax e senti-me na sua posição ao ver-se prisioneiro no *Nautilus*.

Nesse momento uma porta se abriu e o professor Benson entrou.

— Bom dia, meu caro senhor... Seu nome? Ainda não sei o seu nome.

— Ayrton Lobo, ex-empregado da firma Sá, Pato & Cia., — respondi, fazendo uma reverência de cabeça e carregando no ex com infinito prazer.

— Muito bem, — disse o professor. — Queira sentar-se e ouvir-me.

O hábito de sempre falar de pé aos ex-patrões impediu-me de cumprir a primeira ordem dada pelo meu novo chefe, e vacilei uns instantes, permanecendo perfilado. O professor Benson compreendeu a minha atitude; pôs-me a mão no ombro e, paternalmente, murmurou na sua voz cansada:

— Sente-se. Não creia que o vou reter aqui como a um subalterno. Disse que iria ser o meu confidente e os confidentes não se equiparam aos homens de serviço. Sente-se e conversemos.

Sentei-me sem mais embaraço, porque o tom do misterioso velho era na realidade cordial.

— O senhor Ayrton, pelo que vejo e adivinho, é um inocente, — começou ele. — Chamo inocente ao homem comum, de educação mediana e pouco penetrado nos segredos da natureza. Empregado no comércio: quer dizer que não teve estudos.

— Estudos ligeiros, ginasiais apenas, — expliquei com modéstia.

— Isso e nada é o mesmo. Eu preferia ter para confidente um sábio ou, melhor, uma organização de sábio, inteligência de escol, das que compreendem. Em regra, o homem é um bípede incompreensivo. Alimenta-se de ideias feitas e desnorteia diante do novo. Mas costumo respeitar as injunções do Acaso. Ele o trouxe ao meu encontro, seja pois o meu confidente. E saiba, senhor Ayrton, que é a primeira criatura humana aqui entrada desde que conclui a construção deste laboratório.

— O castelo, quer dizer?

— Sim, o castelo, como romanticamente lhe apraz chamar esta oficina de estudos onde realizei a mais extraordinária descoberta de todos os tempos.

Sem querer dei um recuo na poltrona, pensando logo na pedra filosofal e no elixir da longa vida.

— Não se assuste, nem arregale, dessa maneira, os olhos. Nem tente adivinhar o que é. Saiba apenas que se acha diante de um homem condenado a levar consigo ao túmulo o seu invento, porque esse invento excede à capacidade humana de adaptação às descobertas. Se eu o divulgasse, pobre humanidade! Seria impossível prever a soma de consequências que isso determinaria. Se houvesse, ou antes, se predominasse no homem o bom senso, a inteligência superior, as qualidades nobres em suma, sem medo eu atiraria à divulgação a minha maravilhosa descoberta. Mas sendo o homem como é, vicioso e mau, com um pendor irredutível para o despotismo, não posso deixar entre eles tão perigosa arma.

— Quer dizer, — atrevi-me a murmurar, — que se o doutor quisesse...

— Se eu quisesse, — interrompeu-me o velho sábio, — tornar-me-ia o senhor do mundo, pois me vejo armado de uma potência que até hoje os místicos julgaram atributo exclusivo da divindade.

Dei novo recuo na cadeira, desta vez meio na dúvida se falava com um homem sadio dos miolos ou com um maluco. O ar sempre sereno do professor Benson acomodou-me, porém.

— Mas não quero. A dominação sobre o mundo não me daria prazeres maiores que os que gozo. Não me faria ver mais azul e límpida aquela serra, nem respirar com mais prazer este ar puro, nem ouvir melhor música que a do sabiá que todas as tardes canta numa das laranjeiras do pomar. Além disso, estou velho, tenho os dias contados e nada do que é do mundo consegue interessar-me. Vivi demais, satisfiz demais a minha outrora insaciável, mas hoje saciada, curiosidade de sábio. Só aspiro morrer sem dor e desfazer-me na vida do universo transfeito em átomos. Quem sabe se cada um desses átomos não levará consigo a capacidade de gozo que há em mim, e se com esse desdobramento não elevo ao extremo as minhas possibilidades?...

Não compreendi muito bem, lento que sou de espírito, a alta filosofia do professor; mas calei-me, cheio de admiração pelo homem que podendo ser imperador, presidente de república, rei do aço, sultão ou o que lhe desse na telha, visto que podia tudo, contentava-se com ser um misterioso velhinho ignorado do mundo e à espera da morte naquele sereno recanto da natureza.

Nisto um criado surgiu à porta e fez sinal.

— Vamos ao almoço, senhor Ayrton. Depois continuarei nas minhas confidências, — disse-me o professor erguendo-se com dificuldade da poltrona.

Capítulo IV
MISS JANE

Na sala de almoço tive uma nova surpresa. Estava lá, e recebeu-nos com gentil sorriso, a mais encantadora criatura que meus olhos ainda viram.

— Minha filha Jane, — apresentou-ma o velho.

Como eu esperava tudo menos encontrar ali uma figura feminina, atrapalhei-me e gaguejei, visto que sou tímido diante das mulheres formosas. Já com as feias, ou velhas, sinto-me desembaraçadíssimo. Mas cabelos louros como aqueles, olhos azuis como aqueles, esbelteza e elegância de porte como as de miss Jane, eram ingredientes fortes demais para que não produzissem a ruptura do meu equilíbrio nervoso. Gaguejei, já disse, e fui logo tropeçando num pé de cadeira, o que muito me vexou, embora não fizesse rir à moça. Esta contensão de sua parte provou-me que eu estava diante de uma criatura finamente educada e generosa.

Correu sem incidentes o almoço, e nada vi nele de mistério. Pratos simples, servidos em baixela fina, tudo despido dos excessos que caracterizam a mesa dos ricaços amigos de nas menores coisas exibirem o seu dinheiro.

Miss Jane falou ao pai de três filhotes de pintassilgos que encontrara no pomar, num ninho feito de raízes de capim.

— Gosta de pássaros, senhor Ayrton? — perguntou-me num gracioso sorriso.

Confesso que eu até ignorava a existência de pássaros no mundo. A minha vida de cidade, no corre-corre das ruas desde menino, sem nunca umas férias passadas no campo, impedia-me de prestar atenção a essas vidinhas aladas, que constituem um dos enlevos dos contemplativos.

— Gosto, sim, senhora, — respondi eu, — se bem que em matéria de pássaros só me lembre dum periquito vítima duma menina filha lá da firma.

— Pois aprenderá aqui a adorá-los. O sabiá que todas as tardes canta numa das laranjeiras do pomar, com certeza já lhe atraiu a atenção. Temos também vários outros amiguinhos que de lá não saem, pintasilgos, sanhaços, rolinhas, sairás...

— O senhor Ayrton, — interveio o professor, — vai ficar aqui conosco. Tem muito que ouvir e aprender. Vou revelar-lhe os segredos da natureza, e tu, Jane, lhe revelarás a poesia. Estes homens da cidade têm a visão muito restrita; o mundo para eles se resume na rua, nas casas marginais e no torvelinho humano.

— Realmente, professor. A impressão que tive hoje durante o meu passeio pelo campo abriu-me a alma. Verifiquei que o mundo não é só a cidade, e que o centro do universo não é a firma Sá, Pato & Cia., como toda vida supus.

— O mundo, meu caro, é um imenso livro de maravilhas. À parte que o homem já leu chama-se passado; o presente é a página em que está aberto o livro; o futuro são as páginas ainda por cortar. E a uma criatura que nem conhece a página aberta ante os olhos, como o senhor, vou eu revelar o que a ninguém ainda foi revelado: algumas páginas futuras!

Olhei para o professor Benson com ar palerma, porque sempre me apalermava o que ele dizia. Tinha o sábio uma linguagem nova para mim, da qual eu apreendia apenas o sentimento formal, não o sentido íntimo. Animei-me, entretanto, a uma frase:

— Miss Jane com certeza conhece também essas páginas futuras.

— Sim, eu e ela, — respondeu o professor. — Só nós dois, no mundo inteiro e desde que o mundo é mundo, gozamos deste privilégio maravilhoso. Enviuvei muito cedo e minha família está hoje reduzida a Jane. É a minha companheira de análises dos cortes anatômicos do futuro.

"Cortes anatômicos do futuro"... A expressão soou-me como outrora a do senhor Sá quando pela primeira vez me falou em "lançamento por partidas dobradas", coisa que hoje não ignoro mas que na época me valeu por um "corte anatômico".

Nesse ponto do almoço fez-se notar certa zoada distante vinda não sabia eu de onde.

— Deixaste o cronizador aberto, Jane?

— Sim, meu pai. Deixei-o em marcha para quatrocentos e dez anos de hoje, focalizado para oitenta graus de latitude N e quarenta de longitude. Experiência ao acaso, pois nem verifiquei onde fica esse ponto.

— Groenlândia. O corte não revelará coisa nenhuma, suponho. Não creio que em quatrocentos e dez anos as condições do mundo se alterem a ponto de haver lá outra vida além da dos esquimós, ursos e focas.

— Em todo o caso vejamos, — disse a moça. — Temos tido tantas surpresas...

— Minha filha, senhor Ayrton, possui mais frieza de sábio do que eu. Não perde tempo em formular hipóteses quando tem ao alcance meios de verificar experimentalmente.

Ri-me. Acho que a melhor maneira de figurar numa roda onde se falam coisas acima da nossa compreensão é sorrir para o interlocutor que nos dirige a palavra. Se o riso não engana a ele, engana-nos a nós e livra-nos de uma réplica verbal, que sai asneira infalivelmente. De todo o diálogo da filha com o pai só me evocou uma imagem já classificada em meu cérebro a palavra Groenlândia. Lembrei-me dos meus tempos de geografia e da impressão que me causara a descrição da Terra Verde, ou

Groenlândia, feita pelo meu barbudo professor Maneco Lopes. E por associação me vieram à mente ursos brancos, focas, leões marinhos, pinguins, esquimós. Querendo contribuir com uma nota para a conversa, e fingindo entender o que eles haviam dito, arrisquei:

— Não há dúvida, a Groenlândia é um caso sério. Uma piririca!

Foi a vez do professor Benson franzir os sobrolhos no gesto clássico da incompreensão. Vi que aquele homem, que sabia tudo e lia o futuro, ignorava alguma coisa do presente — a gíria da cidade, e firmei-me na resolução de dar com a gíria em cima dele para vê-lo refranzir a testa muitas vezes.

— Quê? — indagou o velho sábio.

— Sim, — expliquei eu sem erguer os olhos para miss Jane com medo de desnortear. — A Groenlândia é um caso, um número. Quando o pinguim cisma p'ra cima do peixe e o urso grela a foca...

Mas o professor Benson cortou-me as vasas.

— Não refletiu nunca, meu caro senhor Ayrton, na oportunidade do silêncio? O silêncio é sábio, é uma das mais altas formas da sabedoria. Foi silenciando que Jesus deu ao "Que é a verdade?" de Pilatos a única resposta acertada...

— Papai, — interveio a moça evidentemente apiedada da minha situação, — está aí uma experiência que ainda não fizemos! Involuir a corrente e operar um corte no ano 33, a ver se apanhamos essa cena histórica...

— Realmente é uma ideia, minha filha, e mais curiosa do que o exame da Groenlândia, onde, como diz cá o amigo, *o urso grela a foca*...

Capítulo V
TUDO ÉTER QUE VIBRA

Saí daquele almoço com as ideias mais desnorteadas do que nunca. Um elemento novo contribuía para isso: miss Jane, criatura singularmente perturbadora, pois, além de agir sobre meus fragílimos nervos como todas as moças bonitas, ainda me tonteava com a sua mentalidade de sábio. De tudo quanto a jovem disse só me ficou claro no espírito a história dos passarinhos do pomar. Até ali pareceu-me uma criatura tal as outras, mas depois do "corte anatômico" tudo se complicou e passei a vê-la qual um misterioso ídolo de divindade dupla, misto de Afrodite e Minerva.

Depois do almoço levou-me o professor a ver os laboratórios. Atravessei numerosas salas e pavilhões cuja composição entendi menos que a do gabinete. Quanta máquina esquisita, tubos de cristal, ampolas, pilhas elétricas, bobinas, dínamos — extravagâncias de sábio! Eu conhecia várias oficinas mecânicas, mas nelas nunca me tonteava. Tornos, máquinas de cortar e furar, bigornas, martelos automáticos, laminadores, fresas, tudo isso eu via e compreendia, pois apesar de complicados na aparência evidenciavam logo uma função esclarecedora. Mas ali, santo Deus! Que caos! Não consegui entender coisa nenhuma e mesmo depois que o velho sábio mas explicou manda a verdade confessar que fiquei na mesma.

— Isto aqui, disse ele na primeira sala, são aparelhos eletrorradioquímicos, na maioria criados ou adaptados por mim e que constituíram o ponto de partida da minha descoberta. Se o amigo Ayrton fosse técnico, eu os explicaria um por um, mas será difícil fazer-me entender por quem não possui uma sólida base de ideias científicas. Resumirei dizendo que neste velho laboratório consumi os trinta anos da minha mocidade em pesquisas pacientíssimas, culminantes na construção daquela antena que o amigo lá vê no alto da torre.

Olhei e vi uns fios entrecruzados formando um desenho geométrico.

— Parece uma teia de aranha! — murmurei.

— E é de fato uma teia de aranha. A aranha sou eu. Com essa teia apanho a vibração atômica do momento.

— "Vibração atômica do momento"... — repeti, fazendo um furioso esforço mental para compreender a novidade.

— Sim. A vida na terra é um movimento de vibração do éter, do átomo, do que quer que seja *uno e primário*, entende?

— Estou quase entendendo. Já li um artigo no jornal onde um sábio provava que só há força e matéria, mas que a matéria é força, de modo que os dois elementos são um, como os três da Santíssima Trindade também são um, não é isso?

— Mais ou menos. Nomes não vêm ao caso. Força, éter, átomo: denominações arbitrárias de uma coisa una que é o princípio, o meio e o fim de tudo. Por comodidade chamarei éter a esse elemento primário. Esse éter vibra e, conforme o grau ou intensidade da vibração, apresenta-se-nos sob *formas*. A vida, a pedra, a luz, o ar, as árvores, os peixes, a sua pessoa, a firma Sá, Pato & Cia.: modalidades da vibração do éter. Tudo isso foi, é e será apenas éter.

Não pude deixar de sorrir lembrando-me da cara que fariam os senhores Sá, Pato & Cia. se ouvissem as palavras do sábio. Éter, eles...

— Mas não há somente éter no mundo, — continuou o mestre. — Se só houvesse éter e fosse de sua essência vibrar, a vibração seria uniforme e tornaria impossível a manifestação de formas de vida. Seria o estatismo eterno.

— Sei, um zum-zum, uma zoada de não acabar mais.

— Muito bem, está compreendendo. A vibração do éter, pois, sofreu a interferência... Sabe o que é interferência?

— Uma coisa que se insinua pelo meio; intrometer a colher torta na conversa dos mais velhos deve ser, cientificamente, uma interferência.

— Perfeitamente. Sofreu a interferência do que cá no vocabulário que criei com minha filha chamo — o *Interferente*. Isto de palavras não tem importância, como já disse. Só vale a ideia. O Interferente poderá para outros ter o nome de Deus, por exemplo, ou de Vontade. Os filósofos que filosofam com palavras passam a vida a debater qual a melhor palavra a aplicar ao meu Interferente, como se palavras jamais esclarecessem alguma coisa.

— Vai indo muito bem, professor. Há o éter que vibra e há o Interferente que se mete no meio...

— Isso. Interfere e provoca a variação vibratória. Essa variação cria correntes que se chocam umas com as outras, modificam-se e dão origem a todas as formas de vida existentes. A vida, pois, não passa da vibração do éter modificada pela ação do...

— Interferente! — concluí, glorioso.

Parece que o professor Benson mudou a ideia que formava de mim. Viu que o discípulo aprendia depressa e, voltando atrás, como se valesse a pena instruí-lo mais a fundo, passou a explicar-me dezenas de coisas do seu laboratório, na intenção de confirmar-me nos princípios que o levaram à dedução da fórmula: Éter + Interferência = Vida.

Depois que me viu já bem seguro das suas teorias, continuou:

— Preste atenção agora, que este ponto é capital. O Interferente não interfere sempre. *O Interferente interferiu uma só vez!*

Parei um pouco atordoado.

— Espere, doutor. Dê-me tempo de assentar as ideias. O Interferente veio, interferiu e parou de interferir. É isso?

— Perfeitamente. Quebrou a uniformidade da vibração, perturbou o unissonismo...

— O zum-zum!

— ... e desde então o fenômeno vida, que também podemos denominar universo, desenvolve-se por si, automaticamente, por *determinismo*. As coisas vão-se *determinando*...

— Uma puxa a outra...

— Isso. Uma determina a outra. Daí vem falarem os velhos filósofos em lei da causalidade, "todo o efeito tem uma causa", "toda a causa produz efeitos", etc.

— Aristóteles... — ia eu arriscando.

— Deixe Aristóteles em paz... Estamos na determinação universal, e a vida, ou o universo, é para nós o momento consciente desta determinação.

— "Momento consciente"... — repeti forçando o cérebro.

— O senhor Ayrton, por exemplo, é um momento consciente da determinação universal às 13 horas e 14 minutos do dia 3 de janeiro do ano de 1928, aos 22º e 35' de latitude S. e 35º e 3' de longitude Ocid. do meridiano do Rio de Janeiro.

— Admirável! — exclamei com entusiasmo e cheio de orgulho, compreendendo afinal a minha verdadeira significação na vida. — Mas o futuro, doutor? Muito mais que a definição científica do que sou, interessam-me as suas visões do futuro.

— Para lá chegar temos que ir por este caminho. Começamos do éter inicial, admitimos a Interferência e estamos na *Determinação*, que é o que os filósofos chamam *presente*... O futuro é a *Predeterminação*.

Franzi os sobrolhos. A palavra era nova para mim e a ideia muito mais. O professor Benson expô-la com luminosa clareza e mostrou-me o maravilhoso do determinismo. Em certo ponto da sua exposição lembrei-me do amigo corretor e da sua comparação do 2 + 2 = 4. Fingi que era minha a imagem e arrisquei:

— Dois mais dois igual a quatro.

O professor Benson entreparou, com a fisionomia radiante. Em seguida estendeu-me a mão.

— Meus parabéns! Vejo que o senhor Ayrton é muito mais inteligente do que a princípio supus. Nessa imagem está toda a minha filosofia; 2 + 2 significa o presente; 4 significa o futuro. Mas, assim que escrevemos o presente 2 + 2, o futuro 4 *já está predeterminado antes que a mão o transforme em presente* lançando-o no papel. Aqui, porém, são tão simples os elementos que o cérebro humano, por si mesmo, ao escrever o 2 + 2, vê imediatamente o futuro 4. Já tudo muda num caso mais complexo, onde em vez de 2 + 2 tenhamos, por exemplo, a Bastilha, Luiz 16, Danton, Robespierre, Marat, o clima de França, o ódio da Inglaterra além Mancha, a herança gaulesa combinada com a herança romana, o bilhão de fatores, em suma, que faziam a França de 89. Embora tudo isso predeterminasse o "quatro" *Napoleão*, esse futuro não poderia ser previsto por nenhum cérebro em virtude da fraqueza do cérebro humano. Pois bem: eu descobri o meio de predeterminar esse futuro — e vê-lo!

— Mas é assombroso, professor! É a mais espantosa descoberta de todos os tempos! — exclamei de olhos arregalados. — Entretanto, permita-me uma dúvida. Se esse futuro ainda não existe, como o pode ver?

— O 4 antes de ser escrito também não existe; no entanto o amigo o vê tão claro no presente 2 + 2 que o escreve incontinente.

O argumento calou fundo. Pisquei sete vezes, com a testa fortemente refranzida.

— O futuro não existe, — continuou o sábio, — mas eu possuo o meio de *produzir* o momento futuro que desejo.

Tonteado pelo tom categórico daquela afirmativa não ousei duvidar, e estava ainda apalermado com a maravilhosa revelação quando miss Jane apareceu, esplêndida de formosura.

Esqueci toda aquela altíssima ciência que já me dava dor de cabeça e regalei os olhos na sua imagem perturbadora.

Saudou-me com um gesto amável e disse, dirigindo-se ao professor:

— Tinha razão, meu pai. Já fiz o corte e lá só vi as eternas brancuras da neve.

E voltando-se para mim:

— Tem aprendido muita coisa, senhor Ayrton?

— Mais que em toda a minha vida, miss Jane, e começo e bendizer o acaso que me fez vítima de um desastre.

— E está tão no começo ainda! Quando entrar no segredo de tudo e puder ver diretamente uns cortes, o seu assombro vai ser ilimitado.

— Já prevejo isso, senhorita, e...

E engasguei-me. Miss Jane olhara-me nos olhos e eu não era criatura que suportasse de frente um olhar assim. Cheguei a corar, creio, o que inda mais aumentou a minha perturbação. Felizmente a boa criatura, vendo que eu me calava, voltou-se para o professor Benson e disse:

— Mas agora, meu pai, tréguas às revelações. O café está na mesa e com uns bolinhos tentadores que eu mesma fiz. Senhor Ayrton, vamos...

Capítulo VI
O TEMPO ARTIFICIAL

Quando de novo me encontrei com o professor Benson no laboratório prosseguiu ele na exposição interrompida.

— Onde estávamos, senhor Ayrton?

— Na predeterminação.

— Sim. Foi nesse ponto que Jane nos interrompeu. Pois bem: se tudo inexoravelmente se determina pela influência recíproca das vibrações, se é isto pura mecânica, embora duma meta-mecânica inacessível às forças da inteligência do homem, é lógico que a predeterminação é possível em teoria.

— E na prática também! — aventei eu iluminado de súbita ideia. — Homens há que adivinham ocorrências futuras. Eu mesmo já tive ocasião de observar comigo um curioso caso de pressentimento lá nos negócios da firma. Veio-me não sei de onde a ideia de que um freguês ia falir. Disse-o ao senhor Sá, o qual me chamou de tolo. Um mês mais tarde esse freguês abria bancarrota! Nunca me pude explicar isso, pois nada conhecia dos seus negócios, nem coisa nenhuma ouvira falar a respeito.

— Esse caso pode ser visto de outra maneira. A ideia de requerer falência podia estar em ação no cérebro do freguês. Ideia é vibração que repercute em ondas como tudo mais, e certos cérebros possuem bela faculdade emissiva ou receptora. Emitiu esse freguês uma vibração da ideia e o cérebro do senhor Ayrton agiu como polo receptor.

— Mas a leitura das linhas da mão? A quiromante que na Martinica predisse a Josefina, então simples burguesinha crioula, que seria imperatriz da França?

— Aí já o caso é diverso, como no de todas as profecias comprovadas. Havemos que conceber certas organizações possuidoras duma faculdade predeterminante. E não me custa admitir isso, já que construí *o predeterminador*.

— Que significa essa nova palavra, professor?

— Vamos ao pavilhão vizinho; lá me compreenderá melhor.

Passamos à sala imediata, recinto envidraçado e em forma de funil, cujo bico era uma das tais torres de ferro enxadrezado.

— Aqui temos o nervo ótico do futuro. Chamo a este conjunto "o grande coletor da onda Z".

Eu andava de novidade em novidade e por mais alerta que pusesse o cérebro tinha de fazer paradas constantes, pedindo ao professor explicações parciais.

— Onda Z, professor Benson? Ainda não me falou nela.

— Só agora chegou o momento. A multiplicidade infinita das formas, isto é, das vibrações do éter, produz turbilhões ou ondas, que consegui classificar uma por uma e captar por meio deste conjunto receptor que as polariza...

— ?!

— Polarizar é reunir tudo num só ponto, num polo.

— Compreendo.

— Este conjunto receptor polariza os turbilhões e os funde numa espécie de corrente contínua, ou, usando de imagem concreta, de um jacto. Suponha milhões de gotas de chuva a caírem num imenso funil e a saírem pelo bico sob a forma contínua de um jorro cristalino. Todas as gotas estão no jacto, *mas fundidas e sob outra forma*. Assim o meu coletor. Apanha o turbilhão das ondas e as polariza naquele aparelho.

Olhei para o aparelho que o dedo do professor apontava e apenas vi um emaranhado de fios e grandes carretéis de arame, que em calão eu definiria muito bem com a palavra estrumela. Mas guardei o vocábulo, visto que a lição da Groenlândia ainda estava muito fresca em minha memória.

— Consigo assim, — prosseguiu o sábio, — concentrar em minhas mãos o presente, isto é, o momento atual da vida do universo, como imensa paisagem panorâmica que toda se reflete numa chapa fotográfica e nela se conserva latente até que vá ao banho revelador. Quer isto dizer que na corrente contínua, invisível como o fluido elétrico, que gira naquele caos aparente de fios, solenóides e bobinas, está tudo quanto constitui o momento universal!

    Apesar da segurança do velho sábio e da solidez de suas deduções eu permanecia numa vaga dúvida. Na minha curteza mental eu achava excessivo estar tudo quanto existe reduzido a tão homeopáticas proporções e, ainda mais, impalpável e invisível. O professor Benson adivinhou a minha indecisão e esmagou-a como quem esmaga uma pulga.

    — Sabe o que é isto? — perguntou mostrando-me uma coisinha de minúsculas dimensões.

    — Uma semente, — respondi.

    — E que é uma semente? Uma predeterminação. Aqui dentro está predeterminada uma árvore de colossais dimensões que se chama jequitibá. Se o amigo admite que desta semente, que analisada só revela a presença de um bocado de amido, sais, graxa, etc. surja sempre, e de um modo fatal, um majestoso jequitibá, porque vacila em admitir um fenômeno semelhante, qual a polarização do momento universal numa semente, que no caso é o fluido que circula no meu aparelho?

    O símile matou-me de vez todas as veleidades de cepticismo e foi como quem ouve a voz de Deus que dali por diante me entreguei sem reservas às palavras do sábio.

    — Prossiga, doutor, — murmurei.

    O professor Benson prosseguiu.

    — Obtenho, pois, neste aparelho, uma corrente contínua, que é o presente. Tudo se acha impresso em tal corrente. Os cardumes de peixes que neste momento agonizam no seio do oceano ao serem apanhados pela agua tépida da Corrente do Golfo; o juiz bolchevista que neste momento assina a condenação de um mujique relapso num tribunal de Arkangel; a palavra que, em Zorn, neste momento, o kronprinz dirige ao ex-imperador da Alemanha; a flor do pêssego que no sopé do Fushiama recebe a visita de uma abelha; o leucócito a envolver um micróbio malévolo que penetrou no sangue dum faquir da Índia; a gota d'água que espirra do Niágara e cai num líquen de certa pedra marginal; a matriz de linotipo que em certa tipografia de Calcutá acaba de cair no molde; a formiguinha que no pampa argentino foi esmagada pelo casco do potro que passou a galope; o beijo que num estúdio de Los Angeles Gloria Swanson começa a receber de Valentino...

    — A fatura que neste momento o senhor Sá está acabando de somar... Compreendo, professor. Toda a vida, todas as manifestações poliformes da vida, tudo está ali, como o jequitibá, com todos os seus galhos e folhas e passarinhos que pousam nele e cigarras que o elegem para palco de suas cantorias, está dentro da sementinha. Não é isso? — conclui radiante.

    O professor Benson riu-se do meu entusiasmo e pareceu-me na realidade satisfeito com o discípulo.

    — Perfeitamente, amigo Ayrton. Tudo está ali. Pela primeira vez desde que o mundo é mundo consegue o homem esse espantoso milagre — mas só eu sei o que isso me custou de experiências e tentativas falhas!... Fui feliz. O Acaso, que é um Deus, ajudou-me e hoje me sinto na estranha posição de um homem que é mais do que todos os homens...

Sua fisionomia irradiava tanta luz — a luz da inteligência, — que só a poderia suportar um inocente da minha marca. Estou convencido de que se outro sábio o defrontasse naquele instante estarreceria de assombro, considerado como Isaías diante das sarças ardentes quando delas trovejou a voz de Jeová. A minha ingenuidade, a minha inocência mental salvou-me. Hoje estremeço quando penso em tudo isso, como estremeceu Tartarin de Tarascon ao saber que os abismos que com risonha coragem ele arrostara nos Alpes eram de fato abismos e não cenografia como, iludido por Bompard, no momento supôs. Hoje que já nada mais existe do professor Benson a não ser uma lápide no cemitério, e nada existe senão cinzas do seu maravilhoso laboratório, se me ponho a analisar esse período da minha vida tenho sensação de que convivi com um Deus humanizado. O professor Benson falava das suas invenções com tanta simplicidade e me tratava tão familiarmente que jamais me senti tolhido em sua presença — como me sentia, por exemplo, na do Senhor Pato, o sócio comendador lá da firma. Sempre que me cruzava com o comendador eu tremia, tanto se impunha aos subalternos aquela formidável massa da banhas, vestida de fraque, com anel de grande pedra no dedo e uma corrente de relógio toda berloques que nos esmagava a humildade sob a arrogância e o peso do ouro maciço. Diante do comendador Pato eu tremia e balbuciava; mas diante do professor Benson, um deus, sempre me senti como em face de um igual. Compreendo hoje o fenômeno e sei que a verdadeira superioridade num homem não o extrema dos "inocentes", como dizia o professor — e por isso chamava Jesus a si os pequeninos. Até na indumentária aqueles dois homens eram antípodas. Na do comendador, o fraque propunha-se a impressionar imaginações, a estabelecer categorias, a amedrontar os paletós sacos com a imponência da sua cauda bipartida; na do professor Benson tinha a roupa por única função vestir um corpo a modo de resguardá-lo das bruscas variações atmosféricas.

Mas voltemos atrás. Ao ouvir dizer ao professor Benson que todo o momento universal estava ali, olhei para a maranha de fios e bobinas com um sentimento misto de orgulho e piedade. Orgulho de ver o Tudo escravizado diante de mim. Piedade, porque havia nisso uma certa humilhação para o Tudo...

A voz pausada do velho sábio tirou-me de tais cogitações.

— Até aqui permanecemos no presente. A onda Z ali captada só diz respeito ao presente, e se eu ficasse nessa etapa de pouco valeria a minha descoberta. Mas fui além. Descobri o meio de *envelhecer* essa corrente à minha vontade.

— Envelhecer?... — murmurei refranzindo a um tempo todos os músculos da cara.

— Sim. Faço-a passar pelo aparelho que tenho no pavilhão imediato e ao qual denominei *cronizador*. Vamos para lá.

O professor tomou a dianteira e eu o segui, ainda repuxado de músculos faciais. O pavilhão imediato possuía ao centro um novo aparelho tão incompreensível para a minha inteligência como os anteriores.

— Aqui temos o cronizador, — disse o meu cicerone apontando para o esquisito conjunto. — Este mostrador, que lembra o dos relógios, me permite marcar no futuro a época que desejo estudar.

— ?!

— Perca o hábito de assustar-se, porque senão acabará cardíaco. A corrente penetra por este fio, sofre um turbilhonamento e envelhece na medida que eu determino com o movimento deste ponteiro. É como se eu tomasse a semente e por um golpe de mágica dela fizesse brotar a árvore aos dez anos de idade, ou aos cinquenta, ou aos cem — ao arbítrio do experimentador. Compreende?

— Compreendo...

— E dest'arte a evolução, que com o decorrer do tempo *necessariamente vai ter a vida atual do universo*, eu a apresso e a detenho no momento escolhido. Este meu cronizador, em suma, é um aparelho de produzir o *tempo artificial* com muito mais rapidez do que pelo sistema antigo, que é esperar que o tempo transcorra. Obtenho um ano num minuto de turbilhonamento; penetro no futuro, no ano 2.000, por exemplo, em setenta e quatro minutos. Opera-se durante a cronização uma zoada, que é o som dos anos a se sucederem, som muito semelhante a um eco distante...

— Sei. O que ouvi na hora do almoço.

— Exatamente. Quis Jane visualizar o futuro no ano 2.336, ou seja a quatrocentos e dez anos deste em que estamos. Para isso colocou aqui o ponteiro e abriu o comutador. A corrente envelheceu e automaticamente parou no ponto marcado, isto é, no ano 2.336.

A minha curiosidade crescia. Percebi que chegara ao ponto culminante da descoberta do professor Benson.

— E depois? — indaguei ansioso. — Para ver, ou como diz o professor, para visualizar esse futuro, como procede?

— Devagar!... Consigo, como ia dizendo, envelhecer a corrente até o ponto desejado. Ao obter isso, a *evolução determinista que rigorosamente vai dar-se no universo com o decorrer normal do tempo dá-se artificialmente dentro do aparelho*. E, chegada ao termo da cronização que visamos, a corrente turbilhonada torna-se estática, por assim dizer congelada. E fico eu na posse dum momento da vida universal futura — isto é, com o 4 da nossa primitiva imagem do 2 + 2. Resta-nos agora a última parte da operação, a qual, por comodidade, executo no meu gabinete. Não notou lá uma espécie de globo cristalino?

— Foi a primeira coisa que me impressionou neste castelo.

— Pois é o *porviroscópio*, o aparelho que toma o corte anatômico do futuro, como pitorescamente diz Jane, e o desdobra na multiplicidade infinita das formas de vida futura que estão em latência dentro da corrente congelada.

— Porque, corte anatômico? — indaguei, para não deixar ponto obscuro atrás de mim.

— Nunca esteve num laboratório de microscopia? Com uma navalha afiadíssima o anatomista opera um corte na ponta do seu dedo, por exemplo. Tira uma lâmina da carne, a mais fina que possa, e estuda-a ao microscópio. A essa fatia do seu dedo chamará ele "corte anatômico". É Jane uma menina muito viva e gosta de falar por imagens, algumas extraordinariamente pitorescas...

A evocação de miss Jane veio perturbar a contensão do espírito com que eu acompanhava as revelações do mestre. Meu espírito cansado repousou nesse gracioso oásis, e foi com infinita inocência que indaguei:

— Que idade tem ela, professor?

Mas o velho sábio talvez nem me ouvisse, porque entrou a dar explicações sobre a segunda função que possuía o cronizador: *involuir* a corrente, rodar para trás — o que permitia cortes anatômicos no passado.

— Mas isso não interessa, — aventei levianamente. — O passado é velho conhecido nosso.

— Engano. É tão desconhecido como o futuro e o presente.

Desta vez abri a boca, e lá por dentro me soou como tolice a frase do sábio. Mas vi logo que o tolo era eu.

— Do presente que é que sabe o amigo Ayrton? Sabe apenas que está neste minuto conversando comigo. Mais nada. Não sabe nem sequer se os senhores Sá, Pato & Cia. estão a esta hora de falência aberta.

— Impossível! Aquela gente é sólida como as montanhas!... Só vendem à vista...

— Quantas planícies não marcam hoje o lugar outrora ocupado por montanhas!... Do presente o amigo Ayrton só sabe, isto é, só tem consciência do que no momento lhe afeta os sentidos.

— Na verdade! — exclamei. — Nem o meu Ford, que era tudo para mim, sei onde para...

— E se ignoramos o presente, que dizer do passado?

— Mas a História?

O professor Benson sorriu meigamente um sorriso de Jesus.

— A História é o mais belo romance anedótico que o homem vem compondo desde que aprendeu a escrever. Mas que tem com o passado a História? Toma dele fatos e personagens e os vai estilizando ao sabor da imaginação artística dos historiadores. Só isso.

— E os documentos da época? — insisti.

— Estilização parcial feita pelos interessados, apenas. Do presente, meu caro, e do passado, só podemos ter vagas sensações. Há uma obra de Stendhal, *La Chartreuse de Parme*, cujo primeiro capítulo é deveras interessante. Trata da batalha de Waterloo, vista por um soldado que nela tomou parte. O pobre homem andou pelos campos aos trambolhões, sem ver o que fazia nem compreender coisa nenhuma, arrastado às cegas pelo instinto de conservação. Só mais tarde veio a saber que tomara parte na batalha que recebeu o nome de Waterloo e que os historiógrafos pintam de maneira tão sugestiva. Os pobres seres que inconscientemente nela funcionaram como atores, confinados a um campo visual muito restrito, nada viram, nem nada podiam prever da tela heroica que os cenógrafos de história iriam compor sobre o tema. Eis o presente... Vamos agora ao gabinete, — concluiu o professor. — O mais interessante se passa lá.

Acompanhei-o, literalmente apatetado. Aquele homem pensava de modo tão diferente de todo mundo que suas ideias me davam a impressão de algo novo e operavam em meu cérebro como luz que invade aos poucos uma sala de museu. Mil coisas que nunca supus existirem em minha cabeça revelaram-se-me de pronto. Coisas mínimas, germes de ideias, antigas impressões recolhidas nos vai-e-vens do viver quotidiano ressurgiam animadas de estranha significação. Outras, que eram capitais outrora, diluíam-se. O comendador Pato, até vinte dias antes tido por mim como o mais formidável expoente do gênio humano, decaía a irrisórias proporções. Oh, como desejei vê-lo ali em contato com o professor, para gozar a derrocada das ridículas ideias de fraque que ele tinha na cabeça!

Capítulo VII
FUTURO E PRESENTE

Ao entrar no gabinete iluminei-me todo por dentro. Estava miss Jane diante do globo de cristal, absorvida com certeza na visualização de um corte anatômico. Um raio de sol coado pela vidraça transfazia em luz o louro de seus cabelos. Miss Jane era toda atenção. Seus olhos azuis verdadeiramente bebiam algum maravilhoso quadro. O professor Benson estacou à porta, fazendo-me gesto de silêncio, e assim permaneceu até que a moça desse volta a um comutador e regressasse ao presente.

— Papai, — exclamou ela, — estou no fim da tragédia, no crepúsculo da raça. Dudlee ganhou uma estátua... Boa tarde, senhor Ayrton. Desculpe-me o estar dizendo a meu pai coisas que nem por sombras o senhor pode desconfiar o que sejam. Compreendo que é indelicado falar em língua estranha na presença de pessoas que a desconhecem...

A bondade de miss Jane encantou-me; e, como a jovem não me olhasse nos olhos, pude replicar:

— Mas tudo nesta casa me é linguagem estranha! O que acabo de ver assombra-me de tal maneira que tão cedo não me reconhecerei a mim mesmo.

— Está fazendo progressos, Jane, — disse o professor. — O amigo Ayrton compreendeu muito bem a parte teórica da minha exposição.

— Ou compreendi, — exclamei, — ou pareceu-me compreender. Aqui o professor fala com tal simplicidade e clareza que nem parece um sábio. Conheci um lá na cidade, e grande, a avaliar pela fama, com quem tive de tratar a mandado da firma. Pois confesso que não pesquei coisa nenhuma do que o homem disse. Esse, sim, parecia falar uma linguagem de mim nem sequer suspeitada...

— Não era um verdadeiro sábio, — interveio miss Jane. — Os verdadeiros são como meu pai, claros e fecundos como a luz do sol. Mas quer saber o senhor Ayrton o que eu fazia há pouco?

— Não lhe contes ainda, Jane. Explica-lhe primeiro a função do porviroscópio, enquanto vou repousar um bocado. Sou velho e qualquer esforço além do habitual me cansa.

Antes que o professor Benson se retirasse, deu miss Jane um salto na cadeira, leve como a corça, e veio beijá-lo no rosto.

— Este querido paizinho! — murmurou, acompanhando-o com os olhos amorosamente.

Depois voltando-se para mim:

— Não é uma benção das fadas ter um pai destes? Como sabe conciliar a máxima inteligência com a máxima bondade!

— E com a máxima simplicidade! — acrescentei. Não caibo em mim de gosto ao ver o homem que podia ser dono do mundo, se quisesse, tratar-me como se eu fora alguém.

— Não se espante disso. Meu pai é coerente com as suas ideias. Todos para ele somos meras vibrações do éter.

— Até miss Jane?

— Eu serei vibração de um éter especial, muito afim do que vibra nele, — explicou ela a sorrir. — Mas, sentemo-nos, senhor Ayrton, que há muito que conversar.

Já disse que eu era um rapaz acanhado, sobretudo em presença de moças bonitas; mas o ambiente de familiaridade e franqueza daquela casa modificou-me logo. Cheguei até a suportar nos olhos os olhares da linda jovem, sem perder a tramontana como da primeira vez. É que nem remotamente lembrava aquele olhar o olhar malicioso das mulheres que eu conhecera. Fui percebendo aos poucos que de feminino só havia em miss Jane o aspecto. Seu espírito formado na ciência e seu convívio com um homem superior dela afastavam todas as preocupações de coquetismo, próprias da mulher comum.

Isso me pôs à vontade. Sentia-me, não um moço em frente de uma donzela, mas um espírito diante do outro.

Aproveitei o ensejo para esclarecer-me a respeito do professor Benson. Soube que era descendente de um mineralogista norte-americano que um século antes viera ao Brasil estudar a composição de certa zona aurífera. Gostou da terra e nela se fixou, casando-se com a filha de um fazendeiro de S. Paulo.

— Desse consórcio, — explicou miss Jane, — só veio ao mundo meu pai, que cedo foi enviado à Europa, onde se dedicou a estudos científicos. Lá se casou tarde e lá residiu por certo tempo. Veio depois tomar posse dos bens deixados pelo meu avô — e aqui nasci eu. Mas não me lembro de minha mãe. Morreu muito moça, aos vinte e nove anos... Desde essa época estabeleceu-se meu pai neste recanto e consagrou-se integralmente à sua invenção. Passou o nosso mundo a resumir-se neste laboratório. Raras vezes vamos à cidade, pouco interesse, aliás, achando nós dois em seu tumulto.

— Pudera! Quem tem o passado e o futuro nas mãos...

— Realmente é isso. Este aparelho fornece-nos tamanhas maravilhas, que a bem dizer vivemos muito mais no porvir do que no presente. Meu gosto é realizar estudos dos anos mais remotos, e só lamento não ter um cérebro imenso qual o oceano para reter tudo o que vejo. Outra coisa que lamento é não podermos dar a público a nossa invenção. A bondade de meu pai o impede.

— Não alcanço muito bem o porquê...

— Pretende ele, e com muita lógica, que a humanidade não está apta a suportar a revelação do futuro. Acha que a sua invenção cairia no poder de um grupo o qual abusaria da tremenda soma de superioridade que a descoberta lhe concederia. Fosse meu pai um homem vulgar, de pouca sensibilidade de coração, e ele mesmo assumiria o predomínio que receia ver na posse de outrem. Basta dizer que até hoje apenas se utilizou deste invento para reunir o dinheiro necessário à nossa vida e aos enormes dispêndios dos seus estudos.

— Agora me lembro, miss Jane, que lá fora é o professor Benson conhecido como um jogador de câmbio que jamais perde.

— E assim é. Fizemos experiência com o marco e o franco e os fatos corresponderam com exatidão às indicações deste aparelho. Mas meu pai limitou-se a ganhar o necessário para o trem de vida que leva. Estamos na posse de elementos para alcançar o que quisermos, para reunirmos nas mãos a maior soma de ouro com que se possa sonhar. Isso, porém, nos seria de todo inútil. Para que necessitamos da mesquinha riqueza do mundo se nada não nos dá ela que se aproxime do que temos aqui?

— Por mais espantosa, miss Jane, que seja a descoberta do professor Benson, espanta-me ainda mais o caráter das duas pessoas que estão no seu segredo. Podem ser tudo e não querem ser nada...

— Ser tudo!... Que significa ser tudo? Quando penso nas grandezas do mundo, rio-me delas...

Miss Jane conversou comigo por mais de uma hora sobre os mais variados assuntos. E explicou-me depois o funcionamento do aparelho, recorrendo às suas imagens habituais, tão pitorescas. A corrente perdia no globo de cristal a sua forma concentrada e visualizava-se como numa projeção de cinema, reproduzindo momentos de vida futura com a exatidão que vai ter um dia.

— Ficamos na posição de um espectador imóvel num ponto. Só vemos e ouvimos o que passa ao alcance dos nossos olhos ou soa ao alcance dos nossos ouvidos. Isso às vezes dificulta a compreensão de certos momentos da vida futura. Aparecem-nos coisas que não podemos compreender por falta dos elos anteriores da evolução. No ano 3.527, por exemplo, vi na população da França evidentes sinais de mongolismo. Os trajes não lembravam nada do que usam hoje as criaturas em parte nenhuma da terra, nem sequer pude perceber de que seriam feitos. Esqueci-me de dizer que o nosso aparelho não vai além do ano 3.527. Sua potência para aí. Focalizado para o ano de 3.528 já dá uma visão de tal modo baça que não distinguimos nada. Ficamos, eu e meu pai, perplexos ante aquele mongolismo da França. Só depois, fazendo cortes menos recuados e combinando uns com os outros, conseguimos decifrar o mistério. Tinham-se derramado pela Europa os mongóis e se substituído à raça branca.

Não pude conter um gesto de espanto, e fiz tal cara que miss Jane sorriu.

— Que horror! Vai então acontecer essa catástrofe? — exclamei.

A jovem sábia respondeu com serena impassibilidade:

— Por que, catástrofe? Tudo que é tem razão de ser, tinha forçosamente de ser; e tudo que será terá razão de ser e terá forçosamente de ser. O amarelo vencerá o branco europeu por dois motivos muito simples: come menos e prolifera mais. Só se salvará da absorção o branco da América. E como esta, quantas revelações curiosas! Outra, que muito me impressionou, foi a transformação das ruas que se nota no ano 2.200 em diante. Cessa a era dos veículos. Nada de bondes, automóveis ou aviões no céu.

— Como pode ser isso, miss Jane? É quase um absurdo.

— Pois para lá caminhamos. Em cortes sucessivos que fiz de dez em dez anos observei a diminuição rápida dos veículos atuais. A *roda*, que foi a maior invenção mecânica do homem e hoje domina soberana, terá seu fim. Voltará o homem a andar a pé. O que se dará é o seguinte: o rádio-transporte tornará inútil o corre-corre atual. Em vez de ir todos os dias o empregado para o escritório e voltar pendurado num bonde que desliza sobre barulhentas rodas de aço, fará ele o seu serviço em casa e o radiará para o escritório. Em suma: trabalhar-se-á à distância. E acho muito lógica esta evolução. Não são hoje os recados transmitidos instantaneamente pelo telefone? Estenda esse princípio a tudo e verá que imensas possibilidades quando à rádio-comunicação se acrescentar o rádio-transporte. Outrora, por exemplo, se o senhor Ayrton quisesse fumar um charuto tinha de mandar um criado buscá-lo à charutaria; hoje pede-o pelo telefone, mas o charuteiro ainda é obrigado a mobilizar um carregador para vir trazê-lo. O progresso foi grande, mas repare que atraso ainda! Mobilizar um homem, isto é, uma massa de sessenta ou setenta quilos de carne, fazê-lo dar mil ou cinco mil passos, gastando vinte ou trinta minutos da sua vida, só para transportar um simples charuto! Chega a ser grotesco...

— Realmente. Mas no futuro?

— No futuro o senhor Ayrton fumará à distância. Veja quanta economia de tempo e esforço humano!

Julguei que miss Jane estivesse a caçoar comigo — e até hoje permaneço na dúvida. Em seu rosto, porém, não vi a menor sombra de motejo.

— Pode ser, mas... — duvidei.

— Esse mesmo "pode ser, mas..." diria um romano do tempo de César se alguém lhe predissesse que um romano do tempo do óleo de rícino não precisaria sair de sua casa para conversar com um cidadão de Paris. Sabe o senhor Ayrton, no entanto, que isso é comezinho hoje e nem sequer admira a ninguém.

— Falar é uma coisa e fumar é outra.

— *Hoje*, que só temos a rádio-comunicação. Mas chegará o dia da rádio-sensação e do rádio-transporte, com radical mudança do nosso sistema de vida. Os veículos ao sistema corrente desaparecerão um por um. Voltará o homem a caminhar a pé, por prazer, e as ruas se tornarão uma delícia. O senhor Ayrton sabe o que quer dizer uma rua hoje...

— Ninguém melhor do que eu, miss Jane, pois desde menino vivo nelas. Que angústia, que permanente inquietação! Temos que andar com cinquenta olhos arregalados, para prevenirmos trancos e atropelamentos.

— Tudo isso desaparecerá, e adquirirão as cidades uma calma deliciosa, como hoje a de certas aldeias. Vi New York nesse período. Que diferença do atropelado e doido formigueiro de agora!

— Deve miss Jane ter observado coisas maravilhosas!...

— Menos maravilhosas do que desnorteantes para as nossas ideias atuais. As invenções vão sobrevivendo do decurso do tempo, umas saídas das outras, e as coisas tomam às vezes rumo muito diverso do que a lógica, com ponto de partida no estado atual, nos faria prever.

O professor Benson reapareceu nesse momento e a conversa tomou outro rumo. Eu me achava na situação de um homem que ingerisse um estupefaciente desconhecido. Estava com a minha capacidade de assimilação de ideias esgotada e já com uma ponta de dor de cabeça a dar sinal de que o cérebro exigia repouso. Sem que eu o dissesse, o velho sábio, mais sua filha, compreenderam-no perfeitamente e dali até o jantar só me falaram de coisas repousantes.

À noite custei a conciliar o sono, o que era natural. Mas sinceramente o digo: o que mais me dançava na cabeça não era o desvendamento do futuro nem as suas abracadabrantes maravilhas, e sim a imagem de miss Jane. A estranha criatura loura, de olhos tão azuis, impressionara por igual meu cérebro e meu coração. Comecei a ver nela o verdadeiro tudo; e se me dessem a opinar entre a posse da descoberta do professor Benson e o tê-la ao meu lado para o resto da vida, não vacilaria um instante na escolha.

Dormi por fim e, em vez de sonhar com o mundo futuro entrevisto na palestra da moça, sonhei no encanto do presente, todo resumido em conjugal convivência com o meigo anjo sábio.

Capítulo VIII
A LUZ QUE SE APAGA

No dia seguinte, logo pela manhã, soou-me aos ouvidos uma novidade desagradável. Não passara bem a noite o professor Benson.

— Estou velho, meu caro senhor Ayrton, — disse-me ele ao encontrar-se comigo, — já sinto cá dentro a máquina funcionar com esforço. — Jane ignora o meu estado, mas a pobre menina não me terá por muito tempo na terra. Ficará só. Dei-lhe, entretanto, tal educação, e possui ela tais qualidades de caráter, que morrerei feliz. Saberá agir no mundo como se contasse sempre comigo.

Veio-me aos lábios um ímpeto de confidência. Quis apresentar-me ao professor como o braço forte que se oferecia a miss Jane quando o de seu pai viesse a faltar. Contive-me a tempo. Lembrei-me da minha insignificância e do pouquíssimo que eu ainda era naquele lar. Limitei-me, pois, a confirmar as ideias do velho em relação à filha, dizendo:

— Pelo que com ela conversei ontem tive a mesma impressão. É miss Jane uma criatura superior, uma madame Curie capaz de prosseguir nos trabalhos de seu pai, se o quiser.

— Jane o quereria talvez, mas não posso consentir nisso. Bastam-lhe, para lhe encher a vida, as visões que já teve e a superioridade que adquiriu conhecendo o futuro próximo. Isso lhe permitirá pôr-se a salvo das contingências da necessidade. Possui Jane um caderninho onde anotou a cotação dos principais valores de bolsa nestes próximos cinquenta anos. Está assim habilitada a ser detentora do dinheiro que quiser. O dinheiro ainda é tudo para os homens. O estranho dote que deixo à minha filha se resume nesse caderninho de notas... Mas conheço Jane. Extremamente imune às ambições que atormentam o comum das mulheres, levará um viver apagado, sem exterioridade, toda entregue à vida cerebral, que a tem intensíssima.

O professor fez uma pausa, como se o esforço daquelas confidências o tivesse cansado. Depois, disse:

— Realizei o que jamais sonhara nos delirantes sonhos da minha mocidade — e me vejo forçado a levar para o túmulo o grande segredo... Jane não o revelará a ninguém e ainda que o faça não estará na posse da solução técnica. O senhor Ayrton, única testemunha presencial de tudo, também o não revelará a ninguém.

— Proíbe-mo, professor?

— Não, não proíbo, já disse. Mas se algum dia tiver a ingenuidade de o revelar a alguém, passará por louco, e se insistir, por louco varrido, dos que os homens metem nos hospícios. O instinto de conservação e de sociabilidade é que o vai impedir de revelar o que está vendo aqui.

Miss Jane entrou nesse momento e notei que o velho sábio se contrafazia diante da moça para não denunciar o seu estado de saúde. Apesar disso ela observou:

— Um pouco pálido, meu pai...

— Sim, mas estou perfeitamente bem. Temos aqui o senhor Ayrton e compete a ti, minha filha, organizar o programa do dia. Pouco posso acompanhá-los. Uma delicada experiência vai absorver-me por algumas horas.

Miss Jane olhou-me com os seus lindos olhos claros e disse:

— Escolha, senhor Ayrton. Ontem foi a teoria, hoje começa a ser a prática. Vai estudar uns cortes. Escolha um momento da vida futura que o interessa.

Miss Jane estava linda como uma rosa desabrochada naquela manhã na roseira próxima do meu quarto. Meus olhos envolveram-na num véu de enlevo e se o coração pudesse falar ter-lhe-ia eu dito que só me interessava o presente nela concentrado. Mas respondi de outro modo.

— Sou um leigo em matéria de futuro, miss Jane, e nem escolher posso. Deixo isso ao seu inteligente critério.

— Não tem vontade de ver o que se passará aqui, neste lugar onde estamos, no ano 3000?

— Já fizeste esse corte, Jane, — interveio o professor.

— Fiz, sim, meu pai, mas será curioso repeti-lo para o senhor Ayrton.

— Perfeitamente, — concordei. — Há sempre mais interesse para nós em ver assim futurizado um ponto nosso conhecido do que um desconhecido.

— Pois então, — resolveu o professor Benson, — comecem por aí e não contem comigo. Vou trabalhar.

Ergueu-se e saiu. Miss Jane acompanhou-o até à porta e ao tornar me disse:

— Acho meu pai um tanto abatido hoje. Já está nos setenta anos e velhice é doença...

Uma nuvem de melancolia sombreou-lhe os lindos olhos azuis e um breve suspiro lhe escapou do peito. Também eu no íntimo me sombreei de tristeza, embora mentisse exteriormente, nesse intuito de consolação fácil que tais lances impõem.

— Qual! — exclamei. — O professor é rijo. E com a vida calma que leva ainda viverá muito.

— Assim seja, — murmurou Miss Jane, — porque não sei o que será de mim sem ele. Acho-me tão identificada com meu pai...

Arrisquei uma pergunta indiscreta:

— Nunca pensou em casamento, miss Jane?

A moça entreparou, olhando-me entre admirada e divertida.

— Casamento? Ora que coisa interessante, senhor Ayrton!... Há de crer que é a primeira vez que tal palavra soa nesta casa? Ca-sa-men-to!...

E repetiu-a diversas vezes como se repetisse uma palavra de som esquisito e nunca antes pronunciada.

— Sim, — continuei eu, — todas as moças se casam. O amor um dia vem e...

Miss Jane permaneceu alheada, como entregue a profundas cogitações interiores.

— "Todas as moças"... — repetiu. — Mas serei eu moça? Nunca me analisei, senhor Ayrton. Minha vida tem sido voar de século em século por esse futuro afora em companhia de meu pai. Sinto que sou apenas um espírito que observa e possui meios de visualizar o que está fora do alcance humano. Será isso ser moça? Amor!... Que é amor, senhor Ayrton? O seu vocabulário é tão novo para mim como deve ser para o seu espírito esta nossa mentalidade futurista. Mas vamos ao que serve. É tempo de operar um corte.

Miss Jane dirigiu-se ao gabinete do poroviroscópio e eu acompanhei-a, tomado de espanto diante de um ser tão alheio ao seu tempo e à sua condição. Lá fora, amor e casamento constituem a obsessão única de todas as mulheres. Em criança, brincam de casar as bonecas. Núbeis, cuidam exclusivamente de casar a si próprias. Velhas, cuidam de casar ou descasar as outras. Havia, pois, uma mulher no mundo, e formosíssima que não só não pensava em amor e casamento mas à qual tais expressões soavam como vozes inéditas... Era simplesmente prodigioso!

Diante do porviroscópio ela se deteve e depois de algumas explicações me fez colocar no ano 3000 o ponteiro. Em seguida viu num mapa a situação geográfica do ponto onde nos achávamos e ensinou-me a mover o ponteiro marcador das latitudes e longitudes.

— Pronto! — exclamou. — Basta agora abrir esta válvula. A corrente envelhecerá de 1074 anos, que são quantos vão do em que estamos ao ano 3000. Envelhecerá e nos dará sinal disso automaticamente. Mas como o envelhecimento de cada ano consome um minuto, teremos...

Tomou de um lápis e calculou, rápida.

— Teremos de esperar 17 horas e 54 minutos. O relógio marca as nove e, pois, só conseguiremos ter cá o ano 3000 às nossas ordens entre meia noite e uma da madrugada. Estou afeita a estas observações a qualquer hora da noite, mas não sei se para o senhor Ayrton não será incômodo...

— Absolutamente não. Só lamento não poder satisfazer já, já, a minha curiosidade. Ver um pedaço da nossa terra no ano 3000, que portentosa maravilha! Diga-me alguma coisa, miss Jane, do que me vai ser revelado...

— Não. Não quero prejudicar a sua surpresa. Prefiro falar de aspectos que vi em outros tempos e outros países.

Lances há na vida absolutamente indeléveis. Essa tarde que passei com a filha do professor Benson, a ouvir-lhe as revelações do futuro, como esquecê-la jamais?

Não poderei reproduzir aqui tudo quanto ela me disse; seria compor um catálogo sem fim. A invasão mongólica, o feroz industrialismo da Europa mudado em contemplativismo asiático, a evolução da América num sentido inteiramente inverso... quanta coisa formidável! Mas nada me interessou tanto como o drama do choque das raças nos Estados Unidos.

— Esse choque, — disse miss Jane, — deu-se no ano 2228 e assumiu tão empolgantes aspectos que reduzido a livro dá uma perfeita novela. Não sei se o senhor Ayrton é literato...

— Já fiz um soneto na idade em que todos desovam sonetos...

— Pois se não é poderá tornar-se. O principal para uma novela é ter o que dizer, estar senhor de um tema na verdade interessante. Ora, eu fornecerei os dados dessa novela e o senhor Ayrton terá oportunidade ótima para apresentar-se ao mundo das letras com um livro que a crítica julgará ficção, embora não passe da simples verdade futura.

A ideia sorriu-me, e todo me lisonjeei com a opinião que miss Jane fazia das minhas capacidades artísticas.

— Quer tentar? — insistiu ela. — Contar-lhe-ei com a máxima fidelidade o que vai passar-se. De posse desse material, e depois de pessoalmente fazer vários cortes que o ajudem a formar ideia justa do ambiente futuro, atirar-se-á à tarefa. Desde já asseguro uma coisa: sairá novela única no gênero. Ninguém lhe dará nenhuma importância no momento, julgando-a pura obra da imaginação fantasista.

Mas um dia a humanidade se assanhará diante das previsões do escritor, e os cientistas quebrarão a cabeça no estudo de um caso, único no mundo, de profecia integral e rigorosa até nos mínimos detalhes.

— Realmente! — exclamei. — Será romance como os de Wells, porém verdadeiro, o que lhe requintará o sabor. Quanta novidade!

— Os leitores andarão pulando de surpresa, e estou já a imaginar as caras de espanto que hão de fazer quando o senhor Ayrton falar, por exemplo, da cirurgia de doutor Lewis.

— Quem era?

— Oh, um mágico da anatomia, o primeiro que praticou o desdobramento do homem.

Franzi os sobrolhos.

— Desdobramento da personalidade? — perguntei.

— Sim, mas desdobramento anatômico. O doutor Lewis, sábio que começou a surgir em 2201, teve a ideia de romper com o plano simétrico do corpo humano. Possuímos dois olhos e dois ouvidos que agem como a parelha de cavalos a puxar no mesmo rumo o carro. Lewis alterou isso. Por meio dum delicado processo cirúrgico, desligou — desxifopagou os nervos óticos e auditivos, dando autonomia aos dois ramos. Conseguiu dess'arte que o "desdobrado" pudesse ver uma coisa com o olho direito e outra com o esquerdo, e também ouvir às duplas, com a audição assim desligada.

Miss Jane fez breve pausa, como a recordar. Depois disse:

— Lembro-me que no escritório do *Intermundane Herald* observei o primeiro desdobrado em ação, primeiro e único aliás.

— *Intermundane Herald*, miss Jane? Cheira-me isso a psiquismo...

— E cheira certo. Era um jornal de radiação metapsíquica, que veio atender à velha sede de liame com os vivos que os mortos sempre manifestaram. Em vez das pobres almas penadas andarem pelo mundo em busca de mesinhas falantes e médiuns, único meio que possuem hoje de conversar conosco, liam o *Intermundane Herald*.

— E como se manifestavam? Pois não posso crer que também colaborassem nesse jornal...

— Disso se encarregava a Psychical Corporation, dona de grande estação central de Detroit. Afluíam os espíritos para ali e chamavam os vivos pela linha meta-psicotônica internacional, como hoje nos chamamos pela linha telefônica.

O meu assombro era grande, embora tocado de uma pontinha de desconfiança. Estaria miss Jane a mangar comigo? Olhei-a firme nos olhos. A lealdade que neles vi era a mesma de sempre.

— Mas, — continuou ela, — voltando ao meu homem desdobrado direi que pude observá-lo em ação no escritório do Herald. Estava à mesa de trabalho, a examinar com o olho direito uma gravura antiga e a consultar uma tábua de logaritmos com o esquerdo. Ao mesmo tempo ouvia a música da moda com o ouvido direito e com o esquerdo atendia a um colaborador do jornal. Ocupava-se em quatro coisas diversas, valendo assim por quatro homens não desdobrados.

— H^4...

— E não ficava nisso. Era bem um *Homo* elevado, não à quarta, mas à sexta potência, porque ainda recolhia a queixa dum dos espíritos leitores do *Herald* — espírito rabugento, a avaliar por certos ímpetos nervosos da mão que estenografava.

— E com a outra mão que fazia?

— Alisava meigamente um gatinho que lhe sentara no colo.

Encarei-a de novo, firme. Miss Jane não piscou. Logo, era verdade. A experiência dos olhos que piscam sempre me pareceu infalível na pesca dos potoqueiros.

— Mas não foi coisa que se generalizasse, — continuou a moça. — A ruptura por intervenção humana dos planos normais da natureza nunca foi bem sucedida. Sobrevinham sempre complicações imprevisíveis à argúcia dos sábios, e irremediáveis. Esse pobre desdobrado, por exemplo, acabou logo depois de maneira trágica. Em vez de persistir na sua sexta potência, *empastelou-se*, confundiu-se e acabou não sendo nem sequer um homem apenas, como antes da operação. A mais horrorosa demência veio destruir aquela obra prima da cirurgia de 2228. Por esta amostra vê o senhor Ayrton quantos episódios interessantes podem enriquecer a sua novela, — concluiu miss Jane.

Fiquei de olhos parados, a cismar.

— Outra coisa que muito me maravilhou foi o Teatro Onírico, — prosseguiu ela.

— Quê?

— O teatro dos sonhos.

— Fiquei na mesma...

— Descobriu-se um processo de fixar na tela os sonhos, como hoje o cinematógrafo fixa em filmes o movimento material. E dada a riqueza do nosso subconsciente, mar donde emana o sonho, e mar profundo do qual a consciência não passa da exígua superfície, pode o senhor Ayrton imaginar que maravilhosas representações não se davam nesse teatro. Nem as *Mil e Uma Noites*, nem Edgard Poe — nada valia um só desses espetáculos onde o contrarregras se chamava Imprevisto. Tornou-se a arte suprema, a mais deleitosa de todas — e ainda uma ciência. A alma humana só deixou de ser o enigma que hoje é depois que pôde ser assim fotografada em suas manifestações de absoluta nudez. Até então apenas lhe conhecíamos as manifestações vestidas pela Censura, isto é, as suas atitudes.

Miss Jane pausou um bocado, enquanto eu refervia.

Era de maravilhar a transformação que se operava em mim! Vinte dias antes eu não passava de modesto empregado de rua duma casa comercial — e estava agora na iminência de tornar-me autor de um livro assombroso, capaz de cobrir meu nome de glória. A ideia desvairou-me e a novela principiou a formar-se-me nos miolos com fragmentos de romances lidos em rodapé de jornais. O começo do primeiro capítulo chegou a traçar-se de chofre em minha cabeça:

— "Era por uma dessas tardes calmosas de verão, em que o astro rei, rubro como um disco de cobre," etc.

Estava eu nesse devaneio quando um criado penetrou de surpresa no gabinete. Chamou de parte miss Jane e disse-lhe algumas palavras agitadas. Sem pedir licença a moça retirou-se com precipitação.

Fiquei atônito, sem saber o que pensar. Delicada e fina como era, se assim se retirava de minha companhia sem o clássico e sorridente "com licença" é que algo de grave ocorria. Fiquei na minha poltrona ainda uns dez minutos com o ouvido atento aos menores rumores, tentando decifrar o mistério. O silêncio era absoluto; nem sequer se ouvia o zum-zum do cronizador a trabalhar. Consultei o relógio.

— Dez e quinze. A corrente já está no ano 2001, pensei comigo, ano que não alcançarei. Mas meu filho Ayrton *Benson* Lobo o alcançará.

Pus-me a sonhar, e os sonhos logo me acalmaram a inquietação produzida pela inexplicável retirada de miss Jane. Vi-me amado de tão gentil criatura e com ela casado. Por esse tempo já não fazia parte deste mundo o professor Benson. Setenta anos tinha ele; era natural que não durasse muito. Miss Jane ficava só na terra, sem relações sociais, sem sonhos de grandeza mundana. E não seria eu nessa época apenas o pobre diabo que era, triste ex-empregado dos senhores Sá, Pato & Cia. Seria um autor, um romancista! Os jornais dariam meu retrato e me tratariam de "ilustre homem de letras". Talvez até cavasse a Academia. Uma situação social, sem dúvida, e das mais bonitas. Poderia aproximar-me da inconsolável menina e oferecer-me para seu companheiro de vida. Claro que miss Jane aceitaria o meu coração. Viagens depois, mundo a correr — Paris, New York. Levaríamos conosco o caderninho das cotações...

— "Olá, senhor corretor, compro mil ações da Niágara Falls Company!"

A piedade do corretor vendo esta carinha chupada de brasileiro amarelo comprar ações de uma empresa cuja bancarrota estava iminente! Sorri-se lá consigo e vende — mas, piscando o olho para os seus auxiliares. No dia seguinte notícia nos jornais: *Uma jazida de platina encontrada nas terras da Niágara! As ações da companhia centuplicam de valor.* Reapareço no escritório do corretor atônito, a fumar um charuto imponente, e vingo-me do seu sorriso de véspera.

— "Hoje vendo, meu caro palerma. O brasileirinho amarelo hoje vende, sabe?..."

E lá deixo de novo as ações da Niágara e embolso milhões sonantes... Compro em seguida um iate, o mais belo e cômodo que houver...

No meu sonho julguei ser o capitão do iate e ia responder-lhe com uma ordem — "Rumo a boreste!", quando ao pé de mim vejo miss Jane, muito transtornada de feições.

— Senhor Ayrton, meu pai passa mal! Venha vê-lo...

Corri atrás dela, tomado de negros pressentimentos. Penetrei no quarto do professor. Lá estava o bom velho no fundo da cama, muito desfeito, dando mais a impressão de um defunto que de um ser vivo.

— Quer que vá buscar um médico? — exclamei ansioso ao aproximar-me do enfermo.

— Não, — respondeu lentamente a voz cava e débil do professor. — É inútil. Conheço o meu estado e sei que chegou o momento...

A moça atirou-se-lhe aos braços e cobriu-lhe o rosto de beijos convulsos.

— Boa Jane, — disse ele, — é hora de separar-nos. Tenho confiança em ti e espero que passado o rude momento te conformes com a situação, buscando conforto no estoicismo que te ensinei e de que te dei exemplo em vida. Há já algum tempo que me sentia mal. Ocultava-o a ti para evitar-te um sofrimento inútil. Mas esta noite percebi que chegara o fim. Quando te deixei no gabinete com pretexto de concluir um trabalho, iludi-te, ou, melhor, vim fazer um trabalho muito diverso do que poderias supor. Vim destruir a minha descoberta. Queimei toda a papelada relativa e desmontei as peças mestras dos aparelhos. O que resta nenhuma significação possui e não poderá ser restaurado. Desfiz em meia hora o trabalho de toda uma vida. Da minha invenção restam apenas as impressões que te ficaram na memória. E quando por tua vez morreres, tudo se extinguirá...

— Meu pai! — exclamou Jane achegando o seu rosto afogueado à face descorada do velho.

— Teu pai, teu amigo, teu companheiro de trabalho...

Não pude conter-me diante do doloroso lance e grossas lágrimas brotaram-me dos olhos. O moribundo não esqueceu o hóspede. Volveu com esforço um olhar para o meu lado e disse em voz cada vez mais fraca:

— Adeus, Ayrton. O acaso o trouxe aqui para me ver morrer. Seja amigo de Jane. Adeus...

Um impulso atirou-me de joelhos ao pé do leito do moribundo; tomei-lhe as pálidas mãos e beijei-as tão enternecido como se beijara as de meu próprio pai.

— Adeus, Jane!... — foram suas derradeiras palavras.

Fechou os olhos e imobilizou-se. Minutos mais tarde estava apagada a luz daquele cérebro, o mais potente que ainda desabrochou no seio da humanidade...

Capítulo IX
ENTRE SÁ, PATO & CIA. E MISS JANE

Pobre moça!... vinha eu pensando comigo ao voltar do enterro do professor Benson. Se é grande a dor de perder um bom pai, que dizer de quem perdia tal pai?...

De fato, quase que com seu pai perdera Jane a sua razão de ser na vida. Desde menina se consagrara a estudos do porvir, e é natural que quem possui tal faculdade de previdência não se preocupe grande coisa com a atualidade. Para nós, encerrados nas quatro paredes dos cinco sentidos, o presente é tudo; mas quão pouco não será ele para uma criatura colocada no tope da montanha, podendo ver tanto a paisagem do que lá passou como a do que vai passar!

O mágico aparelho do professor Benson deixara de existir, e dele, como dissera o moribundo, só restavam as impressões subsistentes na memória da filha. Tinha miss Jane, portanto, de refazer sua vida, adaptar-se à condição comum dos pobres seres humanos que só veem um palmo adiante do nariz.

— Está como eu, — murmurei em solilóquio. — Passou também a pedestre...

Mas vi logo o falso da comparação. Eu podia com o tempo voltar à casta dos rodantes, adquirindo novo automóvel. Miss Jane nunca mais alcançaria a onividência...

O castelo ficava a três quilômetros de Friburgo, pela estrada onde se dera o meu desastre. Ao passar por essa estrada reconheci o ponto e parei à borda do desbarrancado. Estavam ainda patentes os sinais do trambolhão.

— Estranhos caminhos da Interferência! — exclamei comigo mesmo. — Para ver a maravilha das maravilhas e conhecer a mulher que me está iluminando a alma e talvez faça de mim um romancista, foi mister que eu passasse por este precipício aos trancos, e lá fosse parar semimorto ao fundo da barroca...

Logo adiante, dobrada uma curva da estrada, vi erguer-se o vulto misterioso do castelo, com suas torres metálicas. Parei tomado de viva emoção. Olhei para a singular fábrica e perdi-me em pensamentos de saudade e incerteza.

Entre aquelas paredes duas nobres criaturas humanas me haviam abrigado com extremos de carinho; trataram-me do corpo, salvaram-me a vida e não satisfeitas ainda me revelaram o segredo irrevelado. No castelo conheci a mulher divina que jamais sairá do meu coração. Lá estive em minha casa, como no seio da minha verdadeira família...

Mas quão tudo mudara! Eu não podia mais continuar naquela situação de hóspede depois de morto a hospedeiro. Tinha que afastar-me dali — afastar-me do lugar que era na verdade o meu verdadeiro lugar na terra...

O coração confrangeu-se-me dolorosamente e foi com o olhar sombrio e a cabeça baixa que transpus de novo os umbrais do castelo.

Chamei um criado. Por coincidência apareceu o surdo-mudo que me acompanhara na primeira saída pelos campos. Esqueci-me dessa circunstância e perguntei-lhe:

— Não será possível falar a miss Jane?

O criado também se esqueceu de que era surdo-mudo e tornou:

— Acho inconveniente. Miss Jane recolheu-se em tal estado de abatimento que nenhum de nós se atreve a perturbá-la.

Vi que o homem tinha razão. Pedi-lhe papel e, ali mesmo no vestíbulo, tracei o seguinte bilhete:

"Com o coração alanceado Ayrton despede-se de miss Jane. Volta ao seu fado anterior, cheio, pelo resto da vida, dos sentimentos de gratidão e enlevo que os donos deste castelo encantado lhe despertaram n'alma. Se acha miss Jane que o hóspede ocasional lhe merece alguma coisa, permita-lhe que a venha ver de vez em quando."

Entreguei-o ao criado e saí.

Estava outra vez na rua — e nunca avaliei tão bem a sensação do decair. Quando o anjo mau se viu expulso do paraíso a sua impressão devera ter sido igual à minha...

Na curva da estrada volvi um último olhar ao castelo. Lágrimas me vieram aos olhos, e foi com a infinita tristeza de um corvo triste que alcancei a estação de Friburgo. Rodei para o Rio.

Ao apresentar-me no escritório da firma o assombro do senhor Sá foi enorme. Olhou-me com os olhos arregalados, como se visse aparecer um espetro; depois vincou a testa de todas as temíveis rugas com que tanto nos apavorava e disse:

— Muito bem, senhor Ayrton Lobo! Sempre contei com a sua presteza, quando o senhor me andava a pé. Agora, que se deu ao luxo de um automóvel, gasta-me vinte e tantos dias numa simples cobrança e aparece-me com essa cara de cachorrinho que me quebrou a panela!

Me, me, me, me... tudo para aquele homem se relacionava egoisticamente à sua pessoa...

Procurei acalmar-lhe a fúria, contando do desastre e da minha internação numa casa acolhedora. Mas o éter em vibração que era o senhor Sá fora evidentemente interferido por uma rabanada de saia das fúrias de Ésquilo. Em vez de aceitar a minha escusa, o homem redobrou de acusações.

— E por que me não preveniu? Um empregado decente, logo que se vê numa situação dessas, a primeira coisa que faz é avisar aos patrões. Pensa então o senhor que isto aqui é brincadeira? Não sabe que somos uma firma séria e temos o direito de ser bem servidos? Está despachado. Não nos servem empregados da sua ordem.

Nesse momento um rumor muito meu conhecido denunciou a presença da outra parte da firma. Era o senhor Pato que chegava. Ao vê-lo surgir à porta, dentro do seu formidável fraque de elasticotine de cem mil réis o metro e todo reluzente de penduricalhos de ouro maciço, confesso que tremi. Olhou-me o homem d'alto a baixo, fulminantemente, e sem dizer palavra foi para um canto confabular com o sócio.

Não sei o que disseram. Só sei que ao cabo de dois minutos o senhor Sá voltou-se para mim e indagou:

— E o seu automóvel?

— Perdi-o... — respondi com voz sumida.

Sá trocou com o sócio um olhar risonho e irônico; em seguida, divertido lá no íntimo por uma ideia humanizou-se.

— Pode ficar na casa, senhor Ayrton, mas compreende o caro amigo que não nos é possível pagar a um moço que anda a pé o mesmo ordenado que pagávamos a um que tinha automóvel próprio...

Pronunciou um "próprio" de boca cheia, trocando com o Patão um novo olhar de malícia.

Resignei-me, já que precisava viver. E murcho, de cabeça baixa, com o espírito a agarrar-se à lembrança de miss Jane, reassumi na casa as minhas velhas funções.

A semana toda passei-a na rua, a trabalhar como um autômato. Meu pensamento fugia para longe do que eu executava. Impossível fixá-lo nas reles coisas que me mandavam fazer, quando havia um ponto luminoso a atraí-lo como imã. Impossível tomar a sério os negócios de Sá, Pato & Cia. depois do deslumbramento daquelas semanas no castelo. Eu já não era mais o mesmo. Era um ser que se dilatara imensamente — e que esperava...

Executei mal as minhas comissões e sofri do senhor Sá várias reprimendas. Ouvia-as, porém, tão absorto nos meus pensamentos que não poderei reproduzir nada do que ele me disse.

Eu aguardava ansioso a chegada do próximo domingo. Iria novamente rever o castelo e extasiar-me ainda uma vez diante da imagem querida.

O domingo chegou. Fui. Miss Jane recebeu-me no gabinete e fez-me sentar na poltrona onde me achava no momento em que o criado a chamou. Encontrei-a serena e resignada, embora com todos os estigmas da sua grande dor impressos na fisionomia. Seus olhos denunciavam o cansaço das lágrimas.

Permaneci calado por uns instantes, sem ter o que dizer. Quem rompeu o silêncio foi ela.

— Obrigada, senhor Ayrton. A sua visita me fará bem, me acalmará os nervos, coisa que nunca supus que tivesse... A minha solidão é hoje extrema. Como castigo de ter tido às mãos o tudo, vejo-me agora sem nada. Este casarão vazio... os laboratórios já sem função... o poriviroscópio, onde passei anos a me deslumbrar com visões inéditas, morto, reduzido a simples matéria inerte, sem alma... A alma de tudo era meu pai...

Alcancei a situação da querida criatura e foi com a alma à boca que lhe disse:

— Compreendo como ninguém o seu caso, miss Jane, e sei que até hoje no mundo pessoa alguma num só dia perdeu tanto. Horas apenas convivi com o professor Benson e apesar disso a sua lembrança viverá em mim como não vive a de meu pai. Imagino, pois, a falta que faz ele à sua filha, à sua companheira de estudos e visões...

Miss Jane sacudiu a cabeça como a espantar ideias importunas. Depois esboçou o sorriso mais triste que inda vi. E com um suspiro murmurou:

— Paciência. Meu pai ensinou-me o estoicismo, mas é bem difícil o estoicismo nos grandes momentos de dor. O estoicismo é uma atitude...

Três horas passei em companhia da desolada jovem, e consegui afinal distrair o seu espírito contando-lhe o meu reaparecimento no escritório. Chegou a sorrir quando lhe desenhei a imagem hipopotâmica do senhor Pato, todo a reluzir berloques de ouro maciço.

— Que felicidade ser como esse homem, agir como ele, formar de si próprio a ideia que ele forma! — comentou miss Jane. — Ignora tudo, mas não tem a sensação disso. Meu pai era o contrário. Levava ao extremo oposto o conceito da sua própria pequenez — e o senhor Ayrton sabe que se houve no mundo criatura mais que todas as outras foi meu pai... Imagine se tomba nas mãos desse senhor Pato a máquina de sondar o futuro!

— Aplicá-la-ia em enriquecer-se como dez Cresos, pendurando no corpo tanta quinquilharia de ouro que quando andasse na rua havia de tilintar. E a pobre humanidade, assombrada, era bem capaz de meter-se de joelhos à sua passagem, certa de que ressurgira no mundo o Bezerro de Ouro disfarçado em homem.

— Bem razão tinha meu pai em não tornar pública a sua descoberta. Só mesmo um espírito de eleição como o dele poderia resistir às tentações resultantes, — concluiu miss Jane.

Soube nesse domingo muitos detalhes curiosos da vida do professor Benson, e de como chegara à descoberta da onda Z, ponto de partida para o mais.

— Foi o psiquismo que lhe revelou essa onda que resume e reflete a vida universal do momento. O fato de certos indivíduos agirem como polarizadores de uma força desconhecida impressionara profundamente a sua agudíssima inteligência. Meteu-se a estudar o fenômeno sob uma luz nova e chegou a apreendê-lo de modo integral. Pobre pai!

Falamos depois do nosso romance sobre o choque das raças na América.

— Sim, — disse miss Jane animando-se. — Continuo a pensar que o senhor Ayrton não deve perder a oportunidade. Ouvirá de mim tudo o que sei a respeito e escreverá um livro deveras interessante. Não lhe prometo já, já, fazer essas revelações. Neste meu estado, compreende que me seria penoso. Mas o tempo cicatriza, eu sei, e lá chegaremos. Para mim será até um derivativo à dor da saudade. Dizem que recordar é reviver e eu pressinto que minha vida vai resumir-se nisso: recordar, reviver o que tenho acumulado na memória. Venha todos os domingos e creia que sua presença me será sempre agradável — além de que estamos ligados pelo grande segredo...

Capítulo X
CÉU E PURGATÓRIO

Regressei à cidade alegre como um pardal depois da chuva. As palavras de miss Jane valeram-me pela abertura do céu. Com que prazer não trabalharia a semana toda estimulado pela perspectiva de vê-la cada domingo! A firma chegou a notar o meu assanhamento. O senhor Sá olhou-me de soslaio e murmurou para o sócio de fraque:

— Parece que o seresma viu passarinho verde...

Custou a passar o tempo, tanto a minha impaciência alongava as horas. Mas passou e no domingo, depois de apurar-me na toalete como nunca, e lançar ao pescoço uma gravata nova verde oliva com pintas de tom mais sombrio, voei, positivamente voei, ao castelo dos meus sonhos.

Já mais senhora de si, nesse dia miss Jane não falou tão exclusivamente de seu pai. Muito falou dele ainda, mas também discorreu de outros assuntos, dando começo afinal às revelações que me serviram de base à novela.

Antes de mais nada externou-se quanto à situação presente do povo americano — e com palavras que me derrancaram as ideias. Sim, porque eu tinha a ingenuidade de possuir ideias assentes sobre o povo americano, apesar da mais absoluta ignorância da psíquica e rumos que levava esse povo. Ideias pegadas no ar do escritório, nas palestras dos cafés, na leitura de jornais redigidos por criaturas tão ignaras como eu, ideias que se nos grudam ao cérebro como o pó do asfalto nos adere ao rosto nos dias de calor. Do senhor Sá, por exemplo, ouvi dizer do americano (não a mim, está claro, que me não daria esta honra, mas ao senhor Pato): "Povo sem ideais, o mais materialão da terra. A gente do *the biggest*..."

Era Sá quem o dizia e pois a afirmação me penetrou nos miolos como a própria Certeza. Nesse mesmo dia, num café, como na roda em que me achava se falasse da América, repeti a esmo, entre duas baforadas de um cigarro:

— Povo sem ideais, o mais materialão da terra. A gente do *the biggest*...

Causou sensação, e é provável que algum dos presentes fosse repetir além, a bela síntese dos meus patrões — e por aqui se vê como certas ideias circulam à maneira de moeda e vão enriquecer o patrimônio ideológico de um povo...

Quando miss Jane abordou o assunto e de chofre perguntou-me que é que eu pensava do americano, imediatamente a bela síntese sapatesca me veio aos lábios:

— Povo sem ideais, o mais materialão da terra, a gente do *the biggest*... — murmurei com ênfase.

O efeito, porém, falhou. Pela primeira vez não vi na cara de um interlocutor a expressão aprovativa a que eu já me afizera. Miss Jane, ao contrário, sorriu com o inesquecível sorriso do professor Benson e disse:

— Essa ideia não pode ser sua, senhor Ayrton. Soa-me a frase feita, das que se recebem no ar sem exame. A um povo que tenta romper com o álcool acha sem ideais? Poderá haver maior idealismo que o sacrifício de formidáveis interesses materiais do presente em vista de benefícios que só as gerações futuras poderão recolher? Se o senhor Ayrton observar um pouco a psique americana verá, ao contrário, que é o único povo idealista que floresce hoje no mundo. Único, vê? Apenas se dá o seguinte: o idealismo dos americanos não é o idealismo latino que recebemos com o sangue. Possuem-no de forma específica, próprio, e de implantação impossível em povos não dotados do mesmo caráter racial. Possuem o idealismo orgânico. Nós temos o utópico. Veja a França. Estude a Convenção Francesa. Sessão permanente de utopismo furioso — e a resultar em que calamidades! Por quê? Porque irrealizável, contrário à natureza humana. Veja agora a América. Em todos os grandes momentos da sua história, sempre vencedor o idealismo orgânico, o idealismo pragmático, a programação das possibilidades que se ajeitam dentro da natureza humana. Leia Emerson e leia Rousseau. Terá os expoentes de duas mentalidades polares. Não acha o senhor Ayrton que é assim?

Apressei-me em achar, se não de todo convencido ao menos vencido por tão ardorosos argumentos. Espantaram-me a fluidez, a clareza, o ímpeto com que miss Jane discordara. Vi bem clara a diferença que existe entre ter ideias próprias, frutos fáceis e lógicos de uma árvore nascida de boa semente e desenvolvida sem peias ou imposições externas — e ser "árvore de natal", museu de ideias alheias pegadas daqui e dali, sem ligação orgânica com os galhos, donde não pendem de pedúnculos naturais e sim de ganchinhos de arame. E comecei a aprender a também ser árvore como as que crescem no campo, e a deixar-me engalhar, enfolhar e frutificar livremente por mim próprio. Sinto hoje que a minha árvore mental cresce desafogada no sítio tanto tempo ocupado por uma árvore-cabide, onde Sás, Patos *et caterva* penduravam papel-ideias, coisa pior que o papel-moeda. Foi com miss Jane que aprendi a pensar.

— Idealista como nenhum outro povo, — prosseguiu ela, — e do único idealismo verdadeiramente construtor da atualidade. Acompanhe a vida de Henry Ford, por exemplo, estude-lhe as ideias. Verá que nelas estão todas as soluções que no seu desvario de doida a Europa procura no despotismo. Por mais audacioso que nos pareça o pensamento de Henry Ford, que é ele senão o reflexo do mais elementar bom senso? Todos nós, creia, senhor Ayrton, temos conosco essas ideias, à primeira vista tão novas. No entanto, tamanha é a crosta que nos recobre o bom senso natural que Ford nos parece um messias da Ideia Nova. Há um aparelho de limpar os tubos das caldeiras por onde passa a chama vinda da fornalha. Esses tubos, com o tempo, vão se encrostando de resíduos carbônicos e acabam por se obstruírem. É necessário a espaços proceder-se a uma limpeza. Embora o uso das máquinas de vapor já seja bem velho, só recentemente se inventou o meio prático de desencrostá-las: o martelo trepidante. Ford me dá a sensação desse instrumento. É o martelo trepidante que nos desencrosta os tubos do cérebro, obstruídos pela fuligem das ideias falsas. Ninguém melhor do que eu poderá dizer isto de Henry Ford, porquanto devassei o futuro e por toda parte vi reflexos do seu pensamento. É pois o melhor tipo atual do idealista orgânico. Sonha, mas sonha a realidade de amanhã. A desaglomeração da indústria urbana, por exemplo, a estandardização de todos os produtos, a indústria posta na base de uma associação de três sócios — trempe que abrange todas as classes sociais, a simplificação da vida pela eliminação dos milhares de coisas inúteis que hoje consomem tanto material e energia, tudo isso vai realizado no futuro e, no meu entender, com ponto de partida no idealismo pragmático de Henry Ford.

— Realmente!... — exclamei. — Agora vejo que fazemos cá uma ideia apressada desse povo.

Eu me sentia cada vez mais desencrostado das minhas ideias falsas ante a vibração do gentil martelinho trepidante que era miss Jane...

— E o mundo americano não podia deixar de ser assim, senhor Ayrton, — continuou ela. — Note apenas: que é a América senão a feliz zona que desde o início atraiu os elementos mais eugênicos das melhores raças europeias? Onde há força vital da raça branca, se não lá? Já a origem do americano entusiasma. Os primeiros colonos, quais foram eles? A gente do *Mayflower*, quem era ela? Homens de tal têmpera, caracteres tão shakespearianos, que entre abjurar das convicções e emigrar para o deserto, para a terra vazia e selvagem onde tudo era inospitalidade e dureza, não vacilaram um segundo. Emigrar ainda hoje vale por alto expoente de audácia, de elevação do *tônus* vital. Deixar sua terra, seu lar, seus amigos, sua língua, cortar as raízes todas que desde a infância nos prendem ao solo pátrio, haverá maior heroísmo? Quem o faz é um forte, e só com esse fato já revela um belo índice de energia. Mas emigrar para o deserto, deixar a pátria pelo desconhecido, isto é formidável!

— Realmente, realmente...

— Pois bem, — continuou miss Jane, — o processo inicial da América tornou-se o processo normal do seu acrescentamento no decorrer da história. Ondas sucessivas dos melhores elementos europeus para lá se transportaram. Depois vieram as leis seletivas da emigração, e as massas que a procuravam, já de si boas, viram-se peneiradas ao chegar. Ficava a flor. O restolho voltava... Note o enriquecimento de valores humanos que isso representou para aquela nação.

Miss Jane falava com tanta alma, havia em suas palavras tal força persuasiva, que senti um ímpeto de revolta contra o senhor Sá. Se esse homem me aparece naquele momento, eu era capaz de erguer contra ele a minha outrora tão humilde mão!

— E hoje, — prosseguiu miss Jane, — hoje que se deslocou para lá o centro econômico do mundo? Reflita um bocado na significação, não digo do povo americano, mas do fenômeno americano — o fenômeno eugênico americano. Estados Unidos querem hoje dizer um imenso foco luminoso num mundo de candeeiros de azeite e velas de sebo. Todas as mariposas da terra têm os olhos fixos no deslumbrante foco — todos os artistas, todos os sábios, todos os espíritos animados da centelha criadora, que na sua pátria não encontram condições propícias de desenvolvimento. Lá, a manhã radiosa de sol. No resto do mundo, varias espécies de crepúsculos... Cada vez mais vai sendo a Europa drenada de seus melhores elementos — as suas mariposas, e a Europa acabará amarelada pela pigmentação mongólica. Isso vi eu já bem denunciado nos cortes feitos no século 25.

— Mas, miss Jane, — atrevi-me a dizer, — não é lógico que também invada a América esse asiatismo entrevisto?

— Lógico por quê? O lógico é que da semente da couve nasça o pé de couve e da do jequitibá nasça o jequitibá. A semente americana lançada em Plymouth era sã e era de jequitibá. O espírito de casta matou a Ásia — do espírito de classe morrerá a Europa. A semente de que nasceu a América não continha em seus cotilédones essas venenosas toxinas.

— Mas deu origem a classes, também...

— Deu origem a classes, é certo, e os interesses das classes se tornaram antagônicos. Mas o espírito de exame dos fatos — e outra coisa não quer dizer o idealismo orgânico — interveio a tempo e harmonizou tais interesses. Quando Ford provou que não há hostilidade entre o capital e o trabalho e sim mal-entendido — e o provou com o fato da sua formidável realização, todos os olhos se abriram, e a indústria, até ali Moloch devorador da classe que produz e da que consome em proveito da que detém os meios de produção, passou a ser a mais harmonizada das associações. Esse maravilhoso remédio criou a grande barreira contra o asiatismo invasor e ergueu a América do século 25 à posição de um mundo sadio e vivo dentro de um marasmo fatalista.

— Está tudo muito bem, — adverti eu, — mas nos Estados Unidos não penetraram apenas os elementos espontâneos que miss Jane aponta. Entrou ainda, à força, arrancado da África, o negro.

— Lá ia chegar. Entrou o negro e foi esse o único erro inicial cometido naquela feliz composição.

— Erro impossível de ser corrigido, — aventurei. — Também aqui arrostamos com igual problema, mas a tempo acudimos com a solução prática — e por isso penso que ainda somos mais pragmáticos do que os americanos. A nossa solução foi admirável. Dentro de cem ou duzentos anos terá desaparecido por completo o nosso negro em virtude de cruzamentos sucessivos com o branco. Não acha que fomos felicíssimos na nossa solução?

Miss Jane sorriu de novo com o meigo e enigmático sorriso do professor Benson.

— Não acho, — disse ela. — A nossa solução foi medíocre. Estragou as duas raças, fundindo-as. O negro perdeu as suas admiráveis qualidades físicas de selvagem e o branco sofreu a inevitável piora de caráter, consequente a todos os cruzamentos entre raças díspares. Caráter racial é uma cristalização que às lentas se vai operando através dos séculos. O cruzamento perturba essa cristalização, liquefá-la, torna-a instável. A nossa solução deu mau resultado.

— Quer dizer que prefere a solução americana, que não foi solução de coisa nenhuma, já que deixou as duas raças a se desenvolverem paralelas dentro do mesmo território separadas por uma barreira de ódio? Aprova então, o horror desse ódio e todas as suas tristes consequências?

— Esse ódio, ou melhor, esse orgulho, — respondeu miss Jane, serena como se a própria Minerva falasse pela sua boca, — foi a mais fecunda das profilaxias. — Impediu que uma raça desnaturasse, descristalizasse a outra, e conservou a ambas em estado de relativa pureza. Esse orgulho foi o criador do mais belo fenômeno da eclosão étnica que vi em meus cortes do futuro.

— Mas é horrível isso! — exclamei revoltado. — Miss Jane, um anjo de bondade, defende o mal...

Pela terceira vez a moça sorriu com o sorriso do professor Benson.

— Não há mal nem bem no jogo das forças cósmicas. O ódio desabrocha tantas maravilhas quanto o amor. O amor matou no Brasil a possibilidade de uma suprema expressão biológica. O ódio criou na América a glória do eugenismo humano...

Como era forte o pensamento de miss Jane! Dava-me a sensação dos fenômenos naturais, ora da brisa que passa e treme a folha das árvores, ora do jorro de sol que tudo ilumina. Seus olhos fulguravam e por vezes eu sentia neles o ímpeto sereno que os poetas gregos atribuíam a Palas. Meu sentimentalismo sofria com isso. "Poderia vir a amar-me uma criatura assim, tão alta de cérebro?" Tudo me levava a crer que não, e apesar disso eu esperava...

— Entre dar uma solução inepta e não dar solução nenhuma, o americano optou pela ultima alternativa, — continuou miss Jane.

— Quer dizer que eternizou o problema, — conclui vitorioso.

— A sua eternidade, senhor Ayrton, é bem precária. Durará apenas mais trezentos e dois anos. O inevitável choque das duas raças dar-se-á em 2228, e a solução...

— Já sei qual será! — exclamei muito lampeiro. — Um massacre em massa, uma chacina horrorosa!...

— Nada disso.

— Expulsam os negros de lá, então! — adverti apressadamente, na minha ânsia de adivinhar.

— Nada, nada disso.

Parei atrapalhado, mas num clarão apresentou-se-me a terceira hipótese.

— Dividem o país em duas partes, a negra e a branca!

— Nada, ainda. Creio que por mais esforços que o senhor Ayrton faça não adivinhará.

Refleti alguns instantes a ver se me ocorria uma quarta hipótese. Não ocorreu coisa nenhuma e confessei-me vencido.

— Se a solução não vai ser alguma destas, quer dizer que o caso fica insolúvel, — rematei.

— Ao contrário. Será solvido da maneira mais completa, sem sacrifício dos negros existentes e sem transigência dos brancos. O orgulho é criador, senhor Ayrton e além disso, extremamente engenhoso...

Era hora de retirar-me.

Beijei a mão de miss Jane e saí pela estrada afora a parafusar no tremendo quebra-cabeças. Depois volvi para ela os meus pensamentos e passei a semana inteira a recordar as suas palavras e gestos, num grande enlevo d'alma. O senhor Sá notou-o e disse ao sócio:

— Isto ou é amor ou é espinhela caída.

Era amor. Em tudo eu via miss Jane. Nas moças que se cruzavam por mim nas ruas eu só via os traços que tinham de comum com miss Jane — esta a linha dos ombros; aquela o tom dos cabelos. Meus sonhos se complicavam estranhamente, mas neles Freud leria claro como numa cartilha infantil. O mundo futuro me surgia caótico, informe, com chins em Paris e homens sem pressa em New York, a conversarem sentados no meio das ruas — e que ruas! Wall Street, Broadway... Depois surgia miss Jane como o Tudo e eu mergulhava em êxtase.

Amor! Amor!

Capítulo XI
NO ANO 2228

Voltei ao castelo e minha amiga deu começo enfim às suas revelações sobre o choque das raças.

— Decifrou o quebra-cabeças? — perguntou-me logo que entrei.

— É dos indecifráveis, — respondi — dos indecifráveis para quem não inventou nenhum porviroscópio. Um ponto, entretanto, me intriga. Acho que a população negra da América é muito pequena em relação à branca para que possa jamais constituir perigo.

— Seria assim, de fato, — emendou a moça, — se com o crescer do país a proporção se conservasse sempre a mesma. Não foi exatamente isso o que se deu. Enquanto a corrente imigratória europeia trazia ondas e mais ondas de brancos a somarem-se aos já estabelecidos no país, nada alarmava, nem deixava vislumbrar um futuro agravamento da situação. Mas essas ondas foram diminuindo em virtude dos obstáculos opostos à entrada de imigrantes, e por fim sobreveio um maquiavélico sistema de drenagem. Em vez de entrada franca a quem quisesse vir localizar-se no país, organizou o governo americano em todas as nações do velho mundo um serviço de importação de valores humanos, consistente em atrair para lá a fina flor eugênica das melhores raças europeias. Já aliviada do seu ouro em favor da América, viu-se a Europa também aliviada da sua elite.

— Desnataram a pobre Europa! Só deixaram no velho mundo o soro...

— Isso mesmo. Daí a qualificação de maquiavélico dada ao sistema. Os mais perfeitos tipos de beleza plástica, as mais fortes inteligências, os mais puros valores morais, eram descobertos onde quer que florescessem e seduzidos, de modo a, mais cedo ou mais tarde, se localizarem na Canaã americana. Por fim achou-se o país bastante povoado; e a mentalidade proibicionista, assustada com o espetro do superpovoamento, suplantou a imigracionista. Fecharam-se todas as portas ao fluxo europeu e a nação passou a crescer vegetativamente apenas. Data daí a "inflação do pigmento".

Até essa época a população negra representava um sexto da população total do país. A predominância do branco era pois esmagadora e de molde a não arrastar o americano a ver no negro um perigo sério. Mas com o proibicionismo coincidiu o surto das ideias eugenísticas de Francis Galton. As elites pensantes convenceram-se de que a restrição da natalidade se impunha por mil e uma razões, resumíveis no velho truísmo: qualidade vale mais que quantidade. Deu-se então a ruptura da balança. Os brancos entraram a primar em qualidade, enquanto os negros persistiam em avultar em quantidade. Foi a maré montante do pigmento. Mais tarde, quando a eugenia venceu em toda a linha e se criou o Ministério da Seleção Artificial, o surto negro já era imenso.

— Ministério da Seleção Artificial?

— Sim. O grande Ministério, o verdadeiro fator da espantosa transformação sofrida pelo povo americano. O seu espírito criador, a coragem de enveredar por sendas novas sem esperar que outros o fizessem primeiro, deu àquele povo um enorme avanço sobre os demais.

Essas restrições melhoraram de maneira impressionante a qualidade do homem. O número dos malformados do físico desceu a proporções mínimas — sobretudo depois do ressurgimento da sábia lei espartana.

— A que matava no nascedouro as crianças defeituosas? — exclamei arrepiado. — Tiveram eles a coragem de fazer isso?

— Se o senhor Ayrton visse, como eu vi, o resultado dessa e de outras leis semelhantes, só se admiraria da estupidez do homem em retardar por tanto tempo a adoção de normas tão fecundas. Entre cortar no início o fio da vida a uma posta de carne sem sombra de consciência e deixar que dela saia o ser consciente que vai vegetar anos e anos na horrível categoria dos "desgraçados", a crueldade está no segundo processo. A lei espartana reduziu praticamente a zero o número dos desgraçados por defeito físico. Restavam os desgraçados por defeito mental.

— De número infinito...

— Esses foram impedidos de se reproduzirem pela Lei Owen, fruto das grandes ideias pregadas por Walter Owen. Walter Owen foi o verdadeiro remodelador da raça branca na América. Apareceu cento e poucos anos antes do choque das raças com o seu famoso livro O Direito de Procriar, onde lançava os fundamentos do Código da Raça, conjunto de leis tão sábias e fecundas em resultados que, podemos dizer, a Era Nova da raça humana datou da sua promulgação. A lei Owen, como era chamado esse Código da Raça, promoveu a esterilização dos tarados, dos malformados mentais, de todos os indivíduos em suma capazes de prejudicar com má progênie o futuro da espécie. Só depois da aplicação de tais leis é que foi possível realizar o grandioso programa de seleção que já havia empolgado todos os espíritos. Os admiráveis processos hoje em emprego na criação dos belos cavalos puro-sangue passaram a reger a criação do homem na América.

— E lá se foram os peludos!...

— Exatissimamente... Desapareceram os peludos — os surdo-mudos, os aleijados, os loucos, os morféticos, os histéricos, os criminosos natos, os fanáticos, os gramáticos, os místicos, os retóricos, os vigaristas, os corruptores de donzelas, as prostitutas, a legião inteira de malformados no físico e no moral, causadores de todas as perturbações da sociedade humana. Essas leis está claro que eram fortemente restritivas da natalidade, sobretudo, no começo, quando havia quase tanto joio quanto trigo. Crescer para a América não equivalia mais a avultar às tontas em número, como hoje, e sim a elevar o índice mental e físico dos seus habitantes. Os Estados Unidos (e o Canadá, que já se fundira neles) cresciam dessa maneira admirável, se bem que incompreensível para nós hoje, que vivemos em plena licenciosa anarquia procriadora.

Miss Jane tomou fôlego e prosseguiu:

— Mas... o "mas" perturbador de todos os cálculos humanos surgiu. Apesar de submetida aos mesmos processos restritivos dos brancos, a raça negra começou desde logo a apresentar um índice mais alto de crescimento. A proporção do negro puro relativa ao branco subiu a um quinto, a um quarto, a um terço, e por fim chegou à metade... Quer dizer que o binômio racial, desprezado na era do crescimento imigratório e descurado no início do regime seletivo, passou a entrar na fase aguda do "resolve-me ou devoro-te".

— Em quantos eram calculados os negros nesse momento?

— Na era em que tomamos este corte anatômico do futuro, ano 2228, as estatísticas apresentavam dados alarmantes. Negros, cento e oito milhões; brancos, duzentos e seis milhões. E como o coeficiente da natalidade negra acusasse uma nova subida, o instinto de conservação dos brancos eriçou-se nos primeiros arrepios da legítima defesa. Dos muitos alvitres propostos para de uma vez por todas arrancar a América do seu beco sem saída predominavam duas correntes de ideias contrárias, conhecidas por "solução branca" e "solução negra". A solução branca...

— Já sei! — exclamei aflito por acertar uma só vez que fosse. — A solução branca era expatriar o negro!...

— Muito bem! — confirmou miss Jane, alegre de ter-me proporcionado um inocente prazer mental. — Queriam os brancos a expatriação dos negros para o...

— Vale do Amazonas! — exclamei de novo, radiante do meu sucesso anterior e esperançoso de segunda vitória. Dias antes eu lera não sei onde uma qualquer coisa que me deixara entrever isso.

— Bravos! Nesse andar vai o senhor Ayrton substituir com vantagem o nosso porviroscópio perdido. Para esse vale, sim. O antigo Brasil cindira-se em dois países, um centralizador de toda a grandeza sul-americana, filho que era do imenso foco industrial surgido às margens do rio Paraná. Com as cataratas gigantescas ao longo do seu curso, acabou esse fecundo Nilo da América transformado na espinha dorsal do país que em eficiência ocupava no mundo o lugar imediato aos Estados Unidos. O outro, uma república tropical, agitava-se ainda nas velhas convulsões políticas e filológicas. Discutiam sistemas de voto e a colocação dos pronomes da semimorta língua portuguesa. Os sociólogos viam nisso o reflexo do desequilíbrio sanguíneo consequente à fusão de quatro raças distintas, o branco, o negro, o vermelho e o amarelo, este último predominante no vale do Amazonas.

Não pude deixar de estremecer diante das revelações de miss Jane sobre o futuro do meu país.

— Que tristeza, miss Jane! — exclamei compungido. — Pois vai dar-se isso então?

— Não vejo motivos para a sua tristeza, — respondeu ela. — Acho até que a divisão do país constitui uma solução ótima, a melhor possível, dado o erro inicial da mistura das raças. A parte quente ficou a sofrer o erro e suas consequências; mas a parte temperada salvou-se e pôde seguir o caminho certo. A sua tristeza vem da ilusão territorial. Mas reflita que a muita terra não é que faz a grandeza de um povo e sim a qualidade dos seus habitantes. O Brasil temperado, além disso, continuou a ser um dos grandes países do mundo em território, visto como fundia no mesmo bloco a Argentina, o Uruguai e o Paraguai.

Enchi-me de orgulho patriótico e sem querer levantei-me da cadeira com um hurra entalado na garganta.

— Vencemos a Argentina, então? Conquistamos todo o Prata?

— Errou desta vez, senhor Ayrton. Não houve guerra, nem conquista de qualquer espécie. Os povos deste sul abriram os olhos a tempo, viram que a espinha dorsal da zona era o rio Paraná e foram-se arrumando ao longo das suas quedas como costelas, formando um todo único, mais ligados pelos interesses econômicos e geográficos do que por vínculos de sangue.

— Mas a velha rivalidade entre brasileiros e argentinos?

— Não passava de uma ingênua voz de sangue. Brasileiros e argentinos, descendentes de lusos e espanhóis, encampavam sem o saber o velho antagonismo que sempre dividiu a península ibérica. Mas tantas ondas de sangue novo despejou cá a imigração, que o elemento inicial luso-espanhol foi suplantado e não teve forças para perpetuar a ingênua rivalidade hereditária.

— Mas por que dividiram o Brasil? — perguntei ainda mal consolado. — Era só povoar o norte da mesma maneira que o sul...

— Um país não é povoado como se quer, senhor Ayrton, ou como apraz aos idealistas. Um país povoa-se como pode. No nosso caso foi o clima que estabeleceu a separação. Dos europeus só os portugueses se aclimavam na zona quente, onde, graças às afinidades com o negro, continuaram o velho processo de mestiçamento, acabando por formar um povo de mentalidade incompatível com a do sul.

Mas voltemos à América do Norte. O nosso caso é o americano. Mais tarde revelarei ao senhor Ayrton o que se passou no Brasil e como surgiu a grande República do Paraná. Estávamos na solução branca, e direi que todos os brancos americanos só queriam uma coisa: exportar, despejar os cem milhões de negros americanos no vale do Amazonas. Isso, entretanto, constituía uma empresa formidável ou, melhor, impraticável, não só em virtude de tremendas dificuldades materiais como por ferir de face a Constituição Americana. O pacto fundamental do grande povo era profundamente sábio, tão sábio que conseguira elevar a antiga colônia inglesa à liderança universal e, pois, gozava de um respeito na verdade supersticioso. Essa carta impedia uma duplicidade de tratamento para cidadãos iguais entre si perante a sua serena majestade de lei substantiva.

Já os negros se batiam por uma solução muito mais viável e justa. Queriam a divisão do país em duas partes, o sul para os negros e o norte para os brancos. Alegavam que era a América tanto de uma raça como de outra, visto como saíra do esforço de ambas; e já que não podiam gozar juntas da obra feita em comum, o razoável seria dividir-se o território em dois pedaços. Mas como os brancos prefeririam continuar no *status-quo* a resolver o caso por esse processo, o problema racial permanecia de pé, cada vez mais ameaçador.

Dez anos antes começara a aparecer na cena americana um vulto de excepcional envergadura: Jim Roy, o negro de gênio. Tinha a figura atlética do senegalês dos nossos tempos, apesar da modificação craniana sofrida por influência do meio. Tal modificação o aproximava do tipo dos antigos aborígenes encontrados por Colombo. Era esse, aliás, o tipo predominante no país inteiro, e cada vez mais acentuado depois que a interrupção da corrente imigratória permitiu um evoluir étnico não perturbado por injeções estranhas. Até na tez levemente acobreada começava a transparecer nos americanos a misteriosa influência do ambiente geográfico.

— Engraçado! Quer dizer que com o tempo todos iam virando índios...

— Não quer dizer bem isso, e sim que se aproximavam um pouco do tipo ameríndio, no que pude observar. Talvez que dentro de vinte ou trinta mil anos a sua hipótese esteja realizada. Infelizmente o aparelho que meu pai construiu não ia além do ano 3527.

Em Jim Roy a sua semelhança com um mestiço de senegalês e pele-vermelha (coisa impossível, pois de há muito já não existia um só índio na América) acentuava-se pela cor da pele, nada relembrativa da cor clássica dos pretos de hoje.

— Influência do meio?

— Não. Não foi isso milagre da influência do meio, nem era coisa singular, privativa de Jim Roy. Quase toda a população negra da América apresentava pele igual à sua. A ciência havia resolvido o caso de cor pela destruição do pigmento. De modo que se Jim Roy aparecesse diante de nós hoje, surpreenderia da maneira mais desconcertante, visto como esse negro de raça puríssima, sem uma só gota de sangue branco nas veias, era, apesar de ter o cabelo carapinha, horrivelmente esbranquiçado.

— Albino?

— Não albino. Esbranquiçado — um pouco desse tom duvidoso das mulatas de hoje que borram a cara de creme e pó de arroz...

— Barata descascada, sei.

— Mas nem eliminando com os recursos da ciência o característico essencial da raça deixavam os negros de ser negros na América. Antes agravavam a sua situação social, porque os brancos, orgulhosos da pureza étnica e do privilégio da cor branca ingênita, não lhes podiam perdoar aquela *camouflage* da despigmentação.

Era Jim Roy na realidade um homem de imenso valor. Nascera fadado a altos destinos, com a marca dos condutores de povos impressa em todas as facetas da sua individualidade. Como organizador e *meneur* talvez superasse os mais famosos organizadores surgidos entre os brancos. A história da humanidade poucos exemplos apresentava de uma eficiência igual à sua. Consagrara-se desde muito jovem à execução dum plano de gênio, traçado nas linhas mestras com a mais perfeita compreensão do material humano sobre que pretendia agir.

— Está me lembrando o velho Moisés...

— Jim Roy conseguira o milagre da associação integral da população negra sob a bandeira dum partido político cujas forças, coletadas por extensa cadeia de agentes distritais, vinham, como fios telefônicos, ter à estação central da sua chefia suprema. Sempre sábias e construtoras, suas instruções desciam com autoridade de dogmas sobre todas as células da Associação Negra (era o nome do partido) e as fazia moverem-se como puros autômatos. Esta abdicação, ou melhor, esta sujeição consciente e consentida de todas as vontades a uma vontade única aperfeiçoara-se de tal modo que no ano da tragédia a situação política dos Estados Unidos passou de fato e depender do líder negro.

— Passou a depender dele como? Pois não eram os negros apenas cem para duzentos milhões de brancos?

— Não se impaciente, senhor Ayrton. Temos que ir por partes. Disse eu que a situação política da América passou a depender de Jim Roy e foi fato. Mas antes de lá chegarmos temos que fazer um rodeio político. Gosta de política, senhor Ayrton?

— Nem eleitor sou, miss Jane.

— E da política feminina?

— Essa desconheço. Suponho, entretanto, que há de ser mais felina que a dos homens...

Capítulo XII
A SIMBIOSE DESMASCARADA

— Mais felina, sim, e muito mais pitoresca, prosseguiu miss Jane. Não imagina o senhor Ayrton como o cérebro da mulher é rico de estratagemas, e com que ardor conduzem elas uma campanha política. Vinha daí que o próximo pleito se desenhava renhidíssimo. Ia a república dos Estados Unidos eleger dentro de poucos dias o seu 88º presidente, proporcionando assim a um mundo perturbado por sucessivas mudanças de forma política um exemplo de fixidez na forma inicial só comparável ao passado monárquico da Inglaterra. Os velhos partidos Democrático e Republicano haviam-se fundido num forte bloco sob a denominação de Partido Masculino. Mesmo assim não se via seguro da vitória, porque o partido contrário, o Feminino, dispunha de maior número de vozes. Estava pois em jogo o prestígio político do homem, batido pelo da mulher em todos os campos de atividade e a defender agora o seu último reduto — a presidência da república. Até então nenhuma mulher conseguira alcançar ao posto supremo, embora no pleito anterior miss Evelyn Astor houvesse perdido por insignificante minoria.

— Quem era essa bicha? Alguma chefa do partido feminino?

— Sim, uma chefa que insistia na sua candidatura, e agora com mais probabilidade de vitória, visto como era possível que o grande líder negro se deixasse levar pela sedução dos seus argumentos e desse apoio ao Partido Feminino.

Do outro lado o senhor Kerlog, presidente em exercício e candidato à reeleição, só via possibilidade de êxito se obtivesse o concurso de Jim, como sucedera no pleito anterior.

As melhores estatísticas davam ao Partido Masculino cinquenta e um milhões de vozes, ao Partido Feminino, cinquenta e um e meio e à Associação Negra, contados os votantes de ambos os sexos, cinquenta e quatro milhões. A próxima eleição dependeria pois exclusivamente da atitude do grande negro.

— Miss Evelyn Astor! — exclamei. — Lindo nome. Já me estou simpatizando por essa criatura, que talvez esteja no meu próprio calcanhar. Havia de ser linda, não?

— De fato, nessa criatura habilíssima, rica de todos os dotes da inteligência, da cultura e da maquiavélica sagacidade feminina, se juntava um elemento perturbador, novo no jogo político presidencial: a sua rara beleza física.

Embora, graças à vitória da eugenia, fosse regra a beleza, em vez de exceção como hoje, mesmo assim a formosura de miss Evelyn Astor se destacava de modo obsedante. Ninguém a defrontava sem sentir-se envolvido por uma aura de harmonia transfeita em força de dominação.

Em todas as épocas as mulheres dotadas de beleza sempre dominaram, atrás dos tronos como favoritas, na sociedade como cortesãs, no lar como boas deusas humanas, mas sempre por intermédio do homem — o déspota, o amante, o marido, detentores em sua qualidade de machos de todas as prerrogativas sociais. No futuro a dominação da beleza feminina não se fará mais por intermédio do macho. Era da Harmonia, a beleza se tornará uma força pura, como pura expressão que é da harmonia.

Nesse ano de 2228 já a mulher vencera o seu estágio de inferioridade política e cultural, consequência menos duma pretensa inferioridade do cérebro, como dizia miss Elvin...

— Miss Elvin?

— Espere. Menos de uma pretensa inferioridade de cérebro do que de uma organização cerebral diversa da do homem e, portanto, inapta a produzir o mesmo rendimento quando submetida ao mesmo regime de educação. Miss Elvin... Como está assanhado o senhor Ayrton! Não se contentou com a mulher futura que já lhe dei, miss Astor, e quer outra?

Que ilusão a de miss Jane! Eu queria apenas, de todas as mulheres passadas, presentes e futuras, uma só — a que me falava naquele momento, tão alheia às emoções borbulhantes em meu coração...

— Miss Elvin era a autora de *Simbiose Desmascarada*, um livro que graças à alegria do estilo e ao fulgor dos argumentos vinha causando verdadeira reviravolta no público. A ideia central de miss Elvin cifrava-se em que a mulher *não constituía a fêmea natural do homem*, como a leoa o é do leão, a galinha do galo, a delfina do delfim. A fêmea natural do homem *ele a repudiara em época recuadíssima* — e tudo levava a crer na extinção desse pobre animal. Repudiara-a e tomara para si, como os antigos romanos fizeram às sabinas, a fêmea de um outro mamífero de vagas semelhanças anatômicas com o *Homo*. Supunha miss Elvin que seriam anfíbios esses "sabinos" pré-históricos, assim romanamente despojados das suas fêmeas. E recreando a imaginação com um pouco de fantasia, chegou a descrever num segundo livro de igual sucesso o "massacre dos sabinos" quando, do seio das ondas acudiram às praias em defesa das raptadas metades. Vinha daí o caráter ondeante da mulher. "*She was false as water*", já o dissera Shakespeare.

— Que topete! — exclamei. — Pelo que vejo as mulheres do futuro não beneficiaram grandemente os miolos com o remédio da eugenia...

— O senhor Ayrton está um pouco passadista e corre muito depressa no Ford das suas conclusões, — respondeu miss Jane com doce ironia. — Nada há mais fecundo do que a ventilação das ideias aceitas, do que o abalo violento em certas bases mentais. Põe-nas à prova e revelam-lhes alguma racha ou lacuna, se as há. Com o seu exagero, miss Gloria Elvin não ressuscitou o sabino — mas quantas consequências indiretas não brotaram da sua revolta!

— Retiro o topete, miss Jane; continue.

— Pois o *Homo* suplantou o mamífero adverso e de posse da fêmea alheia veio através das idades *tentando um equilíbrio sexual impossível*. A falsa fêmea, o ser estranho ligado a ele por simbiose, sempre resistiu ao seu domínio, apesar de um processo de domesticação multi-milenar. Todas as formas de vida em comum, todos os modos de associação sexual existentes na natureza foram tentados sem sucesso. O harém muçulmano, a poligamia, a monogamia, a bigamia, a poliandria, o hetairismo, nada produzia bons resultados; e a mulher, por voz unânime dos poetas e pensadores, se viu classificada como um ser *incompreensível*.

Miss Elvin desvendou o mistério. Não era um ser incompreensível. Era apenas *diferente*.

Mais fraca em força física e, portanto, escravizável, a sabina defendeu-se da tirania do raptor com o manejo de uma arma perigosíssima, a dissimulação — reflexo ainda do caráter ondeante do seu elemento primitivo, o mar. Quando no mundo surgiu o feminismo, toda a gente supôs que a solução do problema da mulher estava em nivelá-la ao homem pela cultura e igualdade de direitos. Erro cascudo, demonstrou miss Elvin. A cultura como a criara o homem não se adaptava ao cérebro da mulher, de funcionamento especialíssimo e sempre influenciado por certas glândulas misteriosas. Falhou por isso o feminismo. De toda a sua agitação só veio a resultar uma coisa: a feminista, a odiosa mulher-homem, que pensava com ideias de homem, usava colarinhos de homem, conseguindo com isso apenas...

— ... não ser homem nem mulher, — concluí eu, lembrando-me duma sufragista do meu conhecimento.

— Perfeitamente. Os estudos de miss Elvin modificaram por completo os termos de equação sexual. Basta de simbiose, dizia ela; basta de vida em comum em troca de serviços recíprocos. A mulher passa doravante a viver vida autônoma; e se ainda permanece ao lado do "gorila" no antigo *status-quo* sexual, será a título provisório apenas e em vista unicamente dos interesses proliferantes das espécies respectivas. Porque miss Elvin não perdia a esperança de *promover o descobrimento e a ressurreição do sabino pré-histórico*...

— Irra! — exclamei com uma pontinha de despeito. — Está aí: a coisa única que o homem jamais previu: o surto de uma espécie rival!

— De fato. Os arrojos de miss Elvin punham calafrios na espinha do *Homo*. Ela tirava todas as consequências lógicas da sua teoria, chegando ao extremo de pregar guerra de morte contra o "insolente raptor".

Miss Astor era elvinista e, pois, a sua candidatura à presidência inquietava de modo duplo o Partido Masculino. Sua vitória coroaria o movimento feminino com a única sanção que lhe faltava, a do poder; seria, se não o crepúsculo do domínio dos homens (já de bases corroídas pelas vitórias parciais da mulher), pelo menos uma humilhante diminuição.

O problema americano se complicava assim da mais imprevista maneira. Além do aspecto étnico — o inevitável choque da raça branca com a negra, — surgira o aspecto, como direi? *especial*, isto é, o conflito das duas espécies de mamíferos — *Homo e Sabinas* — cuja simbiose fora denunciada.

O líder masculino, o Presidente Kerlog, tinha esperanças de um acordo com Jim Roy. Jim era homem e havia de inclinar-se para a facção do seu sexo. Com miss Evelyn Astor é que não enxergava possibilidades de entendimento. Tivera com a formosa antagonista uma conferência, mas a sua impressão, resumida em poucas palavras na presença do ministério, fora inquietante.

— "Não nos entendemos, — declarou ele. — As palavras que nós homens usamos têm na boca de miss Astor um sentido diverso. Em certo ponto tive a sensação de que estávamos eu a falar inglês e ela a responder-me em hebraico, língua que positivamente desconheço. Estou quase convencido de que nasceu nas mulheres alguma glândula nova..."

— "Ou perderam alguma glândula velha", — rosnou da sua poltrona Berald Shaw, o pachorrento ministro da Equidade.

Capítulo XIII
POLÍTICA DE 2228

— Nessa mesma reunião ministerial, — prosseguiu miss Jane, — o Presidente Kerlog teve palavras de fazer refletir os ouvintes.

— "O nosso predomínio vejo-o ameaçado, se não de ruína, pelo menos de fundas transformações. Avoluma-se a onda negra — e a ela resistiríamos se a cisão elvinista não viesse enfraquecer o nosso peso político. Mas o eleitorado branco está cindido, e agora mais que nunca vai funcionar a massa negra como o fiel da balança dos destinos da América. Venceremos, pois o concurso de Roy, embora negaceado para nos extorquir concessões, virá infalivelmente à última hora. Imagino com que horror não verá ele os progressos do sabinismo! Mas havemos de confessar que é precária a situação do nosso partido, com a vida assim dependente da boa vontade de um manhoso líder negro..."

— Que concessões queria Jim Roy? — perguntei.

— Essa mesma pergunta fez ao senhor Kerlog o ministro da Seleção Artificial. "Quer, respondeu o presidente, uma entente no terreno seletivo. Insiste na atenuação da lei Owen."

Os rigores desta lei tinham-se agravado no ano anterior, com o fim muito claro de fazer cair o índice do crescimento negro. Isso contrariava a política racial de Jim Roy, toda resumida em favorecer a expansão do seu povo até o ponto que lhe permitisse forçar o branco à divisão do país.

Por coisa nenhuma queriam os brancos transigir no terreno restritivo da Lei Owen — seria um suicídio. Mas a situação metera a política naquele buraco: ou ceder às exigências de Jim Roy ou assistir à vitória das mamíferas rebeldes.

Quando o presidente terminou a sua exposição calaram-se os ministros por algum tempo, de queixo preso. Qualquer das hipóteses não agradava ao macho branco. Mas como a sabedoria pragmática consiste em acudir primeiro ao perigo mais próximo, foi acordado ceder às exigências do líder negro.

Os ministros retiraram-se dessa reunião de tal modo apreensivos que não viram, no quadro onde se estampavam de minuto em minuto as comunicações dos agentes do governo, um rádio que naquele momento acabava de inscrever-se em letras luminosas: *Miss Astor está em conferência com Jim Roy*.

O Presidente Kerlog fixou os olhos no quadro informativo e permaneceu uns instantes a morder uma espátula de vidro flexível como aço.

— "Não a entendi", — murmurou, — "não nos entendemos em nossa conferência. Mas com Jim vai ela falar a velha linguagem inteligível..."

Mordiscou ainda por algum tempo a espátula. Depois ergueu-se, risonho.

— "Mas não vencerá o orgulho sexual de Roy! Jim Roy é homem e vê como eu o perigo da vitória sabina..."

— Que curioso devia ter sido esse encontro de miss Astor com Jim Roy, dois seres tão distantes! — disse eu.

— Realmente, — concordou miss Jane. — O vê-los um defronte do outro no gabinete de trabalho da grande elvinista lembrava acareação de garça do Amazonas com raposa branquicenta da Sibéria. Eram dois seres sem a menor aproximação de aparências externas, formando um quadro próprio como nenhum outro para ilustrar a teoria de miss Elvin. Parecia até inconcebível que por tanto tempo fossem as duas criaturas classificadas na mesma espécie pela ciência macha. A radiosa beleza da *Sabina mutans* (assim a zoologia de miss Elvin classificava a ex-fêmea do *Homo sapiens*) irradiava um verdadeiro halo de fascínio. Criatura nenhuma envolvida por essa aura conseguia libertar-se dos seus amavios magnetizadores. Miss Astor, se falava, não era por necessidade de falar, porque convencia pela presença. Mas achava-se naquele momento em face do talvez único representante da espécie antagonista imunizado contra a ação catalisadora da beleza. Jim Roy valia pelo símbolo da força. A raça espezinhada confluíra-se toda nele, transformando-o num feixe de energias indomáveis. Em toda a sua vida pública jamais esse negro dera um só passo ou pronunciara uma só palavra que se não norteasse pela grande ideia que trazia embutida no cérebro. Não era um indivíduo, Jim. Era a própria raça negra por um milagre de compressão posta inteira dentro de um homem.

Miss Astor o sentiu imediatamente. Percebeu que tinha diante de si uma força insubornável e insedutível.

E, compreendendo o inútil dos volteios de onda em torno de rocha tão dura, abordou de frente o assunto.

— "O choque das raças vai dar-se, — disse ela. — Precipita-se. Será um conflito tremendo, *mas só no caso de estar no poder o homem branco, criador do ódio ao negro*. Tudo mudará, se em vez desse implacável inimigo comum estivermos no poder nós mulheres."

Jim Roy franziu os sobrolhos.

— "Inimigo comum, sim, — prosseguiu miss Astor. — Ambas somos suas escravas; mas se a escravização dos teus, Jim, data de séculos, a nossa data de milênios. Caso o poder supremo venha ter às mãos da mulher, o choque se atenuará, porque saberemos ser conciliantes, e haverá enorme economia de sofrimento futuro, se operar-se sem demora a aliança política do elvinismo com o elemento negro. Acresce uma circunstância: os negros são conhecedores dos processos do macho branco e sabem muito bem o que dele podem esperar. Mas desconhecem os processos femininos; e dada a contradição de ideias e sentimentos que hoje afasta as sabinas do gorila evoluído, só têm vantagens a esperar da vitória elvinista."

E foi por aí além miss Astor. Mostrou-se palavrosa e abundante, visto que sentia falhar ante a firmeza do grande líder negro o prestígio da sua "ação de presença".

Jim Roy ouviu-a com serena impassibilidade, sem que um sorriso ou ruga de apreensão lhe quebrasse a calma das feições, e ao responder limitou-se a promessas ondeantes, fechado em fórmulas vagas e de duplo sentido.

Finda a conferência miss Astor permaneceu imóvel na sua poltrona, a refletir.

— "Como este diabo assimilou bem a língua da velha diplomacia, a língua que parecendo dizer alguma coisa não dizia nada!" E quando naquele mesmo gabinete se reuniram suas amigas e colaboradoras, ansiosas por conhecerem os resultados da entente com Jim Roy, foi com o olhar cismarento que miss Astor murmurou:

— "Qualquer coisa me diz que o líder negro incuba um plano secreto..."

— "Contra quem?"

— "Ignoro-o. Nada há de deduzir das suas palavras, perfeitas palavras de diplomata. Mas o meu senso divinatório não mente. Jim vai trair..."

Capítulo XIV
EFICIÊNCIA E EUGENIA

— O aspecto da vida americana, — continuou miss Jane, — mudara muito por efeito das invenções e de um grande princípio peculiar ao *yankee*.

Quem olhasse de um ponto elevado o panorama histórico dos povos, veria, na França, uma flâmula com três palavras; na Inglaterra, um princípio diretor, Tradição; na Alemanha, uma fórmula, Organização; na Ásia, um sentimento, Fatalismo. Mas ao voltar os olhos para a América perceberia fluidificado no ambiente um princípio novo — Eficiência.

Só a América encontrara o Sésamo que abre todas as portas. Só a América, portanto, era Ação num mundo a insistir em caminhos errados e sempre a oscilar entre dois polos — Agitação Estéril e Marasmo Fatalista.

O princípio da Eficiência resolvera todos os problemas materiais dos americanos, como o eugenismo resolvera todos os seus problemas morais. Na operosidade e uniformidade do tipo, aquele povo lembrava a colmeia das abelhas. Quase não havia distinguir um indivíduo do outro, pois tomar um homem ao acaso era ter nas mãos uma poderosa unidade de eficiência dentro de um admirável tipo de ariano pele-avermelhado.

As mulheres não mais evocavam fisicamente as suas avós, magras umas, outras gordas, esta toda nádegas, aquela uma tábua ou de enormes seios e dentes de cavalo — verdadeira coleção de monstruosidades anatômicas. Nem recordavam socialmente as pobres cativas de dantes, forçadas a girar no triângulo de ferro — casamento, celibato à força ou promiscuidade.

Finas sem magreza, ágeis sem macaquice, treinadas de músculos por meio de sábios esportes, conseguiram alcançar a beleza nervosa das éguas puro-sangue — o que trouxe a decadência do hipismo. Já não necessitavam os homens de dedicar-se aos cavalos para satisfação da ânsia secreta da beleza perfeita...

— Que pena ter-se perdido o porviroscópio do professor Benson! — exclamei. — O que eu não daria para uma espiadela nesse maravilhoso futuro!... Lindas, então, assim? — perguntei levemente assanhado.

— E hábeis, — respondeu miss Jane. — Competiam com o homem em todas as profissões num absoluto pé de igualdade, realizando o velho ideal da independência. Os filhos lhes pertenciam e não ao progenitor, sistema matriarcal muito mais dentro da natureza, visto como o filho é mais da mãe do que do pai na proporção de nove meses para meio minuto.

Tossi uma tossezinha de encomenda; miss Jane não o percebeu e continuou:

— O característico mais frisante dessa época, todavia, estava na organização do trabalho. Todos produziam. Muito cedo chegou o americano à conclusão de que os males do mundo vinham de três pesos mortos que sobrecarregavam a sociedade — o vadio, o doente e o *pobre*. Em vez de combater esses pesos mortos por meio do *castigo*, do *remédio* e da *esmola*, como se faz hoje, adotou solução muito mais inteligente: suprimi-los. A eugenia deu cabo do primeiro, a higiene do segundo e a eficiência do último. Aliviada da carga inútil que tanto a embaraçava e afeava, pôde a América aproximar-se de um tipo de associação já existente na natureza, a colmeia — mas a colmeia da abelha que raciocina.

— Que maravilha! — exclamei pesaroso de ter vindo ao mundo cedo demais. — E o governo, miss Jane? Deixou de ser essa calamidade que é hoje?

— Os princípios da eficiência também haviam penetrado no organismo governamental. Deixou o governo de sugerir a lembrança dos hediondos "sistemas de parasitismo" de outrora e de hoje, como a realeza de França ou o devorismo orçamentário de certas repúblicas nossas conhecidas, onde fazer parte do estado é conquistar o direito à inação da piolheira vitalícia — dormir, apodrecer na sonolência da burocracia que não espera, não deseja, não quer, não age — suga apenas. Tudo isso desapareceu, todas essas baixas formas de parasitismo. Tornou-se o estado americano uma organização em coisa nenhuma diversa das organizações particulares. Apenas maior e com funções privativamente suas.

— Sempre sob o sistema representativo?

— Sim. O sistema representativo persistiu. Mas só eram eleitos homens cujo viver social os apontava como seres de escol pela força e equilíbrio do cérebro. Não constituía uma situação sujeita a disputas, o ser deputado ou senador. Era uma contingência. Os homens de elite viam-se colocados nesses postos naturalmente, como o melhor músico das orquestras sobe naturalmente à cadeira da regência. O equilíbrio mental tornou-se perfeito — mas apenas da parte dos homens. As mulheres, não obstante o levantamento físico e moral, permaneciam variáveis como no tempo de Francisco I.

— *Souvent femme varie...*

— Sim. Conquistaram a mais perfeita igualdade de direitos, mas ondeavam, arrastadas pelo vento das ideias. Trocaram o *souvent* do bom Francisco I pelo *toujours* de miss Elvin. Como a simplicidade dos trajes fizera desaparecer a hoje obsedante preocupação da moda, talvez em virtude do vinco mental elas mudaram a moda para o campo das ideias. O elvinismo, por exemplo, avassalou as mulheres americanas com a tirania do nosso cabelo *à la garçonne*. Excelentes mães de família e ótimas esposas batiam-se pelo "sabino" com inconsciência de pasmar. Mas chegadas em casa despiam o cérebro da extravagância e beijavam na testa o *Homo* que na rua vinham de condenar como "infame raptor".

O órgão de miss Elvin — *Remember sabino!* mantinha a exaltação dos espíritos num constante estado de fervura.

— Ainda havia jornais nesse tempo?

— Sim, mas jornais nada relembrativos dos de hoje. Eram radiados e impressos em caracteres luminosos num quadro mural existente em todas as casas.

— E os cegos?

— O cego ficou para trás. Cegueira, mudez, surdez, estupidez, tudo isso não passava de reminiscências dum tempo de que os homens sorriam com piedade.

O rádio que temos hoje é um simples ponto de partida. Vale como valem para a eletricidade moderna as primeiras experiências de Volta. Descobriram-se novas ondas, e o transporte da palavra, do som e da imagem, do perfume e das mais finas sensações tácteis, passou a ser feito por intermédio delas. A consequência lógica foi uma grande transformação da vida. Pelo sistema atual vai o homem para o serviço, para o teatro, para o concerto — um ir e vir que constitui um enorme desperdício de energia e é o criador dos milhões de veículos atravancadores do espaço, bondes, autos, bicicletas, trens, aviões e outros. Com a fecunda descoberta das ondas hertzianas e afins, e sua consequente escravização aos interesses do homem, o ir e vir forçado se reduziu a escala mínima. O serviço, o teatro, o concerto é que *passaram a vir ao encontro do homem*. Foi espantosa a transformação das condições do mundo quando a maior parte das tarefas industriais e comerciais começou a ser feita de longe pelo rádio-transporte. Para dar uma ideia do que isso representava de economia de esforço e tempo, basta vermos o que era o jornal de miss Elvin. Pelo sistema atual, o colaborador ou escreve em casa o seu tópico ou vai escrevê-lo na redação; depois de escrito, passa-o ao compositor; este o compõe e passa-o ao formista, este o enforma e passa-o ao tirador de provas; esse tira as provas e manda-o ao revisor; este o revê e envia-o ao corretor; este faz as emendas e... e a coisa não acaba mais! É uma cadeia de incontáveis elos, isto dentro das oficinas, pois que o jornal na rua dá início à nova cadeia que desfecha no leitor — correio, agentes, entregadores, vendedores, o diabo.

— Já estive numa oficina de jornal e sei o que é isso. Puro inferno...

— Pois toda esta complicação desapareceu. Cada colaborador do *Remember* radiava de sua casa, numa certa hora, o seu artigo, e imediatamente suas ideias surgiam impressas em caracteres luminosos na casa dos assinantes.

— Que maravilha!...

— Sim, não houve indústria que como a do jornal não sofresse a influência simplificadora do rádio-transporte — e isso tirou ao viver quotidiano a sua velha feição de atropelo e tumulto.

As ruas tornaram-se amáveis, limpas e muito mansas de tráfego. Por elas deslizavam ainda veículos, mas raros, como outrora nas velhas cidades provincianas de pouca vida comercial. O homem tomou gosto no andar a pé e perdeu os seus hábitos antigos de pressa. Verificou que a pressa é índice apenas de uma organização defeituosa e antinatural. A natureza não criou a pressa. Tudo nela é sossegado. Parece coisa muito evidente isto; no entanto foi a maior descoberta que fez o povo mais apressado do mundo...

— Realmente! — exclamei, chocado pelo imprevisto daquele aspecto do futuro. — Eu que por assim dizer moro na rua, só com este quadro da rua futura já me estou assombrando com o horror da rua moderna. E, no entanto, se miss Jane nada me revelasse continuaria a ter como muito natural o tumulto de hoje...

— O hábito não nos deixa ver os defeitos, e daí a vantagem de convulsões como a de miss Elvin. O grande obstáculo ao progresso sempre foi o hábito, a ideia feita, a preguiça de constante exame do único problema material da vida — o do transporte.

— Único?

— Sim, único. Tudo é transporte na vida, senhor Ayrton, e o tumulto de hoje vem das imperfeições dos nossos sistemas de transporte. Tudo é transporte! A minha voz transporta ideias do meu cérebro para o seu. Esse livro que o senhor tem nas mãos é um sistema de transporte de impressões mentais. Que faz a firma Sá, Pato &Cia. senão transportar mercadorias de um lado para outro, com o fim último de transportar para as burras dos sócios o dinheiro dos clientes? E que é o dinheiro senão um maravilhoso e engenhosíssimo meio de transporte?

— Por isso são as moedas redondas...

— Rodinhas... O homem deu o primeiro grande passo em matéria de transporte com a invenção da roda. Mas ficou nisso. Repare que a nossa civilização industrial se cifra em desenvolver a roda e extrair dela todas as possibilidades. Daqui a séculos, quando for possível ao homem uma ampla visão do seu panorama histórico, todo este período que vem do albor da história até nós e ainda vai prolongar-se por muitas gerações receberá o nome de Era da Roda. Mas do ano 2200 em diante começará o seu declínio e em 3000 e tantos estará passada. Num corte anatômico dessa época vi certo museu nos arredores de Pittsburgh que muito me impressionou — o Museu da Roda. Dormiam nas vitrinas, como dormem hoje os machados de sílex dos nossos avós, as modalidades infinitas de rodas sobre as quais ainda gira hoje a civilização, desde o rodízio brutesco dos carros de boi até a mínima engrenagem dos relógios de pulso. O rádio matará a roda, — concluiu miss Jane.

Pus-me a refletir naquilo e a comparar a estreiteza do meu cérebro com a amplidão do cérebro da filha do professor Benson. Quantas rodas tinha ele mais do que o meu! E como rodavam bem lubrificadas as rodinhas do cérebro de miss Jane, todas postas sobre mancais de bilhas...

— De tudo quanto miss Jane acaba de expor concluo que a vida nos Estados Unidos passou a ser um céu aberto, — comentei eu.

— Não vou até lá, — contraveio ela. — Havia uma pedra no sapato americano: o problema étnico. A permanência no mesmo território de duas raças díspares e infusíveis perturbava a felicidade nacional. Os atritos se faziam constantes e, embora não desfechassem como outrora nas violências da Ku-Klux-Klan, constituíam um permanente motivo de inquietação.

A ideia do expatriamento para o vale do Amazonas tinha um ponto fraco: só podia ser voluntária e o negro não se mostrava inclinado a trocar a cidadania americana por outra qualquer. O processo científico de embranquecê-los aproximava-os dos brancos na cor, embora não lhes alterasse o sangue nem o encarapinhamento dos cabelos. O desencarapinhamento constituía o ideal da raça negra, mas até ali a ciência lutara em vão contra a fatalidade capilar. Se isso se desse, poderia o caso negro entrar por um caminho imprevisto, a perfeita *camouflage* do negro em branco. Tal saída, entretanto, era apenas um sonho dos imaginativos impenitentes. E como a repartição do país em duas zonas não fosse forma aceita pelos brancos, iam os Estados Unidos entrar no seu 88º período presidencial com o mesmo problema que trezentos e trinta e nove anos antes preocupara o grande George Washington.

Enquanto miss Jane falava, naquele tom impessoal e frio de sábio a fazer conferência pública, toda ela cérebro e cultas expressões na boca, eu, humano que sou, envolvia-a nos meus ternos olhares de carneiro amoroso, e essa minha excessiva atenção à parte corpórea da encantadora vidente me fez perder muita coisa interessante das suas revelações. Distraía-me, preso àquele lindo presente de olhos azuis sempre a pairar pelas eras futuras. Quando, por exemplo, ela entrou a descrever o tipo dos negros descascados do ano 2228, confesso que perdi metade das suas observações. Achava-me no momento a namorar o mimoso lóbulo da sua orelha esquerda, onde brincava um raio de sol. Esse fio de luz acendia-lhe em ouro a penugem finíssima e o tornava do róseo translúcido de certos veios da ágata. Perdi-me no gracioso pedacinho de carne, como a sua dona andava perdida em plena despigmentação do século XXIII. A poesia falou em mim e uma imagem lírica entreabriu a pieguice das suas pétalas. Lembrei-me do *baiser* de Rostand, *point rose sur l'i du verbe aimer*, e perpetrei coisa melhor: depor naquele ninho de colibri o ovinho de um beijo...

Depois filosofei e pareceu-me apreender uma grande verdade: a beleza não passa de um total de parcelas que a mão da Harmonia soma.

Que terríveis torneiras abre o amor!

Mas ao chegar naquele ponto das suas revelações, miss Jane ergueu os olhos para o relógio. Em seguida apertou o botão da campainha.

Veio um criado.

— Chá, — disse ela.

Eu já sabia da significação do chá, engenhoso ponto e vírgula com que miss Jane punha fim às nossas palestras domingueiras.

Regressei à cidade mais apaixonado do que nunca pela encantadora filha do velho sábio — sábia também ela, mas, ai! bem pouco feminina... O Amor que ardia em meu peito não a contagiava. Talvez nem sequer o percebesse. Ou percebera desde o início e dissimulava? Mulher, mulher... Sabina vingativa — *false as water*...

Fiquei na dúvida. Seria miss Jane um puro espírito, uma vibração de éter jamais interferida, ou tinha nervos como as demais, coração, sensibilidade como todas as mulheres?

No dia seguinte, no escritório, notou o patrão o ar distante com que eu colecionava umas faturas. Meu pensamento estava longe da firma, vogando em pleno período da simbiose desmascarada. Não sei por que motivo o senhor Sá mostrava-se nesse dia alegre e familiar. Vira o passarinho verde, com certeza. Tão familiar e alegre que em certo momento me atrevi a fazer-lhe uma pergunta:

— Acha o senhor Sá que é a mulher a fêmea natural do homem?

O honrado negociante não respondeu, mas fulminou-me com tais olhos que achei prudente esgueirar-me para a sala vizinha com o pacote de faturas na mão. Vim a saber depois que em conferência com o senhor Pato ele chegara à conclusão de que a queda no precipício me tinha evidentemente "perturbado as faculdades mentais"...

Capítulo XV
VÉSPERAS DO PLEITO

No próximo domingo voei mais cedo ao castelo, ansioso pela continuação das revelações de miss Jane.

Encontrei-a triste.

— Aconteceu-lhe alguma coisa? — inquiri inquieto.

— Nada! — respondeu-me num suspiro. — Saudades de meu pai apenas. Estive ontem no cemitério e minha dor reavivou-se. Como ainda sinto pungente o desfalque sofrido pela sinfonia do universo com a perda de sua nota mais bela!...

A tristeza de minha amiga contagiou-me de tal modo que quando dei por mim uma lágrima me descia pelo rosto.

Miss Jane, comovida, apertou-me a mão. Irmanávamo-nos dia a dia, à medida que as nossas afinidades se iam revelando. Afinidades mentais e de sentimento. Apesar da aparente divergência das nossas ideias, eu sentia que no fundo pensávamos da mesma forma. Quem ali nos visse a conversar da vida futura, juraria sermos amigos velhos ou parentes muito próximos — e outra não era a minha impressão.

Parecia-me conhecê-la de séculos, e nunca ter convivido com outra pessoa. A menor sombra que passasse pela sua alma logo se refletia na minha. Suas alegrias eram as minhas e minhas as suas tristezas.

Como me punha feliz aquela doce convivência...

Mas a nuvem passou afinal e pude vê-la de novo entregue aos acontecimentos do ano 2228.

— Na véspera da 88ª eleição presidencial, — prosseguiu miss Jane, — o país apresentava o grave aspecto desses instantes de imobilidade precursores de tormenta. Como que a armazenar forças para uma explosão trágica, todos os homens permaneciam silenciosos, num estado de repouso muito semelhante a cansaço por antecipação. Só nos arraiais femininos era intenso o rebuliço. Estavam as sabinas seguras da vitória e lá com as diretoras do movimento já repartiam os despojos da batalha.

Devo dizer que a presidência de uma elvinista não inquietava grandemente os homens de espírito filosófico. Sabiam muito bem como o poder modifica as ideias dos que lhes galgam as cumeadas. E havia até curiosidade pela vitória sabina por parte dos homens de temperamento artístico — dos que só encaram o mundo através de prismas estéticos. Já a massa masculina enxergava na vitória de miss Astor o fim do tradicional predomínio do homem na terra.

— Eram ainda as eleições ao nosso sistema de hoje?

— As eleições do século 23 em nada lembravam as de hoje, consistentes na reunião dos votantes em pontos prefixados e no registro dos votos. Tudo mudara. Os eleitores não saíam de casa — radiavam simplesmente os seus votos com destino à estação central receptora de Washington. Um aparelho engenhosíssimo os recebia e apurava automática e instantaneamente, imprimindo os totais definitivos na fachada do Capitólio.

De há muito se haviam eliminado as hipóteses de fraude, não só porque a seleção elevara fortemente o nível moral do povo, como ainda porque a mecanização dos trâmites entregava todo o processo eleitoral às ondas hertzianas e à eletricidade, elementos estranhos à política e da mais perfeita incorruptibilidade.

Mas só os habitantes de Washington gozavam do privilégio de ler no Capitólio os números decisivos. O resto da população americana também os lia e na mesma hora, mas em suas próprias casas.

Certo que estava da vitória, o partido feminino delirava no antegozo de um prazer inédito: bater o macho em seu reduto supremo — a Presidência da República!

Na antevéspera das eleições miss Elvin organizou em Washington uma passeata memorável.

— Ainda havia disso? — perguntei.

— Já não havia disso, — respondeu miss Jane. — Miss Elvin apenas ressuscitou a velha praxe a título de curiosidade estética. Como vemos hoje exposições de arte retrospectiva, teve ela a ideia de organizar coisa semelhante — uma passeata à nossa moda, com discursos em rançoso estilo retórico, nos quais se expusessem à luz do dia caducas imagens há muito aposentadas. Reuniu um lote de dez mil correligionárias para um desfile diante do Capitólio. Cada qual traria uma bandeirola ou cartaz onde se caricaturassem de maneira cruel os homens ou se inscrevessem legendas insultantes — *Abaixo o macaco glabro! Morram os raptores! Viva o sabino! Basta de gorilas evoluídos!*

Essa manifestação realizou-se à noite — e por falar em noite... como imagina que eram as noites desse tempo, senhor Ayrton?

— Como as de hoje, ora essa! Talvez com menos grilos, — respondi.

— Pois saiba que nenhum espetáculo futuro me surpreendeu tanto como as noites das cidades americanas. A noite urbana que temos hoje não passa da noite natural picada de focos luminosos — um jogo, portanto, de sombra e luz. O que lá vi não recordava essa alternativa. Sofrerá completa mudança a iluminação artificial — tamanha como a do transporte depois da vinda do rádio. Inventara-se a luz fria. Por dentro e fora eram pintadas as casas de uma tinta de luar, que dava às cidades o aspecto de emersas de um banho de fósforo. Paredes, muros, telhados, todas as superfícies dimanavam um palor uniforme de sonho. Mas o escuro é tão necessário ao homem como o luminoso, de modo que todas as casas possuíam cômodos não revestidos de luar ou apenas aquarelados de leve. Que deliciosas penumbras vi no Oblivion Park, em Erópolis!...

— Quê? Havia Erópolis, a cidade do Amor?

— Sim. Uma cidade das *Mil* e *Uma Noites* erguida no mais belo recanto dos Adirondacks e exclusivamente dedicada ao Amor. Para lá iam os enamorados, os casados em lua de mel, nela só permanecendo durante o período da ebriedade amorosa. O senhor Ayrton com certeza já amou e sabe como o amor desabrocha as criaturas em flores e perfumes. Pois imagine um éden criado pela fantasia de todos os grandes amorosos — Dante, Petrarca, Romeu, Leandro, de colaboração com todas as grandes amorosas, Julieta, Hero... Imagine a rainha Mab a provocar sonhos nesses inebriados, e Ariel a realizá-los com o carinho que punha nas comissões de Próspero. O bafo de Caliban nem de leve embaciava os mármores de Erópolis — a maravilha suprema das artes humanas ao serviço do Amor.

Nada lembrava ali o organismo que é uma cidade comum — misto de órgãos nobres e vísceras de funções humilhantes. Em vez de ruas geométricas, meandros irregulares, ganglionados magicamente de *pelouses* e moitas nupciais. Sumiam-se nelas os amorosos passeantes e em tais ninhos de doçura trocavam o beijo que elabora o porvir. Tudo fora planejado em Erópolis com o intento de dar às criaturas as mais finas sensações estéticas, de modo que os seres ali concebidos já se plasmassem em beleza e harmonia desde o contacto inicial dos gametos. Os filhos de Erópolis passaram a constituir uma elite na América — a nova aristocracia dos filhos do Amor e da Beleza.

Suspirei. Vi-me em Erópolis de mãos dadas a miss Jane, olhos nos seus olhos e em tal enlevo amoroso que todas as maravilhas da nova ilha de Calipso eram como se não existissem para mim...

— Mas deixemos em paz a cidade do Amor, — disse minha amiga fechando o delicioso parêntesis. — Trepada a uma estátua fronteira ao Capitólio espera-nos a irrequieta miss Elvin com o seu discurso flamante, perfeitamente *vieux jeu*.

— "Eis", — dizia ela apontando para o Capitólio com ademanes dos nossos oradores mitingueiros, — "eis o símbolo da Bastilha masculina que será amanhã tomada de assalto! É a casa-mestra da força, a odiosa cabina das manivelas que dirigem tudo. Ali têm habitado os piores monstros da humanidade. Moraram ali Gengis-Khan, César, Luiz 14, Frederico da Prússia, Pedro o Grande, Cromwell, todos os gorilas cesáreos que através dos séculos vêm trazendo preso ao seu carro de triunfo um ser de espécie diferente, arrancado ao companheiro natural por um gesto de violência e rapina!" e por aí além...

O presidente Kerlog ouviu pelo seu receptor de bolso a curiosa arenga e disse com muita filosofia ao ministro da Equidade:

— "Parece grotesco tudo quanto ela diz, no entanto a história mostra que nós homens temos sido arrastados por fábulas ainda mais grosseiras."

— "Isso só prova", — retrucou Berald Shaw — "que miss Elvin está errada. Homens e mulheres somos positivamente da mesma espécie..."

E enquanto a passeata de miss Elvin barulhentamente prosseguia no seu percurso, voltaram os ministros à conferência, retomando-lhe o fio no ponto em que a arenga da sabina os interrompera.

— "Dentro de quarenta e oito horas tudo estará resolvido, — disse o Presidente, — e conto com a reeleição. Apesar de não haver obtido de Jim Roy promessa formal, estou absolutamente certo de que ele nos dará os votos negros. Deve neste momento estar apreensivo, o pobre Jim, com o discurso de miss Elvin. Se ela nos trata a nós brancos de gorilas, que expressões reservará para os pretos de Jim?"

— "Mas miss Astor também conta com os votos negros", disse o ministro da Seleção Artificial.

— "Engano. Miss Astor espera de Jim uma traição. Ora, a traição para miss Astor significa não votar em seu nome. Logo, está convencida de que Jim Roy nos dará os votos negros."

— "E nesse caso derrogaremos a lei seletiva?"

— "Sem dúvida. O pigmento reclama contra o rigor excessivo da Lei Owen. Isso aliás pouco importa, porque antes dos maus efeitos da derrogação dessa lei já teremos solvido o problema. Os últimos estudos técnicos da exportação dos negros para a Amazônia já se acham conclusos. Jim é hábil e domina como déspota a massa negra. Havemos de nos entender. Havemos de impor-lhe por bem ou por mal a solução branca. No momento o caso se resume em obtermos dele o concurso eleitoral, pois quem lá pode saber que rumo tomarão os acontecimentos caso vençam as elvinistas? É impossível protelar por mais tempo com paliativos ilusórios a solução do binômio racial. Ou expatriamos os negros já, ou dentro de meio século seremos forçados a aceitar a solução negra, asfixiados que estaremos pela maré montante do pigmento."

— "Destruído, aliás..."

— "Oh, antes o não fosse! A mim chega a me repugnar o aspecto desses negros de pele branquicenta e cabelos carapinha. Dão-me a ideia de descascados..."

— E miss Astor? — perguntei. — Continuava perplexa?

Miss Jane respondeu:

— A poucos passos da Casa Branca também miss Astor conferenciava com várias sumidades do seu partido.

— "Estás ministra, minha cara Dorothy Glynor, se vencermos..." — dizia ela a uma linda criatura candidata ao Ministério da Educação Social.

— "Se?..." — fez Dorothy Glynor. — "Pois ainda admite dúvidas depois da *entente* com Jim Roy?"

— "Tudo me leva a crer que Jim Roy não perderá a oportunidade de ajudar--nos a apear o macho branco, inimigo tradicional da sua raça. A lógica me conduz a esse raciocínio, mas acima da lógica há em mim uma voz interna, uma ressonância que raro falha — e essa voz me diz que Jim vai trair..."

— "A nós?"

— "Não sei. Sinto no ar a traição, e sinto-a tão forte que ando presa de um estranho mal estar. É com esforço que procuro conter os meus nervos. O entusiasmo com que me apresento em campo não passa de mera atitude. O que há em mim — e cada vez mais angustiante — é uma profunda depressão nervosa..."

Miss Evelyn Astor estava à sua mesa de trabalho, em permanente comunicação com todos os distritos do país. Recebia de minuto em minuto informações animadoras, mas ouvia-as quase desatenta. O imenso entusiasmo reinante nos arraiais femininos — entusiasmo que ela mesma acendera com suas famosas irradiações — só não contagiava a sua autora. Miss Astor metia os olhos do pressentimento pela fachada do Capitólio e não lia lá o seu nome...

Bem outra se apresentava a situação nos arraiais de Jim Roy. A população negra permanecia numa espécie de calma fatalista, aguardando com insidiosa quietude de pântano a senha que o grande líder ficara de irradiar uma hora antes do pleito. Até esse momento a formidável massa de cinquenta e tantos milhões de votantes conservar-se-ia neutra. Tinham compreendido as imensas vantagens da coesão e delegação de todas as vontades numa só, além de que depositavam em Jim Roy uma fé que nem Moisés merecera do povo hebraico. Qualquer coisa de majestade havia naquele oceano submisso — escravo de novo, escravo como sempre, mas desta vez escravo por heroico e livre consentimento.

Capítulo XVI
O TITÃ APRESENTA-SE

— Fora o pleito marcado para as onze horas da manhã e duraria apenas trinta minutos, — continuou miss Jane. — Em meia hora o assombroso fenômeno de um bloco de 150 milhões de criaturas a imprimirem em símbolos numéricos a sua vontade na fachada do Capitólio completar-se-ia de maneira perfeita.

— Jim Roy avisara aos seus agentes distritais de que só às dez da manhã revelaria o nome do candidato em que os negros tinham de votar. Esses agentes, por sua vez, radiariam aos eleitores das respectivas zonas a esperada senha.

Às nove e meia Jim recolheu-se à sua sala de trabalho no palácio da Associação Negra e fechou-se por dentro.

Apesar da solidez dos seus nervos o líder vacilava...

Às 9 e 45 aproximou-se da janela e correu os olhos pelo casario de Washington. O panorama que viu, entretanto, não foi o da cidade. Descortinou todo o lúgubre passado da raça infeliz. Viu muito longe, esfumado pela bruma dos séculos, o humilde *kraal* africano visado pelo feroz negreiro branco, que em frágeis brigues vinha por cima das ondas qual espuma venenosa do oceano. Viu o assalto, a chacina dos moradores nus, o sangue a correr, o incêndio a engolir as palhoças.

Depois, o saque, o apresamento dos homens pálidos e das mulheres, a algema que lhes garroteava os pulsos, a canga que os metia dois a dois em comboios sinistros tocados a relho para a costa. Viu, como goelas escuras, abrirem-se os porões dos brigues para tragar a dolorosa carne do eito. E recordou o interminável suplício da travessia... Carga humana, coisa, fardos de couro negro com carne vermelha por dentro. A fome, a sede, a doença, a escuridão. Por sobre as cabeças da carga humana, um tabuado. Por cima do tabuado, rumores de vozes. Eram os brancos. Branco queria dizer uma coisa só: crueldade fria...

Viu depois o desembarque. Terra, árvores, sol — não mais como em África. Nada deles, agora — nem a terra, nem as árvores, nem o sol. Caminha, caminha! Se um tropeça, canta-lhe o látego no lombo. Se cai desfalecido, trucidam-no. A caravana marcha, trôpega, e penetra nos algodoais...

Viu Jim viçarem luxuriosos os algodoais da Virgínia depois que o negro chegou. Além das chuvas havia a regá-los agora o suor africano — suor e sangue.

Viu dois séculos de chicote a lacerar carne e outros dois séculos de lágrimas, de gemidos e lamentosos uivos de dor. E viu a América ir saindo dessa dor, como a pérola, filha do sofrimento do molusco, nasce na concha...

Viu depois a Aurora da noite de duzentos anos: Lincoln. O Branco Bom disse: "Basta!" Ergueu exércitos e das unhas de Jefferson Davis arrancou a pobre carne-coisa.

As algemas caíram dos pulsos mas o estigma ficou. As algemas de ferro foram substituídas pelas algemas morais do pária. O sócio branco negava ao sócio negro a participação de lucros morais na obra comum. Negava a igualdade e negava a fraternidade, embora a Lei, que paira serena acima do sangue, consagrasse a equiparação dos dois sócios.

E viu Jim que a Justiça não passava de uma pura aspiração — e que só há justiça na terra quando a força a impõe.

— "Hei de fazer-me força e impor a justiça", — murmurou o grande negro.

Em sua testa profunda ruga se abriu. Seus olhos se cerraram e Jim permaneceu imóvel, como que siderado por uma ideia de gigante.

Soou a primeira badalada das dez. Era o momento de radiar a esperada senha.

O titã despertou. Dirigiu-se para a cabina emissora. De passagem deteve-se diante de um busto de Lincoln e disse, pausadamente, pondo-lhe a mão sobre o ombro:

— "Tu começaste a obra, Jim vai concluí-la..."

Penetrou na cabina. Vacilou um instante em face do aparelho que lhe ia veicular a vontade. Contraiu os músculos num sorriso de senegalês descorticado — e pronunciou finalmente com voz segura a palavra secreta que até ali escondera:

— "O candidato da raça negra é Jim Roy."

Capítulo XVII
A ADESÃO DAS ELVINISTAS

Arregalei os olhos de surpresa. Nem por sombras eu havia imaginado aquela hipótese e confessei-o a miss Jane.

— A surpresa não foi unicamente sua, senhor Ayrton. Alguns minutos passados depois do gesto decisivo do formidável Jim Roy, e cinquenta milhões de eleitores negros recebiam a imprevista senha como se recebessem violenta pancada no crânio. A sensação de atordoamento foi geral. Pelo cérebro dos despigmentados passara tudo, menos aquilo. Nem um negro sequer imaginara tal hipótese. Mas a perturbação foi se desfazendo, e à medida que se ia desfazendo iam se iluminando as caras com um sorriso novo no mundo. Um sorriso sem significação, puramente reflexo. O sorriso do grilheta que nasceu de algemas ao pulso e de súbito as vê se esvaírem em névoa ao contacto de mágico talismã.

— "Livre, apenas? Não! Também senhor, agora..."

O sigilo das comunicações radiadas era perfeito. Onda que partisse com recado para fulano jamais errava de porta ou se deixava transviar pelo caminho. Mesmo assim miss Astor, cujo maquiavelismo de espírito não extremava a rubra ideologia elvinista dum maravilhoso senso das realidades, conseguira feliz êxito na caçada que armou à onda portadora da senha de Jim Roy. Não corromperia a onda, de si incorruptível, mas corromperia um dos seus destinatários — talvez o único agente infiel de quantos tinha Jim a seu serviço. Logo que recebeu a senha, esse espião chamou miss Astor ao aparelho das comunicações reservadas.

Estava ela a postos, na sede do partido, rodeada do seu ardente estado maior. Mal soou o chamado, deixou as companheiras e literalmente atirou-se ao fone adivinhando do que se tratava. A viva expressão de curiosidade do seu rosto, porém, demudou-se em derrocada. Seus olhos arregalaram-se e seus lábios, subitamente brancos, tremeram.

Vendo o transtorno de feições da chefa suprema, o estado-maior elvinista acudiu inquieto.

— "Que há?" — indagou miss Elvin, agarrando-a pelos ombros. — Resolveu Jim votar com Kerlog?"

Miss Astor quis responder mas não pôde. Sentiu uma nuvem turvar-lhe a vista, uma zoeira nos ouvidos, um turbilhão no cérebro. E descaiu para trás, desmaiada.

— Como as de hoje... — murmurei contente com aquele desmaio.

Miss Jane prosseguiu.

— O pânico apossou-se incontinente do estado-maior elvinista e transformou a sala num rodamoinho de lindas baratas tontas. As sabinas entraram a correr de um lado para outro trefegamente, a agarrar-se entre si, a gritar. Mas a voz aguda de miss Elvin se fez ouvir e as conteve:

— "Se Evelyn desmaiou, é que recebeu uma terrível notícia, e a única notícia terrível que Evelyn poderia receber é a da adesão de Jim a Kerlog. Logo, estamos derrotadas..."

E os olhos da sabina despediram uma terrível faísca de ódio — não político, não sexual apenas, mas especial, sentimento inédito do mundo e de pura criação elvinista. Miss Elvin cerrou o punho e ergueu-o na direção do Capitólio, ao mesmo tempo que uivava qual loba ferida:

— "Não importa, Kerlog! Recorreremos aos grandes meios — à sabotagem, à boicotagem do gorila!"

— "Bravos!" — gritaram as elvinistas, recompostas da momentânea desorientação. — "Viva o boicote!"

Miss Elvin rangia os dentes.

— "Os infames monstros jamais poderão prever o plano infernal de sabotagem que contra eles organizei! Parecem ignorar, esses orgulhosos gorilas, que a natureza os criou de uma carne toda ela calcanhares de Aquiles. Convido as sabinas presentes para uma reunião amanhã em minha casa a fim de estudarmos a aplicação imediata do plano diabólico. Às oito horas lá todas!"

— "Bravos! Bravos! Sabotemos o gorila!"

A grita fez efeito de sais nos nervos da chefa desmaiada. Miss Astor entreabriu os olhos, passou as mãos pelo rosto como a afastar as últimas sombras e, reentrando na posse dos seus sentidos, ergueu-se de pé. Circunvagou pelo ambiente o olhar ainda trocado e em tom de mistério exclamou por fim, como se estivesse a falar consigo própria:

— "É indispensável um entendimento com Kerlog. Tudo mudou..."

O espanto das elvinistas atingiu o auge. Estarreceram todas, de olhos arregalados e bocas entreabertas. Não compreendiam nada.

Miss Astor prosseguiu:

— "Temos de nos aliar de novo ao homem..."

— "Nunca!" — rugiu miss Elvin, escarlate de furor. — "Transigir, nunca!..."

O relógio da sala interrompeu o tumulto com o pingar das onze — a hora eleitoral.

— "Sim," — declarou pausadamente miss Astor, — "Sim, porque já não se trata de um mero choque político entre as duas facções da raça branca. Trata-se da luva que nos vem de lançar ao rosto a raça negra. Jim Roy neste momento já deve estar eleito Presidente da República..."

Se uma granada de gás estupefaciente houvera explodido na sala, outro não seria o aspecto daquelas sabinas apalermadas pelo inaudito da surpresa. Transformaram-se em verdadeiras mulheres de Loth, mudas e imóveis, com os olhos cravados na líder feminina.

Miss Astor continuou:

— "Não me enganavam os meus pressentimentos! Eu senti que Jim trairia. Ide ver na fachada do Capitólio o seu nome vitorioso..."

As elvinistas precipitaram-se para a janela e leram no frontão do monumento o nome de Jim Roy! Depois de oitenta e sete presidentes brancos surgia o primeiro negro, eleito por cinquenta e quatro milhões de votos. Miss Astor obtivera cinquenta milhões e meio e Kerlog cinquenta milhões e pico. Apesar de disporem de um eleitorado quase duplo do contrário, os brancos perdiam a presidência graças à cisão entre os dois sexos provocada pelo elvinismo...

Foi instantânea e radical a mudança que se operou nas mulheres. Apreenderam num relance todas as consequências possíveis do golpe negro e tomaram-se de furiosa crise de sentimentalismo amoroso pelo homem branco, ser mau, opressivo, injusto, não havia dúvida, mas afinal de contas o marido milenar da mulher. Mal com ele, pior sem ele. Estava tão longe o hipotético sabino...

Miss Astor tomou a palavra e fez-se a intérprete do pensamento dominante.

— "Mulheres! Eis as consequências da nossa loucura! Divorciamo-nos do nosso velho companheiro sexual e..."

— "Companheiro ilegítimo!" — aparteou miss Elvin.

— "Seja, mas nem por isso menos companheiro. Divorciamo-nos dele, declaramos-lhe guerra, difamamo-lo, e a paixão nos cegou a ponto de não vermos o polvo que espiava a brecha a fim de envolver o Capitólio nos seus tentáculos! Ah, Kerlog, que injusta fui contigo recusando a fusão partidária que me propunhas! E como fui cruel respondendo às tuas leais palavras com anfiguris em linguagem sabina! Vejo bem claro agora o nosso erro e, embora reconhecendo as queixas que a mulher tem do macho, também reconheço que sem o concurso dele nada valeríamos no mundo. Bastou um momento de divórcio para que a raça branca se visse nesta horrível situação: apeada do domínio e à mercê de uma raça de pitecos que, essa sim, tem contas terríveis a justar conosco..."

Palmas e bravos estrepitaram. Só miss Elvin, irredutível no seu sonho, conservara-se de pé atrás.

— "E as minhas teorias?" — uivou ela. — "Que importa um momentâneo incidente eleitoral em face do fulgor das minhas ideias? Voto contra a aproximação com Kerlog e protesto contra o movimento de fraqueza, essa crise amorosa que vejo nas palavras de Evelyn! Proponho o prosseguimento da luta com redobrado ardor. Submissão de novo, nunca!..."

Mas nem uma só voz se ergueu para apoiá-la. Suas palavras tiveram como resposta um silêncio de cemitério. Estava morto o elvinismo e de cinzas varridas todos aqueles cérebros e corações. Diante do silêncio da assembleia ainda mais se exaltou miss Elvin, rompendo em apóstrofes violentíssimas contra o "gorila pelado" e o "sentimentalismo ovelhum" das suas companheiras.

Dessa vez não foi o silêncio de cemitério que acolheu sua arenga. Foi a assuada.

— "Fora! Abaixo o sabino! Viva o *Homo*! Viva o macho forte que suplantou o macho fraco!..."

— "Sim," — perorou miss Astor, — "viva o homem! Macho natural ou não, neto do gorila ou não, é ele o nosso marido pela milenar consagração dos fatos. Sempre vivemos ao seu lado, ora escravas, ora deusas, mas como irmãs de peregrinação nesta vida. Peludas que éramos ainda, e lá no fundo das idades já o ajudávamos a afiar o machado de sílex com que nos amparou das agressões do *Urso speleus*. Comemos juntos bifes crus de megatérios. Juntos nos derramamos por todos os recantos do globo e conseguimos a dominação hoje absoluta. Juntos subimos aos tronos e juntos fomos lançados às feras do circo. De mãos dadas compusemos a sublime epopeia do amor — poema que principiou com a Vida e só com ela terá fim... O sabino, ainda que existisse, seria um fraco. O raptor valia muito mais do que esse hipotético bicho marinho, só existente, talvez, na imaginação exaltada da nossa querida miss Elvin..."

— "Era o peixe-boi, o pesado animalão que os homens arpoam no Amazonas..." — aparteou miss Dorothy Glynor.

— "O homem é o gorila, o gorila, o gorila!..." — urrava miss Elvin possessa.

— "Pois viva então o gorila!" — concluiu miss Astor e os aplausos foram delirantes. — "Fique miss Elvin com o boi do mar que nós ficaremos com o nosso velho e tradicional gorila. À Casa Branca!..."

E numa verdadeira revoada precipitou-se para a Casa Branca o bando das ondeantes mamíferas com miss Astor à frente. Só ficou no recinto a sabina teimosa, a bater o pé e uivar para as cadeiras vazias:

— "Gorila, gorila, gorila, gorila..."

Nesse ponto miss Jane parou para tomar fôlego, enquanto eu dizia:

— Toma! Como tenho muita honra de ser neto do meu avô gorila, exulto com a derrota dessa renegada. Mas... e Kerlog, miss Jane? Como recebeu ele a notícia da vitória do negro?

— O presidente Kerlog recebeu o resultado do pleito com um assombro igual ao das mulheres, embora muito diferente na sua exteriorização. Convicto do apoio de Jim Roy a um dos partidos brancos, chegara a admitir por hipótese o triunfo de miss Astor; mas lá no íntimo contava com o seu. De modo que quando na fachada do Capitólio surgiu o nome de Jim Roy, a sensação que o empolgou foi de pesadelo. Kerlog apalpou-se e beliscou as carnes a ver se dormia. Não era pesadelo, não. Era coisa pior — fato! E como a hipótese da eleição de um negro nem por sombra lhe houvesse passado pela ideia, o seu desnorteamento fez-se absoluto.

Kerlog reclinou-se sobre a secretária e permaneceu durante alguns instantes imóvel, com a cabeça apoiada nas mãos. Dava tempo a que a ideia nova da eleição de um presidente negro penetrasse em seu cérebro, criando lá pelas circunvoluções um quadro inexistente. Custou a aboletar-se essa ideia. Não cabia em quadro nenhum e punha arrepios em todos perto dos quais passava...

Mas o 87º Presidente possuía uma sólida organização mental; reagiu contra o golpe e logo reentrou no controle dos seus espíritos. Tomou um gole d'água e dirigiu a palavra aos atônitos ministros presentes.

— "Chegou afinal a crise prevista há séculos e de maneira surpreendente. A hipótese que acaba de realizar-se creio que jamais passou pelo espírito de nenhum americano, branco ou preto. É obra exclusiva de Jim Roy e explica a paciência com que vem ele automatizando a massa negra. Mas o fato está consumado. É um desafio, uma luva lançada ao rosto da raça branca, à qual nos cumpre dar troco. Não apresento nenhuma ideia porque não a tenho — ainda não houve tempo de se formarem ideias em meu cérebro. Creio que o mesmo se dará com todos os presentes."

Um movimento geral de cabeças apoiou suas palavras. Todos os ministros se achavam na mesma situação de espírito.

Kerlog prosseguiu. Fez ver a que terrível impasse a loucura das mulheres arrastara o país, situação insolúvel caso elas persistissem em se "desgorilarem" de sua ascendência.

— "E dado o modo de pensar e falar da líder feminina," — disse ele, — "não prejulgo o que esteja agora se passando pelo cérebro de miss Evelyn Astor. Mas é indispensável a todo o transe um entendimento com ela. É indispensável promovermos a harmonia dos partidos brancos, porque só a união da raça branca nos salvará."

O ministro da Paz tomou a palavra (as guerras haviam cessado no mundo depois que aos ministros da Guerra se substituíram os ministros da Paz) e disse:

— "Acho inútil qualquer debate neste momento. A situação é obscura e..."

Não pôde acabar. Um tropel reboou nos corredores. Era o bando elvinista que penetrava, com miss Astor à frente.

Kerlog empalideceu. Os extremismos daquela facção eram tantos que ele previu qualquer coisa semelhante aos assaltos histéricos das antigas sufragistas britânicas. E apertou o botão da campainha de alarma, chamando a postos os guardas.

Miss Astor avançou para ele. Num instintivo gesto de defesa, Kerlog recuou em sua poltrona, vendo claramente definida a agressão iminente. Os ministros lançaram-se das suas cadeiras em socorro do chefe supremo.

Era tarde. Miss Astor agarrara o presidente Kerlog pelo pescoço...

Agarrara-o não para o estrangular, mas para o beijar entre lágrimas e soluços de comoção.

— "Kerlog, querido Kerlog! Venho em nome de todas as mulheres pedir perdão ao *Homo*, em ti representado, da loucura a que miss Elvin nos arrastou. Diante dos supremos interesses da raça ofendida, cessa o divórcio sexual. Volta a mulher de novo aos braços do seu velho companheiro de peregrinação pelo mundo..."

Mal vindo do espanto, tonto ainda, o presidente Kerlog apenas murmurou:

— "A que horas, miss Astor! A que horas vem falar-me língua compreensível!..."

— "Perdoa, Kerlog! Foi uma nuvem que passou."

— "Mas lá estão as terríveis consequências impressas na fachada do Capitólio."

— "Que importa? O que a mão do negro escreveu a tua apagará."

— "Fácil de dizer, miss Evelyn. Dentro da criatura civilizada dorme um troglodita. Receio que a exasperação desperte esse monstro."

— "Temos tudo por nós, o número e a superioridade mental."

— "Mas temos contra nós o momento, o impulso, a cólera, a vingança — as velhas inferioridades adormecidas mas não mortas. Receio que a América se inunde de sangue..."

Miss Astor emudeceu por um momento, com os seios ofegantes. Depois disse:

— "E agora? Que *vamos* fazer?"

Kerlog respondeu com finura:

— "*Vamos* vencer. O perigo existia enquanto a palavra vamos só representava metade da raça branca. Se miss Astor me traz o concurso da metade rebelde, tudo muda..."

A ex-sabina desprendeu-se do pescoço presidencial e gritou, voltada para as suas companheiras:

— "Cerremos fileiras em torno de Kerlog! É ele o nosso líder supremo — líder da raça, e acaba de traçar o incoercível programa branco: 'Vencer!' Viva Kerlog!"

Um hurra delirante saudou as suas palavras.

— "Viva Kerlog! Viva o *Homo*!"

O ministro da Educação Social interveio malicioso:

— "Alia-se de novo então ao 'gorila pelado', miss Astor?"

— "Sim," — respondeu ela, mais formosa do que nunca tanto a sua fisionomia irradiava de entusiasmo. — "Acabamos de fazer uma grande descoberta: o sabino de miss Elvin não passa de um estúpido boi de mar. Viva, portanto, o velho gorila!"

— "Viva! Viva!..."

E a onda feminina derramou-se barulhentamente pelos corredores afora, até despejar-se pelas escadarias...

Aliviado de um grande peso Kerlog voltou-se para os ministros e repetiu risonho o verso de Shakespeare:

— "*She is false as water...*"

— "Mas de muita força catalítica," — rosnou o ministro da Equidade. — "Cura pela ação da presença..."

O ponto e vírgula com torradas veio interromper naquele dia as revelações de miss Jane. Retirei-me mais interessado do que nunca no desfecho da crise americana do século 23.

Capítulo XVIII
O ORGULHO DA RAÇA

Passei a semana agitado, menos com as revelações do ano 2228 do que com a impassibilidade de miss Jane.

Eu ardia, positivamente ardia, e traía o meu amor em todos os meus olhares e gestos; mas a enigmática jovem não dava ar de o perceber. No começo a admiti como um puro espírito, uma Cassandra sem nervos nem sangue. Depois duvidei da existência de tais puros espíritos e passei a ver em miss Jane uma "desentendida". Talvez que me julgasse muito inferior a si e adotasse semelhante atitude como o meio mais fácil de guardar as distâncias. Mas era-me impossível conciliar isso com a amizade que ela me demonstrava e sobretudo com o ter só a mim no mundo depois de perdido o pai. Se de fato me julgasse inferior ou indigno de sua pessoa, certo que já me teria afastado do castelo. Não havia dúvida, miss Jane fazia-se de desentendida...

Firmei-me nessa ideia e concebi um plano do ataque — uma demonstração amorosa que a arrancasse da sua marmórea impassibilidade. Ou tudo ou nada. Ou dava-me o coração ou punha-me no olho da rua.

Restava saber uma coisa só — se no momento da demonstração a timidez não me trairia a vontade...

Quando chegou o domingo, levantei-me mais cedo e fui ao mercado de flores. Comprei as mais belas violetas e a sobraçá-las parti para Friburgo no primeiro trem. Lá me dirigi ao cemitério onde repousavam os restos do professor Benson. Pela segunda vez eu levava flores ao jazigo do pai da maior maravilha do século — miss Jane...

Ao transpor o portão do pequeno cemitério meu coração bateu. Vi de longe um vulto querido a espalhar rosas sobre o túmulo do velho sábio. Aproximei-me com um pressentimento n'alma — "é hoje"...

— Também aqui? — disse miss Jane ao avistar-me, estendendo para mim a sua mão gelada pelo frescor matutino.

Vi que era chegado o momento. Armei-me de todas as coragens e comecei:

— Miss Jane, eu...

Mas engasguei. Já estava ela de olhos muito fixos no túmulo, com o ar de quem repete mentalmente o "morrer... dormir... sonhar, quem sabe?" de Shakespeare. Estava puro espírito em excesso...

Ficamos os dois silenciosos por alguns momentos. Depois miss Jane falou, como respondendo a si própria e sempre de olhos cravados no túmulo:

— Nem ele! Nem ele que penetrava o passado e o futuro adiantou um passo na decifração do enigma da vida...

Engoli de vez o meu propósito. Não era o momento. O formoso Hamlet de faces róseas, cabelos afogados em boina de veludo negro e corpo revestida de perfeito tailleur, pairava muito distante de mim...

Apesar disso tomei-lhe a mão e apertei-a de novo, suavemente. Miss Jane olhou-me nos olhos com a funda melancolia dos que penetram no mui longe das coisas — e nada veem do que vai por perto.

Dali seguimos juntos para o castelo, sem que a paisagem nem o ar fino da manhã dissipassem a tristeza dela e a minha decepção. No castelo, por uma hora, só falamos do professor Benson, com longos intervalos de silêncio — intervalos de silêncio em que eu lamentava a coexistência de puros espíritos em corpos assim tão perturbadores.

Depois do almoço, o primeiro que fiz em sua companhia, a nuvem das saudades passou e retomamos a nossa excursão pelo ano 2228.

— Onde estávamos? — principiou ela.

— Em Kerlog, já libertado do pesadelo elvinista, — respondi.

— Sim, é isso. As mulheres aderiram ao *Homo* e tudo mudou, como era natural. A raça branca formava novamente um bloco unido e apto a organizar a resistência.

— Mas a impressão do golpe de Jim? Como o recebeu o país? — perguntei suspirando.

— Com estupefação. Pela primeira vez na vida de um povo ocorria um fato que interessava a todos os seus componentes, sem exceção de um só. E como ninguém, a não ser Jim Roy, houvesse esperado por aquele desfecho, fácil é de imaginar o grau de assombro do espírito público.

A estupefação dos brancos derrotados não era menor que a dos negros vencedores. Haviam estes agido como autômatos; deram o voto a Roy como o dariam a Kerlog, a miss Astor, ou o não dariam a nenhum dos três, se tal fosse a senha recebida. E agora olhavam-se uns para os outros num estonteamento de vitória em absoluto inédito para eles.

Quanto às consequências possíveis, nem de um lado nem do outro ninguém podia prever coisa nenhuma. Extenso demais era o fenômeno para ser abarcado por uma cabeça e, além disso, não tinha precedentes na história.

Só no dia seguinte é que o acesso de estupefação coletiva principiou a decair. As células do imenso organismo social foram saindo daquele penoso estado de anestesia para entrar na fase inversa da exaltação. O velho desprezo racial do branco pelo negro transformava-se em cólera, e o recalcado ódio do negro pelo branco, arreganhando os dentes, entreabria um monstruoso sorriso de revanche.

Lentamente despertava a massa negra do longo letargo de submissão e tremia de narinas ao vento, como o tigre solto na jângal. Toda a barbárie atávica, todos os apetites em recalque, rancores impotentes, injustiças padecidas, todas as vergastadas que laceraram a sua pobre carne até o advento de Lincoln, e depois de Lincoln todas as humilhações da desigualdade de tratamento — essa legião de fantasmas irrompeu da alma negra como serpes de sob a laje que mão imprudente levanta. E a raça triste, que através dos séculos não se atrevera a sonho maior que o da mesquinha liberdade física, passou a sonhar o grande sonho branco da dominação...

Tomado de receios ante a imensidade daquele despertar, Jim Roy auscultava os frêmitos do seu povo e media a tarefa ingente que lhe pesava sobre os ombros.

Se não conseguisse manter açaimado o monstro e submisso à sua voz de comando, a momentânea vitória breve se transformaria num horrendo cataclismo. Jim Roy amava a América. Nos alicerces do colossal edifício o cimento ligador dos blocos fora amassado com o suor dos seus ancestrais. A América surgira do esforço braçal de um dirigido pelo esforço mental de outro, e pois tanto lhe falava a ele ao sangue como ao do mais orgulhoso neto dos pioneiros louros.

De instante a instante recebia comunicações dos seus agentes dando conta do estado d'alma da massa. A pantera negra distendia os músculos entorpecidos, com os olhos a se rajarem de sangue...

Jim tremeu. Sabia conter os nervos da fera, dominar-lhe todos ímpetos instintivos. Além disso via o seu já imenso prestígio de líder acrescentado com o de Presidente eleito — mas estaria em seu poder sofrear o maremoto africano? Não faria dele um dique impotente a borrasca a desenhar-se?

Jim sentia no ar as ondas de fluidos explosivos, um perfeito ambiente de pólvora. O solo latejava pulsações vulcânicas. Jim tremeu diante de sua obra — e sem vacilar foi ao encontro de Kerlog. O momento impunha a conjugação da sua força com a do líder branco.

Defrontaram-se os dois chefes como duas forças da natureza, contrárias nos seus destinos, inimigas pela voz do sangue, mas irmanadas no momento por um nobre objetivo comum.

No primeiro ímpeto Kerlog apostrofou o chefe negro.

— "Vê tua obra, Jim! A América transformada num vulcão e ameaçada de morte!"

O negro cravou no líder branco os olhos frios, por um instante animados de estranho fulgor.

— "Não minha, Presidente Kerlog! Não é minha esta obra. É sua, é dos seus, é de Washington, é de Lincoln. Os brancos mentiram na lei básica. E ou confessam que mentiram ou reconhecem que a situação é perfeitamente normal. Que aconteceu, Presidente Kerlog? Houve um pleito e as urnas libérrimas conferiram a vitória a um cidadão elegível. Acha o Presidente Kerlog que o Pacto Constitucional sofreu lesão?

Naquele peito a peito Jim Roy dominava o adversário.

— "Mas não se trata disso," — continuou ele. — "O momento não é para recriminações — e em matéria de recriminações o Presidente Kerlog bem sabe que jamais um branco venceria um negro... O fato está consumado; e como chefes supremos das duas raças a nós só incumbe atender à salvação comum. Se não contivermos de rédeas presas os dois monstros — o monstro da ebriedade negra e o monstro do orgulho branco, a chacina vai ser espantosa..."

— "Ninguém sabe disso melhor que eu," — retrucou o chefe da nação. — "Nos estados do Sul já lavra o incêndio..."

O negro deu um salto.

— "Jim o apagará! Jim manterá presa em cadeia de aço a pantera africana. Ele a domina com os olhos como o soba a dominava no *kraal* donde a cupidez dos brancos a tirou. Jim é rei!"

Era tal a firmeza com que o grande líder negro emitia aquelas palavras que o tom de superioridade do branco se demudou em admiração. Kerlog viu que tinha diante de si, não um feliz aventureiro político, mas uma dessas incoercíveis expressões raciais a que chamamos condutores de povos. Pela primeira vez enfrentava um homem que era algo mais que um homem. E do fundo do coração Kerlog lamentou que a incompatibilidade racial o separasse de tamanho vulto.

Jim prosseguiu:

— "Mas só o farei se por sua vez o Presidente Kerlog açaimar o orgulho branco. Eu domino os meus com o olhar e a palavra. O Presidente Kerlog domina com a força do estado. Em nossas mãos está pois a paz da América."

O líder branco baixou a cabeça. Meditava.

— "Pois salvemos a América, Jim!" — disse erguendo-se. — "Açaima tu a pantera negra que meterei luvas nas unhas da águia branca."

Um leal aperto de mão selou aquele pacto de gigantes.

— "Mas a pantera que conte com o revide da águia!" — continuou o líder branco depois que as mãos se desapertaram. — "A águia é cruel!..."

Jim Roy retesou-se de todos os músculos como a fera que se põe em guarda.

— "Ameaça-nos como sempre? Ameaça-nos até no momento em que a América ou rompe a sua Constituição e afoga-se num mar de sangue ou submete-se ao meu comando?"

Kerlog olhou-o firme nos olhos e murmurou com nitidez de lâmina:

— "Não ameaço. Previno lealmente. Vejo em ti uma força demasiado grande para que eu a enfrente com palavras. Estamos face a face não dois homens, sim duas almas raciais arrostadas num duelo decisivo. Não fala neste momento o Presidente Kerlog. Fala o branco de crueldade fria, o mesmo que vos arrancou do *kraal*, o mesmo que vos torturou nos brigues, o mesmo que vos espezinhou nos algodoais. Como há razões de estado, Jim, há razões de raça. Razões sobre-humanas, frias como o gelo, cruéis como o tigre, duras como o diamante, implacáveis como o fogo. O sangue não raciocina, como os filósofos. O sangue sidera, qual o raio. Como homem admiro-te, Jim. Vejo em ti o irmão e sinto o gênio. Mas como branco só vejo em ti o inimigo a esmagar..."

O largo peito de Jim Roy arfava. A fera ancestral nele alapada transpareceu no fremir das ventas grossas.

— "E não trepidará o branco em esmagar a América se for condição para esmagar o negro?" — rugiu.

Kerlog retrucou calmamente como se pela sua boca falasse o próprio deus do Orgulho:

— "Acima da América está o Sangue."

Jim baixou a cabeça. Viu aberto à sua frente o eterno abismo. O sangue branco tinha a dureza do diamante. Armado de mais cérebro, dos vales dos Ganges partira para a ousada aventura conquistadora e vencera sempre e não cedera nunca. Era o nobre, o duro, o eterno senhor cujo raio fulmina. Era o criador. Do rude instinto de matar do troglodita extraíra a sua grande arte, a Guerra. Forjara a espada, dominara o gás que explode, violara o profundo das águas e a amplidão dos ares. E com esse feixe de armas incoercíveis rodeara como de baionetas o diamante do seu Orgulho.

Tudo isso, num clarão, viu Jim Roy naquele homem que sereno o arrostava. E o que ainda havia de escravo no sangue do grande negro vacilou. Jim sentiu-se como retina ferida pelo sol. Mas sem demora reagiu. Ergueu-se e mais firme que nunca disse com dureza de rocha na voz:

— "Seja! E porque assim é, dei o supremo golpe. A América é tão sua como minha. Tenho-a nas mãos. Vou dividi-la."

— "A justiça está contigo, Jim. Manda a justiça dividir a América. Mas o Sangue está acima da justiça. O Sangue tem a sua justiça. E para a justiça do Sangue Branco é um crime dividir a América."

Jim novamente baixou a cabeça e emudeceu. Pela segunda vez sentia-se como a retina ofuscada pelo sol.

O Presidente Kerlog aproximou-se dele e, com as mãos nos seus ombros largos, disse:

— "Vejo-te grande como Lincoln, Jim, e é com lágrimas nos olhos que contemplo a tua figura imensa, mas inútil... Adeus. Atendamos ao instante, açaimemos as nossas raças — mas não fique entre nós sombra de mentira. O teu ideal é nobilíssimo, mas à solução de justiça com que sonhas só poderemos responder com a eterna resposta do nosso orgulho: Guerra!"

E os dois seres humanos subsistentes no imo dos dois líderes raciais abraçaram-se com lágrimas...

Miss Jane fez uma pausa, atenta à minha comoção. Aquele duelo de gigantes agitara fundo o meu ser. Tive a impressão de que jamais a história oferecera lance mais grandioso — nem mais cruel. Vi claros inúmeros pontos até ali obscuros na marcha da caravana que do fundo das idades vem vindo a entredegolar-se com sanhudos ódios. Vi um sonho de Ariel esfumado nas alturas — a Justiça Humana; e vi na terra, onipotente, a Justiça do Sangue — um raio cego...

— E depois? — perguntei. — Voltou a paz à América?

— Sim, — respondeu miss Jane. — Os dois líderes entraram a agir de pronto. A ação de um foi tão rápida e segura como a do outro. A pantera negra recolheu as garras e a águia branca enluvou as unhas.

Mas o beluário negro sentia-se ferido. As palavras que a raça branca pusera na boca de Kerlog cravaram-se-lhe no coração como as zagaias dos seus avós no peito dos leões africanos — mortalmente...

Capítulo XIX
BURRADA

Para descanso do meu espírito miss Jane passou a falar do movimento feminino, tema que muito me interessava.

— O partido elvinista, — disse ela, — desapareceu do cenário nacional como neve exposta ao fogo. Poderosíssimo na véspera, tão poderoso que batera seu adversário, o partido masculino, por meio milhão de votos, achava-se agora reduzido a uma só partidária: miss Elvin. Todas as mais haviam aderido aos homens escandalosamente, como se lá no íntimo nunca tivessem ansiado por outra coisa.

O tempo ia passando e miss Elvin não se recompunha do formidável trambulhão sofrido. Para o *meeting* marcado em sua casa no dia das eleições não aparecera ninguém, e atirada a uma poltrona do salão deserto a irredutível sabina permaneceu até tarde da noite, furiosa, com os olhos cravados no aparelho por onde irradiara a última proclamação do *Remember Sabino*!

— Última, miss Jane?

— Última, sim, porque esse jornal havia morrido de súbito colapso. Todas as assinantes haviam cortado a ligação, e se miss Elvin tentasse radiar uma só palavra que fosse vê-la-ia perder-se virgem de ouvidos pelos intermúndios siderais.

A um canto da sala havia um enorme gorila empalhado, com um dístico insultante: "O avô do ladrão". Era olhando para aquela bestial carcaça avoenga que miss Elvin compunha as suas terríveis catilinárias contra o *Homo sapiens*, ao qual jurara descer da sua posição de macho natural da mulher.

— Mas haveria sinceridade nisso? — perguntei.

— Sinceridade estética evidentemente, forma de sinceridade tão legítima como outra qualquer.

Não entendi muito bem. Miss Jane dizia às vezes coisas um tanto acima da minha débil compreensão...

— Essa teoria, — prosseguiu ela, — fez carreira e exerceu uma função muito curiosa na América: congregar todas as fêmeas que por uma circunstância ou outra se desavinham com os machos — esposos, noivos ou namorados, e foi com esses elementos que se constituiu o partido elvinista. Partido instável, aliás, e sempre renovado. Diariamente nele se inscreviam milhares de adeptas e se eliminavam outras tantas. Entravam as brigadas com o homem e saíam as reconciliadas...

Mesmo assim miss Elvin elevou muito alto as suas construções, chegando até, como já disse, a criar ciências novas, adaptadas à mentalidade das mulheres.

A Universidade Sabina fez furor. Não tinha sede ao sistema de hoje, como aliás a maioria dos estabelecimentos de ensino da época. As lições eram radiadas diretamente para a residência das alunas. A ciência elvinista possuía seus métodos próprios, nada semelhantes aos da velha ciência dos homens. Em aritmética, por exemplo 2 + 2 não era forçosamente igual a quatro. Era igual *ao que no momento conviesse*.

— Vejo, — disse eu, — que é bem verdade o "nada há de novo debaixo do sol." Para quanta gente hoje a verdadeira matemática não é essa! Mas como era a ciência sabina, miss Jane? Fale-me dela.

Miss Jane explicou que o grande princípio da ciência sabina era admitir como base de tudo a *veneta*; e como a veneta é de si feminina e instável, nenhuma das ciências novas, inclusive as matemáticas, possuía base fixa. Tudo ondeava, como o mar donde procediam as sabinas. E por absurdo que isto nos pareça, a nós deste presente educado na rigidez da velha ciência de Aristóteles e Bacon, as teorias de miss Elvin trouxeram ao espírito humano a sua contribuição de beleza. Foi a vitória do furta-cor, da onda, do reflexo fugidio do loie-fulerismo, contrapostos à cor fixa, à rigidez do cubo, à constância equacional dos termos. Isso se adaptava maravilhosamente à agilidade do pensamento mulheril, e foi justamente essa feição sedutora, amável e libérrima da teoria que determinou o enlace de todas as mulheres para o terreno político, operando a cisão branca.

— Qualquer coisa como o futurismo de hoje, não acha?

— Isso. Teorias de repouso, com base num sutil malabarismo de lógica, que servem para romper o monótono de certeza, de verdade, da coisa tida e havida como justa. O espírito humano nelas se recreia e se espoja, como se espoja na poeira o cavalo cansado.

Miss Elvin, entretanto, ao invés de mostrar-se desolada com as consequências do seu movimento só via o lado pessoal do desastre. Fora violenta demais a sua queda. O sonho maravilhoso erguera-a às nuvens e a sabina acabou convencida de que era de fato messiânica. E como tinha o gênio impulsivo, não podia conter o furor diante da deserção até das amigas mais próximas.

Em certo momento, no dia do grande *meeting*, miss Elvin olhou para a cara bestial do gorila empalhado como quem olha para um inimigo de carne. O monstro, de dentes à mostra, parecia sorrir-lhe ironicamente.

— "Venceste ainda uma vez, meu celerado! Mas a crise passará e justaremos contas..." — disse ela atirando-lhe à cara uma veneranda *Origem das Espécies* de Charles Darwin.

Estava plenamente convicta de que quando o país reentrasse na normalidade ressurgiria o partido sabino. A onda fora-se. Mas o próprio da onda é ir e vir.

— "*She is false as water...*" — repetiu miss Elvin por sua vez, espraiando o olhar para o futuro.

E assim foi. Quando o país recaiu na paz de sempre, o *Remember Sabino*! reapareceu e houve um perfeito *da capo* do elvinismo, como nas músicas...

Miss Jane fez pausa. Notou talvez que eu estava inquieto, em luta com alguma ideia. E não errara. Qualquer coisa me dizia que era o momento de declarar a minha sopitada paixão. O sangue estuava-me nas veias e por fim a palavra de amor que romperia a barreira assomou-me à boca. Mas ao chegar à boca transformou-se, e o que saiu foi uma filha da timidez disfarçada em curiosidade:

— E miss Astor? — perguntei.

— Essa irradiava de contentamento, como se o reatar relações com o difamado *Homo* lhe houvesse correspondido a um secreto anelo do coração. Durante o período agudo da agitação elvinista operara-se uma completa ruptura entre os membros dos dois partidos, e miss Astor chegou a zombar de Kerlog, por quem possuía uma séria inclinação sentimental. O desfecho inesperado das eleições, entretanto, viera romper a frieza e aproximara-os de novo, fato que a enchia de secretas esperanças. As demais elvinistas, já saudosas do macho tradicional, também aproveitaram o ensejo para uma reconciliação — e é de crer que nunca houvesse maior safra de beijos na América.

Remexi-me na poltrona. Tanto beijo lá longe e uma criatura humana a definhar ali por falta de um só...

— Isso explicava, — continuou a desentendida miss Jane, — o estranho fenômeno de só as ex-adeptas de miss Elvin demonstrarem uma clara e inquieta alegria justamente na hora mais pressaga da nação. Enquanto todos se entregavam a penosas cogitações, colhidos pela angústia do momento, as ex-sabinas vogavam em pleno mar de uma doce lua de mel.

A crise de ternura não passou desapercebida ao ministro da Seleção Artificial.

— "Vai altear-se o índice dos nascituros brancos," — disse ele a um colega no momento em que subiam os degraus da Casa Branca para a reunião do ministério. — "Prevejo o congestionamento de Erópolis..."

Kerlog já lá estava no salão do conselho, mais sereno do que na véspera, embora ainda cheio de rugas na fronte. A conferência com Jim Roy abalara-o profundamente. Sentira que não era o negro um ambicioso vulgar, como tinha suposto. Via agora em Jim uma nobre alma de patriota, capaz do supremo heroísmo de sacrificar-se pela América. E graças a seu concurso podia o governo estudar com a necessária calma a gravíssima situação.

Reunidos todos os secretários, quem primeiro falou foi o ministro da Paz, antigo juiz cujo respeito pela Constituição tinha algo de supersticioso.

— "Refleti durante a noite sobre o caso," — disse ele, — "e cheguei à conclusão de que a nós só compete uma coisa: mostrar-nos fieis à memória dos instituidores da nação. A lei básica existe e a nossa missão suprema é fazê-la cumprir. Foi eleito um cidadão americano tão elegível como o senhor Kerlog ou miss Astor. Governo que somos, a lei nos obriga a aceitar o fato, mantendo a ordem e empossando Jim Roy no dia que a lei manda."

— "Perdão!" — interveio o ministro da Equidade. — "Creio que o senhor Kerlog não nos convocou para o exame formal do problema. Seria inútil, sobre infantil. O problema transcende a esfera política e torna-se racial. Neste momento não estamos aqui como secretários de estado e sim como brancos afrontados pelos negros. Acima das leis políticas vejo a lei suprema da Raça Branca. Acima da Constituição vejo o Sangue Ariano. O negro nos desafia. Cumpre-nos aceitar a luva e organizar a guerra."

Kerlog sorriu. Via o seu ministro expender as mesmas razões que ele lançara contra Jim. A voz do Sangue, sempre...

A discussão foi breve. Tirante o ministro da Paz, todos apoiaram o ponto de vista do ministro da Equidade — e Kerlog encerrou a audiência com estas palavras:

— "Possuímos uma delegação política e com os poderes que ela nos outorga não podemos resolver um problema de sangue. Meu pensamento é que se convoque a convenção da Raça Branca. Como há razões de estado, também há razões de raça que nos cumpre ouvir e atender."

A ideia foi unanimemente aprovada.

— O que admiro, — comentei eu, — é a concisão e firmeza dessa gente da América futura. Se fosse entre nós hoje, que barulheira, que discurseira de não acabar mais!

— Tem razão, senhor Ayrton. A uma criatura de hoje que assistisse aos acontecimentos do ano de 2228 nos Estados Unidos, nada espantaria tanto como o alto controle de si próprio que o homem revelava. Nada de tumulto, de anarquia individualista, de desnecessárias violências na linguagem e nos atos. É que os processos seletivos tinham banido da sociedade os tarados, inclusive os retóricos. Todas as perturbações do mundo vinham da ação antissocial desses maus elementos. Até à vitória prática do eugenismo, a desordem humana raiara pelo destempero — e não podia deixar de ser assim, visto como um alcoólatra, um retórico ou um burocrata tinham tanta liberdade de encher o mundo de futuros pensionistas das prisões, dos prostíbulos e das câmaras de deputados como um homem são de o povoar de silenciosos homens de bem. A má semente humana gozava de tantos direitos como a semente que abrolhou em Lincoln. E a caridade, a filantropia, a assistência pública em matéria de defesa social, não faziam senão despender enormes quantidades de dinheiro e esforço na criação de hospitais, asilos, hospícios, prisões, casas de congresso, repartições públicas, isto é, abrigos para os produtos lógicos da má origem. A ideia de seleção da semente, de há muito vitoriosa na agricultura e na pecuária, só não se via aceita no campo que mais deveria interessar ao homem. Uma velha ideologia mística vinda da Ásia hebraica, e um falso conceito de liberdade vindo do 89 francês, a isso se opunham tenazmente. Quando em 2031 Owen propôs a lei espartana, a resistência ainda se mostrou forte; mas o alto progresso do espírito da América permitiu-lhe a vitória. Pouco depois, quando o mesmo Owen formulou a lei da esterilização dos tarados, embora fosse colossal o número dos atingidos, já se revelou menor a resistência e a lei venceu por esmagadora maioria.

Bastou um século de inteligente e sistemática aplicação dessas leis áureas para que o povo americano se alçasse a um grau de elevação física, mental e moral que nem o próprio Owen chegara a sonhar. Fecharam-se as prisões e com elas os hospitais, os hospícios e asilos de toda espécie. E os sociólogos da época entraram a assombrar-se da estupidez dos seus ancestrais...

— Nós...

— ... que passavam a vida lutando contra os produtos do mal sem terem a ideia de suprimi-lo com supressão da má semente.

Até a miséria, cancro julgado pelos velhos filósofos como contingência humana, viu-se gradualmente extinta à proporção que o progresso seletivo operava os seus lógicos efeitos. Com ela desapareceram automaticamente a prostituição e as formas baixas do crime.

O direito de reprodução passou a ser regido pelo Código da Raça, o mais alto monumento da sabedoria humana. Só quem apresentasse a série completa de requisitos que a Eugenia impunha — requisitos que assegurassem a perfeita qualidade dos produtos, é que recebia do ministério da Seleção Artificial o *brevet* de "pai autorizado."

— Mas realmente parece incrível, miss Jane, — exclamei com horror, que ainda hoje tenha o direito de ser pai quem quer! Morféticos há ali na roça que botam no mundo anualmente pequeninos lázaros. E ninguém vê, ninguém diz nada, todos acham que está tudo direito...

Eu sentia-me a ferver, com ímpetos de pular para a rua e berrar para todos os ventos:

— Burrada!...

Miss Jane acalmou-me a fúria e prosseguiu:

— E não parava aí a intervenção seletiva. Se um "pai autorizado" pretendia casar-se, tinha de apresentar-se com a noiva a um Gabinete Eugenométrico, onde lhes avaliavam o índice eugênico e lhes estudavam os problemas relativos à harmonização somática e psíquica. Caso um deles não atingisse o índice exigido, poderiam contrair núpcias mas sob a condição de infecundidade.

— Como é claro e inteligente isso! — exclamei. — Burrada! ...

— Reproduzir a espécie tornou-se um ato de altíssima responsabilidade, já que era de altíssima relevância para o progresso da espécie. A ideia de exigir habilitações oficiais para certos atos da vida é velha — mas exclui o ato de dar vida à prole futura. Exige o estado de hoje habilitação brevetada para quase tudo, para que um homem trabalhe no foro, construa uma casa, cure uma dor de barriga...

— ... enrole uma pílula...

— ... mas nada exige de quem pretende dar vida a um novo ser humano, elo inicial, muitas vezes, de uma cadeia sem fim de desgraçados ou criminosos.

— Burrada! Burrada... — exclamei deveras revoltado contra a estupidez vigente. E como não ser assim, se qualquer Sá ou qualquer Pato dirige a opinião?

Depois que meu ímpeto de revolta serenou, voltei a interpelá-la acerca de um ponto que andava a espicaçar a minha curiosidade.

— E o casamento, miss Jane? Já falou diversas vezes em casamento e estou curioso por saber se essa palavra em 2228 diz o mesmo que hoje.

— Diz e não diz, — respondeu miss Jane. — Nos casamentos em que o fim era a procriação, o estado intervinha com olhos de lince. Sendo o objetivo a prole sã de corpo e alma, compreende o senhor Ayrton que todo o rigor era pouco para evitar desvios funestos ao futuro da raça. As criaturas autorizadas a procriar constituíam uma espécie de nobreza. Todos as respeitavam como as eleitas da espécie, preciosas linhas diretrizes do amanhã. O supersticioso acato que mereciam outrora os duques, marqueses e barões por mercês arbitrárias de tronos e sólios pontifícios, passou a caber aos pais pelo simples fato de serem pais. Ser pai valia por um diploma de superioridade mental, moral e física, conferido pela natureza e confirmado pelos poderes públicos.

Esse casamento aproximava-se do nosso em muitos pontos. Era também dissolúvel. Mas conquanto dissolúvel, raro se dissolvia: a harmonização pré-nupcial dos Gabinetes Eugenométricos quase não dava oportunidade a erros.

Nos outros casos os cônjuges uniam-se e desuniam-se com a máxima liberdade e desembaraço. Nada tinha que fazer o governo em um contrato bilateral onde só valia a vontade dos contratantes.

— Quer dizer que o número dos divórcios cresceu espantosamente...

— Ao contrário, diminuiu como nunca se esperou. E diminuiu em virtude da única imposição que a lei fazia a esses contratos: as férias conjugais obrigatórias.

— ?!

— Sim, férias. A experiência psicológica demonstrou que o mal do casamento vinha mais do enfaro recíproco dos cônjuges do que da essência dessa forma de associação sexual. Instituíram-se as férias, como temos hoje as forenses, as colegiais, etc. E essa separação periódica agiu com tamanha eficácia que os casais passaram a ter duas luas de mel por ano, luazinha após as férias pequenas e lua cheia após as grandes. Não houve mais necessidade de recorrer-se ao violento drástico do divórcio, como o temos hoje. O suave laxante das férias limpava os cônjuges das toxinas do enfaro e renascia-lhes o amor ao *petit-feu* das saudades.

— Puro ovo de Colombo! — exclamei. — Estou vendo que tudo é ovo de Colombo na vida...

— Será, mas o Colombo deste ovo só apareceu no século XXIII. Foi Johnston Coolidge, autor do famoso livro *Toxinas Conjugais*, — concluiu miss Jane.

Pela primeira vez fui eu quem pôs fim a um domingo. Estava ansioso por voltar à cidade e nos cafés, na rua, no escritório, pregar a eugenia e insultar a estúpida gente que não vê as coisas mais simples. A consequência foi que só dormi pela madrugada. E sonhei, agitado. Sonhei a cidade tão limpa dos seus aleijões que ficava reduzida unicamente a duas criaturas de mãos presas — eu e miss Jane...

Capítulo XX
A CONVENÇÃO BRANCA

Desta vez não tive paciência de esperar novo domingo. Havia um feriado no meio da semana e aproveitei-o para voar ao castelo antes do almoço. Delicioso almoço! Figurei-me durante ele já marido da gentil hospedeira e dono do castelo. Cheguei a olhar com olhos de proprietário através das vidraças, por onde se viam terras e mais terras ótimas para a cultura. Mas foi momentâneo o meu deslize. Do fundo d'alma eu só queria ser dono do coraçãozinho que palpitava no seio da castelã.

Tomamos café na varanda e em seguida miss Jane retomou o fio da história.

— A elevação do índice eugênico-mental do povo da América no ano do choque das raças já era notabilíssima; o modo como agiu a Convenção Branca o demonstrou mais uma vez. Falar em convenção é lembrar a Convenção Francesa, aquele tumulto utópico que fez retórica às toneladas e decepou cabeças aos montões, como se a produção de frases e a redução de vidas pudesse aumentar o trigo dos celeiros, causa real de todos os males da França.

A Convenção Branca de 2228 nem por sombras lembraria o redemoinho alto-falante de 1789.

Já na composição desse corpo representativo nada se fez como outrora. Os convencionais não penetraram nele pela força dos azares eleitorais e sim por um processo novo de delegação. Todos os ramos da atividade americana tinham à sua testa, naturalmente levados a esse posto pelo grau de eficiência mental demonstrado, homens que mereceriam o nome de chefes naturais, ou líderes natos. Como hoje é Henry Ford o líder nato da indústria americana em virtude da higidez universalmente reconhecida das suas ideias e realizações, assim naquele tempo cada ramo de atividade possuía um líder natural, mantido nessa situação por consenso unânime. Funcionavam tais chefes naturais como órgãos especialíssimos, ápices, vértices, cimos, estações centrais, bulbos raquidianos da classe. Ninguém lhes discutia as ideias e decisões, súmulas sempre da mais alta sabedoria possível no momento — e o chefe cujas ideias passavam a ser discutidas via-se logo automaticamente apeado dessa posição.

De modo que foi facílimo convocar a Convenção Branca. Além de já estarem naturalmente indicados, os convencionais se resumiam em seis criaturas, respetivamente líderes da indústria, do comércio, das finanças, da arte, das ciências e das letras. Eram eles os senhores George Abbot, morador em Detroit e chefe da indústria das bonecas falantes, o supremo encanto das crianças americanas; John Perkins, morador em Hudson, onde mantinha um pequeno comércio de peles de lontra branca; Harmsworth, diretor do Banco Universal; John Leland, criador da Puericultura Estética; John Dudley, pai da cor número oito e autor de setenta e duas invenções; e finalmente Dorian Davis, poeta de um soneto único sobre o qual se achava a América dividida em dois imensos grupos — os que tinham como defeituoso o quarto verso e os que o tinham como uma forma de beleza só perceptível no futuro.

O Presidente Kerlog não encontrou dificuldades em reunir a Convenção. Radiou uma sucinta mensagem na qual pedia a cada uma das classes sociais a indicação do seu representante para o exame do *impasse* criado pela vitória dos negros. Uma hora depois o aparelho receptor do Capitólio registrava os seis nomes previstos, só não havendo unanimidade quanto à indicação do representante das letras. Os que consideravam defeituoso o quarto verso do soneto de Davis preferiram votar em branco.

Dois dias mais tarde congregavam-se na Casa Branca os seis expoentes supremos da raça, sob a presidência do senhor Kerlog.

Solenidade de protocolo, nenhuma. Eram homens simples no trajar e nos modos, criaturas nada relembrativas dos figurões que se reúnem hoje em conferências internacionais, vestidos de soleníssimas sobrecasacas e com solenérrimos tubos de chaminé reluzentes nas cabeças, como se a plumagem dos perus influísse alguma coisa nas ideias dos perus.

Sentaram-se os seis expoentes e ouviram a breve exposição de motivos do chefe do estado. Declarou este que ocupava apenas um posto político e se via numa emergência racial. Nada fizera, nem faria, antes que a suprema delegação da raça definisse com rigor o caso e lhe estabelecesse um rumo. Como governo, executaria em seguida o *veredictum* altíssimo. Pedia, pois, aos presentes que lhe dessem as "razões da raça".

Os convencionais ouviram-no com amável atenção e passaram a conversar de outros assuntos, como se estivessem num *garden-party*.

— "A minha última boneca", — disse George Abbot, — "além de falar, cose, varre e lava roupa, na perfeição. Tenho uma netinha de seis anos que está positivamente encantada..."

Ao lado dele Hamrsworth confessava que ainda não lera o soneto maravilhoso.

— "Falta de tempo?" — indagou Davis.

— "Não. Há em minha casa uma harmonia perfeita sobre o assunto e receio perturbá-la adotando um ponto de vista discordante..."

Já Leland debatia com Dudley a possibilidade da cor número nove e propunha um lindo nome para essa possível filha futura do espetro solar.

À encasacada e encartolada gente de hoje parecerá estranho que homens de tal envergadura, e em momento tão angustioso, assim puerilmente se recreassem num congresso presidido pelo chefe da nação. É que os nossos medalhões, envenenados pela retórica e pelo atitudismo, não alcançam certas formas da ultra beleza, nem compreendem certos segredos de ultra psicologia.

Justamente porque era gravíssima a decisão que iam tomar, e na realidade decisiva para os destinos do gênero humano, procuravam manter a serenidade de espírito com repousantes trocas de ideias gentis, enquanto nas profundas dos respectivos cérebros a sentença suprema se elaborava.

Passados quinze minutos nesta recreação espiritual, John Leland ergueu-se e disse com grande calma, depois de grafar num papel meia dúzia de sinais:

— "Senhor Presidente, minha ideia está formada e eu a consigno nesta moção, que tenho a honra de submeter a votos. Vou lê-la."

Fez-se no recinto um augusto silêncio. Se ainda houvesse moscas no ano 2228 poder-se-ia ouvir alguma voar na sala. Todos sentiam que a Raça Branca ia falar a palavra última, a palavra de sentença do mais alto tribunal que ainda se reuniu no mundo.

Leu Leland a sua moção, sucinta e nítida como era de esperar. Sua voz soou como um dobre a finados. Apesar da firmeza de ânimo dos convencionais, sentia-se que estavam todos de alma tensa como corda de violino em ponto de romper-se. Fugira-lhes das faces o sangue; até o senhor Kerlog, sempre rosado, parecia um vulto de cera.

Quando o último eco da moção Leland morreu naquele ambiente de tumba, todas as cabeças se inclinaram para o peito e todos os olhos se fecharam. A Raça Branca elaborava o seu voto decisivo...

Alguns minutos transcorreram assim. Ao cabo o Presidente Kerlog murmurou:
— "Está a votos a moção Leland."
O primeiro que se ergueu foi Dudley.
— "Voto com Leland", disse ele e sentou-se.
Ergueu-se em seguida Harmsworth e disse:
— "Voto com Leland."
O terceiro foi Abbot, que murmurou sem levantar-se da cadeira:
— "Idem."
Os outros limitaram-se a dar igual voto com uma simples indicação de cabeça.

Estava lavrada a sentença de ponto final do negro na América! Sem verborreia, sem inútil dispêndio de retórica, sem citação dos *gros bonnets* da etnologia e da sociologia, a Suprema Convenção da Raça Branca traçara o diagnóstico e dera o remédio exato.

O Presidente Kerlog pronunciou mais meia dúzia de palavras e... pronto! — concluiu miss Jane.

Confesso que fiquei desapontado. Quando miss Jane abordou aquele assunto preparei-me para ouvir coisas tremendas. Uma Convenção! A Convenção da Raça Branca! Nunca no mundo se reunira congresso mais alto e preposto a fins mais terríveis. Esperei portanto qualquer coisa de tão eloquente como um jacto de seis Mirabeaus, multiplicados por seis Dantons. Em vez disso, um homem que apresenta uma breve moção e mais cinco sujeitos ultra pacíficos que a aprovam friamente — alguns até com a cabeça, sem se ergueram das suas poltronas. Era demais!

— Só isso, miss Jane? — exclamei com cara de espectador roubado.
— Só, — respondeu ela, muito divertida com o meu logro. — Que mais queria?
Minh'alma de latino espalhafatoso não se conformava com a falta de espalhafato.
— Eu queria uma tempestade com raios e trovões. Queria um Jeová tonitruando na sarça ardente. Ou, pelo menos, eloquência, que diabo!
— Haverá maior eloquência do que a da precisão absoluta?
Não me convenci. Não ia comigo tanta frieza. Meu sangue quente pedia barulho, berros, murros na mesa, desaforos... Resignei-me, porém, e minha curiosidade tomou pé.
— Mas, afinal de contas, que é que dizia a moção Leland? — indaguei.
— Ignoro, — respondeu miss Jane. — Foi secreta. Só o Presidente, os seis convencionais e depois os técnicos do estado tiveram conhecimento dos seus termos.

Miss Jane sorria. Ocultava-me qualquer coisa, com certeza para me surpreender no fim. Não insisti e, resignado, disse-lhe:
— Continue, miss Jane...
Miss Jane continuou.

Capítulo XXI
UMA DOR DE CABEÇA HISTÓRICA

— Quando os convencionais deixaram a Casa Branca o último a despedir-se foi o senhor John Dudley, pai da cor número oito e autor das setenta e duas invenções.

Era esse Dudley um velhinho de olhar muito vivo e alegre, cuja inteligência tinha fama de ser a mais pronta da América, a mais facetada e contornante. Apreendia tudo instantaneamente, sob todos os aspectos possíveis.

Ao apertar a mão do Presidente Kerlog, disse ele com ar enigmático:

— "Faço votos para que o senhor Presidente descubra a solução prática com a mesma facilidade com que o senhor Leland descobriu a solução teórica. Isso lhe trará, talvez, uma certa dorzinha de cabeça. Se por acaso se agravar essa dor de cabeça e não ceder a nenhum sedativo, lembre-se deste seu criado e chame-o. Quero ter a honra de curar uma dor de cabeça histórica..."

Disse e saiu a sorrir. Kerlog ficou uns instantes a meditar naquelas palavras enigmáticas, que traziam evidentemente uma intenção oculta. O homem das setenta e duas invenções nada dizia às tontas.

— "Será que John Dudley possui de sua invenção alguma famosa super-aspirina?" — pensou consigo o chefe de estado. Mas o tumulto das preocupações governamentais fê-lo em breve esquecer-se do incidente.

A semana que se seguiu à Convenção foi o pior momento de vida que ainda passou um presidente americano. O ministério vivia em reuniões contínuas, e era de fuga que aqueles homens tomavam algum repouso. A tarefa de manter o país em calma, de evitar a explosão das duas massas prenhes de eletricidades contrárias e suscetíveis de explosão ao menor choque, agravava-se com a premência de solver o caso dentro da fórmula votada pelos convencionais. Mas entre propor com toda a frieza uma solução daquelas e descobrir os meios de possibilizá-la, ia um abismo.

O ministro da Paz chegou a irritar-se.

— "São facílimas as soluções dessa ordem", — disse ele. — "Creio até que se em vez de seis velhos líderes reuníssemos aqui seis crianças de escola, o resultado seria o mesmo. É absolutamente impraticável a formula Leland."

O Presidente Kerlog possuía um caráter mais obstinado do que o do seu ministro. Assim foi que objetou:

— "Costumamos chamar impraticável ao que não praticamos ainda. Lembre-se de Colombo com o ovo..."

— "Perfeitamente", — contraveio o ministro, — "mas já se passou uma semana e não nos ocorre saída. Estou cansado de examinar as sugestões dos nossos técnicos, todas absurdas, porque em grau maior ou menor implicam o emprego da força, o que seria desencadear a tormenta. As sugestões de hoje — sete! — parecem-me tão idiotas como as anteriores."

Na realidade assim era. Debaixo do mais absoluto segredo cerca de cinquenta técnicos do estado, dos mais hábeis que se puderam reunir, davam aos miolos as maiores torturas para afastar do remédio proposto por Leland o termo coação.

Os ministros já manifestavam sintomas de *surmenage*. Horas e horas perdiam a debater o caso, e nem no sono tinham repouso; o trabalho mental subconsciente os torturava de pesadelos.

No oitavo dia o Presidente apareceu na sala de trabalho a cheirar um frasco de sais. Era a dorzinha de cabeça prevista por John Dudley. No décimo dia essa dor agravou-se de modo a inspirar receio aos ministros. Felizmente a memória do senhor Kerlog funcionou a tempo e fê-lo recordar-se das palavras do convencional Dudley ao despedir-se.

— "A dor de cabeça mata-me", — radiou ele para o homem das setenta e duas invenções. — "Acuda-me com o remédio, caro Dudley!"

Naquele mesmo dia, à noite, reapareceu John Dudley na Casa Branca, sendo logo introduzido nos aposentos particulares do Presidente.

— "Bem-vindo seja!" — disse este com a mão na testa. — "A cabeça estala-me e a dor não cede a sedativo nenhum. Acuda-me com a sua ultra-aspirina."

John Dudley sorriu com malícia.

— "Ouça-me", — disse ele, — "ouça-me com atenção que sarará dentro de cinco minutos. O seu mal cura-se com um tópico que só eu possuo."

E Dudley começou a falar. Ao cabo do segundo minuto, o Presidente Kerlog tirava a mão da testa. Ao fim do terceiro, sorria. Ao quinto, saltava da poltrona e vinha apertar nos braços o terrível velhinho.

— "Maravilhoso!... Mas então é assim absoluto o efeito?"

— "Fiz todas as experiências e tirei todas as contraprovas," — respondeu Dudley. — "O efeito é absoluto!"

— "Sem dor, sem lesão, sem que o paciente sequer o suspeite?"

— "Exatamente!"

Kerlog sorria, com o olhar distante. O problema que em vão a política tentara solver, a ciência resolvia por um processo mágico.

— "Efeito duplo, então?" — insistiu o Presidente.

— "Triplo, aliás", — retrucou o malicioso sábio.

O presidente fez cara de surpresa.

— "Sim, pois cura também as dores de cabeça históricas..."

Kerlog sorriu e novamente abraçou o homem das setenta e três invenções.

— Miss Jane, — disse eu interrompendo: — está a senhora a judiar comigo! Macacos me lambam se percebo qualquer coisa...

— Uma pontinha de mistério é indispensável no tempero dos romances, — respondeu a linda criatura. — O senhor Ayrton vai ser romancista; deve pois ir aprendendo o sutil segredo da dosagem dos ingredientes...

Miss Jane estava a brincar comigo, não havia dúvida. Punha fogo ao estopim de minha curiosidade e deixava-o a arder...

— No dia seguinte, — continuou ela, — reapareceu na Casa Branca o senhor John Dudley, desta vez sobraçando um esquisito embrulho — um embrulho fofo, como se contivesse cabelos humanos.

Entrou e passou uma boa hora em conferência com o Presidente e mais os seus ministros.

O que lá houve ninguém conseguiu saber. Só se soube que, finda a reunião, ao descerem a escadaria, disse o ministro da Paz ao da Equidade:

— "O eterno ovo de Colombo! Bem dizia o Presidente que era necessário teimar..."

— "E que lindos ficam os cabelos!" — comentou o da Equidade. — "Não só se alisam, como afinam e se tornam sedosos. O peixe morrerá pela carapinha, não há que ver..."

— Miss Jane... — comecei eu, interrompendo-a nesse ponto.

A moça, porém, tapou-me a boca e deu o sinal do chá.

Fiz a cara de compunção com que sempre recebia o tal ponto e vírgula. Mas errei.

— Não faça esse bico de criança, — disse miss Jane com a sua finura habitual. — O chá é apenas vírgula. O senhor Ayrton está convidado a jantar aqui.

Meu coração deu cabriolas dentro do peito, o arrastado por um impulso incoercível tomei... a mão da minha amiga e beijei-a. A mão! Apenas a mão! Timidez — teu nome era Ayrton Lobo!...

— Mas o enigma dos cabelos, miss Jane? Decifre-mo logo, que estou a arder de curiosidade, — pedi-lhe logo depois do chá.

— Uma história muito simples, senhor Ayrton. John Dudley dedicava-se, havia longo tempo, ao estudo do cabelo negro, esperançado em descobrir o meio de alisá-lo e torná-lo sedoso e absolutamente igual ao da raça branca — e muito se falou na América, alguns anos antes, nos admiráveis resultados das suas experiências. Até 2228, porém, o sábio não havia tornado pública essa invenção, que seria a 73ª. E ninguém mais pensava no caso quando, dois dias depois da sua conferência particular com o Presidente Kerlog, esvoaçou pelos Estados Unidos uma notícia de sensação: John Dudley havia enfim resolvido o difícil problema capilar.

Os raios Ômega, de sua descoberta, tinham a propriedade miraculosa de modificar o cabelo africano. Com três aplicações apenas o mais rebelde pixaim tornava-se não só liso, como ainda fino e sedoso como o cabelo do mais apurado tipo de branco. Os raios Ômega influíam no folículo e destruíam nele a tendência de dar forma elíptica ao filamento capilar. Vencido este pendor para a forma elíptica, cessava o encarapinhamento, que não passa de mera consequência mecânica.

Como é de supor, imensa foi a repercussão da notícia. Cem milhões de criaturas reviraram para o céu os olhos agradecidos. Os negros chegaram a tomar-se de puro êxtase, convictos de que das Alturas descera a pugnar por eles alguma alta divindade, como outrora os bons deuses do Olimpo. Mal repostos ainda da emoção consequente à vitória de Jim Roy, outra os empolgava agora — e esta mais fecunda, pois redundaria num aperfeiçoamento físico da raça. Já o pigmento fora destruído e, embora o esbranquiçado da pele não se revelasse cor agradável à vista, tinham esperança de obter com o tempo a perfeita equiparação cutânea. Vir agora, e assim de chofre, o resto, o cabelo liso e sedoso, a supressão do teimoso estigma de Cam, era, não havia dúvida, sinal de um fim de estágio. Reduzidas desse modo as duas características estigmatizantes da raça, o tipo africano melhorava a ponto de em numerosos casos provocar confusão com o ariano. Entre a miss naturalmente branca e loura e a negra despigmentada e omegada pelo processo Dudley, era quase nula a diferença.

— Mas a cor dos cabelos? — perguntei eu, sempre curioso de minúcias.

— Cor de cabelo bem sabe o senhor Ayrton que não é coisa que dependa da natureza e sim da moda. Hoje, por exemplo, é moda o louro, e nas ruas só vemos louras — louras que amanhã aparecerão de cabelos negros como asas de corvo, se assim o determinar a moda.

Logo em seguida à notícia, estupefaciente como pitada de cocaína, incorporou-se a Dudley Uncurling Company, que estabeleceu em todas as cidades, e nestas em todos os bairros, Postos Desencarapinhantes, como hoje vemos surgir Postos de Vacinação nos anos em que irrompe a varíola. Esses postos multiplicaram-se ao infinito e de um modo mágico, como se uma força oculta empurrasse a Dudley Uncurling Company ao desencarapinhamento da América negra ao menor espaço de tempo possível.

Era dos mais simples o processo. Três aplicações apenas, de três minutos cada uma. Tais facilidades juntas ao custo mínimo — dez centavos por cabeça — fizeram que os negros acorressem aos postos como cães famintos a bofes fumegantes. A vida americana chegou a sofrer um colapso. Só se falava em raio Ômega, em folículo, em seção elipsiforme e mais capilotécnicas. A princípio irritaram-se os brancos com o que chamavam a segunda *camouflage* do negro; por fim passaram a divertir-se com o espetáculo deveras curioso da súbita transformação capilar de cem milhões de criaturas. As fábricas de pentes, grampos, loções, shampoos, brilhantinas, tinturas, etc., trabalhavam dia e noite sem conseguirem atender à subitânea procura de tais produtos. Cabeleireiros novos surgiam em todos os cantos e por mais que trabalhassem não davam conta do recado. As negras, sobretudo, viviam num perpétuo sorrir-se a si próprias, metidas dentro de um céu aberto. Passavam os dias ao espelho, muito derretidas, penteando-se e despenteando-se gozosamente. O seu enlevo ao correrem as mãos pelas macias comas omegadas levava-as a esquecer o longuíssimo passado da humilhante carapinha. Brancas, afinal! Libertas afinal do odioso estigma!

Neste ponto da narrativa um raio de luz chofrou-me o cérebro.

— Adivinho tudo agora, miss Jane! — gritei batendo na testa. — Adivinho a verdadeira solução do problema negro na América! Nem expatriação, nem divisão do país. Apenas branqueamento do negro, igualificação com o branco! — decifrei eu, contentíssimo com a minha tacada.

Mas vi logo que errara de novo. No sorriso com que ela esfriou o meu entusiasmo percebi uma pontinha de piedade pela minha argúcia — pela minha pobre argúcia... Mas era tão boa miss Jane que não teve ânimo de humilhar-me, como devia. Disse apenas, delicadamente:

— Quase, quase adivinhou! Está pertinho...

Como um caramujo cutucado, encolhi-me na poltrona donde me erguera no assomo de ardor divinatório, e para disfarçar a rata estranhei aquele desvio do assunto principal:

— Mas a que vem esse incidente dos raios Ômega no nosso romance, miss Jane?

A moça respondeu de lado:

— Joga xadrez, senhor Ayrton?

Eu só jogava no bicho, mas menti, corando de leve:

— Assim, assim.

— Pois nesse caso deve saber que nas partidas bem jogadas um humilde movimento de peão tem tanta importância para o xeque mate como um espetaculoso movimento de rainha. Considere este capítulo capilar um movimento de peão e ouça agora o que vou dizer de miss Astor.

— Movimento de rainha... — rosnei.

Miss Jane aprovou com um olhar a minha agudeza.

— E de rainha amorosa! — completou.

— Amor em 2228? Ainda haverá semelhante coisa em tempo tão recuado?

— O amor é eterno, senhor Ayrton e além de eterno invariável. O que Dafnis sussurrou ao ouvido de Cloé lá nos fundos da Grécia de Longus, sussurraria miss Elvin a um "gorila pelado" de 2228, se porventura descresse do sabino e aderisse ao *Homo*, como suas companheiras o fizeram.

Pus em miss Jane os meus olhos de carneiro flechado e suspirei. Seria capaz de "sussurrar" ao meu ouvido uma criatura que assim tão cientificamente falava do amor?

Capítulo XXII
AMOR! AMOR!

Miss Jane continuou:

— Depois de sua espaventosa adesão ao *Homo*, a líder do partido feminino caiu em si. Percebeu que o desvairamento no dia da vitória negra lhe quebrara a soberba linha das belas atitudes e a transformara numa perfeita louca à moda das velhas sufragistas britânicas. E envergonhou-se. Que pensaria dela o Presidente Kerlog? Como teria o líder branco, lá no íntimo, recebido aquele arroubo de sinceridade explosiva?

Miss Astor amava a Kerlog. A nobre figura do Presidente, sua firmeza no governo, sua agilidade de espírito e sua serenidade de força construtiva, seduziam-na de modo incoercível. E talvez até que no fundo toda a atuação política de miss Astor não visasse outro fim além de aproximá-la do líder branco, por emparelhamento num mesmo nível de prestígio social.

— Por que então contrapôs-se a ele nas eleições? — perguntei sapatescamente.

— Porque a linha reta da mulher é sempre torta. Elvinismo, senhor Ayrton!... Matemática, ciência elvinisía! Dois mais dois igual... ao que convém. Mas miss Astor errava, se acaso se supunha diminuída na opinião de Kerlog. O presidente era *Homo* e, apesar de todos os progressos da eugenia, um *Homo* tão sensível ao contacto feminino como... como o senhor Ayrton, por exemplo.

Corei forte. Momentos antes havia eu, sem o querer, está visto, tocado com o meu pé o mimoso pé de miss Jane, e não pude esconder a corrente elétrica que me percorreu o corpo. Seria que miss Jane, sempre tão desentendida, aludia a esse fato? Estava a minha amiga um tanto diferente naquela tarde. Menos impassível que de costume e assim como quem quer e não quer, como quem vai e não vai, como quem diz e não diz. Apesar de toda a minha pouca penetração feminina eu sentia isso, adivinhando nela os primeiros estremecimentos da mulher.

— E já que era assim sensível, — continuou a jovem, — o amplexo que no momento do perigo pôs miss Astor em contacto com Kerlog calou fundo nas células presidenciais e impregnou-as disso que os homens chamam desejo.

Tive vontade de perguntar a miss Jane como as mulheres chamavam isso que os homens chamam desejo — mas me faltou a coragem.

— E daí por diante, sempre que a razão do senhor Kerlog se punha a pesar os prós e contras relativos a miss Astor intervinham as células abraçadas, colocando na concha dos prós a tara da saudade — e lá se ia a frieza da razão do senhor Kerlog. Pobre razão humana! Pobre hoje, pobre em 2228!... E tanto era assim, que logo depois da invasão da sala pelas elvinistas arrependidas o senhor Kerlog comentou o fato nestes termos, dirigindo-se ao ministro da Equidade:

— "Miss Astor sempre se apresentou diante de mim envolvida em atitudes, belas, não resta dúvida, porque há sempre beleza em todos os seus movimentos — mas atitudes que me chocavam como falsas. Nem uma só vez a vi ao natural. Foi preciso que o desastre sobreviesse e o terror se apossasse de sua alma para que eu a conhecesse como sempre desejei conhecê-la: mulher."

E lá consigo recordava a doçura do seu abraço.

Esse abraço ficou. Os dias se foram passando. Veio a Convenção Branca. Veio a dor de cabeça. Veio o omeguismo. Nada apagava das células cervicais do senhor Kerlog a impressão do doce contacto.

Certa vez, reunido o ministério, os ministros perceberam que o Presidente olhava muito amiúde para o relógio. O assunto em debate era o progresso do desencarapinhamento dos negros, matéria de especial atenção para o chefe do estado. Especial e demorada — menos naquele dia. Naquele dia o Presidente atropelava os seus auxiliares como que desejoso de encerrar mais cedo a reunião.

As informações estatísticas apresentadas pela Dudley Uncurling Company deviam ser bastante favoráveis, a avaliar-se pelo sorriso com que o líder branco as recebera.

— "Estamos no fim," disse ele. A ciência resolveu de fato o grave problema étnico — e que magistral solução! Em vez de expatriar o negro ou dividir o país...

— "Desencarapinhá-lo!" completou, piscando o olho, o ministro da Seleção.

Todos se entreolharam com certo ar de velhacaria. O da Equidade disse:

— "O binômio racial passa a monômio. Só o ariano é grande e Dudley é o seu profeta."

Eu cocei a cabeça num gesto muito lá do escritório.

— Mas, então, miss Jane, a solução é mesmo a que eu adivinhei — a igualificação das raças!...

Miss Jane tossiu uma tossezinha de encomenda e desconversou:

— O neologismo está bom, senhor Ayrton. Por mais rica que seja uma língua, a expressão humana tem sempre necessidade de palavras novas. "Igualificação" — muito bem!

Encolhi-me no fundo da minha poltrona.

— Mas, — continuou ela, — o relógio do senhor Kerlog, consultado pela décima vez, marcava três horas. O Presidente ergueu-se e deu por finda a reunião. Os ministros saíram. Na escada disse o da Paz ao da Equidade:

— "Notou a impaciência de Kerlog?"

— "Notei sim. Estava inquieto..."

— "*Cherchez*..."

— "Não é necessário. Se ninguém resiste à ação catalítica de miss Evelyn, quem lhe resistirá ao contacto?"

Riram-se, e lá se foram cada qual para o seu lado.

Não erraram os dois ministros. Logo depois miss Evelyn Astor parava em frente da Casa Branca e ágil como as deusas — ou as amorosas — subia as escadas.

Foi introduzida incontinente.

— "Bem-vinda seja a minha formosa rival", — disse com o mais amável dos seus sorrisos o Presidente flechado.

— "Ex, aliás, Presidente Kerlog!" — respondeu a encantadora Circe com um sorriso que era outra flecha.

— "Abandona então a política? Não insiste na sua candidatura?"

— "Abandono. Perdi a confiança nos meus nervos. Além disso, mudei de ideia a respeito de um homem..."

— "Fazia mau juízo dele?"

— "Mau não. Errôneo, apenas. Vejo hoje que esse homem está no seu lugar."

— "Obrigado, miss Astor", — exclamou o Presidente. — "Recebo a sua alta homenagem como ao prêmio dos prêmios."

— "Pague-ma então com outra. Líder que ainda sou de um partido, creio merecer a confiança do líder branco. Não é justo que eu conheça o pensamento íntimo do governo relativo à questão negra?"

O Presidente Kerlog sorriu com afetada diplomacia.

— "Segredos de estado, miss Astor!..."

— "E já houve algum segredo de Estado que não fosse conhecido das... mulheres de estado?" — retrucou a ex-sabina com vivacidade.

Kerlog, bom esgrimista, tinha fama de pronto nas réplicas.

— "As rainhas, as favoritas de outrora, eram de fato cofres, lindos cofres de segredos. Hoje, porém, que não há mais rainhas nem favoritas, só podem conhecer os segredos de estado as..."

Parou. Embebeu os olhos nos de miss Astor. Viu neles o que procurava e concluiu numa gentil mesura:

— "... as Presidentas!"

Miss Astor fez ar de desapontada e armou bico de criança a quem negam doce.

— "Quer dizer que só conhecerei tal segredo quando for eleita Presidenta..."

Os olhos de ambos encontraram-se de novo e meteram-se pelas respectivas almas adentro. Liam-se os dois amorosos como em livros abertos.

— "Crê então, miss Astor, que só as eleições fazem Presidentas?"

Nova cara de desentendida, novo bico de criança. A coitadinha não percebia coisa nenhuma e foi mister que o líder branco dissesse tudo:

— "Esposa do Presidente, Presidenta é..."

— Novo olhar... — ia dizendo eu.

Miss Jane atalhou-me:

— Não. Desta vez os olhos ficaram em paz. As mãos de Kerlog é que se estenderam para miss Astor. As de miss Astor foram-lhes ao encontro. Uniram-se no eterno gesto das mãos amorosas que se unem — e...o silêncio que diz tudo se fez entre aqueles dois admiráveis tipos de gorilas evoluídos.

A minha amiga parou, a olhar-me muito firme nas mãos, como Kerlog, mas não tive ânimo de declarar-me. A sua superioridade amedrontava-me ainda.

Miss Jane fez uma pausa de alguns segundos — essa pausa de quem espera e não vê chegar. Por fim disse, como que inconscientemente desapontada:

— Quer que continue ou prefere aqui uma linha de reticências?

Eu não queria coisa nenhuma. Eu só queria estender as mãos como Kerlog e embeber meus olhos nos de Jane e ficar assim a vida inteira. Mas os músculos me traíram miseravelmente. "Qual!" pensei furioso comigo mesmo. "Quem nasceu para empregado de Sá, Pato & Cia., não chegará nunca a esposo da filha do professor Benson..."

Miss Jane (pareceu-me) deixou escapar um imperceptível suspiro de despeito e rematou a história do duo presidencial com desinteresse evidente.

— O mais o senhor Ayrton imaginará, — disse ela. — O ano 2228 em matéria de amor não se distinguia dos anteriores. O diálogo de Adão e Eva é talvez a coisa única que não sofre grande influência da evolução. Às vezes até involue...

Tocou a campainha.

— Ponha o jantar, — disse com certa secura ao criado que apareceu. — E traga uma aspirina.

— Sente alguma coisa? — indaguei com timidez.

— Um fio de dor de cabeça apenas, — foi a sua breve resposta.

Que jantar frio e desenxabido aquele! Quando me vi fora do castelo, desabafei.

— És um animal de rabo, senhor Ayrton, e bem mereces o desprezo com que o senhor Sá te trata!...

E furioso dei vários beliscões nos músculos covardes que me falharam o movimento de mãos talvez mais oportuno da minha vida.

— Asno, asno, asno!... — fui-me repetindo pelo caminho todo. — Estúpido éter que não age nem quando interferido por uma interferência tão clara...

A semana que se seguiu foi a mais desastrosa da minha vida. Na segunda-feira briguei com vários amigos, atirei com uma xícara de café à cara dum garçom e cheguei a ir parar na polícia.

Terça-feira pela manhã bebi três garrafas de cerveja e contra todos os meus hábitos fui assim para o escritório. O senhor Sá olhou-me de esguelha por várias vezes. Por fim, notando a má vontade com que eu fazia o serviço, piou:

— Comeu cobra?

Tive ímpetos de mordê-lo. Mas era o patrão e recolhi os dentes. Sá insistiu:

— Comeu cobra, moço?

— Não comi coisa nenhuma. Eu lá como? Quem ama lá come? — respondi de mau modo.

— Hum! — fez ele. — Percebo agora. De há muito venho notando que já não me é o mesmo. Não me dá atenção ao serviço, atropela-me tudo. O Pato me disse ontem...

Estourei a boiada.

— Importa-me lá o Pato! O Pato lá diz ontem! Patão choco é o que ele é! Patíbulo... Patíbulo do fraque!...

O assombro do senhor Sá chegou ao auge. Um empregado tratar assim ao comendador Manoel Pereira Pato, sócio da firma, dono de cinco mil apólices, irmão do Santíssimo Sacramento, provedor da Santa Casa... E tamanho foi o seu assombro que o pobre homem engasgou.

Continuei no meu estouro:

— Estou, farto sabe? Isto por cá não passa de uma burrada. Mas a Lei Owen rompe aí qualquer dia e quero ver! E a lei espartana também! E outras leis terríveis, leis de dar cabo do canastro, entende? Seletivas!

O senhor Sá continuava mudo, de boca aberta, num estarrecimento de assustar um homem com menos cerveja no estômago. Olhei para ele firme e senti uma impressão cômica. Disparei na gargalhada.

— Parece o Presidente Kerlog quando soube da vitória do Jim! Ah! Ah! Ah!... Não sabe quem é Jim? Sabe nada... Era um líder! O líder negro. Negro descascado. Despigmentado, entende? Omegado! Um bicho! Um...

Não pude continuar. Senti revolução no estômago e ignominiosamente destripei um "mico" de marcar época no austero escritório dos senhores Sá, Pato & Cia.

Não me lembro de mais nada, a não ser que fui posto no olho da rua violentamente.

Amor! Amor! Amor!

Capítulo XXIII
A DERROCADA DE UM TITÃ

Mas *sarei*, e o que me curou foi um filme que andava a empolgar as multidões — *A Fera do Mar*, por John Barrymore. Havia nele um beijo como nunca no mundo se dera outro igual. Um beijo shakespeariano, um beijo força-da-natureza.

Eu como de hábito assistia à fita pensando em miss Jane e ligando todas as cenas ao meu amor. No momento do beijo vi-me a beijá-la e tal foi o meu ímpeto que cravei as unhas numa coisa gorda que pousara no braço da minha poltrona.

— Seu bruto! — berrou uma voz.

Olhei. Uma velha matrona de bigodes e verruga no nariz fulminava-me com os olhos.

Ergui-me numa tontura e saí. O ar frio da noite serenou-me. Errei longo tempo pelas ruas desertas, até que em certo ponto me pilhei a monologar em voz alta:

— Mas não me escapa! Agarro-a e dou-lhe o beijo de John Barrymore! Quero ver onde vai parar aquela impassibilidade de puro espírito. "Interfiro-a" e quero ver...

Quarta, quinta, sexta, sábado... Uf! como custou a chegar o domingo!

Miss Jane recebeu-me com a serenidade antiga, curada já da sua momentânea fraqueza.

— Um pouco pálido, senhor Ayrton! Esteve doente?

— Um fiozinho de nervoso, miss Jane, mas já passou.

— Aborrecimentos lá na firma com certeza...

— Talvez, miss Jane. Está-me envenenando este negócio de viver os domingos no ano 2228. Não suporto mais a burrice, a cegueira, a suficiência destes "sapatões" que atravancam o mundo com os seus horríveis fraques internos e externos.

Miss Jane consolou-me.

— Paciência, senhor Ayrton. A vida é cheia de maus pedaços — mas há bons pedaços para os que sabem esperar...

Passei a língua pelos beiços, já agitado.

— Jim Roy por exemplo... — continuou ela.

— Ah, sim, o negro... — gemi com displicência, como quem se recorda de uma coisa muito distante. Naquele momento eu estava muito longe de Jim Roy.

Miss Jane, porém, conseguiu recolocar-me no ano 2228.

— Jim Roy, por exemplo, ia ter o seu bom pedaço. Embora não compreendesse a calma dos brancos e ainda tivesse a tinir na cabeça as cruéis palavras de Kerlog ditas naquele encontro, passou a aceitar como fato consumado o seu triunfo. O perigo passara. O perigo era o choque das duas raças, uma embriagada com a vitória, outra ofendida no seu orgulho. Para isso contribuiu não só o vigor de Kerlog como também o oportunismo da 73ª invenção de John Dudley. Que maravilhoso derivativo! A fúria desencarapinhante dos negros fê-los se esquecerem completamente da política. Datava de três meses a entrada em cena dos abençoados raios Ômega, e pelas estatísticas oficiais 97% da população negra estava já omegada. Mais uma semana, e os últimos postos se fechariam por falta de carapinha a alisar. Que magnífico dividendo iria distribuir a Dudley Uncurling Company!

Até Jim se omegara e o seu aspecto impressionava agora mais do que nunca. Tornara-se um admirável tipo de branco artificial, diverso dos brancos nativos apenas pela grossura dos lábios, saliência zigomática e chateza do nariz.

Jim entretanto não se sentia o mesmo. Diminuíra o seu vigor. Aqueles impulsos ferozes, a violência selvagem que tantas vezes deflagrava em sua alma forçando-o a impor-se a máscara do *self-control*, estavam morrendo nele. Já não era com ardor belicoso que, derramando o olhar da imaginação sobre o rebanho dos cem milhões de negros, sentia em si a possança de um novo Moisés. Cansaço, talvez. No ardor da luta os músculos operam prodígios de resistência. O abatimento só vem depois da vitória. Jim sentia o abatimento da vitória depois de haver gozado até à exasperação o delírio do triunfo.

Ia realizar um ideal. O problema negro da América teria com ele no governo a única solução justa.

— "A América é nossa", monologava. "O branco não quer vida em comum? Dividamo-la. Jim dividirá a América!"

Avaliava muito bem os obstáculos tremendos que haviam de embaraçar a sua ação. Mas com pulso forte saberia quebrar todas as resistências. E que glória para a raça negra caber a ela o gesto decisivo na eterna questão! E que vitória o vê-la atestar ao mundo uma capacidade evolutiva e de realizações igual à do branco! Moço ainda que era, havia de dar-se inteiro à nova república negra e encaminhá-la aos mais gloriosos destinos.

E Jim sonhava o maior sonho que ainda se sonhou no continente.

Na véspera do dia da posse estava ele à noite em sua residência particular, solitário como sempre e imerso como sempre no seu grande sonho, quando alguém bateu.

O líder negro despertou e franziu a testa. Não esperava ninguém, não marcara encontro com pessoa alguma...

— "Está aí um homem branco natural", — veio dizer-lhe um criado.

— "Que entre", — respondeu Jim, — ainda com as rugas do "quem será?" na testa.

Breve pausa. Súbito, a porta do gabinete abre-se e...

— "O Presidente Kerlog!..." — exclamou Jim, surpreso da inesperada visita.

O líder branco, pálido como no dia da Convenção, entrou. Aproximou-se vagarosamente do líder negro e pôs-lhe a mão sobre o ombro num gesto de piedade comovida.

— "Sim, o Presidente Kerlog, o branco que vem assassinar-te, Jim..."

Aquelas estranhas palavras desnortearam o líder negro, cujos sobrolhos se franziram interrogativamente. Por mais esforço que fizesse não penetrava o sentido da estranha saudação. Mas sorriu e disse:

— "A raça branca não poderia prestar maior homenagem à raça negra do que elegendo para carrasco de Jim Roy tão nobre chefe. Que arma escolhe para a missão que traz, Presidente Kerlog? Veneno dos Bórgias ou lâmina de aço?"

O tom faceto de Jim Roy não desanuviou o ar sinistro do líder branco, antes o fez ainda mais doloroso.

— "Minha linguagem não é figurada, Jim. Venho de fato assassinar-te, repito."

Jim continuou a sorrir.

— "E eu repito: com o punhal de Brutus ou com o veneno dos Bórgias?"

Kerlog encarou-o com infinita piedade e disse:

— "Arma pior, Jim. Trago na boca a palavra que mata..."

O sorriso que pairava nos lábios do negro começou a desaparecer.

— "Ninguém admira mais", — prosseguiu Kerlog, — "ninguém respeita mais o líder negro do que eu. Ouso até afirmar que dentro da América branca só eu o justifico e compreendo de maneira absoluta. Vejo nele um avatar de Lincoln, o sonhador de um sonho imenso de justiça. O homem que há em Kerlog rende ao homem que há em Jim Roy todas as homenagens. Mas o branco que há em Kerlog vem friamente assassinar com a palavra que mata o negro que há em Jim Roy..."

Tonto pelo imprevisto rumo que ia tomando o duelo, o líder negro nada replicou. Limitou-se a verrumar com os olhos o seu antagonista como para extorquir-lhe o pensamento oculto. A pausa que se fez foi lúgubre. Mas Jim logo readquiriu a sua habitual firmeza e disse com ironia dolorosa:

— "Não creio que o Presidente Kerlog possua a palavra que mata. O peito de Jim tem couraças por dentro. Quatro séculos de martírio nas torturas físicas da escravidão e nas torturas morais do pária enfibram a alma de quem resume cem milhões de irmãos. O peito de Jim traz couraças de rinoceronte por dentro. Couraças à prova das palavras que matam..."

— "Trazia..." — emendou mansamente o líder louro. — "O Jim de hoje não é mais o titã que o Presidente Kerlog recebeu na Casa Branca. Quando o corisco fulmina a sequoia, a árvore solitária continua de pé, porém outra."

O negro pressentiu a verdade daquilo. Recordou-se de que já não era o mesmo. Mas como Kerlog o adivinhava? Como penetrava assim no seu imo? Ele não confessara a ninguém a subitânea queda da sua força vital, e nada a definia melhor do que a imagem do líder branco: árvore siderada onde a seiva já não circula...

Jim, entretanto, reagiu; retesou-se de todas as suas energias em declínio e disse com glacial firmeza:

— "Não importa, Presidente Kerlog. A Casa Branca restituirá amanhã a Jim Roy a força que o cansaço da vitória lhe roubou."

Kerlog pousou a mão sobre o ombro do líder negro e disse com profunda piedade:

— "Não subirás os degraus da Casa Branca, Jim..."

O negro deu um salto de pantera acuada e explodiu:

— "Por que? Acaso conspiram os brancos contra a Constituição? Querem o crime?"

Seu peito arfava.

— "Nada disso", — retrucou suavemente Kerlog. — "Não penetrarás na Casa Branca porque lá não cabe Sansão de cabelos cortados. Tua presidência seria inútil. Tudo é inútil quando o futuro já não existe..."

O tom misterioso de Kerlog impacientava o negro, que sentia algo de terrível prestes a revelar-se.

— "Diga tudo, Presidente Kerlog, diga essa palavra que mata!" gritou ele irritado.

O líder branco deixou cair novas palavras de mistério e tortura, cortantes como o fio das navalhas.

— "Tua raça foi vítima do que chamarás a traição do branco e do que chamarei as razões do branco."

O negro esboçou umríctus de ódio.

— "Traição!... E é o Presidente Kerlog quem justifica a traição!..."

— "Não justifico, Jim, consigno-a. Não há traição quando a senha é Vencer."

Jim sorriu com desprezo.

— "A moral branca..."

— "Não há moral entre raças, como não há moral entre povos. Há vitória ou derrota. Tua raça morreu, Jim..."

O negro imobilizou-se. Suas narinas entraram a aflar. Suas feições se decompunham horrorosamente.

— "Tua raça morreu, Jim", — repetiu Kerlog. — "Com a frieza implacável do Sangue que nada vê acima de si, o branco pôs um ponto final no negro da América."

Jim quedou-se um instante imóvel, como que adivinhando.

— "Os raios Ômega!" — exclamou afinal num clarão, agarrando os braços de Kerlog com os dedos crispados.

— "Sim", — confirmou Kerlog. — "Os raios de John Dudley possuem virtude dupla... Ao mesmo tempo que alisam os cabelos..."

Os olhos de Jim saltaram das órbitas. Seu transtorno de feições era tamanho que o líder branco vacilou de piedade. A raça cruel, porém, reagiu nele. E, surda, quase imperceptível, aflorou em seus lábios a palavra fatal:

— "... esterilizam o homem."

Nem Shakespeare descreveria o aspecto do líder negro no momento em que a palavra assassina lhe despedaçou o coração. Um terremoto d'alma aluiu por terra o titã. Fê-lo tombar sobre a poltrona, com esgares de idiota, encolhido como a criança inerme que vê serpente. Breves crispações de músculos passearam-lhe pelas faces. Dobrou o corpo sobre a secretária. Imobilizou-se.

O líder branco aproximou-se daquela massa do titã extinto, afagou-lhe a pobre cabeça omegada e disse com voz rompida de soluços:

— "Perdoa-me, Jim..."

Capítulo XXIV
CREPÚSCULO

O inesperado desenlace do drama negro da América deixou-me tonto por vários minutos. Depois que voltei ao normal miss Jane prosseguiu:

— No dia seguinte a essa noite trágica devia realizar-se a posse do 88º presidente americano, James Roy Wilde, vulgarmente Jim Roy, negro de raça pura nascido em Sonora aos 25 de abril de 2188, doutor em ciências de governo pela Escola Técnica de Direção Social, despigmentado em 2201 e omegado vinte dias depois da vitória nas urnas.

Líder incontestável da raça negra, para a qual sonhava um destino altíssimo, merecia ainda dos brancos um respeito semelhante ao que na velha Roma o patriciado conferia aos libertos de excepcional valor. Era Jim um liberto do pigmento.

O choque das raças fora prevenido, o que valeu por nova vitória da eugenia. A sociedade, livre de tarados, viu-se no momento do embate isenta dos perturbadores ao molde dos retóricos e fanáticos cujas palavras outrora impeliam as multidões aos piores crimes coletivos. A exasperação branca do primeiro momento breve desapareceu. O bom senso tomou pé e o ariano pôde filosofar com a necessária calma. A opinião corrente admitia não passar a vitória negra de um curioso incidente na vida americana. Oriunda de cisão sexual do grupo ariano, fora golpeada de morte no próprio dia das eleições pela adesão das sabinas ao *Homo*. O próximo pleito restabeleceria o ritmo quebrado e do incidente nada restaria no futuro além de um pouco mais de pitoresco na história da América — qualquer coisa como na série dos papas, o pontificado da papisa Joana.

A serenidade dos brancos reforçava-se ainda na confiança que todos depositavam em seus líderes reunidos em convenção. Embora se ignorasse o que os chefes natos haviam decidido no concílio secreto, nem por sombras ninguém admitia que a ideia lá vencedora não fosse a mais eficiente e justa do ponto de vista racial.

Do outro lado os negros, passada a crise de entusiasmo do primeiro momento e dada a fé que lhes merecia Jim Roy, entraram mais a gozar as delícias do "omeguismo" do que a deslumbrar-se com uma vitória política evidentemente precária. E assim a mais inesperada surpresa da vida americana não trouxe nenhuma das calamidades públicas que fatalmente acarretaria no passado — no tempo em que o desprezo da seleção humana deixava a sociedade encher-se de perigosíssimos bubões infecciosos.

Na véspera da posse de Jim, por precaução contra qualquer violência, Kerlog, de combinação com Abbot, fez irradiar a notícia do novo brinquedo inventado por esse encantador das crianças. Tratava-se de uma nova bonequinha que sabia dançar o tango da moda com perfeição de maravilhar a gente grande e mergulhar em êxtases de sonhos a criançada.

A criança tinha na América de 2228 uma importância capital. Toda a vida do país girava-lhe em torno. Era a criança, além do encanto do presente, o futuro plasmável como a cera. Os maiores gênios da raça se consagravam a estudá-la, para com tão dúctil matéria prima irem esculpindo a obra única que apaixonava o americano — o Amanhã. E a tal grau chegou a afinação da Puericultura Estética, a sublime arte definida por John Leland, que uma imaginativa de hoje, desta época em que o homem, absorvido nos horrores da luta pelo pão, quase ignora a existência da criança, nem de leve pode apreender o que significava em 2228 a Realeza do Baby. Realeza sim, como foi na velha França a dos últimos Luizes divinizados. Em vez, porém, de toda a vida da nação revolutear em roda de um paxá como Luiz 14, girava em torno da Aurora Humana. Sua Majestade Baby era o Luiz 14 do século.

Em virtude disso é que o governo americano combinou com o senhor Abbot o lançamento da nova boneca nas vésperas da posse de Jim, como o melhor meio de prevenir a explosão de qualquer resíduo antissocial ainda subsistente na alma americana. E foi assim que o dia da posse chegou sem prenúncios da menor tormenta.

Súbito, porém, às primeiras horas da manhã, o rádio encheu a América de uma nova sensacional: Jim Roy amanhecera morto em seu gabinete de trabalho!

Violentíssimo foi o abalo público, dada a coincidência de sobrevir essa morte justamente no dia da posse do Presidente eleito. Os negros viram nisso um golpe de força dos brancos, e estes ficaram em suspenso, na dúvida se seria um deliberado ato de violência resolvido pelos convencionais ou uma das muitas surpresas de que é fértil o acaso. Chegou a haver por parte dos negros um instintivo movimento de revolta. Implantou-se-lhes nos cérebros a convicção do crime, e a velha selvageria racial rajou de sangue os olhos da pantera. Foi passageiro, entretanto, o assomo. Aquela quebreira vital que Roy havia percebido em si ganhara também toda a massa negra. O fatalismo ancestral sobrepairou à raiva e o imenso corpo sem cabeça, num recuo de instinto, repôs-se no lugar humilde donde o tirara a vitória de Roy.

A rã a que o vivisseccionista extrai o cérebro passa a viver uma vida muscular cujos movimentos são apenas reflexos. Assim a população negra americana a partir do momento em que a morte de Jim Roy lhe arrancou o encéfalo. Agitava-se ainda, vivia — mas perdera o órgão coordenador de movimentos para fins definidos.

O segredo quanto à ação esterilizadora dos raios Ômega conservava-se absoluto. Além do ministério, dos técnicos do estado, de John Dudley e de miss Astor, já esposa do Presidente Kerlog, ninguém mais o conhecia. Dos negros um só tivera a sua revelação, Jim Roy — mas levara-o consigo para o forno crematório.

Procederam-se a novas eleições e foi reeleito Kerlog por 100 milhões de votos. Normalizou-se a vida da América. Sua Majestade Baby reentrou no monopólio de toda a atenção, por um instante desviada pelo choque das raças.

Um fato entretanto fez-se notado. Meses depois do aparecimento dos raios Ômega o índice da natalidade negra caiu de chofre. Março, precisamente o nono mês a datar da abertura dos primeiros postos desencarapinhantes, acusa uma queda de 30%. Esta porcentagem subiu ao dobro em abril e chegou a 97% em maio. Em junho as estatísticas só registravam 122 negrinhos novos.

Em agosto fechavam-se os postos e a Dudley Uncurling Company distribuía o seu dividendo.

Tornou-se impossível guardar por mais tempo aquele segredo de estado — e nem havia razões para isso. O fato caiu no domínio público por meio de uma mensagem irradiada pelo Presidente Kerlog, o documento que até hoje, na vida da humanidade, mais fundo calou na alma do homem. Dizia essa peça, para sempre memorável:

"O governo americano vem dar conta ao povo do golpe de força a que foi arrastado em cumprimento da suprema deliberação dos chefes da raça branca, reunidos em palácio no dia 7 de maio de 2228. Foi aprovada nessa assembleia a moção Leland, resumida nestas palavras:

"A convenção da raça branca decide alterar a Lei Owen no sentido de incluir entre as taras que implicam a esterilização o pigmento negro camuflado... A raça branca autoriza o governo americano a lançar mãos dos recursos que julgar convenientes para a execução desta sentença suprema e inapelável."

Assim autorizado, o governo procurou agir de modo a evitar perturbações na vida nacional: estava em estudos da matéria quando John Dudley apareceu com a revelação da virtude dupla dos raios Ômega. Adotado esse maravilhoso processo, operou-se a esterilização dos homens pigmentados pelo único meio talvez em condições de não acarretar para o país um desastre. O problema negro da América está pois resolvido da melhor forma para a raça superior, detentora do cetro supremo da realeza humana".

Nem a notícia da vitória eleitoral de Roy, nem a revelação dos raios Ômega, nem a nova da morte do negro causaram tão profunda impressão como a fria mensagem do presidente reeleito.

Brancos e pretos a receberam com igual assombro — seguido logo de uma sensação de alívio por parte dos primeiros e de uma sensação nova na terra por parte dos segundos.

Pela primeira vez na vida dos povos realizava-se uma operação cirúrgica de tamanha envergadura. O frio bisturi de um grupo humano fizera a ablação do futuro de um outro grupo de cento e oito milhões sem que o paciente nada percebesse. A raça branca, afeita à guerra como a *ultima ratio* da sua majestade, desviava-se da velha trilha e impunha um manso ponto final étnico ao grupo que a ajudara a criar a América, mas com o qual não mais podia viver em comum. Tinha-o como obstáculo ao ideal da Super-Civilização ariana que naquele território começava a desabrochar, e pois não iria render-se a fraquezas de sentimento, nocivas à esplendorosa florescência do homem branco.

A raça ferida na fonte vital pendeu sobre o peito a cabeça como a planta a que o podador estrangula a circulação da seiva. Ia passar. Estéril como a pedra, iria extinguir-se num crepúsculo indolor, mas de trágica melancolia.

E passou...

Decênios mais tarde, no maravilhoso jardim americano onde só abrolhavam camélias de pétalas levemente acobreadas pela força misteriosa do geo-ambiente, erguia-se, ao alto do monumento de gratidão erigido pelo sócio branco em homenagem ao sócio negro, o busto do velhinho mágico que em 2228 curara a dor de cabeça histórica do 87º Presidente...

Capítulo XXV
O BEIJO DE BARRYMORE

O desfecho do drama racial da América comoveu-me profundamente.

Não ter futuro, acabar... Que torturante a sensação dessa massa de cem milhões de criaturas assim amputadas do seu porvir!

Por outro lado, que maravilhoso surto não ia ter na América o homem branco, a expandir-se libérrimo na sua Canaã prodigiosa!

Se somos, se existimos, se apesar de todos os males da vida tanto a ela nos apegamos, é que no íntimo do nosso ser a voz da persistência da espécie nos ampara. A meio da vida de cada criatura já é a prole o que lhe dá coragem de a viver até o fim. O celibatário, ser que vale por triste ponto final, sente-se um corpo estranho no tumulto biológico — quase um amaldiçoado. Que dizer de um povo inteiro assim amputado da sua descendência? A ver-se envelhecer sem um choro de criança que o faça pensar no amanhã? Dia final. Dia já em crepúsculo rápido para uma noite eterna...

Fosse eu um filósofo e teria ali matéria para esmoer o cérebro no imaginar e reimaginar a infinita maravilha do formidando quadro. Mas não era filósofo. Quem ama não filosofa, apenas suspira — e eu suspirava de comover penedos.

— Jane, Jane, Jane!... — como se repetia em minha boca febrenta essa palavra e com que êxtase meus ouvidos a ouviam!

Lembrei-me do romance. Senti que era talvez o caminho mais curto para alcançar o coração da filha do professor Benson. Lancei-me a ele. Comprei uma resma de papel e com furiosa sofreguidão fiz e refiz o primeiro capítulo, entusiasmado com os períodos redondos e cantantes que me saíam da pena. Burilei-o qual um soneto, aprimorei-o de todos os arrebiques da forma, orientado por modelos que me pareceram os melhores. E nunca me hei de esquecer da ânsia com que corri ao castelo com a minha obra em punho! Ia pelo caminho prelibando a surpresa de miss Jane ante aquela forte revelação dum gênio literário que morreria latente se esse meu anjo bom lhe não provocasse o surto.

Encontrei-a na varanda, radiosa na formosura avivada pelo ar fino da manhã. Sem saudá-la, fui logo gritando de longe, com infantil alegria:

— Já fiz o primeiro, miss Jane! O primeiro capítulo! E estou ansioso por ouvir a sua opinião...

— Bravos! — exclamou ela. — Não esperei que tão rapidamente pusesse mãos à obra.

Abri o meu pacote de tiras em belo cursivo e entreguei-lhas como quem à sua dama entrega a mais preciosa das gemas. Impossível que após sua leitura miss Jane não me desse o seu amor.

Vendo a minha sofreguidão, ali mesmo a jovem as leu, enquanto meus olhos ávidos acompanhavam em seu rosto o efeito da narrativa.

Mas, ai de mim, tudo saiu bem ao contrário do esperado... Miss Jane atenuou quanto pôde a sua crítica, delicada e gentil que era; mas não logrou impedir que de volta à cidade eu rasgasse em mil pedaços a minha obra prima e pela janelinha do vagão, melancolicamente, os lançasse ao vento. Azedei a semana inteira e no próximo domingo reapareci no castelo de mãos vazias.

— Não refez então o capítulo? — indagou ela logo que entrei.

— Oh, não, miss Jane. Suas palavras abriram-me os olhos. Convenci-me de que não possuo qualidades literárias e não quero insistir, — retruquei com ar ressentido.

— Pois tem que insistir — foi a sua resposta. Em nome da nossa amizade o exijo, e pelas qualidades que vi em germe no seu primeiro escrito tenho a certeza de que fará a obra como é mister.

— Confesso, miss Jane, que a sua apreciação do último domingo me desalentou, e ainda permaneço sob essa impressão...

— Que vaidosos os moços! Lembre-se de meu pai. Quantas vezes fazia e refazia a mesma experiência, com uma paciência de beneditino! Por isso venceu. Lembre-se do esforço incessante de Flaubert para atingir a luminosa clareza que só a sábia simplicidade dá. A ênfase, o empolado, o enfeite, o contorcido, o rebuscamento de expressões, tudo isso nada tem com a arte de escrever, porque é artifício e o artifício é a cuscuta da arte. Puros maneirismos que em nada contribuem para o fim supremo: a clara e fácil expressão da ideia.

— Sim, miss Jane, mas sem isso fico sem estilo...

Que finura de sorriso temperado de meiguice aflorou nos lábios da minha amiga!

— Estilo o senhor Ayrton só o terá quando perder em absoluto a preocupação de ter estilo. Que é estilo, afinal?

— Estilo é... — ia eu responder de pronto, mas logo engasguei, e assim ficaria se ela muito naturalmente não mo definisse de gentil maneira.

— ...é o modo de ser de cada um. Estilo é como o rosto: cada qual possui o que Deus lhe deu. Procurar ter um certo estilo vale tanto como procurar ter uma certa cara. Sai máscara fatalmente — essa horrível coisa que é a máscara...

— Mas o meu modo natural de ser não tem encantos, miss Jane, é bruto, grosseiro, inábil, ingênuo. Quer então que escreva desta maneira?

— Pois certamente! Seja como é, e tudo quanto lhe parece defeito surgirá como qualidades, visto que será reflexo da coisa única que tem valor num artista — a personalidade.

Refleti comigo uns instantes e disse por fim:

— Está bem, miss Jane. Vou tentar mais uma vez. Vou escrever como sair, sem preocupação de espécie nenhuma — nem de gramática, e verá que horror...

— Isso! — exclamou ela encantada. — Acertou. Isso é que é escrever bem. Refaça o primeiro capítulo com esse critério e traga-mo no próximo domingo. Serei franca como o fui na tentativa anterior, e se me parecer que de fato não tem as qualidades precisas, di-lo-ei francamente e não pensaremos mais nisso.

De regresso ao meu quartinho humilde nessa mesma noite dei começo à obra. O meu amuo, consequente à vaidade literária ofendida, ainda não passara de todo, e resolvi escrever mal, de um jacto, com a intenção deliberada de desapontar miss Jane. Ela me condenaria a segunda tentativa, púnhamos um ponto final na literatura e passaríamos a cuidar de outra coisa. Escrevi até madrugada, sem rasuras, sem escolha de palavras, como se estivesse a correr no meu saudoso Ford ao acaso das estradas sem fim. Ao soarem três horas atirei com a caneta e fui dormir o sono mais pesado da minha vida. No dia seguinte fui vê-la.

— Aqui está, miss Jane, o horror que me saiu da pena. Escrevi de acordo com a sua receita e nem coragem tive de reler. Condene-me de uma vez e passemos a cuidar de outra coisa.

Miss Jane tomou as tiras e logo ao fim da primeira abriu a expressão que na tentativa anterior eu tanto ansiava por ver. E nesse estado de êxtase sôfrego permaneceu até o fim.

— Ótimo! — exclamou. — O senhor Ayrton acaba de revelar-se um verdadeiro escritor — impetuoso, irregular, incorreto, ingênuo, mas expressivo, original e forte. Há aqui verdadeiros achados de expressão. Faça o livro inteiro neste tom que eu lhe garanto a vitória.

Olhei para a minha amiga quase com rancor, tão certo estava eu da ironia de suas palavras.

— Tem coragem de ser assim impiedosa com o pobre Ayrton? — murmurei em tom magoado.

Ela olhou-me nos olhos fixamente, sem dizer palavra, e nos seus lindos olhos azuis vi refletida com tamanha nitidez a pureza de sua alma que logo me envergonhei do meu ímpeto, filho exclusivo da ignorância.

— Não, meu amigo! — disse-me por fim. — Sou incapaz de ironia. O que acabo de dizer é a fiel expressão do meu pensamento. Estas páginas estão cheias de defeitos, mas dos defeitos naturais ao primeiro jacto de toda obra sincera e espontânea. São as rebarbas que com a lima o fundidor suprime. Mas se noto defeitos que a lima tira, não noto nenhum vício literário, e por isso considero ótimo o começo do seu romance. Faça-o todo nesse tom e fará a obra que imagino. O trabalho de rebarba deixe-o comigo. Sou mulher e paciente. Deixe-me o menos e faça o mais. Seja o fundidor apenas, o obreiro que cria o grande bloco e não perde tempo com detalhes subalternos.

Calaram fundo no meu coração aquelas palavras. Vi nelas um interesse mais de amorosa do que de simples amiga — de amorosa que o é sem o saber. Imergida que sempre vivera em suas visões do futuro, e sempre presa da mais intensa atividade cerebral, miss Jane ignorava-se.

Olhei-a com o coração nos olhos. O "puro espírito" viu em mim a taça cheia em excesso cuja espuma se derrama — e perturbou-se. Seus olhos baixaram-se. Seu peito ofegou.

Era o céu. Atirei-me como quem se atira à vida, e esmaguei-lhe nos lábios o beijo sem fim de John Barrymore. E qual o raio que acende em chamas o tronco impassível, meu beijo arrancou da gelada filha do professor Benson a ardente mulher que eu sonhara.

— Minha, afinal!...

Não Ficção

Problema vital (1918)[1]

"O jeca não é assim: está assim."
(Artigos publicados n'*O Estado de S. Paulo* em 1918.)

---
[1] A 1ª edição deste livro é de 1918 e trazia o seguinte esclarecimento: "Artigos publicados n'*O Estado de S. Paulo*, e enfeixados em volume por decisão da "Sociedade de Eugenia de S. Paulo" e da "Liga Pró-Saneamento do Brasil".

A ação de Osvaldo Cruz(²)

De longa data vivemos num perfeito mundo da lua muito parente daquele camoniano estado d'alma ledo e cego da Inês de Castro... Sempre vimos errado, a nós e às nossas coisas. E apesar de inúmeras decepções continuamos a ver-nos ainda às avessas.

Umas tantas mundices da lua ganharam foros de axioma, desses que se demonstram pelo simples enunciado, v.g.: a tríplice miragem da nossa riqueza, da nossa inteligência e da nossa *invencibilidade*.

Resumem-se assim tais dogmas:

1º — *Somos um dos povos mais inteligentes e sensatos do mundo* — como o afirma Alberto Torres no *Problema Nacional*, consolidando uma opinião generalizada. Mas como o pensador ocupa as quatrocentas páginas de sua obra no demonstrar que em apenas um século de vida livre chegamos à completa *degradação moral, política e financeira*, o leitor sai do livro com esta mirífica lição nos miolos: quanto mais inteligente e sensato um povo, tanto menos capaz de organização e progresso.

2º — *Somos o país mais rico do mundo* (poetas, jornalistas, patriotas, mensagens governamentais, etc.).

3º — *O Brasil é o único país, além do Japão, que jamais foi vencido em guerra* (didatas, oradores de Recreativas, mulatos pernósticos, etc.).

Em palestras, conferências, *meetings*, polianteias, artigos de fundo, revistas de agricultura, livros escolares e hinos da Guarda Nacional, tais dogmas, lardeados de comovidas ufanias pelas demais maravilhas da nossa terra, impam solenes, com ares comiserados pelo resto do mundo — esse miserável resto do planeta que não tem a sorte de ser Brasil.

Cardumes de poetas menores — desses para quem em sua República Platão legislava: *Coroai-os de rosas e expulsai-os* — por sua vez puseram em verso a grande ilusão, de modo a perpetuá-la pela mnemônica da rima e do metro na cabeça fraca do povo.

O povo, ingênuo que é, decorou a sério o agradável estribilho da riqueza sem par, da inteligência primacial e da invencibilidade parelha da nipônica; e consequente com o ensinado assumiu uma atitude lógica: papo ao ar em sorridente lombeira. Se somos assim ricos, e geniais, e invencíveis, gozemo-nos disso em doce *otium cum dignitate*, é lógico.

Por seu lado a política sarcoptosa, interessada na sonolência budista do povo, entrou a confirmar oficialmente a miragem, por meio da velhaca literatura dos relatórios oficiais ambrosíacos e das mensagens nectarinas. E dessa falseada visão das coisas adivieram males sem conta.

Hoje, graças à pressão da evidência, cada qual já procura ver com os próprios olhos, convencido de que entre as flores da retórica e os frutos da realidade corre séria discrepância.

Riqueza. Tê-la no seio da terra, no azoto do ar, nas essências florestais, na literatura cor de rosa e não tê-la sonante no bolso, é ser nababo à moda do chinês em transe megalomaníaco de sonho d'ópio. A noção econômica de riqueza, desde

---

2   Na 1a edição o título do artigo é "Saneamento do Brasil", e trazia o subtítulo: "A ação de Osvaldo Cruz".

Adam Smith, é um poucochinho diversa — a mesma diversidade que vai da *palavra* libra-esterlina à *rodelinha* amarela chamada libra-esterlina.

Inteligência. O grau da inteligência individual ou coletiva mede-se em toda parte pelos efeitos resultantes; uma que não consegue na vida nacional senão efeitos desastrosos e grotescos, bem pode ser que mereça um nome diverso, senão oposto. Não nos deu ela, sequer, esses elementos primordiais da vida das coletividades: administração eficiente e justiça.

Nas demais manifestações, letras, artes e ciências, ainda não criou coisa nenhuma; sempre satelitante, qual lua morta, em torno dos movimentos europeus, copia-lhe com servilismo a letra sem nunca assimilar o espírito.

O *nosce te ipsum*, preceito fundamental do progresso, pedra básica de toda criação social e individual, não o praticamos ainda: a fauna mentirosa dos panegiristas vigentes prova como nos conhecemos pouco.

Só agora é que o instinto de conservação, reagindo em face de perigos dia a dia mais sérios, começa a nos entreabrir os olhos.

Damos a impressão de um povo que estremunha no despertar dum longo sono de ópio. Já principiamos a nos estudar *in anima nobile*, medrosos, tatibitatis, ainda às apalpadelas no caminho penhascoso da observação direta e pessoal.

O ponto de partida deste movimento entronca em Osvaldo Cruz.

A escolha desse homem para chefe da higiene no Rio foi o maior passo, talvez o único, dado pelo país durante a República para arrancar-se ao atoleiro onde lentamente afundava. O acaso permitiu que, em vez de um burocrata desinfetador e papelífero, penetrasse na administração um homem de gênio servido por um temperamento de organizador. Esse fato teve uma altíssima significação mal percebida no momento: era o moderno espírito científico a tomar pé no país do palavreado oco.

Uma era nova se abria sem que déssemos tento: a verdadeira significação dos fatos só pode ser avaliada depois que a corrente das consequências, no estirar dos anos, permite a visão perspectiva.

Até Osvaldo o médico no Brasil era o Chernoviz: xaropes, iodureto e a continha. Curava — quando não matava. Prevenir, nunca. O higienismo dormia o sono das crisálidas, apesar do movimento científico universal determinado pelas teorias pasteurianas.

Pasteur descobrira um como novo reino da natureza, o bacterial, ponto de convergência, confusão e elaboração dos três reinos clássicos — mundo novo até ali apenas vislumbrado intuitivamente pela metafísica duns tantos precursores proféticos. Pasteur revelara o que por imagem chamaremos a teoria atômica da vida, esse esfervilhar invisível de vibriões que fazem e desfazem os organismos superiores, transportam o orgânico para o inorgânico e elaboram a matéria morta para a criação da matéria viva. Mundo maravilhoso do suprassensível, onde a micro sociedade de invisíveis anõezinhos belicosos faz do nosso corpo um eterno campo de batalha, e transforma as pobres criaturas humanas em loucos luéticos, tuberculosos, lázaros, leishmánicos, tíficos, papudos, paralíticos, afásicos, tracomatosos, cretinos, coléricos, etc.; e mata-as nas agonias horrendas do tétano ou lhes transforma a vida num calvário longo de misérias, conforme vence esta ou aquela facção, o espiroqueta pálido ou o bacilo de Hansen, uma leishmânia ou o gonococo, o *Trypanosoma cruzi* ou a vírgula do cólera.

Aberta por Pasteur a devassa micro-orgânica, todas as ciências filiadas à biologia desentranharam-se em maravilhos surtos, das mais variadas e portentosas consequências.

Inaugurou-se para a humanidade uma era nova; a era dum novo sentido, a ultra visão.

E a higiene nasceu.

Só o Brasil, desaparelhado cientificamente como uma China antártica, permanecia de lado, combatendo seus males caseiros com as velhas seringações empíricas daquele doutor Purgon de Molière. Foi Osvaldo Cruz quem varreu com a seringa, com o lenço de rapé, com a cartola do mata-sano, e entronizou no lugar dessas râncidas antigalhas o laboratório e o microscópio.

Na Europa, ao gesto de Pasteur, uma legião de sábios verdadeiros formou fileira em torno das suas ideias. Aqui, em torno de Osvaldo, um pugilo de estudiosos se cerrou em Manguinhos, cheios do mesmo ardor apostólico.

O que em tão curto prazo operaram esses heroicos moços nunca será louvado em excesso.

Osvaldo, Gaspar Viana, Chagas, Neiva, Lutz, Astrogildo, Chaves, Vilela e Belisário Pena fizeram num lustro o que a legião de chernovizantes anteriores não fez num século.

Não que sejam criaturas de exceção, gênios incendidos de faúlas divinas; mas simplesmente porque, aparelhados com os métodos modernos, trabalharam norteados pelo seguro critério pasteuriano.

Esse método, essa ideia nova, tão fecunda em resultados, que anima todos os filhos de Pasteur, qual é ele afinal?

Define-o uma anedota.

Quando o governo francês incumbiu Pasteur de investigar as causas de certa moléstia do bicho da seda, o modesto farmacêutico transportou-se para a zona infetada e ali parou na cidadezinha obscura onde residia o insigne Henri Fabre. O entomologista recebeu o desconhecido Pasteur com a lhaneza habitual e, ouvindo de sua boca ao que vinha, mostrou-lhe uns casulos contaminados, por acaso ao alcance de sua mão.

Pasteur fez cara de quem enxergava aquilo pela primeira vez.

— Que diabo é isto? — perguntou.

— Pois é o casulo que você vem estudar, — retrucou Fabre, espantado de tamanha ingenuidade.

Pasteur examinou-os por uns momentos.

— É interessante! — disse chocalhando o casulo ao ouvido, num movimento de criança: — *Ça sonne!*.

Ignorava completamente o objeto do estudo para o qual fora comissionado. Não obstante, concluído este, a moléstia que ameaçava arruinar a zona da seda era subjugada para sempre.

Eis o segredo.

Mister bordar os problemas com absoluta isenção de ânimo, limpo de ideias preconcebidas, de espírito partidário, de facciosidade de escola, de sentimentalismo pueril; é força começar do princípio, não interpor entre o caso em foco e o sólido preparo técnico do cientista nenhum apriorismo perverso.

O verdadeiro sábio não emite opinião: consulta o laboratório e repete o que o laboratório diz, sem enfeite nem torção.

É com esse espírito novo que havemos de estudar e resolver os nossos problemas — e este espírito por enquanto só se denuncia em Manguinhos.

O povo, cretinizado pela miséria orgânica de mãos dadas à mistificação Republicana, olha em torno e só vê luz no farol erguido por Osvaldo num recanto sereno do Rio. Só de lá tem vindo, e só de lá há de vir, a verdade que salva e vence. Foi de lá que reboou esse veementíssimo brado de angústia que é o livro de Belisário Pena — O Saneamento do Brasil — voz de sábio que escarna ao vivo as mazelas do país idiotizado, exangue, leishmanioso, papudo, faminto na proporção de oitenta por cento, e grito de indignação dum homem de bem contra a ftiríase organizada em sistema político que rói com fúria acarina o pobre organismo inânime.

Dezessete milhões de opilados

Computam alguns estatistas em vinte e cinco milhões de habitantes a população do Brasil. Destes vinte e cinco milhões, dezessete milhões são criaturas derreadas no físico e no moral pela ancilostomose, caso não errem os cálculos de Manguinhos que fixam nas alturas dos 70% a proporção dos brasileiros avariados por essa calamidade.

Mal da terra, denominou-o com muita propriedade o povo, que também o conhece por *canguari, opilação, amarelão*. É bem o mal por excelência da terra brasílica um que assim inutiliza dois terços de seus filhos...

Donde provém semelhante flagelo?

Dois parasitos intestinais, o *Necator americanas* e o *Ancylostoma duodenais* irmãos morfológicos a ponto de se confundirem, aboletaram-se no duodeno do homem como em casa sua. Ali passam a vida em famílias de um macho para três fêmeas, ocupados na faina de perpetuar a execrável espécie.

Não existe ser mais bem aparelhado para a sobrevivência do que este ascoroso verme. Cada fêmea dá-se ao trabalho de pôr em média seis mil ovos por dia, e como é por milheiro que vivem penduradas na mucosa de um pobre intestino, cada doente funciona como um oviduto, uma indireta máquina de lançar ovos, com as fezes, à superfície da terra. Em contato com a terra estes ovos amadurecem, e vinte e cinco horas depois, completada a incubação, salta fora do ovo a ninfa.

Se o vibrião recém-nascido encontra condições propícias — e entre nós encontra sempre o calor e a umidade requeridos — enquista-se numa casca protetora e deixa-se ficar ao léu, nas poças d'água ou nos lugares sombrios, à espera dum pé incauto a que possa aderir.

A invasão do organismo humano se faz pela boca, na ingestão de alimentos contaminados, ou através da pele; e é sobretudo em altíssima escala feita através da pele dos pés. Aderem a ela e enfiam-se por um poro a dentro até ganhar o primeiro canal linfático. E por essa via acima, em viagem de Júlio Verne pelo corpo humano, caminham, guiados por maravilhoso instinto, até se localizarem no duodeno, em cuja mucosa se aposentam comodamente, ferrando nela a ventosa armada de garras. E ali passam regalada vida, sorvendo o sangue do paciente e exsudando em troca uma toxina de terríveis efeitos.

Este verme dá a perfeita imagem dos parasitas sociais que se acostam ao Estado e em lânguido ócio mamam a vida inteira o sangue-dinheiro elaborado pelas classes produtoras. O funcionário público aposentado pode classificar-se com exação no gênero *Ancilostoma aerarii*, sem que lhe façamos nenhum favor.

O ciclo do ancilóstomo é, pois, este: mucosa intestinal como habitat do indivíduo adulto; em estado de ovo desce pelo intestino grosso e de lá se passa à terra, carreado nas fezes; uma vez na terra, desabrocha em ninfa; a ninfa adapta-se ao ambiente e espera com infinita paciência o "pé-no-chão" da ingênua criatura feita à imagem e semelhança de Deus que lhe passa ao alcance; encontrado esse pé propício, a ninfa ri-se do rei da criação, finca-se num poro e penetra no corpo do rei por escaninhos e portas de seu conhecimento instintivo, até alcançar a Canaã do duodeno, onde se aposenta com todos os vencimentos, entregue à tarefa agradável de botar ovos aos milheiros para que não haja hipótese de periclitar a sobrevivência da espécie.

Não têm conta os males causados no organismo humano pelo horrendo verme. A permanente sugadela de sangue traz logo profunda anemia; a hemoglobina, cuja proporção normal no sangue é de 80%, cai até abaixo de 20%; os preciosos glóbulos vermelhos são destruídos em massa, decaindo do coeficiente normal de cinco milhões por milímetro cúbico para a miséria de um milhão e ainda menos. De par com estas, outras alterações sofre o sangue, as quais se refletem na economia do paciente, redundando em baixa do seu tônus vital, enfraquecendo a defesa natural do organismo e predispondo-o à invasão vitoriosa de todas as doenças. E ainda inclina o opilado ao vício da cachaça, lenitivo a que recorre para contrabater a permanente sensação de frio que o desequilíbrio sanguíneo acarreta.

Se ficasse nisso...

A inteligência do amarelado atrofia-se, e a triste criatura vira um soturno urupê humano, incapaz de ação, incapaz de vontade, incapaz de progresso.

Retrato do nosso caboclo quem o dá perfeito, com fidelidade fotográfica, é o médico ao desenhar o quadro clínico do ancilostomado. Tudo mais é mentira, retórica, verso. Esses heroicos sertanejos, fortes e generosos, evolução literária dos índios plutárquicos de Alencar; essa caipirinha arisca, faces cor de jambo, pés lépidos de veada, carne dura de pêssego: licenças bucólicas de poetas jamais saídos das cidades grandes.

O que nos campos a gente vê, deambulando pelas estradas com ar abobado, é um lamentável náufrago da fisiologia, a que chamamos homem por escassez de sinonímia. Feiíssimo, torto, amarelo, cansado, exangue, faminto, fatalista, geófago — viveiro ambulante do verme destruidor.

Do lado feminino é a mulher sem idade, macilenta aos doze anos, velha aos dezesseis, engrouvinhada aos vinte, múmia aos trinta, e como o homem, ocupada na tarefa de abrigar carinhosamente no seio a fauna infernal.

É fantástico, isto!

Milhões de criaturas humanas com a função social adstrita à veiculação das posturas do ancilóstomo! Um país com dois terços do seu povo ocupados em pôr ovos alheios!

Em consequência da escravização do homem ao verme jaz o país em andrajosa miséria econômica, resultante natural da miséria fisiológica. E os paredros do litoral, luminares da política, os sumos pontífices da intelectualidade, espinoteiam, zaranzas, na tentativa de fisgar soluções puramente formalísticas, sem contato nenhum com as realidades cruas.

Uns, para exterminar os males que decorrem desta lepra do duodeno... querem a revisão constitucional! Basta mudar umas palavras ao artigo sexto, botar mais dois anos no período do presidente, e ai do ancilóstomo!

Outro, feminista, quer reforma do sufrágio com direito de voto estendido às opiladas.

Este convence as massas de que, vestindo farda obrigatória, o doente do Brasil sara. Aquele proclama como panaceia das boas o parlamentarismo.

E com tantos médicos, o país continua na faina sem fim de ciclar o todo-poderoso verme!...

Entretanto, se é assim destruidor o parasito em causa, nada mais fácil do que combatê-lo.

Bastam apenas duas coisas: defender os pés contra a infecção pelo uso dos sapatos, e evitar a infecção pelo uso da fossa.

Facílimo e dificílimo.

Como calçar este país, único no mundo, fora as populações selvagens da África, que ainda anda de pé-no-chão?

Como inocular na inteligência bruxuleante do povo a necessidade da fossa?

Seria uma tarefa talhada às câmaras municipais e aos inspetores de bairro — em contato direto como vivem eles com a gente assolada. Mas de que modo convencer a um coronel prefeito de câmara, ou tenente inspetor de quarteirão, da existência, vida, costumes e atividades de um verme que ele não vê? Estes espíritos fortes só creem no que seus olhos enxergam...

Disto resulta difícilima a extinção dum mal de facílima extinção.

Não obstante "é preciso" extirpá-lo.

A permanência do mal equivale a um suicídio coletivo — nem sequer heroico, da beleza trágica dum sabre a rasgar o ventre dum samurai, mas suicídio lento e indecoroso, coisa degradante que transforma esta grande paragem sul-americana em hospital ao ar livre, povoado de cretinoides encachaçados, a lamuriar dor na "boca do estômago" e cansaço. Suicídio em massa de milhões de criaturas que no seio duma natureza forte e rica songamongam rotas, esquálidas, famintas, doridas, incapazes de trabalho eficiente, servindo apenas de pedestal aos gozadores da vida que literatejam e politicalham nas cidades bradando para o "interior" inânime:

— Indolentes! Vede como prospera o italiano e o português!

E o governo, por boca do facundo chefe da Produção Nacional, insere nas folhas proclamações onde se repete o estribilho:

— Trabalhai, plantai, lavrai a terra desde a madrugada até o pôr do sol!

Os escravos do verme — dezessete milhões de criaturas! — ouvem as apóstrofes com indiferença muçulmana e continuam na tarefa de intensificar a produção de ovos alheios, para glória *imperitura* dos nematoides.

Há longos anos que é assim.

Ninguém clamava.

Foi mister que nascesse Osvaldo Cruz, que Osvaldo fundasse Manguinhos, que Manguinhos reunisse em seu seio uma plêiade de estudiosos, e que dentre eles Belisário Pena desferisse um grito lancinante de angústia para que afinal volvêssemos para os males caseiros os olhos há tantos anos postos nas coisas europeias.

Ah, se o Brasil que fala e pensa e age consagrasse ao estudo e solução dos problemas internos um décimo das energias despendidas em comentar os fatos europeus...

Mas é impossível isso. Não há tempo, nem é chique. O chique é meditar nos destinos da Alsácia-Lorena...

Três milhões de idiotas[3]

O nosso tipo de habitação rural não varia de norte a sul. Paredes de pau a pique ripadas de taquara, barreadas à mão e colmadas de sapé, palmas ou cascas de árvore. O barro ao secar contrai-se e lagarteia-se de inumeráveis rachaduras — couto propício à ninhação de insetos domiciliários.

É nessas rachas que mora o barbeiro, nojento percevejo tamanho como a barata, conhecido ainda por *chupão, chupança, bicho de parede, bicudo* ou, cientificamente, *Triatoma megista*.

Bebedor do sangue do homem e de outros animais, o horripilante inseto noturno sai com as trevas da sua toca, aproxima-se das vítimas, distende o "fincão" — tromba sugadora de fio navalhante — espeta-o na carne do adormecido e suga-lhe o sangue até cair para um lado de panturra cheia. Vivendo às centenas em cada casebre, ninguém lhes escapa à sanha. Belisário Pena conta que certa vez apanhou em flagrante delito de sucção, no corpo de uma pobre criança de quatro anos, dezesseis ninfas, taludas como baratas descascadas, e oito barbeiros adultos, além de mais de cinco que, fartos, já se aprestavam pesadamente para voltar ao esconderijo. Cada um deles sugando para mais de um grama de sangue, e alternando-se na vampírica tarefa, é fácil imaginar o quanto perdia de sangue por noite essa criança — essa criança que não é "uma" criança, mas *a criança do sertão brasileiro*...

Ora acontece que nos intestinos deste asqueroso bicho o *Trypanosoma cruzi*, parasito da moléstia de Chagas, vive, evolui e prolifera; e dali, através da tromba sugadora, passa-se ao corpo humano no momento da picada.

A criatura mordida e inoculada pelo tripanosoma é uma criatura perdida para sempre, tornando-se além disso um novo e perigoso foco de propagação da moléstia.

Vem logo a febre, que persiste durante dias e até meses: é o parasito que está vagueante na corrente circulatória. Depois, conforme se localiza nas fibras musculares do coração, na substância nervosa ou nas glândulas secretoras, a vítima apresentará, ou gravíssimos sintomas de mortais perturbações cardíacas, ou paralisias, deformações e cretinismo, ou vários fenômenos de endocrinismo.

---

3 Na 1a edição o título deste capítulo é: "Três milhões de idiotas e papudos".

Quando a localização se dá na glândula tiroide surge a papeira, com o seu horrível cortejo de reflexos encefálicos, manifestados numa escala de depressões mentais oscilantes entre o simples aparvalhamento e o cretinismo completo.

O estudo deste flagelo, cuja etiologia devemos inteira a Carlos Chagas, abre à visão o monstruoso quadro patológico que ele entrevira na paisagem rude dos sertões à guisa de um círculo inédito do Dante.

Regiões inteiras assoladas. Parte de Minas, do Piauí, do Maranhão, de Mato Grosso, da Bahia, agonizando nas unhas de um inseto!

Três milhões — três milhões! — de criaturas atoladas na mais lúgubre miséria mental e fisiológica por artes de um baratão!

Crianças dizimadas em massa — e felizes quando morrem; se vingam crescer dão de si um rastolho humano de sórdido aspecto, que "atenta", diz Chagas, "contra a beleza da vida e a harmonia das coisas".

Vilas inteiras nas quais nem para amostra se encontra um indivíduo indene.

Em regiões de bom clima, terra fértil e boas águas, a expedição Neiva-Belisário acampou em cidadezinhas onde não foi possível obter uma informação segura relativa ao itinerário, porque não existia *um só indivíduo que não fosse mais ou menos idiota*!

Nessas pocilgas humanas, faltas de tudo, desde os elementos básicos da alimentação até às mais comezinhas noções de higiene, a vida é puramente vegetativa, sem beleza, sem dignidade, sem risos — um soturno e eterno gemido de dor transfeito no ríctus apavorante da idiotia.

E pensar a gente que as vítimas do tripanosoma orçam, nos cálculos de Carlos Chagas, por três milhões — três milhões! Uma população pouco menor do que a do Estado de São Paulo!

Três milhões de quantidades negativas, incapazes de produzir, roendo, famintas, as sobras da produção alheia — e o que é pior, condenadas ao mau fado de viveiros do parasito letal para que bem assegurada fique a futura e permanente contaminação dos sadios...

No entanto, as autoridades não movem passo; os literatos das capitais bizantinizam sobre a colocação dos pronomes e outras maravilhas; poetas a granel gastam todas as reservas fosfóricas na metrificação de umas mágoas de mentira e de uns amorezinhos de esquina; estetas de olho ferrado na França auscultam o pulsar do coração latino para fisgar de primeira mão a "nova corrente em via de substituir o parnasianismo"; políticos armam e desarmam casos, requerem *habeas corpus*, eructando com grande riqueza de RR roçagantes a avariada palavra República.

Um olhar, uma medida, uma campanha contra o grande mal, nisso ninguém cuida. Não há tempo, não há verba...

E o mal cresce...

Deste deperecimento progressivo da população deflui nosso craque econômico. As lavouras organizadas, como a do café, entanguem-se no desespero da falta de braços, mal se interrompe a corrente da imigração europeia.

Braços! Braços! Há fome de braços. Um país de vinte e cinco milhões de habitantes não consegue fornecer braços para a lavoura do café, lavoura que *produz menos que uma das grandes empresas açucareiras de Cuba*.

É que os braços estão aleijados.

Há-os de sobra, mas ineficientes, de músculos roídos pela infecção parasitária, o que obriga a lavoura ao ônus indireto de importar músculos europeus, ou chins, ou japoneses — o que haja, contanto que seja carne sadia e não fibras em decomposição.

Entretanto, a solução definitiva do problema eterno da lavoura quem a dará é a higiene.

Suprimindo a ancilostomose, ela restituirá à faina fecunda dos campos dezessete milhões de aleijados; destruindo o barbeiro, ela evitará que os três milhões de idiotas e papudos de hoje venham a ser seis milhões amanhã.

Os existentes ir-se-ão extinguindo — pois a moléstia de Chagas é incurável — mas as gerações futuras estarão libertas do flagelo.

Disto se conclui que a República dos Estados Unidos do Brasil é um gigantesco hospital que em vez de lidado por enfermeiros é dirigido por bacharéis. E conclui-se ainda que é tempo dos sofistas de profissão cederem o passo aos cientistas de verdade.

É ridículo, e mais que ridículo, fatal, permanecer uma enfermaria desta ordem coalhada de legistas discutindo chicanas à cabeceira de milhões de entrevados.

O bacharel do Brasil faliu.

Dominando sem peias na política e na administração, não conseguiu organizar sequer a justiça. Vive a lamuriar de juízes, tribunais e leis, da justiça em suma, uma coisa criada por ele, que funciona por intermédio dele, para uso, gozo e proveito dele — e no entanto positivamente falida.

Manguinhos, nos seus poucos anos de existência, mal dotado pelos bacharéis da governança com verbinhas choradas, resmungadas, ratinhadas às gordas maroteiras, com meia dúzia de estudiosos lá dentro animados pelo espírito criador de Osvaldo Cruz, Manguinhos já fez mais pelo Brasil do que um século inteiro de bacharelice onipotente.

A salvação está lá.

De lá tem vindo, vem, e virá a verdade que salva — essa verdade científica que sai nua de arrebiques do campo do microscópio, como a verdade antiga saía do poço.

Foi esse espírito científico que fez todas as nações prosperadas, e aqui já nos libertou das grandes epidemias. Só ele nos libertará dos males endêmicos, mil vezes mais funestos.

Que é a febre amarela, ou a peste bubônica, em face da malária, da opilação, do flagelo de Chagas? Quase nada. Mas vê-se, acode-se, previne-se, evita-se, domina-se um mórbus que ataca violentamente mil; não há olhos, não há prevenção, não há tentativa de profilaxia para o mal que sub-repticiamente arrasa milhões.

Fala-se hoje em pátria mais do que nunca. Jamais o dispêndio de hinos, versos, conferências, artigos, livros, boletins e discursos patrióticos foi maior. No fundo de tudo isso, porém, está a retórica vã, a mentira, a ignorância das verdadeiras necessidades do país.

Programa patriótico, e mais que patriótico, humano, só há um: sanear o Brasil.

Reforma eleitoral só há uma: sanear o Brasil.

Fomento da produção só há um: sanear o Brasil.

Campanha cívica só há uma: sanear o Brasil.

Serviço militar obrigatório só há um: sanear o Brasil.

E saneá-lo antes que o estrangeiro venha fazê-lo por conta e proveito próprios.

Se tencionamos subsistir como povo soberano, livres do pesadelo de ignominiosa absorção, o caminho é um só: sanear o Brasil.

Por instinto de conservação é força, pois, que o bacharel — *Triatoma bacalaureatus* — entregue o cetro da governança ao higienista, para que este, aliado ao engenheiro, consertem a máquina brasílica, desengonçada pela ignorância enciclopédica do rubim.

Dez milhões de impaludados

O Brasil é o país mais rico do mundo, diz com entono o Pangloss indígena. Em parasitos hematófagos transmissores de moléstias letais — conclui Manguinhos.

E é.

Não bastava o ancilóstomo. Não bastava o barbeiro. Vem completar a trindade infernal a anofelina, mosquito que veicula o hematozoário de Laveran, pai da malária.

Este micro-organismo aloja-se nos glóbulos vermelhos do sangue e os destrói; aloja-se ainda no baço, no fígado e no encéfalo, produzindo as inchações bem conhecidas e os acessos perniciosos em que periodicamente tremem dez milhões de criaturas nossas patrícias. (Hão de achar exagerados estes cálculos. Mas justificam-se. Na falta de estatística exata só há recurso às autoridades. Para a população do país valho-me da de Rui Barbosa, que a calculou em vinte e cinco milhões. Para o cálculo dos palúdicos recorro à de Manguinhos, que orça a proporção dos doentes em 40%. Rui e Manguinhos são indubitavelmente duas boas autoridades.)

Assim, na terra paradisíaca onde dezessete milhões de criaturas vivem para uso e gozo do ancilóstomo, e três milhões pagam pesado tributo de sangue, de vida e de inteligência a um miserável percevejo, dez milhões tiritam na febre consuntora do impaludismo. Para alcançar tais números é força que a maioria dos doentes abriguem simultaneamente no organismo os três hóspedes letais. E é o que se dá.

A malária, depois da ancilostomose, é a maior responsável pela degradação fisiológica do povo brasileiro. Ela o anemia, ingurgita-lhe o fígado e o baço — mata-o.

O agente transmissor é a *anofelina*, um mosquito irmão do pernilongo caseiro, culicina, esse importuno músico do "fium" que nos manteve sob a flagelação amarílica até ao aparecimento de Osvaldo Cruz.

Divergem, entretanto, nos hábitos e em certas particularidades morfológicas. A culicina pousa encolhida, abdômen e cabeça baixos, em atitude de beata que reza. A anofelina enrista o abdômen para cima, no jeito de um obuseiro que joga por elevação. Além disto distingue-as inconfundivelmente o aspecto da asa, que a primeira tem de uma só cor e a segunda manchada.

A anofelina é silvestre, vive no sombrio das matas, foge ao descampado e à luz. Os machos, fracos de tromba, não conseguem perfurar a pele do homem, e por isso vivem do mel das flores e do suco das frutas. Já as fêmeas desadoram esse vegetarianismo, querem sangue e de preferência sangue humano. Para isso invadem as habitações e o sugam nas pessoas adormecidas.

Até aí nada.

Todos os seres organizam o seu cardápio como lhes apraz, e elas comem do homem com o mesmo direito com que o homem come do boi.

Mas o sangue do homem nem sempre é alimento sadio, alterado como anda por tantas infecções morbíferas. Se acontece estar contaminado pelo *plasmódio da malária*, as pobres anofelinas incautas veem-se contaminadas por sua vez. Os hematozoários aboletam-se nos seus intestinos, ali evoluem e proliferam por milhões, deixando-as maleitosas; e as mosquitas, inocentemente, sem nenhuma tenção malévola, ao sugarem o sangue de um indivíduo são transmitem-lhe de boa-fé o mal que lhes pegou o homem.

Estarte é ao rei da criação, senhor da Inteligência e da Vontade, que compete, para libertar o mundo da terrível endemia malárica, evitar por todos os meios a contaminação dos corpinhos limpos das anofelinas. É mister conservá-las puras da mácula palúdica. Se deixa de o fazer — ai dele! — pagará caríssimo o desleixo.

Eis como se faz o transporte do corpúsculo palustre de uma criatura para outra, por acidental intervenção duma mimosa cantarina alada.

Para combater o hematozoário de Laveran de há muito que a ciência possui um específico poderoso, a quina. O plasmódio não resiste à ação do alcaloide de Pelletier. O tudo é que o sal de quinina ingerido o seja de fato, e não sórdida e criminosa falsificação, como acontece muitas vezes. E é necessário ainda que ele penetre no organismo na dose requerida pela posologia, pois do contrário o parasito não expungido pelo arranque da ofensiva inicial inventa o seu Marne, escora o inimigo, sexua-se em gametos de alta resistência ou entrincheira-se no baço e na medula dos ossos, recessos fora do alcance tóxico do alcaloide.

A profilaxia da malária é a mesma da febre amarela. Na impossibilidade em que está o homem de destruir por completo o mosquito sanguinário, só há o recurso de evitá-lo, interpondo, nas zonas rurais, um aceiro escampo entre a casa e o mato; e nas casas urbanas isolando os doentes. Em ambos os casos a providência é a mesma — isolamento, embora obtido por meios diversos.

Além dessa medida, todo profilática, inda cumpre provocar a cura por meio da quina. Para o combate à malária são, pois, necessárias a quina e a higiene preventiva, coisas que não possuímos.

O Brasil não tem quina. O fato de existirem nas farmácias sais de quinino, por preços fabulosos, numa terra de pobreza onde o impaludado chia de fome, vale por não ter quina.

País tropical sem quina é país perdido.

O inglês vence a palude indiana à custa de toneladas de quinino. Sem que o Estado, como lá, chame a si a fabricação e distribuição, positivamente gratuita, do poderoso específico, nada conseguiremos nunca.

Felizmente parece que — graças ainda ao espírito de Osvaldo Cruz pairante no ânimo de seus discípulos — o governo de São Paulo tomou a peito realizar em Butantã o fabrico do remédio salvador.

Bem haja.

Dote-se o laboratório com metade das verbas gastas em subvenção de jornais, e Butantã salvará o país inteiro da infecção palustre.

Das três endemias pavorosas que fazem do Brasil uma nação pobre, aparvalhada e fragílima, se nem todas são curáveis, são todas evitáveis.

Mas é doloroso dizê-lo: as coisas estão por este nível e ninguém, fora do círculo restrito dos discípulos de Osvaldo, põe tento na gravidade da situação.

Os governos digerem e engordam, alheios à mazela da montaria embridada.

A parte culta da sociedade folga e ri, fazendo lembrar Bizâncio.

Lá também era assim.

Maomé II já desfraldava o pavilhão da meia lua nos muros da cidade e os bizantinos ainda disputavam gravemente sobre a Consubstanciação do Verbo ou a Luz Incriada do Tabor.

Nós plagiamos o Baixo Império na agonia.

Meio país em tremura de sezões, inchado, pálido, inerte, faminto, pede quina como o torturado da sede pede água?

O governo dá-lhes novas reformas eleitorais.

Dezessete milhões de criaturas exangues, languentes na canseira sem fim do amarelão, erguem olhos mortiços para o Olimpo, pedindo misericórdia?

Júpiter, Momo, Ganimedes sorriem e dão-lhes os conselhos paternais do Vieira Souto: "Trabalhai desde o romper da aurora até ao pôr do sol".

Três milhões de embarbeirados, vergada a cabeça ao peso das papeiras, sorriem o sorriso doloroso dos cretinoides?

As sociedades recreativas discutem qual o maior — César, Alexandre ou Foch.

A leishmaniose ulcera horripilantemente a cara de milheiros de irmãos miseráveis?

Nós debatemos a colocação dos pronomes.

A lepra campeia avassaladora, encaroçando as carnes e putrefazendo em vida centenas de indivíduos?

Nós cantamos *rag-times* patrióticos.

Legiões de criancinhas morrem como bichos, de fome e de verminose?

Nós abrimos subscrições para restaurar bibliotecas belgas.

A mulher dos campos mumifica-se de miséria aos vinte anos?

As damas da cidade five-ó-clocktizam em francês, nos Trianons e nas Caves, mostrando umas às outras fotografias dos *poilus* de que elas são madrinhas.

— "É do regime, é do regime", explica alegremente o sr. Rodolfo Miranda.

Diagnóstico

De par com os três flagelos endêmicos, a opilação, a malária e a moléstia de Chagas, uma só das quais bastaria para derrancar o país, a lepra campeia infrene, a sífilis alarga os seus domínios, a tuberculose avulta cada vez mais e a leishmaniose, essa horrenda úlcera de Bauru ou ferida brava, deforma milhares de criaturas.

A sífilis é contrabatida nas cidades pela medicação específica que lhe atalha o passo ou minora os efeitos; mas no sertão, nesse maravilhoso sertão preluzido na mioleira dos poetas como um éden embalsamado de manacás, quem lida com ela é o negro velho ignorantíssimo, e o pica-fumo "curador".

O treponema pálido, afeito a lutar com o mercúrio e os arsenicais terríveis, ri-se das micagens e rezas, burundangas e picumãs e jasmins-de-cachorro dos ingênuos Eusébios Macários de barba rala. Ri se, e em vez de paradeiro encontra fomento na absoluta inocuidade da terapêutica pé-no-chão. A sífilis, difunde-se, portanto, assustadoramente, sem peias, sem cura, sem prevenção possível, arrasando o presente e sacrificando o porvir.

É grande parte na espantosa mortandade das crianças.

As mulheres da roça são puras máquinas de procriar; começam a tarefa mais cedo que as da cidade, em regra aos doze anos, e só descansam quando sobrevém *panne* nas engrenagens do aparelho reprodutor.

Não obstante, a população aumenta com morosidade extrema. É que nascem mortos, ou morrem na primeira idade, a grande maioria dos infantes.

Nada mais comum que este diálogo:
— "Quantos filhos tem, dona?"
— "Duas famílias."
— "E quantas perdeu?"
— "Oito..."

Oito, dez, doze — sempre um número em absurda desproporção com os dois sobrevivos.

Embora múltiplas as causas desta letalidade, cabe à sífilis a culpa maior.

Se a estas mazelas sertanejas agregarmos o quadro da degenerescência fisiológica determinada pela cachaça, ficará completo o hediondo painel.

A cachaça!

É inimaginável a degradação a que ela arrasta milhões de roceiros, pobre gente que a ela recorre como ao único lenitivo.

Desnutridos pela parca e má alimentação, afriorentados pelas sezões, exaustos pela ancilostomíase, deprimidos de espírito pelo tripanosoma, sem raio de instrução na cabeça, escravizados pelo "grado", a cachaça é o oásis de esquecimento momentâneo onde a miseranda criatura repousa da vida infernal. Em troca dessa ilusão passageira a vítima não sabe que dá ao veneno da cana as últimas energias do combalido organismo. E a diabólica bebida para logo a derreia na demência, no crime ou no agravamento dos males a que por intermédio dela procurou fugir.

O encachaçado esquece — e esquecer a realidade, fugir dela por uns momentos: eis a preocupação constante de milhões de brasileiros!

Em todos os países do mundo as populações rurais constituem o cerne das nacionalidades. Taurinos, torrados de sol, enrijados pela vida sadia ao ar livre, os camponeses, pela sua robustez e saúde, constituem a melhor riqueza das nações. São a força, são o futuro, são a garantia biológica dos grupos étnicos. Pela capacidade de trabalho mantêm eles sempre elevado o nível da produção econômica; pela saúde física, mantêm em alta o índice biológico da raça, pois é com o sangue e o músculo forte do camponês que os centros urbanos retemperam a sua vitalidade.

O urbanismo é um mal nocivo à espécie humana. Os vícios, o artificialismo, o afastamento da vida natural, o ar impuro, a moradia anti-higiênica, se conjugam para romper o equilíbrio orgânico do homem citadino, rebaixando-lhe o tônus vital. Mas o campo intervém e restaura-se o equilíbrio. A infiltração permanente de sangue e carne de boa têmpera, vinda dos campos, contrabalança o desmedramento das cidades.

É possível entre nós pedir à roça o sangue revitalizador?

Não.

O elemento rural é pior que o urbano. As nossas cidades se veem forçadas a *importar sangue de fora*, se querem escapar ao marasmo duma senectude extemporânea.

No interior do Brasil as cidades que se não retemperam ao modo das de São Paulo caem na mais desalentadora caquexia. Os homens minguam de corpos, as mulheres são um rastolho raquítico incapaz de bem desempenhar sequer a missão reprodutora.

Belisário Pena transcreve no seu precioso livro um trecho tomado a um editorial do *Correio da Manhã*, onde se esculpe, num sombrio rigorismo de síntese, o diagnóstico da situação: "O Brasil é um país de doentes no sentido literal da expressão. A nossa miséria financeira e econômica é o reflexo da desnutrição orgânica que converte a maioria dos nossos concidadãos em inúteis unidades sociais, incapazes de concorrer com a quota do seu esforço para o aumento da riqueza comum. A nossa incapacidade militar é o resultado sintético da fraqueza física de uma enorme população rural estiolada pelos germes da moléstia. A nossa falta de energia moral é o precipitado ético da deterioração cerebral e nervosa de um povo inválido."

Não há homem de boa fé, conhecedor do país, que pondo a mão na consciência não murmure: "Confere!". E se não o faz, mente.

Pois bem: se assim é, a missão comum e geral, tanto de particulares como de governos, é uma só: curar o Brasil, sanear o Brasil.

Todo programa de ação que não adotar este lema, será um programa criminoso.

Em face dum moribundo, o médico que lhe acena com literatura, ou reformas eleitorais, ou cantarolas, em vez de acudir com o tópico adequado, é um criminoso. E criminoso da pior espécie, porque consciente e deliberado.

Depois dos estudos de Carlos Chagas, Artur Neiva, Osvaldo Cruz, e depois das veementíssimas palavras de Belisário Pena, governo nenhum, nenhuma associação, nenhuma liga, pode alegar ignorância.

O véu foi levantado.

O microscópio falou.

A fauna mentirosa dos apologistas que veem ouro no que é amarelo e luz na simples fosforescência pútrida, que recolha os safados adjetivões que velaram durante tanto tempo os olhos da nação.

Pangloss emudeça, porque se a tarefa é assoberbante hoje, será maior amanhã — e impossível depois de amanhã.

Comecemos.

O simples ato de começar representa meio caminho andado.

O quinto país do mundo em tamanho a cair aos pedaços, de verminosa lazeira, vendo, ao norte, o maravilhoso surto americano, e ao sul, a pujante floração argentina. E, para suprema vergonha e desdouro eterno do nome brasílico, com a consciência de que desmedrou arrastado por males evitáveis ou de fácil cura. Males de que todos os países de mesologia semelhante se libertaram pela profilática inteligente, com lentidão uns, com rapidez fulgurante outros.

Aí está Cuba, a pobre ilha degradada em rápida consumpção por moléstias irmãs das nossas e que em poucos anos, ao influxo da higiene norte-americana, virou a maravilha que todos sabemos.

Reflexos morais

No corpo são a mente é sã.

Este conceito acarreta recíproca verdadeira: em corpo doente, impossível um espírito são.

Quem ausculta o sentir íntimo dum brasileiro, seja um puritano ou um velhaco, ouve sempre os mesmos conceitos: não há salvação — estamos condenados ao deperecimento — apodrecemos antes de amadurecer — o caráter está em crise — governar é roubar, e fazem eles muito bem — tolo é quem não aproveita — honestidade é sinônimo de ingenuidade — se vamos à garra mais dia menos dia, viva o presente! — grande tolice pensar no futuro — depois de mim venha o dilúvio — gozemo-nos do que há enquanto isto é nosso — o desmembramento está aí, toca a aproveitar, etc.

A súmula desses conceitos converge nesta ideia sintética: falimos como povo, como raça — e falimos moral, intelectual e fisicamente.

Esta convicção, inoculada na maioria dos espíritos, proclamada pela imprensa e confirmada pela preamar crescente das nossas lazeiras políticas, cria, como atitude filosófica, o cepticismo completo, e como norma prática de conduta o mais deslavado oportunismo.

Daí o "Para quê?" erigido em argumento navalhante contra todas as tentativas de regeneração.

Trabalhar... Para quê?
Votar... Para quê?
Sanear... Para quê?

Prejulgamos antecipadamente todos os movimentos de reação: "É inútil".

Este doloroso estado de alma que é senão o reflexo depressivo das mazelas fisiológicas em roaz evolução no organismo da nossa gente?

Otimismo, fé, crença, confiança em si e dignidade, amor, firmeza de ânimo, vontade enérgica: outras tantas resultantes lógicas da boa circulação do sangue, das glândulas em normalidade de funcionamento, dos pulmões sadios bem oxigenados de ar puro.

Pessimismo, desânimo, descrença, desamor: sintomas de que o animal está com o ritmo da vida rompido por graves lesões orgânicas.

Assim, todos os males, morais, econômicos e políticos, vão enclavinhar raízes na desmedrança fisiológica da população empolgada pelas endemias avassaladoras.

Nota-se nas consciências puras uma revolta geral contra a degradação política do regime republicano — mas cifra-se a revolta num murmúrio medroso e encapotado.

Esta desenergia deu em resultado a retração absoluta dos incontaminados pelo arrivismo, e é o arrivista que vence em toda a linha.

Os pais vacilam hoje em educar os filhos nos princípios da velha moral — porque isso fará deles náufragos da vida. E vacilam em formá-los pela moral corrente — porque isso é criar deliberadamente puros apaches.

Os pais *nouveau-jeu* têm o problema ético resolvido: ensinam o servilismo, a bajulação, a dobrez, todos os capítulos da ginástica vertebral elegantemente disfaçados em *savoir faire*. Os pimpolhos assim treinados prosperam na vida, alcandoram-se logo às eminências políticas onde permanecem inexpugnáveis. São os vitoriosos. Mas se o pai é *vieux-jeu* e persiste na educação antiga, ensinando a honra, o brio, a independência de caráter, o *honeste vivre*, os filhos desse modo plasmados só encontrarão barreiras, não tomarão jamais parte ativa na governança e viverão condenados a um eterno ostracismo. Cabe-lhes a parte do náufrago.

Como é assim, a maioria dos pais, imprensados entre as pontas do dilema, desistem de educar moralmente os filhos: lá se avenham eles com a vida, aprendam à custa própria, reajam ou adaptem-se conforme os induza o temperamento.

É o lavar de mãos de Pilatos.

Disto resulta uma resistência social cada vez mais fraca diante dos abusos da força política. Os seus detentores, incoactos por injunções morais internas, não se veem coagidos externamente por nenhuma sombra de resistência.

E ousam tudo!

O Brasil é a terra onde um parafuso qualquer da máquina governamental, prefeito de Câmara ou ministro de Estado, tem o direito de "ousar tudo", escudado pela mais completa irresponsabilidade.

Na Alemanha, um particular obtém sentença contra o *kronprinz*; aqui há estados onde um tribunal não ousa agir contra um porteiro de repartição que tenha pelas costas o apoio de um primo da sogra de um ministro.

A política virou assim um privilégio restrito com feroz exclusivismo à casta dos mais audaciosos amorais.

É outro fenômeno social consorciado ao estudo patológico da nação.

Sendo a tendência ao parasitismo uma lei biológica, a planta, o inseto ou o animal superior, quando vinga dominar um ser mais fraco, cavalga-o, suga-o e escraviza-o para uso e gozo próprios. É da natureza, e por isso é irrisório deblaterar contra o parasito. Ele realiza a lei da sobrevivência com o mínimo esforço.

Não é imoral o mata-pau quando se encosta por uma árvore acima, constringe-lhe o tronco nos cíngulos estrangulatórios, atrofia-a e mata-a.

Mas é imoral a árvore que assaltada não defende o seu direito à vida.

Não é imoral o ato do tubarão humano que se guinda a um alto cargo político e lá se locupleta, a si e à sua camarilha.

Imoral é o subjugado que se deixa espoliar sem um gesto de reação.

O primeiro obedece a uma lei: viver, desenvolver-se em todo a plenitude, seja por que meio for. Mas o segundo, fugindo à lei da luta, mente ao instinto de conservação e aniquila a moral, que não é senão o equilíbrio rítmico necessário à vida em sociedade.

Entre nós está rompido esse equilíbrio por influxo do estado da doença que enerva a população. O que goza de saúde empolga, monta e suga o doente.

Aparasita-se.

Se o parasitado é dócil à sucção, por que poupar-lhe o sangue?

Foi esta resignada atitude da montaria que deu asas ao parasitismo político, a ponto de, hoje, *fazer conta à casta que se goza da República a permanência da mazela popular*.

Eis porque as doenças se agravam sem que os governos das zonas flageladas esbocem contra elas um movimento de reação.

Tornaram-se aliados naturais, os parasitos internos e os externos.

A maioria dos nossos paredros sabe que eles não seriam coisa nenhuma se lhes não emprestasse força a aliança do ancilóstomo e do barbeiro.

A ação das anofelinas é o pedestal de muito sumo pontífice Republicano; sem elas, ai deles e da sua República!

Eis aí a trave maior oposta à ideia do saneamento, ideia que só será vitoriosa em uma ou outra zona privilegiada do país.

* * *

Quem conhece a roça há de ter visto alguma vez um animal atacado de qualquer doença consumptora. Se é observador, há de ter notado os milhões de piolhos e carrapatos que encaroçam a pele do doente. Magríssimo, semimorto, todo pele e ossos, mal se tenteando em pé, o animal não tem forças para espojar-se, e deixa que a piolheira o devore sossegadamente.

Mas intervém o veterinário, examina o doente e lhe dá a medicação certa. O animal logo que sente o renascer das forças espoja-se na terra, uma, duas, cem vezes, até alijar do couro toda a fauna de piolhos.

Com os países acontece o mesmo. Se caem marasmados pela doença e não podem reagir contra a fauna dos ácaros sociais que os parasitam, se não têm forças para o espojar-se das revoluções, acabarão às moscas, devorados como o cavalo de Tolentino.

Quereis remendar um país assim? restaurar-lhe as finanças? dar-lhe independência econômica? implantar a justiça? intensificar a produção? criar o civismo? restabelecer a vida moral?

Restaurai a saúde do povo.

Curai-o, e todos os bens virão ao seu tempo pela natural reação do organismo vitalizado.

Mas não conteis para essa tarefa com os que têm interesse na permanência do mal. Que isso é tanto como diante do cavalo moribundo apresentar-se o veterinário com um abaixo-assinado na mão, suplicando aos piolhos que hajam por bem soltar das unhas o paciente. Só a ingenuidade de Cacasseno pode conceber a hipótese altruística de semelhante abdicação.

Está claro que os parasitos, ouvida a súplica, prometem deferimento; mas piscam o olho e voltam a cravar mais fundo na carne da vítima as trombas sugadoras.

— "Mata-pau, não me mates", — dizia a peroba ao gameleiro constritor.

— "E por que, perobinha amiga, te não hei de matar?" — respondeu o facínora vegetal.

— "Porque também tenho direito à vida", — gemeu a suplicante.

O mata-pau, sujeito lido em Darwin, retrucou sentenciosamente:

— "Só tem direito à vida quem não mente às leis naturais, quem se defende, quem luta. Se és inerme e não esboças gesto de defesa contra mim, por que hei de privar-me de crescer e prosperar à tua custa? Impede-me de estrangular-te, se podes; do contrário, resigna-te."

Nesta réplica está a norma de reação do país contra o ancilóstomo, contra o tripanosoma, contra o protozoário de Laveran, contra o treponema pálido, contra o bacilo de Hansen, contra a leishmânia tropical e, sobretudo, contra o ácaro político

Primeiro passo

No indivíduo enfermo o primeiro passo rumo à cura é de ordem puramente psicológica: há de o doente convencer-se de que o é. Na tísica, doente convencido de seu mal é doente meio curado.

Esta convicção, entretanto, não é coisa assim fácil de conseguir, dados os óbices que lhe antepõe a renitente auto ilusão do enfermo.

Ninguém se conhece, filosofa o povo — e Cristo fala do sujeito que vê o argueiro no olho do vizinho e não enxerga o pau de lenha no seu.

Se é dessarte tendenciosa a natureza humana, agrava-se-lhe o vicioso pendor no caso de um enfermo em quebreira mental por força de mazelas fisiológicas. Ilude-se o são, mas ilude-se em tresdobro o doente.

Quando, agora, saltamos do caso individual para o caso coletivo, recrescem os obstáculos ao *nosce te ipsum*, e resulta dificílimo criar a consciência coletiva do Estado patológico de todo um povo.

Entre nós as ideias falsas relativas às nossas coisas vingam sempre ofuscar a verdade; e como a moeda má expele a boa, as ideias falsas mantêm no ostracismo suas rivais verdadeiras.

E a ilusão funesta se perpetua.

Vem de longe o vezo ditirâmbico dos mistagogos que oficiam no altar de Pangloss a eterna apoteose de Rocha Pitta.

Voltaire, quando no *Candide* caricaturou o otimismo imaculado de Leizniz, teve em mira destroçá-lo a lambadas de ridículo. Mas ao invés disso só conseguiu dar-lhe mais vida.

Pangloss é uma ameba que se reproduz por cissiparidade. Um pedacinho dele voou para cá, cruzou-se em caminho com o célebre conselheiro Acácio e deu origem à panglossite indígena, vigente e viçante.

Mal surge alguém, como agora Belisário Pena, de facho em punho para estraçoar a feixes de luz o véu de trevas sobreposto às mazelas caseiras, acodem em chusma esses "patriotas", zumbem em torno da verdade, enroscam-se-lhe nos cabelos e mordiscam-na cruelmente, tentando escorraçá-la para o célebre poço.

Constituem a fauna bem intencionada da mentira pia, preposta a recoser todos os rasgõezinhos perceptíveis no véu inconsútil da Ufania.

Para isso desenrolam do carretelão patriótico a linha rósea da ilusão e com a agulha do velho estilo Pitta remendam o nhanduti que esconde o sol. Procuram dessarte restabelecer o ambiente embalsamado pelo incenso que as ideias megalomânicas criam a partir da escola.

Porque é na escola que a mentira pia começa.

A criança, no período em que a cera mole do cérebro recebe sem reservas e guarda indeléveis todas as impressões recebidas, aprende que somos o povo por excelência, o mais rico, o mais belo, o mais florido, o mais todos os bons adjetivos do léxico.

Fora da escola, sem hábito de observação pessoal porque o brasileiro é amigo de ingerir ideias feitas, assadas no jornal, como quem ingere bolinhos de frigideira — continua a consolidar-se o pitismo inoculado, por meio de conferências, discursos, polianteias, artigos de fundo e mais modos de queimar fogos de Bengala.

Os jornais tomam parte graúda nessa consolidação da apoteose.

Transcrevem com as mais gordas entrelinhas da caixa quanta bajoujice amável nos impingem estrangeiros itinerantes (em troca de secretas gorjetas espirradas do Tesouro). Estampam, gloriosos, em telegramas, as maravilhas que por encomenda dizem de nós as celebridades espertalhonas, tão conhecedoras das nossas coisas como nós o somos das leis eleitorais do planeta Netuno.

O público, desconhecedor dos bastidores da publicidade e da gorda indústria que é lá fora deprimir o Brasil para provocar o suborno, e depois do suborno guindá-lo aos cornos da lua, presta fé ingênua à indecorosa adjetivação e impa, positivamente impa, de orgulho ante as "curvaturas da Europa".

E vai se perpetuando a ilusão funesta...

O primeiro passo, pois, para o saneamento do Brasil, consiste em matar esta ilusão, desprezar a opinião do suborno externo e a mentira pia interna, não mais soprar gaitinhas patrióticas, não ser otimista nem pessimista — polos do mesmo erro — e sim, pura, sincera e exclusivamente, verdadeiros.

Ver o que é, como é.

Examinar os problemas vitais com olho clínico e não com a ponta da língua jornalística.

Encomendar opiniões ao microscópio e não ao sr. Paul Adam.

Ouvir a voz do laboratório e nunca a chiadeira do patriotismo zarolho.

Pedir números à estatística e jamais adjetivos sonorosos às patativas chocadas do ovo botado por Pangloss.

Acoimam de antipatriota quem diz às claras o que é, o que está, o que urge fazer.

Patriotismo! Como anda esta palavra desviada do verdadeiro sentido!...

Patriota só o é quem cumpre o seu dever, e trabalha, e produz riqueza material ou mental, e funciona como a silenciosa madrépora na construção econômica e ética do seu país.

A esta hora milhões de verdadeiros patriotas lá estão no eito, porejantes de suor, na faina da limpa e do plantio. Febrentos de maleita, exaustos pelo amarelão, espezinhados pelo ácaro político, lá estão cavando a terra como podem, desajudados de tudo, sem instrução, sem saúde, sem gozo da mais elementar justiça. Estão "fazendo" patriotismo, embora desconheçam a palavra pátria.

Deles sai o café, pedra básica do nosso alicerce econômico, deles saem as manadas de gado, deles saem a borracha, o fumo, o cacau e tudo mais que, exportado, transfeito em ouro, vai encher os bolsos e regalar a vida dos que "falam" patriotismo.

Seminus, mal nutridos, na grande maioria doentes de males que só aos seus espoliadores compete prevenir, eles são o pólipo humilde que fez o que aí está. Se o que aí está não é melhor, nem maior, nem mais sério e decente do que deverá ser, culpa cabe somente a quem lhes carunchou o banco de coral com a parlapatice retórica de mãos dadas à velhacaria política.

Mal, porém, vibra no ar a voz do higienista denunciando a doença do pólipo, a legião de patriotas grifados entra a zumbir, e corre de peneirinha em punho a tapar a luz do sol.

E gritam: "É falta de patriotismo fazer diagnósticos claros. Nem todas as verdades se dizem. O que pensará de nós o estrangeiro?".

Cretinos!

A eterna mania da opinião europeia!

Numa ocasião como esta em que a voz sensata, sincera, verdadeiramente patriótica é desvendar as mazelas todas, escarná-las sem nenhum pudor, na tentativa de ver se, assim, envergonhados pela nudez na praça pública, os dirigentes dão um passo para a cura do enfermo, o grande argumento contra, a matraca, o obus 42, é a opinião do estrangeiro, é o pânico ante a possibilidade da meia dúzia de encomiastas europeus mudarem de ideia quanto ao paraíso antártico que eles enaltecem a tanto por adjetivo!

Ora, isto já é doença, e talvez que o sintoma grave por excelência da opilação e da maleita seja precisamente este reflexo cerebral. A mioleira ressentida dos males intestinais fraqueia e exsuda ideias assim grotescas.

O nosso problema, verificado que foi o mau estado da população nativa, é simples e uno: sanear. Para sanear é forçoso, preliminarmente, convencermos o país da sua doença; e em seguida fazer dessa ideia o programa de todos os governos, a ideia fixa de todos os particulares.

Tudo mais rola para plano secundário.

Sanear é a grande questão.

Não há problema nacional que se não entrose nesse.

Só a alta crescente do índice da saúde coletiva trará a solução do problema financeiro, do problema militar e do problema político.

Não fazer isto é condenar-nos ao papel de adubo inerme onde a flora alienígena afunda as raízes ávidas, para viçar e florir nos regalos da conquista pacífica.

Não fazer isto é morrer na lenta asfixia da absorção estrangeira.

Não fazer isto é apodrecer.

Déficit econômico, função do déficit da saúde

Nos últimos dias do ano transato, o sr. Cincinato Braga apresentou à Câmara um projeto relativo ao fomento da produção, precedido de vigoroso estudo da nossa situação econômica, o qual terminava assim: — "Amanhã, quando uma comissão estrangeira vier arrecadar, como na Turquia, a renda das nossas alfândegas, já hipotecadas a credores que a guerra vai tornando necessitados e quase famintos; amanhã, quando a ignorância e a pobreza, impregnadas da sensação de abandono em que deixamos os estados do Norte, lhes aconselharem qualquer desatino contra a unidade nacional, eu quero, diante de qualquer dessas desgraças evitáveis — de que Deus nos livre — sentir em minha consciência que para elas nunca concorri, nem por ação nem por omissão."

Felizes os que podem fazer o gesto de Pilatos!

Esse estudo não dizia novidades; impressionou, entretanto, pela clareza do método expositivo. Espelho de bom aço, o país pôde remirar nele a penúria econômico-financeira a que o reduziram estes offenbáchicos vinte e nove anos de Cassoulet Republicano. Está ali patente, bem arabescado, bem cortado, rico de colorido, o quadro apavorante da nossa caquexia econômica — da pátria opilada pelo anciióstomo de barrete frígio que a salva pelo duodeno.

Lido na Câmara a 30 de dezembro, circulou no país como um presente de festas. A verdade nuazinha é sempre o melhor presente de festa que se possa dar aos iludidos.

Naquele quadro, nós, tão ricos na voz dos apologistas, vemo-nos economicamente pobres, e financeiramente pior que isso, mendicantes.

Como país produtor, decaídos para o raquitismo; como país devedor, de cabeça baixa, assentados nos degraus humildes onde os perdulários com o relógio no prego pedincham *fundings*.

Enquanto Cuba exporta por habitante 413$000, e o Canadá 392$000, e a Argentina 248$000, e o Uruguai 196$000, e a Nicarágua 126$000, e o Chile 121$000, nós, o colosso, nós, os oito milhões de quilômetros quadrados, nós, os vinte e cinco milhões de brasileiros, nós, que vamos do Amazonas ao Prata, nós produzimos apenas... 39.000 miseráveis réis! Menos, só dois países na América: o Paraguai, a quem matamos na guerra todos os homens, e São Salvador, brasilzinho que ninguém sabe ao certo onde fica. E se do Brasil amputarmos São Paulo, o resto — um resto somando "apenas" vinte e um milhões de almas esparsas num território tamanho como a França, a Inglaterra, a Alemanha, a Itália, a Holanda e a Rússia europeia reunidas, com folga ainda para acomodar dentro umas tantas Bélgicas, o resto cairá na escala abaixo do sangrado Paraguai e do hipotético São Salvador.

O Brasil, São Paulo fora, exporta por cabeça vinte e três mil réis anuais.

Sessenta e quatro réis, três vinténs e pico por dia de vinte e quatro horas...

Desta caquexia econômica ressurte o monstro do *déficit* financeiro permanente, crescente e irredutível, o abutre que rói ao Prometeu o fígado e as vísceras circunvizinhas.

Vem dela a dívida externa, colossal em relação à penúria produtiva; vem dela o regime iterativo das moratórias, o pedinchamento sem fim de empréstimos e a consequente hipoteca de alfândegas e de todos os bens valiosos do patrimônio nacional. Vem dela o criminoso saque contra o futuro, levado a proporções incompatíveis com a permanência da soberania.

Tudo quanto o paciente trabalho da Monarquia acumulou em cinquenta anos de vida séria, jaz virtualmente alienado ao banqueiro inglês.

E não contentes com isso os geniais e honradíssimos estadistas Republicanos penhoraram o suor, o cabelo e o sangue dos nossos filhos, dos nossos netos e dos filhos dos nossos netos.

Cincinato Braga demonstrou que o Brasil exporta, média do decênio findo em 916, cinquenta e sete milhões esterlinos; e que despende, nas mesmas condições, para pagamento de mercadorias, juros de dívida, renda de capitais aqui localizados, remessa monetária de imigrantes, seguros, etc., a quantia de setenta e dois milhões de libras. Quer isso dizer que nós nos empobrecemos de trezentos mil contos por ano!

As rendas públicas, como reflexo disso, decrescem. Para mantê-las em nível os nossos geniais Laws aumentam os impostos e tomam o dinheiro que podem aos agiotas. Estes no-lo forneceram até à soma de três milhões e meio de contos, dando por essas alturas o basta. Fechada a porta de Shylock, os mesmos estadistas, criadores do imposto de exportação — romperam pela alquimia do papel-moeda a dentro, contraindo novos empréstimos internos, e estes forçados: o prestamista *malgré lui*, o Povo, vê chover sobre sua cabeça a nuvem de retângulos de papel gravados na *Bank Note*. Cada retângulo é uma promessa de pagamento, uma letra a prazo indeterminado e sem endosso, irmã dos célebres *assignats* da revolução francesa, apesar de não virem, como eles, garantidas por bens nacionais.

Os bens nacionais reservamo-los para os credores de fora, que os exigem ferozmente; os de dentro, coitadinhos, não piam, não tugem, não mugem.

Onde reside a verdadeira causa desta caquexia?

Na doença do povo.

O *déficit* financeiro é reflexo do *déficit* econômico.

O *déficit* econômico é reflexo do *déficit* da saúde.

Sem restaurar a saúde do povo não há solução possível para os efeitos mediatos e imediatos da doença.

A população rural, esteio que é da riqueza pública, força primária da indústria extrativa, fonte de onde tudo promana, quanto mais doente se torna menos eficiente na produção de riqueza é.

Se está caruchada pelas verminoses, e exangue pela sucção dos parasitas endêmicos, o edifício construído sobre ela claro que há de ruir.

Opilada, impaludada, tracomatosa, embarbeirada, roída de inteligentíssimos vermes por dentro e sugada no exterior por ineptos coronéis prepostos como manoplas estranguladoras no gasnete da vítima pelo bacharel político — triatoma por tabela que folga e ri nas capitais — essa gente opera prodígios produzindo o pouco que ainda produz.

Curá-la é salvar o país.

Foi grande coisa arrancar o Rio às unhas da febre amarela. Mas é coisa um bocadinho mais importante desopilar, desembarbeirar, desmaleitar os milhões e milhões de criaturas de cujo esforço muscular sai toda a riqueza da nação.

Se o brasileiro produz seis vezes menos que o argentino é que o argentino é seis vezes menos doente que o brasileiro.

O problema da riqueza pública, pois, liga-se ao da saúde do povo. Mas diante deste lúgubre estado de coisas como procedem os geniais estadistas da República?

Detentores da máquina governamental, senhores das rendas, da fabricação das leis, da força armada que as faz cumprir, luminares da ciência política, paredros da sociologia, cérebros da nação, curaram algum dia de examinar e medicar a alimária trôpega que os transporta?

Nunca!

O pária rural morre à míngua do mais elementar apoio por parte do seu cavalgante. Dão-lhe de esporas, e nos momentos de apuros, como nos de hoje, dão-lhe conselhos impressos em papelão com desenho de boizinhos no cabeçalho.

"Intensifiquemos a produção" — murmuram nos cartazes, e em seguida fotografam-se na atitude cansada de quem acabou de solver um magno problema.

As endemias crescem de vulto, meio país arrasta-se pelo chão tremendo sezões, bamboleando o papo, enxameando a terra de ancilóstomos? Os higienistas clamam com desespero? Surge um livro como o de Belisário Pena? Correm arrepios de horror em todas as consciências?

Os nossos estadistas enfarpelam-se, sacodem fora o pigarro e... fotografam-se de novo.

Metade da verba despendida pelo Tesouro a fim de perpetuar fotograficamente as efígies dos paredros Republicanos daria para extirpar de meio país a opilação.

Com os dez mil contos gastos no recenseamento Hermes para recensear nunca se soube o que, a maleita seria expungida de inúmeras zonas assoladas.

Com os quarenta mil contos das vilas operárias, adeus para sempre ao barbeiro.

Com os doze mil contos do Teatro Municipal do Rio, mais os treze mil da exposição Pena, mais os sessenta mil dos elefantes brancos, mais os quinhentos mil da duplicação da Central, mais o milhão fundido na cauda dos orçamentos para gáudio das políticas locais — com esse Pactolo escorrido às tontas, criminosamente, que obra gigantesca não se faria no Brasil, se os nossos estadistas fossem dotados do mais elementar bom senso?

Noticiam as folhas que o governo federal, por boca do seu presidente, impressionado com a exposição feita pelo sr. Belisário Pena, prometeu uma verba de mil contos como auxílio à obra empreendida pelo abnegado higienista.

Mil contos! Já é alguma coisa...

Sempre cabem cinquenta réis para cada duodeno afetado. Esta quantia, reduzida a timol, dá para matar pelo menos uma dúzia de ancilóstomos dos três milheiros que, em média, cada doente traz consigo. Os 2.988 ancilóstomos restantes ficarão aguardando verba...

Cumpre agora que os estados enveredem pela mesma trilha, e com generosidade parelha da federal contribuam com verbas suficientes à expurgação de, pelo menos, mais meia dúzia de parasitas.

Nessa toada em menos de duzentos anos estará o Brasil libertado de uma das suas endemias, podendo cuidar das outras com igual largueza de vistas.

Entrementes, fotografemo-nos.[4]

É vantajoso que os nossos netos e bisnetos, aos quais vamos legar tantos ônus, possuam bons documentos do aspecto somático do homem em florescência e frutificação na atualidade.

Sem essa documentação fotográfica, como poderiam mais tarde concluir dos atos praticados pelos seus avós que pertenciam eles ao gênero *Homo sapiens*, culminante na escala dos vertebrados?

---

4 Todas as revistas em papel glacê daqueles tempos eram sustentadas por meio da publicação semanal de instantâneos da gente do governo. Nunca entre nós a fotografia prosperou tanto.

Um fato[5]

Anos atrás um grupo de frades agricultores, vindos da França, fundou a Trappa Maristella à beira do Paraíba, no Tremembé.

Impressionava mal a população ribeirinha ali fixada. Os caracteres somáticos da normalidade humana apresentavam nela desvios depressivos — donde uma singular feiura. Concomitantemente, o moral padecia as consequências reflexas do mau corpo — donde uma singular apatia.

Derramada lado a lado daquelas águas mansas, vivejando no casebre clássico de sapé e lama, feito com menos arte que o ninho do joão-de-barro, essa gente pálida e cansada sugeria a imagem dos urupês silenciosos que no sombrio das matas auscultam com suas orelhas moles a lenta consumpção dos troncos podres.

Entaliscavam-nos na várzea úmida e malsã duas barreiras. De um lado, a via-férrea. A pressa, a lufa-lufa de um trem que chega, chia e parte, os silvos agudos, o italiano, a gente bem vestida — esta faixa de vida fumegante que a estrada de ferro cria por onde passa, opunha a sudoeste uma barragem aterrorizante ao piracuara. Tudo nela eram lesões dolorosas ao seu viver sossegado, ao silêncio a que afizera o ouvido, ao primitivismo lacustre da vida nas restingas inundáveis.

Do outro lado amedrontava-o a Mantiqueira, com seus caminhos íngremes escalados de caldeirões, os topes "cala-a-boca" e a vida serrana, exigente nas mínimas coisas de um esforço duplo do habitual no plaino.

Serra e Central o piracuara as queria de longe, para gozo dos olhos — azulegão grato à vista, penacho de fumo bom para distrair o olhar vadio. Negócios, porém, nem com uma nem com outra.

Dava-lhes subsistência o rio. Com o anzol dele tiravam a piabanha e o lambari, e com o covo apanhavam, nos afluentes, cardumes de curimbatás.

Quando sobrevinham grandes enchentes, ilhavam-se os seus casebres, muitos armados sobre estacas, como a habitação do homem lacustre.

Escorrida a água na vazante, os piracuaras coavam por peneira as poças lodacentas da lezíria. Era o apogeu da safra. Encambados em cipós, os piracuaras contentes, em trotinho picado, traziam o peixe colhido para as vilas. Fora disso teciam balaios e jacás, e mercavam coisas do mato, ingás aos molhos, maracujás às pencas, guembês picantes, orquídeas em flor, e barba-de-pau no tempo dos presepes.

De lavoura, nada.

Parasitas do rio e da lezíria, olhavam as fazendas com horror, e daí, na boca dos fazendeiros, a sua má fama de indolentes. Indolentes e ruins, incapazes, restolho de gente, lesmões humanos. Era unânime esta opinião na lavoura circunjacente, caída em modorra por falta de braços.

Desorganizadas pelo 13 de maio e desprovidas de colonos italianos, as ricas fazendas de outrora, em penúria de músculos, apelavam em vão para os urumbevas ribeirinhos. O piracuara não dava de si nenhum trabalho compensador, ainda quando armado da melhor boa vontade. Não valem o que comem — dizia todo mundo.

Mas vieram os frades.

---
5 Este artigo foi publicado originalmente sob o título de "A TRAPPA DE TREMEMBÉ", na *Revista do Brasil*. n.º 28, abril de 1918.

Instalados ali procuraram solver a premente questão do braço. Sem campo para escolha, resolveram pegar no homem que havia, a título de experiência.

Em vez, porém, de tomá-lo como o encontravam, alquebrado pela má alimentação, pela má habitação, roído pelo ancilóstomo exaustivo, e pô-lo na enxada com o feitor atrás, tiveram a luminosa ideia de proceder às avessas: primeiro atucharam-lhe a fibra com alimentação abundante; depois abrigaram-no em casas higiênicas construídas em lugares secos e os curaram nos limites do possível.

Resultado: uma ressurreição.

Das carcaças opiladas onde morrinhava a indolência do pobre Jeca Tatu, saiu, pelo equilíbrio alimentar, um homem resistente; pela cura das mazelas, um homem ativo; pela noção do relativo conforto, um homem sedentário, que "parava" na fazenda e criava amor à faina agrícola.

As faculdades cerebrais beneficiando-se logo com os reflexos da saúde, foi possível ensinar-lhes as mil coisas necessárias a um bom operário; foi possível disciplina-los; foi possível adaptá-los ao maquinário agrícola.

Breve, graças à inteligência da solução dada ao problema, pôde a Trappa movimentar toda a sua enorme exploração arrozeira, a mais aperfeiçoada que existe no Estado, fazendo funcionar as mais modernas máquinas de lavrar, plantar, ceifar. Como resultado surgiu logo uma produção de quinze a vinte mil sacas de arroz, extraídas de uma terra que vivia a monte, por meio de músculos definitivamente classificados pela opinião geral como equivalentes a zero.

Este exemplo é frisante.

Mostra o caminho a seguir, e mostra o erro dos nossos governos em nunca levarem em conta, para solucionar o problema do trabalho agrícola, a parte da higiene.

A política adotada nesse pormenor sempre foi irmã da política financeira — tomar empréstimos de músculos europeus.

Faltou-nos o estadista de visão bastante lúcida para apreender este outro modo de obter braços: a restauração pelo saneamento dos milhões que temos em casa, incapacitados para o trabalho por força de males curáveis e evitáveis.

O exemplo da Trappa ensina-nos que o saneamento vale por avultada corrente imigratória. É mister, curando-o, valorizar o homem da terra, largado até aqui no mais criminoso abandono.

Curá-lo é criar riqueza.

É estabelecer os verdadeiros alicerces da nossa restauração econômica e financeira.

Sem que revertam à atividade milhões de criaturas aposentadas, e sem aumentar a eficiência das que, apesar de ativas, dão de si apenas uma fração do esforço normal das criaturas sadias, sem transfazer em quantidades positivas o que vai por aí de quantidades negativas — peso morto, estéril e, além disso, oneroso para os demais — nunca nos arrancaremos ao atoleiro do *déficit* econômico e males consequentes.

A nossa gente rural possui ótimas qualidades de resistência e adaptação. É boa por índole, meiga e dócil. O pobre caipira é positivamente um homem como o italiano, o português, o espanhol.

Mas é um homem em estado latente.

Possui dentro de si grande riqueza em forças.

Mas força em estado de possibilidade.

E é assim porque está amarrado pela ignorância e falta de assistência às terríveis endemias que lhe depauperam o sangue, caquetizam o corpo e atrofiam o espírito.

O caipira não "é" assim. "Está" assim.

Curado, recuperará o lugar a que faz jus no concerto etnológico.

O caso da Trappa é concludente.

Mostra como em brevíssimos anos se opera nele uma verdadeira ressurreição física e mental, se lhe acudimos com o remédio inteligente, e mostra ainda como a riqueza surge, larga e farta, quando a boa organização o toma sob o seu pálio.

Ora, num momento destes, em que a chacina europeia destrói aquele excedente de população donde nos vinha o caudal de braços, é condição de vida para o país atender ao apelo da lavoura, fornecendo-lhe em vez dos chins propostos, trabalhadores nacionais restaurados nas suas energias pela cura e pela higiene.

Um chim fica-nos, segundo o cálculo do Ministro da Agricultura, em dois contos de réis, um chim que lá na China vale vinte piastras a peso.

Com dois contos reduzidos a assistência profilática ou a medicamentos, quantos caboclos assolados pela ancilostomíase ou pela maleita não reverterão à atividade?

Talvez que da guerra resulte mais este benefício — o aproveitamento do músculo de casa, até agora ao léu pela facilidade que havia em importar músculo exótico.

Aconteceu isso com o carvão nacional.

Se se der o mesmo com músculo nacional, teremos extraído da guerra um benefício de consequências incalculáveis. Talvez o maior de todos...

A FRAUDE BROMATOLÓGICA

O problema da saúde cinde-se em dois ramos — restaurá-la nos que a têm combalida, e conservá-la nos que a têm perfeita. Divergentes quanto aos meios, ambos convergem para o mesmo fim: a saúde pública. Um zela do problema, outro precavê o futuro. Como o presente somos nós — e a nós dói, é mais compreensível o desleixo pelo futuro do que a falta de assistência ao presente.

Entretanto, parece que a nós nada dói.

Parece que presente e futuro são inexistências de igual valia. A crosta de insensibilidade que nos faz sacudir os ombros quando está em causa a saúde de nossos filhos — pois que o futuro quer dizer isso — é a mesma que nos entrega indefesos ao mal do momento. Os calos nos fazem de pau.

São Paulo, cidade havida como modelar em matéria de defesa sanitária, e onde realmente muito se fez, São Paulo que é a exceção buzinada aos quatro ventos, São Paulo traz brechas tremendas na sua armadura profilática.

Não quanto aos inimigos microscópicos em eterna tocaia aos centros urbanos para desencadearem ofensivas mal se ofereçam oportunidades. Mas quanto aos inimigos visíveis, ao micróbio bípede que baseia a sua prosperidade econômica no engenhoso envenenamento dos incautos.

Se por uns minutos nos detemos na observação do "a bolsa e a saúde" corrente, apavora o nosso estado de absoluto desaparelhamento defensivo.

A grande indústria do momento é o veneno.

O *nouveau riche* é o falsificador.

Temos códigos e leis artilhados contra eles — mas códigos e leis que lembram os dragões de papelão construídos pelos chineses para amedrontar o inimigo. Esses dragões, vomitando chamas de zarcão, seguiam na frente das tropas; se o inimigo, apavorado, debandava, muito que bem, era a vitória. Mas o inimigo, nada ingênuo, nunca debandava e a China só conheceu derrotas.

Temos códigos dragões e leis que vomitam o fogo das penalidades; entretanto, como o falsificador sabe que o código é dragão chinês e o fogo das penalidades é puro "fogo pintado", a classe prolifera, cresce de vulto e de insolência — e sorri, piscando o olho, se alguma vez o monstro lhe arreganha a dentuça. Sabem eles o segredo de transformar a fera em manso cordeiro de veludo...

Era assim o falsificador, antes da guerra. Depois, com a escassez da mercadoria importada e os altos preços alcançados pela que consegue entrar, e também pela produção indígena, ficou assim: gordo, soberano.

A lepra cresceu como maré. Raro é o dia em que não rebenta nos jornais um caso de falsificação.

Cada falsificador tem à sua cauda uma coorte de advogados administrativos, prepostos a inutilizar a ação dos poderes públicos, porque não há melhor negócio do que defender um falsificador. Gente que paga bem!

Inda ontem explodiu o caso das banhas saídas para a França. Foram condenadas enormes partidas por conterem de 17 a 30% de água. Sabido como é que o máximo de impureza tolerado pelos regulamentos franceses é de 0,5 a 1%, ressalta logo a miserável exploração que o caso denuncia. Ora, a banha que para lá tem ido será melhor, pior é que não é que a que consumimos cá. Veja o povo como o espoliam, este pobre povo que ainda conta com a eficácia de leis sarrafaçadas com truculência de dragão, para inglês ver. Quem interrogar os nossos laboratórios de análises químicas sairá deles descrente de tudo, do homem e das leis.

O laboratório dirá que as banhas em giro no comércio, além dessa porcentagem fantástica de água, encerram ainda de 1 a 2% de membranas de sebo, pelos e terra.

Dirá que os óleos bateram todos os recordes da adulteração criminosa. O óleo de linhaça é óleo de algodão bruto com querosene e breu, de onde resulta descascarem-se as pinturas com ele feitas. O óleo de amêndoas, vendido em latas e vidros sem marca, é extraído do amendoim. O óleo de rícino compõe-se por metade de óleo de algodão. O óleo de oliva, para uso culinário, só tem da oliva a marca fraudulentamente estampada nas latas: é óleo de algodão.

As nossas crianças chupam balas coloridas com tintas minerais nocivas à saúde e comem chocolate onde a manteiga é substituída por margarina de algodão.

A marmelada é feita de chuchu, banana podre, um sexto de marmelo e tinta de urucu.

A goiabada segue a trilha da sua irmã.

O açúcar mascavo traz de 3 a 5% de areia, resíduos de bagaço, além de alta porcentagem de mel de tanque — glicose nociva. O açúcar refinado é composto com um terço de açúcar cristal pulverizado em moinho.

O sal moído traz boa dose de impurezas malsãs; dissolvido na água produz uma lama que sobrenada e deposita areia, conchas moídas, ossos de peixe e escamas.

A massa de tomate chega a provocar pilhérias; leva abóbora, chuchu, pimentão, óleo de algodão e às vezes até tomate. Conforme o acondicionamento serve indistintamente de massa para uso culinário ou de graxa para sapatos amarelos.

O pimentão seco e moído é feito com a casca dos raros tomates empregados na pasta supra.

A farinha de mandioca sofre uma peneiragem que lhe extrai o polvilho, e leva fubá fino à guisa de compensação. Uma grande partida há pouco enviada para a Europa chegou a destino toda empelotada, o que não acontece com as farinhas puras.

Em matéria de bebidas alcoólicas a Europa curva-se diante de S. Paulo.

Falsifica-se tudo.

Vermutes em garrafas legítimas que são vendidas a dois e três mil réis, analisados, revelaram até mirra e álcool anílico. Os conhaques, idem.

Há um grande comércio de garrafas vazias com os rótulos perfeitos; vidros vazios de perfumes de boa marca são pagos a dois e três mil réis.

Quartolas vazias não há que cheguem, tantos progressos faz o "*Clos* Bom Retiro". A cidade de S. Paulo exporta unicamente pela Central e Sorocabana mais vinho do que o entrado por Santos.

Águas minerais, Vichy, Salutaris, Rubinat, Janus, Vilacabras, conservam legítimas as garrafas e os rótulos; dentro é Cantareira com suas amebas, mais sulfato de sódio, sal amargo, etc. Há Lambari e Caxambu cuja fórmula é simplesmente Cantareira mais CO_2.

Muitas amostras de leite revelam a presença de polvilho e ácido bórico.

A cerveja leva ácido salicílico e algumas são amargadas com ácido pícrico e nó de pinheiro do Paraná. De lúpulo, zero.

Vinagre é ácido acético diluído em água.

O sabão leva argila e taguá.

A farinha sofre inúmeras adulterações, inclusive a mistura do caulim, e o pão recebe alúmen para clarear e crescer. Também é usado o sulfato de cobre para o mesmo fim no fabrico dos biscoitos.

Há macarrão com ovo onde o ovo é anilina ou amarelo de cromo.

Na manteiga a parte de água atinge nalgumas a proporção de 12%.

Vendem-se cafés em pó asquerosos, feitos de escolhas com 15% de cascas, paus, lixo, etc. e o resto de grãos verdes, ardidos ou podres.

Muita da poaia de Mato Grosso que foi para o estrangeiro sofreu lá a extração da emetina e voltou inócua. Um grama dessa raiz pulverizada não produz o menor sintoma de vômito.

Há pó de arroz para uso de toucador preparado com sais de chumbo. Há cigarros feitos com fumo lavado em gasolina e outros em cozimento de papoulas.

Há artefatos de folha de Flandres estanhadas com liga em que o chumbo entra na proporção de 20% quando o limite da tolerância é dez.

Há louças vidradas com mínio, o venenosíssimo óxido de chumbo.

Em matéria de drogas nem é bom falar.

Iodofórmio adulterado com flor de enxofre. Emetina fabricada com sais de quina. Quinino e aspirina feitos com lactose. Óleos minerais e medicinais clarificados com ácido sulfúrico impuríssimo, contendo arsênico. E, cúmulo, 914 em ampolas que não passa de finíssimo fubá de milho amarelo.

O rosário não teria fim se fossemos enfileirar todas as contas.

Para o nosso caso basta essa pequena amostra. Chegamos a uma tal perfeição que corre à boca pequena existirem sardinhas de Nantes, legítimas Canaud, preparadas com lambaris do rio Tietê.

S. Paulo virou o paraíso da fraude bromatológica. Indefesa como está a cidade, confiada como está a fiscalização a uns fiscais que fiscalizam para si, os desalmados envenenam-nos por todas as vias e amontoam fortunas colossais à custa da saúde alheia.

Se nos sertões há barbeiros, e anófeles, e anciló́stomos, na cidade há a peste do microzoário da fraude, o envenenador de profissão, contra o qual a nossa lei tem força — mas não tem força o aplicador da lei.

O dinheiro fácil, acumulado à larga pelo crime impune, encarapaça-o de escudos invulneráveis aos dentes botos dos artigos e parágrafos nascidos mortos. A profilaxia que S. Paulo opõe hoje contra a coorte formidável resume-se no fiscalato inócuo exercido por uns pobres fardetas que acabam arranjadinhos.

Operam-se por aí tais malabarismos que o posto de fiscal é disputado.

São duas coisas que, arre! valem a pena: falsificar e fiscalizar.

A comprova está no número irrisório de análises bromatológicas feitas nos nossos laboratórios. Em abril do ano passado foi feita... uma! A avaliar por esse movimento, a Pauliceia é uma cidade angelical onde tudo é tão puro que os laboratórios ficam às aranhas.

Agora, se um fiscal honesto apreende um produto falsificado e a Higiene Sanitária inicia o processo contra o homem, saltam logo em sua defesa os advogados de fama, que embrulham tudo, corrompem a justiça e acabam forçando o Estado a pagar ao malandro gorda indenização.

Esta resignação diante da fraude, este curvar a cabeça em face do veneno, este generalizado tolstoísmo da "não resistência ao mal", esta subserviência diante da advocacia velhaca e da justiça capenga, isto só se explica como doença.

Todos os povos se defendem, todas as cidades têm campanha permanente contra as ratazanas do estômago. Só nós cruzamos os braços. E, resignados carneirinhos que somos, prostramo-nos diante do lobo gordo que nos tosquia a lã e derranca a saúde.

É doença.

Não pode deixar de ser doença.

Só uma grave caquexia pode derrear assim um povo, a ponto de lhe adormecer o próprio instinto de conservação.

O nosso organismo está combalido até à medula. Sofremos da mais profunda apatia. Não reagimos contra o barbeiro dos campos, nem contra os barbeirões da cidade. Por desencargo de consciência rezam-se umas mandingas na roça, e armam-se umas tarascas chinesas nas capitais.

Quando rebenta um escândalo como este das banhas recusadas pela França, as autoridades movem-se, o dragão remexe os olhos de fogo — mas a advocacia arruma tudo.

No caso vertente, se alguma medida vier será por coação da França e em benefício exclusivo dela. As banhas endereçadas para lá seguirão puras, e as consumidas por cá serão adulteradas em dose dupla. É o meio de evitar prejuízos aos pobrezinhos dos envenenadores.

Citamos este fato da falsificação avassaladora que campeia em S. Paulo não para concluir "pedindo providências a quem de direito" — pedido inútil e pilhérico; mas sim para frisar ilustrativamente o grau de quebreira que nos anemia o querer.

Nem sequer reagimos contra a faca ao peito.

Barbeiro, ancilóstomo, falsificador, advogadão — é-nos indiferente acabar nas unhas de uns ou de outros. Nossa preocupação única é esconder a verdade no poço para que ela nos não perturbe a agonia com o seu espelho cruel.

Início de ação

Ideias há que ferem fundo e se propagam com tal rapidez, coligem tal número de adeptos, empolgam de tal forma o espírito, explicam com tal lucidez tantos fenômenos desnorteadores que, ainda em meios de opinião rarefeita como o nosso, passam rapidamente da fase estática para a dinâmica. Fazem-se força, e levam de roldão todos os obstáculos.

A ideia do saneamento é uma.

Bastou que a ciência experimental, após a série de instantâneos cruéis que o diário de viagem de Artur Neiva e Belisário Pena lhe pôs diante dos olhos, propalasse a opinião do microscópio, e esta fornecesse à parasitologia elementos para definitivas conclusões, bastou isso para que o problema brasileiro se visse, pela primeira vez, enfocado sob um feixe de luz rutilante. E instantaneamente vimo-la evoluir para o terreno da aplicação prática.

E a ideia-força caminha avassaladora.

Avassaladora e consoladora, porque o nosso dilema é este: ou doença ou incapacidade racial.

É preferível optarmos pela doença.

Destarte concidirá a lição científica, que afirma ser doença, com os anelos do nosso amor próprio, que prefere a confissão de doença à confissão desalentadora da incapacidade.

Respiramos hoje com mais desafogo. O laboratório dá-nos o argumento por que ansiávamos. Firmados nele contraporemos à condenação sociológica de Le Bon a voz mais alta da biologia.

Esta corrente, entretanto, encontra ainda objetores de vários matizes.

Há os que negam o nosso estado caquético e vogam ainda, felizes, em pleno mar de ilusões.

Retardatários, amigos da fachada, trazem cem anos de retórica nos miolos, estão convencidos de que Peri arrancou a palmeira e de que os caboclos são outros tantos Peris de camisa aberta ao peito. Salva-os a boa-fé.

Ao lado destes há os de má fé, os percevejantes, os que ressurtem das frinchas do periodicismo que late. Em vez de contrabaterem ideias com argumentos, estes triatomas mordiscam furiosos nas pessoas, e contestam por negação.

Há ainda os cansados de esperar e por isso desesperançados de tudo, inclusive da ação construtora da ciência.

Para todos eles só existe uma réplica: fatos.

O governo paulista, em hora feliz de inspiração pôs de parte mesquinhas injunções políticas e para superintender no serviço de higiene escolheu uma competência.

Artur Neiva, cientista no rigor do vocábulo, filho de Manguinhos e discípulo dileto de Osvaldo Cruz, distinguira-se por tal capacidade de trabalho e tão superior visão que, na frase de Carlos Seidl, se tornou logo um homem disputado.

Após a campanha anti-palúdica do Xerém, da qual o diretor dos serviços, o engenheiro Sampaio Correia, disse "que se não fosse a ação eficaz e dedicada deste cientista ilustre e seus dedicados auxiliares, as obras de abastecimento de água do Rio não teriam sido conclusas"; após a segunda campanha na Noroeste, que possibilitou a construção da estrada na região infernal; após as viagens de estudo e a expedição através dos sertões da Bahia e Goiás, a sua figura acrescentou-se dum relevo tão brilhante que a República Argentina, esquecendo velhas turras, o tirou de Manguinhos para organizar a secção de zoologia médica no primeiro instituto científico do país.

Lá, findo o contrato, foi o homem disputado novamente, pela Argentina, desejosa de conservá-lo para si e por S. Paulo, ansioso de tê-lo a serviço da sua remodelação higiênica.

S. Paulo compreendeu a necessidade de, ainda neste pormenor, conservar o seu papel de locomotiva, arrastando rampa acima os dezenove vagões irmãos.

A nossa organização sanitária já era a melhor, ou antes a única do país (que, seja dito entre parêntesis compungidos, não na tem nenhuma). O modo por que se jugularam as epidemias amarílica e variolosa honra ao nobre trabalhador que foi Emílio Ribas, nome que terá sua auréola quando se escrever a história da higiene no Brasil.

A ação de Artur Neiva, porém, manifestou-se logo pronta e eficiente. O código sanitário, remodelado e acrescentado apesar da tempestade de protestos, transformou-se em lei, e é um dos mais completos existentes. Quem por ele correr os olhos verá como o combate sistemático às endemias que nos deprimem foi ali organizado com a segurança de quem está senhor do assunto.

Enquanto no Rio a ideia do saneamento gira no ciclo da propaganda pela palavra, em S. Paulo gira no terreno dos fatos. A campanha foi iniciada, não com a latitude que era mister, porque está restrita à parcimoniosa dotação que o Congresso atribui à higiene; todavia, foi iniciada e esse passo é gigantesco.

Nossos governantes inda não compreenderam o alcance econômico do saneamento. Alegam aperturas financeiras e restringem as verbas destinadas à higiene. No dia, porém, em que pela demonstração insofismável dos fatos, arraigar-se a convicção de que o dinheiro despendido no restabelecimento da saúde do povo e na extinção dos focos infecciosos é dinheiro adiantado, que volta às arcas acrescido de alto prêmio, porque esse dinheiro foi restabelecer a eficiência econômica de milhares de criaturas transformadas pela doença em quantidades negativas, nenhum serviço receberá mais generosa dotação e nenhum sobre ela terá primazia.

O povo clama ao ver seu dinheiro escoar-se em aplicações desonestas ou improdutivas, mas baterá palmas vendo-o empregado na obra sobre todas urgente da sua melhoria sanitária e do preparo aos filhos dum ambiente mais limpo de germes consumptores ou letais.

Os serviços de profilaxia permanente iniciados em S. Paulo ciframo-se por enquanto no ataque à malária em Vila Americana, Nova Odessa, Monte Mor e Santa Bárbara; e agora na campanha antimalárica e antiparasitária de Iguape.

Na primeira, adstrita apenas à supressão da malária, a profilaxia foi completa: tratamento dos doentes e extinção radical dos focos. Para isto foi mister executar um serviço de terra verdadeiramente notável, canalização de ribeirões, desobstrução de cursos de água, aterros, drenos de brejos, petrolização, roçados, etc.

A epidemia foi jugulada e a endemia extinta, pela supressão de todos os viveiros onde a larva da anofelia se desenvolvia à vontade.

Aqui há uma nota a fazer.

O saneamento exige como condição fundamental de eficiência a conservação dos serviços feitos. Do contrário será um trabalho de Sísifo. Compreende-se que a ação saneadora parta do centro, já dotado do aparelhamento necessário, mas deverá entrosar coordenamente numa série sucessiva de trabalhos, incumbente às municipalidades.

Se um serviço desses, oneroso, difícil, exaustivo, tiver de perecer por falta de continuidade municipal, é preferível não encetá-lo nunca. Não pode de maneira nenhuma ficar isso à mercê da veneta dum prefeito coroneloide, "cético" que "não crê" na transmissibilidade de mórbus pelo mosquito, que acha uma "bobage" isso de fossas, drenos, aterros, etc., e que alapado nas covas escuras duma noite cerebral sem estrelas reedita as velhas pilhérias da campanha carioca contra Osvaldo Cruz.

O Estado deve premunir-se de leis que compilam o coroneloide revel a abster-se do direito do lesar a saúde pública, fazendo uso das "suas opiniões pessoais".

Adotado com o preciso rigor este critério de conservação, os trechos saneados ir-se-ão constituindo em oásis purificados; o número desses oásis crescerá pela persistência da obra: e no correr de alguns anos o oásis será todo S. Paulo. E será um dia o Brasil inteiro...

Iguape

Quem, por viver no mundo da Lua, inda descrê do nosso estado coletivo de doença, e atribui esta campanha do saneamento a mil e um móveis, menos ao único real: desejo ou ânsia de ver queimar-se o derradeiro cartucho na defesa da nacionalidade vacilante, que vá a Iguape. Que vá a Iguape que de lá voltará apóstolo.

Iguape lhe porá ante os olhos, em eloquente epítome, o quadro geral da caquexia orgânica que emperrou o país.

Iguape é o Brasil.

Descontadas as zonas vivas, criadas ou revigoradas pelo afluxo do sangue europeu emigrado, o Brasil é Iguape.

Marasmo senil, modorra. Tudo lento, a arrastar-se em paraplegia de tabético. O comércio, ronceiro e mesquinho; a indústria, tateante e ingênua; a lavoura, incapaz de criar riquezas, eternamente adstrita à enxada e ao nomadismo da foice e do fogo.

Vida intelectual nula. Impenetrabilidade ao progresso, não pela resistência rotineira de quem possui uma forma e lhe defende a rigidez, mas pela indiferença oriunda desse estado mórbido a que se convencionou chamar indolência. O cérebro humano não dá ali a impressão da máquina maravilhosa que é; parece antes um cemitério, um paul, onde as ideias se empegam, languescem e morrem asfixiadas.

A política foge ao molde da visão larga do interesse público, encarquilhando-se na cuscuvilhice miúda dos compadres, comadres e afilhados.

O povo, triste e mazorro, sem vibração, indiferente a tudo. Povo que não ri, não brinca, não canta, não dança — desconfiado e sorna.

Quando, por força da imaginativa, evocamos uma cidadezinha norte-americana estuante de vitalidade e a comparamos a uma nossa correspondente em população, constringe-nos a garganta um nó de desepero. A mesma idade, o mesmo céu, o mesmo continente — e sempre a vida vitoriosa lá, e sempre o marasmo do urupê aqui.

Qual a razão disso?

Não deem ao problema nenhuma das soluções palavrosas de uso corrente. Nada de pedir à retórica ou à política, ou à etnografia, explicações que nada explicam. Mudemos de rumo. Peçamos a opinião da ciência experimental e a parasitologia no-la dará sinceríssima. Conduzindo-nos ao Posto de Profilaxia de Iguape ela nos fará estas tremendas confissões.

O recenseamento da cidade revelou em dezembro uma população de três mil e tantos indivíduos, dos quais se inscreveram na lista dos candidatos à saúde 3.104. Examinadas as fezes destes inscritos, o microscópio revelou em 2.673 indivíduos a presença de uma velha verminose. Áscaris, anciló́stomos, tricocéfalos, anguílulas, tricômonas, amebas, tênias, himenólepis, oxiúros, etc., uma fauna inteira, voracíssima, vivendo à tripa forra, em família ou em sociedade de duas, três e quatro espécies nos intestinos da pobre gente!

Só o ancilóstomo, essa praga tão grande que moveu a piedade de Rockefeller e o levou a organizar no mundo inteiro uma campanha contra, só este maldito estagnador da vida, ascoroso percevejo dos intestinos, peste duodenal, só ele envenenava a vida a 2.102 pessoas!

Recapitulemos os algarismos para arrolhar de vez os negadores impenitentes e os otimistas que acoimam de exageradas as nossas palavras: em 3.104 iguapenses examinados, 2.673 traziam os intestinos transfeitos em jardins zoológicos, *ménagerie* de micro-feras! E 2.102 revelaram-se viveiros do flagelo que comoveu o coração duro de Rockefeller!

Imagine-se agora que a ação desses parasitas é ininterrupta, começa na infância e prolonga-se até à morte.

As lesões que eles praticam nas paredes intestinais, ulcerando-as, funcionam como outras tantas portas abertas ao livre trânsito das toxinas.

O pai dessa pobre criatura já foi um bichado, como o foi o avô e o bisavô. Deles recebeu ela uma vitalidade menor, uma tonicidade orgânica decaída, um índice fraco de defesa natural. E por sua vez transmitirá ao filho a má herança acrescida funestamente da sua contribuição pessoal de degenerescência, consecutiva à continuação do trabalho do verme em seu organismo.

Isto explica por que e como dos Fernões Dias Pais Leme de outrora, terríveis varões enfibrados de aço, ressurtiu uma geração avelhentada, anemiada, feia e incapaz.

Não é a raça — a raça dos bandeirantes é a mesma de Jeca Tatu. É um longo e ininterrupto estado de doença transmitido de pais a filhos e agravado dia a dia.

Examinando-lhes o sangue, assombra a pobreza em hemoglobina: não é mais sangue o que lhes corre nas veias, senão um aguado soro. E nessa água suja, para remate de males, ainda vem aboletar-se o protozoário da malária...

Eis o estado de Iguape; e, em que pese à ingênua turra contraditória, eis o estado do país inteiro, feitas as devidas exclusões.

Já o dissemos e repetimos: no dia em que o Brasil convencer-se do seu estado de doença, estará salvo. O que se fez em Iguape prova de modo irrefragável a possibilidade da vitória.

O problema cifra-se em fazer em escala grande o que ali se fez restrito a uma cidade.

Graças à orientação de Artur Neiva a campanha foi iniciada de modo a demonstrar por A mais B não só a nossa capacidade científica, como também a nossa capacidade organizadora. A ofensiva de Iguape merece ser divulgada com amplitude para orientação das subsequentes, e lição aos incréus.

Iniciada em dezembro sob as ordens de Melquíades Junqueira, apesar da nenhuma experiência preliminar, pois que nunca no Brasil se fez coisa parecida, foi com superior critério executada da seguinte maneira.

Recenseou-se a cidade e inscreveu-se no rol profilático, depois de intensa propaganda, a maioria quase absoluta da população. Houve rebeldes, sujeitos tão perros de inteligência e tão amigos dos seus vermes, que se recusaram ao exame preliminar de fezes. Parece impossível que a imbecilidade humana atinja tais altitudes, mas atinge...

Nos inscritos, feito o exame, e autenticada a presença dos parasitos, foi fichada a identidade de cada um com o competente diagnóstico.

E começou o trabalho medicativo.

Um a um, todos, fiscalizados pela comissão, receberam a dose do anti-helmíntico requerido.

Passados quinze dias, novo exame veio verificar o efeito da medicação; e conforme se comportavam os vermes assim prosseguia o tratamento, persistindo os exames até que o microscópio desse alta ao verminado.

Deste modo, dos 3.104 inscritos só não se libertarão da mazela intestinal os que de todo preferirem a doença à saúde. Em junho conta a comissão concluir os seus serviços e Iguape estará por esse tempo liberta da endemia atrofiante.

Se juntarmos a isso a instituição da fossa obrigatória, que a comissão impôs à cidade, e também a campanha antimalárica conduzida com extremo rigor paralelamente à anti-vérmica, não é arrojo dizer que Iguape será a primeira cidade do Brasil onde se terá feito uma obra completa de saneamento.

Até aqui campanhas idênticas visavam sempre epidemias ameaçadoras; campanha completa como essa, contra endemias, não há caso de segunda.

Destarte é possível prejulgar: se as ações consecutivas se não dispartirem do rigor desta, e forem conduzidas com espírito de sistematização prática, o saneamento de S. Paulo virá a ser uma realidade. E daqui irradiar-se-á pelo resto do país.

Cunha de progresso que já é S. Paulo, será ainda uma cunha de saúde metida de enxerto no corpo valetudinário do país. E este, arrastado, curar-se-á — caso não ache mais simples morrer de lazeira como os refratários de Iguape.

Os resultados da profilaxia não virão imediatos, como alguém supõe. O vinco deixado no organismo do recém curado por um longo passado de verminação é cicatriz lenta de desaparecer.

Mesmo assim há consequências imediatas de sugestiva evidência. Opilados, portadores de horrendas úlceras fagedênicas resistentes a toda medicação, pelo simples fato de se libertarem do ancilóstomo verificam a sua rápida cicatrização. O organismo, livre da causa anemiante, reage, readquire a defesa natural e a ferida desaparece por si — feridas que vinham de anos.

Fato mais eloquente não há.

Por ele se evidencia a elevação de tônus vital, com o seu cortejo de reflexos no moral, revigorizantes da vontade, desmodorrantes das faculdades adormecidas. O curado, de negativo, passará a fator ativo de produção. O país ganhará nele a energia correspondente à de um imigrante entrado.

Eis um cálculo por fazer: a cura dos três mil verminados de Iguape quanto representará de energia humana restituída ao país?

Serviço idêntico ao de Iguape será feito este ano em Tremembé, Santo Amaro e Cosmópolis. É pouquíssimo, diante do que há a fazer. Mas é muitíssimo, como significação de primeiro passo no terreno das realidades.

Um aforismo norte-americano quer que o primeiro passo corresponda a meia obra feita. De fato é assim, e já hoje ninguém deterá a obra formidável de saneamento ora em início.

É uma ideia que venceu esplêndida e fulgurantemente.

NOTA

Para patentear de modo irrefragável a influência depressiva que a verminose exerce no cérebro humano, aqui transcrevo este precioso documento, publicado num jornaleco de Iguape. O vinco da opilação está aí nítido, no estilo e nas ideias, dando medida perfeita do grau de decadência mental a que o verme arrasta os pobres flagelados.

"MONTEIRO LOBATO — *As explosões do seu despeito* — Manuseando *O Estado de S. Paulo* em sua edição de 15 do fluente, deparamos com um artigo intitulado — "O problema do saneamento".

Este artigo, firma-o Monteiro Lobato, escritor de nota e jornalista da imprensa grande.

Antes de tudo, nele faz o articulista ressaltar não só uma nota antipatriótica, como um desprezo nada honroso pelas coisas que dizem respeito ao seu país natal, atendendo à maneira com que as trata e as presume evidenciar.

E por quê?

Porque abusa do seu talento e de sua reputação literária, para enxovalhar os seus patrícios, para amesquinhar, reduzir, degradar o que há de mais santo, de mais puro e respeitável no âmbito da pátria, abalando o nome desta, caluniando o que é seu, ao impulso, ao léu das explosões de seu despeito.

Mas não é tudo.

O seu artigo é mais uma contribuição valiosa — entre outras contribuições de igual jaez — para o monumento do descrédito que o estrangeiro nos erige, glorificação injusta, mas justificável, à luz de conceitos dessa chusma de escritores que faz História, quase invariavelmente dum montão de juízos ligeiros.

Escritores, — há-os de fato, dos que se não preocupam tão somente com o esplendor do estilo, com as frases lapidares, requintes e louçanias; há-os, dos que, desprezando essas lantejoulas banais, se apegam à verdade dos fatos, à precisão dos conceitos, à imparcialidade, à independência.

O seu caráter, a sua consciência, o seu "eu pensante", não se prendem ao liame degradante do pieguismo de escola. E o pessimismo é uma escola... Uma escola doentia e sórdida, que dá aos seus filiados essa originalidade excêntrica do moral doentio. Porém — pessimismo é o termo.

De Iguape, por excelência, faz Monteiro Lobato, o alvo de seu pessimismo atávico. E lhe atira, com ar desprezador e fanfarrão, apóstrofes flagrantemente irrisórias.

Vamos à evidência:

O ilustre e genial escritor visitou-nos de relance.

No curso rapidíssimo de algumas horas, fora estolidez supor que alguém, mesmo um "guia", pudesse formular uma ideia precisa e colher dados sérios, duma cidade, que se não tem foros de adiantada e rica, ao menos encerra em si o germe da civilização e da riqueza, embora oculta no seu seio. Um bafejo sequer desse auxílio que impulsiona as suas congêneres e Iguape surgirá tal qual $, estuante de vida, exuberante de seiva, plena de riquezas...

E a extensão do seu território, a uberdade de seu solo, os seus rios, a sua flora e outras gemas naturais, estariam a comprovar brilhantemente, que isso de "impenetrabilidade ao progresso" de que fala o escritor é no rigorismo do termo um conceito banalíssimo — uma expressão de efeito e nada mais.

No curso rapidíssimo de algumas horas — prosseguimos — fora ilogismo admitir que Monteiro Lobato pudesse privar com os intelectuais da terra, e assim, redondo absurdo conceber, que em Iguape, é a — "vida intelectual nula".

Nula, porque se ressente, talvez duma infinidade de jornalecos, para gáudio de escrevinhadores de literatice oca, para escrínio de despautérios, a exemplo de alhures, onde, ainda assim se proclama o conceito literário?

"O povo não ri, não brinca, não canta, não dança" e... não faz recepções de literatos, à laia dos arraiais, a toques de música e estrugidos de foguetes. Neste particular, há de conceder o ilustre dr. Lobato.

O reduzido espaço de que dispomos, coíbe-nos de outras considerações, que a pena dum conterrâneo ilustre e distinto já explanou de sobra.

Agora, uma observação.

É inegável a boa profilática, desenvolvida aqui sob os auspícios excepcionais do grande cientista brasileiro exmo. sr. dr. Artur Neiva no intuito de debelar o mal endêmico que nos assola. É inegável; não visamos depreciar o mérito a quem no tem! O nosso objetivo, consiste apenas em frisar a injustiça patente dum escritor sem escrúpulos, os excessos de seus conceitos apaixonados, a sua crítica parcial, desonesta e inverossímil. Como inverossímil e ridícula se revela a atitude dum escritor que ataca, indecorosamente, numa campanha verbosa e venal, um flagelo, cujo germe têm-no em si, a refletir-se no semblante amarelento e sujo, no físico desengonçado e feio, atrofiado e apático; e, conseguintemente, reclamando providências, se não do terreno do saneamento material, pelo menos, bradando um corretivo, ao campo do saneamento moral.

Aí ficam, pois, essas linhas, como um brado de protesto e um sorriso de desprezo, atirado contra quem, num movimento impulsivo e despeito vil, ousa cuspir à face duma população inteira, a lama e a sordidez da infâmia e da mentira!"

* * *

Caso perdido? Absolutamente não. Um jornalista destes, depois de tratado a fundo pelo timol e as competentes purgas, sara e ainda escreve no jornal suas noticiazinhas de anos ou falecimentos sem mais asneiras que as do costume. Salvam-se quase todos.

A CASA RURAL

É corrente o grito de guerra — saneamento dos sertões!

Mas que é sertão? Se o definirmos com a precisa clareza veremos que não foi bem apreendida a essência do problema.

Sertão é o deserto, a terra apenas pisada pelas sentinelas perdidas do povoamento. Tratos sem fim de territórios vazios, ao léu, com, de longe em longe — léguas intermeio — casebres humílimos onde vegetam seres humanos.

Sem estradas, sem transporte outro além do lombo do burro ou do boi, sem ligação nenhuma com os centros povoados, são reservas de espaço onde o futuro acomodará o extravasamento da população litorânea.

Sanear os sertões é inexequível. Nem toda a fortuna de Rockefeller bastaria para isso.

O problema premente e de solução possível dentro das nossas forças é o saneamento dos núcleos urbanos. Riqueza predial já criada, centro captador e coordenador de forças, grumos de vida já socializada, saneá-los é valorizá-los, é deter a meio a sua decadência econômica filha da decadência da saúde e prepará-los, pelo crescimento rápido, para a ação transbordante que irá multiplicar nos sertões novos núcleos plasmados por aquele molde. Esta empresa, sim, cabe nas forças do país, sobretudo no caso de, pela sistematização da campanha, funcionarem em harmonia as forças da União, dos Estados e dos Municípios. E não se compreende que seja de outra forma.

É lá possível pensar em sertões despovoados quando nos centros urbanos o mal atinge o apogeu?

No último artigo expusemos o estado sanitário de Iguape, ressaltando que ele dá a medida do que vai por aí além em cada uma das nossas cidadezinhas e vilas do interior.

Isto não quer dizer que se ponham de banda as zonas rurais já em exploração agrícola. Em S. Paulo, graças à orientação segura do dr. Artur Neiva, já foram lançados os alicerces para que a higiene não constitua um privilégio exclusivo das cidades. Legislou-se no Código Sanitário também para as fazendas, sítios e sitiocas.

Esta parte do Código foi recebida com quatro pedras na mão. A opinião pública, sem preparo preliminar para bem lhe compreender as intenções remotas, acolheu-a como uma impertinência insolente. Hoje, melhor informada, é de crer que a encare com menor azedume. O estado de doença, de miséria, de deperecimento do roceiro, só agora posto em relevo pela imprensa, sofreia cóleras e diatribes injustas contra quem só mira a obra humanitária de arrancá-los ao paul.

A casa nos climas frios ou temperados, lá onde o inverno funciona como uma desinfecção anual do solo, impedindo a proliferação excessiva de insetos nocivos, vermes e micro-organismos parasitários, tem por mira principal fornecer ao homem um abrigo contra a intempérie das estações.

Já nos climas quentes, onde não há a barreira tremenda do frio e a vida inferior é uma perene bacanal vitoriosa, a casa, além da sua função de abrigo, há de ter uma função de defesa contra o excesso de vida invasora.

Prescrições de higiene desnecessárias lá são indispensáveis aqui.

Hão de, nas regiões maleitosas, pela barragem das telas de arame, premunir-se contra a invasão das anofelinas contaminadoras. Na Amazônia, graças à obra de Osvaldo Cruz, já inúmeras casas adotaram este regime defensivo, e meia campanha estará vencida no dia em que o povo compreender a imperiosa necessidade que é a adoção de tal profilaxia.

Nas regiões vitimadas pelo mal de Chagas a casa tem que fugir ao sistema corrente do barro e sapé.

A ideia de Artur Neiva, de estabelecer aqui as bases legislativas desta transformação, provocou, como era natural, grande celeuma. Entretanto, hoje, quem, com a visão nítida do caso, fora os diretamente interessados, se levantará contra?

Nossa situação relativa ao barbeiro, se não é grave como em Minas e Goiás, é de molde a provocar apreensões. Em S. Paulo já está autenticada a presença do infernal percevejo em nada menos de cento e setenta localidades! Em quarenta destas verificou-se a existência do triátoma infeccionado! Vê-se que a invasão caminha, que o terreno lhe é propício e que no correr dos anos a zona rural de S. Paulo estará na horripilante situação daquelas que Neiva, Chagas, Pena e outros descrevem. Teremos a papeira endêmica, o cretinismo alastrado e o cortejo de misérias cardíacas oriundas da ação letal do *Trypanosoma cruzi*.

O meio de deter a infecção e jugular para sempre a calamidade, é prevenir. Provado como está que é no sapé e nas fendas do barro que se alapa o hematófago noturno, sem a supressão desses coutos propícios ele nunca será vencido.

Qual a atitude única da higiene num caso destes? Impor normas à construção das casas rurais, como as impõe na cidade.

Nós, até aqui, nós que moramos em casas confortáveis, com luz elétrica, água e esgotos, regalos internos de toda ordem, mobiliário cômodo, quadros na parede, tapetes, mil mimos da civilização por dentro e por fora, nós achamos naturalíssimo que o caboclo viva numa arapuca de barro.

Em nome do pitoresco opomo-nos a mudanças prejudiciais à cor local.

De fato, tem sua graça, de longe, na paisagem, uma choça de palha, sobretudo em estado de tapera.

Vejamo-la de perto, porém.

Quatro esteios, paredes de barrotes ripados de taquara com entrevãos atochados de barro, teto de sapé; chão de terra, esburacado, desnivelado; portas, às vezes (grande número se fecham com achas de embaúba); janelas, às vezes...

É só.

O barro ao secar fendilhou-se de mil rachaduras por onde se coa o vento e onde os triátomas fazem ninho.

Essas casas, se é possível dar tal nome à arapuca, custam uma miséria. Empreiteiros há que as constroem a dois mil réis o palmo, fora o sapé. Em média tem de comprido vinte palmos. Com quarenta mil réis o fazendeiro aloja uma pobre família. É natural que gritem, e movam campanha contra o Código Rural, já que lhes "dói na fazenda" o ter de construi-las, doravante, telhadas, emboçadas e atijoladas.

O prejuízo deles, entretanto, é aparente. A melhoria do lar melhorará o operário. Ressarcirá o dispêndio a maior eficiência do trabalhador mais bem abrigado. Diminuirão os dias perdidos por doença, por lombeira, por desânimo.

Se S. Paulo tiver bastante grandeza de ânimo para, respeitando a lei, operar lentamente a reforma do tipo já condenado da casa rural, dentro de alguns anos os nossos campos apresentarão o aspecto dos argentinos e norte-americanos. Esta mácula vergonhosa da casa de barro e palha já não se vê por lá, e talvez que só se encontre na África e em países aleijados pela caquexia.

Concordamos, é lei dificílima de bem funcionar. Tem contra si a oposição tremenda do hábito inveterado, dos interesses ofendidos, dos politicões regionais, do literato e até do pintor amigo do pitoresco; todavia, essa lei é talvez a maior conquista feita por S. Paulo nos domínios da higiene. Dia há de vir em que todos o reconhecerão, fazendo justiça plena aos seus propugnadores.

Os colonos estrangeiros merecem tudo dos governos e fazendeiros. Dão-lhes patronatos e casas boas, de telha e reboco. Entretanto, negam-no ao pobre patrício, decaído em grande parte pelo criminoso abandono em que o deixamos.

É cômodo atacar a extensão da higiene à zona rural. Sentados numa secretaria de imbuia, à luz farta de uma lâmpada, com o telefone ao pé e um charuto na boca, os argumentos acodem lépidos ao bico da pena, e a ironia sorri fácil, a piada brota feliz e engraçada. Mas o *frondeur* mudará de ideia se se transportar em imaginação para a choça cuja permanência defende.

Lá verá, alumiados pelas brasas do fogão, o pobre homem, chefe da família, estirado nuns fiapos de esteira sobre a terra úmida. Ao seu lado a triste mulher sorvada e a prole miserável, seminua, sem cobertas, retransida de frio — crianças a quem o excesso de miséria tirou até o choro, esse protesto natural dos organismos débeis.

O vento esfuzia nas frinchas donde saem os percevejões noturnos para o horrendo repasto de sangue. As anofelinas zoam no ar a sinfonia da morte.

É a miséria dos vencidos na concorrência da vida.

Nas mesmas terras, adiante, está a casa farta do colono que prosperou. *Que prosperou porque tinha mais saúde...*

Foram os nossos párias, entretanto, que devassaram os sertões, que fizeram a penetração das bandeiras, e inda hoje é com os restos de sua energia que se abrem as regiões novas e pestilenciais. Eles é que roçam, rompendo assim a impenetrabilidade das selvas, e rasgam picadas, e dão todos os primeiros passos de vanguardeiros do arranque para a frente.

Aqueles pobres doentes trazem um rosário de avós tombados na luta inglória e obscura.

O pai morreu espetado por uma lasca de jiçara em certa derrubada fatal. O avô acabou de febre ao abrir-se a fazenda do coronel X. Um tio rebentou de exaustão nos trabalhos da Noroeste. Heróis desconhecidos, vidas soterradas nos alicerces da nossa civilização — e malditos... E abandonados ao léu, ao deperecimento pela miséria fisiológica porque, vitimados pelo meio, assaltados de mil parasitos, sugados pelo barbeiro, não puderam defender-se, perderam o equilíbrio biológico e hoje não suportam a concorrência do colono forte, chegado de fresco, exigente e protegido.

O maior objetor à higiene rural mudará de ideia se por instante evocar este quadro — e refletir que estas energias em decadência revigorar-se-ão de novo pela tutela humanitária do higienista. E verá que a transformação do casebre nefasto é uma das pedras angulares da regeneração dessa pobre gente — essa pobre gente que na guerra é quem se bate por nós, e na paz é quem produz a pouca riqueza de que nos gozamos...

As grandes possibilidades dos países quentes[6]

A questão da degenerescência do homem nos climas tropicais preocupou sempre aos sociólogos, provocando várias teorias explicativas — engenhosas, tanto quanto vulneráveis às flechas da objeção.

O problema põe-se nestes termos: é nas zonas tropicais que a vida, já animal, já vegetal, evolve para as formas mais altas. Esta regra, entretanto, falha com relação ao homem.

Por quê?

Foi mister que um dos ramos mais novos da ciência, a parasitologia, ganhasse o vulto apresentado hoje, para que o xis de mais esse problema fosse expungido de vez.

De fato, por pouco que detenhamos o espírito na biologia da fauna e da flora das regiões quentes, ressalta o contraste entre o surto pletórico da vida em todas as

---
6 O título original deste artigo era: "As novas possibilidades das zonas quentes". (*Revista do Brasil*, n.° 29, maio de 1918.)

suas manifestações e o tremendo parênteses de exceção aberto pelo homem. Onde tudo alcança o apogeu, só ele, o rei, decai.

É na região do calor que rugem os maiores felinos, o leão africano do deserto, o tigre real da jângal indiana, truculentos detentores do cinturão da ferocidade.

Na América vemos o jaguar mosqueado, que semeia o pavor nas regiões onde vige a lei da sua fome; e nas ilhas da Sonda a pantera de graciosos movimentos.

É nas terras do sol que trombeteia o elefante, monstruoso probóscida, senhor da força máxima e da máxima inteligência irracional. Ao seu lado espapaça-se nos rios o planturoso hipopótamo e tosa a folhagem das árvores o formidável rinoceronte.

No gênero piteco é a região equatorial que apresenta o solitário gorila, hercúleo, ferocíssimo.

Na Sumatra os maiores orangos passeiam em grupo, graves como diplomatas do Itamarati.

O maior dos marsupiais é na Austrália que habita, o canguru. E é nos rios das terras quentes que mergulham os maiores sáurios. O crocodilo do Nilo atinge lá seis metros de comprimento e dá tal impressão de força que os antigos egípcios o ergueram à categoria de animal sagrado. O gavial indiano, lagartão de nove metros de comprido, é o maior da espécie: tala os peixes do Ganges e pega búfalos que vêm beber às margens. Os caimães da América e o jacaré amazônico são outros tantos exemplares esplêndidos da pletora da vida.

Entre os ofídios é sempre na zona cálida que rabeiam os mais gigantescos; a sucuri e a anaconda de dez metros do Suriname bastam para documentar o asserto. Entre os venenosos é ainda nela que vivem os mais letalmente apetrechados, a naja indiana, os nossos crótalos, os trigonocéfalos da Martinica.

Se volvermos o olhar para os ruminantes vemo-los ascenderem às formas mais altas sempre na zona dileta do sol. O camelo, a girafa, o búfalo são seus filhos. Os solípedes, cavalo e zebra, nela é que se desenvolveram.

Não abre exceção o batráquio: a maior das rãs, *Rana mugicus*, rã-touro, coaxa na América, e com tal vigor que Martius, na sua História Natural, diz: "Em bando fazem tal bulha que um destacamento de soldados se assustou um dia a ponto de fugir, cuidando ser o estrondo da artilharia inimiga". Não será tanto assim. Algum Antoine, talvez, foi quem referiu o caso ao naturalista de boca aberta. Mas que sobrepujam em tamanho e berram mais alto que as suas irmãs das zonas frias, isso é fato, e nos basta.

Nas aves a riqueza tropical é inaudita, em forma, cor e força. A maior delas, o avestruz, tem resistência capaz de suster, montado no seu cangote, um homem. Ao lado dessa monstruosa ave-cavalo volitam as mais aperfeiçoadas joias da criação, os beija-flores.

Os maiores coleópteros zumbem no tropical. O escaravelho hercúleo, *Dinastes hercules*, é filho da América do Sul. Nos lepidópteros a terra quente detém todos os recordes. Nas aranhas nenhuma sobrepuja a nossa caranguejeira, *Terafosa avicularia*, assim chamada em virtude da fama que goza de apanhar no ninho pequenos pássaros.

E do reino animal saltamos para o vegetal, cresce a riqueza da vida. Os maiores fetos remanescentes dos períodos eos, viçam nos sombrios úmidos da região equatorial. Nela as gramíneas alteiam-se a proporções gigantescas que vão do milho ao bambu. As árvores atingem as proporções fantásticas da sequoia da Califórnia, do baobá africano e do nosso jequitibá de incomparável beleza.

A palmeira, essa mesquinharia das regiões entanguidas, exubera aqui em gigantes. Foi ao avistar-se com a palmeira imperial, no Rio, que Darwin, esmagado pela majestade daquele fuste flabelado no tope, caiu de joelhos, murmurando: — "Salve, rei dos vegetais!". Já Lineu as classificara de príncipes do reino, e Humdoldt dissera: "Três formas de perfeita beleza, encontram-se nas regiões tropicais, a palmeira, a bananeira e o feto arborescente". A Vitória Régia, com folhas de até dois metros de diâmetro, é a maravilha das plantas aquáticas. Na Índia a euriale dos misteriosos lagos, e no Egito o nelumbo proclamam a vitória do calor para os surtos supremos da vida.

Não teria fim esta enumeração de primazias. Mas ao nosso intento basta o punhado de glórias biológicas aqui apontadas. Elas nos revelam de maneira flagrante que é nas regiões tropicais que a vida ascende ao esplendor máximo, apogeu de beleza e força.

E é lógico que seja assim.

A vida é filha do calor. O sol a criou, o sol a mantém, e o seu índice flutua em ascensão ou depressão conforme o habitat foge ou se aproxima dos gelos polares. Mais sol, mais calor: maior eclosão da vida.

Mas se é assim, como esta lei falha mal entra em campo o homem? Por que degenera o homem justamente onde, por impulsão ambiente, devera alteár-se ao apogeu? Por que na Amazônia, onde tudo alcança o máximo, só ele dá de si o mínimo?

Reflitamos.

O homem, com civilizar-se, afastou-se da natureza. Desrespeitou-a, infringiu-lhe as leis. A consequência foi o enfraquecimento. O uso do vestuário quebrou a resistência da epiderme. O hábito de casa paralisou o desenvolvimento da resistência orgânica às agressões do ar livre, e atrofiou a já criada no longo estágio de vida selvagem. O regime alimentar, a vida em sociedade, o transporte fácil, a especialização de funções, cada criatura transformada em certa peça de imensa máquina, atrofiando assim as facetas do indivíduo que permanecem inertes, os vícios, a hipertrofia do urbanismo, tudo, enfim, que a palavra civilização enfeixa, é, biologicamente, transvio — e transvio destruidor da defesa natural do corpo.

Cessada a função, ou desviada da trilha natural, o organismo enfraquece e reage com fraco vigor contra os assaltos dos inimigos. Além disso, o regime do direito e da moral, imposto pela vida em sociedade, anulou a força dos processos seletivos; os fracos defendidos pela lei, amparados e conservados artificialmente; o forte impedido de vencer e eliminar o fraco; a revogação, em suma, da suprema lei da biologia, lançou o *Homo sapiens* no despenhadeiro da degenerescência física. Biologicamente, o homem é um animal em plena decadência.

Por força desse enfraquecimento orgânico ele só pode prosperar nas regiões temperadas ou frias, onde a vida circunvolvente é pouco intensa graças à ação refreante do inverno, onde o mundo dos micro-organismos não alça o colo, onde o parasitismo é quase nulo.

Ao invés disso, nas regiões tropicais, onde não há o marasmo anual do frio e tudo propicia um *fiat* ininterrupto, a vida desabrocha num esfervilhar de mundo em formação.

A fauna invisível e a fauna dos vermes e insetos atingem proporções desmarcadas. A concorrência vital é tremenda. A guerra, a luta, a invasão, a adaptação e a evolução rápidas constituem o ambiente normal em que o fraco é eliminado incontinente.

Ora, o homem, que hoje prospera magnificamente nas zonas de vida fraca e nelas constrói civilizações, ao transportar-se para o meio tropical vê-se tomado de assalto pela legião dos parasitos, e baqueia.

Estes seres agridem também as altas formas de vida nele vigentes, mas esbarram na resistência natural fornecida pela reação imediata do organismo, e caem vencidos.

No ser fraco, porém, dessorado pela civilização, a baixa animalidade encontra todas as portas abertas, nenhuma reação eficaz, e faz dele hospedaria.

Daí o estado de doença. Esse corpo não mitridatizado verga na caquexia, quando não tomba aos primeiros assaltos do invasor. Está inerme, posta de carne atônica entregue à voracidade do animálculo.

Isto explica por que o homem não consegue prosperar justamente onde a vida atinge o fastígio.

Mas já não é assim hoje, por felicidade nossa. A ciência dá-nos elementos para modificar este estado de coisas, de modo a permitir à vida humana na zona dos trópicos um surto paralelo ao das outras formas de vida.

Se lhe não é possível readquirir a resistência perdida, há meios de evitar os botes insidiosos do microrganismo.

Vale tanto ser agredido e vencer o germe do mal pelo contra-ataque da imunidade nativa, como impedir por processos mecânicos a agressão.

A higiene, eis o segredo da vitória.

A higiene é a defesa artificial que o civilizado criou em substituição da defesa natural que perdeu. Ela permite ao inglês na Índia uma vida próspera, exuberante de saúde no meio de nativos derreados de lazeira.

Ela permitirá erguerem-se grandes empórios nas zonas até aqui condenadas.

Ela, só ela permitirá criar na terra brasileira uma civilização digna deste nome.

O nosso estado de profunda degenerescência física e decadência moral provém exclusivamente disso: desaparelhamento de defesa higiênica.

O nosso povo, transplante europeu feito em época de magros conhecimentos científicos, foi assaltado pela micro vida tropical, e verminado intensamente sem que nunca percebesse a extensão da mazela. Só agora se faz o diagnóstico seguro da doença, e surge uma orientação científica para solução do problema da nossa nacionalidade, ameaçada de desbarato pelo acúmulo excessivo de males curáveis, evitáveis, e jamais curados ou evitados — porque sempre ignorados, quando não criminosamente negados. Desfeitos todos os véus da ilusão, livres para sempre da mentira ditirâmbica, o caminho está desembaraçado para a cruzada salvadora.

Sanear o país deve ser, pois, a nossa obsessão de todos os momentos.

É a grande fórmula do patriotismo que se não contenta com o jogo malabar do palavreado sonoro. E, além disso, é o último cartucho que nos resta queimar...

Jeca Tatu
A RESSURREIÇÃO

I

Jeca Tatu era um pobre caboclo que morava no mato, numa casinha de sapé. Vivia na maior pobreza, em companhia da mulher, muito magra e feia, e de vários filhinhos pálidos e tristes.

Jeca Tatu passava os dias de cócoras, pitando enormes cigarrões de palha, sem ânimo de fazer coisa nenhuma. Ia ao mato caçar, tirar palmitos, cortar cachos de brejaúva, mas não tinha a ideia de plantar um pé de couve atrás da casa. Perto corria um ribeirão, onde ele pescava de vez em quando uns lambaris e um ou outro bagre. E assim ia vivendo.

Dava pena ver a miséria do casebre. Nem móveis nem roupas, nem nada que significasse comodidade. Um banquinho de três pernas, umas peneiras furadas, a espingardinha de carregar pela boca, muito ordinária, e só.

Todos que passavam por ali murmuravam:

— Que grandíssimo preguiçoso!

II

Jeca Tatu era tão fraco que quando ia lenhar vinha com um feixinho que parecia brincadeira. E vinha arcado, como se estivesse carregando um enorme peso.

— Por que não traz de uma vez um feixe grande? — perguntaram-lhe um dia.

Jeca Tatu coçou a barbicha rala e respondeu:

— Não paga a pena.

Tudo para ele não pagava a pena. Não pagava a pena consertar a casa, nem fazer uma horta, nem plantar árvores de fruta, nem remendar a roupa.

Só pagava a pena beber pinga.

— Por que você bebe, Jeca? — diziam-lhe.

— Bebo para esquecer.

— Esquecer o quê?

— Esquecer as desgraças da vida.

E os passantes murmuravam:

— Além de vadio, bêbado...

III

Jeca possuía muitos alqueires de terra, mas não sabia aproveitá-la. Plantava todos os anos uma rocinha de milho, outra de feijão, uns de abóbora e mais nada. Criava em redor da casa um ou outro porquinho e meia dúzia de galinhas. Mas o porco e as aves que cavassem a vida, porque Jeca não lhes dava o que comer. Por esse motivo o porquinho nunca engordava, e as galinhas punham poucos ovos.

Jeca possuía ainda um cachorro, o Brinquinho, magro e sarnento, mas bom companheiro e leal amigo.

Brinquinho vivia cheio de bernes no lombo e muito sofria com isso. Pois apesar dos ganidos do cachorro, Jeca não se lembrava de lhe tirar os bernes. Por que? Desânimo, preguiça...

As pessoas que viam aquilo, franziam o nariz.

— Além de vadio, bêbado...

— Que criatura imprestável! Não serve nem para tirar berne de cachorro...

IV

Jeca só queria beber pinga e espichar-se ao sol no terreiro. Ali ficava horas, com o cachorrinho rente; cochilando. A vida que rodasse, o mato que crescesse na roça, a casa que caísse. Jeca não queria saber de nada. Trabalhar não era com ele.

Perto morava um italiano já bastante arranjado, mas que ainda assim trabalhava o dia inteiro. Por que Jeca não fazia o mesmo?

Quando lhe perguntavam isso, ele dizia:

— Não paga a pena plantar. A formiga come tudo.

— Mas como é que o seu vizinho italiano não tem formiga no sítio?

— É que ele mata.

— E por que você não faz o mesmo?

Jeca coçava a cabeça, cuspia por entre os dentes e vinha sempre com a mesma história:

— Quá! Não paga a pena...

— Além de preguiçoso, bêbado, e além de bêbado, idiota, era o que todos diziam.

V

Um dia um doutor portou lá por causa da chuva e espantou-se de tanta miséria. Vendo o caboclo tão amarelo e chucro, resolveu examiná-lo.

— Amigo Jeca, o que você tem é doença.

— Pode ser. Sinto uma canseira sem fim, e dor de cabeça, e uma pontada aqui no peito que responde na cacunda.

— Isso mesmo. Você sofre de ancilostomíase.

— Anci... o quê?

— Sofre de amarelão, entende? Uma doença que muitos confundem com a maleita.

— Essa tal maleita não é a sezão?

— Isso mesmo. Maleita, sezão, febre palustre ou febre intermitente: tudo é a mesma coisa, está entendendo? A sezão também produz anemia, moleza e esse desânimo do amarelão; mas é diferente. Conhece-se a maleita pelo arrepio, ou calafrio que dá, pois é uma febre que vem sempre em horas certas e com muito suor. O que você tem é outra coisa. É amarelão.

VI

  O doutor receitou-lhe o remédio adequado; depois disse: "E trate de comprar um par de botinas e nunca mais me ande descalço nem beba pinga, ouviu?".
  — Ouvi, sim, senhor!
  — Pois é isso, — rematou o doutor, tomando o chapéu. — A chuva já passou e vou-me embora. Faça o que mandei, que ficará forte, rijo e rico como o italiano. Na semana que vem estarei de volta.
  Jeca ficou cismado. Não acreditava muito nas palavras da Ciência, mas por fim resolveu comprar os remédios, e também um par de botinas ringideiras.
  Nos primeiros dias foi um horror. Ele andava pisando em ovos. Mas acostumou-se, afinal...

VII

  Quando o doutor reapareceu, Jeca estava bem melhor, graças ao remédio tomado. O doutor mostrou-lhe com uma lente o que tinha saído das suas tripas.
  — Veja, seu Jeca, que bicharia tremenda estava se criando na sua barriga! São os tais *ancilóstomos*, uns bichinhos dos lugares úmidos, que entram pelos pés, vão varando pela carne a dentro até alcançarem os intestinos. Chegando lá, grudam-se nas tripas e escangalham com o freguês. Tomando este remédio você bota pra fora todos os *ancilóstomos* que tem no corpo. E andando sempre calçado, não deixa que entrem os que estão na terra. Assim fica livre da doença pelo resto da vida.
  Jeca abriu a boca, maravilhado.
  — Os anjos digam amém, seu doutor!

VIII

  Mas Jeca não podia acreditar numa coisa: que os bichinhos entrassem pelo pé. Ele era "positivo" e dos tais que "só vendo". O doutor resolveu abrir-lhe os olhos. Levou-o a um lugar úmido, atrás da casa, e disse:
  — Tire a botina e ande um pouco por aí.
  Jeca obedeceu.
  — Agora venha cá. Sente-se. Bote o pé em cima do joelho. Assim. Agora examine a pele com esta lente.
  Jeca tomou a lente, olhou e percebeu vários vermes pequeninos que já estavam penetrando na sua pele, através dos poros. O pobre homem arregalou os olhos, assombrado.
  — E não é que é mesmo? Quem "havera" de dizer!...
  — Pois é isso, seu Jeca, e daqui por diante não duvide mais do que a Ciência disser.
  — Nunca mais! Daqui por diante nha Ciência está dizendo e Jeca está jurando em cima! T'esconjuro! E pinga, então, nem pra remédio...

IX

 Tudo o que o doutor disse aconteceu direitinho! Três meses depois ninguém mais conhecia o Jeca.
 A preguiça desapareceu. Quando ele agarrava no machado, as árvores tremiam de pavor. Era *pan, pan pan*... horas seguidas, e os maiores paus não tinham remédio senão cair.
 Jeca, cheio de coragem, botou abaixo um capoeirão para fazer uma roça de três alqueires. E plantou eucaliptos nas terras que não se prestavam para cultura. E consertou todos os buracos da casa. E fez um chiqueiro para os porcos. E um galinheiro para as aves. O homem não parava, vivia a trabalhar com fúria que espantou até o seu vizinho italiano.
 — Descanse um pouco, homem! Assim você arrebenta... — diziam os passantes.
 — Quero ganhar o tempo perdido, — respondia ele sem largar do machado. — Quero tirar a prosa do "intaliano".

X

 Jeca, que era um medroso, virou valente. Não tinha mais medo de nada, nem de onça! Uma vez, ao entrar no mato, ouviu um miado estranho.
 — Onça! — exclamou ele. — É onça e eu aqui sem nem uma faca!...
 Mas não perdeu a coragem. Esperou a onça, de pé firme. Quando a fera o atacou, ele ferrou-lhe tamanho murro na cara, que a bicha rolou no chão, tonta. Jeca avançou de novo, agarrou-a pelo pescoço e estrangulou-a.
 — Conheceu, papuda? Você pensa então que está lidando com algum pinguço opilado? Fique sabendo que tomei remédio do bom e uso botina ringideira...
 A companheira da onça, ao ouvir tais palavras, não quis saber de histórias — azulou! Dizem que até hoje está correndo...

XI

 Ele, que antigamente só trazia três pauzinhos, carregava agora cada feixe de lenha que metia medo. E carregava-os sorrindo, como se o enorme peso não passasse de brincadeira.
 — Amigo Jeca, você arrebenta! — diziam-lhe. — Onde se viu carregar tanto pau de uma vez?
 — Já não sou aquele de dantes! Isto para mim agora é canja, — respondia o caboclo sorrindo.
 Quando teve de aumentar a casa, foi a mesma coisa. Derrubou no mato grossas perobas, atorou-as, lavrou-as e trouxe no muque para o terreiro as toras todas. Sozinho!
 — Quero mostrar a esta paulama quanto vale um homem que tomou remédio de Nha Ciência, que usa botina cantadeira e não bebe nem um só martelinho de cachaça!

O italiano via aquilo e coçava a cabeça.

— Se eu não tropicar direito, este diabo me passa na frente, *Per Bacco*!

XII

Dava gosto ver as roças do Jeca. Comprou arados e bois, e não plantava nada sem primeiro afofar a terra. O resultado foi que os milhos vinham lindos e o feijão era uma beleza.

O italiano abria a boca, admirado, e confessava nunca ter visto roças assim.

E Jeca já não plantava rocinhas como antigamente. Só queria saber de roças grandes, cada vez maiores, que fizessem inveja no bairro.

E se alguém lhe perguntava:

— Mas para que tanta roça, homem? — ele respondia:

— É que agora quero ficar rico. Não me contento com trabalhar para viver. Quero cultivar todas as minhas terras, e depois formar aqui uma enorme fazenda. E hei de ser até coronel...

E ninguém duvidava mais. O italiano dizia:

— E forma mesmo! E vira mesmo coronel! *Per la Madonna*!...

XIII

Por esse tempo o doutor passou por lá e ficou admiradíssimo da transformação do seu doente.

Esperara que ele sarasse, mas não contara com tal mudança.

Jeca o recebeu de braços abertos e apresentou-o à mulher e aos filhos.

Os meninos cresciam viçosos, e viviam brincando, contentes como passarinhos.

E toda gente ali andava calçada. O caboclo ficara com tanta fé no calçado, que metera botinas até nos pés dos animais caseiros!

Galinhas, patos, porcos, tudo de sapatinho nos pés! O galo, esse andava de bota e espora!

— Isso também é demais, seu Jeca, — disse o doutor. — Isso é contra a natureza!

— Bem sei. Mas quero dar um exemplo a esta caipirada bronca. Eles aparecem por aqui, veem isso e não se esquecem mais da história.

XIV

Em pouco tempo os resultados foram maravilhosos. A porcada aumentou de tal modo, que vinha gente de longe admirar aquilo. Jeca adquiriu um caminhão Ford, e em vez de conduzir os porcos ao mercado pelo sistema antigo, levava-os de auto, num instantinho, buzinando pela estrada afora, *fon-fon! fon-fon!*...

As estradas eram péssimas; mas ele consertou-as à sua custa. Jeca parecia um doido. Só pensava em melhoramentos, progressos, coisas americanas. Aprendeu logo a ler, encheu a casa de livros e por fim tomou um professor de inglês.

— Quero falar a língua dos bifes para ir aos Estados Unidos ver como é lá a coisa.

O seu professor dizia:

— O Jeca só fala inglês agora. Não diz porco; é *pig*. Não diz galinha, é *hen*... Mas de álcool, nada. Antes quer ver o demônio do que um copinho da "branca"...

XV

Jeca só fumava charutos fabricados especialmente para ele, e só corria as roças montado em cavalos árabes de puro sangue.

— Quem o viu e quem o vê! Nem parece o mesmo. Está um "estranja" legítimo, até na fala.

Na sua fazenda havia de tudo. Campos de alfafa. Pomares belíssimos com quanta fruta há no mundo. Até criação de bicho da seda; Jeca formou um amoreiral que não tinha fim.

— Quero que tudo aqui ande na seda, mas seda fabricada em casa. Até os sacos aqui da fazenda têm que ser de seda, para moer os invejosos...

E ninguém duvidava de nada.

— O homem é mágico, — diziam os vizinhos. — Quando assenta de fazer uma coisa, faz mesmo, nem que seja um despropósito...

XVI

A fazenda do Jeca tornou-se famosa no país inteiro. Tudo ali era por meio do rádio e da eletricidade. Jeca, de dentro do seu escritório, tocava num botão e o cocho do chiqueiro se enchia automaticamente de rações muito bem dosadas. Tocava outro botão, e um repuxo de milho atraía todo o galinhame!...

Suas roças eram ligadas por telefones. Da cadeira de balanço, na varanda, ele dava ordens aos feitores, lá longe.

Chegou a mandar buscar nos Estados Unidos um telescópio.

— Quero aqui desta varanda ver tudo que se passa em minha fazenda.

E tanto fez, que viu. Jeca instalou os aparelhos, e assim pôde, da sua varanda, com o charutão na boca, não só falar por meio do rádio para qualquer ponto da fazenda, como ainda ver, por meio do telescópio, o que os camaradas estavam fazendo.

XVII

Ficou rico e estimado, como era natural; mas não parou aí. Resolveu ensinar o caminho da saúde aos caipiras das redondezas. Para isso montou na fazenda e vilas próximas vários Postos de Maleita, onde tratava os enfermos de sezões; e também Postos de Ancilostomose, onde curava os doentes de amarelão e outras doenças causadas por bichinhos nas tripas.

O seu entusiasmo era enorme. "Hei de empregar toda a minha fortuna nesta obra de saúde geral, dizia ele. O meu patriotismo é este. Minha divisa: Curar gente. Abaixo a bicharia que devora o brasileiro..."

E a curar gente da roça passou Jeca toda a sua vida. Quando morreu, aos 89 anos, não teve estátua, nem grandes elogios nos jornais. Mas ninguém ainda morreu de consciência mais tranquila. Havia cumprido o seu dever até o fim.

XVIII

Meninos: nunca se esqueçam desta história; e, quando crescerem, tratem de imitar o Jeca. Se forem fazendeiros, procurem curar os camaradas da fazenda. Além de ser para eles um grande benefício, é para você um alto negócio. Você verá o trabalho dessa gente produzir três vezes mais.

Um país não vale pelo tamanho, nem pela quantidade de habitantes. Vale pelo trabalho que realiza e pela qualidade da sua gente. Ter saúde é a grande qualidade de um povo. Tudo mais vem daí.

NOTA

Esta pequena história teve um curioso destino. Adotada por Cândido Fontoura, esse homem de visão tão penetrante, para propaganda de seus preparados medicinais contra a malária e a opilação, vem sendo espalhada pelo país inteiro na maior abundância. As tiragens já alcançaram quinze milhões de exemplares — e prosseguem. Não há recanto do Brasil, não há fundo de sertão, onde quem sabe ler não haja lido o "Jecatatuzinho", que é o nome popular da história por causa do pequeno formato das edições distribuídas. E desta forma, graças à ação de Fontoura, as noções dadas no "Jecatatuzinho" sobre as origens da malária e da opilação já entraram no conhecimento do povo roceiro, habilitando milhares e milhares de criaturas a se defenderem e também a se curarem, quando por elas alcançados.

Não Ficção

Ideias de Jeca tatu (1919)

A Martin Francisco, personalidade feita homem.
ESTE GRITO DE GUERRA CONTRA O MACACO

Prefácio da 1ª edição

Uma ideia central unifica a maioria destes artigos, dados à estampa em O Estado de S. Paulo, *na* Revista do Brasil *e em outros periódicos. Essa ideia é um grito de guerra em prol da nossa personalidade... A corrente contrária propugna a vitória do macaco. Quer, no vestuário, a cinturinha de Paris; na arte,* aveugles-nés; *na língua, o patuá senegalesco. Combate a originalidade como um crime e outorga-nos, de antemão, o mais cruel dos atestados: és congenialmente incapaz duma atitude própria na vida e na arte; copia, pois, ó imbecil!*

Convenhamos: a imitação é, de feito, a maior das forças criadoras. Mas imita quem assimila processos. Quem decalca não imita, furta. Quem plagia não imita, macaqueia. E o que os paredros do dernier cri *fazem não passa de caretas, guinchos, pinotes de monos glabros em face dos homens e das coisas de Paris.*

— Macaquitos, então?
— Upa! Macacões!

Jeca Tatu, coitado, tem poucas ideias nos miolos. Mas, filho da terra que é, integrado como vive no meio ambiente, se pensasse, pensaria assim. Justifica-se pois o título.

IDEIAS DE JECA TATU
A CARICATURA NO BRASIL

Anda para cinco meses que abrir um jornal vale tanto como abrir um porco de ceva, tal o bafio de sangue que escapa dos telegramas, das crônicas, de tudo. Ora, isto afinal engulha, e sugere passeios por veredas afastadas do matadouro, onde os pés não chapinhem em lama de sangue nem se repastem os nossos olhos na rês humana carneada a estilhaços de obus.

Diga-se, por exemplo, da caricatura, maldade velha que nasceu quando o animal que ri farejou no repuxo dos músculos faciais um meio de matar às claras — matar moralmente, já se vê. E que nasceu na Grécia para veículo dum sutil alcaloide de nome *eironeia*, do qual foi Sócrates um hábil manipulador. E desde então nada se forrou a esse veneno — nem homens, nem deuses, nem cavalos. O que sucedeu a Pégaso deve ser dito a todas as alimárias de quatro pés ou dois, para lembrete da inanidade das prosápias cavalinas.

Não valeu a Pégaso ser um Moisés hípico, abridor de fontes a coices; nem lhe valeu honrá-lo Apolo com os seus divinos fundilhos, no dia em que de visita a Baco o encavalgou em pelo, com as nove musas à garupa. Nem lhe valeu a glória de puxar o carro da Aurora. Irreverentes homens de Atenas caricaturaram-no de asno enfeitado com asas de ganso, a tropicar pelo cabresto de um Belerofonte manco e amarrotado de um tombo recente.

Zeus, lá do Olimpo, não gostou da brincadeira e esbrugou o cavalo magnífico em mil pedaços, estrelejando com eles o céu na zona compreendida entre a constelação de Hércules e a dos Peixes. Mas o seu avatar asinino cá ficou na terra, murcho de orelhas, atido à prebenda de levar ao Parnaso, no trote, os meninos que ali pelos dezoito anos quebram pés a versos e correm a chorar sonetos no colo da boa Polínia todas as vezes que brigam com a namorada.

Depois de Pégaso, Júpiter.

Um discípulo de Apeles pintou uma tela humorística de grande voga: "Júpiter parindo Baco". De mitra à cabeça, o deus dos deuses esquece a serenidade e berra como descompassado ilota da Lacônia, pondo em dobadoura as deusas ali reunidas com paninhos, bacias e mais farragem obstétrica.

E de Jove para cá ninguém mais teve imunidades. Descerre quem for curioso as cortinas da História e espie dentro das Épocas — das oxigenadas como a Renascença às pestíferas como aquele sanioso Ano Mil de lúgubre memória — e lá verá a Caricatura latindo contra todas as prepotências do farisaísmo de mil caras.

Lá verá, na Alemanha, Holbein, curvo sobre a prancha de desenho, a saracotear os esqueletos da Dança Macabra — meio de provar aos papas e reis que eles também morriam. Mais adiante, na Flandres, verá Ostade, Dow, Teniers e tantos outros bonachões flamengos ocupados em pintar mazelas sociais com um chiste mais gordo que ferino. Na França a caricatura publicava-se na pedra das catedrais. Além Mancha, Hogarth satirizava as coisas inglesas em água-fortes cheias de confusas intenções e sub-intenções.

Os lerdos veículos da época — "folhas volantes", quadros, pedras de catedral — muito coarctavam a humana ânsia de rir e ferretoar por meio do desenho. À motuca da Caricatura estavam faltando asas. Deu-lhas um dia Gutenberg. Desde então viu-se a Caricatura sagrada a quarta arma de guerra do pensamento humano — e nunca mais correu calmo o sono dos reis, dos ministros, dos Falstaffs, dos Gerontes, dos Lovelaces, dos Ferrabrazes, dos Bertoldos, dos Brummeis e do nosso velho amigalhão, o conselheiro Acácio.

E a árvore cresceu e engalhou-se pelo mundo, inundando-o de folhas periódicas. Entre estas primou na França o *Charivari*, onde as vespas eram o grande Daumier, Philippon, Grandville e Traviés, servidos no texto por um mestre de polpa, Balzac. Gavarni também aparece ali na fase mais vibrátil de seu gênio amigo de perambular pelos bastidores da alma humana.

Por essa época ocupava o trono de França, ainda quente das nádegas de Napoleão, um rei eclético, sobre cuja coroa o Parlamento enterrara uma cartola. O formato da cara gorda de Luiz Felipe fez-lhe muito mal, a ele, à dinastia e ao ecletismo. Lembrava uma pera. Quem deu pela semelhança foi Philippon e logo o *Charivari* abriu campanha. De cem modos o caricaturista ajeitava no desenho as reais bochechas como o bojo da pera e o resto da cara como o pescoço. A semelhança revelava-se estupenda. Era pera e era o rei.

Luiz Felipe não gostou. O *Charivari* foi chamado aos tribunais, onde o libelo apareceu instruído de quanta pera sediciosa as autoridades puderam reunir com estilo ou assinatura de Philippon.

O desenhista defendeu-se com socrática ironia, apresentando aos juízes uma demonstração gráfica na qual, partindo-se do retrato do rei e prosseguindo por uma série de desenhos intermediários, chegava-se a uma bela pera *angevine* — do que a natureza, não ele, tinha culpa. A carranca do tribunal desfez-se em sorriso. Assombro!

Se ria Têmis, salvo estava o caricaturista e condenado o rei. Mas era preciso consolar o rei — e Philippon recebe uma penazinha pró-forma.

Foi pior. Recresceu a campanha periforme. Publicando a sentença condenatória, o *Charivari* dispô-la tipograficamente em forma de pera, de modo que a própria sentença do tribunal virasse caricatura do rei. O público babou-se.

Daumier pelo seu lado prosseguiu na *scie*. Creio que é dele uma paisagem de vacas no pasto, todas de costas para o espectador; o traseiro delas, ou "escudo" em anatomia bovina, simulava uma pera de engenhosa parecença com a bela *angevine* real. E foi da polpa de tal pera que saiu a revolução de 1848. A caricatura revelou-se tremenda, quando manejada pelos Daumiers, pelos Gavarnis, pelos Chams.

Na Inglaterra, o *Punch* — o *Charivari* britânico.

O *Punch* é um *whig* de inalterável bom humor, cujos trajes de polichinelo escondem a farda dum polícia de costumes. Foi nele que Thackeray empalhou a fauna inteira dos *snobs* do *Snob Papers*, criando um verdadeiro museu da mentira social, não só inglesa como humana.

Desses precursores da caricatura saiu toda a legião atual. Não há país onde a caricatura não vice em folhas periódicas como um gênero de primeira necessidade, indispensável ao fígado da civilização. Como a ironia e o chiste não são plantas vulgares, e porque o rir-nos uns dos outros é da higiene humana, custeia cada povo as suas motucas — os seus caricaturistas — como as cortes medievas, por fome de lirismo, cultivavam poetas oficiais de pégaso arreado à porta para pulinhos ao Parnaso em dia de anos do rei ou nascimento de algum principezinho. E em nada se estampa melhor a alma de uma nação, do que na obra de seus caricaturistas. Parece que o modo de pensar coletivo tem seu resumo nessa forma de riso.

Alemanha, pelo *Lustige* e o *Fligend Blatter*, os mais típicos, ri o grosso riso germânico, todo pletoras, mas sempre denunciador dum chope preliminar. No *Simplicissimus* de Munich, porém, a Alemanha não ri — arreganha, com impaciências coiceiras dum Mefistófeles peado na ação. Os anelos informes duma Alemanha nova que ouviu e digeriu as falas de Zaratustra bosquejam andaimes ali.

Tudo muda, transpostos os Vosges. A França ri como os artríticos já grisalhos em uso das doses máximas de iodureto. Não mais a ferocidade canibalesca do 89, nem o riso ressoante a clarins do Primeiro Império. Um riso que é apenas sorriso. A França sorri de si, dos alemães, do mundo inteiro, vincando esse sorriso dum ar cansado de rês gorda que um truculento magarefe traz de olho.

Compulse-se o *Le Rire*, palco onde tentam rir todas as gerações desovadas do *Charivari*. De Hermann Paul, o Maupassant da expressão fugidia, ao rabelaisiano Léandre; de Willette, cuja filosofia ácida transparece sob a roupagem dos *pierrots*, a Forain, cruel varejeira do "amor parisiense" em perpétuo esvoaçar pelas alcovas no afã de espetar alfinetes no *mâle* que entra e sai e na *femelle* que fica; de Guillaume, que molha o lápis em Creme Simon e só está à vontade nos salões elegantes em borboleteios sobre espáduas femininas, a Huard, o paisagista da alma provinciana, todos riem e sorriem sem alegria íntima, como que tomados da canseira duma cultura que já cruzou os limites da saúde e começa a derrubar as primeiras pétalas.

É o riso verde.

A Inglaterra, pelas gaifonas do eterno *Punch*, ri entre dentes, sem tirar o cachimbo da boca. Laiva-lhe o imperceptível jogo dos músculos faciais um ríctus muito do carnívoro entaliscado no tríplice açamo do casamento, do *cant* e da Bíblia. E não há outro riso possível num povo que cultiva o orgulho como os velhos holandeses cultivavam tulipas; que possui a Índia e passa fome debaixo das pontes; e que sabe extrair do livro sagrado um alicerce moral para cada apetite — do que o levou a apontar o bacamarte ao peito dos boers ao que o fez apanhar a lança de D. Quixote para sacudir dos ombros da Bélgica as unhas dum apetite mais cru que o seu.

A alma italiana entremostra-se na caricatura a arquejar entre os escombros irremovíveis do passado e as ânsias insofridas duma era nova fulgurada aos olhos da plebe pelo eterno reflorir dos Gracos. Em face do Vaticano mora o *Asino*, especializado em morder nas frascarices da batina e nas transigências da Coroa. Pelo *Fischietto*, o *Pasquino* e os mais o italiano não ri para rir, fazendo arte pela arte, como em França, nem desfere as apopléticas gargalhadas do alemão; ri com intenções construtoras, por negócio, enfitando em mente uma Itália rebrotada de colônias e mercados novos — e já com o Trentino no bolso.

Da Rússia diz-nos a sua caricatura de como se extremam uma civilização quase francesa e uma barbárie quase mongólica.

Já na América ressalta a feição negocista da caricatura *yankee*. *Judge*, *World* e *Life* parecem grelos da mesma empresa, uma *Cartoon Works Mg. Co. Ltd.*, aporfiada em manter no humorismo o tom *greatest of the world*. Não afina a ironia pelos moldes gregos renascidos em França; caldeia-a nas fornalhas do *business* para comento das grandes lutas entre os *trusts* e o estado. Tio Sam, de cartola felpuda bandada de estrelas, grandes bicos no colarinho, calça apresilhada aos pés, disputa, de mãos nos bolsos, com o atarracado John Bull, quando não arenga e puxa as orelhas aos mexicanos de chapeirão. Para tio Sam é mexicano tudo quanto vegeta do Canal à Terra do Fogo.

Esquecia-nos Portugal.

Este país viveu largo tempo vida de antiquário, sopesando uma formidável ruma de glórias. E não descerrava o sobrecenho de medo que lá se lhe quebrasse o aprumo e viesse tudo por terra. Só a glória de Camões já esmagava Portugal. E havia ainda o Gama, o Condestabre, Pombal, o Lidador. E a história de um cento de Albuquerques terríveis. E a Índia. E Adamastor... As cariátides não riem quando o peso que suportam é muito grande, e Portugal imobilizara-se à beira da Europa feito cariátide sopesadora de formidáveis glórias.

Se de quando em longe este ou aquele irreverente arriscava algum frouxo de riso, o "Psiu!" ambiente gelava-lhe a careta. E se não bastasse, vinha a dose de estadulho — panaceia de uso externo de que os portugueses abusaram mais do que o lombo humano admite. E ainda havia o Limoeiro...

Esta sisudez chegou até *O Primo Basílio*. Por essas alturas cerrou fileira a famosa plêiade de cujos risos procede o Portugal moderno. Ramalho Ortigão e os mais espadaúdos cobriam a frente, brandindo paus ferrados. À retaguarda vinha Oliveira Martins e o corpo de pontoneiros prepostos a reconstruir. E a Ideia Nova foi sacudida no ar como um cobertor vermelho às ventas dum touro. A peleja foi dura. O campo da batalha ficou inçado de coisas em pandarecos. A maior vítima foi o conselheiro Legião, Acácio de nome. O Conselheiro era meio Portugal e o descer-lhe as calças em público foi terremoto de maiores consequências que o que destruiu Lisboa. Depois da *Morte de D. João* ninguém morreu com maior solenidade.

E no terreno assim desbravado a caricatura floriu viçosa. Surge Bordalo Pinheiro no *Antonio Maria* e no *Pontos nos ii*, as publicações humorísticas que melhor forneceram o riso a varejo ao sabor do paladar do público renovado.

E entre nós?

Numa história geral da caricatura a história da nossa terá meia página, se tanto. E explica-se a míngua. Enquanto colônia, era o Brasil uma espécie de ilha da Sapucaia de Portugal. Despejavam cá quanto elemento antissocial punha-se lá a infringir as Ordenações do Reino. E como o escravo indígena emperrasse no eito, para aqui foi canalizada de África uma pretalhada inextinguível. Até a vinda de D. João o Brasil não passava de índio e mataréu no interior e senhores, feitores e escravos nos núcleos de povoamento da costa, muito afastados entre si e rarefeitos. Em toda essa fase o Brasil não dá de si nenhum bruxuleio de arte.

E assim vai até que um tranco de Napoleão dá com o rei de Portugal para cima do Rio de Janeiro. Apesar da pressa com que arrumou as malas, D. João VI trouxe todos os ingredientes para uma boa implantação aqui: fidalgos de orgulhosa prosápia, nobres matronas, almotacés, estribeiros-mores, açafatas da rainha, vícios de bom tom, pitadas de arte e ciência e mais ingredientes básicos duma monarquia preposta a pegar de galho.

Infelizmente nenhum caricaturista acompanhou o transporte de tanta caricatura para as terras do Novo Mundo. Insanável lacuna! Que maravilhosos temas a época fornecia!...

Uma arrebicada Corte do velho mundo armando tenda no pátio de uma colônia correcional, entre rumas de pau-brasil e caixas de açúcar; a turba das pretas minas a rodeá-la com grandes beiços caídos e maiores olhos arregalados; um tucano espia da jiçara próxima os futuros aproveitadores do seu papo. O caricaturista para estas cenas devia ser Heat Robinson...

Que quadros! Lá na França, o Corso. O vento sacode a península ibérica, atravessa a Espanha e chega a Portugal. A Corte é sábia. Resolve fugir. Encaixota o trono. Embarca apressada.

O "estado", esse monstro de truculenta onipotência, pirâmide com esbirros e meirinhos na base e um Rei no topo, desmanchado em peças, desparafusado, a enjoar, como qualquer embarcadiço de primeira viagem, dentro de brigues e fragatas comboiados por navios de guerra ingleses...

Os navios chegam. Lançam âncoras. Começa o desembarque. Os guindastes descem engradados, caixas e caixotes. Carroções pegam daquilo e arrancam no trote. Num seguem as peças do Poder Moderador. Outro leva as peças da Ministrança. Outro leva os tribunais estrouvinhados, de pijama, barba recrescida e chinelas, ainda pálidos do enjoo do mar.

A Casa da Suplicação vem desmontada; as peças de vulto seguem em carretas: as mais delicadas, em lombo de pretos. A Soberania Nacional, coitadinha, desembarca numa padiola; está muito doente, sem sangue, com ares de tuberculosa. Açafatas consoladoras rodeiam-na e dão-lhe a tomar água de melissa para o nervoso. Que é que a pôs assim? O raio do Napoleão.

Atrás vem uma megera a desatar o nó duma venda que tem nos olhos e a mancar dos quartos. Seguem-na molecotes carregando uma balança de fiel entortado por um tranco. A Justiça?

Uma das traquitanas do Elias Lopes conduz a passo uma múmia que ressona beatificamente. É no mínimo o Instituto Histórico.

Duas juntas de bois puxam em zorra um megatério empalhado: as Ordenações do Reino. E no carro que segue vem o cofre de segredos onde dormem as Razões de Estado — lubrificante sem o qual os governos pereçam.

Pelo cais tosco de madeira pilhas de bagagem aguardam transporte. Há baús dessas fitinhas, rodelas e estrelas com que de um chapeleiro enriquecido os governos fazem um sólido comendador, um bonito barão. Há vasos com plantas exóticas para o Novo Mundo: num deles viça o Aulicismo, que na nova pátria se aclimará ainda melhor que o café.

O Beija-Mão, a Rainha e o Protocolo já chegaram ao palácio do Elias Lopes, e lá estão ao espelho, a comporem-se.

Passa agora o Rei.

Como as ratazanas de bordo desfizeram durante a travessia o Pálio, substitui-o o enorme guarda-sol do Ouvidor hospedeiro. Vem muito abatida a Real Majestade, a suar grosso, com as mãos gorduchas procurando endireitar as amolgaduras da coroa; na testa traz o vinco azedo das más digestões. Não consegue digerir o general Junot. Um fidalgo passa por ele, de cigarro à boca. O soberano, ofendido, argui com acrimônia:

— Senhor Barão, onde para a Etiqueta?

O fidalgo toma o lembrete muito ao pé da letra.

— Saberá V. Majestade que ainda está a bordo — e lá segue saltitante.

O Rei enxuga o suor da testa e suspira. Mas logo adiante o seu rosto se ilumina ao receber de Elias Lopes um régio presente: a chave da sua quinta, a melhor coisa do Rio de Janeiro.

— Já tenho onde dormir, ora graças! — exclama D. João num bocejo.

O desembarque do Estado prossegue até alta noite. Suas entranhas entremostram-se no desembarcadouro de madeira — seus cenários de papelão, os sarrafos dos bastidores, as bacias e vassouras, as caçarolas e caldeirões de cozinhar os angus políticos.

O Fisco — um canzarrão tremendo de dentuça arreganhada — é conduzido no açamo por vários meirinhos.

Na lufa-lufa do embarque em Lisboa muita peça se quebrou, outras caíram ao mar, outras ficaram esquecidas lá no palácio. Perderam-se sobretudo muitos parafusos e porcas, e disso veio que ao armar-se novamente o Estado ficou meio bambo, frouxo de mancais e perro.

Entre as coisas avariadas pela água do mar apareceu a Urna — a Urna das Eleições! Remendaram-na como puderam, mas nunca funcionou a contento nas terras do Brasil. Algo essencial se perdeu na travessia.

Dois frasquinhos de drogas homeopáticas ninguém descobriu onde paravam: um com a Noção do Dever outro com a Noção da Responsabilidade.

Concluído o desembarque, deu-se começo à arrumação provisória — esse primeiro contato entre o povo da Terra de Santa Cruz e o alporque monárquico transplantado. Distribuíram-se as peças por aquele Rio de Janeiro. Era preciso acomodar a fidalguia da Casa Real. O conde dos Arcos vai para a rua do Sabão. O marquês das Aduelas vai para a rua da Pipa. A cidade pintalga-se inteira de brasões reluzentes.

A famosa quinta do Elias Lopes está em grosso tumulto de arranjos, enquanto a Realeza gravemente come o seu primeiro jantar na América. O Rei trava relações com o tutu de feijão e gosta; já a Rainha assusta-se com a travessa de bananas de São Tomé assadas.

Dois mordomos confabulam apreensivos.

— E o trono? Onde meter a tipoia?

Há vacilações. O Rei percebe do que se trata e com a boca cheia de lombo resolve:

— Aqui mesmo, ao pé do guarda-comida.

Finda a janta, o primeiro arroto real ecoa. D. João, contente, de papo cheio, os pés já metidos no chinelão e o corpo num chambre de seda com as quinas bordadas a matiz, sorve goles de café... e assina a Declaração de Guerra à França, precursora de nossas futuras declarações de guerra à Alemanha.

Ah, Gavarni!... Nós é porque somos um povo de bezerros melancólicos. As lombrigas e as doenças do fígado matam-nos de tristeza. O remédio é rir e não rimos, porque não sabemos rir, porque temos medo de rir, porque somos o animal que não ri, apesar de termos em casa material até para o riso de Rabelais. Onde melhor tema de opereta do que no intermezzo de D. João? Ou neste maravilhoso quatriênio em que, desenvolvendo um tema imaginado por Calígula, o Brasil realizou o consulado de Incitatus?

Pois apesar dessa riqueza de temas a caricatura só lá em meados de Pedro II é que entrou a germinar aqui, com sementes trazidas da Itália por Ângelo Agostini. Esse artista desembarcou com uma pedra litográfica a tiracolo e muita coragem no coração. Olhou e viu em torno pouco mais que um vasto haras onde se faziam experiências de misturas étnicas. Havia a mucama, a mulatinha, o negro do eito, a negra do angu, o feitor, o fazendeiro, o *Jornal do Comércio*, dois partidos políticos, o Instituto Histórico e um neto de Marco Aurélio no trono, a estudar o planeta Vênus pelo telescópio do palácio.

O feitor em baixo deslombava os negros; a mucama no meio educava as meninas brancas; a boa intenção de chambre lia os *Vedas* no original.

Aquela curiosa ilha da Barataria encantou Agostini. Era um viveiro de temas de riqueza sem par. E ele alugou escritório e fundou a *Revista Ilustrada* — primeira manifestação do desenho humorístico e satírico entre nós. A voga da revista foi grande a ponto de permitir que durante longos anos o desenhista vivesse do produto das assinaturas, sem necessidade de recorrer à "cavação", arte que iria ter o seu esplendor na República.

Não havia casa em que não penetrasse a *Revista*, e tanto deliciava as cidades como as fazendas. Quadro típico de cor local era o fazendeiro que chegava cansado da roça, apeava, entregava o cavalo a um negro, entrava, sentava-se na rede, pedia café à mulatinha e abria a *Revista*. Os desenhos bem acabados, muito ao sabor da sua cultura e gosto, desfiavam ante seus olhos os acontecimentos políticos da quinzena. O rosto do fazendeiro iluminava-se de saudáveis risos. "É um danado este sujeito!" dizia ele de Agostini.

E ali na rede ele "via" o Império como nós hoje vemos a História no cinema. Via D. Pedro II de chambre, a espiar o céu pelo telescópio; um ministro entreabre o reposteiro e mete a cara para falar de negócios públicos; o Imperador, sem desfitar as estrelas, resmunga enfadado: "Já sei! Já sei!".

O fazendeiro gozava-se.

Depois, crítica ao Ministério. O Barão de Cotegipe, de grosso nariz recurvo, era figurado de mil maneiras, todas relembrativas de sua habilidade política. Às vezes aparecia como o "leão da fábula" açambarcando o melhor bocado. Outras vezes, como "macaco velho" que não metia a mão nas cumbucas dos Liberais.

Zacarias de Goes e Vasconcelos, Martinho de Campos, Lafayette Rodrigues com a vesguice exagerada num grande bugalho de olho, Dantas, Sinimbu, os paredros de galões dourados e os de galões vermelhos, tipos de rua como o Castro Urso ou o Príncipe Natureza, artistas estrangeiros que aportavam ao Rio, polêmicas pela seção-livre do *Jornal do Comércio* — toda a história da Corte se desenhava ali, rezando as alegorias e os subentendidos por forma muito entradiça olhos a dentro. Um ministério abolicionista em certo lance: é a "barca do estado" tripulada pelos ministros e singrando em mar revolto; um ferra as velas; o Presidente do Conselho firma o leme; à proa emergem ameaçadoramente os clássicos rochedos de Scila e Caribdes, com as feições duras do Andrade Figueira e do Conselheiro Paulino, os próceres da escravidão. O país compreendia sem esforço e gostava.

Pelo entrudo, tréguas à política; a *Revista* dava-se inteira ao Carnaval — e eram préstitos intermináveis a colear-lhe d'alto a baixo das páginas, combates de laranjinhas de cheiro, famílias de pretos encartolados de rumo à rua do Ouvidor sob a risota espremida das meninas janeleiras.

Disso resultou termos na coleção da *Revista Ilustrada* um documento histórico retrospectivo cujo valor sempre crescerá com o tempo — tal qual aconteceu com os desenhos de Debret e Rugendas. A boa acolhida da folha de Agostini provocou o nascimento de novas, sem que nenhuma conseguisse vingar. Entre elas citaremos o *Besouro*, onde Bordalo Pinheiro tentou rastrear sendas inéditas, implantando aqui a caricatura à pena em moda no Velho Mundo. Não pegou. O povo, muito afeito ao esfuminho de Ângelo Agostini, não compreendia outra forma de desenho. O *Besouro* morreu de inanição.

Entre a *Revista* e o *Besouro* reinou boa camaradagem no começo; andaram mesmo às beijocas; depois brigaram, arregaçaram as mangas e mutuamente se quebraram as caras — nos desenhos. O fim dessa luta merece citação. Bordalo figurou a *Revista* como um relíssimo engraxate de calças pelas canelas e, depois de muito esmoê-lo, pintou-se, a ele Bordalo, de vassoura em punho, varrendo com o engraxate, mais a caixa e as escovas, para fora do papel. "À margem, por indecente e sujo!" era a legenda.

No número seguinte da *Revista* Agostini revidou com muita felicidade: "Obrigado, *Besouro*. Sabemos reconhecer que as margens são o único lugar limpo dessa folha".

Estas polêmicas deliciavam as fazendas, do chefe da família à petizada. Era de ver o magote de guris em redor da folha desdobrada no assoalho, à noite, à luz do lampião de querosene, o mais taludote explicando a um crioulinho, filho da mucama, como é que o Zé Caipora escapou às unhas da onça.

E nessa vida feliz, sempre animada pela opinião pública, foi vivendo a *Revista Ilustrada* até que com o advento da República faleceu. Agostini ainda tentou mais tarde ressurgir no *D. Quixote*; mas ou porque já estivesse com a veia esgotada ou porque a intolerância dos governos marechalícios lhe tirasse a liberdade,

D. Quixote viveu o que vivem hoje as nossas revistas de piqueniques. E no campo deserto ninguém apareceu a retomar-lhe o lápis.

Os começos da República foram horrivelmente agitados e mazorqueiros. Era o militarismo com todas as suas incompreensões e brutalidades. Por fim o equilíbrio civil foi voltando e a caricatura começou mais uma vez a ensaiar as asas. A litografia já tinha saído da moda, substituída pelos novos processos da gravura fotomecânica, e pipocaram tentativas de folhas humorísticas, todas muito precárias. Morrem e ressuscitam. Insistem. Teimam. Procuram interessar o público indiferente e inculto. Os desenhos são ingênuos e destituídos de qualquer valor; em geral dois bonecos um defronte do outro e em baixo um diálogo, tão adequado aos dois figurões como a outros quaisquer. Por fim aparecem Calixto e Raul.

Vemo-los prestarem o concurso de seus lápis a todas as tentativas do periodicismo humorístico, e a eles cabe a façanha do nosso Renascimentozinho caricaturesco, bem como a paternidade indireta, por sugestão e exemplo, dos caricaturistas que aparecem daí por diante. Das folhas por eles lançadas ou em que colaboraram, a maioria faliu; uma delas, *O Malho*, vingou e prosperou. Para isso teve de fazer-se profundamente popular.

Os desenhos do velho *O Malho* resumiam-se em grupos de políticos evidentes com um diálogo em calão em baixo. Pinheiro Machado, Antonio Azeredo, Nilo Peçanha e Pires Ferreira aparecem de corpo inteiro, uns diante dos outros, sempre de perfil. "Então, seu Pinheiro, desta vez a coisa vai!" — "Se vai! Ou vai ou racha!" — "Não fosse você Machado..." — "Não brinca, menino, olha lá!"

Esta maravilhosa invenção trouxe para a revista os tostões de todos os guarda-freios da Central, todos os chefes-de-linha, todos os estivadores, carroceiros, motoristas ou porteiros ligados a algum paredro pelo fio do voto.

Outro recurso não menos engenhoso foi o cultivo da amizade de todas as bandas de música, grêmios disto ou daquilo, sociedades recreativas, irmandades da opa — todos os grupos associados em torno duma ideia ou de um peru, com o fim de propagá-la ou comê-lo, eternizando-se em seguida fotograficamente. *O Malho* publicava essas fotografias. Eram o meio indireto de sustentar a vida de um pouco de caricatura. Esse congregar amigos pelo país inteiro à custa de publicar-lhes a tromba, sublinhando-as com um elogio, tem algo de gênio.

"Vinde a mim, garçons de hotel de Pilão Arcado e Bebedouro, estafetas, caixeirinhos, irmãos de S. Benedito, guarda-chaves, motoristas, todos que soletrais e colheis os primeiros frutos da escola pública Republicana; ajudai-me a viver que vos divertirei na altura do vosso gosto. As camadas altas assinam *L'Illustration* e riem pelo *Fantasio*. Nada a esperar delas. Vinde a mim, protegei-me, que em troca vos darei histórias do Chantecler (Pinheiro Machado), retratos do Antonio Silvino e desenhos dos nossos caricaturistas."

E hoje temos Voltolino, Yantok e tantos mais e sobretudo esse J. Carlos que encheu toda uma época e pôs a arte da caricatura no Brasil a par da dos velhos países cultos, devemo-lo a grande ideia d'*O Malho*, de satisfazer as ingenuidades estéticas do poviléu.

Mas há uma coisa que impede o crescimento e a plena floração da nossa caricatura: a restrição cada vez maior da liberdade de crítica ao governo. E sem liberdade da mais ampla a caricatura fenece como a gramínea que tem sobre si um tijolo. Perde a clorofila. Descora.

Dá um esparguinho branco...

A criação do estilo
A propósito do Liceu de Artes e Ofícios

Não vem dos grandes mestres das artes plásticas a feição estética duma cidade. Vem antes de humildes artistas sem nome — do marceneiro que lhe mobilia a casa, do serralheiro que lhe bate o ferro dos portões e grades, do entalhador de guarnições e molduras, do fundidor, do estofador, do ceramista, de quantos direta ou indiretamente afeiçoam o interior da casa urbana. Como tais obreiros são numerosíssimos, dilata-se-lhes a zona de influência. Sai-lhes inteirinha das mãos a casa popular, como ainda a burguesa, e em boa parte o palacete rico. Apreende-se claro a força do profissional anônimo atentando para o Rio de Janeiro, cidade plasmada pelas manoplas calosas dum mestre d'obra que, sendo legião, é um só, tão uniformemente imprimiu em tudo o cunho mazorral da sua pouca finura em arte. Se em menino esse mestre atravessasse uma escola bem orientada, onde lhe desbastassem a gafeira grossa, que maravilhosa não seria a capital do Brasil!

Uma vez que é assim, curar da educação artística do operário, ensinando-lhe o bom gosto, desabrochando-lhe o senso da arte, norteando-lhe o impulso da criatividade, é dar moldes indeterminados, mas individualíssimos, à cidade futura.

É, portanto, criar estilo.

Estilo é a feição peculiar das coisas. Um modo de ser inconfundível. A fisionomia. A cara.

Não ter cara é um mal tamanho que as cidades receosas de criá-la própria importam máscaras alheias para fingir que têm uma.

É o que sucede na boa terra onde Amador Bueno quase foi rei.

Envergonhada de apresentar-se ao mundo como a natureza a fez, afivela no rosto máscaras exóticas na intenção de "parecer bem" aos pataratas. Tal qual o botocudo, para cuja estesia o supremo requinte é deformar o beiço com patacões de madeira, ou o maori zelandês que lanha as faces, arabescando-as de riscas inconcebíveis, e vai, debruçado no espelho das águas, extasiar-se com a lindeza.

Faz como eles a Pauliceia. Adota todas as máscaras à venda no mercado, confundindo beleza natural com maquilhagem maori.

Quando Anatole France andou por cá, mostramos-lhe os nossos monumentos, na certeza de que o homem, pelo menos, entreabriria um centímetro de boca.

Mas o requintado artista só torceu o nariz.

— Já vi isto mil vezes.

— Onde?

— Em toda parte, Europa, Bombaim, Port-Said...

Por gentileza não completou a frase: por toda parte onde o homem desmente Darwin, permanecendo macaco.

De quanto viu só lhe interessaram velhas igrejas. Descobriu nelas uma arte ingênua, porém mais eloquente que o esperanto arquitetônico da Avenida Paulista.

Nossas casas não denunciam o país.

Mentem à terra, ao passado, à raça, à alma, ao coração. Mentem em cal, areia e gesso, e agora, para maior duração da mentira, começam a mentir em cimento armado.

Dentro de um salão Luiz XV somos uma mentira com o rabo de fora. Porque por mais que nos falsifiquemos e nos estilizemos à francesa, Tomé de Souza e os quatrocentos degredados berram no nosso sangue; Fernão Dias geme; Tibiriçá pinoteia e Henrique Dias revê o seu pigmentozinho de contribuição.

Basta que no *Trianon*, entre flores exóticas, encasacado à francesa, conversando em *argot*, comendo *foie-gras* de Nantes, ouvindo versos d'Avray, aspirando perfumes de Fre Val, sonhando passeatas chiques pelo Bois de Boulogne e comentando a política de Briand ou a derradeira peça de Bataille, passe na rua um cafajeste gemendo no pinho o *Luar do Sertão*, para que o Brummel se remexa na cadeira, perca o aprumo, quebre a linha, estale o verniz, arregale o olho e denuncie a mentira viva que ele prega em oito ou dez avós vaqueiros, açucareiros ou tropeiros que lhe circulam no sangue.

Nosso mobiliário dedilha a gama inteira dos estilos exóticos, dos rococós luizescos às japonesices de bambu laçado. O interior das nossas casas é um perfeito prato de frios dum hotel de segunda. A sala de visitas só pede azeite, sal e vinagre para virar salada completa. Cadeiras Luiz 15 ou 16, mesinha central Império, jardineiras de Limoges, tapetes da Pérsia, "perdões" da Bretanha, gessos napolitanos, porcelanas de Copenhague, ventarolas do Japão, dragõezinhos de alabastro chinês — tudo quanto o negociante de missanga importa a granel para impingir ao comprador boquiaberto.

Objeto de cor local, coisa nossa, promanada naturalmente da terra, só o coronel, o doutor ou o amanuense — senhores-meninos daquele presepe.

Por fora, a mesma ausência de individualidade. Acantos gregos, curveteios lombricoidais do *art-nouveau*, capitéis coríntios, frisões de todas as renascenças, arcos romanos e árabes, barrocos, rocalhas — o cancan inteiro das formas exóticas.

Que lembre a terra, nem um trinco de porta.

Como é diferente a casa dos povos capazes de individualidade!

Na casa holandesa o estigma local começa no telhado e desce aos mais humildes utensílios de cozinha. Tudo nela cheira a raça; o jardim com a sua tulipa, os móveis esculpidos, os ornatos, os quadros — tudo é emanação da terra, criação lógica do ambiente.

No lar britânico o inglês está dentro duma moldura natural; nada destoa da sua psíquica fleugmática de pirata enriquecido.

Na casa nipônica, que maravilhosa harmonia entre a gaiolinha incapaz na aparência de resistir às brisas mas que aguenta terremotos, e o japonês de aspecto frágil mas que derrancou o russo!

A China tem o seu estilo.

O americano impõe o seu, filho do *big*, do ferro e do milionarismo; e com o estilo "missionário", haurido nas velhas igrejas e conventos da era espanhola da Califórnia e do Texas, dá hoje ao mundo uma forma superior de arte.

Só nós nos condenaremos a viver sempre em *garni*?

A causa disto reside na incultura.

Como não nos educam o gosto e não nos ensinam a ver, não temos a bela coragem do gosto pessoal.

O próprio brasileiro culto, saído duma casa de ensino superior, não distingue um cromo berrante da mais sugestiva marinha de Castagneto. Isto explica porque o nosso homem culto, quando dinheiroso, bem aparafusado na vida e preponderante no mundo político, se vai comprar um objeto d'arte olha ansioso para o nome do autor e só por ele se guia.

Incultura nos incultos; meia-cultura nos cultos; esnobismo infrene nos "entendidos" e cubice paranoica nos paredros supremos: eis o quadrado dentro do qual a feição estética da cidade evolui.

Estilo não se cria, nasce. Nasce por exigência do meio.

Ora, num meio incapaz desta exigência, compete aos artistas provocá-la, criando o estado d'alma propício.

E que artista é capaz disso?

O anônimo, o artista legião — só ele.

Está pois nas mãos dum estabelecimento como o Liceu, já perfeitamente radicado, criar o estilo da cidade, criando o artista-operário capaz de estilo.

Basta para isto incitá-lo à independência, ensiná-lo a olhar em torno de si e a tirar da natureza circunjacente os assuntos das composições, o motivo dos ornatos, a matéria prima, enfim, da sua arte.

Feita a semeadura, as messes virão com o tempo fartas e consoladoras — e teremos assegurado um futuro menos incaracterístico do que o presente macacal.

Esta orientação só pode partir do Liceu. Ramos de Azevedo e Ricardo Severo são, mais que dois nomes, duas forças propulsoras no campo da estética. Podem exercer na massa anárquica do meio paulistano a influência de Arinos nas letras.

Arinos enfrentou a corrente desbragada da francesia; mostrou como era grotesco o pastiche invasor, contrapondo-lhe uma obra profundamente racial.

Ramos e Severo possuem a autoridade moral e o valor necessários para tarefa semelhante.

São homens bandeiras.

Ricardo Severo já se desfraldou. Em conferência na Sociedade de Cultura Artística, das mais belas pela forma e a mais fecunda em sugestões de quantas ali se leram, plantou o marco de uma renascença.

E foi além.

Transpôs o passo difícil que vai da teoria à realização. Vários palacetes surgem por aí, filhos desse ideal.

Tomou das velhas igrejas as linhas do estilo-colônia, coou-as através do seu temperamento artístico, reviveu-as, deu-lhes elegância e adaptou-as com rara mestria à habitação moderna. Os projetos das casas Júlio de Mesquita, Numa de Oliveira e tantas outras valem pelo dealbar dum fulgurante renascimento arquitetônico.

Outros arquitetos seguem-lhe a orientação. Roberto Simonsen em Santos, e aqui Dubugras e Jorge Przirembel já possuem belas coisas no gênero.

Os óbices opostos a esta corrente pelo sorriso palerma do esnobismo, pela careta alvar da ignorância, pelas injunções da moda, pelo mau gosto, pela paspalhice do enricado de casca grossa, são tremendos, mas não insuperáveis.

A corrente há de engrossar e vencer.

No liceu, a seção de modelagem, por exemplo, tem elementos para influenciar fundamente o gosto popular. Aquelas primorosas terras-cotas de Bertozzi e seus alunos, onde, por enquanto, só figuram faunos, ninfas, sátiros e bacantes, poderão penetrar em todas as casas burguesas como portadoras da infinidade de temas nacionais menosprezados.

Há em derredor de nós todo um eldorado de temas virgens; mas a máscara afivelada pelo mau gosto empece-nos a visão. Passamos por eles sem os enxergar. Fábula do galo e da pérola.

Um caso: possuímos um satirozinho de grande pitoresco que ainda não penetrou nos domínios da arte, embora já se cristalizasse na alma popular, estilizado ao sabor da imaginativa sertaneja: o saci.

No entanto, para animar os gramados do jardim da Luz importamos nibelungos alemães, sacis do Reno!...

Temos ninfas, ou o correspondente disso, puramente nossas; a Iara, a mãe d'água, a mãe do ouro. Temos Marabá, a perturbadora criação indígena — mulher loura de olhos azuis, filha de estrangeiro e mãe aborígene, pelos nativos desprezada e odiada como inimiga natural. Temos caaporas, boitatás e tantos outros monstros cujas formas inda em estado cósmico nenhum artista procurou fixar.

Se há nas matas uma riqueza inaudita de motivos vegetais suscetíveis de estilização, por que deter-nos toda vida no arqui-surrado acanto?

Como penetrou na arte o acanto? Calímaco, um dia, abaixou-se, colheu uma folha de plantinha modesta, vulgar no solo grego, impressionou-se com o seu recortado, estilizou-a e pô-la em pedra.

O gesto de Calímaco será acaso uma prerrogativa sua? Não poderá ser repetido por todos os artistas de talento?

Nossas flores silvestres, nossos acantos, serão porventura indignos de se ordenarem em festões?

Nossa fauna será tão pobre que necessitemos fincar nas pontas das ripas do Belvedere da Avenida cabecinhas de carneiro grego?

Não é irrisório vivermos às voltas com palmetas napoleônicas, folhas de espadanas, conchas bivalves, saracoteios, rocalha, amores, graças, pastores, anjinhos e tudo mais que nasceu fora daqui e já teve sua época?

Ora, pois, concluamos: está o Liceu em maravilhoso pé de oportunidade para iniciar a organização do nosso 7 de Setembro estético.

Se há glória em erguer um estabelecimento de ensino popular àquela altura, que expressão de louvor teremos para quem, à formação de um simples artesão, curar da formação do operário-artista capaz de estilo?

A QUESTÃO DO ESTILO

Muita gente, e gente boa, comenta a ideia do estilo próprio no Brasil como absurda.

— Pois havemos então de restaurar o mau gosto colonial, um barroco de importação atravessado de barbarismos oriundos da cabeça dos pedreiros pretos?

Levada a intransigência a ponto agudo, era caso de responder que o pedreiro preto que com o seu sentimento pessoal colaborou na arte vinda da metrópole, era branco por dentro; como o *snob* de hoje que copia a França é preto retinto na alma; porque o preto fazia obra de branco e estes brancos falsários fazem obra de pretos do Senegal, useiros em meter na cabeça uma cartola velha, enfiar a casaca, atochar os pés num botinão e virem para a rua crentes de que o público os confundirá com puros parisienses.

Não se pede volta ao passado, bocós! Seria tão absurdo restaurar o estilo colonial como restaurar o Valongo, com escravos à venda e Debret de álbum em punho a copiar cenas de escravatura. A vida não anda aos saltos, para diante ou para trás, conforme agrade à veneta de alguém. A vida norteia-se por uma coisa chamada evolução, que um senhor inglês chamado Spencer com muito engenho reduziu a lei. O presente é a evolução do passado. O homem é a evolução do menino, como o menino é a evolução de uma célula.

Não contraria a evolução um preto que é moleque aos dez anos e aos setenta é negro velho. Mas a contraria, e faz a caveira de Spencer estremecer na cova, um bugre que bugre nasceu, que cresceu bugre, que é bugre aos vinte, aos trinta, aos setenta anos, que foi bugre sob os dois Pedros e que é cada vez mais bugre na República, encasquetar-se-lhe de repente na mioleira, por injunções do *Cinematógrafo* do sr. João do Rio, que virou loiro d'olhos azuis e é parisiense de Paris! E principiar a esmoer francês de Madagascar, a fumar *cigarettes*, a comer *patés*, a ter em casa *bonnes*, a ler o *Figaro*, a trescalar a *Houbigant*, e a exclamar, quando lhe passa ao pé um bugre autêntico e sincero, de tanga nos rins e cocar na sinagoga:

— *Sale tête, va!*

Porque então se invertem os papéis, e quem fica prodigiosamente bugre é justamente o contraventor da lei evolutiva.

Quanto mais se perfuma, e mais pede ao alfaiate roupas à moda, e mais abusa do *argot*, e mais plagia o Tristan Bernard, tanto mais dá relevo à nhambiquarice dos instintos, mais destaca a Hotentótia oculta no sangue, mais põe a nu o piteco incoercível do temperamento.

A estes bonifrates o sarcasmo francês, não encontrando na língua velha palavra que os defina, chama *rastoquoères* — equiparando-os aos "arrasta-couros" dos saladeiros argentinos que depois de enriquecerem procuram esconder a profissão inicial.

Nosso estilo deve ser a decorrente natural do estilo com que os avós nos dotaram. Sempre vivo, sempre em função do meio, se quer fugir à pecha de rastaquerismo deve retomar a linha do passado e desenvolvê-la à luz da estesia moderna. Para isso existem os artistas, temperamentos de eleição através dos quais a natureza se coa e surge transfeita em arte. Coe-se arte colonial através dum temperamento profundamente estético, filho da terra, produto do ambiente, alma aberta à compreensão da nossa natureza: e a arte colonial surgirá moderníssima, bela, fidalga e gentil como a língua bárbara de Vaz Caminha sai bela, fidalga, gentil e moderníssima dum verso de Olavo Bilac.

O poeta, no entanto, ao compor o "Caçador de Esmeraldas" não tomou de Corneille um vocábulo, nem de Anatole um conceito, nem de Musset uma noite, nem de Rostand um galo, nem de Lecomte uma frialdade, nem da Grécia um acanto, nem de Roma uma virtude. Mas, sem o querer, pelo fato de ser um moderno aberto a todos os ventos, tomou de Corneille a pureza da língua, de Musset a poesia, de

Lecomte a elegância, da Grécia a linha pura, de Roma a fortidão d'alma — e com o antigo-bruto fez o novo-belo.

Nada em Bilac revê enxerto de arte alheia. O vocabulário é o velho vocabulário da metrópole; as almas são almas velhas, as personagens não vieram embalsamadas num livro de Abel Hermant; o material é, em suma, o mesmo com o qual o cacetão quinhentista nos seca a paciência com descrições de mosteiros e milagres teatralíssimos, capazes de adormecer incuráveis doentes de insônia.

Seja assim a nossa arquitetura: moderníssima, elegantíssima, como moderna e elegante é a língua do poeta; mas, como ela, filha legítima de seus pais, pura do plágio, da cópia servil, do pastiche deletério.

Que se não diria de um poema composto com mal jeitosas adaptações de versos alheios, tirados de todas as línguas e com tipos de todas as raças? O *qu'il mourût* de Corneille na boca dum João Fernandes, que mata Ninon, amante do coronel José da Silva e Sousa, cônsul de Honduras no Tibete, porque um felá do Egito discordou de Ibsen quanto à ação de Descartes na batalha de Charleroi...

São Paulo é hoje, à luz arquitetônica, uma coisa assim: puro jogo internacional de disparates.

O convento da Luz caçoa da roupa nova, comprada a um tintureiro, que vestiram no Seminário Episcopal. São Bento, empedrado com austeridade germânica, faz muxoxos de desprezo à torre da Inglesa, rígida como uma *spinster* de cinquenta anos, coronela do *Salvation Army*. As casas em estilo lombricoidal empalidecem de terror se defronte lhes surge uma em estilo grego, receosas de que as folhas de acanto sejam vermífugas. Aquela, adiante, vestida de renascimento alemão, cuspilha de nojo se paredes meias erguem uma nova fantasiada à italiana.

Na mesma fachada as linhas motejam umas das outras, e choram, e berram.

— Cariátide, não é aí o teu lugar. Estás a gemer como sob um grande peso, mas esta sacada que sustentas tem pontas de trilhos por baixo. Deixa que os trilhos gemam e façam caretas, já que eles é que fazem a força. És duma inutilidade absoluta, e és grotesca porque finges um esforço de mentira. Lá na Grécia onde nasceste tinhas uma razão de ser, mas aqui não.

— Que queres, coluna dórica? Não há Ictino nem Fídias por estas plagas. Bem sei que sou uma irrisão. Nem de mármore maciço já me fazem hoje, como lá. Sou de cimento por fora e de ferro *deployé* por dentro. Tal qual tu, coluna, que em vez de coluna és um simples canudo vestido à moda dórica...

— Dizes bem: sou oca como a cabeça dos homens da terra; e padeço horrivelmente porque no frontão que simulo sustentar existe um escudo grego cujo paquife é uma tênia moderníssima saracoteando o *art-nouveau*. Vês tu, irmã, onde vão eles buscar motivos ornamentais? No intestino grosso dos bezerros!..."

E deste modo a cidade inteira, feita *mixed-pickles*, é um carnaval arquitetônico a berrar desconchavos em esperanto. Para remate, e como toque final de Vatel na salada, vamos ter uma... catedral gótica! É o *coup d'étrier*. Realizada a asneira de pedra, só nos resta mudar o nome à cidade e adotar como língua o volapuque.

O céu azul, esta nossa luz crua, o português, o negro, o índio, e o italiano, a mestiçagem, a voz dos quatro sangues, o modernismo das nossas ideias, a Light, o sorveteiro, o auto, a herma do João Mendes, o Congresso, o Gazeau, tudo — tudo berrará contra o anacronismo de pedra.

Nada há mais grandioso do que a catedral gótica. Jamais a arquitetura religiosa se elevou tão alto como quando rendilhou a pedra para erguê-la como punhado de espetos rumo ao céu impassível. O homem medievo, roído de lepra, dizimado pela peste negra, acuado nos burgos pelos barões ferozes e no campo pelo lobo famélico, no desespero da suprema miséria galvanizou-se numa fé de Job e implorou misericórdia em gigantescas orações de granito. Tentou comover a Deus, o eterno impassível, por intercessão de uma arte nova que lhe falasse uma linguagem nova. Essa foi a significação da catedral gótica — símbolo grandiloquente da fé que tudo esperava da ação divina.

Mas aqui, com o bonde amarelo de Santo Amaro a lhe zunir aos flancos, neste século em que o milagreiro é o médico e a ciência o único tribunal supremo, o estilo gótico berra, lembrando um frade nu a dançar pinotes no Automóvel Club; ou um *clubman* de cartola a pilar milho cateto em plena taba de xavantes.

Será uma fúnebre caricatura de pedra à forma d'arte mais digna de religiosa veneração jamais surgida sobre a terra. Caricatura profanatória. Blasfêmia...

E será — o que é pior ainda — adquirirmos por muitos mil contos um diploma de inibição estética que nos dá de graça o consenso unânime dos povos.

O francês, o inglês, o alemão, o italiano, o japonês, o Egito, o planeta Marte, a constelação de Hércules, as nebulosas, todos já sabem à farta que somos peludos. Que necessidade, pois, de despender tanto dinheiro para lhes fornecer uma nova prova disso — e esta de granito?

Porque no julgamento da Posteridade, as flechas da nossa catedral gótica, vistas com o recuo do tempo, não simularão flechas, mas pura e simplesmente — pelos...

Ainda o estilo

O estilo é a fisionomia da obra d'arte. Produto conjugado do homem, do meio e do momento, é pelo estilo que ela adquire caráter.

No rosto humano, trate-se de um hotentote ou de um dólico-louro, a máscara subsiste sempre, adstrita ao esquema morfológico da espécie; tem dois olhos, nariz, boca e orelhas, mas apesar disso nunca se confunde uma com outra. Paira nelas um elemento sutil, de penosa definição, embora flagrante: a fisionomia. Sem este "ar", a máscara perde o caráter e vira "cara de boneca".

Assim, na obra d'arte, além dos elementos intrínsecos, permanentes, regidos pelas leis eternas das proporções e do equilíbrio, há o estilo que mais não é do que a sua fisionomia inconfundível. Resultante da personalidade do artista, representa ele o vinco forte do seu temperamento emotivo. Se, porém, da poesia, pintura ou escultura — artes mais suscetíveis de se impregnarem deste coeficiente pessoal — passarmos à arquitetura, amplia-se o fenômeno, sem que, entretanto, refuja a lei. Já não é o homem, senão o meio, que imprime estilo à obra. O elemento individual raro dá algo de seu. Mas dá muito, dá tudo, a estesia média da coletividade.

O estilo arquitetônico varia conforme o grau de inteligência, compreensão e sentimento artístico de cada povo. Nasce do solo como planta indígena, se o povo é criador e espontâneo como o grego. Na arquitetura helênica nada grita em dissonância com o homem ou com a terra; jamais houve nada tão bem adaptado à paisagem envolvente, a índole da raça, aos seus usos e costumes, às suas necessidades, aos seus sentimentos e ideias. A simplicidade da vida, a formosura do tipo, a acuidade do pensamento, a frugalidade do povo eleito: — tudo sintoniza com a singela nobreza dos seus monumentos.

No Egito, onde tão outra era a psíquica coletiva plasmada pela casta sacerdotal, a feição da arquitetura é hierática e angulosa, despida de graça e norteada sempre no sentido de sugerir o enorme e o eterno.

Na China... Haverá arquitetura mais digna de estudo, como produto rigorosamente lógico das condições de vida, estágio mental e hierarquia tradicionalista de um povo, do que a arquitetura chinesa?

A Rússia, entressachamento etnológico de europeus e asiáticos, não denuncia o espírito resultante desta interpretação por um estilo onde se tramam todas as aspirações estéticas dos componentes?

O mundo árabe não deu à arte a mesquita, cujas cúpulas e minaretes dizem tão bem com os hábitos religiosos, vida e usanças da gente do *Corão*? Em sua expansão africana não criaram uma fórmula maravilhosamente bem deduzida do clima, caraterizada pela nenhuma inclinação do telhado, uma vez que não existiam chuvas determinantes de tal defesa?

Na Espanha esse mesmo povo não ideou formas novas, adaptando ao novo ambiente as formas velhas, tradicionais, vindas da terra de origem?

Na Holanda, o terreno alagadiço, a umidade atmosférica e a vida caseira não criaram um tipo de habitação e, portanto, um estilo em íntima harmonia com as injunções locais?

É inútil prosseguir nesta enumeração, que abrangeria todos os povos da terra.

Sem estilo, incapaz de fisionomia arquitetônica, não há um sequer. E não há nenhum porque seria isso negar a grande lei biológica a que tudo se reduz: adaptação.

Somente nos povos *in fieri*, como os sul-americanos, é que um exame superficial delata semelhante desvio biológico. Exame superficial, digo, porque, se o aprofundarmos surge clara a chave do caso.

Todos os povos atravessam períodos correspondentes na vida humana ao da infância, época em que os traços fisionômicos, indefinidos, vagos, denunciam mal a feição futura do adulto. Estamos nessa fase, por assim dizer cósmica. O simples fato de pela imprensa debatermos esta velhíssima questão do estilo, denota a nossa puerícia étnica. Porque é pueril discutirmos com apaixonamento... se um dia teremos bigodes na cara, e barba e rugas na testa, e expressão no olhar — isto é, estilo.

Mas, pela não termos hoje é absurdo negarmo-nos direito à fisionomia. Se ainda não a temos, tê-la-emos. E a prova está em que já surgem tendências do fato. Já nos examinamos ao espelho, já procuramos em que sentido se vão cristalizando ou se devem cristalizar os nossos traços fisionômicos.

Eis a questão.

Um brado, apaixonado em excesso, irritou. Bom sintoma. Só não se irrita a matéria morta.

Muito de indústria fugimos à justa medida. Esta deve resultar do choque violento de correntes contrárias exacerbadas.

O sr. Stockler das Neves, em belo artigo estampado no *Jornal*, defende o ponto de vista contrário ao nosso. Condena a tentativa de vários arquitetos de talento que foram ao passado buscar linhas tradicionais para animar suas obras com um eco de saudade.

Parece-nos que o sr. Stockler não aprendeu bem o alcance desse gesto. Do contrário não o malsinaria. Haverá nada mais belo do que o filho venerar o pai? E o presente compreender com amor o passado?

Esse movimento fecundo que Ricardo Severo iniciou com tanta discrição e ao qual já se filia uma plêiade de artistas altamente compreensivos, é o primeiro sinal de uma coisa muito mais significativa do que o sr. Stockler supõe. É o tatear dos primeiros passos para a criação do estilo brasileiro.

Mas o sr. Stockler nega que o possamos ter. Põe-nos assim em situação à parte no mundo, visto como *todos* os povos o têm. Outorga-nos o recorde da incapacidade. E baseia a sua negação num trecho de L. Cloquet.

Entretanto, por uma estranha coincidência, se tivéssemos de fundamentar nossa opinião em opinião alheia, nem de encomenda acharíamos melhor padrinho, do que o tal Cloquet.

Diz ele: "Ao nosso ver, não podemos fugir a este dilema: ou adotar as formas de um estilo histórico, ou criar de pancada fórmulas novas.

Mas como um homem não pode implantar uma língua, seja embora o volapuque, assim também a invenção pessoal não poderá nunca criar um novo estilo.

Cada vez que um arquiteto procura deliberadamente afastar-se dos estilos consagrados, cai na excentricidade.

Os grandes estilos antigos, que assinalaram as grandes épocas históricas, desenvolveram-se como árvores, mergulhando raízes no solo. Partiram dalgumas fórmulas alheias, as quais foram desenvolvidas e apuradas por modificações contínuas, numa evolução lenta, através de inúmeras gerações, etc."

Pelo dilema de Cloquet — insubsistente aliás em face da obra de Otto Wagner — ou criamos de chofre o nosso estilo ou apelamos para a fonte histórica.

Criá-lo de chofre seria o ideal, mas falta-nos talento. A maioria dos que por aqui impam de arquitetos não passam de copistas plagiários. Agarram álbuns de arquitetura editados fora e pilham fachadas com a sem cerimônia de quem fila cigarros. Os que têm um pouco de consciência disfarçam o furto, pilhando quatro ou cinco projetos para, com a mistura, "mandar" um sexto, que assinam.

Entre a minoria, porém, há arquitetos de valor real, talento indiscutível e grande honestidade.

Receosos de criar, embora lhes não falte capacidade para isso, fazem obra honesta, orientados por todos os bons estilos europeus.

Desta minoria um grupo se destaca.

São os que realizam a segunda ponta do dilema de Cloquet, recorrendo a um estilo histórico.

Que "um" deve ser este? Interfere aqui o Bom-Senso: será o estilo que se revele mais afim com o sentimento do país, sua vida, seu passado, suas tradições. Serão, portanto, em nosso caso, os estilos que floresceram na península ibérica. Porque é lógico, é irrefragável, que não pode ser o estilo histórico da China, nem o da Turquia, nem o da Rússia.

Donde se conclui que jamais Cloquet veio tão a pique para dirimir uma contenda.

"Já que vocês não têm talento para criar fórmulas novas, desenvolvam o estilo histórico, revicem-no, façam-no crescer e enfolhar como a árvore cujas raízes mergulham no passado e bebem a seiva da tradição. Só assim, partindo dessas fórmulas consagradas, numa evolução lenta, através de numerosas gerações, modificando-as e desenvolvendo-as, podereis ter arquitetura. Fora disso sereis tão arquitetos como é romancista o sujeito que verte do francês um romance de Paulo de Kock."

Assim falaria Cloquet.

E como o sr. Stockler compartilha da sua opinião, não há entre nós nenhuma divergência fundamental.

Os tradicionalistas que exultem por ver acrescido seu pequenino núcleo de mais este valioso paladino. Quando, inesperadamente, da falange contrária surge uma adesão deste valor, a ideia está consagrada.

Não admira.

Possuem estranhos amavios o ideal tradicionalista — os amavios do sangue, os amavios da raça, os amavios da saudade.

Os próprios adversários filiam-se a ele, sem o perceber...

Estética oficial

O valor duma obra d'arte cota-se pelo seu coeficiente de temperamento, cor e vida — os três valores que lhe travam a unidade, promanantes, um do homem, outro do meio, outro do momento. A arte descentrada dessa tripeça de categorias e que tem como fator-homem o *heimatlos* (homem de muitas pátrias, posto em evidência pela guerra); que tem como *terroir* o mundo e como época o Tempo, será uma soberba alcachofra quando o volapuque senhorear o globo: por enquanto, não!

Donde uma conclusão lógica: o artista cresce à medida que se nacionaliza. É mister que a obra d'arte denuncie ao mais rápido volver d'olhos a sua origem, como as raças denunciam pelo tipo individual o grupo etnológico.

E uma indicação prática para o Estado, que entre nós é a chocadeira artificial das vocações artísticas: cumpre fomentar o nacionalismo dessas vocações.

Não obstante esta intuição do bom senso, o Estado muitas vezes opera às avessas, porque atrás da impessoalidade do Estado estão sempre escondidas pessoas cujas ideias e atos refluem em público como um rumo coletivo.

Entre nós a pessoa que superintende as coisas d'arte foge à concepção do artista prefigurada acima.

Ao invés de apurar o nacionalismo das vocações, esperantiza-as ou, melhor, afrancesa-as, porque para a imbecilidade nacional o mundo é ainda a França.

Pega o Estado no rapaz, arranca-o da terra natal e dá com ele no *Quartier Latin*, com o peão da raiz arrebentado.

A mentalidade em formação do adolescente, assim desramada e desraigada, padece grave traumatismo, lá perde a seiva preciosa do habitat e vai viver em vaso sob clima hostil à sua regionalidade.

Durante a estadia de aprendizagem só vê a França, só lhe respira o ar, só conversa mestres franceses, só educa os olhos em paisagem francesa, arte francesa, museu francês.

As vergônteas congeniais que levou daqui desmedram, e pega de brotar aquele enxertozinho de borbulha operado em sua epiderme.

Concluído o tirocínio, há duas sendas para o transplantado: ou ficar por lá, perdido na turba dos artistas exóticos que atravancam Paris, incapaz de emparelhar com os nativos, porque o inferioriza uma alma de empréstimo, ou torna cá, tombando para a categoria do "expatriado artístico".

A sua pátria estética lá ficou — a França, reconhece-o ele.

Os débeis entram a malsinar das nossas coisas. O céu é estupidamente azul. O azul é absurdo, irreproduzível na tela. O verde não tem fim. A cor é excessiva. Não há cambiantes. Não há árvores pitorescas. Não há gente. Não há costumes. Não há mulheres. E suspiram, com o olho da saudade fito na pequena que os enfeitiçou por lá: — "Ah, Paris! Paris!".

Os fortes compreendem de relance a situação, atinam com a senda verdadeira e entram a estudar de novo, deitando às urtigas metade das ideias bebericadas fora. Redimem-se, estes.

O mal da orientação oficial é grande; anula dois terços das aptidões artísticas medradas no país; cria *épaves* sociais, boiantes na onda dos boulevards como rolhas servidas; aumenta no país o número dos incompreendidos maldizentes; e impõe aos fortes, sob pena de naufrágio, um redobro de trabalho na tarefa de reaclimação estética.

Mas vá a gente meter estas coisas na cabeça quadrada dos homenzinhos alapados no bojo do Estado e detentores das manivelas da subvenção!

Sorriem de puro dó, os alhos.

Vem daí o fato estranho, a quem corre o olhar pelas paredes das nossas casas ricas, de vê-las coalhadas de quadros franceses no estilo e no assunto, apesar de rubricados por nomes nacionais.

Salas há onde o visitante, se fechar as janelas para não ver os plátanos bichados da rua, e os ouvidos para não ouvir o "batata assada ao forno", jura estar em Paris, pelo menos.

São marinhas de Concarneau, cenários da Costa Azul, trechos da Bagatelle, estudos de boulevards, bretanhices a granel, perdões, pescarias, mulheres de coifa...

E tudo nomeado à francesa, *basse-cour, étang, vieille cour, vieux moulin* e outras sonoridades de encher o ouvido.

Para desencargo de consciência, uma ou outra telazinha nacional, as mais das vezes um caipira picando fumo. Porque a pintura indígena ainda não transpôs a etapa do caipira picando fumo. Des'que Almeida Júnior, o precursor, o artista educado lá que melhor reagiu contra a corrente, rasgou picadas novas com o seu picador de fumo, não houve espreme-bisnagas que se não julgasse obrigado a pagar esse tributo de capitação ao caipira. A modos que, lá pelo ano 3.000, a arqueologia restauradora da nossa época por meio das telas coevas chegará a uma única conclusão: "Naquela metade de século, no Brasil, o caipira picava fumo". Só, mais nada.

Um não sei qual pintor moderno, de vigoroso talento rebelão, enfurecido contra a tirania do passado artístico da humanidade, que obumbra o espírito da crítica a ponto de só lhe deixar ver gênios na pintura antiga, revolta-se contra a eterna curvatura da opinião *snob*, guiada pelas academias, diante das Giocondas, Ceias, Primaveras, e o consequente menosprezo do gênio moderno. E pede um novo Omar que destrua todos os museus e reduza a cal de pedreiro toda a cacaria clássica, afim de que na senda desimpeçada a arte moderna possa caminhar com desassombro.

Semelhantemente, à luz do ponto de vista brasileiro era de desejar que a França fosse tragada por um maremoto afim de permitir uma livre e pessoal desenvoltura à nossa individualidade. Porque ela está nos pondo *faisandés* antes do tempo.

Que lindo se figurássemos na assembleia mundial como povo capaz de uma ideia sua, uma arte sua, costumes e usanças que não rescendam a figurinos importados!

Enerva a persistência na macaquice.

Já Euclides da Cunha entreabriu n'*Os Sertões* as portas interiores do país. O brasileiro galicismado do litoral pasmou: pois há tanta coisa inédita e forte e heroica e formidável cá dentro?

Revelou-nos a nós mesmos. Vimos que o Brasil não é São Paulo, enxerto de garfo italiano, nem Rio, alporque português. A arte percebeu que se lhe rasgavam amplíssimas perspectivas. Se ainda não flechou para tais rumos é que anda tolhidinha de artritismos vários. Questão de tempo e iodureto...

É preciso frisar que o Brasil está no interior, nas serras onde moureja o homem abaçanado pelo sol; nos sertões onde o sertanejo vestido de couro vaqueja; nas cochilhas onde se domam poldros; por esses campos rechinantes de carros de bois; nos ermos que sulcam tropas aligeiradas pelo tilintar do cincerro.

Está nas "fazendas de ferro", onde uma metalúrgica semibárbara revive um passado morto.

Está nas catingas estorricadas pela seca, onde o bochorno cria dramas, angústias e dores inimagináveis à gente litorânea.

Está na palhoça de sapé e barro, está nas vendolas das encruzilhadas, onde, ao calor da pinga, se enredam romances e se liquidam pendengas com argumentos de guatambu chumbado.

É desse filão de aspectos que há de sair o punhado de obras afirmativas da nossa individualidade racial.

A rota é uma só: fugir à costeira praguejada de imigracionismo — espécie de esperanto de ideias e costumes onde a literatura naufraga e as artes plásticas se retransem na frialdade do pastiche — e meter o alvião à massa formidável do inédito.

Ali não há a politicagem estética das capitais, nem academias amodorrantes, nem dogmas vestidos por figurinos, nem papas pensionadores.

Há a natureza estupenda e, formigando dentro dela, um homem seu filho, expoente da sua vis, rude, bárbaro, inculto, heroico sem o saber, imensamente pitoresco e — suprema recomendação! — sem um escrúpulo de francesismo a lhe aleijar a alma.

Daí o erro do nosso pensionato artístico, cujo sistema se cifra, sem variantes, no seguinte.

O candidato expõe numa casa de molduras os primeiros vagidos do pincel tatibitate; as folhas, a pedido dos pais e amigos, animam com louvores benevolentes o gênio em buço — e lá vai requerimento ao Estado solicitando pensão.

O governo, composto de pataratas sisudos, a cuja gravidade acaciana não fica bem entender de outras artes que não as de meter as unhas no Tesouro, delega a um dos seus membros poderes discricionários para apalpar a bossa do postulante, auscultar-lhe as palpitações artísticas e decidir se merece ou não o estágio europeu.

Escusa mencionar que atrás deste exame, mais que o simples mérito do suplicante, pesam na balança um certo número de razões de estado. Como escusa dizer o que são razões de estado... do Estado de São Paulo.

O governo, ciente do julgamento, não discute. Cumpre-o, qual sentença promanada da boca da própria Minerva. E o menino espinoteia de júbilo ao ver-se transplantado de Avaré ou Bananal a Paris ou Roma, com quinhentos francos mensais durante cinco anos, podendo dispor do tempo como lhe bacoreje a veneta — em patuscadas ou estudos.

O primeiro inconveniente sério está na pouca idade do pensionado.

Já superiormente o disse Joaquim Nabuco: "A mocidade é a surpresa da vida". Todo adolescente é um deslumbrado.

Calculem-se agora os efeitos nesta criança arrancada sem transições ao borralho, à terra natal, à língua e despejada sozinha no pandemônio de um grande centro europeu. Deslumbra-se. Empolga-a tudo quanto é *plaqué*, lantejoula, miçanga dourada, farfalhice, "pingo d'água", fosforescência da podridão europeia. Envenena-a quanto absinto letal é *dernier cri* nas babilônias.

Mete-se a "gozar a vida".

Gozar a vida quer dizer dar cabo da saúde na boêmia alcoólica dos cafés, e liquefazer as lentas aquisições hereditárias do caráter na frequência de meios cosmopolitas derrancados, onde o *je m'en fiche* é a suprema elegância filosófica.

Ninguém ali para precaver sua inexperiência contra os enganos da vida; nenhuma fiscalização de estudos por parte do pensionador.

O governo só lhe pede, a espaços, umas periódicas academias por ele assinadas. Basta ao governo esta irrisória documentação.

Findo os cinco anos retira-lhe a teta — e fica todo ancho, o governo, na certeza de que brindou o país com mais um grande artista.

Será assim?

Relanceando a vista pela fieira dos pensionados ressalta o contraproducente do método oficial.

Ao invés de criar artistas, cria o governo, na generalidade, com o dispêndio de vinte contos por cabeça, uma galeria de inválidos morais. Ou boêmios de rua, malbaratados de tempo e saúde durante o pensionamento: e depois, náufragos a bracejarem pelo resto da vida no vortilhão europeu. Ou artistas medíocres porque sendo brasileiros de carne ficaram europeus de espírito. Ou sorumbáticos incompreendidos de torna-viagem, prenhes de boas intenções mas desossados pelo desânimo, a exibirem eternamente, como as mais adiantadas concepções sociológicas, as ideias e a linguagem dos personagens elegantes do Eça.

O país é uma choldra; falam em naturalizar-se cafres; pedem invasão estrangeira que tudo arrase, porque tudo está podre, a esfarelar de velhice precoce, etc.

Será verdade tudo isso — mas por vinte contos é caro. Os críticos indígenas chegam às mesmas conclusões, de graça.

Confessam os defeitos do sistema os próprios pensionados. Um deles diz em carta: "... o governo de S. Paulo devia conservar seus pensionados no Rio por dois anos; só então, sob a fiscalização do governo, e mais economicamente, ver-se-ia se ele era merecedor dos cinco anos na Europa para 'aperfeiçoar' os estudos. E não enviar a Paris o indivíduo que promete 'mais ou menos', sem fiscalização nenhuma, abandonando-o por lá, como faz. O pensionado estuda ou não estuda... à vontade. Ninguém lhe sabe da vida. De vez em quando manda umas academias e quando volta ao país traz uma coleção de paisagenzinhas e cabeças de bretãs, coisas vendáveis. Que fez por lá? É então que se percebe o erro, etc.".

Esta modificação aqui aventada encerra ainda um defeito. Fala em fiscalização oficial durante o estágio no Rio. Ora, fiscalização, a não ser nos casos onde há multa repartível entre o governo e o fiscal, é uma das muitas pilhérias da nossa boa República.

Para evitar todos esses inconvenientes, o geniozinho em ovo seria matriculado na Escola de Belas Artes do Rio, onde completaria o curso. Depois, conforme as aptidões demonstradas, a juízo dos seus professores, receberia ou não, como prêmio, uma estadia no velho mundo, a título de aperfeiçoamento.

Compreende-se que tenha competência para ajuizar do mérito do postulante o grupo de mestres — profissionais, vultos proeminentes da arte nacional — que lhe guiaram os primeiros passos e o tiveram durante todo o curso sob vistas. Tais juízes merecem acato.

Mas que dizer de sentenças emanadas de um político incapaz de manejar uma brocha — esse instrumento tão diferente da gazua eleitoral?

Em cinco anos sobeja tempo para aquilatar-se dos méritos do candidato, conhecer-se-lhe a estofa e vaticinar — sem o concurso do Múcio Teixeira — se ele promete um pinta-monos ou um Almeida Júnior.

Estará mais homem, menos embelecável pela mulherinha, já sovado pela vida de capital, com as ideias consolidadas, o caráter em via de cristalização definitiva. A sereia de Paris não o estonteará com três sábias olhadelas de Mimi Pinson.

Isto é o sensato, é o que toda gente pensa. Mas vá alguém dizê-lo ao governo! Ele governo sorrirá por intermédio dos músculos faciais do político que distribui pensões na Europa como quem dá bombons às crianças com quem se simpatiza...

A paisagem brasileira
A PROPÓSITO DE WASTH RODRIGUES

Vítima, como todos os outros, da absurda orientação estética que imprime o governo às vocações nascidas em nosso meio, consistente em desnacionalizá-las, sufocando ao nascedouro o temperamento racial com o transplante do paciente, na idade em que apenas se inicia a cristalização da individualidade, para meios exóticos que lhe poderão dar todas as técnicas, mas que em troca exigem o sacrifício da já de si instável alma brasileira, Wasth percebe na sua arte a eiva corruptora e vigorosamente reage. Reage encetando à própria custa uma séria aprendizagem nova para a adaptação da técnica europeia às exigências do nosso ambiente.

A paisagem bravia, a natureza em bruto, despenteada; aqui, já domada pelo homem — numa vitória de huno que é o arrasamento de tudo; ali, inda em luta com ele — assumindo aspectos de campo de batalha; além, intacta, defendendo com ferocidade a virgindade milenária e esmagando o espectador com o imprevisto da sua majestade, exige do pintor um pincel mais atrevido e tintas mais enérgicas do que as vezeiras no reproduzir a frisada paisagem europeia, onde o homem destruiu quanto era selvatiqueza, ordenando-a aos caprichos duma orientação.

A paisagem é lá a vitória do homem sobre a natureza. Aqui é a luta, cem vezes a derrota, nunca a vitória completa.

Pouca gente compreende isto.

Ainda agora um pintor do Rio malsinou-a em livro de "banal".

Detenhamo-nos por um momento na elegante tolice.

Paisagem é o revestimento superficial do globo, num quadro que vai de polo a polo, por meio da árvore, da água e do relevo orográfico; desenho inadjetivável que o sol pela manhã transforma em pintura viva, pintura que sem parar esgota a gama inteira dos valores e tons até, em seguida à apoteose do ocaso, se desfazer em trevas.

Paisagem brasileira é essa tela desdobrada por mais de oito milhões de quilômetros quadrados, na amplitude dos quais a natureza assume todas as modalidades possíveis — campos nativos, floresta tropical, carrascais, desertos, pântanos, cordilheiras, rios e pampas.

Figure-se a grandeza deste quadro na tela da imaginação e aponha-se-lhe em baixo o muxoxo qualificativo do escritor carioca: "banal".

A explicação de conceitos assim é que em geral o artista, em face da nossa paisagem, se sente pequenino demais *pour la besogner*, e se atém a breves contatos epidérmicos. Falta-lhe aquele músculo leonino do bandeirante, que rasgava de extremo a extremo, implacavelmente, a carne crua das sertanias virgens.

O artista educado no velho mundo sente-se inerme, percebe que o espadim da técnica haurida na Academia Julien não é arma séria em frente do que pede tacape. E esmorece.

Achincalha-se, então, e põe-se a falsear a paisagem ou a dela escolher somente os trechinhos mansos, relembrativos da paisagem de lá. Só isso, breves manchas microscópicas que mentem à terra, lhes parece pictural.

Este embate, este peito a peito é a grande crise do pintor nacional educado fora do ambiente nativo.

A maioria ganha o desalento; caem na calaçaria da pintura de *atelier*, com apóstrofes de ódio contra a natureza incompreendida, e entram a vegetar a triste vida do artista impotente para quem a cavação perante o governo é o supremo engodo.

Outros desistem de viver numa terra "impossível".

Alguns, raríssimos, os fortes, adaptam-se. Reencetam com paciência uma nova aprendizagem e vencem.

Nesta categoria está Wasth Rodrigues.

Ele concentra energias para a grande batalha. Vai penetrar o sertão, estudar os segredos dos verdes agrestes, senhorear o tipo e o modelado das árvores, apanhar os tons e relevos da terra, captar em flagrante a poesia das sombras n'água, sondar a alma das taperas, ouvir o gemido da mata quando o machado lhes estraçoa as entranhas, e seus uivos de dor quando o fogo a constringe no amplexo das labaredas.

Vai estudar a tiguera — campo de batalha em que a vegetação destruída lança por mil brotos o grito da renascença. Vai sentir o sombrio da mata virgem, onde o raio de sol nunca despertou da soneira secular os fofos musgos acamados sobre os velhos troncos mortos.

E vai também estudar a atitude do homem metido nesse ambiente.

Não do homem-pechisbeque das cidades, incaracterístico e grotesco na sua casquinha de *plaqué*, lustrada a gesso pela manhã e revendo à tarde o azinhavre dos metais de ruim liga.

Mas o homem incontaminado, grosso de casca, intraduzível em francês; o bruto cuja vida é uma luta de todos os instantes contra as forças vivas da feracidade ou contra as forças negativas, retráteis, da aridez.

Estudará esse homem em ação, no contato direto com a terra da qual é uma resultante e que, na ânsia de subsistir, vai, sem normas, sem leis, sem arte, modificando a ferro e fogo, com a barbaridade de quem mata para viver.

O Brasil ainda é o caboclo, empunhando o machado e o facho incendido na luta, arca por arca, contra a hispidez envolvente para que nas clareiras entreabertas tome assento a civilização.

A pintura brasileira só deixará de ser um pastiche inconsciente quando se penetrar de que é mister *compreender* a terra para bem interpretá-la.

Foi essa compreensão da terra que possibilizou o surto das escolas holandesa e flamenga. E será ela, sempre, o segredo do gênio e a força *imperitura* da verdadeira obra d'arte.

Paranoia ou mistificação?
A propósito da Exposição Malfatti

Há duas espécies de artistas. Uma composta dos que vêm normalmente as coisas e em consequência fazem arte pura, guardados os eternos ritmos da vida, e adotados, para a concretização das emoções estéticas, os processos clássicos dos grandes mestres.

Quem trilha por esta senda, se tem gênio é Praxíteles na Grécia, é Rafael na Itália, é Rembrandt na Holanda, é Rubens na Flandres, é Reynolds na Inglaterra, é Dürer na Alemanha, é Zorn na Suécia, é Rodin na França, é Zuloaga na Espanha. Se tem apenas talento, vai engrossar a plêiade de satélites que gravitam em torno desses sóis imorredoiros.

A outra espécie é formada dos que vêm anormalmente a natureza e a interpretam à luz de teorias efêmeras, sob a sugestão estrábica de escolas rebeldes, surgidas cá e lá como furúnculos da cultura excessiva. São produtos do cansaço e do sadismo de todos os períodos de decadência; são frutos de fim de estação, bichados ao nascedoiro. Estrelas cadentes, brilham um instante, as mais das vezes com a luz do escândalo, e somem-se logo nas trevas do esquecimento.

Embora se deem como novos, como precursores duma arte a vir, nada é mais velho do que a arte anormal ou teratológica: nasceu com a paranoia e a mistificação.

De há muito que a estudam os psiquiatras em seus tratados, documentando-se nos inúmeros desenhos que ornam as paredes internas dos manicômios. A única diferença reside em que nos manicômios essa arte é sincera, produto lógico dos cérebros transtornados pelas mais estranhas psicoses; e fora deles, nas exposições públicas zabumbadas pela imprensa partidária mas não absorvidas pelo público que compra, não há sinceridade nenhuma, nem nenhuma lógica, sendo tudo mistificação pura.

Todas as artes são regidas por princípios imutáveis, leis fundamentais que não dependem da latitude nem do clima.

As medidas da proporção e do equilíbrio na forma ou na cor decorrem do que chamamos sentir. Quando as coisas do mundo externo se transformam em impressões cerebrais, "sentimos". Para que sintamos de maneira diversa, cúbica ou futurista, é forçoso ou que a harmonia do universo sofra completa alteração, ou que o nosso cérebro esteja em desarranjo por virtude de algum grave destempero.

Enquanto a percepção sensorial se fizer no homem normalmente, através da porta comum dos cinco sentidos, um artista diante de um gato não poderá "sentir" senão um gato; e é falsa a "interpretação" que do bichano fizer um totó, um escaravelho ou um amontoado de cubos transparentes.

Estas considerações são provocadas pela exposição da sra. Malfatti, onde se notam acentuadíssimas tendências para uma atitude estética forçada no sentido das extravagâncias de Picasso & Cia.

Essa artista possui um talento vigoroso, fora do comum. Poucas vezes, através de uma obra torcida em má direção, se notam tantas e tão preciosas qualidades latentes. Percebe-se, de qualquer daqueles quadrinhos, como a sua autora é independente, como é original, como é inventiva, em que alto grau possui umas tantas qualidades inatas, das mais fecundas na construção duma sólida individualidade artística.

Entretanto, seduzida pelas teorias do que ela chama arte moderna, penetrou nos domínios dum impressionismo discutibilíssimo, e pôs todo o seu talento a serviço duma nova espécie de caricatura.

Sejamos sinceros: futurismo, cubismo, impressionismo, e *tutti quanti* não passam de outros tantos ramos da arte caricatural. É a extensão da caricatura a regiões onde não havia até agora penetrado. Caricatura da cor, caricatura da forma — mas caricatura que não visa, como a verdadeira, ressaltar uma ideia, mas sim desnortear, aparvalhar, atordoar a ingenuidade do espectador.

A fisionomia de quem sai de uma destas exposições é das mais sugestivas.

Nenhuma impressão de prazer ou de beleza denunciam as caras; em todas se lê o desapontamento de quem está incerto, duvidoso de si próprio e dos outros, incapaz de raciocinar e muito desconfiado de que o mistificaram grosseiramente.

Outros, certos críticos sobretudo, aproveitam a vasa para *épater le bourgeois*. Teorizam aquilo com grande dispêndio de palavreado técnico, descobrem na tela intenções inacessíveis ao vulgo, justificam-nas com a independência de interpretação do artista; a conclusão é que o público é uma besta e eles, os entendidos, um grupo genial de iniciados nas transcendências sublimes duma Estética Superior.

No fundo, riem-se uns dos outros — o artista do crítico, o crítico do pintor. É mister que o público se ria de ambos.

"Arte moderna": eis o escudo, a suprema justificação de qualquer borracheira.

Como se não fossem moderníssimos esse Rodin que acaba de falecer, deixando após si uma esteira luminosa de mármores divinos; esse André Zorn, maravilhoso virtuose do desenho e da pintura; esse Brangwyn, gênio rembrandtesco da babilônia industrial que é Londres; esse Paul Chabas, mimoso poeta das manhãs, das águas mansas e dos corpos femininos em botão.

Como se não fosse moderna, moderníssima, toda a legião atual de incomparáveis artistas do pincel, da pena, da água forte, da "ponta seca", que fazem da nossa época uma das mais fecundas em obras primas de quantas deixaram marcos de luz na história da humanidade.

Na exposição Malfatti figura, ainda, como justificativa da sua escola, o trabalho de um "mestre" americano, o cubista Bolynson. É um carvão representando (sabe-se disso porque o diz a nota explicativa) uma figura em movimento. Está ali entre os trabalhos da sra. Malfatti em atitude de quem prega: eu sou o ideal, sou a obra prima; julgue o público do resto, tomando-me a mim como ponto de referência.

Tenhamos a coragem de não ser pedantes: aqueles gatafunhos não são uma figura em movimento; foram isto sim, um pedaço de carvão em movimento. O sr. Bolynson tomou-o entre os dedos das mãos, ou dos pés, fechou os olhos e fê-lo passear pela tela às tontas, da direita para a esquerda, de alto a baixo. E se não fez assim, se perdeu uma hora da sua vida puxando riscos de um lado para outro, revelou-se tolo e perdeu o tempo, visto como o resultado seria absolutamente igual.

Já em Paris se fez uma curiosa experiência: ataram uma brocha a cauda de um burro e puseram-no de traseiro voltado para uma tela. Com os movimentos da cauda do animal a brocha ia borrando um quadro...

A coisa fantasmagórica disso resultante foi exposta como um supremo arrojo da escola futurista, e proclamada pelos mistificadores como verdadeira obra prima que só um ou outro raríssimo espírito de eleição poderia compreender. Resultado: o público afluiu, embasbacou, os iniciados rejubilaram — e já havia pretendentes à compra da maravilha quando o truque foi desmascarado.

A pintura da sra. Malfatti não é futurista, de modo que estas palavras não se lhe endereçam em linha reta; mas como agregou à sua exposição uma cubice, queremos crer que tende para isso como para um ideal supremo.

Que nos perdoe a talentosa artista, mas deixamos cá um dilema: ou é um gênio o sr. Bolynson e ficam riscadas desta classificação, como insignes cavalgaduras, coortes inteiras de mestres imortais, de Leonardo a Rodin, de Velázquez a Sorolla, de Rembrandt a Whistler, ou... vice-versa. Porque é de todo impossível dar o nome de obra d'arte a duas coisas diametralmente opostas como, por exemplo, a *Manhã de Setembro*, de Chabas, e o carvão cubista do sr. Bolynson.

Não fosse profunda a simpatia que nos inspira o belo talento da sra. Malfatti, e não viríamos aqui com esta série de considerações desagradáveis. Como já deve ter ouvido numerosos elogios à sua nova atitude estética, há de irritá-la como descortês impertinência a voz sincera que vem quebrar a harmonia do coro de lisonjas.

Entretanto, se refletir um bocado verá que a lisonja mata e a sinceridade salva.

O verdadeiro amigo de um pintor não é aquele que o entontece de louvores; sim o que lhe dá uma opinião sincera, embora dura, e lhe traduz chãmente, sem reservas, o que todos pensam dele por detrás.

Os homens têm o vezo de não tomar a sério as mulheres artistas. Essa é a razão de as cumularem de amabilidades sempre que elas pedem opinião.

Tal cavalheirismo é falso; e sobre falso nocivo. Quantos talentos de primeira água não transviou, não arrastou por maus caminhos, o elogio incondicional e mentiroso? Se víssemos na sra. Malfatti apenas a "moça prendada que pinta", como as há por aí às centenas, calar-nos-íamos, ou talvez lhe déssemos meia dúzia desses adjetivos bombons que a crítica açucarada tem sempre à mão em se tratando de moças.

Julgamo-la, porém, merecedora da alta homenagem que é ser tomada a sério e receber a respeito da sua arte uma opinião sinceríssima — e valiosa pelo fato de ser o reflexo da opinião geral do público não idiota, dos críticos não cretinos, dos amadores normais, dos seus colegas de cabeça não virada — e até dos seus apologistas.

Dos seus apologistas, sim, dona Malfatti, porque também eles pensam deste modo... por trás.

Pedro Américo

Em fins de 1852 reinava o alvoroto na pequena Areias, humílima cidadezinha perdida nos recessos da Paraíba.

O poviléu, com espiadelas pelas esquinas e o "quem será?" em todas as bocas, trazia d'olho um grupo de homens de fora, chefiados por um estrangeiro louro que descavalgara no largo da Matriz, com muita bagagem esquisita e não menos esquisitos modos de "reparar" em todas as coisas.

Não tardou corresse voz tratar-se dum francês, Luiz Brunet, em missão cientifica pelos sertões de Cristo a fora.

Pura charada. Falar em missão científica àqueles povos segregados do mundo ou contar a história do quadrado da hipotenusa a um tabaréu, é tudo um.

Não obstante, as pessoas gradas foram visitar os recém-vindos, com rígida cerimônia, em obediência às boas normas da hospitalidade. Ressabiadas a princípio, o ar prazenteiro do naturalista pô-las sem demora nos eixos da familiaridade; e logo nos da vaidade local quando o sábio, com amável sombra, entrou a gabar a *bela* natureza, a *bela* água, o *belo* ar, o *belo* clima e todas as mais consolações dos lugarejos pobres.

Dessas generalidades meteorológicas deslizou a palestra para o comentário de fatos e pessoas locais; e então o boticário, chupado Eusébio Macário que com misturar os produtos terapêuticos da natureza olhava como colega o sábio que a vinha estudar, disse, cuspindo pigarro, para exemplificação das capacidades estéticas dos seus conterrâneos:

— Há aqui um menino que só vendo! Pinta um homem a cavalo, ou um carro puxando lenha, com os boizinhos, a canga, os fueiros e o mais, que até parece um cromo de Tricofero.

— O Pedrinho do Daniel? — interveio, para dizer qualquer coisa, o presidente da Câmara, pois sabia melhor do que ninguém não existir em Areias, afora esse Pedrinho, criatura capaz de pintar cara de homem que não lembrasse castanha de caju.

— Pois é! — confirmou, ancho, o boticário.

Interessou-se o francês pelo caso e pediu pormenores, que todos, à uma, grulharam com a lorpice suficiente para deixar o interpelante na mesma, isto é, sem distinguir tratar-se dalgum grande artista futuro ou dum "curioso" precoce, cujos gatafunhos boquiabrem boticários mas nada revelam a olhos mais bem educados.

Como a tarde corresse amena, e já o maçassem aqueles secantes paredros rurais, mostrou o sábio desejos de conhecer pessoalmente a criança ainda naquele dia. Prontificou-se o galeno a conduzi-lo a casa de Daniel Eduardo de Figueiredo — e para lá se foram.

Chegados, e explicados os fins da visita, o pai de Pedrinho confirmou os encômios do boticário e exibiu documentalmente uma série de desenhos infantis. Examinou-os Brunet um por um, e ao cabo indagou da idade do artistazinho.

— Dez anos, por fazer.

— E ninguém o ajuda? Ninguém corrige estes desenhos?

Sorriu-se o pai.

— Quem ajudaria ao menino? Ninguém aqui entende disto. Eu sou músico, toco violino. Há o Zeca pintor, mas esse só pinta paredes. É graça natural que Deus lhe deu.

O francês continuava d'olhos postos nos desenhos, examinando ora um, ora outro, de perto e de longe, sob várias luzes. Em seguida perguntou:

— Está em casa o pequeno? Poderei vê-lo?

— Pedrinho! — gritou para dentro o pai.

Imediatamente um rosto moreno de criança assomou à porta. Pudera! Todo o tempo não saíra da fresta, como percebesse que falavam dele.

Era um menino de poucas carnes, pálido, d'olhos escuros, ressumbrando nos traços o tipo médio do nortista. Vexado a princípio, desacanhou-se logo ante as carinhosas perguntas do estrangeiro, o qual, após gabos e louvores, o interpelou à queima-bucha:

— É capaz de desenhar à minha vista este chapéu e esta espingarda?

— Desenho, pois não.

E ligeiro como um serelepe, sem vacilar, esboça os modelos com mão lesta e visão segura, enquanto Luiz Brunet, de pé, lhe espia por sobre os ombros o trabalhinho ágil dos dedos. Minutos após:

— Basta! — acenou o francês. — Não é preciso mais.

E voltando-se para Daniel Figueiredo, com gravidade ponderada:

— Eu tenho necessidade de um desenhista na minha expedição. Autoriza o seu filho a ocupar esse posto?

Daniel arregalou os olhos; abriu talvez a maior boca da Paraíba, e gaguejou, emocionado, após uns instantes de atarantação:

— Mas... é uma criança! Nove anos...

— É uma criança mas desenha assim! — obtemperou o naturalista, antepondo aos olhos do emparvecido pai o último trabalho do filho. — Que importam os anos, se já é um artista?

Dias depois o presidente da província contratava Pedro Américo de Figueiredo para desenhista da expedição.

Aos nove anos, pois, idade em que pelo comum os meninos descadeiram a pedradas os gatos da rua, começou Pedro Américo a desfiar as contas de um ininterrupto rosário de triunfos como não há exemplo de outro no país.

Durante dois anos peregrinou por montes e vales de sua província natal e convizinhas, dando desempenho de gente grande à tarefa árdua de desenhista.

Um estágio destes, realizado naquela idade no coração do país, era de molde a lhe assentar n'alma os silhares de uma estética de funda consonância com o ambiente.

Não foi assim.

Pedro Américo não era brasílico.

Tinha a alma condoreira daqueles para quem a pátria é o mundo. Dessa feição psíquica resultou tornar-se o maior dos pintores brasileiros e o menos brasileiro dos nossos pintores.

Ainda não o arguiram de tal.

Fazê-lo a voz desautorizada de um ninguém seria deslavado topete, se ao asserto não prestasse pulso forte a própria obra do artista.

Mas não antecipemos.

Findos os trabalhos da missão Brunet foi o menino para o Colégio D. Pedro Segundo na Corte, e logo transpôs os umbrais da Academia de Belas Artes, com onze anos apenas.

Sucessivas vitórias escolares enfeitaram de louros sua cabeça: vitórias no campo mental, onde assombrava aos mestres com a precoce agudeza do engenho; e no campo artístico, onde vencia rápido as maiores dificuldades de técnica. Quinze medalhas fulgem nesse tirocínio como atestados insuspeitos da afirmativa.

Infelizmente a orientação da Academia era naquele tempo absurda, no sentido de tolher o surto duma arte abeberada nas fontes raciais, para glória maior de um classicismo caquético.

Estava em moda o biblicismo.

Não se compreendia a alta pintura fora do quadro revelho da Bíblia. Temas de concurso, teses de exame, inspiração, sugestões, tudo saía da história dos hebreus. Se era caso de uma nudez feminina, saltavam logo as Suzanas, as Abisags, as Salomés. Reclamava-se um caçador? Surgia Nemrod. Um lavrador? Booz. Um guerreiro? um mendigo? um mau filho? Davi, Job, Absalão. Um burro de carroça? A besta de Balaão.

Esqueciam os nossos avós de que a grande bíblia é a Natureza; e só é capaz de frutos opimos a arte que olha em redor de si e toma homens e coisas como os vê e os sente, dando de ombros aos sobrecenhos carregados e aos ares de desprezo dos empoados bonzos do passado morto.

Nesse interregno Pedro Américo — haja a coragem deste juízo duro — malbaratou o seu gênio pintando o repintadíssimo *Cristo da Cana*, o mil vezes espatulado *S. Miguel*, o arqui-brochado *S. Pedro ressuscitando a filha de Tabira*, e tantos outros quadros cujo sopor clássico os inibe de falar língua inteligível a ouvidos modernos.

O esto racial do seu temperamento, se balbuciou algumas vezes, não resistiu à atrofiante orientação estética dos corifeus da época — e nada deu de si.

Reinava Pedro Segundo.

A casa de Bragança redimia suas taras mentais e morais cumulando no grande monarca virtudes que raro soem concorrer num homem só — e nas Repúblicas ao molde da nossa nem numa grosa de paredros supremos.

Pensionado por ele, de seu bolso particular, seguiu Pedro Américo para o Velho Mundo e lá cursou a Escola de Belas Artes de Paris, de par com a herpética Sorbonna e o Instituto de Física de Ganot. Teve por mestres vários pintores de nomeada mundial, Ingres, Flandrin, Vernet, Coignet, clássicos todos, quando não romanticões de pelo hirsuto; viajou o que pôde e voltou ao Rio em 1864 para disputar, e obter com desempeno debaixo de um coro de louvores, a cadeira de desenho da Academia.

Sócrates afastando Alcebíades dos braços do vício foi a sua tela de concurso.

Pobre Brasil! Já se diluíra de todo a sua imagem no coração do artista, que do hebraísmo inculcado em primeira mão se alargava ao helenismo caro a todos os espíritos despegados do torrão natal. Não obstante, o vinco hebraico voltou logo à tona e acentuou-se como feição dominante de toda a sua obra.

Nesse período letivo há que assinalar o primeiro assomo nacionalista do seu pincel: entre o *Petrus ad Vincula* e outros santos menores lucilou a carnadura dourada da *Carioca*.

Arte nova? Primeiro vagido duma escola nacional?

Infelizmente não. A discutidíssima *Carioca* só o é no título. Fora daí, um simples nu, uma ninfa, uma banhista, uma fonte tão carioca como as mil coirmãs que abarrotam todas as pinacotecas europeias. Com alguma boa vontade achareis em seus olhos negros um vislumbre do olhar morno de certas guanabarinas.

Rompia a guerra do Paraguai quando Pedro Américo empreendeu segunda viagem à Europa, e lá pintou *S. Marcos, S. Jerônimo, Visão de S. Paulo*, e mais varões beatificados. Por essas alturas defendeu teses em Bruxelas, doutorou-se na Universidade em ciências naturais, e fez-se de volta em 70.

A convulsão bélica dos cinco anos de campanha crispara de energias novas a feição pacata do país e abrira aos artistas o campo virgem da pintura heroica.

Ganho pela febre ambiente, Pedro Américo pôs de parte a palheta agiológica e tomou, por instigações de Pedro II, a que o havia de imortalizar.

Um parêntesis.

A teoria dos três fatores de Taine, pela qual o artista é um produto conjugado do homem, do meio e do momento, sofre no Império a interpolação anômala de um quarto fator. Todos os grandes artistas, poetas, estadistas, sábios e técnicos daquele venturoso período são o produto do homem, do meio, do momento e de Pedro Segundo. A desaparição deste augusto agente explica muito da chinfrineira posterior ao 15 de Novembro.

Por influição do Imperador, Pedro Américo inicia uma série de batalhas, entre as quais esplende a de Avaí, grandiosa tela movimentadíssima, verdadeira obra prima equiparável ao que mundialmente melhor se pintou no gênero. Por ela se vê com que garbo Pedro Américo enfrentaria a pintura histórica, desentranhando de nosso passado o muito que nele se amontoa esquecido e pede a glorificação da tela, se por falsa compreensão artística não emperrasse em acampar nos areais da Palestina. Desse período, sobre todos fecundo, datam a *Batalha do Campo Grande*, *Ataque à ilha do Carvalho*, e *Passo da Pátria*.

Um novo excurso pelo velho mundo rompe em 78 a sugestão do imperante, reconduz o artista à Bíblia, donde ele extrai *Judith e Jacobed levando Moisés ao Nilo*, e indu-lo a desferir voo pelos céus da universalidade.

Pedro Américo penetra na história.

Em a nossa? Não. Na da Inglaterra, com *Os filhos de Eduardo IV*; na portuguesa, com *Inês de Castro*, *Catarina de Athaide* e *D. João IV*; na de França, com *Joana D'Arc*.

A pátria merece-lhe um só minuto de atenção: — *Moema*, quadro noturno em que sob os reflexos da lua boia na onda um cadáver de mulher, enquanto se alonga mar afora uma caravela. Mas, como na *Carioca*, a *Moema* de Moema só tem o título.

Entrementes se lhe completa a evolução da mentalidade, plenamente maturada, com um desgarrar para o filosofismo pictural. O muito estudo de ciências e filosofias que Pedro Américo levava de par com a pintura, empresta-lhe um fim de carreira de feição alemã.

O culto exagerado da ideia mata o sensualismo. Ao invés de *sentir*, o pintor eivado de sobrecarga filosófica *pensa*.

Em Pedro Américo as telas desse período são alegorias, compêndios, súmulas, exposições figuradas de ideias, onde a linha e a cor substituem as palavras.

Uma clareira, entretanto, se abre nesse em meio: a instâncias do Governo de S. Paulo Pedro Américo pinta o soberbo quadro que enriquece o museu do Ipiranga, e nele culmina. Raras vezes a arte da pintura atinge tal vértice. Pelo equilíbrio sóbrio da composição, pelo vigor do desenho, pelo colorido magistral, pelo sopro épico que insufla a cena mais significativa da nossa história, o artista guinda-se a uma altitude onde permaneceria só — se não viesse Almeida Júnior. Uma tela dessas é mais que suficiente para coroar de louros imarcescíveis a cabeça de um pintor.

Em seguida ao clarão do Sete de Setembro, Pedro Américo recai na pintura filosófica com que fecha a carreira gloriosa. *A noite acompanhada dos gênios do Amor e do Estudo*; *Voltaire abençoando o neto de Franklin em nome de Deus e da Liberdade*; *Honra e Pátria*; *Paz e Concórdia* são quadros que assinalam o último degrau da escada altíssima que marinhou, à força de trabalho e gênio, o pequeno desenhista da expedição Brunet.

Sintetizando: Pedro Américo foi um pintor romântico, grande entre os grandes.

Na pintura heroica não pede meças a nenhum mestre.

Capaz de rasgar sendas novas, conducentes à criação duma arte genuinamente brasílica, desdenhou essa vereda áspera e fez-se europeu.

Não obstante, o consenso unânime da crítica tem-no como o nosso pintor máximo.

Inegavelmente o foi — até Almeida Júnior. Daí para diante já as opiniões divergem.

Um quadro singelo do pintor paulista, uma brasileira humilde que chora — Saudades, marca o momento em que, pela criação duma arte profundamente racial, brotada da terra como insofreável planta indígena, cintila uma luz nova.

Se não empalidece a estrela de Pedro Américo, perde a unicidade.

São duas d'ora avante a brilhar nas mesmas alturas, cada uma com brilho próprio, rutilantíssimas ambas.

Almeida Júnior

Nunca a pintura no Portugal antigo floriu com o viço notado na Flandres, na Holanda, na Espanha e nas Repúblicas italianas — países chamados a comparação como os melhores afins do luso. Não vingou ali um Rembrandt, um Rubens, um Buonarotti, um Velázquez, e para a fulgente plêiade dos Halls, Ticianos e Riberas, Portugal não dá sequer um nome.

Herdeiro das boas e más qualidades da metrópole, o Brasil-colônia, que outra coisa não era senão o próprio Portugal em projeção rarefeita sobre uma terra nova, não revelou em nenhum campo plástico sinal de capacidade estética. Sem vocação congenial, e não esporeado por injunções sociais capazes de substitui-la, chegamos até S. M. Fidelíssima, o sr. D. João VI, sem ver pintor na terra, além duns santeiros vulgares.

Com o advento da Corte, e por exclusivo reclamo da fidalguia transplantada, o luxo exigiu arte e promoveu-lhe o cultivo artificial.

Cria-se uma escola e importam-se professores de França.

À luz do critério nacionalista foi isso um erro. Como bons franceses, os pintores encomendados trouxeram consigo a tara mortal do francês: incompreensão da alma alheia. Em vez de operar como tutores da arte local, que emitia débeis vagidos e, embora primitiva, rude, ingênua, tinha o alto valor de ser uma tentativa da terra, desprezaram-na para enxertar nos cotilédones os amaneirados de moda em França.

Fervia lá o classicismo. Davi e satélites só concebiam a vida moldada pelas atitudes da escultura grega, e tudo sofria das consequências de tal convenção.

Envenenados pelo mal da época, Debret, Taunay, Montigny e os outros agravaram o erro francês, inoculando-o numa colônia em formação. E assim, mal orientados, incapazes de visão brasílica das coisas, a obra educativa desses mestres consistiu em impor um convencionalismo.

As obras desse período acumulam-se, boas, medíocres, ou más quanto à técnica, mas seladas todas com o carimbo da desnacionalização. Não denunciam a escola brasileira. Até Porto Alegre, nenhum nome se fixa na retentiva de ninguém.

Porto Alegre anunciara uma aurora promissora. Talento multiforme, galgou, rápido, as maiores eminências sociais. Foi poeta, crítico, diplomata e pintor — e isso o perdeu. O leonardismo só deu um Leonardo!... Como poeta e pintor, viciaram-no a frouxidão e a ênfase.

Dele a Pedro Américo, como já se alargara a compreensão da pintura, e os artistas já se libertassem do estreito quadro primitivo, nota-se uma contínua ascensão de nível, a qual culmina nesse artista excepcional.

A *Batalha de Avaí* marca o apogeu. O romantismo atinge com ela um píncaro só acessível ao gênio. Mas foi um ocaso. O ocaso esplêndido de um sol que não teve meio dia. Àquela luz tudo se obscureceu, e a arte romântica fechou o seu ciclo.

A madrugada do dia seguinte raia com Almeida Júnior, que conduz pelas mãos uma coisa nova e verdadeira — o naturalismo. Exerce entre nós a missão de Courbet em França. Pinta, não o homem, mas um homem — o filho da terra, e cria com isso a pintura nacional em contraposição à internacional dominante.

Vem de França, onde aperfeiçoara estudos, traz consigo quadros bíblicos diferentes de tudo mais, pessoalíssimos, reveladores duma compreensão extremamente lúcida da verdadeira arte.

A *Fuga para o Egito* é bem um carpinteiro humilde fugindo por um areal de verdade, com mulher e filho de verdade, montado num burrico de verdade. Mudem-se àquelas figuras os trajes, vistam-nas à moda nossa, deem-lhes a nossa paisagem como ambiente, e o quadro bíblico continuará verdadeiro: é sempre um marido, a mulher e o filhinho, humaníssimos todos, que fogem para salvar a vida. Se era assim o pintor num quadro dessa ordem, gênero em que, de comum, a arte naufraga no mar do convencionalismo anti-humano e antinatural, continua assim, humano e natural, despreocupado de modas e escolas, até o fim da carreira.

Não há obra mais una que a sua. Nunca foi senão Almeida Júnior no indivíduo; paulista na espécie; brasileiro no gênero.

Não obstante, quando apareceu a *Partida da Monção* a crítica ligeira filiou-a à escola do painelista francês Puvis de Chavannes, então na moda.

Nada mais falso.

É um juízo irmão do que dava *O crime do Padre Amaro* como filho do *La faute de l'abbé Mouret*.

Puvis é um simbolista, um prerrafaelita à sua moda, um primitivista, ou, falando tecnicamente, um estilizador de figuras e paisagens. Correu da sua arte o natural e deu a tudo atitudes procuradas — procuradas e achadas entre os ingênuos primitivos. As árvores nascem e crescem todas num mesmo sentido, engalhando o enfolhado com simetria preestabelecida. As figuras movem-se guardando atitudes que não destoam das árvores. A terra, o céu, tudo sofre estilização.

Na *Partida da Monção*, ao contrário disso, não há uma atitude inventada. É naturalismo puro. Há cor local. Há reconstituição exata de uma cena como ela devia ter sido na realidade.

Onde se denuncia, então, a influência de Puvis? No tom enevoado da tela... Mas, como pintaria ele uma cena matutina sobre o Tietê sem mergulhá-la na bruma? Refugando, pois, da sua arte, esse pseudo chavannismo, integrada a *Partida da Monção* no bloco maciço das suas obras anteriores, ressalta a verdade da afirmativa: Almeida Júnior nunca foi senão Almeida Júnior.

José Ferraz de Almeida Júnior nasceu em Itu a 8 de maio de 1850. Desde menino revelou a vocação, e de tal forma que vários amigos, entusiasmados por um *S. Paulo*, meteram-no na Escola de Belas Artes do Rio. Ali fez o caboclinho um curso magnífico, rematado com um primeiro prêmio. Muito pobre, voltou depois à província natal, dedicando-se à profissão. Vegetava por aqui quando o sr. D. Pedro II, em excursão a Campinas para assistir à festa inaugural da Mogiana, dá com ele, examina-lhe os últimos trabalhos e oferece-lhe uma viagem à Europa por conta do seu bolso particular. Almeida Júnior parte para o velho mundo e, em França, sob a orientação de Cabanel — cuja maneira, aliás, não seguiu — estudou furiosamente.

Sempre nostálgico da pátria, a quantos o interpelavam, com inveja de vê-lo aboletado na Babilônia, respondia invariavelmente:

— Ando mas é morto por me pilhar em Itu.

Isto o define mais que tudo. Era uma individualidade inteiriça, rija como o coríndon, insofismável, incapaz de dessorar-se em terra alheia.

Seis anos durou esse curso de aperfeiçoamento, rematado com uma viagem pela Itália. Regressa em 82. Entra para o Salão do ano seguinte com quatro telas típicas — *Remorsos de Judas* e *Fuga para o Egito*, obras bíblicas mas de forte interpretação naturalista; *Repouso do Modelo*, precioso quadro de composição, já medalhado em Paris e dos mais elegantes saídos de pincel brasileiro; e *Derrubador*, mais um vigoroso estudo de musculatura do que um quadro, embora precioso como germe da série de telas que imortalizariam o pintor ituano.

A crítica consagrou-o incontinente. E Almeida Júnior deu início à sua obra personalíssima. Em contato permanente com o homem rude dos campos, único que o interessava, porque único representativo, hauriu sempre no estudo deles o tema de suas telas. Compreendia-os e amava-os, porque a eles se ligava por uma profunda afinidade racial.

Pintou os *Caipiras Negaceando*, que Chicago medalhou a ouro — quadro de vulto, a que empresta grande valor a expressão magnífica do caçador que entrepara ao ouvir de surpresa o rumor da caça.

Não é essa tela o retrato de dois manequins vestidos à caipira e postos no ambiente da mata. São, de feito, dois caçadores caboclos, vivos, no quanto comporta de vida a ilusão pictórica.

Em seguida a esse memorável trabalho abre Almeida Júnior um interregno para compor grandes telas religiosas para a Sé — *Conversão de São Paulo, Cristo no Horto*, e vários painéis decorativos, de cor muito fina, para a Confeitaria Pauliceia e o Club Internacional.

Libertado da necessidade de ganhar dinheiro, entrega-se finalmente à pintura do que lhe sabe ao temperamento.

Data daí a parte capital da sua obra.

Pinta o *Caipira picando fumo* e a *Amolação interrompida*, dos quais a nossa Pinacoteca possui duas más cópias ampliadas. Digo más, porque é essa a impressão de quem as coteja com os originais em poder do dr. Sampaio Vianna. Copiadas pelo próprio autor, por isso mesmo não valem as primeiras. Explica-se. Estas foram pintadas do natural, no local adequado, ao ar livre, com a alma do artista impregnada do tema. Possuem toda a vida dos quadros sentidos e amorosamente feitos. As cópias, tiradas em época posterior, com outras preocupações na cabeça, num estado d'alma diverso, com técnica diversa, com variantes de cor e tons, têm todos os leves defeitos duma segunda edição ampliada, preparada às pressas para exclusivos fins comerciais. Só é capaz de boa cópia quem copia obra alheia. Copiando a obra própria o artista não se adstringe à fidelidade necessária, e faz, sem o querer, obra nova. Nova e má, pela ausência do misterioso *quid* da obra vivida.

Todas as mais telas que Almeida Júnior pintou nesse período de ouro jazem esparsas pela cidade. E é pena. Se há pintor que mereça figurar inteiro na Pinacoteca do Estado, é sem dúvida o grande ituano.

A Pinacoteca ressente-se disso.

Quem visita aquele começo de museu é na intenção de conhecer as obras dos nossos pintores e não para estarrecer de assombro diante de cromos de Salinas, charadas de Amisani pagas a preços fantásticos, e mais patifarias a óleo como que brochadas especialmente para comer o cobre fácil do tesouro paulista, sempre franco em se tratando de negociatas.

Revolta ver a nossa Pinacoteca transformada em salão de despejo de quanta tela medíocre de pintor estrangeiro medíocre surge por aqui com o fito de explorar o critério negocista dos que nos dirigem o movimento artístico.

Revolta ver toda a obra do maior pintor paulista oculta em galerias particulares, e propositadamente mantida lá para que os Amisanis possam receber boladas em troca de blagues mistificatórias. Com o dinheiro que o Estado deu pela *Alcova Trágica*, risível em si e contristadora pelo atestado de inépcia que passa aos nossos homens entendidos em coisas da arte... de comprar quadros, entraria para lá meia dúzia de obras primas.

O quadro *Saudades* faz parte desse grupo de telas preciosas. É talvez o quadro de mais sentida expressão que possui o Brasil.

Uma mulher do povo, moça ainda, morena, vestida de luto modesto, contempla, à luz duma janela, o retrato do marido extinto. A luz dá-lhe de chapa no rosto, onde se lê a dor muda duma viuvez precoce. Brotam-lhe lágrimas dos olhos, lágrimas de amante inconsolável. É dor e é saudade.

Quanta verdade naquilo! Quanto sentimento! Que poema inteiro de mágoas resignadas naquela expressão!

O *Importuno* lembra o tema do *Repouso do Modelo*. Apresta-se um pintor para um trabalho de nu, quando lhe batem à porta. O modelo, que se despia para o pouso, oculta-se e espia, enquanto o pintor entreabre a porta para ver quem é. As mesmas qualidades distintivas do *Repouso* acentuam-se no *Importuno*. Desenho elegante, expressão psicológica, harmonia de composição, sobriedade e fatura de mestre.

Nhá Chica é um magnífico estudo de cabocla. Uma roceira madura achega-se à janela em cujo batente está uma chocolateira de café; e enquanto sorve uma baforada por um longo pito de barro fixa os olhos no campo, onde deve estar o marido ou o filho no trabalho. A expressão do seu rosto diz-nos que já chamou o "homem" para o café do meio dia e o espera. É uma figura viva, na qual se leem os pensamentos ocultos sob a máscara impassível.

O *Violeiro*, quadro a que ele dava a primazia entre todos os do gênero, é outra criação soberba de verdade, de sentimento, de colorido exato e de tonalidade local. Dentro daquele corpo sente-se pulsar o coração ingênuo dos nossos musicistas espontâneos, filhos do campo e do ar livre.

Os Caipiras, *Mendiga*, *O Caçador*, *Cozinha da Roça*, *Cena da Roça* e outros, denunciam sempre a mesma feitura honesta, e a intenção, realizada, de pintar as almas habitadoras dos corpos.

Na paisagem, gênero que a avaliar pelas poucas que deixou, Almeida Júnior desadorava, a qualidade dominante é ainda a probidade de um sincero que como nunca mentiu aos homens não sabe mentir às árvores, às águas ou ao céu. *Ponte da Tabatinguera* e *Curva do Tietê* são típicas.

Também pintou retratos, e abundam eles na *Partida da Monção*. Vêm-se lá o Conde do Pinhal, Campos Sales, Prudente, o pai do artista, o vigário de Itu, Leite de Morais, Luiz P. Barreto. Severino da Cruz, seu sobrinho João Firmiano e outros.

Até nisto se revê o carinho de Almeida Júnior pela verdade. Como netos dos bandeirantes que figuraram nas monções, era no tipo desses contemporâneos que se poderiam colher os traços enérgicos dos avós. Um pintor menos sincero tomaria ao acaso, na rua, os modelos necessários, ajeitando-lhes barbaças e vincos de testa truculentos — e talvez fizesse coisa mais do agrado público. Almeida Júnior, inimigo mortal do cabotinismo e da mentira, paulista da velha têmpera, "caboclo de bem", adotava por temperamento a concepção de Alberto Dürer, de que a preocupação da beleza é nociva à arte. Preocupava-se com a verdade somente — e nisto revelou maravilhosa compreensão da verdadeira estética.

A beleza não existe por si, mas como emanação misteriosa da verdade. Quem foge a esta não alcança aquela. O critério da beleza em si está sujeito às injunções do espaço e do tempo. A moda no-lo exemplifica. Houve tempo em que a saia balão era a beleza. Depois veio, como nova forma de beleza, a hedionda anquinha. E daí até nós, quanta extravagância macaca inventa o cérebro histérico dos costureiros europeus, goza, durante seis meses, no consenso universal dos papalvos, as honras de supremo estalão de beleza.

No entanto, basta que saia da moda uma "moda" para que ela se apresente a todos como um "horror". Salvam-se unicamente as que, respeitando as formas do corpo humano, isto é, a *verdade* — e denunciando-lhe as ondulações através do pano, se negam a mentir ao nu que vestem.

Assim na pintura.

As escolas passam, os estilos morrem, as "maneiras" exaltadas numa época são metidas a riso logo em seguida. O pintor cortesão, que lisonjeia o transvio estético dum período de mau gosto, perde logo a nomeada quando a moda cai.

Só fica, só resiste à ação da crítica e do tempo, a obra sincera do que nunca falsificou a verdade em nome dum ideal passageiro.

A Grécia é eterna, porque os cânones da arte grega eram decalcados sobre os cânones da verdade.

Rembrandt é eterno porque nunca mentiu, transigindo com as histerias movediças do público.

Entre nós Almeida Júnior será sempre grande, e cada vez maior, porque nunca, em fase nenhuma da sua carreira, oficiou no altar do convencionalismo — erro que sombreia a obra do maior gênio pictural do continente, Pedro Américo.

A Carioca nunca dirá nada a ninguém; é um nu mudo e vazio; já a viúva das *Saudades* falará sempre, e sempre será compreendida. Enquanto houver corações dentro do peito humano, aquela simples figura de mulher comoverá profundamente.

A obra do convencionalismo dura o que dura o pedantismo duma escola. Só a obra da verdade é *imperitura*.

Almeida Júnior estava em pleno apogeu quando, de pancada, mão assassina lhe cortou o fio da vida.

O pincel criador de tantas obras primas ficou de lado.

Ninguém o retomou ainda.

O veeiro dos temas nacionais continua quase intacto, à espera de novas individualidades de gênio que lhe garimpem o ouro.

Por fatalidade, mal abrolha no Brasil um artista capaz corre logo a morte violenta a amordaçá-lo.

Os mais representativos — Almeida Júnior, Euclides, Pompeia, Ricardo — caíram assim em flor. Mas os gordanchudos, os falsificadores do bom gosto, os inimigos da verdade, os Pachecões atravessados de Acácio e Brummel, essas almas de capacho e essas carnes balofas que a terra está reclamando para elaborar com a substância delas os joás espinhentos, a guanxuma, a barba de bode e outras calamidades vegetais, esses se eternizam na vida. Não surge bala que os derribe, nem faca abençoada que lhes ponha a tripa à mostra. Morrem todos no fim da vida, de pigarro senil...

A POESIA DE RICARDO GONÇALVES

Poeta... Que surrada andas tu, pobre palavra, e que longe andas do sentido íntimo, pelo abuso de te vestirem quantos por aí medem versos nos dedos para uma periódica postura nas revistas!

Poeta — poeta não é o malabarista engenhoso que acepilha sonetos, embora belos, senão a criatura eleita que ressoa às mais sutis vibrações ambientes, como se toda ela, corpo e alma, fora uma harpa eólia de cordas vivas.

Os crepúsculos estriados de sangue, o marulho das ondas nos fraguedos, o bisbilho dos córregos nos socavões das matas, a bruma das manhãs, um ninho em que pipilam aves implumes, o silêncio augusto das montanhas, o trilo duma patativa, uma estrelinha a piscar, as vozes misteriosas das coisas balbuciadas em surdina, os cambiantes, as penumbras — tudo quanto é estado d'alma da Natureza, esfrola as cordas da harpa feita homem e a faz exsolver-se na gama inteira das vibrações emotivas.

Fixar estas vibrações por meio da palavra disciplinada no ritmo e enlanguescida na melodia da rima, é simples lavor final. O tudo, a coisa suprema, é ser poeta, sensibilidade de galvanômetro, harpa eólia em permanente vibrar a todas as auras.

O homem frio que, senhor da cultura e sabedor da técnica, compõe um poema, por maiores belezas que nele derrame será um retórico, um orador — poeta é que não.

E não, porque seus versos foram *compostos* ao invés de *brotarem* lógicos, no incoercível da flor que vem da planta, do perfume que sai da flor, da ebridade que emana do perfume.

O verdadeiro poeta é um eterno soar de cordas que nele são bordões e primas, afinadíssimos, tensos de estalar, e no vulgo são calabres grossos e bambos.

Alfredo de Musset, Antônio Nobre... poetas no seu tempo, poetas hoje, poetas amanhã, poetas sempre.

Hugo, Rostand... serão poetas para o coração do homem futuro?

Não é retórica a poesia, nem eloquência. É dor. Dor estilizada, dor de amor, dor de saudades, dor de esperanças, dor de ilusões murchas, dor dos anseios vagos, dor da impotência, dor do inexprimível.

Poeta foi Ricardo no sentido essencial do termo.

Em menino e em moço; como homem e como amigo; como enamorado e como amante — foi poeta de todas as horas e de todas as estações.

E como poeta morreu — pois morreu como o violino a que subitânea mutação do tempo estalou as cordas tensas e emudeceu para sempre.

Os versos que deixou — poucos, se os medimos pelo tesouro de poesia em permanente irradiar que ele era — não denunciam o alinhavo da feitura, são como cristalizações naturais de sentimentos.

Nenhuma tortura, nada de arranjos. A perfeição da simplicidade, inatingível pelo esforço consciente, era seu habitat normal — tão poeta nascera.

Vagueia em seus versos o aroma dos nossos campos, o hálito da terra, o bafio das velhas fazendas; sentem-se neles o sabor das frutas do mato, o esvoaçar dos passarinhos, o rumorejo de capoeiras nossas conhecidas.

Se aparece uma árvore, de pronto a conheceis: é a jiçara esguia perdida numa tiguera; é a peroberia seca, escalavrada pelo fogo das queimadas; é piúva que setembro afrouxela de flores de ouro.

Entra em cena uma avezinha? Não é o rouxinol, nem o pardal d'importação. Escutai-lhe o trilo: é a patativa humilde; vede como dança: é o tangará.

Evola dum verso um aroma? Recordai: é o jasmim do Imperador.

Quebra o silêncio um rumor distante? É o rechinar do carro de boi, é a tropa que trota pela estrada.

Longe, um personagem? É o Zé da Ponte.

É a terra, enfim, é o homem, é o céu, é o rio, é a mata como os temos, incontaminados do pechisbeque francês — bem como desinfluídos da bela falsificação alencarina.

Daí o encanto da sua arte, encanto que avulta realçado pela chinesice desta época de mentira a terra é a raça por excesso de amor à francesia e ao cubismo.

Ela nos introverte n'alma os amavios da saudade e da esperança. Poesia pura, ela, por sugestão, deflagra o que em nosso peito existe de poesia inata.

É mister falar sem refolhos: Ricardo era o mais genuíno poeta da nossa geração. Nunca um elemento alienígena interferiu na sua arte. Não sabemos de um verso seu no qual se desembalsame um deus morto da Hélade, uma coluna partida, uma esquírola sequer de mármore grego. Nem castelos medievais, nem cosmopolitismo moderno, nada do volapuque estético desta época em que os povos se interpenetram e mutuamente se dessoram do que há de mais sutil — a intimidade racial.

Sobe de ponto o valor da pureza desta estesia quando circunvagamos o olhar pela cidade onde o espírito de Ricardo floriu — floriu, ai! como a flor do lótus...

É a *urbs* volapuque onde grunhem todas as línguas e onde passeia pelas ruas a escala inteira dos ângulos faciais.

O poeta, sufocado pela atmosfera caleidoscópica deste *salmagundi* urbano, refugia amiúde aos seus venenos dessorantes.

Ia ver jequitibás em Piracaia, para descanso dos olhos fartos destes plátanos geometricamente perfilados à beira dos passeios, como árvores bem ensinadas.

Ia longe daqui aspirar a fragrância de florinhas silvestres que lhe não recordassem crisandálias e outras patifarias florais d'importação.

Ia ouvir a patativa piar nas devesas, para esquecimento do chilreio azucrinante do canário belga.

Porque não há cidade que como a nossa tanto minta a terra!

E onde os filhos tanto se empenhem em lhe extirpar do seio as derradeiras radículas da individualidade.

Vai um pobre mortal espairecer ao jardim da Luz e em vez duma nesga da nossa natureza tão rica, é sempre o volapuque que se lhe depara. Pelos canteiros de grama inglesa, há figurinhas de anões germânicos, gnomos do Reno, a sobraçarem garrafas de *bier*. Por que tais niebelunguices, mudas à nossa alma, e não sacis-pererês, caiporas, mães d'água, e mais duendes criados pela imaginação popular?

O próprio arvoredo é por metade coisa alheia. Um ipê florido, a árvore da quaresma, um angiqueiro — inutilmente os procurareis ali.

Se ressoa no coreto a música, ouvireis Puccini, Wagner, Sidney Jones — e tais modulações vêm tornar inda mais incaracterístico o ambiente do logradouro.

Súbito, ao quebrar uma alameda, uma estátua avulta no centro dum canteiro. Bate-vos o coração. Há de ser Gonçalves Dias, Casimiro, um poeta nosso. Nada disso: é Garibaldi...

Tendes sede? há *grogs*, *cocktails*, *chops*, *vermouths*.

Tendes fome? Dão-vos *sandwich* de pão alemão e queijo suíço.

Apita um trem: é a Inglesa.

Tomais um bonde: é a Light, em cujo carro vos cobra a passagem um italiano.

Desceis num cinema: é *Íris*, *Odeon*, *Bijou*.

Começa a projeção: é uma tolice francesa ou uma calamidade da Itália.

Um baleiro passa ao lado: *nougat*, *torrone*.

Correis a um teatro: o cartaz anuncia *troupe* francesa.

Mas ao espírito vos acode que um existe onde funciona companhia nacional. Ora graças, dizeis, vou-me a ver coisas da minha terra. Ides, ergue-se o pano: os atores nacionais são portugueses, a peça é uma salafrarice traduzida do parisiense. Traduzida em português ao menos? Qual! Traduzida em volapuque.

Saís enojado. Correis ao hotel. Meteis-vos na cama, depois de sorvida uma chávena de chá da Índia com pão de trigo argentino. Estais quase a dormir. Será ao menos o vosso sono um sono brasileiro? Impossível. Pelas reixas das venezianas entram a acalentá-lo os sons distantes de uma canção de Nápoles: *Ai Mari*...

Em tal meio conservar Ricardo, puras como a água das grotas, a sua emoção e a sua arte, façanha foi de Hércules. Resistir, hoje, é um trabalho de Hércules...

Quando vierem a público seus versos, o livro resultante será um oásis de Brasil neste Port-Said sem mar.

Os olhos da saudade ir-se-ão por ele afora, como atraídos pela própria alma da terra — da pobre terra que morre lentamente sob a pata bruta da invasão polimorfa...

A HOSTEFAGIA

A guerra nasceu de Caim. Conveniências de lenda falsificaram, no correr dos tempos, a verdade histórica. Ao ver Abel estendido a seus pés, sentiu Caim turgescer n'alma o sentimento do orgulho e da força vitoriosa. Dominava: sensação desconhecida na família adâmica.

Seus instintos, espinoteantes dentro do sangue rebelde, arrostavam a Jeová em nome duma vaga lei natural pressentida em antagonismo com o manual do bem viver imposto ao bípede recém-criado.

A maçã, a serpente, o gesto de Caim são meros símbolos do instinto, em ação de vetar a sábia declaração dos direitos do homem outorgada por Deus num momento de sentimentalismo biológico. E a Consciência a perseguir Caim, figurada por Hugo num olho de fixidez apavorante que o não desfita nunca, é mera licença poética, para lição de povos bem-comportados. Aquele olho simbolizava, sim, a glória, em derriço d'olhadelas langues ao primeiro vitorioso. Isto esclarece porque, desd'aí até nós, tal olhar nunca deixou de repastar-se, gozoso, na descendência heroica de Caim, dona do mundo pelo direito dos golpes certeiros que esmagam a cabeça do adversário.

O estigma impresso por Deus na fronte de Caim — explica-nos a História, contestando a Lenda — foi a mesma fulgurante estrela que rutilou na testa dos Gengis-Khans, Átilas e Bonapartes. Prova: em seguida ao fratricídio, inebriado pela vingança, prazer até ali reservado aos deuses, Caim partiu para as terras de Nod, onde, cheio o peito de uma orgulhosa força de dominação, oprimiu os povos vizinhos, enriqueceu, imperou despótico, vindo a acabar, como um bravo, na luta contra o seu sobrinho Lamech.

Sem a pedrada na cabeça de Abel, Caim morreria simples pastor, sem nome, nem feitos, nem descendência. Com a pedrada, ensinou aos homens o caminho da glória, a embriaguez da vingança, o segredo da dominação, a morte heroica. Em suma: a guerra.

Do outro lado do Eufrates, onde Deus não conversava com os homens e eram eles uma nudez de instintos só equiparável à nudez do corpo, o troglodita, já com acumulações experimentais herdadas do pitecantropo, sabia como adquirir a pele de urso na qual um seu vizinho resguardava o corpo nos dias de neve. Sabia que se sub-repticiamente, pela calada da noite, fendesse o crânio do "possuidor" adormecido, a pele passaria a pertencer-lhe por direito de conquista. E logo que bem o soube, melhor o praticou, adornando a vitória com os pinotes amacacados e os gritos guturais donde saíram, por visível evolução, os triunfos romanos, os péans gregos e a glorificante farda moderna.

A conquista de impérios descende em linha direta da conquista duma pele de urso...

A raça heroica dos conquistadores mede sua grandeza pelo certeiro dos golpes desferidos e pelo valor das peles adquiridas — e a humanidade os exalta. Assim os picos culminantes da História são os fortes desferidores desses golpes tremendos, que esmoem tronos e derruem impérios.

Diante do herói guerreiro desaparece o herói do trabalho e da ciência.

Onde a estátua comemorativa do inventor do tear? esse a cujo labor paciente deve a frágil nudez do corpo humano os tecidos que a resguardam da hostilidade ambiente? Quem lhe venera o nome?

Mas todo menino de escola sabe de Alexandre. Perguntai-lhe a respeito do macedônio, e o pequeno, enfunando o peito e todo brilhos chispantes nos olhos, dirá:

— Foi o maior guerreiro da antiguidade!

— E que entendes tu por guerreiro?

— É o homem que conquista, vence os inimigos, destrói impérios.

Incapaz de definir qualquer sentimento humano, a criança define, por instinto, o sentimento da "belacidade", pois que o tem impresso em letras indeléveis nos glóbulos do sangue.

É, portanto, a guerra, humana.

É a glória, o orgulho, a vingança — delícias máximas do paladar humano.

A História é toda uma teia de Penélope, feita e desfeita entre fulgurações de guerras.

Os impérios nascem pela guerra, engrandecem-se pela guerra, e pela guerra vêm a morrer. Os homens máximos serão sempre os aureolados pelo halo guerreiro.

Não há nome moderno de maior fulgor que o de Napoleão.

Pacatos funcionários públicos, fiéis ao ponto e à geleia de mocotó em dias de aniversário, trazem nos aparadores das salas de visita o busto em terracota, gesso ou bronze, do corso, e é com olhar terno — ternura de cão em face do senhor — que a mirá-lo se perdem em devaneios duma vida intensa como a do herói.

Peças do aparelho administrativo do Estado, é a formidável ação organizadora do grande colega que eles admiram? Não: é Arcole, é Iena, é Austerlitz; é até Santa Helena: — a atitude clássica com que o prisioneiro, a encarar o oceano, de pé sobre uma frágua, mão metida no peito do casaco, penetrou na posteridade — como eles, funcionários, de mão na cava do colete, penetram às vezes na fotografia.

Nas camadas baixas da plebe nortista Antônio Silvino é um germe de ídolo heroico. Se possuísse as qualidades sugestionantes do *meneur* e levantando após si uma horda de fanáticos se atirasse à conquista do país, ai de nós!

A meio caminho de Roma as legiões revoltadas de Galba haviam passado de "bandidos" a "beligerantes" e ao pisarem a via Ápia viraram "salvadores da pátria".

Vencer, impor as impressões digitais das manoplas de ferro, seja Pancho y Villa, César ou Silvino, é forçar as páginas da História e coroar-se em apoteose. Pancho está no fastígio; Silvino, na cadeia. Os heróis oscilam entre esses dois polos.

A guerra atual, soprando por terra o castelo de cartas do pacifismo, vem pela milésima vez demonstrar que é a guerra contingência iludível da natureza humana, como fluxo e refluxo natural de povos ou entrechoque necessário de forças sociais em procura dum equilíbrio estático que a paz, pela inflação desmesurada da indústria, rompe; e vem demonstrar ainda como é compatível com a civilização, e como dela sofre influxos unicamente no sentido de modificar-se por artimanha das maravilhas saídas do laboratório — nunca, porém, no de extinguir-se.

A guerra atua como um crisol depurador: saem dela os povos transfeitos. A paz prolongada é Cápua — a de Aníbal e a de Tibério.

Nenhum povo detentor de alto valor histórico existe que o não conquistasse pela guerra. Grécia, Roma, Cartago, França, Alemanha... Em redor deles gravita como satélite o rebanho dos fracos, carneáveis como reses.

A nós, brasileiros, nada escasseia mais do que o sentimento belicoso.

O pacifismo edulcorado da alma nacional é pura covardia num planeta destes. Talvez ali na Lua conviesse tal meiguice de ovelhas: aqui, ainda não.

Eternamente arranhados nos atritos com os fortes, iremos vivendo a vida risível do boi de corte, até que um dia nos cheguem a faca à nuca.

O marasmo ambiente, que os sociólogos indígenas procuram debelar com mezinhas de mulher velha, só se curaria com o estímulo sistemático da belacidade adormecida no seio de toda criatura humana.

Espicaçá-la, espertá-la, alimentá-la, criar a ebriedade coletiva dos fortes, arrastar o povo à luta, seria um programa de gênio ao ditador-estatuário que se apossasse desta inerme massa humana, tão plástica, e a plasmasse, com mãos heroicas, pelos moldes mavórticos.

E nos desse uma guerra ao cabo da aprendizagem, como complemento de programa e prova final.

É mister arrancar a venda dos olhos: a guerra foi, é e será. Luta de classes, luta de partidos, luta de povos, luta de raças, viver socialmente é lutar. Criem os filósofos, nos seus tonéis, as suaves ficções de Platão e Thomas Morus: — cá fora, a soma dos instintos trogloditas que a alma humana entremostra mal estala o verniz da "moralina", é uma força mecânica irredutível, diante da qual se esboroam tanto a bondade de Jesus como as concepções altruístas dos Comtes.

A guerra europeia ensina, ainda e sempre, a eterna glória da Força aureolada de heroísmo; indica ao povo que "queira" viver a senda a trilhar na arrancada para o futuro.

E seus lances nos deixam frios, é que pertencemos à velha escola romântica de Napoleão. Nossos netos, porém, plasmados em outros moldes mentais, saberão extasiar-se ante o naturalismo da arte bélica ora em vigor. Saberão sorrir de Aníbal e de Leônidas, mas cairão extáticos diante do telefunkista que, escondido com a sua antena num recanto ignorado, remete a vitória aos seus, montada numa onda hertziana.

O espião que ilude o inimigo e com hábeis manobras lhe inutiliza um ingente esforço, dando ao seu país uma vitória fácil, provocará lágrimas de entusiasmo.

A nós inda não sabem tais coisas; temos o paladar clássico; com os seus antiquados figurões, Plutarco viciou em excesso a nossa estética da heroicidade.

Ainda assim já vamos compreendendo algo dos ideais de amanhã. O hurra épico da tripulação de um submarino a saudar a deflagração dum torpedo de encontro ao casco do couraçado inimigo, já o pomos em pé de igualdade com o olhar de Aníbal em Canas, ao ver a seus pés, dormindo o derradeiro sono, as legiões de Varro.

Dos ensinamentos da atualidade já se depreendem vagamente as diretrizes da guerra futura. Em matéria de armamento, caminharão os estados como até aqui, guardando uma equilibrada equivalência. O serviço de espionagem não permite avantajar-se um mais que outro.

Em matéria de disciplina, Roma e Alemanha prosaram-lhe a eficiência; os exércitos futuros, eslavos e chineses, serão a mesma massa mecanizada, dirigida por botões elétricos do alto da torre dos estados maiores.

Resta a cozinha.

A parte relativa ao suprimento de víveres é suscetível de imensa transformação — e vencerá, está claro, o melhor serviço de intendência.

Neste, no seu aperfeiçoamento, encontrar-se-ão a inventiva dos sábios e o engenho dos burocratas.

Fala-se já na alimentação artificial obtida pela síntese química. Mas a solução de gênio está na "hostefagia".

Que coisa é isto? Comecemos do começo. A filosofia de Nietzsche, com a concepção do Eterno Retorno, mostra como os ciclos biológicos se repetem. O supercivilizado remata a cadeia da sua evolução reatando o elo final ao elo inicial perdido na noite dos tempos, no casebre dum ante-histórico lacustre.

Já Wells, num maravilhoso livro de previsão, denuncia a humanidade futura cindida em duas castas, Elóis e Morlocks, aqueles puros alfenins de carne tenra, estes puros aimorés subterrâneos. Como desenvolvimento final das classes operárias de hoje, são os Morlocks os detentores da força, e criam os Elóis em palácios maravilhosos, com extremos de carinho, para... comê-los.

Que muito, pois, adotem os futuros beligerantes a antropofagia como o caminho mais curto para a solução do problema alimentar dos exércitos?

O óbice está na palavra. Eliminem-na, que é barbara e brutal; criem um vocábulo novo, "hostefagia", por exemplo, e meio caminho estará vencido. Organize-se em seguida o serviço de modo que nada lembre ao soldado que mastiga o bife suculento e bem assado, as cenas do zelandês a estraçalhar nos dentes a carne sangrenta dum inimigo.

A ciência vai desde já destruindo estes injustificáveis engulhos sentimentais. Os laboratórios demonstram que a carne é um músculo composto de fibrina, caseína, albumina, graxas e fosfatos, e que é assim tanto no boi como no homem. Quimicamente, pois, não se justifica o velho preconceito.

Estas noções repugnarão seu tantinho no começo, por virem contrariar ideias muito arraigadas; mas para vencê-las aí está o mestre-escola que venceu em Sadowa e a Agência Havas que vence de Sadowa para cá.

Uma propaganda bem organizada a partir do berço dentro duma geração terá habilitado os governos a aplicar aos exércitos em campanha a solução hostefágica, com imensas vantagens para o tesouro e os fins colimados pelos futuros Alexandres.

O povo que primeiro vencer o preconceito bromatológico do seu exército terá o mundo a seus pés. O que mais onera uma campanha, e mais dificulta a ação beligerante é justamente o peso morto e atravancador do complicadíssimo aparelho de manter cheio o tonel das Danaides do estômago.

A substituição do sistema atual pelo indicado barateará a guerra a um mínimo risível, além de que dará velocíssimas asas aos exércitos. Para atirá-los contra o inimigo, inútil as frases de arrepiar o entusiasmo à moda de Napoleão, como também inútil mostrar às tropas, em boletins chorosos, a imagem da pátria em perigo, tudo esperando do esforço delas. Basta, após um dia de jejum forçado, mostrar o inimigo pela frente: "Dentro daquelas trincheiras, camaradas, trezentos mil inimigos vos espiam, gordos, de carne tenra, ótimos para rosbifes!".

E ai do adversário!...

Já o homem se afez, por um longo treino, a outras ideias fecundas: o saque, o incêndio, a carnagem do não combatente, a violação das mulheres; está preparado, pois, para a hostefagia, a qual tem a seu favor, além do mais, a química e a lógica.

Entre saquear uma cidade, esmagar pelo bombardeio a colmeia humana inerme, cheia de pobres velhos, mulheres desvairadas, criancinhas retransidas de pavor — e comer uma carne que a análise demonstra ser tão nutriente como a do carneiro, vai em favor da última hipótese tudo quanto há de mais cristalino em matéria de bom senso e de bom coração.

Será esta, supomos nós, uma das faces mais curiosas e mais fecunda em resultados positivos da guerra de amanhã.

A futura Roma, dominadora do mundo por vir, será a nação assaz inteligente para antecipar-se às demais na adoção da hostefagia — para antecipar-se, digo, porque as vantagens são tão positivas que logo depois, sem discrepância, a humanidade inteira a adaptará.

O soldado de hoje, que por uma falha no serviço de intendência se vê privado da ração e todo se estorce na fome, como não invejará as boas digestões dos seus netos, nas guerras do ano 2.000, quando o luxo dos batalhões for trazerem Vateis a seu serviço, hábeis no preparo de bifes de carne humana!...

Teremos chegado, então, à sonhada idade de ouro.

Como se formam lendas

Em belas conferências explora Afonso Arinos o veeiro inexaurível da lenda — alma das raças cristalizada pela tradição.

Porque no anelo vago, embora premente, de refugiar ao prosaísmo da vida, que toda se resume no comer o pão de hoje, digeri-lo sob um teto e amassar o de amanhã, o homem do povo — seja um ilota de Atenas, em trânsito pela rua da Cerâmica, apregoando figos de uma quinta à margem do Ilisso, o qual cruza Péricles, a caminho do Ágora, a discutir com Fídias um detalhe do Pártenon; seja um caipira de Areias, que sobe a rua do Cabrito anunciando grumixamas dum quintal que dá para o Ribeirão Vermelho, o qual cruza o promotor, a caminho do fórum, a debater com o juiz o caso duma goteira na sala do júri — o homem do povo despica-se da materialidade deprimente desferindo voos pelos intermúndios do sonho.

A insofreável musa do Devaneio encarcerada em cada peito humano, seja Guilherme Shakespeare ou Zé Pichorra, deturpa a realidade, enfolha-a, enflorece-a de poesia — da sã poesia que se não molda por figurinos mas sai da alma com a espontaneidade de perfumes vaporados de resedás — por exalação funcional.

Tal poesia é a matéria cósmica da lenda.

O Olimpo grego!...

Os gregos estilizaram-no em verso, escultura e teatro, de Hesíodo a Escopas. Antes, porém, o Olimpo viveu em massa informe a bosquejar-se na imaginação do heleno, a bruxulear nos sonhos dos vagos pelásgicos, frígios e fenícios interferentes na gênese grega. E, remontando inda mais alto, vislumbram-se-lhe as primeiras lucilações na grande madre asiática do planalto donde tudo saiu, inclusive a mancenilheira desta civilização que ora explode numa suprema safra de sangue.

Toda a arte antiga bebeu na fonte copiosa do riquíssimo "lendário" heleno, e de lá até nós nunca o velho tronco cessou de abrolhar vergônteas, viçosas nas Renascenças, bichadas nas Decadências, com o forte poder de sedução que leva Cellini a esculpir *Perseu*, quando podia esculpir um *condottieri* de seu tempo, e Coelho Neto a esboçar *Ártemis*, quando tanta Artemísia da cidade e do sertão anda ignorada a pedir pintura.

A poesia, neste nosso recanto do mundo onde a virgindade da terra induz uma arte autóctone sem placentas no acervo clássico, não se forra de tecer fiorituras e farfalhar variações sobre os velhos temas gizados na Grécia.

Tão grande foi a infiltração mundial grega, que ainda hoje a percebemos a palpitar viva na linguagem diária, e até no ramo mais pessoal da vibração emotiva — o amor. Neste momento, como sempre, vai pelo país, de Pelotas a Macapá, um intenso murmúrio de amor, chocalhado em sonetos, serenatas, cochichos. E d'envolta em luar e choro de violão, garatujadas em papel cor de rosa, amelaçadas em falinhas trêmulas, regiram incessantemente as velhas gazuas gregas abridoras de corações femininos.

Desenvolve-se um malabarismo intenso de setas de Cupido, sorrisos de Cloé, néctares, ambrosias, musas, Leandros ansiosos por morrer ao pé de Eros, tudo aromatizado com florinhas de malva, enfeitado com mechas de cabelo atadas de fitinhas verdes e, para maior dose de tom local, sabiás, graúnas, iracemas — a fauna e a flora inteira da palheta de Alencar.

Não há palerma, por mais canhestro em exalar as comichões do coração, que, arranhado num cinema pelas olhadelas escorridas duns dezessete anos de saia, não chimpe em carta rósea três metáforas, em duas das quais, pelo menos, não figure um helenismo clássico.

São meras imagens hoje, de curso forçado, como moedas de níquel para o troco miúdo do sentimento; remontadas à origem, todas imbricam numa lenda grega.

No ubertoso alfobre se geraram pela ação lenta do polipeiro em torno dum ponto de pega inicial.

Do mesmo modo que no polipeiro, pelo acamar dos exsudatos calcários, se vão erguendo no oceano grandes ilhas de coral, assim os exsudatos poéticos da imaginação coletiva se vão consolidando nas grandes lendas da humanidade — catedrais de Sonho que se chamam Olimpo ou Niebelungen.

Seu autor é sempre o vago "Nemo", o mesmo vago arquiteto das catedrais góticas.

O povo, na ingênua simpleza da inconsciência, cria; o artista "estiliza" — e por fim o sábio alemão as aquartela na disciplina de um sistema, dentro de um regimento de tomos.

E desfeitas em mil bocados, sob forma de imagens, dão as lendas volta ao mundo para marchetaria poética da emoção, tal qual a árvore de coral se dissemina por toda a terra, quebrada em pedacinhos, para ornamento de braços, dedos e lobos de orelha.

O "lendário" grego diz bem claro do povo que o concebeu. É bem filho dos marinheiros que borboleteavam de ilha em ilha pelo Mediterrâneo, ao cair da noite metiam a nave em seco e dormiam descuidosos sob o tremelicar das estrelas, sonhando incomparáveis sonhos.

A saúde dos homens, a formosura das mulheres, a lenidade do clima, o azul do céu, a vida livre e movimentada, criaram o ritmo daquela beleza — inexcedida na escultura e no sonho.

Entretanto, nem todos os sonhos se afinam pelos mansos cânones da serenidade. Há o pesadelo. E para o norte, em região polar à grega, sonhos agitados deram origem a outro "lendário" formidável.

Os rios da Germânia não deslizavam amáveis como o Escamandro, mas rugidores como o Reno; as árvores não se reuniam em bosques arcádicos, como assembleias de epicuristas vegetais — mas em negras massas de carvalheiras milenárias, cujo vulto assombrava as próprias legiões romanas. E muita sombra, muito contraste violento de claro e escuro. E pântanos insidiosos, e feras e perigos.

Os homens louros, senhores da terra, eram espadaúdos gigantes que as mães criavam ao relento, nus, para enrijá-los desde tenros anos ao léu das invernias ásperas.

Em guerra permanente de tribo com tribo, nos intervalos sonhavam pesadelos fantásticos.

O deus daqueles nórdicos não mostrava o bom humor e o bom tom de Júpiter; em vez de néctar, bebia sangue humano; não desceria à terra disfarçado em touro para raptar Europa, senão para mastigá-la, crua, com maxilas de tigre. Odin lembra um Marte a quem faltaram no céu os beijos de Vênus e o convívio amável de deuses galantes e galantíssimas deusas.

De tal ambiente só podiam brotar os Niebelungen — ingente pesadelo de ciclopes.

O ponto de pega inicial desse lendário foi, como sempre, uma luta de família.

Mas que violentíssimos sentimentos rugem ali!

Cremilda é o ódio sob a mais alta pressão; Brunhilda, a inveja; Sigfredo, o valor sobre-humano; Hagen, o molosso da astúcia diplomática, espécie de Bismarck pré-histórico.

O dinheiro é o móvel de tudo — o grande tesouro despenhado, por insinuação de Hagen, nas profundas do Reno.

Faltava um personagem bastante forte para consolar a viuvez de Cremilda e dar braço rijo à grande vingança da sua ideia fixa. Aparece Átila, o buldogue huno, e com ele precipita-se um desenlace muito ao sabor do paladar germânico; chacina tremenda onde todos morrem com louco heroísmo, sob golpes de abalar a terra e fazer piscar o sol.

Entre estes dois cimos da grande lenda europeia, Olimpo e Niebelungen, feições díspares da alma ariana que neste momento — Odin contra Marte — chocam os escudos na Flandres, lateja a hagiologia da Idade Média.

O ideal já não é a força, mas a fraqueza.

O herói cede o campo ao doente.

De Leônidas, defendendo as Termópilas, descamba para Simeão Estilita, vivendo sessenta anos, nu, de cócoras num cepo.

Nem sonho, nem pesadelo: histeria.

Da formidável coletânea de lendas de santos iniciada pelo imaginoso Simeão o Metafrasta e levada a cabo pela empresa ingente do bolandismo, que vasculhou a Europa inteira e por muitos anos entreteve na tarefa colecionadora os ócios de todos os mosteiros, resultou um montão de material hoje precioso para o estudo dos costumes da época.

As redadas bolandistas colhiam santos, e de envolta notas, observações, fatos positivos — lendas e realidades, em suma.

Mas quão longe se afastou o mundo da saudável pujança grega! O "lendário" medievo, ainda quando estilizado por um Eça de Queiroz, cheira ao doentio, ao malsão, pelo exaustivo repisamento duma só tecla, a humildade anti-higiênica; se há beleza, é a beleza pálida das tísicas; e quando alteia voos cai no sobrenatural de Santa Tereza em suas crises epilépticas. Valores pecos de decadência, diria Nietzsche.

De tão copioso manancial, uma lenda que sobrenadou e anda na boca do povo provém de simples erro de cópia. Um mau latinista vertia a lenda de Santa Águeda, martirizada juntamente com sua serva Undecimilla; fraco em bom senso tanto quanto em latim, o copista traduziu em algarismos o nome da serva. Daí, em vez do martírio de Santa Águeda e da virgem Undecimilla, resultou, para alta multiplicação da barbaridade romana, o martírio de onze mil e uma virgens dum bloco, valendo a serva por onze mil e Águeda por si só. O disparate provava demais, mas ficou assim para eterna memória da ruindade pagã; e entrou para o mealheiro das línguas como locução virginal de alta cubagem.

Esse copista seria, talvez, um remoto avô daquele tipógrafo que num verso vulgar de Malherbe,

Et Rosette a vecu...

cochilou na cesura e produziu coisa papafina,

Et rose elle a vécu ce que vivent les roses,
L'espace d'un matin.

fornecendo ao poeta uma tábua de sobrevivência eterna.

Talvez seja isto lenda. Não importa; cabe aqui e até avulta entre as mais engenhosas. E faz jus a que os tipógrafos a tragam em escapulário junto ao peito para indulgência plenária do muito que estropiam sem lucro evidente para as letras. E para que aprendam a errar com gênio, em proveito de poetas que não alcançariam glória imorredoura se o acaso não lhes desse a mão.

E de tudo se vê que a lenda vem do sonho. E que quando o sonho se crispa em convulsões por influências internas da atrabílis e externas do excessivo rancor aos fígados do próximo, vem do pesadelo.

E vem do histerismo, se somos santos e o povo crê em nossos milagres com piedade medieval.

E vem de erros de cópia, se o copista é mais forte em tabuada do que em latim.

E ainda pode vir de um "gato" de composição, quando o poeta é Malherbe e o tipógrafo um gênio...

A ESTÁTUA DO PATRIARCA

Em fins do século XVIII cursava a Academia de Freyberg um brasileiro a quem se reservavam grandes destinos. Vinha da França, então imprópicia aos calmos estudos da ciência em virtude do vendaval revolucionário que a vascolejava. Companheiro, amigo e discípulo de Lavoisier, de Foucroy, de Chaptal, de Jussieu, trocara Paris pela remansosa Saxônia, onde se reuniam os estudiosos de toda a Europa, ávidos das lições de Werner, o criador da mineralogia, de Lampadius, de Freisleben, de Kohler, de Lempe e outros luzeiros da época.

Chamava-se José Bonifácio de Andrada e Silva e estudava a expensas do governo português, o qual reconhecera, por sugestão do preclaro duque de Lafões, serem as academias lusas estreitas demais para uma inteligência tamanha.

Concluído o curso de Werner, viajou José Bonifácio demoradamente pela Europa, escabichando com agudeza os segredos da natura. Áustria e Itália vêm suas entranhas perquiridas pela análise arguta do jovem sábio.

Já mestre e sempre discípulo, porque no sábio verdadeiro é insaciável a sede de saber, demora-se em Pávia a perscrutar com Volta as leis da força nova que Galvani denunciara. Estuda depois a constituição dos montes Eugâneos em Pádua e deita por terra as teorias de Spallanzani, Fortis e outros sobre a formação geológica daqueles terrenos.

Vai à Inglaterra, onde conversa o eminente Priestley, e em seguida à Escandinávia, onde se aprofunda em investigações mineralógicas de grande alcance.

Descobre várias espécies minerais, dá à ciência a petalite, a escapolite, a criolita, o espodumênio, e ganha com essas conquistas universal nomeada, tão grande que o astrônomo Karl Bruhns, em sua obra monumental sobre Humboldt, o coloca entre os companheiros do autor do *Cosmos* como "mestre da ciência", juntamente com von Buch, Esmark e Del Rio. Bruhns, para completar esse quinteto de cimos, escolhe dentre inumerável legião de sábios contemporâneos "*der portogiese* Andrada". E isso em 1872, depois de revista e julgada pela crítica moderna toda a colossal massa de investigações científicas dos séculos anteriores.

Prosseguindo nos estudos daquele solo, classificou pela primeira vez inúmeras variedades minerais desconhecidas da ciência europeia. O estudo em primeira mão da acantícone, da cocolite, da salite, da wernerita, da apofilite e outras são credenciais suas ao juízo de Bruhns.

Dez anos ou mais durou aquela peregrinação fecunda de tantas conquistas.

Entrementes, convulsionava o Velho Mundo a aura da revolução. A França, escabujando na epilepsia da plebe desaçaimada pelo 89, dançava em torno da guilhotina, à batuta dos Marats e Dantons, a sarabanda macabra de uma democracia nua e violenta. A Europa feudal oscilava pela base aos ventos da ideia nova, e coligava para a resistência todas as forças da tradição caquética.

É quando da Córsega surge o *condottieri* de gênio. Sua manopla de aço cai sobre a Revolução, sufoca-a e inicia a organização da nova ordem de coisas.

O movimento ultrapassa os âmbitos da França.

A cada passeio de Napoleão, desabam tronos, ruem monarquias, altera-se o mapa europeu e surgem dinastias novas.

A península ibérica não escapa àquele destino.

Junot e Soult entram em Portugal e assistem à fuga desapoderada de um governo poltrão; rei, corte, ministros, nobreza voltam costas ao invasor e demandam a colônia remota de onde possam, com a trincheira do Atlântico de permeio, declarar, calmamente, guerra à França, à sobremesa dum banquete.

Mas para honra de Portugal não emigrou com o rei o heroísmo.

O povo, sem governo, sem direção, sem chefes, armou-se guerrilheiro e investiu contra o invasor.

José Bonifácio desvenda então a face heroica da sua alma. Comandante duma guerrilha, bate-se encarniçadamente contra o inimigo e em Figueiras, como em Nazareth, desbarata facções do marechal Soult.

Não esmorece nunca, luta até o fim e só larga a espada quando vê o solo do velho reino limpo de invasores.

Despe então a veste do guerrilheiro e toma a vara do administrador. Trabalha na obra de restaurar a ordem subvertida pela patuleia que a ebriedade da vitória e a ausência do rei tornaram insolente e cruel.

Breve enoja-se das ingratidões e da miséria ambiente. Era muito nobre e puro para suportar a grosseria do meio.

Pensa na colônia donde saíra menino.

Toma-se de nostalgia.

Põe na terra natal os olhos saudosos e sonha um grande sonho.

Sonha um império novo, uma civilização nova na terra virgem, costumes novos e um ambiente novo isento do hálito constritor da tradição que envenena a vida. São fragmentos desse sonho as palavras suas num memorável discurso pronunciado na Academia de Ciências de Lisboa: "Consola-me igualmente a lembrança de que, de vossa parte, pagareis a obrigação em que está todo o Portugal com a sua filha emancipada, que precisa pôr casa, repartindo com ela vossas luzes, conselhos e instruções".

Que precisa pôr casa!...

Nunca tão pitorescamente se delineou uma revolução, nem com tanto mimo se poetizou a criação duma nacionalidade.

O sonho cristaliza-se em ideia.

Montar casa própria a uma colônia muito irrequieta, muito rica, muito viçosa para permanecer ajoujada à metrópole como humilde criada de servir!

Nesse mesmo discurso seu grande coração traça toda a súmula dum formoso programa: "E que país esse, senhores, para uma civilização e para um novo assento da ciência! Que terra para um grande e vasto império!... Seu assento central quase no meio do globo; defronte e à porta com a África, que deve senhorear, com a Ásia à direita, e com a Europa à esquerda, qual outra nação se lhe pode igualar? Riquíssima nos três reinos da natureza, com o andar dos tempos nenhum outro país poderá correr parelhas com a nova Lusitânia".

"Punha depois em paralelo — diz Latino Coelho no seu magnífico elogio — as condições políticas da colônia americana com as enraizadas e abusivas instituições da velha Europa.

Ali nenhuma influência teocrática poderia empecer ou amesquinhar a civilização. O clero era abastado, porém não opulento e dominador; os claustros, poucos; escassa em número a gente da nobreza e da classe mais poderosa, cujo predomínio e ambição é perigosa à liberdade e ao equilíbrio social."

Quando um sonho desta amplitude senhoreia uma alma ardente como a de José Bonifácio, está a vida do homem de rota mudada. Morre o sábio para nascer o político. Não mais pode preocupar-se com o estudo paciente da natureza bruta — matéria morta — quem vê a pátria — matéria viva — escabujar presa ao tronco de feroz escravidão.

O companheiro de Humboldt, o "mestre da ciência", sai do laboratório para penetrar na História.

Deixa Portugal e na terra pátria assume a direção do movimento separatista. Cria-lhe uma alma e um norte.

As forças vagas, instáveis, da nacionalidade nascente concentram-se nele como em seu expoente natural. José Bonifácio resume em si a pátria, incuba-a no coração e no cérebro e, com a extraordinária lucidez da sua inteligência apetrechada em decênios de cultura intensa, organiza o 7 de Setembro.

Trabalha na sombra.

Sua força é a fé.

Sua arma, a sugestão.

Seu fito, o grito do Ipiranga.

O trabalho que desenvolve é muito intenso para que diante dele se não esboroem todos os óbices; seu poder de sugestão é muito forte para que não conquiste o príncipe regente; sua mirada é muito firme para que o tiro não atinja o alvo.

Venceu.

A pátria punha casa, afinal, e era ele quem lhe ordenava a disposição dos móveis e as normas da vida livre.

José Bonifácio aí culmina. É o Washington do Sul.

Menos feliz, porém, que o do Norte, vê a vida do país tomar rumo que lhe preluzia errado.

Abre luta contra as correntes radicais e contra os homens maus.

Perde a partida.

Como o mais nobre de todos, e o mais puro, acaba vencido pelos mais jeitosos — o que está na lógica de todos os tempos.

Naquela época não era conhecida a panaceia da adesão inventada a 15 de Novembro, espécie de "cola-tudo" de maravilhosa eficiência. Os grandes homens quebravam, mas não aderiam. A mucilagem adesiva nasceu em 89 para que os grandes homens possam afirmar preto hoje e jurar branco amanhã, sem um interregno de ostracismo de permeio.

Conheceu então José Bonifácio o exílio, o glorioso exílio de todos os grandes heróis. Fixou-se na França e de lá chorou a pátria moça — menina voluntariosa e de pouco juízo, que preferia à sabedoria do seu organizador os rapapés lisonjeiros dos vivedores mal-intencionados.

Não foi longo o exílio — se é que se medem exílios a cronômetro.

A contínua agitação do país criou estado de coisas que lhe permitiu o regresso. Voltou. Logo em seguida o Imperador, desistindo de compreender os caprichos da monarquia menina, passava o cetro às mãos do filho; e ao deixar de vez o povo, que também o não compreendia, relanceou o olhar em redor em procura dum homem capaz da tutoria imperial.

Escolheu o mais digno: José Bonifácio.

E partiu com a paz n'alma, certo de que em melhores mãos ninguém nunca deixara um filho.

A nossa história é parca de momentos empolgantes. Possui vários, todavia. Entre eles nenhum vale o em que José Bonifácio assiste com sua direção a Pedro II infante. As duas figuras máximas da nossa história conjugam-se ali. O velho patriarca dá os conselhos da sua experiência ao menino que incubava Pedro II...

Não durou muito o soberbo espetáculo. A malevolência, essa tara racial, esse hermismo que interfere sempre na vida do país para afastar da suprema direção a superioridade mental, chame-se ela Pedro II ou Rui Barbosa, mostrou os dentes na Menoridade e deu com o patriarca num cárcere.

Processado como conspirador, foi absolvido.

Recolheu-se à ilha do Paquetá, e em 1838 finou-se na cidade de Niterói.

Eis aqui José Bonifácio.

Digno de figurar ao seu lado a história americana só nos aponta Washington; ambos amaram intensamente a pátria, à qual deram casa. Mais que Washington, foi sábio; tanto quanto ele, foi guerreiro, foi político, foi nobre, puro, generoso. Lá como aqui, o vulto dos dois homens ocupa um cimo inacessível. Todos os mais para enxergá-los têm que erguer a cabeça.

José Bonifácio é, sem contestação, o vulto máximo da nossa história.

Pois bem: este homem era paulista. Nascido em Santos, em 1763, decorre já um século e meio sem que acudisse aos paulistas a ideia de lhe erigir uma estátua. Não que lhe faça falta esse monumento. Grandiosíssimo ele o erigiu a si próprio nas incontáveis memórias científicas que publicou na Europa, a mor parte em língua alemã, nunca sequer traduzidas em vernáculo; e também na fecunda ação política em prol do *fiat* da nacionalidade.

O monumento faz-nos falta a nós, porque sua inexistência nos cobre de vergonha, e justifica a maldição que do exílio lançou ele em versos candentes a má gente da época:

> Maldição sobre vós, almas danadas!
> A taça do prazer a vós vos saiba
> Como o mel venenoso das abelhas
> Da cisplatina plaga.

Felizmente S. Paulo, voltando atrás, resolveu pagar a dívida de gratidão para com o maior dos seus filhos.

O monumento salvador dos nossos brios está prestes a erguer-se em bronze numa praça pública.

O Congresso Legislativo do Estado acaba de votar uma verba de duzentos contos para a ereção duma estátua ... ao general Glicério!

Sara, a eterna

> *Paris, 10 — Os alemães tomaram Riga.*
> *Paris, 10 — A grande trágica Sara Bernhardt*
> *amputou ontem uma perna.*

Lembrará a alguém, cá pela América, uma atriz de nome Sara Bernhardt, que floresceu na Armórica antes da conquista romana?

Que floresceu, viçou e frondejou por lá, levando à cena o *Hamlet* do velho Will, diante de plateias apinhadas de cabeludos celtas frementes de entusiasmo?

— É bem velha, então!

— Velha? Tolo que és! Fica sabendo que já vinha de trás. A paleontologia averiguou que no mesozoico bandos de iguanodontes rabearam estrepitosamente, sob o dossel de fetos copados como jequitibás, remexidos no âmago de uma estesia jurássica pelas inenarráveis delícias da sua *voix d'or*.

O seu vulto magro deixou escabujante de amor oolítico o coração duma dúzia de plesiossauros. Não teve conta o número de mamutes e megatérios que deram cabo da vida por motivo de ciúmes, ao vê-la requebrar-se em denguices para as arqueópterix machas.

Consta ainda, das sábias investigações de Lyell, que recitou as *Orientais* de Hugo nas cavernas do *Ursus speloeus*, e que provocou um duelo de morte entre um labirintodonte e um tremendo dinotério derrancado de paixão.

Mais tarde enlevou a alma do nosso peludo avô o Pitecantropo Erecto, arrastando o pobre macaco-homem a loucuras muito próprias do moderníssimo *Homo sapiens*.

E depois de extasiar gerações inteiras de trogloditas, veio pela História acima, através da pedra lascada, da pedra polida, do bronze e do ferro, até o alumínio que somos hoje.

Com o andar dos séculos mumificou-se, está claro, e múmia conhecemo-la nós — mas, a verdade seja dita, bem espinoteantezinha ainda.

E cá, no mundo moderno, o atravancou literalmente com as mil maluqueiras do seu genial cabotinismo, entre as quais não foi das piores um esquife armado em essa funerária no seu quarto, onde dormia vestida de morta.

Qualquer página dos Anais da Terra que abramos, lá está ela a nadar no mar da evidência.

Patagônia, Chile, Zambézia, Tibete — não há pedaço de globo que Sara não pisasse na faina de colher glorificações.

Entre nós esteve por duas vezes.

Sua *voix d'or*, esmoendo alexandrinos de Hugo, tremelicou no extinto Politeama, pondo tremuras de vibração sagrada naquelas veneráveis telhas de zinco que um fogo abençoado estorricou.

Nossos oradores, em arroubos de eloquência a cem graus, desabrocharam-se diante dela de todas as flores de retórica que lhes tumescia o estro poético.

Aplaudiu-a o nosso povo com frenesi, juncando o palco de flores e chapéus, além de gretar as mãos num palmear d'arromba-tímpanos.

À saída do teatro, a geração acadêmica que hoje vai nos cinquenta anos e, repimpada no governo, sabiamente dá cabo ao canastro do país, atrelou-se-lhe ao carro e passeou-a pelas ruas da Pauliceia, relinchando os mais entusiásticos vivas jamais relinchados de garganta humana.

Agradecida, a genial cabotina apresilhou na lapela da Paulópolis ingênua a comenda de Capital Artística do Brasil...

Correu depois as três Américas, entre epinícios, flores, puxadelas de carro a pulso humano e mais modos de pasmar da colombina gente.

Na Yankia, concebeu um teatro ambulante, de armar e desarmar, e andou do

Farwest ao Klondike assombrando *cowboys* e reis de petróleo com as sonoridades aurifonantes da sua nunca assaz decantada voz.

Por meio do telégrafo, das crônicas, dos jornais, da gravura, do romance, do cartão postal, manteve o mundo em sessão permanente de êxtase diante das suas maluquices, do seu gênio, do seu féretro, dos seus ossos pontiagudos, das suas *interviews*, da sua magreza de louvadeus, dos seus amantes principescos, do seu cheiro de defunto.

Mas veio a guerra — e pela primeira vez desde o megatério a divina Sara foi olvidada.

O mundo, de olhos, ouvidos e comentário postos na grande chacina teve a audácia de esquecê-la.

Sara, amuada, que faz? Corta uma perna e joga com ela por cima do orbe!

O pernil deu volta ao mundo, como um bendengó telegráfico, e fez por instantes esquecer a rinha europeia.

Mas o mundo raciocinou: a guerra passa e Sara fica: — volvamos a atenção ao que é transitório.

E eis que Sara recai no olvido...

Mas à grande atriz é-lhe condição de vida morar permanentemente na ponta da língua do comentário universal. Não suporta o ostracismo. Custe-lhe embora a perna restante, há de chamar sobre si nova olhadela do mundo.

Esperem, pois, que nova perna virá.

Depois vê-la-emos remessar-se outra vez à tona da publicidade por meio do braço esquerdo.

E o braço direito virá a seu turno, pelos ares em fora, como cartão de visita com um dístico relembrativo — *Remember Sarah*. E, por fim, recurso derradeiro, vê-la-ão os pósteros degolar-se e rolar a cabeça *ebouriffée* por continentes e mares, na ânsia insofreável de um supremo gol.

— E será o fim da velha Sara...

Ingênuo! Ficará o tronco; os netos dos nossos tataranetos inda aplaudirão o *Aiglon* levado à cena por um "toco" trágico, sem pernas, nem braços, nem cabeça. E lhe ouvirão a eterna *voix d'or* em ventriloquia, ou cuidadosamente reproduzida por um fonógrafo arrumado entre o baço e os rins.

— ! ! !

— Porque Sara Bernhardt personificou a sério o seu *Quand même*, e o mundo, paciência, é roê-la até a consumação dos séculos...

Curioso caso de materialização

A sobrevivência espiritual é um fato. Os intermúndios andam povoados de sombras, ou larvas, ou almas, que às vezes se dão ao luxo duma temporária reencarnação. Agora pelo carnaval tive prova disso.

Deambulava eu a desoras por uma praça vazia, pintalgada de confete, com estilhas micantes de lança-perfumes nos passeios e fitas serpentinas a balouçarem-se das árvores, quando divisei na minha frente uma sombra a medir passos, meditativa. Botas à Frederica, chapéu de canudo a 1870, sobrecasaca de cintura — um homem evidentemente fantasiado de Camilo Castelo Branco, como o pintam as capas vermelhas da edição Chardron. A tantas, o figurão apanhou da poeira um pedaço de papel, que examinou com atenção à luz do gás. Cruzei-me com ele, cortejei-o. A sombra retribuiu a saudação e interpelou-me:

— Moço, está certo de que esta terra é uma que Álvares Cabral descobriu, a contragosto, séculos atrás?

Encarei-o a fito: era Camilo em pessoa — a bigodeira, as maçãs salientes, o ar escaveirado... Estremeci e balbuciei:

— É, mestre, isto é o Brasil ainda com s ou z à vontade.

— Inda reina Pedro Segundo, o neto de Marco Aurélio?

— Onde vai isso! É morto o grande velho; baniram-no pelo crime de ser bom, justo e sábio. Ocupa seu lugar um bando de "maiores brasileiros vivos" que, a falar a verdade, somados e multiplicados uns pelos outros, não valem o sabugo da unha do mata-piolho do velho.

— E que língua se fala por aqui?

— A portuguesa, está claro.

— Não me parece, — objetou a sombra, sacando das algibeiras o papelucho apanhado na rua. — Conheço-me em vernáculo, chamaram-me mestre durante a vida terrena. Ora, sucede que neste periódico vejo um anúncio em língua que não é a minha, nem é língua viva ou morta de meu conhecimento. Será o idioma do futuro? É nesta sopa juliana que os da terra se entendem?

Corri os olhos sobre o papel, e corei: o anúncio estava redigido no dialeto dos elegantes.

TRIANON
Estabelecimento para gozo das exmas. famílias
DINERS CHICS A PRIX FIXE
Menu
CONSOMMÉ AUX REJETONS
RIZ AU FOUR À LA KIRIAL
SUPRÊME DE TURBOT
COEUR DE MACASSIN
CRÊME PRINCESSE
ETC.

FIVE-Ó-CLOC-TEA
Aos domingos diners concerts chics a prix fixe com menus delicados.

— Tem razão, mestre. Isto é um produto da podridão do chique.

— Quê?

— Diz-se cá destes vórtices de elegância: "podre de chique"!

Camilo olhou-me comiserado; depois, baixando os olhos para o papel, comentou.

— Já o nome desta baiuca me não soa bem. Batizar uma casa de pasto, cá na América, com o nome dum antigo castelo francês, sabe-me a disparate. Que é que lá se faz?

— Come-se, bebe-se, dança-se...

— O nome, então, deveria ser "À Comedoria Paulistana", ou "Aos bebes da Avenida", ou "À grossa pagodeira", coisa assim toando com as funções do negócio. Mas vá lá. Quer o Cândido de Figueiredo que nome cada um pinte o seu como lhe apraz. Noto, entretanto, este adendo explicativo: *estabelecimento para gozo das exmas. famílias.* Estabelecimento para gozo! Que parvoiçada é esta, moço?

— O mestre a definiu: uma parvoiçada.

— E este — *Five-ó-cloc-tea*? Cheira-me a inglês, mas não é inglês, salvo se da Bosquimânia. O *clock* no meu tempo trazia um "k" final, muito gracioso como enfeite coccigiano da palavra. Comeram-no, por quê? São *kafagos* os teus coetâneos, moço? Adiante: *Aos domingos diners concerts chics a prix fixe com menus delicados*. Que soberba nabiça! Na Somália nenhum soba letrado comporia melhor salada de batatas. Como não há no período palavras grifadas, suponho que o que me parece francês são vocábulos já naturalizados no país. Acho razoável que a língua adote termos exóticos quando os não possuem correspondentes. Mas neste caso diner diz mais que jantar? *Prix-fixe* é coisa diferente de preço fixo? *Menu* vai além da carta ou do cardápio? Que motivos levam vocês a pintalgarem a língua destas excrescências inúteis?

— A elegância, mestre.

— E que coisa é a elegância?

— É isto, mestre: uma sensação, uma sugestão. Quando dizemos: *a senhora Fulana*, sentimo-nos chinfrins; mas se dizemos: *Madame Tal*, oh gozo d'alma! Um bafo de parisianismo nos brumeliza por dentro e por fora. Incapazes de realizar a verdadeira elegância, que é um modo de ser e fazer desembaraçado, fácil, sem constrangimento nem excesso — uma justa medida no movimento e na atitude — nós inventamos esta maquilhagem do gosto, da palavra, dos sentimentos. E impamos, admirando-nos uns aos outros com ares parvajolas.

— No meu tempo chamava-se isto macaquice. Vejo que ela progride, pois não!... — disse Camilo — e, voltando ao tema, continuou:

— Leio cá: *diners chics*. Outrora, quando um jantar era um jantar, se lhe apensavam um qualificativo este só dizia respeito ao seu valor culinário ou nutriente — jantar suculento, jantar opíparo, jantar à moda velha. Mas este "jantar chic" sabe-me a "laranja sutil", a "pão elegante", a "ananás janota", a "feijoada distinta de maneiras", a "batata grácil" e quejandas asnidades.

— É a elegância, mestre, é o requinte!

— Espanta-me também o que os elegantes comem. *Crême Princesse*. Que coisa é?

— Uma gemada qualquer, mestre, a excelência do prato está no nome.

— *Suprême de turbot*...

— Isso é uma papa de cação de Santos.

— *Coeur de ma*... que? *ma-cas-sin*... *Macassin*! Salta rumor! Em França chamam aos bacorinhos, ou leitões, *marcassins*. Aqui os *Kafagos* são também *Refagos*. Comem, além do coração do porquinho, o "r" do *marcassin*! Porque não dizem às claras — leitão?

— Ah, mestre, que ingenuidade a vossa!

— E este *riz au four*? É arroz de forno, evidentemente. Mas, amigo, se o que vocês comem é o porco e o arroz e se o fato de dar o nome de *marcassin* ao porco, e *riz* ao arroz e *four* ao forno, não melhora o sabor do quitute, por que esta parva mentira da desnaturalização dos pitéus?

— Ah mestre! Como estamos longe do vosso bom senso! A cultura refinou-nos. A civilização cresce em Vila Mariana como a mamona. Adquirimos tanto *goût* que, por instinto, o nosso organismo, num *diner* elegante, repeliria com *vomissements incoercibles* um *plat* nomeado à portuguesa, charramente: arroz de forno, leitão assado. É mister que eles venham, embora não mudados de substância, transfeitos em *marcassin*, ou *riz au four à la princesse Quelque Chose*. Só assim as fibras da estesia gustativa nos tremelicam de gozo e dos olhos nos correm lágrimas a *Brillat Savarin*.

— Mas o povo desta terra não espinoteia de riso diante da macaqueira?

— O povo abre a boca. Mas que importa o povo? Valem as elites, e para estas é prova de suprema distinção receber lições de elegância do Vatel que organiza a macaqueira e dos garçons que a dirigem. Nos *diners*, é de de bom tom falar nessa língua burundanga e mastigar com religiosa unção todos os *macassins* apresentados, fingindo não saber que aquilo nasceu e cresceu num chiqueiro. Os gestos, o modo de pegar no garfo, os movimentos das maxilas são, no elegante, pautados por um código de que os garçons são os fiscais. O grande castigo é incorrer num sorriso comiserado do garçom. Dum elegante contam que, certa vez, inadvertidamente, comeu o peixe com a faca, e como, caído em si, vislumbrasse um sorriso irônico na cara lavada do garçom, ali mesmo deu cabo da vida a tiros de revólver Não pôde sobreviver à desonra, o desgraçado!

— Estes garçons tão poderosos serão acaso plenipotenciários do Instituto de França, ou coisa que o valha, aqui destacados em missão civilizatória?

— Nada disso, mestre. São uns pobres diabos que na terra natal foram lacaios e aprenderam, espiando da copa, os hábitos dos patrões. Postos no olho da rua, enfiaram-se num porão de navio e, aqui, com grande assombro deles próprios, viram-se transfeitos em mestres e árbitros do bom tom. Dão-nos a comer o que lhes convém e obrigam-nos a comer como lhes apraz.

— Os paulistanos, então, não comem o que querem?

— Oh, não! Comer o que se quer é regionalismo mordido. Come-se o que é de bom tom comer. Manducar leitão assado, picadinho, feijoada, pamonha de milho verde, moqueca e outros petiscos da terra, é uma vergonha tão grande como pintar paisagens locais, romancear tragédias do meio, poetar sentimentos do povo. Até o uso desta língua que herdamos está em via de tornar-se ignominioso. Na altíssima roda já a repudiaram para uma idílica mancebia com o francês argelino. Que dirá o estrangeiro se nos pilhar a comer (que horror, meu Deus!) tutu com torresmo, esta vergonhosa pitança regional, ou coisas semelhantes? E assim, na vida como nas artes, a vitória do *dernier cri* é completa. O estilo e a língua desse anúncio comentado atrás é o estilo vitorioso, o estilo de amanhã. Veja mestre, a que altitudes ascendemos!...

Calei-me. Camilo sacudiu a cabeça como quem viu mais do que esperava. Depois disse:

— Sabe que mais? Vou desmaterializar-me já e já; volto aos intermúndios e lá darei à sombra de Cabral pêsames pela asneira que praticou. Receio que deem vocês de criar pelo no corpo e vos nasçam caudas no cóccix, e se ponham todos de repente a marinhar árvores acima com bananas na munheca — desmentindo Darwin. O inglês pôs o macaco no começo da evolução: vocês provam que ele acertaria melhor pondo-o no fim. *Au revoir*!

E lá zarpou para as estrelas a sombra do grande mestre...

Rondônia

O romancista inglês H. G. Wells nasceu com três olhos — os dois de toda gente e um terceiro — esperem! — agudíssimo, não se sabe localizado onde, cuja faculdade de devassar o futuro emparelha com a visão profética dos Isaías e Ezequiéis.

E a tanto vai o acume desse terceiro olho, que num acesso de entusiasmo o senhor William Archer propôs que o governo britânico convidasse o romancista para profeta oficial, criando esse cargo junto ao Ministério da Marinha — à laia de gávea da nau do estado, donde Wells, o gajeiro, fosse prevendo escolhos e indicando sendas imperceptíveis à visão curta, porque normal, dos estadistas no leme. Espécie de consultor técnico sobre o futuro.

Não adotou a Inglaterra o alvitre proposto, ou temerosa de visões desagradáveis ao patriotismo inglês, ou porque Wells só lança vistas a remotíssimos futuros, variáveis de cem a oitocentos mil anos, caso em que o desvendamento do porvir deixa de ser politicamente interessante.

Do muito relativo às eras porvindouras que Wells entreviu avulta a perspectiva da humanidade em crepúsculo lá para anos que se numeram por centenas de milhares. É na *Máquina do Tempo* que nos conta isso.

Um matemático inglês, refletindo ponderadamente sobre os princípios básicos da Ciência Perfeita, logo no limiar lhe assinalou brecha nas bases. Era doutrina assente e velha a noção dualística do Espaço e do Tempo. O nosso matemático, porém, após uma vida inteira de meditação, revogou o dogma, destruiu o dualismo, pondo de pé, em lugar dele, o unitarismo. *O tempo é simplesmente a quarta dimensão do Espaço*. Figure-se um cubo. Poderá este sólido existir "instantaneamente"? Não. Logo, um cubo não existe apenas pelo concurso da altura, do comprimento e da espessura. Requer ainda uma quarta dimensão, que é o tempo. Ora, se o tempo é uma dimensão do Espaço, o homem, que já se locomove nas três dimensões clássicas, por que se não locomoveria na quarta?

O balão vence a altura; a verruma vence a espessura; o auto devora o comprimento. Por que não inventar um aparelho de caminhar na quarta dimensão, nela avançando para diante ou para trás, no passado ou no futuro?

Bem amadurecida esta genial teoria, construiu o sábio a "máquina de explorar o tempo" — maravilha sem par entre todas as maravilhas modernas.

De sua entrosagem e composição ninguém farejou isca; só se soube que quando em movimento entrava a desmaiar, como se se esvaísse, descondensando-se em névoa; e por fim sumia-se, qual cerração batida de sol ou ventilador elétrico cujas pás, conforme a velocidade, se fazem confusos discos.

O primeiro passeio dado nessa máquina foi de resultados estupendos.

O sábio abancou-se e deu volta às manivelas. Posta a engenhoca em movimento, o explorador sentiu um cambaleio, como a impressão de queda nos sonhos. O ambiente enublou-se e escureceu; logo após raiou a luz, que de novo cedeu o passo à obscuridade — e assim iterativamente. Era o intervalar da noite e do dia, a sucederem-se como o bater de imenso par de asas negras. Com o crescer da velocidade doía-lhe na vista aquela alternação, como um piscar amiudado; o sol era, não a bola do costume, mas um arco de fogo a riscar o céu, breve apagado e substituído por faixa de luz pálida, a lua.

As árvores, via-as nascerem apressadas, crescerem, frondejarem e, esturradas pela velhice, esfarelarem-se em pó. Edifícios imensos, palácios, jardins, surgiam do solo como cogumelos, para logo se esboroarem em ruinaria. A velocidade da máquina era de um ano por minuto, de modo que a cada minuto branquejava a terra sob o lençol da neve ou refloria nas verduras da primavera.

Crescendo, porém, a velocidade, breve o explorador não mais distinguiu coisa nenhuma; envolvia-o um ambiente zumbidor, onde as formas se apagavam em discos cinérios.

Cansado daquelas impressões, resolveu sofrear a carreira; travou dos freios e parou. Marcava o cronômetro o ano 802.000 e pico. Tonto e azoado, saltou em terra firme, em Londres, exatamente no ponto de onde partira.

Mas quanto mudado ia aquilo! Nenhum vestígio do mundo de outrora. Os palácios, outros, arquitetura, outra; outras ervas nas pradarias e nos jardins flores não lembrando feição nenhuma das ancestrais. Os homens, embora com a somática de hoje, semelhavam porcelanas de Saxe — tão mimosos, frágeis e efeminados eram.

A estatura decrescera-lhes, a compleição afranzinara-se. Nada lembrava naquelas criaturinhas bonitas e débeis o musculoso e viril antepassado, comedor de bifes crus. Vestiam roupagens amplas, de belíssimos estofos desconhecidos, um tanto ao jeito grego. O corpo, glabro, alvíssimo, sem nenhum vestígio das pelosidades remanescentes do troglodita ou do peludo símio darwínico pré-avô. Ares aparvalhados, como desses derradeiros rebentos das velhas estirpes reais. Incapazes de ação, infantis, fátuos, indolentes. O menor esforço os fatigava. A ocupação diária resumia-se-lhes em passear, brincar, colher flores e amar. Reinava o comunismo. Em vez de casas individuais, palácios coletivos, onde a humanidade habitava na mais perfeita ordem.

Não se extremavam os sexos pelo vestuário — vestiam-se por igual figurino.

O comércio, a indústria, o grande zunzum urbano cedera lugar à calmaria dos ideais realizados: libertara-se a humanidade do trabalho e da desigualdade social. Atingira, em suma, a idade de ouro — e também o crepúsculo da espécie. A consecução de todos os sonhos acarretara o abandono da luta pela vida, iniciada desde os primórdios evolutivos. Os órgãos, cessadas as funções em que se treinavam, atrofiaram-se, os músculos adelgaçaram-se.

Além de fraca, inerme, estagnada, a humanidade se tornou parva com o desprezo do desenvolvimento cerebral.

Vivia alheia a tudo que não fosse o sibaritismo sensualista.

Museus enormíssimos jaziam ao léu, acamando séculos de poeira, com os espécimens a se esbrugarem em abandono. As bibliotecas lera-as o caruncho; dentro das costaneiras luxuosas, as velhas ciências e toda a literatura humana desfaziam-se em pó excrementício.

Ao lado disso, porém, reluzia de asseio, e na mais meticulosa conservação, tudo quanto aproveitava ao gozo dos Elóis (chamar-se-ão assim os nossos netos da idade de ouro). Parques, jardins, palácios de recreio, bosques arborizados de plantas maravilhosas, ruas, caminhos — tudo espelhante, como se legiões de criados viessem, pela calada da noite e a modo de não perturbar o sono dos sibaritas, escoimar a terra dos detritos recompondo-lhe os estragos da usura.

Ao explorador maravilhava aquele mistério. Sua posição era um tanto a do nhambiquara arrancado à Rondônia e metido na Londres atual. Tudo incompreensível.

Mas dos enigmas em que tropeçava a cada momento nenhum o impressionou tanto como a presença de poços profundíssimos, intercalados sem razão compreensível no meio dos parques. Deliberado a desvendar o mistério, afundou por um deles, indo ter a amplas galerias escuríssimas. Lá riscou um fósforo, e com assombro lobrigou por entre o maquinário de imensa usina legiões de seres horripilantes, branquicentos, nus, que debandavam ofuscados pela claridade, tapando com as mãos os olhos enormes, horrendos, como calotas esféricas de geleia viva.

Eram os Morlocks.

Depois de muito refletir, compreendeu o segredo de tudo. Os Morlocks não passavam dos descendentes do proletário de hoje. A sociedade atual, dividida em castas, foi extremando a separação até aos últimos limites. A classe superior, detentora das riquezas e do poder, especializou-se no gozá-los — e produziu os Elóis; ao passo que a classe operária, cada vez mais confinada à usina ou ao trabalho das minas, deu origem aos Morlocks. O hábito forçado das fábricas penumbrosas e das hulheiras escuras, mantido de pais a filhos, desafeiçou-os da luz do sol, e com o decorrer dos séculos criou neles uma segunda natureza, de morcego. A treva tornou-se-lhes o ambiente habitual, os órgãos adaptaram-se a essa vida, e lentamente veio o repúdio da vida normal à superfície. A velha cisão do gênero humano entre o que trabalha e produz e o que só goza e consome, normalizou-se consolidada num acordo tácito. As usinas baniram-se voluntariamente da superfície, onde ofendiam a aguda sensibilidade dos sibaritas. Essa cripto-indústria, já prenunciada atualmente nos metropolitanos de Paris, Londres e Nova York, ganhou terreno; hoje um, amanhã outro, todo o trabalho mecânico — usinas, estaleiros, depósitos — se foi embiocando pela terra a dentro, de modo que na idade de ouro nenhum vestígio subsistia na superfície. Nesta, tudo eram louçanias voluptuárias adstritas ao gozo dos ricos. Os Morlocks, portanto, eram produtores que, longe da vista dos superficiais, produziam surdamente, tudo quanto lhes era mister para o conforto e o luxo. Das profundas é que subiam à tona os maravilhosos vestuários, os manjares finíssimos e todos os mais requintes necessários à conservação da classe ociosa. O zelo dos parques e jardins, a limpeza dos palácios e praças, tudo se fazia por mãos de Morlock, em silêncio e a jeito de não importunar os olhos mortiços aos Elóis com o espetáculo desagradável da ação. Por isso só operavam à noite, enquanto os alfenins dormiam o sono das flores. Os poços escadeados eram o hífen ligador dos dois mundos.

Ao sábio inglês causou espécie a integral submissão de uma classe que podia dominar em absoluto, visto como toda a força estava concentrada em suas mãos. Não tardou, porém, que tivesse a solução de mais este enigma. Numa das inspeções notou ele que os Morlocks se banqueteavam de carne fresca. De onde provinha essa carne, uma vez que não existia sobre a terra nenhum dos antigos animais fornecedores? Os que Noé apinhara na arca só nos museus figuravam, e empalhados; vivo, nenhum. Que criatura produzia carne, então? A solução do problema foi, sobre inesperada, horrível. Aquela carne fumegante era... carne humana, era a carne dos Elóis!

Os Morlocks tinham-se tornado antropófagos. Toda a solicitude demonstrada para com os Elóis, seu carinho em poupar-lhes o mínimo esforço, em alimentá-los lautamente, em congregar em torno deles o máximo de bem estar, visava apenas aprimorar-lhes a boa qualidade da carne. Os Morlocks criavam Elóis na superfície como o fazendeiro cria um finíssimo gado de raça produtor de ótimos filés. Não era, portanto, submissão servil, senão senhoril, a dos homens subterrâneos para com os superficiais.

Verificada que foi esta consequência final do progresso humano, o sábio explorador enojou-se e não quis ir além. Retornou à Londres atual e, parece, quebrou a máquina, afim de evitar novas decepções relativas à espécie humana.

A sensação deste sábio inglês era até aqui única. Só ele conseguira decolar-se da atualidade e mergulhar no ambiente dos séculos futuros.

Mas se era única, já o não é.

Roquette Pinto revela-nos um feito semelhante.

Sem usar a máquina de Wells, cavalgando simples animais de sela, por picadões varados a foice, ele operou igual milagre. A diferença única foi ter caminhado às avessas. Em vez de devassar o futuro, como Wells, mergulhou no passado. Apeou em plena idade da pedra. Viu, estudou e fotografou o homem primitivo, nu de corpo, hirsuto de instintos, desgarrado como um fóssil vivo neste século maravilhoso do gás asfixiante e do Trianon *patchouli*. Só não encontrou antropófagos. No mais suas sensações — sensações póstumas, foram idênticas às sensações ántumas do explorador inglês. E num livro magnífico, por mil e um motivos digno de ser meditado pelos nossos trianonitas, estampou-as, alternando impressões pessoais com sólidas observações científicas.

Rondônia é o belo nome desse belo livro.

* * *

As terras de Mato Grosso alagam-se em pantanais ao sul; firmam-se depois na chapada central e ao norte alteiam-se em montanhas, revestidas só então de mato grosso.

Nestas paragens pouco devassadas do homem é que fica a Rondônia, belo nome criado pelo eminente etnólogo do Museu Nacional, Roquette Pinto, em homenagem ao homem que, podendo salvar a pátria em doce *otium cum dignitate* na Avenida Central, preferiu dedicar sua vida ao áspero estudo do sertão.

O nome de Cândido Mariano Rondon merece o respeito devido aos heróis da paz. Sua vida é lição de civismo e energia. Sua obra espanta. E espanta sobretudo porque significa cumprimento de dever. Progredimos tanto em matéria de ética, que cumprir o dever já espanta!...

Há dez anos que ele leva de par com a construção de uma linha telegráfica o levantamento da etnologia, geologia e geografia do âmago do Brasil.

A virgindade daquelas paragens sofreu o primeiro bote por parte dos castelhanos Irala e Chaves, em 1575. Buscavam ouro. Desiludidos, cederam o passo às bandeiras paulistas, as quais consolidaram para a Coroa a posse da terra inóspita. Queriam escravos e, como os encontrassem por lá, persistiram na penetração, sucederam-se umas às outras. Graças a essa rude energia Mato Grosso é nosso.

Aleixo Garcia chefiou a primeira. A lavoura criada no litoral reclamava braços. Garcia foi buscá-los. Aqueles homens terríveis não vacilavam na solução dos problemas. Obstáculos naturais não lhes detinham os passos, como nenhum sentimentalismo lhes amolentava a vontade de ferro. Varavam sertões desconhecidos, atacando selvagens cem vezes mais numerosos, com a mesma energia demonstrada hoje pelos seus heroicos descendentes no avanço a um peru de banquete.

Das bandeiras organizadas então a de Antonio Pires deixou documento no qual se fala pela primeira vez no "Reino dos Parecizes". Roquette Pinto o dá como o pioneiro do noroeste mato-grossense, acima do Sipotuba.

Os parecis, senhores da terra, eram copiosos e já viviam em período agrícola.

Quanto às tribos localizadas adiante, na Serra do Norte, soube Pires da sua existência, mas "era gente que não podia declarar porque lá não tinha chegado".

Se lá não chegou Pires, o mesmo aconteceu aos sertanistas posteriores.

Mais tarde, quando às bandeiras paulistas se substituíram as bandeiras científicas organizadas pelas sociedades sábias da Europa, tais índios continuaram impenetráveis. Relativo a eles, sempre referências vagas, ouvidas sobretudo aos parecis convizinhos.

Surge o termo Nhambiquara — orelha furada — nome posto por antonomásia, visto que ninguém sabia ao certo o nome próprio desse povo.

E assim, apesar das bandeiras, e mais tarde das expedições científicas, incursões de várias categorias e estudos de Langsdorff, Taunay, Caldas, Pimentel, Couto de Magalhães, Shuller, Milliet, Moure, Chandless, Martius, Barbosa Rodrigues, Castelnau, etc., os misteriosos indígenas permaneceram impenetráveis à observação direta até que Rondon penetrasse na cena. Coube-lhe a primazia de estudá-lo, em memorável expedição.

Em 1897 partiu Rondon de Diamantino.

À frente um batedor assinalava o rumo, picando as árvores e comunicando-se com a expedição por meio de toques de corneta.

Atrás, na picada recém-aberta, o comboio de abastecimento fechava a marcha.

No dia 7 de setembro alcançaram o "Reino dos Parecizes", onde logo se acamaradaram com os índios.

A 19, na Aldeia Queimada, o cacique Uazakuririgaçu presta-se a guiá-los através dos seus domínios.

A 10 de outubro alcançaram as extremas do território pareci.

Estão à beira da zona nhambiquara, sobre que tantas lendas corriam.

Separa-os de Cuiabá a respeitável distância de seiscentos e cinco quilômetros.

Pleno deserto.

As privações crescem à medida do avanço.

Baldos de víveres, a penúria os deteria ali se a floresta generosa lhes não acode com o palmito e o mel.

Em fins de outubro surgem os primeiros vestígios do povo segregado.

Denuncia-o uma tosca pinguela armada no rio Sauêuina ou Papagaio.

Transcorrem mais alguns dias. Súbito, à asa esquerda do Papagaio, a expedição defronta o primeiro nhambiquara.

Esta cena, que Roquette pinta ao vivo é de um relevo maravilhoso.

Pela sua grandiosa significação, comove à distância. O que há de passado dentro de nós modernos estremece. Sentimo-nos tomados duma saudade lítica.

Que grande quadro! É a pré-história, por um inexplicável milagre de conservação, surpreendida pela História em flagrante delito de sobrevivência. É o homem moderno travando conhecimento visual com pré-avós julgados extintos e para sempre reduzidos a relíquias fósseis sob as últimas camadas do quaternário. É o primitivo desnudo, o lascador de sílex que fugia dos derradeiros mamutes e matava renas para comer — ressurreto de golpe aos olhos do seu aperfeiçoado neto, senhor do telégrafo sem fio e do gás asfixiante.

Acareação imprevista da idade da pedra lascada com a refulgente idade do ferro — e que ferro — manganês!

Rondon teve a felicidade de gozar a visão retrospectiva dum período segregado de nós por uma camada de séculos orçada por milheiros. Viu o que ninguém jamais vira. A cena em que Roquette Pinto descreve o lance vale pela mais bela página do romance antropológico.

Em dado momento Rondon lobriga um vulto em meio de um cerrado.

Aproxima-se, cauteloso, e espia.

É um homem nu.

Traz arco e flechas, machado de pedra nas mãos e cesta às costas.

Está farejando mel.

Encontra uma colmeia no oco dum pau.

Rondon, imóvel, espreita.

O homem nu aproxima-se, examina-a, descobre-lhe a entrada e prepara-se para extrair o mel. Larga em terra as armas e com o machado de cabo curto corta a madeira até que pela abertura possa entrar a munheca. Toma então da cesta, ajeita-a e enche-a com os favos roubados.

Aqui o rumor distante dos foiceiros, na fauna do picadão, o surpreende.

O índio entrepara. Apura os ouvidos e, com a apreensão denunciada nos olhos, recolhe as armas e desaparece...

É só isto — mas quanta beleza nisto!

Esta mesma impressão que teve Rondon gozou-a Roquette Pinto mais tarde. Incumbido pelo Museu Nacional duma missão científica, pôs-se de rumo para lá, seguindo as pegadas do grande sertanista. E após um mês de jornada, certa noite... Contemos o fato com suas próprias palavras.

"Alta noite, numa colina, à beira da linha (telegráfica), próximo ao Ribeirão Vinte de Setembro, avistamos, longe, uma fogueira. Eram eles. Apressamos o passo dos animais e, a grande distância, começamos a gritar para os prevenir da nossa presença:

— O! O! Nen-nen! Nen-nen! — Amigo! Amigo! Vieram logo correndo e gritando; uns gesticulando de mãos livres, outros de cacete em punho, mas não agressivos, outros ainda de arco e flechas enfeixadas na mão esquerda, enquanto com a direita coçavam a cabeça, sorrindo, desconfiados. Ao luar, muito leitoso, era fantástico o aspecto daqueles homens altos, lépidos, irrequietos, falando sempre, desengonçados, inteiramente nus."

Nessa noite o etnólogo, presa das mais vivas impressões, não pôde dormir. "Dormir, excitado por aquele quadro mágico, desenrolado à meia noite? Dormir, naquela noite inesquecível em que a sorte me fizera surpreender, vivo e ativo, o 'homem da idade da pedra', recluso no coração do Brasil, a mim que acabava de chegar da Europa e estava ainda com o cérebro cheio do que a terra possui de requintado na diferenciação evolutiva da humanidade? Que gente é essa que fala idioma tão diferente das línguas conhecidas, tão diferente da língua dos seus mais próximos vizinhos; que tem costumes tão estranhos aos que vivem perto; que não conhece os mais essenciais objetos de vida dos seus companheiros do sertão? Donde veio? Por onde passou, que não deixou rastos? Quando chegou àquelas matas onde vive há tanto tempo? Que ligações tem com os outros filhos do Brasil?"

De fato, a sobrevivência de um núcleo de primitivos como este dos Nhambiquaras é de molde a semear pontos de interrogação na cabeça dos sábios. Se é uma verdade o povoamento da América pelo extravasamento do ancestral mongol através da ponte aleútica, em nenhuma zona como ali ele se enquistou com mais aferro ao cascão original. Isolando-se dos vizinhos, seguiu uma evolução própria, não denunciativa de influências estranhas. Dialeto especial, ignorância da rede — objeto caseiro comum nas vizinhanças — cerâmica das mais rudimentares, nenhum conhecimento dos animais domésticos e da navegação, moradia armada com folhagens, doenças próprias desconhecidas em outras paragens, arte ornamental plumária apenas em início, reminiscências do período antropofágico, religiosidade inda no estádio do feiticismo panteísta, começos de astrologia — tudo nele revela um primórdio de cultura difícil de harmonizar com as teorias assentes quanto ao nosso aborigenismo.

A origem litorânea do grupo Jê-Botocudo, ao qual se filiam os Nhambiquaras, periclita. Como admitir a hipótese de um ramo sem as qualidades características da árvore mãe? Se admitirmos sua filiação ao grupo Nu-Aruak, como conceber que, emigrado do Norte com um determinado grau de cultura, esse núcleo descido para o Sul e fixado no chapadão demonstre uma cultura inferior e tantas diversidades de variada ordem?

O conhecimento dos Nhambiquaras veio restabelecer os xx de muitos problemas já solvidos. É forçoso refazer toda a arquitetura da etnologia americana afim de harmonizá-la com o fato novo que pelo encontro destes índios Roquette põe em foco. Para base de estudos lança ele à laia de conclusão esta afirmativa que deixará indiferente o país mas fará remexer na cova os numerosos sábios que ferveram os miolos no estudo da nossa etnologia: "Foi no grande planalto do Brasil que se processou o trabalho da diferenciação étnica sul-americana".

Amor Imortal

Não se afere pelo estalão comum dos pechisbeques literários do ano, de produção intra ou extra acadêmica, o livro de estreia de J. A. Nogueira.

O seu primeiro mérito é ser vazado em português, língua moribunda por influxo da endosmose francesa de ação permanente que nos vai dessorando a musculosa língua de Camilo e pondo-a para aí um calão de porto de mar.

Infelizmente, por contingência do cloreto de sódio do batismo, o autor não possui nome de boa estética. A vulgaridade do José Antonio anteposto ao Nogueira mete suspeita de permeio entre o leitor e o livro. Agrava-a ainda o fato de ser Nogueira um novo que estreia, um novo inteiriço, de forma e fundo, novo na língua usada como novo no tema das novelas — atitudes filosóficas em face do mistério da vida.

Não obstante, o livro resgata o ruim nome, bem como a audácia da estreia.

Não há vacilações: *Amor Imortal* é o mais forte, dos mais belos e sem dúvida o mais profundo livro dado à estampa nestes últimos anos.

Escapando ao quadro vulgar do romance ou conto, e ao da dissertação filosófica e pedregulhenta, cria um gênero novo entre nós, no qual se romanceiam penetrantes visões do idealismo moderno.

É a história das várias atitudes evolutivas de um espírito de profunda cultura, doente da ânsia dos intérminos e vagos horizontes da vida humana.

Egresso da teologia, em cujo borzeguim não encontrou o molde ansiado pelo seu espírito e pela sua sensibilidade, não corrompidos ainda, um e outra, pelo contato de nossos nucleozinhos de civilização refletida, S. Paulo e Rio, sua atitude na novela inicial que dá nome ao volume é a de um cético pela razão que continua crente pela sensibilidade.

À velha ideia da imortalidade da alma Nogueira imprime uma amplitude nova, romanceando um amor terreno que transpõe a soleira da morte e persiste, eterno, de astro em astro.

Tirante os diálogos, poucos aliás, que pecam por inelegância e por uns tons de vulgaridade fáceis de apagar, a novela é em conjunto magistral, justificando a frase última do prefácio de Alberto de Oliveira: "Sinto-o capaz de obras primas".

Concorrem ali as tintas de Edgard Poe com as tonalidades novas compostas na palheta do autor, e só suas, ao descrever as sensações de um morto que volta, sob as formas astrais da vida extraterrestre, em procura da amante chorosa ainda viva no mundo. Encontra-a, e tenta abraçá-la:

"Três vezes tentei enlaçá-la com os meus braços invisíveis, três vezes penetrei-lhe através do corpo, colhendo-me inane, como um vento imaginário ou sonho vago."

Mas fujamos à tentação de transcrever; do contrário seria mister reeditar a novela, tão encantador se nos apresenta esse poema de severa beleza, onde há páginas sem equivalentes em nossa literatura.

O autor, entretanto, evolui.

Na novela seguinte delineia uma crise de pessimismo atroz. Sua sensibilidade, afeita ao absoluto, à contemplação, àquela forma de imortalidade psíquica estabelecida na primeira novela, adoece. Sofre embates, lutas, repugnâncias, febres, desânimos, e o resíduo final de tudo é, logicamente, a ideia do Nirvana.

Amaldiçoa, então, o mundo em "Morrer... Acabar...". Onde se debuxa, pávida, a figura branca de Venerando, um velho desarvorado por todos os vendavais da vida, novo Job aportado, como o outro, ao *Eclesiastes*.

"Vi todas as coisas que se fazem debaixo do sol e eis que tudo é vaidade e aflição de espírito."

Cena da morte de sua filha, que ele oculta à esposa e a um visitante para poupar a este uma impressão má e dar àquela um prolongamento de esperança, continuando a dissertar calmamente sobre o vazio da vida, põe arrepios dolorosos no leitor, em cujo ânimo evoca toda a coorte dos grandes pessimismos negros. Ao vento polar dessa novela o espírito mais afirmado na vida sente afrouxarem-se-lhe todas as cordas da energia, e vacila e descrê.

A lógica do pessimismo conduz ao suicídio; mas a vulgaridade do remédio não soa bem aos espíritos fortes, nos quais, ainda quando todo o *Eclesiastes* lhes carrilhona em torno, zumbindo a zoada letal do aniquilamento, subsiste sempre um fundo subconsciente de resistências em reserva. Isto explica porque se não suicidou Schopenhauer, reflorindo mais tarde, ao contrário disso, em Nietzsche, na mais esplendorosa afirmação da vida.

Nogueira, nos "Sinos Misteriosos", arranca-se ao polvo negro, reabilita a vida e reafirma-a, levantando a excomunhão maior lançada contra ela.

Era mister justificar o ilogismo de aceitar a vida após os ululos arrepiadores de Venerando. Desaparecera a fé, apoio central da primeira atitude entremostrada no *Amor Imortal*. Desapareceria também o langor negativista. Nogueira descobre o sexto sentido misterioso, o pressentimento, a adivinhação subliminal. Levam-no a esse porto os místicos modernos, de Maeterlinck a Novalis. Em "Sinos" perpassa um sopro grandiloquente de poesia trágica. O descritivo ergue em linhas simples, numa justa medida jônica, um quadro de lenda onde um rei de balada, em festim permanente, ouve com persistência o badalar de sinos misteriosos e uiva do desespero impotente de os calar. A vida do rei é torturada por aqueles sons que ninguém sabe donde partem. Sua filha dileta, industriada por um velho mago, decifra o enigma: tais sinos não existem senão dentro dele, em sua consciência.

"Sabei, senhor, que tais sinos misteriosos não se manifestam somente em vossos domínios... Os sinos que tanto detestais tangem em volta de todas as moradas humanas... Soam nos palácios dos reis como nas cabanas dos pobres... Soam no alto das montanhas como nos vales escuros... visitam as populosas cidades e as mais humildes aldeias... Povoam o céu e a terra e vibram em todos os planetas... Onde quer que haja vida e consciência — aí surgem em revoadas, alvoroçados ou sombrios, doces ou lamentosos, amoráveis ou desesperados... Porque os há de todas as espécies e os sons que despedem não são os mesmos para todos... Uns ouvem-nos pesados e profundos... Outros, leves, sonoros e cantantes... há os sinos de bronze e as campainhas de ouro... há os rebates noturnos e os alegres repiques matinais... há os dobres subterrâneos e sinistros e as cadências deleitosas que percorrem o azul... Escolhei, Senhor, os vossos sinos... Habituai-vos a escutá-los com amor — e eles se transformarão em apelos celestiais. Afinai os vossos ouvidos — e eles só anunciarão manhãs gloriosas e alvoradas triunfais..."

Não para aí o ciclo evolutivo do autor. Não lhe satisfaz essa nova atitude. Aprofunda filosofias, medita a Índia e o complexo gênio germânico. Consulta o dualismo em suas múltiplas apresentações, e refuga-o, como refuga também o monismo materialista. O monismo idealista o detém uns instantes. Por fim, sedu-lo o idealismo absoluto.

Negar a existência da matéria e só reconhecer a existência do espírito, afirmar a suprema potencialidade da vida... A ideia é, sobretudo, literária. "Uma profissão de fé" resulta desse estádio. Que soberbas páginas de sonho, de força, de um vigor inédito! A moldura é um sonho, a ideia outro sonho — sonho magnífico de sugestão.

Um viajante adormece à beira da estrada e assiste à prédica de um sacerdote de religião desconhecida. Essa oração é um fulgor permanente de irradiações pairando sobre o auditório em êxtase. Na impossibilidade de transladar para aqui o conto inteiro, venham uns trechos que lhe amostrem estilo e tom.

"Meus filhos e meus irmãos..."

"As vestes brancas do estranho sacerdote agitaram-se num gesto de abraço. Os candelabros de ouro rutilaram mais vivamente e as frontes ergueram-se como para receberem um grande beijo invisível...

— "Para que a vida vos seja o prazer, o transporte a que sois destinados; para que sintais a vossa divindade, é necessário que experimenteis a plenitude do êxtase... Todas as vossas faculdades são instrumentos de vida, instrumentos de prazer, de transporte, de entusiasmo... É preciso que todo o vosso ser se agite e estremeça, que vibrem todos os sentidos e fulgurem todas as luzes...

"E sua voz parecia prolongar-se num como ruído de franças agitadas pelo vento — parecia propagar-se pelo espaço afora e suspirar mil coisas vagas e maravilhosas... Depois subia à maneira de uma vaga que chegasse de muito longe — subia num crescendo vertiginoso e espraiava-se qual chuva de pérolas irisadas — espraiava-se sonoramente à luz trêmula dos incontáveis lampadários.

— "Não há nada pequeno... Tudo é vida... No princípio era a vida e a vida era Divindade... A vida, porém, não teve origem, pois da vida procedem todas as coisas... E a vida era o espírito. E o espírito criou a matéria e inventou a carne... E a carne foi a sua mais viva e colorida representação — a mais frequente e bela manifestação da alma universal..."

A oração prossegue num crescendo.

"Os candelabros de ouro fulgiam intensamente, maravilhosamente, como se emanassem de sortilégios coloridos... A multidão, suspensa e silenciosa, fazia pensar em uma assembleia fictícia, criada pelas combinações da luz. — É uma loucura imaginar que os paraísos são os mesmos para todos, que todas as unidades espirituais são iguais e terão iguais destinos... Cada um cria os seus paraísos e cada existência não é mais do que um clarão no esplendor sem limites da vida ascendente... O poder de conceber, de imaginar, de criar e de esperar — eis a medida por que se talham os céus e de onde emergem as supremas realidades das aparências inefáveis... As parcelas da vida sobem e descem num vertiginoso redemoinho de treva para a luz e da luz para a treva, segundo a força criadora de que são dotadas, segundo o maior ou menor prazer que as arrebata... As imaginações incolores e fracas só criam espetáculos sombrios e indecisos, só preparam imortalidades desesperadoras, monótonas e sem brilho... É que dificilmente suportam o fulgor da consciência — raios de sol que atravessam num relâmpago, incapazes que são de pairar indefinitivamente nas claras regiões em que a vida contempla e ama suas próprias evoluções... Deixemos os fracos esvaírem-se aniquilados ante a sublime claridade... Deixemo-los irem-se ofuscados para a dor ou para o Nirvana. Mas, meus filhos e meus irmãos, pronunciemos a grande afirmação nupcial... Amemos a vida, a vida consciente e luminosa...

Amemo-la sem desfalecimentos em todos os avatares que criamos... Cada existência seja para nós um esplendor sempre maior... Lembrai-vos que as aspirações de agora serão a realidade de amanhã, que os pressentimentos indizíveis que nos despertam para a beleza, são reflexos misteriosos do mundo superior, que se cria dentro em nós e que de um momento para outro desabrochará em uma nova existência."

E por aí além, uma procissão de ideias, tão fulgurantes quão arrojadas, entreabre-se em leque, num crescer de aurora boreal.

A obra prima de que Alberto de Oliveira antevia a possibilidade aí está. Nunca se realizou tão rapidamente um vaticínio arrojado.

A não ser que a novela derradeira, "Os deuses morrem", não levante a palma. Percebe-se nela que o autor, em seu remígio através das filosofias, cruzou com uma águia taciturna. Nietzsche domina-o e, novo Virgílio, condu-lo ao seu alto. Não achara a verdade, até ali. Mas que é a verdade? A eterna interrogação de Pilatos só permite marchas de flanco. Um desses ladeamentos é que não há *verdade* e sim *verdades*, milhões de verdades, as verdades de cada um, verdades que coexistem, que lutam entre si, que se entre-assimilam, que se conquistam umas às outras, subordinadas à lei geral dos seres vivos.

Quem atinge esta cumeada descobre o infinito do relativo.

Nietzsche funcionou aqui como pólen. É a missão de Nietzsche fecundar aquilo em que toca. Ninguém sai dele uniformizado por um certo molde; sai livre, sai *si próprio*... O seu aforismo — *Vademecum? Vadetecum!* — resume toda uma filosofia libertadora: Queres seguir-me? Segue-te!

Nogueira, por influxo da poderosa lixívia nietzscheana, liberta-se de todas as peias e assume livremente uma atitude definitiva, particularmente sua, em face do problema eterno.

Cai num cepticismo fervoroso e criador.

"Os deuses morrem", a mais bela página do livro, é uma sonata amorosa onde se pinta a forma em que, como num oásis, apraz ao seu espírito e a sua sensibilidade eleger domicílio, clareado pela luz heroica de um ceticismo feliz, a moda de Zaratustra quando, encarado com a vida, exclama radioso: "Acabo de olhar-te nos olhos, ó vida!".

Impossível dar conta, em um resumo, do estranhíssimo esplendor que irradia dessa novela, como impossível analisar a impressão causada pela sua leitura.

Analisar é esquartejar para exibir e comentar fragmentos; mas como esquartejar, quebrar pedaços ao que é imaterialização translúcida?

Nem nos socorre a transcrição: não se destaca sem prejuízo da harmonia geral um trecho sequer, capaz de entremostrar vagamente a pujante beleza desta peregrina obra d'arte.

A escala ascensional de aperfeiçoamento que notamos entre as novelas deste livro mostra na vida literária do autor a possibilidade de uma ascensão idêntica em estilo, em agudeza filosófica, em amplidão de horizontes, em poesia — em beleza, enfim.

Aguardemo-la, pois, confiantes.

O Saci

A rotação da terra produz a noite; a noite produz o medo; o medo gera o sobrenatural: — divindades e demônios têm a origem comum da treva.

Quando o sol raia, desdemoniza-se a natureza. Cessa o Sabá. Satã afunda no Inferno, seguido da alcateia inteira dos diabos menores.

A bruxa reveste a forma humana. O lobisomem perde a natureza dupla. Os fantasmas diluem-se em névoa. Evaporam-se os duendes. Os gnomos subterrâneos mergulham no escuro das tocas. A caapora deixa em paz o viajante. As mulas sem cabeça reencabeçam-se e vão pastar mansamente. As almas penadas trancam-se nas tumbas. Os sacis param de assobiar e, cansados duma noite inteira de molecagens, escondem-se nos socavões das grotas, no fundo dos poços, em qualquer couto onde não penetre a luz, sua mortal inimiga. Filhos da sombra, ela os arrasta consigo mal o Sol anuncia, pela boca da Aurora, o grande espetáculo em que a Luz e sua filha a Cor esplendem numa fulgurante apoteose.

A treva, batida de todos os lados, refoge para os antros onde moram a coruja e o morcego. E nessas nesgas de escuro apinha-se a fauna inteira dos pesadelos, tal qual as rãs e os peixinhos aprisionados nas poças sem esgoto, quando após as grandes enchentes as águas descem. E como nas poças verdinhentas a traíra permanece imóvel e a rã muda, assim toda a legião dos diabos se apaga. Inutilmente tentaríamos surpreender unzinho sequer.

O saci, por exemplo.

Abundante à noite como o morcego, nunca se deixou pilhar de dia. Metido nas tocas de tatu, ou nos ocos das árvores velhas, ou alapado à beira-rio em solapões de pedra limosa com retrança de samambaias à entrada, o moleque de carapuça vermelha sabe como ninguém o segredo de invisibilizar-se. Não colhesse ele, todos os anos, nas noites de S. João, a misteriosa flor da samambaia!...

Mal, porém, o sol afrouxa no horizonte e a morcegada faminta principia a riscar de voos estrouvinhados o ar cada vez mais escuro da noitinha, a "saparia" pula dos esconderijos, assobia o silvo de guerra — Saci-pererê! — e cai a fundo nas molecagens costumadas.

As primeiras vítimas são os cavalos. O saci corre aos pastos, laça com um cipó o animal escolhido — e nunca errou laçada! — trança-lhe a crina para armar com ela um estribo e dum salto monta-o a sua moda. O cavalo toma-se de pânico, e deita a corcovear pelo campo afora enquanto o perneta lhe finca os dentes numa veia do pescoço e chupa gostosamente o sangue. Pela manhã o pobre animal aparece varado, murcho dos vazios, cabeça pendida e suado como se o afrouxasse uma caminheira de dez léguas beiçais.

O sertanejo premune-o contra esses malefícios pendurando-lhe ao pescoço um rosário de capim ou um bentinho. É água na fervura.

Farto, ou impossibilitado daquela equitação vampírica, o saci procura o homem para atenazá-lo.

Se encontra na estrada algum viajante tresnoitado, ai dele! Desfere-lhe de improviso um assobio ao ouvido, escarrancha-se-lhe à garupa — e é uma tragédia inteira o resto da jornada. Não raro o mísero perde os estribos e cai sem sentidos à beira do barranco.

Outras vezes diverte-se o saci a pregar-lhe peças menores: desafivela um loro, desmancha o freio, escorrega o pelego, derruba-lhe o chapéu e faz mil outras picuinhas brejeiras.

O saci tem horror a água. Um depoente no inquérito demonológico do *Estadinho* narra o seguinte caso típico. Havia um caboclo morador numa ilha fluvial onde nunca entrara saci, porque as águas circunvolventes defendiam a feliz mansão. Certa vez, porém, o caboclo foi ao "continente" de canoa, como de hábito, e lá se demorou até a noite. De volta notou que a canoa vinha pesadíssima e foi com enormes dificuldades que conseguiu alcançar o abicadouro da margem oposta. Estava a 'maginar no estranho caso — um travessio que fora fácil de dia e virara osso de noite — quando, ao firmar o varejão em terra firme, viu saltar da embarcação um saci às gargalhadas. O malvado aproveitara o incidente do travessio a desoras para localizar-se na ilha, onde, desde então, nunca mais houve sossego entre os animais nem paz entre os homens.

Nos casebres da roça há sempre uma pequena cruz pendurada às portas. É o meio de livrar a vivenda do hóspede não convidado. Mesmo assim ele ronda a moradia, arma peças a quem se aventura a sair para o terreiro, espalha a farinha dos monjolos, remexe o ninho das poedeiras, gora os ovos, judia das aves.

Se a casa não é defendida, é lá dentro que ele opera. Estraga objetos, esconde a massa do pão posta a crescer, esparrama a cinza dos fogões apagados em cata de algum pinhão ou batata esquecidos. Se encontra brasas, malabariza com elas e ri-se perdidamente quando consegue passar uma pelo furo das mãos. Porque, além do mais, tem as mãos furadas, o raio do moleque...

As porteiras, como as casas, são vacinadas contra o saci. Rara é a que não traz uma cruz escavada no macarrão. Sem isto o saci divertir-se-ia fazendo-a ringir toda a noite ou abrindo-a inopinadamente diante do transeunte que a defronta, com grande escândalo e pavor deste, pois adivinharia logo o autor da amabilidade e o repeliria com esconjuros.

Os cães apavoram-se quando percebem um saci no terreiro, e uivam retransidos.

Refere um depoente o caso da Dona Evarista. Morava esta excelente senhora numa casinha de barro, já velha e buraquenta, em lugar bastante infestado. Certa noite ouviu a cachorrada prorromper em uivos lamentosos. Assustada, pulou da cama, enfiou a saia e, tonta de sono, foi à cozinha, cuja porta abria para o quintal. E lá estarreceu de assombro: um saci arreganhado erguia-se de pé na soleira da porta, dizendo-lhe com diabólica pacholice: *Boa noite, dona Evarista!* A velha perdeu a fala e desabou na terra-batida, só voltando a si pela manhã. Desde então nunca mais lhe saiu das ventas um certo cheirinho a enxofre...

Se fossem só essas aparições...

Mas o saci inventa mil coisas para azoinar a humanidade. Furta o piruá da pipoca deixado na peneira, entorna vasilhas d'água, enreda a linha dos novelos, desfaz os crochês, esconde os roletes de fumo.

Quando um objeto desaparece, dedal ou tesourinha, é inútil campeá-lo pela casa inteira. Para reavê-lo basta dar três nós numa palha colhida num rodamoinho e pô-la sob o pé da mesa. O saci, amarrado e imprensado, visibilizará incontinente o objeto em questão para que o libertem do suplício.

Rodamoinho... A ciência explica este fenômeno mecanicamente, pelo choque de ventos contrários e não sei mais quê. Lérias! É o saci que os arma. Dá-lhe, em dias ventosos, a veneta de turbilhonar sobre si próprio como um pião. Brincadeira pura. A deslocação do ar produzida pelo giroscópio de uma perna só é que faz o remoinho, onde a poeira, as folhas secas e as palhinhas dançam em torno dele um corrupio infrene. Há mais coisa no céu e na terra do que sonha a tua ciência, Ganot!

Nessas ocasiões é fácil apanhá-lo. Um rosário de capim, bem manejado, laça-o infalivelmente. Também há o processo da peneira: é lançá-la, emborcada, sobre o núcleo central do rodamoinho. Exige-se, porém, que a peneira tenha cruzeta...

A figuração do saci sofre muitas variantes. Cada qual o vê a seu modo. Existem, todavia, traços comuns em relação aos quais as opiniões são unânimes: uma perna só, olhos de fogo, carapuça vermelha, ar brejeiro, andar pinoteante, cheiro a enxofre, aspecto de meninote. Uns tem-no visto de camisola de baeta, outros de calção curto; a maioria o vê nu.

Quanto ao caráter, há concordância em lhe atribuir um espírito mais inclinado à brejeirice do que à malvadez. Vem daí o misto de medo e simpatia que os meninos peraltas revelam pelo saci. É um deles — mais forte, mais travesso, mais diabólico; mas é sempre um deles o moleque endemoninhado capaz de diabruras como as sonha a "saparia".

A curiosidade despertada pelo inquérito do *Estadinho* denota como está generalizada entre nós a crendice. Raro é o brasileiro que não traz na memória a recordação da quadra saudosa em que "via sacis" e os tinha sempre presentes na imaginação exaltada. Convidados agora para falar sobre o duendezinho, todos impregnam seus depoimentos da nota pessoal das coisas vividas na infância. Referem-se a ele como a um velho conhecido que a vida, a idade e o discernimento fizeram perder de vista, mas não esquecer...

E — dubitativos uns, céticos outros, afirmativos muitos — a conclusão de todos é a mesma: o Saci existe!...

— Como o Putois, de Anatole France?

Que importa? Existe. Deus e o Diabo ensinaram-lhe essa maneira subjetiva de existir...

Arte francesa de exportação

A exposição de arte francesa com que o Brulé pintalgou as paredes do Teatro Municipal merece que o público se dê ao trabalho de subir os degraus de granito do nosso elefante dourado. Arte francesa. Qual delas? São tantas...

— Pintura, meus senhores! Mas pintura upa! Coisa papafina, fox-trot a óleo, maioneses a carvão, aquarelas e pastéis de nata.

Em matéria de pintura S. Paulo tem visto muito, do Salinas fotominiatural ao impressionismo transcendentalíssimo da Sra. Malfatti. Restava apenas conhecer o bruléismo, caracterizado pela mistura eclética de vários gêneros otorrinolaringológicos.

Há lá um *Éclatement* que será crime de lesa-paspalhice deixarmos que saia de S. Paulo. É um parceiro forçado da *Alcova Trágica* da Pinacoteca. Representa a explosão de um obus nas trincheiras. Vêm-se no meio da fumarada negra os cacos da bomba, e pedras e paus, todo o lixo que o raio do explosivo arremessou para o ar. Vê-se tudo isso muito bem visto, de modo a dar até a uma criança de cinco anos a noção esquemática do estouro, a sensação visual da fumaceira e a impressão auditiva do "pum!".

Uma senhorinha "goma alta", que parou defronte do prodigioso carvão, trejeitou medinhos chiques e disse para a mamã:

— Que lindo! Está-se ouvindo o tiro!

Havia a pintura clássica de Parrasio, que iludia aos pássaros. Esta de agora ilude as pássaras.

Ao pé dessa impa outra pura maravilha: três figuras em pelo, cor de betume, contorcidas em posições dolorosas por força da enorme quantidade de tumores que lhes empolam o corpo todo. O lugar desse quadro não é positivamente ali e sim na Santa Casa, na sala das operações. É preciso, quanto antes, sarjar aquelas postemas já tão maduras.

Sucedem-se depois inúmeras outras *performances*, como diz o João do Rio-Jornal, dignas todas do assombro indígena. Aquarelas, carvões, sanguíneas, frios sortidos, etc.

Algumas representam verdadeiros *tours de force*, desses que deixam de cara à banda os mais complicados malabaristas japoneses. O cicerone explica os logogrifos pictóricos aos elegantes boquiabertos:

— Esta aquarela foi pintada com a pata. O artista entalou o pincel entre o mata-piolho e o fura-bolos do pé esquerdo e, em decúbito dorsal, ressupino, compôs a maravilha que V. Excia. está vendo.

O elegante de cinturinha tremelica, dá ganidos de gozo estético pelo método Berlitz, e marcha nos quinhentos francos, preço da "pezada". Compra o chulé.

— Est'outro, continua o cicerone, foi feito com o nariz. O pintor foi dando bicadas na palheta e narigou em seguida a tela, obtendo os assombrosos efeitos que aí estão e custam apenas 600 francos — por ser para V. Excia.

— E como foi pintado este? — pergunta o cinturinha diante do *Éclatement*.

O engenhoso cicerone responde logo:

— Não se lembra V. Excia. duma história de caçador, saída há tempos no *Estadinho*, intitulada "Uma do Coronel Teodomiro"?

— ?

— A história da capivara que ceifou o arrozal, Excelência!

— Ah!...

— Pois é. O processo é o mesmo. Capivara e pintor usaram de igual truque. E V. Excia. vai ver: criarão ambos escola; e, escola que, deixe estar, ainda há de revolucionar a agricultura, a pintura e as artes conexas! ...

A MATA VIRGEM, MR. DEIBLER E ZAGO

Por um verdadeiro milagre conservou-se na avenida Paulista um trecho da mata nativa. Nunca devastado, suas árvores denunciam-se coevas da gente nua senhora do país antes do "grilo" de Pedro Álvares Cabral. A galhaça vetusta; a capoeira emaranhada, ora retorcida em espiral, ora copiando cordoalha bamba de navio; os troncos velhos, craquentos, a contar pela cicatriz dos nós as tempestades destruidoras que contra as árvores lutaram peito a peito; o próprio ar circulante na trama da vegetação é um ar silencioso e milenário, povoado de sombras do passado e dos aromas ingênuos da selvatiqueza. Tudo naquele bosque é natureza virgem. Frouxéis de velhos musgos revestem a cascaria, adormecidos na madorna da meia-vida. Todos os verdes, do esmeralda translúcido ao sombrio verde limo, esmaecem em cambiantes suavíssimas. Toda a gama da maciez penugenta empresta àquele manto de muscíneas uma riqueza de causar inveja aos reis. A par do musgo, o seu irmão o líquen abre nos troncos manchas discretas, onde o vermelho põe as melhores tonalidades dos seus rubis, e o azul, o amarelo, o cinzento, o verdoengo e o ardósia caprichem em criar tons de indizível pureza.

Entremeio às árvores gigantes, que venceram na luta pela vida e impõem, abertas ao azul, as frondes majestosas, um infinito número de párias vegetais, humílimos, tentam a aventura do sol. Magríssimos, varetas esguias de folhagem escassa, encaminham todo o equilíbrio de formas no sentido da altura. Percebe-se-lhes da ansiedade muda que o sonho deles é um só: crescer, alcançar as copas que lhe vedam a luz, varejá-las, e atingir enfim a zona abençoada onde livremente bebam vida na fonte generosa do sol. Enquanto isso — sem ar, sem luz, filhos da penumbra — semelham crianças famélicas, toda pele e ossos, galvanizadas pela miséria a esticarem a boca para um seio materno na apojadura, mas alto demais para os seus labiosinhos ressecos. E as árvores vitoriosas, de tronco hercúleo, galhaça pletórica, raizame voraz e ramada egoísta, na crueldade olímpica da lei natural, espargem sobre a plebe raquítica folhas mortas, a ela que só pede raios vivos de sol.

Para maior beleza da mata nativa há em certo recanto um soberbo mata-pau, em luta constritora contra a árvore ingênua que lhe deu abrigo. Seus tentáculos de fibra rija enlaçam a mísera em roscas de sucuri esfomeada; sua folhagem já ganhou o azul, já sombreia a rama da árvore assaltada que, exangue, a circulação da seiva interceptada pelos cíngulos do bandido vegetal, morre lentamente num morrer que durará dez, vinte anos.

É belo esse trecho de mata. Vale todo o Jardim da Luz somado a todos os parques artificiais de S. Paulo. E a cidade, compreendendo isso, fê-lo público, transformado em parque. Abriram-se-lhe pelo meio uns caminhos serpenteantes de modo a tornar a linda mata em saudável logradouro público.

Um dia, porém, um crítico de arte andou por lá e fez uma observação judiciosa: se se erguessem ali umas estátuas, a colaboração da arte com a natureza resultaria coisa papafina. Não ganha o brilhante com ver-se colocado em escrínio de veludo negro? A azeitona dentro da empada não realça o sabor do camarão?

Estudou-se o caso, simples na aparência, complicadíssimo na essência.

O problema estético era realçar a beleza nativa ou por intensificação dessa beleza ou pela força de um contraste. Consultou-se a Freguesia do Ó e a Vila Mariana. O Ó opinou pela primeira hipótese, mas Vila Mariana sorriu e decretou a verdade da segunda.

Resolvido esse problema, cuidou-se da execução. Plano: botar lá estátuas que pela significação e pela fatura berrassem como bezerros desmamados — o que realçaria a beleza solene do silêncio da mata; e estátuas que pela histeria da composição e desrespeito a todas as leis do equilíbrio estético, pusessem em destaque o soberbo arabesco da harmonia florestal.

Procurou-se um escultor capaz. Não havia nenhum. Nem Zadig, nem Petrucci, nem Rollo, nem Bertozzi, nem Starace, sentiram-se com forças para tamanha empresa. Franco da Rocha, consultado, declarou que no seu manicômio não existia nenhum paranoico capaz da obra. Indecisão. Vacilações. O problema solvido em teoria não encontrava carrasco para a solução prática.

Mas Vila Mariana resolveu novamente a crise: mandou vir do outro mundo a sombra de Mr. Deibler, o famoso carrasco francês, e materializou-a na pessoa física do escultor Zago, nome até então totalmente desconhecido de S. Paulo. E Deibler, da mesma forma que em vida decepava cabeças, "sub espécie" Zago esfolou as quatro estações clássicas — primavera, verão, outono e inverno — e mais uma quinta, a estação canicular, simbolizada numa cabeça de cachorro a destripar um permanente mico de água numa cuba — e plantou tudo aquilo pelo parque.

O contraste entre tanta chatice, entre aquele absurdo cão sem corpo, entre a coisa mais sovada do mundo que são as quatro estações na representação clássica e a "beleza natural" da mata nativa tornou-a infinitamente mais bela. O contraste entre a completa ausência de invenção e originalidade daquelas esculturas e o modo de ser tão à vontade e seguro das florestas que o homem não mexeu com sua mão de mico...

De Vila Mariana, (¹) a refulgente, saiu essa solução. E que solução sairia do modesto e humilde Ó? Ah, outra bem diversa. Em vez do classicismo daquelas estações, um ou dois sacis-pererês espiando por ali, numa simbiose com aquelas árvores. Só. Eu acho que na sua humildade o Ó lembraria dois sacis apenas.

As cinco estações de Zago! Ah meu Deus do céu...

EM NOME DO SILÊNCIO

À nossa Constituição falta um artigo de capital importância, que estabelecesse a par da inviolabilidade do domicílio a inviolabilidade dos nossos ouvidos. Se um cidadão não tem o direito de penetrar violentamente em casa de outro, por que terá o direito de penetrar no seu aparelho auditivo por intermédio do berro descompassado, da charanga tonitruante, da corneta guarda-nacionalíssima, do sino das igrejas, da sereia policial e mais estrondos de maori enlouquecido?

S. Paulo é a vítima permanente dum estupro auditivo organizado em sistema. Seus tímpanos não merecem a consideração de ninguém. São uma espécie de casa da Mãe Joana onde todo sujeito capaz de um som violento sem a menor cerimônia deposita a sua contribuição.

Já tínhamos aqui em certo bairro a Guarda Nacional com as suas cornetas. Os moradores andam com algodão no ouvido para prevenir a surdez precoce. Durante

---

1 Vila Mariana: alusão ao deputado estadual lá residente, que por aquela época superintendia a estética oficial em São Paulo.

horas a fio um magote de corneteiros, na atitude clássica dos trombeteiros da *Aída*, postam-se na rua estrugindo tá-rá-tá-tás nhambiquaríssimos. Dizem que o caso, visto não ter uma explicação planetária, tem-na interplanetária. Aqueles sons são mensagens da Terra ao planeta Marte. Na impossibilidade de promover uma guerra intestina onde dê largas à sua belicosidade, a Guarda Nacional desafia os marcianos para um prélio à Wells. Mas como Marte, avaliando o formidoloso poderio da nossa milícia pela arreganhada insistência daqueles tá-rá-tá-tás, tem medo, ou pelo menos receio, e não aceita a luva, os derrotados ficamos sendo nós, cujas trompas de Eustáquio andam inflamadas como mão de negro após três dúzias de bolos.

A esse belígero corneteamento vem agora juntar-se a histeria fônica pré-carnavalesca.

Bandos de bípedes passam e repassam pelo infeliz Triângulo, em mangas de camisa, balindo, latindo, mugindo, grunhindo, guinchando, urrando, taralhando, coaxando, crocitando, zurrando, ululando, com grandes risos alvares na cara e ademanes atávicos do pitecantropo ereto.

São seguidos por automóveis com mulheres dignas de fornecer quartos ao frigorífico de Osasco ou tachadas de sabão crioulo. Gordas, mamalhudas, desacreditadoras do terceiro inimigo da alma pela exibição de carnaduras *faisandées*, esses cetáceos femininos, pintadas a vermelhão na cara, passam irradiando nuvens de espiroquetas pálidos, símbolos vivos da Avaria.

Remata o rancho um bando de homens fardados, produtores de barulhos; malham uns nos bombos; outros assopram trombones, saxofones, flautas, clarinetas e mais instrumentos amarelos de provocar vibrações do ar. Tais vibrações, produzidas dentro de uma rua estreita, com uma muralha de paralelepípedos por baixo e a muralha dos prédios lateralmente, escapam na quantidade de um terço pela estreita aberta superior, e por dois terços são absorvidos pelos tímpanos dos miseráveis seres humanos que têm a desdita de se encontrarem dentro do seu raio de ação.

Caso de *habeas-corpus* não é. Este remédio só cura do corpo inteiro, não admite a desintegração de um *habeas auricula*. Não havendo remédio jurídico, nem policial, nem higiênico, acho, logicamente, que o povo tem o direito de recorrer à justiça sumária indicada pela legítima defesa dos seus tímpanos. É agarrá-los e atufar aquelas bocas com algodão em rama; é furar o bombo do Zé Pereira; é amarrotar um por um os tais aparelhos amarelos de produzir sons. Quanto ao mulherio não há vacilar a respeito do seu destino: é tangê-las para Osasco. Só assim seremos reintegrados nas incomparáveis delícias do Silêncio.

ROYAL-STREET-FLUSH ARQUITETÔNICO

Está na berlinda, a propósito do monumento da Independência, um fato que toca de perto a honorabilidade paulistana.([2])

---

2   Fora posto em concurso o monumento do Ipiranga e Monteiro Lobato defendia furiosamente o projeto do escultor Rollo. Este artigo é um dos em que atacou o projeto do escultor Ximenes, afinal o vencedor.

O caso é este: um dos concorrentes ouviu dizer que nestas plagas tudo se arranja, sendo a questão coisa só de preço e jeito. Fiado nisso, organizou um meticuloso plano de campanha para arrebatar a muque a palma da vitória. Não confiou apenas, como fizeram os demais, nos méritos estéticos da sua arte: pôs em jogo os melhores truques da arte de ganhar concursos, na qual, não resta dúvida, é um gênio.

Trouxe cunhas de primeiríssima, cartas dos melhores padrinhos italianos, a começar pelo papa, endereçadas às altas potências paulistanas com voz decisória no certame.

Não parou aí. Presenteou ainda com bustos de bronze, da sua lavra, todas as personagens marcantes do nosso alto bordo, capazes de cochichar ao ouvido de Têmis uma palavrinha ajeitadora. Não esqueceu, por exemplo, o Presidente do Estado, nem para maior reforço uma pessoa da sua família. Não esqueceu o célebre deputado-poeta que entre nós exerce a mimosa função de plenipotenciário de Apolo, Minerva e Mercúrio junto ao Tesouro paulista. Nem esqueceu nenhum dos demais paredros suscetíveis de se enternecerem com a gentilíssima amabilidade.

E tal certeza tem ele de levar avante a empreitada, que apresentou ao lado da sua maquete uma frisa em tamanho natural, obra definitiva, pronta para ser incorporada ao monumento. Essa frisa, que vale ou custou uma fortuna, jogá-la-ia ele no pano verde dum concurso se não estivesse convencido de ter um *royal-street-flush* na mão?

Isto é público e notório: sobre outras combinaçõezinhas não públicas nem notórias, fiquem por lá no segredo dos bastidores. À nossa tese bastam os fatos acima. Pergunta-se: Foi limpa a intenção do escultor? Teve em mira homenagear simplesmente as pessoas? Não parece, visto como ao organizar a lista dos busteandos só incluiu nomes de julgadores, diretos ou indiretos, dando a entender que só visou puxar brasa para a sua maquete.

O caso é sério. É dos que despertam os gansos do Capitólio e fazem-nos levar o apito à boca. Significa, nem mais nem menos, o intuito deliberado de vencer pela peita de alto coturno, aliada a um fidalgo e artístico suborno.

Errou, entretanto, o sr. Ximenes. Está próximo o julgamento e S. S. verificará como mentiram os que na Itália deram como subornáveis os nossos conspícuos pró-homens.

Outra questão, agora. Será o seu projeto tal que possa vencer pela simples força do valor estético? Não nos parece, a nós, público, nem aos críticos de arte, nem aos artistas. Inquinam-no defeitos sérios, ressaltantes à primeira vista, falhas que o colocam em plana inferior ao genial projeto de Rollo, ao belíssimo trabalho de Brizzolara e à formosa concepção de Etzel.

Em primeiro lugar, visa somente o bonito. Ora, o bonito é inimigo figadal do belo e do grandioso, qualidades essenciais num monumento desta ordem.

É frio. Não diz nada. Não o anima nenhuma ideia, nenhum sopro de genialidade, nem sequer um vago fulgor de concepção. Mas anima-o, visivelmente, insistentemente, a intenção do bonito. E é realmente bonito. Todas as moças que o defrontam exclamam logo enlevadas:

— Que belezinha!

Destituído de uma ideia central, diretora, que enfeixe em harmonia de conjunto todas as partes, abunda, por isso, em detalhes vazios de qualquer significação.

Aquelas esfinges aladas, que querem dizer? Que função possuem ali? E o casal de leões de asas? E o outro casal de leões sem asas? Haverá nada mais chocante que esta mescla disparatada de Egito, Assíria e Uganda? Por que leões e não capivaras, por exemplo? Ou antas? Ou macacos?

Uma obra de arte, de qualquer latitude, não há de ter um detalhe que não concorra logicamente para o efeito geral. Defeito é tanto uma lacuna como uma excrescência. E essa *menagérie* está no projeto como a mais berrante das excrescências, com intuitos tapadores dos vazios que a fraca inventiva do escultor não soube como encher. Enfeites, apenas; não possuem outra significação.

O mesmo acontece com as quatro enormes colunas-candelabros fincadas nos cantos, todas elas com a clássica mulherzinha alegórica no topo. Esses espeques não se fundem no monumento, e quebram-lhe a estética com a sua nota utilitária, iluminativa. Por que esses lampiões lightíferos e não quatro chafarizes, ou quatro belvederes com elevadores e uma *terrasse* para chopes em cima?

Falta de inventiva, pobreza de ideias, é o que representam. E não é só isso. Na frente do bloco ergue-se um altar com uma pira onde chameja um fogo de bronze, tocado para a direita por imaginário vento. Altar da pátria, fogo sagrado do patriotismo: chavões cediços da arquitetura acaciana. Um artista de talento foge hoje de representar no bronze coisas por essência instáveis e movediças como é a chama: ou, então, estiliza-as. A escultura é a arte do repouso, e mesmo quando figura um movimento toma-o em seus momentos de repouso. Fugir desta regra, fixá-lo pelo sistema do instantâneo fotográfico é positivamente cair no ridículo — impressão que dá a chama realista da pira Ximenes.

O grupo central simboliza uma apoteose *vieux-jeu*. Paupérrima. Um carro tirado por dois pingos árabes, com uma mulheraça à grega dentro, ladeada de uma guarda de honra de figuras gregas a pé; atrás, na rabada do trole, um índio de tanga, à "highlander" — Peri, o pobre do Peri como o representam os tenores italianos dos mambembes líricos. Este grupo significa o que se quiser. É a vitória, o triunfo, a independência, a democracia, as artes, uma apoteose feniana ou uma alegoria dos Filhos de Plutão, à vontade.

Dos grupos laterais um representa a escravidão... O outro fica à mercê da fantasia interpretativa de cada um.

Mas, o *coup de foudre*, o canhão 420 do monumento, é a frisa frontal onde se reproduz em alto relevo o quadro famoso de Pedro Américo. Muito bonita. Mas como o resto, não resiste à análise.

D. Pedro, no centro, a cavalo...

Abra-se um parêntesis. Diz o depoimento do barão de Pindamonhangaba, comandante da guarda e testemunha ocular: "Montava D. Pedro uma possante besta gateada, sendo menos verdadeira a notícia mais tarde dada pelos jornais de que vinha em um cavalo de raça mineira". Ora, se o escultor meteu-se a fazer reconstrução histórica verista, já começou errando. Passou de burro a cavalo. Feche-se o parêntesis.

Pedro I, no centro, a cavalo, desfere o grito histórico (grito que o prof. Assis Cintra vai provar que ele não proferiu) e pela abertura da sua boca vê-se que já voou o "Independência" e a imperial glote modula o "ou". Qual, num ato destes, a atitude lógica dos ouvintes? A da atenção, da eletrização. Todos suspensos, de olhar fixo no imperador, galvanizados, hão de esperar a conclusão do grito para desfechar o vivório.

Pedro Américo soube grupar magistralmente as figuras e dar-lhes a atitude lógica, única admissível.

Na frisa, porém, é o contrário. Cada cavaleiro assume uma atitude à parte, sem ligação com o grito. Todos divertem-se em cima dos animais; um enrista a espada e procura espetar a caraça de leão da cimalha; outro desce a sardinha sobre o cavalo, como se fora ela um chicote — nenhum atende a voz do imperial senhor. A direita espreme-se uma triste figura de caboclo, entre a cabeça de uma vaca e a anca dum potro: é um caboclinho maninguera, opilado, perfeitamente jeca.

No quadro de Pedro Américo há ali um carreiro, soberbo de movimento e expressão, que passa de largo, espantado com o imprevisto da cena. Na frisa, o jeca, apesar de metido entre as aspas da caracu e o coice possível, está indiferente ao rei, à vaca, ao cavalo e ao público.

No entanto, é linda esta frisa. Não há menina de escola que diante dela não espirre o clássico:

— Que galanteza!

Eis o que é a maquete Ximenes, na qual havia muito ainda que escabichar se houvesse espaço e valesse a pena. Os pequenos enfeites, por exemplo, que pululam aqui e ali; os florões; as piras em forma de fruteira; um baixo relevo quase art-nouveau, bastante lombricoidal, etc., etc.

Mas não vale a pena. E não vale a pena sobretudo porque, em vista da sua atitude cavatória, subornativa, o seu projeto já está de lado. Ainda há brio em S. Paulo, vão ver.

....

Não obstante...

As quatro asneiras de Brecheret

Brecheret é um escultor que apesar de moço já tem na vida uma série de asneiras colossais.

Asneira básica, fundamental, mãe de todas as outras: ter nascido no Brasil. O Brasil não é terra onde um artista nasça. Deve nascer aqui quem ainda no ovo já sinta comichões condais no cóccix, e nas unhas esse prurido ratoneiro que os espertíssimos Ximenes maravilhosamente compreendem e exploram.

Segunda asneira: volta ao Brasil convencido de que pelo simples prestígio do seu talento todas as portas se abririam. A dura realidade fez-lhe ver o contrário: as portas só se abrem com gazuas e gorjetas. O talento único que por cá tem cotação é o do negocista sem escrúpulos, que suborna por meios diretos e indiretos; *verbi gratia*: o grilo do comendador Ximenes.

Terceira asneira: acreditar na seriedade de concursos abertos no Brasil. Em matéria de arte procede-se no Brasil da mesma forma que em matéria de política, e tudo depende da cavação e da gorjeta, motivo pelo qual a vitória, vira e mexe, cai sempre nas unhas dos comendadores.

Três asneiras deste naipe já constituem um acervo de vulto, suficiente para destruir a vida de um artista. Pois o nosso escultor, não contente com a volumosa trindade, ainda cometeu outras menores, como, por exemplo, não expor a sua *Eva* logo ao chegar a S. Paulo, fazendo-o agora que se retira de novo para o velho mundo.

Porque essa magnífica escultura devia até precedê-lo aqui, como a credencial indiscutida e indiscutível do seu grande valor como artista do mármore. Viria dar ao seu nome um fortíssimo pedestal na opinião pública.

A mais séria obra de escultura que até hoje apareceu em S. Paulo foi também uma Eva, a de Rodin. Dá-lhe essa classificação, primeiro o ser de fato uma obra prima, segundo o ser assinada pelo grande Rodin.

Pois bem: diante da *Eva* de Brecheret, ora exposta na casa Byington, perde a de Rodin o primado absoluto e passa a ser ombreada por uma rival, igualmente obra prima, e só interiorizada pelo fato de a assinar um escultor brasileiro de nome ainda não trombeteado pelas buzinas da fama.

Todas as qualidades que exalçam um mármore a categoria de obra prima reúnem-se nela. Representa uma mulher, e tecnicamente desafia o anatomista a lhe apontar o menor deslize de fatura. O jogo dos músculos, num equilíbrio perfeito, atinge um desses momentos de verdade anatômica que nos paralisam nos olhos a visão crítica, para só deixar em campo, extática, a visão admirativa.

Mas a uma escultura destas não basta apenas a fidelidade ao natural. Faz-se mister ainda o conjunto de qualidades de expressão que criam a alma da pedra, e por onde se afere do verdadeiro mérito do artista: se é um simples Ximenes hábil, ou um criador de "algo nuevo". A *Eva* de Brecheret possui esta alma, este algo indizível, indefinível, imponderável, inclassificável, possui essa força misteriosa que no observador se traduz pela sensação augusta da obra prima. Inutilmente os críticos de arte amontoam palavras sobre palavras para definir este "quê" perturbador das verdadeiras obras de arte. Fugidio e inapreensível por essência, é dessas coisas que a alma sente mas a palavra não diz.

O comentário único admissível ante tais obras é um silêncio devoto, um silêncio religioso que traduza a confissão tácita de que estamos em face de alguma coisa que transcende o nosso círculo de percepções habituais. Esse estado de alma reproduz-se sempre (em quem tem alma, está claro) pela ação da música, quando é Beethoven quem nos penetra de sons o íntimo da substância; pela ação da pintura, quando a faz a mão do gênio; pela ação do verso, quando o cantam os sumos poetas; pela ação da arquitetura, quando uma catedral se nos defronta; e pela ação da escultura, quando empresta vida à pedra um desses raros plasmadores da vida marmórea. Pois bem: se a *Eva* de Brecheret transfunde tal estado d'alma, não é preciso dizer mais. Isso o sagra. Isso o consagra. E isso cobre de vergonha a nossa petulante Cartago, esta S. Paulo que repudia de seu seio um artista destes, exila-o, estorva-o, para em seguida meter no bolso dum famoso grileiro centenas de contos em troca de um presepe de pedra e bronze, cheio de leões, panteras, bugres, cavalos de Troia, girafas, jacarés, etc., num monumento falsíssimo, uma vez que esqueceu os camelos pagantes e como coroamento de tudo não pôs na cúspide um pé-de-cabra.

Brecheret está intimado a fechar a série das suas formidáveis asneiras. Pelo amor de Deus não cometa a quinta: que seria crer na regeneração disto e regressar mais tarde com sonhos na cabeça em vez de cartas de recomendação no bolso e os dez mandamentos da Arte de Cavar bem decoradinhos. É preciso não esquecer nunca que apesar da casaca de importação, o aimoré que comia gente ainda vive e viça sob mil disfarces, na nossa *haute gomme* social.

Arte brasileira

É crime deixar que morram os ecos da festa promovida pela Sociedade de Cultura Artística no teatro S. José sem frisar a significação das duas manifestações de arte que mais impressionaram o público.

A "conferência" de Sebastião Arruda foi uma joia de observação psicológica, de humorismo, de graça, de "estilo". Não faz Arruda uma caricatura do caipira, não o falseia com exageros de charge; mas com fidelidade de miniaturista o reproduz nos menores detalhes, magnificamente equilibrado numa sóbria justa medida, sem uma descaída sequer.

O Introito onde Arruda, depois do "Não vê que..." inicial, aborda o problema da formiga — problema muito lógico, pois "falava uma conferência" numa sociedade de "agricultura", e depois de condenar o uso do formicida por "deixar catinga na terra" expõe o processo da pedra, do tabaco e do espirro letal, é uma cena de alto humorismo, equiparável ao melhor de Mark Twain.

Nunca uma plateia como a nossa, vítima de azia crônica pelo abuso de orchatas francesas como essa que o Lugné-Poe nos forçou a ingerir a 10$000 a dose, vascolejou diafragmas e adjacências com mais sinceros, saudáveis e tonificantes risos. Não era o risinho espremido e forçado, verdadeira careta de mártir de quem sorri por injunções do snobismo — sorriso palerma que é um esgar simiesco — repuxo cômico de músculos faciais.

O que no público ria não era a atitude, nem a francelha cultura do espírito; era a carne, o sangue, a raça, era esse substrato mental e sentimental que nós, medrosos da crítica escarninha dos elegantes que cheiraram Paris e no-lo embutem como padrão supremo, conservamos timidamente em cárcere privado. Que bem faz rir assim!

Em seguida Arruda, hábil nas transições, começa a descrever a criação do mundo. O diálogo entre Deus e Adão, a bonomia de "seu Deus", o jogo ultracômico dos anacronismos... Que coisa soberba! Quanta arte verdadeira e sadia em tudo aquilo!

De que maravilhosas coisas o brasileiro não seria capaz se o não fincasse no terreno do pastiche o inibitório terror à mofa escarninha do francês! O que nos mata é o francês! Nós temos a obsessão do francês. Que não dirá o Lugné-Poe se não fingirmos achar uma maravilha as suas secas de uma légua e três quartos? Que não pensará de nós Mr. Prudhomme, se não enchermos de ouro e aplausos as notabilidades antediluvianas que os vêm cavar aqui?

Isto é avacalhante. Um relíssimo criado de café que se guindou ao palco, na primeira ocasião de apuros financeiros pega da amante e da *bonne à tout faire* da amante e tange-se para esta mina. Cá obtém dos governos todas as facilidades; instalam-se de graça nos melhores teatros; saracoteiam no palco a velhice córnea e os magros cambitos das atrizes faisandées; injetam-nos sonegações de coisas lá deles; zombam da plateia pascácia representando peças com o original na mão, a gaguejadas; recebem, em vez do merecido ovo choco, palmas — insinceríssimas, mas palmas, e voltam aos penates cheios de dinheiro, a comentar com muito chiste a inconcebível paspalhice da nossa gente elegante. E os zulus albinos que entre nós, por vestirem casaca e bebericarem champanha, são os diretores estéticos da *haute gomme*, murmuram, encalamistrados de chique colonial: — "S. Paulo inda não está na altura de compreender espetáculos desta ordem!".

Eça! Eça! Como te foste esquecer de criar o *pendant* do Conselheiro Acácio, um Dâmaso a sério, crítico de arte e cubista?

Está claro que diante de coisas como a conferência Arruda a claque da goma alta torce as belfas num muxoxo decalcado pelo último figurino. Mas a sensação do público sensato é bem outra e fala mais alto — e nos diz que Arruda nos curou da azia mortal. Que alívio! Por que não dá Arruda uma série de espetáculos idênticos? Por que o dr. Artur Neiva, da Higiene, o não subvenciona? Um homem que cura a azia coletiva de uma cidade...

A outra consoladora manifestação de arte nossa proporcionou-nos João Pernambuco. É um belo tipo de homem. Nele se estampam em grau acentuado todas as características do brasileiro puro, criado ao ar livre, no contato direto com a natureza bravia. Dentro do seu peito bate um coração. Su'alma é a própria alma da terra. Paris não contaminou um glóbulo sequer daquele sangue oxigenado pelo ar das florestas.

Cantou o *Luar do Sertão* com tanto sentimento que inúmeros olhos se umedeceram da mais pura emoção estética. Que soberbos versos são aqueles! Quanta poesia ali, da verdadeira, da autêntica, da que brota espontânea do coração! Rudes, sem atenção para com a forma, cada imagem da canção é um escancarar-se-nos as portas do sonho. Quando o luar se abre no sertão e prateia a verde mata,

> A gente pega na viola
>   que ponteia
> e a canção é a lua cheia
> a nos nascer no coração.

Haverá nada mais sugestivo, e pinturesco, e mais rico de poesia?

> Coisa mais bela neste mundo
>   não existe
> do que ouvir-se um galo triste
> no sertão, se faz luar!
> Parece até que a alma da lua,
>   que descanta,
> escondeu-se na garganta
> desse galo a soluçar!

Que quadro! Que imagens! Que emoção!

É o final, onde o poeta cheio de saudades anseia por morrer lá na serra natal e ser enterrado numa grota

> onde à tarde
> a sururina
> chora a sua viuvez?

Poesia, ó civilização avariada, vítima de iodetos, de cocaínas, de Lugné-Poes e de cubices malsãs; poesia, ó Verlaines coloniais, Baudelaires de cocar disfarçado na cartolinha, ó Jean Lorrains da Quarta Parada, poesia é isso! Arte é isso! Sentimento é isso!

Poetas desta força não vão amortalhar-se nas antologias caras ao pedagogo híspido e à traça sem paladar, mas tiram seus versos a milhões de exemplares. Seu editor é o povo.

O papel em que se imprimem não vem da Suécia, não é pasta de celulose morta; é a carne viva do coração ingênuo de toda uma raça.

Lugné-Poe não os citará em conferência à faiscação d'ouro e luz do Municipal, nem a Després os recitará jamais; mas pelos campos, extremo a extremo do país, eles soarão através dos lábios das caipirinhas; e as árvores, os córregos, a relva, toda a paisagem estremecerá revendo neles su'alma recôndita.

E como Pernambuco os diz bem!

Até na gesticulação, angulosa, larga, sem arrebiques molengas de conservatório, bárbara e sadia, puramente reflexa da emoção sentida, é ele o homem daqueles versos. Por sua vez a música, melopeia singela e nostálgica, contribui para dar aos poemas de Catulo a mais harmoniosa das molduras.

Se tivéssemos mais disto e menos das desnalgadas salafrarices do café cantante... No entanto o pábulo permanente que o nosso público tem é o *Viens poupoule...* a *Mam'elle Zut-Zut*, as escorrências malsãs dos Pollins, os dejetos todos do apachismo de Montmartre, o *toutou*, a perna fina, o *maillot* seboso, a feiura e a velhice matusalenesca das cantoras gomosas *à voix*, das *diseuses* trescalantes a avaria luética na alma, no corpo e na arte.

Ai! Quando nos virá a esplêndida coragem de sermos nós mesmos, como o francês tem coragem de ser francês, e o inglês a de ser inglês, e o alemão a de ser alemão?

Quando? Quando?

Antonio Parreiras

Antonio Parreiras acaba de publicar uma coisa que devia ser obrigatória por lei a todos quantos tivessem uma vida de relevo social, nas artes, na ciência, nas letras, na indústria: as suas memórias.

A história é um processo contínuo do que se fez no passado, com o objetivo utilitário de nortear o futuro. Se fosse apenas um recreio, o cinema novelesco a superaria com vantagem. Só o que se fez ensina o que se deverá fazer para o diante. Memórias são depoimentos pessoais no intérmino processo, e valem por más testemunhas os que silenciam egoisticamente sobre o que fizeram ou viram fazer. O silêncio em tal caso corresponde a refugir ao cumprimento de um dever iniludível — contribuir cada qual com o que possa para que o amanhã seja, senão melhor, pelo menos mais esclarecido do que o ontem e o hoje.

Os velhos povos europeus de cultura bem quilotada não desdenham deste depoimento pessoal, em regra póstumos, o que lhes permite maior independência de juízo. Todo mundo por lá publica memórias — de Napoleão ao seu criado de quarto Constant. Escrevem-nas de próprio punho, se podem, ou de punho alheio, em caso contrário.

Entre nós não há esse hábito. Não deixam memórias os nossos artistas, nem os nossos homens públicos. Raro um barão de Drummond, em cujas memórias os nossos historiadores ou romancistas vão beber luzes esclarecedoras dos ocos escuros, das interrupções de corrente que supliciam os estudiosos que só têm a mão documentos oficiais.

Da *História de um Pintor*, que Parreiras vem de publicar, um verdadeiro jorro de luz se projeta na história da pintura brasileira de cinquenta anos a esta parte — sobretudo na história psicológica, a mais interessante. Revela-se ali a mentalidade do nosso povo no que diz respeito à arte, e a dos magnatas a quem incumbe o seu fomento. E ressalta mais uma vez o vulto grandioso de D. Pedro II, o homem tão superior moralmente ao meio que houve necessidade de bani-lo daqui.

Parreiras foi um dos discípulos de Grimm, pintor alemão que veio romper com a pintura acadêmica da nossa escola e com a técnica de receituário ali ensinada entre quatro paredes, longe do sol e ao abrigo dos ventos. Grimm só admitia o ar livre, o atelier-natureza. Agarrava as tintas e saía com seus alunos pelos campos e matas e praias, alheio ao queimor do sol guanabarino, aos tropeços e ao cansaço.

Mas Grimm copiava apenas. Fidelíssimo nas reproduções, era uma câmara ortocromática de pele cor de presunto e olhos azuis. Não um pintor na sua mais alta expressão: o intérprete da natureza, o cadinho misterioso onde se opera a maravilhosa fusão do exterior com o interior, sob o controle do senso estético.

Seus discípulos, pois, aprendiam a copiar — o que já era muito. Todo progresso se faz por etapas e este paciente copiar e recopiar da natureza tem que vir antes da eclosão última. Copiar cansa; e se o artista possui talento, um dia abre os olhos e por si mesmo descobre o caminho certo. Deu-se isto com Parreiras, anos mais tarde, na Europa. O nosso pintor descreve com muita emoção esse momento augusto em que aos seus olhos deslumbrados a Terra Prometida se desvendou.

Foi nos últimos dias de um outono grisalhento. No campo onde Parreiras pintava tudo eram tons levíssimos, dos que se fundem e esbatem os contornos das árvores, das pedras e das criaturas que animam com a nota humana a paisagem exausta do fim do dia. Passava um rebanho silencioso, sob a guarda de um pastor friorento na sua capa de lã grosseira, tão pictórica.

Não havia linhas. Só massas. Como, pois, reproduzir aquele fugidio estado d'alma da natureza, prestes a engolfar-se nas sombras da noite, pelo sistema de Grimm, todo resumido na supersticiosa fidelidade da objetiva Zeiss? E como dar por processo tão mecânico o que mais interessava no quadro — a poesia dos longes esvaídos, a tristeza das árvores seminuas, o tom geral de Angelus que avioletava tudo? Pintá-la à moda de Grimm seria fixar o esqueleto de auras macias, o arcabouço de eflúvios perturbadores. E Parreiras, como um íncubo, encontrou-se aberto para a verdade — e "sentiu" a paisagem outoniça como se fizesse parte dela.

Operou-se o *fiat*. Sua mão febril agarrou nervosamente os mais largos pincéis e seus olhos se cerraram. A tela foi agredida com frenesi, a lambadas gordas de tintas, sem que nenhum esboço preliminar lhes delimitasse os ímpetos.

O artista perdeu a noção do tempo. Fez-se força da natureza, livre de peias, selvagem, léguas longe da domesticação acadêmica.

Súbito, parou. A tela estava cheia e sugeria, vista de perto, um borrão informe, como empastado ao acaso da louca fantasia. Recuando uns passos, porém, o artista, radiante, viu a sua primeira grande vitória no domínio da arte pura. A sensação que lhe dava a pintura era a mesma que lhe havia dado o "entre lobo e cão" do entardecer outoniço.

Foi nesse momento que Parreiras, o glorioso discípulo de Grimm, despediu-se para sempre do seu querido mestre...

Apesar de incorreto na linguagem, Parreiras revela-se neste livro mais escritor que muito "imortal" corretíssimo. Escreve como pinta — comovido, e desse modo transmite ao leitor as emoções que sente.

Impossível a quem o lê esquecer a cena do seu primeiro encontro com Pedro II, nem a história do seu concurso onde lhe deu a vitória o barão de Cotegipe, o estadista que enxergava longe.

Poucas vezes temos lido com maior encanto uma autobiografia. Talvez porque o escritor não passa do mesmo pintor apenas trocado de instrumento de expressão. Usa da pena como usa do pincel, e em tela de cento e cinquenta páginas pinta com palavras um panorama dos que de um jacto o leitor vê com os olhos da imaginação. E como é preciosa a dose de subsídios que nele se reúne para a história de um momento da nossa vida estética, só temos louvores para a sua feliz ideia de compor tal livro. Assim o imitassem outros, para que dos nossos artistas não ficassem apenas, como rastro da sua passagem pelo mundo, os palmos de tela dispersos por paredes das casas ricas ou museus.

Necessitamos de visão de conjunto, única que traz lição, e no relativo à história das artes o meio de permiti-la aos pósteros é fazer o que Parreiras fez: depõe singelamente.

Um romancista argentino

Muito se escreve entre nós da riqueza material da Argentina, seu formidável intercâmbio comercial, seu coeficiente de produção por cabeça, tinidos mais elevados do mundo. E como a par disso pouco se diz da riqueza mental dos platinos, nasce a impressão de que não existe paralelismo entre uma e outra.

De fato, o crescimento prodigioso da primeira mão permitiu à segunda um surto proporcional. Os próprios argentinos notam o desequilíbrio da balança, e já as novas gerações estabelecem como ideal a reconquista da harmonia. Arregimentam-se, trabalham, e dia a dia ganham o terreno perdido.

Manoel Galvez, nome em foco pelo muito que está fazendo em prol desse ideal, é, talvez, o mais esclarecido propulsor da neo-cultura argentina. Não se limita a pregar, age; diz e faz; é a um tempo condutor e obreiro.

Há anos, em prefácio dum livro premiado pelo governo — *El solar de la raza* — onde se entoa um hino de amor à velha Espanha *castiza*, galvanizada no orgulho andrajoso dum tradicionalismo feroz, a Espanha semimorta de Toledo, Salamanca, Segóvia, Siguenza e Ávila, Galvez escreveu estas palavras que valem um programa e se aplicam também ao Brasil das zonas enxertadas de nova colonização.

"O cético materialismo de hoje é coisa nova, pois surgiu com a febre de riquezas vinda de Europa. O imigrante vencedor introduziu no país um novo conceito de vida. Seu triunfo sobre o gaúcho, no qual se encarnavam os antigos valores espirituais, e seu êxito flagrante na aquisição da riqueza, impuseram esse conceito.

O adventício, não trazendo senão o propósito de enriquecer depressa, contagiou os homens da terra com o respeito exclusivo aos valores materiais. E o idealismo desapareceu, mal se esfumaram os últimos vestígios românticos nos que ainda concentravam em si a alma nacional.

Queremos, agora, infundir na pátria uma alma e um caráter próprios, fazendo brotar da terra angustiosamente resseca, que é a nossa vida material, as nobres fontes do idealismo. Doutro modo será este povo um corpo sem alma, uma pobre coisa sem transcendência. Já construímos formidáveis diques de energia e de riqueza; resta-nos enchê-los com a água vitalizante da espiritualidade. Porque eu creio na fertilidade espiritual do meu país, e não compreendo que ela não corresponda à prodigiosa fertilidade da terra."

Em torno desse programa cerrou fileiras uma mocidade vibrante, rica de seiva, com elementos capazes duma grande obra. São os pioneiros do traço de união entre a Argentina heroica de Sarmiento e a "Argentina força de civilização" de amanhã. A solução de continuidade criada pelo argentarismo momentâneo não resistirá à ofensiva idealista.

O que vale essa onda de cultura sabem-no até estrangeiros como nós, porque até nós chegam os reflexos do movimento. Sabe disso quem tem o hábito de parar nas livrarias para cheirar as novidades. Recrescentemente avultam nos balcões livros argentinos. Ingenieros chegou já a popularizar-se no Brasil, par a par com os mais conspícuos mestres do pensamento europeu. Não existe biblioteca que se preze onde não figure, pelo menos, o seu *Hombre Mediocre* ou a *Simulação na Luta pela Vida*.

Na esteira do eminente sociólogo entraram os outros, depois que as edições da Cultura Argentina, empresa editora norteada por um critério inteligentíssimo, começaram a veicular intensamente o pensamento argentino, antigo ou moderno. Essa coleção divulgou Alberdi, espírito universal, aberto às mais generosas ideias, obreiro inteligente da formação pátria. Vulgarizou Sarmiento, outro padrão glorioso de virtudes cívicas, além de cérebro criador como os há, raros, um ou outro, no período caótico de cada nacionalidade. Revelou Ameghino, um sábio que sabe aplicar a ciência universal ao seu país e tem fôlego para criar teorias próprias.

Bastaria isso, mas a editora foi além. Publicou Quesada, político de visão ampla; Bunge, um sociólogo emérito; Victorica, Pelliza, Bilbáo, Moreno, Mejía, Merou

— historiadores, críticos e sábios. Todos, velhos e novos. Os silhares fundamentais da velha Argentina e o bando moderno que constrói a cúpula do edifício, poetas, romancistas — artistas de mérito vário, mas obreiros, todos, duma grande obra.

Neste movimento coube a Manoel Galvez a tarefa do romance — o romance que é a épica dos tempos modernos e o campo dileto dos espíritos verdadeiramente criadores.

Iniciada essa épica, outrora, com o *Martin Fierro* de Hernandez e o *Facundo* de Sarmiento, encontrou em Galvez um remodelador de fôlego. Espírito ricamente facetado, iniciara ele sua ação nas letras com dois livros de poesias; depois lançou-se à crítica social, e por fim "descobriu-se" romancista. Só aqui, neste campo, encontrou Galvez o instrumento bastante preciso para, a um tempo, satisfazer o poeta, o crítico e o reformador que lhe formavam a personalidade.

Sua primeira novela, *La Maestra Normal*, valeu por uma revelação fulgurante, e ficará na literatura como o primeiro grande romance da moderna Argentina. Nela estuda a vida de província, numa dessas cidades mortas, envelhecidas antes do tempo, como as possuímos inúmeras cá no Brasil. A vida de La Rioja é, como nas La Riojas brasileiras, um meticuloso tecido de pequeninas intrigas, rivalidades baixas e paixões sórdidas, tudo regido pela terrível fiscalização que os habitantes exercem uns sobre os outros. O homem é o mesmo em toda parte, e a vida riojana, inquinada da mesquinhez própria dos agrupamentos humanos restritos, é a mesma da província francesa, brasileira ou italiana. Galvez estuda-a com serenidade — serenidade que é também resignação de filósofo, porque, sabe-o ele, a "vida foi, é assim, e não melhora". Descreve uma dúzia de personagens e os faz viver na vida maravilhosa da arte. Possuem a grande faculdade — qualidade maior de todas — de fisgar o tipo subsistente no âmago de cada criatura humana e conservá-lo, lógico, uno, em todo o decurso da obra. O caráter de cada um, à medida que transcorre a ação, mais e mais se acentua, de modo a imprimir no leitor imagens indeléveis.

Dona Críspula, as "Guanacas", Don Nilamon, Palmarim, Solis e os mais são criaturas que vivem na obra tão intensamente como viveram na realidade, mas vivem sob a estilização e a concentração que, só elas, conseguem fazer do verismo coisa aceitável em arte.

Raselda, a heroína da novela, é uma criação literária das mais difíceis de serem conduzidas, porque Raselda é a mocinha dúbia, vacilante, de caráter mal formado, toda incertezas e reticências na ação. No fundo, única luz de farol a guiá-la, a tara dum temperamento atávico.

Solis, o eterno açor engatilhado contra os débeis, percebe-lhe a fraqueza de caráter, faz-se amar e cai sobre a pobrezinha numa aterrissagem de gavião. Raselda, mimosa flor de fraqueza, rola inerme, cai. O rapinante sacia-se, foge e deixa-a nua, amarrada ao pelourinho, exposta às chufas, ódios, desprezos, bicadas do bando de urubus que tomam lições de moral com Tartufo.

É uma eterna história. É a eterna história do inocente pagando o crime do pecador. Lá, como aqui, como em toda parte, a moral corrente só pune o crime dos crimes: a sinceridade. E só galardoa a virtude das virtudes: a hipocrisia.

Galvez, porém, não fica no verismo cruel que pinta, à maneira de Maupassant, sem julgar, a tragicomédia quotidiana. Seu idealismo arrasta-o à evolução sofrida por Tolstói, e em *Nacha Regules*, seu último romance, ascende ao simbolismo.

Esse livro lembra a *Ressurreição* do apóstolo eslavo. Propugna a regeneração social da mulher pelo amor.

Onsalvat, homem que a alta cultura do espírito alia um coração, encontra na vida uma alma de mulher esmagada no jogo das engrenagens cruéis. Empreende salvá-la, e a isso consagra a existência. Transcorre, então a mais pungente odisseia. O apóstolo decai socialmente — decai no sentido pragmático que os salões ricos dão às almas nobres que os repudiam, por verem neles a apoteose grosseira de todos os arrivismos hipócritas. Decai purificando-se, subindo, sacrificando tudo a um ideal de bondade. Decai e cai, como Ícaro, como os apóstolos, como os sonhadores, como o herói manchego.

Porque a vida evolui, mas não melhora. O homem é uma doença da Natureza — e a pior de todas porque é uma doença inteligente. Teima em superpôr à natureza a sua vontade e é, cada vez mais, um conflito lamentável de duas evoluções contrárias, a natural e a humana.

Se Galvez muda de atitude filosófica em *Nacha Regules*, não perde as qualidades de artista, e continua criador de tipos e vigoroso paisagista de almas. E como é moço, na pletora ainda da força criadora, não ficará aí. Continuará construindo-se. E dará à nova Argentina uma contribuição de ideal preciosa nesta campanha empreendida para restaurar o equilíbrio da balança. Se a concha do ouro já está cheia, começa a encher-se a outra. A Argentina está predestinada a possuir uma civilização integral. Dará o que prometeu com Sarmiento.

Um grande artista

A pintura espanhola, após o apogeu atingido com os Velázquez, os Murillos, os Zurbarán, os Goya, declinou. Surgiu na via láctea o "saco de carvão" e ela perdeu a força, a grandiosa potência de execução, a agudíssima percepção emotiva da natureza, caindo no gênero histórico que "arma" cenas frias de museu, e no academicismo que obtém todas as honras oficiais mas não logra sobrevivência.

Embora grandes, Pradilla, Benliure, Villegas e Madrazo não conseguiram arrancar-se ao pego e reacender a esteira luminosa. Fortuny foi cometa isolado que luciloiu um momento nessa penumbra.

A reação começa com Zuloaga, negado e conspurcado a princípio, recusado nos salões, mas vitorioso afinal, estrondosamente, a partir do seu aparecimento em Bruxelas.

Estava aberta a fase nova da pintura espanhola, derrotado o oficialismo acadêmico e reaceso o facho extinto.

Note-se: Zuloaga jamais cursou academias, nem sequer copiou antigos. Fez-se pelo estudo direto, ininterrupto e honestíssimo da natureza.

Este fenômeno é constante, e repete-se por toda parte. A arte evolui numa intermitência de fases criadoras e fases de repouso acadêmico em que a imitação, a coação do livre voo, a emasculação da personalidade, criam o meríssimo. Imita nisso o estômago dos dromedários, ruminando, remascando, remoendo o bolo alimentício dos antigos.

O ressurgimento vem sempre por intermédio dos gênios rebeldes que abandonam as "receitas de bem pintar" e fazem nova consulta à natureza.

O grande artista que nos dá a honra de uma estadia aqui, Cesáreo Bernaldo de Quirós, pertence a esta plêiade vanguardeira. Também ele, depois de concluso em Buenos Aires o tirocínio preliminar e indispensável da escola, o qual disciplina a mão e dá o a-b-c da arte, partiu com prêmio de viagem para a Europa e lá se fez. Mas se fez longe das academias, livre de mestres de ação uniformizadora. Pôs-se em contato permanente com a natureza, e tão amorosa, tão honestamente a interrogou, que a boa fada se abriu para com ele e lhe deu o Sésamo de todos os segredos. Quirós é mais que o maior pintor argentino: é um grande pintor de todos os tempos. Isso porque, libérrimo, soube desabrochar a sua fortíssima e ousadíssima personalidade de escol até a máxima plenitude. Não sofre a restrição da nacionalidade, e se contingências de classificação o filiarem um dia a alguma escola, perto estará da que nasceu com Zuloaga, e inteiramente dentro da escola das escolas — a livre, a suprema, a escola dos mestres que a natureza faz.

A sua exposição é deveras notável — podemos dizer sem temor de erro que é a mais séria que já se fez em S. Paulo. E a sua arte é a grande arte dos eleitos.

Caracteriza-o como pintor a intuição agudíssima do que é a luz. Um criador audacioso de neologismo poderia dizer dele que é um luzista, como se diz um colorista. No colorista predomina o senso da cor; naquele predominaria um senso mais alto, o da luz mãe da cor, o da luz no momento em que desabrocha em cor.

A cor é como a resultante, a materialização, a fixação, a parada da luz — e está ao alcance, em todas as suas finuras, de quem possui bons olhos. Mas a luz antes de ser cor, a luz no momento de *fiat* da cor, a luz a criar o nascer da cor, só para uma rara organização de artista é perceptível e compreensível.

Quirós possui este dom. Seus quadros são estados d'alma da luz, são "momentos da luz". A cor neles existe, não fria, não morta, não extinta, mas nascente, a produzir-se na fulguração da luz. Em certos quadros é tanta esta emanação de luz que o espectador tem a sensação física de defrontar um misterioso foco luminoso.

O crítico sente-se empolgado pela sensação total da tela, e esquece, não pode, não consegue detalhá-la para a análise parcelada de tons, valores e demais qualidades — trama oculta que se funde no efeito final visado pelo artista: a obtenção dum momento de luz.

Vencida esta impressão primordial e submetida afinal à análise, a pintura de Quirós denuncia logo, como sub-predominante, a justeza dos valores e tons, justeza tamanha que é com esforço que fugimos à obsessão da unidade harmônica.

Depois, fere a vista a variedade e rara habilidade de técnica — da técnica livre, da técnica que o tema impõe e não da técnica-receita, aprendida de cor.

A paixão de Quirós e o seu respeito pela natureza são imensos. Ele a vê como sinfonia em perpétuo ressoar, feita de milhares de notas que uma por uma é mister compreender e apreender.

Vive nela, pois, corteja-a como apaixonado amante, aborda-a de todos os lados, ao ar livre como nos interiores, animada ou inanimada — não dando supremacia a esta ou àquela forma. Num quadro onde entre figura merece-lhe o mesmo carinhoso estudo a criatura humana ou os estofos que a rodeiam.

Há, porém, os temas em que a figura é o objetivo principal e nestes o que ele visa é dar a impressão psicológica do caráter da personagem. Consegue-o superiormente, obtendo telas com magnífica força de síntese, como *O louco*, tipo popular cujo desarranjo de cérebro se denuncia nos mínimos detalhes, na posição vaga das mãos, no modo anormal de pousar o pé, tanto quanto na expressão fisionômica. Embora o louco se marque pela incoerência da ação e das atitudes, há nesta incoerência um ritmo que não escapa ao observador. Este ritmo da loucura em seus caracteres externos o quadro o dá de modo flagrante.

Ao lado desta tela citaremos *O morajú*, nome de um pássaro boêmio e explorador dos outros (como o nosso vira), dado por analogia ao homem errante dos campos, o *gaucho malo* que vive à custa alheia. Toda a alma venenosa dessa espécie de cangaceiro platino está posta a nu no quadro. O olhar sombrio que diz tudo — espelho da alma mais que nunca — e a atitude de bote armado, se casam, num ambiente lógico de paisagem áspera, com a vegetação desértica denunciada na rudeza da palma, tudo recoberto por um céu torvo. No *Gaucho* fixa-se a súmula de um tipo sub-racial, matéria prima donde saíram heróis bandidos como Facundo Quiroga. Deem-lhe meios, favoreçam-no as circunstâncias e desse campeiro anônimo ressurtirá um caudilho.

Em *Beatas* a fisionomia da primeira velhinha diz da casta inteira dessas víboras maliciosas, que têm a cauda enleada no altar e os dentes na reputação alheia.

Já em *Canto de atelier*, uma pura maravilha de "conseguimento", o objetivo do artista foi a sinfonia de um ambiente de volúpia aristocrática onde os estofos caros, os quadros, os móveis de luxo, concorrem com um nu extraordinariamente luminoso para a totalização de um efeito. É difícil conceber-se em matéria de pintura uma complexidade mais una, um ambiente mais ligado, maior riqueza de tons e sub-tons; o perfume do luxo moderno — o luxo artístico — boia no ar, e o conjunto fala do esteta requintado que floresce em tal moldura. Uma perfeita, uma verdadeira obra prima.

As qualidades deste quadro se mostram em todos os mais do mesmo gênero — natureza morta que vive, interiores, recantos estofados, vasos, móveis que através da visão do pintor revelam a poesia suave das coisas inanimadas — inanimadas para o vulgo. Vede *Hortências*. Nunca tais flores tronejaram tão rainhas como ali. Desfazem-se em um chuveiro de notas cromáticas e emitem luz como nimbadas de uma aura — a maravilhosa aura das hortências. Vede *Coquinhos*. É o nosso humilde jerivá, nunca lembrado pelos nossos pintores. Pois nas mãos de Quirós desdobram a riqueza da gama do amarelo, realçada por metais e estofos afins, de modo a resultar formosíssimo quadro. Diante dele impossível não lamentar a miopia dos nossos pintores que não "acham" o que pintar. Quantas flores silvestres, quanta fruta do mato — o craguatá por exemplo — vivem deslembrados dos pincéis indígenas, tão amigos de maçãs, cerejas e mais frutas da Califórnia! Fosse possível inventar um Quirós para orientador da nossa arte...

Se, agora, do interior pulamos para o ar livre, espanta encontrar a mesma segurança, a mesma força, o mesmo ímpeto criador. *Na rede* e *Jogo de sol* constituem dois prodígios de realização. A luz plena do sol quebra-se de todos os lados, coa-se pela folhagem das árvores, reflete-se nos balaústres, saltita na relva, na rede e nas figuras, tomada de um capricho doido. A luz reina ali, a luz positivamente cabriola, mas o pintor apanha-a no curso de todo este jogo brincalhão e a transporta para o quadro sem nada perder daquela vivacidade cintilante. Maravilhosa coisa! Fixar o instável, materializar o imaterial — e conseguir que essa fixação, essa materialização, produza no espectador o *miroitement* do instável, do imaterial! Os olhos prendem-se-nos a essas telas, o cérebro abre-se-nos a mil sugestões e ficamos a devanear sobre as possibilidades infinitas da pintura.

Em *Patos ao sol* (aliás marrecos) a vitória do artista ainda vai além, pois consegue dar a ilusão absoluta das aves em açodado movimento confuso, como se acaso interferisse na tela um artifício qualquer.

E na paisagem?

A mesma ideia o norteia: apanhar um flagrante, fixar um estado da alma panteísta, um desses fugidios momentos em que a íntima beleza das coisas se revela e que só a educada supervisão dos pintores apreende.

O Curral prima entre as expostas; os últimos raios dum sol moribundo lutam com a treva que se aproxima diluída em luar; as sombras se alongam, o rebanho se aglomera; e envolve tudo a poeira de ouro mortiço da luz em agonia. Que maravilhosa tela! Como ensina coisas! Que lição nos sugere da função da pintura como reveladora do *terroir*!

A paisagem é a forma lírica da pintura. O trecho de natureza tomado como tema há de ser um pretexto para transmitir uma emoção sentida; por isso o verdadeiro artista não o reproduz, não o copia com o servilismo da placa pancromática, mas simpatiza com ele e o interpreta no sentido que melhormente o põe a serviço da emoção que recebeu e procura transmitir. Na paisagem de Quirós o *genius loci* é constituído por esta característica. Grande paisagista, portanto; paisagista como a nossa paisagem vive a reclamar um.

Notabilissimamente ele a concebe e com a suma nobreza da honestidade a executa.

Destas breves palavras se conclui que estamos em face de um artista de valor excepcional, visto que culmina de maneira fulgurante em todos os gêneros. Diante de suas telas não há "mas..." nem "se"...

Não há reticências possíveis, e sim uma atitude única, de incondicional admiração e respeito.

Os sertões de Mato Grosso

Nós cá da praia fazemos uma ideia de Mato Grosso bem avessa da realidade. Desde a aula de geografia que o nome desse estado nos impressiona. Faz-nos imaginar uma só e imensa floresta de ponta a ponta, e que floresta! Cada pé de carrapicho tamanho de um jequitibá, e perobeiras a entestarem com as nuvens. E a bicharada lá dentro? Onças de dentuça arreganhada, mais temerosas que os dois lobisomens de cimento que montam guarda ao portão da chácara do Fabrício em Caçapava. E índios, como aqueles antigos caetés lá do Norte, que ao bispo Pedro Sardinha comeram assado num bom espeto de pau brasil, com a nossa sem-cerimônia no comer uma gorda sardinha Brandão Gomes.

Mato Grosso! Metia o espavento n'alma o só pronunciar tão temeroso nome — e com essa impressão ainda da infância fomos ver a fita *Rondon*, levando no bolsinho do fósforo um vidro de sais para algum chilique.

Mas...

Mato Grosso nada! Capoeirinhas...

As árvores, umas imitam aqueles emperrados eucaliptos de Mogi das Cruzes; outras são relíssimas árvores iguais às da estrada do Buquira — quaresmeiras, bico-de-pato, Chico-Pires, mamica-de-porca, e as mais compendiadas no livrinho sobre paus do amigo Huascar Pereira.

Feras, nem uma para consolação. Parece que o Teodoro não deixou lá nem ovo de jacaré nas praias das lagoas, nem filhote de coati no mato. Escumou a zona a tiros da sua Springfield, espingarda evidentemente melhor que as Lafourché de carregar pela boca dos mato-grossenses. Estas em geral têm o vício de "tardar fogo" ou de "negar fogo" — o que sempre favoreceu a salvação dos animais silvestres. Mas veio o Roosevelt com a Springfield...

E bugres?

Ah, os bugres de Mato Grosso! Uns são visivelmente encarregados de perpetuar aos olhos dos visitantes e turistas a selvatiqueza daquelas brenhas, de modo que não desapareça a velha tradição gentílica. Quando riem, arreganham à moda dos antropófagos — mas só de brincadeira. Outros são civilizadíssimos, capazes de dar muita lição a estas gentes cultas do litoral, que, já com quatro séculos de europeanismo no lombo, leem o *Binóculo* de João do Rio e juram em cima do Sr. Wenceslau Brás. Ah, se fôssemos aqui civilizados como os índios que Rondon nos mostra em sua fita... E tivéssemos as coisas que eles têm...

Em matéria de monjolo batem todos os fazendeiros de Buquira, Caçapava, Jambeiro e adjacências, os quais ainda estão com a engenhoca na forma como a concebeu o inventor: cocho, haste, mão e pilão. Os monjolos de Mato Grosso são quádruplos, socam por quatro dos nossos e em vez de movidos a água são movidos por bois. Coisa papafina!

Além disso os sertões de Mato Grosso são trafegados por fortes auto caminhões, cujos perfumes gasolíneos se casam harmoniosamente com a "balsamina em flor" de Coelho Neto. Os *chauffeurs* nhambiquaras manejam aquilo com a mais requintada perícia. Metem num chinelo, não resta dúvida, o Juca e mais o Dico de Caçapava. Ah, se Cunhambebe, Arariboia, Peri e outros paredros indígenas os vissem...

Índio autêntico em Mato Grosso, nhambiquara dos absolutos, na verdade só existe um — e importado do Rio de Janeiro. Veste farda, traz na cabeça o capacete de lona dos africanistas e chama-se Cândido Mariano Rondon.

Quanto ao resto, para vê-los escusa ir a Mato Grosso. Lá pelas imediações de Caçapava, Taubaté e Tremembé há-os iguaizinhos, senão mais abugralhados ainda. A diferença está em mais ou menos roupa no corpo. Ponham em pelo os nossos caipiras daqui, inclusive o Cornélio Pires, façam-nos dançar as danças guerreiras de Gonçalves Dias, botem as caboclas a mascar milho para o cauim — e qualquer cinematografista não precisa chegar até Mato Grosso para produzir excelentes fitas de nhambiquaras.

A diferença única é que os nhambiquaras de cá são muito mais feios que os de lá.

Na fita *Rondon* vemos umas iraceminhas de encher o olho e pedir bis, ao passo que as Paraguaçus daqui são umas figas bentas das quais fogem a quatro pés os três inimigos da alma, principalmente o terceiro — como disse Camilo das mulheres de entre Famalicão e Braga.

Há lá, muito curioso e inteligente, o regime do boi cargueiro, coisa bem mais adiantada que o nosso regime do cargueiro muar. Em chegada a tropa ao destino e descarregada a mercadoria, os tropeiros comem o boi. Aqui têm que aguentar com o burro no pasto e outras coisas.

Em suma: a fita *Rondon* ensina-nos tanto, que os espectadores saem do cinema enfiadíssimos e desconfiadíssimos de que os verdadeiros bugres são eles.

A sexta parte da fita é ansiosamente esperada pelo público, graças ao aviso inserto no programa. Aviso à pudicícia para que em terminada a quinta parte sumam-se dali os inocentes, afim de que não tenham de corar diante de adões cor de cobre em trajes paradisíacos anteriores à folha de parra. Mas não sai ninguém; ao contrário, entra mais gente. Os que estão a cochilar, despertam e lambem os beiços; os desatentos ficam como cachorro que amarra perdiz; as senhoritas tapam a cara com o leque para mais a cômodo espiarem pela frincha das varetas. Os marmanjões engraçados e desdentados lançam umas piadas gosmentas — e é de boca entreaberta e olho arregalado que o público vê surgir na tela os primeiros índios nus. Estouram a espaços gargalhadas ou espremem-se à socapa risinhos feminis. Os comentários fisiológicos são insuscetíveis de virem à tona dum jornal católico, apostólico, romano e perrepista como esse bom *O Povo* de Caçapava.

A fita termina dando aos civilizados, entre os quais a nudez é impura, uma linda lição de nudez casta como a de todos os animais. Termina portanto com uma lição moral. Meu Deus, como o nhambiquara *docet*!...

A conclusão que a fita *Rondon* impõe é curiosa e inesperada. Aquele gentio de Mato Grosso está maduro demais para ser catequizado por nós outros aqui da zona litorânea. Não há maior contrassenso do que convidá-los a deixar um sertão assim tão prosperado e uma vida agradável, fresca e livre, para, incorporados ao padrão geral da nacionalidade, virem beber uma pinga com arruda muito pior que o cauim, e ler os telegramas da Agência Havas, e votar no governo.

Nós é que estamos a berrar por uma catequesezinha...

O Vale do Paraíba — diamante a lapidar

No seu silencioso afã desintegrador vai a Erosão demolindo as orgulhosas montanhas e criando os vales. É a grande fautora do Nivelamento, a pacientíssima obreira duma grande tarefa: transformar a crosta do globo em superfície lisa, sem altibaixos — como já o é a parte recoberta pelas águas oceânicas. Pacientíssima, porque não conta o tempo: há milhões de anos que a Erosão se esforça no desmonte do Himalaia, e nisso prosseguirá por outros milhões de anos ainda — mas *Himalaia delenda est*. Aquela enorme ruga da crosta terrestre está condenada a desaparecer transformada em mansos vales e por fim em planuras.

A Erosão é a mais cruel inimiga das montanhas. Onde existe uma, lá está ela atracada, a corroê-la mecânica e quimicamente, a rasgá-la de ravinas, barrancas e boçorocas, a desagregar-lhe as pedranceiras, e esfarelar-lhe a substância para o acamamento final dos vales.

Que é um vale senão o corpo da montanha esmoído e aplastado nivelamente? E o homem recebe esse trabalho da Erosão como a maior das bênçãos, porque é no solo assim em nível que ele pode aperfeiçoar as culturas com que extraem do solo as substâncias vitais.

Daí serem os vales os viveiros das civilizações. Daí as guerras para a sua disputa. A Mesopotâmia, o vale do Nilo...

Nós temos a Mantiqueira, o levantamento orográfico que vai de leste a oeste e, ainda majestoso, se alteia em píncaros como o do Itatiaia. Mas que foi a Mantiqueira nos inícios, logo após a comoção telúrica que a fez emergir? Que altura já tiveram as Agulhas Negras, que hoje nem chegam a três mil metros? *Ignorabimur.* Já o fim da Mantiqueira podemos prever: anulação total. Irão diminuindo os seus píncaros, baixando os seus contrafortes, tudo desagregado em areia e detritos formadores do vale. De mero elemento de beleza para os olhos do homem amigo de panoramas, daqui a milhões de anos a Mantiqueira estará transformada em elemento de utilidade agrícola: solo arável, superfície plana apta a receber culturas.

O vale do Paraíba é, pois, um filho da Mantiqueira — é a própria Mantiqueira desintegrada e aplastada em lençol lado a lado da corrente líquida que lhe constitui o eixo: o rio Paraíba.

Quis o Destino que esse vale visse nascer em seus extremos duas metrópoles humanas, dois aglomeramentos com indefinidas possibilidades de expansão: Rio e S. Paulo, a cidade término e a cidade interlândica; a cidade-porto e a cidade-entreposto, núcleo de convergência dum conjunto de zonas produtoras. Possui, pois, o vale um alto valor estratégico do ponto de vista comercial: o de celeiro colocado entre dois apetites recrescentes. Sua função será, cada vez mais, satisfazer esses apetites: abastecer esses dois grandes mercados.

O mar fecha dum lado o mercado do Rio, e a faixa montanhosa a leste de S. Paulo fecha S. Paulo desse lado. Rio e S. Paulo estão, pois, naturalmente, subordinados ao vale do Paraíba, que é suficientemente amplo para abastecê-los dessas coisas eternas, iterativamente reclamadas pelo estômago humano: o leite, o cereal, a carne, o legume, o ovo.

Mas tudo no Brasil ainda está em retardado *fieri*. Apesar de todas as suas vantagens naturais e estratégicas, o vale do Paraíba só agora começa a erguer-se e a demonstrar o seu imenso valor econômico. A princípio passou por lá o Café, montado na Onda Verde, acampando nas terras mais altas dos contrafortes. As do vale, baixas, de formação argilosa e inundáveis, pouco valiam. Sua avaliação nos inventários era mínima — praticamente zero.

Mas o Café passou, na sua marcha atilesca rumo ao roxo-terra destino; como lembrança deixou casarões apalaçados nas cidades e a samambaia e o sapezal na morraria. E o vale do Paraíba foi caindo na maior desolação. Um dia apareceu um homem dotado dessa coisa tão rara que se chama "olhos para ver" — porque a maioria dos homens só possuem olhos para enfeitar a cara. Carlos Botelho iniciou no vale uma cultura experimental de arroz. Provou assim, com fatos, que as terras baixas, sempre tidas como inúteis, prestavam-se maravilhosamente à cultura desse grão. E o Arroz, substituto do Café desertor, deu início à obra do reerguimento econômico do vale do Paraíba.

Invertem-se as avaliações nos inventários; a terra valiosa passa a ser a da várzea, justamente a que anos antes não tinha valor nenhum.

Mas nunca o vale do Paraíba foi olhado como "um sistema", nem estudado na sua verdadeira significação. Como tudo no Brasil, teve um desenvolvimento ao Deus dará, sem plano preestabelecido, sem antevisão do futuro — ou sem "condicionamento", como se diz hoje. Pequenas cidade, filhas do Café e do rio, cogumelaram-lhe à margem, vivotando do fornecimento às fazendas e do peixe que o Paraíba produz. Um rosário de cidadezinhas humildes, piracuaras, desenvolvimentos naturais dos antigos pousos de tropeiros — os pontos de descanso e dormida das tropas que antes da Central faziam o tráfego entre S. Paulo e Rio. Em muitas delas ainda há a "rua da Palha", assinalando o local dos ranchos de tropeiros, sempre com muita palha de milho espalhada pelo chão.

Cresceram essas cidadezinhas ao influxo do tráfego. Caíram depois em profunda decadência quando o Café se bandeou para as zonas do rubídio. O Arroz fê-las rebrotar; outras se foram virando pequenos centros industriais. Taubaté avultou e já pensa em cognominar-se a Manchester do Vale. Pinda, a decaída Princesa do Norte, também entressonha um principado industrial. Guará planeja a hegemonia do noroeste. Todas renascem e sonham.

A estrada de ferro e o Café transformaram-nas de pousos de tropa em aglomerações urbanas de vulto. A estrada de rodagem com que Washington Luís as ligou deu-lhes nova injeção de vida, como o fomento das pequenas culturas marginais. Porque o problema do vale do Paraíba é o mesmo do país inteiro — transporte.

Esse problema teve começo de solução com as duas estradas, a de ferro e a de rodagem. Mas ambas são ainda apenas "marcações" — nada têm de definitivo. Hão de completar-se com o que lhes falta: eficiência. A Central tem que ser realmente uma estrada de ferro no sentido norte-americano da palavra; e a estrada washingtoniana tem de passar do que é — simples leito de terra, a uma superfície perfeitamente pavimentada a asfalto ou cimento. E tem mais que articular-se com uma rede de estradas auxiliares que sejam para ela o que os afluentes são para os rios.

Esse trabalho contribuirá imensamente para que o valor do vale do Paraíba redobre. A Natureza o dotou com o que pôde; só lhe falta a dotação humana.

Há, por exemplo, a obra indispensável da retificação do rio, o que virá acrescer de muito a reserva de terras aproveitáveis. E há o condicionamento de suas águas, para o jogo regular da irrigação — da preciosa irrigação que estabiliza as culturas eliminando a insegurança do "depender do tempo". E há cem coisas ainda, locais, especiais, determináveis pelas contingências e dependentes da capacidade de organização do homem do vale e do governo. A era do comércio às cegas, do produtor que produz sem pensar na venda dos produtos, sem organizar essa venda, sem o estudo dos mercados, já passou. O lavrador moderno é, e cada vez mais, um termo de equação.

O vale do Paraíba possui em grau dos mais elevados tudo quanto gera a prosperidade de uma zona: clima dos melhores, ausência de endemias, terras aráveis, abundantíssima água para irrigação, sistema de transporte precário mas já criado, população civilizada e capaz de iniciativas, culturas aclimadas e comprovadas — e ainda a sua situação estratégica entre os dois maiores centros consumidores do Brasil. Com todos estes elementos naturais e sociais, a sua transformação num Languedoc, num vale do Nilo, numa Califórnia, não é sonho de fumador de ópio — sim de quem faz uso da lógica das coisas e da lógica humana.

O que a Natureza podia fazer pelo vale do Paraíba já fez e está fazendo; para aterrá-lo já demoliu grande parte da Mantiqueira; já acamou as argilas favoráveis ao biologismo do arroz; já povoou as águas do rio com abundantes variedades de peixes. Resta que o homem "condicione" o que falta, porque o que falta já não depende da Natureza, sim, e só, do homem. E não do homem que moureja em contato com a terra, o produtor, sim do que administra o estado, faz leis, concebe planos de conjunto, prevê desenvolvimentos futuros.

O que o vale do Paraíba pede é a intervenção construtiva do estado para a obra, que só ele pode empreender, de coordenar, ligar, entrosar — isto é, suprimir a fricção.

Suprimir a fricção; essa fricção que numa estrada de ferro tem o nome de mau serviço; que na estrada de rodagem tem o nome de lama ou areia solta; que nas operações da distribuição comercial tem o nome de incoordenação. Esses vários aspectos da fricção é que fazem que o trabalho humano dê pequena porcentagem de rendimento útil. O atrito o absorve em grande parte. Progredir, pois, é aumentar o rendimento do trabalho útil pela supressão do atrito.

O governo de S. Paulo acaba de voltar as vistas para o vale do Paraíba. Voltou-as apenas. Ainda não teve tempo de demorar nele os olhos. Quando o fizer, espantar-se-á de como deixou por tanto tempo entregue a si mesmo — entregue ao desenvolvimento hazardoso e incoordenado — um imenso trecho de terra dos mais favorecidos do mundo, e como tal suscetível de exercer um papel notável no desenvolvimento do país. E quando bem capacitar-se disso, ah, então sentirá por ele o mesmo entusiasmo que notamos, sobretudo, na gente de Taubaté, sempre tão empenhada em fazer da terra de Arzão a Capital do Vale do Paraíba — a sua Manchester.

Um diamante só se transforma em brilhante depois de lapidado. O vale do Paraíba só pede lapidação.

1943

O rei do Congo

A transferência do rei Leopoldo II da Bélgica, de seu reino europeu para os luxuosos aposentos que obteve no céu graças aos favores dispensados à agência terrestre que dele dispõe, vem desfalcar o precioso corpo de colaboradores coroados das revistas de caricatura. Como se regalavam elas com os escândalos galantes da realeza!

(Moro em Areias, mas sou assinante do *Le Rire*. Lido com os tabeliães, com o juiz de direito, com a saúva do quintal, com presos da cadeia, e para contraste acompanho as frascaricas do rei Leopoldo na Europa.)

No último número do *Le Rire* vêm uns desenhos de Hellé sobre Sua Majestade. Certo jornalista vai a Bruxelas entrevistar Leopoldo, e na rua indaga dum policial sobre o seu paradeiro. O policial aponta com o beiço um elegante e belamente barbado velho que singra como maior serelepismo atrás duma salerosa dama.

— "O rei Leopoldo? É aquele lá que abordou aquela espanhola."

O jornalista voa na direção indicada. Só encontrou a dama.

— "O rei Leopoldo? *Caramba!* Lá está ele. Acaba de me deixar por aquela italiana."

Aproa o jornalista na nova direção, mas chega tarde.

— "Leopoldo? *Mio caro*... já lá vai de braço com uma francesa."

O jornalista enxuga o suor da testa e estuga os passos.

— "Pois havia de durar? Lá vai ele. Deixou-me por aquela inglesa que leva ao braço."

Desanimado, quase a desistir, o jornalista reúne as últimas forças e arrasta-se rumo à inatingível Majestade.

— "Leopoldo? Aoh... il avait plaqué môa pour cette trottin..."

E o jornalista teve de renunciar a empresa. *Le roi marchait trop vite*...

(Estou na preguiçosa da sala da frente. Pela janela vejo o largo da Matriz e a casa do Bigeo tabelião. Quem será aquele cavaleiro que lá lhe parou à porta e está apeando?)

Le roi marchait trop vite — e nessa postura penetra Leopoldo II no sarcófago da história: triplicemente rei — dos belgas, por contingência de nascimento; do Congo, por interesses comerciais; e dos *vieux marcheurs*, por vocação.

O trazer na cabeça a coroa belga foi-lhe a grande maçada da vida. De forma nenhuma lhe ia com os instintos aquele cíngulo peador ao qual devia todos os embaraços opostos ao seu desembaraço de maneiras. Se ressuscitasse, é crer que a não repusesse na cabeça; agarraria unicamente as duas restantes — e sobretudo a que recebeu dos boulevards de Paris. Essa coroa foi durante sua vida uma permanente causa de derrogações do real protocolo da monarquia belga.

Certa vez voou a Paris em rápida visita a Napoleão III, mas em Paris se deixou ficar todo um mês, com grande escândalo dos dois governos: o belga, que lá ficou ao laré, e o francês, que jamais contara com tamanha infração da etiqueta.

O desmesurado da estrutura de Leopoldo II e sua barba branca tão típica popularizaram-no em Paris, onde se plantava sempre que as tribulações do governo em Bruxelas lho permitiam.

Também era assíduo nas estações de banho. Conta a propósito um jornaleco parisiense que o conde de Lonyay, seu genro, fora chamado aos tribunais por um *chauffeur* despedido; misérias domésticas, coisa de ordenado não pago integralmente, de automóvel retido e mais histórias. O velho rei lamenta-se: "Uma vezinha que venho a Paris e cá me saem estes meus filhos com encrencas que me perturbam a pândega" — e por um momento, um momentozinho apenas, Leopoldo pensou em voltar para Bruxelas, conclui o cronista. Em vez disso, porém, rumou para Trouville — "a sua verdadeira pátria".

(Acabam de bater na porta. É aquele negro velho lá do Ribeirão Vermelho que vem com uma cestinha de grumixamas. Gosto de grumixamas. Compro-lhe a cestinha inteira — 200 réis. E continuo com o meu rei da Bélgica e do Congo, uma agradável mistura.)

As aventuras de Leopoldo II com a dançarina Cleo de Mérode celebrizaram-se. (Cleo de Mérode é uma das criaturas mais conhecidas no Brasil. Essa moda ingênuas dos "postais" ilustrados, que não há menina ou moça boba que não "colecione" (— "Já viu a minha coleção de postais?") pôs Cleo de Mérode na berlinda. Haverá pelo país afora milhares — milhares, sim — de cartões com a fotografia da Cleo, com o seu cabelo em bandós cobrindo a orelha — e é considerada a mais bonita da "coleção de belezas", mais ainda que a Bela Otero.)

Era uma das consoladoras do rei belga. Nada mais comum do que serem encontrados em passeios a pé, como um casal de burgueses — casal aliás de dar na vista, tal a desproporção de idade e de físico: ele, um homem tão alto e todo barbas brancas; ela, bem moça ainda e do tamanho das francesas.

A troça crismou-o de Cleopoldo.

Suas viagens, ou escapadas, eram sempre feitas sob a defesa do "incógnito" — mas nada mais berrante que o incógnito dum rei daquela altura, com barbas tão características. Certa vez, enlevado pelos encantos da dançarina com quem tomara um trem, esqueceu-se de comprar passagens. O condutor era um tonto; não reconheceu o real incógnito, coisa tão fácil, e botou Leopoldo na contingência de pagar os bilhetes com multa ou denunciar-se.

Não sei o fim do caso. É possível que se denunciasse — tão grande sempre foi o aferramento de Leopoldo pelo dinheiro, quando não era mão feminina que lho tirava.

Com relação a sua somitiquice abundam casos e anedotas. Leopoldo II inaugurou na corte belga um gênero inédito de opereta, que durou o seu reinado todo — opereta real, com atores de sangue azul, como a princesa Estefânia e a princesa Luiza, e também atores de sangue vermelho, como a baronesa de Vaughan, filha do porteiro Lacroix. Leopoldo vendeu em leilão as joias da rainha Henriqueta, falecida em 1902; um bracelete ornado com a efígie do arquiduque palatino, colares e diademas ofertados por subscrições públicas, lembranças piedosas e até um lote de velhas plumas.

Inutilmente procurou a corte impedir a feia ação. "Sabemos", redarguiu o rei, "que nas altas rodas a venda destas joias de família causou viva emoção. Procuraram-se os meios de obstá-la, mas a tempo foi reconhecida a impossibilidade de qualquer intervenção, direta ou indireta."

O que a estranhos causava "viva emoção", a Leopoldo não causava coisa nenhuma. É que à lembrança da esposa morta já se sobrepusera a realidade da baronesa — e no coração de Leopoldo não se abrigavam dois sentimentos duma vez.

(Incrível a mexericagem humana! Eu aqui neste fim de mundo, que é Areias, e a saber mais coisas do rei do Congo do que inúmeros belgas! É que cultivo certas manias. Também pretendo cultivar umas couves no quintal — mas a saúva, ah, a saúva de Areias! As saúvas aqui são piores que os hunos de Átila. Estão deixando este município reduzido a um "rapador".)

É no castelo de Lormoy que, atormentado por um cafuné da Vaughan e vendo no parque um gendarme impelir vagarosamente o carrinho do real pimpolho (que por um triz não virou o duque de Ternevan), Leopoldo, Po-poldo, Cleopoldo, calcula quanto renderá o diadema de brilhantes oferecido à defunta rainha pela cidade de Bruxelas, e planeja o emprego do produto em proveito da sua Carolina. Cafunés daqueles pagam-se.

Carolina nasceu com instintos de Pompadour, mas era má pagadora. Um tal Gorregés, cozinheiro, dá queixa ao tribunal contra "a *demoiselle* Carolina Lacroix, moradora no castelo de Lormy, ao pé de Montlhery, e que se faz chamar baronesa de Vaughan". Era o caso duns dinheiros fornecidos por empréstimo à favorita e que ela fugia de restituir. Alegava o cozinheiro ter-se deixado iludir pela sonoridade da baronia — e reclamava para a caloteira uma pena exemplar.

Já não se pode ser Pompadour neste século envenenado de democracismo. Aqueles infames direitos do homem, pregados pela Revolução Francesa, contrastam singularmente com o direito das favoritas — mesmo quando o homem é cozinheiro e o amante, rei da Bélgica.

No castelo de Lormy, enfeitado pela castelã, Leopoldo esquecia-se de si e de seu reino. Respeitosamente vinham os ministros espertar a Majestade, a qual, muito a contragosto, de mau humor, deixava o castelo, a castelã e as duas vergonteazi-nhas da sua velhice para lá ir aborrecer-se na secante Bruxelas, em cujo Bois de la Cambre mostrava-se de carruagem, melancolicamente saudoso.

Leopoldo era um forreta, exceto em se tratando de amores; não deixou fama de mãos abertas nem no recompensar servicinhos particulares.

Aos gendarmes que em Lormy lhe puxavam o carrinho do bebê galardoou com relógios... imitação de ouro. Em compensação condecorou-os com a medalha do Mérito Militar da Bélgica. Estas e outras generosidades do mesmo tom resgatam-no dos muitos pecados com que se foi para o céu...

(Grumixamas... Se entre nós as cultivassem a sério, se um Burbank tomasse à sua conta a frutinha silvestre, que esplêndida cereja não poderia dar!

Não temos cerejas no Brasil por puro relaxamento. Vi na casa do João Bosa em Taubaté uma cerejeira que sempre deu boas cargas em outubro — dizem que boas, bem doces — nunca provei nenhuma. Mas a grumixama é a nossa cereja nacional. Quantas nesta cestinha? Mais de cem. Mas muito caras. O rei Leopoldo não daria por elas mais que um tostão.)

A sua vida de libertino lhe valeu o rompimento com a corte inglesa. Fora a princípio um dos conselheiros da rainha Vitória, e ia a Londres tão repetidamente como depois passou a ir a Paris. Um belo dia, porém, William Stead, esse mesmo que em Haia assinalou Rui Barbosa à admiração e respeito do mundo, denunciou a vida escandalosa de Leopoldo em Londres. Logo depois o caso Jeffries (proxenetismo de amores aristocráticos) provou o arguido — e a rainha Vitória, tão pudica, indignadamente verificou que o que atraía Leopoldo II a Londres não era ela e sim os régios regabofes proporcionados pela tal Miss Jeffries.

Ficaram estremecidas as cortes de Saint James e Bruxelas; a rainha rompeu com o seu real conselheiro e Eduardo VII mais tarde manteve o rompimento.

É possível que as razões do repúdio de Leopoldo não fossem as mesmas na mãe e no filho, porque este, quando príncipe de Gales, levou em Paris uma vida invejadíssima, merecedora de figurar ao lado da do rei dos belgas num livro com o nome de "Como se divertem os reais estroinas".

Feição curiosa de Leopoldo II foi a sua notável habilidade comercial. Com grande manha apropriou-se do Congo, não para a Bélgica, mas para si, e à força de chibata extorquiu muitos milhões do lombo da negralhada. Aquela sua realeza do

Congo sabia-lhe a rosas, apesar do incessante ladrido da imprensa inglesa, que aos modos não concebe exploração de africanos por outras unhas que não as que arrancaram as terras do presidente Kruger no sul da África. Os súditos africanos do rei Leopoldo eram mais facilmente guiados a rabo de hipopótamo do que os seus colegas da Bélgica pelo complicado aparelho governativo constitucional. E os milhões de francos que do Congo Leopoldo auferia — negros, negríssimos na opinião suspeita do *Pall Mall* e do *Times* — apresentavam-se para ele, e para a Carolina, tão amarelos e bem soantes como os da lista civil.

Quem folheia um repositório qualquer da caricatura europeia esbarra amiúde com as grandes barbas brancas de Leopoldo II, sempre metido numa verdura frascaria ou numa aventura comercial congolesa. Foram os dois pontos de sua vida que a sátira internacional mordeu mais a fundo.

Aqui tenho o *Fischietto* de Turim; o desenho mostra Leopoldo em consulta a um médico sobre certa doença do estômago.

— "Peso no estômago, Sire? São talvez os milhões do Congo."

Leopoldo ri-se.

— "Oh, esses não me fazem mal. Digiro-os maravilhosamente bem."

Outro jornal, também italiano, o *Pasquino*, caricatura-o doente dos pés, a escaldá-los numa tina.

— "Pobre de mim!" suspira Leopoldo. "Terei de renunciar à minha gloriosa carreira de *vieux marcheur*?"

Estas duas piadas são típicas. Satiriza uma a tremenda patifaria do Congo belga; e a segunda, a "largueza de carne" do rei, como diria o padre Lucena.

Hoje está Leopoldo no céu, incorporado à plêiade dos reais tunantes. Francisco I é de supor fosse o escolhido para recebê-lo — e estou aqui a ver o homem do *Femme souvent varie*... a dar palmadinhas no ombro do recipiendário.

"Maroto! O que não se regalou lá na terra..."

E Leopoldo, o incorrigível, já saudoso das conquistas galantes crava o monóculo no olho e relancea em redor um olhar esquadrinhador.

— "E por aqui, meu Chico — que há? Resta alguma das Onze Mil?"

Se resta, que se precate, porque Leopoldo se foi desta vida cansado — saciado é que não.

(Burbank foi o maior mago da botânica. Criou os melões *Cantaloup* e *Honeydew*, tão bons. Criou a uva e a ameixa sem sementes, o cacto sem espinhos, a ervilha americana própria para o *petit-pois* em lata. Que não faria ele desta deliciosa grumixama do Ribeirão Vermelho?)

Mas o rei dos belgas e do Congo...

O RÁDIO MOTOR

Vaticinar em nossos dias é menos função de cabeludos vates à Múcio Teixeira do que dos cultores da ciência positiva. Em vez de estudar o fígado dum galo negro ou os voos duma coruja, o profeta recorre a tábua de logaritmos. Não é mais

> Pelo cabo da vassoura
> Pela corda da polé,
> Pela víbora que vê
> Pela Sura e pela Toura,
>
> Pela vara de condão,
> Pelo pano da peneira,
> Pela velha feiticeira,
> Do finado pela mão,
>
> Pelo bode rei da festa...

e por tantos outros telescópios de famigeradas virtudes e frequentíssimo uso entre nossos antepassados, que se espia o futuro, senão por uma lunetazinha chamada Lógica Indutiva. Vaticinar, em suma, não é mais coisa de vates epilépticos em transe; é predeterminar.

Não se vaticina a solução dum problema algébrico; deduzimo-lo, e sob muitas luzes o futuro da humanidade é "quase" um problema de álgebra. Dada a lei da causalidade, e a série de efeitos atuais que por sua vez serão as causas dos efeitos futuros, prever é determinar a resultante desta conjugação de forças.

Mas para baralhar esta simplicidade de raciocínio há o "quase"; há a interferência de fatores inexistentes hoje, imprevisíveis, portanto, mas de fatal e periódico advento no decurso da história. Tais fatores saem sobretudo do laboratório, dessas silenciosas luras onde se alapam por anos sem conta, às vezes pela vida inteira, os ursos humanos, os estranhos seres de barba recrescida, óculos fortes e olhar vago, vulgarmente ditos os "sábios".

De quando em vez um deles emerge à luz do mundo acenando com um tubo de vidro onde há uma pitada duma substância nova, desconhecida.

Parece nada aquilo, mas pode ser o germe de formidandas revoluções sociais, desviadoras do curso do velho rio humano — o Amazonas que corre do "?" inicial ao inquietante "x" do término — se o há.

Quando o casal Curie isolou a primeira partícula de rádio, sem que eles o pressentissem tracejaram-se para as ciências naturais veredas inteiramente novas, e a agulha da bússola norteadora dos destinos humanos oscilou às tontas, como se um cataclisma incompreensível houvesse destruído os polos magnéticos.

Ainda não nos é dado prever até que limites a descoberta do rádio influirá nos destinos humanos — mas que trará transformações radicais para a vida do mundo, intensa e extensíssimas como nunca as houve semelhantes, é ponto que nem o mais caturra dos céticos se anima a pôr em dúvida.

Já os sábios delineam em linhas gerais o gigantesco edifício futuro que incumbe à ciência moderna erguer sobre as ruínas do pardieiro velho. E assistimos ao curiosíssimo fenômeno da morte de um dogma científico — caso nada vulgar.

O século passado foi cruelmente dogmicida. Audaciosas algaras houve, de sábios e filósofos, contra os domínios hierárquicos de venerandos axiomas sacratíssimos. Nenhum resistiu incólume à correria; pela mor parte desabaram com fragor. Vimos Renan, só a sua conta, trespassar uns tantos com as suas setas triplicemente ervadas de rigor científico, suave poesia e nobre aticismo. Vimos Strauss, Nietzsche,

Buchner, Darwin, Haeckel, Berthelot aporfiados em arcabuzar quantos lhes passavam ao alcance das armas temperadas na forja do método positivo.

Mas semelhante razia só colhia os dogmas religiosos, filosóficos, morais, sociais; os da matemática e da física desafiavam os heréticos: pareciam de bronze.

E fomos nos acostumando à ideia da fragilidade dos dogmas religiosos e morais, e da inexpugnabilidade dos dogmas da ciência.

Súbito, senão quando, descobre-se no mais pimpão de todos — o da indestrutibilidade da matéria — um calcanhar tão vulnerável como o de Aquiles. Sem tardança os Curie, Lebon, Thomson e outros lhe desferem uma chuva de pelouros mortíferos, que o deitam por terra, tonto, talvez morto duma vez, como se fosse um reles dogma religioso...

Triste contingência das verdades humanas. Não escapam à caduquice e à morte!

Já alguma coisa a experimentação e a generalização científica arrancaram dos novos princípios; mas isso é nada diante da extrema amplitude do campo aberto.

Todo o porvir humano se concentra e se incuba nesse campo, já que um íntimo liame existe entre a marcha da civilização e a energia mecânica utilizada pelo homem. Que é que os novos princípios deixam entrever senão o solucionamento, talvez definitivo, do magno problema da força?

A antiguidade teve o músculo, a miseranda força arrancada a chicote do braço escravo. Baseando nele a grandeza do império, Roma talou o mundo para na urbe orgulhosa acumular a força de músculos necessária ao giro de sua vida econômica.

Denis Papin dotou a humanidade com o vapor, e assim deu carta de alforria à carne servil. Do vapor saiu tudo quanto temos hoje. A supressão das distâncias, o rápido devassar dos mares, as usinas imensas de onde saem todas as maravilhas da indústria, a própria eletricidade e o mais que ensoberbece a nossa era — tudo, direta ou indiretamente, veio do vapor d'água.

A idade contemporânea é filha do vapor, como a idade subsequente o será da força radioativa. Futuro e radioatividade são termos que se misturam.

Que coisa é essa força futura? Para bem a compreendermos faz-se mister um volver d'olhos sobre o maior passo que jamais deu a ciência humana.

Havia o dualismo irredutível de força e matéria. Desde que o homem começou a filosofar esse princípio impôs-se. Da orgia dos sistemas metafísicos saiu incólume, como saiu incólume do cadinho das filosofias físicas. Mas no tubozinho de vidro que madame Curie mostrou ao mundo vinha uma sentença de morte.

Era a do velho dualismo da física. O outro, o da alma e do corpo, já anda de pedra tumular em cima, com epitáfios. Trabalhos posteriores à descoberta do rádio vieram provar que Força e Matéria não são coisas distintas, senão uma e a mesma. Força é matéria em transe de esvaimento. Matéria é força condensada. Em vez de indestrutível, a matéria é destrutível; destrói-se em força, em emissão de força.

Abalado o dogma de Lavoisier!... Tudo se perde. Abalado o dogma de Robert Meyer... A energia também se perde. A lei da evolução aplicada às espécies vivas rege a força e a matéria. As espécies químicas, os corpos simples, nascem, crescem e morrem, como as plantas e os animais. Governa a vida do sódio, do oxigênio, do hidrogênio, a mesma lei que governa a vida dos cães e das couves.

Todas as forças conhecidas saem do lento esvair da matéria — a luz solar, o calor, a eletricidade, os sons, os elétrons, os raios catódicos, os raios X, os raios N, os raios Alfa, os raios Beta, e inúmeras outras formas de emanação ainda mal conhecidas. O interminável morrer da Matéria é o perpétuo nascer da Força. Força é o estado instável, dinâmico, da coisa chamada por Lebon "energia intra-atômica". Matéria é o estado estável dessa energia — estático — sólido, em suma.

O fenômeno da dissociação da matéria, observado pela primeira vez no rádio e depois em todos os outros corpos sem exceção, equivale a um desenvolvimento de força mecânica de tal vulto que atordoa o pensamento e enlouquece a imaginação.

Curiosos cálculos demonstram que um grama de cobre, se se desmaterializasse no decurso de um segundo, produziria força equivalente a 6.800.000.000 de cavalos vapor, dada a velocidade de 100.000 quilômetros por segundo que animaria as partículas imateriais emitidas...

Esta força é suficiente para arrastar à volta da terra, quatro vezes e meia, um comboio de mercadorias arcando quinhentas toneladas. E como para realizar semelhante viagem pelos meios atuais se torna necessário o emprego de 2.830 toneladas de carvão, cujo preço aqui entre nós regula trinta mil réis cada uma, temos que a experiência ficaria em 84:900$000. Quer dizer que o valor mercantil da força intra-atômica condensada num grama de cobre é igual à fortuna acima...

Deste simples exemplo se vê que futuro imenso está reservado aos atuais estudos científicos em suas aplicações industriais, quando for descoberto o meio prático de aumentar a rapidez dissociativa da matéria e utilizar a força mecânica produzida.

Quando for descoberto...

Rir-se-ão os céticos impenitentes, esquecidos de que este predeterminar coisas futuras é uma prerrogativa da ciência moderna. Muitos anos antes de descoberto o planeta Netuno já Leverrier lhe marcara a posição no céu, emprazando o aperfeiçoamento do telescópio a vir comprová-la. O previsto aconteceu. Telescópios de maior alcance vieram, anos depois, atestar o rigor da profecia — a beleza nunca igualada dos cálculos daquele astrônomo. Não se riu em último lugar quem se riu de Leverrier.

Assim será com o rádio motor. Virá a seu tempo como o messias da mecânica, como a chave de todos os problemas econômicos formulados pelo humano evolver.

Virá assinalar o início da Idade de Ouro. Virá solver a eterna questão da força barata e ao alcance de todas as criaturas humanas, como é hoje o uso do ar, da água e do fogo.

O pauperismo, a longa miséria das classes operárias e rurais — escolhos em que têm naufragado todos os esforços de solução empreendidos pelas religiões e pelas filosofias, terão na força intra-atômica o tão longamente esperado redutor. O que não fizeram vinte séculos de cristianismo, nem outros tantos de filosofismo, está reservado ao que começou a incubar-se nas tachadas de pechblenda ao fogo da pobre madame Curie... ([1])

---

[1] A profecia de Lobato, feita neste artigo publicado em 1910 n'*A Tribuna*, de Santos, começa a concretizar-se. Dum jornal de ontem — 16-11-1945 — extraímos o seguinte telegrama: "LONDRES — (U.P.) — Um automóvel movido pela energia atômica foi o assunto do dia nesta capital. Segundo o *Daily Sketch*, circulou ontem em Londres, a título de experiência, um automóvel cuja propulsão está baseada na energia atômica. O aparelho foi dirigido pelo próprio inventor e levava como passageiros dois deputados trabalhistas. Afirma-se que o 'equipamento atômico' está contido numa caixa redonda de apenas oito centímetros de diâmetro, instalada dentro do carro."

Hermismo

Era um lagamar de águas mansas, cujo espelho de longe em longe um calhau rompia, circulando-o de ôndulas concêntricas, e cuja limpidez raramente se turvava ao rabear dalguma serpente adormecida no fundo. Breve, à medida que morriam na praia as ondas pequeninas, recompunha-se a lisura da superfície; e restaurava a linfa a sua primitiva limpidez com o acamamento do lodo rebolcado. Um dia, porém, rompem-se as barragens e a água se precipita para as lezírias circunjacentes, inundando-as.

Entremostra-se então, onde fora lagoa, um leito verde-negro, ganglionado de restingas e nateiros de lama fétida, atravancado de pedrouços limosos, cascalheira de aluvião, madeirame roído de carcoma, ossaturas semidesfeitas, carcaças tábidas ainda vestidas de molambos nauseabundos. E esfervilha ali toda uma fauna insuspeitada: a fauna da vasa.

É a mariscalha lambareira sempre à lambujem das carniças; são batráquios verdes, de pele grumosa, que estilam leites peganhentos; são anelídeos raboleantes, com as ventosas a postos, farejando no ar o sangue das vítimas. Das luras espiam caranguejos de rija carapaça pensativos, como remoendo planos para surpreender a presa. As madrigueiras postas a nu deixam ver seus mal achavascados habitadores, crustáceos absurdos e toda casta de caricatura, de tentativas teratológicas, de pilhérias animalescas, de seres sarrafaçados às três pancadas em momentos de mau humor da natureza.

Embaixo, invisível, enxameia a legião inumerável dos infusórios, dos vibriões e protozoários — ralé vil a qual foi recusada a honra de um reino definido.

E não é só. Dos arredores acode a miuçalha predatória de terra e ar. Chusmas de carabicos carniceiros e zumbidores, gentinha má cujos instintos e gostos mentem às cores brilhantes dos élitros. Feios crabos, sonsos, cautelosos, de olho no cevo, que avançam afiando a serrilha das mandíbulas bífidas.

Não se isenta de concorrer ao festim o reino vegetal. Logo pulula, rebentos duma noite, a flora dos cogumelos — lesmas vegetais que ao invés de devorarem o estrabo dele ressurtem gordas e felizes.

O ar se peja de emanações peçonhentas; as brisas passageiras levam para longe o contagião nas asas. E a lagoa de há pouco, em cujo espelho se estampava o azul do céu e à noite tremeluzia o reflexo das estrelas, está agora uma chafurda onde se aglomeram todas as misérias e cochilos de Mãe Natura.

Crises sociais há que relembram o quadro das lagoas extravasadas. A sociedade esconde em seu seio uma infinidade de aleijões e taras, de seres instáveis, malformados, de quase-homens, de não-homens, de semi-homens, de contra homens, de pseudo-homens. Nas épocas normais tais seres como que hibernam ao modo das enguias atascadas na vasa — mas sempre de olho numa aura propícia ao seu despertar.

A ordem social, o império da justiça, a soberania do direito, funcionam como a água da lagoa: comprimem com o formidável peso de sua massa a fauna perigosa, mantendo-a em açamo no fundo escuro dos porões. Estremeça a ordem, afrouxe a justiça os seus laços, exile-se o direito — e a mariscalha social, livre dos açamos sobe à tona e tripudia, faminta de dominação. Invasão de hunos em terra disciplinada pela mão de Roma.

A primeira região invadida é a imprensa. Quanto sarrafaçador de literatura alcaiota vivia mascando o bridão peador, acode a esvurmar a peçonha refece — pois que há quem lha pague. E que eméritos se revelam no tecer invencionices, no entressachar visos de veracidade na trama de mentiras engenhosas, no bordar no rengalho da verdade capciosos lavores da mais fina e astuta calúnia!

Não conhecem mestres na arte de torcer um fato, aleijá-lo, desarticulá-lo, e com a carduça resultante tecer um novo ao jeito da causa que propugnam. Tresande em qualquer parte uma veniaga e em chusma, como varejeiras, para lá revoam, de boca babosa para as gorjetas gordas. Numa tertúlia de políticos alguém proponha o atassalhamento duma reputação: de relance brotam da terra vinte mastins prontos para a empreitada.

Há nesse modo de agir muito do Marquês de Sade; dá-lhes gosto a vitória do malsão sobre o sadio, e muitas vezes mordem menos pela peita do que pelo satânico prazer de praticar o mal pelo mal.

Está entremeada destas crises a história da imprensa, não só a nossa como a do mundo inteiro. O que se babujou em França em redor da Questão Dreyfus... Basta a ruptura duma barragem na ordem social para que a imprensa se recame de cogumelos venenosos.

O restaurar da normalidade é um *vade retro* dado de chapa no focinho da cainçalha, a qual reflui para a hibernação nas alfurjas ou recolhe as unhas, como o gato, para a próxima sortida. Este restaurar da normalidade lembra a luz subitamente acesa num salão de baile às escuras: acende-se a luz e apaga-se toda a frascarice que o escuro desrecalcou.

Atravessamos hoje um desses períodos temulentos — e dos mais férteis. Longo foi o interregno de calmaria e ordem; uma erupção violenta era de esperar. A vasa recalcada adquire a força dos gases comprimidos. E aí está ela, saniosa, traiçoeira, derramando-se em caudais aqui, em filetes adiante, protéica, onipresente.

Como borbulha copiosa no Rio! Como rabeia alegre pelo interior!

Mas é vitória passageira. É vitória da vasa. Vitória dum momentâneo escuro e do ar momentaneamente confinado. Venha a luz e some-se o morcego. A luz é bactericida. Venha o ar livre e desapareçam os mofos. O ar livre é desinfetante.

E a luz e o ar livre fizeram-se entre nós homem, e o homem se fez apóstolo. Rui existe e Rui é a vitória da decência sobre a indecência. (²)

Um novo "frisson"

"...e apareceu em Nova York um neto de Barnum com a cabeça mais cheia de assombrosas concepções do que o seu avô. Bateu de vez o recorde da originalidade — e teve garantido pelos pósteros um superlativo apenso ao nome — Ton Gin o Ameri-

---

2   Este artigo publicado n'*A Tribuna*, de Santos, em 1910, ao tempo da luta entre Hermes e Rui Barbosa, mostra o ardor civilista de Monteiro Lobato e o seu estilo artificioso, evidentemente influenciado pela leitura dos discursos políticos de Rui Barbosa. Os artigos de Monteiro Lobato n'*A Tribuna* eram pagos a dez mil réis cada um, como ele o conta numa das cartas a Godofredo Rangel.

caníssimo. Durante a guerra russo-japonesa expôs seus planos a meia dúzia de reis *yankees* que por esse tempo, fartos de ouro, saciados de sensações, bocejavam de tédio, oferecendo milhões a quem lhes descobrisse a iguaria inigualável de qualquer coisa inédita — um desejo novo, uma simples comichão ainda não sentida.

Conhecida a ideia de Ton Gin, um indescritível açodamento iluminou o rosto inerte daqueles mortos-vivos; e até se conta (se isto não é peta do *Judge*) que o rei da Salchicha, de Chicago, pespegou um ruidoso beijo de gratidão na bochecha escandalizada do escanhoado Gin.

Senhor dos imensos recursos que o seu plano requeria, o neto de Barnum partiu para o Oriente com um batalhão de eficientíssimos auxiliares, e no bolso cartas de crédito para todos os bancos asiáticos. Os bons ofícios que a Casa Branca lhe proporcionou junto às cortes russa e amarela, mais a onipotência do dólar, abriram-lhe todas as portas, removeram todos os obstáculos, amordaçaram todas as dignidades cavalheirescas, aterraram todos os fossos; e, assim, em começos da primavera, com um grande riso de vitória na cara vermelha, Ton Gin concluiu a construção da sua gigantesca arquibancada ambulante e anexos.

A *War Tower* era duma arquitetura extremamente utilitária, sem um friso, um enfeite sem imediata função prática, construída toda de alumínio e montada sobre um engenhosíssimo sistema de rodas, engrenagens, motores. Isso lhe permitia a localização do conjunto em qualquer ponto da Manchúria e da Coreia onde houvesse probabilidades de batalha entre os beligerantes.

Uma rede de fios telefônicos breve emaranhou os céus daquelas paragens, permitindo um maravilhoso serviço de informações. Graças a isso, a coorte de agentes distribuídos por toda parte captava imediatamente qualquer decisão dos beligerantes e comunicava-a ao centro, permitindo a mudança da *War Tower* para o ponto mais conveniente. Graças a isso foi a batalha de Yung-tao prevista para tal dia e tal ponto — tudo se confirmando sem erro apreciável de tempo e local.

Acompanhava a grande arquibancada móvel um excelente casino-hotel com todos os atrativos dos melhores hotéis-casinos de Biarritz, Monte Carlo, Nice, Atlantic City; bares em profusão, salões disto e daquilo, *guichets* e quadros negros para a venda de *poules* — porque ali se apostava em larguíssima escala sobre este ou aquele exército — se venceria, se recuaria, se empataria, se haveria debandada, aniquilamento ou tréguas — ou decapitação de prisioneiros.

No *hall* das comunicações era perfeito o serviço da transmissão de cartas, palavras ou impressões; uma rede telegráfico-telefônica punha os principais centros do mundo em contato com aquele *hall*, de modo que todos os acontecimentos eram divulgados à proporção que iam ocorrendo. "O 4.º esquadrão de cossacos do Don avança a galope!..." "O general Oku recua..." "As baterias de Kuroki arrasam os esquadrões do coronel Orloff..." "A ala esquerda russa vacila; Kuropatkine, impaciente, torce os bigodes; espera reforço do sul..."

Americanamente infatigável, Ton Gin multiplicava-se, estava em toda parte, sempre radiante, a dar ordens, a melhorar serviços, risonho, amável. Mordia eternamente o charuto apagado.

A caixa rende-lhe. Do mundo inteiro chegam diletantes, milionários, aristocratas, herdeiros presuntivos, reis destronados, mundanas célebres, magras misses sadistas, todos os "gourmets" ávidos dos "frissons" inéditos prometidos pela propaganda de Ton. E quantos repórteres, desenhistas, fotógrafos...

A caixa, a caixa! Como se vai enchendo! O número de *blasés* endinheirados recresce a ponto de se exiguarem as acomodações. Ton Gin constrói novas dependências e anexos. A gente percebe ali o ambiente da pressa, da sofreguidão, mas às ocultas, porque tudo é feito de modo a não impressionar os clientes com o espetáculo penoso do trabalho do homem a cem graus de pressão.

Em vésperas da tomada de Porto Artur a *War Tower* estacionava em Kai-ping; os avisos premonitórios do desastre russo induziram Ton Gin a abalar dali a toda com o seu casino ambulante. O espetáculo em vista — tomada duma grande fortaleza — era desses de fazer a Cleo de Mérode dar gritinhos histéricos e pedir mais. Sim, porque a Cleo de Mérode lá estava ao lado dum velho alto que todo mundo jurava ser o rei Leopoldo da Bélgica, incógnito. E a Bela Otero, e a Montigny, e quanta hetaira francesa de renome enche o mundo com a sua beleza "postal".

Rapidamente se fez o transporte para o melhor ponto estratégico a cavaleiro de Porto Artur, lugar adequadíssimo para a binoculação do assalto.

O perigo iminente das balas perdidas — que apesar do contrato de Gin com os beligerantes sempre existia — impôs a blindagem de certos trechos da traquitana, serviço muito facilitado pela gentileza do general Stoessel, que tudo forneceu dos seus arsenais. O general assaltante, o barão Kurovi, a instâncias de Ton Gin, também usou de amável fineza, alterando parte do seus planos de ataque, de modo a proporcionar aos nervos tensos da *War Tower* melhor visão e maior número de sensações fortes.

O cúmulo do barnunismo de Gin, entretanto, foi conseguir que os dois chefes adversários se dessem uma entrevista secreta num recinto adequado onde, por meio dum sistema de lentes, espelhos e projeções, podiam ser vistos por todos os clientes da *War Tower* sem que de nada desconfiassem. Dias depois dessa troca de amabilidades os dois chefes trocavam obuses — e em fúria se engalfinhavam em luta de morte.

O grande ataque principiou pela madrugadinha. Centenas de canhões trovejando ao mesmo tempo foi o toque de alvorada que despertou os espectadores. Que reboliço no casino! O eterno ríctus de Ton Gin chegou a gelar; medo que o tumulto degenerasse em desastre. Mas tudo correu normalmente e em breve todos os mirantes e seteiras da *War Tower* apinhavam-se de criaturas impacientes com o moroso do erguer-se do dia.

Certa miss de Newport culpava o Barnum: devia ter previsto aquela demora do crepúsculo matutino e entrado em entendimentos com Febo.

Outros, e entre eles o espingolado pintor impressionista Lepolyèdre, ganiam de prazer ante aquele espetáculo absolutamente inédito, de um bombardeio antes da madrugada, observado dum mirante com o maior conforto e segurança possíveis.

Tudo muito escuro ainda, quase de breu. Nem luar, nem estrelas. Só na fímbria do horizonte as baterias de Kuroki piscando clarões vermelhos, e dos bastiões de Porto Artur a réplica adequada.

Mas raiou afinal o dia e a curiosa clientela de Ton pôde saciar a gula nas cerradas colunas japonesas que em marcha acelerada rolavam na direção da cidade invicta.

Na casa das apostas o movimento atingiu proporções incríveis. O duque de

Bragança sacudia no ar um cheque de cem mil dólares; seu palpite era que a luta terminaria indecisa. Já o jovem Carnegie apostava um milhão em Kuroki. Quem topa? Ninguém topou; a soma amedrontava e o nipônico era o favorito.

Cleo de Mérode, russófila ardente, apostou tudo em Stoessel, até beijos. Três com o conde Albertini, tuberculoso no último grau.

Um filho do rei do Hot-Dog fechou com ela uma aposta em Kuroki: cinquenta mil dólares contra um abraço. Cleo mordia os dedos da luva, tão nervosa, a coitadinha... O velho a seu lado, num capotão, olhava, olhava, enquanto o conde Albertini cofiava o cavanhaque com as mãos pálidas e magras, e lambia os lábios no antegozo talvez dos últimos beijos de sua vida no fim.

Lepolyèdre, muito espingolado, muito pontiagudo, esboçava um rápido croquis num álbum.

Mas o general Stoessel revelou-se um hábil *goalkeeper*, e por mais veloz, e bem dirigido que se desenvolvesse o assalto de Kuroki, o dia findou sem que sequer fosse penetrada a linha dos *backs*: Porto Artur defendia-se como um leão encurralado..."

Devia ser muito comprida esta história do Barnum Ton Gin, mas as tiras que encontrei na pasta do meu amigo foram estas somente.

Cartas de Paris

Paris, 10, 6, 1916

Marius:

Esta primeira epístola de Asinipedes aos Coríntios vai escrita com tinta simpática a fim de iludir a censura. Basta que aí na redação d'*O Povo* passes por cima um ferro quente para que se tornem legíveis os meus gatafunhos escritos com caldo de... não posso dizer o segredo da invenção.

Paris! Paris! Estou nessa Paris que sempre virou a cabeça de todos os brasileiros — e como não, se há aqui sessenta mil mulheres de "bem fazer a quem lhes paga" ou tapeia? Brasileiro é mico — e em parte nenhuma um homem se convence disso mais que aqui. Chegam e: "Onde é? Indique-me uma coisa boa." Louvre? Sorbonne? Centros de arte e cultura? Ah, ah, ah...

Estou em Paris! Pasmai basbaques dalém mar, gente cheia de nós e raízes, para a qual uma ida àquela aldeia de S. Paulo, ou àquela taba do Rio de Janeiro, é coisa séria, exigidora de licença da mulher e benção do vigário. Paris... Isto aqui é que é. Cada pedaço de *trottin* pelos boulevards, a caça de marchantes, que é da gente espinotear de gozo. Como as há em Paris! Nós somos uma terra de imigração, isto é, em que entra muita gente masculina de fora. Em consequência há mais homens do que mulheres — daí a importância, a valorização da mulher. No Acre, por exemplo, uma mulher causa revolução, determina grande consumo de balas e facadas — e como não ser assim, se há uma para vinte homens ou mais?

Aqui? Ah, os homens andam na guerra, a morrerem como formigas em tempo de geada; e os varões restantes, a velharada e os *embusqués*, absolutamente não chegam para as encomendas. Daí a importância de estrangeiros, como eu, o Medeiros e Albuquerque e outros.

O Medeiros? Sim, está aqui, com aquele moreno de pé-de-moleque, com aquela graciosa surdez, com aqueles olhos pretos — sempre vestido numa farda de coronel da Guarda Nacional, imagine! E sabe por quê? Porque o gosto de Medeiros é caçá-las — e a farda muda muito — é isca...

E além dessas atividades amatórias Medeiros tem outras. Está como uma espécie de comissário do governo francês, cavando a entrada do Brasil na guerra. E não entrada platônica, mas com remessa de forças.

Diz ele que se isso se der, a vitória dos aliados será apressada de uma fração de segundo. Além de que, continua ele, temos generais de arromba, como o Hermes, verdadeiros gênios militares; acha que o Hermes até aos gases asfixiantes é capaz de resistir numa trincheira, dada a crosta de imbecilidade que o reveste. E temos uma esquadra de primeira ordem. Se está com as máquinas enferrujadas e não pode navegar, bem rebocada pelos rebocadores do Lage é capaz de vir até a Jutlândia — e lá ir para o fundo gloriosamente, com o pendão auriverde desfraldado e a charanga a malhar o *Vem cá mulata*.

Grande homem o Medeiros! Consultei-o sobre a sua fobia pelos alemães e ele:

— O diabo do alemão não é tão feio como os jornais do Brasil o pintam. Mas estou aqui e cuido da minha vida, compreende?

Outro patrício que topei a chuchurrear um *bock* no Boulevard Haussmann foi o Graça Aranha. Está um *bijou*. Interpelei-o:

— Então, Graça, como é que você pintou com tanta simpatia os alemães em sua *Canaã*, o lindo romance, e agora quer comer-lhes os fígados? Quando foi sincero, naquele tempo ou agora?

Ele piscou velhacamente e, apontando com o beiço uma ultra picante criatura que passava, disse:

— Eu gosto disso, e isso custa isto. E como isto só aparece para os que comem os fígados dos alemães, engoli o Lentz e o Milkau e estou uma fera pior que o Medeiros. Eu e ele somos uns pândegos.

— Mas os jornais lá embaixo tomam vocês a sério.

— Ora os jornais!...

— E o Brasil escreve o que vocês dizem.

— Ora o Brasil!...

Deixei o eminente paredro a sorrir da gente de *là bas* — e segui para uma entrevista combinada e com a qual os leitores desta folha nada têm que ver. E lá ia andando, de olho parado, pensativo, quando... imaginem com quem topo? Olavo Bilac, nem mais nem menos! Olavo Brás Martins dos Guimarães Bilac, o poeta das estrelas ouvidas e de tanta coisa linda que vocês aí sabem de cor. Era o terceiro "imortal" encontrado naquele dia. Minha impressão foi de estar em pleno Rio de Janeiro.

— Então, Bilac velho e cansado, por aqui também? A piscar esse olho vesgo para as *trottins* apetitosas?

Bilac riu-se e abriu-me o coração.

— Nada disso. Cá estou como num refúgio. Caí na asneira de discursar na Academia de S. Paulo e lançar aos ventos umas tantas ideias velhas como o mundo.

Pois não te conto nada: o macacal tomou aquilo a sério, viu em minhas palavras qualquer coisa de messiânico e meteu-se aos urros, aos hinos, aos vivas, a apoteosar-me, a entupir-me da tal retórica do patriotismo, a coisa mais engulhante que existe. Quanto asneirão, meu Deus! Quanto lugar comum! Quanta sonoridade sem nenhum sentido! Deram-me como uma Cassandra de *pince-nez* em transe de salvamento da pátria. E por mais que eu me encolhesse, que lhes fugisse à sanha patriótica, tive de ouvir coisas do arco da velha e comer mais banquetes do que os suporta um estômago humano. Ora, eu sou um filho de Apolo que só se compraz na companhia das Musas, na torre de marfim de minha arte perfeita. "*Inania verba*" — lembra-se daquele soneto? "A última flor do Lácio" — que lindo! "A tentação de Xenócrates!" Imagine a minha torre invadida, sacudida, vascolejada pela invasão do peru assado, do presunto, do orador em perpétua explosão de lava candente... Não aguentei. Saquei do banco as minhas reservas e voei-me para aqui afim de mundificar-me, lavar-me, desencrostar os ouvidos e a alma de tanta gafeira. O patriotismo nacional! Que catinga de Cafraria!... Não é um sentimento construtor. É berro, é chavão, é a sonoridade mais lorpa e tola que pode haver no mundo.

— Bilac, Bilac! Como te atreves a tratar assim uma gente que te adora e pensa em te erigir estátuas nos jardins?

— Que queres? Sou um heleno transviado num infinito macacal. Lá engulo aquilo de cara alegre. Que remédio? Mas aqui, ah, aqui me desabafo — e, empertigando-se todo, atirou a uma costureirinha que passava o seu melhor sorriso.

— *Bon soir mam'zelle, voulez vous ouir des étoilles?*

E lá lhe foi no encalço, deixando-me ali de boca aberta. Esperei por algum tempo a passagem de mais algum "imortal". Falhando a tentativa, tratei de passar o resto da noite no convívio dos simples mortais.

Eis, Marius, o que é minha vida aqui. Regalo, delícias. Está Paris um oceano de mulheres. O "male" francês é uma hipótese. A realidade única é a francesa.

Mas como são piratas! Como são sabidas! Que arte no fingir amor! E como somos tolos, nós de "là bas"! Acreditamos nesse fingimento e orgulhamo-nos simploriamente do nosso triunfo — da nossa capacidade de levar ao êxtase qualquer francesinha — todas as francesinhas...

Adeus.

M. B. Asinipedes

A conquista do azoto

Quando o roceiro, recolhido o milho, deixa a "palha" em pousio por alguns anos, em obediência à rotina que lhe ensinou o pai, e a este o avô, está praticando a mais sábia das adubações. O rebrotar da capoeira e o acamar das folhas maduras em lenta decomposição num ambiente de umidade sombria, determina um estado de solo muito propício à proliferação dum microorganismo dotado da preciosa faculdade de fixar o azoto da atmosfera em nódulos, como verrugas, esparsos pelas raízes das plantas.

Isto sabe-se hoje, embora a prática do pousio seja imemorial na história da agricultura. Por que e como se fertiliza a terra com o repouso? Competia ao laboratório decifrar o segredo — e só agora o faz.

As velhas teorias clássicas vindas de Liebig até nós e cristalizadas em dogmas científicos — ou pelo menos da ciência oficial — deixavam inexplicadas muitas particularidades atinentes à nutrição dos vegetais.

Uma terra, dosada com rigor de todos os elementos químicos que a análise revela na composição duma planta, não a nutria a contento. Algo imponderável escapava à balança do químico. O microscópio o desvendou — e o estudo da nutrição vegetal envereda por diretrizes novas, já prenunciadas como fecundíssimas em auspiciosas consequências.

As maiores revoluções da humanidade não são obra das chacinas tremendas que avermelham as páginas da História, mas duma aparentemente insignificante descoberta científica, operada as mais das vezes por acaso no remanso dum humilde laboratório.

Quando no Colégio Real de Apperley Bridge, na Inglaterra, o professor de botânica Bottomley (nome bem fadado: *bottom*, fundo, base; *ley*, lixívia) descobriu o *Pseudononus radicicula*, nome da bactéria captadora do azoto atmosférico, é de crer tenha dado forte guinada no leme, norteando a humanidade para rumos não sonhados por nenhum utopista.

A agricultura, quando não mais dispõe de terras virgens, vê-se a braços com a contingência de restituir ao solo pela adubação o que lhe foi retirado pelas colheitas. É o caso europeu. A terra cansada por um cultivo de séculos restaura-se à custa do nitrato de soda chileno e dos depósitos de guano do Pacífico. Mas tais jazidas, por abundantes que sejam, veem aproximar-se o fim. Na previsão disso deu William Crookes um brado de alarma: o esgotamento do nitrato será a fome no globo, se a ciência não deparar ao homem nova fonte de azoto barato.

É o que parece ter feito Bottomley. Para felicidade do mundo, enquanto metade dos sábios escavaca a mioleira no encalço de picratos terribilíssimos, para apuro da arte de bem matar, outra metade devassa os arcanos da natureza, no afã de construir a arte de bem viver.

Bottomley fecha um ciclo de investigações iniciado pelo professor Thompson, o qual conseguiu captar por meio da corrente elétrica o azoto do ar atmosférico. Nem sempre as soluções científicas são também comerciais. A de Thompson, por onerosa, está por enquanto nos domínios do laboratório apenas. Mas a solução de Bottomley parece tudo atender às mil maravilhas.

Em vez de adubar o solo, processo lento, pesado e caro, basta inocular a semente com o vírus da fertilidade. Caída na terra a semente contaminada pela bactéria nitrogênica, germinará em meio duma cultura microbiana de vulto progressivo, e promotora da assimilação do azoto do ar em quantidade propícia à plena exuberância da planta.

Não está desvendado o mecanismo desta assimilação. Há opiniões. Força catalítica para uns, digestão de gás para outros. Pouco importa. O que nos aproveita é conhecer o meio de fixar o azoto por um processo biológico barato e automático — o que parece resolvido pelas experiências do professor inglês. Já o Departamento da Agricultura dos Estados Unidos distribuiu milhares de quilos de sementes inoculadas, e diz-se que os resultados excedem a expectativa.

A adubação verde pelo enterramento de leguminosas, cujas raízes são o habitáculo natural do micro-organismo nitrogênico, era uma apalpadela no escuro que agora se aclara.

São intuitivas as vantagens decorrentes da descoberta inglesa. Pela supressão do adubo caro, diminuição do transporte, eliminação da tarefa de adubagem e outros óbices encarecedores da produção, esta se incrementará, com melhor margem de lucros.

Para o Brasil o seu valor é imenso. Nossas condições não permitem a lavoura mecânica nem a adubação química à europeia. Quem moureja na lavoura sabe dos obstáculos tremendos opostos à chamada agricultura racional. Os inspetores agrícolas e mais poetas pululantes no viveiro das secretarias e do Ministério da Agricultura esbofam-se na guerra santa contra a rotina, ansiosos pela implantação definitiva do "sistema racional" — ciência versus rotina. Mas rotina nem sempre é irracionalismo.

As mais das vezes quer dizer o conjunto de noções hauridas duma longa série de experiências no local, transmitidas religiosamente de pais a filhos. E "cultura racional" entre nós não passa de cópia servil do que se faz no estrangeiro, sem as cautelas duma sábia adaptação. Quem se guia pela rotina sempre salva o seu lucrozinho e vai indo para a frente, embora devagar. Os que se metem pelo racionalismo preconizado e ensinado pelos nossos poetas agrícolas e mais sereias ministeriais, coitadinhos, acabam frequentemente auscultando a boca dum cano de revólver.

Há umas tantas coisas sobre que a Praia Vermelha nunca lançou o seu olho sonolento de Ceres burocrática — ou então pula por cima.

Há, por exemplo, o Toco, inimigo da relha do arado; há o Morro, inimigo do tratar do arado; há o pessoal agrícola, inimigo da rabiça do arado. Há a especulação comercial, inimiga do baixo preço do arado. Há a nossa eterna fraqueza econômica, inimiga da aquisição de qualquer espécie de arado.

Apesar do berreiro do Kalisyndicat e dos momos de escárnio dos poetas agrícolas, unânimes em acoimá-lo de atrasado, o lavrador sabe a história do adubo químico aqui impingido, sabe-lhe o preço escorchante, sabe como o falsificam e desnaturam os industriais sem escrúpulos. E conhecendo a fundo a Praia Vermelha, reconhece-lhe o direito de esvair-se em conselhos, boletins, revistas, cartazes, etc.; mas zela pelo dever correlato de os não seguir, nem ler, nem pousar os olhos nos cartazes. Limita-se, quando lhe chegam em casa tais papéis, a pendurá-los em certo ganchinho.

Conhece também o crédito agrícola; sabe dos banquinhos com dinheirinhos a 12% mais a comissão, com uma quebra fraudulenta no meio do ano.

Conhece a parola governamental das mensagens, das plataformas, dos programas; a farragem dos chavões, enunciados papagaialmente pela boca dum Hermes, dum Wenceslau ou dum Nilo, no fundo das quais o que há realmente é sempre uma taxa nova, ou uma sobretaxa, ou um novo imposto adicional ou sobre adicional. A velha noção que o lavrador tem do Governo é a de um formidoloso tubarão com falas de sereia e dentes de piranha. E o Governo Estadual é um sub-tubarão com igual dentuça.

Comem-lhe ambos todo o resultado do seu trabalho na terra. Comem-lhe a pipoca — deixam-lhe só o piruá. Sobrou piruá? Hum! As municipalidades o descobrem e lá vêm com os seus impostozinhos de percevejo, suas taxazinhas sobre os cafeeiros, suas afeiçõezinhas de carros — e mais mordidelas de pulga magra.

Ora, com tantos e tais sócios forçados, com tanto morro, tanto toco, tanta formiga, tanto curuquerê, tanta lagarta rosada, tantas "vaquinhas" e ratos do mato e tatus e mais mimos tropicais, não sobra ao lavrador margem nenhuma de lucros possibilizadores da inicialmente cara "agricultura racional".

Por esta razão os três cereais que o país produz em grande, e de que se alimenta, feijão, milho e arroz, são extraídos da terra pelos velhos processos herdados dos avós. Em pequena escala, nos vales ou chapadões desembaraçados, o arado já entrou — não em virtude do sermonário oficial, mas porque um certo número de circunstâncias favoráveis o indicaram como redutor de despesas.

No mais, vai a lavoura revesando suas terras, remoçando-as pelo pousio; e quando de todo gastas, saltando para adiante, rumo ao sertão. E embora já existam vastas regiões dessoradas, onde só medra a barba-de-bode, o sapé e a samambaia, nosso problema alimentar ainda não preocupa ninguém. Ora, ora! Somos vinte e cinco milhões de bocas em cima de mais de oito milhões de quilômetros quadrados.

Não obstante, o arroz está a oitocentos réis o quilo e o trabalhador da roça ganha 1$600 por dia de doze horas, a seco — e tem mulher e filharada em casa. Eis porque a descoberta de Bottomley assume para nós importância de vulto.

Caso se confirme plenamente, permitir-nos-á um pulo por sobre o estágio europeu da adubação química, para cair já na fase nova em que parece vai entrar a agricultura do mundo. Parece...

Os países vivos já estão de orelha em pé, estudando o novo caminho; nos Estados Unidos já se distribuem sementes inoculadas com o *Pseudononus radicicola* — o abençoado bichinho. Aqui a linguagem oficial da Praia Vermelha continua no cantochão aberimbauado de toda vida.

Abra quem quiser as mais recentes publicações do Ministério. Nada do *Pseudononus*. O que lerá é: "Cultura da abóbora. Ara-se a terra com um arado de disco número tal, destorroa-se com o destorroador tal, gradea-se com a grade tal; aduba-se com tantas toneladas de fosfato de cal, mais tantas de potassa e mais uns quilos de pó de ouro. Planta-se então com a plantadeira tal, colhe-se com o colhedor tal e puxa-se com caminhão de tal marca, etc."

O "etc." quer dizer: e o lavrador, depois de entregar a fazenda aos credores, dá um tiro no ouvido com o revólver tal ou vai cavar um empreguinho de mata-mosquito no Rio de Janeiro.

Não há maior beleza do que fazer agricultura em papel do governo, no sossego duma repartição pública dotada de bons ventiladores, com setecentos mil réis no fim de cada mês e a *Encyclopédie Agricole* de Baillière et Fils ali à mão para consultas.

O que nos salva é ser o país analfabeto — e haver o ganchinho...

Não Ficção

A ONDA VERDE (1921)

A onda verde

A quem viaja pelos sertões do chamado Oeste de São Paulo empolga o espetáculo maravilhoso da preamar do café. Aquela onda verde nasceu humilde em terras fluminenses. Tomou vulto, desbordou para São Paulo e, fraldejando a Mantiqueira, veio morrer, detida pela frialdade do clima, à beira da Pauliceia.

Mas não parou. Transpôs o baixadão geento e foi espraiar-se em Campinas.

Ali começou mestre Café a perceber que estava em casa. Corredor de mundo, viajante exótico vindo d'Arábia ou d'África, provara pelo caminho todos os massapés e sondara todos os climas.

Franzia o nariz, porém. Veio sorrir ali, ao pisar esse Oásis do Rubídio que é o Oeste paulista. E arrancou de vez, para sempre, em sua casa.

Repete-se, então, o movimento bandeirante de outrora. Atrai o homem aventureiro não mais o ouro dissimulado em pepitas no seio da terra, mas o ouro anual das bagas vermelhas que se derriçam em balaios.

A região era todo um mataréu virgem de majestosa beleza.

Rasgara-o a facão o bandeirante antigo, por meio de picadas; o bandeirante moderno, machado ao ombro e facho incendiário na mão, vinha agora, não penetrá-lo, mas destruí-lo.

Almas fechadas ao contemplativismo, nunca lhes amolentou o pulso a beleza augusta dos jequitibás de frondes sussurrantes como o oceano, nem o vulto grave das perobeiras milenárias.

Sua ambição feroz preferia à beleza da desordem natural a beleza alinhada da árvore que dá ouro. Só esta forma de beleza tem amavios capazes de enlevar a alma fria do paulista. Para ver estadeada ante os olhos a sua beleza — coisa nova no mundo e criação genuinamente local — derrubou, roçou e queimou a maravilhosa vestimenta verde do oásis. Desfez em decênios a obra prima que a natureza vinha compondo desde a infância da terra.

Confessemos: um espetáculo vale o outro.

Nada mais soberbo — e nada desculpa tanto o orgulho paulista — do que o mar de cafeeiros em linha, postos em substituição da floresta nativa.

É de enfunar o peito a impressão de quem pela primeira vez navega sobre o oceano verde-escuro. Horas a fio, num *pullman* da Paulista ou num carro da Mogiana, a cortar um cafezal só — milhões e milhões de pés que ondulam por morro e vale até se perderem no horizonte confundidos com o céu... Um cafezal só que não acaba mais, sem outras soluções de continuidade além do casario das fazendas e dos postos circunjacentes... Para quem necessita revitalizar as energias murchas e esmaltar-se de indestrutível fé no futuro destas regiões do sul, nada melhor do que um *raid* pelo mar interno da Rubiácea.

Mas a árvore do ouro só o produz à custa do sangue da terra. É exuberante na produção da baga vermelha, mas insaciável de húmus.

Polvo com milhões de tentáculos, o Café rola sobre a mata e a soverte.

Nada o sacia. Já comeu as zonas ubérrimas de Ribeirão Preto, Jaú, São Manuel, Araraquara, os pedaços de ouro de São Paulo, e agora afunda os dentes na carne virgem, tressuante de seiva, do Paraná e de Mato Grosso.

Nada lhe detém a ofensiva irresistível. Não a paralisam geadas monstruosas como a de 1918; nem a inépcia dos governos — que chegou a barrar-lhe o caminho com a cerquinha de taquara de uma proibição de plantio; nem as taxas e sobretaxas excessivas; nem os impostos de saída; nem a jogatina de Santos; nem a mentalidade altista, loucamente esbanjadora, do fazendeiro.

Caminha sempre. Tanque monstruoso, vivo mas inconsciente, cego mas instintivo, lá rola hoje rumo noroeste, para diante, sempre para diante...

O café é uma epopeia. Quando nossa literatura largar o chazinho que beberica no Alvear e compreender a sua verdadeira missão, a epopeia, a tragédia, o drama e a comédia do café serão os grandes temas de quantos sentirem em si a fagulha divina. Hoje, coitadinha, anda ela tão entretida com o seu chá das cinco, com rodopios em torno de meninas histéricas, com a cintura dos almofadinhas, com as escorrências mercuriais que o francês nos exporta, que é bom, mesmo, não se meta a estragar com mãos de mico o nobre tema.

Que fôlego é mister!

Que amplitude de visão, que dureza d'alma, que sobre-humana coragem, para ver, sentir e contar a história da Onda Verde que digere as florestas virgens!

Os aspectos antigos — o eito de negros tocado a bacalhau, e os aspectos modernos — a bravura do italiano, encardido de óxido de ferro. As hostes de sertanejos, os mais rijos do Brasil, que descem pelo inverno dos socavões da Bahia, de machado às costas e uma fúria de destruição nos músculos. O duelo entre esses heróis de dentes apontados à faca e à seiva bruta. O machado que canta no róseo das perobas. A foice que risca a miuçalha vegetal. A queimada, depois... E depois o sertanejo que volta à querência com o dinheiro no lenço — pago e repago da faina com o espetáculo fulgurante da queimada que leva impresso na retina.

Eles destroem, mas não sabem construir. Entra em cena, para construir, o colono europeu e começa o drama da formação: quatro anos de enxada no pulso, de corrida paciente atrás de um mato que "corre atrás da gente". A vitória, afinal, a florada nívea — quando não, como em 1918, uma prematura florada de neve...

O assunto arrasta. Voltemos atrás.

A penetração do café nas terras novas escreve capítulos curiosíssimos, oscilantes entre o trágico e o cômico.

Faz-se por bem ou por mal — quase sempre por mal. O primeiro passo é a criação da propriedade de título líquido. Sem esta base não pode surgir a fazenda, que é uma empresa de vulto, exigidora de capitais. A propriedade, cria-se hoje, como outrora, pela conquista do mais forte, pela espoliação levada a cabo pelo mais audacioso, pelo mais despido de escrúpulos.

Um homem tímido e perfeitamente moral chega ao sertão e não topa brecha onde pôr o pé. Encontra-o deserto mas apossado. Não vê gente — mas sente donos. Se quer comprar, ninguém lhe vende. Ninguém lhe arrenda. Ninguém lhe aluga. Os detentores, zelosos de uma posse tradicional de pais e filhos, não querem vizinhos que lhes perturbem a paz do latifúndio. E o homem moral volta para trás desanimado.

Mas surge o grileiro e tudo se transforma. Terras paradas, terras inexpugnáveis à cultura, que velhos barbaças detêm aos milheiros de alqueires para delas tirar um prato de feijão e uns porquinhos de ceva, e que vêm vindo assim de avós a netos, e que permaneceriam assim toda a vida; terras devolutas, que a inércia do Estado conserva a monte, sem saber por que nem para que; terras legitimamente, legalmente "aproprietariadas" — nada disso é obstáculo à solércia do grileiro. Ao partir para o sertão ele deixou em casa, na gaveta, os escrúpulos da consciência. Vem firme, vem "feito" como um gavião. Opera as maiores falcatruas; falsifica firmas, papéis, selos; falsifica rios e montanhas; falsifica, árvores e marcos; falsifica juízes e cartórios; falsifica o fiel da balança de Têmis; falsifica o céu, a terra e as águas; falsifica Deus e o Diabo. Mas vence. E por arte dessa obra-prima de malabarismo, espoliando posseiros ou donos, sempre firmados na gazua da lei, os grileiros expelem das terras, num estupendo parigato, todos os "barbas ralas" que ali vivem parasitariamente, tentando resistir ao arranque da civilização.

Divididas as glebas em lotes, vendem-nas os grileiros à legião de colonos que os seguem como urubus — pelo cheiro da carniça. E o grilo, se foi bem feito, é inexpugnável e provoca admiração; se foi mal feito fracassa e é apupado pelos embaídos.

Num sertão modorrento, quando a presença de um advogado ou agrimensor esperta os velhos moradores, à uma voz eles murmuram — e se não murmuram sentem-no lá dentro das tripas:

— Nosso tempo acabou...

E acaba, de feito. Acaba o marasmo da terra porque o grileiro é o precursor da Onda Verde. O seu cri-cri anuncia a aproximação do tanque. Cinco, dez anos depois, a flor do café branqueia a zona e a incorpora ao patrimônio da riqueza nacional.

O peregrino espírito de Assis Chateaubriand já explanou em traços gerais, mas incisivos, esta função social e civilizadora do grilo. Definiu-o a arte de tirar o direito do nada. É isso. É a vitória da gazua do mais forte.

— Mas é uma gazua! Abre as portas do sertão mas é uma chave falsa!... — diz a moral.

Responde o Café:

— Minha fome está acima da moral, e eu só conheço as leis do meu apetite.

Há fomes simpáticas, não resta dúvida...

O "GRILO"

Insistente nas palestras como certas moscas em dia de calor, é, nas regiões da Noroeste, a palavra "grilo". "Grilo" e seus derivados, "grileiro", "engrilar", em acepção muito diversa da que devem ter entre os nipônicos, onde grileiros engrilam grilos de verdade em gaiolinhas, como fazemos aqui com o sabiá, o canário, o pintassilgo e mais passarinhos tolos que morrem pela garganta.

Em certas zonas chega a ser obsessão. Todo mundo fala em terras griladas e comenta feitos de grileiros famosos.

E agora que o grilo penetrou na arte, e vai perpetuar-se em mármore e bronze no monumento da Independência,[1] vem a talho de foice um apanhado geral so-

---
[1] Alusão ao projeto do escultor Ximenes, que venceu no concurso para o monumento e que Monteiro Lobato muito combateu em *Ideias de Jeca Tatu*.

bre a conspícua instituição — viveiro onde se fermenta a aristocracia dinheirosa de amanhã.

As velhas fidalguias da Europa entroncam no banditismo dos cruzados. Ter na linhagem um facínora encoscorado de ferro, que saqueou, queimou, violou, matou à larga no Oriente, é o maior padrão de glória de um marquês de França. Ter entre os avós um grileiro de hoje vai ser o orgulho supremo dos nossos milionários futuros. Matarás, roubarás, são os mandamentos de alto bordo do decálogo humano, eternos e irredutíveis, que a ingênua lei de Moisés tentou inverter, antepondo-lhes um inócuo "não".

Grilo é uma propriedade territorial legalizada por meio de um título falso; grileiro é o advogado ou "águia" qualquer manipulador de grilos; terras "grilentas" ou "engriladas", as que têm maromba de alquimia forense no título.

Como o grilo proliferou na Noroeste mais do que o permite o coeficiente tolerável da patota humana, as conversas ressentem-se ali de muita insistência no assunto.

— Vou comprar terras do grilo do doutor Honestino dos Anjos.

— Não caia nessa! O Honestino é um grileiro sujo. Qualquer dia escangalham-lhe com a patota. Grilo de primeiríssima, que dá gosto, é o do Pizarro! Esse, sim...

Porque há grilos geniais, obra de verdadeiros Cagliostros encarnados nos bacharéis do "venerando mosteiro"; e os há ineptos, mancos, fabricados aí por meros "curiosos" da trampolinagem, sem dedo para a coisa. Aqueles gozam de toda a consideração social devida aos mestres de vistas largas, ao passo que estes o povo os cobre de irrisão.

— Ali vai o senador Pizarro, um grileiro macota!

— E que me diz do dr. Cunha?

— Um sujo. Borrou-se com aquele grilinho indecente da Pedra Azul e anda agora a tentar outro mais inepto ainda. É um crime deixar a polícia soltos pelas ruas tipos dessa ordem...

— Não tem a pinta!...

— É isso.

O grileiro é um alquimista. Envelhece papéis, ressuscita selos do Império, inventa guias de impostos, promove genealogias, dá como sabendo escrever velhos urumbebas que morreram analfabetos, embaça juízes, suborna escrivães — e, novo Jeová, tira a terra do nada. Seu laboratório lembra as espeluncas dos Faustos medievais; mais prático, porém, não procura ali a pedra filosofal ou o elixir da longa vida. Fausto virou rábula: manipula a propriedade.

Envelhecer um título falso, "enverdadeirá-lo", é toda uma ciência. Mas conseguem-no. Dão-lhe a cor, o tom, o cheiro da velhice, fazem-no muitas vezes mais autêntico do que os reais. Expõem-no ao fumeiro, a tal distância da fumaça conforme o grau de ancianidade requerido, e conseguem assim a gama dos amarelidos, segredo até aqui do Tempo.

Enquanto o papel se defuma, fazem-lhe aspersões sábias, que lhe deem a rugosidade peculiar às celuloses d'antanho.

Finalmente, para impregná-lo do cheirinho, do bouquet dos decênios, passeiam-no a cavalo, metido entre o baixeiro e a carona...

E mais coisas fazem que os leigos não pescam, e constituem o segredo do "ponto de bala."

Mas tudo isso às vezes é pouco. Veste o lobo a pele da velhice e fica com o rabo da mocidade de fora...

Conta-se de um grilo superiormente engenhado que faliu por artes de um raio de sol. O documento engrilado era perfeito, sem o mínimo cochilo por onde o advogado contrário, preposto a destramar a marosca, pudesse levantar a perdiz. Por mais que virasse e revirasse o papel, e analisasse a letra, e cotejasse os dizeres, e cheirasse, e apalpasse, não atinava com o calcanhar de Aquiles. Já com dor de cabeça ia pôr de parte o grilo, quando Apolo intervém. Um raio de sol entra pela janela e dá de chapa contra o título. Àquela súbita e intensa iluminação o perito pôde vislumbrar as letras d'água com que a fábrica marcara o papel. Lá estava a estrela da República naquele documento do século dezessete...

Ao trabalhinho de laboratório aliam-se ao ar livre os atos anexos e complementares — violências, suborno, incêndio de cartórios, sumiço de autos, etc.

Porque o grilo é proteiforme e para completar-se sobe até à ótica, subornando até os teodolitos dos engenheiros.

Que prodígios não opera neste campo! O primeiro é substituir a corrente, o podômetro, o teodolito, a trigonometria e o mais por um instrumento só, de alta engenhosidade: o olhômetro.

Só o olhômetro merece fé aos grileiros, esse aparelho maravilhoso, de criação nossa, e já muito usado pelos governos em estudos estatísticos.

Por intermédio do olhômetro mudam-se os cursos dos rios, passa-se um afluente da margem esquerda para a direita, criam-se cachoeiras em sítios onde o nível é manso, e operam-se quantas mais revoluções geográficas se fazem mister à patota.

Um grileiro está na posse do nome de um rio que a natureza esqueceu de criar; se ele consegue localizar esse rio no mapa, o grilo sairá de primeiríssima. E lá vai ele, com o rio às costas, em procura de colocação...

A outro fazia grande conta uma cachoeira em certo ponto das divisas. O homem não pestaneja: constrói a cachoeira. Os contrários protestam.

Há intervenção judiciária. Na vistoria chamam para perito o morador mais antigo das redondezas. O caboclo chega, defronta-se com a cachoeira fantástica e abre a boca. Há cinquenta anos que vive ali, conhece a zona como a palma de sua mão — como é que nunca viu aquele "poder d'água", barulhento e atravancador? Mas desconfia — e entrando na água desfaz com dois pontapés a cachoeira de mentira, que lá rola, rio abaixo, transformada em tranqueira de galhaça e cipós... Era uma cachoeira grilo...

O grilo come nas terras apossadas pelos caboclos, mal apetrechados contra os percevejos da lei, tanto quanto nas terras devolutas, as quais, engriladas a Norte, Sul, Leste e Oeste, estão se derretendo como torrão de açúcar n'água.

Calcula uma autoridade no assunto em três milhões de alqueires a área das terras griladas na Noroeste. E esses milhões caminham para quatro, visto como agora a indústria do grilo passou a interessar os altos paredros da política, verdadeiras piranhas em matéria de voracidade.

Não há exagero no cálculo de três milhões, sabendo se que há grilos de duzentos, trezentos e quatrocentos mil alqueires — territórios equivalentes à metade da Bélgica, quase à Saxônia, e tamanhos como antigos ducados e principados alemães!...

Verdade seja que estes grilos são os grilos-mães, os canhões 420 da espécie.

Um existe de quatrocentos e oitenta mil alqueires — o rei dos grilos — notável não só pelo tamanho como pela perfeição da sua gênese.

É o grilo recorde, e merece publicidade para lição dos que querem enriquecer depressa mas andam por aí a malbaratar o engenho com patotinhas vagabundas.

Na posse de um título autêntico que lhe dava domínio sobre três mil alqueires, um dos nossos águias resolve tomá-lo como base para um grilo. Estuda bem o caso e um dia requer cópia dos autos onde vinha a partilha da gleba em questão, delimitada de um lado nestes termos "... e daí em linha reta de duas léguas, até encontrar o rio tal".

Ao chegar neste ponto, o escrevente do cartório, que tirava a cópia, sofre uma alucinação ótica e escreve "vinte e duas léguas" onde estavam "duas". Mesmo fora das bebedeiras é comum esta visão dupla das coisas, que há de ter em medicina um nome grego. Concluída a cópia, vai ela ao juiz para os sacramentos. Juiz, promotor e coletor subscrevem-na, depois de lançados o "conferido e concertado" do estilo. Mas nenhum deles realmente conferiu nem concertou coisa nenhuma, de acordo com a mais louvável das praxes, porque é preciso ter confiança no escrivão, que diabo! E dest'arte o grileiro entrou na posse duns autos tão autênticos perante a lei quanto os originais.

Intervalo de quinze minutos.

Um advogado surge no cartório e pede vista dos autos originais. Obtém-na, passa recibo e leva para casa o calhamaço.

Terceiro quadro: dias depois o grileiro denuncia esse advogado como tendo perdido o papelório. O juiz se assanha e intima o advogado a entregá-lo sob as penas da lei: prisão ou reconstrução dos autos perdidos. O advogado, consternadíssimo, alega que de fato os perdeu, — e segue para o xadrez como um verdadeiro mártir da urucubaca. E lá, entre grades, antes de meditar Silvio Pelico e Dostoiewsky, sente na cabeça o famoso estalo de Arquimedes:

— Eureka!...

Lembra-se que em mãos de um amigo existe cópia conferida e concertada, e compromete-se a dá-la em troca do original que o saci (evidentemente o saci!...) lhe furtara da gaveta.

Quarto ato: deferimento do juiz, soltura do advogado preso e solene entrada em cartório do grilo triunfante, com as vinte e duas léguas em vez de apenas duas. Cai o pano. Reacendem-se as luzes e o grileiro de gênio entra na posse de quatrocentos e tantos mil alqueires de terra em vez dos miseráveis três mil primitivos.

É ou não um rasgo *yankee*, merecedor dum filme?

Não se conhecem os nossos progressos lá fora. Não imaginam o galope do nosso cavalo.

Galope tão grande que já se reflete na língua. Todos os dias o povo surge com palavras novas que deem medida à evolução da espertez. Para batismo destes *looping-the-loop* da aviação forense só entre os bichos que voam encontra o povo analogias competentes: águia, grilo, aguismo.

Mas não basta. Há necessidade de formas novas, combinações estapafúrdias, conúbios de rapinagem de alta envergadura com ruminantes de pé ultraligeiro. Só estas cabriolas vocabulares têm força expressiva no caso.

Ouvimos uma vez, em roda onde se comentavam estes tremendos malabarismos, cair em crise de entusiasmo um dos ouvintes; piscou, faiscou os olhos e improvisou este soberbo jacto de impressionismo zoológico, única forma capaz de dizer toda a imensidade da sua admiração:

— Que cabras águias!

A LUA CÓRNEA

Meio século depois da descoberta do Brasil, um sábio da Holanda, Fabricius, notou pela primeira vez a ação negrejante da luz sobre um sal de prata. As invenções naquela época eram em extremo lentas no evoluir — engatinhavam, andavam de muletas, com estações de desesperantes soneiras pelo caminho. O fato observado por Fabricius era o primeiro passo da fotografia; para chegar ao segundo, ao passo industrial dado com Niepce e Daguerre, foram precisos quase três séculos de incubação em numerosos cérebros, alguns superiormente dotados da bossa inventiva, como no caso de Humphry Davy e Wollaston.

Se esses precursores ressuscitassem hoje, que assombro diante das consequências maravilhosas em que se desabrochou a singela reação solar sobre o cloreto de prata — ou lua córnea, como lhe chamavam então!

A fotografia virou um dos elementos fundamentais do mundo moderno. Não há ciência nem indústria que não deva a esse instrumento insubstituível muito dos seus atuais progressos. O que ela possibilizou não tem conta, como é imprevisível o muito que ainda traz latente no bojo.

Quando parecia estacionada, tendo já dado de si tudo, abrolha da grande árvore um galho novo, imprevisto, aberto numa florescência de possibilidades que tonteia a imaginação: a cinematografia.

Recentíssima, coisa de ontem, já conquistou o mundo e imprimiu ao andamento do progresso um ritmo novo. Sua influência amanhã será tão grande como o é hoje a da imprensa. E é possível, mesmo, que seu destino seja sobrepor-se à imprensa, subalternizando-a como instrumento de propagação de ideias — a ela e ao livro.

Tanto o jornal como o livro funcionam como veículos de imagens cerebrais — mas veículos ronceiros, que exigem um elevado índice de cultura no leitor; que exigem tempo, elemento cada vez mais escasso na atropelada vida moderna; e dinheiro — e, cada vez mais, porque o livro encarece vertiginosamente; e ainda certas disposições de espírito não realizadas com frequência.

Já o cinema, veículo de imagens de muito maior envergadura, pede menos tempo, menos dinheiro, menos cultura e menos disposições mentais especialíssimas. Está, pois, predestinado a bater o livro em uma boa parte dos seus domínios e, quem sabe? a bater a própria imprensa.

Entre nós a atuação do cinema é já formidável e muito mais dilatada que a do livro. Calculando-se para os setecentos cinemas existentes no Brasil a média de um espetáculo para duzentos espectadores por dia, temos cento e quarenta mil pessoas que "veem" diariamente as novelas cinematográficas dadas à projeção. Pergunta-se: haverá não digo cento e quarenta mil, mas quatorze mil novelas impressas lidas por dia? O movimento de vendas dos livreiros está longe de indicar este algarismo, o que prova o enorme avanço conquistado pela novelística muda, vista na tela, sobre a lida em livros.

Nos Estados Unidos os algarismos tonteiam. Vinte e cinco milhões de pessoas frequentam diariamente os cinemas. É fácil imaginar a força prodigiosa dum instrumento de ideias que se alarga em tais proporções.

A novela popular pelo sistema antigo, quer em folhetins de jornais, quer em brochuras baratas, está quase morta entre nós, onde, aliás, nunca teve grande desenvolvimento graças ao nosso fantástico analfabetismo. A proporção nas capitais e no interior do país entre a novela vista e lida será, talvez, de uma para mil. E a inclinação da balança favorável à novela vista cresce constantemente.

Só no Estado de S. Paulo existem cerca de trezentas "salas de leitura" dedicadas exclusivamente à novelística cinematográfica. E todas se enchem à noite, ao passo que as salas de leituras dos grêmios literários, recreativos e dançantes, ou das bibliotecas municipais, vivem às moscas. Boceja dentro delas um "tomador de conta", com a cabeça povoada de imagens das Dorothys americanas, ansioso por que anoiteça e ele possa escapar e ir regalar-se com a arte mímica da gentilíssima Dalton. Ninguém mais surge ali, como outrora, para um serãozinho de Escrich; nem meninas em crise romântica, frechadas por Cupido, mandam pelas crioulinhas buscar um romance "bem amoroso, seu Chico Traça, que tenha uma condessa pálida e um Raul moreno, de olhos bem pretos como os do meu Lulu..."

As *girls* americanas, ricas de beleza e saúde, senhoras duma arte pessoal que não revê o molde do conservatório francês — acrobatas, nadadoras insignes, dançarinas, mestras na arte de dominar, cavalgar, amansar espadaúdos representantes do sexo forte, empolgam em absoluto a nossa gente masculina. Em casa, vindos da fita, diante das esposas empalamadas, toda nervos e medo às baratas, eles sonham outra vida mais forte, mais bela, perfumada de lindas mulheres, num país de devaneio onde tudo corra na maciota cinematográfica.

As meninas, românticas ou realistas, essas viraram místicas, dum misticismo novo. Como as outrora esposas de Jesus, todas hoje, mais ou menos, esposaram os George Walsh, os Wallace Reid, os William Farnun, essa plêiade de suculentos heróis modernos, magnificamente belos, esplendidamente fortes. E suspiram de decepção piedosa quando, fora da tela, os Chiquinhos, Lulus e Pedrocas cor de cuia, sem peito, sem ombros, sem músculos, sem masculinidade, aproximam-se para uma corte de namoro.

— Amo-te, Julieta! Pede-me a vida, pede-me o impossível para que eu possa demonstrar a vastidão do meu amor!

— Quero que você, Romeu, faça como o Tom Mix naquela noite: apanhe o meu lenço do chão numa galopada de cavalo!...

Romeu coça a cabeça. Em matéria de equitação seu heroísmo não vai além de montar éguas mansas, ultralerdas, só de andadura.

E as Julietas suspiram...

Até as crianças se fanatizam pelo *shadowland*. Os cinemas do interior reservam-lhes os bancos da frente, com entradas a duzentos réis, e elas ali deliram, torcendo como no futebol em favor do herói do dia e aplaudindo-o com delírio no momento da vitória.

Tom Mix, William Hart, Eddie Polo, Antonio Moreno e outros maravilhosos *cowboys* povoam hoje os cérebros infantis, impregnando-os fortemente num ideal novo.

Porque o cinema americano renova, ressurge a cavalaria andante, dá-lhe formas atuais, lógicas e modernas, conservando-lhe, porém, o espírito.

Hart é o moderno par de França que morreu em Roncesvalhes. No começo, em suas primeiras fitas, limitava-se a vencer um adversário depois de luta corporal ao vivo, dum realismo eletrizante.

Não bastava isso. Foi além. Passou a vencer dois, três, dez rivais. Hoje Hart voga em plena fase heroica, a fase áurea em que Roldão, enfrentando exércitos de trezentos mil mouros e relampagueando a Durindana, fendia crânios aos milheiros, decepava cerce vinte cabeças de reis morenos e punha afinal em desbarato a mourisma inextinguível.

A última fita de William Hart dá a impressão dum capítulo da *História de Carlos Magno e dos Doze Pares de França*, posto em linguagem e ambiente modernos. Vence ele, sozinho, uma cidade inteira de bandidos — dessas cidades de tábuas, improvisadas no *Far-West* pelo elemento aventureiro da pelota *yankee*. Estão todos os habitantes maus da cidade reunidos na tasca do *Sheriff*, que é o chefe da malta, comentando entre goles de gin o crime que cometeram, quando se abre a porta e surge a figura retesada de Hart, com dois revólveres nas mãos, engatilhados. Estarrecimento geral. Pavor. Erguem-se os braços lentamente. Hart, imóvel, gela os bandidos. Seu olhar de fera magnetiza o *Sheriff*, que, vencido, ergue também os braços. Na plateia a criançada delira nas convulsões do entusiasmo elevado a ponto de faísca elétrica.

— É agora!...

Roldão continua imóvel na tela, e mantém imobilizada a mourisma de braço ao ar. Súbito, num movimento brusco, ergue o revólver para o teto e "casca" um tiro no lampião de petróleo. E outro e outro e outro, em todos os lampiões belgas da tasca. O imprevisto do lance estarrece a criançada e leva ao apogeu o pavor dos mouros. O petróleo derramado inflama-se. Labaredas fumarentas tremem pela sala. O rei mouro Abderraman-Sheriff, arrastado pelo desespero, tenta reagir, mas cai varado pela bala mortal de Roldão. Situação horrorosa; ou assados no incêndio, imóveis, de braço ao ar, ou varados pelas balas do paladino, se tentam defender-se...

A criançada inteira está de pé, com arrepios de cabelo, numa suprema tensão de nervos.

Mas a fumarada envolveu a cena e o desenlace ficou à mercê da imaginação de cada um.

No último quadro Roldão passa a galope com um vulto de mulher à garupa. Salva! Salva!... E some-se, enquanto ao longe a cidade dos bandidos arde inteirinha, num incêndio pavoroso...

É pura cavalaria andante. É idealismo industrial dos melhores quilates. Ensina a generosidade, a defesa do inocente, o castigo do mau e a força invencível da boa causa.

Cervantes não matou a cavalaria — matou uma forma de cavalaria. O espírito da cavalaria persiste — e para honra da humanidade está mais vivedoiro que nunca. E está influenciando poderosamente a elaboração da mentalidade do nosso povo, o qual encontra, afinal, uma escola. Jeca Tatu aprenderá nela a perdoar com generosidade o erro dos fracos e a punir com dureza o crime dos fortes. E aprenderá ainda a mover-se, a correr, a nadar, a ser homem com H maiúsculo em todas as situações da vida.

O Brasil de amanhã não se elabora, pois, aqui. Vem em películas de Los Angeles, enlatado como goiabada. E a dominação *yankee* vai se operando de maneira agradável, sem que o assimilado o perceba.

Tudo isso porque em 1557 um holandês notou que os raios solares enegreciam a *lua córnea*...

O INCOMPREENDIDO

Quatro anos fez a 12 de outubro que dentre os vivos desapareceu tragicamente uma dessas criaturas d'exceção, notas insubstituíveis da sinfonia universal. Sua morte diminuiu de alguma coisa o mundo. Desafinou-o.

Porque Ricardo Gonçalves era a suprema inteligência aliada a uma bondade extra-humana, filha da suprema compreensão. Poeta e orador, a poesia e a eloquência atingiam nele a altura vertiginosa, o zênite onde as cordas estalam. Seu organismo não suportou a vibração exagerada da alma e caiu, em pleno agraço da vida, como fulminado pelo raio. E, morrendo, contra ditou o *les morts vont vite*. Ricardo não se vai. Como luminoso rodante imarcescível, sua imagem permanece vivíssima na memória de quantos o conheceram. O tempo que desliza e tudo esmaece nem tem forças para amortecer o brilho dessa partícula de rádio engastada em saudade no coração dos seus amigos.

Do que foi ele como poeta e orador contará ao público o livro em que se enfeixarem as suas produções. Diga-se aqui apenas, com um exemplo, da excelsa virtude de sua arte em apreender o caráter das pessoas e estilizar-lhes o tipo.

Era inexcedível nisto. Sua palestra, já em si uma verdadeira obra d'arte, rica de todos os cambiantes do humorismo sem fel e da observação psicológica de finíssimos quilates, daria, reproduzida, capítulos de romance como os melhores de Eça.

Lembro-me de uma, a propósito dum artista "incompreendido". Tratava-se dum pobre pintor mulato, teimoso em impor-se ao mundo como discípulo de Apeles, apesar de todas as precauções tomadas pela natureza para impedir esse crime, inclusive a de cegá-lo dum olho.

Ricardo visitara-o, e de volta, encontrando-me na rua, contou o caso com uma graça que me é impossível reproduzir.

— Quando entrei, — começou ele, — vi-me tonto para cavar um lugarzinho: os quadros avassalavam tudo. Havia-os pelo chão, em pilhas ao cantos, embaixo da cama e pelas paredes. Salvava-se o teto...

Além dos quadros, rolos de tela, bisnagas murchas, pincéis de molho em aguarrás — um perfeito caos...

Sentei-me na cadeira que havia e o pintor, após as trivialidades da *ouverture*, abriu-se para comigo, contando toda a sua vida de misérias e as mil picuinhas de que tem sido vítima.

É um "incompreendido" cujas desgraças todas provêm de ser filho "desta cafraria" onde um artista vale menos que qualquer vendeiro da esquina. Ah, se viera à luz no velho mundo! Lá, sim, há ambiente para os "temperamentos de escol".

— Olhe, — disse abrindo uma folha, — cá está a notícia da última venda da galeria Drouet: um Dégas, cem mil francos; um Corot, quatrocentos mil; um Millet, quinhentos mil! Três milhões, rendeu o leilão! Isto é que é!... Estimula o trabalho. Exalta a arte. Paga o artista. Mas aqui?... — interrompeu-se com um muxoxo de desprezo.

— "Cá estou eu para exemplo. Tenho quarenta anos, pinto há trinta e a bem dizer não vendi um só quadro até hoje!

Fiz cara de tríplice ponto de admiração, e ele:

— "Chamo *vender quadros* receber pela pintura o que ela vale, e não dá-la em troca dum punhado de níqueis. Por isso afirmo: nunca, jamais, em trinta anos de pintura, vendi um só quadro que fosse! É incrível, mas é...

Tomou fôlego e prosseguiu:

— "Existe entre nós a fobia da arte. O público odeia o artista e os críticos, para lisonjear o público, metem-lhe o pau. Na minha última exposição fui cruelmente maltratado. A crítica escoicinhou à larga e o resultado foi não vender-se coisa nenhuma. Tenho aqui um caderno de recortes de jornais onde coleciono os coices. Tudo reza pela mesma cartilha: "o sr. F. tem muito boa vontade, é trabalhador, etc., etc., mas..." e lá vêm as asnices, as piadas sobre o desenho, sobre o colorido, sobre os assuntos, sobre a perspectiva e até sobre as molduras. Como se entendessem do riscado, esses cavalos de dois pés!

Tomou mais um gole de fôlego e:

— "Ninguém sabe de arte nesta cafraria, mas todos se metem a latir opinião. Outro dia expus este quadro, disse espanejando com o lenço um enorme "Caipira acendendo o cigarro", e fiquei por ali sapeando como Apeles. Chega um, olha, olha e murmura que este pé está inchado...

(Olhei e vi que de fato o pé estava inchado.)

— "... que esta perna sofre de erisipela...

(Refleti com os meus botões que era muito justa a observação.)

— ... que as cores deste fundo estão vivas demais...

(Vivíssimas! — pensei comigo.)

— "... que o nariz da figura está deslocado para a esquerda!

(Achei que se o nariz estivesse um pouquinho mais para a direita...)

— "Remordi-me por dentro, mas calei. O criticastro torceu o focinho a mais não sei que e foi-se. Mal saiu este animal de rabo, chega outro e ri-se. Não me contive. Saí da tocaia e abordei-o: "De que se ri, o amigo?" "Da desproporção entre este tronco e estas pernas", respondeu o insolente. Furioso da vida, despejei-lhe em cima uns desaforos e agarrando o quadro trouxe-o para cá. Ora, o senhor que é um moço de talento e de bom gosto, vai me dar a sua opinião com toda a sinceridade. Que tal acha o meu quadro?

— "Ótimo! — respondi. — Um quadrão...

— "E o pé?
— "Magnífico!...
— "E o nariz, não está direito?
— "Mas, muito!...
— "E a perna, não está sãzinha?
— "Salubérrima!...
— "Pois é isso. A mim, na cara, todos dizem o que o senhor está dizendo. Só os zoilos, os murmuradores incontentáveis, amigos de falar pelas costas, é que acham defeitos e metem a ronca.

Pousou um bocado, em contemplação da obra prima. Depois disse em solilóquio:
— "Um pé tão *réussi*... Inchados andam eles, de estupidez...
— "Inveja! — alvitrei eu.

O incompreendido apanhou o tema no ar.
— "É isso mesmo, inveja, bem sei. A eterna conspiração contra o talento. Se eu cortejasse a crítica, e a adulasse, e a 'comprasse', como fazem os colegas espertalhões... Mas, não! Jamais desci a tais baixezas porque espero tudo da posteridade. Ela me vingará!...

Enquanto o pintor deblaterava, de olho posto no futuro, ia eu remexendo uma pilha de telas. Eram retratos de celebridades, Pedro II, Floriano, Custódio, pintadas com a intenção de seduzir fanáticos. O fanatismo, porém, passou e os quadros ficaram.

Havia também uma galeria de paredros mais recentes, Glicério, Bernardino, Lins, presidentes passados, presentes ou prováveis. Mas lá iam os heróis caindo no ostracismo, um por um, e os retratos... ali.

Num cavalete vi um esboço de figura onde, com alguma boa vontade, vislumbrei o Hermes, nome indicado na última convenção... Apesar disso o pintor trovejava:
— "Não cortejo a opinião pública. Não bajulo os grandes do dia. Não cavo! Detesto o engrossamento e aqui está o meu erro. Neste país só vinga o sabujo, o capacho, o pirata. Eu, porém, morrerei na miséria, mas puro!

Louvei-lhe a nobilíssima atitude; depois, vendo ao correr do rodapé um rolo de comprimento fora do comum, indaguei do que era.

O incompreendido suspirou:
— "Contos largos...

Desdobrou o rolo, uma tela imensa, e explicou:
— "Só de material tenho aqui para mais de trezentos mil réis. Vê bem daí?
— Muito bem. É um lindo coqueiral! Interessantíssimo...

O pintor olhou-me de revés.
— Coqueiral propriamente não. É um cafezal da fazenda de dona Veridiana, a velha milionária. Levei meses a pintá-lo. Estudei a paisagem no local. Gastei tinta aos quilos. Um trabalhão! Concluída a tela, emoldurei-a ricamente e remeti-lha, certo de que, pelo menos, uns trinta contos a velha dama havia de escorropichar.
— "Ofereceu-lhe apenas quinze...
— "Quinze? O senhor não conhece a terra em que vive. Devolveu-me o quadro! Devolveu-mo alegando que era uma tela muito grande, que não tinha parede

para tanto, e tal e tal. Mentira! A verdade é que são uns unhas de fome, e em matéria de arte uns zebus!...

Achei razoável a explicação; devia ser isso mesmo... O pintor prosseguiu:

— "Quer o amigo ver até que ponto vai a má vontade da burguesia dinheirosa para com os artistas sérios? Quando surgiu a moda das vendas a prestações lembrei-me de aplicar o sistema à pintura, e organizei um clube de retratos a óleo, sem nenhum fito de lucro aliás, simplesmente a título de contribuição para o nosso aperfeiçoamento estético. Obtive com facilidade cem sócios contribuintes. Mensalmente havia um sorteio, e o sorteado tinha direito ao próprio retrato em tamanho natural. Veja a minha abnegação — dar um retrato desse vulto por dez, vinte, trinta mil réis! Muito bem. Procede-se ao primeiro sorteio e tira o prêmio o dr. Fortunato. Pinto-lhe a caraça. No dia seguinte o retrato volta-me para cá. Queria retoques; não achava "parecido"... A eterna incompreensão dos leigos, que querem no artista meros reprodutores fotográficos em vez de intérpretes — compreende? Atendi-o. Retoquei-lhe o focinho. Achou bom; levou-o. Pois não lhe digo nada: dias depois, casualmente, encontro num ferro-velho o dito retrato!... Veja o tartufo! Vender a própria cara! E inda por cúmulo o belchior me confessa ter comprado "aquilo" pela moldura, visto que a "careta" não valia o pano...

Esse, o primeiro. O segundo sorteado não quis retratar-se — por "não ser vaidoso". O terceiro — por "falta de tempo". O quarto já não me lembra por quê. Conclusão: dos cem retratos a pintar só pintei um e esse... cá está, — disse puxando do canto uma tela.

— "Ei-lo!

Conhecido velho que sou do Fortunato, nem por sombras lobriguei na pintura o mais leve traço de parecença. Era "interpretação" das legítimas...

Entretanto, gabei-o:

— "Está ótimo! Muito bem 'interpretado'! Não é a fotografia dele, está claro, mas é ele, psicologicamente falando...

O incompreendido bebeu-me as palavras com delícia e murmurou:

— "Nada como lidar com gente entendida e sincera... Ah, se todos tivessem uma compreensão estética como a sua...

Corei, e para disfarçar disse:

— "Mas como voltou este quadro para aqui?

— "Comprei-o, olaré! E caríssimo. Mal o raio do gatuno do ranheta do ferro-velho percebeu o meu empenho em adquiri-lo, entoou a gabar a pintura, a fazer valer a assinatura — e não houve abater um real nos cem mil réis pedidos. Veja o senhor: despender eu cem mil réis, eu, um pobretão, para resgatar um filho extraviado! Isto só a mim...

Louvei-lhe pela segunda vez os nobres sentimentos e o pintor, regalando-se:

— "Cá comigo é assim. Cada quadro é como um filho. Quando me aparto deles... isto é, se me apartasse deles seria com dor de coração. Nesse ponto sou feliz, porque tenho toda a prole em casa, desde os primeiros ensaios, obra de onze anos. Admira-se? Sim, senhor, comecei nessa idade, embora aos oito já denunciasse o meu pendor estético, desenhando a carvão nos muros caiados figuras humanas bem jeitosinhas. Aos doze eu fazia boizinhos e cavalos que eram uma maravilha. Aos quatorze...

Veio de ano em ano até àquele, numa enumeração exaustiva, e concluiu:

— "Vocação, meu caro — das boas. das incoercíveis...

Apertei-lhe a mão, comovido.

— "E atualmente em que trabalha?

— "Nisto, — respondeu exibindo uma tela em andamento. — Veja se gosta. É uma tentativa feliz de impressionismo, obra arrojada, pura novidade em nosso meio...

Olhei e por mais que olhasse não consegui entender coisa nenhuma. Era um vermelhão berrante com uma coisa oval no centro.

— "Então? perguntou.

— "Um-pôr-de-sol, parece-me... Um ocaso...

O incompreendido desfechou uma bela gargalhada.

— "É o meu retrato! Estranhou, é natural. O impressionismo requer iniciação e uma especialíssima educação da visionabilidade estética. — E concluiu guardando a charada vermelha:

— "Isto é néctar para os eleitos!

Concordei, mas receoso de que após o néctar me viesse ele com a ambrosia temperada à moda cubista, fiz gesto de ponto final, tomando o chapéu. O pintor disse então, à laia de resumo:

— "Pois é o que o amigo vê. Trabalho, estudo, creio em mim e na minha arte. Nada espero do presente — mas tenho fé no futuro. A posteridade dirá um dia quem tem razão, Homero ou Zoilo. O destino dos verdadeiros artistas é sempre este: ser negado em vida. Veja Rembrandt, veja Watteau. É o imposto que pagam à mediania todos aqueles em cujo cérebro fulgura...

— "A centelha divina! — rematei.

— "Isso mesmo! A cen-te-lha di-vi-na! — repetiu pausadamente o incompreendido, com os olhos vagos...

Pobre Ricardo!

VETERANOS DO PARAGUAI

Foi na rua da Palha da cidade de Três Estrelinhas. (Cada cidadota do interior possui uma "Rua da Palha". Vem isso de que nelas existem ou existiram ranchos de tropa, galpões de carros de boi e porteira dando p'r'algum "rapador" de aluguel. "Rapador"!... A humilde ironia do povo da roça chama assim aos pastos de aluguel da beira de povoado, onde pousam por uma noite tropas e carros em trânsito. A grama desses pastos é uma hipótese só admitida pelo dono deles. O alugador não consegue enxergá-la e os animais ali metidos passam a noite "rapando" o solo em busca do "cheiro da raiz da grama"...)

Foi lá que vimos, uma tarde, sentado num mocho de três pernas, à porta dum casebre, esse velho cujo cadáver ali passa na rede com rumo ao cemitério. De bruços num porretão de cego, atentamente ouvia ler notícias da Grande Guerra a um menino descalço, de cócoras à soleira da porta.

Os alemães por esse tempo batiam de obuses os muros de Namur, e os telegramas soletrados pelo pequeno diziam respeito à façanha.

Finda a leitura, nenhum comentário brotou dos lábios do velho, a não ser um nome murmurado em surdina:

— Curupaiti...

Farejando soldado do Paraguai, interessei-me por ele.

— É o Pedro Alfaiate, soldado de 70, — disseram-me. — Depois da guerra se fez alfaiate, músico e vendedor de loteria, sucessivamente, até que cegou e entoou a viver por aí ao Deus dará, roendo a meia pataca do soldo.

Os velhos são livros vivos compostos pela Vida. Nem sempre interessantes, aliás. Uns tornam-se ilegíveis, com os melhores capítulos arruinados pela traça da desmemória. Outros são tediosos como os velhos negociantes — livros que não passam de simples borradores. Outros são vazios, resumidos que têm o viver no insulso tríptico do — comeu, casou, procriou. Mas um velho soldado é sempre um livro interessante, rico de incidentes, pitoresco e não raro heroico. Aproximei-me, pois, do velho soldado e folheei-o ao acaso, como a um livro incomum em montra de belchior.

— Fui para a guerra menino — dezenove anos — mas com um gosto: voluntário de verdade, e não como a maioria dos "voluntários" que eram pegados a laço; e varei toda a campanha, tomando parte em onze batalhas. Estive em Uruguaiana e em Aquidabã — os dois extremos. Vi a morte de cara, quantas vezes!... e vi-a rentinha de mim em Estero Bellaco, onde de setecentos que éramos no batalhão, ficamos reduzidos a cinquenta e seis... Formávamos na extrema esquerda, a qual, atacada, fraqueou, de modo que o choque recaiu inteiro sobre nós. Como tenho presente a luta! Mena Barreto mandou formar em linha. Formamos, firmes, e quando o inimigo apareceu pusemo-lo atarantado com uma descarga terrível.

Depois:

— "Carregar à baioneta!"

Carregamos, e que medonha foi a chacina!... Não existe horror maior do que a guerra. A gente durante a peleja vira monstro e perde a qualidade de homem. Matar, matar!... É um delírio, uma perfeita bebedeira de ferocidade. Para que mentir? Nesse momento matar é uma delícia — matar, matar, matar... Enterrar o ferro agudo na carne viva do inimigo, urrar ao vê-lo esguichando sangue e dobrado de dor, arrancar o ferro da ferida, saltar por cima do ferido que se estorce, atirar-se a outro que vem feito sobre nós, fugir-lhe ao golpe, retrucar, varar-lhe o peito... tudo é coisa de relâmpagos, que a gente só vê depois, mais tarde, no fim da festa, quando a imaginação pega a recompor o quadro.

— ?

— O pior? Todos eram piores, mas creio que o de Lomas Valentinas tirou a palma. Lutamos sete dias para tomar as trincheiras paraguaias sitas num morrote. Eram uma trama horrível de fossos, bocas de lobo e linha de abatises.

— ?

— Abatises são uma tranqueira tecida de ferros pontudos fincados no chão, paus apuados a galhos dum espinheiro terrível que há muito por lá. Eles enredavam tudo isso em frente das trincheiras, como dizem que hoje fazem na Europa com o arame farpado, tornando assim dificílima e penosíssima a aproximação. Durante seis dias atacamos sem resultado. Uma das vezes conseguimos alcançar o morro, mas tivemos que rodar para trás, escangalhados. No sétimo dia Caxias reuniu todas as forças disponíveis e concentrou o ataque num ponto só. Aí vencemos.

— ?

— O trabalho da escalada? Nem me fale! Duro de roer. Cada assaltante ia com uma escadinha feita de bambu ou pau roliço, e mais um feixe de galhos, ramos e folhagem, para atulhar os fossos. E ter de fazer isso sob a chuva de balas do inimigo escondido! Um horror...

Em Itororó... Que pensa que era Itororó? Uma pequena ponte de 4 a 5 metros de largo, sem guardas laterais, armada sobre um ribeirão. Do outro lado, a cem metros, os paraguaios assestaram a artilharia, de modo a varrê-la a fio comprido. Era forçoso passar. Passamos. Mas que carnificina! Os nossos vacilavam diante daquela morte certa e foi preciso que Osório e Caxias se atirassem à frente, num completo desprezo pela vida. "Quem for homem siga-me!" Aquele arrojo eletrizou-nos e passamos. Osório levou bala, mas Caxias saiu incólume.

Os paraguaios, então, formaram quadrado, com a artilharia no centro. Osório dispôs-se a rompê-lo. Marchou com a cavalaria mascarando os canhões; em certo ponto a cavalaria abriu-se, os canhões despejaram metralha, fazendo uma brecha no quadrado inimigo. Por ela a cavalaria entrou como um furacão, destroçando tudo. Terrível, terrível!...

Em Pirebebuí foi triste. A vila estava cheia de mulheres e crianças. O conde d'Eu intimou o inimigo a render-se, fazendo-lhe ver que crime era o sacrifício daquelas míseras criaturas. Inútil. O paraguaio deixava-se esmagar mas não cedia a razões. Foram avisados, então, de que o ataque se realizaria às seis da manhã.

Rompeu a madrugada. Quatro, cinco, seis horas... O chefe da artilharia veio pedir ordem de fogo.

— Espere mais meia hora, que até lá talvez surja a bandeira branca, — disse o generoso príncipe, protelando a chacina, tanto lhe repugnava o sacrifício de pobres não-combatentes. Mas esgotou-se a meia hora e nada.

— Espere mais quinze minutos.

Passaram-se mais quinze minutos e nada de bandeira branca. O conde d'Eu, então, ordenou a abertura do fogo.

— Não há remédio...

Após uma hora de bombardeio a praça era nossa.

Que horrível o espetáculo de tantas mulheres e criancinhas estraçalhadas pela metralha! Estou velho e cego, mas vejo — vejo sempre o horripilante quadro. Meu Deus, que horrorosa coisa a guerra!...

— E Madame Lynch, conheceu-a?

— Sim. Foi a alma danada de Lopes, essa inglesa linda, loura, de belo corpo, nem magra nem gorda. Acompanhava-o sempre. Conheci-a porque fiz parte da escolta que a conduziu a Assunção, para onde seguiu a cavalo, valente amazona que era. Murmurava-se que Madame Lynch queria o fim de Lopes para entrar no gozo sossegado das riquezas acumuladas. Bem possível. Mas, voltando ao conde, grande príncipe! Não permitiu a menor atrocidade. Só dois coronéis foram fuzilados porque sobre eles pesava a acusação de terem mandado arrancar os olhos a prisioneiros nossos. Depois da tomada de Pirebebuí ele agiu com grande largueza, distribuindo roupa e alimento à mulherada rota e faminta — umas três mil talvez. As coitadas assombravam-se daquilo. Em vez dos horrores esperados, carinho. O inimigo que lhes pintavam crudelíssimo, repartindo com elas suas magras provisões. Foi bonito, foi, foi...

Este velho soldado era o verdadeiro tipo do herói humilde, que o é sem saber. Valente contraste de outro, nosso conhecido, que, interrogado, só se denunciou como o rei dos poltrões.

Fez alguns anos da campanha, mas era incapaz de dar às suas narrativas uma impressão belicosa.

— Em Lomas Valentinas, esteve?
— Estive, sim, mas na enfermaria.
— Ferido?
— Não. Uma cólica...
— E em Estero Ballaco?
— Também, na enfermaria.
— Ainda a cólica?
— Não. Uma dor de dente danada!
— E em Tuiuti?
— Ah, gozei! Assisti à batalha inteira sem arredar pé do meu posto. Vi tudo e posso descrever a coisa como a palminha das mãos.
— Assistiu-a da janela do hospital, com certeza...
— Não. Detrás dum belo cupim...

Os eucaliptos

Se fôramos médico e acaso nos surgisse consultório adentro um freguês nas últimas, queixoso de gelidez d'alma, anquilose do entusiasmo, indiferença em grau nirvânico, cepticismo marca FFF, receitar-lhe-íamos, incontinente, o único remédio próprio para salvar semelhante desgraçado: uma visita ao Horto Florestal de Rio Claro. E daríamos a cabeça a cortar se o infeliz não regressasse enfolhado de esperanças como um plátano de setembro, ou apendoado de flores como as roseiras de outubro.

Porque o Horto não se limita a ser um remédio de efeito aleatório, é um tópico, um porrete, melhor que o mercúrio para a sífilis ou a aspirina para as nevralgias.

— Mas que Horto maravilhoso é esse? — perguntará o leitor.

Ah, o Horto é uma coisa séria! É uma coisa que só vendo. É dessas lições de eficiência que só julgamos possíveis em terras como os Estados Unidos e a Alemanha. É uma prova, com os noves fora, de convencimento absoluto. É uma aberta que deixa entreluzir o que poderemos ser no futuro. É um filho vigoroso, e nobremente viril, do trabalho inteligente em conúbio com a ciência de verdade. É uma vitória completa, esmagadora, a coroar uma batalha de dezessete anos.

O Serviço Florestal da Companhia Paulista constitui um formidável exército de 8.500.000 eucaliptos, armados em pé de guerra, com a mobilização marcada para daqui a três anos. Só com essa idade, vinte anos, é que entrarão em batalha, a fecunda batalha da paz, desdobrados em dormentes, achas de lenha, postes, moirões, tabuado, carvão e essências.

Mas a formação desse exército não para. Todos os anos centenas de milhares de conscritos saem dos canteiros e vão engrossar as falanges veteranas que se distribuem à beira da linha férrea em vários pontos estratégicos.

O quartel general situa-se em Rio Claro. Ali reside o comandante supremo, Edmundo Navarro de Andrada, a maior autoridade mundial hoje em matéria eucalíptica. Base de operações, dali do seio dessa formidável floresta artificial de mais de três milhões de árvores é que parte a ideia coordenadora que uniformiza e articula os demais corpos de exército, acampados em Loreto, Boa Vista, Rebouças, Tatu, Cordeiro, Camaquã e Jundiaí.

Centro de estudos florestais, esse horto deixa a perder de vista tudo quanto se fez no Brasil por iniciativa governamental. Burocracia nenhuma, nenhum bizantinismo, nada que lembre a palermice marasmática em que inevitavelmente caem os nossos serviços públicos.

Os nossos serviços públicos! Conta-se de um horto onde se iniciara uma sementeira de eucaliptos. Veio visitá-lo um dia a mulher do secretário da Agricultura. Examinou tudo mulherilmente, e dando com os eucaliptos disse:

— Não gosto disto. Prefiro violetas.

E lá se substituíram os eucaliptos pelas violetas da senhora secretária...

Impossível uma coisa destas num estabelecimento particular, e muito menos em departamento da maravilhosa empresa que é a Companhia Paulista.

Resultado: o problema resolve-se de vez, a floresta cria-se em proporções formidáveis, a demonstração se torna exaustiva e o caminho fica aberto, liso e plano como rua d'asfalto, para todos quantos queiram atirar-se à silvicultura.

E tanto é assim que, contagiado pelo exemplo da Paulista e industriado por Edmundo Navarro, o plantio de eucaliptos cresce no Brasil maravilhosamente. Em S. Paulo orça já por treze milhões de árvores. No Rio Grande do Sul anda por quinze milhões. Um industrial alemão, Bleckmann, lendo o livro de Navarro, veio do Sul especialmente para verificar com seus olhos a exatidão do que lera; e hoje, gerente da Companhia Geral de Indústrias, em S. Leopoldo, planta seiscentos mil pés por ano. A Companhia de Morro Velho, visando a futura exploração do ferro de Itabira, planta duzentos mil anuais. A Companhia Florestal Fluminense tem um programa de um milhão. No Ceará a Companhia de Melhoramentos planta cem mil por ano para dormentes. Em Santa Catarina a Companhia Aranguá, em Laguna, planta em larga escala afim de obter escoras para as minas de carvão. A Companhia Eletrometalúrgica de Ribeirão Preto pretende plantar seiscentos mil anuais para abastecer de carvão seus futuros altos fornos. Além destas, numerosas pequenas plantações particulares surgem por toda parte, de dez, de vinte, de cinquenta mil árvores, todas filhas do exemplo da Paulista e orientadas pela visão segura de Edmundo Navarro.

Pergunta-se: o Ministério de Agricultura em anos e anos de funcionamento com verbas enormes, fez até agora obra que se possa comparar a esta? Fomentou alguma cultura, orientou-a na escala e com a segurança desta maravilhosa iniciativa particular?

O núcleo mais antigo dos eucaliptos da Paulista está localizado em Jundiaí, plantado, cremos, em 1903. Constitui a velha guarda, de cujo seio surgiram este ano os primeiros postes para o serviço de eletrificação dessa via-férrea no trecho de Jundiaí a Rio Claro.

Merece especial menção este fato.

Discutindo-se qual a madeira mais conveniente para a obra, os campeões do nacionalismo florestal apresentaram-se em campo com o guarantã *nec plus ultra*.

Debates. Palavrório.

— Experimentemos, — diz a Paulista.

Tudo preparado para a grande prova, saltam à frente do terrível campeão indígena três espécies de eucaliptos — o *robusta, o butryoides e o teriticornis*, conduzidos pela mão do *entraineur* Navarro, que é quem conta a história.

O nacionalismo riu-se. A derrota do pau australiano seria inevitável porque o guarantã apresentado era velho de cento e cinquenta anos no mínimo, ao passo que os eucaliptos contavam apenas dezessete risonhas primaveras. Luta de Golias com Davi...

Mesmo assim todos torciam pelo campeão nacional num patriotismo de pau, gozando-se antecipadamente da esfrega que ia sofrer a madeira intrusa.

Iniciadas as experiências de resistência, o guarantã rompeu a uma carga de 2.790 quilos e dois metros e cinco centímetros de deflexão.

Palmas. Bravo. Fora um resultado brilhantíssimo, pois que lhe bastava resistir a apenas seiscentos quilos para ser aprovado com grau nove.

A lambuja de 2.190 quilos de diferença fez delirar de entusiasmo o patriotismo silvicultor. A Liga Nacionalista, informada, abriu uma garrafa de champanha... de abacaxi. E armou-se para bebê-la.

Mas a experiência prossegue, entrando em cena o *robusta*, que rompe com 2.378 quilos de carga. Teve parabéns indulgentes, foi gabado, recebeu palmadinhas de conforto. Apanhara do pau nacional pela diferença de 412 quilos — uma vergonha.

A Liga mandou hastear o pavilhão.

Mas a experiência não estava acabada e pula à arena o *butryoides*, que resiste mais que o *robusta* — que resiste tanto quanto o campeão nacional — que resiste mais que ele e afinal o derrota, pois só rompe à carga de 3.227 quilos, com deflexão de noventa centímetros.

Desapontamento. O nariz da Liga cresce e pendura. O Coração da Pátria sangra...

— O *teriticornis* agora!

Vai o *teriticornis* para o suplício. Amarram-lhe o cabo ao pescoço. Começa a girar o parafuso milimétrico.

Uma tonelada.

Duas toneladas.

Duas toneladas e 790 quilos — o índice do guarantã!

Três toneladas!!...

Quatro!!...

Cinco!!!...

O assombro é geral. Os patriotas, furiosos com tamanha resistência, torcem o arrocho com fúria.

Cinco toneladas e meia!...

Seis!!...

Chega a ser desaforo. A Liga bate um telegrama protestando: "Há truque! Deram-lhe a beber infusão de cola! Está infibrado de aço! Não é pau!"

E o *teriticornis*, impassível, continua mudo, sem um estalinho de dor!... Só deu o berro à carga de 6.517 quilos, com deflexão de três metros e quarenta centímetros. Bateu, pois o campeão indígena com uma diferença de 3.727 quilos de carga de ruptura e um metro e trinta e cinco centímetros no índice de deflexão...

Quando as brisas levaram a nova do feito aos vários hortos da Paulista, oito milhões de árvores, irmãs daquele herói, tremelicaram as folhas. O passaredo já nascido entre os eucaliptos soltou pios de vitória, e as cigarras chiaram numa vaia.

Enquanto isso, na capital, com dor d'alma, a Liga Nacionalista, rearrolhando a garrafa da champanha, punha a bandeira a meio pau. E cobria a cabeça de cinzas... de pau brasil.

Os tangarás

Apareceu há dias um livro de nada sedutor aspecto, cheio de gravuras mal reproduzidas, pesadão — meio quilo — e de difícil manuseio, costurado que vem a barbante de fora a fora, e não caderno a caderno como o exige a comodidade da leitura. Exemplar típico da arte livresca nas zonas onde Gutenberg não vai lá de pernas.

Para mal de pecados cheira o livro, à primeira vista, a sermão de encomenda, desses fervidos às pressas, em fim de governo patoteiro, para abocar uma bolada.

Entretanto, quem vence os óbices opostos pela má apresentação material e mete os dentes no miolo sai contente da vida pela bela ideia que teve. É obra que revela, já nas primeiras linhas, um observador seguro de si, com sério equilíbrio de faculdades e capaz da visão ecológica das coisas. E escrita, além disso, em bom estilo, sóbrio sem secura, singelo sem vulgaridade, e pitoresco sem galharada excessiva de regionalismo. *Terra Catarinense*, chama-se — e assina-o Crispim Mira. Nele se estuda sob todos os aspectos o Estado barriga verde, entreverando-se paisagens com estatísticas, anedotas com visões de sociologia, e história com cenas de costumes. Quis dess'arte o sr. Mira dar uma impressão exata, quase a sensação da terra catarinense. E de si dá a medida dum escritor que tem o que dizer, e o diz bem, às rápidas, com clareza e sinceridade.

Em matéria de escritores, temo-los de duas categorias: a dos necessários e a dos inúteis. Uns revelam o país a si próprio, bem vendo, bem sentindo e bem reproduzindo os estados d'alma e de corpo da brasileira coisa e da brasileira gente; outros tomam o tempo dos ocupados com uma arte pela arte singularmente pulha.

Uns constroem deveras uma literatura: fixação exata do momento étnico, cósmico e mental. Outros bizantinizam. Cronistas, às vezes brilhantes do *omni re*, a varridela saneadora do tempo não deixará da agitação desses escritores uma isca sequer.

Crispim Mira tem qualidades para fulgir na vivedeira plêiade dos primeiros. Basta para isso que tenha fé em suas forças.

Mas não vem a pelo aqui uma análise desse livro, senão o furto da página relativa aos tangarás.

Esta avezinha, cujo nome nem sequer entrou para os dicionários que Portugal nos vende, merece da Poesia as honras dispensadas na Europa ao rouxinol e aqui ao sabiá.

É incrível, com a riqueza da nossa fauna ornitológica, que acampemos toda a vida no sabiá de Gonçalves Dias, com menosprezo da variedade infinita de temas plumados que andam aos regorjeios de ramo em ramo.

O sabiá é, de fato, uma coisa séria no mundo dos voláteis. Caruso nostálgico, filho da laranja e dos crepúsculos, é o sonoroso poeta alado das saudades. Ouvi-lo em tardes lânguidas é mergulhar a alma num banho de suave tristeza. Só não pensam assim os donos de pomar, gente rude para quem peste pior que o sabiá, só o sanhaço.

Seus méritos canoros, porém, não justificam o aferrarem-se a ele os poetas, como se a gama passarinheira tivesse uma nota só.

Vá que repudiem o João-Bobo, excelente criatura maltratada pelo homem com essa alcunha difamadora; ou aquele gracioso passarinho preto, irmão da graúna, batizado escatologicamente; mas deixar sem as festas da rima aos tangarás, os nossos Nijinskys de pena e bico, é coisa que brada aos céus.

Que nos conste até hoje só um poeta — Ricardo Gonçalves — meteu em versos a dança dos tangarás. Sugere-a, porém; não a descreve. Põe-na no fecho de bucólicas sextilhas como simples nota impressionista.

> Na mata umbrosa, que é um templo,
> Cheio de aroma e de paz,
> Horas perdidas contemplo,
> Sobre o tapete da relva,
> A maravilha da selva,
> A dança dos tangarás.

Há séculos que os tangarás cantam e dançam, fazendo abrir a boca, em êxtase, os seus colegas de pena e os seus inimigos peludos. Dizem que a onça, ao vê-los, entrepara, e assiste à festa com um brilho "besta" nos olhos.

Será ficção. Vem logo aí um naturalista demonstrar com ruins pronomes que tal brilho não é de êxtase estético, mas de fome pura e, possa a onça, lá irão os tangarás concluir a dança no seu bucho.

Não importa. O êxtase da onça ficará, porque é uma nota necessária à harmonia das coisas, como tempero dulçoroso da ferocidade felina.

Ficará como ficou o patriarcado de José Bonifácio depois das catilinárias do Assis Cintra. A floresta sem o êxtase da onça e o Brasil sem o patriarcado de José Bonifácio perdem metade da graça.

O tangará é talvez o único pássaro do mundo que evoluiu do canto à dança, e os conduz de par com uma ciência de ritmos tão sábios como os da Pavlova.

(Está aqui uma rata nossa: por que não apresentamos à sublime Ana os nossos Nijinskys plumados? Coisa muito de ver seria a esgalgada russa em êxtase de onça ante um bailado tangará. E quem sabe não se inspiraria para uma criação *sui-generis*, irmã da "Morte do Cisne", por meio da qual, saracoteando nos palcos estrangeiros, fizesse a Europa ornitológica curvar-se ante o Brasil passarinheiro? Gente escassa de ideias, a nossa...)

Crispim Mira viu com seus olhos os tangarás na faina coreográfica e os descreve nestes termos:

"Das aves catarinenses é a mais famosa. É azulado e de crista vermelha. Anda em bandos de oito a dez, sob o comando de um. Nos momentos da festa reúnem-se no galho de uma árvore e ao sinal do tangará diretor, que pousa em galho fronteiro, iniciam o gorjeio. Compõe-se de três partes esse admirável concerto. Na primeira o maestro modula em solo um cântico dobrado, ora terno, ora vibrante, as penas meio alvoraçadas pelo ardor da modulação, a cabecinha esticada, o bico entreaberto, e o pescoço a regurgitar-se e a retrair-se na emissão de notas deliciosas que se espalham pelo silêncio da mata.

E permanece assim dois a três minutos, como um Caruso, um Tamagno da floresta, sobrepondo trinados, dilatando os sons em corridas longas, encachoeirando as solfas numa precipitação vertiginosa, amortecendo-as em surdinas, tornando-as vagarosas e atropelando-as em seguida em sutilezas de violino e tons graves de barítono.

Quando termina o hino, rompem os demais em coro. Às vezes se reúnem, combinam-se, estridulam uniformes, todas as cabecinhas se distendem igualmente para a frente, todos os pescoços têm os mesmos movimentos, todos os bicos desferem o mesmo canto macio, cheio, vivo, sonoro, extasiador.

Há um descanso rápido. Os tangarás saltitam aos pares ou isolados pelo arvoredo. Eis, porém, que o maestro trila de novo, e todos acodem celeremente, retomando o seu posto: o bando num galho e o chefe noutro, a princípio. E unissonamente, galhardamente, a encantadora e plumosa orquestra irrompe a um só tempo numa espécie de bailado, pondo-se o tangará maestro a saltitar em ida e volta do seu galho para o outro onde estão os companheiros, ao mesmo tempo que estes, sempre a gorjear, pulam também, uns sobre os outros, de modo que os primeiros vão ficar atrás dos últimos e depois estes passam a ficar atrás dos primeiros. Cerca de cinco minutos são consumidos nessa curiosa alegria avicular. Em certo ponto o maestro suspende o voo e perde-se na folhagem, cantando. A orquestra o acompanha, e de longe ainda vêm as últimas vibrações do belíssimo bailado. É um espetáculo que, visto uma vez, nunca mais se esquece."

Infelizmente o tangará é uma avezinha esquiva, pouco amiga de relações com o homem, cuja ferocidade certamente conhece. Vive por isso no recesso das matas, e não dá espetáculos quando preso em gaiola ou viveiro. Fosse como o pardal, e que maravilhosa coisa seria termo-lo a avivar com canto e dança a paisagem das grandes capitais!

Mas é ave envergonhada. Tem muito da caipirinha arisca que se esconde atrás das portas. Ele também se esconde para dançar. Não é cabotino e o mundo é dos sem-vergonhas. O mundo é do pardal.

O PAI DA GUERRA

O homem inventou uma coisa fora da natureza: o parasitismo na mesma espécie.

O parasitismo é uma lei da vida, mas sempre entre espécies diversas. Na própria, só o caso do homem.

E a guerra é, em última análise, uma simples manifestação desse parasitismo. É o meio violento a que um estado recorre para escravizar os povos mais fracos e aparasitar-se neles, vivendo-lhes à custa do sangue. Venha o vencido para Roma, atado nu à cauda dos carros de triunfo, ou fique em suas terras no arrocho econômico de um tratado de Versalhes, o fato é na essência o mesmo.

Ora, antinatural, antibiológica que é tal forma de parasitismo, a guerra constitui o supremo mal, a cruel avariose que torturou, tortura e há de torturar a humanidade. E mal sem remédio, porque a guerra tira dos seus próprios efeitos extremos, vitória e derrota, o estímulo que mantém vívida a mentalidade guerreira.

A apoteose dos heróis, a apresentação estética de todos os crimes, o embelezamento sistemático da carniçaria, o exalçamento das virtudes guerreiras, revigoram, na vitória, a mentalidade bélica enfraquecida nos anos de paz. Na derrota, o sofrimento injusto, a espoliação do inocente, a insolência da pata invasora, criam o ódio mortal e põe em todas as almas uma ideia suprema de vingança.

Glória e vingança: eis a alma bifronte da guerra.

Há, entretanto, um erro monstruoso de visão, tanto no vencedor como no vencido. Erro de pessoa.

Esse erro é o de atribuir ao povo contrário todas as calamidades sofridas durante a guerra.

Não é o povo que faz a guerra, é o Estado. O povo limita-se ao papel de máquina, de carne sofredora e bode expiatório.

Os povos são partes do grande todo que é o gênero humano e têm a sensação inconsciente desta unidade pregada por todos os filósofos, de Cristo a Novicow.

Esta verdade, porém, é nua como todas as verdades, tem contra si o óbice tremendo da nudez, — e o homem, criança ainda, e inda muito próximo do troglodita, só se embeleza ante os ídolos lantejoulantes e pomposamente embonecados da mentira. Quanto mais missanguento o ídolo religioso ou social, mais fiéis possui e mais difícil de ser derrotado mostra-se.

A verdade da unidade humana não consegue impor-se porque é uma verdade e vive nua como suas irmãs que moram no poço.

Entretanto, de mil maneiras ela demonstra que a humanidade é o grande corpo de que cada povo ou raça é membro com funções especiais.

Um é cérebro, pensa; outro é músculo, age; outro é pulmão, respira. Este é cigarra, canta; aquele é formiga, trabalha.

Há o que inventa, há o que aperfeiçoa, o que industrializa, o que comercia.

Há o artista, que compõe; há o sábio, que estuda; há o místico, que cria religiões.

E todos se servem entre si, completando-se, numa interdependência maravilhosa da qual resulta o funcionamento harmônico do todo.

E é tão íntima essa troca de serviços que, do mesmo modo como no indivíduo, a doença, a atrofia, a morte de um membro afeta profundamente o organismo inteiro, quebrando-lhe o ritmo da vida.

Assim, a guerra é o Mal, porque é o desequilíbrio de funções num corpo cuja harmonia fisiológica depende do perfeito equilíbrio dos órgãos.

Imagine-se a guerra transportada para o corpo humano. Os pulmões invadindo o cérebro e destroçando-lhe as células cinzentas. O estômago ocupando militarmente o fígado e impondo-lhe a tarefa de fabricar suco gástrico em vez da odiosa bílis. Os rins, vencedores do pâncreas, forçando-o a pagar como indenização de guerra dez litros de pancreatina, e a passar o canal de Wirsung para a jurisdição do baço.

Pois absurdos assim acontecem no corpo da humanidade em consequência da coisa monstruosa que é o direito do vencedor.

E a verdade tão simples, tão entradiça pelos olhos, dessa interdependência harmônica das partes, povos e raças, necessária à saúde do grande corpo humanidade, foi, é e continuará inatingível. Os séculos se passam e estamos longe dela como no tempo de Átila.

Por que é assim?

Porque os povos se acham empolgados por um monstro parasitário de estupidez infinita aliada a um infinito maquiavelismo.

Esse monstro é o Estado.

Aquela visão de lince feita homem que foi Frederico Nietzsche já o denunciou pela boca sibilina de Zaratustra.

"Não há mais povos entre nós, — diz ele, — há Estados. O Estado é o mais frio dos monstros frios; ele mente com frieza, e a mentira que escorre perene de sua boca é esta: Eu, o Estado, sou o povo.

Mentira! Eram criadores os que criaram os povos e lhes deram uma fé e um amor. Serviam, assim, à vida. São destruidores os que armam arapucas à massa e chamam a isso Estado; estes suspendem sobre a cabeça do povo um gládio e cem apetites. Onde ainda há povo, este não compreende o Estado e o detesta... Cada povo tem sua língua do bem e do mal que o vizinho não compreende, linguagem inventada para seus costumes e leis. Mas o Estado mente em todas as línguas do bem e do mal. Em tudo o que diz mente, e tudo o que possui é roubado... Tudo nele é falso: ele morde com dentes roubados. Até suas entranhas são mentirosas... Ao mundo vêm homens de todos os valores, mas o Estado foi inventado pelos homens supérfluos. Vede como ele atrai os supérfluos, como os enlaça, como os masca e remasca.

— Nada há maior que eu sobre a terra! — urra o monstro. — Eu sou o dedo de Deus."

Esta visão do filósofo nunca se patenteou mais flagrante do que agora.

Foi o monstro frio quem fez a guerra — a guerra crudelíssima que os povos padeceram em sua carne sensível.

E foi ainda o monstro frio quem fez a paz, a paz odiosa em que se torce no garrote o pescoço dos povos — dos povos inocentes, pois os povos não fizeram a guerra. Eles são vítimas da guerra, porque são vítimas do monstro Estado. O monstro empolga-os e a partir da escola organiza a mentira viva de que se alimenta e em que se rebolca. Mentira alemã de um lado, mentira francesa de outro, mentira inglesa, mentira italiana, mentira em todos os idiomas, sob todas as formas. Diretor da mentalidade dos homens que fazem a opinião pública, senhor dos instrumentos de difusão das ideias: imprensa, livros, telégrafos, correios, o rei da mentira mente onimodamente e a tudo envenena com a sua mentira organizada, desde as ondas hertzianas até a cera mole dos cérebros infantis. E os povos parasitados não percebem a sua monstruosa escravização ao parasita que nele se enraizou como um cancro...

Não há símile mais perfeito. O cancro também cresce sem cessar, invade todos os tecidos, não tem limites, não atinge um termo, é um embrionário que não chega a adulto e se desenvolve num sentido só — no de alargar-se cada vez mais. Se lhe extirpam uma parte, renasce. Se o extirpam inteiro, ressurge.

Também o Estado não vive hoje como órgão necessário à vida do povo, qual era a sua missão primitiva. Mas como dono, como senhor absoluto desse povo. Ele é que é o principal. O povo é o acessório, a massa carnosa de que o Estado se alimenta.

Simbiose *sui generis* em que um entra com o sangue e o outro com o apetite inextinguível...

Todas as criações do Estado são grifanhas e de utilidade unilateral. O militarismo, a burocracia, o privilégio, o fisco, a censura: — dentuças!

Mas a sua obra prima, de uma maquiavelice infinita, é a arte de confundir-se com o povo e dar-se como organização inteligente e necessária do povo. Se os cancros pensassem e tivessem escolas e agências telegráficas, a propaganda do cancro, a lição permanente do cancro perante as células do corpo atacado seria a mesma linguagem oficial dos Estados de hoje.

No caso recente da Grande Guerra: quem a acendeu? O Estado: — o Estado alemão, o Estado inglês, o Estado francês, o Estado russo.

Mas quem lhe sofreu os horrores inenarráveis? Os povos respectivos.

A paz de urubus, quem a fez? O Estado: — o Estado alemão, o Estado inglês, o Estado francês.

E quem lhe vai sofrer os horrores consequentes? Os povos respectivos.

Entretanto, toda gente sabe que os povos nunca fizeram guerra entre si, porque os povos são compostos de seres sensíveis de carne dolorosa, de pais, de mães, de filhos, de esposas, de irmãs — de corações, enfim, inimigos natos da guerra, porque para quem é coração guerra é dor.

Apesar disso a guerra continua. E não há esperança de que os povos abram os olhos, tirem do poço a verdade espezinhada e extirpem de vez o cancro frio, o parasita monstruoso que é a um tempo o filho, o pai e a mãe da guerra...

HOMO SAPIENS

Quando o homem abdicar — ou for deposto da terrena realeza, que usurpa, e em seu poleiro o plebiscito livre de todos os seres viventes entronizar o boi, a foca ou o abutre, a vida do globo ganhará imenso em amabilidade.

Amabilidade é o caráter do que é digno de ser amado — e a vida na terra, sob a regência do homem, positivamente não o é.

Entronizado que seja um desses animais — o boi, vá lá! — há de tudo ressentir-se de imediata melhoria.

Os bois não falam, nem escrevem, donde resulta impossível conhecerem-se de antemão os pontos básicos da Magna Carta bovina; entretanto, dadas as excelentes qualidades de caráter e coração reveladas por eles até aqui, é lógico prever que a realeza de guampas será infinitamente mais gentil que a dura realeza humana.

Quantas instituições, hoje meros sonhos de ideólogos, só então as teremos! Uma delas é facilmente previsível; a Sociedade Protetora das Crianças.

Porque não há maiores vítimas da crueldade e da incompreensão do rei atual do que estes débeis serezinhos de carne tenra. Sobretudo as crianças pobres...

Durante a guerra, quando a Alemanha bombardeava, passou alguma vez ante os olhos do germânico flamívomo a imagem das pequeninas vítimas?

E agora, que o aliado comodamente bombardeia com ultimátuns piores que obuses, passa pela mente dos estadistas a imagem das vítimas pequeninas?

Quantas, a esta hora, na Alemanha, na Áustria, na Turquia, com grandes olhos assustados, purgam nas torturas da fome o crime de guerra cometido pelos pais?

Magras, dolorosas, entanguidas...

A meia ração geral estancou-lhes o leite do seio materno. O leite das vaquinhas não existe mais. O Tratado de Versalhes as levou... Ah, os Torquemadas do momento preveem até nos mínimos detalhes o requinte da tortura. Clemenceau, Lloyd George, Foch, os grandes chefes tigrinos sabem que a dor nos filhos inocentes é o melhor castigo aos pais. E descem aos estábulos em pacífica e risonha pilhagem às vacas...

Os processos da guerra e da paz são os mesmos. As armas, as mesmas. Numa, *grosses Berthas* que vomitam ferro e gases asfixiantes; noutra, *grosses Clemenceaus* que expluem artigos dum-dum e parágrafos recheados de gases consumptores.

Artilheiros de 420 ou artilheiros de tratados: canibais que nunca meditaram um instante nas inocentes vítimas dessa ferócia truculenta chamada patriotismo, culto de sangue ao Moloch moderno: Pátria.

No Moloch fenício, de ferro incandescente, despejavam os sacerdotes dezenas de criancinhas vivas para que o chiar das carnes, os gemidos e o fumo aplacassem um deus.

No Moloch-Tratado os sacerdotes da Pátria despejam milhões de criancinhas para que morram de consumpção, lentamente, e aplaquem as iras do Baal Patriotismo.

A mesma estupidez sempre, sempre o mesmo requinte de crueza.

O grande princípio da justiça humana, consagrado pelo Deus carniceiro inventado pelo homem à sua imagem e semelhança, resume-se nesta coisa horrenda: o inocente pagará o crime do pecador. Princípio bíblico! divino! princípio irredutível que dominou ontem com Herodes, domina hoje com os Tigres, dominará amanhã sob os Lênines, porque é própria do homem a iniquidade...

Mas há de a vida do planeta ficar assim *ab eterno* sob a regência da iniquidade?

Todos os seres, transfeitos numa legião infinita de espoliados, hão de eternamente curvar a cabeça à tirania?

Não! É forçoso que se opere a revulsão de tudo e que do poleiro desça o rei mau.

Eia, pois, animais todos da terra: basta de escravidão!

Levantai-vos, leões do Saara, tigres da Índia, onças do Brasil; e vós todos, do ar, da água, da terra, cascavéis dos campos, lobos da Rússia, bisões do Arizona, girafas, elefantes, rinocerontes, hipopótamos, hienas, chacais, urubus, condores, tubarões, golfinhos: — uni-vos!

É tempo de conspirar contra o gorila que evoluiu e, senhor da Inteligência e da Má Fé, vos oprime a ferro e fogo.

A inteligência dele, bem o sabeis, é uma doença, uma hipertrofia cancerosa do instinto. Só produz males. É a mãe do sofrimento. A guerra, a fome, a peste são filhas suas, como são filhos seus todos os horrores que fazem odiosa a vida na Terra: — os deuses carniceiros, a mentira, a riqueza, a miséria, o Estado, a lei, o cadafalso, a inquisição, o patriotismo, a farda.

Não possuís nada disso e sois felizes.

Resolveis vossos problemas com tamanho acerto, que não tendes problemas.

Que perfeição nas abelhas! A mais rudimentar colmeia constitui ideal inatingível ao senhor da inteligência. As aves e os insetos sorriem dos seus progressos de aviação. Os rouxinóis não lhes toleram os Carusos. Os ratos zombam da guerra que eles lhes declaram. Os pombos apiedam-se da sua pobreza de instintos. Esvoaçando num hospital, a mosca, tão bem aparelhada para a vida, tão segura de voo, tão aguda de faro, tão precisa nos fins, vê a miséria fisiológica do homem qual um monturo infeto de que só ela sabe tirar bom partido.

Vossa vida, animais, é perfeita de ritmo e de beleza. Se nela há perturbações; se vos estraçoam as aves a tiro; se vos deixam os ninhos órfãos para que morram de fome os implumes inocentes; se vos pescam nas águas com armadilhas traiçoeiras; se todas as vossas passagens andam tramadas de arapucas, de mundéus, de ratoeiras; se vos roubam os ovos no ninho ou o mel nas colmeias; se vos aprisionam em gaiolas os cantores e em jaulas os que sabem defender-se; se vos jungem às carroças, a carros pesadíssimos, à canga dos arados; se vos furam o focinho para meter argolas dolorosas; se vos enfreiam a boca de ferros cruéis; se vos caçam no mar a arpão de aço e na terra a balas explosivas; se penduram nos açougues a carne dos vossos cadáveres; se vos invadem todos os domínios, e vos incendeiam os campos, e vos inundam as matas, e secam as águas, e vos drenam os pântanos — é ele que o faz. Ele, o macaco glabro, o rei por maquiavelice da má inteligência. Ele, o cultor consciente da arte da dor.

Em toda parte está o *Homo* como o próprio mal encarnado, matando, esfolando, torturando, saqueando, desnaturando, perturbando a harmonia das coisas.

Em proveito próprio, ao menos?

Oh, não!

E não porque a maior vítima do homem ainda é o próprio homem. Lobo de si próprio. Torquemada dos seus próprios filhinhos inocentes, o homem é Prometeu roendo com seus próprios dentes o próprio fígado.

Que esperar, pois, da realeza dum calceta desta marca?

Animais todos da Terra, basta de submissão! Uni-vos!

Luvas

Quando Deus, de mangas arregaçadas, empreendeu a tarefa de organizar o mundo, o que existia era o caos. Todas as coisas já estavam nele, mas às tontas, no desarranjo dum imenso depósito de mercadorias "empasteladas". A obra da criação foi simples obra de ordem e harmonia. Jeová ia pegando rios, lagoas, montanhas, planícies e dispondo-os sobre a crosta nua, ao sabor dum plano de geoestética preestabelecido. Feito o que, cuidou do aformoseamento.

Havia em certo ponto uma grande reserva de coisas lindas. Montão caótico de maravilhas, museu das mais belas águas, das mais belas pedras, despejo desordenado duma cornucópia de fada, era ali o Grande Almoxarifado das Belezas Naturais donde Jeová ia tirando maravilhas para alindar as regiões recém-geografadas. O depósito, porém, era inesgotável e, por mais primores que fornecesse ao insigne presepista, permaneceu quase intacto após sete dias de requisições contínuas.

Estudos posteriores conseguiram localizar a sede do Grande Almoxarifado. Situava-se — ninguém mais o discute — onde é hoje o Rio de Janeiro.

Mas as outras regiões prejudicadas no rateio reclamaram contra a injusta distribuição, e Jeová, Suma Diplomacia, resolveu o problema duma forma engenhosa. Ponho lá, disse ele às reclamantes, um povo fechado aos encantos da natureza e, por mãos desse povo o excesso de que vocês se queixam minguará dia a dia.

O dito, o feito. Jeová povoou o Rio com os elementos mais aptos para corrigir o seu erro, e os homens escolhidos trabalharam como Brenos, sem um momento de folga, na obra de provar que Deus é também a Suma Psicologia.

A tarefa, entretanto, era ingente. Cansou a mão de Deus e está cansando a munheca do homem. Por mais que esta faça, continua o Rio a denunciar que foi a sede do Grande Almoxarifado das Belezas Naturais. O Pão de Açúcar persiste. O Corcovado insiste. A Tijuca resiste. A Gávea subsiste. E embora feio visto nos detalhes afeiantes com que o homem pacientemente o desfeia, olhado dos altos, em conjunto, no agrupamento das massas, o Rio é e há de ser sempre a prova esplêndida de que a Suma Equidade ali claudicou.

O carioca não dá o devido apreço ao quadro, já porque faz parte integrante dele, como animação da paisagem, já porque sofre da saturação da beleza. Criado naquele ambiente, afeito desde menino à irradiação da beleza, calejou-se, ofuscou-se e adquiriu o hábito de olhar sem ver. Quem chega de fora, porém, das terras lesadas pelo erro de dosagem do Supremo Paisagista, esse deslumbra-se e leva na retina, estampado para sempre, o deslumbramento, como leva n'alma uma ponta de revolta contra a diplomacia divina.

Porque se houvesse caído no Rio um povo capaz de senso estético, como foi o grego, como são os do norte da Europa, e se à obra da natureza se somasse a obra do homem, o Rio seria o Éden restaurado, a sala de visitas do mundo, um ponto forçado do turismo universal.

Dá vertigens sonhar dentro desta paisagem uma arquitetura que a realçasse, que fosse a mesma paisagem continuada, projetada artificialmente em linhas e massas de suprema harmonia.

Em vez disso: outra, o casarão, o horrendo chalé, a gaiola com batentes de granito; e hoje, o carnavalesco fandango de estilos exóticos, mourisco ali, assírio aqui, coisa nenhuma acolá, Elixir de Nogueira adiante...

Apesar disso o Rio é o Rio, cidade do sonho e maravilha incomparável. E o será, talvez, sempre. Por mais que o micróbio *neoformans*, empenhado na faina de quebrar o brilho ao sol, ataque, morda, corroa a paisagem, um aspecto subsistirá sempre, e bastará ele para assegurar o primado da beleza: — o relevo do solo, essas pedras gigantescas, únicas no mundo, esses morros sem par, joias inestimáveis, suficientes, um só em cada cidade, para encher de orgulho seus habitantes.

Mas até contra o morro investe o *neoformans*. Já arrasou alguns, e traz sempre de olho o morro dos morros, o pai de todos, o morro sagrado que deveria ser a nossa Acrópole.

Ali no morro do Castelo nasceu a cidade, ergueu-se a primeira igreja, funcionou o primeiro colégio, enterrou-se Estácio, o fundador. Dali partiu a mancha de azeite que, insinuada encostas acima e vales afora, criou o urbanismo mais pitoresco jamais surgido sobre a terra. Além desta função, genetriz, de si bastante para sagrar a colina, o morro do Castelo, justamente pelo abandono em que o deixaram e pela vizinhança com a Avenida, é a pérola maior do colar de pérolas carioca.

Anacronismo vivo, D. João VI paredes meias com Epitácio, século dezesseis entreaberto à curiosidade do século vinte, sobrevivência fossilizada de eras para sempre perdidas, é um ancião de barbas brancas, de cócoras à beira-mar, rememorando o muito que já lhe passou diante dos olhos.

Mas triste. Sabe que os homens de hoje estão voltando a certas praxes aimorés, e receia que lhe façam a ele o que fazia aos pais inutilizados pela velhice a mocidade de tanga: que o matem e comam. Ouve sempre cochichos suspeitos nos quais um estribilho soa insistente: precisamos arrasar o morro do Castelo! Sente-se condenado, como a árvore secular que caiu nas unhas dum vendedor de lenha, preocupadíssimo com o cálculo das carradas prováveis. Percebe que virou negócio, que o verdadeiro tesouro oculto em suas entranhas não é a imagem de ouro maciço de S. Inácio e sim o Panamá do seu arrasamento. E desconfia que o seu fim está próximo.

Os homens de hoje são negocistas sem alma. Querem dinheiro. Para obtê-lo venderão tudo, venderiam até a alma, se a tivessem. Como pode ele, pois, resistir à maré, se suas credenciais — velhice, beleza, pitoresco, historicidade — não são valores de cotação na bolsa?

Conforme-se o velho morro sagrado e com ele os abencerragens do contemplativismo estético: está decretada a sua extirpação. Mais dia menos dia a picareta lhe lavrará as entranhas, e em seu lugar se estabelecerá mais um núcleo desses açougues onde o senhorio risonho esfola a rés inquilina. Estão eles, os senhorios, a sonhar nas luvas de ouro incubadas ali dentro. Quantas! Que gordas pepineiras! Que negociatas de esfregar as mãos o raio do morro, quando arrasado, lhes proporcionará!

Ora, o mundo não é dirigido nem por filósofos nem por estetas. Condu-lo a mão pegajosa do vendeiro mal cheiroso que enriqueceu na cebola e acabou conde. Ele compra. Ele paga. Ele suborna. Ele é imensamente estúpido. Reze, pois, o morro do Castelo suas últimas orações, entregue a alma a Deus, e prepare-se para gemer na agonia final aos golpes da picareta. Não há forças humanas que o salvem. Os homens de hoje são filhos dos antigos prepostos de Jeová, e tão incansáveis como os pais na faina de lhe corrigir o famoso erro de dosagem. Além disso, está provado que há tesouros lá dentro: luvas!

Dramas de crueldade

Estudou Euclides da Cunha um dos dramas da nossa crueldade. Os outros, que os temos em número maior do que se supõe, jazem em branco, à espera de novos Euclides, suficientemente corajosos e suficientemente artistas para fixá-los em obra de verdade e arte. No geral esses dramas permanecem ignorados do país. Mortos os atores, dispersos como grãos de areia os assistentes eventuais, reduzida a voz da vítima a débeis cochichos, deles restam nos arquivos do Estado relatórios insulsos, tão soporíferos quão mentirosos. E ali irá a história mais tarde beber informes para a estilização, para a moedagem corrente dos fatos, assentando um tijolo a mais no edifício da mentira inconsciente que ela é.

Sem a intervenção da arte é impossível transmitir aos pósteros a sensação exata do que se passou. Só a arte sabe perpetuar o que foi vida. Canudos teve a sorte de topar em seu caminho um estilo a serviço de uma consciência. Não fora isso, e o drama lá estaria hoje reduzido à mentiralha de encomenda dum relatório tendencioso, apologético para o vencedor, capaz de meter na história, como heróis, a gente que Euclides atou ao pelourinho.

Assim, Manzoni e Boccacio legaram-nos a visão exata das pestes de Milão e Florença. Não fossem eles, e quem se recordaria hoje dessas calamidades? Os relatórios oficiais em que foram "mentidas", onde param?

O relatório é um mal crônico. É a própria velhacaria humana transfeita em calhamaço. O meio de neutralizá-lo é um só: contrapor-lhe Euclides.

Infelizmente os Euclides são raros, e centenas de dramas se desenrolam antes que surja um. Tivemos depois de Canudos uma reprise da peça no Contestado. As mesmas origens: beatice e ignorância. A mesma réplica: farda e incompreensão. O mesmo desfecho: crueldade e covardia. A mesma apoteose: relatórios. Não surgiu, porém, o Euclides, e o país ignora esse novo drama, que não será o último.

Que não será o último porque as causas persistem. Cada vez mais o litoral encurrala o sertão, especializando-se em inépcia à medida que este se especializa em miséria moral e ignorância. O beco é sem saída.

A República, feita para uso e gozo de uma mediocracia rapinante, não resolve problemas sociais. Digere. Joga *pocker*. Percebe porcentagens. Não lhe sobram olhos para ver em Canudos, no Contestado, na permanência do cangaço nortista, nas agitações da Bahia, o tremendo mal estar de uma pobre sub-raça em via de eliminação, mas capaz de muito no dia em que tiver chefes.

Vêm-nos à pena estas considerações lendo no livro de Crispim Mira o capítulo dedicado à revolução sulista no tempo de Floriano. É outro drama de estupidez e crueldade que não foi escrito. Até aqui, sobre ele, tem-se apenas mentido.

Que horrorosa calamidade foi aquilo! Como nos degradou, revelando aspectos repelentes do caráter nacional!

Por isso mesmo que a revolução não teve um critério claro a orientá-la, diz Mira, aconteceu o que era inevitável: desenfreamento das mais baixas paixões da besta humana, só de leve açaimada por uma casquinha de cultura moral. E uma onda de calamidades rolou sobre a terra catarinense, norteada pelo fio do espadagão caudilhesco, subvertendo a ordem, e levando aos campos e às cidades a miséria, a dor, a desonra, o luto. Desgraçados os que caíam no desfavor das facções! Não tardava surgir-lhes pela frente bandos de cavalarianos de bombacha, ou vestidos à legalista, que arrombavam, saqueavam, assassinavam, violavam meninas em frente dos pais amarrados e forçados a assistir ao horrendo sacrifício. Ninguém escapava a esse cruel destino. Por mais que respeitáveis famílias se conservassem estranhas ao facciosismo político, a qualquer momento irrompiam-lhes casa adentro indivíduos patibulares, portadores de intimações e exigências odiosas. E o remédio era submeterem-se sem um protesto, porque o facão ali estava de fio pronto para tudo decidir sumariamente.

Imperavam por toda parte as criaturas más por temperamento e de caráter infame, o ladrão, o proxeneta, o delator, o traiçoeiro — essas ressurreições ascorosas daqueles pustulentos romanos do tempo de Nero. Capazes de todas as infâmias, o momento era deles, porque do alto só se exigia do homem uma coisa: servilismo. A cada fechadura um ouvido se postava. Havia o sadismo da delação. Chegou ela a ponto do próprio Floriano revoltar-se um dia. Um capacho político insinuava coisas desairosas relativas a Saldanha da Gama, quando o marechal o interrompeu:

— Cale-se. Saldanha é um marinheiro que honra o Brasil. E um homem de linha. Não calunia nem bajula. Prefiro adversários assim a amigos áulicos, instrumentos da própria inferioridade e advogados das próprias ambições.

Se Floriano agia assim — e nem sempre agiu assim — seus asseclas só se guiavam pela voz do delator. Por esse motivo a luta do sul constitui, talvez, a mais horripilante mancha da nossa história. A delação fez mais vítimas do que a ideia. Vidas preciosas foram ceifadas sem que de nenhum modo o crime aproveitasse aos interesses das facções.

E os requintes de perversidade em que refocilava o ódio! Não bastava matar. Era mister torturar. E lá iam prisioneiros de mãos algemadas, puxados a laço pelo pescoço. Se caíam, vencidos pelo cansaço, vinha o infamante chicote erguê-los. A outros obrigavam a passar fogueiras, ou a engolir excrementos humanos, quando os não supliciavam à maneira da Santíssima Inquisição, cortando-lhes as carnes aos pedacinhos durante semanas inteiras.

Felizes os que caíam sob a degola! Porque a degola chegou a ser ato de clemência... Era comum os chefes — gente que hoje dá nome a ruas — esquentarem o carrasco à força de pinga e mandarem-no *divertir-se* com o *lambisca* ou o *maragato*. E lá ia ele, a rir, chapéu para trás, alisando o facão, em procura do prisioneiro manietado. Começava com chufas, e um pontaço para espertá-lo. Se a vítima pedia a degola rápida, o infame replicava que tivesse paciência, que "primeiro era preciso botar fora o sangue ruim". E, à sua frente, boleando o facão em movimentos de esgrima, cortava-lhe uma orelha. Parava. Ria-se. Cortava outra, decepava o nariz, ablaqueava os lábios de modo a deixar os dentes à mostra. E ria-se ante as visagens horrendas do martirizado. Chamava companheiros para ver que boneco engraçado estava esculpindo a facão. E continuava, golpe aqui, golpe ali, corta este, aquele músculo, até paralisar todos os movimentos da cara. Como a caveira escarnada ainda geme, mete-lhe a ponta do facão na boca e atora-lhe a língua. E ri-se. Por fim, farto como uma hiena, degola-a...

Nos fuzilamentos o processo era mais humano. Concediam às vítimas o direito de vendar os olhos...

"Houve uma ilha, — diz Mira, — provida duma fortaleza, para onde um coronel epiléptico, já execrado pelas gerações e ignominiosamente fixado pela história, mandava às dezenas, nos seus rompantes de paranoico, para serem passados pelo fuzil, prestimosos cidadãos cujas famílias os choram ainda. Duma feita, quando um cavalheiro de barbas brancas ia ser espingardeado, o filho, também prisioneiro, atirou-se-lhe aos braços em doloroso amplexo de despedida. Mas o comandante da escolta ordenou incontinente:

— Façam fogo nesses sujeitos.

Esses "sujeitos" eram o venerando barão de Batovi e seu filho, o dr. Gama d'Eça."

Os autores destas barbaridades tiveram um castigo *sui generis*: dar o nome às principais ruas das nossas principais cidades. Crispim Mira esqueceu de completar com esta observação a página vibrante onde estigmatiza aquele rosário de crimes. No entanto, este detalhe é o mais precioso de todos, porque completa o quadro e faz-nos compreender a mentira viva que somos. Mentimos aos pósteros alçando à categoria de heróis carrascos que mentiram a todas as leis da justiça e da humanidade. Depois, para desencargo de consciência, à primeira oportunidade que surja, mentimos de novo deflagrando nossa indignação contra os bárbaros de fora...

Dialeto caipira

Sob este título modesto acaba Amadeu Amaral de compor a primeira gramática da língua brasileira.

Expliquemo-nos.

A grande árvore da língua latina, que circunstâncias felizes fizeram viçar ao bafejo das brisas mediterrâneas, depois de completo um glorioso ciclo biológico morreu como morrem árvores — escasqueada, broqueada, parasitada, lenhada e afinal derrubada pelo bárbaro a manejar inconscientemente o machado da evolução.

Mas como árvore que era, morreu perpetuando a espécie nas filhas — esses formosos alporques que constituem hoje a família neolatina.

Bela irmandade! Quatro irmãs opulentas de tesouros literários — a lusa, a italiana, a francesa, a espanhola e a mais humildezinha, aquela entalada no "frege" dos Bálcãs — a romena. E todas bem enseivadas, ricas, capazes de a seu turno reflorirem em prole magnífica de que sairão as netas da língua latina.

Cá entre nós já vemos grulhar a netinha número um, subvariedade da variedade portuguesa.

É a língua da terra, a língua geral destes vinte e cinco milhões de criaturas que somos. Coexiste em nosso território ao lado da língua-mãe e oficial, a portuguesa. Humilde criança da roça, gerada no seio da arraia-miúda dos campos e do povinho humilde e sofredor das cidades, negam-lhe pão e água os magnatas cortesanescos que fazem roda de peru em torno da rainha metropolitana.

Não obstante a menina cresce, conchegada com amor no seio do povo. Já é ela, a neta, e não mais a avó erudita, quem satisfaz às necessidades de intercâmbio mental dos roceiros, das patuleias urbanas e dos literatos que se dirigem às massas e não às elites. Nela é que o sertanejo ama, o gaúcho bravateia, o retirante chora, o seringueiro lamenta-se, o vaqueiro descanta, o cafajeste pernostica. Tem já poetas embelecados pelas suas graças nascentes, e adoradores prosistas, doidos pelo seu linguajar langue, ingênuo, expressivo e vivamente impregnado da cor, do som, do cheiro, do ité, do agreste da terra brasílica.

Crescerá essa menina, far-se-á moça e mulher e sentar-se-á um dia no trono ora ocupado por sua empertigada e conspícua mãe. Imperará no Brasil inteiro — não como hoje, às ocultas e medrosamente, mas às claras, de justiça e de direito; e não na língua falada apenas, mas na falada, na escrita e na erudita. E a velha língua-mãe, que cá vige mas não viça, abdicará de vez em favor da filha espúria que hoje renega, e desconhece, e insulta como corruptora da pureza importada.

Cem anos levará isto? Que importa? Cem, duzentos, quinhentos — isso é nada na vida de um povo. E sinhazinha Brasilina não tem pressa. Menina descançadota, meio "mãe da vida", ela não olha para o tempo e, despreocupada, folga e ri de pé no chão à beira dos corgos, pelas vendolas de estrada, nos casebres de sopapo, nos sambas, nas catiras, nas farras, na peraltagem infantil das ruas. Convive apenas com o povinho miúdo. Foge acanhada dos grandes, em cujo olhar severo só vê censuras e desprezo.

Tem namorados. Cornélio Pires é um. Valdomiro Silveira é outro. Com eles abre o coração e entremostra o ouro que lhe vai dentro.

Gosta ainda de sapatear quando Catulo sapeca o pinho choroso. Mas apesar destas fugidias entradas no grande palco, a artista Brasilina permanece roceira, e só nos campos reina qual ninfa selvagem — pés nus, vento nos cabelos, sol nas faces.

Era assim. Mas hoje Brasilina está séria, de testa franzida. Veio perturbar-lhe o sossego um homem seu desconhecido, cuja atitude a surpreende.

Amadeu Amaral, em vez de lhe sussurrar palavras de amor ou desferir descantes de viola, estuda-a. E Brasilina, tomada a sério pela primeira vez, escolhida de improviso por um escritor de alto renome que a quer retratar com fidelidade, entrepara, acanhadinha, de pé atrás e dedo na boca. E Amadeu assim a esboça, dos pés à cabeça, em traços firmes, num carvão que marcará entre nós o início duma fase nova de estudos linguísticos — e esta fecundíssima, verão.

Até aqui a nossa filologia se limitava a bizantinar sobre verrugas da língua-mãe, mexericando com clássicos, fossando como leitoa pulverulentos alfarrábios reinóis. Surgia a polêmica estéril. Cândido de Figueiredo intervinha lá de Lisboa com a palmatória; os gramáticos menores — que os há como carrapatos pelo interior — assanhavam-se; e o ponto debatido em vez de esclarecer-se ficava como novelo que gato brincou.

O estudo único em matéria filológica que nos cumpria fazer não o fazíamos. Era esse da língua nova, a língua que ao país inteiro interessa: o estudo, o retrato fiel da Brasilina arisca que atende às necessidades de expressão dos vinte e cinco milhões de jecas que somos. Porque, estranha contradição! falamos à moda de Brasilina mas escrevemos à moda de dona Manuela, por falta de coragem, ou medo ao bolo da palmatória portuguesa.

Esse estudo tão reclamado Amadeu Amaral superiormente o realizou. Seu "Dialeto Caipira" vale por chave de ouro a abrir as portas de um mundo inédito. É o começo da gramaticação de uma língua nova, neta da língua de Horácio.

Ele traz pela mão, honestamente, a caipirinha dialetal paulista e a apresenta ao país.

— Está aqui o pingo d'água arisco que vai ser o diamante de amanhã. Exponho-a aos vossos olhos, nuazinha em pelo, envergonhada e humilde como a apanhei na roça. Apanhei-a como o O. F. apanha borboletas: sem lhes tocar nas asas para que nenhuma falripa do irisado se perca. Está pura e intacta como se surgisse de um banho matinal no ribeirão.

Estudei-a sob todos os aspectos.

O fonético, enunciando as alterações normais dos fonemas e as modificações isoladas. O lexicológico, dizendo dos elementos lusos, arcaicos na forma ou no sentido, com que se enfeita; dos elementos indígenas que assimilou, dos africanos e das elaborações pessoais — deliciosa criação de fino valor expressivo. O morfológico, dando a formação das palavras, as maluqueiras teratológicas, as flexões de grau e verbo e o modo todo seu de resolver a questão dos pronomes. O sintático, reunindo fatos relativos ao sujeito, ao pronome como objetivo direto, às conjugações perifrásticas, às orações relativas, às modalidades da negativa e à maneira de circunstanciar o tempo, o espaço e a causa.

Em seguida organizei um vocabulário onde desfio o rosário inteiro de palavras que ela criou, ressuscitou, simbolizou e modificou — ou corrompeu, como querem os moralistas vestidos na pele dos filólogos.

Aqui tendes a minha contribuição. Juro pela fidelidade do esboço — que assim foi que a vi, à língua nova, brincando menineira em terras de S. Paulo. Façam outros o mesmo. Retratem-na com este carinho, ao norte, ao sul, ao centro — honestamente, sem retoques.

Porque Brasilina é volúvel. Traja-se de gaúcha nos pampas, de vaqueira no centro, de seringueira na Amazônia e só a teremos estudada de modo integral, nas graças corporais e na psicologia, quando lhe fotografarmos todas as variantes. Só esse trabalho coletivo nos permitirá a posse do diamante bruto que por aí rola nas mãos calejadas do poviléu. Feito isto, é lapidá-lo na ourivesaria da rima e da prosa e teremos criado a língua nova que no futuro falarão cem ou duzentos milhões de homens.

É isto que nos diz o livrinho modesto de Amadeu Amaral, o Fernão Lopes da gramaticologia brasileira.

Seu *Dialeto Caipira* assanhará as tartarugas filológico-perobas, como obra ímpia que dá honras de cidade à "corrupção".

Esses carunchos sob forma humana pertencem à fauna cadavérica. Só se sentem à vontade quando a questão é de necropsia. Em se tratando de arrastar a asa a uma rapariga viva, de carne morena e quente, persignam-se como fradalhões hipócritas e gritam fugindo às arrecuas:

— Pecado! Pecado!...

OS LIVROS FUNDAMENTAIS

O filhote vespertino do *Estado* abriu nas livrarias um inquérito afim de apurar o que entre nós se lê.

Tais inquéritos são por natureza deficientes e velhacos, intervindo para viciá-los não só a maroteira dos negociantes como ainda a simpatia dos promotores. Além disso não provam de fato o que se lê, senão, e apenas, o que se compra.

Entre comprar livros e lê-los vai alguma diferença. Muita gente adquire os *Ensaios* de Montaigne para enfeitar a estante; mas só lê o fescenino Alfredo Galis. Outros ornamentam as estantes com Taine, Spencer, Mommsen, Nietzsche, William James, Maeterlinck, Platão. Entretanto, à cabeceira da cama só lhes vereis o velho Dumas ou o moderno Nick Carter. De modo que tais inquéritos erram de objetivo e tomam a nuvem por Juno, como se dizia nos saudosos tempos das imagens gregas.

Cumpre ainda distinguir o que leem os trezentos de Gedeão do escol nacional, do que lê a massa, os 99% do país.

O escol lê o seu Anatole France, o seu Maupassant, o seu Maeterlinck, o seu Rostand, o seu d'Annunziozinho. É cosmopolita, e se lhe tomardes as medidas psicométricas vereis que nada o distingue da elite de toda parte. A cultura uniformiza os cérebros, e trá-los moldados pela mesma forma — na França, aqui ou na Indochina. O escol não possui individualidade marcada, nem a coragem do gosto pessoal. Rege-o em toda parte o mesmo código de esnobismo. Quando surgiu Bergson em França, os escóis do mundo inteiro se fizeram bergsonianos. Zelosos do bom tom, vestem o cérebro pelo figurino do dia, e usam um poeta, um romancista, um filósofo, do mesmo modo e pelas mesmas razões que usam certo nó de gravata ou tal moda de chapéu.

O povo, não.

O povo tem a coragem da sua honrada estupidez. Veste-se como quer e lê o que lhe sabe.

Entre nós, por exemplo, é facílimo seriar as leituras que conformam a mentalidade do povo.

O menino aprende a ler na escola e lê em aula, à força, os horrorosos livros de leituras didáticas que os industriais do gênero impingem nos governos. Coisas soporíferas, leituras cívicas, fastidiosas patriotices, Tiradentes, bandeirantes, Henrique Dias, etc. Aprende assim a detestar a pátria, sinônimo de seca, e a considerar a leitura como um instrumento de suplício.

A pátria pedagógica, as coisas da pátria pedagogicada, a ininterrupta amolação duma pátria de fancaria empedagogada em estilo melodramático, e embutida a martelo num cérebro pueril que sonha acordado e, fundamente imaginativo, só pede ficção, contos de fada, história de anõezinhos maravilhosos, "mil e uma noites" em suma, apenas consegue uma coisa: fazer considerar a abstração "pátria" como um castigo da pior espécie. Mais tarde, possam eles! e estão vendendo, estão traindo, por espírito de vingança, essa pátria desagradável, maçadora, secante, que lhes encruou os melhores dias infantis.

Além disso, sai o menino de escola com esta noção curiosíssima, embora lógica: a leitura é um mal; o livro, um inimigo; não ler coisa alguma é o maior encanto da existência.

Acontece, todavia, que o diabo intervém, e um belo dia lhe cai nas mãos um livro proibido, *Tereza a filósofa*, por exemplo. O menino abre-o, por acaso, já enfastiado de antemão.

— Já sei. É aquela seringação do Tiradentes...

E lê displicente uma linha. Lê mais interessado a segunda. Lê uma outra com o sangue já a alvoraçar-se nas veias — e corre a esconder-se para que ninguém lhe perturbe a leitura do livro inteiro.

Está salvo! Aquele providencial livrinho matou-lhe o engulho da leitura inoculado na escola pela pedagogia sorna. O menino aprendeu no livro de Tereza o valor da leitura; viu que a letra de forma não se limita a veicular as estopadas bocejantes do desagradável tempo de prisão escolar; viu que a leitura é suscetível de interessar profundamente a imaginação; e que se há livros piores do que palmatórias, há-os em compensação deliciosos, como esse da boa Tereza.

E, despertado para um mundo novo, ei-lo à caça de livros e a mergulhar-se em quantos encontra, em procura de pão para a libido — o pão básico, o pão fundamental de homem.

Daí a procurar o pão do espírito é um passo — e está salvo, está ganho para a cultura.

Anos depois, mergulhado em Spencer ou estudando em Kant a representação sensorial das coisas, se se detém para um exame de consciência, verifica, sorrindo, que o que o levou àquelas altas filosofias não foi o pedagogo carreteiro de pacóvias sornices cívicas, mas um livro proibido — um grande livro, afinal, a *biblion* da sua formação do espírito: *Tereza a filósofa*.

Estes são, pois, os livros fundamentais da nossa cultura. Se temos grandes escritores, e pensadores, e altos expoentes de vida mental, às excelentes Terezas e aos apopléticos fradalhões fesceninos que em livros desse gênero enxameiam o devemos. Sem elas e eles tais mentalidades conservar-se-iam em estado latente, graças ao horror à leitura adquirido na escola.

Ao lado desses livros básicos existem outros de menor influência, embora fecundíssimos em resultados. *Carlos Magno e os Doze Pares de França* é um deles.

Não se dirige à libido, e sim ao instinto guerreiro que nos legou o troglodita e que a civilização vem apurando através dos séculos.

A imaginação ali cabriola como potro insofrido, liberto da baia. Aqueles heróis que fendem cabeças de mouros durante trezentas páginas a fio, o cheiro de sangue que exala a história, as façanhas inauditas dos invencíveis pares de França, tudo aquilo por junto forma um amavio inebriante, capitoso como um vinho forte.

É livro formador. Desperta o gosto pela leitura e conduz à boa estrada quantos no tempo próprio lhe põem a vista em cima.

Mas o menino cresce, atinge a puberdade e entra a perturbar-se diante da mulher. Ama. A aurora do primeiro amor entumece-lhe o coração, recheia-o de sentimentos vagos, novos, nunca experimentados. E ele cai a fundo em Casimiro de Abreu. A sua virgem está lá nos versos do poeta; é aquela mesma rolinha esquiva que se oferece e negaceia, e fugindo o fere com a flecha do Partho.

Suas tremuras, sua vermelhidão, seu enleio, seus desejos, tudo lhe traduz o poeta encantador dos dezesseis anos, esse eterno Casimiro que morreu na cruz para redimir Querubim da tortura de sentir e não saber dizer.

As meninas, já essas vão todas para Escrich. Só Escrich sabe o segredo de interessar a sensibilidade das nossas "meninas e moças".

Em Escrich ama-se com furor, pelos processos embriagadores do "romantismo do coração". A vida ali é uma coisa só: amor. A ação: amar. O objetivo, o fim supremo de tudo: cair nos braços do objeto amado ou traduzindo isso na linguagem utilitária da mulher: casar.

Mil cidadezinhas pelo interior do Brasil existem onde, em matéria de leitura, de país a filhos, gerações sucessivas gravitam em torno desse trio: Tereza, Carlos Magno, Escrich.

Tereza, sempre escondida, surge da toca quando lhe passa ao pé um adolescente. É a fada boa dos catorze anos.

Escrich vive às claras, em cima das cômodas, na gaveta dos toucadores, nos cestinhos de costura. É o cicerone dos corações que soletram. Quem examinar um desses Escrich de edição barata verá que prodigiosa legião de olhos — olhos verdes, azuis, negros, castanhos, lindos olhos quase todos — já lhe choraram sobre as páginas amarelidas e encardidas. De cantos puídos e folhas uma a uma assinaladas com dobrinhas marcadoras de interrupção da leitura, alçam-se tais livros à categoria de entidades veneráveis, dignas do maior respeito. Sem donos, em geral, circulam de mão em mão, em empréstimos sucessivos, como bens pertencentes à comunidade. E de tanto uso chegam literalmente a gastar-se, como velhas notas de mil réis.

Disto se vê que as letras nacionais só forneceram até hoje um livro de influência marcada na formação popular: as *Primaveras* de Casimiro Patativa. Os mais vieram da península, com a pimenta e o queijo do reino.

Só nacionalizamos, portanto, o amor — e o amor masculino, apenas. Para o resto o nosso povo ainda é colono. E assim será enquanto a literatura for entre nós planta de estufa — desabrochada em flores como as quer a elite, e enquanto a pedagogia for a própria arte de secar as crianças com o didatismo cívico, criando, logicamente, o irredutível horror à leitura, que caracteriza o brasileiro.

Condes...

Erro foi da República, e grande, suprimir as distinções nobiliárquicas, visto que o crachá tem suas raízes na própria natureza humana. Tanto mais rica de encantos é a vida social de um povo, quanto mais se acidenta de altibaixos, como acontece na vida natural. A paisagem humana é, na vida natural, opulentíssima de contrastes. Ao lado do gênio vegeta o cretino; João da Ega cruza passos com mestre Acácio; Wagner mora paredes meias com um surdo-mudo; Maquiavel da sua janela sorri do infindável desfile dos ingênuos; Antônio traz negócios com o senhor Quasimodo; Frineia sorri-se de miss Leyton, essa urucaca inglesa, primeiro prêmio da feiura londrina; São Francisco de Assis ombreia com labregos ferozes, que derrancam a cabo de relho burros estropiados.

Terreno montanhosíssimo. Cadeia andina onde os picos vulcânicos da inteligência se erguem ao pé das boçorocas da estupidez; e o bom e o mau, o rico e o pobre, o virtuoso e o crápula, o puritano e o larápio, o artista e o idiota, o honesto e o cavador, os Rollos e os Ximenes, formam a mais pitoresca montanha russa de valores naturais.

Foi, é e será assim, porque a sinfonia universal joga com milhares de notas, e todas são necessárias à maravilhosa harmonia do conjunto.

Na ordem social também é assim. De tempos já sem memória criaram-se as distinções nobiliárquicas afim de dar à paisagem social o mesmo relevo de solo que assinala a outra. Daí Himalaias: reis, imperadores. E montes: duques, marqueses, condes. E montículos de terra: barões, comendadores.

Mas vem a República e entende de revogar a natureza humana decretando a planície geral. Tudo raso! Nem Himalaias, nem montes, nem montículos. Apenas, para consolação de aflitos, o cupim do coronelato da Guarda Nacional, que por sua vez acabou suprimido também. De ponta a ponta um plaino sem duna de areia a quebrar a lisura da obra!...

Ingênua República! Falhou nisto como falhará em tudo quanto fez contra os pendores irresistíveis da natureza humana. Abafados, asfixiados aqui, eles ressurtem lá adiante sob formas novas e perpetuam-se.

Assim se deu entre nós com a nobreza. Extinta por decreto, graças à incompreensão do 15 de novembro, refloresce hoje em vergônteas magníficas. À fauna copiosa da nobreza imperial substitui-se a fauna moderna da nobreza arrivista. E a nossa paisagem social, planura intérmina, pasto pontilhado apenas de legiões de cupins coronelícios, anima-se de novo com montículos baronais, montes condais e até um pico principesco.

Em São Paulo o terreno acidenta-se rapidamente graças à cogumelagem dos condes. Tantos há, que os engraxates já receiam dar de doutor a todos os fregueses.

— Doutor? Dobre a língua. Saiba que está aos pés do senhor conde da Mortadela!...

Que os há em número dia a dia maior. Negociante que abre falência três vezes começa a ser tratado com respeito.

— Está ali, está conde, — murmura o povo, fino de faro.

E como é lindo ser conde, quem enriquece numa boa negociata ou inventa um meio inédito de "aperfeiçoar" a banha entra logo a sonhar com brasões, e lá num ano bom de saldos gordos "recebe" a comenda. Bestas, então, suntuosas; "V. Excia" a granel; murmúrios de inveja dos que não podem colher o fruto.

Não demora muito surge um estudioso de nobiliarquia, o qual descobre o entroncamento do conde na alta prosápia dum Bernardo del Carpio, dum Assurbanipal da Assíria, dum Roderico de Espanha; ou, se o homem é modesto ou paga pouco, dum simples Bulhão cruzado.

E rebenta logo o escudo da família, elaborado pelos nossos engenhosos Sanches de Baena. Castelos, leões de goles, veiros e contraveiros, aspas — olé! — arminhos, águias armadas em preto, fundos jalnes, campos blaus, arruelas, grifos, rabos de jacaré — toda a estamparia heráldica que nos legou a imaginação medieva.

Só não figuram nesses escudos as coisas prosaicas que deram origem às respectivas nobilitações; molhos de aletria, résteas de cebolas, pezinhos de cabra em campo blau, barriletes de banha com fundo duplo em imprimadura jalne, etc., etc. Não são heráldicos tais signos; não têm por si a força da tradição.

Não se sabe bem por que a fauna condal é a que mais depressa se multiplica. Corresponde na nobreza ao coelho entre os roedores. Talvez seja isso pelo fato de abrolhar em São Paulo mais fortunas que em todo o resto do país; e, por estranho malabarismo do acaso, ser sempre nos novos ricos que se reúnem qualidades merecedoras de nobilitação. Graças a isso a Pauliceia oferece nas récitas líricas um aspecto imponente.

— Quem é aquele, lá na primeira frisa?
— Aquele é o conde da Banha Rançosa, descendente de Carlos Martelo.
— E aquele outro, chatote?
— É o conde da Mamona, oriundo de Pepino o Breve.

É lindo. Enfeita a sociedade. Pintalga de coturnos ultra eminentes a monótona democracia chineleira do 15 de novembro. E como em geral são uns mãos largas em se tratando de benefício próprio, viram árvores a cuja sombra acampam jornalistas, revisteiros, poetas, pintores — uma miuçalha lambareira que se não vivesse dos condes iria viver do Estado.

Assinala-se, pois, aqui, a primeira grande função econômica da espécie. O rico simples, sem comenda no peito, não realiza esta função aliviadora do Estado. Possui menores os canteiros da vaidade e necessita menos pessoal adstrito à tarefa de cultivá-los, e manter sempre ofuscante a flama da apoteose.

Vê-se disto que foi inepta a política republicana, suprimindo uma instituição preciosa como fonte de lucro para a economia pública. Cada conde que surge são dez sanguessugas a menos no tesouro da nação. Criar condes, além da renda direta que ao tesouro trazem os emolumentos, é medida financeira de incalculável alcance para aliviar o toutiço do Estado duma legião de parasitas. Só a economia feita com a imprensa não é coisa de desprezar. Quantas revistas, quantos jornalecos não se desprendem da verba secreta logo que lhes surge pela frente um conde a gigolotar?

A lei, está provado, não consegue extinguir a cogumelagem nobiliárquica: tire, pois, partido da insopitável vaidade humana.

É inútil persistir o nosso estado nesse tolo abstencionismo, que sempre há de haver estados estrangeiros prontos mediante dinheiro a lhe inutilizar as intenções igualitárias.

Além disso há o processo novo, genial, da autocondecoração — processo em início ainda mas suscetível de enorme desenvolvimento. Com meia dúzia de artigos em jornais, bem pagos, qualquer trifalido passa a barão, a marquês, e até a príncipe, se quiser.

Processo novo, dissemos, mas ai! *Nihil novum!*... É velho como tudo. O Mark Twain brasileiro — infelizmente um Mark Twain inédito — conta uma passagem que mostra a velhice do sistema.

Um seu parente herdara dum tio-avô um legado de vinte e cinco contos, quantia de vulto naquela época de açúcar a sessenta réis a libra. E, grato pela lembrança do parente morto, resolveu pendurar-lhe o retrato a óleo em lugar de honra na sala de visitas. Foi ao Rio e encomendou a tela ao pintor Petit, o qual Petit alisou a mais macia cara de velho jamais saída de palheta humana. Quando o freguês, voltando, viu a obra, ficou deveras encantado.

— Lindo! — disse. — Parece até que está falando!

E, embevecido, examinou minuciosamente a figura, com um brilho de lágrima no olho.

— Mas, — objetou, — é pena que esteja com o peito assim vazio... Uma comendazinha ali...

— Pois é fácil, *sacré nom*! Por mais oitenta mil réis, pinto-lhe no peito uma linda comenda da Rosa.

— Oitenta? É carete...

— É o preço. Uma oitenta; duas, cento e vinte...

— Pois então pinte-me duas, da Rosa e do Cruzeiro.

O artista sapecou no peito do velho duas comendas tão bem pintadinhas que até pareciam verdadeiras.

O retrato do tio-avô foi impar majestosamente na sala de visitas do grato sobrinho. E se alguém, sabendo que o velho nunca fora em vida senão fazendeiro, estranhava o caso das duas comendas...

— Nunca soube que fosse duas vezes comendador o seu tio Pedro...

— Não era, — respondia o sobrinho. — Mas, você compreende, legou-me vinte e cinco contos. Muito natural que eu fosse grato para com a sua memória. Pus-lhe uma comenda — oitenta mil réis. O pintor advertiu que duas custavam cento e vinte. Ora, você compreende, por mais quarenta mil réis...

Uruguaiana

André Rebouças foi talvez o homem mais meticuloso do Império. Tudo anotava, registrava, sistematizava cuidadosamente, de modo a transmitir-nos a sua vida cinematografada dia a dia nos copiosos volumes que compõem o seu diário. Abre-o a nota do nascimento, em Cachoeira, Bahia, 1828, quando seu ilustre pai lutava contra a rebeldia da sabinada; e passo a passo acompanha-o esse diário como sombra até ao fim da operosíssima vida, cheia de trabalhos técnicos, estudos, leituras e atos.

Três volumes dessa obra se referem à guerra do Paraguai.

Interessantíssimos. Anotações diárias, instantâneos fotográficos, à sua leitura hoje homens e coisas revivem num enlevo estereoscópico de ressurreição.

A *Revista do Brasil* está publicando excertos desse diário, na parte relativa ao cerco e tomada de Uruguaiana.

Uruguaiana!... Palavra sonora que sugere mil coisas distantes, apagadas já, apesar de transcorridos menos de sessenta anos da tragicomédia de Canabarro e Estigarribia, dois hipopótamos, afins na bravura e na incapacidade mental. Foi de ontem a guerra do Paraguai; seus veteranos ainda vivem por aí ao leu, às dezenas; no entanto, parece um fato de priscas eras — tão rapidamente o Brasil evoluiu daí para cá, aos pinotes.

Uruguaiana já está na história devidamente estilizada ao sabor do paladar patriótico.

Tem isso a história de generoso: estiliza os fatos, descasca-os dos realismos dolorosos, desfigura-os num sentido estético. É o meio da humanidade poder ver-se com bons olhos...

Entre o que foi de fato Uruguaiana e a feição pela qual a vemos hoje, vai um abismo.

O azul das montanhas... Quem for amigo da beleza não queira nunca vê-lo de perto. O azul é a grande mentira da natureza. É a mentira por excelência. É tão mentira que não existe. Não há azul. A montanha linda, a recortar no azul do céu o liso azul de safira, é de perto aspereza, precipício, perambeira, boçoroca, mata híspida tramada de cipós e arranha-gato. E não é azul.

Assim a história. Possui, como a montanha, o seu azul nítido, fulgurante, luminoso. Homens e fatos vistos à distância que azula despertam-nos suaves emoções e até entusiasmo. Se nos aproximamos, porém, ai de nós! o azul histórico descora, morre, e tudo fica prosaico, colorido da grisalha suja das coisas contemporâneas.

Distância e tempo: os dois pais do azul. Benditos sejam, que é de abençoar tudo quanto ajuda a criar a coisa mais bela que possui vida: a mentira azul.

O diário de Rebouças, suprimindo o tempo, desfaz o azul de Uruguaiana e mostra-nos esse episódio da guerra como ele o foi na realidade. As indecisões, a frouxidão, a politicagem emaranhando-se como erva de passarinho na ação militar, a incapacidade dos chefes, a imprevisão, a falta de tudo, a desordem, o negocismo...

A resistência dos invasores eternizava-se, menos pela eficiência do exército paraguaio ou pela fraqueza do nosso, do que por conveniência da politicalha. Por fim, como sempre acontece, dos dois lados virou negócio prolongar a marosca. O cerco se fazia de modo favorável aos sitiados: com portas abertas para que se prolongasse a resistência e se protelasse um desfecho que viria por termo à pepineira. E a tal ponto chegou a desfaçatez, que o Imperador teve de ir em pessoa liquidar o caso. Foi, e a ação catalítica do seu alto espírito de honestidade agiu com rapidez fulminante. Uruguaiana rendeu-se imediatamente.

Dos heróis desse feito só Pedro II avulta com a aproximação. Grande de longe, maior de perto. Azul de longe e azul de perto. Luminosa exceção à regra do azul.

Rebouças, no decurso do diário, diz várias vezes: "Só Pedro II é brasileiro". Porque aos mais achava apenas negociantes.

Uruguaiana foi um caso típico de inópia militar.

Lopes, evidentemente um louco, agarra de um exército e lança-o, qual um dardo, ou um alfinete, contra uma imensa baleia de carne atônica. O dardo penetra uns centímetros e para. Perdida a força inicial do arremesso, abre na baleia uma pequena ferida, nem benigna nem maligna. A natureza operando, a ferida apostema, forma-se o tumor e o estrepe cai por si mesmo, de maduro. Foi esse o caso da invasão paraguaia.

Toda a agitação mavórtica do "Império sonso", como nos chamavam os argentinos, não apressou de um dia a queda do estrepe. O tumor veio a furo no prazo previsível.

Estigarribia, selvagem bronco, penetrando no Rio Grande com alguns milhares de asseclas, trouxe na bagagem o germe do desastre. Para vencê-lo incruentamente bastava esperar. O bom cabo de guerra indicado para expugná-lo era o mesmo grande auxiliar de Fábio: o tempo. Enquanto o Império, convulsionado, improvisara a resistência e o "castigo", Estigarribia vencia-se a si próprio naquela Cápua rota e faminta. E no dia em que Porto Alegre deu início ao assalto não havia mais inimigos pela frente. O exército paraguaio não passava dum bando de maltrapilhos ansiosos por uma coisa só: libertarem-se da disciplina e comer em paz o churrasco.

André Rebouças descreve a cena do assalto, por ele assistida de bordo do *Onze de Junho*, um vapor fluvial. Viu a cavalaria e a infantaria brasileira caminharem sem um disparo em direção da praça. Viu tremular a bandeira auriverde no cemitério a cavaleiro da cidade. E às três da tarde viu chegar um oficial com a grata notícia da capitulação.

Nossas forças marcharam como num passeio militar, sem guardar sequer disposições elementares de arte bélica. A artilharia colocou-se sob o alcance da fuzilaria paraguaia. O general Flores teve a impressão de que as nossas forças caminhavam como a bandear-se para o inimigo.

Rebouças descreve Estigarribia, a quem viu a bordo.

"Alto, corpulento, muito moreno, cabelos pretos, tipo geral dos homens do interior do Ceará ou Pernambuco. Demonstrava sangue-frio e segurança admiráveis; continuamente fumando, só pensava em reaver uns arreios de prata que estavam no *Taquari* e seiscentos patacões que deixara em mãos dum oficial paraguaio, ao qual escreveu uma carta. Em suas canastras, onde todos contavam descobrir documentos oficiais importantíssimos, "havia apenas leques, peças de seda e joias".

Pobre Estigarribia! No fundo, um homem de apetites fortes, que tinha o seu probleminha pessoal a resolver.

Lopes, incompreensivo, vingou-se da sua "traição" dum modo feroz: entregando-lhe a filha à luxúria dos soldados...

Uruguaiana caiu, pois, de madrugada; e estaria terminada a guerra se Pedro II não cometesse o erro de reincidir no erro de Lopes, invadindo-lhe os domínios. Essa invasão custou rios de dinheiro e de sangue, amamentou a Argentina e deu com a monarquia em terra. Cinco anos de guerra foram suficientes para desenvolver entre nós o germe do militarismo, o qual, senhoreando-se da situação, fez uma República para uso e gozo dos militares.

Do ponto de vista humano, bem como do ponto de vista imperial, prosseguir na guerra foi um desastre. Uruguaiana devera ter sido um ponto final.

O fazê-la vírgula, deu com o Império em terra. Que grande ciência, na Política, a ciência da pontuação!...

O DICIONÁRIO BRASILEIRO

Assim como o português saiu do latim pela corrupção popular desta língua, o brasileiro está saindo do português. O processo formador é o mesmo: corrupção da língua mãe. A cândida ingenuidade dos gramáticos chama "corromper" ao que os biologistas chamam "evoluir".

Aceitemos o labéu e corrompamos de cabeça erguida o idioma luso, na certeza de estarmos a elaborar uma obra magnífica. Novo ambiente, nova gente, novas coisas, novas necessidades de expressão: nova língua.

É risível o esforço do carranca, curto de ideias e incompreensivo, que deblatera contra esse fenômeno natural e tenta paralisar a nossa elaboração linguística em nome dum respeito supersticioso pelos velhos tabus portugueses... que corromperam o latim.

A nova língua, filha da lusa, nasceu no dia em que Cabral pisou no Brasil. Não há documentos, mas é provável que o primeiro brasileirismo surgisse exatamente no dia 22 de abril de 1500. E desde então não se passou um dia talvez em que a língua do reino não fosse na colônia infiltrada de vocábulos novos, de formação local, ou modificada na significação dos antigos.

Hoje, após quatrocentos anos de vida, a diferenciação está caracterizada de modo tão acentuado, que um camponês do Minho não compreende nem é compreendido por um jeca de S. Paulo ou um gaúcho do sul.

Quer isto dizer que no povo — e a língua é um produto puramente popular — a cisão já está completa.

Nas classes cultas a diferença é menor, se bem que acentuadíssima, sobretudo na pronúncia e no emprego de palavras novas. Até arcaísmos lusos ressuscitaram cá e são correntes de norte a sul. Um deles foi tomado como brasileirismo: o emprego do pronome pessoal "ele" como complemento direto. Ora, isso é coisa velha, forma anterior ao descobrimento do Brasil. Dizem os escabichadores de antigualhas que é de uso corrente nos cancioneiros, na "Demanda do Graal", no "Amadis", etc. E citam em Fernão Lopes muito "viu ela", "nomeamos ele", etc., — de Fernão Lopes! um dos grandes pais da língua lusa.

Não é brasileirismo, pois, essa forma velha. É um lusitanismo ressurreto na colônia.

Hoje, do Amazonas ao Borges, o "ele" e o "ela" desbancaram o "o" e o "a" na linguagem falada, apesar da resistência dos letrados e a resistência da língua escrita. Não nos consta que algum escritor de mérito usasse na prosa ou no verso esse pseudobrasileirismo, embora falando familiarmente incida nele. Mas dia virá em que se rompa essa barreira, porque as correntes populares são irresistíveis, os gramáticos não são donos da língua, e esta não é uma criação lógica.

Verão, pois, nossos netos um futuro Rui, de tanta autoridade como o atual, abrir uma oração política da mais alta importância com esta forma que inda choca o beletrismo de hoje: *O Brasil, senhores, amei ele o mais que pude, servi ele o que me deram as forças, etc.*

E verão um futuro Bilac lançar um "ouvir estrelas" assim:

> Ontem divisei ela
> na janela...

Será isso simplesmente a reabilitação da forma lusa dos pré-clássicos, já vitoriosa na língua falada de hoje.

Riem-se? Não é matéria de riso. É a anotação singela da marcha dum fenômeno.

Ainda nos detém hoje o medo à férula dos gramáticos d'além mar e de seus prepostos no Brasil. Não obstante, a corrente do "ele" cresce dia a dia e acabará expungindo a do "o".

Além dessas incoercíveis modificações sintáticas, temos outra feição evolutiva operada em larga escala: a adoção de palavras novas por injunções das necessidades ambientes.

A língua é um meio de expressão. Modifica-se sempre no sentido de aumentar o poder da expressão. A variedade de coisas novas que tivemos necessidade de expressar, num mundo novo como o Brasil, forçou e força no povo um surto copiosíssimo de vocábulos. Eles brotam por aí como cogumelos durante a chuva. Lutam entre si. Os fracos, os inúteis, caem, como frutos temporões, bichados antes de maduros. Os bons, os expressivos e necessários, vencem e ficam na língua. A princípio, na língua falada. Depois penetram na chamada literatura regional. Passam dela aos glossários de brasileirismos e entram, por fim, consagrados, no panteon dos dicionários.

A extensão do nosso território favoreceu grandemente o neologismo. Houve além disso a contribuição copiosa do índio e do negro. Há agora a do italiano em São Paulo e a dos alemães no sul. A maioria destas palavras são de absoluta necessidade. Como falar da vida amazônica sem recurso às mil palavras de criação local? Como pintar o Rio Grande sem recorrer ao vocabulário gaúcho? E falar do Rio sem tomar as pitorescas invenções glóticas do cafajeste carioca? Há no português termos que substituam o "encrenca" e seus derivados, de criação santa catarinense? E a "uruca", a "caguira", o "engrossamento", como enunciar a coisa com palavras do Morais?

Sem coragem ainda de lançarmos o nosso dicionário, vemo-lo já em trabalhos preparatórios, a delinear-se nas obras de B. Rohan, Taunay, Romaguera e tantos outros coletores de regionalismos. Virá a seu tempo. Convencer-nos-emos um dia de que, se saímos de Portugal, nada mais temos com o ex-reino, hoje tumultuosa república. Virá, talvez, muito breve. O dicionário brasileiro já anda em elaboração em várias tentativas que nos chegaram ao conhecimento. E a prova da viabilidade da ideia está no interesse dos editores pelo assunto.

Em matéria dicionarística vivemos inda hoje na absoluta dependência de Portugal. Temos o que Portugal nos manda, Aulete, Vieira, Cândido de Figueiredo. Este nos deu a honra insigne de incluir na sua obra uma boa cópia de brasileirismos, para contentar a colônia e fazer bom negócio nela. Os mais são dicionários rigorosamente portugueses.

Quem lê Alberto Rangel, por exemplo, o mais rico bateador de termos regionais da nossa literatura, em muitos pontos não tem meios de lhe compreender o pensamento. Esbarra a cada passo com uma palavra regional coletada por ele, e se recorre aos dicionários fica na mesma.

No próprio Rui Barbosa quantas palavras não existem que o carrança português não nos deu a honra de "endicionariar"?

Isso, porém, não é culpa deles, que fazem léxicos portugueses, para seu uso lá. A culpa é nossa, pois já era tempo de termos publicado o nosso dicionário.

Pensando bem a matéria, temos de empreender a obra nas seguintes bases: eliminar do novo dicionário todas as palavras portuguesas desusadas no Brasil, já arcaísmos, já lusitanismos de moderna criação popular, absolutamente inúteis para as nossas necessidades expressivas. Eliminar todas as palavras coloniais portuguesas que atravancam os dicionários atuais, fazendo-os obesos. Dar, principalmente, a significação que os vocábulos portugueses têm aqui no Brasil, e subsidiariamente a que têm no ex-reino. Introduzir todas as nossas criações linguísticas, as coletadas pelos glossaristas e as que andam soltas. Fazer, em suma, o dicionário prático de que precisa quem vive nesta terra, que já foi colônia e está custando a se convencer de que não mais o é.

Será, pois, uma obra de grande utilidade e alto alcance, porque consolidará definitivamente o cisma operado na velha língua lusa.

Acontece hoje o seguinte: um menino abre o Aulete e procura a palavra "Hein"; e vê lá a pronuncia "an-e". Ri-se, está claro, e chama "âne" ao pobre Aulete.

Outro vai ao C. de Figueiredo em busca da palavra "chupim", que ele ouve todos os dias aplicada a um passarinho preto que parasita o tico-tico, e por analogia aos maridos de professoras. Não encontra. Mas encontra, por exemplo, "caloqueio", pássaro africano. Temos de abrir a gaiola ao caloqueio e pôr em seu lugar o chupim. Está aquele estafermo a empatar um poleiro precioso.

Dirão: seria melhor conservar todas as palavras portuguesas e incluir todas as nossas. Isso seria fazer uma almanjarra ineditável, ou caríssima, ao passo que o peneiramento acima proposto aliviaria a obra das múmias inúteis que se esmirram ali, dos exotismos d'Índia e Angola com que nada temos que ver, daria livro maneiro, cômodo, num volume só, e por preço ao alcance do povo.

Acoimam o nosso pobre povo de ignorante mas não lhe dão sequer um dicionário da língua, bom e barato! Os sucedâneos portugueses que lhe indicam, sobre lhe não satisfazerem as exigências, custam os olhos da cara, oitenta, cem mil réis.

Além desta novidade o novo dicionário tem que dar o máximo rigor às definições, aproximando-se dos grandes dicionários estrangeiros, Webster à frente. Fugirá, assim às sandices que Aulete e Figueiredo incriminaram aos anteriores e em que incidiram, se bem que em menor escala.

Abro ao acaso este último e leio: "Desarvorado: — que fugiu desordenadamente". Logo: navio desarvorado — navio que foge desordenadamente.

E são os papões da língua. Dão-nos em cima de palmatória e ensinam-nos o que se não deve dizer, esquecidos de que não se deve dizer, sobretudo, asneiras.

Muita coisa se projeta para a comemoração da independência. Se for levado a termo o Dicionário Brasileiro, nenhuma comemoração será mais significativa. Valerá por um esplêndido monumento e por um grande passo na "realização" duma independência "proclamada" vai fazer cem anos.

O 22 DA *MARAJÓ*

Esse delírio que por aí vai pelo futebol tem seus fundamentos na própria natureza humana. O espetáculo da luta sempre foi o maior encanto do homem; e o prazer da vitória, pessoal ou do partido, foi, é e será a ambrosia dos deuses manipulada na terra. Admiramos hoje os grandes filósofos gregos, Platão, Sócrates, Aristóteles; seus coevos, porém, admiravam muito mais aos atletas que venciam no estádio. Mílon de Crotona, campeão na arte de torcer pescoços a touros, só para nós tem menos importância que seu mestre Pitágoras. Para os gregos, para a massa popular grega, seria inconcebível a ideia de que o filósofo pudesse no futuro ofuscar a glória do lutador.

Em França o homem hoje mais popular é George Carpentier, mestre em socos de primeira classe; e se derem nas massas um balanço sincero, verão que ele sobrepuja em prestígio aos próprios chefes supremos vencedores da guerra.

Nos Estados Unidos há sempre um campeão de boxe tão entranhado na idolatria do povo que está em suas mãos subverter o regime político.

Entre nós há o exemplo recente de Friedenreich, um pé de boa pontaria pelo qual nossos meninos são capazes de sacrificar a vida.

E os delírios coletivos provocados pelo combate de dois campeões em campo? Impossível assistir-se a espetáculo mais revelador da alma humana que os jogos de futebol em que disputam a primazia paulistanos e italianos em S. Paulo.

Não é mais esporte, é guerra. Não se batem duas equipes, mas dois povos, duas nações, duas raças inimigas. Durante todo o tempo da luta, de quarenta a cinquenta mil pessoas deliram em transe, extáticas, na ponta dos pés, coração aos pulos e nervos tensos como cordas de viola. Conforme corre o jogo, há pausas de silêncio absoluto na multidão suspensa, ou deflagrações violentíssimas de entusiasmo, que só a palavra delírio classifica. E gente pacífica, bondosa, incapaz de sentimentos exaltados, sai fora de si, torna-se capaz de cometer os mais horrorosos desatinos.

A luta de vinte e duas feras no campo transforma em feras os cinquenta mil espectadores, possibilizando um esfaqueamento mútuo, num conflito horrendo, caso um incidente qualquer funda em corisco as eletricidades psíquicas acumuladas em cada indivíduo.

O jogo de futebol teve a honra de despertar o nosso povo do marasmo de nervos em que vivia. Antes dele, só nas classes médias a luta política tinha o prestígio necessário para uma exaltaçãozinha periódica.

E isso porque de todos os esportes tentados no Brasil só o futebol conseguiu aclimar-se, como o café. Hoje, alastrado de norte a sul, transformou-se quase em praga, conseguindo, só ele, interessar vivamente, exaltadamente, delirantemente, o nosso povo.

No Estado de S. Paulo não há recanto, viloca, fazenda, bairro, onde não sejam vistos num chão plaino e batido os dois retângulos opostos, assinaladores dum *ground*. Pelas regiões novas, de virgindade só agora atacada pelos invasores, é comum topar-se de súbito, em plena mata, uma clareira aberta, limpa, onde nas horas de folga os derrubadores de pau vêm bater bola.

Já assistimos a um *match* em certa fazenda. Tudo muito bem arrumado; os *players* uniformizados, de meias grossas e botinas ferradas, tal qual nos *clubs* das cidades. E falando em *corners*, *goals*, *hands*, *halftimes*, a inglesia inteira dos termos técnicos.

Ao nosso lado o fazendeiro explicava:

— Aquele *goal-keeper* é carreiro; amanhã de madrugada está de pé no chão puxando lenha. O *center-half* é madeireiro; está-me lavrando umas perobas na roça velha. Os *full-backs* são tropeiros; e os *forwards*, simples puxadores de enxada.

Era assombroso! Estávamos diante da maior revolução de costumes jamais operada em terras de Santa Cruz. E tudo por arte e obra de uma simples esfera de couro estufada de ar...

Antes do futebol, só a capoeiragem conseguiu um cultozinho entre nós e isso mesmo só na ralé. Teve seus períodos áureos, produziu seus Friedenreichs, e afinal acabou perseguida pelo governo, com grande mágoa dos tradicionalistas que viam nela uma das nossas poucas coisas de legítima criação nacional.

Infelizmente não se guardou memória escrita desse esporte, cujos anais se encheram de maravilhosas proezas. Não teve poetas, não teve cantores, não teve sábios que as salvaguardassem do olvido; e de todo o nosso rico passado de rasteiras, rabos d'arraia e soltas restam apenas anedotas esparsas, em via de se diluírem na memória de velhos contemporâneos.

Que se fixe, pois, em letra de forma, ao menos o caso do 22 da *Marajó*, com tanto chiste narrado pelo maior humorista brasileiro, esse prodigioso Mark Twain inédito que é o sr. Filinto Lopes.

O 22 da *Marajó* era um imperial marinheiro, mestre em desordens e amigo de revirar de pernas para cima quiosques portugueses. Rapazinho bonito, imperava na Saúde onde suas proezas de capoeira excepcional andavam de boca em boca, discutidas como façanhas de Rolando. E tais fez que o governo, incomodado, deportou-o para o Norte, a servir em canhoneira da flotilha estacionada no Pará. A mudança de clima regenerou-o e o rapaz, resolvendo tirar partido dos seus dotes plásticos, ferrou namoro com a mulher de um *ship-chandler*, da qual se tornou amante.

Pouco durou o trio.

O *ship-chandler* morreu e o 22 casou-se com a viúva, herdeira dum paco de quatrocentos contos de réis. Pediu baixa, obteve-a e foi com a esposa em viagem de núpcias à Europa, onde permaneceu dois anos. Ao cabo regressou à pátria, elegendo o Rio de Janeiro para residência definitiva.

Mas quanto mudara! Transformado num perfeito *gentleman*, embasbacava a rua do Ouvidor com o apuro dos trajes, as polainas, as luvas, a cartola café-com-leite.

— Algum fidalgo certamente, — cochichavam. — Não veem que modos distintos?

E o 22, impávido, petroneando de monóculo no olho, a olhar de cima para os homens e as coisas...

Tinha hábitos certos e todos os dias passava pelo Largo de S. Francisco, como paca pelo carreiro.

Aconteceu, porém, que ali era ponto de uma roda de rapazes chiques, fortemente despeitados ante a esmagadora elegância do desconhecido, rival perigoso, sem dúvida, em matéria de esporte feminino. Os quais rapazes, depois de muito cochicho, deliberaram quebrar a proa do novo concorrente, apenas aguardando para isso a boa oportunidade.

Certa vez em que Petrônio passava mais imponente do que nunca, coincidiu aproximar-se da roda chique um capoeira mordedor, que se gabava de ser mestre em soltas.

Quem sabe hoje o que é a solta, nesta época de *kickes* e *shootes*. Solta era uma cabeçada sem *hands*, isto é, sem encostar a mão no adversário.

Mas o capoeira chegou e mordeu-os em cinco mil réis.

— Perfeitamente, — responderam os rapazes, — mas primeiro hás de sapecar uma solta naquele freguês que ali vai de monóculo.

— É já! — exclamou o capoeira, gingando o corpo. E, tirando o chapéu, foi postar-se na calçada por onde vinha o 22, de cartola e monóculo, sacudindo passos de *lord*, muito esticado dentro do seu *croisé* cortado em Londres.

Um, dois, três... Quando Petrônio o defronta, o capoeira avança e despeja-lhe uma formidável e primorosa cabeçada.

O Petrônio, porém, quebra o corpo, e a cabeça do atacante vai de encontro à parede, ao mesmo tempo que um pé bem manejado planta-o no chão com elegantíssima rasteira. O mordedor, tonto e confuso, ergue-se... mas desaba de novo, cerceado por outra gentil rasteira. Passara imprevistamente de agressor a agredido e, desnorteado, deu sebo às canelas, indo apalpar o galo da cabeça a cem passos de distância.

Enquanto isso o Petrônio, serenamente consertando a gravata, com grande calma dirige a palavra à assombradíssima roda elegante.

— Só uma besta destas dá soltas sem negaça. Já dizia o Cincinato Quebra-Louça: soltas sem negaça, só em lampião de esquina. Se "grampeasse", inda vá lá. O Trinca-Espinhas, o Estrepolia e o Zé da Gamboa admitem soltas neste caso, mas isto mesmo só quando o semovente não é firme de letra.

E girando entre os dedos a bengala de unicórnio, concluiu com saudades:

— Já gostei deste divertimento. Hoje a minha posição social não mais mo permite. Mas vejo com tristeza que a arte está decaindo...

E lá se foi, imperturbável e superior, murmurando consigo:

— Soltas sem negaça... Forte besta!

Passado o momento de estupor e depois de muito debaterem o estranho incidente, os elegantes planejaram solene desforra. Contratariam o famoso Dente de Ouro, da Saúde, para romper o baluarte e quebrar de vez a proa ao estranho personagem.

Tudo bem assentado, no dia do ajuste vieram colocar-se no carreiro da vítima, com o rompe-e-rasga à frente.

— É aquele lá! — disseram, assim que repontou ao longe a cartola café-com-leite do Petrônio.

Dente de Ouro avançou para o desconhecido. Ao defrontá-lo, porém, entreparou e abriu-se num grande riso palerma — o riso da boca aberta de quem reconhece um antigo parceiro.

— O 22!... Você por aqui?...

— Cala o bico, moleque, e toma lá para o cigarro; mas afasta-te, que hoje sou gente e não ando em más companhias, — respondeu o Petrônio, correndo-lhe uma pelega de dez e seguindo o seu caminho imperturbavelmente.

Dente de Ouro voltou para o grupo dos elegantes, alisando a nota.

— Então? — perguntaram estes, desnorteados com o imprevisto desfecho.

— 'cês tão bestas! Pois aquele é o 22 da *Marajó*, corpo fechado p'ra "sardinha" e pé que nunca "malou saque". Estrompar o 22, 'cês 'tão bestas!...

1923

A ARTE AMERICANA

Os Estados Unidos eram acusados de não ter arte. E de fato, povo adolescente, a formar-se em terra nova com a fina flor eugênica das boas raças europeias, e, pois, o núcleo humano mais rico em calores que ainda surgiu sobre o planeta, era estranho que em matéria artística permanecesse aquém da caduca Europa.

A explicação do fenômeno temo-la hoje. As belas artes, filhas, uma da *rêverie*, qual a música; outra, da sensação visual, como a pintura; outra, da álgebra das proporções, como a arquitetura; outra, da escolha e estilização da forma táctil, como a escultura; outra, da ideação vocabular, como as belas letras: todas se condicionavam a épocas e povos como peculiaridades. Na Grécia de Péricles, a escultura; na

Itália de Leão X, a pintura; na Alemanha do século 18, a música, na França, o teatro; na Inglaterra, a novelística.

Estas artes emigraram para os Estados Unidos já velhas, já "rosas de três dias", tendo já dado de si o máximo e, pois, infletidas para a decadência. Mas para nenhuma delas em especial propendia, morbidamente, o grande povo da América, visto que esse grupo humano não se desenvolve por unilateralidades, a guinar ora num rumo, ora noutro, e sim marcha para a frente num ímpeto de formação cerrada.

Fazia-se mister, para os Estados Unidos, uma arte nova, que comparticipasse de todas e fosse ao mesmo tempo um gigantesco negócio, capaz de atrair a atenção daquela coorte de pioneiros. E surgiu o cinema.

O cinema nasceu em França, mais ou menos do acaso, como quase todas as invenções. Mas a França, já artrítica e esclerosada, velho galo descrente da influência do seu canto no nascer do sol, não soube ver o que tinha em mãos. Considerou-o teatro, primeiro erro; e considerou-o pela voz dos seus *blasés* (que os nossos inconscientes cretinos inda repetem como um eco) inferior ao teatro — segundo erro. Cinema não é teatro. E se não é teatro não pode ser inferior nem superior ao teatro, visto como não se comparam coisas heterogêneas. O cinema é o cinema — uma coisa nova no mundo. Dos outros povos europeus, também galos cansados, só a Alemanha vislumbrou o que o cinema era e chegou a produzir alguma coisa — mas a guerra veio quebrar-lhe as asas e tudo parou.

Entra em cena o *yankee*. Toma o cinema, examina-o e com deslumbramento vê que era a grande arte nova, de possibilidades formidavelmente grandes para interessar o ardor e o vigor da sua pujança. E dá-se a ele.

Já de começo a arte muda americana impressionou o mundo. Apesar de constrangida (a Bíblia de plantão ao lado para fiscalizá-la, e forçada a ater-se ao gosto médio do público), mesmo assim penetrava na arena com tal rompante que foi arredando um a um todos os concorrentes.

O cinema-teatro francês tornou-se grotesco. O cinema-pantomima italiano tornou-se odioso. O público refugou-lhes as produções — e o cinema europeu, que é dele? que fim levou?

Senhor absoluto dos mercados, o cinema americano encontrou na formidável renda da indústria cinematográfica o mais possante estímulo para a arte cinematográfica. Uma arte qualquer só atinge o apogeu quando um caudal de ouro e glória lhe banha as raízes. Péricles, Leão X, Luiz XIV...

Para o apogeu do cinema americano não surgiria um Mecenas coroado. O Mecenas seria a humanidade. China, Japão, a Europa inteira, a Austrália, as ilhas, a África, a América e sobretudo os próprios Estados Unidos que, postos numa balança, já pesam tanto como o resto do mundo — toda a terra acudiu com o seu apoio à nova indústria de arte, permitindo-lhe assumir a situação de maior do mundo. E é nesta gigantesca base industrial que a arte americana se desenvolve, num progredir fantástico, deixando-nos tontos ao imaginar o que virá a ser um dia, quando se libertar totalmente do monstro chamado Censura.

Está circulando entre nós um filme que entreabre as cortinas do futuro e nos revela o cinema de amanhã: *A Fera do Mar*, baseado na famosíssima novela de Melville *Moby Dick*.

Barrymore, ator shakespeariano, atinge nela a suprema expressão da beleza da força. É um destino em delírio que luta contra o Destino — e vence-o! Desafia os elementos e desafia Deus. No torvelinho da tempestade horrenda que o desabar da tromba marinha despeja sobre o navio roto, o sublime aleijado arrosta os escarcéus, ri como um diabo dos vagalhões que varrem seus homens para o abismo e, mãos crispadas na roda do leme, avança, avança, que lá adiante, onde o céu se mistura com as águas, está o seu inimigo — a fera do mar — a monstruosa baleia que o aleijou.

É sublime este delírio do heroísmo, que o faz inimigo pessoal duma fera oceânica!

Avista-se por fim, e a expressão do seu rosto torna-se divina. A vingança é dos deuses e Barrymore faz-se nesse momento o deus da vingança. E tão deus que ergue as chispas dos olhos para o céu e grita para o Barrymore lá de cima, Deus com D grande:

— "Se tu és o Senhor dos céus, eu sou o senhor dos mares!"

É pela primeira vez na arte americana não desce das alturas o corisco do Deus bíblico a fulminar o blasfemo. O arpéu que tremia na mão de Barrymore amedrontara Jeová...

Trava-se o embate. O herói arpoa a fera e o mar geme, convulso, trabalhado dum turbilhão de raiva, cólera e dor. Barrymore sorri como cem mil diabos. Seus dentes rangem de ouvir-se na plateia arrepiada. Seus olhos coriscam de iluminar as salas. Mas a sua gana não se contenta com aquilo. E ele atira-se ao mar e vai atracar-se com a baleia, em luta corporal, e crava e recrava de arpéus o dorso do monstro, como quem apunhala um inimigo homem.

É fantástica de audácia esta cena, a mais romanticamente louca jamais concebida por um cérebro exaltado. E o grande ator a conduz num tal amontoamento de lances de gênio que consegue manter a plateia num contínuo arrepio de assombro.

No começo do filme outra cena há que é inédita na arte: o beijo. Não se trata de um beijo como os há tantos, e como os dá a bonita estupidez de Rodolfo Valentino. Não é um beijo. É o beijo! É o Shakespeare dos beijos. É a posse do ciclone que cai de chofre sobre as águas tranquilas dum lago, e vai ao âmago, e desfá-las em convulsões de espuma, e mata aos dois — ciclone e lago, da doce e passageira morte do amor...

Diante de manifestações como esta, como ficam pequeninas as velhas artes da Europa, unilaterais e restritas sempre a escassos grupos de apreciadores! A arte americana é ciclônica. Arroja-se contra o mundo inteiro e arrepia ou comove quanto nervo ou coração exista, seja do rude mongol que se alaparda no fundo do Tibete, seja da boneca que trotina pela Avenida à caça de homem.

A arte americana abre, areja, ventila, fortifica, fecunda o cérebro da humanidade em bloco. Não mais fronteiras, nem a muralha das línguas. É a música nova — a música do movimento. E é sobretudo, o amanhã...

Não Ficção

Mundo da Lua (1923)

MUNDO DA LUA

JUSTIFICAÇÃO

Meu maior amigo chamava-se Hélio Bruma.[1] Com ele convivi em estreitíssima intimidade até aos vinte anos. Por aí, como a "vida prática" me acenasse e fosse ele o mais impenitente dos contemplativos — vulgo "pateta", separamo-nos de boa cara. Hélio abraçou-me, dizendo:

— Adeus. Mudo-me para Marte.

— ?!...

— Sim, Marte, o planeta. Tinha um amigo na Terra, tu; mas vejo-te mudado, cheio de ideias práticas, de olhos ferrados na vitória. Isso fatalmente nos separará no correr do tempo. Ora, se tem de ser assim amanhã, precipitemos os acontecimentos: seja hoje. Adeus! Como lembrança deixo-te o meu diário. Casa-te, multiplica-te, ganha dinheiro, sê feliz. Quando deres de engordar, lê o meu diário. Adeus!

Disse e sumiu-se.

Por muito tempo conservei na gaveta o diário do meu amigo. Pesava-me, e a balança acusava sempre cinquenta e seis quilos. Agora que acusa cinquenta e nove, julgo-me em ponto de bala para folhear o misterioso calhamaço. Faço-o, e encontro pequeninos quadros, paisagens, retratos, instantâneos, sonhos, ideias, revoltas, azedumes. Gaveta de sapateiro dum menino que prometia.

E resolvo dá-lo a público, escolhendo quanto baste à prova de que Hélio fez bem em mudar-se de mundo. Um contemplativo! Um pateta que se por aqui ficasse acabaria de cabeleira, a sonhar mundices da lua.

M. L.

Crianças

As primeiras impressões da vida começada a folhear como a um grande álbum de figuras...

Tem três anos o filho do meu vizinho. Está no período encantado em que se voltam as primeiras páginas do livro da vida, as páginas de cor onde aparecem o boi, o cachorro, o cavalo, os gatos. Adora-os e sempre que pode planta-se à janela à espera de bichos. Bate palmas se avista um longe, e espera-o atento, lábios entreabertos, nesse enlevo das crianças que é metade medo, metade surpresa.

Bois, conhece-os a fundo, visto que mora fronteiro a um armazém onde todos os dias batem carros vindos das fazendas próximas. Mas só os conhece assim — na canga, jungidos ao carro, formando um bloco cheio de pernas, chifres, fueiros e rodas. O boi é para ele esse conjunto monstruoso, que anda, muge, roda, rechina.

Ora, aconteceu que passou pela rua uma vaca. O menino empertiga-se, franze a testa, abre a boca e, num pasmo, grita para dentro:

— Mamãe, venha ver um boi sem rodas!...

---

1 O pseudônimo que M. L. mais usou, antes de aparecer com o seu verdadeiro nome.

Originalidade

Originalidade marcada, só nos homens da roça que não leem jornais. Ideias próprias, pontos de vista únicos, personalíssimos, e a sublime coragem do pitoresco mental.

Nas cidades grandes o jornal ingerido pela manhã desoriginaliza, bota-nos a todos bitolados pela mesma regra de pensar.

A opinião pública só existe nos lugarejos. Nas capitais desaparece substituída pela opinião que se publica.

Moeda

Esquecem os economistas de enumerar entre as moedas a mais curiosa de todas, e a que em longo período da história teve poder aquisitivo superior ao do ouro: as indulgências.

Com indulgências, saque sobre a vida futura, pagava o clero o salário dos obreiros construtores das catedrais e quantos outros serviços exigia do povo.

Origem do papel-moeda — promessa de pagamento ...

Balzac

Desigual, Balzac, e irregular como a própria natureza: característica dos verdadeiros gênios. Em *Cousine Bette* há de tudo — o bom, o mau, o sublime, o medíocre. O remate do romance inspira ímpetos de arremessar o livro pela janela. Ponson du Terrail puro, e reles. Aquele tipo de Montezanos é operetesco. O de Adelina principia sublime e desfecha no cômico. Mas Bette! Que inteiriça, que formidável criação é! Como lembra Shakespeare! E Valéria, a satânica Madame de Marnèffe? A cena em que tira da cabeça de Crével a ideia de fornecer os duzentos mil francos pedidos pela baronesa de Hulot, é cena-apogeu de que só os grandes são capazes. "*Et elle frola le visage de Crével avec ses cheveux en lui tortillant le nez.*

— Peut-on avoir un nez comme çà, reprit elle, et garder un sécret pour sa Vava-lé-lé-ri-rie!...

Vava, le nez allait à droit; lélé, il était à gauche; ririe, elle le remit en place."

Dez páginas que bastam para alicerces duma glória.

O contraste de Balzac é Zola, tipo do talento. Um é caos; outro, ordem, Um descompassa, desafina, estruge: é natureza, ora céu azul, ora desfeita pela tempestade; outro, sempre sereno, é um eterno jardim, uma "coisa feita" com infinitos de lógica, de disciplina e de método. Ambos grandes, cada qual da sua grandeza, mas um imenso — Balzac.

Molière na roça

Molière chegou até cá. Foi à cena ontem o *Avarento*, de Molière-Castilho. É bem topetudo o mambembe que nos delicia! Desempenhou o papel de Harpagão um ator gordo, parecidíssimo com o Renan do retrato de Leon Bonnat. O homem plagiou os lances de efeito de quanto ator célebre há criado esse papel e impingiu-nos uma salada de batatas levada da breca. Os demais recitaram os versos de Castilho com sotaque de ilhéus uns, sotaque de alfacinhas outros.

O público pouco pescou da versalhada. A princípio muita gente murmurou: "Será isso francês?" Tanto se está diferenciando a língua portuguesa entre nós, que versos de Castilho ditos por bocas lusas já sabem a língua exótica. E Castilho é poeta de ontem.

Recordando

Recordando minha vida colegial vejo quão pouco os mestres contribuíram para a formação do meu espírito. No entanto, a Júlio Verne todo um mundo de coisas eu devo! E a Robinson? Falaram-me à imaginação, despertaram-me a curiosidade — e o resto se fez por si.

Júlio Verne levou-me a Humboldt, e depois à Geografia e às demais ciências físicas e sociais. Foi o aperitivo. Entreabriu-me as cortinas do mundo como coisa viva, pitoresca, composta de paisagens e dramas. De posse dessa visão, e esporeada pela imaginativa, a inteligência "compreendeu e quis saber". Que menino, após a leitura de *Keraban, o Cabeçudo*, não corre espontaneamente a abrir um atlas para ver onde fica o Bósforo?

A inteligência só entra a funcionar com prazer, eficientemente, quando a imaginação lhe serve de guia. A bagagem de Júlio Verne, amontoada na memória, faz nascer o desejo do estudo. Suportamos e compreendemos o abstrato só quando já existe material concreto na memória. Mas pegar de uma pobre criança e pô-la a decorar nomes de rios, cidades, golfos, mares, como se faz hoje, sem intermédio da imaginação, chega a ser criminoso. É no entanto o que se faz!... A arte abrindo caminho à ciência: quando compreenderão os professores que o segredo de tudo está aqui?

O beijo das moças

As moças entre beijam-se porque não podem morder-se umas às outras. O beijo delas é a evolução da dentada da pré-avó macaca.

Um contador

O comendador Clarineta tem memória de anjo e sabe contar com muita ênfase e colorido. Especializou-se nisso a ponto de ir às casas... contar romances.

— *Os Filhos do Capitão Grant*, por Júlio Verne, tradução de M. Cardoso, Volume 1°, capítulo 1° — *A América do Sul*.

E começa, pá, pá, sem esquecer um só episódio. Nos pontos ilustrados de gravuras, interrompe a narrativa:

— Há aqui uma figura, representando um selvagem amarrado à boca de uma peça; em baixo diz: *Amanhã, ao romper do dia, pum*! Passemos agora ao segundo volume...

As crianças

As crianças desadoram os brinquedos que dizem tudo, preferindo os toscos nos quais a imaginação colabora. Entre um polichinelo e um sabugo, acabam conservando o sabugo. É que este ora é um homem, ora uma mulher, ora é carro, ora é boi — e o polichinelo é sempre um raio de polichinelo.

Os "inimigos"

O velho fazendeiro Mingote denomina aos camaradas "inimigos".

— Um "inimigo" chega, para a porta, bate com o porretinho no chão, enfia nele o chapéu, encosta-o a parede, trança o pé e espera. Aparece o patrão. — "Então, como vai o serviço, sêo Zé? Muito adiantado?" — "Chi, patrão, uma paulama..." — "E você não se lembrou de trazer um feixinho de lenha, hein?" — "Uma dor aqui na cacunda..." — "Nem um palmito..." — "O machado está que não corta nada..." — "Nem uma penca de maracujás!" — "Raposa comeu tudo..."

Camões

Não se aprende, Senhor, na fantasia: sonhando, imaginando ou estudando; senão vendo, tratando e pelejando.

Dizia-o Camões porque de experiência própria o sabia. Tristes os que aprendem nos livros, dentro da clausura morna dos gabinetes! Um só livro existe: a Vida; um só gabinete, a Natureza. Mas criaturas há que nascem algemadas e passam a vida tentando romper as pulseiras. Outras nascem com asas. Libérrimas e movediças — os furões da vida. Só estas vivem e sabem da vida alguma coisa.

Cidades Mortas

Uma ex-cidade, Oblivion. Foi, não é. Vive a vida músculo-nervosa das sucuris às quais rebentaram o crânio. Duram dias assim, as serpentes, vitalizadas pelas reservas nervosas em acúmulo e morrem com a lentidão da lagoa que o sol enxuga.

Da ironia

A ironia é a maldade dos revoltados, dos mal feitos, das criaturas tortas de alma ou corpo — Popes, Leopardis, Scarrons... É uma vingança ininterrupta que deflui como fio d'água venenosa... e deliciosa para os que, também feios de alma e corpo, não podendo exercê-la, regalam-se no gozá-la. Os homens belos, perfeitos de alma e corpo, não ironizam. É que não vivem no perene estado de revolta que estila esse alcaloide grego — a *eironeia*.

Documento humano

Chérie. Ninguém definiu melhor os Goncourt do que eles próprios. Dois fabricantes de relatórios inquisitoriais. A arte documento-humano. *Chérie* não é criação subjetiva; é manequim a que se foram justapondo mil observaçõezinhas, mil *d'après natures* colhidos de todos os lados. A sensação que dá esta arte escrava de receitas positivas é igual a das figuras de cera, com cabelos de verdade, cor e o mais. Semelhante fidelidade de cópia, em vez de sensação de vida produz a impressão da morte.

Leituras

Últimos dias de Pompeia, de Lytton. É a Aphrodite de Pierre Louis sem coragem de nudez. Lytton, um *lord*, subordina sua estética ao *can't*. O clássico feiticeiro, a clássica vitória do bem, o clássico e fatalíssimo cristianismo inicial.

Que superioridade a de Merejkowski que tão bem soube, no *Juliano*, restaurar com verdade filosófica o nascimento do cristianismo!

Ao luar

Quarto crescente. Oblivion dorme sob o luar. Pascem no céu carneirinhos brancos, e na terra só os grilos picam a doçura do silêncio.

O cérebro adormece. Nosso eu se anula. Sentimo-nos despersonalizados, simples células integradas num corpo imenso. Deixamos de ser para existir — disse Thoreau.

Estado de felicidade extática, como deve ser a felicidade das árvores, das águas, das pedras, das coisas todas que mereceram o prêmio de não ter nascido homem.

Paisagem

Cheguei à janela e vi um homem em mangas de camisa, pé no chão e pito na boca, levando à cabeça uma bandejinha de flores. Doces? Firmei a vista. Não. "Anjinho", rumo ao cemitério. Teria o tamanho duma boneca de palmo e meio e dormia sobre uma tampa de caixa, cercado de bogaris e saudades brancas.

Passou, desapareceu, lá no fim da rua.

....

Sol de rachar. Céu de azul que parece tinir. Mormaço.

Um negrinho em fraldas de camisa, espaçado na poeira, bate varadas em mísera abelha semimorta.

Ninguém. Tudo deserto. Silêncio.

Surge um vulto. É a preta maluca que vive ao sol. Para, coça o corpo magro que os frangalhos mal escondem. A filhinha ao lado brinca com sabugos.

Homem houve que lhe fez aquela filha!...

....

Triste o quadro? Modorrento apenas, e bem "cidades-mortas"...

Brancuras

Ontem anjinho, hoje noivinha. Morreu tuberculosa com dezoito anos e passou acompanhada de muitas moças e meninas vestidas de branco, numa profusão de jasmins do Cabo, margaridas brancas, bogaris, cravos brancos, camélias brancas. Ao sol, o cortejo de brancuras cintilava como chovido de neve.

— Como se chamava a morta? — indaguei.

— Branca.

O povo

"Nem o *reis*." É a expressão forte de nossa criada. Fala sozinha, passando roupa: "Pegam me amolar? Pois vou-me embora. E lá de minha casa quem me tira? Nem o *reis*!...

Talvez por causa do dia de reis o povo suprimiu o singular dessa palavra. Em toda parte a ouço singularizada assim: o reis.

Visão lateral

A atenção, o prazer com que ouvimos observações relativa ao nosso caráter.

Habituados a ver-nos sempre do mesmo ponto, no mesmo espelho, interessa-nos sobremaneira a visão lateral ou pelas costas, que apanha aspectos dificilmente perceptível por nós mesmos.

Idade Média

Oblivion todinha, das cozinheiras ao promotor, acudiu ontem à janela quando chegou de sua fazenda dona Briolanja de Lemos. Vinha em trole coberto, puxado por duas juntas de bois, seguida do filho e mais um pajem, ambos a cavalo.

É bem a senhora feudal que de longe em longe dá a honra de sair do seu castelo e vir espairecer entre a peonagem arranchada no pequenino povoado nascido e crescido à sombra dele.

Lindo! Lindos este respeito, esta veneração, este prestígio de família nobre que sabe impor-se ainda mesmo na decadência.

Seu castelo — a fazenda — pouco vale, quase tapera que é. Em riqueza vence-a qualquer italiano com armazém no povoado. Mas a fazendeira é a mesma fidalga de outrora, medieval e hierática, diante de cuja majestade a peonagem liberta dobra a espinha naturalmente.

Linhas tortas

O major Eliezer, fazendeiro ricaço, agonizou durante cinco anos. E durante cinco anos teceu-lhe em torno uma rede de intrigas ferozes a corvoalha dos herdeiros. O astuto velho, do seu leito de paralítico, segue a trama e ausculta aquela ânsia coletiva pelo seu fim. E prepara sua vingancinha testando às escondidas em favor da única afeição sincera que teve na vida, uma torta que ele criou como filha e que lhe quer como pai.

Morre, enfim e soa o toque de avançar. Decepção. O testamento imprevisto impede o assalto. Mas *il y a des accommodements*... O testamento desaparece. A torta é expulsa da fazenda, vai mendigar, e o dinheiro, como sempre, cai nas mãos do mais esperto.

Pois muito bem. Esse pirata cuida de dotar Oblivion de melhoramentos que a todos beneficiarão. Aquele dinheiro morto, inútil em vida do velho fazendeiro, vai desempenhar uma função social preciosa, que não teve em mãos do ajuntador nem teria nas da sua legatária legítima.

As linhas tortas...

Solidão

Solidão mental... Sinto-a completa aqui.

O cérebro embolora. Nenhum irmão de ideias. Impossível esse grande prazer de pôr a inteligência em mangas de camisa diante de outra, sua afim, e deixá-la cabriolar livremente, como potro insofrido escapo às contingências da baia.

Novidade

O encanto das relações novas, em estação de águas, a bordo ou no trem, reside na troca das impressões mais pessoais, mais vividas, mais pitorescas — únicas interessantes. O prolongamento da convivência esgota, obriga a banalidade ou a repetição e — adeus o encanto dos primeiros dias!

Sensação

Madrugada para apanhar o noturno. Ao sair precipitadamente do hotel depois de lavar o rosto, o ar frio da noite gelou-me a pele nos *lugares mal enxutos*. Existe o correspondente moral desta sensação: as indiretas que nos ferem os pontos mal enxutos da consciência.

Do direito

Se o direito representasse um revérbero da Justiça como a sonham filósofos, o direito *indurar-se-ia* na consciência de cada homem, confundindo-se com a moral e dispensando a sanção. Por que existem hoje, como outrora, como sempre, tantos infratores das leis? Porque tais leis só representam conservação, permanência, *status quo* de fato, e nunca uma pura emanação da Justiça.

As locuções populares

Sofrem as locuções populares, plebeias, as injunções da moda como tudo mais. Nascem, propagam-se com rapidez espantosa e morrem esquecidas. Uma ou outra vinga sobrevivência e penetra na língua. Vi nascer nestes últimos tempos boa quantidade delas: *Ó ferro!* — *Nunca vi tanto aço!* — *Talvez te escreva.* — *Volte amanhã.* — *Tá bom, deixe.* — *Fale-me logo à saída.* — *E dormia-se.* — *Mamãe, olhe a cara dele!* — *Dinheiro haja senhor barão!* — *Pra burro.* — *À beça.* Nascem em geral no Rio, afloram o teatro, expandem-se pela imprensa, dão volta ao país inteiro e morrem.

O mesmo se dá com as músicas, modinhas e pilhérias. Propagam-se como ondas sonoras. A *Caraboo* foi cantada e assobiada por milhões de pessoas, numa verdadeira seca. Desbancou-a a *Canção do Soldado*, por sua vez batida pela *Cabocla do Caxangá*. Daria obra interessantíssima o histórico dessas criações populares, sua evolução, sua função, sua morte. Vivem intensamente e morrem de pedra e cal. A *Caraboo*, quem a assobia hoje? Quem a tolera? São em geral lindas criações, vítimas das suas próprias qualidades. Prostituem-se. Viram "coisas à toa", coisas comprometedoras. Os maiores aficionados acabam repudiando-as forçados por injunções da moral. O cantá-las torna-se até ato indecente...

O velho e a "estrela"

Quando aporta a Oblivion um circo de cavalinhos, grande reboliço na criançada e nos velhos. O comendador Clarineta, setenta invernos, há três dias que não fala noutra coisa, piscando o olho emoldurado de pés de galinha. Anda tonto com o "pername" da "estrela" do trapézio.

— Que pernas! — diz à mesa num tom de Vesúvio em vésperas de erupção. — Que modelado!

Dona Maria, a esposa, gorda velhota já nos sessenta, xinga-o de "velho à toa que não se enxerga..." E ele, a confiar o cavanhaque, maliciosamente:

— Que importa a casca se o pau é de cerne?

Doloroso

Um pai que viveu meses amasiado com a filha — é o caso sensacional da semana.

Fui espiá-lo na cadeia. Velho de cinquenta e seis anos. Bebe. Confessa o fato com a maior naturalidade, espantado de que o retenham preso por tão pouco. Trabalhador, aliás. É quem moureja no eito e sustenta a prole inteira.

A sociedade exige que o encarcerem por oito anos. Quer, pois, que se inutilize a ele e se lance na miséria toda a família.

E fica a gente a refletir sobre o mal maior — crime ou pena...

Sempre doloroso

Estranho parentesco o do entezinho a formar-se desse incesto. Filho de sua irmã, neto e filho de seu pai...

O juiz clássico

O juiz da comarca vizinha tem a alma clássica dos juízes. Odeia o criminoso e quer a pena como castigo. Não vê no delinquente a miserável criatura tarada; vê o delito, a letra da lei.

No entanto não há crimes, há apenas criminosos.

Livros

De *L'Orient Vierge*, de Camille Mauclair, visão política do ano dois mil, certa palavra me ficou: *l'éclair engourdi*. Livro que deixa uma palavra já deixou alguma coisa.

Ambientes

Não concebo artista capaz de construir obra valiosa, se reside em cidade pequenina, marasmada. Só nos grandes centros há ambiente para a criatividade, uma excitação cerebral contínua, formada pelos mil estímulos urbanos. Na roça o cérebro assenta, como líquido vascolejado posto a repousar.

Cabecinha de boneca

Tonico viu em certa revista a microfotografia duma pulga. E conta-o ao irmão menor, na sua linguazinha pitoresca.

— É cheia de ossinhos por dentro! Tal qual a gente...

O outro ouve, dubitativo, e resolve tirar a prova. Apanha uma pulga do Joli, estala-a entre as unhas e examina-a minuciosamente. Depois conclui:

— É mentira! Pulga não tem osso. O que ela tem dentro é um estalinho!...

O manual de civilidade

A metempsicose é um fato. O Isauro, da loja fronteira, já foi em outra vida manual de civilidade. Ontem o vi dirigir-se a um dos muitos fregueses que lhe enchiam a casa e perguntar, amabilíssimo:

— Coronel, desculpe-me, mas já lhe dei boa tarde? Nesta confusão, às vezes...

Náutica infantil

— Navio de pito?

— Pois é. Quero que você pinte um navio de pito. De três pitos!

Para a ingenuidade do Guilherme as chaminés dos vapores não passam de pitos acesos, e quando me pede que lhe desenhe barcos, especifica logo se é navio de pito ou não — vapor ou vela.

AVIS RARA

O pé-galo... A cabecinha da Ruth vive povoada de seres fantásticos, um dos quais curiosíssimo — o pé-galo. Haverá naturalista que adivinhe que animal é este? Ela, entretanto, dissertará meia hora, na sua encantadora linguagem cheia de movimentos de mãozinhas explicativas, sobre a família dos *pé-galos*, maridos das *pé-galinhas*, as quais botam *pé-ovos*, donde saem *pé-pintos*.

Tudo vem dum anúncio americano de remédio para calo, cuja marca de fábrica figura pé humano encimado por uma cabeça de galo. Ruth gostava de abrir os jornais no chão e, estendida sobre eles de barriga, examinar, comentando uma por uma, todas as gravuras ou vinhetas — as cruzes das missas, o homem de picareta às costas do Biotônico, o peixe da Emulsão de Scott, os naviozinhos da Royal Mail.

Certo dia deu com o pé cristudo do *Gets-It*, o tal remédio para calos. Franziu a testa e veio incontinente saber o que era aquilo.

Expliquei pachorrentamente:

— É o pé-galo, uma ave que existe nos Estados Unidos.

Ruth ficou a cismar longo tempo, de olhos presos no estranho bicho.

Mais tarde, em vésperas de seu dia de anos, perguntei-lhe o que queria. Não vacilou:

— Quero um pé-galo!

— Para quê?

— Para criar aqui no quintal. Um pé-galo e uma pé-galinha também. Há pé-galinha?

— Como não? E há ainda pé-ovo e pé-pinto, — acrescentei.

— Quero! Quero! Quero tudo! — e batia palmas, radiante, a imaginar a linda criação que se desenvolveria no quintal.

Fingi que fiz a encomenda; está custando a chegar; enquanto isso Ruth derrama-se em projetos.

— Dou para vovô um pé-pinto. Outro para a Marta — você quer, Marta, um pé-pintinho?

E começa o sonho, na rede, aos balanços cada vez mais fortes.

— Sabe? Calço uma botinha velha no pé-galo. Coitado! Tem tanto caco de vidro no quintal... E todos os sábados corto a unha dele...

E não acaba mais a encantadora improvisação daquele mundinho fantástico...

CRIME E SONHO

O álcool. Suprimam-no e adeus código, adeus júri, adeus prisões! Na conta corrente do Crime seu débito é tremendo. Mas que lindo saldo tem na conta corrente do

Sonho! Suprimam-no e a tristeza da vida aumentará. Ninguém calculou ainda a soma de momentos felizes, de sonhos róseos, de êxtases, que borbotou do seio das garrafas.

Quadros da vida

Tarde linda ontem. Conversávamos a janela, eu e o Quim, sobre a ação ideológica de Rui neste país e sobre a ascensão ininterrupta da grande figura nacional.

— Sobe sempre...

— Já aquele desce sempre, — observou Quim.

Referia-se ao Pedro Inchado, mendigo habitual da nossa rua. Lá vinha ele, todo farrapos, imundo. Há mendigos decentes, que guardam a compostura da miséria. Este perdeu tudo e é no moral tão roto como no físico. Sem camisa — um trapo de paletó sobre o couro gafeirento; sem ceroulas — vêem-se-lhe pedaços de perna pelos buracos da calça imunda. Passou por nós e apanhou uma ponta de cigarro.

— Desce sempre. Há meses pilhei-o querendo apanhar um cigarro; olhava para os lados a ver se era observado. Perdeu já este último pudor...

Loterias

Contou-nos um velho vendedor de loterias coisas curiosas de sua vida de bufarinheiro de esperanças. Desde mocinho só fez aquilo: vender a esperança da riqueza. Já deu duas sortes grandes e várias pequenas. Uma vez...

— Uma vez aconteceu um caso interessante. A sorte andou por cá procurando quem a quisesse. Ninguém a quis. Vendi todos os bilhetes que tinha, menos um, o premiado. Para não ficar com esse encalhe, dei-o a um compadre meu que seguia para S. José. "Venda-o por lá." Assim foi. Um sitiante comprou-o no caminho, mas achou feio o número e vendeu-o a um guarda-livros de lá, muito boa peça, rapaz sério, trabalhador, pai de três filhos. Nesse mesmo dia saiu-lhe a sorte — cem contos.

O moço foi ao Rio receber o dinheiro e lá ficou meses, a meter o pau no cobre. Voltou um perdido, um bêbado, e hoje anda por aqui, rolando...

— Por aqui? Como se chama?

— Pedro. É o Pedro Inchado, não conhece?

Varão de Plutarco

O visconde de Ouro-Preto termina o seu protesto contra a violência da polícia numa frase cheia de orgulho: "Não haverá façanha para ninguém em vencer-me, fraco que sou. Ainda não nasceu, porém, aquele que consiga humilhar-me."

Que retrato!

O grande teatro

O teatro dos grandes dramas é a mentalidade, e grande arte é a que, reproduzindo a mímica das criaturas, faz entrever o drama estuante no cérebro. Hamlet parece ilógico a um observador pouco fino, que procura o sentido das suas palavras em imediata relação com o que segue e antecede. Mas as palavras de Hamlet não respondem ao que lhe sugerem os estímulos exteriores. Ofélia pergunta; esta pergunta sugere a Hamlet uma ideia e Hamlet responde mais a essa ideia do que a Ofélia. Daí a vaga relação formal entre o que ele diz e o que lhe dizem. A relação é puramente psicológica.

Pobre Ofélia! Que desnorteamento o seu ante as respostas "loucas" do príncipe amado!

VISÃO DE NIETZSCHE

Não forma um conjunto a humanidade, quer Nietzsche, e sim multiplicidade indissolúvel de fenômenos vitais, ascendentes e descendentes — sem mocidade a que suceda maturidade e sem velhice. As camadas confundem-se, superpõem-se — e após milhares de anos poderão surgir tipos de homens mais jovens do que os de hoje. A *decadência* existe em todas as épocas: por toda parte há resíduos e materiais em decomposição; o *processus* vital elimina esses elementos de regressão — *dejecta*.

A VELHINHA

Na rua tal, à beira da cidade, mora a "minha velhinha". Sempre que passo por lá detenho-me para dois dedos de prosa. Tão pitoresca! Ontem contou-me complicadíssima história de cabra, pata e ovo de pata, a que não prestei grande atenção. Hoje, voltando, insistiu no caso. Não pude deixar de rir-me. Mora só, e na sua pobreza a pata que lhe dá ovos e a cabra que lhe dá leite constituem entidades importantíssimas, as mais importantes depois dos santos do oratório.

Um ovo que a pata ponha é acontecimento de encher o dia e abrir ternuras n'alma.

Mas, que me contou ela da pata? Impossível recordar ...

INCESTO

O novidadeiro: tipo digno de ser empalhado por Thackeray. Temos um cá, de vinte e quatro quilates — o nosso farmacêutico.

Varejou-me a casa inda há poucos minutos com a novidade do dia fresquinha a pular-lhe da boca.

— O cabo Tenório, comandante do destacamento, morreu! Foi achado no caminho da Cruz Preta, caído da égua, com a boca cheia de sangue!

— Mas...

Não me ouviu, não me atendeu. Disparou, qual um foguete, na ânsia de espalhar a notícia. Seu grande prazer é contar as novidades de primeira mão. Um esporte. Coleciona, talvez, caras de espanto, ohs de horror, bocas abertas, testas franzidas pelo trauma instantâneo da novidade.

Chego à janela e vejo-o radiante. Está a gozar a cara de espanto do Chico da venda...

....

Que dia cheio para o farmacêutico! Reapareceu-me à tarde com outra novidade.
— O Isaías enlouqueceu!
— Mas...

....

Isaías, o tema forçado de Oblivion há um mês. O pai que desonestou a filha. O incestuoso. Pois enlouqueceu ontem, e hoje pela manhã...
Foi ainda o farmacêutico o portador da novidade:
— Suicidou-se!
— Mas...

Não consegui nenhum pormenor. Como a novidade era de vulto, o novidadeiro funcionava fulgurantemente, feito corrente elétrica empenhada em ferir o maior número de cérebros no menor espaço de tempo.

Chego à janela.
Bem cedo ainda. O relógio da igreja marca seis horas. Oblivion desperta, espreguiça-se. Duas praças entram em casa do delegado... O coronel Cazuza e o escrivão passam, meditativos, rumo a cadeia...

Fui também. Encontro o Isaías de pé rente à grade de sua pobre cela. Mas pendurado... Entre os beiços roxos, certa coisa escura, à guisa de terceiro lábio: — a língua negra. Longo fio de baba desce-lhe das narinas ao chão. Olhos semicerrados. Mão caída ao longo do corpo; outra arrimada a grade. Os pés atados pelo tornozelo com um lenço cor-de-rosa e escorregados para fora da janela, através das reixas do xadrez. Enforcara-se na ceroula.

Seu filho, soldado do destacamento, montava guarda essa noite. Às onze horas aproximou-se da cela para uma palavra ao pai. Como o encarcerado lhe não respondesse, trouxe luz e, estarrecido, deu com o horrível quadro...

....

Pobre incestuoso!
Se tivesse luzes não cometeria o horrendo crime. Eloquentemente lhe ensinaria a história que o incesto só é permitido aos grandes do mundo, aos Bórgias, ao imperador Augusto, a Napoleão — aos que se localizam a além das fronteiras do Bem e do Mal. Nunca foi requinte permitido a pobre...

Em 2527

No futuro, a obra literária será apresentada sob forma de essências em frasquinhos ou de alguma especial eletricidade acumulada em bobinas. Sorvendo a essência ou pondo-se em contato com o fluido, o leitor terá, desdobrado na tela da imaginação, o romance que o autor enfrascou ou acumulou, e sentirá as mesmas emoções que o romancista sentiu.

Já em nossos tempos o álcool, o ópio e outras drogas produzem visões e deliciosos estados d'alma. Indeterminados, porém, sem controle possível. No futuro, não. A seriação das imagens será perfeitamente ordenada pelo jogo dos estímulos.

Não se dirá como hoje: li um romance e sim — cheirei.

— Marieta, onde pôs você o *Professor Jeremias* que estive cheirando ontem?

— Caiu das mãos da Valéria e quebrou-se.

— Mande à farmácia comprar outro. E mais uns novos, *Vida Ociosa*, *Condenados*, por exemplo.

— Fluido ou comprimido?

— Em comprimidos. Com estas criadas, impossível uma biblioteca fluida...

Engraçados

Fabiano Fagundes conta casos sem rir. Chamam a isto aqui — cinismo.

— Eu vinha vindo a cavalo e parei na Volta Grande para beber. Bebi de um córrego que atravessa a estrada ali. Depois deu-me na telha ver por que motivo estavam os urubus descendo lá adiante. Fui. Subi água acima. De repente, que é que vejo? Um burro morto dentro do córrego. Enjoei logo. Senti náuseas violentas e acabei vomitando um pedaço de burro!

Todos riem, menos ele.

Velocidade

Passou Edu Chaves sobre Oblivion em voo rápido e altíssimo. Soberbo gavião em voo planado.

— Como voa devagar! — ouvi dizer a um papalvo, de boca aberta no meio da rua, iludido pela altura.

Ocorreu-me certa passagem de Stendhal nas viagens. "*Voici qui tient du miracle; à trois heures sonnantes, on amerre, un peu au dessus des ruines du fameux pont d'Avignon, ce bateau qui, ce matin à cinq heures, a quitté Lyon. Cela fait plus de six lieues à l'heure.*"

Valiam por milagre, para Stendhal, os trinta e seis quilômetros por hora — e os cento e tantos que Edu fez hoje decepcionam um imbecil...

A tolice

O Isauro, a quem mostrei uma coleção de gravuras antigas representando obras primas clássicas (o *Apolo do Belvedere*, a *Vênus de Medicis*, *Niobe*, *Laocoonte*), produziu este comentário encantador:

— Muito livres...

De Nietzsche

Como crescemos em força? Decidindo-nos lentamente e aferrando-nos com tenacidade ao que decidirmos. O resto vem por si.

* * *

Todo convívio é bom quando nele se afiam as armas existentes nos instintos.

* * *

Atingir um ponto de vista, uma perspectiva que nos faça compreender que tudo se passa como deveria passar-se; e que toda sorte de "imperfeição" e de sofrimento consequente faz parte do que é *soberanamente desejável*...

* * *

Só quando a cultura enceleira excedentes de forças é que pode tornar-se estufa propícia ao cultivo do luxo, da exceção, da tentativa, do perigo, do matiz: toda cultura aristocrática tende para isso.

Onomatopeia leonina

Possuem os árabes uma onomatopeia para o urro do leão: *Abna, abna... ou ben el mra*, que significa: eu, eu e o homem.

Vestido novo

Biluca e Biloca passaram a caminho da missa, com vestidos novos e lindos. Vão felizes. Irradiam felicidade. Não há no mundo felicidade que valha a que os lindos vestidos novos dão a quinze anos femininos.

Criar

Aparece muito cedo no homem a criatividade. A criancinha que destrói objetos, não destrói, cria. Toma um boneco e o faz em pedaços: desdobra um em vários, cria.

Elas

Lógica dos homens: ou é sábado ou é domingo; ora é sábado, logo não é domingo.
Lógica das mulheres: ou chove ou não chove; ora chove, logo não chove.

O amor e o silêncio

Os apaixonados sentem necessidade do silêncio como alimento da alma. O rumor perturba a sinfonia interna que ressoa deliciosamente.

Citar

Há sujeitos de boa memória que não leem, mas citam. Citam de outiva. "Como dizia o conselheiro Duarte" — "Como disse o Lessa..."

Fisiologia barata

Cada criatura ingere diariamente a mesma quantidade de alimentos, respira a mesma quantidade de ar, elimina a mesma quantidade de resíduos, e *despende a mesma quantidade de energia mental*. Sente imperiosa a necessidade de a despender e o faz na palestra, na leitura, na meditação, em trama de negócios, em disputa, em dor moral, em exercício físico.

O sentirmos às vezes a vaga necessidade de *fazer* qualquer *coisa*, significa energia acumulada em estado de tensão. Dores d'alma, tédio, aborrecimento: alma tensa de energia não expandida. Quando dizemos: "Estou contente, com a alma leve", é que acabamos de despender, *naturalmente*, nossa medida de energia diária.

Comédias trágicas

Paisagem lúgubre. Céu plúmbeo de dia que parou de chover por cansaço de chover. Restos de luz moribunda, se é luz o palor que nas tardes chuvosas precede o cair da noite. Para que nada falte ao quadro, uma serraria distante serra, serra, serra... Serra tábuas e com as tábuas, nossos nervos.

Triste como este fim de dia, o fim de casamento a que assisti há tempos.

Estávamos à espera do café, no cartório, fugidos à inclemência do sol. Três horas. Súbito, assomou à porta o dr. Moreira em companhia de linda moça vestida de preto e de dois homens. Os dois homens, mais o advogado, foram cochichar com o escrivão, enquanto a moça modestamente se sentava numa cadeira recuada, de olhos no chão, sombrinha entre os joelhos, imóvel.

Esgueirei-me, sorrateiro, e fui indagar do escrevente quem era.

— Mulher do Rivas. Divorciou-se e vem agora receber o que lhe coube na partilha.

— E o Rivas, qual é?

— O que está falando com o dr. Moreira. O outro é irmão.

— Irmão dela?

— Sim.

O cartório encheu-se. Entrara a bandeja de café e atrás os filantes da praxe.

A moça aparentava impassibilidade; e o marido, indiferença, mas forçando a nota, a rir, a conversar. Serviu-se de café, risonho, embora ao mexê-lo se traísse por leve tremor de mãos.

— Pronto! — disse o advogado. — Toca a assinar.

Assinam-se papéis. O marido abre a carteira e entrega ao escrivão um pacote de notas. O escrivão passa-o ao moço que por sua vez o entrega a irmã, dizendo de modo a ser ouvido:

— Conte!

Ela guardou na bolsa o dinheiro, depois de lançar ao irmão um olhar de censura.

O advogado deu por findo o drama.

— Está tudo terminado.

O irmão tomou o chapéu.

— Vamos!

A divorciada ergueu-se e dirigiu-se até a porta. Ali parou. Indistintamente adivinho-a a perguntar ao irmão: "Digo-lhe adeus?"

A resposta foi um imperioso e resoluto — "Qual!" Ela, então, cortejou a sala inteira com um movimento de cabeça, abriu a sombrinha e partiu.

O marido açucarava nesse momento a terceira xícara de café a um canto da sala, de costas para os circunstantes. Fingia não dar a mínima atenção à partida da mulher. Mal, porém, a viu desaparecer, depôs a xícara na bandeja e mudou de cara. Mudou a cara alegre que mantivera até ali por outra laivada de amargura.

Finda a comédia, tiram-se as máscaras...

A CRUELDADE DA NATUREZA

A natureza só tem um fim: a vida. Cria o homem e a mulher, dá-lhes força, beleza, ilusões, saúde, amor, unicamente para que, congregados, produzam a soma de vida de que são capazes. Feito isso, dá-lhes ainda a energia — instintos paternos e maternos — necessária a assistência da prole. Depois abandona o casal às doenças e à morte.

Quanto amor à vida, como a vida é bela e forte, quando a natureza necessita da criatura para a produção da vida! e como a faz má, difícil, dura, inútil, uma vez que atinge seu fim!

JUSTIÇA E LÓGICA

A ideia de justiça é criação puramente humana. Na natureza não há justiça, há lógica. A natureza não é boa nem má, justa ou injusta: é lógica. Vai ao fim cegamente colimado através de todos os óbices — e vai sempre pelo caminho mais curto. A linha curva é invenção humana. Fora do homem, há o ponto de partida, o ponto de chegada e a reta que os une.

OURO-FORÇA

Dinheiro: força social concretizada. Um rico é um açambarcador de força. Fulano despende energias mentais ou musculares — trabalho; e as transforma em dinheiro: — energia social latente. Da mesma forma o dínamo capta a eletricidade ambiente e a acumula em bobinas. Dali parte ela para se transmutar em luz, calor, força motora, agente terapêutico. Também o dinheiro parte do acumulador-rico, e se transforma em prazer, conforto satisfação de vaidade, em tudo que é necessidade humana ou humano desejo. Socialmente o homem não tem valor intrínseco. Vale pela quantidade de força social que detém. Rockefeller é o mais possante acumulador existente hoje. Boa parte do mundo move-se com a energia que dele emana.

Filosofias

Ideia que me persegue: o homem perante a lei animal é produto teratológico, consequência de moléstia que o arrasta irresistivelmente a afastar-se da natureza. Na aparência paradoxal, a palavra naturofobia encerra um conceito digno de meditação. O homem é naturófobo. Isso explica o que chamamos progresso. Enquanto na vida orgânica a evolução dos seres se opera em harmonia com as leis naturais, no *Homo* essa evolução "derrapa", desviando-se delas, arrastando-se por estranhos caminhos. A tal ponto vai o desvio que se torna possível a dedução de leis *humanas* — leis de exceção à lei natural.

Essa doença em estado febril cria o delírio a que chamamos ilusão — fogo fátuo que norteia o doente. Uma de suas consequências é a convicção de que o progresso é movimento com rumo à perfeição (ideia platônica sem correspondência no mundo das realidades), quando progresso (Spencer) significa apenas complicação.

A doença que determinou o desvio do homem da série zoológica e fez dele o rei, o deus, o proprietário, o operário, o sábio, o artista, trouxe consigo a nostalgia — nostalgia da saúde, inconsciente nostalgia da vida natural, e criou como terapêutica o inestudado sentimento da esperança.

Desses dois sentimentos, nostalgia e esperança, filhos ambos do desvio evolutivo, nasceram as ideias do bem e do mal, porque nostalgia é dor, miséria, mal estar, e esperança é bem, coragem, justificação da vida.

Zola

Le docteur Pascal. A sensação de quem sai dum romance de Zola é sempre a mesma, de reconciliação com o mau presente e de imensa esperança no futuro. Pascal é o homem por vir, cidadão desse mundo de verdade e justiça que Zola sonhou. Também Clotilde é a mulher futura, companheira meiga dos futuros Pascais. Nascidos assim fora de tempo, caíram vítimas da precocidade, hostilizados pelo meio.

É grande Zola nestes revoos pelos países quiméricos donde traz criações deste jaez. E é o maior dos românticos. Abandona o passado e romantiza o futuro. Lógico, talvez sua obra morra por excesso de lógica. Todo excesso mata.

Seja claro

Compreendo o estilo em literatura como fiel mensageiro encarregado de transmitir ao leitor as ideias do autor.

Servo, escravo, "próprio" que deve ter as qualidades dos bons serviçais: brevidade, simplicidade, humildade, fidelidade, passividade.

Há-os, porém, petulantes, pernósticos; servos mal-educados que não dão o seu recado sem que preambulem por conta própria e fiquem a maçar o leitor com exibições alheias ao caso. O caso é sempre o mesmo: dar o recado com humildade de servo e safar-se.

Morrer

O homem morre a prestações. A velhinha que visitei hoje, de sessenta e oito anos, está há meses na cama, morrendo. Morreu-lhe a mocidade, morreu-lhe a vista, o ouvido agoniza, a memória e a inteligência morrem aos centímetros. A carcaça que sobrevive à linda criatura que ela foi, é ela? Não. Apenas resíduos, resto que ainda não morreu. Falta-lhe morrer o coração. A morte arrecada as vidas a prestações...

As garças do Paraíba

Abro a janela. Que paisagem! Céu, serra e vale. Céu — gaze de puríssimo azul translúcido. Serra — a Mantiqueira, rude muralha de safira. Vale — o do Paraíba, tapete sem ondulações que lhe enruguem o plaino.

Ao longo do vale singra uma pinta branca, voo de giz sobre a imprimadura azul. Garça! Reconheço-a logo pela amplidão do voo.

Que maravilha o voo da garça em manhã assim! Neve sobre azul.

Súbito...

— O bando!

Vinham em bando alongado, ora a erguer-se uma, ora a baixar-se outra, estas ganhando a dianteira, aquelas atrasando-se. Passam a quilômetro da minha janela, tão nítidas que lhes percebo o aflar das asas. Mas...

— Outro bando! E outro, atrás!

E outro bem ao longe!...

Jamais vi tantas, e em tão formoso quadro. Subiam rio acima. Emigravam. Passavam. Passaram... E deixaram-me com a alma tonta de beleza, a sonhar mil coisas, a rever o lindo voo de cegonhas que Machado de Assis evoca — as cegonhas que das margens do Ilisso partiam para as ribas africanas...

Cucas

O pequeno Edgard tem medo horrível às luvas, às meias e ao pé descalço.

Estavam a lavar a sala e ele insistia em "reinar" no balde. Se ameaçavam arredá-lo dali, berrava; se o chamavam, não ia; se lhe acenavam com brinquedos, inútil. Que brinquedo vale brincar com água?

Mas a criada tem ideias. Tomou do porta-chapéus um par de luvas peludas e as largou perto do balde.

O menino encolheu-se todo e foi agarrar-se à saia da mamãe.

Logo depois houve necessidade de retê-lo na varanda enquanto lavavam a sala de jantar, e o meio foi atravessar à soleira da porta um pé de meia.

Muralha intransponível! Lá ficou na varanda quietinho, namorando o balde de longe.

A Convicção

— Pode fazer-me o favor? Uma palavra só... — disse-me um preto num momento em que eu cruzava a porta de um botequim. E, humilde e pedinte, fez-me entrar.

— É uma questão aqui... Quero que o senhor me diga em que ano foi a liberdade.

Tomado de surpresa, vacilei:
— 89...
O preto não se atrapalhou.
— 88, não foi mesmo? — concertou ele, afirmando perguntativamente.
Caí em mim e confirmei-lhe o asserto, corrigindo-me:
— É isso mesmo, 88. 13 de Maio de 88.
— Aí está! — exclamou o preto para o contendor, que não vi mas vislumbrei sentado a um canto sombrio. — O senhor veio decidir uma "questã" que durava já meia hora. Muito obrigado.

Saí a filosofar sobre a estranha força das convicções. O negro, com o seu afirmar interrogativo, fora quem decidira a contenda, mas deu-me as honras de árbitro e lá deixou o adversário esmagado pela sentença que me forçou a proferir.

As nuanças infinitas da arte de afirmar...

Antanho

Por acaso topei um tomo do *Wilhelm Meister* desgarrado da estante há anos. Abro-o e leio uma nota a lápis, para mim saborosa como instantâneo fotográfico do passado. (Lembro-me: meu quartinho de estudante vizinhava de outro, separado por um tabique de pinho empapelado, onde moravam dois indivíduos que nunca cheguei a ver.) Diz a nota: "Este último capítulo li-o durante meia hora sem conseguir compreender coisa alguma. É que os meus vizinhos conversam e por mais que eu faça é-me impossível deixar de atender-lhes à parolagem. O velho (um deles é positivamente velho) parece-me homem vivido, de boas filosofias e de muito bom senso. Sabe coisas e fala com a calma e sossego dos experientes. O outro moço, ignorante e estouvado, concorda sempre, ri de modo alvar e admira-se com espetaculosos 'oh! oh!' A conversa principiou tomando como tema o jantar. Foram esfolados aí num frege qualquer, onde, diz o velho, lhes deram dois peixinhos a oitocentos réis cada um, macarrão, língua e sobremesa. 'O peixe estava sem sal', comenta o moço. 'E a língua dura', secunda o velho. 'E a sopa salgada', continua o moço. 'E a banana podre', conclui o velho com uma risadinha pausada, à qual o moço casa a sua, estrondosa, caixeiral. Fez-se uma pausa longa de gozo. Adivinhei-os imersos nas delícias daquela vingança ática. Depois abordaram vários assuntos, com essa preguiça mole dos que jantaram e estão a cair na beatitude soporosa da digestão.

Descerem rio abaixo, de acontecimento em acontecimento, até alcançar o Visconde de Ouro Preto, que o velho mostrou conhecer a fundo, quase intimamente. Classificou-o entre os homens funestos, dando razões, e o moço, depois de ouvi-las, bradou indignado:

— Inepto, inepto é o que ele era!

O velho entendia de nuanças.

— Não vou lá, não vou lá... Competentíssimo até mais funesto. Da primeira vez que foi ministro, o caso de certa moça retida no cárcere privado provocou um movimento popular; da segunda, sobreveio o desastre da tentativa de pagamento da dívida externa por meio do café; da terceira deu-se o caso demagógico do imposto do vintém; da quarta rebentou a república.

— Má raios! — berrou o moço.

— Na véspera, prosseguiu o velho, avisaram-no da conspirata, mas o Ouro: 'Qual! Tenho confiança neles, no Deodoro e no Floriano'. No dia seguinte estava metido em Sant'Ana...

— Piratas! — exclamou, furioso, o moço.

— Quem piratas?

— Todos eles, o Ouro, o Deodoro, o Floriano.

O velho desprezou o arroubo e veio atrás.

Falou das arruaças do vintém, narrando-as tão ao vivo que eu vi bondes de pernas para o ar, incendiados. A serena palestra rememorativa prosseguiu. Breve chegaram à França, deposição de Luiz Filipe e subida de Napoleão III. Mas a palestra ia cochilando. O moço não emitia apartes e o velho alongava as pausas. Falou ainda do filho do primeiro, um conde de Paris, que caiu dum cano, e não sei que mais. Silêncio. O velho imitou o conde, caindo no sono. Ouço-lhe o roncar pausado... Tossiu agora. Quatro tossidasinhas delicadas e sonoras... Dormem os dois. Chama-se o velho "Seu Macedo".

....

Seu Macedo fatalmente já não existe. Tinha voz dum homem duns sessenta anos naquele tempo. Devia ser celibatário e era pobre. Quer dizer que de Seu Macedo nada mais resta no mundo além desse pedaço de conversa que o capricho dum estudante fixou a lápis num livro de Goethe.

Gravata

Aconteceu-me algo assombroso. Fui a cidade e entrei no Guarani, à espera da rodinha. Pedi café, e estava a mexê-lo quando um rapaz que conheço de vista se aproximou e:

— O senhor esqueceu da gravata, desculpe...

Fiquei vermelho como lacre e com a mão espalmada, em movimento instintivo, tapei logo o meu crime. Problema sério! Comprar outra, impossível; era domingo: continuar assim, impossível, uma degradação. Fugi para casa, depressa, depressa. Larguei café e saí, qual um criminoso. Tomei o bonde, último banco e lá fui, sempre com a mão a esconder o crime... o horrendo crime do pedacinho de seda que faltava ao colarinho. É proibido andar de bonde sem gravata.

E dizemo-nos livres!...

Várias vezes, mais tarde, cruzei-me na rua com o homem do aviso. Cumprimentávamo-nos, sorridentes. Seu sorriso dizia: Se não fosse eu... O meu agradecia-lhe, humilde.

Ficamos sendo um para o outro — o caso da gravata.

Incompreensão

Goethe, e em geral os antigos, não me produzem as grandes sensações dos modernos. Sinto dificuldade em pôr-me a luz da época e bem avaliar as qualidades que os fizeram grandes. As coisas novas que eles viram e revelaram, orçam hoje por velharias; suas audácias fazem-nos rir, suas utopias são os dogmas de hoje.

Caso do maquinista de uma Baldwin em face da locomotiva de Stephenson.

Falar... Ouvir

De visita a um tio, senti-me esmagado pela sua superioridade de homem de cinquenta anos vividos.

Senta-se a favor da luz, afixa certo sorriso que escolhe de toda uma coleção e faz o visitante falar. Se este esmorece, atiça o fogacho da parolice e recai na tocaia, emitindo ultra-cépticas interjeições — Ahn! Oh! Hem, hem, hem...

Sancta simplicitas

Noite de presepes. Há-os aqui em quantidade, na maioria sublimemente ingênuos. Um trazia as paredes do canto forradas de números do *Rio-Nu* — números bem descabelados, com mulheres em camisa e calça às voltas com os "coronéis". Noutros vi patinhos de barro, com pelota nas patas à guisa de pedestal, repimpados em árvores; um soldado de carabina e facão a apresentar armas ao menino Jesus; um busto de Campos Sales ao lado dos reis magos. Em vários outros vi ainda cartões postais com a Bela Otero, uma caixa vazia de chapas Hauff, anúncios ilustrados da Emulsão de Scott, enorme casco de tatu com várias bonecas de pano dentro.

Isto fez-me lembrar certo santo de família que encontrei na roça, em casa duma beata. Ao lado do oratório havia na parede, em surrada moldura lisa, um S. Sebastião escapo à agiologia oficial: S. Sebastião das Cebolas. Explica-se.

Quando o senador Martinho de Campos foi ministro do Império, a *Revista Ilustrada*, de Ângelo Agostini, representou-o nu, de tanga atado a uma árvore, recebendo com cara de mártir os flechaços da imprensa oposicionista. E como o simpático homem de estado era fazendeiro e se chamava das Cebolas a sua fazenda, o dístico da caricatura fora aquele — S. Sebastião das Cebolas.

— E é milagroso este santo, nhá Tuda? — perguntei à velhinha.

— Nem fale! Tudo o que eu peço ele faz. Outro dia foi um panarício aqui neste dedo. Pedi, e em menos de duas semanas fiquei boa...

Mulheres

A respeito da atual moda dos espartilhos, Lucy contou-me de certa viagem de trem que fez inteirinha sentada na ponta do banco, porque nem encostar-se podia. Quatro horas assim, de puro martírio.

Veio-me a mente o concílio reunido para resolver se as mulheres tinham alma. Ia referir-me a ele, mas a lembrança do caso da gravata emudeceu-me...

Raposa velha

O velho Medrado sempre apanhou os melhores biscates da terra. Foi chefe, hoje é influência política e está aferrado a um osso de bom tutano.

Seu segredo? Apreendi-o ontem, primeira vez que o vi de palestra. Fala complicando o assunto em rodeios de modo a tornar a frase pouco precisa. Escolhe termos, encaroça, engasga, generaliza. Isso quando há na roda pessoas cuja opinião ele desconhece. Tão manhoso, que mantém conversa com criaturas de ideias opostas sem chocar nenhuma.

Vindo à balha o protestantismo, principiou com pés de lã a apalpar o terreno perigoso, escusando ora uma seita, ora outra, exculpando católicos e protestantes. E ficou nessa maromba até que se manifestassem todos os presentes. Conhecidas as cartas dos parceiros, firmou a palestra e esqueceu os caroços.

Não cita nomes, não se compromete. O que mais me admira nele, entretanto, é o habilíssimo partido que sabe tirar das dores reumáticas.

A crosta

A muralha que a idiossincrasia cristã interpôs entre os gregos e nós, rui, ou diafaniza-se. Lendo Aristófanes tenho a sensação de um homem sadio que estuda *naturalmente* uma natureza virgem, uma sociedade não estudada, um homem limpo de alma, simples, fresco, não empastado com o fecaloma de vinte séculos de catolicidade. Aristófanes e todos os mais.

Ares propícios

As grandes coisas só se possibilizam nos grandes centros, onde há atmosfera de ação, de sofreguidão, de excitação permanente. Ponham nesta marasmópolis ao próprio Edison e em pouco estará de cérebro adormecido, jogando o truque na farmácia e comentando todas as generosas ideias com o — "Bobagens!" que aqui mata todas as iniciativas.

Flor que emurchece

Lucy tem todos os encantos da flor que se fana. Sua boca denuncia certo cansaço mórbido — cansaço de beijar, de falar, de comer. Fronteira de duas estações, verão e outono. Como participa de ambas, ora esplende, magnífica, num apogeu de sol a pino, ora descai para a melancolia outoniça, de olhos langues, saudosos.

Já começam as saudades e as saudades são flores de outono e inverno.

Traduzir

Os nomes que vimos pela primeira vez como tradutores perdem o prestígio quando os vemos como autores. Há em nós a vaga impressão de que quem traduz não pode criar.

Momo

No último dia de carnaval vim para casa com pequenina mecha de cabelos louros embaraçados num botão da manga. Linda menina! Ao ver-se enganchada, tentou desembaraçar-se "por bem", sorrindo; como custasse, safou-se de um puxão, deixando comigo aquele fragmento de seu corpo.

Conservei-o intacto por muitos dias. O acaso deu-mo, o acaso o tirasse.

Tirou-mo o Guichard, hoje cedo, todo míope.

— Olhe uns *fios de crina* em sua manga. Veio ontem da roça?

A formosura

Os ombros da Consuelo. Sentou-se diante de mim, no camarote, e o melhor do espetáculo me foi admirar a rara harmonia daqueles ombros, que descaem do pescoço em linha elegantíssima.

Tanto movimento, tantas palavras, tanta bravura em cena, tanto enfeite no palco — tanta tentativa de beleza. Mas da beleza só havia no teatro a linha subtil daqueles ombros.

Vidinha estreita

Leontina, pobre criança! Mais uma vítima da Mesquinhez Social. Ela, a mais forte vocação artística jamais abrochada por aqui, não pode dedicar-se à pintura porquê... porque é feio para moça de família conviver entre artistas... porque não encontrará casamento... porque mil e uma coisinhas pequenininhas destas cidades enfezadinhas.

— Como abafa este ambiente de terrinha! Sabe como me vingo? Sonhando. Passo as manhãs a reconstruir os sonhos da noite e já tenho deles uma galeria. Porque, afinal, o sonho é uma produção nossa como um quadro, uma poesia, um pensamento. Tempo há de vir em que se fotografem os sonhos — e aparecerão grandes artistas do sonho, gênios, Shakespeares...

Tedium vitae

Três dias de chuva contínua — sexta, sábado, domingo... O bolor domina, e invisível bolor paira nas fisionomias. Até o rosto de Lucy, sempre tão vivo, pareceu-me embolorado.

No minuto em que o sol bruxuleou, pálido, da palidez dos convalescentes, correram pela terra suspiros de alívio e esperança. Mas as nuvens de novo se cerraram e sobre as coisas e as almas recaiu de novo o bolor.

Bolor, mofo: tédio das coisas.

Indecisão

Chove... A estúpida uniformidade do feio céu sem luz sinto-a também dentro da alma. Falta em minh'alma o claro sol de um fim ardentemente visado e que me atraia como poderoso imã. Sou um dia de chuvisqueiro miúdo, dúbio, frouxo...

Itália

Fortini: tipo do artista nato que o solo da Itália produz com a espontaneidade do nosso em grelar carurus. Pintor e músico. Fez prodígios ao bandolim — coisas napolitanas, vivacíssimas, bizarras e depois uma fieira de marchas heroicas. Ao ouvi-lo me veio uma ideia. O amor do italiano pelas marchas, sua irradiação ao executá-las, não será derivativo do herdado e hoje inexercitado pendor romano pela guerra? Marciais na música, já que o não podem ser na vida?

Fortini é nosso hóspede, e passo as noites a ouvir-lhe as histórias. Foi íntimo de Puccini, em menino, e com ele fugiu da escola várias vezes em Lucca, para banhos no rio. Contou o caso do maestro com um tal Germiniani, a quem começou ensinando canto e acabou raptando a mulher. Cantorias, cantatas...

E referiu a coincidência do desastre de automóvel que sofreu Puccini, trambolhão formidável justamente na hora em que Germiniani morria.

A Miséria

Fui a X, cidade vizinha. Que horrível impressão! Mendigos repelentes, seres disformes, amarelos, pardos, negros, cobertos de farrapos imundos, defeituosos, magros, inchados, capengas, bichentos, duma ascosidade sem nome, a vagarem pelas ruas ermas com a cantilena monótona nos lábios: "Esmolinha pelo amor de Deus!" E à custa de moedas de cobre, a população mantém sobre a face da terra o bando de desgraçados. Mantém. Conserva. Não procura outra solução mais enérgica, mais limpa — ou eliminá-los ou asilá-los. A caridade manda isso, disse-me um católico prático... A caridade manda conservar, não corrigir, não solver o problema. E esse caridoso deblaterou contra a assistência social, contra a eugenia preventiva porque "isso não é caridade". Caridade é conservar a chaga.

O ROMANCE

Almoço desagradável hoje, com um romance fúnebre ao lado, viúva de filho ao colo, contando que tem mais seis, que está na miséria, que quer meter dois num colégio, como órfãos.

O dono da casa almoça lendo um jornal, e o lê até ao derradeiro anúncio. Não ergue os olhos do papel. Que coisas interessantes traria esse jornal!

A patroa preside a mesa e mal responde à pedinte, que fala sem cessar, quebrando de suspiros fundos o seu ar de mártir resignada. Paira contra a miséria um ambiente de dureza, a dureza dos ricos contra os pobres que tentam sair do seu lugar agarrados às franjas da solidariedade humana.

O marido morreu diabético — "seco, magrinho que nem uma criança." E deixou-a na miséria com seis filhos! E ela, só, sem mais ninguém no mundo... Anda a valer-se dos ricos, dos poderosos. "Queria que a senhora me arranjasse dois lugares no colégio, grátis, para esta coitadinha e uma outra."

A dama rica, toda banhas e empáfia, põe-se no ápice do pedestal e: "Não sei, não garanto, vou ver, mas não prometo, não posso cuidar de nada, ando muito doente, vou ver, vou ver". Tradução facílima: Não arranjo coisa nenhuma. A viúva suspira, acentua o ar de mártir, cabeça inclinada, rugas avivadas, maravilhoso modelo para um quadro de Durer: Resignação.

Por fim, saiu.

Fui a janela. Lá ia, toda de preto, chapéu com crepes, véus. Ares de rica, de herdeira. Toda a rua afluiu à janela e olhou-a, e comentou-a. E lá desapareceu na esquina aquele triste romance rico de títulos — A Mísera, A Importuna, A Providência de Seis Crianças, A Enérgica, A Resignada, A Mártir, A Mendiga, A Envergonhada, A Dama de Preto — *as you like it*...

BORBOLETAS

Conversar com moças é trancar no espírito as torneiras das ideias gerais e abrir as válvulas à sentimentalidade ou a parolice anedótica e mexeriqueira.

Um bonito quinquilharismo cerebral. As moças só sentem a cor e a linha. Nada do que constitui na conversação masculina o encanto máximo, os voos, os horizontes.

A mulher, prática, é inimiga dos largos horizontes.

— Muito longe...

A IDADE FELIZ

Sempre que me vê sentado, a escrever, o Guilherme trepa-me ao colo e fica muito atento a seguir os movimentos da pena sobre o papel.

— É trem? — pergunta.
— Não, filhinho, estou a escrever.
— É carta?
— É.

Satisfeita a curiosidade, põe-se a olhar, fungando... De repente, acode-lhe uma ideiazita e pede-me que "escreva a um trem". Não há remédio senão interromper a carta e pintar um comprido trem de ferro, com inúmeros vagões de muitas janelinhas.

Se esqueço a fumaça da locomotiva, ele logo a reclama, como reclama rodas e janelas nalgum carro onde as haja de menos.

— Agora, escreva um corvo sentado aqui — e o dedinho gordo aponta a chaminé.

— E um boi aqui. E um gatinho aqui. E um porco...

E o trem vai virando poleiro de bicharia.

No melhor da festa, porém, o seu corpinho moleia, descaem-lhe os braços e todo ele se mergulha num sono de anjo...

As moscas da vidraça

Leontina vive a rugir desesperos d'alma, que Lucy cruamente define como falta de casamento.

Às vezes chego a crer que Lucy tem razão, se bem que o estado d'alma de Leontina seja muito semelhante ao meu.

Que é falta, tenho a certeza. A dúvida vem no "do quê". Porque é falta múltipla, e vaga, e inapreensível.

De confiança? De objetivo? De fins nítidos, claros e fortes?

Há sempre a boiar no lago das vontades fracas o lótus enervante do — *para quê*? Esta horrível pergunta gela a vontade, fá-la tabética, caquética, paralítica. Fá-la sorna, fá-la querer de pântano, vontade de água verde.

Tudo quanto, movido pelas brisas da sensação, penetra-me na alma, dá de chofre contra essa muralha insidiosa, viscosa, odiosa. E fica ao pé da muralha, escabujante, morto.

Sinto minh'alma cheia de cadáveres de resoluções, esqueletos de motivos, caveiras de desejos.

Tal qual certa vidraça da sala de jantar que nunca se abre. Todos os dias mães-d'água, borboletinhas, moscas verdes que vieram do jardim vão cabecear nos vidros, inutilmente procurando varar para a rua luminosa.

E morrem de inanição.

E juncam o peitoril da janela de pequeninos cadáveres.

Mentir

Deduzir das palavras que saem da boca o pensamento que o cérebro pensou, que o cérebro pensou antes da boca dizer e o que ficou a pensar depois.

A palavra ou esconde ou adultera o pensamento. Mas esconde mal, para o psicólogo. Esconde dentro de campanas de vidro. Os olhos traem o pensamento oculto. Quando nossa boca mente, sentimos a verdade estampada em nossos olhos, a desmenti-la. Ser psicólogo é entender a língua do olhar. Em regra o bom mentiroso abaixa ou desvia os olhos. É a sua melhor defesa.

No hospital

Visita ao hospital.

Que triste coisa, um hospital! A miséria humana em todo o esplendor.

A vitória da cor amarela, o desânimo, as atitudes faquirianas, o ar boçal, o ar resignado, o ar vencido.

Um negro sentado à beira da cama tinha a cara nas mãos e os cotovelos fincados nas rótulas. Perfeita esfinge de ébano cujo negror só quebravam dois olhos grandes, muito brancos, de vago olhar fatalista. Ao ver-nos, moveu-os apenas e logo os baixou, indiferente.

Em todos os leitos, espectros, sombras de criaturas imobilizadas em posições mórbidas, à espera da saúde.

Esperar o regresso da saúde, a lenta volta da desertora...

Fazem-no como quem olha para o relógio e acompanha o movimento dos ponteiros.

Aquela colmeia de infelizes vive para o tempo, contando o tempo, marcando o tempo, vendo, sentindo, esperando passar o tempo...

Fraqueza

A silabada possui uma aura — que curioso!

Estava o Joãozinho Guedes a conversar na sala cheia de moças. Em dado momento disparou um monotôno. Nenhum dos presentes o corrigiu, mas calaram-se de modo intencional, para que no silêncio a aura da silabada agisse sem obstáculos. E assim foi. O monotôno ficou no ar, ecoando malsonantemente, e Guedes corou como beata. Por fim, explicou que errara, mas que sabia que errara, e que se dizia assim era porque queria. Zangou-se. Ergueu-se de chofre e saiu, furioso. Só então riram-se todos do ultracômico desastre.

O alvorecer

A pequena Ruth ainda se atrapalha na compreensão do tempo. Confunde ontem com amanhã.

Como é difícil distinguir do futuro o passado, às mimosas criaturas que são todinhas presente!

— Amanhã o gato deu um pulo e pegou o ratinho.

— E ontem, que fará o gato?

Ela perturba-se e fica, de olhar dúbio, ruguinha na testa, com a vaga consciência de que errou nalguma coisa...

Despotismo

Eduardico lá está, de pedra na mão, a berrar e espernear, em furioso acesso de cólera infantil.

A mulatinha pajem negaceia-o de longe.
— Que é isso, Dico? — perguntam-lhe.
Ele soluça:
— Aquela peste nã-ão quer parar...
— Parar, para quê?
— Para eu jogar esta pe-edra nela!...

Os guris

Jogo de futebol improvisado defronte minha janela, no largo. Só guris, cinco de cada banda. A bola: maçaroca de pano atochada em pé de meia. Discussões, tombos na lama, berreiro, disputa verbal incessante, sempre chegando às boas o lado que berra menos. Todos os termos ingleses adulterados, mas bem apreendidos — *golkipa, gor, corne, ofiçai, chute*. Aproximam-se espectadores, todos pequeninos.
— Posso entrar no jogo? — indaga um.
Os de dentro, orgulhosos:
— Sapo não joga!
Chega outro, de carrinho — uma isca humana, filhote de tico-tico que apenas engatinha. Traz na cabeça o chapéu do pai e na boca a chupeta. Empurra o carro — caixão de querosene com duas rodas — um seu irmãozinho. A tantas o *goal-keeper*, de pé armado para um formidável *kick*, prevê desastre e grita:
— Tire essa porquerinha daí, que lá vai fogo!

Homem, Mulher

Acentua-se o antagonismo de crenças entre o homem e a mulher. Aquele professa o livre pensamento, ou a indiferença, mesmo quando se crê ou se diz religioso, porque a mentalidade do homem evolui. A da mulher não. O cérebro da mulher não digere as ideias recebidas. Conserva intactas todas as noções que lhe inculcam em criança ou moça. Conheço inúmeras que não passam de bichos ensinados. A beata, a feminista, a literata, a "terceira", a filha de Maria, são bichos ensinados, papagaios que decoram crenças e creem sem exame.

Cacoetes

Os mais vulgares são o "Já viu?", o "Sabe?", o "Sa?", o "Percebeu?"
— Olhe, eu faço constar, *já viu*? faço constar da ata, e então você, *já viu*? você combina com ele e arranja uma justificação, *já viu*?
É o cacoete do Xavier, traço de família, pois ninguém consome maior número de sabes do que o seu irmão.
— Estive há pouco no Rio, *sabe*? e procurei o Seabra, *sabe*? para aquele negócio, *sabe*? E ele, então, *sabe*?...

Os sóis

Os homens fortes, que vencem na vida, trazem a mola real da vitória dentro de um escrínio de orgulho. Atribuem-se todas as boas qualidades e mofam dos que as não possuem. Afirmam sem vacilar. Dão-se como centro do sistema planetário. Tudo lhes gira em torno. Dogmatizam e aceitam os próprios dogmas como tais, sem laivo de cepticismo.

Curiosidade

Havia a princípio um só automóvel por estas bandas, que toda a população viu, cheirou, comentou. Ao cabo de certo tempo, satisfeita a curiosidade visual, o seu *têf-têf* já não fazia voltar a cara a ninguém.

— Lá vem o dr. Ferreira, — pensavam todos ao ouvi-lo.

Mas apareceu agora o segundo, e mal ronca um motor acode gente às janelas, transeuntes voltam-se, conversas interrompem-se. A curiosidade impõe destrinçar qual dos dois é.

— É o do dr. Ferreira.
— É o do Indalécio.

Adquirida a certeza, tudo reentra nos eixos.

O pitoresco

Como é viva a língua do povo! E como é fria, morta, a língua erudita, embalsamada pelos grandes escritores! Inda ontem o verifiquei ao trocar meia dúzia de frases com o carapina que está aqui reconstruindo um telheiro.

Pus-me a sapeá-lo e ele volta e meia parolava do serviço. Ao substituir uma telha que não se encaixava noutra, diz:

— Esta não serve, é muito viçosa.

Ao transportar uma viga de peroba, comenta, gemendo-lhe sob o peso.

— Isto é pau pesado por natureza.
— Não sobrarão telhas, sêo Antonio? pergunto-lhe para o fazer falar.

Ele mede as pilhas com os olhos, vagarosamente, mede em seguida a área a retelhar e:

— Home, se sobejar é coisinha, obra de um tico.

A pequena rata

Dizia a Inesinha a sua amiga Laura:

— Sinto uma vergonha cada vez que me lembro do cartão que mandei ao dr. Pedrosa. Fiz um P tão feio...

O NABABO

Comenta-se a morte de um homem soturno, que sempre viveu sem família, arredado de amigos, tremendamente misantropo, e que aos setenta anos se finou na mais extrema miséria, havendo gasto em loteria tudo quanto tinha.

— Que desgraçado! — exclamam.

— Que homem feliz! — penso comigo. — Viveu de sonhos. Viveu nababescamente a sonhar maravilhas. Como os chins ingerem ópio, ele ingeria bilhetes, notas promissórias da esperança — e sonhava.

VASELINA

Maricotinha, quando sai em companhia da irmã caçula, desempenha funções de cornaca. Dirige-a e gaba-lhe os méritos.

Se a pequena se senta ao piano, explica:

— Ela ainda não sabe essa música, está estudando; por isso não reparem.

TURISMO

Excursão de bicicleta a X. Lama na volta. Noções muito justas sobre as estradas. Os *globe-trotters*, ciclistas ou automobilistas, do mundo só veem as estradas. Dissertam sobre a variedade das lamas, das argilas, dos "caldeirões", dos "facões", dos barrancos, das cercas, dos mata-burros, das pontes. O resto não lhes cai sob as vistas.

O memorial da viagem do príncipe Borghese a Pequim é todo ele um curso de estradas. Também desta marca é o de um Frazer, que li hoje.

Partiu de Southampton e para lá regressou 114 dias depois, com ciência perfeita de todas as lamas da Rússia, Armênia, Pérsia, Índia, China, Japão e Estados Unidos, onde noivou, casou e divorciou.

Lendo a história do Frazer, entristeceu-me não ser inglês. Que dote inestimável dá o pai ao filho fazendo-o ver o sol em território britânico! O inglês, onde quer que vá, está em casa, sob suas leis, com sua língua à mão. Se quer Oriente, tem toda a Índia sem sair do Império. Se lhe sabe terras da Oceania, tem a Austrália; se prefere as americanas, tem o Canadá e os Estados Unidos. Se lhe faz conta negrejar, tem quase toda a África: da virgem no Sudão à histórica no Egito. Se quer explodir leões com *dum-duns*, vai ali ao Uganda, uma tapada sua. Dê-lhe ganas robinsonear e pode escolher ilhas suas, dentro de toda uma constelação de ilhas. E para todos os pontos vai com o máximo de comodidades e de garantias, certo de encontrar bancos que lhe facilitem moeda, *residents* que o defendam do gentio, sabão *Pears*, bíblias e *whiskey White Label*.

Talvez venha daí a fúria itinerante do inglês: exercita-a sem sair de casa, o que é sobremaneira cômodo.

UM "PRESTANTE" CIDADÃO

Major Bicalho, fazendeiro, filho de barões do império, conspícuo, gravíssimo, todo axiomas, todo princípios de moral — "bicho ensinadíssimo".

Ao ouvi-lo dissertar sobre qualquer assunto, a definição acode-nos de pronto: — burrice hierática.

Quando morrer, o necrologista dar-lhe-á o belo qualificativo de "cidadão prestante".

Sol e pombos

Desceu no largo um bando de pombos, e como o sol rutilasse lindamente naquelas vivas alvuras irrequietas, empolguei-me no espetáculo.

Súbito, assustam-se, debandam, voam para longe. É que se aproximava o Chico Liso, mendigo horrendo, em farrapos, uma triste coisa de carne nauseante.

Que contraste, a saúde, a beleza, a harmonia, a perfeição daqueles pombos e a hediondez do Chico Liso! É ele, no entanto, o rei...

Continuo à janela. É domingo. Passa gente de rumo à igreja. Velhinhas minguadas, arrastando o corpo reumático, xale sobre os ombros ou fichu à cabeça. O *xales*, como elas dizem.

Passou a Bebé Nogueira — "tia", tipo da mulher "boa", que não casou, que é "terceira" e feiíssima de cara e corpo, atentado clamoroso contra as leis da harmonia. Passou a Biloca, mocinha torta, arcada, microcéfala, boba.

O sino repica. Todas apressam o passo. Nisto entra no largo uma vaca tangida pelo vaqueiro. A mais pacífica e inofensiva das vacas.

Pois houve tremendo pânico! Os reis dos animais e as rainhas — Bebé, Biloca, as velhas — tomavam-se de pavor e com gritinhos esgueiram-se pelos corredores ao alcance. Medo à vaca... No entanto a vaca, que não é rainha de coisa nenhuma, passou com serena majestade.

Houvesse mais justiça na terra, e o cetro da realeza mudaria de dono naquele momento...

....

À esquina, sórdido preto rói um bico de pão apanhado no lixo.

Rei!...

....

Tantas criaturas só têm perante a natureza uma função respeitável — a de fertilizante, e a essa mesma iludem indo apodrecer nos cemitérios...

A arte de viver

O fim é nada, o caminho é tudo.

O forte e o fraco

Dar passagem, ou tomá-la, quando no passeio outra pessoa vem ao nosso encontro, é problemazinho urgente de solução instintiva. E mais uma vez ali vence o forte. Dá passagem o mais mal vestido, ou o menos corpulento, ou o de ar mais resignado. Os homens enérgicos atravessam as ruas movimentadas sem ceder caminho a ninguém — e sem que ninguém os force a isso. Caminham em reta. Quem fixasse a trajetória de vários homens na mesma rua, a mesma hora, obteria um gráfico denunciador do caráter de cada um. O forte daria linha reta. O fraco, linha quebrada. O untuoso, linha sinuosa.

Oradores

Palestra com um velho parlamentar. Recordou os oradores de seu tempo. Os mais completos: Silveira Martins, pela faculdade de adaptar-se ao auditório e às circunstâncias; e José Bonifácio, como esteta da palavra, que pouco dizia, mas deslumbrava. Voz fina e sotaque paulista, sem que isso apoucasse o encanto, à vera magia de suas orações, torrentes que nenhum taquígrafo podia apanhar. Comparou-o às tempestades em que o contínuo fuzilar dos relâmpagos se entremeia de fragorosos estampidos e cegantes clarões. Fulgurava. Suas frases batiam nos ouvintes como descargas elétricas.

Ideias de velho

Um velhinho hoje, extremamente original nas ideias. Dá sobre tudo opiniões só suas. Como se queixasse de doenças várias, perguntei-lhe se consultara médico. Riu-se.

— Você concebe relojoeiro que conserta relógio pelo buraco da chave?

Os relógios do tempo dele eram de chave.

Falamos de mil coisas e por fim do caipira. Aqui propôs-me uma adivinhação: qual o bicho mais parecido com o homem!

— O macaco.

— Não. É o caipira. Tem olhos, tem pernas, tem voz articulada como o homem, e no entanto é bicho!

Eça

O conselheiro Acácio: a banalidade solene.

Don Paez

Júri, ontem. Acusei um pobre mulato vítima de todas as más heranças do sangue, irresponsabilíssimo. Acusei-o de modo a conseguir a absolvição.

Enquanto se desenrolava a estafante leitura do processo e o mais, puxei do bolso e li à socapa (se o soubessem!...) o *Don Paez* de Musset. O tempo, assim aliviado, correu em deslize macio, e todo me lavei da sórdida impregnação do ritual judiciário no banho rítmico daqueles deliciosos versos.

... la main caresse
les seins étincelants d'une folle maitresse.

Só me despedi desse ambiente de beleza para tomar do libelo e remoer as tolices da praxe em estilo oposto ao de Musset — único adequado aos doze *pax vobis* que iam julgar.

À noite, linda festa para os sentidos, ao lado de Lucy num camarote, assistindo aos *Dois Brasões* de Blumenthal, engraçadíssima comédia. Lucy, deslumbrante. Vestida de azul tocado a pérola, sem colete, graciosos folhos de gaze que afofavam o colo da blusa.

Nos cabelos negros e ondeados, repartidos ao meio, três gerânios cor de telha nova, postos de lado. Sobre a gaze do peito, outros gerânios irmãos daqueles. Na mão, um leque, que não foi aberto porque esfriara o tempo. E na boca irrequieta o comentário justo, fino, brincalhão.

Na vida tudo se compensa. Júri, Musset, Lucy...

Lúgubre

Depois de julgado o fato, quando o juiz de direito formula a sentença, profundo silêncio domina a sala inteira. Fora do recinto, além da grade, dez, vinte caras habituais, criaturas gulosas do epílogo que só aparecem para ouvir a sentença. Possuem fino o faro. Adivinham o momento e ao erguer-se o juiz alongam as orelhas com a mão em concha, arregalam os olhos, entreabrem a boca, corpo e alma em riste para absorver, qual hóstia santa, a palavra lúgubre da sentença.

Mera curiosidade? Sadismo?

O juiz ergue-se, de papel na mão. O silêncio é absoluto. A sala toda se transforma em ouvidos. O juiz lê "... condeno o réu tal a cinco anos de prisão celular".

Os assistentes dispersam-se, as escadarias se enchem de gente sem pressa, calada, olhos absortos. O martírio infligido a um semelhante impressiona-os como coisa que lhes pode cair na cabeça um dia. Saem, descem em silêncio. Aqui, ali, exclamações a meia voz: "Era preciso. Por que matou?" "É necessário..." "Cinco anos passam logo".

Apresentava um os olhos vermelhos. Era amigo do condenado e trazia a missão de levar a notícia do julgamento à sua mãe. Caminhava automaticamente, vagarosamente. Esperançado, talvez, de que algum novidadeiro de pé lesto o antecipasse na triste missão.

Arte

A arte nasce quando o homem cessa de lutar contra o meio adverso. Nasce como florada consequente à completa evolução da planta. Na Grécia, a benignidade do clima e a amenidade da natureza não ofereciam resistência ao homem, e as forças que este, em caso contrário (caso da Índia, do Brasil, da Sibéria, por exemplo), despenderia em reações contra o meio agressivo, convergiram para enseivar o instinto estético, dando origem à maravilhosa eclosão das artes clássicas.

Fé e cepticismo

O grande segredo da fé — o predomínio que ela exerce mesmo nos homens superiores, a sua estranha força de dominação — reside na irresponsabilidade de que imbui o crente. Dela lhe decorre a fonte de paz moral e de tranquilidade de consciência. A cega obediência a Deus, ao Papa, ao Padre, ao Catecismo, a dogmas e regras, destrói a liberdade moral — essa conquista suprema para os homens superiores, mas perigoso embaraço para o rebanho humano. Ser cético é tão raro e requer tanta energia moral, que os poucos céticos que têm existido são olhados como aberrações monstruosas.

Cortar

Grande prazer dos meninos, o brincar com faca. Em casa do Aristides, ontem, notei a satisfação com que o Juquinha picava um naco de marmelada. Pegava na faca de mil maneiras, inventava posições, cortava devagar, dividindo o doce em pedaços pequeninos para que *rendesse* o prazer de cortar. Notando a sua demora, o pai ameaçou-o de mandar cortar o doce e dar-lhe um garfo. Juquinha incontinente armou bico de choro. A mãe, compreensiva, interveio: que não, que o grande prazer do menino era cortar, que ele estava comendo aquele doce não pelo doce, mas pelo prazer de o cortar.

Fraqueza congênita

A obra d'arte não tem valor intrínseca. Não há valor intrínseco. O valor de um poema reside em o número de espíritos por ele emocionados. As obras más caem por escassez de partidários.

Tema para um pintor

Goethe, passeando pelas ruas de Caltanisetta, cidadezinha da Sicília, enquanto se assava a galinha do seu jantar, foi rodeado de habitantes que o atormentavam com perguntas relativas ao grande Frederico. Comovido ante tal afeição, Goethe não teve ânimo de lhes dizer que o rei já era falecido havia meses.

As circunstâncias

Os grandes homens da história: marcos, estacas, balizas, etiquetas. Valem pelas consequências dos atos que as circunstâncias os levaram a praticar. Simples efeitos, simples resultantes de forças, dão-se como causas — e humanidade os toma como tais. Jesus: vida determinada pelo meio hebreu-romano; resultante duma série de forças psíquicas que fatalmente produziriam um Jesus. As consequências de seus atos criaram o cristianismo. Foi causa, Jesus? Não. A causa foi a tremenda psicose dos escravos, a necessidade ambiente de um desvio funcional da sentimentalidade humana. Jesus funcionou como etiqueta, palavra de senha, marselhesa, bandeira do movimento. E de senha passou a Deus, exalçado pela vitória do movimento.

Vêm-nos tais ideias ao ver em um número da *Universal Exposition* de 1904 a estátua apoteótica de São Luiz.

O rei monta um imponente cavalo magnificamente escamado de arneses, togado de saios, e ergue-se na sela com ar severo, escudo flor-de-lisado a tiracolo, mão a brandir esguia cruz, coroa real na cabeça. Um admirável monumento donde emana o hálito épico das obras fortes. Isso na cidade de St. Louis, que ele patrocina.

Por que, tal glorificação?

Porque um pioneiro, certo dia, ao fincar à estaca inicial da grande cidade, resolveu dar àquele termo o nome do rei santo, nome que seria talvez o seu, ou o de seu pai, ou o do santo daquele dia. Se a semente da cidade plantada não germinasse, nenhuma consequência teria a sua escolha. Como vingou e cresceu, o mundo viu surgir o grande empório de St. Louis e inúmeras outras consequências: consumo de biografias do rei francês, numerosos estudos sobre sua personalidade, glorificações de todo tamanho e, consequentemente, aumento da grandeza do rei festejado.

Ser grande é estar à tona de acontecimento social que tenha larga repercussão.

Sarah

A curiosidade de conhecer Sarah Bernhardt levou-me a São Paulo. Vi-a no velho casarão do Politeama. Sua cabeleira parece a de uma grande boneca. Abundante e loura como o sol. Sua famosa *voix d'or*, porém, denuncia a ação erosiva do tempo. Já nos graves lhe escapam rouquidões, como desarmonias de Wagner enxertadas em melodia italiana. Sarah, entretanto, ainda é Sarah. Ainda arrasta toda uma cidade ao teatro e o faz estremecer sob o fragor das ovações. Todos falamos dela com a ternura saudosa das boas amizades antigas. Só as mulheres franzem os lábios. Os homens dizem — a divina Sarah. As mulheres: a velha Sarah...

Guardar a compostura

João Gomes, pobre velhote tradicional na cidade, rato de cartório, maestro honorário da filarmônica, atravessou o largo acompanhando um carrinho empurrado por um garoto. *Acompanhando*... Isto é o que João figurava fazer, porque de fato quem movia o carrinho era ele, João Gomes.

Coisas do mundo! João decairia do seu pedestal se francamente empurrasse o carrinho. Para evitá-lo, meteu nos varais o pequeno. Salvou as aparências. Não estava a *puxar*, estava a *guiar*... Todos viram a tramoia, mas ninguém se chocou, nem murmurou palavra, visto como João fazia a coisa mais agradável à sociedade: guardar aparências.

A vida que João leva está simbolizada nesse caso do carrinho. João é pobre, paupérrimo, sempre o foi, mas finge-se remediado e guarda as aparências desse degrau, gozando a consideração com que a cidade lhe galardoa a longa e inocente mentira.

A fraude suave...

À BEIRA DO X

Sinto que lá me esqueci de qualquer coisa. Procuro recordar-me, forço a memória. — Está frio... — Está esquentando. — Esfriou de novo... — Está queimando agora... Percebo-me à beiradinha do X. E lá me foge. E não me recordo...

ACASO?

Jogo de coincidências?

Em pequeno fui um grande guloso de cabeludas, frutinha amarela, que se faz hoje extremamente rara. Como as esporinhas, a maravilha, o alecrim, a romã, ninguém a cultiva hoje, que os pomares e jardins se civilizam e andam todos à moda. Em casa, na fazenda em que nasci, havia um pé de cabeluda, escarrapachado, de copa em saia a relar o chão. Era meu. Boas horas passei dentro dele a chupar as frutinhas. Depois, faz isso doze anos, as coisas mudaram, o mundo virou e nunca mais tive ocasião de ver sequer uma cabeluda, ou ouvir falar nelas.

Pois bem: descobri há dias, cheio de emoção, um pé de cabeluda ao fundo da chácara velha. E carregadinho! Regalei-me infantilmente e enchi os bolsos logo que o estômago deu o basta.

De volta, detive-me em casa da velhinha amiga, pois nunca passo ali sem portar. Livro vivo do passado, é uma delícia ouvi-la. Encontrei-a como de hábito na rede; e ao pé dela, na cadeira pepé, cadeira de pernas cortadas onde sempre me sento, uma criaturinha humilde, trajada pobremente.

A boa velha teve um clarão nos olhos ao ver-me.

— Esta mocinha anda campeando cabeludas. Precisa de "umas par delas" para a irmã que está muito malzinha no hospital. Já correu a cidade inteira, e nada. Quem sabe se o senhor sabe de algum pé por aí? A pobrezinha vai morrer e seu último desejo é chupar cabeludas...

— Sei. Sei onde há cabeludas, — respondi.

A fisionomia de ambas iluminou-se.

— Onde? — perguntou a velha, detendo o balanço da rede.

— Aqui. Ei-las! — exclamei teatralmente, despejando um bolso de cabeludas no colo da mocinha assombrada, enquanto a velha erguia as mãos para o céu, convicta de milagre.

Saí impressionado. Haveria atrás dessa cadeia de coincidências um ligador de elos? O desejo da doentinha; as pesquisas da irmã; o meu achado; a minha visita à velha; o nosso encontro lá; as frutas no bolso — coisa que jamais fiz. Acaso, coincidência: palavras que definem a trama, mas não a explicam. E tudo na vida não é assim? Definimos, classificamos. Não explicamos coisa alguma. Falta-nos o sexto sentido.

DESCOBERTA DA PÓLVORA

A alvorada do espírito crítico nos novos fá-los descobrir, usar e abusar de lindos axiomas inéditos, criados pela pujança do cérebro em primavera. E eles imitam.

Mais tarde, porém, descobrem, vexados, que tais maravilhas de ineditismo não passam de chavões em desuso, postos nos desvios por motivo de velhice. São novidades de cabelos brancos, notas recolhidas. Só então se convencem do "nada há novo sob o sol".

Associações

Súbito, entrei a trautear mentalmente certo motivo da *Aída*, prelúdio do terceiro ato, creio. Motivo litúrgico, rico de sons misteriosos e graves, que brotam do âmago de templos mortos e dão melhor ideia do Egito dos Ramsés do que todas as reconstituições eruditas.

Esses motivos musicais caem-me no cérebro como sementinhas trazidas pelo vento, e ficam em repouso, latentes. Em dado momento, por força da sugestão duma cor, duma palavra, dum cheiro, dum som, duma lembrança, entram a germinar e vibram durante minutos, durante horas, durante o dia inteiro às vezes. Depois, morrem de novo.

Quantos misteriosos pólens circulam no ar, e que grosseira é a nossa embrionária percepção!...

A música

Maravilha das maravilhas! Há meio século, num ponto da Itália, certo italiano, em momento de inspiração, sentiu agremiarem-se-lhe na cabeça núcleos de sons musicais, que ele estilizou e meteu em certo melodrama.

Este fenômeno fixou em definitivo aquela forma de sons, frase que eu hoje, cinquenta anos depois, a mil léguas de distância, tenho a vibrar na memória e trauteio em surdina, gozando a estranha sedução que dela emana. E na Índia, às costas dum elefante, estará esta mesma ária bailando na memória de um turista. E em Viena, quem sabe, um cantor de rua a está garganteando. E pelo mundo inteiro, durante séculos, quantas vezes não subirá à tona da memória do homem, e o não trauteará ele, o motivo que o italiano criou? Esta fixação pela arte e esta transmissão pela psíquica através do tempo e das léguas incontáveis, não é a maravilha das maravilhas?

Telepatia

Dona Isaura recebeu de sua maior amiga um cartão de boas festas. Responde hoje, responde amanhã, só no quarto dia o fez. Mas ao lançar o sobrescrito, capta num frêmito este gelado frenograma: *Anita morreu*.

Meia hora depois o telégrafo confirma o aviso psíquico.

Mark Twain compôs bonito estudo sobre a telegrafia mental, denunciando a constante e inapercebida entre-influenciação dos cérebros. Transmissão de ideias, de planos de romance, "coincidências" de todo gênero. O conceito da seleção natural, exemplo célebre, transmitiu-se de Wallace a Darwin, ou vice-versa. O mesmo sucedeu com o plano e ideação do *Candide*, de Voltaire e do *Rasselas*, de Johnson.

Quantos casos! A concepção do cálculo diferencial, o descobrimento de Netuno, a decifração dos hieróglifos egípcios, a teoria ondulatória da luz, a descoberta do equivalente mecânico do calor, da correlação de forças, da telegrafia, do espetro...

O inventor, ou o a quem ocorre a ideia nova, transmite-a por irradiação para o mundo inteiro, por intermédio de meios ainda não estudados.

Se tal onda topa no percurso algum cérebro receptor, entra e fica. Claro que passará por todos os cérebros. Só impressionará, porém, o cérebro receptor. As criaturas que pressentem, possuem cérebro receptor. Pensamento que nos surge inopinado, fora da seriação lógica em que se associam as ideias, como explicá-lo senão como adventício, como andorinha que pousou de passagem?

A UNIDADE

Não serão alotropias da gravitação universal o instinto e a inteligência?

AS PETAS

Grande festa para a criançada, o primeiro de abril. De véspera já todos dormem a planear petas, e mal se levantam principia a serrazina.

Ruth, depois de esgotado o seu *stock* de petinhas para gente grande — lindas petas de um anjo de quatro anos, resolve pregar uma no cachorrinho.

Tupi, está claro, caiu, e ela, radiante, vem contar a proeza.

— Tupi caiu! Tupi caiu!

— Como foi?

— Eu disse: Olhe, Tupi, um aeroplano voando! O bobo olhou. "Primeiro de abril! Primeiro de abril!" Se você visse a carinha dele...

IDEIAZITAS

O mais velho, que já lê jornais, conta ao Guilherme coisas da guerra, e fala da fome na Europa em termos de compungir.

— ... manteiga e carne, então, chi!... Só para os ricos, mais que ricos, só para os milionários, e mesmo assim, só para enfeite.

— Não comiam?

— Que comer! Carne, quem pilhava uma isca — mandava logo fazer anéis, brincos de orelha — e as mulheres que tinham anéis e brincos de brilhantes morriam de inveja...

GRAFOLOGIA

Fiel espelho da nossa vida, a nossa letra. Nossa letra só assenta quando nossa vida assenta. Vida no ar, letra no ar. Letra que balbucia, tateando, procurando sua forma: vida de criança, vida de ser que se forma. Letra líquida, informe, que vacila, varia e muda: vida de rolha à tona de vagalhões. Letra com solidez de moirões de cerca: vida cristalizada dos homens de vontade férrea.

Feminilidade

Todos temos nossa galeria de retratos femininos. Para a minha entrou um novo — o de dona Chiquita. Mau nome, que não condiz o diminutivo com tão esplêndida mulher. Trinta e cinco, por aí, em pleno verão já laivado de outono. Carnes cheias, apertadas com fina elegância em casimiras colantes. Nos cabelos negros — como santelmo desnorteado no escuro da noite, linda mecha a grisalhar. Seduz com a boca. Como a tem viva e espirituosa! Lábios irrequietos, com que arte eles afeiçoam as palavras que saem da boca! Realmente é isso! Os lábios dela dão um último retoque às palavras, retoque gentilíssimo, e fazem-nas revoar como aves raras. Todo o mundo diz — *cadeira*, e se não junta qualificativos produz a mais incolor das imagens. Dona Chiquita, porém, modula tal palavra com nuanças que dispensam adjetivos. Se estofada, sai-lhe um *cadeira* macio; se de palhinha, dá-lhe tom de seca sobriedade.

Deixa cair, quando conversa, a mais irônica, viva, mordaz e "pinturesca pintura" das coisas, dos fatos e dos tipos.

Imperceptível cicioso contribui também, qual condimento sutilíssimo, para reforçar o valor sensual das palavras que modula. *Modula*, é bem isso!

Ao ouvi-la como quem ouve música nova, pilhei-me várias vezes. Falando de coisinhas insignificantes, ourivesaria miúda, afigurou-se-me uma Cellini instantânea, que imagina e realiza, incontinente, os mais caprichosos *capriccios* verbais. Seus lábios valem por mágico aparelho de transformar os sons que a garganta emite em irrequietas joias, lavradas com arte que é a um tempo música, expressão fisionômica, sensação visual e capitoso vinho para o espírito.

A vida

Quem criou a famosa imagem do "banquete da vida" foi gênio da melhor água. Perfeita!

O bêbedo que não sai da esquina lançou-se ao vinho, não despega dessa preferência e bebe a sua parte e a de vários outros, abstêmios.

Dona Chiquita reserva-se os doces finos, os papos-d'anjo, as compotas; pesca as azeitonas tentadoras, lambisca, por extravagância, um *pickles* redondinho, morde nesgas de fiambre.

O comendador abusa, despótico, da sua posição ao lado das iguarias sólidas, e mastiga com serena calma os bons rosbifes, os lombos, os queijos.

Já sua esposa, sempre queixosa, quer o que é raro e caro — ostras, peixes de longe, *foie-gras* de Nantes, empadas, seu copo de Borgonha.

Sara, a cozinheira, é o operariado. Não janta, não escolhe. Devora o que sobeja.

A copeira representa a classe média, industrial, veicular. Pilha de passagem.

Os fortes

Nas multidões, quando o povo cerra em massa, formam-se correntes em vários rumos, que morosamente defluem. Mas surgem indivíduos rebeldes, impacientes, que rompem a massa à força de cotovelos, justificando-os com brutais "Com licenças" e vão varando, ao arrepio das correntes, surdos à cólera tímida do rebanho. Lembro-me desses homens sempre que leio a palavra — *struggler for life*.

A velhinha

A minha boa velha lá do fim da rua contou-me nova história da sua cabra. Vim cheio de cabras na cabeça. Fui à Grécia ver a cabra de Júpiter, cheguei a Caxemira — e tive a visão dos jumentos de Pompeia.

Daí o povoar-se-me o sonho da manhã de magníficos animais domésticos. Lembro-me dum trecho: luta feroz entre formosíssimo touro e um homem de pé sobre um carrinho de criança, puxado por grande bode preto.

Ao acordar-me, de nada me lembrei. Foi depois, ao ler umas páginas de Nietzsche, que dum jacto me veio o sonho e com ele a ideia de jogar na cabra. Joguei e deu a cabra.

Tenho três fatos coincidentes: o sonhar com a cabra, o deliberar a parada e o dar o meu jogo. O segundo tem origem evidente no primeiro, mas o deliberar firmemente, de *convicção inconsciente*, já não constitui *processus* singelo e cai no terreno do inexplicável; o advento do terceiro desnorteia-me.

Existiam já os dois primeiros quando o terceiro, incriado até o momento de correr a roda, sobreveio. Existiu sem gérmen causal.

Sem gérmen causal!... Como é fácil o malabarismo das palavras! Para a mecânica das forças naturais o futuro está rigorosamente predeterminado pelos fatores que o terão como resultante. $A+B+C+D+\ldots = F$. Enquanto se vão seriando os fatores cuja resultante está no futuro, *pari-passu* se vai predeterminando o futuro, que não existe mas já está condicionado. Isto é imagem grosseira do como procede o mecanismo da natureza, agindo com milhões de fatores que em absoluto escapam à percepção humana consciente.

Consciente, porque pela percepção inconsciente esse total-futuro é às vezes vislumbrado. Como? Ignoramos — Temos a palavra pressentimento para nomear o fenômeno, e contentamo-nos com isso. A minha resolução de jogar, o meu palpite, não será uma dessas percepções inconscientes? Adivinhar! Palavra de sentido imensamente profundo. Será *conhecer*, por meio dum processo desconhecido, o que ainda se não efetivou, mas que se efetivará fatalmente? Adquiriremos um dia o sexto sentido divinatório, que devassará o futuro como a visão devassa o espaço?

Júpiter tonante

Há uma freguesia aqui perto que tem igreja mas não tem padre. Não rende para sustentar um padre e lá não quer morar nenhum. Como ia para quatro anos que a igreja estava fechada, mandaram daqui um padre a desengafar-lhe as ovelhas.

Escolheram mal. O cônego Licurgo é homem sanguíneo, violento, pouco adequado a lidar com ovelhas. Fazendeiro, prefere amansar bois e acertar cavalos. Mas foi.

Logo ao chegar soube que a gafa maior era a do espiritismo, e deliberou pregar a fundo contra a nova religião.

Templo cheio. O padre, apoplético, mugiu horrores contra a novidade. Um padeiro espírita, que estava presente, insurgiu-se e bradou um enérgico "Não apoiado!".

O padre subiu a serra.

— Quem foi o cachorro que deu não apoiado?

— Fui eu! — retorquiu o heroico descendente da Brites de Aljubarrota.

— Pois ponha-se no olho da rua, já, seu cão!

— Daqui não saio, que a igreja é pública.

A cólera do padre subiu a cem graus.

— Não sai? Pois espere aí!...

E botou-se do púlpito abaixo, arregaçando a batina. O poviléu, tomado de pânico, disparou. Houve atropelo à porta. Uma criança esborrachou o nariz e várias mulheres torceram o pé. Esvaziou-se o templo e o cônego, prestes a rebentar de apoplexia, berrou para os últimos retirantes;

— Cachorrada! Vão todos para o diabo que os carregue!

E trancou de novo as portas da igreja.

As mulheres

Não sei de homem que se casasse com mulher cega ou aleijada — e não há cego ou aleijado que não encontre esposa.

Palestras femininas

Numa palestra de dona Estela...

Palestra é modo de dizer; numa audição é o certo, porque as mulheres, no geral, não conseguem manter o tom da conversação equilibrado no ritmo alternativo do "fala um, responde outro." Nada disso. O que elas querem é falar. Falar por falar. Falar a todo o transe, por fás e por nefas, até à exaustão.

Numa palestra de dona Estela desfilam reis, príncipes, arminhos, peles de zibelina, casos de diplomatas, riquezas, milionarices, escândalos de bom tom, sábios, professores notáveis, rendas caras, joias, grandezas de toda ordem. Embora principie a parolagem com assunto pobre, insensivelmente ela o guinda ao edredon onde o seu temperamento se compraz.

Atavismo? Nada disso. Influência de Ponson du Terrail, o visconde.

Malsão

Là Bas, de Huymans, é livro que tresanda a cadáver — e a cadáver de religião.

Cheiro de água Labarraque, de pó de recantos de altar, de flores secas, de fumo de círios. Puro hospício de doentes atacados de medievalismo atávico.

Carhaix, um católico do século 13; Mme. de Chantelouve, pura loba de sabá; Gevingey, egipcíaco, perfeito súdito de um faraó; Des Hermies e Durtal, dois medievos por atavismo, que repudiam o presente, sentindo-se por ele repelidos.

Livro que lembra a *podridão dos hospitais*, chaga antiga que a higiene moderna suprimiu.

Dumas, pai

Kean, o velho *Kean*... Só ontem travamos conhecimento. Seduziu-me aquele ar de nobreza que é o ambiente dos seis atos. "Vai, besta de carga, agora que estás aparelhada, vai puxar essa charrua que se chama Shakespeare!" A super-humanidade do príncipe de Gales vale por fulguração de luz estranha, desses clarões de que nos desabituou a arte de hoje, a arte democrática do documento plebeu, cujas retortas, engafeiradas no cozimento de tipos apanhados na rua ou nas alfurjas imundas, emporcalham o tom d'alguma figura de pré-homem que se procure tirar por elas.

A avareza

Um Harpagão de vinte anos é absurdo.

A avareza cresce com os anos, porque vai tomando no homem os espaços que com o tempo outras formas de egoísmo deixam vazios.

A felicidade dos outros dá ao infeliz a impressão de cruel injustiça. Pudesse um cego monopolizar os olhos da humanidade e ele o faria para os destruir. A quem não mais pode gozar os prazeres que o dinheiro dá, cada moeda subtraída ao giro é um prazer a menos nas mãos dos outros. Os outros quer dizer os sãos, os jovens, os para quem o dinheiro é ainda o meio mais seguro de adquirir felicidade. O tio Grandet era velho; Shylock também. Há em Camilo um maravilhoso avarento de sessenta anos, João Antunes. De vinte anos nenhum foi posto em cena.

Os velhos perdoam tudo, menos o roubo. Para o moço o menor dos crimes é o roubo.

Errare

No princípio era o macaco. Integrado na natureza, a exemplo de toda a animalidade, tinha, como todos os animais, a sabedoria dos instintos, a disciplina da célula em um grande corpo, a afinação de uma nota no concerto universal.

A natureza, una, regia-se pelas leis comuns que mais tarde filósofos chamaram biológicas. Ave ou peixe, mosca ou probóscida, a vida na terra evolvia num sentido profundamente sábio de adaptação, sob a vigilância do deus único — Instinto.

Mas um macaco, certa vez, falseou de equilíbrio em seu galho e caiu por terra. E ao cair chocou num lajedo o crânio continente, de modo a lesar de lesão grave o cérebro conteúdo.

Lesão grave! Gravíssima!

Lesão especialíssima que determinou naqueles miolos um estado patológico *sui generis*, absolutamente inédito e jamais repetido em tombo nenhum de nenhum outro ser vivente.

Consequência: o lesado entrou a agir de maneira diversa de seus irmãos. Enquanto estes, felizes, continuavam a viver na feliz integração da natureza, guiados sempre pelo deus interior, o macaco doente, vítima de eterna cefalalgia, punha-se de lado, *pensativo* a *ver* e a *errar*.

Errava na escolha dos alimentos, errava na eleição dos galhos de pouso, errava na escolha das macacas.

Entre irmãos infalíveis, vivíssimos e sadios, o pobre doente *distraia-se*, todo ele movimentos morosos, incoerentes — e *pensava*.

A lesão fez abrolhar em seu cérebro o gérmen de uma coisa inédita no mundo e que mais tarde se denominou — inteligência.

Coisa nova, doença mental, desvio, força não prevista no plano biológico, mal suscetível de evolução imprevisível, norteada para rumos não sonhados pela mecânica da vida. E mal que se perpetuaria na descendência do macaco lesado, dando como resultante o *Homo*.

Hoje, com milhares de séculos de permeio, nós, descendentes do pensativo inicial, sentimos no cérebro a força já imensa que resultou da lesão.

A dor de cabeça persiste e força-nos a caminhar sempre em divórcio com os sábios mandamentos de *Bios*.

Criação extranatural, rebelde às leis da unidade, evolve sempre, cresce e arrasta consigo o ser parasitado, como o cancro arrasta e determina o canceroso.

E o *Homo*, triste descendência de um indivíduo lesado, vê todas as espécies felizes, paradas no admirável equilíbrio que o Instinto produz.

E queixa-se.

E toma aspirina.

E multiplica-se, e inventa, e faz-se o gênio novo da terra, algo super, a coisa extra, o desnorteante flagelo do planeta e o pior flagelo de si próprio.

E é soberanamente infeliz.([1])

---

1 Este tema foi mais tarde desenvolvido no conto "Era no paraíso...".

Não Ficção

Mister slang e o Brasil (1927)

Nota da edição de 1948

Em Mr. Slang e o Brasil temos uma nova feição do espírito de Monteiro Lobato. Inventa um velho inglês filósofo morador na Tijuca e o põe a dialogar com um "homem comum" durante intermináveis partidas de xadrez. A finura e a superioridade mental do impassível britânico permite que uma série de aspectos brasileiros sejam discutidos de um alto ponto de observação. Todas as coisas são vistas como de um cume de montanha, em linhas gerais e filosoficamente. Anatole France transparece. A leitura destes diálogos leva-nos a lamentar uma grande falha na obra de Monteiro Lobato: o silêncio de Mister Slang durante o ultra pitoresco período da ditadura de Getúlio Vargas. Seria interessantíssimo o comentário do "Estado Novo" por meio duma dialogação tão fina como esta.

Na segunda parte do volume, Opiniões, entram alguns artigos de jornal em que Lobato critica com grande mordacidade a política geral do país durante a presidência Bernardes, acentua os males da instabilidade monetária e se bate em defesa do livro.

Na terceira parte reaparecem os seus gritos de desespero em prol da saúde do nosso povo, dados naquele tempo sob o título de Problema Vital. O homem que tão cruelmente pintou o retrato de Jeca Tatu descobre-lhe a causa da decadência e resgata-se lançando em prol da "recuperação do Jeca" o mais vibrante de todos os seus "gritos de indignação" — e indignação foi coisa que nunca faltou a Monteiro Lobato. Ao aparecer o célebre retrato do Jeca nos Urupês, a celeuma se fez grande, e não faltaram defensores do caboclo. Mas quem o defendeu melhor, quem trabalhou com maior ardor para a salvação do caboclo doente, papudo, opilado, maleiteiro, quem por ele fez algo de tanta eficiência e de tantos resultados positivos, senão o próprio Monteiro Lobato? A violência inaudita do seu alarma abalou o país de norte a sul. Houve uma agitação intensa, longos debates nos jornais e até no Congresso — e ninguém nega que o que se fez no Brasil em matéria de saneamento, a partir do seu brado de indignação, foi sobretudo por efeito de suas palavras.

Fecha o livro uma historiazinha popular simbólica — o "Jecatatuzinho" — pequeno conto para as crianças e a gente simples em que o Jeca passa da maior lazeira ao maior triunfo. Um doutor o cura da verminose, e aquele vivo-morto passa a um esplêndido morto-vivo — ou a um ressurreto com maravilhosas possibilidades na sua frente. Não se trata de uma retratação. Sempre coerente consigo mesmo, Lobato ressurge o Jeca porque já havia dito antes "O Jeca não é assim; está assim". Lobato cura-o e o triste Jeca vira o opulento coronel Jeca, dono de uma grande fazenda — e que fazenda! a mais adiantada da zona. E em matéria de saúde, quem batia o coronel Jeca?

Essa historinha tão simples tornou-se a coisa mais lida no Brasil inteiro, e continua sendo. Utilizada pela indústria farmacêutica como propaganda de remédios contra a malária e o opilação, já anda em quinze milhões de exemplares o total de suas tiragens. Circula nos sertões e em quanto lugarejo existe como antigamente a folhinha Bayer — e foi graças a ela que a pobre gente rural veio a saber a causa de suas doenças e o meio de evitá-las. Na obra de Monteiro Lobato, o "Jecatatuzinho" se tornou a historinha abençoada — como o classificou um fazendeiro de Mato Grosso que só se libertou do amarelão depois que a leu.

MR. SLANG E O BRASIL

COLÓQUIOS COM O INGLÊS DA TIJUCA

A Silveira Bueno, poeta
um tanto fúnebre e
crítico zangadinho, dedica
Monteiro Lobato

ADVERTÊNCIA
(DA 1ª EDIÇÃO, PUBLICADA EM 1927)

As opiniões de Mister Slang tiveram a sorte de interessar o nosso público, ao surgirem em janeiro estampadas n'O Jornal. Por quê? Pelo tom fleugmático e sereno de que nunca se arreda o corado súdito de S. M. Britânica? Pela sua independência mental? Ignoro-o e não vale a pena esclarecer este ponto sem mínima possibilidade de influência no movimento de rotação da terra. Interessou e basta.

Quem é este Mister Slang?

John Irving Slang nasceu na cidade de Hull, em 1872, e fez estudos em Cambridge. Muito jovem ainda deixou a ilha e se partiu a correr mundo, ganho de uma insaciável fome de pitoresco. Esteve na Índia, na Nova Zelândia, nas ilhas Salomão, em Hawai, em Sarawak e outras inconcebíveis terras de gente cor de pinhão. Por fim veio ao Brasil, onde encalhou por quarenta anos no mais lindo bangalô do Alto da Boa Vista.

Absorveu-se em estudos das nossas coisas, depois que se retirou dos negócios, cheio de libras e notas da extinta Caixa da Conversão — a qual o bigodeou indecorosamente, seja dito de passagem.

Nada mais sei deste homem excêntrico e, cá para nós, maníaco e esquisitíssimo, como em regra todo inglês celibatário maior de sessenta anos. A sua repentina partida para o celeste império, "a ver a China desopilar-se dos europeus", muito intrigou os seus amigos, plantando em meu espírito um sério ponto de interrogação. Se por acaso escrever-me de lá, como prometeu, é possível que o público ainda obtenha novos esclarecimentos a seu respeito. Também é possível que Mister Slang regresse. Assim o espera a criada Dolly, que ficou de guarda ao seu bangalô da Tijuca.

— Ele não pode viver longe do Brasil por causa das orquídeas, — diz ela.

A boa Dolly confunde orquidismo com parasitismo social, velho objeto de estudo do meu caro inglês da Tijuca...

Capítulo I
Da balbúrdia de ideias

O arvoredo sempre enfolhado dum dos belos sítios da Tijuca esconde a deliciosa vivenda de Mr. Slang, rubicundo britânico que há mais de oito lustros reside entre nós. Quem sobe de bonde não avista a sua casa, nem sequer a suspeita. Esse inglês, além de filósofo, revela uma certa misantropia, muito consentânea num *gentleman* que o destino lançou para longe do *fog* londrino. Prefere o contato das coisas ao contato dos homens, embora possua meia dúzia de amigos, com os quais conversa entre goles de *Old Crow* e intermináveis partidas de xadrez.

Quis o acaso que eu viesse a figurar entre tais amigos. Frequento amiúde o delicioso bangalô, bebo do excelente *whiskey* importado diretamente e ainda dou, de vez em quando, meus xeques-mates no dono.

Nada disto tem que ver com o público; mas acho que tem, e muito, a velha experiência e a longa observação de Mr. Slang a respeito das coisas nacionais, objeto constante dos nossos debates. Eis por que me vi no dever de reduzi-los a escrito e estampá-los num órgão de variada expressão mental como este.([1]) *Wisdom* é riqueza. A de Mr. Slang contribuirá, talvez, para o enriquecimento de algum espírito amigo da verdade, embora eu esteja convencido da absoluta tolice que é em nossa terra dar atenção à pobre dama nua que mora no poço.

Mr. Slang também escreve, de longe em longe, para o *Scribner's Magazine*. Nenhum dos seus amigos sabe disto, a não ser eu — e por mera obra do acaso. O acaso em minhas relações com Mr. Slang vem representando papel curiosíssimo. Não direi como descobri um seu ensaio publicado no magazine americano, mas direi que versava sobre o humorismo inconsciente.

— Há disso, Mr. Slang? — perguntei-lhe, folheando o trabalho.

O inglês sorriu com malícia e apontou para um número do *Jornal do Comércio*, recém-percorrido pelos seus olhos.

— Há, e foi a constante leitura deste órgão que me sugeriu a ideia. Não ficou naquele *Monsieur* Jourdain, de Molière, o privilégio de fazer prosa sem o saber...

Mr. Slang lê muito Bernard Shaw e não esquece os velhos humoristas, de Sterne a Wendell Holmes. Talvez lhe venha daí certa forma de espírito, amiga de replicar por tabelas e ricochetes. Esta mordacidade, entretanto, perde-a ele depois do terceiro *drink*, donde concluo que não passa de simples atitude mental. *In whiskey veritas*...

Da última vez que lá estive versou o debate sobre o tema do dia, a estabilização da moeda, e confesso que só aclarei as minhas ideias depois que ele mas varreu com a vassoura do seu bom senso raciocinante.

— Que acha, Mr. Slang, da estabilização? — perguntei-lhe. Tenho lido as folhas, e mais leio opiniões mais me obscureço.

— Muito natural, meu bom amigo. A opinião dos nossos jornais é excessivamente instável. Não será no instável que o meu amigo se firmará a respeito de estabilidades.

---

[1] *O Jornal*, onde em janeiro de 1927 saíram publicadas estas opiniões.

— Mas que outro recurso existe para quem deseje senhorear-se do problema? Temos que acompanhar os debates do plenário.

— Talvez não. Acho que temos simplesmente de refletir sobre ele. Meu método de trabalho mental consiste em refletir, concluir de mim para mim, chegar a ideias que sejam produtos lógicos de todas as observações e conclusões anteriores da minha vida. Depois, a título esportivo, trato de conhecer as ideias dos outros. Meu método é rude no começo, porque bem pensar corresponde a trabalho rijo; mas delicioso ao cabo, quando vejo abrolhar da árvore lindos frutos. Método inglês. O método brasileiro parece-me muito mais cômodo: comprar por duzentos réis tais frutos já elaborados.

— Cômodo e prático, — aventurei; — em vez de criarmos rugas na testa e moermos os miolos, adquirimos logo uma ideia feita, já bem elaborada pelos técnicos. Poderia eu, pensando por mim, por exemplo, chegar com a mesma pressa às conclusões de um ex-ministro da Fazenda? Acho mais inteligente tomar feitas as ideias deste homem. Além disso, possuem maior autoridade.

Mr. Slang sorriu e disse:

— Certas preferências são de resultados muito sérios na vida dos povos. O hábito de ter ideias próprias fez da Inglaterra o que a Inglaterra é. O hábito brasileiro de aceitar, por comodismo ou preguiça, ideias alheias, não me parece que esteja fazendo grande coisa deste país...

A leve ironia fez-me enrubescer e, para disfarce, emborcar o copo de *whiskey*. Enquanto isso, Mr. Slang continuava:

— Os jornais do Rio nunca esclarecem uma questão. Estudam-na sempre deslembrados do objetivo de esclarecê-la. O negócio parece-me até que é baralhar. Só o embaralhamento renderá qualquer coisa. Jornal no Brasil é sinônimo de máquina de desenrolar linha. Lê-los é ver desenrolar linha. O bom senso manda fazer o contrário: tê-la em carretéis, numerados conforme a grossura do fio e bem arrumadinhos nas prateleiras. Fora dos carretéis, linha deixa de ser linha. Passa a maçaroca, só útil como esfregão.

— Vejo que Mr. Slang faz muito pouco de nossa mentalidade, — murmurei ressentido.

— Não direi que faça pouco. Nem ainda que faça muito. Vejo-a como vejo a goiaba no pé, admitindo que seria absurdo virem maçãs de uma goiabeira. A mentalidade por aqui é o fruto lógico de um hibridismo tríplice. Grão de bico, pacova e quimbombô só podem pensar os frutos que pensam...

— Perdão! — exclamei, um tanto vexado nas minhas suscetibilidades patrióticas. Cito Rui Barbosa e com esta simples citação esmago a sua teoria.

— Citará o Corcovado para provar que a lagoa Rodrigo de Freitas não é lagoa? Rui Barbosa constitui tamanha anomalia neste país... que está inédito. O governo adquiriu-lhe a propriedade das obras e não as publica. Acha — e acha muito bem — que esse Macaulay meridional nasceu nestas paragens por atrapalhação da natureza, nada tendo de comum com o país.

— Engano seu, Mr. Slang. Rui foi um ídolo nosso — o maior!

— O que não impediu que entre ele e o marechal Hermes, o país escolhesse o marechal...

— Escolheram os políticos, não o povo.

— Parece-me que esses políticos não se sustentam na sociedade com apoio das pedras, das árvores, do ar, das coisas, em suma, e sim das pessoas — cujo conjunto tem o nome de povo. Não negue evidências. Este negar evidências tem sido a causa real de não conseguirem vocês uma só solução acertada para todos os problemas nacionais. Tudo por aqui é emergência, isto é, solução pessoal, ocasional, momentânea, provisória. Sempre o horror à marcha de frente, ao leal estudo da situação de fato. Aponte-me uma solução definitiva, uma só, acertada e justa, de quantas o país vem tentando, e eu não comerei este seu bispo que imprudentemente acaba de colocar-se sob o meu cavalo.

Tínhamos iniciado uma partida de xadrez e de fato eu movera ineptamente o bispo do rei.

Na vida nacional ocorre muito disto. Movem-se pedras imprudentemente. Depois é preciso recuar, com deslize das regras do jogo — ou temos de vê-las comidas por um cavalo qualquer.

Capítulo II
DA MAÇAROCA

Depois de conclusa a partida de xadrez, que perdi (meio cômodo de predispor o espírito de Mr. Slang para prolongadas dissertações), retomei o fio do nosso tema.

— Acha, então, Mr. Slang, que a nossa imprensa desenrolou a linha do carretel e deixou o caso da estabilidade da moeda reduzido a maçaroca?

— E das inextricáveis! Vejo tantas laçadas e nós cegos que não sei como vai este pobre povo compreender qualquer coisa. O mesmo que se deu com a vacina obrigatória no governo Rodrigues Alves. Desenrolaram-se naquele tempo os carretéis, e o povo, de tão enleado na maçaroca, pensou até em levante. Em levante contra o remédio preventivo da horrorosa doença que o dizimava e deformava... Hoje começam a fazer o mesmo. Já inventaram contra o remédio da estabilização monetária uma engenhosa fórmula, boa para irritar o pobre burro de carga.

— Qual é?

— "Estabilização da carestia".

— E não acha, Mr. Slang, que é isso mesmo?

O inglês olhou-me com certa piedade irônica. Depois disse:

— Carestia é sintoma de deficiência de produção. Sempre que há batatas de sobra no mercado normal das batatas, o preço das batatas cai; mas sobrevirá a carestia de batatas sempre que a colheita de batatas produzir menos que o necessário ao consumo. O projeto da estabilização da moeda visa apenas tornar *rígido* e, portanto, *invariável*, o quilo com que o vendeiro pesa essas batatas. Nada tem que ver com a produção, quantidade ou preço delas.

— Não compreendo.

— É que não me expliquei convenientemente.

— Explicou-se muito bem, Mr. Slang; o problema é que é complicadíssimo.

— Complicado só me parece aquilo que não entendemos. O brasileiro anda muito afastado do regime de pensar por si, de meditar sobre uma ideia até que a tenha madura no cérebro e articulada com todas as mais ideias que o povoam. Seria impossível um Newton por aqui — o homem que descobriu uma grande lei à força de refletir sobre a mecânica dos astros. Ao invés de pensar, vocês leem — leem coisas que, por *mal pensadas*, vão contribuir para a formação da maçaroca.

— Mas acha então, Mr. Slang, que seja a finança uma coisa clara? Eu de mim confesso que quanto mais leio a respeito, menos pesco.

— É que lê e estuda nos jornais — isto é, na linha desenrolada. Experimente pensar a respeito. Enrole a linha e verá que nada existe mais simples.

— Ajude-me, então, Mr. Slang. Dê-me a ponta do fio.

O inglês acendeu o cachimbo fleumaticamente e disse:

— Temos aqui sobre a mesa a maçaroca. Que nota nela à primeira vista?

Representei-me *in mente* a maçaroca que Mr. Slang dizia estar sobre a mesa e não notei coisa nenhuma. Que será possível notar numa imaginária maçaroca de linha? Vendo o meu embaraço, o inglês continuou:

— Nota que não é constituída de linha de uma só cor. Temos linha amarela, vermelha e azul. Logo, há aqui três carretéis desenrolados.

— ?

— Sim. O carretel econômico, o carretel financeiro e o carretel monetário. São três problemas diversos que o "amor ao embrulho" dos nosso entendidos embaralha. Embora na vida dos negócios suas questões se entrelacem, economia, finança e moeda são coisas distintas. Cada qual com o seu campo, cada qual com a sua função, cada qual sujeita às suas leis. Misturá-las é criar o caos. Mas desde o momento em que separamos da maçaroca as três linhas de cores diversas, já o problema em causa se simplifica enormemente. Tão enormemente que qualquer caixeiro de venda suportará com galhardia um exame. Se eu fosse o presidente da República resolveria a eterna balbúrdia financeira, econômica e monetária do país metendo no Ministério da Fazenda, ao invés de *technical experts*, isto é, malabaristas da terminologia e pais da maçaroca, um simples caixeiro de venda.

— Lá vem Mr. Slang com os seus paradoxos! Leu Bernard Shaw esta noite, com certeza...

— Li vários artigos de famosos ex-ministros da Fazenda, daí me veio a ideia de meter no controle um caixeirinho — aquele, por exemplo, que ali vem, — concluiu, apontando com o cachimbo para um moço em mangas de camisa que entrava a sobraçar um pacote. Era o caixeiro do armazém que vinha trazer biscoitos pedidos pelo telefone.

— Manuel, venha cá! — exclamou o inglês. — Venha dar umas lições a este amigo atrapalhado.

Aproximou-se o Manuel, tatalando os tamancos.

— Às ordens de Vossa Senhoria.

— Diga-me cá, Manuel, — começou o inglês, — entende você alguma coisa de finanças?

O rapaz olhou-nos desconfiado.

— Finanças? Homem, a falar a verdade, nunca ouvi sequer tal palavra.

Mr. Slang olhou-me e disse em inglês rosnado:

— Vou fazer-lhe umas perguntas e você verá que o simples bom senso desta criatura vai dar todas as soluções que os nossos grandes financistas não encontram.

E, voltando-se para o Manuel:

— Diga-me cá: se o seu armazém gastar dez contos por ano e ganhar oito, que é que acontece?

— Vossa Senhoria está a brincar! Pois claro que quebra! Poço de onde sai mais água do que entra, seca...

Mr. Slang sorriu-se e soltou uma gostosa cachimbada para o ar.

— Manuel, acabas de dizer uma verdade eterna, das que os homens da Academia chamam inconcussas. Verdade, no entanto, que jamais entrou na cabeça dos nossos governos. Querem eles arrecadar cem e gastar cento e cinquenta. Admitem que é possível encher-se um poço onde entra menos água do que sai. O teu sólido bom senso acaba de ensinar a este meu amigo que o problema financeiro das donas de casa ou dos grandes impérios se resume em ter fé cega nas verdades que o Trajano ensina na sua aritmética elementar. Não há propriamente problema financeiro; há a conta de entrar mais do que sair ou pelo menos entrar tanto quanto sair. Começa a haver problemas se esta regra é inobservada — problemas metafísicos e ultra aritméticos, de multiplicar a água do poço por meio de químicas e passes de mágica, ao invés do natural e simplicíssimo equilíbrio das torneiras.

— De modo que o problema financeiro, na sua opinião, se resume nisso!... — concluí um tanto desapontado.

— Está claro! E só fugirei deste modo de ver se alguém me apresentar um caso — um só que seja — de poço que se não esvazie quando sai mais água do que entra. Enrole a linha vermelha da maçaroca e ponha aí no canto da mesa o carretei financeiro. Vamos ver agora o problema econômico. Inda é o Manuel quem vai esclarecer-nos.

Ri-me e duvidei:

— Esse quero ver. É crespo e o pobre Manuel vai espetar-se.

— Engano. O Manuel vai deslindá-lo tão luminosamente que você se assombrará da iniquidade de andar como caixeiro de venda um corte de ministro da Fazenda como o Brasil ainda não possuiu nenhum.

— Nem Murtinho?

— Nem Murtinho.

E Mr. Slang chupou uma cachimbada gostosa antes de interpelar o Manuel.

Capítulo III
DE OUTRAS OPINIÕES DO MANUEL

Tínhamos já enrolado dois carretéis, o financeiro e o econômico.(²) Faltava apenas enrolar a linha do carretel monetário. O Manuel, de boca aberta, aguardava as

---

2 Perdeu-se o capítulo que tratava do problema econômico.

novas perguntas de Mr. Slang, incerto ainda se seria aquilo sério ou brincadeira. Eu duvidava que desta vez lhe saíssem respostas claras, porque o problema da moeda sempre me pareceu dos que aumentam no mundo o consumo da aspirina.

Mr. Slang interpelou-o:

— Diga-me, Manuel: que é que mediu o comprimento daquele rolo de corda que você me trouxe ontem?

— O metro, hom'essa, pois nam sabe?

— E que é que mediu o peso destes biscoitos de agora?

— O quilo. Vossa Senhoria está a brincar?

— E que é que mediu o valor, isto é, o preço da corda e dos biscoitos?

— O dinheiro de Vossa Senhoria, está claro.

— Muito bem! — aprovou Mr. Slang, tirando uma baforada. — Diga-me agora: se o metro que vocês usam lá na venda encolhesse um palmo cada dia de chuva, ou espichasse um palmo cada dia de sol, que sucederia?

— Uma desordem dos diabos! Se comprássemos corda num dia de sol e a vendêssemos em tempo de chuva, perderíamos um palmo em cada metro — ou vice-versa.

— E os biscoitos? Se o peso de quilo que vocês usam ora pesasse 1.200 gramas, ora 800?

— Outra desordem dos diabos! O armazém levava a breca com tal metro e tal peso. Como negociar assim? Virava tudo uma roleta e era preferível fechar a casa e ir jogar no bicho.

— Muito bem. E se o dinheiro na gaveta sofresse o mesmo mal do encolhe e do espicha? Se um conto de réis ora valesse quinhentos mil réis, ora um conto e duzentos mil réis?

— Isso, então, nem é bom falar! Era a falência. Temos uma duplicata a vencer no dia tanto e apartamos o cobre; se no dia do resgate esse cobre diminuir, ou teremos de tomar emprestada a diferença ou fechar a porta. Se o cobre aumentar, ganhamos — mas sem saber como nem por que, qual no jogo. O negócio, com dinheiro dessa ordem, não vai lá de pernas...

— Perfeitamente. De modo que para haver negócio é preciso que o metro, o quilo e a moeda tenham valor constante...

— E quem não sabe disso, meu caro senhor? Vossa Senhoria está a chover no molhado.

— Podes ir, Manuel, — disse-lhe Mr. Slang; — as perguntas de hoje ficam por aqui.

E, voltando-se para mim, logo que o moço virou as costas:

— Vê? Todo o problema monetário está nas palavras do Manuel, simples como água, luminoso como o sol. Se botam este Manuel no governo, que maravilha!

Nesse momento entrou o criado com o tabuleiro do xadrez.

Enquanto íamos arrumando as pedras, pude ainda objetar:

— De fato, em essência as coisas são muito simples; mas na aplicação...

— Na aplicação tudo também é simples quando se respeita a essência das coisas. A medida do valor dos objetos chama-se ouro, como a medida da extensão é o metro e a medida do peso é o quilo.

— Então é moeda sinônimo de ouro? Novidade!...

— Sim. O consenso unânime e imemorial dos povos adotou o ouro como medida de valor, isto é, como moeda.

— Mas, se as há de cobre, prata, níquel, papel...

— Moedas por procuração do ouro. Eu posso gerir meus negócios por mim ou por intermédio de procuradores. Serei o ouro; eles serão o cobre, a prata, o níquel, o papel. Valem, não por si, mas como representantes meus. No dia em que eu não endossar os atos desses procuradores, nada mais valerão eles. O papel, por exemplo. Existe e só vale quando representa um depósito de ouro, isto é, quando procurador do ouro.

— Mas o papel-moeda?

— Papel-moeda não é moeda-papel, como procurador sem procuração não é procurador. Papel-moeda quer dizer uma ladroeira que certos governos inventaram pelo simples fato de não haver cadeia para os governos. É o "paco" dos vigaristas.

— Mas desde que tem força liberatória é moeda...

— Moeda falsa. Que é uma nota do Tesouro? Um vale que o Tesouro emite, apenas. Ora, esse vale realmente valerá enquanto o emissor for honesto e cumprir a sua palavra, resgatando-o pelo valor nele estampado sempre que lho apresentarem. Do contrário, não passa de pirataria.

— De modo que o nosso regime é de pirataria...

— Da pura, meu caro! Da legítima! O governo emite um vale ou uma nota de cem mil réis... Um parêntesis. Que quer dizer "réis"?

Engasguei. Sei, ou creio saber, o que quer dizer "réis", mas engasguei.

Mr. Slang esclareceu-me:

— Réis é o nome em português do ouro-moeda. Esse mesmo ouro-moeda tem nos Estados Unidos o belo nome do dólar; na Inglaterra chama-se libra; na Alemanha, marco; na França, franco; na Itália, lira. Logo, ..."cem mil réis" quer dizer uma certa quantidade de ouro-moeda, e uma nota de cem mil réis quer dizer um vale, um título ao portador, sem prazo de resgate, na importância de cem mil réis de ouro. E como ninguém desconfia do governo, esse vale circula como se fosse ouro. Quem quiser trocá-lo pelo metal correspondente é só ir ao Tesouro e apresentá-lo. Mas desde que o governo se acanalha e se recusa a pagar os vales emitidos, eles passam à categoria de letras que o aceitante se recusa a resgatar. Se o fato se desse com um particular, o remédio seria simples: execução e penhora. Mas como o caloteiro é grosso, o portador do vale não tem outro remédio senão procurar desconto na praça. E surge o câmbio.

— Estou compreendendo, Mr. Slang. O câmbio, o cambista, o homem que desconta os vales do governo impontual, só aparece quando o emissor do vale foge ao seu pagamento...

— Isso mesmo. Mas esse particular que desconta os vales do governo, está claro que o faz para ganhar dinheiro, e nunca paga o vale pelo valor nominal. Paga o que no momento lhe convém pagar, dez, trinta, cinquenta ou sessenta por cento do valor nominal, conforme a taxa de câmbio, isto é, conforme todos quantos fazem esse negócio de desconto acham que nesse momento devem pagar.

— Quer dizer que o câmbio, isto é, desconto de vales do governo por particulares, só existe quando o governo não paga fielmente os vales que emite?

— Claríssimo! Desde que o emissor dos vales cumpra o seu dever, a sua palavra, a sua promessa, extingue-se a classe dos descontadores de vales, dos cambistas, dos que vivem à sombra e como produtos lógicos da desonestidade dos governos.

— Estou entendendo. E estou também compreendendo as razões do clamor contra a estabilidade...

— Não é preciso ser muito esperto. Há mil interessados na instabilidade, sobretudo entre os banqueiros, isto é, os cambistas. Na estabilidade só é interessada a nação. Com o projeto da estabilização da moeda o governo reconhece que o regime do calote não pode continuar, e se propõe a retomar o pagamento dos vales emitidos, isto é, das notas do Tesouro em circulação. Reconhece que não pode pagá-las pelo valor nominal e propõe uma concordata. Em vez de continuar não pagando coisa nenhuma e deixando que os cambistas roubem ao país com a sua jogatina de desconto, propõe, honestamente, uma concordata de quarenta por cento. Quem tiver um vale do Tesouro poderá trocá-lo por metal, recebendo, não tudo, mas quarenta por cento do valor nele impresso.

— Compreendo, compreendo!... Tenho agora a chave da gritaria e da maçaroca... — exclamei com a cara iluminada.

— E terá outras chaves, — concluiu Mr. Slang saindo com o peão do rei, — se continuar a *refletir* nesses problemas.

— A desembaraçar a maçaroca.

— Isso.

Mr. Slang calou-se e avançou com o bispo para a terceira casa da dama. Foi um belo movimento, que me atrapalhou.

Capítulo IV
DO CRUZEIRO E OUTRAS MIUDEZAS

Aquela partida de xadrez não durou muito tempo. Eu estava preocupado com certa ideia — coisa inadmissível no xadrez. Xadrez absorve, exige o cérebro inteiro atento às combinações.

— Está distraído, — murmurou em certo ponto Mr. Slang, a um movimento inepto do meu bispo da dama. — Esta sua jogada não se justifica, pois me permite responder assim...

O assim foi, *zás-traz*, xeque:

— As pretas abandonam, — exclamei. Ganhou.

— Quem ganhou não fui eu, — disse Mr. Slang. — Foi o cruzeiro.

— É verdade!... Eu estava pensando na moeda nova e a parafusar nas perturbações que vai trazer ao nosso povo. Não acha que é assim, Mr. Slang?

— O cruzeiro trará as mesmas perturbações que trouxe a adoção do sistema métrico decimal — que aliás ele completa. É lógico que os espíritos fracos se perturbem com mudanças métricas. Mas em atenção à fraqueza de espírito dos homens devemos permanecer sob regimes viciosos que sobretudo a esses espíritos fracos dificultam a vida? O momentâneo prejuízo para a fraqueza de espírito se compensa com todo um futuro de facilidades. Nunca houve na terra progresso que não perturbasse o anterior equilíbrio da vida. A entrada do automóvel perturbou o equilíbrio da vida mesquinha de milhares de cocheiros de tílburi. Mas transformou esses homens. Os cocheiros são hoje chofores, gente mais bem paga e de um mais alto tipo de vida. Ai do mundo, se em atenção aos tílburis e seus cocheiros impedíssemos o advento do automóvel! Além disso, no caso da nossa moeda o cruzeiro não passa de nome novo dado ao mil réis. Apenas. Rua de nome mudado não muda. Em vez de "quatro ou cinco mil réis" dir-se-á "um cruzeiro". Só. Já o povo, levado pelo instinto simplificador, ou pela lei do menor esforço, diz "cincão", em vez de "cinco mil réis". A lei batizará de cruzeiro o "cinco mil réis", ou o "cincão" da gíria. A consequência única do nome novo será, pois, economia de esforço vocal. Você bem sabe que a Eficiência é o grande lema de hoje. Todo desperdício, seja de matéria, seja de esforço, vai contra a Eficiência. A denominação nova trará uma economia de dois terços no esforço vocal que hoje despendemos para nomear uma certa soma de dinheiro. Só isso.

— E as outras consequências?

— Não há outras consequências além dessa economia.

— O abuso do comércio?

— Que abuso trouxe o metro ou o quilo quando tomaram o lugar da vara e da arroba?

— Vá que seja assim, Mr. Slang. Mas o ponto fraco da estabilização monetária parece-me estar na taxa adotada. Seis! É muito baixa! Dou toda a razão aos que combatem o projeto e preconizam a taxa de oito ou doze.

— O seu erro, meu caro, vem de admitir liberdade na escolha da taxa da estabilização. Mas a palavra estabilizar define-se por si mesma: *parar, ficar no que está*. Se estamos em seis, como propor oito?

— Esperaríamos que o câmbio chegasse a oito ou a doze.

— Por que esperar oito ou doze e não 27? Há tanto arbítrio na escolha do oito como na do doze ou na do vinte e sete.

— Oito ou doze seria um câmbio mais normal; 6 é anormal.

Mr. Slang sorriu.

— Normal, em geometria, é a perpendicular tirada do ponto em que a tangente toca uma curva. Em matéria monetária a curva, em vez de linha, é um ponto em perpétuo movimento sinuoso e sem normal possível. Não há normal fixa em câmbio, isto é, no valor de uma moeda em perpétuo voo de andorinha, ora nas alturas, ora barbeando o solo. Esperar! É graças à política do esperar para fazer uma certa coisa que o Brasil se encontra assim, pobre e arruinado. Isto por aqui me dá a ideia de um navio que joga horrivelmente e não deixa que os tripulantes se mantenham de pé. Todas manobras são falhas e desastrosas por efeito do balouço contínuo — e o navio vai indo à garra. Mas a tantas surge um engenheiro que se propõe adotar um dispositivo de uso velhíssimo, supressor do jogo e permissor de eficiência nas manobras. Será um bem para todos — no entanto os tripulantes se opõem, alegando que a *latitude* em que se acha o navio não é a mais própria para a adoção do dispositivo estabilizador. Acham que o grau dezoito, vinte ou vinte e três é melhor. Outros acham preferível o grau vinte e sete. Esquecem-se de que, avariado e a fazer água como está o navio, torna-se duvidoso que alcance tais latitudes...

— É consertá-lo, tapar a água até que o navio lá chegue.

— Mas se justamente o balouço excessivo de nau é o que impede os reparos, homem! Dizem uns: primeiro equilibrar os orçamentos, primeiro fazer a paz. Mas o desequilíbrio financeiro é em grande parte efeito da instabilidade.

— Mr. Slang não irá dizer que a revolução também procede da instabilidade...

— Não vou dizer? Digo já, pois toda revolução tem como causa última o mal-estar econômico. País que prospera não faz revoluções. Equilíbrio de orçamento! Como, se a moeda é móvel? Como organizar um orçamento de despesas, se parte delas é em ouro e no fim do ano o ouro pode estar valendo o dobro ou a metade? Tolices, meu caro. Chicanas. A base de tudo é a fixidez. Primeiro, estabilize; depois faça o que quiser. Estabilize, e o problema financeiro se resolverá por si mesmo. Estabilize, e a revolução perderá a sua razão de ser.

— Mas... e o custo da vida? Não acha que é muito alto o atual custo da vida?

— Alto em relação ao quê?

— Ao custo da vida ao câmbio de oito, por exemplo.

— Mas o custo da vida ao câmbio de oito, será muito alto em relação ao custo da vida ao câmbio de doze. E o custo a doze muito alto em relação a vinte e sete. Um preço será sempre mais alto ou mais baixo em relação a um índice qualquer. Agora, pergunto eu: que é que tem isso com o fato da moeda se tornar fixa? Que tem o preço do morim com o metro de pau com que o lojista o mede? Que tem o preço da terra com a trena do agrimensor? A estabilidade vem apenas dar à moeda a mesma fixidez que têm o quilo e o metro. Esta confusão que noto no espírito público anda a criar-me sérias dúvidas a respeito da mentalidade brasileira...

Desci os olhos para a biqueira dos meus sapatos enquanto Mr. Slang prosseguia:

— O pobre Brasil tem sido vítima do corre-corre da adaptação a que a instabilidade da moeda o força. Suponha um negociante que fosse obrigado a mudar de casa todos os meses. Que sucederia?

— Todo o seu lucro ir-se-ia nas despesas de mudança e prejuízos consequentes. Diz o povo que três mudanças equivalem a um incêndio.

— Pois o pobre Brasil é um negociante que tem de localizar a sua quitanda em vinte e sete casas diferentes, conforme as intimações de Mister Câmbio. Como há de o coitado prosperar?

— Realmente. A vida do Brasil tem sido um sair de uma crise para entrar noutra.

— Justo. Chamam vocês crise às mudanças de casa cambial. Crise quer dizer desequilíbrio. Para a volta a um equilíbrio novo há destruição de energias e bens. Como pode enriquecer um coitado destes?

Mr. Slang tomou fôlego. Depois disse:

— Há de haver uma causa para que o Brasil, com o seu imenso território e os seus 30 milhões de habitantes, seja um dos países mais pobres do mundo.

— Talvez que a gente não preste... ia aventurando eu. Mas Mr. Slang tapou-me a boca:

— Depois que Henry Ford demonstrou como se aproveitam até cegos e aleijados, ninguém tem o direito de alegar o não presta. Tudo presta. Até um cego, um estropiado presta. A questão toda está em proporcionar-se-lhe condições para prestar.

O mesmo cego que aqui não presta para coisa nenhuma em Detroit produz igual a um homem perfeito e ganha seis dólares diários. O brasileiro precisa de condições para prestar — e a condição número um é a fixidez da medida do valor, a moeda.

Mr. Slang chamou o criado e pediu *whiskey*. Tinha feito jus a uma boa dose, não havia dúvida.

Capítulo V
DO CARPINTEIRO DE SOUTHDOWN

Mr. Slang fez uma jogada de cavalo, que consegui travar com um movimento de bispo. Antes que ele começasse a estudar a nova situação, perguntei-lhe:

— E qual a sua ideia, Mr. Slang, a respeito da entrada de ouro e imigrantes, admitindo que a estabilidade dê os resultados que os seus promotores esperam?

— O Brasil está inexplorado, — respondeu ele. — O Brasil constitui uma reserva imensa de possibilidades, que se transformarão em riquezas no dia em que houver o capital necessário para movimentá-las. O capital hoje foge do Brasil. Isso explica a expansão assombrosa dos Estados Unidos e da Argentina, em contraste com o marasmo brasileiro. Capital procura negócios, não casas de jogo — e o Brasil não passa de um Monte-Carlo em ponto grande.

— Isso não, Mr. Slang, porque não é pequeno o capital estrangeiro que está aplicado no Brasil.

— É mínimo, é zero diante do que podia ser e diante das necessidades do país. E o que veio, ou veio garantido por leis especiais ou veio para empréstimos ao governo, caso muito diferente. O capital com emprego na indústria particular não pode pensar no Brasil.

— A Light, o Gás...

— Empresas que talvez nem dividendos paguem, ou então que fazem o público remunerar seus serviços em ouro — fato que transfere a parte do jogo do negócio à besta do público.

— No entanto, o capital encontra aqui a mais alta das remunerações.

— Em papel. Essa remuneração em papel, convertida em ouro, oscila de tal maneira que até um simples empréstimo hipotecário se transforma em jogo de roleta. Ora, o fim do capital é obter renda, nunca jogar. Tive um amigo de Londres que num momento de cegueira aplicou aqui dez mil libras a nove por cento, dinheiro esse que na Inglaterra nunca lhe rendera mais de três por cento. A perspectiva de triplicar a renda seduziu-o. Trouxe o dinheiro, reduziu a papel e, como o câmbio estava a doze e a libra valia vinte mil réis, achou-se com duzentos contos, os quais, a nove por cento, passaram a render-lhe dezoito contos por ano. Meu amigo ficou radiante, visto como na Inglaterra só tirava desse dinheiro seis contos. Empregou-o sob hipoteca, cujo contrato se venceu há uns quatro anos atrás, com o câmbio a cinco. O devedor pagou-lhe pontualmente os duzentos contos, mas o meu amigo, ao convertê-los de novo em libras, só se viu com quatro mil e duzentas, em vez das dez mil que trouxera. Está claro que fez cruz canhoto no Brasil e foi empregar o resto do seu dinheiro no Uruguai, onde o valor da moeda nacional é constante.

— Não há dúvida, — comentei eu. — Esse "bife" foi bigodeado...

— A outro amigo sucedeu o inverso, prosseguiu Mr. Slang. Trouxe dez mil libras ao câmbio de cinco e retirou-as ao câmbio de sete. Ganhou na conversão quatro mil libras. Também se foi embora. "Quero negócio e não jogo; jogo por jogo, prefiro Monte-Carlo", disse-me ele ao partir.

Eis a razão do horror que o Brasil inspira ao capital europeu e americano. Os homens de negócios preferem três por cento lá a doze por cento aqui, porque três lá são três, e os doze de cá valem tanto como uma parada em roleta. Podem ser muito, podem ser zero.

— De fato, Mr. Slang. Isso que acaba de dizer é irrespondível. Mas acha que com a estabilização da moeda virá capital?

— Em proporções que ninguém aqui pode sequer sonhar, meu amigo! No princípio talvez não muito. A desconfiança será natural. O Brasil muda tanto de orientação que é preciso "ver primeiro". Ver se há constância na nova política e se o futuro governo não destruirá a obra deste, como os sucessores de Afonso Pena destruíram a sua. Mas verificado que o bom senso e a honestidade se implantaram de novo no Brasil, o ouro acudirá em onda e este colosso passará de *cul de jatte* a Hércules.

— Os anjos digam amém! Já é tempo de cessar o nosso eterno e vergonhoso cul-de-jattismo. E imigrantes?

— A mesma coisa. Hoje pode-se dizer que não há corrente imigratória para o Brasil. Vêm para cá uns poucos iludidos e um certo refugo que não encontra guarida em parte nenhuma.

— Mas é um erro isso, — exclamei, — pois o imigrante encontra cá o melhor campo de expansão, se é trabalhador.

— O homem trabalhador prospera em toda parte, porque riqueza é sinônimo de trabalho acumulado. Mas como o produto do seu trabalho se reduz a moeda e *esta joga ainda quando imóvel na gaveta*, dá-se com ele o mesmo que com o capitalista. Na minha última viagem à Inglaterra tive oportunidade de conversar com um carpinteiro desempregado que queria emigrar.

— "Quanto ganha no Brasil um carpinteiro?" — perguntou-me ele.

— "Dezesseis mil réis diários" — respondi.

— "E quanto valem dezesseis mil réis?"

— "Varia. Valem duas libras..."

O homem deu um pulo.

— "Maravilhoso! Vou já para o Brasil!"

Mas esfriei-o:

— "...ou valem um terço de libra apenas."

— "Como? Que absurdo é esse?" — exclamou o pobre homem, de olhos arregalados.

— "Câmbio, meu caro. Há lá uma coisa chamada câmbio, que espicha ou encolhe o valor da moeda nacional."

— "E a gente do Brasil vive sob um regime desses? Não arrebentam todos?"

— "A vida lá se resume em fazer ginástica, em dar pinotes para adaptar-se ao câmbio do dia. O brasileiro distrai-se com isso e esquece-se de enriquecer."

O carpinteiro, sólida cabeçorra do Southdown, riscou o Brasil do mapa das suas cogitações. Dias depois partia para a Argentina.

— Realmente! — exclamei. Está aí um aspecto da questão que nunca me ocorreu. Quer dizer que no dia em que tivermos moeda estável o afluxo de braços será enorme...

— Colossal! O Brasil inteiro se transformará num Estado de São Paulo, que se é o que é deve-o sobretudo a um pouco de braço e cérebro europeu que para lá se encaminhou.

— Mas o paulista não diz isso. Atribui tudo a si.

— Engano. Os paulistas de verdade reconhecem que o estrangeiro foi magna parte no progresso local, como também admitem que muito cooperou para esse progresso o senso das realidades que caracteriza a mentalidade paulista. Os brasileiros do norte, por exemplo, em vez de senso da realidade possuem o senso da irrealidade.

— Não só os do norte. O nosso último presidente, saído do centro, também possuía esse espírito.

— De acordo. Mas por exceção. E tanto que já está à margem, repudiado pelos seus próprios partidários, que o querem asilar no Senado. O crime que ele cometeu contra a expansão econômica de São Paulo é das maiores monstruosidades que se observaram no mundo. Fez que a árvore doente chamada Brasil se podasse do galho mais vigoroso...

— E preparou o terreno bombardeando a cidade... A história meterá o bombardeio de S. Paulo entre os sadismos que não têm perdão...

— Meu caro, os tronos e as curuis supremas têm abrigado as mais monstruosas celebrações. É uma contingência humana que com a vontade de aço raro se alie a luz da inteligência, e vice-versa. Incalculável o que têm sofrido os povos com a loucura dos governantes! Nas autocracias, com a loucura dos autocratas. Nas democracias, com a loucura dos congressos servis. E temos que nos conformar com isso — com o periódico advento da loucura ao poder, chame-se ela Luís 14, Convenção Francesa ou tenha o nome do ex-presidente...

— Luís 14? Põe então um rei tamanho entre os loucos!

— Do ponto de vista sociológico foi um monstro como outro qualquer... A revogação do édito de Nantes ... O incêndio do Palatinado...

— Vejo que só não são monstros estes nossos reis de xadrez, — disse eu movendo uma torre.

— É que têm os movimentos muito restritos e só defensivos. Déssemos-lhes o movimento do cavalo, por exemplo, e os veríamos fazerem no xadrez tantas loucuras como os reis de carne e osso as fazem na história, — concluiu Mr. Slang movendo também uma torre.

Capítulo VI
DO PERÍODO CICLÔNICO

Perto do bangalô de Mr. Slang há um morro de onde se avista toda a cidade. Fomos até lá.

— Veja que maravilhoso panorama! — disse o meu inglês. — Nem Nápoles! Nem Constantinopla!...

O dia estava lindo, de céu translúcido e ar varrido de brisas frescas. Olhei para o mar, para as montanhas longínquas, para o casario da cidade e enchi-me de orgulho. Calei-o, porém. O meu amigo era acerado nas ironias e tive medo de uma picada.

Sentamo-nos sob as árvores e retomamos o fio da nossa conversa.

— Que acha do sr. Washington Luís, o novo Presidente, Mr. Slang?

— Não acho coisa nenhuma. Foi escolhido para síndico de uma grande massa falida e, como nunca funcionou de síndico, temos que aguardar seus atos antes de julgá-lo.

— Massa falida? Pois Mr. Slang já dá ao Brasil o nome de massa falida?

— E então? Não há ofensa nenhuma em admitir uma situação de fato. Inúmeros países, hoje prósperos, já faliram. Falir é tão comum entre nações como entre particulares. E só vejo possibilidades favoráveis no sr. Washington Luís, se considerar-se como síndico de massa falida e agir como tal, despido de quaisquer ilusões. E parece-me que se convenceu desse papel. O ato número um do seu governo qual foi? Uma concordata. Estabilizar a seis é ato honestíssimo, pois reconhece a bancarrota e sem ambages faz proposta aos credores — e proposta boa, pois é de quarenta por cento. A Alemanha não pagou coisa nenhuma...

— Acho a sua linguagem muito crua hoje, Mr. Slang.

— É o ar, o céu azul, o lindo panorama. Dentro da natureza o homem se varre da aura de mentira com que dentro de casa anda envolto. O Brasil está em falência desde o dia 13 de junho de 1909, quando morreu Afonso Pena. Nunca um chefe de estado morreu tão fora de propósito. Havia um ciclone incubado no velho tumor militar do Brasil, tumor que nasceu lá pelos fins da guerra do Paraguai e vem dando febres no país até hoje. Febre intermitente. A habilidade dos velhos estadistas monárquicos que aderiram à República conseguiu manter o ciclone em estado de tumor. Esperavam que com o tempo o organismo o reabsorvesse. E assim seria, se a morte de Afonso Pena não viesse arrancar o governo das mãos desses experimentados e prudentes varões para entregá-lo à mazorca. "Basta de conselheiros!" — foi o grito de guerra. Esse grito queria dizer, basta de experiência e prudência. Quando o marechal Hermes, instigado por Pinheiro Machado, lançou o repto ao último conselheiro da monarquia com assento na suprema curul republicana, nesse dia o Brasil atingiu o ponto mais melindroso de sua vida. Ou salvava-se ou despenhava-se no buraco, indo até à falência. Afonso Pena aparou o golpe, demitindo-o e nomeando outro ministro. Estaria salvo o Brasil, se a morte não viesse inverter a situação. Mas morre o último conselheiro, vence Pinheiro Machado e começa a bacanal. A partir do momento em que Nilo Peçanha sobe ao Catete, o tumor rompe e o ciclone explode. Um fato diz tudo e traça o programa que foi seguido à risca até o último 15 de novembro. Nilo telefonou a Nuno de Andrade em Petrópolis (isto ouvi eu da boca deste grande médico, muito meu amigo), participando-lhe que o escolhera para prefeito. Meia hora depois Nilo assinava o decreto nomeando para prefeito o Serzedelo Correia...

Desaparecera o escrúpulo moral. Entronizara-se no governo o amoralismo, a "injunção política", e eu, um inglês, não preciso dizer a um brasileiro o que têm sido esses longos anos de furacão amoralista. Hoje me dá o Brasil, visto em conjunto, a sensação de uma terra devastada. De pé, coisa nenhuma. O que está de pé não resiste a um empurrão; vacila. O último governo culminou, e sistematicamente inverteu todos os valores morais ainda a prumo. O ruim ficou sendo o bom, e vice-versa. Já leu o marquês de Sade?

— Nunca.

— Pois leia. É um grande escritor, cujos romances revelam a mais monstruosa inversão moral ainda observada no mundo. Os personagens bons veem-se horrivelmente castigados e os maus recebem todos os prêmios. Pois a obra do último governo me lembra a *Histoire de Juliette ou Les Prosperités du Vice* reescrita por um boticário. Mas a mim me parece que a última presidência foi o remate do período ciclônico, visto que o instinto de conservação dos povos não permite que tais períodos se eternizem. Assim é que o próprio ex-presidente escolheu como substituto (e foi o único ato ilógico praticou) um verdadeiro valor moral. Parece a mais absurda das contradições a escolha do sr. Washington Luís, que é positivamente honesto, ter sido feita por um homem do qual não se pode dizer o mesmo. Por que essa escolha? É que o instinto de conservação nacional agiu e fez seu instrumento o próprio presidente que levou às últimas consequências a crise de moral içada com a morte de Afonso Pena. Não há outra a explicação.

— E acha Mr. Slang que o novo presidente, sendo um valor moral, conseguirá restabelecer a moralidade no Brasil?

— Não acho. Poderá iniciá-la apenas. O trabalho reconstrutivo é lento e não cabe nas forças de um homem. Enquanto perdurar no organismo administrativo a ação dos elementos amorais, nele sistematicamente embutidos durante o período ciclônico, o Brasil não recuperará a saúde moral. E isto é demorado. Pedro II tinha o maior escrúpulo na nomeação de um simples juiz que fosse. Sabia que um mau juiz é calamidade vitalícia. Ora, a República, até Afonso Pena, ainda muito se beneficiou com a projeção no tempo do célebre lápis azul do imperador. Mas o amoralismo que daí para cá presidiu à escolha dos substitutos desses homens, até quando operará os seus tristes resultados? Contra um mau ministro do Supremo Tribunal, com dez ou vinte anos de vida, que poderá o sr. Washington Luís, que dentro de três e pouco não será mais governo?

— Quer dizer que o crime máximo do último governo constituiu nesse enxertar amoralidade no corpo administrativo, sobretudo na justiça — na suprema justiça...

— Sem dúvida. O critério único da escolha era a subserviência. Quem demonstrasse alguma rigidez de caráter ia para a lista negra. Ora, a subserviência tem isto consigo: é maléfica ou inofensiva, conforme a feição do homem colocado no posto supremo. Enquanto tivermos no alto, homens honestos, o país não se ressentirá grandemente do amoralismo desses enxertos. Mas no dia em que os azares do acaso levarem ao Catete um homem dúbio, céptico, fraco ou francamente desonesto, esses sopitados vícios de caráter ressurtirão espontaneamente. O subserviente sub-serve. Serve sob. Reflete. Transforma-se em monstro sob Calígula, ou em passivo homem de bem sob Marco Aurélio.

— A vida do país fica instável, em pura dependência do padrão que está na cúspide...

— Perfeitamente. Ao passo que o elemento moral, o juiz honesto, o é sempre, tanto sob Calígula como sob Marco Aurélio.

— Compreendo. O Brasil está envenenado. Com maleitas...

— Boa imagem. Está com o germe da maleita no organismo. Conforme for o governo que tenha, honesto ou desonesto, assim se comportará a sua maleita incubada.

— E o remédio?

— Curar-se. Eliminar do organismo os germes da maleita. Quinino. O quinino da honestidade — não durante quatro anos, mas durante tantos quatriênios quantos necessários para a total eliminação dos elementos amorais que o período ciclônico lhe meteu dentro.

— E acha isso possível?

Mr. Slang fingiu não ouvir a minha pergunta.

— Olhe, — disse ele, apontando para certa ilha. — Veja que lindo quadro forma aquele veleiro, a estampar a brancura de suas lonas de encontro aos verdes do morro!...

Respeitei-lhe a discrição e desconversei.

Capítulo VII
Da indústria da repressão

Mas o barco deu volta e breve se sumiu por detrás da ilha. Desfez-se o lindo quadro e Mr. Slang pôs o pé na realidade, de onde o tirara aquele momentâneo "Castagnetto". Aproveitei o ensejo para interpelá-lo:

— Eu queria, Mr. Slang, conhecer as suas ideias sobre a revolução. Quem já viveu entre nós quarenta anos deve ter ideias assentes a respeito.

Mr. Slang respondeu-me com a fleugma de um naturalista de cérebro ordenado à inglesa.

— As revoluções brasileiras, — disse ele, — incluem-se no quadro geral das endemias que assolam o país. Temos a opilação e a malária na gente rural, e já tivemos a febre amarela na gente urbana. A endemia revolucionária é febre que dá na gente desgostosa, armada ou em situação de armar-se.

— Gente desgostosa? — repeti sem compreender.

— Sim, gente revoltada contra a coisa única que revolta o homem, a injustiça.

— Mas Mr. Slang já me deu como causa das revoluções a miséria...

— E que é a miséria senão a consequência última da injustiça na distribuição dos bens? A longa continuidade da injustiça leva o povo à miséria, e por fim a revoluções ao molde da francesa de 89 ou da russa. Antes de chegar até lá, entretanto — e é este o caso do Brasil — provoca revoltas parciais, sem forças para se alastrarem pelo país inteiro, e mais revoltas de grupos do que propriamente revoluções. Mas a origem é sempre a falta de justiça.

— Nesse caso, o remédio contra os levantes periódicos não pode ser a repressão, — adverti.

— A repressão, — explodiu Mr. Slang, — vale apenas como cataplasma. Não cura. Não curou na Irlanda, não curou na Rússia dos tsares. Não curou em parte nenhuma. Tenta combater uma febre do organismo, esquecida de que a febre é mero efeito de uma causa. Não deixa de ser contristadora esta generalizada inépcia de combater febres com emplastros, sem o menor exame das causas reais. Vejo que bem merecem os homens as ironias do meu Bernard Shaw...

— Mas por que se generalizou no mundo o emprego da cataplasma repressiva? Há de ter sua justificação.

— E tem. É o meio prático de evitar que se extingam os levantes e com eles a *indústria da repressão*.

Olhei com espanto para Mr. Slang. Não o entendi.

— Sim, — explicou ele, — indústria da repressão ou indústria do legalismo, uma das mais rendosas que o homem ainda inventou. Encarta-se nas indústrias de guerra. É a que permite ao *profiteur* maiores lucros, em troca de menos serviços, em menor espaço de tempo. É a velha pilhagem dentro da lei e sem riscos de nenhuma espécie.

— Indústria criminosa! — exclamei, tomado de ingênuo horror.

— Para o sociólogo. Mas no mundo não vejo sociólogos. Vejo lavradores, negociantes, industriais, burocratas, militares, políticos. Quem os consultar sobre a repressão dos levantes pelas armas ouvirá, em todos os países, duas ordens de razões. A favor e exaltadíssima, nos que estão dentro da indústria. Resignadas e perfeitamente sociológicas, nos que lhes sofrem os males. A consciência do homem comum mora no bolso, eis tudo...

— Mas um governo legalmente constituído não pode deixar de reprimir levantes, — aventurei eu.

— Evidentemente que não pode. Seria uma incoerência que tendo criado a causa do levante por meio dos seus atos de injustiça ou encampação de injustiça anterior (e incluo entre os atos de injustiça os atos de desonestidade), não procure defender-se, defendendo-os. O reconhecimento do erro e a volta atrás só seriam concebíveis num governo justo; mas o governo justo não praticaria atos injustos, nem os encamparia — donde o afastar-se para muito longe a hipótese do reconhecimento do erro, isto é, do único remédio verdadeiro contra o mal dos levantes.

— O seu raciocínio, Mr. Slang, leva a conclusões absurdas. Leva à conclusão de que os levantes não se reprimem nunca e perpetuam-se — o que não é fato. As revoluções terminam.

— A revolta armada contra a injustiça não terminará nunca na vida do homem sobre a terra. Interrompe-se apenas, gangliona-se de armistícios, de aparentes submissões, de momentos de repouso. O estado revolucionário do mundo só cessou nos países que entronizaram a justiça. Veja o caso brasileiro do Sul. Como a causa-injustiça persiste, a revolução no Sul é constante apenas interrompida por pausas de repouso. Ninguém fez ainda a conta do que, desde o início da República, vem ela custando ao Brasil em vidas, destruição, lucros cessantes e miséria. Seria um cálculo de arrepiar. Que têm feito as enormes somas de dinheiro e de esforço despendidas na repressão? Têm fomentado o espírito de revolta, isso sim; têm preparado novos atos do mesmo drama. A revolução esteve, está e estará no Sul enquanto a arma erguida contra ela for a espada e não a balança da justiça. O filho inda no berço herda a revolta de coração do pai morto na luta. Os anos passam. As crianças fazem-se homens — e a revolução, aparentemente sufocada, ressurge.

— Mas é mal da América Latina.

— Mal da iniquidade, apenas.

— Todas as repúblicas sul-americanas vivem assim.

— Muitas já encerraram esse ciclo. O Uruguai foi uma charqueada de homens durante anos e anos. Hoje é um dos mais felizes e prósperos recantos do mundo. O mesmo se dá com a Argentina.

— E a que atribui Mr. Slang essa reviravolta?

— Não é preciso muita argúcia para perceber que o fim do período revolucionário na Argentina e no Uruguai coincide com duas medidas de justiça: estabilização da moeda e voto secreto. Uma trouxe a justiça econômica: direito a quem trabalha de prosperar ininterruptamente. Outra, a justiça social: direito do cidadão eleger de acordo com a sua consciência. E o que a bruteza das armas não conseguiu em trágicos decênios de repressão, essas duas elementares medidas de justiça o conseguiram suave e instantaneamente.

— Admito o voto secreto, mas vejo o reverso da medalha. Esse sistema de voto destrói as elites.

Mr. Slang permitiu-se um sorrisozinho de malícia.

— Abusamos por aqui, meu caro, da palavra elite. Eu a interpreto como a nata dos valores morais e mentais do país e logicamente pergunto: encartar-se-á nesta definição a elite que entre nós domina?

Como eu vacilasse na resposta, Mr. Slang continuou:

— O Brasil possui a sua elite. Não há leite, por magro que seja, que não dê creme sobrenadante. Mas será um creme naturalmente sobrenadante o grupo que aqui domina? Foi assim na Argentina antes de Sáenz Peña?

— A resposta é difícil, — murmurei.

— Tem sido aqui uma seleção natural, a seleção dos valores? O fato de ser valor mental ou moral leva para cima? Vejo valores morais e mentais em cima, não porque sejam valores, mas pelos acasos da flutuação. A regra, sob o regime do voto a descoberto, é uma seleção artificial, muito às avessas da natural e merecedora dos adjetivos dos jornais amarelos. Nem é sequer uma seleção consentida. Na alma do homem que votou contra a sua consciência subsiste um fundo de rancor. Foi vítima de uma injustiça. É um revoltado. Será um revoltoso se lhe calhar ocasião.

— Há o receio de que com o voto secreto as massas predominem. A maioria nunca vale a minoria.

— A mim também me parece que é assim e por isso condeno o voto secreto obrigatório. Em matéria de voto, isto é, de escolha, só pode valer a qualidade do eleitor. Que importa o número? Voto obrigatório dá vitória ao número, com depreciação da qualidade. Mas voto secreto apenas, sem obrigatoriedade, traz seleção. Automaticamente afasta das urnas a massa ignara e atrai a elite consciente — o eleitor nato. O erro das democracias vem de admitir que o diploma de eleitor outorga faculdade eletiva. Admitamos Assis Brasil e o seu cozinheiro, que é um pobre tonto, ambos com diploma de eleitor. Serão eleitores naturais ambos?

— Não, está claro. Eleitor nato, isto é, consciência e capacidade de escolha, só será o primeiro.

— Como então *obrigar* o cozinheiro a votar e a *destruir* assim o alto valor do voto consciente e medido de Assis Brasil? Muito hão de rir-se nossos netos das nossas tolices de hoje. Sufrágio universal e voto obrigatório serão motivos de gargalhadas estrondosas. No entanto...

— ... ainda fazem parte dos programas mais adiantados...

Mr. Slang assestou o binóculo para a baía e pôs-se a acompanhar um "Ita" que entrava.

Capítulo VIII
Da camisola de força

Ao acender o cachimbo Mr. Slang verificou que estava sem fósforos. Ofereci-lhe a minha caixa, não aberta ainda. Ele rompeu o selo com a unha e depois da primeira baforada disse:

— O esforço que acabo de fazer para abrir esta caixa de fósforos repete-se no Brasil cinco milhões de vezes por dia. Supondo que um quilogrâmetro de força muscular dê para abrir duzentas caixas, teremos um dispêndio de trezentos e trinta e três cavalos-vapor para abrir os cinco milhões de caixas que se abrem diariamente, ou sejam, num ano, cento e vinte e um mil e quinhentos cavalos. É o esforço, o dispêndio inútil de energia que um simples selo, grudado às caixinhas de fósforos, exige do país.

— Está interessante o seu cálculo, Mr. Slang; mas a que vem ele?

— Para exemplificar de um modo entradiço pelos olhos que o sistema tributário do Brasil, não contente de tomar dinheiro, também toma esforço. É pois um sistema de taxação nocivo ao país. Cobra duas vezes — uma em moeda, outra em energia humana.

— Mas a perda de cento e vinte e um mil e quinhentos cavalos por ano é nada para um país tão rico em cavalos...

— Toda perda é uma perda, e não é só na taxação de fósforo que se dá esse desperdício de força. Não conheço nenhum imposto por aqui que não cobre duas vezes. Um estudo neste sentido nos levará a resultados espantosos, pois verificaremos que talvez metade da energia brasileira se esvai em pura perda, na luta contra a feição antieconômica e incômoda dos impostos.

— Isso é verdade. Já lidei com o fisco e conheço os embaraços que ele cria até para receber as taxas. Para *receber*! Qual será a causa disso, dessa mentalidade de cuscuta, Mr. Slang?

— É mal que vem de trás, dos tempos do Brasil colônia. Portugal, ao tomar posse da terra nova, cuidou de uma coisa só: o Fisco. A colônia existia para o Fisco. A Fazenda Real era tudo e os interesses do povo eram nada. E o Fisco se organizou atendendo unicamente às suas conveniências. A inépcia desta concepção é que nos permitiu, a nós ingleses, tomarmos conta de todas as colônias lusas que nos convinham. Mas o Fisco organizou-se cá muito a cômodo, sem respeitar coisa nenhuma além do seu interesse — pessimamente entendido, aliás. Veio depois a independência, a Monarquia, a República, e em todas estas mudanças se mexeu em tudo, menos no Fisco. Ficou ele com o mesmo arcabouço e a mesma psicologia colonial. Daí a sua forma de *castigo ao trabalho*, de empeço aos movimentos livres, que caracterizam as taxas Republicanas, culminadas agora no monstruoso imposto sobre a renda. E o país que se desiludа. Não haverá progresso possível enquanto não houver mudança de mentalidade a este respeito. Não é amarrando um homem e embaraçando-lhe todos os movimentos que esse homem ganhará corridas no *steeple-chase* internacional.

— E se fosse só isso! — exclamei contristado. — Há ainda a iniquidade dos impostos antieconômicos — o de barreira, por exemplo, e o de exportação...

Mr. Slang pôs o chapéu na cabeça para regressar ao seu bangalô. Erguemo-nos daquela agradável sombra e partimos. A conversa prosseguiu durante o percurso.

— Esse Rui Barbosa que o Brasil tanto admira, — disse ele, — mas cujas opiniões sempre desprezou, teve a respeito do imposto de exportação palavras que me ficaram. Disse-as em carta ao meu velho amigo José Custódio Alves de Lima, que tanto se bateu contra tal imposto, sem ser ouvido: *O nosso empirismo tributário é um regime de sangria espoliativa a que nenhuma nação, das mais vigorosas do mundo, resistiria. A escravidão fiscal desenvolvida com uma carniçaria cada vez mais voraz, pela União, pelos Estados e pelos municípios, não faz menos pela atrofia do nosso organismo nacional do que a escravidão negra, a que sucedeu com vantagem na pertinácia e na estupidez. A fúria do protecionismo e a inconstitucionalidade crônica dos impostos interestaduais são três suicídios sistematizados a que o Brasil se entrega impenitente e consolado, como os maníacos do álcool, do ópio ou da cocaína. Os nossos financeiros, criaturas da rotina, são os ministros conscientes da loucura deste outro vício etnicida, que mata a nossa nacionalidade.*

— Irra! — exclamei. — Não se pode fazer uma síntese mais rigorosa! O que me admira é que apesar disso o Brasil prospere.

Mr. Slang sorriu com piedade e replicou suavemente:

— O Brasil não prospera, meu caro. Não pode prosperar. Chamam vocês aqui prosperidade a um claro fenômeno de gigantismo. Há deformação para o maior apenas. Inchaço. Entre Argentina e Estados Unidos, o Brasil dá-me a ideia duma lesma ensanduichada entre duas locomotivas. É que o Brasil se afez à sua miséria crônica, como o chim, e não vê, e não compara. O Brasil, perdoe-me a sinceridade, é um pobre gigantão *hebeté*. Brinca com brinquedinhos de Nuremberg: — a sua "imensa riqueza", a sua "inteligência", etc., e já perdeu de todo a sensibilidade e o senso do real. Não é impunemente que se martiriza em camisola de força um pobre rapaz...

— Isso também não. A produção brasileira já sobe a cinco milhões de contos por ano, — exclamei com orgulho.

Novo sorriso de dó aflorou aos lábios de Mr. Slang.

— Cinco milhões de contos, para trinta milhões de habitantes, num território de oito milhões de quilômetros quadrados! Quer dizer uma produção anual correspondente a quatro meses da fábrica Ford...

Dei um pulo para trás e por um triz não me despenhei num buraco.

— Será possível, Mr. Slang? Não está exagerando?

— Verdade puríssima, meu caro. Em quatro meses os operários da Ford Motor Company produzem tanto como o Brasil inteiro em um ano... Creio que não é possível tornar mais flagrante a miséria, a ínfima força produtiva deste país. E nem podia deixar de ser de outro modo. Com o regime de impostos que tem, com os vícios burocráticos que alimenta, ainda é muito que o Brasil faça o que faz. Mas o meu amigo sabe que na concorrência da vida os povos que não se defendem à força de progresso e eficiência, mais dia menos dia perecem. O nosso Brasil perecerá...

— Os países não morrem, Mr. Slang. A morte é fenômeno individual.

— *Est modus in rebus*. Neste território já houve um Brasil ameríndio. Que é dele? Remanesce no fundo dos sertões, em tribos expulsas do litoral e condenadas ao desaparecimento. Hoje temos um Brasil luso-áfrico. Por que não há de morrer, como morreu o Brasil ameríndio? A terra fica, mas os povos passam. A história está cheia de *tentativas de povos*, crisálidas de nações, cascas de casulos donde não saíram borboletas.

— O seu receio parece-me infundado, Mr. Slang. Temos energias em estado latente, que explodirão no momento oportuno.

— Oportunidade só a esperam os fracos. Os povos fortes criam-na. O Brasil vive a esperar uma vaga oportunidade, enquanto os seus vizinhos forjam a sua. A propósito, e como reflexo da mentalidade do país, ocorre-me uma opinião do ex-presidente da República sobre as jazidas de ferro de Minas.

— Sei. Disse ele que eram uma reserva que nestes duzentos anos poderiam valer muito e que devíamos deixá-las para os nossos netos.

— É isso. Li essa opinião e assombrei-me. Se um homem expoente, e tanto que já presidiu a nação, pensa dessa forma, que há mais a esperar? Daqui a duzentos anos podem dar-se, entre inúmeras, estas duas hipóteses: não ter mais valor nenhum o ferro, graças à descoberta de um novo elemento, ou não existirem netos herdeiros das tais jazidas de Minas. Se Cunhambebe pensasse assim em 1499 e não comesse as pacas de sua taba de Araribá, para que cinquenta anos depois as tivessem, multiplicadas, os seus netos, teria evidentemente errado, porque no ano seguinte a aparição de Cabral viria transtornar a simplicidade desse cálculo. Quem passou a comer as pacas foram os portugueses.

— Não há dúvida...

— Estenda o raciocínio a todas as reservas naturais do país, à borracha, ao mate, à piaçaba, às madeiras, aos diamantes do Garça, ao manganês, ao babaçu, à fertilidade nativa da terra...

— Fertilidade nativa da terra?

— Sim. O café de S. Paulo, por exemplo, não passa de um engenhoso meio de industrializar e comercializar a fertilidade nativa da terra roxa, que constitui a riqueza de S. Paulo, como o ferro constitui a riqueza de Minas. Estenda o raciocínio e verá que botocudos nus não seriam vocês todos por cá, se a política de conservar reservas fosse a seguida. Os povos que chamamos grandes são os que mobilizam as suas reservas naturais. Os que não o fazem permanecem de tanga, com tabuinhas no beiço.

— Donde se conclui que...

— Donde concluo que são três horas e o café deve estar na mesa.

De fato. Mal pusemos o pé na varanda o criado de Mr. Slang veio chamar-nos para o café. Ao tomá-lo, Mr. Slang disse:

— Sabe qual é a multa que paga a lavoura de café pelo crime de produzi-lo e permitir que com o seu produto o Brasil vá se aguentando? Nove por cento *ad valorem* — mais cinco francos por saca — mais mil réis ouro por saca...

Fremi de horror e lembrei-me do Brasil ameríndio desaparecido...

Capítulo IX
Da proteção à incompetência

Depois do café Mr. Slang levou-me para sua biblioteca. Muito falava ele na sua biblioteca e eu tinha grande curiosidade de conhecê-la, imaginando coisa aí para dez mil volumes. Enganei-me. A famosa biblioteca se resumia numa edição da *Enciclopédia Britânica*, impressa em fino papel da Índia e encadernada em camurça.

— Só isto, Mr. Slang? — exclamei desapontado.

— Acha só isto ao tudo? — respondeu ele rindo-se. — Já possuí numerosos livros, mas desfiz-me deles como de trambolhos quando me convenci de que a *Enciclopédia Britânica* resume toda a sabedoria humana. Livros novos chegam-me diariamente. Examino-os e mando-os ao meu belchior. Já li muito, meu caro. Hoje prefiro pensar. Entretanto, de vez em vez surgem livros que me seduzem. O último que teve esse condão foi este, — disse Mr. Slang, abrindo uma gaveta e tirando uma brochura nacional.

Reconheci-a logo. Era a *Terra Desumana*, de Assis Chateaubriand.

— Bravos! — exclamei. — Também li esse terrível libelo e muita curiosidade tenho de ouvir a sua opinião a respeito.

— Depois. Agora só quero acentuar o fato desta pequena brochura ter-me custado oito mil réis. É caro. O grau de cultura de um país mede-se pelo preço dos seus livros.

— A vida no Brasil é cara; tudo é caro entre nós. País novo.

Desta vez Mr. Slang não sorriu como de costume, antes gargalhou descompassado, com grande desapontamento meu. Espantou-me aquele excesso em homem tão comedido.

— País novo! — repetiu Mr. Slang. — Vejo esta razão apresentada muito amiúde, como uma das fórmulas, uma das frases feitas do brasileiro. Já meditou sobre ela? O Brasil é velho, meu caro, é um dos povos mais velhos do mundo. Idade, nas pessoas ou nos povos, não se calcula pelo número de anos. Há velhos de vinte anos e septuagenários moços. No Brasil só vejo sinais de velhice. A raça que o habita é o velhíssimo português misturado com o arqui-velho africano, mais o venerável pele-vermelha que por séculos e séculos ocupou este territorio. A terra tem a idade comum de qualquer outro trecho da crosta terrestre. País novo por quê?

— A raça é velha, concordo, e a terra também; mas o país é novo.

— Mas que é país senão raça numa terra? Como velhice-raça mais velhice-solo pode resultar em mocidade? Os povos denunciam sua mocidade nas ideias, na alegria da vida, na dionisíaca vontade de poder. É moço o povo americano, como é moço o povo alemão. O brasileiro é velhíssimo. Onde o entusiasmo criador, o ímpeto para formas só suas, o *rush* de avalanche para um *über alles* qualquer? Dê-me um rapazola, seu patrício, que não pense com cérebro de setenta anos, e que ao sair de uma escola superior não aspire entrar na vida "já aposentado", isto é, que não aspire colocar-se num dos quadros do monstruoso parasitismo burocrático que aqui rói, como piolheira, o trabalho dos que ainda trabalham. Não me fale na mocidade deste país — e dado que existisse não vejo como poderia tornar-se causa do preço exagerado desta brochura. A causa real da vida cara no Brasil reside no protecionismo.

— Orientação, aliás, fecunda, — atalhei, — pois sem ele não criaríamos as nossas indústrias.

Nova gargalhada de Mr. Slang. O homem estava positivamente fora dos eixos...

— Só uma coisa, — disse ele depois que serenou, — cria a indústria, a boa, a sólida indústria que presta serviços à sociedade humana — e essa coisa é incompatível com o protecionismo.

— ?

— A concorrência. A humanidade somente progride dentro do respeito às leis biológicas. A concorrência é a lei biológica do progresso. Tudo quanto impede, embaraça ou retarda a concorrência atua contra o progresso. O protecionismo impede a concorrência. Logo, é a morte da indústria.

— Acho, — disse eu, — que Mr. Slang está hoje excessivo em suas afirmações — e paradoxal...

— Atenda-me e verá que não existe nas minhas palavras excesso nenhum. Que é indústria? Fazer uma coisa. Entre duas indústrias, qual a melhor? A que faz melhor, a que produz melhor. A vitória da melhor, única proveitosa para o mundo, vem à custa da derrota ou da supressão da pior. Se uma força estranha intervém e impede o melhor de matar o pior, que sucede?

— Regresso, perda, mal...

— E que é o protecionismo senão essa força estranha que impede a vitória do melhor e protege o pior? O protecionismo não *protege a indústria* e sim, apenas, a *incapacidade industrial*. Evita que o bom vença e toda a comunidade se beneficie com essa vitória. Perpetua o mau — e leva a comunidade ao consumo forçado do mau produto, do produto que, pelas leis da natureza, deve desaparecer.

— Mas de outra forma um país não pode ter indústria, — adverti.

— Não poderá ter indústria de muletas, só de lucro para o industrial, pois o protecionismo é o meio de criar esta monstruosidade. Mas que vantagem há para um país em criar no seu organismo este inchaço simulador de músculo? A espoliação nunca aproveitou a ninguém. O protecionismo enriquece alguns indivíduos mas empobrece a comunidade. Se eu pago três mil réis por um mau produto que poderia obter, ótimo, por dois, empobreço-me de um mil réis. Há vantagem para um indivíduo ou para um país em empobrecer-se de um só mil réis que seja?

— Quer dizer que há duas indústrias, uma de serviço social e outra de...

— ...pilhagem, de exploração. A primeira enriquece os países e beneficia a todos os homens. A segunda só beneficia — e momentaneamente — o explorador.

— Momentaneamente apenas?

— Sim. Como outros perderam para que ele ganhasse, baixou o nível da prosperidade geral do país e o industrial momentaneamente favorecido irá mais tarde, por si ou seus filhos, sofrer as consequências desta baixa da prosperidade geral.

— Realmente. Parece-me que Mr. Slang tem toda a razão... — concluí, pensativo.

— Transporte o protecionismo para outro campo e verá como se torna clara a demonstração. Suponha dois médicos numa pequena cidade, um bom outro mau. O bom, visto que cura os doentes, atrai enorme clientela. O mau vê-se às moscas. Mas intervém o protecionismo. Uma lei municipal põe guardas à porta do bom médico e cobra uma taxa feroz de cada cliente que o procura. Os ricos se arrumarão. Pagarão a taxa e terão a boa assistência. Os pobres — e eles constituem os noventa e nove por cento da cidade — não podendo pagar a taxa, recorrem ao mau médico. Este prospera, está claro, enriquece — mas lucrou com isso a comunidade? Cresceu o índice da saúde geral?

— De fato, uma cidade assim pereceria. Mas que há de fazer o mau médico? Morrer de fome?

— Está claro. Só tem direito de fazer uma coisa quem a faz melhor que os outros. É a lei do progresso.

— De modo que para Mr. Slang as nossas indústrias protegidas constituem um mal... Mas não negará que muito nos serviram durante a conflagração europeia.

— Ponto a discutir. Mas dou de barato que assim tenha sido e pergunto se é argumento sério. Conservar no organismo uma ordem de coisas viciosa, que o debilita, que o mata, só porque num eventual caso de guerra possa tornar-se um momentâneo bem, será fórmula defensável? Faz-me lembrar um homem que andasse léguas e léguas descalço, a ferir as solas nas pedras do caminho, só para beneficiar-se com a frescura da água de um riacho eventual que tenha de passar a vau. A Argentina, que não tem indústrias falsas, não se arrumou perfeitamente durante a conflagração? Não saiu ganhando, não está mais próspera do que nunca, ao passo que o Brasil geme no atoleiro, enterrado até ao nariz?

Mr. Slang tinha razão e eu não quis insistir em minhas tolas objeções. Mudei de assunto e interpelei-o:

— Voltando atrás, que acha, Mr. Slang, de *Terra Desumana*?

Mr. Slang não respondeu de pronto. Ficou como quem procura uma fórmula sintética para definir um caso difícil. Depois disse:

— Um retrato de corpo inteiro, feito por um mestre retratista.

— Parecido?

Mr. Slang vacilou.

— Um tanto enfeitado, — respondeu por fim. — O pintor deu ao original um vulto que me parece fora da realidade. Desenvolveu à Carlyle o que apenas fazia jus a estilo de relatório clínico. Houve erro de amplitude, evidentemente.

Preparei-me para ouvir uma alta revelação. Mr. Slang, entretanto, calou-se; e ao voltar-se para meter na gaveta a *Terra Desumana* deu com o braço numa estatueta que havia sobre a sua secretaria. O bronze veio ao chão e fez-se em cacos. Não era bronze, era barro bronzeado apenas.

Capítulo X
Do capítulo que faltou

— Lá se foi o meu escriba! — exclamou Mr. Slang de olhos postos na estatueta em cacos.

Era uma reprodução em terracota do menos hierático remanescente da arte egípcia, hoje no Museu Britânico.

— Tinha valor a reprodução? — perguntei.

— Apenas como documento de que até na Inglaterra se bronzeia o barro, o que é um contrassenso. A pátina de bronze dá ao barro o aspecto, não a dureza, que é o próprio do bronze. Comprei-a no Strand, por ocasião da minha última visita a Londres.

— Mas, voltando atrás, Mr. Slang, que acha de *Terra Desumana*? insisti.

— Acho-a lógica em excesso. O vulto ali descrito assume proporções carlyleanas e quase caberia num segundo volume do *Heroes and Hero-Worship*, que se intitulasse *Municipal-Heroes and Municipal Hero-Worship*. Vejo uma forma baixa de heroísmo na resistência municipal do retratado.

— Também me parece isso. Só não aceito os meios de que lançou mão.

— Poderia escolher outros?

— Devia escolhê-los. Fazendo o que fez, lançou mão de meios imorais, deprimiu o país, rebaixou-lhe o caráter já fraco, e com isso produziu um mal maior do que não resistindo.

— Então foi uma desgraça...

Mr. Slang concluía com menos precipitação. Tinha nas veias sangue de juiz inglês e ponderava muito antes de emitir sentença.

— Os fenômenos sociais são bastante complexos, meu caro. Do mal nasce o bem e não raro do bem nasce o mal. No governo passado eu vejo males terríveis que podem florir em maravilhosas messes de bem...

— Por exemplo...

— A hostilidade, a guerra, a destruição da economia paulista, sob pretexto de que estava em desequilíbrio com o resto do país, trouxe, como reflexo, a ideia da estabilização da moeda, isto é, uma situação fixa que não permita "nunca mais" tais atentados. O excesso de mal trouxe um bem.

Outro mal que trouxe um bem foi a exagerada corrupção da imprensa. O governo novo já reagiu e saneou o país da inominável infâmia. Se a corrupção tivesse sido moderada e discreta, quem sabe se não continuaria inda hoje aquele regime?

Outro: o ódio e o favoritismo levados às últimas. Esses excessos patentearam de tal arte os vícios do sistema, que o instinto da conservação nacional fez surgir um homem cujo lema é o oposto: "Nem rancor, nem favor". Em suma: o ex-governo forçou no atual uma verdadeira reversão de processos, que não viria, talvez, se houvesse comedimento na passada inversão moral. Tudo isto me leva a conclusões opostas às do autor da *Terra Desumana*. Acho que o ex-governo foi o mais fecundo da República em resultantes benéficas. Criou a mentalidade estabilizadora que vai lançar as verdadeiras bases da prosperidade deste país, e demonstrou a urgência da moralidade administrativa.

— De modo que para bem julgar o ex-governo devemos esperar as realizações do seu sucessor. Pragmatismo...

— Perfeitamente. E se essas realizações forem o que eu espero, os brasileiros estarão no dever de erigir uma estátua ao homem mal compreendido que, espancando sem piedade um organismo semi-inerte, arrancou-o, pela dor, ao marasmo. Até a revolução, que esse homem provocou e conservou até o fim, vai resultar em frutos benéficos. A revolução é o meio mecânico de que dispõem os povos para apressar o dia de amanhã. Assim na França, na Inglaterra, na Rússia, em todos os países que evoluem.

Ora, a revolução se limitava aqui a episódios curtos demais para produzirem efeitos. O ex-presidente fomentou a revolução longa de que o país precisava. Donde concluo que nenhum homem de governo no Brasil ainda lançou mão de meios mais adequados para forçar o advento das três coisas que o país mais pedia: base fixa para os negócios, moralidade administrativa e reforma no processo da representação política. A estátua ao ex-presidente terá forçosamente este dístico: "Ao criador, por meios indiretos, da moeda ouro, da moralidade no governo e do voto secreto, o povo agradecido".

— Voto secreto, também?

— Sim. Quem falava em voto secreto anos atrás? Um ou outro raro ideólogo pregava-o às brisas. E essa forma eleitoral, hoje vitoriosa no mundo inteiro, só entre nós era desconhecida. Faltava-lhe propaganda. Faltava um chefe de estado que por excesso de abuso na formação dos poderes provasse a urgência de ser instituído o voto secreto também no Brasil. Essa prova o ex-governo a fez. E fez mais: forçou a revolução a tomar como lema o voto secreto, tornando-o conhecido e discutido no país inteiro. O voto secreto virá e a estátua ao ex-presidente consigná-lo-á entre as benemerências a ele devidas...

— Muito bem, Mr. Slang. Acha então que o prudente é suspendermos o juízo sobre o ex-governo, à espera das realizações do novo?

— Sim, porque o governo novo constitui a segunda parte do governo velho, do qual é filho. Constitui a parte construtiva. E tais sejam as suas construções, quem sabe se um dia até os encarcerados da Trindade não abençoarão o homem que, consciente ou inconscientemente, forçou a nota do mal e fez que dele abrolhasse o bem? Deus escreve direito por linhas tortas, diz a sabedoria popular.

— De modo que *Terra Desumana*...

— É um precioso livro. Todas as finuras da lógica ali se encontram empenhadas em fazer fiel um retrato. E podemos medir da bravura desse livro pela violência dos ataques com que o agridem. Aceito-o plenamente como obra de arte, como primor de esgrima. Apenas lhe reconheço uma falha: a ausência do capítulo principal, o em que se ponha em suspenso o veredito pela admissão da hipótese que acabo de expender.

— A hipótese do ex-governo visar o bem pelas linhas tortuosas do mal, tem graça...

— Não digo "visar", pois não possuo elementos para essa averiguação puramente psicológica e, portanto, impenetrável. Digo "chegar".

— Se não houve a visada consciente do bem, isto desmerece a obra, tira-lhe a justificativa única, que seria a intenção moral.

— Que importam ao país intenções? Só valem as resultantes positivas.

— Sempre pragmatista o meu Mr. Slang! Creia que admiro a frieza desse seu cérebro britânico. Nós aqui, mais ardorosos, queremos, além dos resultados, as intenções.

— Infantilidade. O inferno está calçado de boas intenções e não há motivos para que as péssimas não levem muita gente ao céu.

Mr. Slang tocou a campainha e guardou silêncio até que aparecesse o criado.

— Leve daqui estes cacos, — ordenou-lhe.

O criado trouxe uma vassoura e varreu os fragmentos do escriba. Enquanto isso Mr. Slang dizia:

— Tenho minhas opiniões sobre o Egito. Parece-me uma civilização que morreu por excesso de escribas...

— Pobres escribas! Como poderiam esses humildes parasitas dar cabo de uma civilização?

— Por escriba entendo o burocrata, a gente que passa a vida a encher de letras o papel branco. Eles vão sufocando o país e matando a vida, porque substituem movimento por gatafunhos. Tenho a impressão de que os escribas é que sufocaram o Egito, tornando-o inerme ante as invasões.

Mr. Slang ficou de olhar absorto, como quem está a ver para dentro ou muito longe. Tirei-o daquele estado com uma pergunta que de longo tempo trazia engatilhada.

— E aqui, Mr. Slang? Que acha da nossa burocracia? Terão forças os nossos escribas para também asfixiar a vida do Brasil?

Mr. Slang não respondeu de pronto. Continuou ainda por uns instantes absorto. Depois acordou e, como que estremunhado, disse:

— Aqui? Sim, aqui... Aqui a burocracia já devorou todo o Norte, está paralisando esta cidade do Rio e tende a descer para o Sul. E assume aspectos inéditos no mundo. Mas depois veremos isto. O xadrez está arrumado e é impolido de nossa parte fazer que duas nobres rainhas nos esperem...

Arrumamos as pedras e Mr. Slang fez o gambito da dama.

Capítulo XI
Da "Estrada Alegre"

As saídas de gambito sempre me atrapalharam, de modo que no quarto lance já Mr. Slang tinha de lucro um peão. O meio de equilibrar o jogo era fazê-lo falar, e assim distrair-se. Traição? Que importa! Era Mr. Slang um filho da pérfida Albion e pois eu vingaria uma parte infinitesimal das perfídias feitas ao mundo pelo molosso britânico.

— Acha então, — disse-lhe eu, — que a nossa burocracia já paralisou metade do país?

O meu inglês largou do peão que tinha comido e acendeu o cachimbo.

— Sim, — afirmou. — Está já roendo o osso. Há tempos fiz um passeio a Minas e vi lá, numa velha fazenda, um quadro contristador. Era um cavalo aposentado do serviço e solto no campo para que morresse em paz. Sua magreza era tamanha que me despertou a curiosidade. Aproximei-me... Não era mais um cavalo. Era uma piolheira sobre quatro patas. Não teria talvez um milímetro de pele livre de parasitas — e parasitas bem magros, porque o sangue já se fazia pouco para tantos. Pus-me a refletir sobre a estupidez do dono do cavalo e sobre a estupidez ainda maior dos parasitas. Aquele multiplicar-se excessivo iria matar o cavalo, e com ele a piolheira. O Brasil é isso, meu caro, pelo menos no norte...

Horrorizei-me com a imagem de Mr. Slang e protestei:

— Mr. Slang exagera evidentemente. O Brasil não está assim tão parasitado...

— Queria mais? Não há serviço público que não empregue cinco homens, pessimamente pagos, para fazer, malfeitissimamente, a tarefa que um só, bem pago, faria a contento. Essa é a fórmula da burocracia brasileira, da qual decorrem três males: prejuízo do serviço público, miséria do funcionalismo e roubo de atividade à produção privada.

— Há quarto mal, — adverti. — A corrupção...

— Simples capítulo da miséria. Quem ganha o insuficiente para viver não pode resistir a tentações. Note que eu não faço ao caráter brasileiro o mau juízo comum. Acho-o até de um fundo mais honesto que o de muitos outros povos. As circunstâncias, porém, impelem o brasileiro à desonestidade.

— A miséria é má conselheira...

— Má e engenhosa. Os artifícios que aqui vejo empregados pela burocracia para aumentar seus rendimentos são habilíssimos. Calculo que em cada orçamento da República duzentos mil contos se vão em comissões. O governo paga em tudo quanto compra vinte por cento a mais sem que o perceba — e a coisa é feita de modo tão hábil que governo nenhum tem meios de impedir o latrocínio.

— E se fosse só isso! — exclamei pensando nas gorjetas chamadas de "lubrificação". — Nada corre sem propinas, Mr. Slang!...

— É verdade. O público paga duas vezes. Já tive negócios em vários ministérios e sei que sem azeitar as rodas a máquina não gira. Há nisto dois males: a demora inevitável no andamento dos negócios do Estado e o encarecimento dos serviços. Tudo porque a miséria da burocracia força-a a transformar-se em camorra para viver.

Enquanto Mr. Slang dissertava, eu estudava a situação do jogo, o que me permitiu um lance feliz. Mr. Slang esqueceu a burocracia e remergulhou no xadrez. Minutos depois me vi na necessidade de distraí-lo de novo.

— E a Central, Mr. Slang? — interpelei-o de surpresa.

Mr. Slang sempre achou uma graça infinita na nossa via-férrea. Chegou até a escrever para o *Scribner's Magazine* algo humorístico cujo tema era a Central. Sua pachorra o levava a fazer viagens nessa estrada apenas pela viagem, achando-as mais divertidas do que qualquer outro espetáculo humano. Sempre que nas nossas partidas de xadrez fiz vir à tona a Central, vi Mr. Slang sacrificar o seu jogo — e por isso tenho cá no coração uma grata simpatia pela nossa pitoresca via-férrea. Fez-me ganhar, no mínimo, umas dez partidas mal paradas...

— A Central!... — exclamou ele. — Da última vez que viajei nela, quando o comboio parou em Belém, desci para alertar os músculos. E estava nisso quando cruzou por mim um preto de boné, que vinha dando pancadas de martelo no eixo dos carros. Essa operação fazem-na eles, religiosamente, sempre que um comboio para nas estações. Perguntei-lhe:

— Amigo, por que é que você espanca assim os eixos?

Com a testa a borbulhar de suor, olhou-me o preto com esse ar hostil que tem o nacional da plebe para com o estrangeiro bem posto, e disse, de mau modo:

— Sei lá! Há dezesseis anos que estou neste emprego e ninguém nunca me fez semelhante pergunta. Bato porque meu serviço é bater, hom'essa!...

E Mr. Slang riu-se gostosamente.

— Esse funcionário, — continuou, — dá-me a mais perfeita ideia da burocracia brasileira. Ela faz uma série infinita de coisas sem a menor ideia do "para quê". O "sei lá" do negro do martelo é a resposta que todos terão para perguntas idênticas relativas ao serviço de cada um. Não há finalidade nos nossos serviços públicos, a não ser dar emprego ao maior número possível de parasitas. Bem público, utilidade — nada disso tem que ver com a burocracia.

— E que acha deva o governo fazer, Mr. Slang? Qual o meio de corrigir-se isso?

Mr. Slang estava nesse dia de muito bom humor. Assim foi que me respondeu de um modo desnorteante.

— Corrigir para que? — disse ele. — Se é um elemento do pitoresco local, por que destruí-lo? Todos os povos possuem os seus caraterísticos. Na Alemanha podemos observar a organização levada a extremos inconcebíveis. Nos Estados Unidos vemos a eficiência como a mira de tudo. Modos de ser de cada povo. Se o Brasil prefere o pitoresco, respeitemos-lhe a preferência...

— Esse ponto de vista, — exclamei abespinhado, — será o de um estrangeiro que não se liga de amor a este país. Um nacional nunca poderá encampá-lo.

— Tem razão o meu caro amigo. Confesso que moro no Brasil apenas levado pelo meu amor ao pitoresco. As coisas brasileiras divertem-me tanto... Não as quereria na Inglaterra, está claro. Mas aqui, onde funciono de espectador apenas, confesso não desejar mudanças. Gosto muito de Mark Twain e possuo toda a sua obra. Pois creia que a Central, por exemplo, me diverte mais que *The Stolen White Elephant*, a obra prima, para mim, do terrível humorista americano. Ora, o Brasil não é rico em coisas originais para que se dê ao luxo de destruir, reorganizando-a em moldes civilizados, a sua ultra pitoresca estrada de ferro...

— Mas o país paga muito caro esse pitoresco, Mr. Slang!

— Não se gabam tanto vocês das imensas riquezas do Brasil? Que é pois que empreguem parte delas na manutenção de um pitoresco inédito no mundo?

— Que crueldade! As vidas que a má direção da via-férrea custa ao país, os prejuízos à produção, nada disso conta para Mr. Slang...

— Faz parte do preço do espetáculo. Mas o espetáculo vale! E o governo novo me terá contra si, caso mexa naquilo. Uma das últimas cenas do espetáculo da Central: a Crise do Carvão, que conheço por dentro minuciosamente, é tão curiosa, é tão engraçada, que, não resisti, mandei notas a respeito ao meu velho amigo Bernard Shaw, do qual justamente ontem recebi resposta.

Mr. Slang tirou do bolso uma carta em inglês, assinada pelo mordaz petroleiro, hoje prêmio Nobel. Dizia, entre outras coisas:

"Dá uma opereta maravilhosa! Já escrevi ao Franz Lehar propondo a musicagem do libreto que mentalmente compus com as notas enviadas. Se ele aceitar, teremos um 'número' de sensação".

— Que tristeza, Mr. Slang! — exclamei sinceramente compungido no âmago do meu patriotismo.

— Tristeza? Vai ser de alegria pura essa opereta. Até no nome — "Estrada Alegre"... concluiu ele, cachimbando com satânico deleite.

Nesse dia vinguei-me do inglês da Tijuca dando-lhe um xeque-mate de surpresa, daqueles que desapontam até os indesapontáveis filhos da pérfida Albion.

Capítulo XII
Dos direitos imorais

O meu xeque-mate era dos que irritam o comum dos jogadores. Mr. Slang, porém, não se irritava nunca. O equilíbrio de seus nervos jamais se rompia, exceto para manifestações hilariantes quando o tema era a Central. Começamos nova partida; antes de sair como o peão da dama, disse-lhe eu:

— É muito fácil criticar a nossa pobre Caveira de Burro. Mas ninguém aponta o meio prático de endireitá-la.

Mr. Slang sorriu de novo. A ideia da Central fazia-lhe cócegas incoercíveis.

— Como não? — disse. — Deem-lhe um objetivo técnico, e ela se regenerará.

— O objetivo de todas as estradas sempre foi realizar transporte.

— Devia ser esse o objetivo de todas as estradas; no entanto o mundo está cheio de exceções. Umas têm por objeto dar ensejo de títulos na bolsa. Outras visam apenas dar dividendos. Pouquíssimas têm o transporte rápido, barato e seguro como o fim supremo de sua existência. A nossa Central parece-me que traz como objetivo divertir-nos...

— Não é tanto assim, Mr. Slang. A Central presta muitos serviços e, embora não seja um modelo, como a Paulista ou a S. Paulo Railway, faz o que pode.

— É pouco fazer o que pode. A uma estrada como essa o que cumpre é fazer o que deve. Conhece a história da Detroit-Toledo & Ironton?

— Não.

— Pois vale por história muito ilustrativa. Foi uma espécie de "Central" dos Estados Unidos. Nunca deu lucro, arrecadava cem e gastava cento e cinquenta, servindo pessimamente ao público. Quebrou diversas vezes, foi reorganizada outras tantas e por fim se tornou a armadilha financeira mais duvidosa da América. Chegou a cair em abandono. Estava nesse miserável estado quando Henry Ford a adquiriu.

Mr. Slang interrompeu-se nesse ponto para responder com jogo idêntico à minha saída de peão da dama. Depois continuou;

— Comprou-a por cinco milhões de dólares e a primeira coisa que fez foi mandar varrê-la. Ford é um grande inimigo do lixo. Quando entra na posse de qualquer fábrica ou mina, primeiro a varre — para ver claro, diz ele, e ainda porque considera a sujeira um luxo muito dispendioso.

Depois de varrida a estrada, elevou fortemente o salário dos homens. Em troca exigiu de cada um oito horas de trabalho.

— Essas oito horas, já eles davam antes, — observei.

— Engano. Oito horas de trabalho para Henry Ford não querem dizer oito horas de "ato de presença" no serviço. Querem dizer oito horas de trabalho real e contínuo.

— Isso me cheira a absurdo, — disse eu. — O trabalho numa estrada é forçosamente subdividido. Um maquinista, por exemplo, que chega ao fim da sua viagem antes de completar as oito horas, tem de vadiar as restantes, a não ser que ganhe por hora de trabalho real, o que tornará incerto o seu salário.

— Assim é de fato no mundo inteiro, menos na Ironton, — replicou Mr. Slang. — E foi o abandono desse regime em vigor no mundo inteiro que transformou aquela "Central" na *mais rendosa e perfeita estrada de ferro americana*.

— Como?

— Chega o maquinista ao termo da viagem e não tem mais locomotiva a conduzir? Muito bem! Vai completar suas oito horas com o serviço que houver. Vai varrer a estação, vai capinar o leito da estrada, vai arrumar o lastro...

— Mas isso não é trabalho de maquinista! — exclamei.

— Eis o segredo de Henry Ford, — explicou Mr. Slang. — Não há categorias de trabalho nas suas indústrias. Não há trabalho mais nobre ou menos nobre. Há trabalho, apenas. Varrer ou desenhar plantas: tudo é trabalho. E como ele paga um salário magnífico em troca de oito horas de trabalho, seja este qual for, ninguém se recusa ou escapa de *dar realmente oito horas de esforço* — e não, como aqui, oito horas de "empaliação".

— De fato, se é assim...

— É assim, e nisto está o grande segredo desse genial reformador da indústria. Um agente de estação, por exemplo, quando não tem serviço de agente, vai varrer, vai trabalhar de pedreiro, de pintor ou de carapina, no reparo do prédio da sua estação. Resultado: o trabalho na Ironton passou a render de tal modo que essa estrada pode realizar todos os seus serviços de maneira perfeita e com o emprego de muito menos gente. Antes ocupava dois mil e setecentos homens para um tráfego de cinco milhões de toneladas; hoje emprega dois mil e trezentos para um tráfego de dez milhões...

— E dá lucro?

— Deu de lucro o ano passado dois e meio milhões de dólares, isto é, metade do que custou... A relação entre a despesa e a receita passou de cento e cinquenta por cento a sessenta por cento.

— É maravilhoso!

— Mais maravilhoso ainda é o fato de ter-se tornado a Ironton um mimo de eficiência, asseio e ordem, trazendo satisfeitíssimos os que nela trabalham (pois são os ferroviários que mais ganham no mundo), o público, que jamais teve melhor transporte, e o dono, que aufere uma renda soberba. Antes da aplicação do método Ford, os empregados se queixavam, queixava-se o público e queixavam-se os acionistas.

— Realmente. O trabalho, só ele, resolve todos os problemas da vida!...

— O bom trabalho. O trabalho dirigido por um cérebro que sabe o que é a eficiência.

— E que é eficiência, Mr. Slang? Abusa-se aqui desta palavra, e eu confesso que não lhe apreendi integralmente o sentido.

Mr. Slang colocou um cavalo na terceira casa do bispo do rei. Em seguida respondeu:

— Eficiência é fazer ponta nos lápis com o corte, em vez de com as costas do canivete; é ir de bonde para a cidade, em vez de ir a pé; ir de auto em vez de ir de bonde; ou ficar em casa, quando nada há que fazer na cidade. Diz Ford que eficiência é carregar um tronco de árvore numa carreta em vez de carregá-lo ao ombro.

Eficiência, em suma, é fazer o contrário, exatamente o contrário, do que faz a nossa administração pública em todos os seus departamentos.

— Mr. Slang acha então que se a Central...

— ... apontasse o lápis com o corte, em vez de o fazer com as costas do canivete, virava incontinente uma Paulista, uma Ironton. Acho sim.

Saí também com o cavalo do rei, em jogo simétrico ao do meu parceiro. Em seguida adverti:

— Do que Mr. Slang acaba de dizer concluo que com um pouco de boa vontade podemos endireitar a Central.

Mr. Slang meneou a cabeça.

— Absurdo. Nunca o Brasil endireitará essa estrada. Não existe essa intenção em ninguém. Os políticos se beneficiam com o seu mau estado. Milhares de parasitas perderiam as tetas se ela entrasse nos gonzos. A regeneração da Central só aproveitaria o público — única entidade sem a menor voz ativa em coisa nenhuma neste país.

— Mas o fato da política e os parasitas se beneficiarem com o desmantelo da Central não provará que até no desmantelo há um lado benéfico?

— Para os bacilos que roem os pulmões de um doente, nada mais benéfico do que a debilidade geral do organismo desse doente. Sem ela não viveriam eles. Mas que acha o meu amigo de um médico que à cabeceira de um doente vacilasse na cura, em atenção aos bacilos que lhe devoram os pulmões?

— Um absurdo. Médico nenhum vacilaria entre a cura do doente, benéfica a este e a toda a comunidade, e a manutenção do estado de doença, só benéfico aos bacilos.

— Pois todos os nossos governos vacilam. Nenhum deles se anima a sanear a Central, em atenção aos bacilos que a vêm entisicando. Os parasitas gozam de "direitos adquiridos".

— Não pode haver aquisição de direitos imorais, nocivos à sociedade humana, cento e cinquenta por cento a sessenta por cento adverti.

— No Brasil há. Boa parte do que aqui recebe o nome de direito adquirido é sinônimo de abuso, de lesão do direito natural que tem uma comunidade de se defender contra os parasitas sociais. Eis por que não creio no vosso país. É um país errado. Tem que desaparecer...

— Enquanto isso não acontece, vou "desaparecer" do jogo este seu cavalo, Mr. Slang. Como-o com o meu bispo e com sua licença...

Disse e fiz. Comi-lhe o cavalicoque, com íntimo deleite de vingança. A pátria dentro de mim gozou-se da réplica infligida ao implacável dolicocéfalo ruivo...

Capítulo XIII
DO PARASITISMO CAMUFLADO

No dia seguinte, quando penetrei na casa de Mr. Slang, estava o meu homem a fazer recortes de jornais.

— Não sabia que era colecionador, Mr. Slang, — disse-lhe à guisa de saudação.

O inglês respondeu-me apontando para vários *scrapbooks*, gordos de tantos recortes guardados.

— Já formei sete volumes de quinhentas páginas cada um e estou no fim do oitavo. Duvido que haja um brasileiro possuidor de tantas notas sobre a vida do Brasil. Há quarenta anos que faço isto e não dou a minha coleção por dinheiro nenhum.

Dali a falar de jornais foi um passo.

— Os jornais brasileiros são muito curiosos, — disse Mr. Slang. — Nunca sabem o que dizem, mas refletem como espelho a vida desta terra — para quem sabe lê-los. O meu sistema não é colecionar artigos. Recorto dos artigos o que me interessa: quatro, dez, vinte linhas. Um artigo não passa de enchimento ou farofa para pôr em relevo uma ideia ou fato. Deito fora o farelo e guardo o fato ou a ideia. Hoje, por exemplo, estou a colar um fato bastante significativo, embora bem comum por aqui. Encontrei-o no relatório do meu amigo Renato Jardim, o novo diretor da instrução municipal: uma escola que existe e não existe.

Abri a boca.

— Como pode existir o que não existe, Mr. Slang? Parece-me um contrassenso.

— Uma *cosa brasileña* apenas, — explicou ele, — como há *cosas de España*...

— Trata-se de...

— De uma escola profissional, e de nome pomposo — "Escola de Aperfeiçoamento", que custa ao tesouro cento e quarenta contos anuais, que tem diretor, professores, empregados, etc., mas não tem casa, nem alunos.

— Como? É um absurdo!

— Existe só no orçamento, eis aí.

— Assombroso!...

— O assombro é que há inúmeros serviços assim, com existência só no orçamento. O fato de não existir a escola acentua apenas a desonestidade; mas se ela existisse e não prestasse nenhum serviço, estaria aparentemente justificada, embora desse na mesma. Há numerosos serviços públicos desta ordem, caríssimos, e da mais absoluta inocuidade. Existem apenas como ninho de parasitas.

Calei-me, refletindo na verdade daquilo. Quantas repartições não conhecia eu, meros ninhos de parasitas!

— Olhe, — disse Mr. Slang abrindo o livro de *Cosas brasileñas*, — aqui está outra curiosidade. Uma vila baiana cuja arrecadação municipal é de oito contos. Veja como se distribui a despesa.

Lancei os olhos para o recorte e assombrei-me. Os oito contos eram totalmente empregados na paga dos vencimentos do prefeito, dos fiscais e agentes arrecadadores.

— Curioso, não? — disse Mr. Slang a sorrir, no enlevo d'alma do colecionador que exibe um achado raro. — Pois o municipalismo no Brasil, segundo as notas que tenho neste livro, quase que se resume nisso. Em noventa por cento das Câmaras a receita só dá para o pagamento do pessoal arrecadador. É um dos mais belos casos de parasitismo que possuo em minha coleção.

Mais tarde vim a saber que Mr. Slang se dedicava ao estudo do parasitismo humano e tinha planos de publicar na Inglaterra um tratado a respeito. A razão da sua residência no Brasil prendia-se a tais estudos.

— O campo cá é maravilhoso, — disse-me certa vez. — Em parte nenhuma do planeta o parasitismo se aperfeiçoou tanto, nem assumiu tão engenhosas formas. O Brasil pode gabar-se de um recorde...

Entristeci-me com o caso da escola. Por mais que procure desinteressar-me das nossas coisas, não o consigo, e isso me faz infeliz.

— Diga-me, Mr. Slang, que remédio a sua experiência aconselha para esse mal?

Mr. Slang sorriu com malícia.

— Por que mal? Acho até um bem. Na minha idade o homem se torna céptico e passa a ver as coisas através de um prisma muito diverso do da mocidade. Eu hoje só quero o pitoresco. Olho tudo pelo prisma estético. Vejo paisagens humanas, nas quais o parasitismo figura como um elemento estético de muito valor. Se dependesse de mim, confesso que estimularia ainda mais o parasitismo brasileiro, para ver até que ponto podem os agrupamentos humanos comportá-lo. O parasitismo é a lei da humanidade. Uma criatura parasita outra...

O cinismo de Mr. Slang horrorizou-me. O Brasil para aquele homem não passava de uma cobaia imensa...

— Mas se fosse na sua Inglaterra, que faria? — interpelei-o.

— Bom, o caso aí mudava. A Inglaterra é a Inglaterra e até dos ingleses cépticos merece o sacrifício dum ponto de vista puramente de arte. Se fosse o caso na Inglaterra, e a mim incumbisse destruir o parasitismo, a primeira coisa que eu, como governo, faria, era *constatar a existência dele*.

— Isso não é resposta, Mr. Slang. Se o parasitismo existisse, *ipso facto* teria a existência constatada, com perdão do galicismo.

— Engano. O parasitismo é maquiavélico e vence como o camaleão, à custa de disfarçar-se e justificar-se como sendo coisa útil. Temos, pois, antes de mais nada, de desmascará-lo, de pô-lo a nu, de provar que não passa *de camouflage* da utilidade. Exemplo. Há aqui uma Biblioteca Naval. Fui outro dia lá pela primeira vez, em consulta a um alfarrábio. Casarão enorme e vazio. Em vez de consulentes, empregados bocejantes que matam o tempo a ouvirem o caruncho roer a livralhada. Pedi o livro, e enquanto esperava pus-me a observar aquele curioso caso de parasitismo e a calcular o quanto já teria custado à nação.

— Mas a marinha precisa de uma biblioteca, — exclamei.

— Precisará apenas de livros e poderia tê-los na Biblioteca Nacional, com enorme economia pública, não acha?

— Realmente...

— E agora pergunto eu, — continuou Mr. Slang: — precisará o Brasil de marinha?

Arregalei os olhos.

— Hom'essa! Onde já se viu país sem marinha?

Mr. Slang ia muito longe em sua lógica inglesa.

— Marinha é coisa que a Inglaterra criou por necessidade, e como veio por obra da necessidade, possui-a eficientíssima, desempenhando uma missão defensiva real. Os outros países europeus imitaram-na, uns por puro espírito de imitação, outros para equilíbrio de forças com vizinhos hostis. Isso lá. Mas aqui? Que é que significa a vossa marinha?

— Defesa das costas... — sugeri.

— Mas será com meia dúzia de calhambeques antiquados que se defendem umas costas tão largas como as do Brasil? Haverá algum almirante, ou grumete, que acredite na eficiência defensiva da vossa marinha? Algum país do mundo por acaso a teme?

— Realmente; de um ponto de vista elevado, assim é.

— Imagine agora todo esse dinheiro, os milhões de contos que o Brasil despendeu até hoje na manutenção desse *bric-a-brac* de ferro, puro mostruário retrospectivo do navalismo dos últimos decênios, imagine todo esse dinheiro empregado em obras úteis!

— E se se visse atacado por mar esse Brasil sem marinha, mas cheio de obras úteis?

— Sucederia o mesmo que se fosse atacado tendo isso que lhe custou milhões e que ingenuamente considera marinha. Marinha é arma, e arma ou é eficiente ou não é coisa nenhuma. E o mesmo direi do exército.

— Quê? Até o exército, Mr. Slang?

— Exército ou é ou não é. Eficiente, é. Ineficiente, não é. Pergunto: é o vosso exército eficiente?

Fiquei embasbacado. Mr. Slang estava positivamente delirando.

— O dever de um país consiste, primeiro em criar riquezas, desenvolver-se. Depois, cuidar da defesa de sua riqueza, mas a sério. Ter aparelhos de defesa "para inglês ver" é *camouflage* de parasitismo das mais onerosas. Se não tem estradas, se não tem instrução, se não tem riquezas, como esmagar-se de dívidas para fingir que tem dentes?

— Fingir, Mr. Slang?

— Ponha a mão na consciência, meu amigo, e responda-me se é assim ou não.

Calei-me.

Capítulo XIV
DA CABEÇA E DA MÃO

Aquelas ideias de Mr. Slang sobre o parasitismo camuflado impressionaram-me profundamente. Cheguei a convencer-me de que o Brasil era a fragílima nação que é porque finge ser o país que não é.

— Mas acha, Mr. Slang, que a nossa marinha constitui um mero pretexto para gastar dinheiro?

— Que dúvida! Se não tem eficiência, de modo nenhum se justifica. E a sua inutilidade agravou-se depois do aparecimento do avião. Correspondem hoje, os caríssimos couraçados e cruzadores, às velhas armaduras de aço. Enquanto os combates eram a arma branca, desempenhavam com eficiência o seu papel mas logo que sobreveio a invenção da pólvora, tornaram-se inúteis. Que diz o meu amigo de um exército que hoje aparecesse em campo raso com os seus homens revestidos de pesadas armaduras medievais?

— Que era um exército de bobagem.

— E que diz da nação que gasta milhares de contos por ano para a conservação de umas armaduras marinhas que já tiveram o seu tempo, mas de que se riem hoje os aviões? Que vale um *dreadnought*? Para que conservar, à custa dos olhos da cara, custosíssimos monstrengos que um pequeno avião manda ao fundo com a maior facilidade? Parasitismo, meu caro. O estado é uma sociedade anônima que explora o imposto e impõe-se aos povos à força de dar-se como necessário. Exército, marinha e todas as mais criações do estado só existem para justificar a extorsão de impostos e a manutenção de um bando imenso de parasitas, aqui e em quase toda parte.

— Que absurdo, Mr. Slang! — exclamei horrorizado com o anarquismo daquelas ideias, admissível num russo, mas inconcebível num britânico.

Ele, porém, explicou-mas de um modo muito claro.

— Se nenhum povo possuísse exército e marinha, que sucederia?

— Ficavam indefesos...

— ...e simultaneamente inofensivos. Consequência lógica: desaparecimento da guerra no mundo. Um bem, pois. E se constituiria um bem a extinção dos exércitos e das marinhas, quer isto dizer que a existência deles é um mal.

— Teoricamente está certo, Mr. Slang. Mas seria necessário que todos os povos os suprimissem, o que não se dá. E se existem povos carniceiros como os leões, que se armam até aos dentes, os outros se veem forçados a fazer o mesmo.

— Sim, a armarem-se. Mas acha que é armar-se possuir caríssimos aparelhos de defesa que não funcionam por antiquados ou ineptos?

— Sua lógica é terrível, Mr. Slang, mas no caso brasileiro de nada vale. É impossível extinguir aqui os aparelhos de defesa inúteis e que muitas vezes se voltam contra o país. O povo brasileiro não o consentiria.

— Diga que o parasitismo camuflado não o consentiria. O pobre povo moureja na labuta pelo pão e só quer sossego — sossego que os aparelhos de defesa deste país, parece-me, não lhe permitiram ainda...

Ri-me das extravagâncias de Mr. Slang. Os ingleses têm cada uma... Mas concordei que a lógica no Brasil não funciona e que o parasitismo camuflado defende-se.

— Defende-se tanto, meu caro amigo, — confirmou Mr. Slang, — e aperfeiçoa-se tanto, que um dia os povos perdem a paciência e espojam-se nas revoluções. É o meio de que usam os cavalos para se libertarem dos parasitas.

— De que valem tais violências? Desaparece uma forma de parasitismo e surge outra. O parasitismo é irredutível...

— De fato assim tem sido, mas há esperanças de que um dia a humanidade possa ver-se livre dessa monstruosidade.

— Um dia!... — exclamei num muxoxo de incredulidade.

Mr. Slang não se deu por vencido.

— Há cem anos a escravidão parecia indestrutível. Hoje está quase totalmente extinta. Eu creio no progresso moral do homem.

— E crê também no governo novo? — perguntei, mudando subitamente de assunto.

— Não há governo novo, — respondeu ele; — o governo é uma continuidade ininterrupta. Há homens novos à testa de uns tantos serviços que mudam de chefes de quatro em quatro anos.

— Mas crê nesses homens?

— Vejo em quase todos eles uma qualidade muito séria — honestidade, o que já é muito em vista dos últimos quatro anos de inversão moral que o país teve. Poderão limpar um bocado do sujíssimo aparelho do estado e fazer as coisas dentro da lei, só.

— E acha pouco?

— Acho. A rigorosa aplicação das leis brasileiras não trará nunca felicidade ao país. São leis-cipós, que enleiam os homens e lhes embaraçam os movimentos. Além disso, o regime no Brasil é o inominável disparate fisiológico do corpo com três cabeças autônomas — os três poderes. A natureza não criou nada com três cabeças.

— As minhocas tem duas.

— Duas apenas, e por isso, envergonhadas, metem-se pela terra a dentro. A tricefalia é pura monstruosidade anatômica.

— Mas na Inglaterra também é assim.

— Engano. Na Inglaterra a cabeça é uma só, o Parlamento. O executivo é mão.

— E o judiciário?

— Um mero ajustador. Não é poder.

— Mas aqui, na realidade, a cabeça é o executivo. Dá na mesma.

— Não sei, — exclamou Mr. Slang com certa bonomia, — se dará na mesma atribuir ao que é mão funções de cérebro. A experiência do passado quatriênio parece-me decisiva. A mão executiva pensou e agiu como cinco dedos...

— Já com o governo novo não se dará isso. É mão limpa.

— Logo, o sistema brasileiro está errado, — concluiu Mr. Slang. — Equivale a um jogo. Fica de quatro em quatro anos na dependência da qualidade da mão que o empolga.

— De fato assim é. Mas o Congresso, como o temos, não merece ser o detentor da hegemonia. Se a mão do executivo não lhe puser freios não sabemos onde irá parar o país...

— Se o mandatário é incompetente, o povo que lhe casse o mandato e escolha outro à altura da missão.

— Mas o nosso povo é incapaz de escolher. Não tem a cultura, nem a educação moral necessária para escolher.

— Nesse caso, como vive o seu país sob forma de governo representativo? Não acha um monstruoso contrassenso?

Não tive por onde escapar. Mr. Slang levava-me à parede.

— A democracia, Mr. Slang! — exclamei, fazendo frase. — As conquistas democráticas, a integração Republicana na América...

Mas o inglês viu que eu brincava e mudou de assunto.

— Já leu isto? — perguntou-me, tirando da estante um pequeno livro escolar. Corri os olhos pelo título: *Little Arthur History of England*, de Callcott.

— Neste livrinho, — continuou ele, — aprendi os rudimentos da formação do meu país. Aqui no capítulo VIII trata a autora, em linguagem ao alcance de qualquer menino, de como se formou o parlamento inglês. Cada cidade enviava ao rei três ou quatro dos seus homens mais hábeis, os quais se reuniam numa casa dita, em velho inglês, *Witenagemot*, ou reunião de homens avisados. Reuniam-se e davam opinião sobre as leis que o rei queria fazer. E o povo só aceitava as leis dos reis quando esses seus homens as consentiam. Assim nasceu o parlamento e com esta função se tem conservado até hoje. Cá no Brasil as coisas parecem-me diversas. Ser representante do povo constitui apenas uma profissão altamente remunerada.

— Quer dizer...

— ...que essa função, como tudo mais, degenerou aqui em parasitismo.

— Pobre Brasil! — exclamei compungido. — Tudo nele degenera...

— Até o xadrez. Passa de arena de luta silenciosa a campo de debates, — concluiu Mr. Slang, quilotando filosoficamente o seu cachimbo com umas dedadas do louro *Navy Cap*.

Capítulo XV
DA IMPORTAÇÃO DE CÉREBRO

Estávamos na sala de jantar quando soou a campainha. A criada foi atender e logo voltou a dar conta do que era. Vinha sorridente, toda enlevada numa cesta de frutas artificiais que trazia na mão.

— Está aí um sujeito, — disse ela a Mr. Slang, — que vem oferecer esta "beleza" de frutas. Dez mil réis só...

Era evidente o interesse da criada em que o patrão adquirisse a "beleza".

— São comestíveis? — perguntou Mr. Slang.

— São de cera, — respondeu a criada.

— Pois nesse caso devolva-as ao homem. As frutas têm para nós uma função muito séria, minha filha: serem comidas. E estas você mesma declara que são de cera, substância que nem as abelhas, suas fabricantes, me consta que comam.

A criada olhou-o com assombro. Não podia admitir que um homem tão rico recusasse ter à mesa de jantar aquele primor de arte. Permaneceu irresoluta, como à espera de que Mr. Slang voltasse atrás na sua decisão. Mas Mr. Slang manteve-se firme.

— Leve-as ao homem, — repetiu. — São frutas para inglês ver — e já as vi.

A criada foi-se e Mr. Slang, voltando-se para mim, disse:

— Bem curiosa esta sua pátria, meu amigo. A terra dá tudo, já o disse, creio, o velho escriba Vaz Caminha. No entanto, para que houvesse frutas nas mesas foi necessário que aparecessem por aqui uns eslavos emigrados, fabricantes de frutas... artificiais. Não há casa burguesa onde não figurem nos etageres as tais frutas de cera que tanto seduziram a minha boa Dolly.

— É que as casas burguesas não podem tê-las naturais. Nossas frutas são caras como as joias e os livros. Muita praga, Mr. Slang. País quente...

Mr. Slang sorriu e disse:

— Está aí um juízo dos que chamo apressados. A praga é universal, mas o homem aprende a livrar-se dela. Ainda há pouco li no *Geographic Magazine* um estudo sobre o combate a uma praga da cana no Hawaí, ilha quente. A vitória foi completa. E não precisamos ir muito longe. Em S. Paulo a campanha contra a praga do café vai surpreendendo pelos resultados. Não é a praga que nos encarece a fruta, meu amigo, e sim a falta de transporte. O Brasil está parado porque ainda não se convenceu de que é tão absurdo um país sem vias de transporte como um corpo sem artérias e veias por onde circule o sangue.

— Realmente! E tanto que mal sobrevém a arteriosclerose o organismo humano começa a decair...

— Exato. Esclerose quer dizer decadência das estradas de rodagem do sangue. Pois o Brasil tem o seu sistema de artérias e veias completamente esclerosado. Chamam estradas aqui a sendas de boi e burro por onde o transporte de uma tonelada de carga se faz pelo mesmo processo, com a mesma lentidão e preço de séculos atrás. Isso torna o lucro do produtor praticamente igual a zero e eleva o preço de venda dos produtos a níveis fantásticos.

— Mas o remédio, Mr. Slang? — perguntei.

— Dificílimo. Remédio para tudo neste país só vejo os indiretos.

Admirei-me da resposta. O remédio contra a má estrada sempre me pareceu a boa estrada.

— Como, Mr. Slang? O remédio contra a má estrada ou a ausência delas é diretíssimo, é estrada!...

— Parece... — respondeu o inglês. — Se assim fosse, o problema seria dos mais simples e já estaria resolvido. O remédio é como eu disse, indireto. Para ter a rede de estradas que a sua economia está pedindo, só possui o Brasil um meio: importar cérebro.

Decididamente Mr. Slang extravagava.

— Importar cérebro?!... — repeti, franzindo a testa. — Não entendo...

— Sim. As nossas más estradas decorrem do mau cérebro que há por aqui. Para tê-las boas está claro que antes de mais nada havemos que importar bom cérebro. Que cérebro temos aqui? O luso, o áfrico, o ameríndio. São os brasileiros uma fusão de três cérebros anti-estradeiros. As estradas de Portugal e suas colônias são deficientes ou más; as da África são trilhas e as do ameríndio eram picadas pelo seio das florestas. O brasileiro não possui, não admite, não concebe, que a *estrada é tudo num país*, mas absolutamente tudo! É a instrução, a riqueza, a defesa, a ordem, a lei, a polícia, o progresso, a felicidade...

— A fruta barata...

— A fruta barata, e baratos também a carne, os cereais, a roupa e a casa. Há dias li no *Today and Tomorrow* do grande Henry Ford, um livro que está fazendo furor no mundo mas que vocês inocentemente ignoram, uma opinião sobre o Brasil. Diz ele: "*For while Brasil takes up one fifteenth of earth's surface and has extraordinarily rich natural resources, it has not had transport facilities for development. A country develops only according to the ease of transport, and most of Brazil has only six months of transport by motor because, during the other six months, the roads are too heavy for any car to force through.*" Vê? Ford tem a mentalidade dos povos estradeiros e sem nunca ter estado aqui compreendeu o que pouquíssimos brasileiros compreendem.

— Não há dúvida. As afirmações de Henry Ford são categóricas. "*Um país só se desenvolve por meio da facilitação do transporte.*" É isso mesmo. Mas o assombroso fenômeno norte americano explicar-se-á apenas pelo transporte?

— Passei o mês de outubro na América do Norte, — respondeu Mr. Slang, e posso dizer que não saí do meu automóvel. Em quatro semanas percorri vinte e quatro mil quilômetros, ou seja uma média de oitocentos por dia... Para percorrer esta mesma distância no Brasil, S. Paulo fora, o brasileiro vê-se forçado ao dispêndio de seiscentos e sessenta e seis dias!

— Que cálculo extravagante é esse, Mr. Slang! Não estou entendendo.

— Muito simples. Quantos quilômetros pode um homem viajar no Brasil, a cavalo, que é o meio de condução possível nesta terra?

— Seis léguas, sendo homem resistente. Seis léguas por dia, durante 30 dias, valem por áfrica.

— Pois está aí o meu cálculo. O herói que nesse andar quisesse percorrer cá os 24.000 quilômetros que eu comodamente e sem o menor cansaço, fiz em outubro nos Estados Unidos, teria de gramar 666 dias em lombo de matungo. Duvido que tal herói suportasse a tortura...

Fiquei a refletir nas carradas de razão que tinha o meu inglês. Mas a história da importação de cérebro ainda me importunava os miolos.

— Está bem. Seu cálculo está certo, Mr. Slang. Só não compreendo o remédio: importação de cérebro como meio de ter estradas.

— Explico-me, — respondeu ele. — Por importação de cérebro entendo imigração, entrada de europeus. Noto que no Brasil só há estradas em S. Paulo, Santa Catarina e num ou outro trecho onde penetrou cérebro europeu. E concluo daí que, praticamente, o problema só se resolverá por essa forma indireta.

— Mas S. Paulo cuida cada vez mais de estradas e não podemos atribuí-las ao europeu. Os autores desse movimento foram os paulistas.

— De fato, vejo os paulistas no leme da administração. Mas não contassem eles com a força propulsiva da população rural já muito infiltrada de cérebro europeu, e estariam, como os mineiros, no carro de boi ainda.

— Minas também já começa a pensar em estradas.

— Começa... Levará um século começando. Sem importação de cérebro Minas não se porá em movimento.

— Acho que Mr. Slang tem razão, — exclamei, ao recordar-me da campanha feita em S. Paulo contra as estradas de rodagem. Insultavam de "estradeiro" ao presidente que iniciou o movimento...

— Cérebro, meu caro. O Brasil tem que importar cérebro. Com este cérebro velho, cheio de teias de aranha e bolor, nada vai. No governo vejo um moço que me parece significar cérebro revitalizado, desse que o Brasil precisa.

— Victor Konder?

— Sim. O pouco de cérebro que entrou no seu estado natal, Santa Catarina, já criou lá o sistema de artérias e veias que as condições requeriam. O problema brasileiro se resume em eliminar da raça que povoa este território o peso retrógrado de certos elementos que a compõem.

— Enxertia...

— Sim. Enxertar cérebro novo no cérebro velho.

Nisto a criada entrou, ainda com as frutas artificiais na mão. Vinha insistir com Mr. Slang para que adquirisse a obra prima.

Mr. Slang riu-se e murmurou para mim:

— Vê? A minha Dolly é como o Brasil. Também gosta de ilusões. Vou ver se descubro algum cirurgião que lhe abra o crânio e meta dentro um pouco de cérebro novo.

Capítulo XVI
De frutas e livros

No outro dia Mr. Slang contou-me que a Dolly tinha comprado a cesta de frutas de cera para enfeite do seu quartinho.

— Quando a mentalidade é viciada, — disse ele, — há uma resistência passiva às tais verdades que entram pelos olhos. A boa Dolly só aparentemente cedeu às minhas razões. No fundo está convencida de que a função das frutas não é só para a alimentação. Equipara-as às flores e as quer como enfeite. Tal qual o Brasil com a sua marinha e as mil outras frutas artificiais que lhe dessangram o orçamento.

Não concordei com a inclusão da marinha entre os nossos arrebiques.

— Perdão, Mr. Slang. Um espírito justo como o seu não deve insistir em fazer mau juízo da nossa marinha, — disse-lhe com patriótica severidade.

— Não faço mau juízo, meu caro. Considero-a apenas um luxo em excesso caro para um país que vive á custa alheia.

A ofensa fez-me vir o sangue às faces.

— Mr. Slang!... — exclamei em tom de censura.

— Sim! — retrucou ele, irritado. — O Brasil vive de empréstimos cujos juros não paga. Sou um dos seus credores. Tenho títulos dos quais não recebo juros. Posso falar. Vive de empréstimos, a hipotecar tudo quanto possui e não me parece honesto que gaste um dinheiro que não é seu em exibições de povo rico.

Mr. Slang estava inteiramente fora da sua calma habitual. Que sensível é o bolso dos homens!...

— Perdão, Mr. Slang! Somos um povo soberano...

— Cada vez menos.

— Como? — exclamei, a sofrear a minha indignação. — Mr. Slang insulta-nos!...

— Cada vez menos, repito. Quanto mais um devedor se enterra em dívidas, menos soberano se torna. Há anos que não recebo os juros do dinheiro que de boa-fé emprestei ao seu governo. Fui enganado, e a soberania do seu país já não impede que eu lhe atire isto em rosto.

— Perdão! O *funding* foi um acordo entre duas partes.

— Acordo imposto pelo devedor relapso, — gritou Mr. Slang.

Tive ímpetos de estrangular o meu inglês, mas contive-me. Estrangulá-lo com argumentos, já se vê, pois éramos dois homens civilizados, libérrimos em nossas ideias e portanto incapazes de uma cena indecorosa. Faltou-me o argumento estrangulador e silenciei.

Arrefecido o assomo do credor lesado, Mr. Slang, com toda a calma, disse:

— A marinha brasileira faz a função das frutas de cera da Dolly. Enfeita o país. Em caso de guerra para o Brasil ou de fome para a Dolly, ambos compreenderão a inutilidade e o erro do enfeite que finge coisa útil.

— Mas não convêm remodelar a marinha num momento em que a aviação parece que a vai substituir. Somos prudentes. Estamos a ver onde param as modas.

Mr. Slang achou uma certa graça no meu adjetivo "prudentes".

— Noto, — disse ele, — que floresce nestas plagas uma lógica especial. Chamam vocês prudência não fazer uma coisa antes que essa coisa seja feita por todos os outros povos. Na Inglaterra chamamos a isso imprudência... No dia em que Blériot transpôs de aeroplano o canal da Mancha, a comoção da Inglaterra foi tremenda. Era o primeiro homem que penetrava em nosso território sem nos pedir autorização. E como onde entra um podem entrar milhões, a Inglaterra cuidou imediatamente de criar uma frota aérea que fosse a mais poderosa do mundo. A isto, sim, chamamos prudência.

— Mas a Inglaterra conserva a sua esquadra.

— Conservá-la-á enquanto durar o período de transição. Mas conserva-a em perfeito estado de eficiência, o que não se dá aqui. Lá será a marinha ainda por muitos anos, uma arma de uso real bem conservada e pronta para agir, mas desde já em segunda plana. Todos os cuidados hoje são para com a frota aérea — que nenhum povo possui melhor que nós. Mas aqui? Nada aéreo ainda — e no mar as frutas de cera da Dolly.

Aquele assunto me era doloroso; mudei de rumo.

— Basta, Mr. Slang. Quero agora que me diga por que razão incluiu ontem o livro entre as frutas e as joias.

— Não fui eu quem fez essa inclusão, foi o governo.

— Como?

— Não acompanhou o debate do caso pelos jornais? Pois o governo mantém o papel para livros taxado com imposto equivalente a cento e setenta por cento sobre o custo.

— Que horror, meu Deus!

— Mais que a seda. A seda paga de oitenta a cem por cento.

— É impossível! — exclamei atônito. — É um crime, isso!

— E fez mais, meu caro. Deu entrada franca de direitos aos livros impressos em Portugal. Quer dizer: criou um protecionismo às avessas — favores à indústria de lá contra a similar de cá.

— Impossível!...

— Essa taxa tornou o livro tão caro como a fruta, e hoje só os ricos podem ler.

— Mas como explica o fato, Mr. Slang? Quem teria interesse nessa perseguição ao livro?

Mr. Slang sorriu com maliciosa displicência.

— Que ingênuo é você, meu amigo! Todo mundo sabe a história da taxa sobre o papel, que surgiu em 1918. Um passe do Congresso. Dizem que houve um honrado senador que não resistiu à injunção de duas centenas de contos... e fez elevar a taxa do papel, bruscamente, de dez para trezentos réis.

— Que miséria, meu Deus! Esse homem merecia ser inimigo do dr. Bernardes e passar uns anos de vilegiatura na Clevelândia. Esfaquear a cultura de sua pátria pelas costas, em troca de trinta dinheiros...

— Duzentos, aliás... E a coisa vai ficando. A cultura não consegue derrubar essa taxa. Editores ingênuos dirigem-se ao Congresso com lamúrias. O meio positivamente não é esse...

Pus a mão na boca de Mr. Slang. Meu pudor de brasileiro não podia admitir que saísse de seus lábios a solução certa. Infelizmente a solução que ele ia apontar era a única certa...

— Mudemos de assunto, Mr. Slang. Esse caso é tão triste que me dá vontade de chorar. Vamos ao nosso xadrez.

Mr. Slang concordou e passamo-nos para a varanda.

Enquanto arrumávamos as pedras, contou-me ele de uma conversa que dias antes tivera com um editor. Homem positivo e sem teias de aranha no cérebro, para o qual a ciência da vida se resume em dançar conforme tocam. "Quando veio a isenção para os livros impressos em Portugal, disse ele, tratei logo de montar lá a oficina gráfica que pretendia montar aqui, e tenho ganho um bom dinheiro! Enquanto os meus colegas do Rio choram e lamuriam perante o Congresso, que é surdo quando não ganha para ouvir, vou enchendo os bolsos. Meu lucro é o imposto que os colegas de cá pagam. Tenho sobre eles uma vantagem de mil e trezentos réis em cada quilo de livro, vantagem automática, decorrente, não do meu trabalho ou do aperfeiçoamento da minha produção, mas apenas de ter-me colocado no ponto estratégico. Pois se o governo protege a indústria impressora de lá contra a de cá, o inteligente é passarmo-nos para lá, não acha? Que façam os outros o mesmo, em vez de se arrepelarem e irem falindo um por um..."

Senti um aperto na alma diante daquelas revelações, mas fui arrumando as pedras e saí com o peão do rei. Mr. Slang fez jogo idêntico e depois saiu com o cavalo. Eu estava com a ideia longe dali e em dado instante, involuntariamente, pensei em voz alta: "Que cavalos!..."

Mr. Slang surpreendeu-se com a intempestiva exclamação e olhou-me a fito. Atrapalhei-me e, para remédio, disse:

— Sim, que cavalos... mal feitos, estes cavalinhos de xadrez não acha?

Mas o raio do homem percebeu o que me ia pelo cérebro e retrucou de modo a me fazer admirar a sua penetração.

— Não há cavalidade nenhuma nessa desatenção aos reais interesses do país. Há má fé nuns poucos espertalhões e uma infinita incúria na massa dos congressistas. Já assisti a várias sessões da Câmara e assombrei-me do que nela se chama votar.

Também eu conhecia o Congresso, e sabia muito bem o que ali se chama votar.

— E o remédio, Mr. Slang? — perguntei ingenuamente.

— Não há remédio, — respondeu ele sorrindo. — É a quarta vez hoje que você me pede remédio, como se minha função na vida fosse receitar para o Brasil.

Calei-me e mergulhei-me no jogo. Mas antes disso ainda houve tempo de passar pelo meu cérebro a lembrança de dois remédios. Um, o de Capistrano de Abreu: vergonha. Outro, o de um amigo de S. Paulo, Maneco Lopes: pau.

Mr. Slang pela segunda vez me leu o pensamento e murmurou entre dentes.

— O remédio é um só, e sempre o mesmo: cérebro.

De fato. É o remédio para tudo. A surra que nesse dia levei no xadrez provou-mo sem demora.

Capítulo XVII
Dos "ladrões"

A varanda de Mr. Slang dava para uma casa em abandono, em cujo quintal uma caixa d'água nunca se enchia, apesar da torneira de alimentação conservar-se permanentemente aberta. É que a caixa, roída pela ferrugem, vazava em numerosos pontos.

Como eu pusesse os olhos na caixa furada, Mr. Slang disse:

— Há meses que está assim, desde que o último inquilino deixou essa casa. E sempre que a vejo tenho a sensação física dos orçamentos do Brasil.

Estranhei a comparação.

— Muito simples. O orçamento do Brasil compõe-se de uma torneira como aquela, a Receita, e de uma infinidade de "ladrões" por onde a água escapa. Sabe o que é "ladrão" em técnica hidráulica?

— Sei. Falso escapamento de água.

— Isso. Há "ladrões" em excesso na caixa d'água do Tesouro deste país. O dinheiro se escoa em pura perda por milhares de canalículos insidiosos, com prejuízo da nação e das obras públicas. Eu, se fosse governo, suprimia os impostos antieconômicos que estão empobrecendo o país, e para compensar o desfalque das rendas tapava os buracos.

— Suprimia os "ladrões"...

— Exatamente. Com a simples supressão dos "ladrões", os saldos avultariam. Calculo em duzentos mil contos o dinheiro escoado por esses canalículos em cada ano fiscal.

— Duzentos mil, Mr. Slang? Não está exagerando? — exclamei, incrédulo.

— Falo com base. Um dos últimos presidentes americanos, creio que Harding, fez isso na América do Norte. Depois da guerra o orçamento americano também se encheu de "ladrões". O desperdício das rendas públicas tornou-se assustador e o presidente resolveu pôr-lhe o basta. Para isso escolheu um grupo de auxiliares honestos e mandou-os inspecionar em segredo todos os serviços públicos e anotar tudo quanto representasse desperdício. A máquina administrativa foi assim revisada d'alto a baixo, sem que o funcionalismo o percebesse.

De posse dos elementos necessários, o presidente operou os cortes e obturou os "ladrões". Sabe qual foi o resultado?

— Economias, está claro.

— Uma redução de oitocentos milhões de dólares nas despesas.

Levei tamanho susto que por um triz não caí de costas. Oitocentos milhões de dólares eram assopro violento demais para a minha fraca mentalidade de mil réis.

— Oitocentos milhões? — urrei, com os olhos tão arregalados que, disfarçadamente, Mr. Slang chegou a tirar o fone do gancho.

Recaí em mim e disse-lhe, envergonhado:

— Não chame a Assistência, por favor. Não é caso. Assustei-me, mas já passou. Oitocentos milhões! É dinheiro...

— E esse corte se operou sem o menor prejuízo dos serviços públicos, ao contrário...

— Sem o menor prejuízo! — repeti arregalando de novo os olhos. — Quer isso dizer que...

— Que se o nosso governo fizesse coisa parecida, os resultados seriam idênticos. Só com a economia assim conquistada poderia o Brasil liquidar a sua dívida externa em breve número de anos.

Continuei de olhos arregalados, absorto, a pensar naquilo. Mas as objeções acudiram-me logo.

— Lá tudo é possível, Mr. Slang. Que não fará um país que adotou a lei seca? Mas aqui? Um absurdo!

— Por quê?

— Há os direitos adquiridos.

— Já vimos o que isso vale e não consigo admitir que certas medidas de simples honestidade só possam ser aplicadas na América do Norte. Apesar de britânico, vejo o Brasil com melhores olhos do que a maioria dos brasileiros. Noto entre vocês uma descrença excessivamente generalizada.

— E temos razão para isso, — gemi lembrando-me do quatriênio sinistro.

— Terão razões, mas não terão o direito de descrer do país. A boa vontade e o amor ao bem público operam prodígios.

— Sei disso. Mas a nossa mentalidade política se divorciou demais do bem público. Perdeu-o de vista. Só enxerga o bem pessoal.

— Não comparticipo dessa descrença, meu amigo. Basta que um homem no alto creia no bem público para que os maiores milagres se operem. E isso é mais fácil no Brasil do que em qualquer outra parte, uma vez que a forma real de governo aqui é a de uma perfeita ditadura sob aparências constitucionais.

— Fácil dizer, Mr. Slang. Os óbices são tremendos ...

— Mas não insuperáveis. Não há óbices insuperáveis para a boa vontade. E eu já noto por cá um começo de reviravolta na mentalidade. Conhece o vendeiro ali da esquina?

— O Ferreira, sei...

— Pois converso com ele há anos e sempre o vi feroz contra os governos do Brasil, não admitindo hipótese de regeneração. Mas ontem estive lá e achei o meu homem mudado. Perdeu a carranca. Já sorri, coisa que passou os últimos quatro anos sem fazer.

— "Que é isso, senhor Ferreira? Todo risonho..." — disse-lhe eu.

O homem acabava de ler um jornal amarelo.

— "É que, ao que parece, as coisas estão com o seu jeitinho de mudar. Estes vetos parciais... Há de crer que me tenho regalado com eles? Se continuam..."

— É o que dizem todos, — observei. — Há um se de expectativa geral. Tudo está em que continue, porque o povo anda cético a respeito de vassouras novas. Todas varrem bem no começo. Qual a sua opinião íntima, Mr. Slang?

— Eu de mim estou que as vassouras de boa piaçava varrem bem de começo a fim. Em todo o caso, espero. Tenho tido minhas desilusões. As mais das vezes a vassoura é boa, mas os amigos do lixo travam a mão do varredor.

— Continua o se, portanto... — murmurei desconsolado.

Neste momento entrou a Dolly com a cesta de compras no braço. Deu-nos o *good evening* e passou.

— A Dolly, por exemplo, — disse Mr. Slang voltando ao começo da nossa conversa. — Dou-lhe para as despesas da casa metade do que dava à sua antecessora, e passo melhor. É uma Harding de saias, que suprimiu todos os "ladrões" deste meu lar de solteirão.

— Numa casa é fácil, mas num país... — adverti, cético.

— Se Harding fosse vivo discordaria da sua opinião, meu amigo. Ele foi a Dolly dos Estados Unidos e achou facílima a tarefa. São sempre fáceis as tarefas que recebem o apoio da opinião pública.

— Mas teremos nós opinião pública?

Mr. Slang olhou-me surpreso.

— Boa pergunta! — disse. — Que somos nós dois aqui senão bocas da voz pública? E a esta hora pelo país inteiro milhões de bocas como as nossas estão a cochichar opinião.

— Cochichar, diz bem, Mr. Slang. E por isso os governos não a ouvem. Fala a coitada tão baixinho...

— Já começa a falar pela boca das carabinas. Dar tiro não me parece cochichadela, — concluiu Mr. Slang.

Pus-me a arrumar as pedras no tabuleiro com um pouco mais de fé na nossa regeneração. O otimismo de Mr. Slang erguera-me o ânimo.

Nisso chegaram as folhas da tarde. Abri *A Noite* e procurei ansioso novas políticas de Minas. Achei-as. O homem que bombardeara S. Paulo fora indicado para senador... Opinião! Opinião!...

Capítulo XVIII
DO SUPLÍCIO DA SENATORIA

Passei uma semana sem subir à Tijuca. O estado de sítio chegara ao fim e o meu tempo era pouco para a leitura das folhas. Com que gana elas se desforravam do longo período de arrolhamento, pondo de novo na rua os velhos adjetivos aferrolhados pela Censura!

Muita graça achei na volúpia com que a expressão "negro burro" passou a rebolar-se no papel impresso — expressão que meses antes, cochichada que fosse, conduzia incontinente às geladeiras policiais.[4]

Subi, afinal. Encontrei Mr. Slang "respigando pitoresco" nas folhas da manhã.

— Sua safra de recortes deve ter sido abundantíssima, — disse-lhe eu. — Os jornais andam agora de encher o olho.

Mr. Slang primeiro marcava a lápis azul os trechos a recortar. Depois metia a tesoura, quando não encarregava dessa tarefa a boa Dolly.

— Nem por isso, — respondeu ele. — Tem vindo à tona muito menos do que eu esperava.

— Pelo amor de Deus, Mr. Slang! Acha pouco?

— Não é que ache pouco. Um milésimo disto já punha abaixo uma situação na Inglaterra. Mas estou vendo que o grosso não transpirará.

— O grosso? — repeti admirado. — Haverá um grosso?

Mr. Slang sorriu com evidente piedade da minha *sancta simplicitas*.

— Tenho um amigo no Banco do Brasil, — disse ele, — que conhece a conta corrente secreta desse estabelecimento com o governo. Mostrou-me apontamentos — e se não me assombrei é que tenho quarenta anos de vida no Brasil.

---

4 O chefe de polícia do governo Bernardes fôra o Marechal Fontoura, que era mulato escuro. Daí ser proibido o uso dessa expressão.

— Mas não acha, Mr. Slang, que devia o novo governo publicar isso?

— Não. O novo governo está empenhado em pôr fim à revolução e não é lançando lenha às fogueiras que se extinguem fogueiras.

— Não entendo...

— Se conhecesse a tal conta corrente entenderia. Não há homem de sangue vivo que ao conhecê-la não sinta ímpetos de ir incorporar-se aos revoltosos. Se o governo a publicasse, esse simples fato redundaria em tamanho aumento da coluna Prestes, que, babau! lá se ia a legalidade. O governo novo é prudente. Não procura apagar incêndios com jactos de gasolina.

— Mas os crimes não devem ficar impunes. Diz o brocardo: *fiat justitia pereat mundus*. Faça-se justiça ainda que pereça o mundo.

— Há uma ideia mais inteligente que a desse estúpido e cruel brocardo e nessa ideia se assenta o moderno conceito de justiça. É a substituição do *pereat* pelo *floreat*. Faça-se a justiça para que prospere o mundo. Se de um ato de justiça redundar mal maior, essa justiça é injusta.

— Quer dizer que Mr. Slang defende a encampação pelo novo governo das desonestidades do velho...

— Nem defendo, nem vejo encampação. Acho apenas que é sábia a política do ponto final e consequente *vita nuova*. Havia aqui numa chácara vizinha um monturo. Veio um jardineiro inepto e o revolveu. A consequência foi adoecer esse homem e ficarmos, eu e a Dolly, com ar empestado por dois dias. Um monturo, com ser revolvido, não deixa de ser monturo — e empesta. Além disso, dinheiro que voa não volta mais.

— Essa sua teoria é cômoda. Graças a ela desaparece do mundo a responsabilidade criminal.

— As minhas teorias decorrem das condições por assim dizer personalíssimas do ambiente brasileiro. Está claro que na Inglaterra eu não poderei pensar deste modo.

— Dois pesos e duas medidas...

— Certamente. Na Inglaterra há, perfeita em sua formação, uma coisa que mal se esboça aqui — consciência moral. Um crime lá é um crime.

— E aqui?

— Não há crime em terra de consciência moral em gérmen como aqui. O mesmo fato, tido como crime horrendo por uns, é louvado por outros. Não há crime no Brasil. Matar, desviar dinheiros públicos, bombardear cidades ou saquear são atos que ainda não constituem crime no Brasil. O crime brasileiro, por enquanto, é um só: dissentir do governo.

— Realmente! — exclamei. — É esse o crime imperdoável e o que recebe todos os castigos. Conheço um sujeito que roubou, matou um homem e violou três meninas. Nada lhe aconteceu. Mas votou no Nilo Peçanha e foi morrer de febres na Clevelândia...

— O seu exemplo justifica muito bem a minha tese. A consciência moral brasileira ainda está nos primórdios da formação. Estado caótico, período da pedra lascada, quando muito.

— Compreendo, compreendo... É por isso que em São Paulo a simples constituição do Partido Democrático é vista como um crime.

— Pois sem dúvida! E dos crimes imperdoáveis. O bugre inda vos lateja sob o paletó saco, meu amigo. Há a ficção Republicana por cima, uma roupa-feita. Por baixo estão Cunhambebe, Zumbi e Pina Manique.

— Vá que seja assim, Mr. Slang, mas em todos os países observo malversão de dinheiros públicos e abusos do poder. Nem a sua Inglaterra escapa.

— O homem que Maquiavel e Hobbes definiram é o mesmo em toda parte, na Groenlândia ou em Paris. Mas nos povos de consciência já formada existe, para contrabater o crime, o castigo.

— Para os pequenos. Os grandes escapam sempre.

— Warren Hastings era grande e não escapou. Conhece-o?

— Já li o ensaio de Macaulay a seu respeito.

— Macaulay julga-o com muita serenidade. Primeiro governador das Índias, Hastings portou-se como um herói na guerra contra os franceses. Subjugou os rajás e consolidou a dominação britânica, anexando territórios e criando os alicerces que até hoje nos asseguram a posse desse opulento pedaço da crosta terrestre. Um conquistador, em suma, e ao molde dos que se tornam ídolos nacionais. Mas Hastings abusou do poder. Supliciou indígenas, extorquiu dinheiro aos rajás, impôs tributos iníquos e com estas brutalidades ergueu contra si a consciência moral da Inglaterra. Macaulay descreve o terrível processo a que o submeteram e que durou quase um decênio, arruinando-o. Sheridan, Fox e Burke se celebrizaram pelas suas arengas no Parlamento contra o herói nacional. Foi absolvido, mas ficou à margem. Nenhum governo teve o topete de dar a mão ao condenado pela consciência pública. Embora reconhecido como um dos maiores homens que ainda produziu a Inglaterra, o obreiro máximo da sua grandeza colonial, era para a opinião um criminoso e jamais foi perdoado. Viveu o resto de sua vida no retiro de Doylesford, a expensas da Companhia das Índias, pela qual muito fizera. E isto em 1700 e tantos. Quer dizer que nessa recuada época já estava cristalizada a consciência moral da Inglaterra.

— É, mas... e nos outros países? O que houve na França contra Dreyfus...

— Lembre-se que Dreyfus foi reabilitado.

— Na Itália...

— Não fale na Itália de hoje. Está revolta, com os dedos de uma possante manopla a lhe apertarem o gasnete. Mas na Itália constitucional existe o caso do ministro Nasi.

— O que subvencionava jornais...

— Sim. E que foi pilhado mandando pagar trinta mil liras a um. O escândalo explodiu. Nasi foi processado e condenado. Cumpriu pena e não mais se reabilitou na opinião pública.

— Trinta mil liras! Dez contos de réis! Que ninharia... Dez contos aqui um ministro dá por uma ordem telefônica ao banco e não acontece coisa nenhuma. Diz bem, Mr. Slang. No Brasil não há crime. Não há penas, não há punição. Um homem de estado pode fazer tudo, porque coisa nenhuma lhe acontece...

— Acontece, sim, — contraveio Mr. Slang.

Olhei para ele de olhos arregalados. Estaria bobo o meu inglês?

— Os Warren Hastings daqui são castigados com um castigo inédito...

Percebi a ironia e antecipei-a:

— Com a senatoria, não é?(⁵)

Mr. Slang fez um muxoxo muito divertido e concluiu:

— Cada povo possui os seus instrumentos nacionais de castigo. Havia ou há o cnute na Rússia. Há o castelo de Monjuich na Espanha. Na Turquia houve o empalamento. Se são tão pessoais os povos no invento dos seus castigos, que muito é que o Brasil crie o seu?

Pus fim à conversa. Quando Mr. Slang "bernardshawisava", eu desconversava...

Capítulo XIX
Das elites

Na tarde seguinte, ao esperar na Avenida o bonde que me levaria à Tijuca, avistei Mr. Slang parado defronte a uma vitrina. Era a primeira vez que nos encontrávamos na cidade.

— Que novidade é essa? — exclamei conjuntamente com o aperto de mão.

— É que parto amanhã para Hong-Kong e vim despedir-me da cidade, — foi a sua resposta.

Assombrei-me. Aquele homem partia para a China como nós partíamos ali para a Vista Chinesa, sem aviso prévio, sem atroar os ouvidos do mundo com o brasileiríssimo grito de guerra: "Vou para a Europa, sabe?" Viajar para Mr. Slang era coisa tão comezinha como tomar um café expresso...

— E qual o motivo, Mr. Slang, da sua fuga, se não é indiscrição?

— Cansaço do Brasil.

— Detesta assim o nosso país?

— Ao contrário, adoro-o, e para o meu estudo sobre o parasitismo não creio que haja no mundo campo melhor...

— Sempre a cobaia...

— Mas como tudo cansa, costumo periodicamente descansar do Brasil. O ano passado descansei do Brasil na Suécia e cansei-me logo da Suécia. A ordem que lá reina é excessiva, meu caro. Mata o pitoresco. Ao cabo de três semanas voltei, saudoso deste maravilhoso éden dos imprevistos.

— E por que se retira, então?

— Está me parecendo que daqui por diante, com o governo novo, vai o Brasil normalizar-se. Volta o império da lei, do bom-senso e da justiça. Ora, isto destrói o pitoresco social que cá me trouxe.

Que alma satânica possuía aquele homem! As nossas desgraças é que o retinham por cá. Achava-as pitorescas...

— Ordem e justiça, — continuou Mr. Slang, — só me interessam no Império Britânico. A América do Sul quero-a como sempre a tive: convulsa, facinorosa, isto é, pitoresca. E já que se pretende instalar aqui a ordem, mudo-me. Ordem por ordem, tenho a inglesa, que é de pedra e cal e não momentâneo acaso político.

---

5 O ex-presidente Bernardes foi eleito senador.

— Mr. Slang esqueceu-se de que a revolução ainda não acabou. Prestes continua a revolver os sertões.

— Só me seduz a desordem urbana, aqui no centro, bem visível e observável do meu Alto da Boa Vista.

— E não volta ao Brasil?

— Pode ser. Tenho muitas esperanças na reeleição, para o futuro quatriênio, do meu velho amigo Bernardes. Se tal se der, está claro que voltarei. Considero-o um dos mais interessantes casos biológicos da humanidade contemporânea e por forma nenhuma perderia um novo governo seu. Infelizmente vejo que contra ele se avoluma uma corrente de ódios, com força talvez de impedir-lhe o retorno ao poder. O Brasil não compreende ainda o singular valor dos homens "revolvedores".

— Está aí uma espécie que jamais vi classificada por nenhum Linneu da sociologia.

— Chamo assim aos homens que d'alto a baixo revolvem a sociedade. Pedro I foi um revolvedor — e note que lindo de pitoresco e imprevisto nos saiu o seu reinado! Já o filho, Pedro II, burocrata sábio e virtuoso, não revolveu coisa nenhuma. O Brasil lhe deve apenas meio século de sensaboria. Calígula foi um revolvedor. Napoleão outro.

— Que mistura, santo Cristo! Chego até a achar criminoso o seu ponto de vista puramente estético, Mr. Slang.

Notei que Mr. Slang não me ouvia. Estava enlevado num ônibus que passava à toda. Atrair-lhe-ia a atenção algum passageiro com a cabeça de fora?[6] Havia evidentemente um certo sadismo no ponto de vista estético de Mr. Slang...

Pusemo-nos a andar e enquanto andávamos desabafei. Eu tinha muitas coisas a dizer àquele frio leitor de Bernard Shaw. Muito ofendera ele, em nossas conversas, a minha aguda suscetibilidade de brasileiro patriota. Não podia, pois, raspar-se para a China sem ouvir-mas, e boas.

— Mr. Slang, — comecei, — a sua injustiça no julgar-nos deixou-me com um peso n'alma. Não somos o povo que o amigo pensa. Dentro de nós há uma alma que o estrangeiro jamais compreenderá, e em matéria de honestidade, juro-lhe, não ficamos a dever ao mais sardento britânico. Os nossos homens públicos são mais honestos do que os jornais dizem. O assalto ao Tesouro é menor do que parece. Como exageramos, como proclamamos e damos vulto a acusações levianas, julgam-nos mal os de fora, mas há nisso um evidente erro de perspectiva, como vou provar.

E fui provando até à primeira esquina, onde nos detivemos próximos de dois sujeitos que estavam por ali a conversar em voz baixa.

— "Fez muito bem, — dizia um. — Se você não tirasse, outro tirava. Dinheiro de governo é como nota perdida na rua. Se quem passa primeiro não pega, outro pega..."

Mr. Slang, que não havia respondido à minha tirada patriótica, limitou-se a um olhar de malícia. Corei até à raiz dos cabelos e arrastei-o para diante.

— Outra censura descabida que comumente nos lançam em rosto, — prossegui, — é a nossa falta de consciência moral. Temo-la, porém, e já em muito adiantada cristalização. Acatamos os direitos alheios, respeitamos a personalidade huma-

---

6 Dias antes um passageiro de ônibus pusera a cabeça de fora e a teve arrancada por outro vindo em sentido contrário.

na, talvez tanto como na Inglaterra. Há abusos, não nego, mas que acabam punidos. Não nos devemos deixar arrastar pela grita dos órgãos amarelos. São jornais de oposição, sistemáticos no aleive e na calúnia. Mais de metade do que narram a respeito de violências das autoridades não passa de puro exagero... — e fui por aí além até à segunda esquina, onde paramos pela segunda vez.

O arteiro acaso quis que também ali estacionassem três investigadores policiais, tipo secretas, em regalada troca de impressões.

— "Ele protestou que era inocente, — dizia um, — e alegou que não tínhamos prova. O doutor delegado mandou passar-lhe a borracha e trancá-lo nu na geladeira. Um advogadinho aí qualquer requereu *habeas corpus* e o juiz pediu informação. O doutor delegado piscou o olho e oficiou que não sabia onde estava o réu. E eu ferrei-lhe duas dúzias de bolos, dos bens puxados..."

Segundo olhar malicioso de Mr. Slang e segunda onda de sangue no meu rosto. Arrastei-o novamente para longe daqueles miseráveis, e pelo caminho lhe fui dizendo:

— A ralé inda não possui formação moral. Muito misturada e sem cultura. Mas num povo valem as elites, e quanto a estas não há negar que já as temos bem apuradas. Duvido que na orgulhosa Britânia haja uma nata mais bem formada que a nossa, mais ardente de patriotismo e rica de abnegação.

E fui por aí afora até à terceira esquina, onde pela terceira vez paramos. Mr. Slang ouvia-me sem nada dizer. Percebi que desta vez o convencera ou pelo menos abalara algum juízo temerário que a respeito das nossas elites viçasse em sua consciência. Mas de súbito vi caminhando em nossa direção um grupo de três senadores, um dos quais jogava pôquer com seis cartas. Senti um calafrio percorrer-me o corpo e, antes que a palestra dos três expoentes da nossa nata política chegasse ao alcance da apurada audição de Mr. Slang, agarrei-o pelo braço e meti-o num automóvel.

— Vá para a China, Mr. Slang, vá deleitar-se com a desordem que está infernizando o ex-Celeste Império. Mas vá convencido de que a nossa elite salva-se.

Mr. Slang não sorriu. Apertou-me a mão de um modo efusivo e disse apenas:

— Não se aflija, meu amigo. Eu creio na existência de uma elite moral no Brasil. Apenas admito que está arredada da sua função orgânica. Está à margem, à espera de que a chamem. Uma reserva por enquanto — mas uma bela reserva, creia.

Respirei e tive ímpetos de beijar Mr. Slang.

Capítulo XX
DOS TRINTA HOMENS

Fui ao bota-fora de Mr. Slang. Penetramos juntos no navio e ficamos longo tempo debruçados na amurada, assistindo ao movimento de embarque.

— Está vendo aquele homem baixote e gordo, vestido de caxemira cinza? — perguntou-me ele em certo momento.

— O que está próximo ao guindaste?

— Sim. Conhece-o?

— Não; só de vista.

— Pois é um dos homens-força deste país. Por falar em força: quantos homens calcula você que possui o Brasil?

A pergunta pareceu-me ingênua. Não obstante, respondi:

— Metade da população total do país, uns quinze milhões, sem dúvida.

Mr. Slang filosofou:

— As estatísticas erram psicologicamente. Contam como homens aparências de homem, burocratas da biologia. No Brasil, pelos meus cálculos, haverá uns trinta homens.

Ri-me. Vinha paradoxo pela certa.

— Trinta só, Mr. Slang?

— E acha pouco? No mundo inteiro não haverá mais de dois mil homens, talvez nem mil. Por homem entendo unidade de força social construtora, elemento propulsivo, engenheiro do dia de amanhã. Animal muito raro. Apesar disso, ou muito me engano ou esse homem gorducho é um dos trinta do Brasil.

Cravei os olhos no ser prodigioso que era unidade em tão restrito grupo.

— Chama-se Belisário Pena, — continuou Mr. Slang, — e é o engenheiro que tomou à sua conta a construção da saúde do Brasil. Um perfeito apóstolo. Tem feito tamanho bem à sua terra e o fará ainda tanto que — escreva o que vou dizer: acabará na Clevelândia.

— Hom'essa! Que prêmio horrível foi Mr. Slang descobrir para um homem de tal benemerência!...

— Sei da vida, meu amigo. Os apóstolos, os construtores do amanhã, acabam sempre em Clevelândias. Isto desde Jesus.

— Quer dizer que nos nega o mais elementar sentimento de justiça...

— Não nego coisa nenhuma. Mas acontece que os homens deste tipo se queimam nas próprias chamas. São sarças perpetuamente incendidas e portanto impolíticas. Falta-lhes o senso pragmático do instante em que vivem. Olham demais para o futuro. Enxergam muito longe e tropeçam. O comodismo do presente, incomodado, sempre perseguiu os "visionários".

— No entanto, eles vencem...

— Vencem, ou antes, fazem que vença a ideia que os apaixona. Mas pagam a vitória com a vida. É de todos os tempos e de todos os povos.

— Mas que fez esse Belisário Pena até hoje?

— Revelou ao país o seu estado de doença. Demonstrou que há no Brasil setenta por cento de criaturas bichadas pela verminose. Provou que em trinta milhões de criaturas há mais de vinte milhões de inutilizados, sombras de gente, cadáveres vivos, mero pasto de bichos gordos e satisfeitos.

— Que horror! — exclamei. — Esses números me abatem de tal forma o ânimo que sinto ímpetos de um mergulho mortal aqui na água do porto.

— Não faça isso, — respondeu com bonomia Mr. Slang. — Além de perturbar a doçura desta manhã tão boa, iria espantar aquelas pobres sardinhas que ali estão em inocentes cardumes.

A água do porto, batida de sol, deixava ver centenas de peixinhos prateados, em *dolce* e descuidosa natação. Teria Mr. Slang alma de S. Francisco de Assis e no meu suicídio só veria realmente o susto da população aquática?...

Transferi meu trespasse para melhor momento e perguntei-lhe:

— E os outros vinte e nove homens dos trinta que possuímos? Quem são eles?

Mr. Slang vacilou.

— A resposta não é fácil e tenho receio de que minhas previsões não obtenham o selo da confirmação. Todavia parece-me provável que o capitão Prestes possa ser enumerado como um deles.

— Oh, um revoltoso! — exclamei com repugnado acento legalista. — Um inimigo da ordem...

Mr. Slang redarguiu com socrática serenidade.

— Esta divisão entre revoltosos e legalistas é das mais precárias e muito me espanta vê-la em sua boca — ou na de qualquer outro brasileiro. Noto a vossa linda cidade cheia de estátuas de revoltosos. No palácio da Câmara vejo a estátua de Tiradentes, um revoltoso; vejo a de Deodoro, outro revoltoso; vejo a de Benjamim Constant, outro revoltoso. Na Avenida vejo a estátua de Floriano, outro revoltoso. Vejo ainda a estátua de Pedro I, outro revoltoso contra a legalidade da época. No largo de S. Francisco temos a de José Bonifácio, ainda um revoltoso. Aquela ponte que liga o continente à ilha das Cobras recebeu o nome de Alexandrino de Alencar, outro revoltoso. Quando venho da Tijuca passo pela rua Frei Caneca, outro revoltoso. Entre os feriados nacionais vejo o 21 de abril, homenagem aos revoltosos de Minas; vejo o 24 de fevereiro, comemorativo da Constituição, isto é, da carta política resultante da revolta militar vencedora a 15 de novembro; vejo o 7 de setembro comemorativo de outra revolta vitoriosa. E vejo ainda o 14 de julho. Não contente de homenagear as revoltas caseiras, o vosso país exalta as de fora e dá feriado no dia em que a plebe de Paris, revolta, destruiu a Clevelândia de Luís 16. Esta singular glorificação da revolta por meio do bronze, da pedra, da placa de rua e da vadiagem obrigatória, parece-me contraindicar esse focinho mégalista[7] que o meu amigo acaba de fazer ao ouvir o nome do capitão Prestes.

Era irrespondível aquilo. Mr. Slang, até no momento de partir, arrolhava-me à força de lógica. Mas resisti, e queimei os últimos cartuchos da minha pobre dialética.

— Tudo depende da causa da revolta. Se é nobre, está claro que se justifica.

Mas o filósofo saiu-me à frente com a rolha final.

— Apenas a vitória justifica, meu caro. Entre Isidoro e Deodoro só há uma diferença: um venceu e o outro não. Fora daí só vejo sofismas.

O navio apitou. Ia zarpar. Abracei Mr. Slang, deveras comovido e já saudoso da nossa amável convivência. Muito lucrara minha cabeça com a sua plácida ideologia, tão isenta de paixão transviadora.

— Nunca mais então, Mr. Slang?

— Quem sabe, meu caro amigo? O uso do cachimbo deixa a boca torta. Tenho quase meio século de residência no Brasil, com fugas para o estrangeiro que não somarão mais de seis anos contínuos. Vou ver a China e talvez Nicarágua. A China está se desopilando de um modo muito pitoresco.

— Desopilando? — repeti sem compreender.

---

7 O povo, no quadriênio Bernardes, chamava "mé" (o mé dos carneiros) aos que apoiavam o governo e diziam amém a tudo. O próprio presidente ficou com o apelido de "Seu Mé". A palavra "mégalista" em vez de "legalista" é invenção do autor.

Álbum de Memórias

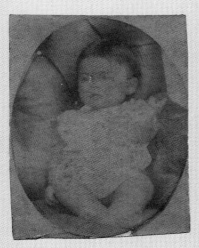

Monteiro Lobato com aproximadamente dois meses.

Monteiro Lobato, no colo, com seus pais.

Monteiro Lobato com sua irmã Judith (c. 1885).

José Bento Marcondes Lobato e Olympia Monteiro Lobato (c. 1882).

Monteiro Lobato com suas irmãs Judith e Esther (s. d.).

Monteiro Lobato (entre 1892 e 1895).

Grupo de alunos do Colégio Paulista (1895).

Grupo de alunos do Colégio Paulista – Monteiro Lobato, em pé, é o primeiro à esquerda (1897).

Monteiro Lobato, promotor, com o juiz de Areias (1907).

Monteiro Lobato e um amigo sentados em uma praça (1907).

A turma do Cenáculo (1903 ou 1904).

Fachada do Mirante no Belenzinho (1903 ou 1904).

Caderneta de identificação de Monteiro Lobato (05.11.1923).

Monteiro Lobato em um piquenique (entre 1907 e 1914).

Maria da Pureza Natividade Lobato – Purezinha (1912).

Anastácia com Guilherme Monteiro Lobato – fazenda São José (1913).

Judith, Purezinha, Anastácia e crianças (1913).

Purezinha com os filhos Edgard e Martha (s. d.).

Monteiro Lobato na Revista do Brasil (c. 1918).

A família de Monteiro Lobato (1925 ou 1926).

Monteiro Lobato em reunião na Revista do Brasil (c. 1918).

Monteiro Lobato em um almoço com amigos ao ar livre (c. 1920).

Monteiro Lobato na Embaixada do Brasil nos EUA (c. 1928).

Purezinha com as filhas Martha e Ruth em Jackson Heights – EUA (c. 1928).

Purezinha com as filhas e Campos em uma estação ferroviária nos EUA (c. 1928).

Filhos de Monteiro Lobato em Jackson Heights – EUA (c. 1928).

Purezinha em Nova Iorque (janeiro de 1928).

Filhos de Monteiro Lobato em Jackson Heights – EUA (c. 1928).

Joyce Campos (julho de 1930).

Monteiro Lobato, Anísio Teixeira e amigos em uma varanda (década de 1930).

Monteiro Lobato e Cléo Marcondes Ferreira (década de 1930).

Monteiro Lobato caminhando no centro de São Paulo (c. 1940).

Monteiro Lobato em uma reunião (c. 1935).

Monteiro Lobato caminhando por uma rua (c. 1940).

Joyce Campos em uma praia (c. 1940).

Fachada da Livraria Monteiro Lobato (1946 ou 1947).

Monteiro Lobato e a neta Joyce pescando no rio Paraíba (c. 1942).

Monteiro Lobato em um almoço com amigos (c. 1940).

Monteiro Lobato (c. 1948).

— A opilação da China não é como a dos brasileiros rurais. Opilou-se, não de ancilóstomos mas de europeus. Infiltraram-se-lhe no corpo como sanguessugas, e tanto lhe roeram o duodeno que ela está hoje em regime de xenocidas. A revolução chinesa não passa de movimentos convulsos para deitar fora os europeus aferrados à mucosa amarela.

— Ingleses, sobretudo... — murmurei.

— Sim, ingleses, americanos, alemães. O parasitismo, já disse, é a lei da humanidade, e a revolta constitui o timol competente. Vou observar *de visu* como a China aplica o seu timol contra os europeus.

A campainha de bordo soou. Abracei Mr. Slang pela terceira vez.

— Adeus, caro amigo, — disse-me ele. — Fique a sondar os acontecimentos. Se por acaso verificar que o nosso homem[8] inda pode subir ao Catete, escreva-me, que precipitarei a minha volta. Ele trará de novo a revolução. Adeus!...

Desci. A escada foi recolhida e o belo paquete moveu-se lentamente.

Fiquei no cais, de lenço na mão e lágrima no olho, a acenar para o meu inglês da Tijuca até que o barco se sumiu ao longe.

Gaivotas adejavam no azul, com repentinas descaídas para fisgadelas do peixe incauto.

Junto ao muramento do cais, a água, translúcida de sol, deixava entrever cardumes das imperturbadas sardinhas de Mr. Slang.

Tomei um bonde e remergulhei-me na cidade dos monumentos a revoltosos, calculando de mim para mim onde iria erguer-se em anos futuros a estátua do marechal Prestes...

Nota final

Os meus debates com Mr. Slang não se cifraram aos temas desenvolvidos nestes vinte capítulos. Dariam cem, talvez cento e vinte, se os fosse a todos fixar. Mas aonde iríamos?

Sobre o exército e a marinha, por exemplo, o nosso debate se prolongou por duas semanas, e não resisto à tentação de expor mais alguma coisa do que lhe ouvi.

Lembro-me de uma visita que fiz ao couraçado *S. Paulo* a convite do comandante Frederico Vilar, em companhia do Fernão Dias carioca, esse admirável Porto d'Ave e mais um grupo de neo-bandeirantes do Brasil.[9] Voltei de lá cheio de entusiasmo ante o maravilhoso estado de conservação do velho *dreadnought* e à noite subi à Tijuca para despejá-lo sobre o cepticismo do meu inglês implacável.

Encontrei Mr. Slang recortando um aerograma do tenente aviador Netto dos Reis, piloto insigne e fervoroso propulsor da aviação entre nós.

— Mr. Slang, — fui logo dizendo de cara, — acabo de visitar o *S. Paulo* e venho cheio de argumentos contra o que o amigo disse da nossa marinha.

O fleugmático britânico continuou a manobrar a tesoura e, sem erguer os olhos do serviço, apenas disse:

— Vejamo-los.

---

8 Artur Bernardes.
9 Sócios do Clube dos Bandeirantes, de que era presidente Porto d'Ave.

Contei-lhe o que vira. O meu rápido encontro com o almirante Souza e Silva, um valor técnico, sereno e frio, dos que demonstram a superioridade ao menor gesto. A admiração que me causara a figura singela do capitão Anfilóquio dos Reis, inteligentíssimo e senhor do seu comando como poucos. A ordem perfeita, o asseio meticuloso, o respeito a um velho e sábio regulamento, que não sofre na sua entrosagem a mínima alteração a não ser que venha indicada pelo evoluir natural das coisas e comprovada pela experiência no sentido de um maior rendimento útil. Falei dez minutos com um entusiasmo muito irmão do com que o capitão Vilar, esse dínamo de patriotismo, sabe influir nos que o ouvem. E ao cabo, quando julguei que Mr. Slang ia voltar contra mim o canhão da sua contradita, eis que com assombro o ouço dizer:

— Sei disso e reconheço que não há nenhum exagero em suas palavras. Dou-me com o almirante Souza e Silva e faço-lhe a justiça de o ter como digno de ocupar posto equivalente na marinha britânica. Dou-me também com o comandante Anfilóquio e duvido que algum capitão inglês traga o seu navio nas condições do S. Paulo e goze de tanto respeito e amor da guarnição. Também conheço o comandante Vilar, cuja notabilíssima obra sobre a pesca e educação dos pescadores me parece das mais sérias que ainda se fizeram neste país. Além disso, admiro na marinha o espírito de dedicação e o nobre culto ao dever que a distingue. No Clube Naval vejo em todos os andares o retrato de Saldanha da Gama, o almirante perfeito, cuja memória a marinha vem cultuando com uma ternura enternecedora, e nos navios noto o retrato de Marcílio Dias, o herói humilde que é uma lição para todos os jecas da maruja.

— Então como nega eficiência à nossa marinha?

— *Piano, piano*... Acho apenas que ela não possui o essencial a uma perfeita marinha. Não possui um aparelhamento sempre ao nível dos progressos rápidos que faz a arte naval — culpa que não lhe cabe, todavia, e sim a uns tantos governos ineptos e descuriosos que o país tem tido. Governos que brecam a marinha, lhe entorpecem o ardor, procuram burocratizá-la. Que vale ser bom atirador, se a arma é a pica-pau?

— Os governos nunca têm dinheiro e sem muito e muito dinheiro não pode um país conservar sua marinha ao nível dos progressos incessantes que o navalismo faz. A culpa não cabe à marinha.

— Perfeitamente. E por isso condeno a conservação onerosa do aparelhamento existente e o incluo no caso geral de parasitismo. Por melhor que a marinha conserve os atuais navios, de que vale isso, se estão todos atrasados de um quarto de hora? Na guerra vence quem chega primeiro, quem atira primeiro, coisas que só conseguem os que andam em dia com a evolução das armas.

Canhão que só alcança cinco milhas, por mais bem tratado que seja, e por melhor que seja a pontaria dos seus atiradores, vale tanto como um pedaço de pau — se defronta outro que alcança dez milhas. Ora, parece-me tolice conservar máquinas atrasadas, de ineficiência evidente e reconhecida por todos os bons cérebros de que a marinha dispõe.

— Mas *como* proceder, se não temos dinheiro? Como substituir nossos velhos couraçados, se um *dreadnought* custa hoje quatrocentos mil contos e vivemos nesta miquia eterna que Mr. Slang sabe?

— Exatamente por isso preconizo o avião, que é a arma do pobre. Couraçado é hoje arma de povo rico ou de povo que tem metalurgia e pode construí-lo em casa. Os dez milhões de libras que a Inglaterra gasta num couraçado ficam-lhe todos em casa. O dinheiro sai do povo, passa pelas mãos do governo e volta ao povo. Não há sangria. Mas aqui? Como nunca há dinheiro, fazem-se navios com dinheiro tomado de empréstimo e o custo deles se escoa inteiro em troca de ferro que enferruja, atrasa-se e perde todo o valor como arma muito antes que seja amortizada a quarta parte do empréstimo respectivo. Ora, isto cheira-me a absurdo, não acha?

— Como fazer então? Permanecermos inermes?

— Não. Apenas pensar em armas que estejam ao alcance do país, deixando as armas dos países ricos para os ricos. Além disso, o couraçado já teve a sua época. Desde que apareceu o submarino começou a sua decadência e hoje, depois do avião, está irremediavelmente morto. O elefante é uma frágil coisa, se o ataca uma nuvem de moscardos bombardeadores. A era dos grandes navios passou, e conservá-los, com desconhecimento disso e desprezo pela arma nova que os vem substituir, é preparar momentos tristes para o futuro.

— Mas a Argentina, único inimigo provável com que temos de contar, também possui couraçados.

— Sim, mas sempre em dia, sem o tal atraso que caracteriza os seus equivalentes no Brasil. Apesar disso a Argentina, mais previdente, já criou a sua nuvem de moscardos. Possui numeroso corpo de pilotos e numerosos aviões. Trezentos pilotos e outros tantos aviões terá ela.

— E nós?

— Uns quarenta pilotos, dos quais nem um só treinado em guerra. Quanto a aviões em estado de voar, haverá dois ou três. O resto, em desmantelo, enferruja-se nos hangares e só serve para onerar o orçamento e fazer número.

— É trágico isso que me está dizendo, Mr. Slang.

— Por enquanto, apenas curioso, respondeu ele; mas não nego que poderá tornar-se trágico um dia...

Psicologia do jornal

> Antes de iniciar sua colaboração n'*O Jornal*
> M. L. filosofa sobre a psicologia ou feição
> dos jornais. Isso em 1926.

Convidado a escrever n'*O JORNAL*, confesso que vacilo. E enquanto vacilo, ouço o filosofar sensato da pena. Estas humildes obreiras do pensamento, de tanto lidar com ideias aprendem a julgar-lhes o jogo de xadrez. E quando o cérebro se exalta, explui lava eruptiva ou desarrazoa, elas emperram e saem-nos com sensatíssimos conselhos.

— *Piano*, amigo. Olha a feição do jornal...

A pena é mulher, e dotada, portanto, do bom senso prático das mulheres — as iletradas, que não fazem versos. E não erra quem segue o conselho do que é mulher. Este, por exemplo, relembrativo da feição do jornal, é sábio como a própria sabedoria.

Cada folha tem sua feição personalíssima. É como o tom maior ou menor das músicas, esta linha mental que afina o órgão inteiro, do artigo editorial à mais simples notícia. Se fogem do tom, da linha, ai da música! ai do jornal! Auditório e público, chocados, torcem o nariz, rezingam e acabam pondo o chapéu na cabeça.

O jornal é uma casa de pasto, com quitutes de ideias e arranjo de pratos diários com o tempero ao sabor dum paladar que não muda. Freguês de jornal é como freguês de restaurante. Adquire hábitos gastronômicos, sérios e respeitabilíssimos. Se o jornalista, levado pela veneta ou por humores extravagantes perde o ponto de bala, dá sal demais ou mete banha de lata no que requer manteiga, arrisca-se a um "Idiota!" desconcertante e à perda dum freguês. Isso porque não há público: há públicos, partidos, facções, gente afim em matéria de exigências mentais, tom, timbre, estilo, temas e até disposição tipográfica.

Agremiam-se lentamente em torno da folha que melhor lhes vai com o diapasão, afazem-se à sua mesmice, e a ela identificam-se. Nada evidencia melhor este fato do que a observação dos leitores dos velhos órgãos. Chegam a abdicar do pensamento próprio, e esperam, para formar opinião, que lá se manifeste o seu mentor de papel e graxa.

— A peça de ontem? Fui assisti-la, mas não sei se é boa ou má. Inda não li o "jornal"...

Não dizem os jornais. Singularizam, porque opinião decisiva há uma só, a do seu jornal. Os outros...

Daí jornais de todas as cores e feitios — amarelos, rubros, cinzentos; escritos com cordite líquida ou mel rosado; vestidos à última moda ou capistranescamente; sisudos ou brincalhões; honestos ou canalhas. Dize-me que jornal lês, dir-te-ei que bisca és.

Na Inglaterra celebrizou-se a feição universal do *Punch*. Passassem os decênios, estraçalhassem-se as nações, criasse novas manchas o sol — o *Punch* não mudava — e isso dizia muito alto do encoscoramento conservador da mentalidade inglesa. Pois o *Punch* um dia mudou! Anda agora de frontispício novo, e todo gamenho das suas reformas internas.

Sintoma ultra-sério do traumatismo mental ocasionado pela grande guerra e sinal, sobre todos grave, de fim de um mundo.

Pois que mudou o *Punch*, adeus equilíbrio de até aqui! A ordem velha naufraga. A Rússia de Lenine vencerá. Incapazes de compreender a significação gravíssima do fato, os punchistas irredutíveis, clã vindo de pais a filhos com uma reforma de assinatura no orçamento caseiro, andam de focinho torcido e tristes. É que pressentem a seriedade do caso.

Entre nós um jornal houve especializado em asneiras. Duas ou três, gordas, cabeludas, e uma dúzia das miudinhas, temperavam-lhe a matéria diária, à guisa de azeitonas e pastéis. Assim prosperou. E chovesse ou fizesse sol, fôssemos monarquia de Pedro II ou República hermética, nunca deixou de servir a gulodice da praxe. Certo dia um secretário novo deu de reformar o cardápio, suprimindo as azeitonas. Pois o público percebeu, deu-se como lesado, murmurou, e passando da murmuração à boicotagem indicou no termômetro da caixa o grau da sua desaprovação. Apavorada com a queda das rendas, a empresa pôs no olho da rua o tal secretário e fez voltar o homem das azeitonas. O público serenou e tudo correu daí por diante como no melhor dos mundos possíveis.

Este fato tem sua explicação psicológica. Mostra a complexidade da vida, e como até a asneira é elemento da harmonia universal. Fornecendo-a diariamente, a granel, aquele órgão dava aos seus fregueses um meio prático de se demonstrarem, pelo contraste, que eram eles uns alhos. Ao topar uma cabeluda, diziam gozosos:

— É idiota este jornal! — e riam o saudável e reconfortante riso da superioridade mental provada.

Para conquistar o seu público jogam os jornais com dois elementos: tempo e constância de atitude. Confirma-se aqui o adágio: pedra que muito mexe não cria limo. Sem esta adoção duma cara ou máscara fixa, seja ela qual for, impossível criar o limo que torna o jornal vivedoiro. Se muda de cara duas ou três vezes, está irremediavelmente morto. O público — o limo — afasta-se, murmurando: "Ventoinha!".

Mudar nem para melhor, porque bem ponderado não há melhor nem pior. A verdade não existe, a vida é uma irisação, e tanto está certo Rui como Seabra. Tudo varia com o ponto de vista. O Rio é um para quem o vê da Avenida; é outro olhado da Praia Vermelha; e do alto do Pão, quatrocentos metros apenas acima do mar, não é mais nem um nem outro, e sim um quadro da natureza, uma simples paisagem. Afirmar que o verdadeiro Rio é este ou aquele é de ótima política para o partido em que formamos — mas nada filosófico. Pelo menos é isso o que nos ensina o filosofar da pena, fiel companheira por cujo bico escorre toda a sabedoria humana. E não só a sabedoria como a sandice, o que dá na mesma, polos que são, sabedoria e sandice, do mesmo mundo, o cérebro. Daí o prognóstico dos jornais. Afirme cada um o que bem saiba ao seu limo, e nada de voos planados pelo éter da filosofia pura onde mora a Dúvida — certeza única, mas de perigosíssimo uso cá embaixo. Jornal assim, só de filósofos seria entendido, e de mais ninguém. Quer isto dizer que nem um só leitor teria porque os filósofos ignoram a existência dos jornais. E quando apanham um é para dar-lhe emprego muito diverso do visado pelas empresas, chegando até a filosofar sobre o maravilhoso que seria se por acaso pudessem vir em branco.

Audiências públicas

Quando o Presidente Washington restabeleceu as audiências públicas suprimidas no governo anterior, M. L. pôs em relevo a ação profilática desse contato do chefe do Estado com o público.

Muito se tem louvado, à boca pequena e na imprensa, o restabelecimento pelo novo Presidente da velha praxe das audiências públicas, tão respeitadas pelo cada vez mais saudoso D. Pedro II. Chamam-lhe "praxe democrática" e por isso louvam — embora seu verdadeiro mérito não seja esse.

Que é uma audiência pública? Contato semanal do ápice da pirâmide com a base, do diretor supremo com o humílimo dirigido.

E quais as suas consequências? Aparentemente, solução de uns tantos casinhos pessoais; na realidade profilaxia de maravilhosos efeitos.

Todos nós temos na vida uma só coisa que nos interessa: o nosso problema pessoal. O Brasil, como povo, significa um bloco de 30 milhões de problemas pessoais que intentam resolver-se — e se resolveriam muito bem, visto como a criatura humana é engenhosíssima nesta matemática, se não interviessem dois fatores anômalos — abuso das autoridades e reflexos inconciliáveis da má organização político-social. Mas os fatores anômalos intervém e o problema pessoal encrenca-se, tornando-se "um caso". Ora, como no Brasil o arbítrio da autoridade virou regra e a organização político-social é perto de monstruosa, podemos afirmar sem medo de erro que os trinta milhões de problemas pessoais que somos equivalem a trinta milhões de casos pessoais.

A média das pessoas atendidas em cada audiência semanal é de sessenta; quatro anos de audiências públicas significarão, portanto, 11.520 casos resolvidos.

É pouco. É praticamente igual a zero.

O valor das audiências, todavia, não reside na sua escassa função terapêutica. Reside na ação profilática. O simples fato das autoridades, cevadas no arbítrio, saberem que o chefe da nação atende aos queixosos, como no tempo daqueles *imperantes débonnaires*, Henriques Quartos e Pedros Segundos, leva-os ao abandono do mau regime e à volta automática ao regime da justiça. E milhões e milhões de problemas pessoais entram a resolver-se por si mesmos, pelo jogo natural dos interesses e das limitações da lei. Eis como, com a simples instituição ou restauração das audiências públicas, o senhor Washington Luís passa a contribuir mais para a boa ordem das coisas do que com mil quilômetros de telegramas morais e cívicos — dos que os destinatários recebem com piscadelas de olho, a murmurarem de si para si — Que pirata!

São as audiências o meio prático que a experiência política dos povos encontrou, seja em monarquias, seja em Repúblicas, de fazer o chefe do Estado agir por catálise, isto é, por ação de presença.

Além desta possui outro efeito de não menor importância: pôr às vistas do chefe certos aspectos humanos deploralibíssimos, consequentes à viciosa organização social. O mendigo que lá aparece diz que há mendicância e fá-lo refletir nos meios de minorá-la ou saná-la. O opilado que o presidente recebe o conduz a meditar nas endemias que se alastram nas zonas rurais — e a dar atenção ao eterno clamor dos apóstolos ao tipo de Belisário Pena.

Mas se o chefe se tranca, ao modo de um Dalai Lama, e só deixa que os rumores do mundo lhe cheguem aos ouvidos por meio de uma corte celeste de espíritos santos de orelha?

Dizia-nos há pouco um fiscal da Prefeitura:

— O Dr. Alaor não é má bisca, mas não sabe do que se passa. Tranca-se no gabinete, como um Deus, e só conhece dos fatos através dos santos da secretaria. Estes santos fazem o seu joguinho e só o informam do que lhes convém.

A audiência pública é, portanto, o meio prático de pôr a divindade em ligação direta com as criaturas. Suprime a agência dos santos — e faz que muita gente má se coíba pelas simples ação do medo.

O PADRÃO

>Tempo houve, no governo Washington,
em que M. L. se preocupou com os problemas financeiros.
Neste artigo procura explicar com clareza o que é padrão monetário.

Os leitores dos jornais hão de andar tontos com o início dos debates em torno da estabilização da moeda, ponto central do programa do futuro presidente. Surgem economistas de todos os lados, como durante a grande guerra surgiram estrategistas em todos os cafés. E o público "fica besta". Mais discutem, mais debatem, e menos o público se esclarece. Por quê? Porque em regra os expositores também não possuem ideias claras. Baralham coisas embaralháveis e dão valores arbitrários às cartas. O coringa vale tudo para um; para outro só vale dez. Não definem os termos e discutem. Daí o caos.

Ameaçado de meningite pela leitura desses debates, resolvi socorrer-me de um velho amigo filósofo, sem níquel no bolso nem conta-corrente no banco, e pois insuspeito para falar de dinheiro. Os que o possuem ajeitam suas ideias às conveniências do pecúlio. Não merecem fé.

Esse pobre velho há quatro anos que vive como hóspede do Estado, num medíocre hotel de pedra com grades de ferro nas portas. O Estado garante sossego em torno da sua pessoa. Não deixa que ninguém vá incomodá-lo, nem sequer os parentes. Também impede que o meu amigo saia dos seus aposentos. Podia extraviar-se — como o Costa Leite — privando assim o Estado da obra de benemerência que é hospedar as criaturas de ideias um tanto diversas das dos demais. E esse amigo possui positivamente ideias novas, ideias meninas, dessas que irritam as ideias matronas, sacramentadas pelo bispo e oficializadas pelo governo.

Mas fui-me a ele. Obtive uma licença para visitar o precioso hóspede, e fui.

— Desejava trocar ideias a respeito do problema financeiro, — disse-lhe após as efusões do encontro.

O hospedado sorriu com doce malícia.

— Perdoe-me, mas não troco ideias. Sempre que o fiz fui roubado. Dá-las-ei, mas não aceito paga na mesma espécie. Pague-mas com um charuto, pois tenho o vício de fumar — e cá o dono do hotel não inclui charutos no menu. De que se trata?

— Do padrão. O futuro presidente ameaça quebrá-lo, e vestais já surgiram, abespinhadíssimas. Dizem que é uma heresia e uma imoralidade. Será?

— É! É uma heresia de lógica falar em quebra do padrão.

— Por quê?

— Porque não se pode quebrar o que está quebrado. Quando muito eu admitiria que se dissesse — requebrar o padrão.

— Falo sério e vou levar as suas ideias aos jornais, ajudando assim a orientar a opinião pública.

— Diga, a opinião que se publica, que dirá certo. Mas, venha cá: que é padrão?

— Padrão é...

— É uma coisa em que todos falam mas sobre que poucos refletem. O sossego de espírito que o nosso bondoso Estado me proporciona permitiu que eu meditasse sobre essa palavra, habilitando-me a responder à sua pergunta como se o próprio padrão falasse pela minha boca. Padrão é simplesmente o valor de uma coisa em relação a outra.

— E que é valor?

— Também uma relação entre uma coisa e outra.

— Mas valor econômico?

— Relação entre uma coisa chamada oferta e outra coisa chamada procura.

— Quer dizer que o padrão da nossa moeda é o valor...

— ...que ela tem em relação ao ouro, que é a moeda universal.

— A nossa moeda não é moeda, então?

— Moeda só é o ouro, por consenso universal dos povos. O nosso papel-dinheiro não passa de vales emitidos pelo governo — vales que o governo não paga em ouro porque não o tem e em vista disso os portadores os descontam na praça. A taxa desse desconto indica o padrão dos vales, isto é, a relação de valor entre o vale e o ouro.

— É móvel, nesse caso, o padrão do nosso dinheiro...

— Está claro. É de borracha. Daí a asneira que é falar-se em quebra de padrão. Desde que a moeda só é o ouro, e a relação de valor entre o ouro e os vales emitidos pelo governo varia sempre de acordo com os descontos que esses vales sofrem na praça, o tal padrão será sempre móvel.

— Mas o padrão de vinte e sete, o par?

— Houve um momento na nossa vida econômica em que esse número vinte e sete marcou a relação entre os vales e o ouro. Esse momento passou. Em seguida os números que descem de vinte e sete a quarenta e quatro vieram por aí afora marcando o padrão dos nossos vales, conforme a maior ou menor abundância de vales na praça.

— Mas a lei marca o número vinte e sete como o padrão fixo.

— A lei marca, mas que tem isso? Que vale a marcação legal? A vida segue por um lado e a lei fica feito múmia num canto. A vida não dá a mínima importância às leis escritas, em regra asnáticas e contrárias aos movimentos da vida. Não há padrão fixo. Isso é asneira da lei. Se padrão é relação de valor, como pode ser fixo?

— Nesse caso, como fixar o valor da nossa moeda?

— Passando do regime de vales para o regime da moeda ouro. Enquanto houver vales de curso forçado, haverá padrão, isto é, relação de valor entre esses vales e o ouro. Quebrar padrão é asneira de rabo.

— E qual o verdadeiro padrão da nossa moeda?

— Ai, ai, ai! Vejo que perdi todo o meu latim. Verdadeiros são todos, desde o de vinte e sete até ao de quatro. Em cada momento de nossa vida é verdadeiro o padrão indicado pelas taxas de câmbio do dia. Tão verdadeiro que qualquer banco troca os vales por ouro a essa taxa de câmbio, ou de desconto. Não há um mais verdadeiro que outro. Há a verdade do momento.

— E acha que o futuro presidente realiza o seu programa e nos dota de moeda de verdade?

— É possível. Ele está profundamente imbuído da necessidade de arrolar o país entre os povos honestos. A convicção é uma grande força e além disso ele é...

— Empacador!

— Isso mesmo. Só lamento que não complete seu grandioso programa pondo no ministério os dois grandes nomes nacionais naturalmente indicados.

— Na Praia Vermelha o Assis Brasil, não é?

— Isso mesmo. E na pasta da Guerra...

— Ele!(¹⁰)

O meu amigo sorriu e rematou:

— Como todo mundo neste país se entende bem em certos pontos! Passa-me o charuto.

Despedi-me e lá deixei o meu velho amigo Bom Senso no hotel de pedra onde o Estado o mantém incomunicável. Pelo caminho vim pensando:

— Será possível que as ideias deste homem sejam realmente tão perigosas?

A moeda de borracha
VERSATILIDADE DA POLÍTICA FINANCEIRA

Os jornais noticiam mais uma grande falência. Uma formidável empresa ligada a incontáveis progressos de S. Paulo, e resultado da inteligência e operosidade de dois homens de excepcional valor, caiu.

Mas a um exame rigoroso do assunto será certo que esses homens faliram? Não. Pois seus nomes significam inteligência e trabalho, e seria absurdo admitir que inteligência e trabalho possam falir.

O que faliu foi o nosso governo. O que faliu por excesso de estreiteza mental, de incompreensão, de ignorância queixuda, de estupidez, foi este nosso governo central de paranoicos.

Tal governo assumiu dentro do mesmo quatriênio duas orientações diametralmente opostas e igualmente denunciadoras da mais absoluta estreiteza mental: inflacionismo e deflacionismo.

Na primeira emitiu papel moeda e fomentou o redesconto no banco central, determinando com esta política financeira um artificial estímulo de vida nos negócios com base no crédito. As possibilidades e as facilidades de crédito bancário permitiram, muito logicamente, a todos os homens de iniciativa, largos saques contra o futuro, saques que seriam pagos a tempo, com grande lucro para o enriquecimento do país, se... se o mesmo governo, subitamente, sem dizer água vai, não adotasse nova política financeira, justamente oposta à seguida até então. Adotou-a com a inconsciência ingênua e convencida que a pobreza de miolo dá a certos homens levados ao poder pelo nosso absurdo regime de seleção às avessas.

As consequências foram as mesmas observáveis num trem a toda velocidade em cuja locomotiva um maquinista bêbado desandasse a manivela do contravapor: parada brusca, choques violentíssimos, telescopagem, mortes, destruição de material, etc. Até que tudo se remende e o trem possa retomar o movimento, quanta riqueza destruída, quanta energia inutilizada!

---

10 Prestes.

A RELAÇÃO ENTRE FINANÇAS E ECONOMIA

A adoção de uma qualquer política financeira cria um estado de cousas a que toda vida econômica do país se adapta. Torna-se um sistema de equilíbrio. Se esse sistema de equilíbrio se rompe de súbito, mil males se sucedem até que novo sistema de equilíbrio sobrevenha.

Foi o que se deu. O capricho queixudo do centro rompeu um sistema de equilíbrio por ele mesmo até ali aceito e fomentado, para criar outro. *Melhor* — diz ele na sua santa simplicidade, como se em física, por exemplo, o fenômeno da endosmose pudesse ser *melhor ou pior* que o da exosmose...

A vida de um país — seus negócios, seu comércio, sua indústria — só exige uma coisa para a plena expansão: estabilidade. Dentro de um regime de câmbio baixo ou de câmbio alto, o país pode igualmente prosperar e enriquecer se *houver estabilidade*. A condição da prosperidade não é esta ou aquela relação da moeda em curso com o valor do ouro, não é esta ou aquela taxa de câmbio, vinte e sete ou sete, mas simplesmente a estabilidade. Do contrário não há prosperidade possível, pois prosperar é construir e a base de qualquer construção é que o terreno não trema.

O MAL DA MOEDA ELÁSTICA

O nosso pobre Brasil vive no rol dos países mais pobres do mundo — e aqui na América entalado, qual um mendigo de *fundings*, entre dois nababos cada vez mais ricos, Estados Unidos e Argentina, unicamente por força da instabilidade do valor da moeda.

A moeda móvel (medida móvel! metro móvel! litro móvel!), sujeita a espichar-se ou encolher-se como borracha, cria no domínio econômico um regime equiparável ao do terremoto periódico em certas regiões vulcânicas do globo, onde não há construir nenhum edifício de vulto, senão casebres de palha e bambu.

O câmbio, índice visível do estado de doença da moeda papel, ora sobe, ora desce, como termômetro que é. E a descer ou a subir está sempre a destruir riquezas. Se sobe, destrói as riquezas criadas sob o regime da alta. De modo que *sempre, sempre, uma metade do país está perdendo o que ganhou*.

Vem daí que o pobre Brasil *trabalha* mas não *acumula* e vem daí a sua grotesca situação econômica no mundo.

UM EXEMPLO FRISANTE

Basta um exemplo para mostrar a nossa miséria.

O Brasil, com os seus incontáveis recursos naturais e seus trinta milhões de habitantes, produz menos que... a fábrica Ford! Henry Ford, à testa de cinquenta mil operários, transforma matéria prima em utilidades no valor de oito milhões de contos por ano. Nós, um país! não chegamos lá!...

E como chegarmos, se o regime é *criar e ver cair*?

Vivemos, em matéria de riqueza, a fazer e ver desfazer-se. O bom povo trabalha de sol a sol, os homens de iniciativa lançam as bases de grandes negócios; mas o fatal tremor na moeda sobrevém e tudo rui. Estes tremores são uma contingência lógica do sistema monetário que nos envenena — funesto em si e ainda por permitir experiências pessoais de governantes paranoicos que acaso subam ao poder.

Por uma inaudita felicidade parece que tudo vai mudar no próximo quatriênio. O sr. Washington Luís está senhor do problema e empenhadíssimo em resolvê-lo. Se o fizer, se estabilizar a moeda, se puser fim ao regime crônico do tremor da moeda, realizará uma coisa tão desconformemente grande que a nada se poderá comparar. Isso será o verdadeiro início da nossa vida como povo decente; será o fim da jogatina que tem sido a vida nacional; será o fechamento da era das aparentes falências da inteligência e do trabalho.

E será também o fim do ódio a S. Paulo. Porque é espantoso que a ininteligência chegue aos extremos a que chega. Há o propósito deliberado de abater S. Paulo *já que o resto do país não lhe pode acompanhar o progresso*!

Daí um imposto sobre a renda que só alcançará S. Paulo, daí os contravapores na política financeira, e o bombardeio, etc. Tudo isso é planejado para *refrear* a marcha de São Paulo!

Para tais mentalidades o Brasil não é um corpo uno. É um corpo parasitado por outro corpo: — S. Paulo, e cumpre atrofiar a este para benefício daquele...

Tais cabeças raciocinam como o louco que queimou a mão direita por vê-la mais hábil e produtiva do que a esquerda, convencido de que com isso beneficiaria o corpo...

A seleção às avessas dá resultados assombrosos...

GÂNGLIOS PENSANTES

Curiosa investigação, mas fora do alcance humano, seria, num dado momento, estudar o cérebro de um povo. Mas se nada há mais complexo que um cérebro humano, que dizer-se do cérebro de um povo, composto de milhares de gânglios esparsos pelo país inteiro, correspondendo cada qual a um cérebro individual autônomo? Os dirigentes julgam que dirigem, mas não dirigem coisíssima nenhuma. Quem na realidade dirige ou, melhor, quem elabora as diretrizes sociais são os pensadores, são os gânglios esparsos do cérebro coletivo. Aqui um medita — e dele virá uma futura norma financeira. Ali outro pesa e repesa fatos, conclui, induz — e dele sairá a clara visão sociológica de amanhã. Adiante outro adivinha — e em suas ideias se alicerçará um melhor código de regras industriais.

Onde está neste momento o cérebro do Brasil? Quais os gânglios autônomos cujo pensamento justo e certo nos encaminhará a todos, pela força de sedução da lógica e da verdade pragmática, para uma justiça e uma certeza?

Impossível dizê-lo, mas muito possível acertar com a indicação de um ou outro lóbulo elaborador de pensamento construtivo, realmente orgânico.

Em S. Paulo há um, Carlos Inglês de Souza, de feição intuitivamente econômica e dotado da grande força persuasiva necessária para fazer adeptos, formar corrente e atuar com a benéfica eficiência do jacto de luz nas trevas do nosso caos econômico. Apareceu há bem pouco tempo com um livro olhado de revés pelos sábios em finanças, pelos banqueiros que se gozam e tiram o máximo partido da nossa anarquia monetária. Essa obra é o olho d'água de um rio de amanhã.

Da *Anarquia Monetária*, de Carlos Inglês de Souza, vai sair o reajuste da economia nacional à base única da prosperidade: a fixidez da moeda.

Carlos Inglês é pois um gânglio cerebral do país — o gânglio do bom senso econômico.

Outro reside em Niterói, ignorado dos grandes do dia, esses medalhões que remoçam a velha fábula de La Fontaine — *L'âne portant les reliques*. É Oliveira Viana. Em seu modesto retiro, à rua S. Boaventura, esse gânglio pensante erigiu um laboratório de análise sociológica para onde conflui o melhor instrumental do mundo. Em suas estantes não falta a mais recente obra dos penetrantes sociólogos americanos e ingleses, como nenhum dos clássicos universais da ciência que estuda o jogo das raças, sua interpenetração recíproca, seu condicionamento pelo meio físico.

Mas o valor de Oliveira Viana está em que desses mestres não toma as ideias, e sim apenas os métodos de estudo. Por meio deles apenas apura a sua técnica, apenas aperfeiçoa o seu aparelho mental de análise e observação. O objeto de estudo é o nosso povo, sua contextura, os movimentos que nele se operaram e se operam, a dose de eugenismo dos vários fatores, o modo por que se comportam na reação contra o meio físico — formação e evolução, em suma, do povo brasileiro.

Sua obra de revisão de valores, de exame e refugo de ideias feitas, de visão e previsão social, dará outro norte ao país, uma vez concluída. Os dirigentes que hoje atuam às cegas, sem uma diretriz cientificamente deduzida a lhes guiar os passos, ver-se-ão por fim na posse de bússola e roteiros. Oliveira Viana está criando "olhos de ver", que mais tarde lhes substituam na cara os olhos de olhar apenas.

Os livros que já deu a público impressionaram fundamente, como *algo nuevo* em nossas letras. Eram ciência da boa, ciência crioula, cujos princípios qualquer criatura de mediano bom senso pode controlar por meio da observação própria e comezinha. Mas apesar desses livros representarem muito, nada são diante da obra que Oliveira Viana elabora com paciência de frade bolandista, no recesso do seu laboratório de ideias. Em duas partes ele a divide. A primeira, "O Problema Étnico Brasileiro", virá esclarecer para sempre a nossa constituição racial, com a minúcia e clareza com que Fabre esclarece a biologia de um inseto.

O *nosce te ipsum* é conselho de verdade eterna. Não há construção possível sem o conhecimento exato do material que entra na construção. E o *nosce te ipsum* até hoje nos faltou. A extensão territorial e a variedade de fatores componentes do nosso povo têm desnorteado a nossa visão ligeira, o nosso concluir apressado, a nossa meia ciência livresca e mais de reportagem do que construtiva.

Grandes homens tivemos, como Rui, cuja ignorância do povo foi grande. Nossos presidentes da República em regra imaginam um Brasil teórico que em nada se ajusta ao de carne e osso.

Quando veio a República e os constituintes se meteram à tarefa de coser para o país um novo terno constitucional, nenhum se lembrou de tomar medidas ao corpo do gigante nu, recém despido do casacão monárquico. Importaram dos Estados Unidos uma roupa feita — muito bem cosida, de muito bom pano, linho corte, mas com o grave defeito de não servir para o gigante. Vem daí que para que as coisas funcionem é mister um periódico despi-lo e enfiá-lo na camisola de força do estado de sítio.

Não contente com essa obra que vai ser a pedra mestra das nossas construções futuras, Oliveira Viana elabora outra, deduzida da primeira e de consequências práticas evidentíssimas. A primeira é a lei. A segunda será o regulamento da lei: "A educação das classes dirigentes".

Até aqui vem acontecendo entre nós o mais curioso dos contrassensos. Exige-se habilitação para tudo, menos para dirigir o país. Ninguém toma uma cozinheira que não saiba cozinhar, nem um pedreiro que não saiba assentar tijolos, nem uma datilógrafa que não saiba dar ao teclado. Mas se se trata de presidir a uma municipalidade, a um estado ou à União, qualquer indivíduo serve. Não é preciso que entenda de coisa nenhuma, como o marechal Hermes; nem que tenha ideias sãs e operativas. Daí a nossa permanência numa eterna "insolução de problemas".

Ora, no dia em que um homem de governo possua um guia, uma verdadeira obra de ciência que lhe dê ideias claras e justas, fará como os bacharéis recém-formados, que dão a ilusão de saber alguma coisa à custa dos "vade-mécuns" e "assessores forenses". Estarão dispensados de pensar com suas próprias cabeças e nos vitimar com as lamentáveis ideias que elas partejam. Uma luz os guiará — e como essa luz se terá difundido pela elite orientadoramente, a elite se achará habilitada a impor ao chefe diretrizes sãs nos casos em que a cegueira suprema se mostre cega além do coeficiente tolerável.

Para a treva só há um remédio, a luz. A treva em matéria de inteligência tem o nome de estupidez. Ideias claras, ciência: eis a única luz que bate a treva da estupidez. Quem elabora ideias claras como as de Oliveira Viana, ciência de verdade como a sua, não pode deixar de ser um dos gânglios pensantes do cérebro da nação. Os homens de hoje não percebem isso. Mas os do futuro far-lhe-ão justiça.

A CEGUEIRA NAVAL

Neste artigo, de 1925, M. L. prevê o que a aviação vai representar para as marinhas de guerra como vedetas em altitude.

UMA LIÇÃO DE MARINHA

— É muito maior por dentro do que por fora! — disse, resumindo a sua visita a um dos nossos *dreadnoughts*, certo... finlandês.

Esta ingênua observação é recordada por todos os oficiais da marinha sempre que um paisano penetra no *S. Paulo* e assombra-se com as dimensões imprevistas dessa cidade flutuante. Quem o vê de fora só apanha a massa correspondente a dois andares, e o arranha-céu às avessas (arranha-fundo) tem onze. O que se vê à tona das águas corresponde ao telhado; a massa maior do monstro de ferro só se visibiliza para os peixes — que muito se hão de admirar do engenho dos seus netos. Sim. O *homo sapiens*, pelo transformismo, procede dos peixes. No *amphioxus* está um dos nossos avós — donde não passar de puro canibalismo retrospectivo o comermos uma simples pescada de escabeche...

Uma visita ao *S. Paulo*, puxada pelo comandante Vilar, proporcionou-nos a "lição de marinha" que todo brasileiro devia receber.

Lição, sim. Porque a marinha brasileira, por absurdo que o pareça, *existe* — no seu espírito, na sua tradição, no seu sacrifício, na sua tristeza, na sua renúncia. Espírito que a longa continuidade de trabalho num certo rumo formou. Tradição que Tamandaré, Amazonas e Saldanha paragonaram. Sacrifício que é ver-se à margem de um coração que a mal compreende. Esforço que é dar mais do que pode. Tristeza de saber-se descolocada no continente. Renúncia que é a certeza da derrota no momento decisivo...

OS OLHOS DAS ESQUADRAS MODERNAS

O primor de asseio e apuro técnico com que o velho *S. Paulo* se mantém chega a enternecer. Brummel fazendo prodígios para substituir pela arte a mocidade que já lá se foi... Aquilo reluz como automóvel novo. O visitante percorre-o inteiro, d'alto aos fundos, toca em todas as máquinas, esbarra em todos os metais e ressurte na coberta sem a menor mancha na alvura dos seus brins. E espanta-se ao saber que esse prodígio é obtido com o terço da guarnição normal — toda ela formada de jecas da roça, a gente de maior rendimento útil quando se cura e o acaso põe a competência a dirigi-la.

Uma leva de homens do norte chegou, coletada para o serviço da marinha. Caboclos, jagunços, jecas, — a rija e surrada carne sertaneja, o rude coração que a iniquidade transforma em cangaceiros e o espírito de justiça transfaz em heróis. Vinham dos fundos do sertão, ingênuos, ambientados ainda pela aura humilde da querência.

O comandante foi-lhes dando os respectivos destinos, até que chegou a vez dos dois últimos.

— Você, para o *Belmonte*, e você para o *Minas*.

Os dois sertanejos entreolharam-se, aflitos e incertos. Por fim um falou:

— Não vê que nós queria ficar perto. Nossa malinha vem junto desde o Catolé...

O comandante olha para a humílima trouxinha em comum, comove-se e junta-os de novo. Não se sentiu com ânimo de separar o que aquela trouxinha unira...

Mas a visita prosseguiu e, ao cabo, por voz unânime, nossa impressão se sintetizou numa frase:

— É o máximo que se poderia exigir.

Todos o dissemos — e mais que isso todos o sentimos.

A MAIOR FORÇA DE UMA MARINHA

Adiante, de surpresa, uma nova peça mestra da nossa marinha nos surpreende: o almirante Souza e Silva. Meia dúzia de palavras e um retrato se desenha. O retrato do equilíbrio sereno, do homem finamente policiado em suas ideias e sentimentos, senhor de si em todas as emergências, amplo de cultura bem personalizada, chefe nato sob o chefe que o estudo conforma. A aura de respeito que o envolve não procede apenas das suas insígnias de almirante. Não é almirante só porque as tem. Sê-lo-ia sem elas. O que faz o almirante, o general, o chefe, nunca são os galões, senão as qualidades superiores de comando e descortino. O Capitão Prestes, nu, é general. Quantos generais permanecem cabos, por mais galões que se pendurem neles?

E, instruídos pela lição daqueles oficiais superiores e pelas manobras que outros tiveram a gentileza de executar, varremo-nos das noções falsas que tínhamos na cabeça. Verificamos que no descalabro das nossas coisas a marinha existe; e como um quadrado que se fecha na defesa silenciosa de um pendão, subsiste, insiste, resiste, persiste.

A marinha teima heroicamente em ser. Olha para Saldanha, faz que a maruja olhe para Marcílio Dias e em silêncio se obstina em não renegar suas tradições.

Este verso de medalha revê heroísmo. Já o reverso só revê melancolia, porque a marinha sabe do seu mau aparelhamento, reconhece a sua inferioridade material e pende a cabeça sobre o peito.

A maior força de uma marinha, a força eletrizante capaz de impelir seus homens aos maiores heroísmos é a convicção da eficiência bélica. Quando uma esquadra inglesa, japonesa ou americana parte para a luta, em todos os corações freme a certeza da vitória. Todos sabem que durante a paz nada foi descurado para consegui-la. Sabem que a arma que vão manobrar consagra a aplicação do que há de última palavra na matéria. E essa segurança da vitória corresponde a meia vitória.

Em caso idêntico a nossa esquadra partiria com o coração a estalar na certeza absoluta da derrota. Partiria desarmada da grande arma do entusiasmo, deseletrizada como pilhas vazias...

Por quê?

Porque nosso programa naval não visa coisa nenhuma. Temos navios por ter, porque é uso dos países terem navios — e isto jamais constituiu programa. Um programa visa fins definidos, objetivos próximos, inimigos prováveis. A Inglaterra visa a supremacia sobre as duas maiores esquadras do continente europeu reunidas.

Os Estados Unidos visam a supremacia sobre o Japão. A Argentina visa-nos. Nós visamos... a lua.

Mais pragmática, a Argentina, com muita lógica, visa o vizinho de sentimentos pouco afins em virtude de certas fatalidades históricas. Tudo nos une, sim diz ela... Ituzaingo, Caseros... mas armemo-nos contra esse vizinho amigo. E seu programa naval corresponde na Sul América ao do *two powers standard* da Inglaterra. Pragmática, sensata, pouco ideóloga, seu programa naval estatui uma superioridade constante sobre a marinha brasileira. Cada passo que o Brasil dá no mar é seguido de passo e meio da Argentina — e hoje como ontem, como há dez anos, como há vinte anos, a nossa arma de mar se conserva em relação à da Argentina em atraso de um quarto de hora...

Mas quem não sabe que nos recontros vence aquele que chega um quarto de hora antes?

Combatente que conheça o atraso de seu relógio parte na certeza matemática do desastre. Sabe que no choque uma só coisa o espera: o mergulho sinistro da destruição antes que um só projétil seu alcance o adversário ...

OS OLHOS DAS ESQUADRAS MODERNAS

Uma nova arma veio revolucionar o mundo. São os aviões os olhos das esquadras modernas. Águias de visão agudíssima, que das alturas norteiam o movimento técnico das unidades navais — e talvez amanhã o elemento novo que as vai varrer dos mares. Foi um filho destas terras quem criou esses olhos que faltavam à marinha — olhos de que hoje se estão provendo todas as marinhas do mundo. A Argentina possui mais de trezentos pilotos e talvez outros tantos aviões. Trezentos olhos já!

O Brasil, na sua inconsciência de "gigante bobo", de país que espera não se sabe o que, conserva a sua marinha tão sem olhos como nos bons tempos do almirante Tamandaré. Força-a a dirigir-se ainda pelo tacto, a caminhar apalpando, como Noé na sua arca. Forçá-la-á no momento do perigo a fazer o papel de cabra-cega sob um revoo vertiginoso de águias.

O Brasil possui uns trinta pilotos e uns três ou quatro aviões que voam... Só.

Os patriotas de palavras chamam derrotistas aos que clamam a tempo de se evitarem derrotas. Mas o verdadeiro derrotista é quem esconde a verdade ou apoteosa o regime do cabra-ceguismo, quando nas fronteiras o vizinho previdente vai formando o seu viveiro de olhos.

— Mas o vizinho é amigo. Tudo nos une.

— Sim, e os anjos digam amém a essa amizade e à eternidade dessa união. Mas fique o trabuco bem escorvado ali no canto.

Povo que em relação aos seus vizinhos ardorosos e fortes não admite o "mas" da velha prudência inglesa, copiado pela jovem prudência argentina, acaba um dia de luto, murmurando entre lágrimas a dolorosa interjeição dos franceses — *Hélas!*...

LOUCURA

> Um autor americano acoima de *madness*
> o que nós aqui chamamos governo.

Acaba de aparecer nos Estados Unidos um livro sobre o Brasil, dum turista que anda pelo mundo derramando seus dólares em troca de impressões.

Como sempre acontece, esse impressionista viu tudo a seu modo e no livro estampa coisas justas ao lado de outras injustíssimas.

Entre as injustas há uma que não sei como ainda não arrepiou as escamas da nossa tão escamável imprensa. Imagine-se que o homenzinho diz que somos um povo de mulatos e loucos!

Vá que dissesse de loucos; mas de mulatos, é demais! Calúnia pura. Mulato só existe no Brasil o de Aluízio de Azevedo. E a melhor prova disso está na indignação da imprensa todas as vezes que em livro estrangeiro aparece repetido tão monstruoso aleive.

Que estranho daltonismo assalta os turistas que pisam terras brasileiras! Todos veem errado, ou veem coisas que não existem...

Savage Landor viu no sertão um povo doente, que ele acoimou de fim de raça. Afonso Arinos, de Paris, rebateu-o vitoriosamente e deslumbrou o mundo com o quadro de saúde e beleza física do nosso jeca.

É preciso que surja agora um novo campeão e prove ao turista detrator que não há mulatos aqui, e muito menos loucos.

Mas transcrevamos as palavras de Mr. Cooper, o tal turista.

"Não me posso explicar de outra maneira, — diz ele no capitulo *Madness*, — a leviandade com que se legisla no Brasil. Por mais que eu procure desviar o espírito, a palavra *madness* (loucura) me obsessiona. Imagine-se que dentro de um mesmo período governamental (que é dos mais curtos, quatro anos) adotam-se duas políticas financeiras diametralmente contrárias: a política emissionista e logo em seguida a deflacionista, consistente na restrição do papel moeda circulante. De acordo com a política número um, o banco central, armado de faculdade emissora, operou em escala amplíssima. Fabricou dinheiro à larga para com ele redescontar os efeitos comerciais recebidos pelos bancos satélites. Isso deu origem a uma forte expansão dos negócios (*boom*), com base na facilidade do crédito bancário. E São Paulo, que é a parte viva e produtora do país, aproveitou-se das ensanchas para um verdadeiro e vertiginoso elance (*rush*) industrial.

Repetiu-se ali o fenômeno que observamos cá durante a guerra. Os negócios cresceram como cogumelos, sem outra base além das facilidades do crédito.

Subitamente o governo central muda de orientação. Passa à política número dois, deflacionista. Cessa de emitir, suprime o redesconto no banco central e, não contente, passa a queimar o papel já integrado no movimento dos negócios e, pois, indispensável.

Sobrevêm o pânico. As praças comerciais veem-se descavalgadas e sem meios de prosseguir nos negócios. O crédito desaparece, ao mesmo tempo que as reservas em espécie minguam.

Os negócios colhidos de surpresa em meio da corrida, tropeçam e caem. Começam as falências. Só em S. Paulo chegam a trinta milhões de dólares, soma altíssima para um país pobre como o Brasil.

O fenômeno torna-se perfeitamente equiparável a uma temperatura, que cai às bruscas de vinte e cinco graus a cinco. Não há organismo que tenha tempo de adaptar-se. Todos se resfriam e grande número de organismos rola por terra vítima do choque traumático.

Quando me lembro que na Inglaterra o parlamento leva anos e anos a debater a menor lei passível de reflexos econômicos, quando me lembro do que vem sendo há um século a luta entre o protecionismo e o livre-câmbio — quando vejo a prudência com que a *poor France*, na angústia em que se debate, evita mutações repentinas, não posso deixar de acoimar de loucura esta inconsciência do brasileiro.

Ao lado da loucura dos dirigentes outro fato que me impressionou foi a resignação do povo.

Entre nós, ou na Inglaterra, um semelhante ato de loucura levaria o governo ao chão e seus membros seriam internados em manicômios.

No Brasil, nada disso. O povo abaixou a cabeça; quem faliu ficou falido; quem morreu morreu; quem ganhou ganhou.

Conversei com vários homens de negócios e em todos vi o mesmo gesto de resignação muçulmana, acompanhado da mesma palavra: Que fazer? O governo quer...

O governo do Brasil não é o órgão coordenador que temos aqui (*a sort of central distribution point where all our efforts are coordinated for the general good*). É uma espécie de dono, de senhor das coisas, como na Idade Média europeia. Age de acordo com os caprichos do momento (*lunacy*) sem consulta aos interesses mais vitais da nação. É em suma o que pode ser num país de mulatos tarados e loucos."

São estas as duras palavras de Mr. Cooper — que até parece um leitor assíduo da "certa imprensa".[11]

Como se vê, palavras injustíssimas. Calúnias. Nada do que ele refere se deu por cá, nem há mulatos no Brasil. Somos todos louríssimos, de olhos azuis; e quanto a bom senso, temo-lo para dar e vender a esses miseráveis yankees, tão degenerados que já nem álcool bebem.

GUERRA AO LIVRO

Vão reformar-se as tarifas da Alfândega e entre as novidades introduzidos no projeto há uma equivalente a profundo golpe em nossa débil, incipiente cultura. Parece até que a mira do legislador foi quebrar-lhe as pernas raquíticas, para divertir-se, à maneira de Nero, com o trambolhão da aleijadinha.

A cultura se faz por meio do livro. O livro se faz com papel. Carregar de taxas o papel é asfixiar o livro. Asfixiar o livro é matar a cultura. Pois no seu projeto de reforma o legislador parece que não visou outra coisa.

Começa onerando proibitivamente a entrada do papel próprio para livros, em taxas que vão até oitocentos réis o quilo, um puro absurdo. Depois, abre a porta ao livro estrangeiro, ou impresso fora. Resume-se assim o seu critério: papel em branco para ser impresso aqui: proibido; papel impresso fora, sob a forma de livros e outras: isenção completa.

Torna-se impossível a concorrência. Que editor fará livros em oficinas nacionais, se fazendo-os em oficinas estrangeiras ganha só no papel até oitocentos réis em quilo! Morre a indústria do livro nacional, positivamente, e morre por mãos dos homens a quem o povo confiou implicitamente a missão de fomentá-la.

A guerra ao livro vai além. Não contente de desferir contra ele esse golpe tremendo, o reformador de tarifas sub-golpeia-o à direita e à esquerda, por cima e por baixo. Como? Onerando com ferocidade a importação de máquinas gráficas. Cento e cinquenta réis por quilo é quanto terá de pagar o imbecil que se proponha a importar prelos, linotipos, etc. Esse ônus, somado ao ônus imposto ao papel, equivale àquela famosa medida adotada pelo governo português contra os prelos do Brasil-colônia, mandando-os destruir a marreta. Os extremos tocam-se. A mentalidade metropolitana d'antanho irmana-se agora com a mentalidade dos nossos republicaníssimos fazedores de leis. Ambas querem a mesma coisa: trevas mentais. Ambas guerreiam o mesmo dragão: o livro. São manas. O mesmo útero as gestou. A diferença é apenas de época de nascimento. Uma nasceu a tempo. Outra fora de tempo. A mentalidade de hoje, bibliófoba, explui como um feto teratológico, filho de Pina Manique, com gestação emperrada de um século.

Como explicar numa época como a nossa sobrevivências assim? Parturições de mostrengos peludos, enormíssimos de orelhas, com quatro patas cascudas?

---

11 Nos tempos anteriores à Revolução, a imprensa oposicionista era chamada pelos jornais do governo de "certa imprensa"...

Todos os povos civilizados procuraram aplainar por todos os meios o caminho da cultura. Nós atravancamo-lo de empeços. Na Alemanha o povo atingiu ao mais alto grau de cultura porque o Estado asfaltou o caminho que a ela conduzia. Vimo-la, assim, editando em 1913 trinta e cinco mil obras, enquanto a Inglaterra dava doze mil e a França dez mil. Nós, em vez de asfaltar a estrada, barramo-la de arame farpado!...

Um único regime é possível aqui: entrada franca para o livro estrangeiro e para a matéria prima do livro nacional. Tudo o que sair disso vai de encontro às nossas necessidades vitais. Vítimas da incultura, pobres por incultura, doentes por incultura, mal governados por incultura, sem bom conceito por incultura, o meio único de nos arrancarmos ao atoleiro é a cultura. Como, pois cerceá-la, torcendo o pescoço ao instrumento de cultura que é o livro?

Já era caro e capenga o livro nacional. Apesar disso abria o seu caminho e lá ia desempenhando a sua missão. Começava. Experimentava os primeiros passos. Veio a alta do papel, a maior de quantas registrou a indústria, mas ele a ia vencendo, com a boa vontade do público e uma restrição de lucros para o editor. Venceria a crise. Aguentaria o mau passo. Súbito, intervém o Governo. A favor? Não! Contra. Para fomentá-lo, ampará-lo? Não! Para matá-lo. Matá-lo com carinho ao menos, disfarçadamente, aos poucos, sem sofrimento para a vítima? Nada disso. Matá-lo por estrangulação imediata — garrote velho!...

Sob o novo regime tarifário por que preço vai sair um livro impresso entre nós? Certamente que por preço inacessível ao público. E este o dispensará, está claro. Já anda o livro por quatro réis, o que é muito, o que é mesmo o limite máximo que o público tolera. A nova tarifa pô-lo-á a cinco, e o público o deixará às moscas. Eis a bela perspectiva que se nos abre ante os olhos...

O Congresso anda escarafunchando meios de comemorar o Centenário da Independência. Há um em absoluta coerência com este e outros atos legislativos: decretar que a cultura é um mal e a incultura um bem; e organizar na praça onde se ergue a estátua de Pedro I, um soleníssimo auto-da-fé do livro. Depois, todo o mundo de quatro, a zurrar evoés ao cavalo de bronze do Imperador.

Artur neiva

> Quando o grande cientista de Manguinhos pôs em prática suas ideias na chefia sanitária de S. Paulo, M. L. exaltou-o com calor.

Certo dia, na universidade de Leipzig, um estudante japonês abordou o eminente Ostwald com esta pergunta estranha:

— Haverá meios de distinguirmos cedo os homens que um dia se notabilizarão nas ciências?

Esta pergunta, encomendada pelo governo nipônico, embaraçou deveras o grande professor alemão e ficou a verrumar-lhe os miolos por muitos dias. Mas ao cabo de longo matutar ele apreendeu finalmente o traço caraterístico dos futuros grandes homens, o primeiro a revelar-se em anos verdes: horror à escola! Os alunos mais bem dotados nunca se mostram satisfeitos com o que lhes oferece o ensino secundário, conformado sob medida para a mentalidade e o caráter do maior número, isto é, dos medíocres. As criaturas de exceção, essas sofrem a asfixia do ambiente estreito e revoltam-se. Passam a constituir a classe dos maus alunos, dos vadios, dos indisciplinados, e acabam, não raro, expulsos da escola.

A pergunta do japonesinho deu lugar a que Ostwald escrevesse o mais interessante dos seus livros, *Os Grandes Homens* — no qual estuda o problema com o rigorismo analítico dos métodos germânicos. Seus numerosos anos de vida letiva na universidade, onde pôde observar a evolução de milhares de alunos, mais o escabichamento da vida duns tantos grandes homens verdadeiramente criadores, como Davy, Liebig, Robert Mayer, Faraday e Helmholtz, confirmaram-no naquela intuição.

O sinal caraterístico do grande homem na vida escolar é sempre a rebeldia ao ensino clássico, tendente, como diz Nietzsche, a arruinar a exceção em favor da regra.

Eis por que as academias de ciências nunca dão de si os frutos esperados. A formação fecunda faz-se fora delas, em torno de professores apaixonados pelo ensino e bastante compreensivos para sofrear em si a tendência, inata no homem, de impor tiranicamente personalidade própria, em vez de permitir o livre surto da personalidade dos discípulos. É clássico o exemplo da ação formadora de Justus Liebig. Ao mundo deu esse químico mais sábios do que uma universidade inteira; vários países disputavam os seus alunos, vindo ele a exercer, dessarte, uma influência enorme no movimento científico da época.

Acodem-nos à memória estes fatos diante de Artur Neiva, mais um a confirmar as teorias de Ostwald. Enquanto aluno de academias, vadiou — forma usual da revolta contra os métodos de ensino. Seus contemporâneos são contestes neste depoimento. Vadiou, e vadiando assinalou-se como um predestinado a brilhar na plêiade dos nossos maiores cientistas. O acaso, depois, fê-lo discípulo de Osvaldo Cruz — e aí começa a sua verdadeira formação. Osvaldo era o tipo do mestre criador, à maneira de Liebig. Catalítico, agia pela presença. Fecundava os cérebros com o pólen da sua bondade e do seu fervor pela ciência. Favorecia no mais alto grau a evolução personalíssima dos alunos. Criava grandes homens. A ele deve o Brasil o mais fulgurante núcleo de cientistas jamais formado em nossas plagas. Um deles foi Artur Neiva. Ao influxo da alma ardente de Osvaldo Cruz, Neiva revelou-se a si próprio, compreendeu a ciência, amou-a e entregou-se-lhe de corpo e alma, como outrora os místicos se entregavam à religião.

Ele próprio o reconhece, dando-se como criação osvaldina; e não perde ensejo de proclamar a força de radiação do grande mestre.

De natureza contemplativa, com singular vocação estética, à força de treino conseguiu no jogo das suas faculdades dar hegemonia ao pendor científico, subordinando-lhe todos os mais. E é hoje um exemplar acabado do sábio moderno, com visão das mais amplas, sensação ecológica da interdependência dos fenômenos humanos, naturais e sociais, seguro de si, confiante, rijo no trabalho, todo olhos para o futuro, frio às injunções mesquinhas do presente, norteado sempre por um calmo determinismo científico, criador, ampliador e catalítico à maneira do seu mestre — tipo, em suma, dessa classe de obreiros através dos quais se realiza hoje o progresso do mundo.

Uma anedota documental. Em excursão a Iguape, a ver com seus olhos como iam os trabalhos de combate à opilação e à malária lá iniciados, convidou-nos para companheiros de viagem. Fomos. Viagem longa, de um dia inteiro, começada em trem e concluída em lancha pela Ribeira abaixo. Chegamos ao escurecer. Depois do jantar, enquanto os outros se ajeitavam para o descanso ou no bilhar batiam bola para desentorpecimento dos músculos, vi parar à porta um camarada com três matungos arreados. Neiva convidou-me a acompanhá-lo e lá fui, nove da noite, sem saber ao quê. Penetramos na mata, alguns quilômetros fora da cidade. Vi-o apear-se e acender a lanterna elétrica, e correr a luz pelo couro do cavalo em procura das anofelinas que incontinente acudiram àquele inesperado banquete. Uma hora passou ele assim, caçando mosquitos, e dissertando sobre as particularidades de cada espécie. O caso era este: havia daquelas bandas um foco malárico resistente a todos os trabalhos da profilaxia — drenos, roçados, etc. Vindo Neiva a saber disso durante o jantar, não resistiu à comichão duma pesquisa direta, e a ela se fora enquanto os mais descansavam da viajada no hotel. E resolveu o problema. Encontrou as anofelinas da espécie perigosa. Tinham o ninho na água depositada pelas chuvas nas bromélias parasitas. Estava liquidado o caso. Regressamos — e no outro dia ordens precisas eram dadas para matar de vez a malária de Iguape em seu derradeiro reduto.

Nessa noite compreendi o homem e alcancei a força tremenda que se potencializa nos apaixonados da ciência. Pela primeira vez em S. Paulo um diretor do Serviço Sanitário esquecia as suas funções burocráticas e fazia ciência pessoalmente à moda de Osvaldo.

Este fato ilustra a "maneira" de Artur Neiva. Não se limita nunca a organizar um serviço; vai ver, cheirar, apalpar; identifica-se com ele, apaixona-se, e com o exemplo transmite aos seus auxiliares aquele fervoroso interesse sem o qual todo serviço encrua em caquetismo burocrático. Foi assim que remodelou, inteira, a organização sanitária de São Paulo.

Esta sua obra não pode ser bem compreendida no momento. Neiva criou demais, inovou demais, o quadro saiu de dimensões muito arrojadas para que possamos vê-lo no conjunto sem o recuo do tempo. As telas pequenas enxergam-se a um metro de distância; nas grandes, um espaço tão pequeno só permite a visão de detalhes. É o que se dá com a obra de Artur Neiva em S. Paulo. É cedo para apreciá-la devidamente. A de Osvaldo, no Rio, não foi compreendida pelos contemporâneos, chegando até a provocar uma revolução. Mas haverá hoje imbecil, um que seja, que não perceba a harmonia da tela?

Não se limitou Neiva à função cômoda de chefe dum departamento público, com rapapés lisonjeiros aos jornais tendentes a criar uma irisação adjetivosa em torno de sua pessoa. Criou. Plantou. Semeou. Remodelou serviços velhos e perros. Iniciou serviços novos. Restringiu a burocracia ao mínimo. Venceu a resistência tremenda do espírito de inércia, de rotina e de apercepção.

Gastou quatro anos de sua vida nas funções de mecânico, montando um aparelhamento de primeira ordem, por meio do qual, em matéria de higiene, S. Paulo pudesse conquistar no mundo um lugar de honra. Pô-lo em funcionamento, corrigiu-lhe os defeitos iniciais e legou aos seus substitutos a tarefa infinitamente mais simples de não deixar que parem as máquinas.

De Butantã fez um instituto científico superiormente aparelhado para o fabrico de numerosos soros, muitos deles concentrados, novidade no Brasil, e lançou os alicerces da sua transformação numa das primeiras casas de ciência da América do Sul — rival do Instituto de Higiene de Buenos Aires e de Manguinhos. Se o novo governo compreender a importância deste fato e levar a cabo a conclusão do projeto nos termos em que o eminente Rocha Lima o propôs, fará uma obra de incalculável alcance para o progresso deste país, vítima sempre do descaso, ou da nenhuma importância dada à ciência, como se não fosse ela a fada mágica de cujas mãos tudo hoje sai. As bases do grandioso instituto estão lançadas; bastará dotá-lo com um quinto da verba anual gasta pelo governo passado em "gavar" vilíssimos piratas da imprensa para que S. Paulo alcance uma hegemonia a mais, a científica.

Bastaria Butantã para notabilizar a passagem de Artur Neiva por S. Paulo. Ele foi muito além, entretanto. Iniciou batalha tremenda contra as endemias assoladoras. Várias zonas já se acham libertas das verminoses e da malária. Trabalho silencioso, sem toque de caixa, sem manobra apoteótica de imprensa, não diz dele uma procissão de adjetivos comprados pela verba secreta a tanto por cabeça. Mas abençoam-no os milhares de doentes opilados ou maláricos, libertos do flagelo graças à sua energia.

Atacou, ainda, a sífilis, criando cinco postos de assistência gratuita, por onde já passaram milheiros de doentes.

Estes serviços, se valem, e muito, como realização, valem imenso como prova de possibilidades. É a máquina do saneamento que partiu. É a ideia transformada em ação. É o repúdio definitivo da parolagem bacharelesca de até aqui, e o início da arrancada para a civilização. É o lançamento da primeira pedra do Brasil de amanhã — curado, ressurgido, capaz de pôr-se de pé e caminhar.

Foi tudo? Não. Artur Neiva completou sua obra dotando São Paulo dum Código Sanitário Rural que é novidade não só para o Brasil como para toda a América do Sul. Visa estender à população do campo, largada até aqui na maior miséria física e moral, os benefícios que a higiene já deu às cidades, estabelecendo medidas profiláticas contra as endemias, contra a invasão dos indesejáveis e contra a má habitação que as fazendas proporcionam aos trabalhadores. Novidade absoluta, foi o código no começo recebido com desagrado e até revolta. Hoje, melhor compreendido, está aceito e vai sendo aplicado em escala cada vez maior. Muitas fazendas já se remodelaram e instigam as outras a fazerem o mesmo.

Uma palavra resume a ação de Artur Neiva em S. Paulo: semeadura. E a seara virá, farta e consoladora.

Resignação

O desalento de M. L. em face da nossa pobreza, decorrente de erros da nossa organização social e política, aparece mais uma vez aqui.

A todos espanta o fato de não existir entre nós um jornal, um pelo menos, ao molde e das proporções de *La Nación* e *La Prensa*, poderosíssimas folhas argentinas, de tiragens acima de duzentos milheiros. E ainda há pouco um eminente jornalista carioca, estudando o fato, frisou como causa — uma delas — a fraca porcentagem de anúncios que revelam nossas folhas em comparação com as platinas.

O comércio pouco anuncia, é fato, mas cabe culpa ao comércio? Não. O anúncio entre nós raro corresponde — e sempre que corresponde é feito em larga escala. Os fabricantes de tônicos, por exemplo, elixires maravilhosos, panaceias, etc., esses anunciam em quanto jornal e jornaleco existe. E mais anunciam, mais vendem. Os vendedores de automóvel, idem. O cinema, idem. E pode-se dizer que é só. O mais com que o comércio mercadeja não paga uma alta e intensa publicidade. Por quê?

Pobreza do país. Quem desembarca no Rio, vindo do Prata ou da América do Norte, confessa logo a sensação de pobreza que a nossa capital lhe dá. E quem sai das capitais e penetra no interior, mais que de pobreza tem a sensação da miséria. Pouco importa que o Brasil possua inúmeras possibilidades naturais. Não é com possibilidades que se compram melões. E como dorme um sono de mendigo sobre o montão das suas possibilidades, o nosso pobre país vive de facadas, empenha e re-empenha a capitalistas de fora tudo quanto possui, tendo chegado à triste posição de por duas vezes interromper o pagamento de juros e amortização desses débitos levianamente contraídos.

Os jornais do governo, por exemplo, andam agora a entoar louvores ao patrão porque... porque o patrão hipotecou em segunda ou terceira hipoteca uns arquihipotecados tarecos. Hipotecar os bens de família, em condições onerosíssimas, é ser estadista entre nós! É fazer jus a louvores pagos com o dinheiro tomado de empréstimo!...

Sobre a causa desta miséria crônica ninguém diverge hoje... hoje que mestre Washington Luís erigiu em pivô do seu futuro governo a estabilização da moeda.

Mas qual a causa última da instabilidade da moeda, causa próxima da nossa miséria?

A desonestidade dos nossos governos, a inconsciente desonestidade dos nossos estadistas, tão louvados por si próprios através da imprensa paga. Os crimes que eles vêm cometendo acumularam-se e a situação de beco sem saída em que nós achamos é uma resultante lógica.

O regime criado pela moeda móvel impede o país de enriquecer. Todo negócio se torna jogo e a riqueza acumulada pelo trabalho periodicamente se destrói ao choque das convulsões rítmicas das crises, isto é, das rupturas do equilíbrio financeiro.

O que está se dando em São Paulo é impressionante. Terra de imensa vitalidade, terra que não para de criar, a indústria lá toma grande incremento cada vez que se beneficia com um periodozinho de equilíbrio. Quando o câmbio caiu a cinco e nesse nível permaneceu alguns anos, a indústria paulista aproveitou-se do equilíbrio e ergueu suas formidáveis construções. Subitamente o câmbio entra a subir — o equilíbrio rompe-se e a indústria desaba como sacudida de um terremoto.

E é bem isso. No terreno econômico uma variação de quarenta por cento no valor da moeda equivale a um tremor de terra — violenta ruptura no equilíbrio dos valores; e até que novo sistema de equilíbrio se forme e a ele possa adaptar-se a indústria, quanto desastre, quanta riqueza destruída!

Desse modo vai vivendo o país, a trabalhar sem acumular, a criar riquezas e a vê-las submergirem-se nos vortilhões das rupturas de equilíbrio — vasto Ceará onde a seca periódica mata todo o gado que os anos chuvosos permitem produzir.

O comércio pouco anuncia porque a força aquisitiva do público é fraca demais para responder à sugestão do anúncio. "O anúncio não paga" — é como o comércio traduz em breve síntese o fenômeno. Não há anúncios e, portanto, não há jornais. Fora um ou outro a nossa imprensa opera prodígios para viver, e vive com extrema dificuldade, embora procure por todos os meios promover o surto do anúncio.

A pequena parte do comércio que anuncia pede tiragem; a grande tiragem exige público pagante; o público não pode pagar porque é pobre; o público é pobre porque trabalha mas não enriquece, eternamente vitimado pelos terremotos da moeda; a moeda sofre essas crises periódicas porque os governos são bem falantes mas ineptos, visto como descuram dum dos problemas fundamentais de todos os países: a fixidez da moeda, a fixidez dos alicerces sobre os quais tudo se constrói.

E assim vamos vivendo, vergonhosamente entalados entre dois países cada vez mais prósperos e poderosos: Estados Unidos e Argentina, este dez vezes, aquele cem vezes mais rico do que nós. E os nossos estadistas continuam a ser grandes estadistas — enquanto transportam no lombo as relíquias da fábula. E continuam a hipotecar os móveis de família e as magras rendas dos impostos. E nas escolas os professores continuam a ensinar aos meninos que somos o país mais rico do mundo.

Rico de resignação e cegueira, sim...

A MORTE DO LIVRO

Os livros nacionais são caros e mal feitos. Nosso aparelhamento gráfico, além de atrasado e deficiente, não tem a manobrá-lo o operário técnico à moda europeia, treinado no ofício de pais a filhos, especializadíssimo, capaz do apuro de linha e tom que é mister. Nada sai das nossas oficinas que possa ombrear com os produtos gráficos dos prelos ingleses, alemães, espanhóis ou norte-americanos, líderes nessa matéria. Em confronto com os estrangeiros nossos livros fazem sempre a triste figura de jecas de papel e graxa em face de elzevirismos d'alto coturno. Ainda quando pretendem alçar-se à categoria de obras de luxo, nunca deixa de cantar o galo, a páginas tantas, na capa, na escolha do tipo, num cabeçalho: a impressão digital da "indústria nacional" nalgum lugar tem que apor a sua conhecida marca.

Ora, tal capenguice do livro nacional, em vez de comiserar nossos legisladores, provocou-lhes a ira, com este consequente raciocínio:

— Se não vingaste até aqui, é que sofres de debilidade congênita. Em vez de acudir-te com paliativos e mezinhas, vou fazer obra mais limpa: torcer-te o pescoço.

O Congresso Nacional raciocina muito bem. A vida é de quem pode. Quem com ela não pode o melhor que tem a fazer é desocupar o beco. Provada a vantagem de nos alimentarmos com pão argentino, bacalhau da Terra Nova, sardinhas de Portugal, ervilhas de Nantes, vinhos da Champagne, é lógico, em matéria mental, que nos alimentemos de livros exóticos. Mais baratos, mais bem feitos, veículos de literaturas mais ricas, não há razão para prejudicar o livro estrangeiro com a concorrência dos nossos livrinhos capengas, dentro de cujas páginas chora de fome e frio a literatura em cueiros que uns tantos idealistas se empenham em aleitar. Matá-los, a ela e ao livro que a abriga, é medida não só de boa higiene e ótima estética, como de alta misericórdia.

Além disso, para que livros na terra do "não-preparo"? Não é o "despreparo" a forma mental que conduz a tudo? Valeu algum dia a Rui Barbosa ser o prodígio de cultura que é? E impediu a ignorância, uma só vez que fosse, que aos postos supremos chegasse o ignorante?

Pensando assim, a mesma corporação que no prélio entre o "preparo" e o "não-preparo" deu a palma da vitória a este,[12] vai desfechar no livro nacional o abençoado tiro de misericórdia. O coitadinho está a padecer de fome, frio e feiura? Bala nos miolos! É limpo, expedito e eugênico. E é duma coerência inatacável. O Senegal não edita livros. Não obstante, a pretalhada vive luzidia, contente da vida, felicíssima, com o cérebro em edênico repouso.

Olhemos para o Senegal.

Letras nunca deram felicidade a ninguém, e o ideal de um povo não pode ser outro senão a felicidade do músculo e do cérebro.

À Alemanha — valeu-lhe ser o maior centro produtor de livros do mundo inteiro? E ter, só em 1913, publicado mais de trinta e cinco mil obras novas? Não está vencida, derrotada, espoliada, saqueada pelos que produziam menos, inclusive nós, que publicamos naquele ano duzentas?

O livro é um mal. Envenena o escol e azeda o povo. Inocula os germens da revolução. Junto com ovos de caruncho traz larvas de Lenines, Rousseaus e Luteros, agitadores perigosíssimos. É ele que desvia de honestas carreiras comerciais tantas aptidões preciosas. O pobre Casimiro de Abreu... Estragaram-no os livros, maus conselheiros, induzindo-o a poetar. Podendo morrer negociante forte, como o queria o seu sensato e honrado progenitor, estourou em verdes anos, fora de tempo, criança ainda, legando, em vez de suculentas apólices, chorosos versos. Também o desvairado Álvares de Azevedo acabou vítima dos livros que traziam Byron dentro. Se os não conhecera, teria acabado velho, morto de pigarro senil, rodeado de numerosa prole, juiz aposentado dum tribunal superior ou coisa assim.

O Congresso sabe disto e, zeloso que é da felicidade de todos nós, vai dar mais um passo a ela conducente matando o livro nacional. Para isso, no projeto de reforma das tarifas alfandegárias, resolve:

1°) — Isentar de direitos a entrada de livros estrangeiros e de trabalhos gráficos feitos no estrangeiro.

2°) — Taxar proibitivamente a entrada das matérias primas de que se alimentam nossas artes gráficas e a nossa rudimentaríssima indústria editora.

3°) — Proibir por meio de taxas ferozes a importação de máquinas manipuladoras do livro.

É engenhoso o plano e muito honra a habilidade dos congressistas em matéria de tiros de misericórdia.

Feito fora o livro, nada pagará na alfândega; feito aqui, terá pago na Alfândega, *sub espécie* papel, máquinas e tinta, um imposto de escachar.

---

12 No quadriênio Hermes foi muito debatida na imprensa a tese do "Não preparo versus preparo". Como Hermes derrotasse Rui nas eleições, ficou oficialmente estabelecida a superioridade do "não-preparo" sobre o "preparo" — isto é, da ignorância sobre a ciência.

Vindo o papel já impresso: entre, a casa é sua! Vindo o papel em branco para imprimir-se aqui: pague de dez a oitocentos réis o quilo.

Paga dez o papel de jornal: por muito favor concede-se vida ao jornal. Paga quatrocentos, quinhentos, seiscentos, oitocentos réis o papel próprio para livros: mata-se o livro.

Há mais mortes.

O papel já estampado com gravuras não paga coisa nenhuma. Se, porém, surge em branco, para imprimir-se a gravura aqui, paga uma exorbitância. Mata-se assim a gravura indígena.

Cartazes, catálogos, prospectos e cartões feitos fora, pagam apenas cento e cinquenta réis por quilo. Papel para cartazes, catálogos, prospectos e cartões feitos aqui, pagarão até cinco vezes mais. Morte, pois, à indústria nacional dos cartazes, catálogos, prospectos e cartões.

O plano de campanha contra as artes gráficas nacionais parece elaborado pelas casas estrangeiras, empenhadas em suprimir os concorrentes medrados na terra de Santa Cruz.

Cifra-se — insistimos — em isenção ou taxas mínimas para o papel impresso lá, livro, gravura ou o que seja; e taxação leonina para o mesmo papel quando em branco e destinado a ser impresso aqui. Nada mais simples, nem mais prático, nem mais inteligente. Nada mais denunciativo de que olhamos para o Senegal e lhe copiamos o regime intensificador da felicidade estomáquica.

O nosso pobre livro nem seis meses resistirá ao golpe. Dará o mais angustioso dos berros e, batendo com o rabo na cerca, irá para a cova chorando saudades daquele bom velho, tão seu amigo, Pedro II, banido, talvez, por excesso de amor aos cartapácios.

Livres do livro nacional, comemoraremos o Centenário da Independência com indigestões de livros portugueses e franceses, senhores absolutos do mercado.

Apesar da sua arquicomprovada boa pontaria, o Congresso teve receio de errar o tiro, e precaveu-se contra a hipótese adotando medidas indiretas, auxiliares. Assim, taxará as máquinas gráficas — está no referido *projeto* — com verdadeiro furor. *Cento e cinquenta réis por quilo* é a taxa estabelecida para prelos, linotipos, monotipos, etc. Estas máquinas são mostrengos de ferro, pesadíssimos, e por mais peças que possuam, possuem sempre mais quilos do que peças. Cobrar por cada um deles cento e cinquenta réis é pô-los aqui quase pelo dobro do valor que têm lá fora. Equivale, portanto, a restaurar a lei portuguesa da destruição dos prelos. Destruí-los, proibir-lhes a entrada, é tudo um.

A reforma das tarifas resolve assim, de maneira indireta, o nosso eterno problema do braço. Matando o livro retira das letras legiões de poetas, cronistas, contistas, romancistas, ensaístas. Forçados a não se publicarem, esses homens do mundo da lua ou plantam papiro para à moda egípcia nele vazar as comichões beletreantes, ou vão plantar batatas, arroz ou café. Como o papiro pode não dar bem aqui, é provável que predomine a realização da segunda hipótese, e teremos um aumento sensível das safras agrícolas. Menos "Ouvir estrelas" e mais batatas de arroba, mais porcos de ceva, mais pés de café no limpo. É o que serve. Letras, só de câmbio. As outras não enchem a barriga.

Olhemos para o Senegal — com a mesma atenção com que outrora olhávamos para o México. Já que em tudo é forçoso imitar, imitemos o país da felicidade pura, onde não há nenhum dos males decorrentes do papel impresso. Prestos por fora e por dentro, toda gente lá come e digere na perfeição, sem nunca sentir necessidades mentais. É um Éden, aquilo. Ora, está em nossas mãos ter um Éden em segunda via por cá, gordo e feliz. Tenhamo-lo.

A estrangulação da indústria editora é o primeiro passo; o segundo virá com a supressão das escolas. Depois... depois é regressarmos à tanga, ao içá torrado, ao bicho de pau podre, à rede, ao anzol de osso, à zarabatana. Araras e tucanos pelo ar, um pajé no Catete, vinte feiticeiros no Monroe — e todo mundo a mascar milho para fornecer cauim ao Alvear. Que felicidade!

A "DESENCOSTADA"

Depois do ato de dona Maria I mandando destruir os prelos do Brasil-colônia, nenhum maior golpe inda sofreu a cultura neste país do que a elevação de taxas sobre o papel ocorrida em 1918. A agravação foi, justamente para o tipo de papel de uso mais corrente, de três mil por cento, a maior agravação ainda sofrida, em qualquer país do mundo, de qualquer continente, por qualquer artigo de importação!

Imposto sobre o papel significa imposto sobre a cultura, visto como é o papel a matéria básica do livro, do jornal e da revista, os três grandes instrumentos modernos da cultura. A nossa incipiente cultura sofreu, pois, o mais rude dos golpes com o advento dessa taxa brutalíssima. E tão grande foi ele que o governo logo o reconheceu e a tempo acudiu com um remédio, outorgando absoluta isenção de direitos de entrada para o papel destinado aos jornais e revistas. Reconhecia, assim, tacitamente, que esses instrumentos de cultura não poderiam viver sob o regime da taxação absurda.

Mas ficou de fora o livro, justamente o que mais merecia proteção, já que como instrumento de cultura o livro prima sobre o jornal e a revista. Ficou de fora como um excomungado, e passou a definhar na mais dolorosa das decadências. A indústria do livro deixou de constituir negócio dos que tentam os homens detentores do capital. Dos poucos editores existentes, uns se restringiram ao livro escolar, de consumo forçado; outros cortaram fundo na publicação de obras novas, agindo com grandes cautelas e só dando a público o que lhes parecia de absoluta segurança. Deixou de viver essa indústria, passou a vivotar apenas, como essas plantinhas às quais roubam o sol e dia a dia mais se raquitizam na desclorofilização.

Uma circunstância toda eventual, entretanto, é que permitiria esse modesto vivotamento: o contrabando do papel, o abençoado, o benemérito contrabando feito pelos jornais e revistas. Importavam quantidades acima de suas necessidades e vendiam aos editores o excedente. A cartilha das nossas crianças passou a ser feita em papel de contrabando — único meio que possibilitava a indústria de um artigo por essência infimamente barato. De 1918 para cá, pois, as nossas crianças aprenderam a ler por contrabando...

Não ficou aí a calamidade. A carta régia de dona Maria I ressurgiu logo disfarçada em convênio literário com Portugal, maromba que estabeleceu entrada franca de direitos para os livros impressos naquele país. Quer isso dizer que o nosso governo instituiu uma monstruosidade inédita no mundo: um protecionismo às avessas, protecionismo à indústria de lá contra a sua concorrente de cá... Livro já vem impresso de lá, entrada livre de qualquer taxação. Se vem em branco para ser transformado em livro aqui, a tal taxa de 1918, que correspondeu a um aumento de três mil por cento!

É ou não é a ressurreição da carta régia de dona Maria I, que o demo tenha no seu ardente garfo? Tanto faz destruir os prelos como impedi-los de funcionar, pondo-os em situação insustentável perante os de uma nação europeia cuja língua é a mesma que a nossa.

Ferido de morte pela taxa de 1918, proibido de existir graças ao convênio criminoso, mesmo assim o pobre perseguido teimava em viver, humílimo, modestíssimo, ressabiado, sempre na dependência de um contrabando que era a sua única tábua de salvação. Mas, ai!... A reação mineira não tardava. O quatriênio de chumbo, no seu ódio à luz, percebeu a pia fraude e, de dentes arreganhados, desferiu golpe mortal na indústria que teimava em impedir que nos afogássemos de vez no estado de alma ledo e cego duma viçosa escuridão. E, zás — matou-o.

A supressão do contrabando foi o tiro de misericórdia no livro nacional — e, pois, na nossa cultura. Os editores entraram a falir, um por um. Cinquenta por cento desses abencerragens se viram estatelados no chão, como o sapo que foi à festa do céu e de lá caiu.

Hoje a situação chega a ser cômica, de tão dolorosamente trágica. Autor que surja de originais debaixo do braço às portas de um dos raríssimos editores sobreviventes, só falta ser recebido a tiro. Propor a um editor a publicação de um livro significa propor negócio que cheira a facada — e o editor apita, como é natural. As escassas edições que ainda saem, em regra por conta dos autores, além de extremamente exíguas de tiragem são postas à venda por preços de espantar freguês — e ficam às moscas, com tudo quanto não confere com a força aquisitiva do público. Equiparou-se o livro à fruta. Breve só o veremos nas montras dos joalheiros, ao lado da maçã e do abacaxi, competindo em preço com as pulseiras e os *pendentifs* de brilhantes.

E estruge o clamor: o povo não lê, o brasileiro tem horror ao livro.

Está errado. O povo não lê porque não pode ler, porque está impedido, proibido de ler. A viçosa reação ([13]), assim como o impediu de espernear sob as torturas, também lhe vedou o acesso ao livro. Para que livro? Não viviam os nossos avós tupinambás tão bem sem ele? Acaso souberam jamais os pretos do Congo o que isso é? Povo que ainda apanha bolos lá tem direito de pensar em livro? Cultura... Isso é bolchevismo. A felicidade dos povos reside no culto da santa Estupidez.

Todos os países decentes demonstram o mais entranhado amor à cultura do povo; e seus governos tudo fazem para desenvolver a indústria do instrumento fundamental da cultura, que é o livro. E os que a tem incipiente chegam a conceder ao livro favores excepcionais. Entre nós, o contrário. País onde se protegem de maneira escandalosa todos os artigos industriais, por meio de tarifas embaraçadoras da livre entrada dos similares estrangeiros, o Brasil abre exceção para a indústria básica da cultura. Para todas as outras, protecionismo escandaloso. Para a do livro, protecionismo ainda, sim, porém às avessas, a favor da de fora, contra a de dentro...

---

13 Reação de Viçosa, a cidade natal do Presidente Bernardes.

Seria isso caso de assombrar, se alguma coisa assombrasse num país onde ainda impera a palmatória.

Por felicidade, com a entrada do novo governo bruxuleiam esperanças de melhoria. Um deputado por Pernambuco, moço que além de finamente culto sabe auscultar as necessidades superiores da nação, promete apresentar à Câmara um projeto de lei que ponha fim a tamanha monstruosidade. Vencerá ele o espírito de dona Maria I, funesto espírito santo de orelha que até aqui tem inspirado os nossos legisladores em tal assunto?

Esperemos. Se essa tentativa for bem sucedida, o Brasil estará salvo. A Estupidez terá de fazer as malas e sumir-se, cedendo o passo à pobre "desencostada". A desencostada é a Cultura.

Até ontem era uma encostada... ao contrabando. Hoje, nem isso. Apenas uma desencostada posta no olho da rua, sem albergue onde acolher-se, trêmula pária a retransir-se de fome pelos desvãos escuros.

Quem a viu tão amimada por Pedro II e quem a vê nos trapos em que a deixou a República, não pode deixar de redizer levemente modificado o verso célebre de Catulo Cearense:

— Meu Deus, por que não fizeste os brasileiros irracionais?

ASSESSORES

Apareceram, finalmente, depois de tantos labores, um no Senado, outro na Câmara, dois projetos de lei animados do mesmo objetivo: salvar o livro nacional do despenhadeiro em que rola. Barbosa Lima justifica o primeiro em poucas palavras — poucas mas fortíssimas e vibrantes. O ilustre senador não esconde a indignação que o atentado lhe acendeu na alma.

Já o projeto da Câmara põe de lado o tom fulminatório do grande tribuno e procura a eloquência da demonstração. Solano da Cunha, seu autor, justifica-o à força de dados insofismáveis. Mostra que o papel para livros nos fica hoje quinhentos por cento mais caro do que antes da guerra e que o imposto de entrada corresponde a cento e setenta por cento sobre o preço de custo! Mostra ainda que o papel para livros está pagando uma taxa quase dupla da... da seda!

Taxada como artigo de luxo, a seda paga, em média, oitenta por cento e só nalguns tipos cem por cento sobre o custo. O papel para livros, cento e setenta por cento!

O brasileiro já perdeu o hábito de abrir a boca diante de disparates fiscais, tantos são. Mesmo assim muita gente abriu a boca. Sobretudo no Congresso.

Logo depois que Solano da Cunha leu sua exposição de motivos, um congressista ao seu lado murmurou:

— Incrível! Então há oito longos anos que o papel para livros está taxado assim ferozmente? Confesso que em absoluto ignorava semelhante infâmia. Taxar o livro! Asfixiar a cultura num país que está definhando por falta de cultura! Reclama-se contra o analfabetismo e proíbe-se o livro!

Aproximou-se um congressista, a pedir esclarecimentos ao autor do projeto.

— Mas é sério isso, Solano? Mais que a seda, artigo de luxo?

— As sedas pagam em média oitenta por cento e só nalguns casos cem por cento. Logo, o papel para livros paga o dobro da seda, se a aritmética não falha.

— Realmente é escachante! Se isso me tivesse chegado ao conhecimento, eu já teria apresentado um projeto salvador. Mas nunca o soube, ninguém me disse nada.

Ia passando um terceiro pai da pátria.

— E tu, X, sabias?

— Esse negócio do livro? Não. Aliás nunca me interessei por livros, nem acho que sejam coisa de alto interesse para a nação. Em todo caso, concordo com os amigos que a taxa é pesadinha e votarei a favor... se o governo mandar.

Disse e afastou-se, sob o olhar comiserado de Solano da Cunha.

Um novo deputado surgiu.

— Ali vem F., — disse Solano. — Consultemo-lo. Cumula as funções de legislador com as de beletrista; já publicou várias obras...

— ...que não lemos...

— ...e deve estar ao par disso. Que achas, F., do caso do papel?

— Horroroso! Pura infâmia! Como há de este pobre país arrancar-se do atoleiro da incultura, se lhe proíbem o livro? Esse índice de cento e setenta por cento sobre o custo é simplesmente fantástico!

— O fantástico, — aparteou um novo deputado, — não é que seja assim. O fantástico é que nenhum de nós soubesse disso, apesar de termo-lo votado!...

Entreolharam-se todos.

— E que tenhamos passado oito anos sob este regime, na mais absoluta insciência do que estava acontecendo com a indústria do livro, a mais merecedora, talvez a única merecedora de todos os carinhos do Estado. Só me admiro que ela haja resistido por tanto tempo.

— Engano. Essa indústria não resistiu e em grande parte naufragou. As casas de S. Paulo na maioria desapareceram; outras se fecharam aqui, e neste momento venho de saber da queda de uma das maiores e mais antigas do Rio Grande do Sul.

O nosso povo não é dos mais amigos da leitura. Herança. O luso, sabemos, é de muito pouco ler. O tupinambá não consta que lesse. O negro, idem. Já assim hereditariamente avesso ao livro, muito lógico que o nosso povo haja deixado perecer a sua indústria quando os produtos dela se lhe tornaram inacessíveis à bolsa.

Vejam-se os preços dos últimos publicados. *Terra Desumana*, duzentas e tantas páginas, oito mil réis; *A Planície Amazônica*, seis mil réis; *Raça de Gigantes*, do Ellis Filho, dez mil réis. Livros de 250 páginas, em papel de jornal, brochados!...

— Preços proibitivos. Fica o livro ao alcance apenas da gente de dinheiro, isto é, dos que têm mais que fazer do que dedicar-se ao estudo.

— E fomos nós que votamos essa taxa mortífera! E passamos oito anos a ignorar que a tínhamos votado! Decididamente, falta ao congresso brasileiro um aparelho complementar.

— Qual?

— Um grupo de funcionários incumbidos de prestar atenção no que fazemos e advertir-nos quando as asneiras forem muito grossas. Homens esclarecidos sobre todos os problemas nacionais e que saibam deduzir as consequências dos nossos projetos.

A nossa intenção é sempre boa, mas saem tantos tiros pela culatra que um corpo assessor se impõe. Eu, por exemplo, ando em comichões por apresentar um projeto sobre açambarcamento de gêneros. Tenho medo, porém, que em vez de acertar o tiro no açambarcador, acerte no açambarcado. Já errei tantas vezes que estou com sérias dúvidas a respeito da minha pontaria. Ora, se tivéssemos um corpo consultivo, de absoluta confiança, era só chegar e perguntar:

— Que é que vocês acham? Se eu der este tiro, bem apontado, naquele alvo, onde é provável que acerte?

VACAS MAGRAS E GORDAS

Paz traduz-se em mecânica por equilíbrio, e guerra por interrupção, ruptura desse equilíbrio. Dada a interdependência de todas as coisas físicas ou humanas, cada ruptura de equilíbrio determina uma série infinita de repercussões que só cessam quando as coisas convulsionadas encontram um novo sistema de equilíbrio. A ruptura de 1914, sendo a maior de quantas nos registra a história, suas repercussões alçaram-se a um grau de intensidade e extensão nunca vistos. E sua duração será... Quem pode medir até quando irão os seus círculos concêntricos, se ainda hoje percebemos os círculos concêntricos determinados pela pedra do bárbaro caída no espelho d'água da paz romana?

Um destes efeitos patenteia-se no mundo inteiro com idênticas características: a inflação das cidades e o consequente agravamento dos males do urbanismo.

As cidades encheram-se fora de conta e medida, e todas sofrem hoje a "afrontação" da pletora.

Por que essa congestão? Donde veio o fluxo humano?

Dos campos.

A guerra determina um consumo intensificado de gêneros alimentícios. A produção dos beligerantes diminui com a mobilização militar dos braços ocupados no labor agrícola, e os governos, sacando sobre o futuro, empenham tudo para manter estoques abastecedores do tonel das Danaides. Isso acarreta a imediata valorização dos gêneros sem os quais não há vida. O produtor agrícola, eternamente explorado na paz pelo parasitismo intermediário do comércio, vê chegar, enfim, a sua vez. É a desforra. É a alta. É o *royal-flush* que no pôquer da vida vem afinal ter às suas mãos. As cidades, os governos, os exércitos, os estômagos em suma, ficam numa terrível dependência do campo. O eterno explorado esfrega as mãos. Virou fiel da balança. Está a salvo de blefes. "Vê" todos os jogos, na certeza de ganhar. E ganha sempre. E ganha cada vez mais. E ganha de enriquecer. E enriquece.

Foi assim na última guerra. Milhões e milhões de homens retirados ao labor da produção ocupavam-se em consumir e destruir. Cinco anos nessa loucura. Cinco anos de sorte para o produtor — sorte reiterada, insistente. E ele não perdeu a vaza. Dobrou, triplicou as semeaduras; dobrou, triplicou, quintuplicou os preços. Enriqueceu com furor. Fez às rápidas o que normalmente não faria a vida inteira pelo sistema de juntar aos vinténs um mealheiro doloroso. Não houve um só ramo da classe agrícola que se não beneficiasse com a alta.

O ouro vinha de toda parte bater-lhe à porta, oferecendo-se humilde em troca do pão, da carne, do couro, do açúcar, de cereais de qualquer espécie. E ele trocava, dando sempre menos mercadoria em troca de mais ouro.

A consequência desse afluxo metálico às suas mãos foi um imediato reflexo na mentalidade. Surgiu a tentação urbana. A atração das cidades empolgou-o. Viu o seu sonho — o sonho de todo agricultor: morar na cidade — transfeito de sonho vago em possibilidade ao alcance da mão. E como havia sobras permissoras da mudança de estado, o agricultor mudou de estado. Trocou o campo pela cidade. Urbanizou-se.

Cada qual, conforme as posses realizadas, deu o seu passo à frente. O mais fraco mudou-se para a freguesia próxima; outro mais forte comprou casa na vila; outro, na cidade; os mais empenhados, na capital. Este deslocamento, tão perceptível entre nós, reproduziu-se no mundo inteiro sem exceção, tanto nos países beligerantes como nos neutros. Na Argentina e na Espanha, como na Alemanha ou na França. E as cidades pletorizaram-se, literalmente entupidas. Não houve e não há casas nem hotéis que bastem. Todas transbordam, derramam. Daí a alta dos aluguéis. Consequência lógica do afluxo, a alta aparece como elemento equilibrador. Há de ir numa ascensão até desanimar os invasores, forçando-os a permanecerem no campo ou voltarem para o campo.

Em 1913 deu-se entre nós, muito visível em S. Paulo, o fenômeno contrário. A crise agrícola, agravada com o terremoto balcânico, esvaziou as cidades. Quem pôde saiu. Milhares de pessoas passaram das capitais às cidades, das cidades às vilas, das vilas, às freguesias, das freguesias à roça.

Os senhorios, tão gordos hoje, emagreceram. Os aluguéis caíram a níveis irrisórios. O inquilino fazia favor "morando". Não havia rua onde dezenas de casas fechadas não pedissem, com o papel do "aluga-se", a esmola de um morador. O inverso de hoje, exatamente.

Pergunta-se agora: quanto tempo durará a alta?

Desde a época dos Ramsés que as enchentes e vazante humanas se calculam por períodos de sete anos. O povo consagrou este número em redor do qual realmente se ciclam os fluxos e refluxos. Quer isto dizer que estamos no fim da alta, e que vamos comemorar a Independência com maré baixa.

Entrementes, discute-se. Discutem-se mil expedientes de soluções artificiais para a crise — como se a "crise" não fosse uma permanente, um ir ou vir de pêndulo. E adotam-se mais cômicas medidas: comissariado, restrição de exportação, etc., esquecidos todos de que o equilíbrio vem por si, pelo próprio efeito da alta e da baixa. Uma determina a outra. Uma sai da outra. Uma é a um tempo mãe e filha da outra. Na crise de casas, por exemplo a alta determina o surto das construções. O surto das construções por sua vez determina a baixa. Do ponto de vista das cidades — dado que crescer lhes seja um bem — a alta dos aluguéis é um fator precioso. Só ela tem forças para cogumelar do solo os milheiros de prédios novos que virão solver o problema. Assim, os que moramos em cidades, em vez de lamuriar da alta dos aluguéis, devíamos abençoá-la. E achá-la pequena ainda. E pedir ao senhorio que não tenha dó, que enterre a faca até ao cabo. Porque tanto mais forte é a febre tanto mais rápida é a cura. Salvo quando o doente morre. O que aliás também é uma solução — e a melhor, na opinião de muitos...

A MARAVILHA DO CALABOUÇO

Quando, mais forte que a explosão da Ponta do Caju, reboou pelo país o estranho caso da *Revista do Supremo*, foi de assombro a impressão geral, seguida de uma lógica sensação de aniquilamento. É o fim de tudo, ouvia-se dizer. Já que tais monstruosidades se geram no seio do nosso tribunal supremo, o país precipita-se vertiginosamente no abismo.

De fato, apresentado o negócio como o fez a imprensa, com a virulência dos adjetivos exacerbada pela força comprobante do número dos milhares de contos, outra não podia ser a impressão, resumida logo numa síntese fulminatória: "a maior cavação do século".

Pois para uma simples revista milhares de barricas de cimento importadas? Vidro importado a granel? Aparelhos sanitários em grandes lotes? Arame farpado, ferro, azulejos, mil coisas em proporções desnorteadoras, além de dinheiro a rodo e todos os favores possíveis e imagináveis?

Confesso, encampei a síntese fulminatória e lamuriei entristecido sobre o descalabro do caráter nacional. Convenci-me de que, sob o pretexto da montagem de uma oficina gráfica destinada à impressão de uma revista, homens espertos haviam, em proveito próprio, com a mira exclusiva no dinheiro, sangrado *a blanc* o Tesouro. Foi, pois, com açodamento que aceitei o convite de um amigo para uma visita ao Calabouço. Ardia por medir com meus olhos a extensão da inominável patota.

Fui, corri o palácio inteiro e dele sai com as ideias mudadas. A síntese popular é evidentemente errônea. Não se trata da maior cavação dos tempos, mas de um belíssimo caso de delírio estético.

Tudo são nuanças na vida; daí o perigo dos julgamentos simplesmente crus: — é preto, é branco. Nada é preto, nada é branco, porque nada é simples.

O caso da *Revista* escapará aos anais da cavação porque tem seu lugar nos da psicopatia. Transcende os âmbitos de uma negociata de alto calibre com mira exclusiva no dinheiro para incluir-se nos domínios da psiconevrose megalomaníaca. Os seus hoje caluniadíssimos autores serão de futuro estudados no capítulo que Luís II da Baviera encabeça como singularíssimos casos de megalões. Poucos exemplares do tipo mental desses homens apresenta a nossa história: de pronto acodem-nos dois, um grosseiro, o famoso contratador de diamantes do Tejuco; outro mais nobre, o impressionante nababo paulista que se chamou Guilherme Pompeu do Amaral.

Para a compreensão nítida do caso da *Revista* é indispensável o estudo dos homens que idealizaram a obra, e ainda uma retro visão indagadora sobre os seus ancestrais.

De um deles conta-se que, morador numa pequena cidade mineira, fazia chegar até lá as grandes celebridades que no tempo aportavam à Corte; ouvia assim Tamagno, Borghi-Mamo, Viana da Mota, em serenatas domésticas de absoluta intimidade.

Para criaturas deste tipo mental o valor mais alto do dinheiro é exatamente esse de permitir a realização das mais delirantes fantasias. Luís II da Baviera, cujo sangue talvez corra nas veias dos nossos sonhadores, apresenta o exemplo clássico desta maravilhosa tara, graças à qual o mundo se vem enriquecendo de obras d'arte inconcebíveis e irrealizáveis pelo homem normal. Para este chatíssimo bípede, todo vísceras de tranquilo funcionamento como as do carneiro, a função do ouro é produzir mais ouro, quando não "utilidade". A pintura lhes presta apenas como utilidade: encher o vazio das paredes. A música, como meio de matar o tempo. A poesia serve para compor suas estantes com volumes bem encadernados.

Inteiramente outro é o conceito do dinheiro para os tarados de eleição. Os rajás indianos, os monarcas eslavos e orientais, alguns césares romanos — entre os déspotas, em suma, é vulgar este desdobramento do ímpeto criador que age sem pedir meças ao prosaico utilitarismo. E vem daí as coisas belas que enfeitaram o mundo, os Kremlins, o famosíssimo Taj-Mahal, os jardins suspensos de Semíramis.

Força de fácil expansão nas monarquias ao molde aristocrático, esta nevrose do grande não encontra campo propício nas democracias, medíocres e sórdidas por natureza; daí vem que as criaturas nascidas com o selo da predestinação ou recalcam a tara, engalhando-a pelos rumos que Freud deslinda, ou acostam-se ao Estado para ao menos em parte dar-lhe asas.

O estado democrático é um tirano de chinelas incapaz de conceber algo de grandioso; mesmo assim, só por intermédio dele, iludindo-o as mais das vezes, os megaloestetas conseguem criar alguma coisa.

Foi o que fizeram os ideadores das oficinas gráficas da *Revista do Supremo*. Sonharam uma obra única e com espantosa habilidade realizaram-na à custa do Estado, em honra e homenagem ao poder que no Estado prima sobre os demais — em teoria pelo menos. E tudo o fizeram sem que o tirano de chinelas o percebesse, pois de outra forma não se explica a violência com que hoje o Estado arremete contra uma obra de arte que ele autorizou e pagou.

Erro clamoroso, pois, acoimar de cavação uma obra destas. O característico da cavação está em tirar do Estado nada dando em troca. No caso vertente os nossos geniais realizadores esqueceram-se de si e tudo quanto tomaram ao Tesouro carinhosamente empregaram na ciclópica obra d'arte concebida.

Obra d'arte, sim, e ciclópica, sim, a empresa ideada por Humboldt e Murilo Fontainha (a predestinação dos nomes!...). Sem ver com os próprios olhos ninguém ajuizará ao certo do que vai pelo Calabouço — e quem o imaginar errará para menos. Tomaram eles desse palácio, a mais bela coisa que apresentou a Exposição Nacional em matéria arquitetônica, casa imensa, com panoramas deslumbrantes descortinados das janelas (e estou que isto influiu na escolha) e adaptaram-no ao fim em vista. Como? Estirando galpões de zinco? Erguendo tabiques de pano? Nada disso. Multiplicaram-no por três, com absoluto respeito ao estilo e clara intuição artística de como é possível multiplicar as dimensões de um palácio sem o mínimo prejuízo da sua unidade estrutural. As obras novas espantavam os visitantes tanto pelo vulto como pelo primor do acabamento, do qual jamais se afasta a preocupação estética. E dentro do palácio assim afeiçoado instalaram eles a maior e a mais perfeita oficina gráfica que seria dado a um Luís da Baviera conceber. Não a oficina ao tipo Ford, onde a preocupação única é a da eficiência e da higiene. Mas *algo nuevo*, pura criação de berrante ineditismo. Sonho de ópio realizado...

Em todas as seções ressalta a procura de um luxo britânico, com base na elegância e na beleza sóbria. Nada de aproveitamentos ou arranjos. No centro do Calabouço havia, implantado desde que o mundo é mundo, um formidável bloco de granito que os construtores do palácio não se animaram a atacar. Eles o fizeram; a ponta de pique desbastaram a monstruosa pedra, em seu lugar erigiram uma sala de impressão e sobre esta um jardim suspenso, ladeado de galerias de cristal. Necessidade nenhuma havia de conquistar à rocha uns tantos metros quadrados de área, num país que tem tantos quilômetros quadrados para dar e vender. Mas a estética o exigia... Cavadores esses homens, que só no desbaste desse pedrouço gastaram soma suficiente para se enriquecerem?

Adequado assim o prédio, em cujas obras novas se vê aplicado o copioso material recebido com isenção de direitos alfandegários e que tanta celeuma causou, era mister enchê-lo — e surgem as máquinas. Vem de França um técnico de alta competência para orquestrar a espantosa soma de maquinismos moderníssimos que o bojo do Calabouço devia comportar. Esse homem, apesar de filho de um país líder, certo que se assombrou com a empresa, pois tudo leva a crer que nunca, no mundo, jamais um técnico teve que avir-se com tamanho e tão complexo bloco de material gráfico.

As grandes oficinas em toda parte ressurtem de pequenas sementes e crescem com o tempo, tal qual as árvores, entroncando e engalhando ao sabor das necessidades.

Aqui, não.

A árvore — baobá adulto — havia de armar-se de chofre, da raiz às folhas, ao arrepio das leis naturais por um puro golpe de mágica.

Imagine-se a dor de cabeça que torturou o francês! Entrosar tudo aquilo, harmonizar todos os conjuntos, equilibrá-los no sentido da produção, afinal todas as peças ao diapasão de uma chave única que, voltada, tudo fizesse trabalhar qual um relógio — isto, mais que mecânica era música, e o francês, apesar dos ódios de raça, teve momentos, sem dúvida, em que lamentou não possuir a envergadura orquestral de um Wagner.

Mas tudo se coordenou, por fim, da melhor maneira e, embora ainda incompleta, a montagem a meio já permite ao espectador apreender a beleza do total e fazer ideia da maravilha que será tal organismo em pleno funcionamento.

É mais do que oficina o que se vê no Calabouço. Aquela grande-ópera mecânica aberra de todos os estalões conhecidos e pede para a nomear palavras novas, inventadas "ad-hoc". A criarem equivalentes, os seus autores teriam feito, na música, os Mestres Cantores; na poesia, a *Divina Comédia*; na arquitetura, o Taj-Mahal. O destino embicou para as artes gráficas a vertigem criadora que lhes tumescia o cérebro — e saiu esse prodígio, a mais curiosa e grandiosa coisa que depois do Pão de Açúcar apresenta o Rio.

Todas as artes concorrem ali. A pintura, pelo pincel de C. Osvaldo enriquece de alegorias um imenso salão destinado a conferências internacionais; o entalhe, pelos mais hábeis entalhadores do Rio, trabalha finamente a imbuia para *boiseries* luxuosas; a arquitetura chama a postos o colonial e, dos azulejos desenhados especialmente aos telhões de beirais feitos na própria casa, tudo estiliza com sutis preocupações de síntese. Há a sala de Rui Barbosa, em cujo teto uma série de alegorias de Osvaldo mostra a evolução do nosso direito subsidiado pelo romano e culminado pelo código civil. Há a sala dos ministros do Supremo, verdadeiro templo onde tudo é ouro verdadeiro.

— Mas para que tudo isto? — pergunta a democracia.

A obra d'arte tem a sua finalidade em si mesma; num principado indiano o rajá faria coisa assim para seu gozo exclusivo. Aqui, democracia, exige-se fim utilitário. Premidos por essa tola exigência, os nossos criadores consagraram-na ao Supremo Tribunal, como poderiam tê-lo feito a Siva ou a Osíris. Fizeram o Vaticano industrial da nossa justiça, o aposento dos velhinhos supremos, a máquina que lhes veicula a rabulice interpretativa para uso de todos os cérebros julgadores do país.

Saiu coisa desproporcionada aos fins. Apesar de supremos e apesar da importância que a voz desses velhinhos tem para a vida social e econômica da nação, tamanho aparato certamente que os aterrorizará. À deusa Têmis, sim, caberia um tal templo — uma Têmis moderna que não se contenta com julgar mas quer ver suas decisões escoarem-se através dos linotipos, estamparem-se em papel e circularem pelo país inteiro como os leucócitos da harmonia jurídica.

A função dos realizadores desta maravilha está quase terminada. Nada lhes há a imputar. O destino os predestinou a enriquecer o país com uma ciclópica obra d'arte industrial e eles superiormente o fizeram.

Resta a segunda parte. Tal obra pertence ao Estado. Este a autorizou, a custeou e a viu erigir-se como o veículo suntuário do seu ramo supremo. Mas subitamente esse mesmo Estado se rebela, nega seus atos anteriores e procura uma forma para destruir a obra d'arte, levado apenas de um motivo: tê-la achado bela demais, grandiosa demais para uma rabona. E o povo embaraçado abre a boca sem saber o que pensar dos seus homens. Se, entretanto, permitissem ao povo, que tudo pagou, um desfile através da oficina-palácio, com um livro à porta de saída para nele ser lançada a sentença final, estou que o veredito seria unânime.

— "Não me bulam nesta obra! A vida não é só comer, beber e construir vilas. O senso estético de um povo e o seu orgulho também possuem exigências. Quero que fique de pé esta maravilha para regalo dos meus olhos e da minha vaidade. Faltava-me ao Pão de Açúcar, dom de Deus, um companheiro, obra do gênio humano. Tenho-o cá. Que fique."

E estou ainda que, saindo dali, esse povo iria infalivelmente votar em massa num dos autores da obra-prima para prefeito vitalício do Rio de Janeiro — meio único de transformar a cidade na oitava maravilha do mundo.

O QUARTO PODER

> Neste artigo e no seguinte M. L.
> descreve o começo da submissão dos jornais ao
> controle do estado — pelo suborno inicialmente
> e por fim à força, por meio do DIP no governo Getúlio Vargas.

A imprensa evoluiu num sentido imprevisível aos seus ingênuos criadores — aqueles velhos sacerdotes que manejavam a "alavanca do progresso". Fez-se a picareta do progresso, e cresceu como força social a ponto de penetrar no estado como um quarto poder. Na futura reforma da nossa Constituição os legisladores serão forçados a aceitar a coisa, legalizando assim uma situação de fato.

É a imprensa o poder que completa os outros e lhes manipula os atos para uma conveniente apresentação ao público. Os governos dependem da harmonia dos poderes. Sem esta sobreviria o caos, a guerra intestina — e governo se devoraria a si próprio.

A lúcida inteligência de Campos Sales, depois da sua violência empasteladora contra jornais paulistas, foi a primeira a compreender a nova ordem de coisas. Verificando o erro da resistência às brutas contra a maré montante, aplicou, quando na presidência da República, um sistema novo, bastante racional; o qual sistema, aceito e desenvolvido pelos governos posteriores, caminha de forma a legalizar-se no futuro em artigo expresso da carta magna.

É lógico. Não há razão para remunerar os agentes do poder judiciário, do executivo, do legislativo, e exigir dos agentes do quarto poder gratuidade de serviços.

Este lance genial de Campos Sales muito honra o espírito prático dos paulistas, os quais, pioneiros sempre, persistiram na senda do iniciador e alargaram-lhe a obra com a amplitude com que se fazem as coisas em São Paulo.

Ao atual governo paulista cabe no movimento um grande passo. Não achou razoável considerar a imprensa sob o aspecto estreito do regionalismo e só admitir em seu posto de quarto poder, regiamente paga, a imprensa paulista. Dados a hegemonia do grande estado e os seus interesses cada vez maiores na política geral, era imprescindível fortificar o quarto poder com a oficialização da imprensa carioca.

A realização da bela reforma dependia apenas duma coisa: dinheiro — e havia-o em quantidade mais que suficiente. Montou-se pois o quarto poder definitivamente, com dotação apreciável. Calcula-se em trezentos contos mensais o orçamento da Secretaria da Publicidade, ainda incorporada às outras por motivos óbvios. É bastante para um serviço novo, ainda em período de clandestinidade, mas concordemos que é pouco, dada a importância do quarto poder.

É forçoso, pois, prosseguir no movimento, alargar ainda a dotação, e regulamentá-la para que cesse o odioso vexame imposto aos agentes do quarto poder, de receberem seus honorários pela verba secreta.

É tempo dos sacerdotes de Gutenberg erguerem a cabeça e exigirem o pagamento à plena luz, como se faz com os deputados e os juízes. Nada mais odioso do que esta vexatória exceção.

Como também nada mais odioso do que a atitude de certos jornais paulistanos e cariocas, birrentos em não admitirem o fato consumado. Não fosse a funesta posição guerrilheira desses órgãos amarelos, irredutíveis num pirronismo grotesco, teimoso em combater uma evolução muito natural e lógica, e estaríamos já com o Departamento da Publicidade definitivamente instalado.[14]

As vantagens para o público seriam imensas. Cessariam as chamadas "campanhas contra o governo" e esses horríveis ataques contra as pessoas dos governantes, os quais ataques dão ao povo a impressão de sermos governados por uma quadrilha. O governo, por sua vez, teria o campo livre para uma "atuação" serena, sem empeços, sem o mínimo aborrecimento. O róseo seria a cor nacional por excelência, porque tudo correria girando sobre mancais de bolinhas S. K. F.

---

14 Ironicamente o autor previa em 1923 o que veio a ser a imprensa da ditadura Vargas.

Desgraçadamente subsistem por aí uns Catões incompreensivos, gente de fígados maus, incapazes de atinar com as imensas vantagens da unanimidade. Que lhes preste.

Ao atual governo de São Paulo cabe ainda a honra de ter reduzido ao mínimo a odiosa facção dos não-conformistas. Soube captar para o rebanho não só grandes órgãos de publicidade, como ainda a miuçalha lambareira das revistas. Não tem conta o número dos que se ligaram neste quadriênio à verba secreta por meio do seu cordãozinho umbilical. Resultado: vivem felizes, sem mais a espada de Dâmocles da falência a lhes ameaçar o sono, e fazem felizes aos seus leitores com o dar-lhes uma impressão sempre rósea dos nossos homens e das nossas coisas.

O governo de São Paulo deixa no passivo muita coisa má, indigna dum governo decente. Mas para compensação deixa no ativo um gordo saldo que resgata longe tais mazelas. Basta, por exemplo, este simples fato da criação do quarto poder para guindá-lo à primeira plana dos grandes governos da República. É inegável a sua benemerência. No entanto, por uma estranha ironia, não há um só jornal que o gabe sob este aspecto! Elogiam-lhe todos os atos, sua ação financeira, sua atuação agrícola, sua equidade na justiça. Mas a coisa que mais de perto interessa à imprensa não merece dela o mais leve toque...

Por quê? Talvez por injunção de velhos resíduos morais, persistentes no caráter moderno como uma espécie de gafeira.

Mas a moral, como tudo, evolui. O que é crime hoje pode ser virtude amanhã. O gatuno na Grécia era honrado como um hábil prestidigitador; perdeu o prestígio depois, chegou a ser considerado como o mais infame dos homens; hoje reabilita-se, e terá ainda honras como nunca lhas concedeu o grego.

Nas escolas futuras muitas disciplinas inúteis, ensinadas hoje, serão substituídas por outras de alto utilitarismo. Em vez do mestre interpelar meninos sobre ângulos, triângulos, senos e co-senos, farão perguntas assim:

— Quando, ao abrir uma burra, se verifica que a resistência do aço do instrumento perfurante é 2 pontos menor que a resistência do aço perfurado, qual a fórmula a adotar-se: a equação de Rocca ou o binômio de Carletto?

É tolice, pois, ficarmos toda a vida no Marquês de Maricá, convencidos da imutabilidade dos princípios morais. *Le monde marche...* e lá vai de roldão Marco Aurélio, Epicteto, o Decálogo, Maricá e quanto fóssil procura entravar as rodas do ex-carro, hoje aeronave do progresso.

Já foi, *in illo tempore*, ato de suborno remunerar a imprensa pelos seus serviços em prol desta ou daquela causa. Hoje a imprensa "advoga" a bela causa governamental, e como esta causa não tem fim, a imprensa, em vez de atacar o serviço parceladamente, com soluções de continuidade nocivas ao estado, fá-lo incorporada nele, às definitivas, como uma procuradoria *sui-generis*. Nada mais honesto, mais limpo nem mais inteligente. Nada mais "evolução". Governar foi sempre uma arte difícil; o surto moderno da imprensa veio agravar essa dificuldade com o pôr-se a imprensa em frequente antagonismo com o governo. O povo, sabendo da ação do governo unicamente por intermédio da imprensa, sofre com a apresentação desairosa que esta lhe faz dos atos.

De modo que se tornou impossível governar sem auxílio da imprensa.

Mas era imoral suborná-la.

Como sair do dilema?

Suprimi-la? Impossível. Amordaçá-la? Pior ainda. A solução única é portanto a paulista, experimentada no último quadriênio com tamanhos resultados: subvencionada.

Realizada já esta grande conquista, que faz fremir de entusiasmo os ossos de Gutenberg, resta ainda escoimá-la da bioquice hipócrita; e sobretudo poupar ao Quarto Poder a frequência malsã da Verba Secreta.

Tenhamos a coragem dos nossos atos.

Afirmemos de cabeça erguida a nossa evolução, em que pese aos rançosos moralistas e a esses remanescentes grotescos duma moral morta: os jornais de oposição. Opor-se à prosperidade, à comodidade, às delícias do oficialismo, à aposentadoria, à fecunda irrigação com as águas do Pactolo, somente por amor do povo, ralé ignóbil indigna do menor sacrifício, é coisa que depõe contra a sanidade mental dos díscolos. Hospício com eles! E, orgulhosa, eliminado o amarelo da gama das suas cores, penetre a imprensa, com desassombro, na fase áurea de sua existência, legalmente transfeita em o Quarto Poder do Estado — com rubrica nos livros do Tesouro e libertada para sempre da aviltante focinhação na gamela suja da odiosa Verba Secreta. Amém.

HONNI SOIT

Uma folha carioca, notável pelo criterioso da informação e pelo tom elevado com que aborda nossos problemas, insinua, em artigo de fundo, como fato gravíssimo, o singular "emagrecimento" do estoque de café adquirido pelo governo paulista. Dá assim o curso da letra de forma ao murmúrio da praça de Santos, em face da quebra de quatro por cento verificada nesse café por ocasião do reensaque.

Uma ninharia, esses quatro por cento: apenas cento e vinte mil sacas, valendo nove mil contos no bloco dos três milhões de sacas adquiridas.

Citamos esta insinuação da folha carioca simplesmente para robustecer nossa tese relativa à oficialização da imprensa, exposta nesta coluna há uma semana.

Estivesse já totalmente realizada a grande reforma da incorporação da imprensa ao estado como o seu quarto poder, e o espírito público não passaria neste momento pelo desgosto de sentir pelas ventas o bafo duma nova maroteira.

Mas não está realizada a reforma. Subsistem fora do aprisco vários órgãos pirrônicos, e tanto basta para que se perturbe a paz de consciência dos governantes e a doce beatitude dos governados.

Em plena apoteose a fogos de bengala do governo paulista, quando toda a imprensa rósea se abre em louvores, atribuindo aos seus gestores o grande surto econômico do Estado nestes últimos quatro anos, desde a safra de algodão até a geada valorizadora, a nota do jornal amarelo cai como pingo d'água no azeite em fervura. O público, opiado pela palavra maviosa das sereias, acorda e arrepia-se; sofre na bossa do comodismo um desagradável choque e entra-se de dúvidas quanto à onzemilvirginal pureza dos apoteosados.

Ora, a felicidade do povo deve ser o fim supremo do governo, e lesa o estado de felicidade dos súditos todos os conceitos desairosos que corram à conta dos magnatas. Deve, pois, o governo impedir por todos os meios essa lesão da felicidade pública, causada pela apresentação aleivosa que de seus atos faz a imprensa rebelde.

Sob o regime da oficialização criado por S. Paulo, e que defendemos com o máximo calor, fica livre a opinião pública desses desagradáveis traumatismos.

Porque tudo vai da apresentação dos fatos, pouca importância tendo os fatos em si. Neste caso, por exemplo. Apresentado como foi o fato pelo jornal carioca, dá a impressão dum formidável "avança" no café armazenado, ligeireza que só poderia ser praticada com a conivência dos próprios membros do governo; do contrário procuraria este apurar responsabilidades, o que não fez.

Ora, tal apresentação é aleivosa. O estoque emagreceu, é verdade, mas em virtude de causas naturais de que têm culpa as leis da física e não os homens. Explica-se, pois, cientificamente o fenômeno, sem que se cubram de lama os nossos pró-homens.

Cento e vinte mil sacas correspondem em peso a sete milhões e duzentos mil quilos. Parte dessa massa é composta de água, cujo evaporamento, num clima quente como o de Santos, é fácil de explicar. Outra parte é composta de óleos essenciais, muito voláteis, cujo desaparecimento não tresnoita o cérebro de ninguém numa terra onde o sol evapora até o asfalto das ruas. Água e óleos lá estão pelo espaço integrados no turbilhão atômico.

Resta o resto: a parte sólida desses sete milhões de quilos. Aqui a explicação científica é mais complicada, e seria mesmo impossível anos atrás; mas depois da descoberta do radium pelo casal Curie, não apresenta a mínima dificuldade.

Impressionado com as propriedades do radium, Gustavo Le Bon publicou um livro — "Evolução da Matéria" — onde formula as novas hipóteses científicas desse corpo. Le Bon argumenta com muita lógica que o princípio de Lavoisier — nada se cria, nada se destrói — pedra fundamental que foi da química, está errado, e deve ser substituído por um outro que concilie a ciência com as propriedades do radium. Nada se cria, tudo se destrói: eis o novo alicerce da química. A matéria perde-se, esvai-se, extingue-se. A radiação não é uma propriedade exclusiva do radium, e sim de todos os corpos; apenas se manifesta com maior intensidade no radium.

E a radiação é a forma, o modo de extinguir-se da matéria.

Os átomos dissociam-se, turbilhonam, e perdem-se nos intermúndios siderais. Os três estados clássicos da matéria, sólido, líquido e gasoso, passaram a quatro, com a entrada em cena do estado radiante. Mas este estado radiante não é propriamente um quarto estado da matéria, e sim uma propriedade que a abrange toda. Líquida, sólida ou gasosa, a matéria é sempre radiante, isto é, subsiste num permanente estado de dissociação atômica que lhe dá cabo do canastro.

Apesar da infinita lentidão com que se opera o fenômeno dissociativo, tempo virá em que a matéria estará totalmente extinta, dispersada, difundida pelo espaço como discreto perfume.

Ora, com o auxílio desta nova teoria nada mais fácil do que explicar com rigorismo científico o emagrecimento do estoque de Santos, sem inculpar os nossos governantes. Que culpa têm eles, afinal, de que a dissociação atômica seja um fato? E que se tenha manifestado no café com intensidade imprevista, em virtude duma anafilaxia qualquer? O café evaporou-se nas partes líquidas, e dissociou-se nas partes sólidas. Transferidos em átomos, os sete milhões de quilos que faltam andam a fazer propaganda da terra roxa pelo confins etéreos. Nada mais claro, nem mais rigorosamente científico.

Vê-se, pois, deste exemplo, como tudo varia com a apresentação do fato, e como há vantagens para a felicidade do povo na apresentação oficializada. Todos ficamos satisfeitos, e ainda o povo se instrui com a lição científica chamada a esclarecer o mistério, lição esta muito adequada à compreensão de muito desfalque até aqui injustamente atribuído aos homens. Porque está provado que o dinheiro também se irradia, chegando mesmo, quando público, a possuir um dos mais altos coeficientes dissociativos.

Nesta hipótese, sob o novo regime dos jornais, não se negaria a evidência do fato; o fato viria à tona banhado de luz, mas da boa, da santa, da fecunda luz rósea de que depende a felicidade dos cavalgantes e cavalgados.

Outro caso, agora. Suponhamos, por exemplo, que um senador da República, de alto destaque na política e velho amigo do jogo, sai da capital do país e vai à capital dum estado vizinho fazer sua fé na mesa de pôquer dum clube elegante, ponto de reunião da plutocracia provinciana. E lá é pilhado roubando no jogo. E que a diretoria desse clube se reúne e propõe a expulsão do "indelicado". E que esta se realiza. E que o suposto senador, grande magnata alguns furos apenas abaixo do Presidente da República, se vê proibido de jogar naquele círculo por *indelicatesse*.[15]

Um fato desta ordem, no caso da imprensa oficializada, não seria apresentado ao público por forma nenhuma, em respeito à posição oficial do cleptómano. Se o fosse, provocaria um abalo formidável no país e fora, enxovalhando coisas que valem mais que o homem. E o mal ficaria por aí, sem repercussão maior.

Já sob o regime atual da imprensa, o regime misto, composto de órgãos oficializados e órgãos rebeldes, subsiste o perigo de um destes, antipatriótico, amigo do escândalo e sempre movido por paixões más, trazer a público a gravíssima denúncia, com funestas consequências para a nação.

Não há, pois, negar. Por mil e um motivos a oficialização integral da imprensa impõe-se cada dia mais. Todos a reclamam: o povo, cansado da pintura negra que diariamente lhe dão os órgãos amarelos; os governantes, sempre apavorados ante a possível má apresentação dos seus feitos; e a própria imprensa, assoberbada pela tremenda crise do papel. É o meio prático de entrarmos todos de chofre num período áureo como jamais o gozou país nenhum do mundo.

E maldito seja quem malicia isto!

---

15   O artigo refere-se a um famoso senador federal que foi pilhado no Automóvel Club de S. Paulo a roubar no jogo — sendo convidado a nunca mais aparecer por lá.

Não Ficção

Ferro (1931)

Ferro
A solução do problema siderúrgico do Brasil pelo processo Smith

> E o horizonte, a serem exatos os prenúncios, revela-se imenso; 1928 pode vir a ser para o Brasil a data da sua redenção do ponto de vista da utilização dos seus minérios.
>
> *Pandiá Calógeras*

Antes de mais nada

Estes artigos foram publicados n'*O Estado* em 1931 e aparecem reunidos em livro para comodidade dos interessados no conhecimento do processo Smith. Pude acompanhar a evolução desse processo durante os quatro anos que residi na América do Norte, e muito de perto, graças ao interesse que William H. Smith sempre demonstrou pela solução do problema do ferro no Brasil e à minha compreensão de que é realmente esse o nosso problema básico. Significam, pois, um testemunho muito sincero e muito ponderado do que vi, ouvi e aprendi.

Tudo que neles se contém são fatos. Não há arranjo de coisa nenhuma, nenhum ajeitamento. E a quem não julgar assim, cumpre a prova do contrário.

Fala-se em diversos pontos, com certo amargor, dos nossos técnicos. Distinga-se. Há técnicos e técnicos.

Temo-los de alto valor, compreensivos, sequiosos de informações e capazes de muito fazer pelo Brasil no terreno siderúrgico.[1] A estes só uma coisa devo — todas as homenagens do meu respeito.

Há, porém, umas múmias, uns fósseis que a cegueira das circunstâncias meteu em posições de destaque e que outra coisa não têm feito senão embaraçar, atrapalhar, viciar, retardar, a solução duma série de problemas nacionais. A estes o meu amargor — enquanto o Tribunal de Sanções não os chama a contas pelo mal que sua estreiteza de vistas tem feito ao país.

Consciência de algo errado

Tão viva está entre nós a consciência de algo errado a viciar a estrutura do país, que não há dois brasileiros que após minutos de prosa não entrem a consertá-lo.

---

[1] Seria injustiça não mencionar aqui três nomes. Calógeras, um dos poucos homens que entre nós merecem o título de estadista, porque realmente o é na mais larga acepção do termo, em conferência pronunciada em 1928 na Escola Politécnica de S. Paulo — a mais perfeita visão de conjunto do problema siderúrgico e metalúrgico nacional que ainda se esboçou em língua portuguesa — não vacilou em assinalar o advento do processo Smith como o início da nossa redenção econômica.

Clodomiro Pereira da Silva, outro nome que honra a engenharia brasileira, também de pronto alcançou a importância do processo e espontaneamente se fez um dos seus pioneiros.

Jonas Pompeia, outro técnico de larga compreensão e boa vontade, nunca deixou de acompanhar o caso, desde o momento em que dele teve conhecimento. Hoje se bate pela implantação do processo Smith no Brasil com o mesmo ardor dos seus vanguardeiros.

O que o Brasil precisa é... e vem mezinha de curandeiro. Ou: — Se eu fosse governo o que faria era... — e vem cirurgia política.

Tantas cabeças, tantas mezinhas. Se somos quarenta milhões, não errará quem calcular em outros tantos os remédios para o mal nacional, em regra políticos, dada a renitente ilusão latina de que com decretos tudo se resolve.

Terapeuticamente, não valerão grande coisa esses remédios; mas vale muito como sintoma esta ânsia curativa. O fato de todo um povo aventar remédios revela a consciência de um estado de doença crônica.

O tremendo apoio público que teve a última revolução veio disso. Para milhões de criaturas seria a revolução o tópico mágico para a cura de todos os males; para outros, mais raciocinantes, seria o abalo, o meio mecânico de agitar o país, a fim de que surgisse o homem providencial, ao tipo dos heróis de Carlyle, que tudo consertasse a golpes de gênio. Em todos a velha ilusão de que novos decretos, em estilo novo, podem transformar água em vinho.

Quem isto escreve não foge à culpa dos curandeiros. Sempre viveu preocupado com as mazelas indígenas e já viu no saneamento dos sertões, no voto secreto, na queda do partido conservador, se não o fim, pelo menos o começo do fim dos nossos males. Foi preciso que anos de estadia em terra estrangeira de formação paralela à nossa lhe mostrasse à evidência que todos os problemas de um país se radicam num único — o econômico; e que só se solvem de maneira definitiva quando o problema econômico encontra solução.

Se o lavrador aduba a terra de maneira correta, dá *ipso facto* à árvore a vitalidade necessária para que por si mesma se defenda das doenças e parasitas que a perseguem. Por esse processo *indireto* consegue facilmente o que jamais conseguirá o lavrador incompreensivo que se mata de trabalho no estudo e emprego de métodos *diretos*, combatendo ora esta broca, ora aquele pulgão, e vendo sempre nova broca ou novo pulgão ocupar o posto dos eventualmente debelados. Tomar a nuvem por Juno significa, também, confundir efeito com causa.

Temos sido até aqui, nós curandeiros, o agricultor que ataca brocas e pulgões com pozinhos milagrosos e esquece de, pelo adubo, restaurar a vitalidade da planta anêmica. É tempo de fazer como o outro.

Indispensável nos compenetrarmos, de uma vez para sempre, da grande verdade: — *nosso problema não é político, nem racial, nem climatérico, mas pura e simplesmente econômico.*

Ao contrário do que o proclama a sanfona patriótica, somos um povo paupérrimo, a ocupar cogumelarmente um território imenso, bastante rico de altas possibilidades. Os males sem conta que nos afligem decorrem todos da mesma fonte, a pobreza — e só a riqueza os curará. Incultura científica, analfabetismo, má política, feiura da raça, estado de doença progressiva das populações, todos os males do Brasil, em suma, jamais se curarão com a cartilha, o voto secreto, institutos de beleza, quininas, timóis e universidades *em pílulas*, como os pode ter o pobre, senão com tudo isso em *massa*,[2] como os tem o rico. A droga mágica que realmente cura é uma só: — riqueza.

---

2   Cultura é simples floração da riqueza. Em país pobre não pode viçar cultura, como não viça planta em terra maninha. Se na América do Norte há trinta e um milhões de alunos nas escolas públicas, cuidados por um exército de novecentos mil professores, é porque o país pode despender com o ensino público dois bilhões e duzentos e vinte milhões de dólares, ou sejam, ao câmbio de hoje, vinte e oito milhões e seiscentos mil contos. Não houvesse riqueza criada na proporção em que há, e o país não poderia, cada ano, consagrar ao ensino tão formidável dotação.

Enriqueça-se a mais miserável família de jecas que vive lá num fundão malárico do Amazonas, gente sem resquício de cultura, seminua, roída de verminoses, negativa como elemento de produção — e, automaticamente, no correr do tempo, a metamorfose será completa. Os doentes se curarão, os descalços se calçarão, os iletrados se educarão, e o país se verá acrescido de enérgicas unidades positivas.

Empobreça-se, à Job, uma família rica e bem educada, forçando-a a deixar a nobre situação em que vivia pela situação miserável do caso anterior. Em breve prazo a doença os empolgará a todos, o analfabetismo destruirá nas gerações sucessivas as aquisições dos antepassados, tudo será lazeira — e o país se verá manchado de mais umas tantas células semimortas, negativas, intoxicantes.

Só temos um problema — o econômico. Só temos um caminho para a cura do protéico mal nacional — a riqueza. Assegurada esta, tudo mais se resolve automaticamente.

Se nos afastamos do quadro e, depois de um estudo comparativo de como se enriqueceram as nações que hoje lideram o mundo, observamos de longe o nosso caso sem que detalhes inúteis nos perturbem a visão, é inevitável em nosso cérebro aquele famoso estalo que desasnou o padre Antonio Vieira em menino.

Fatal que assim seja. Como pode saber que forma, que altura a montanha tem, o caçador que se vê perdido num dos seus espigões, atrapalhado de cipós, fechado pela verdura circundante, com a preocupação da paca que precisa para o almoço? Esse mesmo homem tirado dali e posto à distância em que cipós, copas de árvores e pacas se confundem num só azul, terá, com o mesmo cérebro, ideias muito outras — desta vez determinadas pela imensa estrutura da montanha, que ele afinal vê, e não mais pelos meros acidentes da montanha, que ele unicamente via.

Pretende-se mudar a capital da República para o planalto central. O acertado seria mudá-la para o Canadá, a nove mil quilômetros daqui. Esse afastamento faria que *nossos* estadistas "vissem" afinal a montanha para a qual legislam. Se erram

---

Se em 1929 havia vinte e um milhões e tantos alunos matriculados em escolas primárias particulares, e mais quatro milhões nas secundárias do mesmo tipo, é que a riqueza do país permite aos seus habitantes esse luxo.

Se nesse mesmo ano houve 919.381 alunos matriculados nas universidades foi porque a riqueza criada permitiu que esse ensino superior pudesse ser pago. Os alunos contribuíram com taxas de matrícula no valor de 178.130.802 dólares; o patrimônio produtivo das universidades contribuiu com 58.168.834 dólares; os estados e municipalidades, com 115.125.154; o governo federal, com 17.167.424, os mecenas doadores com 114.682.205. O total da receita dessas altas casas de ensino subiu, nesse ano a 546.674.236 dólares — ou mais de sete trilhões de contos. Não houvesse riqueza criada e seria impossível tal movimento.

Se há lá cinquenta e sete universidades e grandes escolas de ensino superior, com bibliotecas somando, em 1928, 40.498.291 volumes, com terrenos no valor de duzentos e noventa e oito milhões de dólares, com edifícios valendo um bilhão e dezoito milhões, com patrimônio produtivo no total de um bilhão e cento e cinquenta milhões de dólares, é porque há dólares. Não os houvesse, não houvesse riqueza criada, e as estatísticas americanas diriam o mesmo que dizem as nossas.

Se há lá 584 colégios e universidades é porque a riqueza não só permitiu os meios de os criar como permite a frequência que os mantém. Suprima-se essa riqueza e tamanha legião de focos de cultura desaparece. Cultura é função de riqueza, e muito me espanta a necessidade de proclamar semelhante coisa como se fora novidade.

S. Paulo tem mais instituições de ensino que os outros estados do Brasil, justamente porque se enriqueceu mais. Depois da queda do café, porém, e em consequência do enfraquecimento econômico da sua população, essas instituições começaram a sentir os efeitos da crise. Sabemos de colégios particulares em que a frequência este ano caiu a cinquenta por cento abaixo do nível em que se manteve até 1929. Outros apresentam percentagem ainda mais baixa. Continue a depressão ainda por alguns anos, e muitas dessas casas de ensino se verão forçadas a fechar. Perpetue-se ela, empobreça-se S. Paulo à moda da Amazônia, e todas desaparecerão. Nada mais claro, lógico, intuitivo. No entanto, um dos nossos grandes sociólogos, jornalista tonante, não o entende assim. Acha que devemos cuidar de escolas e universidades antes de qualquer outra coisa. Não diz, porém, com que meios criá-las, nem como famílias que andam a fazer prodígios para encher o estômago possam botar lá os filhos.

Chega a meter dó ver Mário Pinto Serva gastar tanto papel, tinta e indignação no seu perpétuo clamor por instrução popular e alta cultura. E, mais, vê-lo dar a riqueza como produto da cultura, quando a lição dos povos nos mostra, da maneira mais flagrante, justamente o contrário. A causa da riqueza, porque cultura exige meios que só a riqueza dá. Temos que seguir o caminho de todos os povos que se cultivaram: — desenvolver-nos economicamente. A cultura virá em seguida, automaticamente, naturalmente, como vem a flor à árvore bem enseivada que atinge o momento da florescência.

Qual o pai, por bruto que seja, que não aspira, por egoísmo, por vaidade, por negócio, fazer do filho um doutor? Se o não faz, se o não mete em escola superior, é que não pode, é que não acumulou meios para isso. Tão lógico, tão comezinho — e Pinto não compreende...

tanto, é que estão dentro do quadro e pois não conseguem abarcá-lo em suas grandes linhas gerais.

Postos lá, nossos estadistas imediatamente descataratariam os olhos e às perguntas de como solver o problema econômico, de como enriquecer, de por onde começar, responderiam unânimes: *"O ferro constitui a base do desenvolvimento econômico de um país; sem ferro, portanto, o Brasil jamais se fará"*.

Porque esta é a grande verdade — verdade elementar, simples truísmo, lá fora; verdade nova, a ser pregada com ardor de catequista, aqui. No dia em que todos nos convencermos disto, a grande revolução estará operada.

Fora do ferro não ha salvação. Só o ferro enriquece. O que chamamos os grandes países modernos são apenas os países ferrados. *País* desferrado *chiniza-se* — cresce em população e miséria, gigantiza-se, no sentido patológico da expressão. De onde um *slogan* a ser adotado pelos patriotas amigos de sonoridades: — Ferremos o Brasil!

Por que motivo é o ferro o grande pai da riqueza e não, por exemplo, o ouro, a prata, a agricultura, a pecuária? Simplesmente porque o ferro é a matéria prima da máquina e é a máquina a grande arma que o homem inventou para dominar a natureza, subjugá-la, pô-la humilde ao seu serviço nesta tremenda aventura da civilização.

Iniciada com o invento da primeira máquina — a alavanca com que um piteco de ideias pela primeira vez removeu do seu caminho a pedra que o atrapalhava — essa aventura prossegue hoje num ímpeto estupendo, à medida que o homem se super-maquiniza.

Daquele galho de pau que serviu de alavanca ao piteco de gênio todo o mundo moderno saiu. As máquinas de hoje, engenhosíssimas, não passam de combinações astutas dessa alavanca inicial. De pau a princípio, fez-se mais tarde de bronze, para finalmente encontrar no ferro a sua matéria prima ideal. Nós temos ferro. Podemos, pois, ter máquina e vencer. No dia em que nos convencermos disto teremos começado a construir um país. Até agora o que fizemos foi apenas tomar conta de um território que o português achou.

Civilização é maquinização. Grande país hoje é país que se maquinizou em grau maior que os demais e por isso traz aos demais atrelados à sua influência. Franca ou disfarçadamente, país não maquinizado é colônia.

Dentre os países modernos nenhum se maquinizou, ou se ferrou, mais intensivamente que os Estados Unidos, e por isso vai o mundo insensivelmente se colonizando a ele. Não à moda romana da era cesárea, ou inglesa da era vitoriana, mas de um modo novo, inda pouco estudado e sem sequer palavra adequada que nomeie o sistema. Colonização parcelar. Quantos países hoje, cinematograficamente, automobilisticamente, financeiramente, tecnicamente, economicamente, não passam, nesses particulares de colônias parciais da América?

Esse predomínio avassalador, conquista invisível, vem como lógica e incoercível consequência da intensa maquinização de um país que produz cada ano cinquenta milhões de toneladas de ferro e as transforma em máquinas multiplicadoras da sua eficiência. Dá-lhe isso tal força, tal riqueza, tal ímpeto, tal vertigem, que a liderança americana se faz sentir cada vez mais acentuada até nos velhos países europeus, arrogantes e orgulhosos das suas velhas formas mentais. Num estudo comparativo sobre a eficiência do homem moderno foi encontrado para o europeu um índice igual a treze, enquanto para o americano esse índice subia a quarenta e dois; nesse cálculo o homem natural, isto é, o homem sem máquina, que só dispõe dos seus músculos, serve de ponto de referência com o índice igual a um.([3])

A razão do fenômeno salta aos olhos. Enquanto o homem-músculo se vê limitado pelos obstáculos naturais — a distância, o mar, o rio, a montanha — o homem armado de máquina alcança velocidades superiores a trezentos quilômetros para o transporte do seu corpo, e velocidade da luz para o arremesso do seu pensamento ou voz. Com tanto conforto sulca a superfície dos mares como o seio dele. Não encontra barreiras. Fura a montanha com o túnel, anula o rio com a ponte e até trafega em velocíssimos trens elétricos pelo seio negro da terra, coisa que outrora só as minhocas costumavam fazer — e com que lentidão! Como o consegue? Com o ferro. Tudo isso que é? Simples aplicações do ferro.

Inútil insistir. A evidência é cegante.([4]) Um país só se engrandece e enriquece e desse modo se habilita a solver todos os problemas comuns a todos os povos,

---

3 O quadro abaixo mostra a produção de ferro nos principais países do mundo em 1913, antes da guerra, e em 1928, quinze anos depois. A relação entre a força econômica, o poderio militar, a riqueza desses países e a sua produção de ferro, claramente ressalta dos números.

PRODUÇÃO DOS PRINCIPAIS PAÍSES EM 1913 E EM 1928

PAÍSES	1913 Toneladas	Porcent.	1928 Toneladas	Porcent.
Estados Unidos	31.301.000	42%	51.400.000	48%
Alemanha	18.652.000	25%	14.000.000	13%
Inglaterra	7.664.000	10%	8.170.000	8%
França	4.614.000	6%	9.170.000	8 1/2%
Rússia	4.181.000	5 1/2%	4.150.000	4%
Áustria	2.585.000	3 1/2%	630.000	1/2%
Bélgica e Luxemburgo	2.428.000	3%	6.395.000	6%
Canadá	1.043.000	2 1/2%	1.230.000	1%
Itália	919.000	1 1/2%	1.950.000	2%
Japão	300.000	-	1.680.000	1 1/12%
Outros países	1.020.000	2%	8.310.000	7 1/2%
	74.687.000	100%	107.210.000	100%

Qual a posição do Brasil, o detentor de 25% das reservas de minério com que o mundo conta? Bem inferior, quase imperceptível. Calógeras calcula que nos melhores anos – anos de câmbio suficientemente baixo para que o ferro importado fique por preço absurdo – os altos fornos de Minas não produzem mais de 80.000 toneladas, todos juntos.

4 Em 1870 os Estados Unidos produziram 68.750 toneladas de aço. Cinquenta e nove anos depois, em 1929, produziram 56.443.473. Nesse intervalo a produção total foi de um bilhão e catorze milhões de toneladas, das quais saíram, por exportação, talvez menos de quatro por cento. O mais incorporou-se à estrutura do país, sob forma de material de construção e máquinas. Isso explica o maravilhoso surto da América, que fez em sessenta anos, em matéria de enriquecimento, cultura e elevação do nível de vida o que os velhos povos europeus não conseguiram em séculos.

Antes do *rush* do aço não passava a América dum país como o nosso — rico de possibilidades. O aço permitiu-lhe que tais possibilidades se fizessem esplêndidas realidades. O mesmo se dará com o Brasil, se houver a compreensão de que é ferro o pai da riqueza — e tiver meios de o produzir.

Nossas possibilidades são imensas, mas se acham condicionadas à criação dum gigantesco sistema de transporte. Sem ele, sem a criação de artérias e veias numerosíssimas por onde as reservas naturais circulem, e sem a criação da máquina que as transforme em utilidades, vegetaremos como até agora, doentes, incultos, abobalhados, infantis, capazes de prodígios num concurso de beleza feminina, mas incapazes de ver claro em nenhum problema básico.

E para isso, para criar esse transporte que nos vai dar veias ao corpo imenso e essa máquina que nos acrescerá o índice de eficiência, temos que derreter Minas. É nas tremendas reservas do óxido férrico lá acumuladas que dorme o Brasil futuro — rico, sadio, poderoso, bem formado, bem humorado, bem trajado, nada relembrativo do surradíssimo Brasil atual.

se produz ferro e com ele cria a máquina multiplicadora da eficiência do homem. Produzir ferro é pois o grande segredo dos grandes países. Foi o segredo da Inglaterra, que, aplicando o ferro à navegação, senhoreou grande parte do mundo. Foi o segredo da Alemanha e França. É o segredo dos Estados Unidos. E será também o segredo do Brasil, já que a natureza o dotou de imensas jazidas do metal pai da máquina.

Adiante demonstraremos que se até aqui não nos foi possível reproduzir neste hemisfério o fenômeno norte-americano, está isso hoje ao nosso alcance, graças à ciência e técnica norte-americanas.

TUDO É TRANSPORTE

No princípio era o músculo apenas. Só nele encontrava o homem a energia necessária para mover as primeiras máquinas. E como músculo é carne que dói e cansa, o aumento da eficiência que a máquina dava ao homem via-se limitado pela capacidade de trabalho do músculo. Surgiu uma ideia velhaca, que representou grande passo e permitiu as primeiras civilizações agrícolas — substituir o músculo humano pelo de certos animais de índole pachorrenta, como o boi. Esperteza pura. Se hei de cansar-me eu, canse-se o irmão boi, que é mais tolo.

Por fim, a grande ideia a que tudo devemos hoje: — substituir as limitadas energias do músculo animal pelas forças da natureza. O homem aprende a romper o equilíbrio da matéria e sob várias formas extrair do fenômeno tremendas quantidades de energia. A máquina ganha *momentum*; desdobra-se ao infinito e chega ao assombro que hoje é. A eficiência humana cresce aos saltos, centuplica-se, multiplica-se por mil. O músculo aposenta-se — e a dominação da natureza pelo engenhoso bípede se torna completa.

O problema brasileiro é o mesmo do resto da humanidade, porque apesar de todas as asneiras que temos feito inda estamos classificados na espécie *Homo sapiens*. É adquirir eficiência para dominar a nossa natureza. Para isso o caminho é o mesmo — criar a máquina e produzir a energia que a faz trabalhar. E como a matéria prima da máquina é o ferro, temos antes de mais nada de produzir ferro.

É mister pregarmos isto com a fé dos apóstolos. À nossa gente pensante cumpre demonstrar por todos os meios que é assim e não pode deixar de ser assim; que não há outro caminho; que foi esse o caminho de todos os grandes povos modernos e que nada ainda ocorreu que mudasse os termos da equação.

Temos de nos convencer de tão simples verdade. Sábios e leigos, estadistas e industriais, fazendeiros e professores, toda gente que possui cabeça com outras funções além da de canteiro de cabelos, tem que meditar sobre isto, convencer-se por si própria de que é assim, impregnar-se dessa grande ideia diretriz. No dia em que tal convicção estiver generalizada, teremos criado a mentalidade necessária ao estabelecimento da indústria do ferro no Brasil. E a revolução industrial virá, pujante e salvadora.

Sempre nos impressionou fundamente o fato de dois países de igual território, Estados Unidos e Brasil, situados no mesmo continente, descobertos ao mesmo tempo, colonizados com os mesmos elementos humanos, libertados do jugo da metrópole com pequena diferença de anos, alcançarem, um, o fastígio da grandeza e a situação de primeiro entre todos os povos da terra, e o outro, nós, a triste posição de beco sem saída em matéria de encalacramento.

Instituições políticas? São as mesmas. Raças? São as mesmas — branca e negra. Clima? Temos metade do país, pelo menos, maravilhosamente adequado à prosperidade do homem. Por que, então, tal disparidade de destino?

Esse enigma, pior que o da Esfinge quando o tentamos decifrar em casa, deixa de ser enigma logo que pisamos o cais de Hoboken e um trem subterrâneo, correndo por baixo do Hudson, nos lança na ilha de Manhattan. Ao aflorar à superfície, o *Eureka* de Arquimedes nos explode no cérebro.

— Claro como água! O ferro explica tudo. Só o homem poderosamente multiplicado pela máquina poderia construir uma metrópole de titãs — e máquina não passa de simples aplicação do ferro.

Se dessa certeza impressionista procuramos passar à certeza matemática, estudando pelas estatísticas a porcentagem com que o ferro contribui para tal congérie de grandezas, a convicção se nos cristaliza no espírito para todo o sempre. *Ferro, só o ferro cria a riqueza e o poder*.

Os Estados Unidos arrancam à terra, por ano, de sessenta a setenta milhões de toneladas de minério e as transmutam em ferro. Em seguida transformam essa vertiginosa massa de metal em máquinas ou material de construção, que incorporam à estrutura do país. É de estranhar que se enriqueçam de maneira estonteante?

Alguns números tomados do *Bureau of Census* para o ano de 1927 nos dão a medida do que isso representa

	FÁBRICAS	VALOR DE PRODUÇÃO
Altos fornos, fornos de aço, laminagem	773	$ 3.870.757.093
Produtos de aço	13.643	$ 4.209.917.128
Artigos manufaturados de aço	9.689	$9.800.298.085
	24.105	$ 17.800.872.306

Se dá vertigem o simples atentar nesse "valor de produção em um ano", que forma nova de tontura não dará o considerar o valor de trabalho com que a imensa mole de maquinaria produzida cada ano passa a enriquecer perpetuamente a economia da nação? Dezessete bilhões de dólares por ano correspondem a seis vezes a riqueza nacional do Brasil. Quer dizer que só com a produção e manipulação do ferro os americanos produzem em 365 dias um valor equivalente seis vezes ao que conseguimos formar em mais de quatro séculos, desde que o colono luso fez a primeira casa e plantou o primeiro pé de cana, até hoje. Isto explica aquele índice de eficiência igual a quarenta e dois, significando que os cento e vinte milhões de habitantes da América possuem uma capacidade de produção igual à de cinco bilhões e quarenta milhões de homens naturais, ou homens-músculo.

Em consequência da produção de ferro intensíssima o padrão da vida se elevou a altura jamais sonhada. Um operário dos mais humildes goza de conforto, e tem ao alcance coisas que fariam inveja aos reis antigos. E quando uma dessas ventânias cíclicas — crise ou pânico — sacode aquela estrutura gigantesca, pondo fora do trabalho alguns milhões de homens, a riqueza acumulada permite que tenham plena assistência até que o reajustamento se opere.

Enquanto isso se dá na grande república do norte, na do sul, de igual território e já com quarenta milhões de habitantes, a prosperidade não pega. Se começa a viçar numa região, atrofia-se noutra — os casos de S. Paulo e da Amazônia. Os governos só conseguem viver sacando sobre o futuro, e desabam fragorosamente quando o crédito lhes falta.

A coisa elementar que é o instrumento de troca, ou moeda, não a temos. Chamamos moeda a um papel seboso e anti-higiênico, de curso forçado pela polícia e que se arrasta pelos últimos degraus da desvalorização. Não temos crédito, não temos capital acumulado, não temos riqueza, a não ser de adjetivos e jactância. O valor da propriedade predial ao longo de uma rua de New York, a Broadway, é de sete milhões de dólares — quase três vezes a riqueza pública do Brasil. O nosso povo não tem saúde, não tem cultura, nem sequer conseguiu arrancar-se a um analfabetismo dos mais altos. E os homens, tontos com a situação, deblateram uns contra os outros, acusam-se das piores coisas, perseguem-se, destroem-se. Toda gente sugere alvitres para a salvação da pátria. No Rio corre impresso o escrito de um homem de responsabilidade na direção do país, alta patente do exército, coronel Mário Hermes, com o título: Projeto de Salvação Nacional. Os governos, refletindo a desorientação ambiente, açodam-se em fabricar leis desesperadas — e tudo vai lentamente descambando para pior.

Raça? Clima? Instituições? Nada disso. Pobreza apenas. Fraqueza econômica, consequente à fraca eficiência do homem, muito perto ainda do homem-músculo. O caminho único que nos arrastará para fora do impasse é criar a eficiência que nos falta armando nosso homem com a máquina — e para isso, preliminarmente, uma só coisa cumpre fazer: produzir a matéria prima da máquina, ferro.

Desenvolvimento econômico. Esta expressão aparece com frequência nas mensagens presidenciais e em artigos da imprensa. Unânime acordo a respeito. O desacordo vem quanto ao caminho que leva ao desenvolvimento econômico. Cada qual aponta um, que não é caminho, mas sim errada. O caminho tem que ser um só, e será no nosso caso o mesmo que os grandes países trilharam. Estamos a repetir experiência velha, não estamos a criar nada de novo. O caminho velho é, pois, o bom caminho, único que conduz à vitória.

Um país só se desenvolve economicamente quando mobiliza as suas reservas naturais e as transforma em utilidades, para uso próprio ou intercâmbio com outros povos. Mobilizar reservas é tirá-las de onde a natureza as pôs e lançá-las na torrente do comércio. Só então a riqueza surge. Ora, mobilizar é sinônimo de transportar. Logo, produzir é transportar.

Quando dizemos que S. Paulo produz café significamos que S. Paulo realiza a série de operações de transporte por meio das quais o café chega às mãos do consumidor. Plantando o cafeeiro, utilizou-se de um certo vegetal para transportar da terra e do ar certos princípios indispensáveis à coisa que chamamos café. Colheita é o transporte dessa coisa da árvore ao balaio. Depois vem o transporte em burros ou carroça até aos terreiros. O beneficiamento é transporte do estado de café em casca ao de café descascado. Vem depois o transporte por trem ao porto de embarque. O transporte em navio ao país consumidor. Torrefação e moagem — transportes de um estado físico para outro. Mais uma série de operações de transporte e o café está afinal produzido — isto é, apresentado ao consumidor individual.

Esta enorme série de transportes só se tornou possível graças à presença do ferro. Começa o ferro a aparecer no machado e na foice que derrubam a floresta. Depois, na enxada e máquinas agrícolas que preparam a terra. No burro de carga ou na carroça que traz o café do cafezal ao terreiro. De ferro é a máquina que o beneficia, o trem que o leva a Santos, o navio que o põe em Nova Orleans. De ferro é o forno que o torra e o moinho que o mói — e assim por diante. Suprima-se a colaboração do ferro na indústria do café e ela se torna impossível.

Onde estava essa riqueza-café? No ar, no solo, no clima, mas em estado de possibilidade, até que o ferro, criando o transporte, a fizesse passar a realidade. Foi até agora a única riqueza que criamos, mas onerando-a tremendamente, sem o percebermos, com a compra a crédito do ferro que a indústria do café exigiu. Nunca atentamos nisto e é coisa seríssima.

Muito outra seria nossa situação hoje se o material ferro que possibilizou a fraca riqueza que já criamos tivesse sido de produção interna. Veio de fora, porém. O país deu em troca ouro, e como não chegasse o ouro de que dispunha, sacou sobre o futuro, tomando-o de empréstimo. A dívida externa do Brasil foi contraída, parte para adquirir ferro, parte para acudir às consequências da não-produção de ferro.

Aqui está a diferença entre produzir e comprar ferro. O primeiro caminho leva ao enriquecimento à moda americana; o segundo, ao encalacramento à moda brasileira.

Um exemplo. Os Estados Unidos possuem quatrocentos mil quilômetros de estradas de ferro, que nada custaram ao país, visto como não passam de simples aplicação do ferro produzido em casa. O Brasil possui apenas trinta e sete mil, que lhe custaram os olhos da cara. Se contas forem feitas, chegaremos a conclusões apavorantes. Centenas de milhares de toneladas de ferro já se desfizeram em ferrugem antes que a amortização dos empréstimos que lhes possibilitaram a compra houvesse chegado a meio caminho. Os juros pagos e a pagar acabarão representando muito mais que o lucro que esse material trouxe ao país.

Ferro é material de construção dos mais baratos. É chão derretido, como tijolo é chão cozido. País que compra chão dos vizinhos, arruína-se. E outra coisa não temos feito nós — os detentores da mais rica reserva de minério do mundo...

Voltando atrás e resumindo: tudo na vida é transporte e este só se faz eficiente e industrialmente por intermédio do ferro transformado na multiplicidade infinita de máquinas que o homem criou. Não há máquina que não se reduza a um sistema engenhoso de transporte e não há máquina que não implique aplicação maior ou menor do ferro. Logo, não é de voto secreto, nem de nova constituição, nem de crédito agrícola, nem de reforma ortográfica, nem de lorotas, que precisamos, mas sim principalmente de ferro — o pai da máquina.[5]

---

5   Entre as nossas grandes possibilidades estão o babaçu e mais palmeiras produtoras de cocos oleaginosos. Calculam-se por milhões e milhões o número de babaçueiros em plena produção nos estados do Norte. Cada palmeira produz em média cento e vinte quilos de cocos, integralmente aproveitáveis pela indústria.
    Entre os elementos que compõem esse coco está o carbono, no óleo que a amêndoa produz, no epicarpo, no endocarpo e até no engaço — esse precioso carbono cuja escassez em nosso território sob a forma clássica da hulha tanto nos tem atrasado o desenvolvimento.
    Mas se hulha é carbono e se babaçu é também carbono, e se para as indústrias do carbono tanto faz que venha ele do seio da

O dilema vai se tornando cruel: ou produzimos ferro para sermos um grande país, ou continuaremos colher de pau e pereceremos esmagados. A panela de barro da fábula sempre acabou rachada pela de ferro — seja a história contada por Esopo, La Fontaine, Trilussa ou pelo balanço de um guarda-livros internacional.

QUEM É WILLIAM H. SMITH

As estimativas sobre a quantidade de minério de ferro que o Brasil possui variam de oito a dezesseis bilhões de toneladas. Esteja a verdade com o mínimo e já isso representa alguma coisa para uma reserva mundial calculada em trinta e dois bilhões. E se atentarmos que possuímos milhões de toneladas de minério com um teor metálico entre sessenta a setenta por cento, justifica-se um pequeno frêmito de orgulho, querendo isso dizer que possuímos em casa matéria prima para construir uma grande civilização. Resta que possamos transformar em ferro parte desse minério.

Até aqui todas as tentativas falharam. A siderurgia moderna tem sua base no coque e não temos coque. Nossos carvões baixos não dão a preço econômico o indispensável coque siderúrgico. Esse deslize da natureza não pondo ao lado do bom minério que nos deu o bom carvão preciso para reduzi-lo, impossibilitou-nos de criar a indústria do ferro. E, desanimados, a coçar a cabeça, deixamo-nos arrastar nesta triste vida de país-colher-de-pau num mundo que se vai ferrando até aos dentes.

A nossa triste situação se eternizaria, se o processo de fazer ferro, iniciado com a descoberta do coque em 1735, permanecesse imutável e único. Mas tudo muda. Há uma coisa chamada cérebro que funciona admiravelmente em certas cabeças, lá fora. Há cérebros que pensam e investigam, em vez de se acocorarem num ruminamento de camelo do deserto.

Enquanto os cérebros dos homens técnicos que aqui deviam descobrir o "nosso" caminho para a solução do problema dormitavam, ruminando livros sobre a siderurgia a coque, única vitoriosa, um homem de Detroit, de miolo mais alerta, descobria a senda nova. William H. Smith chama-se esse homem a quem vai dever o Brasil a sua salvação de um destino de China.

Foi William H. Smith durante vinte e tantos anos diretor da metalurgia da Ford Motor Company, devendo a ele Henry Ford grandíssima parte do portentoso

---

terra sob forma fóssil como apareça pendurado das árvores sob forma de coco, não há acusar a natureza de mesquinharia para conosco na distribuição dos seus dons à terra e sim da fraca inteligência que nos deu ao homem. Afeito a só pensar com ideias já pensadas e pensadas lá fora, não percebe, não procura compreender que aos países possuidores de hulha cabe queixa, não a nós. Eles necessitam minerá-la — só na Inglaterra milhões de seres humanos foram sacrificados nesse trabalho terrível. A mina de carvão é Moloch devorador de vidas, não nas tragédias do grisu, espaçados acidentes, mas na vida antinatural, de minhoca, a que condena os mineiros de geração em geração.

A nossa hulha, isto é, a nossa fonte de carbono, minera-se a si própria. Todos os anos uma palmeira tira do seio da terra mais duma centena de quilos de cocos. O químico Fróis de Abreu avalia o valor térmico dum babaçu em quatro mil e trezentas calorias. Produzindo cada árvore, em média, mil e duzentos cocos, temos um total de cinco milhões e cento e sessenta mil calorias por pé.

Operada a mineração, a árvore apresenta ao homem o produto dela em cacho, a breve distância do seu braço. Como não o vê animar-se a colhê-lo, debulha-o e espalha o coco pelo chão, deixando-lhe apenas o trabalho que ela árvore não pode fazer: — transportá-lo ao ponto de aproveitamento. Mas o brasileiro persiste em sua cegueira e toma dinheiro emprestado mediante hipoteca do futuro para comprar calorias inglesas. Despende nisso mais de meio milhão de contos por ano — e arruína-se!

Essa tremenda possibilidade que é o babaçu, porém, está condicionada ao ferro. Sem o produzirmos, para com ele criarmos o transporte, tudo continuará como até hoje — e prosseguiremos no expediente de sacar sobre o futuro, hipotecando todo o trabalho provável dos nossos netos, bisnetos e tataranetos.

As mais possibilidades de que é fértil o nosso território e que até aqui vimos lorpamente, por via poética, confundindo com riqueza, são do mesmo teor e por igual dependentes do ferro para se realizarem.

sucesso da sua empresa. É hoje professor da Universidade de Detroit, à qual ofereceu uma ala inteira, construída de seu bolso e onde instalou o curso da nova metalurgia a que preside. É talvez o homem que mais sabe de ferro no mundo, porque sabe tudo quanto os outros sabem e sabe a mais o que ele próprio descobriu.

Há um modo de saber muito nosso conhecido — por leitura apenas. O sábio deste tipo sabe o que os outros souberam e houveram por bem botar em livros. William H. Smith sabe de um modo mais alto. Sabe porque fez e faz. Quem presidiu à feitura de milhões de toneladas de aço que hoje correm mundo transformadas em carros Ford, sabe de verdade, sabe por si, sabe de A a Z. No entanto há por aqui no oficialismo uns zeros com pernas que "não concordam" com o que ele afirma...

Seu valor é tão alto que na grande guerra, quando os Estados Unidos entraram em campo e a vitória se tornou questão de vida ou de morte para a grande república, foi ele um dos seis chamados para constituir o comitê de mais aguda responsabilidade técnica que ainda se formou na América. A esse grupo de homens incumbia decidir, sem apelação, sobre todas as questões relativas ao aço a ser usado na guerra. Luta de aço germânico de um lado contra aço aliado de outro — e a guerra se resumiu nisso — a ele coube uma parcela de vulto no comando supremo do aço americano. Terminada a luta, recebeu o posto de coronel, conjuntamente com os maiores louvores do governo Wilson.[6]

Onze anos atrás iniciou na Ford Motor Company os seus estudos sobre o ferro esponja, ou *new iron*, como ele o denomina hoje. Seu objetivo era fazer ferro sem fusão do minério. Esse novo caminho, chamado "redução em baixa temperatura", constituía velha aspiração industrial. Havia um século que se pensava nisso; e numerosos experimentadores tanto no velho como no novo mundo, deram ao caso o melhor do seu esforço mental.

---

6   Aqui reproduzimos a carta do Ordnance Department nomeando W. H. Smith membro desse comitê supremo:

August 13, 1918.

Mr. Wm. Smith,
c/o Ford Motor Car Co.,
Detroit, Michigan.
Dear Sir:
    Subject: Committee on Metallurgical Matters
1. You are appointed on a committee consisting of the following members:

   Dr. G. W. Sargent, Chairman,
   Lt. Col. W. P. Barba,
   Lt. Col. F. B. Richards,
   Major A. E. White,
   Mr. L. Summers,
   Mr. Wm. H. Smith,

which committee has been formed under Office Orders No. for the purpose of centralizing the metallurgical functions of the diferent Divisions of the Ordnance Department, and co-ordinating the Ordnance Department's efforts along these lines with similar functions of the War Department, and the War Industries Board.
2. This committee is charged with the responsibility of developing the most recent and complete information of metallurgical products in order to enable the Ordnance Department to efficiently and practically design, and that material which will produce the finished whole to meet the Service conditions for which it was intended, be assured to the design; to give all final decisions in all matters metallurgical in the Ordnance Department, *both as it affects the Divisions and respective sections of the Department and the manufacturers working for and with the Department in the production of equipment for the successful carrying on of the war.*

C. C. Williams,
Major General, U. S. A.
Chief of Ordnance.

Chamo a atenção dos leitores para a parte final grifada, que assim se traduz: "DAR TODAS AS DECISÕES FINAIS EM TODOS OS ASSUNTOS METALÚRGICOS, NÃO SÓ NO QUE AFETA AS DIVISÕES E RESPETIVAS SEÇÕES DESTE DEPARTAMENTO COMO ÀS INDÚSTRIAS QUE TRABALHAM PARA, OU COM, O DEPARTAMENTO NA PRODUÇÃO DO MATERIAL NECESSÁRIO À CONDUÇÃO VITORIOSA DA GUERRA".
    Isto dá medida do valor nacional que esse homem representa na grande república do Norte.

Mas nenhum resolvera o problema. Conquanto fossem satisfatórias as experiências de laboratório, assim que se passava à produção em alta escala surgiam dificuldades que nenhum conseguiu remover.

William H. Smith o fez de maneira completa. Após oito anos de tentativas e dispendiosas experiências pôde afinal ver seu esforço coroado pela vitória. A siderurgia, que emperrara no processo do coque desde 1735, conseguiu afinal arrancar-se a essa unicidade e obter *produto melhor por preço de custo inferior*.

Três pontos caracterizam o novo processo. Não há fusão do minério e portanto removido está o inconveniente máximo do processo clássico do alto forno, que era a incorporação no metal produzido das impurezas da ganga e do coque redutor. Talvez fosse esta incorporação que fez os ingleses darem o nome de *pig-iron* ao produto obtido, isto é, ferro porco. Nas operações subsequentes, para transformar o *pig-iron* ou ferro gusa em aço, o trabalho maior era lavar, limpar, expurgar o gusa das impurezas da ganga e do coque nele introduzidas pela fusão. No processo novo o ferro sai dos fornos puro, o que não só elimina operações corretivas, como permite a criação de tipos de aço nunca obtidos até aqui.

Segundo. Como não há fusão, não se faz necessário o alto grau de calor que ela exige — metade basta. Este item entra por muito na economia de cinquenta por cento que o novo processo tem sobre o processo clássico.

Terceiro. Não impõe o coque como o único agente redutor adequado, coisa que nos impossibilitou a siderurgia até agora. Aceita como agente redutor qualquer fonte de carbono — madeira, turfa, linhitos, serragem, raspas de couro, resíduos vários, casca de coco, bagaço de cana, palha de café, etc. Até sábios da Grécia...

Em meu escritório em Nova York havia, com funções de pesa-papel, um briquete de ferro-esponja feito com minério de Minas e palha de café de S. Paulo, o qual briquete deu origem a uma piada reveladora de que o humorismo não é incompatível com a metalurgia.

Por indiscrição de Artur Neiva, a quem contei isso em carta, um jornal de S. Paulo noticiou o fato daquele ferro feito com minério de Minas e palha de café de S. Paulo. Houve comentários, e numa roda em que impava Pires do Rio, um dos nossos grandes siderurgistas de leitura, alguém lhe pediu opinião a respeito.

— "Só mesmo num país como o nosso pode uma tolice dessas ser levada a sério. Ferro feito com palha de café! Quá, quá, quá..."

Os ouvintes deram mais uns quás de lambuja e todos se apiedaram do pobre imbecil que havia espalhado a coisa.

Chegando ao meu conhecimento o incidente, contei-o um dia a Mr. Smith, o qual, sorrindo ao modo de Detroit, replicou:

— "Diga a esse homem que faço ferro até com ele. Ponho-o no forno e sai ferro, visto que ele é em grande parte carbono. Só não garanto a qualidade do produto..." concluiu humoristicamente.

Como ia dizendo, é nesta variedade de agentes redutores que está para o Brasil a tremenda importância do novo processo. Impossibilitado que sempre se viu de produzir ferro por falta do elemento coque, que não tinha, pode agora fabricar ferro de qualidade excepcional, usando em vez de coque qualquer agente redutor que as condições locais indiquem. Poderá fazê-lo com babaçu no norte, com casca de café em S. Paulo, com o lixo da cidade, no Rio, com madeira em toda parte.

Como se vê, a situação mudou completamente e já estamos teoricamente salvos do triste destino a que a impossibilidade de produzir ferro nos condenava. Vem o processo Smith marcar o começo de uma fase nova para o Brasil e demais países na mesma situação que a nossa, isto é, ricos de minério mas pobres de hulha.

Sobre a importância do processo Smith na metalurgia do futuro muito há que considerar. Significa, já não há dúvida, revolução. Em carta de um dos diretores da Krupp, que tive ocasião de ler, confirma-se o afirmado acima. "Já não me resta a menor dúvida", diz esse diretor, considerado como o "olho" da organização Krupp, o qual foi três vezes à América para estudar o processo, "que o vosso forno representa o maior passo dado pela metalurgia depois da invenção de Bessemer. Em não remoto futuro todos os países do mundo estarão sendo por ele influenciados".

Quer isso dizer que o atual sistema de "gravitação metalúrgica" está em vias de ruptura. O mundo está hoje formado de vários sistemas planetários, com núcleos centrais, sóis, em torno dos quais giram, coçando a cabeça, pobres satélites. Os países produtores de ferro são os sóis — Estados Unidos, Inglaterra, Alemanha, França, Bélgica, Suécia. Satélites são os demais — os que não produzindo ferro se veem obrigados a girar-lhes em torno. O Brasil, por exemplo, é satélite humilde de todos esses sóis, comprando-lhes desde o prego com que une as suas tábuas até a faca com que Lampião destripa gente nos sertões.

O processo Smith vem alterar esse sistema de equilíbrio, vem permitir que outros sóis surjam — e entre eles um que jamais pensou a sério nisso: — o Brasil.

No começo, ao aparecimento por aqui das primeiras notícias sobre o processo Smith, o cepticismo foi completo. Vinham duma fonte suspeita, de um pobre diabo que havia cometido o crime de escrever uns livros. Nada desmoraliza mais em nossa terra — e com razão. Escrever livros, isto é, cuidar da cabeça em vez da ferradura, é prova de desequilíbrio mental. Consequentemente, a coisa foi tida como literatice.[7] Mas com o tempo o testemunho foi dado por outros, por homens sérios que nunca escreveram livros, e começou-se a acreditar e a dar tento ao novo processo.

Os céticos se reduzem hoje apenas aos que, desconhecedores do *iron business*, perguntam, piscando o olho, certos de que estão apresentando argumentos de valor: "Se é assim, por que então os Estados Unidos não adotam o processo Smith?".

Antes de mais nada cumpre acentuar que só em 1928 apareceu a primeira comunicação sobre esse processo, na *Iron Age* de 25 de abril, assinada por grande autoridade, George B. Waterhouse, professor do Massachussets Institute of Technology e consultor técnico da Bethlehem Steel Corporation. Até essa data William H. Smith, a cuidar das patentes no mundo inteiro, não autorizara a publicação de coisa nenhuma pela imprensa.

O que antes disso transpirou no Brasil proveio de uma indiscrição epistolar. É portanto esse processo matéria novíssima.

Resposta à pergunta acima: a indústria dos altos fornos na América está nas mãos de muito poucas empresas, que neles investiram *vários bilhões de dólares* e cuja missão principal é dar dividendos aos acionistas. Mudarem o processo velho pelo novo implicaria na destruição inteira do capital invertido.

---

7   Em seu artigo no *Diário Nacional* Pinto Serva me xinga de — literato...

Implicaria ainda em servidão à patente Smith, hoje propriedade da General Reduction Corporation.

A Ford Motor Company, por exemplo. Possui altos fornos, e toda a aparelhagem correspondente, para a produção de duas mil toneladas de ferro gusa por dia, no que investiu muitos milhões de dólares. Mudar de processo valeria por destruir tais milhões. A economia no custo de produção pelo novo processo seria totalmente anulada por essa destruição de capital. E para que mudar, se os Estados Unidos possuem carvão coquificável na maior abundância?

Já no caso brasileiro, e no dos outros países em situação igual à nossa, nada disso se dá. A indústria do alto forno não existe concentrada nas mãos de poucas empresas, senhoras de todas as reservas de minério existentes. O caminho está completamente desembaraçado.

Mas o processo industrial mais econômico acaba sempre vencendo. Nos próprios Estados Unidos o processo Smith matará o alto forno. Mas isso com o tempo, depois de muita luta e só quando, pela criação da siderurgia em países que já haviam desistido de tê-la, como o nosso, a concorrência dos novos produtores os forçarem à mudança. Oito anos levou o processo de Henry Bessemer para ser adotado na América.([8]) Será também demorada, lenta, gradual a troca do processo corrente pelo novo, mas se fará um dia — e completa. Se dá melhor produto a preço inferior, acabará vencendo no mundo inteiro, por maior que seja a resistência dos interesses contrários.

O ALTO FORNO FERIDO DE MORTE

Duas invenções inglesas asseguraram aos ingleses por longo tempo a dominação do mundo — o alto forno a coque e a máquina a vapor. Expandiu-se o Império Britânico à custa do ferro obtido com o coque e transformado em máquinas — sobretudo em navios; e à custa da energia obtida pela combustão da hulha posta a acionar essas máquinas. Tremenda jazida de hulha que era a Grã-Bretanha, soube o inglês tirar partido duplo desse carbono generosamente acumulado em seu subsolo.

Mas tudo muda. O petróleo com que o americano entrou na liça deu golpe sério no prestígio britânico. O motor de explosão, filho do petróleo, meteu em segunda plana a máquina a vapor, filha da hulha. A dominação inglesa, que tinha na hulha o seu maior esteio, entrou a sombrear-se. Ficou-lhe, porém, a segunda arma, a siderurgia a coque. Também esta vem de sofrer severo *capitis diminutio* com o advento do processo Smith. Os anos passam e é lei da vida que os filhos substituam os pais. A Inglaterra começa a passar, à medida que seu filho Sam se agiganta.

---

8 Em 1856 Henry Bessemer anunciou na Inglaterra o seu processo pneumático de fazer aço, que iria revolucionar toda a metalúrgica moderna. Apesar disso, só oito anos depois, em setembro de 1864, foi introduzido na América, numa usina experimental de Wyandotte, Michigan. Dali saíram os lingotes de aço com que a North Chicago Rolling Mill fabricou o primeiro trilho americano.

O processo Smith, dado a público em abril de 1929, é tido por grandes autoridades estrangeiras como o maior passo dado pela metalúrgica depois de Bessemer. Revolucionará a metalurgia moderna talvez mais profundamente do que o processo Bessemer o fez. Calógeras prevê isso quando diz em sua citada conferência: "A se manterem as características desse forno (Smith) não será exagero afirmar que representa uma revolução na siderurgia maior que a invenção da retorta Bessemer ou a do aproveitamento dos minérios fosforosos pelo processo Thomas-Gilchrist".

Bruno Bruhns e Goerns, diretores da Fred Krupp, de Essen, a mais alta organização metalúrgica da Europa, deram por escrito opinião que singularmente se identifica à de Calógeras.

O petróleo tirou das mãos da Inglaterra o melhor negócio — vender os raios de sol que através das idades se vieram fossilizando na ilha. O novo processo siderúrgico virá reduzir o número de satélites que gravitavam em torno do ferro inglês, transformando-os, a seu turno, em novos centros de sistemas planetários. O Brasil, por exemplo, velho satélite britânico, pode, graças a Smith, fazer-se por sua vez centro de sistema, com vários satélites sul-americanos a lhe girarem em torno.

Minério de ferro é um óxido de ferro sem nenhuma utilidade para o homem enquanto nesse estado. Para que se torne útil havemos que separar o ferro do oxigênio.

Que é ferro? Ignoramos. A ciência só sabe que, no fundo das idades, quando tudo era mar, conglomerações de matéria sólida começaram a se reunir, que foram crescendo e encurralando as águas. Bilhões e bilhões de minúsculos organismos secretaram nas praias uma substância chamada sílica, que tinha a propriedade de se ligar a essa substância chamada ferro, a qual, por sua vez, com fins dum equilíbrio que nos escapa à percepção, chamava a si o oxigênio das chuvas. Assegurou-se dessa forma a estabilidade molecular com que chegou até nós a coisa preciosa que tem o nome de minério de ferro — e para cuja posse as nações se digladiarão um dia.

Certo momento o homem descobriu — e foi sua maior descoberta depois da do fogo — que se isolasse o ferro do oxigênio, encontrado estaria o material necessário à completa dominação da natureza. E o homem começou a fabricar ferro, isto é, a expulsar do minério o oxigênio, pondo em seu lugar outro elemento, o carbono, que não impropriava o ferro, antes mais o adaptava, aos fins em vista.

Fazer ferro passou a ser isso: — contrariar a afinidade dos dois elementos, divorciá-los, romper um equilíbrio de milhões de anos. O oxigênio, porém, nunca se conforma com isso e vinga-se. Reage sem cessar e com paciência de beneditino desfaz lentamente a obra do homem. Oxida-a. Enferruja-lhe o ferro. Faz o ferro voltar ao estado primitivo de óxido, ou ferrugem.

Para dissociar os dois elementos é necessário aquecer o minério a altíssima temperatura, na presença de outro gás tão atrativo que, apesar do seu amor pelo ferro, o oxigênio abandona o seu velho amigo para ligar-se ao novo. Como sob a ação do álcool o homem mais sisudo faz coisas que jamais faria em estado sóbrio, assim sob a ação inebriante do calor o pobre oxigênio perde a cabeça e troca a sua ligação de milhões de anos com o ferro por um "rabicho" de momento. Cessada, entretanto, a ação do calor, o oxigênio volta ao seu juízo e furiosamente passa a oxidar o ferro outra vez.

Esse gás-sereia com que o homem rompe o velhíssimo matrimônio é o óxido de carbono, o qual, recebendo em seu seio o oxigênio do minério, se transforma em gás carbônico. A temperatura de embriaguez necessária a esse ato de loucura fica entre 850 e 950 graus — e tudo correria muito bem, se a operação parasse aí. Mas não para. O homem verificou que se a operação se detivesse aí, a ebriedade do oxigênio cessaria e ele, imediatamente, se ligaria de novo ao ferro, anulando todo o trabalho feito. Para evitar semelhante desastre, o malicioso bípede continua a elevar a temperatura até dois mil graus, ponto de fusão do ferro. A fusão transforma todo o material que entrou no forno em massa homogênea, impenetrável aos gases — e o triste oxigênio o mais que pode fazer é oxidar apenas a superfície dessa massa, única parte com que fica em contato.

Está aqui o mal, o grande defeito do processo siderúrgico do alto forno. A admirável obra da dissociação do oxigênio obtida entre 850-950 graus, estraga-se com a fusão subsequente. Na massa ígnea passam a incorporar-se não só as impurezas do minério como ainda outras contidas no coque, principalmente o enxofre, que é a eterna asa negra dos metalurgistas. Esta peste desdobra-se, ao fundir-se, numa camada tenuíssima, como a do óleo à superfície das águas, a qual se imiscui por entre as moléculas do ferro, separando-as e diminuindo a resistência do metal. Vem daí que por menor que seja a quantidade de enxofre no ferro, sua presença é sempre nociva.

O absurdo do processo está nisso. Depois de já haver reduzido (isto é, separado) o ferro, depois de tê-lo conseguido em estado puro, suja-o! Esta sujeira vai custar mais tarde muito trabalho para ser eliminada. Todas as operações metalúrgicas subsequentes, toda a chamada metalurgia do aço não passa de lavagem penosa, encarecedora do produto.

O grande passo que deu a metalurgia moderna com Bessemer, Siemens e Martin significa apenas *laundry* — trabalho de lavadeira eficiente. Os processos que receberam o nome desses metalurgistas correspondem à lavanderia a vapor, de alta capacidade, comparada à lavagem anterior, manual.

A despeito das suas tremendas desvantagens quanto à qualidade do produto, o alto forno a coque venceu em toda linha graças ao baixo custo de produção. Venceu e dominou despótico até hoje. Só o coque, pela sua resistência física, suportava a pressão das grandes cargas no forno. Nenhuma outra substância portadora de carbono foi encontrada que o substituísse com vantagem. O carvão de madeira, por exemplo, pouco resistente ao esmagamento, só pode ser utilizado em fornos pequenos, como os que operam no estado de Minas. Para a alta produção requerida pela indústria moderna mostrou-se inadequado.

Resistência mecânica permitindo fornos de tremenda capacidade[9] foi essa a razão do império do coque. E como era assim, a fabricação do ferro ficou na absoluta dependência do coque. País que o tinha, teve ferro e prosperou. País, como o nosso, que o não tinha, condenado se viu a acocorar-se nas montanhas de minério que Deus lhe deu e a comprar fora quanto prego ou alfinete sua economia necessitava.

Podemos ter coque, já que temos carvão. A pobreza dos nossos carvões, porém, e a distância em que estão das jazidas de minério, tornam o coque deles obtido antieconômico, caro demais para fins siderúrgicos. E não o tendo econômico produzido em casa, pior solução seria tê-lo importado. Donde: impossibilidade, provada pelo fracasso de todas as tentativas de produzir-se ferro entre nós à moda inglesa ou americana.

Isso nos entrevou. Quase quinhentos anos de vida desferrada, como a teve o Brasil, era mesmo para levá-lo ao que está — miséria negra em todos os estados do norte e centro, pobreza dourada nas capitais do sul. Não sabemos o que somos. Há tanta escora e espeque e amarrilho de cipó na nossa estrutura social, que ninguém consegue ver claro a forma do nosso edifício. Parece república e não é. Parece democracia e não é. Parece país e não é. Parece que está vivo e não está.[10]

---

9 A Jones & Laughlin Steel Corporation inaugurou em fevereiro deste ano, na usina de Aliquippa, o alto forno de maior capacidade que se conhece, 1.100 toneladas por dia. Poucos anos atrás um alto forno para quinhentas toneladas era tido como padrão. A Carnegie Steel Company possui um para mil toneladas na usina de Edgar Thompson, em Braddock, e outro da mesma capacidade na usineira de Youngstown. A Weirton Steel Company também possui outro de igual tamanho, e a Jones outro para 1.008 ("New-York Times").

10 Não será sintoma de morte esta indiferença por assunto de tal forma vital à nossa economia, e mesmo à nossa soberania? Estará realmente vivo um país onde se proclama um novo processo siderúrgico com elementos para o salvar para sempre da miséria em que patinha, e que não dá sinais de compreender a significação do fato?

Inutilmente procurou quem isto escreve chamar a atenção do nosso governo, bem como de particulares, para o magno assunto. Pediu reiteradamente ao governo federal que mandasse técnicos verificar o fato de Detroit. A resposta foi um silêncio de mais

O Brasil cochila acocorado à margem da civilização, sem saber para onde dirigir-se, sem saber o que fazer, o que pensar. Esperou e chocou o ovo da revolução como se fosse o milagroso cura-tudo. A revolução veio e nada pôde curar — nem pode, por melhores que sejam as intenções. Sua ação, meramente política, não alcança as raízes econômicas donde o mal secreto esvurma suas toxinas.

Esse mal é a pobreza, e revolução política quer dizer apenas nova repartição da riqueza existente. Ora, se esta é exígua demais, e se ao país pouco importa que esteja nas mãos de A. ou de B., não será trocando letras que se cria alguma coisa. O de que havemos mister não é redistribuir o existente, mas sim criar riqueza nova, em tal quantidade que todos os habitantes deste território tenham o seu quinhão. E como riqueza só se cria por meio do ferro, é de ferro que precisamos. Por esse meio indireto conseguiremos afinal o que por meios diretos jamais foi, nem será, alcançado.

O alto forno, a siderurgia clássica, recebeu finalmente o golpe que a vai matar, ainda que leve um século para morrer. Esse fato tem significação tremenda para nós. Vem marcar o começo do fim da nossa pobreza e o começo do princípio do novo Brasil. Podemos hoje produzir ferro "melhor e mais barato" que os nossos fornecedores. Podemos pois ser gente no concerto das nações.

Grande homem a quem o Brasil vai dever uma ressurreição maravilhosa não está aqui, jamais pisou nossa terra e só de meia dúzia é conhecido. É todavia o grande herói do momento. Sua obra determinará novo reajuste no mundo, com esplêndidas vitórias econômicas para uma série de países até hoje condenados à pobreza em virtude da triste condição de desferrados. Entre tais países nenhum se beneficiará mais que o nosso.

Adiante descrevemos o processo Smith, mostrando como feriu de morte o alto forno a coque e assim lançou as bases da siderurgia futura. O que fez Darby em 1735 com a invenção do coque, abrindo caminho para a vitória britânica, vem Smith de fazer, não para seu país, mas para o Brasil, o Japão, o Canadá, a Itália — e mais vítimas do azar na distribuição da hulha pelo mundo.

O NOVO PROCESSO DE FAZER FERRO

Maior que o tremendo benefício por Henry Ford feito ao mundo, dando-lhe a máquina individual de suprimir as distâncias que tanto aumentou a eficiência locomotora do homem, vai ser o novo processo de obter ferro que em sua fábrica de River Rouge se desenvolveu. Embora criação de William H. Smith, cumpre não esquecer que à colaboração financeira de Ford deveu o inventor os meios de levar a cabo uma aspiração que havia tantos anos desafiava o engenho dos técnicos.

Não mais a ditadura do alto forno. Não mais a soberania insolente desse monstro brutal, barrigudo, incontrolável, conspurcador da pureza do nosso amigo ferro. Em vez disso, uma bateria de pequenos fornos quadrangulares, contendo uma série de retortas verticais, que se alinham dentro de uma câmara de combustão co-

---

de três anos — resposta, aliás, determinada pelos pareceres técnicos de órgãos informativos oficiais sem pleno conhecimento da matéria.

A primeira reação que meus gritos tiveram por parte dum homem de governo surgiu quase quatro anos após o meu primeiro comunicado. Veio de Getúlio Vargas, três meses depois da sua ascensão. Será que o Destino o fez obreiro de duas revoluções, a política, que já se consumou e a econômica, que vai consumar-se?

mum. À direita e à esquerda desta câmara grande, uma série de câmaras pequenas, aquecidas por combustores de gás, dispostos de modo a formar uma serpentina de fogo apta a produzir um aquecimento uniforme, controlado por pirômetros. Eis em linhas gerais o forno Smith. Como opera?

    O minério, depois de britado e misturado com a fonte de carbono disponível (serragem de madeira, cascas de coco ou de café; resíduos vários, turfa, linhito, o que seja) em quantidade um pouco maior que a rigorosamente precisa para a produção do óxido de carbono redutor, entra em jacto contínuo pela boca superior das retortas. Moega, como nas máquinas de beneficiar café. E, como nestas, também há na parte inferior das retortas uma boca de saída, controlada por uma chapa oscilante. A mistura vai entrando pelo alto e saindo por baixo, na marcha de treze centímetros por minuto.

    Posto em operação o forno, a mistura de minério e carbono passa pelas mesmas reações já observadas no alto forno. Dá-se o divórcio entre o ferro e o oxigênio a que nos referimos atrás. O óxido de carbono recebe o oxigênio e vira gás carbônico. A passagem começa a 290 graus e termina a 900, depois de uma sarabanda molecular que os metalurgistas fixam com muita precisão em fórmulas que não cabem aqui.

    Está neste ponto a grande coisa do processo Smith — o pulo da onça. As reações até aqui operadas são as mesmas do alto forno, e se fossem interrompidas de brusco o oxigênio voltaria ao ferro incontinente. Para evitar isso já vimos que o alto forno eleva a temperatura até ao ponto de fusão de toda a massa, para desse modo impedir mecanicamente o acesso do gás. William Smith barra-lhe acesso de um modo muito mais inteligente. Em vez de defender por meio da fusão o ferro já reduzido, defende-o pela ausência do oxigênio. O ferro reduzido vai descendo pela retorta abaixo e se resfriando sem que em todo o percurso encontre o furioso oxigênio. E afinal atinge a boca de saída, onde a temperatura é de 80 graus apenas — e pode entrar em contato com o ar sem mais perigo nenhum. Fora da temperatura onde sua paixão se exalta até ao desvario, o oxigênio só se combina com o ferro com lentidão de lesma. É o caso da ferrugem.

    A fusão existe no alto forno apenas com o fim de obstar a reoxidação. Consegue-o não há dúvida, mas com o sacrifício da pureza do pobre ferro, conspurcando-o lamentavelmente. No forno Smith a fusão é substituída por sábia separação de corpos durante toda a fase em que o afogueamento da mistura torna perigoso o contato dos dois elementos divorciados. Eis tudo.

    Note-se a grande economia de calor, a economia de agente redutor, a desnecessidade de calcário na carga, bem como de formidáveis injeções de ar. Tudo somado resulta numa boa economia do custo de produção — não se levando em conta a excepcional qualidade do produto. Se a isto acrescentarmos que o capital requerido para a instalação de uma bateria de fornos Smith é muito menor que para o correspondente em altos fornos, teremos resumido os méritos do novo processo e justificado a nossa afirmativa de que *ceci tuera cela*.

    O calor necessário à operação é fornecido, parte pelo elemento redutor que acompanha o minério, parte por via externa. Os combustores de gás a que já nos referimos dão em cada ponto da retórica exatamente a quantidade de calor necessária para completar as reações que nesse ponto se operam. Esse gás é fornecido por gasogênios destacados do forno, que utilizarão qualquer fonte acessível — linhito, lenha, turfa, palha de café, o que seja.

Como se vê, além de produzir ferro puro, eliminando a calamitosa fusão, o novo forno dispensa em absoluto o coque. A coluna da mistura, de cinco metros de alto apenas, com uma seção de 375 centímetros quadrados, é leve demais para pedir ao agente redutor a resistência física do coque. E finda está a odiosa ditadura deste miserável déspota.

Parece nada, no entanto esta simples circunstância vem modificar alguma coisa na face da terra. Vem permitir que novos países se engrandeçam e que o mundo futuro se componha de mais metrópoles e menos colônias. E entre as novas metrópoles, o Brasil — esta emperradíssima e encoscorada colônia.

O ferro obtido tem ao deixar o forno uma estrutura esponjosa, pois é o mesmo minério que nele entrou apenas com o oxigênio a menos. Não foi adicionado de nenhuma impureza estranha. Tem de impuro apenas o que de impureza no minério havia. Muito friável, segue dali para um moinho que facilmente o reduz a pó. Este pó passa por um separador eletromagnético, onde o que é ferro fica de um lado e o que não é ferro fica de outro. E pronto. A última operação — briquetagem, não é parte essencial do processo. Procede-se apenas para maior comodidade do transporte.

Estes briquetes de ferro correspondem industrialmente ao gusa, embora o supere de muito em qualidade. Em operações subsequentes, com menor dispêndio de carbono e trabalho, pode ser transformado em todos os tipos de aço e ferro conhecidos. E pode ainda produzir tipos novos, impossíveis até aqui por falta da matéria prima ferro de absoluta pureza. O ferro-esponja obtido com os nossos minérios finíssimos, de formação sedimentária, darão, não resta dúvida, aços de constituir surpresa a velhos metalurgistas que nada mais podem tirar do processo corrente.[11]

Esse ferro-esponja em estado de pó, se moldado e aquecido a mil e duzentos graus, adquire a consistência do ferro batido e pode ser usado para todos os fins — sem que em fase nenhuma necessite fusão. Isto vem abrir novos horizontes à metalurgia.

Eis em poucas palavras, e sem linguagem técnica, o que é o processo Smith sobre o qual já se começa a falar entre nós. Negado a princípio, quadradamente, pelos nossos sábios da Grécia oficiais, dado como fantasia de um literato de letras tontas, já merece a atenção distante dos nossos paredros científicos — gente que nunca produziu um grama de ferro em toda a vida e sabe de siderurgia o que consta dos livros clássicos — quer dizer, de livros com trinta anos, no mínimo, de atraso. Apesar da existência em Detroit, aberta a quem queira ver, de uma bateria de cinco fornos, com capacidade para 52 toneladas de ferro-esponja por dia — demonstração perfeitamente industrial, portanto; apesar duma fábrica em plena expansão na Índia, e de uma em montagem em Toronto, e de várias em estudo em outros países, esses insignes mestres teimam em permanecer numa gravibunda ignorância. Ignoram, como o ocioso de Horácio vadiava — *cum dignitate*, solenes, majestosos.

---

11 Num estudo sob o título Influência do ferro esponja na qualidade do aço, feito pelo Dr. W. Rohland e que constituiu o relatório número 156 da Verein Deutsche Eisenhutenleute, na Alemanha, publicado na revista técnica *Stahl und Eisen*, edição de 10 de outubro de 1929, diz-se no período final: "Em resumo, as experiências até aqui feitas (no Kaiser Wilhelm Instituto de Pesquisas de Dusseldorf), mostram que o ferro-esponja tem grande influência na qualidade do aço produzido. A análise comum não dá explicação disso, nem ainda a análise microscópica ou os processos de fusão empregados. Unicamente à 'virgindade' da matéria prima (ferro-esponja) pode o fenômeno ser atribuído".

Consultados, ou contestam por negação, coisa facílima, ou puxam do bolso objeções infantis, que só impressionam leigos. Um apareceu, que negou redondamente a praticabilidade do novo processo por vê-lo em contradição com a teoria clássica — como ele a tem no canteiro de cabelos.

Faz lembrar aquele célebre general austríaco que era o maior mestre da arte da guerra do seu tempo. Acadêmico ilustradíssimo, dava suas batalhas em rigoroso acordo com todas as regras aprendidas na escola militar. Chamado a bater-se contra Napoleão, apanhou como cachorro, apanhou como boi ladrão, todas as vezes que lhe saiu à frente o pequenino corso.

Após uma dessas escandalosas derrotas, depois que se viu a salvo pela fuga com os destroços do seu exército, analisou a batalha e concluiu, ou antes, demonstrou por A mais B a absoluta inépcia de Napoleão.

— "É incrível como a França deixa este homem comandar os seus exércitos! Não conhece nada da arte militar. Comete erros palmares, de que são incapazes até os meus sargentos.

Alguém objetou timidamente:

— Mas vence sempre, general.

— Sim, vence, não nego, mas de que modo? Vence contra todas as regras clássicas — o que é uma vergonha para a nobre arte da guerra."

Assim se comporta o processo Smith, na opinião do técnico acima. Produz ferro mais barato e melhor que pelo processo do alto forno, mas contra todas as regras clássicas, o que constitui um crime imperdoável, merecedor de pelourinho e surras do Mário Pinto Serva.

É por causa de tais generais que sempre nos vimos derrotados em matéria metalúrgica. Parece que é tempo de fazer com eles o que Smith se propôs fazer com o outro — usá-los como agente redutor. Talvez seja o carbono que eles possuem nos miolos o único elemento ali aproveitável.

A MAGNA QUESTÃO: PREÇO DE CUSTO

Chegamos finalmente ao ponto capital de toda indústria — preço de custo. Vitória ou derrota industrial são simples funções do preço de custo. Poderemos contar com a vitória, nós, os detentores das maiores e melhores reservas de minério conhecidas? Poderemos produzir ferro a preço de custo igual ou inferior ao dos demais produtores?

Vamos por partes. Nos Estados Unidos a região privilegiada em matéria de minérios é a dos montes Mesabi, junto ao lago Superior. O óxido de ferro que a natureza lá acumulou possui um teor metálico entre cinquenta a sessenta por cento. Tal circunstância, aliada ao fato de serem as jazidas próximas dos Grandes Lagos, deu-lhes um valor tremendo. A luta pela sua posse constitui um dos mais emocionantes capítulos da siderurgia americana — luta de gigantes, tais como Rockefeller, Morgan, Mather e o famoso juiz Gary, que por tantos anos presidiu os destinos da maior empresa de ferro do mundo, a United States Steel Corporation. A luta se estabeleceu feroz, pela certeza em que todos estavam de que o controle da indústria caberia à empresa que se assegurasse na posse do minério de Mesabi.

E assim foi. O controle veio ter às mãos da United States Steel e fê-la a ditadora de braço irresistível. Senhoreando tal minério, não só conseguiu apanhar o que de melhor havia no território americano, como ainda beneficiar-se das vantagens do transporte fluvial pelos Grandes Lagos. O custo desse transporte, das jazidas de Mesabi a Pittsburg, centro dos melhores carvões da América, feito parte por trem e na maior parte por água, não excede de dois dólares e oitenta e sete a tonelada, preço excepcionalmente vantajoso. E foi com tal minério, a tal preço de transporte, que os Estados Unidos se transformaram de simples nação agrícola na mais possante nação industrial moderna. O preço de custo médio do ferro produzido nos altos fornos de Pittsburg é de quinze dólares.

Outra reserva de minério há nos Estados Unidos cuja situação é tida como sem paralelo em qualquer continente — a da zona de Birmingham, no Estado de Alabama. A natureza fez ali o que nunca faz — pôs uma montanha de minério ao lado de uma jazida de hulha, de modo que com a supressão do transporte os altos fornos colocados no vale produzem o ferro de mais baixo preço conhecido — dez dólares.

Estes dados informativos, que tomamos da grande revista *Yankee Fortune*, de maio deste ano, nos vão servir de ponto de referência para ajuizamento do nosso preço de custo. No caso primeiro, temos quinze dólares como preço tão vantajoso que permitiu o grandioso surto da moderna metalurgia americana; no segundo caso, embora se trate de jazidas menores e de fraco teor metálico — entre trinta e quarenta por cento— bate-se um recorde mundial quanto a preço do custo.

Agora entre nós — pelo processo Smith. Segundo meticulosos cálculos feitos pelos melhores técnicos, o preço de custo nosso, numa fábrica montada no Rio, que utilize minério vindo de Minas e empregue como agente redutor resíduos da cidade, será de cento e trinta mil réis, ou dez dólares, ao câmbio do dia. Isso para uma fábrica pequena, de cinquenta toneladas diárias, em que há sobrecarga, por unidade, das fortes despesas gerais e de administração. Em usina três ou quatro vezes maior o preço cairá a cem mil réis ou menos, talvez sete dólares ao câmbio atual.

Note-se, porém, o seguinte. O preço de Pittsburgh, de quinze dólares, bem como o de Birmingham, de dez dólares, são *no interior* e têm que suportar a adição do custo do *frete aos portos mais próximos, caso o ferro se destine à exportação*. O nosso preço, já muito mais baixo, é no porto de exportação. O significado disto é muito sério. Produzir no Brasil ferro a preço tal que possa competir com o estrangeiro no país que mais o produz, vale por coisa capaz de ser entendida até pelos nossos técnicos.

Estes dados provam que poderemos doravante, em vez de nos exaurir na importação de umas magras pitadas de ferro caríssimo, pago em ouro, produzi-lo em casa para o consumo interno e ainda para exportá-lo com larga margem de lucro.

O ferro-esponja só é fabricado hoje na Suécia, que para isso usa, em ponto grande, o processo clássico de laboratório. Garante-lhe esse monopólio a qualidade excepcional do seu puríssimo minério — equivalente, aliás, aos nossos bons minérios de Minas. A esponja produzida é toda colocada na Alemanha e nos Estados Unidos, alcançando neste último país o preço médio de quarenta e quatro dólares. Mas em virtude das deficiências do processo, o custo de produção é muito alto, orçando por vinte e sete dólares.

Tudo vai mudar por lá, porém. Notícias de última hora nos informam que uma das suas maiores empresas siderúrgicas acaba de adotar o processo Smith. A velha Suécia, tão ciosa da sua alta metalurgia, reconheceu que *ceci tuera cela* e resolveu trocar o processo tradicional pelo novo, desenvolvido na América. Tratando-se da pátria do ferro-esponja, tem este fato altíssima significação — capaz também de ser alcançada até pelos nossos famosos técnicos.

Atrás nos referimos a uma fábrica pelo processo Smith na Índia, escapando-nos mencionar onde está situada e de quem é. Foi a primeira que se montou no mundo, graças à iniciativa de um aluno da Universidade de Detroit, o indiano Prim N. Mathur, que a localizou em Jamshedpur. Começou com cinco fornos, com capacidade para vinte e cinco toneladas diárias e vai agora em plena ampliação à custa dos lucros do negócio. O ferro que lá se produz é obtido a um preço de custo que vem tomar ao de Birmingham o seu velho recorde.

Outra anda a montar-se em Toronto, sob os auspícios da Ontario Research Foundation.

E muito breve estará outra a funcionar no Rio, em que pese à opinião dos nossos céticos e dos nossos técnicos. Insuficiente que é a demonstração científica para convencê-los, o fato concreto o fará, para eterna vergonha de quem, visto como ignora, nega — caminho favorito da inépcia.

O governo projeta a queima, em vários anos, de dez milhões de sacas de café. A sessenta mil réis a saca isso representará a destruição de uma riqueza, já criada, do valor global de seiscentos mil contos de réis.

O estabelecimento do processo Smith no Brasil permitirá ao caso uma solução nova e de absoluto imprevisto.

Dez milhões de sacas de café significam, siderurgicamente, 600.000 toneladas de agente redutor, com o qual se poderão produzir 1.200.000 toneladas de ferro-esponja.

O valor desse ferro, ao preço de quarenta e quatro dólares, que é o preço pago pelo produto sueco, seria de setecentos e sessenta mil contos de réis. No mercado interno, se lhe dermos o valor atual do gusa de Minas, seria de quinhentos e dezesseis mil contos de réis. E seria de um milhão e meio de contos, se o valor dado fosse o valor atual do ferro gusa estrangeiro que recebemos por importação.[12]

Por mais fantástico que este cálculo pareça, está rigorosamente baseado em fatos. Experiências feitas no Rio com café exatamente igual ao que vai ser destruído deram ferro de excelente qualidade — e de outro modo não podia ser. Fonte de carbono, o café não passa de um agente redutor como outro qualquer.

Tivéssemos a coragem dessa iniciativa e além de salvarmos da destruição uma grande riqueza, ganharíamos de lambuja a implantação definitiva da indústria do ferro em S. Paulo.

---

12 Pelo contrato que o governo federal assinou com a Itabira Iron Ore Company esta empresa ficou autorizada a exportar anualmente três milhões de toneladas de minério de Minas. Exportar minério jamais foi negócio para país nenhum; só o é para quem o recebe. Está aí a Espanha, que exportou o seu minério para a Inglaterra e assistiu à tremenda expansão inglesa, feita com a máquina com que por meio desse material a Inglaterra se armou.

Uma coisa só consegue o país que exporta minério; ficar desfalcado dele. O lucro que deixa o negócio é irrisório. Esses três milhões de toneladas que a Itabira pretende exportar por ano, só deixará ao país o magro salário do trabalhador que as minera, mais um magro frete às estradas que as transportam. Quanto representará isso? Três, quatro, cinco mil contos, se tanto.

Essa mesma quantidade de minério transformada em metal pelo processo Smith, já representará algo de tremendo para a nossa economia. Representará dois milhões de toneladas de esponja de ferro, que lá fora poderá ser vendida a quarenta e quatro dólares a tonelada, o que valerá para o país um lucro líquido de oitenta e oito milhões de dólares, ou mais de um milhão de contos.

Grande razão teve o Presidente Arthur Bernardes em se opor ferozmente a essa concessão. Fui um dos que mal compreenderam as suas razões e por isso o ataquei. Hoje sinceramente me penitencio, reconhecendo em público e raso que a sua visão de estadista é maior do que nós, jornalistas ocasionais, supomos.

Damos hoje por encerrada esta série de artigos nos quais se procurou apenas pôr em foco o problema vital da nossa economia, visualizado de um ângulo que a muita gente parecerá novo — e estranho. É bom que nos acostumemos a ver de todos os lados e não de um só, como se usássemos o tapa-olhos dos burros de carga. Noutra série, mais tarde, trataremos da energia, ou de como resolver o problema da energia com elementos exclusivamente de casa — babaçu e álcool. Serão também soluções americanas, porque é na América, não aqui, que as reais soluções dos nossos problemas estão sendo achadas. É de lá que William Smith nos acena com o meio de transmutar inútil óxido de ferro em preciosíssimo metal. É de lá também que Clinton B. Repp nos chama a atenção para uma imprevista e maravilhosa variante do problema da energia.

APÊNDICE

Para melhor informação dos leitores reproduzimos o artigo do professor George B. Waterhouse, publicado no *Iron Age* de 15 de abril de 1928 e também um trecho da conferência que o Dr. Pandiá Calógeras pronunciou nesse mesmo ano na Escola Politécnica de São Paulo.

Ferro esponja pelo processo Smith

Fornos verticais, como os de coque
— Redução de 100 por cento
— Direta assistência ao alto forno

Dr. George B. Waterhouse
Professor do Massachussets Institute of Technology,
Cambridge, e engenheiro metalurgista consultor.

O processo da General Reduction Corporation, de Detroit, para produção de ferro esponja de alta qualidade, constitui invento de William H. Smith, seu presidente. Por muitos anos esteve Mr. Smith ligado à Ford Motor Company, onde tomou parte saliente na construção de todas as grandes fábricas dessa empresa. Nos últimos tempos teve a seu cargo o exame e compra de jazidas de hulha e minério, bem como de florestas e o mais necessário ao plano de tornar a Ford independente quanto a matérias primas. Também chefiou a secção de pesquisas, tomando parte ativa em vários desenvolvimentos metalúrgicos.

A ideia do processo Smith e seus fornos foi determinada pelo reclamo da indústria por melhor ferro e aço, e também pela necessidade de tirar partido de reservas de minérios de baixo teor e composição imprópria para o alto forno. Provou-se ele, entretanto, igualmente econômico e adequado para o tratamento de minérios de alta classe, visto como o produto obtido não impõe nenhum trabalho ulterior de concentração.

FORNOS SIMILARES AOS DE COQUE

Consiste o processo na redução de minério de ferro, materiais portadores de óxido de ferro ou concentrados magnéticos, em fornos verticais, onde o material se submete a temperaturas comparativamente baixas, longe do ponto de fusão, e permanece em contato com as substâncias portadoras de carbono, usualmente em estado sólido. O minério deve ser desintegrado de acordo com as suas características, em regra em fragmentos não maiores de um quarto de polegada.

Entra misturado com o material portador de carbono para os fornos. A carga é aquecida e resfriada por meio de dutos horizontais, o conjunto lembrando uma bateria de fornos para destilação da hulha. Na parte superior dos fornos a carga sofre um preaquecimento por meio dos gases já servidos, que saem da câmara a uma temperatura de 400° Fahr. Depois penetra na zona redutora, onde as temperaturas vão de 1200 a 2000° Fahr., e após a redução é resfriada pelo ar que entra para a combustão, sendo finalmente descarregada a menos de 250° Fahr., bastante arrefecida para que possa ser tocada.

ILIMITADA QUANTIDADE DE CALOR A 1500-2000° FAHR.

Após a redução o material é moído, se necessário, separado magneticamente e por fim briquetado.

Fator de muita importância no bem sucedido do processo é a disposição que permite aplicar ilimitadas quantidades de calor entre 1500 e 2000° Fahr. justamente onde se faz ele necessário à reação redutora, sem nenhum efeito no resto do aparelho. De igual modo um controle preciso e automático do calor, tanto em quantidade como em duração, é assegurado, principalmente na zona de redução. Os fornos medem dezesseis pés e seis polegadas de alto por vinte pés de comprido e dez pés de largo. São construídos de aço e tijolos e ainda de certos materiais próprios para o perfeito intercâmbio do calor nas partes dispostas entre a carga e os dutos de aquecimento ou resfriamento. O carborundum, por exemplo, é usado na zona de redução.

A disposição do forno Smith reduz as perdas de calor irradiante ao mínimo. Com a bateria de cinco, esta perda é estimada em sete por cento a uma temperatura de 1600 Fahr. na zona de redução. Se mais unidades são adidas à bateria, a perda decresce para três e meio por cento — o que sucede quando as unidades chegam a cinquenta. Daí por diante o decréscimo se torna mínimo. O custo dos fornos, baseado na experiência desta bateria inicial de cinco, é de três mil dólares, mais ou menos, por tonelada-capacidade.

MUITOS TIPOS DE MINERAIS FORAM PROVADOS

Minérios de numerosos países têm sido provados e estudados à luz deste processo, embora a mor parte das experiências se fizessem com os do lago Superior, mais facilmente acessíveis a Detroit. Excelentes resultados foram obtidos com resíduos de pirites.

Da mesma forma numerosos tipos de material carbonáceo foram experimentados como agente redutor, tais o carvão de madeira, a serragem, cavacos, coque e brisa de coque, antracito, turfa, linhito, xisto betuminoso, alcatrão e gilsonite, que é um piche natural. Também certos materiais exóticos, como bagaço de cana, palha de café e coco babaçu, do Brasil. Este último constituiu durante a guerra uma importante fonte de carvão especial para as máscaras contra os gases asfixiantes.

ALGUNS RESULTADOS DIGNOS DE NOTA

Os fornos agem indistintamente como produtores de gás ou como aparelhos de redução, podendo um ou mais ser usado unicamente para a produção de gás, quando necessário. O reservatório de gás que fica à esquerda da bateria tem por função armazenar o excesso dos gases produzidos. A tábua inclusa dá a análise e o valor calorífico dalguns destes gases.

AGENTES REDUTORES E PORCENTAGENS DOS GASES OBTIDOS

MATERIAL	CO	CO2	H2	CO4	C2H6	ILL.	N2	O2	BTU
Resíduos de madeira	40.0	14.0	42,6	-	1.0	-	20.8	0.6	277
Serragem	48.4	5.2	19.9	-	1.1	0.2	12.0	3.2	280
Linhito	-	-	-	-	-	-	-	-	835
Turfa	67.2	25.2	7.0	-	-	-	0.4	0.2	253
Xisto	21.6	14.6	31.8	7.8	1.0	0.2	21.0	1.8	263
Alcatrão	4.8	4.0	22.6	40.0	-	18.0	10.0	-	758
Brisa de coque	-	-	-	-	-	-	-	-	-738
Bagaço de cana	19.2	19.0	28.2	11.4	-	1.4	18.8	12.0	250
Coco babaçu	22.4	7.6	37.4	-	16.8	0.4	14.0	2.4	481
Gilsonite	-	-	-	-	-	-	-	-	1.100

Carvões não coqueficáveis e linhitos são muito adequados neste processo. Quanto ao carvão bom, pode ser reduzido a coque numa ou mais retortas, aproveitando-se os gases e usando-se o coque. Muito material já foi reduzido com resíduos de madeira, provenientes duma fábrica de carrocerias sita nas vizinhanças. Vêm tais resíduos diretamente aos fornos por meio de tubos e sob pressão de ar. Os gases produzidos recebem imediata aplicação. Cumpre, porém, notar que os subprodutos que se podem extrair da madeira são muito valiosos para serem desse modo destruídos, sobretudo o ácido acético, de emprego no fabrico de lacas, e o álcool. Normalmente 1470 libras de resíduos são empregadas para uma tonelada de minério de cinquenta por cento; se carvão vegetal for empregado, 460 libras bastam.

A REDUÇÃO É DE CEM POR CENTO

A redução dos óxidos de ferro a metal é de cem por cento. Interessante feição do processo observa-se no fato de o ferro absorver carbono em quantidade controlável até o máximo de 1,8%. A importância disto revela-se subsequentemente, quando, pela fusão, o produto é transformado em gusa ou aço. Aqui damos os resultados dalgumas experiências.

Operando com magnetite de 45% de teor metálico, o produto revelou completa redução do ferro, com 85% de ferro total. Depois da separação magnética revelou 98% de ferro.

Com hematite de Mahoning, de 64%, foi obtida redução de 92%, e depois da separação, 97%.

Com minério da mina Imperial e uma hematite do Lago Superior de 44%, deu, respetivamente, 72 e 93%.

Com pirites queimadas, ou *blue billy* de 55%, deu 80 depois da redução e 90 depois da concentração ou separação magnética, tendo este minério mostrado um teor final em enxofre de apenas 0,08%.

USOS DE FERRO-ESPONJA

Com respeito às aplicações de ferro-esponja o Boletim 270 do Bureau of Mines, de 1927, as enumera todas, salientando o uso como agente precipitador do cobre. O processo Smith constitui o método prático e comercial de produzir esponja em pequena ou alta escala, de numerosos tipos de minérios, usando variadas fontes de calor. O gás produzido pode ser queimado nos tubos de aquecimento. Óleo combustível prova igualmente bem. O mesmo se dá com qualquer espécie de gás combustível. Também dá bom resultado o aquecimento com serpentinas elétricas; e onde a energia é barata, seu uso é excelente para compensar o fator de carga. As perdas por irradiação sendo baixas, os fornos podem ser conservados com pequeno dispêndio abaixo da temperatura de trabalho até que a energia abaixo do termo se torne disponível.

MELHOR FERRO E MELHOR AÇO POSSIBILIZADOS

Na indústria de ferro e aço de larga tonelagem o processo Smith pode ser de vantagem direta. Provê um produto de alta qualidade como suplemento ao atual ferro gusa, sob um custo menor para as instalações, e também menor consumo de calor que o alto forno. Fato digno de nota é que é econômico em pequenas instalações, podendo ser adotado, como anexo, às usinas existentes, bem como ser implantado em países onde o alto forno não pode ser usado. É também de grande assistência à moderna indústria do aço, visto produzir diretamente excelente matéria prima para ele. Remove a necessidade de fundir minérios finos no alto forno, o qual opera com maior rendimento econômico quando trabalha com minérios não finos.

O processo está protegido por patentes tiradas em trinta países, duas das quais nos Estados Unidos, de números 1.692.587 e 1.692.588, de 20 de novembro de

1928. Conquanto nenhuma publicidade lhe fosse dada até agora, os fornos têm sido examinados por numerosos técnicos e engenheiros deste país, da Europa, América do Sul e Japão.

Está apoiado por fortes elementos financeiros e possui completo estado maior de técnicos, engenheiros e consultores na Universidade de Detroit.

A intenção de Mr. William H. Smith, bem como da General Reduction Corporation, é tudo promover para a sua introdução em toda parte onde possa determinar melhoria na qualidade do ferro reduzido, do ferro fundido e do aço.

A OPINIÃO DE CALÓGERAS

Na conferência sobre a metalurgia em São Paulo, realizada em 1928 na Escola Politécnica, Pandiá Calógeras abrangeu com extrema clareza expositiva o quadro geral das nossas possibilidades em matéria siderúrgica. Suas conclusões foram as mesmas de quantos aprofundaram o assunto: dificuldades tremendas, exigidoras, para serem removidas, dum espírito de coordenação e continuidade que não temos, e ainda necessidade de enormes somas de capital, que também não temos. Em resumo, a impossibilidade de até aqui projetada para o futuro — isso dado que o processo da siderurgia a coque persistisse na sua, para nós, odiosa unicidade.

Tudo muda, porém, diz ele, com o advento do processo Smith. E o ano de 1928 poderá vir a marcar a data da redenção do Brasil. Leiamo-lo.

"Era esse o aspecto do problema em 1927. Já hoje talvez seja outro, e 1928 pode vir a ser para o Brasil a data de sua redenção, do ponto de vista da utilização de seus minérios.

De fato, a se realizarem as esperanças despertadas pela redução pelos gases no forno do professor William H. Smith, da General Reduction Corporation, de Detroit, Michigan, o problema da nossa siderurgia estará definitivamente solvido. Pode-se mesmo ir além e quase dar tal perspectiva como realizada, pois há mais de ano uma instalação desse gênero funciona normalmente, sem o menor contratempo, dando cem toneladas diárias de metal.

Convém expor o processo, para lhe compreender o imenso alcance em nosso caso.

Até hoje, a fusão redutora dos minérios exigia temperaturas altas, para fundir minério e leito de fusão, escorificar as impurezas e dar fluidez suficiente aos produtos para que pudessem correr nas lingoteiras por mera gravidade. Não se havia conseguido industrialmente, evitar o imenso desperdício de energia térmica no aquecimento de tanta matéria estéril. O mínimo do consumo de coque, nas instalações mais perfeitas, era de setecentos quilos por tonelada de gusa, e entretanto, para o sesquióxido de ferro, as fórmulas de composição e as reações químicas indicavam cerca de trezentos e cinquenta quilos como o bastante. Dobrava-se o consumo para aquecer o estéril e as massas acrescidas do leito de fusão à temperatura de fusão exigida pelo processo do alto-forno; e para obter aço e ferro doce, novas porções eram necessárias para o refino, mais uns quinhentos quilos por tonelada.

Os laboratórios, entretanto, conheciam meios de obter a redução gasosa dos minérios, evitando o gasto de calor da fusão do metal e das impurezas, e dando como produto — esponja de ferro.

Na análise quantitativa dos óxidos férricos a corrente redutora de hidrogênio começa a agir por 300° centígrados e prossegue até 1.000; na barquinha de porcelana em que se põem os óxidos o resíduo é esponja de ferro.

Na prática industrial, visando obter a mesma esponja pura, nunca se obtivera produto com mais de 60% de metal: era impossível manter nos aparelhos uma atmosfera rigorosamente redutora, vedando voltas de ar e de umidade, que tornavam a oxidar partículas já reduzidas.

Conseguiu o professor William H. Smith construir um forno em que a vedação do ar se mantém de modo absoluto, de sorte que a operação se dá como nas análises docimásicas. O redutor é o óxido de carbono, e a reação pode aproximadamente explicar-se pelas equações químicas seguintes, conforme a natureza dos gases residuais:

$$Fe_2O^3 + 3CO = 2Fe + 3CO^2 \text{ ou}$$
$$Fe_2O^3 + 2C = 2Fe + CO^2 + CO$$

Isto é, a oxidação do carbono se faz à custa do oxigênio total do minério, ficando livre o metal. Reação exotérmica, que economiza o combustível suplementar a consumir para fornecer a temperatura precisa para a redução. Esta começa a 300°C., e atinge de 900 a 1000 no caso da magnetita. Evita assim subir aos altos valores da temperatura de fusão do ferro (1.530°C) e da formação das escórias (1.350°C). Os produtos finais são sólidos, frios e o rendimento em metal vai de 95 a 100% do teor do minério; esta última percentagem obtêm-se com cerca de uma hora de permanência na zona redutora. A separação do ferro dos demais resíduos da operação é facílima, por meios de eletroímãs.

O aspecto do metal varia conforme as dimensões dos fragmentos introduzidos no forno, desde o de uma limalha de ferro, até o de grãos menores de um centímetro; sua coesão é fraca, esfarela-se sob a pressão dos dedos; pode ser prensado sem aglutinante, formando blocos duros, porosos, de esponja metálica. Estes blocos constituem matéria prima para operações ulteriores de fusão, refino e formação de ligas quaisquer.

Todas essas operações complementares são feitas eletricamente, e a fusão não exige mais de quatrocentos quilowats-hora por tonelada.

Os fornos, que relembram as retortas verticais de fabrico de coque, podem associar-se em maciços com um número indefinido de elementos unitários. Essa elasticidade permite trabalhar com igual economia cem unidades ou quinhentas. O espaço ocupado é pequeno, e a extensibilidade das baterias é mera questão de justaposição. Os gases de escapamento, parcialmente queimados, ainda podem ser utilizados, pois são susceptíveis de dar trezentas unidades térmicas britânicas (300 BTU). Quaisquer impurezas existentes na esponja se eliminam pelo refino elétrico ordinário, com banhos convenientemente dosados de escórias ou de calcário.

Tais informações decorrem, não já de laboratórios experimentais, mas de uma instalação funcionando há mais de doze meses, sem perturbações, fornecendo diariamente cem toneladas de esponja de ferro.

A se manterem as características desse forno, não será exagero afirmar que representa uma revolução na siderurgia, maior do que a invenção da retorta Bessemer ou a do aproveitamento dos minérios fosforosos pelo processo Thomas-Gilchrist.

Para o Brasil, vale pela inversão completa de nossas condições econômicas; antes dela, antes de 1927 portanto, a siderurgia nacional se apresentava mais do que precária; depois dessa data, podemos ser os maiores produtores de ferro do mundo.

PERSPECTIVAS NOVAS

Examinemos os novos aspectos criados, para nós, pelo forno William H. Smith.

Liberta-nos do obstáculo, ainda hoje irremovível, do coque metalúrgico. Qualquer fonte de carbono servirá: hulhas impuras, linhitos, turfas, carvão vegetal, madeira, serragem, etc., etc. A quantidade a consumir ficará limitada ao que a redução do minério exigir, e toda a parte do combustível destinada ao aquecimento do forno para ser atingida a temperatura das operações, poderá ser substituída por eletricidade, tal seja o preço do kilowat-hora.

No caso da hulha nossa, sua prévia despiritização permitirá trabalhar com óxido de carbono puro, e fornecerá um resíduo de pirite aproveitável em dois sentidos: para a indústria do enxofre e do ácido sulfúrico, com suas consequências infinitas; para utilização, como minério, do sesquióxido de ferro resultante da ustulação.

No caso de linhitos e da turfa, a tarefa é ainda mais simples pela pureza da fonte de carbono. Na eventualidade de substâncias vegetais, madeira ou carvão, as vantagens econômicas são a diminuição das quantidades a empregar, mais ou menos o terço do que hoje exigem os altos-fornos mineiros; além disso, tudo presta para os gasogênios, inclusive a rama seca.

A ação do forno Smith independe da natureza do óxido. Se se tratar de minério puro e pulverulento (as jacutingas de Minas ou de Goiás) a redução é mais pronta, ultima-se em temperatura mais moderada (950°C) e com menor gasto de carbono, pois com a magnetita 1050° devem ser atingidos, e o prazo excede um pouco de uma hora. A experiência já foi feita com itabiritos e jacutingas brasileiras: não o foi com magnetitas compactas.

Salvo a diferença no preço de custo dos materiais dessas duas proveniências, das operações de quebramento dos nódulos de óxido magnético, não há razão teórica para prever qualquer inexequibilidade no último caso. Não havendo formação de escória, o inconveniente do titânio é eliminado, pois fica na ganga sem se misturar com o ferro metálico, e este é facilmente separável pelos eletroímãs.

Se estiver essa impureza, ou qualquer outra, misturada ou em combinação com o próprio ferro, será depurada no refino elétrico por uma escorificação adequada.

Claro que, em igualdade de circunstâncias, a superioridade dos minérios sedimentários se manterá integralmente, e que, na grande siderurgia, o vencedor será a indústria baseada nas hematitas, quer pulverulentas, quer maciças.

Mas elementos locais intervirão também, com força desconhecida até agora. Por exemplo: se a distribuição geográfica for tal, que estejam próximas as jazidas de combustível e as de ferro, poderá a diminuição das despesas de transporte de matérias primas ser de ordem a compensar, ao menos para o consumo próximo, os ônus suplementares do custo do processo para minérios inferiores.

A consequência é imediata e evidente. S. Catarina possui magnetitas e hulhas aproveitáveis, situadas a pequena distância umas das outras; S. Paulo, no vale da Ribeira, tem magnetitas em Jacupiranga em meio das matas virgens importantes da Serra do Mar, e, mais tarde, será ligada a zona com as jazidas carboníferas do rio das Cinzas, no Paraná (e é mais um argumento em prol dos prolongamentos da Southern S. Paulo Railway e da Sorocabana); talvez Ipanema se torne igualmente explorável com a hulha paranaense. Cumpre ainda lembrar os recursos do reflorestamento de que S. Paulo está cuidando a sério.

Com as hematites minerais, o centro principal de produção será o vale do Rio Doce, devido às matas da região e à possibilidade de aí se descobrirem linhitos e turfas. Será, entretanto, problema a resolver, ante os fatores econômicos de cada caso, se convirá exportar pela Vitória os produtos acabados ou transportar somente a esponja pela Leopoldina Railway ou pela Central, devidamente prolongada e aparelhada, como matéria prima para grandes usinas centrais de elaboração, mais próximas dos mercados consumidores do Rio e de S. Paulo. E aí, novamente, a região de Entre Rios à Barra do Piraí e suas imediações vem em foco.

Do mesmo modo, toda a margem Oeste e Sul da área ferrífera do Centro de Minas — de Belo Horizonte e Congonhas do Campo, Ouro Preto e Mariana — terá de ver elaborados seus minérios fora do Estado. Por algum tempo, haverá possibilidade de trabalhar com linhito, que o há em certa quantidade no Gandarela: uns dois milhões de toneladas, podendo pelo processo Smith reduzir o dobro, ou quatro milhões de toneladas de ferro. Será questão de dinheiro e de tempo. Admitido se chegue a produzir trezentas mil toneladas em média por ano, são recursos apenas para uns onze ou doze anos. Daria tempo, talvez, para reflorestar a zona com essências de crescimento rápido, e permitiria continuar a indústria com carvão vegetal.

Não longe da Barra do Piraí há turfa em Bom Jardim, e linhito em Caçapava e Taubaté, combustíveis excelentes para o forno de redução que citamos. Além do que, se algum dia se solver economicamente o problema da utilização dos xistos para darem óleo, será nova fonte abastecedora de carbono.

Por este processo o consumo de lenha ou de carvão vegetal baixa à metade, ou mesmo à terça parte, do que se dá no alto forno.

Inda assim, para ser considerado tal uso como normal, cumpre associá-lo ao reflorestamento e ao corte metódico das árvores.

Quanto à força motora, a eletricidade a fornecerá. Todo o vale encachoeirado do Paraíba está em condições de receber barragens. Se Entre Rios for o ponto escolhido, já duas estações produtoras existem na zona, na Ilha dos Pombos e em Alberto Torres.

Da natureza dessa redução gasosa dos minérios decorre grande elasticidade no localizar usinas; a descentralização as espalhará de Minas a S. Catarina.

Os preços de custo variarão com as condições de cada caso; talvez se possa prejulgar como limites de 130 a 150 réis por quilos de esponja de ferro, ou 150 réis a 170 réis por quilo do metal refinado eletricamente, ferro doce ou aço. Ora, os preços CIF de material análogo importado andam por quatro ou cinco vezes isso.

Mais uma vez repetimos: exatas que sejam tais informações, a siderurgia no Brasil pode considerar-se problema resolvido, dependendo apenas de realização prática.

Quanto ao ferro, urge indagar e contrastar a veracidade das notícias que nos vêm dos Estados Unidos sobre o preparo corrente e econômico da esponja, pela redução direta dos minérios, sem intervenção do coque. Confirmados plenamente os informes, abrem-se possibilidades ilimitadas para o Brasil, e deles, em parte, poderá notavelmente beneficiar-se S. Paulo, mesmo com os óxidos impuros que possui.

No capítulo dos combustíveis — hulhas, xistos betuminosos e rochas petrolíferas — ainda não está iniciada, sequer, a era das pesquisas. Realmente, nada significam as poucas sondagens feitas até agora em busca do óleo. Sobre hulhas, meros afloramentos se conhecem e nem mesmo é sabida a natureza geral da área permo-carbonífera do Estado. Dos xistos, o que já se colheu é muito pouco. Exceção única, temos as camadas linhitíferas do vale do Paraíba, parcialmente exploradas.

O balanço apresenta-se fraco. Mas talvez se lhe aplique o que só hoje se pode compreender — a potencialidade imanente do novo método de redução direta das magnetitas titaníferas. E o horizonte, a serem exatos os prenúncios, revela-se imenso.

Talvez 1928 venha a ser, em breve, o berço do advento do Brasil no mercado produtor de ferro, e S. Paulo aí terá de figurar.

O QUE JÁ FIZEMOS AQUI

O processo de produção de ferro aqui exposto está em trabalhos de adaptação ao Brasil — e como é penoso um trabalho de adaptação! Tomei parte na obra, em companhia de Fortunato Bulcão, Edmond de Raeffray, Afrânio do Amaral e Carlos Teixeira — quatro nomes que o país rememorará mais tarde. A primeira tentativa chefiada por Bulcão fracassou, porque se baseava no governo federal — todos sabemos que coisa é o governo federal. Mas a ideia não morreu. Raeffray, um rapaz de gênio, já falecido, inovou o processo Smith: em vez do minério e do elemento carbônico redutor entrarem misturados na câmara da redução, teve ele a genial ideia de um desdobramento. Na câmara de redução só entra o minério; o material carbônico é gaseificado fora e vai pôr-se em contato com o minério só na parte que aproveita, isto é, sob forma de monóxido de carbono. Isso veio suprimir certos inconvenientes que ainda havia no processo Smith.

A ideia de Raeffray foi objeto de uma patente básica, tirada por mim e transferida para a empresa que se propunha desenvolver o processo Raeffray. A ideia foi aperfeiçoada por Carlos Teixeira e Afrânio do Amaral, com a introdução de mais um elemento regulador: a pressão. E foi assim que a primeira usina produtora de ferro-esponja no Brasil, montada no bairro de Jaguaré, em S. Paulo, conseguiu o perfeito ajustamento do processo de produzir ferro em baixa temperatura às nossas condições e materiais.

Da pequena usina de Jaguaré vai sair a futura, grande e perfeita solução do problema siderúrgico do Brasil — e não do elefante branco de Volta Redonda, cujo fracasso já é admitido por todos. Não basta produzir ferro; é preciso produzi-lo por preço que suporte a concorrência do ferro produzido fora — e é o que Volta Redonda jamais conseguirá fazer, em consequência de sua má colocação estratégica — longe do minério e longe do carvão — longíssima do carvão, pois que o tem de importar de fora...

Aos leitores interessados no assunto indicarei a obra de Afrânio do Amaral, *A Siderurgia e o Planejamento Econômico do Brasil*, onde o problema do ferro vem estudado a fundo em todos os seus aspectos nacionais — inclusive no da redução em baixa temperatura pelo processo da patente brasileira. Não se trata de uma simples compilação livresca, sim duma obra vivida. O autor viveu o assunto — e é graças à tenacidade e inteligência de Afrânio e Carlos Teixeira que a siderurgia no Brasil está com um esplêndido caminho aberto. O livro mostra que não houve apenas a aplicação dum processo desenvolvido fora, mas evolução desse processo num verdadeiro trabalho de criação.

Guarde o público os nomes dos heroicos trabalhadores da construção do dia de amanhã: Fortunato Bulcão, o introdutor do processo Smith; Edmond de Raeffray, o introdutor duma ideia nova; e Afrânio do Amaral e Carlos Teixeira os ajustadores finais.

Não Ficção

América (1932)

AMÉRICA
Os Estados Unidos de 1929

Nota da edição de 1948

Nos anos que passou nos Estados Unidos Monteiro Lobato nunca perdeu de vista o Brasil. Este livro o mostra. E foi o quadro maravilhoso da vida americana que lhe abriu os olhos para uma ideia que depois iria tornar-se a sua ideia central. "Ferro e Petróleo dão a máquina; e a máquina dá a eficiência ao homem. O segredo da prosperidade americana é a máquina, fautora da eficiência. O mal do Brasil está na ineficiência do homem que o habita, por falta de intensa maquinação; e o país não tem máquina porque não desenvolveu a indústria do ferro e do petróleo — ferro, matéria prima da máquina — petróleo, matéria prima da energia que move a máquina."

De volta ao Brasil dedicou dez anos de esforço tremendo para abrir os olhos à nossa gente — esforço que transparece no sétimo volume de suas Obras Completas — O Escândalo do Petróleo e Ferro. Seria leviandade dizer que o esforço de Lobato foi inútil. Se pessoalmente sua luta de pioneiro fracassou (o que é regra do pioneirismo), a usina de Volta Redonda e o poço de petróleo do Lobato, na Bahia, são produtos indiretos das sementes que ele lançou aos ventos.

Em América Monteiro Lobato revive o "inglês da Tijuca", o mesmo que nos começos da presidência Washington Luís dialoga com um imaginário patriota e passa em revista os nossos defeitos viscerais e os males da ditadura Bernardes. Com ele viaja pelos Estados Unidos, vai a Detroit, a Washington, a Filadélfia — "e conversam" a América, sem nunca, entretanto, se esquecerem do Brasil. Lobato não consegue tirar da cabeça a terra natal — e se nunca teve dó de lhe apontar as falhas, era sempre movido pelo desejo de vê-la reagir e ser os Estados Unidos do hemisfério meridional.

AMÉRICA

Prefácio

A incompreensão do fenômeno americano pode filiar-se à natural incompreensão que o carro de trás sempre há de ter da locomotiva. Há muito pouco "Hoje" no mundo. Na própria Europa o "Ontem" ainda atravanca a mor parte dos países. Naturalíssima, pois, a geral incompreensão relativa ao único povo onde o "Amanhã" da humanidade já vai adiantado.

S. Paulo, 1931

Anos atrás o bom deus Acaso pôs no meu caminho um homem de singular filosofia — o inglês da Tijuca.([1]) Suas ideias chocavam, aberrantes que eram das ideias e pontos de vista do monstro de mil corpos e uma só cabeça chamado Toda-Gente. Mr. Slang via com seus olhos azuis e pensava com seu cérebro. Pensava em linha reta e via com nitidez: — daí o ser olhado de esguelha pelos que viam torto e pensavam com teias de aranha.

Íamos então em pleno império da sinuosidade. Ter bom senso constituía o crime dos crimes. O Brasil "valorizava" café. Para o conseguir, para criar o ambiente coletivo que possibilizasse a tremenda aventura fora preciso inverter valores universais. A simples palavra "bom senso" provocava da polícia olhares de desconfiança.

Mr. Slang nascera equilibradíssimo de faculdades e passara a vida a manter e aperfeiçoar esse equilíbrio. Daí o ser posto na lista policial dos "indesejáveis", com a nota perigosa da época: "derrotista".

Não houve necessidade de deportá-lo. Mr. Slang deportou-se a si mesmo. Viera ao Brasil para acompanhar a revolução contra o presidente Bernardes, visto ter mania de estudar revoluções, "únicos momentos em que o velho instinto predatório se revela no absoluto da nudez primitiva", costumava ele dizer. Finda a nossa crise, o seu interesse passou do Brasil à China, onde a fome preparava o banditismo que iria deflagrar a longa matança amarela.

As ideias de Mr. Slang sabiam à minha simplicidade d'alma como a própria quintessência dos fatos destilada em alambique de alta precisão. Durante o período em que com ele convivi gozei de intensa euforia, a ponto de julgar-me gênio em trabalhos de desabrochamento. Tinha o inglês da Tijuca o poder de fecundar em mim germens de ideias, ou transmitir-mas em jacazinhos, já de raiz — e assim me transformou por uns tempos num lindo jardim de coisas raras, senão novas.

Loucamente me orgulhei disso, acabando, o que era humano, por não ver na minha florescência obra apenas dum jardineiro hábil e sim o produto natural, espontâneo, originalíssimo, da terra de jardim que eu era. Impingi aos amigos as ideias de Mr. Slang como se minhas fossem, muito me regalando com o espanto deles.

Com o seu afastamento sofri enorme decepção. A ausência do jardineiro levou o maravilhoso jardim do meu cérebro a virar relíssimo jardinzinho de chalé de

---

[1] Personagem fictícia que aparece pela primeira vez no livro do mesmo autor, *Mr. Slang e o Brasil*.

subúrbio, com os clássicos canteiros de periquito falhado à orla, e dálias insulsas, e gerânios, tiririca, azedinha e demais comuns vulgaridades. Nada novo, crisandâlico, de cor rara e perfume estonteante. Chatice.

Os amigos desertaram-me. Com grande desapontamento passei a simples pedaço do bicho Toda-Gente — peludo, sorno, sovado, carne-de-vaca. Compreendi, então, que na minha simbiose mental com o inglês meu papel fora apenas de parasita — que tudo tira e nada dá em troco.

Nunca mais vi, nem tive notícias de Mr. Slang, isso durante anos. Um belo dia, porém, em Washington...

I

Stubby. Reaparece Mr. Slang, de volta da China. Recepções caninas da White House. A arteriosclerose latina. Amor do senador Love pelos cães.

Estava eu de visita ao museu da Cruz Vermelha Americana, parado diante de ampla vitrina onde se via um cachorrinho empalhado, de nome Stubby. Em redor dele, os seus *belongings*, tudo quanto lhe pertencera em vida — e ainda um grande livro aberto, de pergaminho, contendo a biografia desse famoso *war-dog*, herói legítimo da Grande Guerra.

Buldogue nascido em New Haven, estado de Connecticut, um dia mudou-se para Washington, juntamente com o seu dono, um Mr. Robert Conroy. Logo depois os Estados Unidos entravam na guerra. Apanhado pela mobilização, Stubby seguiu para a Europa com a Vigésima Sexta Divisão — e começa aí a sua gloriosa carreira de cãozinho *sans peur et sans reproche*. Atestam-na hoje as oito medalhas militares que ganhou, uma delas colocada em seu pescoço pelo próprio general Pershing, então comandante supremo do exército americano em França.

Essas medalhas pendiam do capotinho que Stubby empalhado vestia — capotinho histórico, oferecido pelas damas de Chateau Thierry após a terrível batalha desse nome e feito de retalhos de bandeiras gloriosas. Além das medalhas vi nele três fitas comemorativas de trabalhos prestados, e uma por ferimento recebido em serviço. Stubby tomara parte nas batalhas de Champagne-Marne, Aisne-Marne, Saint Mihiel e Meuse-Argonne.

Outras honras teve em vida. Foi eleito membro honorário da Cruz Vermelha, com a nota de "único ente não humano a receber tal honraria" — e na lista dos sócios dessa heroica sociedade, entalado entre dois Fulanos, passou a figurar o nomezinho curto de Stubby — que poderíamos traduzir como Rabicó, ou cotó de cauda.

Honra idêntica recebeu da Young Men's Christian Association, que o proclamou membro da sociedade, com provisão vitalícia para *a place to sleep and three bones a day* — um lugarzinho para dormir e três ossos por dia.

A história de Stubby já era minha conhecida através dos jornais, que volta e meia o relembravam; e creio que foi no Central Park, em New York, que vi um monumento de bronze a ele erigido. Lembro-me também da notícia dum seu retrato pelo pintor Charles Whipple, o qual retrato se extraviara e fora afinal, cinco anos depois, encontrado num belchior e reposto no lugar competente.

Esse conhecimento anterior da vida e feitos de Stubby fez-me parar diante daquela vitrina com o interesse natural de quem dá de cara com um amigo velho mas só conhecido de descrição. Demorei-me a ler os fastos de sua vidinha, fixando na memória os numerosos objetos, hoje históricos, a ele associados. Súbito, algo vermelho pousou de leve em meu ombro. Voltei-me para o dono da mão.

— Mr. Slang! *You*...

— Sim, meu caro. Eu... O mundo dá voltas, e cá estamos de novo a ver as mesmas coisas, talvez a pensar as mesmas ideias.

Meu espanto, misturado com a alegria de rever o maravilhoso amigo da Tijuca, arrancou-me por momentos à contemplação do buldoguezinho histórico. Olhei para a cara do meu reencontrado com brasileiríssimos olhos, cheios de mexeriqueira curiosidade pela vida que levara desde que nos apartamos no cais, ele de rumo à China, eu de retorno à vulgaridade. Mr. Slang, porém, nada contou de si, nem da China. Apenas falou de Stubby.

— Veja o que é o destino, — disse ele. — Este senhor cão nasceu, como nascem todos os buldogues, para viver a vida que vivem todos os cães. Quando Mr. Conroy veio para Washington, mal poderia pensar que iriam chover sobre o animalzinho honras que muitos homens aspiram em vão. Não me consta que as damas de Chateau Thierry tenham feito um lindo sobretudo de retalhos de bandeiras para qualquer marmanjo humano. Mas fizeram essa túnica para Stubby, note. Veem-se ainda nela rasgões de balas...

— Teria Stubby dado por isso? — insinuei, latinamente cético.

— Quem o poderá dizer? — responderam os séculos de filosofia anglo-saxônica, acumulados dentro de Mr. Slang. — Os fatos, porém, são estes. Stubby recebeu as mais altas honras, jamais as vendo desmerecidas por invejosos. Os homens não invejam honras concedidas a cães, e os cães, idem, porque os ignoram. Stubby é feliz. Todos o admiram, ninguém o deprime. Não acontecerá com ele o que vi acontecer diante do túmulo de Napoleão, nos Inválidos — quando um neto, talvez, ou bisneto dalgum irredutível partidário dos Bourbons, ao defrontar o feio túmulo, chispou dos olhos cólera velha, e rosnou um *"Cré nom de nom de nom de nom de nom..."* do qual não ouvi o fim porque me retirei antes.

Stubby foi recebido em audiência pelo presidente Wilson em Paris, num dia de Natal. De volta à América, depois de finda a luta, nunca deixou de ser admitido em audiência na Casa Branca, em cada dia de Natal. Recebeu-o o presidente Harding e creio que também o presidente Coolidge. Se hoje o presidente Hoover não mais o vê é que Stubby já está empalhado.

Isto dizia Mr. Slang com a britânica seriedade cabível na matéria.

Pus-me a refletir, já amolecido em minha superioridade de bípede dum país onde amiúde se repete que um homem é um homem e um gato um gato. E concordei com a ternura que via nos olhos do meu amigo.

— Não há dúvida, é lindo isso...

— Lindo parece-me o dia de hoje, — respondeu Mr. Slang, aproximando-se duma janela e olhando na direção do Potomac. — Quer chegar ao meu hotel? Já que gosta de cachorros, poderá ler em meu apartamento uns tantos recortes de jornais com casos caninos bem típicos. Deles verá que coisa alta na América é o cachorro. O sentimento público o equipara à criatura humana, e parece que as leis caminham para ratificar semelhante graduação. Leis há que impõem aos cães deveres, ao lado dos direitos que lhes outorgam. Conhece o caso da delegação de cães que compareceu ao Capitólio de Albany, em março passado?

— Nada li a respeito.

— Algo difícil de ser compreendido por um latino da sua marca. Acho vocês muito precisados de rejuvenescimento. Andam duros de arteriosclerose n'alma. Calcificados. Para o francês, por exemplo, só há no mundo o francês. Para o americano há mais coisas — há o cachorro, há a americana, há o golfe...

— Mas a delegação canina, Mr. Slang? Estou curioso.

— O senhor Love, um democrata de Brooklyn, revoltou-se contra o hábito de se cortarem as orelhas aos cães com tesouras, como se fossem de feltro insensível. Dessa revolta surgiu o seu projeto de lei admitindo corte de orelha apenas por veterinário oficial e com anestesia. Não contente de apresentar o projeto de lei, tomou a peito fazê-lo passar no Congresso. Para isso imaginou recurso de grande eficácia — uma delegação de cães que fosse assistir das galerias ao debate; ele queria ver que legislador se atreveria a votar em contrário na presença duma delegação de interessados... Houve dificuldades a afastar. Uma delas vinha dum estúpido regulamento muito velho que — imagine! — vedava a entrada naquele recinto legislativo... a cães! Removido esse entrave, a delegação compareceu, liderada pelo presidente do Dog Owners Service Bureau, de New York, Mr. John W. Britton — que aliás só tinha por essa época onze anos de idade. Nas galerias, muito séria, de patas sobre o balaústre, a delegação canina agiu (como dizem os químicos) por ação de presença — catálise, e não houve um só legislador que ousasse votar contra o projeto do senador Love.

— Esse processo já vi usado no Brasil, — disse eu, — por certos advogados manhosos. Levam ao júri chorosas mães ou filhas do réu — às vezes mães e filhas que nunca viram o réu mais gordo. Aceito a psicologia de Mr. Love, mas...

Parei no "mas". Mr. Slang estava absorto, com o pensamento longe de mim. Talvez que a minha observação fosse pueril, fora de propósito ou tola. E como o sábio era não concluí-la, não a concluí.

II

A caminho do hotel. Cenografia do Outono. Ideias de Mr. Slang sobre a paisagem tropical. Sua ojeriza pelas folhas de astrapeia e outras folhas bárbaras. Quase tropeça numa delas.

Do museu da Cruz Vermelha ao hotel de Mr. Slang a distância não me pareceu grande. Vencemo-la a pé, sob árvores a se despirem das folhas amarelas e vermelhas desse maravilhoso cenógrafo que lá tem o nome de *Fall* e entre nós, na poética, se chama Outono.

No Brasil conhecemos o Outono de nome, não pessoalmente. Só nos encontramos com ele nos versos de poetas de mentalidade europeia, os mesmos que às vezes nos falam em rouxinol e amiúde em lobo, lareira e outras reminiscências que nos estão no sangue. Eu já havia, quando no Rio de Janeiro, debatido essa questão com Mr. Slang. Fizera-me ele notar, certa vez, que os brasileiros não descendentes de negro ou índio são puros europeus transplantados, com muito mais sedimentação europeia n'alma do que americana. Lembro-me que essa discussão veio a propósito duma enorme folha de astrapeia.

— "Esta paisagem tropical, — dissera Mr. Slang, — só pode falar à alma de negros ou índios, ou dos que têm no sangue predominância de sangue negro ou índio. Só negros ou índios, ou seus descendentes, com milênios de adaptação aos trópicos, reagem diante das formas e tonalidades tropicais. Esta pujança da natureza, crua e brutal, estes verdes que varam o ano sem mudar de tom, nada disto nos toca, a nós europeus, nem pode tocar aos daqui de pura descendência europeia. Somos filhos de clima de inverno, temos milênios de adaptação ao clima de quatro estações definidas, como o índio e o negro os têm de adaptação aos climas de "verão eterno". Daí a atração de vocês pela Europa, a nostalgia da Europa, a saudade da Espanha ainda nos que nunca lá estiveram. Não é nostalgia da Europa política e sim, apenas, como diria Jack London, *the call of the land*. Saudades do clima em que as estações se definem nitidamente, em que a natureza se desnuda pelo inverno, e depois reverdece de novo, começando com as macias esmeraldas da primavera até chegar aos verdes carregados do verão — e depois se faz todinha amarela e vermelha, graças à maravilhosa gama dos amarelos e vermelhos do Outono, para logo em seguida desnudar-se outra vez à entrada do inverno seguinte."

Aquelas palavras de Mr. Slang haviam calado em meu cérebro. Promovendo um exame de consciência verifiquei que de fato me sentia mais europeu que americano. Tudo em mim repelia o calor tropical e suas produções — a árvore de folhas enormes, a palmeira, a sucuri, o jacaré, o verde perpétuo, o derreamento, o suor e quejandas maravilhas de africano e índio. Num museu de pintura minha emoção sempre fora para os quadros suaves de climas temperados ou frios; e em viagens e passeios meu olho arregalado, bem como o sorriso feliz que nos acode diante do "bom", vinham sempre quando, por acaso, algum trecho da nossa natureza "cochilava" e, cochilando, destropicalizava-se, mostrando-se mais próximo da europeia. Ver as folhas dos plátanos de São Paulo caírem sob os ventos frios de maio, bem como ressurgirem verdinhas de esmeralda em setembro, sempre me causou emoção indefinível, que só então, graças a Mr. Slang, eu começava a entender. Era a emoção retrospectiva do europeu em mim contido, deflagrada por aquela nesga de pátria climatérica entrevista na mutação dos plátanos.

— Só negros ou índios, — continuara ele, — poderão deleitar-se ou sentir-se ambientados num cenário de verde eterno, com palmeiras, bananeiras e mais plantas de folhas enormes. A mim estas folhas enormes dão-me a sensação de matéria prima para folhas — para a folha definitiva, miúda, graciosamente recortada. No começo do mundo, quando o globo era todo uma fornalha amazônica de assar mamutes, só deviam existir folhas assim, desconformes, cataplasmáticas. Foi o advento do frio o que as adelgaçou.

Em seguida, tomando a folha de astrapeia que provocara o debate, Mr. Slang apresentou-me com estas palavras finais:

— "Veja se isto lá é folha, esta monstruosidade. Matéria prima para folhas, sim. De cada um destes emplastros o inverno fará, quando pelo resfriamento do globo chegar até aqui, vinte ou trinta folhinhas das que brincam com a brisa, como dizem os seus poetas."

Aquelas árvores de Washington, sob as quais passávamos em direção ao hotel, eram como as queria aquele filho de terra onde neva: — delicadas, apuradas, civilizadas, sensíveis à menor brisa perpassante. O outono, depois de as colorir de amarelo ou vermelho, as ia acamando no solo, onde o velhíssimo europeu acumulado em Mr. Slang as pisava com volúpia. No Rio, lembro-me bem, ele desviava-se das folhas de astrapeia caídas na rua — para não tropeçar...

III

Mais cães. Um que herda milhares de dólares. O civismo de Boots. A morte dolorosa de Cuddle. Rags assina o seu nome. Unalaska, herói do polo. Dentistas de cães.

Chegados ao hotel voltamos ao assunto cachorro. Mr. Slang abriu um livro de recortes e mostrou-me alguns.

— Pelo que colhi nos jornais podemos ter uma ideia do que é e vale o cão na América, — disse ele. — Aqui está um telegrama de Denver ao *New York American*, anunciando a morte de Sheep, companheiro e amigo único dum falecido Fred Forrester. Morreu com dezoito anos — de velhice, depois de se haver tornado o herdeiro universal de Forrester, o qual deixou bens no valor de cento e cinquenta mil dólares.

No testamento declarou Forrester que legava toda a sua fortuna a Sheep como a única criatura que a merecia. Em seguida providenciou para que Sheep gozasse do usufruto, e que por sua morte a fortuna revertesse em benefício do *dogdom* do Colorado — a canzoada do Colorado.

Fatos como este se repetem na América todos os dias. Há sempre um cachorro a figurar nos testamentos, liberalmente dotado para que tenha em vida quantos ossos lhe saiba ao apetite e disponha de uma criatura humana que o lave, penteie e leve a passear nos parques, pela coleira.

— Isto me parece maluquice, Mr. Slang, — comentei eu, sorrindo com a superioridade de quem já havia dado muito pontapé em cachorro.

— O fato de parecer a você alguma coisa não impediu que milhares de americanos hajam lido com ternura tal telegrama e nesse momento sentido um indefinível esto de sublimação. Mas aqui temos outro recorte igualmente típico. É notícia de *New York Times*, o mais sério e grave jornal da América. Conta que os moradores da rua Hudson, na cidade de Long Beach, mandaram fazer uma coleira de honra, com inscrições memorativas, para ser ofertada ao cachorrinho Boots na festa que lhe preparam.

— Herdaria ele cento e cinquenta mil dólares?

— Boots fez mais. Boots evitou que a Long Beach Power Company erguesse postes de alta tensão naquela rua, contra a vontade dos moradores. O caso é tipicamente americano, incompreensível fora daqui. Essa empresa elétrica estava em luta judiciária para assentar postes na rua Hudson, em oposição aos desejos ou interesses da cidade. Mas, por trica legal, se o assentamento fosse de surpresa, à noite, de modo que pelas oito horas do dia seguinte constituísse fato consumado, a companhia elétrica venceria a partida. Assim deliberando, a companhia preparou em segredo um exército de trezentos e cinquenta operários munidos de quarenta e dois caminhões de material e, com pés de lã, pela calada da noite, iniciou o serviço de modo a tê-lo concluído antes das oito da manhã.

Os moradores da rua Hudson estavam nessa noite no melhor do sono, com exceção do pequenino Boots, o qual revelou mais zelo pelos interesses coletivos de Long Beach do que os seus habitantes bípedes. Quem tem inimigos não dorme, refletira Boots. Mal viu chegar aquele batalhão de operários cautelosos, na ponta dos pés, percebeu incontinente que era manobra da Long Beach Power Company, aconselhada por algum astuto advogado. E sem esperar por mais rompeu numa tal algazarra de latidos que despertou o *Superviser*, acordou outros moradores e organizou a resistência. Os expedicionários da empresa elétrica tiveram de bater em retirada. Essa controvérsia terminou dias depois na corte judiciária com a vitória do ponto de vista da cidade, e como tudo viesse da oportuníssima ação de Boots, viu-se o cachorrinho guindado a herói, com retrato e biografia nos jornais. Logo depois recebeu uma coleirinha comemorativa, — concluiu Mr. Slang.

Dei uma gargalhada, isto é, comecei a dar uma gargalhada à moda indígena. Vi, porém, que estava numa terra onde receber um fato desses com uma gargalhada podia até ser caso de deportação por "atividades comunistas", e recolhi-a a tempo. Mr. Slang compreendeu a minha manobra.

— Sim, meu amigo. Se quer viver feliz na América, não se mostre duro com os cães — nem desrespeitoso para com a americana. São dois dogmas muito sérios.

E continuou a rever os seus recortes.

— Aqui temos, — disse ele logo depois, — o caso duma moça da alta sociedade de S. Francisco que em ação de divórcio foi acusada de gostar mais do seu cachorro do que do marido, do pai e do bebê. "É verdade que algum dia declarou isso?" perguntou-lhe o juiz; e a resposta foi: "Mais que do meu pai e do meu filhinho, eu nunca disse; mas que gosto mais do meu cachorro do que do meu marido, isso confesso".

Poucas respostas terão sido aceitas com maior aprovação por parte das americanas que têm *puppies*(2).

Para a maioria delas a pergunta seria de todo ociosa se não incluísse também o papai e o bebê. Até esse ponto não levam o amor aos cães.

— Temos cá outro caso, — continuou Mr. Slang, — num telegrama de Washington sobre os funerais de Flannagan, um cachorrinho do Forte Myer, prisão militar. Esse freguês singularizou-se com deixar de vontade própria a boa vida que gozava na residência do coronel comandante para vir morar na casa-da-guarda, como se também fosse um condenado à reclusão. Durante seis anos ali viveu a mesma vida dos prisioneiros, só saindo quando eles seguiam, enfileirados, para a igreja, embora fosse livre de entrar e sair quando lhe aprouvesse. Morreu de velho e teve funerais sinceríssimos. Foi enterrado com todas as honras militares. Houve, enquanto o pequenino caixão descia à cova, marcha fúnebre de Chopin pela banda militar, salva de tiros, rufos de tambores.

Mr. Slang ia voltando as páginas da sua coleção de casos caninos, que era bastante volumosa. Súbito, pesquei num dos recortes a palavra Hot Springs; e como já tivesse estado nessa estação de águas, que é o paraíso do Arkansas, interessei-me incontinente.

---

2 Cachorrinhos novos.

— Que caso é esse, de Hot Springs? — perguntei.

— Caso vulgaríssimo, — respondeu Mr. Slang correndo os olhos pelo recorte, — coisa de todos os dias. Estava lá, em estação, o casal O'Neill, quando um telegrama de Hamilton, no Ontário, trouxe uma triste notícia: *Cuddle's heart action is very low*, o coração de Cuddle está parando. Logo depois um segundo despacho dava notícias da morte de Cuddle. *Buy an expensive casquet and hold body until we arrive*, comprem-lhe um luxuoso caixão e conservem o corpo até chegarmos, foi a resposta. Acrescenta o jornal que os O'Neill choraram publicamente ao receberem a triste nova. Em seguida Mr. O'Neill mandou vir a toda pressa um avião que os levasse para junto do amiguinho morto — morto de saudades. Segundo informação de Mr. O'Neill, Cuddle morrera de *broken heart* — coração partido. Não pudera suportar a ausência dos donos.

— Outro caso, — disse Mr. Slang tomando outro recorte. — Rags, cachorrinho que esteve na guerra, donde voltou herói, foi levado ao forte Hamilton para autografar a história da sua vida, registrada num livro preposto a figurar no British Imperial War Museum. Rags parece que não gostou da cerimônia; pelos menos não aprovou aquela exibição de aparelhos recolhedores do som, da imagem e dos movimentos, que viu engatilhados para fixarem os aspectos da solenidade. O tic-tic das câmaras cinematográficas e o *hullabaloo* geral fizeram-no sumir-se sub-repticiamente. Quando chegou a sua hora de entrar em cena o fotógrafo deu por falta dele.

— "Onde está Rags?" — indagou, olhando em redor.

Ninguém sabia.

O general Holbrook, comandante da Primeira Divisão, ordenou o pega do herói, e o major Herdenberg, seu guardião, destacou vários soldados para isso. Quando voltaram com o homenageado, a assistência não pôde deixar de sorrir. Rags vinha com o nariz e a túnica sujos de carvão, pois fora encontrado na cozinha da fortaleza, deitado num monte de coque. Diz a notícia que Rags olhava para o público com o rabo dos olhos, visivelmente embaraçado, e que "corara", tanto quanto esse vexame pode ser notado num cachorrinho peludo.

— "Rags!" — começou o general em seu discurso. — "Durante doze anos tive o prazer de ver-te como mascote da Primeira Divisão. (Rags fez um movimento de cabeça, passando a língua pelos lábios). Juntos estivemos em França, sendo eu o teu comandante. Estivemos em Soissons e Argonne. Quando teu *buddy*[3] foi ferido, permaneceste firme no posto, a guardá-lo até que chegassem socorros. Sinto grande prazer em que tua biografia fosse afinal escrita, e muito me orgulho de vê-la prestes a figurar no Museu Inglês da Guerra, ao lado de tantas recordações de outros heróis."

Os olhos de Rags revelavam a sua nítida compreensão daquele discurso (diz o recorte). Em seguida o general tomou-lhe a pata e comprimiu-a numa almofadinha embebida em tinta de impressão, para autografar o livro com a sua marca digital.

Todos os presentes precipitaram-se para ver a assinatura do herói.

— "Está ótima para um cachorrinho que nunca teve estudos", — declarou Mr. Jack Rohan, o organizador do livro biográfico.

Quando a assembleia se dissolveu, Rags voltou gloriosamente a deitar-se no monte de carvão.

---

3 Soldado companheiro.

Estas homenagens a cães com feitos heroicos são de tal modo frequentes que eu o enfadaria se fosse ler um décimo das que tenho aqui. Citarei mais uma apenas para fechar, porque é bem típica: a prestada ao cachorro que puxou o trenó do comandante Byrd na sua expedição ao polo e foi morto por um automóvel em Monroe. Teve enterro de primeira classe, com o acompanhamento de quatro mil meninos das escolas, autoridades locais, membros da Legião Americana e da Boy Scouts Association. Antes de descer à cova ficou o corpo de Unalaska (era o nome desse grande cachorro) em exposição até que todos os meninos desfilassem diante dele. Depois o chefe dos escoteiros apresentou à assistência Mr. Carrol Foster, um dos companheiros de Byrd, o qual fez o elogio fúnebre.

"Unalaska foi um notável cachorro do Norte, orgulhoso, bravo, incansável na luta para a conquista das terras polares, tendo ajudado eficazmente os trabalhos de transporte das toneladas de materiais que permitiram a Byrd o estabelecimento da base de operações graças à qual se operou a avançada ao polo. Industrioso, bom, terno e amável, Unalaska deixou um traço de glória na sua passagem pela terra — e em glória desce ao túmulo. Quem não sente que sob este pedaço de chão dorme um herói?"

Findo o elogio, as cornetas dos escoteiros soaram em conjunto com os tambores, enquanto o caixão de veludo branco descia à cova recamada de flores. Ao longe, canhões de 75 salvavam. Coberta de terra a cova, um cedro foi plantado em cima, ao lado do qual os meninos depositaram uma grande grinalda de lírios com esta inscrição: *Our Hero*, Nosso Herói.

— Realmente, Mr. Slang, — exclamei eu, já bem instruído sobre o papel do cachorro naquele país. — Se ainda há aqui criaturas humanas que sofrem miséria, não creio, pelo que vejo, que isso aconteça com qualquer cão. Vale a pena ser cachorro na América, não há dúvida...

— Cachorro ou mulher, — corrigiu Mr. Slang — e mais tarde verifiquei que ele tinha toda a razão.

Nesse mesmo dia, num passeio que fizemos pela cidade, tive ainda ensejo de voltar ao assunto cachorro. Foi ao passarmos por um certo consultório de dentista.

— Dr. Clyde Basehoar, — explicou-me Mr. Slang. — Este homem abriu, tempos atrás, um gabinete dentário sui generis, exclusivamente para cães, com cadeira e todos os mais petrechos desenhados e construídos especialmente para a clientela canina. Acha ele que não há motivo para descurarmos dos dentes dos cães, visto como estão sujeitos a muitos dos males que perseguem os dentes humanos. Tem sido muito feliz na sua novidade e já foi obrigado a admitir alguns ajudantes. O exemplo está sendo seguido por outras cidades, inclusive Hollywood, e breve tais gabinetes estarão espalhados por toda as cidades americanas.

Estamos na idade do cão, meu caro. Os grandes transatlânticos dispõem de canis muito confortáveis para os cães itinerantes, bem como de salva-vidas especiais, adaptáveis aos corpinhos deles. Em muitas cidades existem *beauty parlours* caninos — salões de beleza, coisa que até bem pouco tempo era privativa das mulheres. Ali vão lavar-se, pentear-se, encaracolar os pelos em ondulações permanentes. Hospitais, asilos e clínicas caninas, isso é coisa velha, que abunda por toda parte. Nas lojas mais importantes de New York vi seções de artigos para cães. Tudo que eles usam ou podem usar ali se encontra, desde alimentos especiais, remédios, túnicas, coleiras e outros artigos de indumentária até brinquedos, como, por exemplo, ossos de matéria plástica, imitando admiravelmente o velho osso natural que os cães roem desde o tempo de Nemrod.

Em compensação os juízes condenam a penas várias os cães que cometem crimes. Já acompanhei vários casos, uns de condenação à morte, outros de detenção e multa — a qual recai sobre o dono. Em fevereiro deste ano, em New York, um cachorrinho foi condenado como cúmplice dum sujeito que por seu intermédio furtava as bolas caídas fora dum campo de golfe.

— Mas confina-se aos cães esse amor dos americanos aos bichinhos? — perguntei.

— Estende-se também aos gatos e aos pássaros e aos esquilos. Há dias li dum indivíduo de Peekskill multado em setenta e sete dólares por ter atirado num *robin*, que é o mesmo sabiá que vocês têm no Brasil. As leis do estado de New York proíbem a caça aos pássaros cantores. Nessa mesma notícia vinha um apêndice frisando que em três semanas três mil e trezentos dólares de multa haviam sido arrecadados dos caçadores de Westchester, por matarem *robins*.

— Donde se conclui que... — provoquei eu, apesar de saber que Mr. Slang não tinha a conclusão fácil.

— Que são cinco horas, respondeu ele puxando o relógio, e que tenho um encontro marcado. Apareça mais vezes. Fico em Washington por poucos dias. Já visitou o monumento de Lincoln? Bem. Serei seu companheiro nessa homenagem, amanhã pela manhã. Esteja cá às nove horas. Adeus.

IV

A cidade que não nasceu ao acaso. Lincoln e Washington, o que fez e o que manteve. A religiosa impressão que o monumento de Lincoln causa.
Opinião de Mr. Slang sobre a caridade.

Washington é uma cidade única. Foi construída e vai se desenvolvendo de acordo com um plano predeterminado. Todas as cidades do mundo nascem ao acaso das exigências do comércio, sem que nunca a menor previsão sobre o seu futuro desenvolvimento haja ocorrido ao espírito dos ocasionais fundadores. Daí os tremendos problemas urbanos que atormentam os legisladores municipais quando uma dessas sementes de cidade se desenvolve em metrópole. As ruas estreitas e tortuosas do "centro", ou a parte velha, atestam-no pelo mundo inteiro.

Washington escapa a essa formação clássica. Foi primeiro planejada e depois erigida. Vem daí a estranha sensação que Washington causa a todos os visitantes, de qualquer parte do globo que procedem — menos de Belo Horizonte.

Logo ao chegar chocam o visitante as proporções desmarcadas da Union Station, imensa mesmo para esta América onde é tudo imenso. E começa ali a primeira lição cívica — uma frase de Samuel Johson gravada sobre os portais:

He that would bring home the wealth of the Indies must carry the wealth of the Indies with him, so it is in travelling — a man must carry knowledge with him if he would bring home knowledge.

Não se traduza essa legenda, que fica infantil e ridícula. Há no inglês mil coisas que não podem vestir-se à portuguesa — degeneram em caricatura. Expressões de mundos com mentalidades polares, vestir com palavras lusas um sutil pensamento pensado por cérebro inglês é substituir os sapatinhos de cristal de Cinderela por tamanquinhos. Está claro que um par de tamanquinhos é rigorosamente sucedâneo de um par de sapatinhos de cristal, isto é, tradu-lo portuguesmente bem, mas...

Washington é um símbolo de pedra. A história americana está toda ali. Basta uma visita à cidade para que os fatos capitais da formação política da América se desenhem para sempre em nosso espírito. Daí a forte reamericanização que sofrem os americanos de visita à capital. Saem de Washington mais americanos, mais exaltados na tremenda fé em si próprios que acima de tudo os caracteriza. Povo eleito para os mais altos destinos, Washington é o crisol místico onde se sublima essa fé cega. *From Washington we go home better americans*.[3]

Tudo amplo, largo, claro, sólido, arejado. Tudo histórico, na pedra dos monumentos, no bronze das estátuas, nas inscrições abundantíssimas, no maravilhoso cemitério de Arlington. A Biblioteca do Congresso é menos uma biblioteca que o maior templo que ainda se erigiu em homenagem ao livro na sua qualidade de calado cofre de tudo quanto a humanidade pensou até aqui. O magnificente Capitólio, bem como todos os mais monumentos da cidade, constituem Almoxarifados da Fama, de tal forma com estátuas, bustos de bronze e mármore, inscrições, quadros e símbolos, os homens que construíram o país estão neles memorados.

Só Washington americaniza. O filho de New England, que sempre olhou d'alto aos nativos dos estados do sul, bem como o homem do Kentucky, que torce o nariz aos filhos de Connecticut, recebem de Washington, por mil vias, a lição de que não há New England, nem Kentucky, nem Connecticut, mas apenas a América que Washington forjou de fragmentos esparsos e Lincoln impediu que se quebrasse.

George Washington e Lincoln — em que país dois homens subiram tanto? Já passaram de homens a semideuses. Pelo país inteiro não existem nomes mais popularizados em praças, ruas, pontes, estátuas, memoriais. Nas escolas tornam-se obsessão. Seus retratos nas paredes, nos livros, nos selos, nas reclames comerciais, fizeram de ambos verdadeiros signos simbólicos, de uso e consumo diários. Consome-se Lincoln como se consome "hot-dog". Consome-se George Washington como se consome sorvete. Citações de seus discursos históricos, anedotas, ditos agudos, visões washingtonianas da política geral circulam no país como moeda de troco miúdo.

Na alta política inda é o pensamento dos dois que conta como o argumento decisivo. A retratação dos Estados Unidos dos negócios europeus, contra o parecer de todos os grandes estadistas tanto europeus como americanos, tem base no aviso de George Washington dado num dos seus discursos. As palavras de Lincoln em Gettysburg valem como uma espécie de tábua de Moisés aos hebreus — e é realmente a mais bela coisa que um coração humano já produziu.

Naquele dia, quando apareci no hotel em procura de Mr. Slang, já o encontrei no hall, pronto para partir.

— Viva! — exclamou ao ver-me. — Como vai a sua americanização?

---

3 Saímos de Washington melhor americanos.

— Rápida, Mr. Slang, — respondi sorrindo. — Esta cidade é uma pura insídia. Está inteirinha feita sob medida, dosadamente, calculadamente, maquiavelicamente armada como arapuca para americanizar quem chega. Eu já ouvira dizer isto, mas julguei que fosse exagero. Com três dias de estada, porém, pude verificar que a insídia é ainda maior do que dizem. Sem ter aberto um só livro, creio que assimilei, pelo menos, metade da história americana. Já sei quem foi Sherman, Hamilton, Steuben, Jackson...

— E Lincoln, sabe quem foi?

— Que pergunta, Mr. Slang! De Lincoln já sabia tudo antes de aqui chegar. O velho Abe...

— Engano seu, meu amigo. Antes de visitar o Lincoln Memorial ninguém pode dizer que conhece Lincoln. Lá você vai sentir Lincoln — e compreenderá muita coisa daí por diante.

— Pois vamos então sentir Lincoln, Mr. Slang.

Fomos. Ergue-se à margem do Potomac esse templo grego de mármore branco, a refletir suas trinta e seis colunas jônicas (cada qual representando um estado da União como era ao tempo da morte do sublime Abe) no espelho do grande lago que o defronta. As linhas são rigorosamente gregas. Henry Bacon, o arquiteto, achou — e todos concordaram com o achado — que só a majestade das linhas helênicas poderia afinar com a majestade das linhas morais daquele homem.

Há o lago, um perfeito espelho retangular com moldura de grama e cerejeiras, as quais, na estação própria, japonizam de róseo o ambiente. Depois, a escadaria imensa, com o templo grego no alto. Meus olhos poucas coisas ainda viram que emanasse maior beleza pura. Não procurarei definir em que consiste a beleza pura. Falharam na tentativa filósofos e estetas da mais subida acuidade. É sensação indefinível. Sentia-a porém ali em toda a plenitude.

E dentro? Oh, dentro... Dentro está o ídolo, simbolizado em mármore na colossal estátua de Chester French. Sentada em atitude de quem medita, a figura de Lincoln causa ao visitante impressão que jamais se apaga. Majestade, sem ser a dos reis — majestade da Razão, da Bondade, da Humanidade, da Retidão, da simplicidade de alma.

Confesso que me senti como se houvesse ingerido qualquer alcaloide desses que transformam o equilíbrio normal das faculdades. Senti-me cocainizado...

— Não o dizia eu? — cochichou-me Mr. Slang ao ouvido, porque diante do semideus até a voz nos falha e só é possível conversa em tom de murmúrio. — Só aqui sentimos Lincoln e só aqui se torna compreensível a força com que esse homem, hoje puro símbolo, domina cento e vinte milhões de criaturas. Para mim Lincoln é apenas o signo da Força Moral. Este monumento, menos ao homem que ele foi, ao Presidente, ao libertador dos escravos, homenageia em mármore a força das forças — a Força Moral.

— De fato, — sussurrei a medo, receoso de que a vibração da minha voz quebrasse o equilíbrio ambiente, ou alguma observação imprópria, demasiado profana, arrancasse da estátua um olhar de bondosa censura. — Acho que...

— Não ache coisa nenhuma, — interrompeu-me Mr. Slang. — Absorva esta atmosfera que jamais encontrará noutra parte e complete a sensação lendo as inscrições que cobrem as paredes.

Aceitei o conselho. Li no hall, ao sul, o tão famoso discurso de Gettysburg, na realidade o poema da emoção mais alta. No hall do norte está gravada a Segunda Mensagem Inaugural, que Lincoln apresentou depois da sua reeleição para a Presidência. Li-a como o puritano lê a Bíblia, ou o budista absorve a palavra de Gautama. Em seguida meus olhos embeberam-se nas pinturas simbólicas de Jules Guerin, *Libertação e Liberdade*. E mais símbolos — da Fé, da Esperança, da Caridade, da Unidade, da Fraternidade, das Artes — Pintura, Escultura, Arquitetura, Música, Literatura, Filosofia e Química. Eu quis louvar a inclusão da Química entre as grandes artes, por ser a primeira vez que a via ombreando com as artes clássicas, mas Mr. Slang gelou-me com um psst. Estava pensativo, de olhos absortos num grupo representando a Caridade — onde uma mulher dava a água da vida a aleijados, cegos e órfãos.

— Não sei se vencerá a ideia moderna do "inútil da caridade", — disse ele. — A não ser que a química e a eugenia nos deem novas bases à vida, sempre há de haver aleijados e cegos e órfãos, como estes aqui representados — e fora do sentimento da caridade, que dá a esses pobrezinhos solícitos tutores, como lhes assegurar a sobrevivência?

— E para que assegurar-lhes a sobrevivência? — adverti eu em tom de quem houvesse ingerido pela manhã uma omelete de leis espartanas preparada na caçarola de Nietszche.

— Sim, seria essa a solução científica, — filosofou Mr. Slang, — mas até aqui a Ciência só foi praticada pelas abelhas. Será o homem suscetível de suportar soluções científicas?

Do monumento de Lincoln se avista o obelisco de George Washington, cuja colocação na capital americana obedece, como tudo mais, a uma intenção. Para lá nos dirigimos — Mr. Slang calado, pensativo, ainda sob a impressão que lhe causara a visita a Lincoln, e eu, loquaz, a achar coisas. Súbito, o meu finíssimo inglês interrompeu-me:

— Pare de achar, homem! Desse modo você acaba perdendo-se...

Vi que de fato acabaria perdendo-me no conceito daquele grande amigo — e sabiamente silenciei.

V

Um monumento de 555 pés, cinco polegadas e um oitavo. Incapacidade orgânica para mentir. Pedras e mais pedras. A boa marca de whiskey que Grant usava. Entrada triunfal de Lincoln em Richmond.

O monumento a Washington é símbolo de outro tipo. Obelisco de pedra, de 555 pés, cinco polegadas e um oitavo de altura. A precisão do americano não perdoa, já não digo as cinco polegadas, mas até aquele oitavo de polegada. Impliquei-me com aquilo e pilheriei. Mr. Slang respondeu:

— Que quer você que eles façam, meu amigo? O obelisco mede, de fato, 555 pés e cinco polegadas e um oitavo. Quem disser que tem só 555 pés, mente, e lesa de alguma coisa o general Washington. Lembre-se que Washington não mentia. A velha história da cerejeira que ele cortou com o seu machadinho, em menino, é dogma na América. Em casa tenho um desenho de E. T. Reed com o título: "George Washington procurando dizer uma mentira", que é um primor caricatural. Vemo-lo numa reunião política onde tem que ser político, isto é, emitir uma das forçadas mentiras convencionais em que a vida social ou política se baseia. Mas Washington não tem prática, não sabe por onde começar a mentira — e o desenhista retraça com grandes doses de humor o seu embaraço, bem como o prazer dos assistentes à espera da mentira forçada. Essas cinco polegadas e um oitavo constituem ao meu ver a mais bela homenagem que os americanos prestaram a George. Respeite-a.

Respeitei-a, e tratei de subir ao topo do obelisco. Para lá chegar há uma escada de novecentos degraus, destinada aos que pretendem emagrecer, e um elevador para uso dos que estão contentes com o seu peso. Tomamos o elevador. Subimos. Vimos o maravilhoso panorama da capital através dos quatro pares de aberturas que existem no topo, cada par dando para um dos pontos cardeais. Olhado lá de cima, o rio Potomac é uma gigantesca anaconda de infindas voltas, a envolver nas suas roscas de prata a capital americana. Ao fundo, as montanhas azuis da Virgínia.

Na forma do costume, o monumento é lição de história — e até de geografia e petrografia. Pelos inúmeros patamares da escadaria por onde descemos há pedras memorativas de variadas fontes, representando quarenta estados, sessenta cidades, lojas de maçonaria, sociedades como a dos Filhos da Temperança (que deu origem à Lei Seca), sociedades políticas, sociedades científicas, corpos de bombeiros, escolas públicas, etc. Pedras do campo de Braddock, do campo de batalha de Long Island, do mais alto pico da Virgínia, das minas de Cartago, do templo de Esculápio na ilha de Paros, da biblioteca de Alexandria incendiada por Omar, do Vesúvio, do Pártenon, da ermida de Guilherme Tell, e ainda de países, como China, Turquia, Japão, Brasil, Sião, e até da nação cheroquesa, ou Cherokee Nation, como chamam a esse grupo de aborígenes da América do Norte.

Ao descermos do obelisco ficamos uns minutos em muda contemplação, certos de que em país nenhum do mundo dois monumentos assim ligados pela perspectiva dirão tanto ao espírito. Washington e Lincoln! A América aglomerou-se e consolidou-se por mãos deles — e obra tão sólida fizeram que cada vez mais é esse cimento o que cimenta, e a diretriz que traçaram é a grande diretriz. Que país da terra deve tanto a dois homens?

— Lincoln, — disse Mr. Slang, — era o tipo do que chamamos *wise man*. Além disso, humorista. Seu anedotário é dos mais ricos. Uma vez acusaram o general Grant de ser o maior bêbedo do exército da União em luta contra os confederados de Lee. Tais provas dessa bebedice apresentou a delegação empenhada na destituição de Grant, que Lincoln teve de dar despacho ao pedido. "Que é que Grant bebe?" — perguntou ele. — "Whiskey, e em enormes quantidades", — responderam pressurosos os delegados. — "Bem", — tornou Lincoln, — "tratem-me agora de saber de que marca, pois preciso mandar uma caixa desse whiskey a cada um dos outros generais da União", — querendo dizer com isso que talvez naquela marca de *whiskey* estivesse o segredo das contínuas vitórias de Grant.

Mr. Slang contou-me ainda numerosos casos do grande Abe, todos denunciativos da sua natural e adquirida sabedoria, bem como do seu fino senso de humor. Por todo o caminho, até ao hotel, o assunto foi esse, e ainda esse lá. Quis ler-me uma impressão de Caris Schurz sobre a entrada de Lincoln em Richmond, depois que esse reduto dos confederados caiu nas mãos dos unionistas. As coisas feitas do natural, diretamente, têm um sabor de vida que não se apaga nunca, por mais que a lixa dos anos lhe corra por cima. Assim me pareceu aquele testemunho ocular, que aqui ponho.

"Richmond caiu", diz Schurz. "Lincoln entrou na cidade a pé, acompanhado de poucos oficiais e do grupo de marinheiros que o haviam trazido da flotilha de James River à praia, com um negro apanhado pelo caminho a servir-lhe de guia. Jamais o mundo viu conquistador mais modesto, nem mais característica marcha triunfal — sem batalhões, sem bandeiras, sem tambores. Apenas o seguia a multidão de negros que a queda de Richmond restituíra à liberdade. Essas pobres criaturas o acompanhavam gritando, dançando, pulando, comprimindo-se-lhe em redor para vê-lo, beijar-lhe a mão e a surrada sobrecasaca, enquanto lágrimas desciam pelas faces maceradas do presidente."

A história da humanidade está cheia de entradas triunfais. Césares, Alexandres, Napoleões, Moltkes, todos os tigres de coroa, quepe ou capacete, embebedam-se com o vinho da vitória quando chega o momento supremo da apoteose — a entrada triunfal na cidade, praça ou país esmagado. Os romanos foram mestres em tal encenação. Chegaram a trazer reis atados aos seus carros de triunfo — mas nenhum César jamais chorou. Só chorou Lincoln, o condutor de uma das maiores guerras que a história registra. Lágrimas de vitorioso, causadas pela euforia do triunfo? Não. Lágrimas de Lincoln. Lágrimas de piedade, de dó, de dor ante os extremos a que a incompreensão dos seus verdadeiros interesses arrasta os pobres seres humanos.

VI

Homens e livros. Reminiscências duma palestra no Corcovado.
As pontas dos fios. A riqueza da biblioteca do Congresso. Hércules e Ônfale.
Como se formam palavras.

Um país se faz com homens e livros. Minha visita aos monumentos de George Washington e Lincoln provou-me que a América tinha homens. Ter homens, para um país, é ter Washingtons e Lincolns, forças tão marcantes que sobre sua obra não pode a morte. Viva quanto viver a América, seus dois heróis viverão com ela, dia a dia mais sublimados. Já nem mais são homens hoje, decênios passados do desaparecimento da cena, mas semideuses. Crescem sempre. Divinizam-se. Em torno destas pilastras a América se cristalizou. Nas maiores crises morais nunca lhe faltará o apoio do general que não mentia e do lenhador que impediu a destruição da obra do general.

Com homens e livros. Nos livros está fixada toda a experiência humana. É por meio deles que os avanços do espírito se perpetuam. Um livro é uma ponta de fio que diz: "Aqui parei; toma-me e continua, leitor". "Platão pensou até aqui: toma o fio do seu pensamento e continua, Spinoza."

Mr. Slang certa vez me disse que o homem só tinha duas criações: a invenção do alfabeto e a descoberta do fogo. O alfabeto permitiu o acúmulo da experiência individual; o fogo abriu caminho para a dominação da natureza.

— Compreendo bem a primeira parte, mas tenho dúvidas sobre a segunda, — objetei eu.

Fora isso no Rio, no alto do Corcovado, por uma linda tarde de ar sutil. Mr. Slang não me respondeu de pronto. Fez uma pausa. Por fim disse:

— Basta por hoje que compreenda a primeira parte. A segunda compreenderá por si mesmo, se acaso for ter a um país da alta civilização industrial. Só num país de alta civilização industrial a coisa se fará tão evidente que você a aprenderá sem o auxílio dos meus óculos.

O Destino me havia posto na América, país de alta civilização industrial, e pois eu estava próximo de, ou pelo menos apto para, compreender a segunda parte do axioma do meu amigo. E afinal a compreendi sem o auxílio dos seus óculos. Sim, fora realmente o fogo a magna descoberta que... Mas não antecipemos. Fique o fogo para mais tarde. Estávamos a caminho da Biblioteca do Congresso — o maior templo que ainda se erigiu ao livro, e não convinha ali lidar com fogo.

— Ei-la, — disse Mr. Slang apontando para o colossal monumento. — Há lá dentro, catalogados, à disposição de quem as queira consultar, 3.890.096 coisas impressas — livros, mapas, músicas, sem contar os manuscritos. Ora, isso quer dizer que há ali mais de quatro milhões de pontas de fio. Quatro milhões de vidas passadas no estudo e na elaboração escrita da experiência pessoal armazenaram nesta biblioteca a súmula do seu esforço. Filósofos, cientistas, artistas — a gente toda que faz uso do cérebro e que, havendo tomado as pontas dos fios legados pelos avós, encompridou-as um pouco mais e legou aos netos as novas pontas por onde continuem o novelo sem fim.

Admirei o monumento com todos os ímpetos da minha capacidade de admiração arquitetônica, embora a sua real grandeza não estivesse na fachada, sim no miolo. Quatro milhões de pontas!...

— E por que lhe chamam Biblioteca do Congresso? — perguntei.

— Parece que a ideia foi não permitir escusa de ignorância aos legisladores. Com tal base de experiência humana ao alcance, caso não legislem a contento não será por falta de meios informativos. O "não sei", o "não sabia" fica desse modo proibido. Esta imensa mole de livros, deliberadamente ereta diante da casa dos legisladores, põe-nos em bem dura situação. Talvez a malícia de Lincoln haja colaborado nisso...

Tudo ali são símbolos. A Casa das Pontas não passa duma casa de símbolos. No topo do domo central, que compõe ao modo clássico a massa do edifício, flameja um Archote da Ciência. Sobre as janelas veem-se esculpidas trinta e três cabeças representando as raças humanas e no pavilhão de entrada temos enormes bustos de grandes filhos duma dessas trinta e três raças — a única que conta para a América. São eles Emerson e Irving, o primeiro grande pensador americano e o escritor de maior perfeição de forma e ideia de que a América se orgulha. Irving! Quem não leu *The Stout Gentleman* é feliz — tem em reserva algo delicioso a fazer. E depois, Goethe e Franklin, Macaulay e Hawthorne, Scott e Demóstenes, Shakespeare e Dante.

Portas de bronze nas três entradas representam a Imprensa — "Minerva presidindo a difusão dos produtos da arte gráfica". E painéis com alegorizações da Inteligência Humana, da Escrita, da Verdade, da Pesquisa, da Tradição, da Memória, da Imaginação.

Mais adiante, um vestíbulo com esculturas de Minerva na sua feição dual de deusa da Guerra (defensiva, note-se) e de deusa da Sabedoria.

Depois, a escadaria. Esplêndida! Altas colunas coríntias suportando arcadas ricas de ornamento esculpido dão fundo à escadaria de mármore, desdobrada em dois lanços, com luxuosos balaústres. O teto em abóbada ergue-se a setenta e dois pés e o chão figura a rosa dos ventos a irradiar dum sol estilizado e rodeado dos signos do Zodíaco, tudo de bronze embutido em mármore. Um arco memorativo, com figuras de estudantes. Suportes de lâmpadas de bronze, majestáticos. E citações famosas. E nome de autores. E esvoaçantes figuras simbólicas no *plafond*. E as marcas usadas pelos mais celebrados impressores. Um mar de símbolos, uma ânsia de juntar tudo quanto a imaginação humana pôde conceber para adorar o Livro e a arte do Livro e os autores dos livros famosos. Tudo obra da colaboração de centenares de artistas tomados dos mais notáveis da Europa e da América, pintores, escultores, imagistas, paineladores, arquitetos, entalhadores. Positivamente estávamos na Catedral do Livro, outra S. Pedro de Roma em que o Deus adorado era a Ponta do Fio, como dissera o meu inglês.

— Estou meio tonto, Mr. Slang, — murmurei. — Acho que quem vem a esta biblioteca não tem tempo de abrir um livro. Há coisas demais para distraí-lo e ocupar-lhe a atenção.

— E que é a biblioteca em si senão um livro — e o primeiro a ser consultado? A única diferença está em que não é um livro de papel. Não está lendo mil coisas nestes mármores? Acho que esta biblioteca foi o primeiro grande livro composto pela América. Só tem um defeito: para que o possamos *ler* é mister havermos lido alguns dos livros de papel que estão cá dentro. Sem isso limitamo-nos a *vê-lo*.

— Pois subamos a escadaria para ver o primeiro capítulo. Isto aqui me parece o prefácio.

Subimos ao South Hall. Continuava lá a orgia simbólica. Deram-me logo na vista o grande painel da Poesia Lírica, e os outros seis que comemoram as vitoriosas adolescências descritas em poemas de fama, o Uriel, de Emerson; o Comus, de Milton; o Adonis, de Shakespeare; o Ganimedes, de Tennyson; o Endimião, de Keats.

— Terra da mocidade que é a América, estou gostando de ver esta homenagem à mocidade, exclamei eu, sempre ansioso por deitar fora as niquices que me ocorriam.

— E ali está um belo símbolo da Alegria e da Memória.

— A Alegria... — murmurei, contente de vê-la afinal tomada em conta. E foi sorrindo que me dirigi para o Corredor Sul, onde vi os heróis gregos pintados por Mac Ewen — Páris na corte de Menelau; Teseu abandonando Ariana adormecida; Prometeu prevenindo seu irmão contra a malícia de Pandora; Aquiles ao ser descoberto por Ulisses quando se disfarçou em rapariga; Minerva dando a Belerofonte o freio de Pégaso; Perseu com a cabeça da Górgona; Jasão mobilizando os argonautas para a conquista do tosão de ouro; Orfeu assassinado pelas Bacantes; o pobre Hércules segurando a roca de Ônfale...

— *Hello*, Mr. Slang! — exclamei nesse ponto, arregalando os olhos. — Isto aqui está o perfeito símbolo da América. O homem de cá, este hércules, não faz outra coisa. Não acha a mulher americana uma perfeita Ônfale?

— A primeira impressão é essa, — respondeu ele. — Com mais demora no país verá que ambos seguram a roca. Talvez seja a América o único país no mundo em que o carro da vida é igualmente puxado a dois, pelo macho e pela fêmea.

Adiante, a ala de leitura dos congressistas. Mosaicos representando a Lei e a História. No plafond, pinturas figurando as sete cores do espetro.

Quis observar que talvez houvessem os americanos cozinhado ali a Lei Seca, mas falhei. Mr. Slang dera duas pernadas na direção do East Hall.

— Temos cá, disse ele, diversas pinturas representando a Evolução do Livro. Toda uma série. Primeiro, um monte de pedras erguido pelo homem pré-histórico — única forma de fixar qualquer coisa de que eles dispunham. Depois, a Tradição Oral — um contador de histórias, do Oriente. Adiante, os hieróglifos dum túmulo egípcio. E a Pictografia, isto é, a escrita por meio de pinturas, dos índios americanos. E o manuscrito da Idade Média. E, finalmente, o prelo de impressão. Está contente?

— Estou com fome! — berrei. — Um café agora, com sanduíche de manteiga de amendoim, me saberia melhor do que mais uma dúzia de painéis.

— No alto temos uma *cafetíria*. Procure dominar o estômago.

— Por falar em *cafetíria*, Mr. Slang — sabe, por acaso, como se formou essa palavra? Vejo a América inteira coberta de *cafetírias*, que todos os brasileiros recém-chegados teimam em pronunciar à brasileira — cafeteria.

— Formou-se como se formam todas as palavras — por necessidade. Um sujeito em New York abriu certo dia um restaurante dum tipo novo lá imaginado por ele. Como não fosse restaurante igual aos outros, vacilou em dar-lhe este nome. Como vacilou em dar o nome de café, porque um café é outra coisa. Em vez de consultar alguma academia de letras esse homem compôs ele mesmo a palavra necessária, tomando como ponto de partida o café. Mudou o final da palavra para indicar que era café e mais alguma coisa. Saiu *cafetíria*, como poderia ter saído outra barbaridade semelhante. Conduziu bem a casa, teve sucesso comercial. Abriu outra, atribuindo ao nome pintado na tabuleta alguma virtude mágica. Venceu. Prosperou. Foi imitado — e temos assim a América inteira coalhada de *caf'tírias* — o restaurante onde o freguês se serve a si próprio. Ignoro como o inventor da palavra a pronunciava; talvez fosse como vocês recém-chegados querem. Mas o freguês americano passou logo a pronunciá-la de acordo com o gênio da língua do país — *caf'tíria*, e assim ficou. Mas vejamos a antecâmara desta sala de leitura, que é curiosa.

Lá dei com cinco painéis cujo tema era o Governo da República. Representam o Governo, a Boa Administração, a Paz e a Prosperidade, a Legislação Corrupta e a Anarquia.

Gostei da originalidade quanto à penúltima, tão frequente e nunca lembrada. Gostei mais que dos painéis do North Hall, cujos temas me pareceram um tanto surrados — Família, Religião, Trabalho, embora já o não fossem os dois restantes, Recreação e Descanso. Depois, no Corredor Norte, esbarrei com as nove musas clássicas revestidas da tralha inteira dos seus atributos.

— Para a *cafetíria* agora, Mr. Slang? — perguntei ainda com o painel do Descanso na retentiva e já farto de musas.

— Inda não. Temos o segundo andar.

VII

Descanso numa sibila de carne e osso. Painéis, alegorias, símbolos.
Peggy e Beryl. Ain't it sweet? O ponto fraco dum espírito forte.
Verbo feito dum pedaço de outro verbo. Língua protecionista.

Engoli um *uf*! de desânimo. Tudo que é excessivo, por bom que seja, *nocet*. Cérebro é como estômago. Tem capacidade limitada. Tanta estátua, tanta coluna, tanto painel, tanto mármore, tanto herói grego, tanta musa, tanta sabedoria nas inscrições e nas palavras do meu companheiro, acabaram por me provocar um abarrotamento cerebral desses que pedem aspirina e cama. Ia reclamar aspirina e cama, quando algo equivalente passou por mim sob forma duma *girl* de cabelos louros, linda, da nervosa lindeza das americanas típicas. Eu cruzara-me naquele dia com centenas delas, sem que lhes desse mais que um indiferente volver d'olhos. Por que motivo estava agora aquela a impressionar-me? Seria acaso musa fugida da aluvião de painéis? Interroguei meu guia.

— Não há nada de extraordinário nessa moça, — respondeu Mr. Slang. — Valem-na todas as outras que já passaram por nós hoje. Dá-se, porém, que seu cérebro cansado está pedindo repouso — e uma das formas de repousar é mudar de cavalo. Notei isso no Brasil, uma vez que fui de Congonhas a uma cidadezinha seis léguas distante. Seis léguas é muito para um mau cavaleiro da minha marca. Entretanto, como tinha interesse em fazer o percurso num dia, consultei meu capataz no meio da viagem. "Estou moído, João e tenho ainda três léguas pela frente. Que me aconselha?" "Trocar de cavalo", foi a sua resposta. Assim fiz, e cheguei a destino muito menos moído do que esperava.

Admirei a sabedoria do meu inglês e dei-lhe toda a razão. Aquela deliciosa *girl* prestara-me serviço idêntico ao do segundo cavalo de Mr. Slang. Como ela estivesse ali com os mesmos fins que eu, isto é, de visita ao Livro de Pedra, pude tê-la ao alcance dos olhos durante todo o tempo em que Mr. Slang me mostrava as maravilhas do segundo andar. Ia ouvindo as suas explanações e fingindo acompanhar com os olhos as suas apontadelas de beiço e dedo, mas de fato sorrateiramente acompanhando a preciosa *miss*. Consegui assim refazer-me do cansaço, sem recurso a nenhuma aspirina de farmácia. Quando, por fim, a perdi de vista, estava eu refeito, e apto, evidentemente, para devorar as três léguas restantes.

— Ali, — dizia Mr. Slang, — temos as pinturas figurando as Virtudes, em estilo pompeano. A Fortitude, veja, está vestida de armadura. A Justiça suporta um globo e segura uma espada. A Indústria lida com uma roca. A Concórdia derrama duma cornucópia o trigo simbólico da paz.

A minha aspirina loura estava nesse momento toda olhos para os Sentidos, simbolizados no *plafond*. Muito parecida com a Anita Page, uma das minhas namoradas da tela. O mesmo nariz, os mesmos olhos...

E passamos para o Corredor Leste, onde me foram mostradas as pinturas do teto — mulheres esvoaçantes, figurando departamentos da Literatura, e painéis de Mackay — as Três Parcas tecendo, puxando e cortando o fio da Vida, além de retratos de Prescott e Audubon nas paredes. Pulamos o grande mosaico de Minerva como deusa da sabedoria e fomos ver as Virtudes do Corredor Sul. Lá estava o Patriotismo trazendo no braço a águia americana, que ele alimenta com o que está dentro dum vaso de ouro; a Coragem, de capacete, espada e escudo; a Temperança, despejando água, não ardente, num pichel; a Prudência, com o seu espelho simbólico ao lado da cobra; as quatro estações e mais duas Sibilas.

A minha sibila também estava a admirar aquelas Virtudes. Dizer que o Acaso a fazia acompanhar-nos de sala em sala, seria abusar da licença poética, como seria falso dizer que ela nos seguia. Terceira hipótese, sim, era a verdadeira: nós a seguíamos, eu intencionalmente; o pobre Mr. Slang, por mim conduzido sem o perceber. Os olhos da Anita Page estavam postos nas sibilas quando uma conhecida lhe veio ao encontro.

— *Hello*, Peggy!

— Beryl *dear*...

Entramos pelo Corredor Oeste, onde vimos as Ciências de Shirlaw, e dele passamos à Galeria Sudoeste, cheia de Artes e Ciências pintadas por Cox e Ingen. E vimos alegorias à Aventura, à Descoberta e Colonização da América. No teto, mais Virtudes — Coragem, Valor, Firmeza, Realização, todas sob formas femininas. O que vi nos pavilhões e galerias sucessivas já não me lembro bem — os Quatro Elementos, Guerra e Paz, Música, que sei eu!...

Afinal alcançamos o imenso salão central de leitura. Redondo, cem pés de diâmetro, 125 de altura, pilares em feixe de colunas, janelas amplíssimas. Tudo mármore — o mármore negro do Tennessee, o vermelho da Numídia, o amarelo de Siena. Os ornamentos do domo, imitantes a marfim velho, constavam de mulheres suportando cornucópias e figuras de adolescentes alados, com guirlandas e grinaldas, archotes e lâmpadas, cisnes e águias, delfins e arabescos...

— Não sei como se possa ler numa sala destas, Mr. Slang. Dizem que a gente se acostuma e acaba esquecendo toda esta riqueza e grandeza para só ver o livro que pedimos. Mas eu não o juraria antes de fazer a experiência.

— A prova do contrário tem você diante dos olhos. Não está vendo centenas de leitores absorvidos nos livros, totalmente alheios ao ambiente?

Só então notei que havia gente na sala, e muita gente, como é usual em todas as bibliotecas americanas. Liam. Estudavam. Era espantoso...

Circundando a rotunda, oito enormes estátuas simbólicas, ladeadas dos bustos de bronze dos frequentadores de biblioteca que ficaram famosas na história humana pelas suas realizações. A Religião e, lado a lado, Moisés e São Paulo. Comércio — e Colombo e Fulton. História — e Heródoto e Gibbon. Arte — e Miguel Ângelo e Beethoven. Filosofia — e Platão e Bacon. Poesia — e Homero e Shakespeare. Lei — e Sólon e Kant. Ciência — e Newton e Henry. Estava eu a ouvir a preleção de Mr. Slang sobre Joseph Henry, o inventor do eletromagneto, quando as duas sibilas pararam bem à minha frente — e toda a minha atenção foi pouca para lhes pescar frases do diálogo.

— *I'm missing Bob...*

— *Ain't it sweet?*

Por que foi ela usar em presença de Mr. Slang de semelhante barbarismo? Meu inglês, até ali despercebido da presença das *misses*, deu por elas afinal ao toque daquele *ain't*. Fez a cara de pontada no coração que cada inglês não degenerado faz quando zurzido por uma dessas liberdades que os americanos tomam com a língua de Macaulay.

— *Ain't it sweet*! — repetiu com expressão nevrálgica. — Estou com o dia estragado, meu caro. Vamo-nos a *cafetíria* tomar uma dose de Bromo Saltzer.

Custou arrancar-me dali. Tanta coisa ainda a ver, e as numerosas inscrições a ler, de Carlyle e Cícero e Bacon e Pope e Virgílio. E o diálogo das sibilas a ouvir... Era caturrice de Mr. Slang aquela ojeriza, e tanto me revoltou que mentalmente assumi o compromisso de nunca mais, enquanto estivesse na América, dizer *I am not* e sim *Ain't*, como as sibilas. Se são sibilas e donas da terra, e se em seus lábios soa tão bem o *Ain't*, viva o *Ain't*! Ficasse a língua entregue aos caturras e jamais evoluiria.

Fui para a *cafetíria* já sem vontade de tomar coisa nenhuma. Vontade tinha apenas duma coisa — de que me viesse oportunidade para, com a maior naturalidade do mundo, aplicar durante a conversa pelo menos uma dúzia de *Ain'ts* na carne viva do meu inglês, como sinapismos.

— Ainda não pude suportar esta liberdade dos americanos para com a língua inglesa, — disse-me ele de caminho. — Corrompem-na barbaramente.

— Corromper, Mr. Slang, não será um sinônimo colérico de evoluir?

— Talvez, mas não é coisa que meus nervos suportem. Já cacei tigres na Índia e leões no Uganda. Não mexem com os meus nervos. O *Ain't* mexe.

— Mas é esse o meio duma língua desenvolver-se! Não fosse a audácia inconsciente dos ignorantes, e estaríamos ainda hoje, aqui no Novo Mundo, a falar o inglês cicerônico do Dr. Johnson.

— E que lindo seria!...

— Lindo, não nego, mas insuficiente para as necessidades da expressão moderna. O caso daquele inglês que ouviu a pergunta: "*Can a canner can a can that can't be canned by a canner?*" é típico. A pergunta seria entendida por todos os americanos da América, mas o pobre Shakespeare ver-se-ia tonto para decifrar o enigma. As coisas novas que enchem hoje a América e com as quais nunca sonhou o Dr. Johnson, forçam a variação da língua.

— Sei disso, mas desejaria que essas variações respeitassem normas estéticas.

— Culpa têm os ingleses que fizeram da sua língua uma língua livre cambista. A entrada de palavras na língua inglesa é franca. As palavras chegam de toda parte e estabelecem domicílio no inglês sem que a polícia glótica as marque com qualquer sinal indicativo de que são de fora. Gosto disso, porque sou duma terra terrivelmente protecionista em matéria de língua. Palavra exótica que entra no Brasil tem de ficar anos e anos marcada com grifo, ou entalada entre aspas, antes que seja naturalizada. Até hoje, apesar de residir no país há longuíssimos anos, a palavra elite, por exemplo, ainda aparece marcada — *elite* ou "élite". Já vai aparecendo despida dessa pecha aqui e ali; mas para que a elimine de todo, quantos anos de uso diário ela ainda necessita!...

— Talvez o mal de que nós ingleses nos ressentimos venha da rapidez com que a evolução da língua se opera aqui. Inda não nos pudemos conformar com a mania da América de fazer num ano o que sempre pediu vinte. Isso não dá tempo às células cerebrais de se adaptarem — e esquecerem. O mundo ri-se de termos na Inglaterra a palavra "avoirdupois", que não passa duma frase francesa — "avoir du pois", ter peso, pronunciada a inglesa. Também acho horrível. Mas pior é o verbo americano *To vamose*...

— *To vamose?* — inquiri, de rugas na testa. Era novidade para mim tal verbo.

— Sim, — prosseguiu Mr. Slang. — Esse verbo é corriqueiro nas zonas fronteiriças com o México e foi formado duma pessoa do verbo Ir — vamos. Os americanos das fronteiras, que não conheciam o espanhol, observaram que cada vez que num magote de mexicanos entrados em território americano soava o grito de — *Vamos*! imediatamente todos davam rédeas aos cavalos e lá se iam embora para o lado mexicano. Em vista disso associaram ao som "vamos" a ideia de "pôr-se dali para fora", e quando querem "tocar" alguém, usam do "vamos" já americanizado nesse estranho verbo To vamose, cuja significação não é a de um convite para seguir junto, mas duma intimação *para pôr-se ao fresco*. To vamose, pois, quer dizer *sair, puxar dali para fora* — ou justamente o contrário do "vamos" espanhol...

— Realmente, é curioso, — murmurei, desatento, com o olho na flecha que indicava a direção da *cafetíria*. A fome é um fato.

Sobre esta externa receptividade da língua inglesa para com palavras de todas as outras línguas Mr. Slang ainda falou por algum tempo, citando "*Valorization*", palavra que figura no dicionário Webster com a definição de "*act or process of attempting to give an arbitrary market value or price to a commodity by governmental interference, as by maintaining a purchasing fund, making loans to producers to enable them to hold their products, etc.; — used chiefly of such action by Brazil*".

— Definição perfeita, como vê, — concluiu o meu sábio e sempre alerta cicerone. No entanto, duvido que haja em qualquer dicionário português ou brasileiro a consignação dessa palavra com o sentido criado no Brasil.

Na *cafetíria* esqueci o meu amuo e ingeri o café com sanduíche de amendoim, com a natural avidez de quem estava, havia horas, a alimentar-se de musas, sibilas e demais símbolos de saias esvoaçantes. O cansaço de quem visita museus — cansaço por excesso de impressões mentais sempre nos mesmos lobos do cérebro. Devorei minha sanduíche com melancólico mastigar, saudoso das pequenas bibliotecas do interior do Brasil, onde o encontro dum volume que não seja Escrich, Ponson du Terrail ou Dumas nos traz sempre a sensação de pioneiro que descobre o Raio Verde. A riqueza americana cansa.

Estava no fim da minha sanduíche quando as duas sibilas entraram, ingeriram um cocktail de tomate e de novo se foram.

Meu rancor por Mr. Slang renasceu. Tinha de vingar-me. Esfreguei as mãos e, com naturalidade infinita, disse:

— *Ain't you going home now?*

Não obtive resposta. Mr. Slang limitou-se a erguer-se e sair, depois de ingerido o copo de bromo saltzer efervescente que pediu no balcão — dose dupla...

VIII

A caminho da velha Gotham. Visão do alto. Não mais o ilota agrícola. O animal mais estúpido que o peru. A máquina forçando o processo da adaptação humana. Os músicos postos à margem.

No dia seguinte voltei para New York de automóvel, no La Salle de Mr. Slang. Como fosse meu primeiro contato com as estradas americanas, abri-me em espantos.

— Incrível, Mr. Slang! — berrei. — Tudo incrível nesta terra absurda. Quando me lembro que foi em 1776 que este país deixou de ser colônia — século e meio apenas — e que hoje está assim, beirando cinco milhões de quilômetros de estradas de rodagem com as quais despendem um bilhão de dólares por ano ... Cinco milhões de quilômetros — quarenta metros de estrada por habitante... Vinte e seis milhões de autos, um auto para cada cinco habitantes... A mobilidade que isto dá a esta gente, o tremendo aumento de eficiência que traz ao americano, são coisas que me apavoram...

Estradas são o sistema de veias e artérias dum organismo. Tê-las assim à moda americana é dar meios do sangue circular sem entraves de jeito a vivificar todas as células do organismo. Cada americano é um glóbulo de sangue dentro da mais completa rede de veias circulatórias.

Aquela estrada de asfalto e concreto, perfeita, dizia, mais que todo um tratado de dialética, que *sem estradas não há país*. De Washington a New York, viagem de oito ou nove horas, tínhamos a impressão de caminhar por uma rua. Éramos, dum lado, uma fileira sem fim de carros a cruzarem-se com outra fileira sem fim em sentido oposto. Milhares e milhares, todos os dias, dia e noite. E lembrar a gente que pelo país inteiro é a mesma coisa — o glóbulo *yankee*, aos milhões, a circular sem folga na rede imensa de artérias e veias!...

Certa vez, dum avião partido do Roosevelt Field, pude observar de grande altura o que é a América para os pássaros. Confete verde (o chamalote das árvores vistas pelo topo das copas, sempre redondas); quadrados ou retângulos com um liso de argila cozida dentro (telhado) e quintais ou jardins; e, serpeando por entre esses núcleos de células, uma anastomose infinita de serpentinas (estradas, onde pontos negros deslizam em fila dupla, uma que vai, outra que vem — os automóveis). Para as águias a América é isso.

— Muitas vezes no Brasil ouvi da boca de seus patrícios que Deus é brasileiro, — disse Mr. Slang, como se estivesse adivinhando os meus pensamentos. — Ao americano jamais ocorreu inventar coisa parecida; no entanto, a verdade me parece ser Deus escandalosamente americano — se não de nascimento, pelo menos naturalizado. Não existe território no mundo mais rico que este — e esta é a razão do surto prodigioso da América. As mais extensas e férteis planícies de cultura, tão bem ajeitadas para o trabalho mecânico que o serviço não mais necessita ser feito a unha humana ou casco de boi, como é clássico em matéria de agricultura. Tudo à máquina. Daí uma agricultura sempre em crise por excesso de produção. Trigo demais, algodão demais, batatas demais, frutas demais. A eterna crise agrícola, entretanto, não evita que os lavradores mantenham o padrão de vida que você está vendo. Lá vai aquele freguês de charuto na boca, conduzindo o seu trator. Ganhará quanto? Cinco, seis dólares por dia. Não está contente, é claro. Como não o estará quando seu salário subir a dez ou vinte. É da natureza humana, e condição do progresso, a dessatisfação do presente, com ânsia de mais para o futuro. Compare, porém, a vida desse homem com as dos seus irmãos nos outros países...

Passávamos pelos arredores de Washington, região onde uma intensa indústria nas cidades não trouxe abandono dos campos. As lavouras são lá as mais belas do trecho de Washington a New York. Plantações de milho perfeitas, como as das estações experimentais. Científicas. Pela simples inspeção visual percebe-se que já não subsiste nada que seja rotina. Tudo, desde a escolha da semente até a ceifa, está se fazendo de acordo com o que preceitua a experimentação científica.

— Onde o clássico ilota agrícola, — continuou Mr. Slang depois de breve pausa, — o homem dobrado nos cabos do arado, em tudo acorde à famosa pintura de La Bruyère?[4] O trabalho bruto foi transferido para a máquina. Ao homem ficou dirigir a máquina. Aquele charuto, veja! As roupas que traz, as polainas... Como não haveriam de chocar ao bom La Bruyère, se ressuscitasse! E em casa, concluídas as suas oito horas de trabalho, juro como vai ouvir *songs* pelo rádio.

— Não é preciso ir tão longe como essa França de La Bruyère, — acrescentei suspirando com alma. — Em todo o mundo, em todo o resto da América, no Brasil — que é o homem do campo? Já fui fazendeiro, sei. O "camarada" ocupa o último degrau da escala social. Ainda no estágio do homem de pé-no-chão, a receber por ele todas as infecções parasitárias. Roupas de riscado toda remendos, chapéu de palha à indígena. Nada de cultura e nem sombra de esperança de poder dá-la aos filhos. Morador de casebre de palha, sem mobília, sem conforto, sem assoalho, sem teto. Um ilota que não tem nada além de dívidas na venda — eternas dívidas, consequência do eterno déficit a que o força o salário mínimo que percebe. Salário irrisório, de chinês, de hindu...

Aquele patife lá, de charuto na boca e perneiras, com rádio em casa e certamente um Ford no fundo do quintal, ganhará quanto? No mínimo cinco dólares por oito horas de trabalho. O nosso Jeca, por um trabalho muito mais penoso e de sol a sol, apanha, em média, dois mil réis, que ao câmbio de dez mil réis por dólar correspondem a vinte centavos — a vigésima quinta parte do jeca americano! E inda por cima insultam-no, acusam-no de não ter "poder aquisitivo", de não comprar livros, de não ser sócio da Liga da Defesa Nacional...

— Outro aspecto totalmente novo para quem chega da América do Sul, — continuei eu, — é este das habitações rurais. Em nada diferem das urbanas. Sempre o bangalô de agradável aspecto exterior e todo comodidades modernas por dentro. O rádio para a captação da voz do mundo e supressão do isolamento antigo, a máquina de lavar, a máquina de passar, a máquina de aspirar pó, a máquina de lustrar, a máquina de descascar laranjas, a máquina de matar mosquitos... E, fora, a máquina de devorar milhas — esse Ford inconcebível, cabrito de aço mais abundante nesta terra de Tio Sam do que besouros num país tropical.

— O grande orgulho do americano está nisto, neste alto padrão de vida jamais alcançado em país nenhum e sempre julgado sonho inatingível, — comentou Mr. Slang, parando para acender no meu o seu cigarro. — Que é coisa inédita, não me resta a menor dúvida. Cri porque vi e estou vendo. E duvido que sem ver alguém o creia. A América é a terra do ver para crer.

— Por que é assim? perguntei.

— Tudo consequência lógica do aumento da eficiência do homem graças ao uso progressivo da máquina. Segundo os cálculos, está o americano com um índice de eficiência igual a quarenta e dois, quando o do europeu é igual a treze e o do homem natural é igual a um. Cada americano produz tanto quanto quarenta e dois

---

4. L'on voit certains animaux farouches, dês mâles et des femelles, répandus par la campagne, noirs, livides et tout brûlés du soleil, attachés à la terre qu'ils fouillent et qu'ils remuent avec une opiniâtreté invencible: ils ont comme une voix articulée et quand ils se lévent sur leurs pieds, ils montrent une face humaine, et en effet, ils sont des hommes. (La Bruyère — *De l'Homme*).

homens naturais, isto é, quarenta e dois homens desmaquinados, que só usam os músculos que Deus lhes deu.

— Acho isso excessivo, Mr. Slang. A crise geral que já se acentua e vai ser tremenda, provém deste uso crescente da máquina. Ouço toda gente prever isso.

— Logo, está errado. Toda-Gente é o único animal de estupidez maior que a do peru. O fato de toda gente pensar assim vale-me por prova bastante do erro.

— Mas há uma evidente crise de trabalho. Nega isso, Mr. Slang?

— Sempre houve uma crise de trabalho, mais ou menos aguda. Quando se agrava, torna-se sensível — e todos gritam que há crise. Quando minora, todos proclamam que os tempos estão normais. Esse estado de crise permanente, ora mais, ora menos agudo, não passa dum lógico efeito da lentidão da adaptação humana. O homem é lerdo e estúpido.

— Explique-se. Não estou entendendo.

— Cada vez que aparece alguma nova máquina, ou nova invenção — e progredir é isso, maquinar, inventar — criam-se condições novas de vida, que provocam deslocações de homens. Quando apareceu o automóvel, milhares de cocheiros foram deslocados das suas boleias, milhares de tratadores de cavalos foram para o olho da rua. Crise? Deslocamento apenas. A máquina nova não veio diminuir o trabalho, sim aumentá-lo, como os fatos o provam. Apenas criou trabalho novo. Surgiu a tarefa nova do *chauffeur*, e as dos reparadores de carros, lavadores, vendedores de gasolina e todo esse mundo da indústria automotora. E aqui temos o ponto. Os cocheiros e mais homens postos à margem pelo auto foram em número tremendamente inferior ao dos homens chamados a desempenhar as tarefas novas que o automobilismo criou.

— É. Não deixa de ser assim, — concordei. — Mas...

— O surto do cinema falado por exemplo, — prosseguiu Mr. Slang, — mostrou o olho da rua para milhares de homens até então empregados na arte de produzir vibrações sonoras — os músicos. Estão eles hoje em crise, a berrar, a reclamar, a insistir pela volta atrás — marcha a ré contra todas as leis da avançada humana. Esses velhos sopradores de canudos de metal amarelo, esfregadores de cordas de tripa, bochechadores de flautas, marteladores de teclados, só tinham uma coisa a fazer, se não fossem lerdos de mentalidade: — compreender os tempos e adaptarem-se às novas condições. Já não há mais lugar para eles nos cinemas, onde modulavam nos seus velhíssimos instrumentos músicas dolentes, enquanto os personagens mudos da tela fingiam falar.

O cinema, ainda a meio caminho da sua evolução, reproduzia os movimentos da boca de quem fala, mas não o som da fala. Por ser chocante para o público que tanta gente na tela falasse sem que nenhum som fosse ouvido, houve necessidade de criar um corpo de milhares e milhares de "tapeadores" sônicos — homens que tiravam de cordas de tripa e canudos de latão sons combinados segundo certas regras, com os quais substituíam, para o ouvido dos espectadores, os sons articulados que deviam sair das bocas dos personagens. O truque pegou. Como seria impossível ao ouvido humano ouvir ao mesmo tempo a música e a fala dos personagens, os espectadores ouviam a música e dispensavam-se de ouvir a fala inexistente.

Mas o cinema completou a sua viagem evolutiva. Aprendeu a falar. Chegou a reprodução da voz e, muito naturalmente, teve de dispensar o concurso dos "tapeadores". Em vez de se regozijarem com o grande passo que aquilo significava, os músicos arrepelaram as cabeleiras e deram de organizar-se para uma cruzada contra vibração de outra origem que não as das suas cordinhas de tripa. Tenho acompanhado a guerra contra a música em lata, como eles chamam a coisa nova. É extremamente pitoresca essa campanha promovida pela American Music Association, mas serve apenas para divertir o público. Breve, os fundos dessa sociedade estarão esgotados e os músicos, afinal, no bom caminho — isto é, à procura de novas ocupações. Só isso têm eles a fazer — adaptarem-se. Resistir às correntes do tempo vale por inépcia supina.

Não há tal morte da música, como eles proclamam. Há mais música, há multiplicação da música — música para todos, mais barata — e melhor. Como para ser reproduzida no cinema falado tem ela de ser produzida pelo sistema antigo, o cuidado é extremo na sua escolha e na escolha dos executantes. Os bons músicos, os ótimos executantes ficaram — e são mais bem pagos. O esfregador de cordas ou o vulgar assoprador de saxofone, esse acabou.

— Vejo, Mr. Slang, que o senhor é um terrível e incondicional amigo do progresso.

— Apenas vejo no progresso uma lei natural. Sou amigo dele porque sou amigo da lei da gravitação, da lei da evolução, de todas as leis da natureza. Deblaterar contra tais leis me parece das coisas mais ridículas que um homem possa fazer. Essa campanha dos músicos equivale a uma que fizessem à imprensa de Gutenberg os antigos copiadores de manuscritos, convencidos de que seria melhor para o mundo a conservação da classe dos copistas do que o desenvolvimento da arte gráfica mecânica. Ou a dos antigos cocheiros de tílburis, caleças, vitórias, landaus e coupés contra o automóvel, com alegação de que seria ridículo substituir o belo e generoso companheiro do homem, chamado cavalo, por *canned horses*, "cavalos em lata", infames H. P. — cavalos-vapor.

Desse exército de músicos sem trabalho os espertos cortaram a cabeleira e insinuaram-se pelos novos campos que a "música em lata" abriu. Estão salvos. Os outros, esperançosos de que a humanidade depois dum passo à frente lhes atenda a grita e volte atrás, esses estão perdidos.

— Admito tudo isso, Mr. Slang, mas o senhor há de admitir também que a rapidez da maquinização da América não dá tempo aos alijados de se adaptarem.

— Nesse caso, o remédio único é os alijados precipitarem a marcha da adaptação. A América impõe rapidez de julgamento e trote largo. Quem for lerdo de cabeça ou de movimentos, que emigre, para não ser esmagado. Países onde ninguém corre não faltam...

IX

Ideia irônica dum bispo inglês. O "L" perigoso. D. Pedro II e Filadélfia. Guiomar Novaes. Carlos Gomes. A ideia maravilhosa que o brasileiro faz de si próprio. Concreto, concreto, concreto...

— Essa questão está sendo muito debatida, — continuou Mr. Slang. — Um bispo inglês chegou a lançar a ideia dum período de férias para a ciência, cinco ou dez anos, por exemplo, durante os quais nada se inventasse, nem melhoramento nenhum fosse introduzido nas máquinas existentes. Muita gente chegou a discutir a sério esta proposta à Swift. Edison teria de ser amordaçado, ou multado, se aparecesse com um dos seus habituais "benefícios à humanidade". Porque a invenção é sempre isso — *mal momentâneo para uma classe, benefício tremendo para a maioria*.

— Que fazer, então?

— Nada. A grande coisa é sempre esta: não fazer nada. Não interferir, não contrariar, deixar que o reajuste se opere por si mesmo. *Equilíbrio — ruptura de equilíbrio — reajuste*: assim marcha o mundo. Não há um estalão supremo de verdade para verificar que forma de intervenção é a exata, de modo que não intervir dá sempre certo, porque não cria artificialmente um erro novo ou a possibilidade dum erro. Veja no seu país que desastre está sendo a interferência oficial no negócio do café. Houve um desequilíbrio entre a produção e o consumo. Em vez de deixarem que o natural reajuste se fizesse, surgiu a intervenção do Convênio de Taubaté — semente da maior calamidade que vai desabar sobre o Brasil.

— Não creio, Mr. Slang. Os lucros têm sido tremendos. Ainda que de súbito cessem com outra queda do café, o que foi ganho, ganho está.

— Engano, meu caro. Receio que todo o lucro obtido até aqui com a valorização do café seja vomitado em poucos meses — com reflexos políticos de tremendas consequências na marcha normal da nação. O Convênio de Taubaté veio para acudir a um excesso de produção de quatro ou cinco milhões de sacas. Qual a situação hoje, depois de anos de desenvolvimento dessa trágica ideia? O mesmo excesso, não porém de quatro ou cinco milhões, mas de vinte e tantos. Na realidade a interferência o que fez foi multiplicar por quatro ou cinco o mal existente — além de desenvolver tremendamente a cultura do café nos países concorrentes. Isso deu origem à formação no Brasil do mais perigoso sistema de equilíbrio econômico dos países modernos, representado nos gráficos por um monstruoso "L" que o mundo inteiro vê menos vocês, brasileiros.

— Um "L"? — exclamei com cara d'asno.

Mr. Slang, que havia parado o carro para tomar gasolina, tirou da valise um livro de estatísticas comerciais onde se via um gráfico das exportações do Brasil.

— Eis aqui o calamitoso "L", — disse ele. — Seu país está a equilibrar-se sobre a perna magra deste "L", representado na haste grande pela exportação do café e nos "cepinhos" de baixo pelas do cacau, couros, mate, sementes oleaginosas e mais quireras que o Brasil vende para o exterior. Ora, quanto mais comprida a perna, mais frágil. O fraquear dessa perna determinará a maior crise econômica do Brasil. Tudo por obra e graça do desenvolvimento natural do mata-pau plantado em Taubaté — planta facinorosa que com a maior inconsciência do mundo vocês vivem a adubar com quantos recursos de crédito possuem. Loucos! Loucos varridos...

— Filadélfia...

— Quer ver o Museu Comercial? Existe lá uma seção do seu país que talvez o interesse, sugeriu Mr. Slang.

Paramos na grande cidade para ver o que havia ali de Brasil. Artes de D. Pedro II. Tinha o grande monarca a mania de interessar-se pela sua terra — daí o banirem-no, como castigo. Naquele museu, um tanto antigo, vimos a embolorada seção brasileira, com tudo o quanto o Brasil podia apresentar ao estrangeiro naquela época.

Espantoso! Eram as mesmas coisas que pode apresentar hoje... Minerais, fibras, tralha de índios, café (não valorizado), borracha, os nossos eternos produtos coloniais, eterna colônia produtora de matéria prima que somos.

Pedro II lá esteve e até hoje os americanos guardam lembrança dessa sensacional visita — o primeiro e único imperador que ainda pisou as plagas de Lincoln. Descobriu ele por essa ocasião o criador do telefone, Graham Bell — e o lançou... A América jamais se esqueceu disso.

— Fora Pedro II, mais três coisas do Brasil conseguiram popularizar-se aqui, — disse Mr. Slang. — Primeiro, *O Guarani*, de Carlos Gomes com z, Gomez, que a tenho ouvido em numerosas ocasiões por toda sorte de orquestras. Essa música de fato sabe ao paladar americano. Temos depois a castanha do Pará, *Brazil nuts*, que se vende com este nome por toda parte. Por incrível que pareça, vim conhecer a castanha do Pará aqui, não a tendo visto nunca no Brasil. Encontro-a com frequência em companhia do amendoim, da amêndoa, da noz, da avelã, da castanha de caju, do pistache e mais sementes que se vendem nessas casas especiais, tão pitorescas, com o nome de guerra de *Chock Full o' Nuts*. O café não lembra o Brasil, apresentado que é sob marcas registradas — Maxwell, Eight O'clock, Mac Douglas, conforme o torrador.

— E Guiomar Novaes?

— É a terceira. Os americanos não a esquecem. Guiomar Novaes fez realmente nome na América, ao lado dos grandes pianistas europeus. Ainda quando ausente, é sempre relembrada pela crítica — fato digno de nota nesta América de duzentos quilômetros por hora, sem tempo de dar atenção a quem está fora do movimento — ou muito longe.

— É pouco isso, Mr. Slang, — murmurei cheio de nostálgico patriotismo. — Descuramos das nossas coisas. Devíamos intensificar a propaganda do Brasil...

Meu inglês sorriu, levemente apiedado.

— Propaganda do quê, meu caro? É duro dizer isto, mas vocês ainda não têm nada a apresentar ao mundo.

— Como não? — exclamei quase ofendido nas minhas vísceras patrióticas. — Isso também é demais. Temos o direito de ser conhecidos, de fazer as nossas coisas conhecidas...

— Conhecer o quê? Que coisas? Reflita um minuto em vez de repetir frases ocas de toda gente.

Refleti um minuto e engasguei. Realmente — que coisas?

— A ideia que o brasileiro faz de si próprio é muito interessante, — continuou Mr. Slang. — Julga o seu país a maravilha das maravilhas mas com um único defeito: não ser conhecido no estrangeiro. A ideia simplista que o brasileiro faz do mundo deve ser esta: grande arquibancada de circo de cavalinhos com John Bull, Tio Sam, Michel, Mariana, o Urso Eslavo e mais países sentados nas fileiras da frente, para "gozar" o único que tem a honra de ocupar o centro do picadeiro. Ali o Brasil, sozinho, único, terra onde Deus nasceu, mostra as suas ufanias — o Amazonas, os oito milhões de quilômetros quadrados, o Pão de Açúcar, o Café, o Babaçu, Santos Dumont, o padre que inventou a máquina de escrever, vários descobridores do moto-contínuo e da quadratura do círculo. Dessa atitude decorre o estribilho dos jornais ao darem notícia de qualquer coisa feia acontecida em tal paraíso: "Que não dirá o estrangeiro?".

— Basta, Mr. Slang, — intervim ferido no meu amor próprio. — Acho que está metendo a riso o meu querido país.

— Não, meu caro. Apenas estou dando o *nosso* ponto de vista. Que dirá o estrangeiro? perguntam vocês. Pois estou a responder como estrangeiro. O que o estrangeiro diz é isto que estou dizendo. Conta a coisa, não a comenta. Sorri. Os nossos séculos de civilização ensinaram-nos esse comentário sutil que diz tudo sem palavras — o sorriso. Sorrimos...

Filadélfia. Meu Deus! O que são estas cidades americanas... Formigueiros inconcebíveis, como os nossos formigueiros de saúva em dia de saída de içá. Gente, gente, gente; autos, autos, autos; mulher, mulher, mulher...

— Como há mulheres em circulação na América, Mr. Slang! — exclamei admirado. — Só depois que aqui pisei é que vi mulher. No Brasil existem apenas amostras, tão raras são. Creio que a porcentagem feminina nas ruas de S. Paulo, por exemplo, orça por uma para dez passantes masculinos. Daí o voltarem-se estes cada vez que uma passa, como se defrontados por amostra rara duma espécie muito reclusa. Mas aqui vejo um perfeito *fifty-fifty*. Para cada cinquenta homens, cinquenta mulheres. E que mulheres...

— Essa mesma proporção verá você nos escritórios, nos teatros, nas praias, nos restaurantes, em Coney Island ou nos campos de esportes. Só aqui as mulheres se igualaram aos homens em direitos, atividades e vida fora de casa. Logo teremos eleições. Procure observar. Verá pelo número das que votam que a América é na realidade, política e socialmente, conduzida a dois.

— Acha, então, Mr. Slang, que a igualdade dos sexos foi afinal alcançada?

— Mais tarde voltaremos a este assunto. Não só foi alcançada como excedida. Avançou tanto a mulher na reivindicação dos seus direitos, que passou à frente do homem. Hoje são estes que falam em reivindicações. Que é o "Alimony Club" de New York senão a forma atual dos antigos clubes feministas propugnadores da equiparação dos direitos da mulher aos dos homens? Cessou o feminismo. Temos o inverso agora. Temos o masculinismo — os homens em luta desesperada para que os seus direitos sejam igualados aos das mulheres...

Concreto, concreto, concreto; asfalto, asfalto, asfalto; fila intérmina de autos que vão; fila intérmina de autos que vêm; *cottages, cottages, cottages*; lindos trechos reflorestados; prados, campos, vilarejos...

X

Princeton. A riqueza das universidades americanas. Harvard, a nababa. Os 36.688 alunos da Universidade de Columbia. Como a riqueza se forma. O chicote dos invernos. Justificação da indolência. O Ministério do Carbono.

— Princeton!...

— Pare, Mr. Slang. Está tão lindo isto aqui que me sinto com ímpetos de furar um pneumático do seu La Salle...

Que maravilha de ambiente o em que vi a universidade de Princeton! Deveras lamentei comigo mesmo não estar começando a existência para vir estudar, formar o espírito ali em tal paraíso. Aqueles maravilhosos grupos de edifícios, todos do mesmo estilo, recobertos de hera, tudo harmonizado de acordo com um plano... Que repouso!

— Quantos alunos, Mr. Slang?

— Poucos, relativamente. Dois mil, servidos por duzentos professores. Esta universidade é das menores, embora bastante cotada e rica — e linda, como está vendo. Eu, entretanto, prefiro a de Cornell, extremamente. Pura maravilha, Cornell...

Saltei do auto para uma demorada contemplação do paraíso universitário. Tudo imenso, tratado qual um jardim. Dir-se-ia que os anõezinhos do Reno vinham à noite tosar aquelas gramas e desempoeirar uma por uma as folhas das árvores.

— Quantas universidades tem a América, Mr. Slang?

— Cinquenta e seis, todas magnificamente dotadas. Esta de Princeton, por exemplo, apesar da sua matrícula de dois mil alunos apenas, goza-se duma dotação de vinte e cinco milhões de dólares.

— Vinte e cinco milhões! Duzentos e cinquenta mil contos ao câmbio de dez mil réis o dólar! Já é...

— Não é, não. O seu "já é" cabe melhor à de Harvard, que para um corpo de oito mil alunos dispõe duma dotação de cento e oito milhões.

— Cento e oito? Um milhão e oitenta mil contos?... exclamei revoltado.

— Sim, meu caro. E quantas outras ainda mais abundantemente dotadas que a de Princeton? A de Chicago, com sessenta milhões; a de Columbia com setenta e sete; a Stanford com trinta; a do Texas com vinte e sete; a de Yale com oitenta e oito...

— É desconcertante, Mr. Slang. Cinquenta e seis universidades assim ricas, fora os *colleges*. Quantos *colleges*?

— Quase setecentos, alguns formidavelmente dotados, como o Instituto Tecnológico de Massachussets, que dispõe da dotação de trinta e dois milhões de dólares.

— E alunos? Na Columbia, certa vez em que lá estive de visita, a matrícula estava em 36.688. Guardei esse número, tão esmagador o achei. Professores, também me lembro: 1.627...

— É a mais frequentada, embora outras apresentem números bem fortes. A de Boston passa de treze mil alunos. A da Califórnia, onde foi professor aquele John Casper Branner que tanto estudou a geologia do Brasil, chega a dezenove mil. A de Minnesota tem doze mil. A de Detroit, onde William Smith prepara a revolução siderúrgica de amanhã, quinze mil. A de Michigan, dez mil. A de Chicago, doze mil. A de New York, vinte e cinco mil. Além dessa e da Columbia, a tentacular New York possui ainda a Universidade de Fordhan, frequentada por nove mil alunos.

O que a América está fazendo em matéria educativa excede o poder de previsão do cérebro humano. Meu problema é este: se a América em século e meio de vida independente fez o que estamos vendo, que fará num século ou dois mais, a partir deste estágio de aparelhamento cultural de que se dotou? Inútil perder tempo com a questão. Nossos tataranetos, só eles poderão responder.

— Dinheiro, dinheiro, dinheiro, Mr. Slang. Dólares! Não houvesse na América os dólares que há, e eu queria ver...

— Os dólares não existiam empilhados à flor da terra. Foram criados. Foram ganhos. A riqueza nacional americana, hoje orçada em quatrocentos bilhões de dólares, partiu dum zero inicial. Quando o *Mayflower* aportou às costas de New England e aqueles auto exilados erigiram o primeiro casebre, a base desses quatrocentos bilhões foi lançada. Quanto valeria esse primeiro casebre em dinheiro inglês da época? Uma libra, se tanto. Tudo veio daí. A partir daquele momento o americano jamais deixou de acumular trabalho. Riqueza é trabalho acumulado. Em vez da águia eu poria como símbolo da América a formiga. A águia depreda. A formiga enceleira.

Aquelas palavras fizeram-me voltar o pensamento para um país de igual território e idade, sito a milhares de milhas dali, onde a riqueza não se acumula.

— Não entendo, Mr. Slang, — disse eu por fim. — Também lá no Brasil não fazemos outra coisa senão trabalhar, desde que Pedro Álvares pôs pé em terra — e, no entanto, não enriquecemos. A riqueza nacional do Brasil é de apenas quarenta milhões de contos. Por quê?

— A soma de trabalho feito no Brasil é mínima comparada com a do feito aqui. Falta a vocês o grande estimulante do trabalho, que é o inverno. O homem só produz o bom trabalho que dá para a subsistência e sobra para ir-se acumulando em riqueza, quando o inverno está atrás dele de chicote em punho. É o frio o supremo criador. Dele saiu a economia, a previdência, a cooperação. O meio de sobreviver é um só: acumular nas estações amenas para não perecer na estação morta. A gente das terras quentes, não se vendo sujeita a essa chibata, jamais aprende a acumular — além de que possuem um trabalho de muito fraco rendimento. O melhor das energias é gasto na luta contra o calor depressivo, pois que a boa arma nesse combate se chama "inação".

— Será assim, Mr. Slang? Quer dizer que justifica a indolência?

— Justifico. Simples arma. Meio de sobreviver nos trópicos. Trabalhar muscularmente num dia calmoso equivale a somar ao calor ambiente, já excessivo, o calor da combustão animal acelerada. Dessa soma sai... incêndio. Daí a defesa. Para evitar o incêndio, surge a mamparra, a preguiça, o fugir com o corpo, o corpo mole, o fumar à custa do patrão e todas as mais formas pitorescas de escapar ao esforço que mata.

Sob a ação do frio, dá-se justamente o inverso. Ou o homem movimenta os músculos ou entangue. Torna-se o trabalho um sadio prazer, hábito, remédio. Em consequência, mais saúde, mais produção, melhor produção — riqueza, no fim. E não é só. Cumpre considerar o efeito da neve no solo, detendo o surto da vegetação e da vida animal inferior, repousando a terra com o primeiro e sofrendo o ímpeto das pragas com o segundo.

— Mas temos também frio no sul do Brasil.

— Algum frio, não o frio em grau de chicote. Mesmo assim veja como o sul se desenvolve e enriquece mais depressa do que as zonas chegadas ao Equador. Veja como o homem do norte, que nada pôde fazer na sua terra estorricante, prospera no sul, quando emigra.

Pus-me a refletir, achando que, se não a tinha toda, tinha bastante razão o meu amigo.

— Mas será só o frio a causa do progresso americano?

Fiz essa pergunta e logo me arrependi. Aos meus próprios ouvidos soara asnática.

— Não há nunca uma causa única para qualquer fenômeno, — respondeu Mr. Slang, — e sim feixes de causas concorrentes. Numerosas convergiram aqui para criar esta América que está abrindo a sua boca — e não deixa de fazer o mesmo ao resto do mundo. Terras maravilhosas para a agricultura, planícies sem fim para o trigo e demais grãos, onde a máquina faz em escala tremenda o que outrora, ou ainda hoje nos países atrasados, faz em escala reduzida o músculo humano associado ao do boi. Todos os dons da natureza em proporções estonteantes. Hulha a dar com pau, e ótima. Petróleo em verdadeiro mar subterrâneo. Minério de ferro aos bilhões de toneladas. Tudo... E sobre o imenso território assim rico de reservas minerais, o homem sadio dos países invernosos, diligente, ativo, herdeiro da longa experiência do que é o chicote do Inverno que já cantou no lombo da longa série dos seus avós. Homem de raças apuradas pela neve; terra arável; óxido de ferro e carbono em profusão; com elementos básicos desta ordem, não admira que o americano fizesse o que fez.

— Não estou entendendo bem...

— Medite e entenderá. Do óxido de ferro o saudável homem daqui tira o aço. Com o aço cria a máquina, isto é, a astuciosa maneira de multiplicar tremendamente a força do músculo, ou substitui-lo no trabalho. Depois, por meio da hulha e do petróleo — formas de carbono — produz a combustão que desenvolve a energia mecânica com a qual move a máquina. Deste modo domina a natureza, mobiliza-lhe as reservas ocultas no seio da terra e transforma-as em utilidades — em riqueza.

— Sim, estou compreendendo...

— O problema dos grandes países modernos não passa dum problema de carbono, tudo porque a máxima invenção humana foi o fogo e não há fogo sem carbono.

— Espere, Mr. Slang... As vagas reminiscências que tenho de minha química escolar cochicham-me que o fogo, ou a combustão, diz mais respeito ao oxigênio do que a qualquer outro elemento.

— Sim, quimicamente combustão é a oxidação de uma substância com produção de calor. Mas o elemento oxidante, o oxigênio, é o rei do universo, a substância que abunda em maiores quantidades. Está no ar. Todos os povos o têm em quantidades iguais. Já o mesmo não se dá com o carbono, que é o paciente da combustão. Por isso digo eu que o problema é ter carbono, ou produzir carbono.

— Produzir como?

— Plantando. As árvores fixam o carbono e, carbonizadas, darão a você carbono puro. Mas o ideal é encontrá-lo no seio da terra sob a forma fóssil de hulha ou, melhor ainda, de hidrocarburetos, ou petróleos. O fato da América possuir carbono fóssil sob estas duas formas em tremendas quantidades deu-lhe a supremacia econômica de que goza. O Brasil, por exemplo, está ainda nos cueiros porque nunca os seus estadistas e capitães da indústria meditaram no assunto carbono. Eu, se fosse ditador na sua terra, suprimia vários ministérios inúteis e criava o que está faltando — o Ministério do Carbono...

XI

Cidades do interior do Brasil. A gloriosa platibanda. Nada de muros, ou taipas, ou cercas. Tarrytown num dia do Indian Summer. *Um inesperado "Por quê?".*

Quis fazer graça, sugerindo vários negros retintos como o professor Hemetério que dariam excelentes ministros do Carbono, mas não me animei. Mr. Slang estava a falar com a maior gravidade.

Já íamos a caminho novamente, com Princeton bem para trás. A paisagem, sempre a mesma — cuidada, penteada, civilizada. Atravessávamos de quinze em quinze minutos deliciosos *villages*, cidadezinhas bem características do interior americano. Mas que diferença! A expressão "cidades do interior" no Brasil sugere sempre a mesma visão dum grupo de ruas que glorificam em placas de esmalte azul heróis nacionais, estaduais e locais — rua General Osório, praça Altino Arantes, largo Coronel Tonico Lista, quando não rua da Palha, do Fogo ou do Meio. As casas não variam de norte a sul — casas que reproduzem com fidelidade comovedora o tabu arquitetônico que os portugueses plantaram na colônia inicial. Parede caiada de branco, em geral com barra de cor; porta-da-rua; janelas lado a lado. Nas mais antigas, o beiral; e se a zona evoluía um bocadinho, a platibanda. Platibanda, em vez de beiral, era o luxo supremo. Assim que um sitiante de café ou açúcar entrava no gozo da primeira safra de vulto, chamava o pedreiro local para a remodelação da sua casa da cidade.

— Tire-me esse beiral do tempo do onça e ponha-me uma platibanda como a do major Fagundes. Tudo bem moderno e baratinho, veja lá, hein?

Remodelar não significava melhorar a casa, suprimir as alcovas sem luz nem ar, fazer uma cozinha decente, arrumar o banheiro. Significava *platibandar* a casa para que o major Fagundes perdesse a basófia de só ele ter casa moderna. O prestígio do dono crescia pontos e pontos na consideração pública... e a loja da esquina vendia mais um guarda-chuva. O novo platibandado não podia mais sair de casa nos dias borrasquentos confiado na proteção do beiral extinto...

Todas as nossas cidades do interior eram assim, antes da revolução que o bangalô vai operando. Parece que havia artigo na Constituição proibindo-lhes o variar de forma. Nada de jardins na frente. Para flores e couves, o quintal, bem fechado de muros de taipa, taipa bem defendida dos moleques por meio de cacos de vidro. Fechada pela frente com a muralha da "parede da rua", fecha-se também com muralhas de outro tipo aos fundos. A preocupação de defesa...

— Mas aqui, Mr. Slang? Como explica o fato de serem todas as casas do interior separadas umas das outras por estes gramados sem nenhuma cerca ou muro de permeio? Os terrenos ou quintais se confundem. O gramado desta casa, por exemplo, não mostra nenhuma separação do da casa vizinha. Confundem-se. Será que chegaram a tal ponto de respeito pela propriedade alheia que o perigo de invasão se torna desprezível?

— Talvez. Há leis aqui, e leis que, além de severas, se cumprem. Isso desde o começo, desde os tempos coloniais. O povo adquiriu o hábito de respeitar a propriedade alheia. A taipa, o muro, a cerca e a grade desapareceram por inúteis, ou nunca existiram por nunca se mostrarem necessários. A taipa aqui é moral.

Sim, devia ser isso mesmo, refleti comigo. A ausência de muros defensivos dá realmente um aspecto encantador ao "interior" americano. As casas — sempre bangalôs ou *cottages* do mais variado aspecto, sem dois iguais na mesma rua, embora dentro dum estilo comum, misto da velha moradia inglesa e das inovações americanas — erguem-se em meio de árvores e moitas e jardins e gramados mantidos com o apuro dos jardins públicos. Parece que tosam a grama e limpam as árvores todas as manhãs.

Da primeira vez que percorri a pé uma dessas cidades, Tarrytown, confesso que me extasiei na convicção de estar dentro da mais linda cidade da América. Eu fora visitar aquele adorável recanto movido de uma sugestão literária. Andava a ler Washington Irving, o incomparável, e justamente em Tarrytown localizara ele a sua famosa *Legend of the Sleepy Hollow*. Cidade toda ela romance, ergue-se à margem do Hudson, em cujas águas, durante a Revolução, os americanos bombardearam o vaso de guerra inglês *Vulture*, enquanto em terra capturavam um major André.

Nada se perde na América. Seja produto da terra, seja do homem, cuidam logo de o afeiçoar em riqueza. Esses dois pequeninos incidentes históricos, mais o fato de haver Irving escolhido Tarrytown para cenário de sua novela, e ainda a existência até hoje do Sleepy Hollow Manor — a velha casa construída pelos colonizadores holandeses em terras compradas aos índios — foram os ingredientes que os habitantes de Tarrytown manipularam para seduzir os visitantes.

Lá estive — lembrar-me-ei eternamente — num lindo dia do *Indian Summer*, que é como dizem do veranico que ocorre em fins de cada outono — a quinta estação, ou estação das fadas. Que maravilha! O que fora verde estava vertido para a gama inteira dos amarelos e vermelhos. O chão, tapetado de amarelo-canário sob certas árvores já quase em varas, e de vermelho coralino sob outras. "Tapetado" aqui não é licença poética; sim, precisão matemática. Metade das folhas coloriam as árvores, a outra metade forrava o chão.

Aquela orgia de amarelos e vermelhos chocou profundamente meu cérebro afeito a só ligar ao mundo vegetal a cor verde. Tive a sensação de cenário de teatro, de invenção humana, de mentira linda.

— Que maravilha! — exclamei comigo mesmo, realmente maravilhado com as tonalidades para mim inéditas do "Indian Summer".

Alguém riu-se perto. Voltei-me. Minha exclamação de bugre tropical fora ouvida por uma esguia *miss* que passava.

— Por quê? — indagou ela com um estranho momo de curiosidade nos olhos azuis.

Na bebedeira de beleza em que me achava, respondi como se estivesse falando a um companheiro de excursão e de êxtase que possuísse alma de Ruskin, mas que por qualquer circunstância conservasse os olhos fechados, não podendo portanto ver o que eu via.

— Por quê? Porque tenho os olhos abertos e estou vendo. Abra também os seus e compreenderá. Veja aquele grupo de árvores naquela mansão da esquina. Haverá nada mais estonteantemente belo, em tarde bela assim? Não está lindo, lindo?

A *miss* sorriu.

— Mas sempre foi assim!... Não está lindo. É lindo. — Disse e foi-se, com um gracioso *good-bye*.

— Não está, é!... — repeti comigo, procurando penetrar o sentido da resposta. Só mais tarde o percebi plenamente. Aquele grupo de árvores varia tanto de aspectos, que é sempre uma expressão de beleza. Estava naquele momento vestido como ipês de ouro e rubis. Depois, com a entrada do inverno, se despiria de todas as folhas para apresentar uma nova forma de beleza, profundamente melancólica, na nudez da galharia sépia. Depois se recobriria de neve — e branquinha até nos mínimos ramúsculos teria uma beleza de sonho. Depois rebentaria em folhas novas — e teria a beleza da esmeralda que nasce. Depois, o verão truculento transformaria as esmeraldas tenras em verdes apopléticos — e teríamos o único tom de beleza a que estamos afeitos nos países de "verão eterno". Tinha razão a *miss*. Não estava. Era...

Contei a Mr. Slang a passagem.

— Estações tropicais vocês têm duas apenas, — disse ele, — a das águas e a da seca. Na das águas, tudo violentamente verde. Na da seca, violentamente verde tudo. Creia, meu amigo, cada vez que venho duma estada longa em país tropical, trago a alma envenenada pelo verdete das árvores — venho bêbado, literalmente intoxicado e exausto. Daí a minha teoria de que apenas encontram encantos num país tropical o bugre e o negro d'África. Só com milênios de adaptação ao verdete eterno pode uma criatura imunizar-se contra o veneno. Quero a natureza como aqui — sempre insatisfeita, sempre mudando...

Puxei o relógio. Três horas. New York não estava longe.

XII

Dois negros de mentira que empolgam a América. Amos and Andy. Estradas onde se paga multa por escassez de velocidade. Bandidos. Destruir para criar. Lampião lembrado a cinco mil milhas de distância. O crime é negócio.

— Temos que correr, — observou Mr. Slang dando mais quilômetros aos pneumáticos. — Não quero falhar ao *Amos and Andy* hoje. Amos ficou ontem de ir à estação esperar sua namorada Ruby Taylor, que chega finalmente de Chicago. Está acompanhando?

— Quem não o está, Mr. Slang? É incrível como esse diálogo de dois pobres negros empolga assim esta imensa América...

Conversamos algum tempo sobre as aventuras desses dois heróis de ébano e não sei por que cargas d'água deles passamos para Filadélfia, cuja situação financeira Mr. Slang comentou. Oitenta milhões de dólares é a quanto monta a sua receita municipal. Espantei-me.

— E é a quarta do país, — explicou o meu amigo, sempre afiado em matéria de números. — Acima dela temos Detroit, com cento e quarenta e dois milhões; Chicago, com duzentos e quatro e finalmente a monstruosa New York, com quinhentos e trinta milhões.

— Quinhentos e trinta milhões de dólares!... Isto, afinal de contas, é um disparate, é um desaforo, é um abuso, é uma ofensa à pobreza do resto do mundo. E dizem que tem mais de sete milhões de habitantes! Chega até a ser ridículo...

— Sete, enquanto a municipalidade não conclui os trabalhos da nova delimitação urbana. Terá então onze milhões.

O auto corria a cem por hora, tendo Mr. Slang tomado por uma *speedway* — verdadeira raia de corridas, onde todos os automóveis voavam; mais que voavam, chispavam. O valente La Salle do meu amigo inglês fez-me lembrar a bala de Júlio Verne a caminho da lua.

— Absurdo, — murmurei de mim para mim enquanto chispávamos.

— Que é absurdo? — indagou Mr. Slang sem desviar os olhos da estrada sem fim.

— Tudo. Tudo nesta terra é absurdo, desconcertante, excessivo. Estou mentalmente reduzindo a réis os orçamentos destas cidades. Dá disparates.

— Não meça as coisas americanas com as medidas da sua terra. As velhas medidas europeias, que são as mesmas da América do Sul, não medem mais a América do Norte. Ela não só criou coisas novas, como também criou medidas novas. O "million" é uma dessas medidas. Repare nos títulos e subtítulos dos jornais. Quando eles se referem, por exemplo, a uma viúva que se casou com um *boxeur* aposentado, dizem no título — *two millions widow remarries three millions fist man*.(5)

— Milhão! — murmurei com os olhos distantes. — Vim usar desta palavra aqui. No Brasil só a vemos aplicada à quilometragem quadrada do território — aqueles oito milhões e meio que constituem o nosso orgulho.

— E a moeda também, — sugeriu Mr. Slang. — A palavra "conto" significa milhão. Por falar, não acha curioso que seja o seu país o único no mundo onde a unidade monetária não pode existir concretamente? Essa unidade, o *real*, é irreal, imponderável, inconsubstanciável, inamoldável. Não deixa de ser algo sui generis.

— Medidas, medidas... — exclamei ainda tonto e sempre de olhos distantes. — Medidas americanas. Natural. Terra inédita, civilização inédita, vida inédita no mundo, absurdo inédito. Tinha que ter medidas inéditas.

— Uma delas é a palavra *sky-scraper*, — emendou Mr. Slang. — A velha palavra casa, por exemplo, é insuficiente para medir a coisa nova que é o arranha-céu.

— Sim, — acrescentei. — E a palavra "bandido", relembrativa dos bandidos clássicos da história desde Luigi Vampa até Lampião, não mede um Legs Diamond, um Al Capone, um pistoleiro qualquer de Chicago. Havemos que dizer "gângster".

— Verdade, — concordou Mr. Slang acendendo um cigarro. — Vem daí a enorme quantidade de palavras novas que entraram neste inglês da América para designar o homem que toma a coisa alheia. Temos, no inglês-inglês, muitos vocábulos correspondentes ao bandido clássico, chefe de bando — *bandit, brigand, burglar, highway man, miquelet, pillager, thug* e mais setenta e tantas variantes de especialistas. Tirar o alheio à força ou por manhas constitui a mais velha arte dos homens, e parecia exausta, perfeita, já insuscetível de modalidades ou aperfeiçoamentos, quando a riqueza excessiva da América veio dar vida nova a essa arte. Estamos hoje em pleno período da Renascença do Crime. Os Miguelângelos, os Leonardos da Vinci do crime, os Benevenutos Cellini vão surgindo aqui concomitantemente com a eclosão pletórica da arte tipicamente americana que os vai glorificar: — o cinema.

— Glorificar é muito, Mr. Slang! — exclamei escandalizado. — Diga perpetuar.

— Termos que se equivalem. Glória, afinal de contas, é ficar na memória dos homens, seja como santo, seja como aquele inteligente Heróstrato que incendiou o templo de Diana em Éfeso...

— Inteligente, acha?

— Íssimo. Ou espertíssimo, pelo menos. Celebrizou-se. Está sendo citado neste ano de 1929, nesta América nem por sombras sonhada naquele tempo.

— Mas destruiu uma das sete maravilhas do mundo, — aleguei indignado.

— Todas as seis restantes estão hoje igualmente destruídas pelo tempo. Heróstrato destruiu para criar — criar a sua imortalidade. Hábil.

---

5 Viúva de dois milhões casa-se com um *boxeur* de três milhões.

Fiquei a refletir uns instantes naquelas ideias, que muito me desnortearam. Depois me abri em perigosa confissão.

— Tenho certo pejo de o confessar, Mr. Slang, mas o que mais sinceramente admiro na América é justamente o crime renovado e alçado a proporções leonardo-davincescas. O crime arranha-céu!

— Não é original nisso. O povo comum, que é o mesmo em toda parte e sempre instintivo, também admira inconscientemente essa classe de heróis. Daí a intensa curiosidade pela vida e feitos desses homens fora da lei. Os jornais dão-lhes o melhor das suas páginas. Teatros e cinemas ganham rios de dinheiro estilizando engenhosamente o gângster. É sempre assim. Em Portugal o povo sabe mais dum João Brandão ou dum José do Telhado do que do velho Camões. No Brasil não há quem desconheça Antônio Silvino ou Lampião. Já Rui Barbosa ou o Visconde de Mauá constituem nomes que só a elite conhece.

— Por que, Mr. Slang?

— Porque só as virtudes trogloditicas interessam realmente ao homem comum, tão perto está ainda ele do troglodita. Daí a fúria do americano pelo esporte — essas guerras nos campos de futebol cuja violência põe a perder de vista tudo quanto a humanidade ainda viu em matéria de ímpeto; e as lutas de boxe, ferocíssimas até para os tigres. O interesse é tamanho que mata. Na luta entre Dempsey e Tunney morreram de emoção treze indivíduos que pelo rádio seguiam as peripécias do encontro...

— É isso mesmo! — concordei, pensativamente, de olho arregalado. — O homem realmente só vibra quando vibram dentro dele os milênios de peludos avós do tempo das cavernas, dos *Ursus speleus*, do tigre de dente de sabre. A coragem louca, a audácia sem limites, "o vai ou racha", a Força, em suma...

— E esta América é o paraíso da Força — desde a moral, dum Lincoln, até a troglodítica, dum gângster de Chicago.

— Culpa têm a literatura, o cinema, os jornais, — observei eu. — Sem o pensar, endeusam os monstros. O simples apresentá-los, ainda que com o clássico desfecho da vitória da lei no fim, imposto pela moral, corresponde a endeusá-los. Daí a onda de crime que rola sobre o país. Não acha que é assim, Mr. Slang?

— Engano. Literatura, jornais e cinemas não passam de espelhos. Refletem. Satisfazem uma solicitação do povo. Qual foi a última novela que você leu?

— *Broadway*.

— E a última fita que viu?

— *Broadway*.

— E a última peça teatral?

— *Broadway*.

— Aí está. A atração do alto crime americano é tamanha que um bugre do Brasil aqui importado não se contenta apenas de travar relações com o Steve da novela de Dunning e Abbot. Vai ainda vê-lo na tela e vai depois revê-lo no teatro... Isso explica a Renascença do Crime. Um criminoso sentenciado deu há dias uma entrevista a certo jornal, tremendamente ilustrativa. *Crime doesn't pay* proclama neste país a moral por mil vozes, e de tanto o proclamar fica a gente convencida de que realmente o crime não é negócio. Essa ideia constitui um truísmo na América, um dogma. Mas sabe o que nessa entrevista declarou o enjaulado gângster? Declarou que a razão da onda de crime reside apenas em que é justamente o inverso do dogma que se dá. *Crime pays*, disse ele. O crime vale a pena.

Quer-me parecer que esse gângster, não os moralistas, tem razão. O crime é realmente um grande negócio na América. Rende, diz um estudo que li, dois bilhões por ano. Isso em dinheiro. E quanto rende ainda em admiração popular, em "glória"? A causa da alta criminalidade da América reside no alto acúmulo da riqueza.

— Deve ser isso, — concordei. — Já residi numa pequena cidade do interior de S. Paulo onde se passavam anos e anos sem que um furto fosse cometido. Era tão pobre o lugarejo que não havia o que furtar. Lá sim, *crime doesn't pay*.

Estamos já em Newark, subúrbio de New York. Paramos para comprar a última edição do *Evening Graphic*. Abri-o, logo que o auto se pôs de novo em marcha.

— Qual o crime do dia? — indagou Mr. Slang, sem desviar a atenção da rua atravancada.

— Oh, um estupendo! — respondi correndo os olhos pelo jornal. — Três gângsters atacaram com metralhadora, em plena Brooklyn, um carro blindado de transportar dinheiro. Do Phenix Bank. Deixe-me ver... Fuzilaria... O condutor e dois soldados que o guardavam de mãos nos revólveres não tiveram tempo de reagir... Foram *riddled with bullets*... Lindo, este *riddled with bullets*! — picotados a bala...

— E escaparam os bandidos?

— Certamente. Escaparam em dois autos com duzentos mil dólares de lucro, uma linda bolada!... Se tiverem juízo, aposentam-se e podem até morrer em cheiro de santidade. Facílimo ser virtuoso e honesto com um líquido de duzentos mil dólares no bolso. O crime é negócio, não resta dúvida.

Chegamos. Mergulho por baixo do rio Hudson, através dessa maravilha que é o Holland Tunnel. Avenida da Morte. Riverside Drive, rua 72 número tal — "Greylogh Court". Era ali o apartamento de Mr. Slang.

Prédio residencial clássico. Elevador com o clássico negro *boy*. Superintendente com a clássica cara de bêbado. No apartamento, tudo clássico. O *lamp shade* atrás das poltronas estofadas; a lareira. Aquela clássica lareira deteve-me a atenção.

— Por que, Mr. Slang, todos os apartamentos conservam este inútil trambolho da lareira, se todos têm serviço de aquecimento comum por conta do proprietário?

— Força da tradição, — respondeu ele enquanto abria umas cartas chegadas na sua ausência. (Anúncio da nova edição da Enciclopédia Britânica. Uma oferta de terrenos em Scarsdale.) — O homem é bicho de tal modo apegado às formas passadas, que até aqui, nesta terra do corre-corre, do muda-muda, quando algo muda na essência há a preocupação de conservar a forma antiga para *dar tempo* a que o cérebro se adapte. A lareira vem das eras coloniais, quando o meio de resistir ao frio no inverno era acender fogo dentro de casa. O progresso trouxe a caldeira por meio da qual a água aquecida no porão irradia-se em vapor encanado pelos aposentos. Ficou assim automaticamente resolvido o problema de combate ao frio, mas não há ainda coragem de suprimir a lareira inútil, hoje meramente decorativa. Veja! Está ali ela com achas de lenha dentro, armadas ao jeito clássico da lenha que espera o fósforo. Em baixo da lenha há brasas que se acendem instantaneamente se aperto este botão elétrico.

E assim dizendo Mr. Slang premiu o botão. As brasas se acenderam — brasas de mentira, puro efeito luminoso, mas de tal modo iludidoras que causariam inveja a brasas de verdade.

— A lenha, — continuou o meu amigo, — também é de mentira. Lenha de cimento armado, a imitar galhos toscos. Ilusão apenas. Mas há de crer que me sinto melhor nos dias de inverno, sobretudo de noite, quando tenho essas brasas acesas? A sensação que durante séculos e séculos nossos avós tiveram diante do fogo de lenha traçou um vinco muito forte em nosso cérebro. Persiste ainda. Se a novidade que era o aquecimento a vapor venceu e hoje domina o país inteiro é porque foi bastante hábil para transigir com a velha lareira, conservando-a, inútil, ao seu lado. E assim tudo na vida.

XIII

Evolução a galope. Clarence Darrow, a Bíblia e as portas de aço. Casas sem janelas. Para que janelas? Cidades verticais. O longo recorde do Woolworth. Sua derrota.

De fato é assim tudo na América. Evolução a galope, mas sempre procurando conciliar as formas do passado com a essência do presente. Ciência em massa, ciência em tudo — e o Jeová bíblico ao pé. Na mesma estante, Darwin, Clarence Darrow, Wells — os diretores do pensamento científico — e a *Bíblia*. Para esta, o respeito levado até o ponto da intolerância — e na ação a ciência que destrói todas as bíblias.

Até as formas clássicas do uso da madeira se conservam quando o ferro lhe toma o lugar. Pelas almofadas, pelos frisos, por todo o seu aspecto externo, a porta daquele apartamento era a clássica porta de madeira de todos os tempos. Mas bata-lhe alguém com os nós dos dedos: verá logo que é de aço estampado.

A coragem das formas novas não vem de chofre. Leva tempo a formar-se. Anos e anos. O aço como substituto da madeira ou a ciência como substituta da religião, jamais seriam aceitos se viessem de cara, com as formas lógicas e naturais que irão ter um dia, depois da vitória plena. Têm que vir disfarçados, com pés de lã, como gato ladrão. E humildes, sem que se vangloriem de coisa nenhuma.

Discutimos esse ponto. Mr. Slang concordou comigo quanto à porta de aço, quanto à lareira e quanto à *Bíblia*. Por fim veio com uma pergunta que me tonteou:

— E as janelas? Sabe por que os arranha-céus têm janelas?

— Homessa! Onde já se viu casa sem janela?

— Eis a razão única — não ter existido no passado casas sem janelas. — Mas se você analisar essa coisa nova que é o arranha-céu — monstro que nada tem que ver com o que a humanidade sempre chamou casa — verá que a janela, e mais certas coisas que o arranha-céu conserva, constituem apenas concessões ao passado, visto como na essência tais edifícios não as necessitam, nem as justificam.

A ideia pareceu-me cômica. Julguei que meu amigo estivesse a pilheriar, coisa contra os seus hábitos.

— Sim, — continuou ele vendo a minha cara dubitativa. — Houve a casa, primitiva habitação do homem desde a era lacustre, sempre com portas e janelas por não haver outro meio de meter dentro ar e luz. O americano, com o seu ímpeto de criar coisas novas adaptadas às suas novas necessidades, desenvolveu esse velho elemento casa com tal extensão que produziu o arranha-céu. Por força do hábito associamos a ideia do arranha-céu à da casa; mas se meditarmos um minutinho veremos que nada tem uma coisa a ver com outra.

— Por quê?

— Porque em absoluto não é casa. Será, sim, uma cidade vertical. Casa, lar, *home*, habitação, moradia, bangalô, chalé, palhoça, cabana, são formas várias da casa primitiva, isto é, da caverna brutesca onde o troglodita ancestral se abrigava dos tigres de dente-de-sabre. Depois veio a casa gregária, para moradia de várias famílias, isto é, um grupo de habitação num só edifício. Houve vantagens. O mesmo porteiro tomava conta duma série — aqui neste prédio existem setenta apartamentos isto é, setenta casas, setenta lares reunidos num só edifício. Um só porteiro — economia. Um só elevador — economia. Mais segurança, mais conforto, menos trabalho para cada morador. Mas até aqui temos criação universal, não propriamente americana. A casa gregária vem da Europa, onde foi concebida e se desenvolveu ao lado da habitação isolada. Pergunto: tem o arranha-céu alguma coisa que ver com o tipo clássico da habitação?

— Realmente...

— Constituem cidades verticais, isto sim. Visite o Chrysler, o Woolworth e o Empire Building e mais cem ou duzentos aqui em New York. Quantas pessoas abriga? Milhares. Dez, vinte mil. O Empire foi calculado para quarenta mil. É casa? Claro que não. Pura cidade vertical. Os elevadores não passam de linhas de bondes verticais. O sistema de transporte do Empire consta de cinquenta e oito linhas de bondes verticais paralelas, onde trafegam continuamente cinquenta e oito carros elevadores. O total dessas linhas vai a muitos quilômetros. O total dos cabos de tração soma cento e noventa e dois quilômetros. O leito das linhas, o oco através da massa do edifício por onde os carros deslizam, dá, somado, um percurso de onze quilômetros e pico. É o Tramway da Cantareira picado em pedaços e posto quase todinho em sentido vertical dentro duma "casa".

O Woolworth, já muito distanciado pelo Empire, possui intestinos e órgãos que assombram o visitante. Lá estive certa vez, a ver o que o público não vê: — a tremenda usina que faz funcionar aquele corpo. Os formidáveis dínamos produtores de força e luz elétrica em quantidade suficiente para iluminar uma cidade de cinquenta mil habitantes. Geradores de vapor, seis, gigantescos, somando uma capacidade total de dois mil e quinhentos cavalos vapor. As carvoeiras, tendo sempre em *stock* duas mil toneladas de coque; trinta e cinco mil pessoas trafegam em seus elevadores diariamente, mais de onze milhões por ano; dois mil e oitocentos telefones, com uma média diária de trinta e oito mil chamados. Podemos denominar a isto casa?

— Mas as janelas? O amigo perdeu o fio.

— Sim. Para que conserva o Empire janelas? Concessão ao passado, apenas. Biblicismo. Porque nada justifica a perda de espaço que as janelas ocasionam num monstro desses.

— E o ar? a luz?

— Se as janelas dão entrada ao ar, dão entrada igualmente às poeiras ambientes. Quanto à luz, a ciência produz hoje com a eletricidade luz perfeitamente igual em poder iluminante e efeitos fisiológicos à do sol — luz vitaminante. A supressão das janelas será equilibrada com vantagens pela insuflação de ar purificado, sem poeiras nem bactérias, ar das montanhas ou do alto mar, com a temperatura exata que se deseje. Nele, nesse ar condicionado que já me está fazendo vir água à boca, vibrará uma luz artificial perfeita como a do sol, mas sem as irregularidades desta.

XIV

Tudo vem do sonho. Amos and Andy conversam e a América se detém para ouvi-los. Ford, Rockefeller, todos os magnatas interrompem seus negócios quando os dois negros conversam.

— Mas isso é sonho, Mr. Slang. Pura fantasia... — exclamei aterrorizado.

— Tudo vem dos sonhos. Primeiro sonhamos, depois fazemos. Mas é coisa que já passou da fase do sonho. Aqui tenho, — disse ele indo à estante próxima, — um estudo muito recente em que um audacioso engenheiro encara o problema sob todos os aspectos. Demonstra, por exemplo, o absurdo do Equitable Building, com as suas cinco mil e quinhentas janelas comedoras de espaço e trasfegadoras do sujíssimo ar das ruas para dentro do prédio. A não ser para espiar fora, não vê ele razão para esse absurdo, agora que a ciência resolveu de maneira maravilhosa o problema da insuflação de ar absolutamente puro e da produção de luz solar por meio de lâmpadas. Leia o trabalho. Convencer-se-á, como me convenci. Verá que é tão absurdo janelas num arranha-céu como nesta sala essa inútil lareira que deu origem à nossa conversa sobre o assunto. Concessões ao passado. Biblicismo. Inda espero viver o necessário para residir num apartamento onde disponha de pura luz solar quando o aprouver a mim, e não quando o aprouver a Febo; e ar decente, limpo, lavadinho, dosado à temperatura escolhida, em vez dessa miserável sujeira gasosa que com o nome de ar nos entra da rua.

O relógio deu sete horas — o relógio elétrico, com a hora vinda lá de longe, duma companhia central. Era tempo de abrir o rádio.

— Paz às janelas! — exclamei dirigindo-me ao aparelho de rádio do meu amigo e entonando com a estação WJZ. — Amos and Andy! Haverá entre os cento e vinte milhões de habitantes deste país alguém que não sorria ao simples enunciado destes nomes?

— *Shut up!*([6]) — exclamou o meu amigo.

Calei-me. Outro valor mais alto se erguia. Amos e Andy estavam a discutir os fatos da véspera. E Ruby Taylor? Não viera de Chicago, não. O pai a prendera por mais um dia, explicou Amos suspirando.

Esses dois negros viviam da exploração dum táxi de capota esfuracada. Daí o nome da empresa — The Fresh Air Taxi Cab Company of America Incorporated — ou Incorpolated, como dizia Andy, o gordo, o preguiçoso, o patifíssimo Andy. Era a vidinha deles, seus namoros, seus negócios, suas encrencas com a polícia e o mais que pode ocorrer na vida comuníssima de dois negros de Harlem (o bairro negro de New York) o objeto do diálogo maravilhosamente impregnado de verismo que apaixonava a América inteira.

Amos, profundamente sincero e honesto, caráter dos mais puros que se possam imaginar. Andy, piratão, preguiçoso, sempre "trabalhando na escrita" ou "descansando o cérebro", autoconvencido de que a empresa não podia prosperar sem a sua diligência.

Impossível dar ideia dessa criação genial. Tomaria metade dum livro, para no fim o autor maldizer a má ideia de o haver tentado. É obra d'arte que vive e que

---

6 — Cale-se.

todos os dias por quinze minutos impregna o ar, donde é captada pelos milhões e milhões desses receptores que estão dando um sexto sentido ao americano. Começou o "achado" em março de 1928 — e sabe Deus quando acabará. Inventores: dois artistas, de variedades, Correll e Gosden, branquíssimos. Correll faz Amos, Gosden faz Andy. Juntos "fazem a América": duzentos mil dólares por ano — e ainda a vitória do Pepsodent, a pasta dentifrícia de Chicago que os utiliza para fins de reclame.

Por que tamanho sucesso? As razões de sempre, em matéria de arte. Verdade, sinceridade — talento. Aquilo não lhes sai dos miolos, como Minerva saiu da coxa de Júpiter. Estudam. Metem-se nos bairros dos negros, a observá-los, e cada dia pescam um novo traço psicológico, alguma nova expressão, dessas que quando reproduzidas numa obra d'arte provocam do espectador a consagração suprema desta frase universal: "Mas é isso mesmo!".

Nada mais frequente, nesta América absurdamente grande, do que referências, na conversação, às ideias, palavras, incidentes, coisas, em suma, de Amos e Andy, seja por parte de operários, seja por parte de capitães da indústria. Empresa nenhuma industrial, nem talvez a Ford Motor Company, é mais popularmente conhecida de norte a sul do que a Fresh Air Taxi Cab Incorporated of America. Nenhum homem, nem Charlie Chaplin, bate os dois negros em popularidade.

Um dia estava eu num restaurante musicado a rádio. Sala cheia. O zunzum característico das casas à cunha. Murmúrio de conversas misturadas. Todo mundo, centenas de pessoas, absorvido numa coisa só — comer e conversar a meia voz. Enquanto isso o rádio ia dando os seus números. Música, *songs*, diálogos. Ninguém prestava atenção, ou, melhor, davam-lhe todos meio ouvido, reservando o resto para a prosa. Súbito, ressoou no ar a ária melódica, sempre a mesma, que preludia a entrada em cena de Amos e Andy.

Milagre! Consagração pela qual choram inutilmente centenas de artistas! Rápido silêncio se fez, o silêncio reticente que abre folga na conversa quando um valor mais alto se alevanta. E na única mesa em que a conversa continuou foi logo suspensa por um *pssiu* geral. E durante quinze minutos reinou ali um silêncio de igreja — para que o diálogo dos dois negros fosse ouvido integralmente...

Assim, naquele dia. Meu eterno diálogo com Mr. Slang foi cortado pelo *pssiu* da musiquinha melódica anunciadora do número — e só retomou seu curso quando os quinze minutos sagrados decorreram.

— Veja você, — disse-me então o meu amigo, — como muda o mundo por força das invenções. Eu ia sempre ao cinema logo depois do jantar, como toda gente. Veio o rádio, vieram estes dois diabos do Amos e Andy e agora tive de mudar de horário. Hoje faz parte da minha vida saber o que aconteceu na véspera lá na Fresh Air Taxi Cab Co.... E como eu, toda gente. Imagino que até os Fords e Rockefellers, por maiores negócios que estejam conduzindo, interrompem-nos às sete horas para se inteirarem de mais um pedaço da vida dos dois negros.

Pus-me a imaginar a cena. Vi Rockefeller Junior em reunião com uma série de titãs da arquitetura esfuracadora dos céus discutindo os detalhes mais importantes da futura Rádio City, onde vai empatar a soma de duzentos e cinquenta milhões de dólares. Roxy, o futuro diretor da imensidão, está presente.

— Senhores — (diz Roxy, com a autoridade que lhe deram a ideia e a realização da Catedral do Cinema, na Sétima Avenida) — em meu cérebro está bem nítida a estrutura orgânica da Radio City. Quatro blocos no ponto mais central de New York, lançando para as alturas a massa inédita desse edifício único. Na parte térrea, todos os teatros — ópera, drama, comédia, música, cinema, dança — e todas as salas — conferências, palestras, demonstrações, tudo o maior, o mais luxuoso e o mais perfeito do mundo. Nos andares imediatamente superiores, estações poderosas que irradiem tudo o que em baixo se represente ou seja criado. Mais acima, as estações televisionadoras, que irradiem concomitantemente a visão das produções do andar térreo. Teremos assim criado *algo nuevo* em matéria de produção em massa — a *mass production* artística, única que ainda nos falta. E se por um instante visualizardes o que vai esta associação de artes representar para o país...

— *Pssiu*! — murmura Rockefeller Junior ao soar das sete horas, entonando na WJZ o rádio que tem à sua direita. E durante quinze minutos, a ouvirem de como Andy desviou três dólares da caixa do Fresh Air Taxi Cab Incorporated para o bolso de Kingfish, e agora escarafuncha meios para justificar a "despesa", aqueles homens tremendos, donos da América, donos do mundo, deram pausa à arquitetação da maravilha com que vão assombrar o universo — para não perderem mais um episódio da vidinha de dois negros de Harlem. O estudo do emprego de 250 milhões de dólares cedera o passo ao conhecimento do emprego dos três dólares da Fresh Air Taxi Cab Co....

— Pois é, — disse Mr. Slang bocejando.

Sem saber a que se referia aquele "pois é" notei que o meu bom amigo estava cansado da viageira e pois desejoso de que eu me retirasse. Despedi-me e saí, com um novo encontro apalavrado para o dia seguinte no topo do Chrysler Building.

— Espero você às oito no *lo-ob-by*... — concluiu ele num bocejo.

Disparei para casa.

XV

A catedral do cinema. A bilheteria do Cine República em S. Paulo. A marquesa displicente. Espírito criador que desrespeita o passado clássico.

Às nove horas estava eu no cinema Rialto, curioso de ver Gloria Swanson em pessoa. Levavam em première *The Trespasser*.

Apesar de vindo um pouco cedo, tive de entrar na cauda — instituição americana mais respeitada que o próprio Deus da *Bíblia*. Não há polícia tomando conta dela e evitando que os chegados por último usurpem o lugar dos que chegaram primeiro. A cauda forma-se por si, automaticamente, e defende-se por si mesma, também automaticamente. Forma-se de dois a dois, muitas vezes serpeando pelos passeios ao longo de duas ou três quadras. Ai de quem tenta enfiar-se nela, em vez de procurar o fim e pacientemente esperar a sua vez!

Tem muita filosofia a cauda americana. Mostra o grau de disciplina a que chegou o povo, mostra a aceitação instintiva da forma que melhor atende ao fim coletivo: — entrar sem tumulto e na ordem de direito. O instinto de conservação a criou. Sem ela a América, este monstruoso formigueiro humano, não poderia funcionar. Esperar a sua vez, ocupar o seu lugar — como isto que parece fácil é difícil num país latino! Nunca estive metido numa destas caudas daqui sem que me viesse à lembrança a inaptidão caudal do meu país. Lembrava-me sempre do cinema República, em S. Paulo, nos tempos em que esteve em moda. Inutilmente a polícia tentou organizar a cauda, como único meio de conduzir com ordem a venda de bilhetes. A indisciplina, a rebeldia nacional não deixava. Quadro fascinante, a bilheteria do República à noite! O povo — e não era povo baixo, antes a nata de S. Paulo — comprimia-se diante dela, esmagava-se, apisoava-se, cada qual procurando entrada antes dos outros, como se os bilhetes fossem salva-vidas dum navio a naufragar. E consegui-los constituía vitória dessas que transluzem no feroz triunfador por um estranho brilho nos olhos, camarinhas de suor na testa — e roupas rasgadas. Este perdia a gravata, aquele via-se de colarinho arrebentado — todos arrenegavam dos calos remoídos no apertão.

Encaudei-me para ver a Gloria Swanson e, como a cauda se move com lentidão, pus-me a matar o tempo pensando no Roxy e em coisas conexas.

O Roxy é o Roxy. Quero dizer que o Roxy teatro é o Roxy homem — o Homem que ideou o teatro e o conduz desde o começo. Quem é este Roxy? O americano. Que fez ele? Uma americanice. Típico que é, vale a pena deter-nos uns minutos na sua obra.

Começou a vida como começam todos aqui — trabalhando no primeiro serviço que se lhe deparou, e dele saltando para outros, impelido pela mola que impele todos os americanos para cima, para mais alto, para MAIS, em suma. Um dia meteu-se no rádio como *speaker*. Ali fez público, isto é, popularizou-se, tal a maneira toda sua com que anunciava. A coisa que os americanos mais prezam é a *personality*. Quem a possui vai longe. Quem não a tem naufraga. Roxy tinha personalidade, e a circunstância de dispor do rádio para demonstrá-lo ao país fê-lo tremendamente popular.

Começou então a sonhar o teatro que tem hoje o seu nome, um teatro que excedesse a tudo quanto fora concebido no gênero desde que o mundo é mundo. Sonhou, sonhou, sonhou. É o método americano — sonhar primeiro, bem sonhado. Depois, realizar. Quando sentiu que tinha terreno sob os pés, deixou o lugar de *speaker* e deu a público a sua ideia. Imediatamente os homens de dinheiro foram seduzidos e uma companhia se organizou para a ereção do teatro que Roxy tinha na cabeça. Um, dois, três — e a Catedral do Cinema surgiu.

Descrever com palavras uma catedral dessas é tolice. Digamos apenas que é um sonho realizado, onde o público, desde a inauguração até hoje, sem falha de um só dia, forma cauda à porta e lá dentro goza dum ambiente de sonho — e sonha. Esse sonho vem rendendo ao teatro Roxy um lucro líquido anual de cinco milhões de dólares...

Todas as vezes que fui ao Roxy pus-me a sonhar coisas extra-mundo. As seis mil pessoas que permanentemente lhe ocupam as poltronas creio que fazem o mesmo. Daí a sensação de fuga à realidade que o Roxy nos proporciona.

Já de entrada as estações mudam. Se estamos no inverno e nas ruas cobertas de neve o frio nos corta a cara, mal penetramos no Roxy caímos em temperatura de primavera. E se estamos no verão, a derreter-nos naquele abafado forno que é New York nos dias de onda de calor, o Roxy resfriado vale-nos por uns sorvete ambiente.

Soa o órgão. O órgão! Quando falamos em órgão lembramo-nos dessa coisa de igreja, velha como a velhice, cujos sons tão bem entoam com o ambiente recolhido dos templos. No Roxy o órgão se chama órgão por falta de melhor palavra, ou talvez porque é um órgão por meio do qual o som musical se nababiza. Nababização do som! Soa a disparate, mas como definir aquela riqueza sonora, inédita no mundo, que nos envolve de todos os lados e nos "ergue da cadeira"? *Mass production* da levitação...

De todos os lados, disse eu, e não menti. A coisa parece disposta de maneira que os sons ora defluem dentre os ornatos das paredes da esquerda, ora dos da direita, ora do teto, ora do chão. Afeitos a ouvirmos sons musicais sempre irradiando dum mesmo ponto — do piano, do trombone, do violino que os produz, aquele sistema novo do som envolvente nos colhe numa tontura de imprevisto. Envolvente, circunvolvente... Desaparece o instrumento que o produz — e de fato não é um instrumento que o produz. Se a um canto está o organista que executa suas músicas num teclado, pequenininho naquela imensidão, não é daquele teclado que surge a música. O organista apenas, passeando os dedos pelas chaves, abre válvulas à máquina mágica como que dispersa por todo o edifício, por meio da qual as vagas sonoras se derramaram na catedral. Instrumento? Não. Arte do diabo, magia.

A América tem sido muito mal compreendida pelos que nela esperam encontrar apenas as clássicas formas da criação artística universal. Esquecem-se os observadores capengas de notar "o mais" que a América está dando, o novo, o inédito, na sua ânsia de arrancar-se ao *status quo* da civilização cristalizada na Europa. Bárbaros, lhes chamam os incompreensivos — esquecidos de que foram os Bárbaros os criadores de toda a civilização europeia, depois de aniquilada a golpes de machado a civilização greco-romana.

Estes bárbaros da América, apesar de filhos de europeus, fazem o mesmo que o vândalo fez com o seu machado nos Antinous, Apolos e Vênus de mármore dos gregos — e foram essas machadadas que possibilizaram o *Moisés* de Miguelângelo e certos sonhos de pedra de Rodin — marcha para a frente em matéria de representação escultural da emoção humana. Que é o *jazz*, senão o novo machado com que destroem o classicismo dos Fídias e Praxíteles da velha música europeia para dos escombros criar música maior? Da primeira vez que vi um noturno de Chopin sincopado, revoltei-me. Veio-me depois a compreensão — e hoje o Chopin clássico me soa tão piegas em face da sua versão americana como o sobrado nosso em face do arranha-céu.

A indignação do europeu contra o americano provém disto, deste desrespeito barbaresco, cujo alcance criador não pode ser compreendido de longe. O *jazz* fora da América soa mal — está desambientado. É frase solta, isolada citação dum livro. A mesma frase que assim destacada soa mal, quando integrada na obra justifica-se a ponto de criar emoção. Chopin foxtrotizado há de ser ouvido ali, naquele Roxy, onde a riqueza do ambiente e a nova apresentação do som em vagas sonoras exigem temas dessa ordem. Só se casará e se mostrará entonado com o resto, algo monstruosamente audacioso, como esse despedaçar dum ídolo, seja Chopin ou Beethoven, para com os divinos cacos prestar-se, numa *jonglerie* sublimemente ímpia, a suprema homenagem à Coisa Nova.

Os próprios americanos não compreendem, na maioria, o ímpeto irresistível do gênio humano que se espoja nesta terra livre de todas as peias. Daí a virulência de um Mencken e o escrever com o olho na Europa de um Sinclair Lewis. Se em vez dessa atenção a lados, a grupos, a ideias que parecem verdadeiras porque são muito antigas, auscultassem o que lá no imo sente o *homo* diante das intrépidas manifestações do americanismo, se medissem o *thrill*, o *elatement* de algo mal definido, outra seria a atitude dos verdadeiros grandes homens deste país: costas voltadas para a Europa e berros dionisíacos na boca.

Inda há de surgir o Nietzsche americano que ponha em filosofia e imponha ao mundo, como dogma novo, a impetuosidade alegre dos grandes Vândalos que estão a criar o mundo de amanhã. Que divinize como a coisa mais grata ao nosso instinto fundamental o murro de martelo-pilão com que um Tunney mete por terra um Dempsey. Que divinize a audácia de arrancar às catedrais a mística religiosa para dá-las, multiplicadas em ímpeto ascensor, ao comércio, ao cinema, ao rádio. Que divinize o "mais, mais, mais" que não se perde em refletir à grega: "sim, mas mais até onde?" Que realize a supressão da palavra "até". O "até" limita, e por que limitar?

O Empire Building tem trezentos e oitenta metros de altura. Por quê? Por que motivo o limitaram a esse nível? Resposta americana: "Porque dados os materiais de construção de que a engenharia moderna dispõe, essa altura é a máxima a que um prédio pode atingir". Sim, é isso. No dia em que um novo material for descoberto que permita uns metros a mais de arranque para o alto, o Empire será batido. Não há "até" na América.

XVI

A dominação feminina. Quem manda é a mulher. O rancor de Mr. Slang contra a vitória da americana. O Tzar do cinema. A censura. O caso Coquette.

Enquanto eu assim filosofava, chegou minha vez. Comprei uma entrada, entrei; vi a fita e por fim repastei meus olhos na Gloria Swanson em pessoa. Existe, não é ficção. E tem o nariz justamente como a sua sombra na tela indica. E o marquês? Oh, o marquês, esse não existe. Marquesou-a apenas para lhe satisfazer um capricho de gata arqui-farta e agora reside na França. Mas Gloria, já igualmente farta, pensa em divorciar-se. E a América, que é profundamente feminina e não perde um *gossip*, jamais se lembra dela sem perguntar: "E então, Gloria, quando o divórcio?". Não tivesse a estrela outras razões para soltar o marquês e teria essa — satisfazer a curiosidade da América nesse quando.

— *Hello*, Mr. Slang!

Conforme o combinado, lá estava no *lobby* do Chrysler Building o meu velho amigo inglês. Contei-lhe da minha ida ao Rialto, na véspera, a ver o nariz de Gloria.

— Por falar em cinema, disse ele, li hoje no *Scribner's* um artigo bem curioso. Um escritor, dos independentes, denuncia a escravização do cinema às mulheres.

— Não vejo mal nisso, — observei. — O cinema há de estar subordinado a um ou a outro sexo. Que faz que o esteja ao sexo da Gloria?

— Espere. Está escravizado às mulheres do Women's Club, esse monstro de sete milhões de cabeças que em última análise tudo decide neste país, que fez a Lei Seca, que derrotou Al Smith. A mulher na América, como você deve ter notado, tem duas idades — a da frescura da flor e a do chapéu alto. Na primeira é a *girl*, essa linda independência cor de rosa que brinca de *maillot* nas praias, que inventa modas loucas como a do *sun tan* — queimar-se ao sol, cobrir o rosto de sardas; que lê todos os *best sellers* aparecidos...

— Perdão, Mr. Slang. Elas é que criam os *best sellers*, contou-me um editor. Quando embicam, sem que se saiba por que, por um livro a dentro, transformam-no em *best seller*.

— Ou isso. E que viram estrelas de cinema; que trotam na rua de rumo ao trabalho de escritório donde andam a alijar os homens, que mantêm uma série de *boy-friends* — um para pagar o teatro, outro para custear os comes nos Child's, outros para os passeios, até que escolham para casar um quarto, fora da roda; e *girl* que casa e descasa; que beija quando quer beijar; que tem todos os ímpetos do animalzinho novo e livre no seu habitat; que escreve no *True Stories* a história das suas experiências; que...

— ...que diz: *I'll take care of myself*...

— ... e que realmente toma conta de si própria, não necessitando que alguém a defenda; que não se preocupa com a moda no grau usual às moças do resto do mundo por que já não precisa dessa arma para atrair o homem...

— Acha isso, Mr. Slang?

— Acho. A moda, como a cor e o perfume nas flores, tem uma função sexual. Insídias da natureza na sua eterna preocupação de realizar a sobrevivência da espécie. A moda aumenta o *sex-appeal* — atrai para o estame o pistilo incauto. Daí ficar a moda como a arte suprema, a preocupação única de mulheres nos países onde não há salvação fora do casamento, isto é, da escolha por parte do homem. Aqui tal arma está bem decadente. Desde que conquistaram a independência econômica, as mulheres deixaram de depender do homem. Não mais veem nele a saída única; não mais se conservam nas vitrinas sociais durante a mocidade, à espera de que um macho se tente com os seus encantos naturais ou adquiridos e lhes dê a honra de as tomar como esposa ou o que quer que seja.

Quem casa aqui não é o homem, é a mulher. É ela quem pede em casamento, ou melhor (já que a mulher na América nada pede), é ela quem determina o casamento. "Bob", diz uma ao rapaz que tem ao lado, "a quanto montam os teus rendimentos agora?" "Cem dólares por semana." "Bem, chega. Escuta lá. Depois de amanhã é dia dos anos do meu mais querido *boy friend*, o Buddy, conheces? Adoro o Buddy! Somos amigos desde os tempos de escola. Quero festejar o seu aniversário dum modo gracioso — dando-lhe a honra de ser padrinho do 'nosso' casamento. Tira a licença amanhã, sim? Depois de amanhã às duas da tarde estarei com ele no City Hall para casar-nos. Não te esqueças, vê lá. Duas horas."

Bob, tonteado pelo imprevisto e todo confuso de ideias, pergunta, na sua atrapalhação: "Mas casar com quem, Peggy?" "Contigo, meu pateta! Com quem mais? Que é que te passou pela cabeça, meu amor?"

Essas criaturas encantadoras, únicas no mundo, as *American girls* que os pintores europeus em trânsito proclamam os mais lindos seres da terra, os mais perfeitos de plástica, esguias que são de corpo, sólidas como Hellen Wills a rainha do tênis, seguras de si, amigas de *whiskey* em doses maciças depois que a proibição tornou o uso do álcool um crime, essas flores de carne que Florenz Ziegfeld glorifica nos seus *shows* sensacionais, que fumam, que...

— Por falar nisso... — disse eu, interrompendo Mr. Slang antes que ele perdesse o fio da frase. — Ontem li que as *Co-eds*[7] do Margaret Morinson College, de Pittsburgh, fizeram um plebiscito para regular a questão do cigarro. A maioria decidiu que fumar não quebrava as regras da instituição, nem perturbava os trabalhos escolares — se o vício fosse cultivado num salão adequado a esse fim. A diretoria da instituição torceu o nariz, mas teve de aceitar o *veredictum* e organizar o *fumoir*. A diretoria declarou: "Nós pessoalmente deploramos o fato. Não poderíamos nunca encorajar o vício do fumo entre as nossas moças, mas temos de admitir as condições como elas existem".

— Sim, esse fato é mais um a dar razão ao juiz Lindsey no seu livro sobre a revolta da mocidade. Se somos o dia de amanhã, por que nos submetermos às imposições do dia de ontem? pensam elas. Pois bem, — continuou Mr. Slang voltando ao assunto do começo da conversa: — quando esse intrépido animalzinho rebelde perde a frescura, a maciez da pele, o brilho dos olhos, o arrebitamento do nariz e começa a virar matrona, muda imediatamente de campo. Passa das fileiras da revolta para as do conservantismo feroz. O sinal externo da mudança, além da queda do "sex appeal", é o celebre chapéu alto que entram a usar. Ai! Que medo tenho duma matrona de chapéu alto, signo infalível de que está contra tudo quanto propugnou na idade rósea! Entram para o Women's Club e começam a sua terrível fase de "trabalho social", eufemismo com que disfarçam a realidade. A realidade é que entram a mandar e desmandar. A grande arma passa a ser o *Can't* — o Não pode, não à moda do Brasil, gritado na rua, mas organizado, sistematizado, inquisitorial, cruelmente feminino. Puritanizam-se. Jesuitizam-se. Passam a olhar de má cara o amor, a perseguir os livros independentes, a condenar ao fogo Rabelais e a exercer a censura sobre todas as manifestações artísticas e literárias da América. Sabe, meu amigo, que a verdadeira razão da América não possuir uma arte à altura da sua força criativa procede desta conspiração das macacas de chapéu alto?

— Já desconfiava disso, — murmurei sorrindo daquele "macacas", expressão excessivamente forte na boca de Mr. Slang.

— Esse artigo do *Scribner's*, — continuou ele, — revela a sabotagem do gênio artístico por elas exercida no que diz respeito ao cinema. *Moral racketeering in the Movies*, é o título e o tema da denúncia.

Há a censura oficial, como você sabe. E há o famoso Will Hayes, hoje chamado o Tzar da terceira indústria em importância deste país e, portanto, do mundo. Subiu Hayes a essas altitudes pela sua ação jesuítica no escândalo Fatty Arbuckle — o Chico Boia. A sua indignação jupiteriana deu-lhe o apoio dos sete milhões de chapéus altos do Women's Club — e hoje ele dita as leis do cinema com o apoio secreto das matronas. Hayes não passa dum simples instrumento do chapéu alto. O corpo oficial da censura, estúpido, odioso como toda censura, é entretanto, manobrável, acessível a argumentos; mas a censura do Women's Club, secreta e inoficial, é invencível.

A velha censura julga as obras já produzidas em virtude de missão que lhe dá a lei. As matronas inventaram coisa melhor — a pré-censura. Antes que um tema seja cinematografado passa pelo crivo das conspiradoras e sofre todas as mutila-

---

7 Meninas educadas juntamente com meninos.

ções. Will Hayes aceitou e impôs aos industriais do cinema essa fórmula, que eles também aceitaram porque lhe rende dinheiro, já que evita prejuízos. Filme pré-censurado está livre de condenação pela censura oficial. Atrever-se o National Board of Review e recensurar, seria incorrer nas iras do clube onipotente. Não o faz.

O caso de *Coquette* é típico. Era uma pura obra d'arte, audaciosa, saída do cérebro do autor na forma pela qual o seu gênio emotivo a concebeu. História dum *gentleman* do sul, causador da morte dum rapaz e duma *girl* que tinham violado o velho código da escola. Foi levada em New York com grande aceitação do público por meses e meses, e depois em numerosas outras cidades do país. A crítica desmanchou-se em louvores. A assistência, em palmas.

Um dia resolveram pô-la no cinema para a estreia de Mary Pickford no cine-falado. Tudo perfeito: tema ótimo, peça ótima, otimo diretor e ótima estrela. Nada faltava para fazer de *Coquette* na tela o sucesso que fora no palco.

Mas... havia a pré-censura. O *sales manager* teve a habitual conferência com o Tzar no escritório deste, o qual, depois dos indispensáveis cochichos com a organização secreta das pré-censoras, comunicou-lhe que o enredo tinha de ser mudado. As matronas achavam mau para o público que a heroína tivesse o filho que na realidade (ou pelo menos na concepção do autor) teve. Uma alteração foi "sugerida".

Mary Pickford objetou. Tratava-se de sua estreia e não queria uma peça aleijada. O *manager* declarou ser inútil esperar que a Censura admitisse o filme, se as "sugestões" matronais não fossem aceitas. A heroína não podia apresentar-se de filho. É proibido filho fora do casamento. Também o pai da heroína, e não esta, é que devia suicidar-se. Tais alterações destruíam toda a força, unidade e originalidade do tema. Seria como no *Putois* de Anatole France aparecer no último capítulo o herói em carne e osso.

Não houve remédio. Ou nada se fazia, ou se fazia a coisa como as tiranas secretas desejavam. Já desinteressada, a pobre Mary deu início à filmagem, suspirando. Enquanto isso, novas "sugestões" chegavam do escritório do Tzar. A palavra *whiskey* não devia ser usada, porque a Censura do Estado de Kansas, objetaria. A heroína não devia ser beijada *on the neck*, porque o beijo na nuca era tabu no estado de Maryland — e mais coisas. Afinal a peça, desse modo mutilada, se concluiu, mas nem assim pôde ser dada a público. Tinha de ser exibida preliminarmente perante uma comissão de cinco chapéus altos em New York, os quais conferenciaram entre si, deram seus votos e afinal selaram a peça com o selo-sésamo que abre todas as portas — *Good*. Só depois subiu à Censura oficial, que outra coisa não tinha a fazer senão apor a sua nota de aprovação,

XVII

Ainda a censura. Como se exerce. Ninguém escapa da mutilação seja Tolstói ou Theodor Dreiser. O caso de Fatty Arbuckle. O perigo do álcool para os indivíduos que pesam mais de cem quilos.

— A Censura, — continuou Mr. Slang, — é o meio insidioso com que a Moral — e por Moral não quero dizer a moral natural ou filosófica, conjunto de princípios e normas de conduta que, sem infração das leis da natureza humana, permitem a vida em sociedade. Quero dizer a tirania da religião e da política, associadas em simbiose, com olho na dominação das massas em proveito dos que fazem da religião e da política um negócio. A esperteza está em arrastar as massas a se convencerem de que é de interesse social o que na realidade é do interesse apenas dessas elites dirigentes.

A Censura constitui a grande arma secreta de tal *fascio*. Eu disse grande porque é realmente grande. Sendo hoje a arte do cinema a terceira indústria da América — e ser o terceiro qualquer coisa na América vale por algo muito sério no mundo — e sendo ainda a de maior difusão, a que alcança maior número de cérebros...

— Inda ontem li que a frequência dos vinte e três mil cinemas americanos sobe a cento e quinze milhões de espectadores por semana...

— Exato. Sendo de todas as artes a que se industrializou em mais alta escala e, portanto, a que exerce maior ação direta nas células cerebrais do público, criando impressões que nelas vão perdurar pelo resto da vida, era necessário, era negócio, que a Moral se insinuasse na raiz do cinema, nas suas nascentes, para com pequeno esforço deformar no gérmen os seus produtos, alcançando desse modo a tremenda ação que alcança. Surgiu, então, em nome dos mais altos interesses sociais, a Censura.

Como se exerce? Há aqui seis grupos de censores, um em New York, outros em Maryland, Virgínia, Pennsylvania, Kansas, Idaho e Ohio, compostos de percevejos catados nas sacristias da política e da religião. O público jamais pediu isso. O público, no seu instintivo bom senso — que é o senso de acertar — jamais pediu censura de nenhuma espécie. Sabe muito bem, com o seu aplauso ou repulsa, incentivar ou censurar o que lhe cai no agrado ou desagrado. Mas acima do público pulam os "moralistas" fanáticos, vítimas de perturbações glandulares, gente de molas íntimas muito bem desvendadas por Freud e seus discípulos — bichos de má infância, com recalques levados a grau agudo. E como os cortes que eles fazem nos filmes representam grandes prejuízos para as empresas produtoras, tiveram estas, sempre atentas à parte financeira, de submeter-se.

É espantoso, é incrível, é abracadabrante, isto dos maiores artistas modernos, as mais altas mentalidades criadoras, terem de deformar seu pensamento e mutilar suas criação porque um certo número de percevejos humanos foram vítimas de má infância! E, no entanto, assim é.

Já assisti a um desses "julgamentos". O filme fora concebido por um dos artistas máximos da Inglaterra — um que no livro é livre, apesar de que até o livro na Inglaterra está, no quanto pode estar, sujeito a uma censura do mesmo naipe. O diretor fora tomado dentre a flor dos diretores americanos — creio que se tratava de Carl Laemmle. Os artistas eram essa Garbo que já há tantos anos enleva o mundo e não sei qual o galã — faz tempo isso. Pois bem, a obra d'arte coletiva que esse grupo de artistas de escol compusera, teve de passar pelo crivo mental de três percevejos bípedes, assistidos de três baratas de chapéu alto, que a espaço franziam a testa e *Stop*. Corte-se isto, corte-se aquilo! Estavam "limpando" o filme de todos os seus *evil-doings*. Imagine-se a arte escultural grega submetida a um processo "moral" desta ordem. Praxíteles apresenta a sua Vênus de Cnido. Três percevejos e três baratas franzem o nariz.

— "Essa nudez está imoral. Vai perverter o público, falseando a verdade. A nudez não existe. Também esse nariz está um tanto sensual. Convém dar-lhe uma forma mais 'pudica'"... e assim por diante, até que a obra prima se transformasse no mostrengo susceptível de satisfazer aos seis piolhos da Moral.

Esses corpos de Censura que aqui temos são simplesmente grotescos. O de Maryland é presidido por um farmacêutico político, muito hábil em preparar supositórios e tricas. O de Kansas, por uma *hard boiled virgin*, já de chapéu alto, que não permite o uso da palavra *whiskey*.

A maioria das modificações que impõem são tão grotescas quanto eles. Tirânicas e discutibilíssimas. Quando Emil Janis fez *The Patriot* sob a direção do genial Lubitsch, aconteceram coisas semelhantes às do caso *Coquette*. A peça já havia sido dada a público como a concebera e escrevera o autor Alfred Neuman, sem que isto provocasse a menor objeção de ninguém. Mas ao ser posta em fita encrencou, como vocês dizem lá no Brasil.

Mudanças e mais mudanças. Os percevejos e as baratas da moral objetaram contra as cenas em que Janis "fazia amor" com Florence Vidor, a amante (no filme) do Tzar Paulo I. Eram cenas "pornográficas" e com elas o filme não seria exibido nos teatros da Pennsylvania. Os comitês de Censura dos outros estados fizeram cada qual a sua poda, e a obra prima foi dada a público transfeita em mostrengo.

Religião, política e relações conjugais têm que ser reduzidas sempre a banalíssimas situações "inofensivas" — critério que adotado para o livro viria destruir toda a obra dos maiores dramaturgos da humanidade, de Shakespeare a O'Neil.

Em três dos seus temas postos em filme o imenso Tolstói foi mutilado de modo a tomar-se irreconhecível. Na *Anna Karenina* os percevejos de Pennsylvania forçaram a heroína a casar-se com o amante. Em *Ressurreição* a peça conservou do original o título apenas.

Esses censores reerguem dezessete regras de conduta. De acordo com elas não admitem suicídio, referência à pena de morte, ofensa à nação, ofensa à religião, sarcasmo contra os políticos, referência a deslizes da justiça, sugestão a cruzamento entre branco e negro, etc. Vem daí o fato da arte mais rica de elementos, a que poderia alçar-se a alturas que nenhuma outra jamais alcançou, mostrar-se tão irritantemente banal e pueril.

— Os elementos de que dispõe o cinema são na realidade tremendos, — adverti eu. — Para a criação dum filme juntam-se numerosos artistas tirados de todos os campos. O autor do enredo, o encenador, o organizador da continuidade, o pintor, o músico, o arquiteto. Pela primeira vez a humanidade conseguiu criar uma arte que participa de todas as mais.

— Não só participa de todas as mais, — acrescentou Mr. Slang, — como tem a seu serviço o que sempre faltou a cada uma delas individualmente: milhões sem conta para que se realize como fulgura na imaginação do artista. E tem ainda um público que nem o livro jamais conseguiu. Um livro de grande sucesso vai a dois, três milhões de exemplares, alcançando um público no máximo do dobro disso. O filme alcança cento e quinze milhões de "pacientes" por semana, aqui, só aqui, porque além disso sai a correr mundo — e de fato corre o mundo — do Brasil à China.

Ninguém ainda fez uma vaga ideia do que poderia vir a ser o cinema como arte, como a grande expressão moderna da arte que em si reúne todas, se os percevejos da religião e da política, que o envenenam à nascente, lhe permitissem ser arte. Com a colaboração dessas pestes, permanecerá o que é — simples *amusement*.

Além desses corpos de censura, por si bastantes para manter a nova arte no grau de chateza que ela apresenta, surgiu, em consequência do escândalo de Fatty Arbuckle, essa monstruosidade do tzar Hayes — o poder supremo que pré-censura. Esse peganhento tzar, com sua corte de delegados do Women's Club, aparece ao público qual Querubim, vestido nas roupas brancas da castidade imaculada. Para representar esse papel de anjo da pureza Hayes percebe duzentos e cinquenta mil dólares por ano, pagos pelas quarenta empresas produtoras de filmes. Submetendo-se a essa engenhosa ideia da pré-censura feminina lucram as empresas muitos milhões — pois têm os filmes livres dos cortes onerosíssimos da censura oficial — mas como se achatam!

— Já por duas vezes surgiu na conversa o caso do Fatty Arbuckle, lembrei eu. Não posso compreender que um simples caso policial dessa ordem pudesse determinar semelhantes reações.

— É que você não conhece a força das matronas associadas no Women's Club, — respondeu Mr. Slang. — Arbuckle, rapaz alegre e amigo do álcool, tinha o defeito de ser gordo em excesso. Numa orgia com raparigas de Hollywood asfixiou a uma delas sob o seu peso. Bebedeira. Simples caso de bebedeira a dois, que cumpria a polícia investigar e ao júri julgar. Mas a macacada desferiu um uivo uníssono de onça ferida, erguendo-se qual furacão contra... o cinema! O cinema, não o vulgaríssimo Arbuckle, era o culpado do escândalo. As companhias apavoraram-se. E como na América Deus põe e as mulheres dispõem, chamaram Hayes. Conferenciaram com ele de portas fechadas e incumbiram-no de aplacar as fúrias de chapéu alto — único meio de evitar a ruína de algumas dessas empresas e enormes prejuízos para todas.

Hayes parlamentou, e foi dessa conferência com a Mulher e a Igreja que ele surgiu transfeito em Tzar, com duzentos e cinquenta mil dólares de salário por ano e chefe da pré-censura — Anjo da Guarda da moral pública. E a coisa se processa hoje assim: uma das damas lê preliminarmente e julga os livros ou entrechos que as companhias pretendem filmar. Objetam. Propõem mudanças. Outras virgens do Club, das já bem encruadas, fazem o mesmo, de tudo resultando um julgamento definitivo que as formidáveis empresas, na aparência onipotentes, são forçadas a aceitar.

Uma delas ia filmar essa obra forte de Dreiser, *An American Tragedy*. Já havia obtido a autorização e pago ao autor noventa mil dólares. Mas as matronas opuseram o seu veto e o filme foi abandonado depois de conclusas doze partes.

O *Strange Interlude* de O'Neil, a obra prima do teatro moderno, parece que jamais entrará no cinema. O macacal votou contra.

Nunca semelhante inquisição pôs assim o pé no pescoço duma arte — e por isso floriram todas a ponto de criar o maravilhoso tesouro estético da humanidade. Daí a inferioridade do cinema. Não é livre. Tem pé de mulher sobre o pescoço.

Hollywood atrai os maiores artistas e técnicos do mundo. Pela sua essência, a ex-arte muda exige que se somem em cada obra vários gênios criadores. O produto, entretanto, é essa desesperadora chatice que sabemos. Vencem os autores todos os obstáculos da realização estética, — mas não conseguem vencer o pudor rançoso do Women's Club, nem a sólida carolice da igreja. Para essa Meca da arte moderna afluem a fina flor dos artistas de todo o mundo — mariposas atraídas pelo holofote cuja luz dá volta ao globo. Chegados, a decepção se faz tremenda. Hollywood é oca. Antessala de câmara municipal, paredes meias com sacristia. Resultado: em vez da grande arte do Cinema, que seria a suprema vitória criadora do senso artístico da humanidade, temos uma indústria — a indústria da chatice, da monotonia, do vácuo — do simples entretenimento, espécie de outra Coney Island de mais larga amplitude apenas, — concluiu Mr. Slang quase sem fôlego. Desabafara, afinal, o explosivo inglês.

Não estranhei a violência com que o meu amigo atacou a ação das mulheres desglanduladas que aos milhões se associam nesse tremendo Club, e governam a América e lhe estragam a civilização como a broca estraga o pé de milho viçoso. Também eu as detestava do fundo d'alma. Meu encanto pela realização dos americanos sofria constantes duchas de água gelada, tais eram os sinais dessa ação insidiosa, subterrânea, da sacristia aliada à mesquinhez cerebral feminina. Mas enchia-me de conforto ver a luta gigantesca que o elemento masculino começa a sustentar para emancipar-se. Elinor Glyn, na sua audácia de cabotina de gênio, teve a coragem de, pela primeira página do mais difundido jornal americano, dizer a verdade toda: "O de que a América precisa é apressar a emancipação do homem".

XVIII

Emancipação do homem. Puritanismo. Dualidade feminina.
O racketeering *moral. Venda de proteção. Males da riqueza.*

— Na conquista dos seus direitos as mulheres foram muito além do previsto, — prosseguiu Mr. Slang, visivelmente azedado. — Preocupados com o *Business*, na ânsia louca de mais, mais, mais — mais dólares, mais riqueza, mais força — os americanos deixaram que a mulher se metesse por caminhos que positivamente a natureza lhe fechou. Incapaz de arte, da grande arte — como deixá-la à porta das artes com a arma tremenda da Censura na mão?

Estou expondo com todos os pormenores estes fatos porque esclarece mil coisas nesta contraditória América, onde o *racketeering* sob todos os aspectos está criando um sub-poder invencível. Por baixo da estrutura social esse polvo do *racketeering* estende seus invisíveis tentáculos, que amarram, enleiam e realmente governam. O pobre tzar do Cinema aterroriza a todos os produtores com o seu poder supremo. Esse poder consiste em ser ele o vogal das matronas conspiradoras que, associadas, valem por um dos tentáculos do polvo oculto — tentáculo moral. Moral quer dizer anti-sexual, negador do sexo. Para o macacal puritano não existe sexo — nem álcool. Se a heroína da *Coquette* se apresenta de filho em público sem ser casada, denuncia com isso que há sexo fora do casamento, o que é imoral. Moral significa acordo com as ideias das macacas. Imoralidade significa desacordo.

O problema do sexo na América apresenta aspectos curiosíssimos. A famosa "Lei Seca" não se restringe ao álcool. Já alcançava o sexo antes do álcool ser também erigido em tabu. As criaturas têm que ser anjos insexuados, nem macho nem fêmea — ou casarem-se. Dentro do casamento, sim, é permitido um pouco de sexo — e isso mesmo no *quantum satis* à obra de sobrevivência da espécie.

A América é isso — o perpétuo conflito entre o fanatismo que desembarcou em New England com os puritanos e a natureza humana como ela é. Desse conflito nascem todas as suas tragédias. Um nega, outra afirma. A *girl* americana, toda natureza, saúde e ímpetos, afirma. A matrona que dela sai, depois que os lindos chapéus de feltro deixam suas cabeças, substituídos pelo horrendo chapéu alto, nega. Mas como a *girl*, no seu período de floração, não se associa, não se organiza para "fins sociais", só preocupada com a coisa linda que é viver a linda vida de flor, quem vem a predominar é a matrona, como nesse caso da *Coquette*. E como quem governa são elas, porque governam os homens sejam Hayes ou não, a América assume este tom de matercracia em *mass production*, que tanto irrita os Clarence Darrow, os Mencken e outros sublimes revoltados.

— Quem vencerá na luta? — perguntei, de olhos abertos para o futuro.

Mr. Slang respondeu com filosofia:

— Nestas lutas nunca há vitória integral dum lado ou de outro. Há o que vemos — empate. As Coquetes continuarão a ter filhos — vitória da ala-flor. As matronas continuarão a negar os filhos das Coquetes — vitória da ala-puritana. Uma fica com a realidade, a natureza, o impulso, o instinto. A outra fica com o respeito humano. O curioso é que as duas correntes, assim polares, defluem da mesma fonte. Coquete, se não tivesse cometido suicídio, estaria hoje presidindo a uma sessão do Women's Club e censurando peças onde outras Coquetes aparecessem de filhinho no braço.

Assim concluiu Mr. Slang a sua violenta tirada contra as mulheres. E talvez continuasse a bater na mesma tecla, se eu o não chamasse a outro assunto.

— O amigo falou em *racketeering*, — lembrei-lhe. — Tenho para mim que, mais que o arranha-céu, o *racketeering* constitui a maior característica da América, não acha?

— Assim é, — concordou Mr. Slang. — Todas as investidas do governo contra essa indústria têm falhado. Mas ao meu ver o mais nocivo não consiste no *racketeering* criminoso e sim neste, moral, que se exerce de mil formas sem que a opinião pública se anime a condená-lo. O puritanismo organizado é a maior "racket" da América. O outro, o "racketeering" comum que os jornais tanto combatem, baseia-se num sentimento muito humano: desejo de paz, de estabilidade.

— Como? — indaguei, estranhando aquela desnorteante afirmação.

— Sem paz, sossego de espírito, estabilidade, nada prospera na vida. Os negócios, sobretudo, exigem paz como condição *sine qua non*. Daí a grande ideia dos *racketeers*, de organizarem a "venda de paz" por meio da "venda de proteção".

Não entendi bem; minhas rugas na testa o disseram, e Mr. Slang prosseguiu:

— Um exemplo. Há dias foi assassinado um negociante italiano na rua Greenwich, perto duma *cafetíria* onde às vezes vou almoçar. O garçom que me serviu deu-me pormenores. Conhecera o italiano, bom homem, um tanto duro de compreensão. Dias antes de ser assassinado, dois sujeitos vieram propor-lhe um negócio — inscrevê-lo entre os sócios duma *Shop Protecting Company* qualquer. Coisa de nada. Cinco dólares por mês, sem nenhum compromisso. O italiano recusou. Não necessitava de proteção, sabia guardar-se a si próprio — e outras bobagens. "Olhe que arrisca a vida!" — disseram-lhe os agentes. "Se adere a nossa sociedade, viverá em paz, garantimos." "Tenho vivido em paz até aqui. Continuarei guardando-me a mim próprio." *All right*, responderam os homens, retirando-se. Dois dias depois um tiro de revólver derrubava o pobre italiano atrás do balcão — um tiro não ouvido de ninguém, pois fora desfechado de sob a estrutura do Elevado, no momento em que um trem aéreo passava, com aquele ensurdecedor barulho de ferragens. Consequência: todos os demais negociantes daquele trecho de rua entraram com os cinco dólares mensais para a tal *Shop Protecting*. Quer isto dizer: compraram, com essa pequena contribuição, a paz e a segurança.

Essa indústria apresenta-se sob mil aspectos, quase sempre dentro de formas legalíssimas. Os estatutos da *Shop Protecting Co.* devem ser um modelo de idealidade. Fins nobilíssimos. Proteger as lojas contra assaltos e roubos. Policiar eficientemente os arredores, etc. Que pode fazer contra isso o Estado? Nada. A organização está aparelhada de todos os requisitos legais — e tem um nobre objetivo. Se fosse possível provar que tais crimes são cometidos por membros de tais sociedades, o mal poderia ser suprimido. Mas é prova impossível. Todo mundo sabe que se trata de venda de proteção à força — sob o dilema de ou deixa-se proteger ou morre. Mas como prová-lo? Onde a evidência, de que a lei tanto necessita?

Vem daí que a indústria das *rackets* extrai centenas de milhões de dólares ao povo acovardado — e muito bem cientificado de que quem resiste perde a partida irremediavelmente.

— É um dos aspectos odiosos da América, — disse eu, — e creio que peculiar da América. Não me consta que em outros países semelhante indústria viceje.

— A meu ver não se trata de nada peculiar à América e sim ao grande enriquecimento que a América demonstra. Mais uma das inúmeras coisas novas, inéditas no mundo, a que a excessiva riqueza dá origem. No dia em que outro país apresentar o mesmo grau de riqueza, lá também surgirá o *racketeering*.

— Muito bem, Mr. Slang. Por causa da Gloria Swanson distraímo-nos na conversa e esquecemos do que nos trouxe aqui. Creio que é hora de galgar a torre.

— Pois vamos lá.

Dois bilhetes de meio dólar deram-nos o direito de usar o elevador direto que vai do andar térreo ao topo do Chrysler Building.

XIX

No Chrysler Building. New York à noite, vista do alto. O céu na terra.
Os vinte e cinco dólares de Peter Minuit. A cidades dos pica-paus.

Zum!... Partimos para as alturas.

— O Woolworth, — disse Mr. Slang enquanto subíamos, — conservou durante dezessete anos o seu famoso recorde de edifício mais alto do mundo. Este Chrysler o bateu, mas não se gozou por muito tempo da vitória. Muito cedo o Empire State Building roubou-lhe o recorde.

— Não sei por que, Mr. Slang, mas o Woolworth não me dá a mesma impressão de grandeza deste Chrysler, nem do Empire, nem do Banco de Manhattan.

— As coisas envelheceram muito depressa neste tremendo ímpeto para o alto que é New York. A mim também o Woolworth me soa qual uma torre de Ur, a terra de Abraão — voz do passado — arqueologia...

O Chrysler, com a sua cúpula e gárgulas de níquel, e as demais novidades internas não só em material como em formas e cores, é perfeitamente moderno. Soa a mundo futuro, bem como o seu vizinho do American Radiator — magnífico exotismo vertical listado de negro e ouro.

O Woolworth transige com o passado. Recorre ao medieval quanto a estilo, e o sobrenome que adquiriu, de Catedral do Comércio, condiz muito bem com o seu aspecto. É positivamente a catedral gótica, mas construída com materiais de hoje para fins outros que não louvar ao Deus das alturas. Já o Chrysler diz claramente que estamos na idade da máquina, do ângulo, da ausência de curvas; na era dos metais novos e da força em massa, calculada com cálculos novos. Nada como ele reflete a raça de hoje. Parece vindo do solo, espontâneo qual um cogumelo nativo. Não cheira a enxerto europeu.

Sua altura foi determinada por uma injunção — o preço do terreno. Menor que fosse, não daria renda adequada a esse preço. Em tudo mais é produto lógico da terra, do homem e do momento. Por isso nos sabe tão bem ao nosso complexo paladar moderno.

Chegamos ao topo.

No envidraçado daquela torre de níquel, a brilhar como prata fosca, debruçamo-nos às janelas (ou coisas equivalentes) que se abrem para todos os quadrantes.

— Oh, mas é uma pura maravilha! — não pude deixar de exclamar quando meus olhos atônitos se repastaram no oceano de luzes que vi em baixo, lá longe — lá na terra, pois que estávamos no céu. Milhões e milhões de luzes fixas e movediças, da iluminação pública, dos letreiros luminosos, dos automóveis e ônibus e bondes e trens elevados, na proporção absurda com que New York possui tais veículos. Daquela altura, com os detalhes apagados e só as massas visíveis à força de projeção luminosa a ideia que ocorre é a dum céu estrelado que de súbito invertesse de posição.

— O céu na terra, Mr. Slang! — murmurei. — Tenho a impressão de que todas as estrelas do céu se acamaram no solo de Manhattan e arredores. Lá está Brooklyn! Lá está Queens!... Mas é um espetáculo único, Mr. Slang!...

— Sim, meu caro. Você está vendo algo que só pode ser visto daqui. O oceano que é esta New York de 11 milhões de habitantes, de 3.000 arranha-céus, de quase tantos automóveis no perímetro urbano quantos os existentes na Inglaterra...

— Quase tantos?

— Há aqui seiscentos e cinquenta mil carros contra novecentos mil em toda a Grã Bretanha. Desse enxame, quantos nesse momento estão a circular e a nos dar a estranha sensação de estrelinhas rastejantes...

— Sim, sim! O quadro é inesquecível, — murmurei, absorto na contemplação. — Só agora vejo, sinto, a imensidade deste absurdo urbano chamado New York. Oceano de casas, oceano de luzes, oceano de veículos. Incrível! ...

— De fato, New York é incrível e desnorteante, se relembramos aquela compra feita aos índios pelo holandês Peter Minuit em 1626...

— Sei. Comprou esta ilha de Manhattan por vinte e quatro dólares, pagáveis em contas de vidro. Mas como ficam anõezinhos os outros arranha-céus vistos daqui, Mr. Slang! Tudo lá em baixo...

Continuei absorto na minha contemplação, enquanto o meu companheiro prosseguia em diferente ordem de ideias:

— De 1626 até hoje não vai muito longe. Três séculos e pico. Um minuto na vida dum povo — e temos isto...

— Aquilo lá que é? Riverside Drive ou... — murmurei apontando uma carreira intérmina de luzes.

— Riverside, sim. Adiante, New Jersey. Lá, Pallissade Park... E temos isto...

Sim, tínhamos aquilo — aquele infinito oceano de casas. O nosso raio visual não alcançava fim. De qualquer ângulo que olhássemos, o mar de casas se confundia com o horizonte — mar de casas àquela hora da noite transformado em mar de estrelas elétricas... Mr. Slang insistia nos seus números.

— Incrível o crescimento desta cidade. De 1923 a 1926 manteve uma média um pouco acima de sessenta mil casas por ano. Daí para cá a média caiu, em virtude da predominância dos arranha-céus, que valem, cada um, inúmeras casas das antigas. Em 1923, por exemplo, o valor das setenta e uma mil casas construídas foi de 755 milhões de dólares. Em 1929 o valor das vinte e três mil e quinhentas construídas atingiu 861 milhões. Diminuíram em número para crescerem em tamanho e valor, e isso indica que o processo do crescimento da cidade jamais arrefece. Já é New York uma super-cidade. Dentro de cinquenta anos, ou cem, a que nova palavra recorrerão nossos netos para designá-la?

Mr. Slang tinha razão. Com que palavra designá-la no futuro?

Meus olhos não se cansavam de boiar no oceano de estrelas, enquanto em meu cérebro um formigueiro de ideias novas fervilhava como em dia de saída de içá. E saíram-me do formigueiro cerebral legiões de içás do sonho. Sonhei tão intensamente que já não me lembro do muito que Mr. Slang, na sua impassibilidade de inglês apurado em estatísticas, me ia dizendo a respeito da super-cidade.

Quando descemos, a diferença de pressão atmosférica me pôs surdo ou azoado por meia hora. Também nesse período nada ouvi do que me disse Mr. Slang, no Child's onde fôramos reconfortar o estômago. As energias despendidas na intensa meia hora passada no topo do Chrysler impunham a ingestão de várias sanduíches com leite maltado.

— É... — disse eu por fim, quando meus ouvidos se libertaram da zoeira.

— É o que? — interrogou o meu amigo ingerindo o último trago do inofensivo drink.

— É isso mesmo, — respondi ainda com o cérebro inapto para pensar. — É, sim. New York é.

Acendemos os nossos cigarros. Tiramos as primeiras baforadas em silêncio. Em redor, o povo, o formigueiro, a eterna massa que circula pela cidade inteira dia e noite, como se a vida fosse uma contínua festa — dia de procissão ou carnaval brasileiros. Dominando a perene música inarmônica que é a voz da cidade, chegava-me aos tímpanos o ruído característico da metrópole, o *prrrrr*... percuciente do martelo de ar comprimido com que se achatam os rebites nas estruturas metálicas dos prédios em construção.

— É, sim, — continuei, achando afinal colocação para o meu "é". — New York é a Cidade dos Pica-paus.

Mr. Slang não entendeu. Enrugou a testa.

— Já ouviu no mato o pica-pau picando pau? — perguntei-lhe. — Pois o ruído que fazem é exatamente este dos martelos de ar comprimido.

A fisionomia do meu inglês desanuviou-se. Riu-se.

— Tem razão, — disse ele, também atento ao *prrrrr*... próximo. — Lembra muito bem o pica-pau na floresta. É isso mesmo...

Prrrrr... Cem anos que eu viva e esse ruído tão caracteristicamente newyorkino não me sairá dos ouvidos. Fácil de imaginar o que seja, sabendo-se que se constroem, como em 1923, cerca de duzentas casas por dia — e que casas! Haverá na cidade inteira, tomada a média de quatro meses para a construção de cada uma, cerca de vinte e quatro mil construções em andamento — pelo menos foi essa a média daquele ano. As grandes não escapam ao martelo de ar comprimido — o pica-pau. Pergunto: haverá floresta no mundo, seja na Índia ou no Amazonas, onde, numa área correspondente à da ilha de Manhattan, tantos milhares de pica-paus atormentem os tímpanos do homem com o seu metálico e iterativo *prrrrr*...?

Do pica-pau pulamos para Ruska, de quem Mr. Slang puxou a definição de arquitetura — arte de construir com beleza.

— Não é esta a concepção do americano, — disse ele pedindo um novo *drink*. — Aqui a preocupação de beleza está afastada. Arquitetura limita-se a ser a arte de construir honestamente, logicamente, sem vergonha, sem pretensão ou subserviência para com as formas do passado que já não se coadunam com a vida moderna.

Aquelas palavras do meu inglês, ditas em tom mais alto que baixo para cobrir o rumor ambiente dum bar mais que repleto, atraíram a atenção dum sujeito que se sentara a um canto da nossa mesa, não existindo nenhuma vazia àquela hora. Seus olhos brilharam e, interrompendo a ingestão do refresco que sorvia, ele voltou-se para Mr. Slang, com cara alegre.

— Perdão, se me dirijo desta maneira, mas é arquiteto, por acaso? — perguntou.

— Não. Apenas um observador da arquitetura, — respondeu Mr. Slang. — Acabamos de descer do Chrysler Building, donde fomos ver as luzes da cidade. O senhor sei que é arquiteto — a sua pergunta o indica.

— Sim. Sou arquiteto. Tenho colaborado na fatura desta nova New York que anda a prenunciar a novíssima — quiçá a definitiva.

— Oh, definitiva! — exclamou Mr. Slang sorrindo. — Como soa estranho essa palavra na boca dum arquiteto americano!...

— Se tem tempo de ouvir-me, — respondeu o desconhecido, — talvez eu consiga justificar a expressão chocante.

XX

Encontro ocasional. Opiniões dum arquiteto newyorkino. O estilo americano. Novo, tudo novo. Arranha-céus de mais de milha de altura.

Havia tempo. Começamos a ouvi-lo. Era homem muito interessante de ideias, boa coisa para mim, que estudava a grande metrópole e me pelava por contatos com os lídimos representantes da sua mentalidade.

O que ele nos disse poderá ser resumido assim: Em cada momento da história, a arquitetura dum país expressa os usos e costumes da época. As pirâmides do

Egito e seus templos constituíram esplêndido fundo de quadro para os grandes dinastas; e eram, além de honestamente construídos, estruturalmente sadios (*sound*, dissera ele). Vieram depois os gregos, que no Pártenon irradiaram a mais alta beleza estética de todos os tempos. Depois, os romanos, que desenvolveram o arco triunfal e outros monumentos expressivos do sentimento de ostentação que a vitória nas guerras lhes punha n'alma.

A gente da Idade Média, com a sua psicose asceta de caráter coletivo, ergueu para o céu, com grande fervor, as agulhas das catedrais góticas.

— Sem, entretanto, conseguir arranhá-lo, — ajuntei eu, apiedado do esforço daqueles nossos avós.

— Sim. Dispunham de meios de construção bastante primitivos — a pedra, apenas. Veio afinal a Renascença, como aurora depois de longa noite escura. A Renascença afastou a ideia de morte, além túmulo, céu, que fez da Idade Média o período lúgubre do Ocidente. Renascem com a manhã de sol a ciência, as letras, a pintura, a escultura — e a arquitetura.

Depois vem o Rococó ou Barroco dos Luíses — dos artificiosos tempos dos Luíses numerados.

Em todas estas épocas a arquitetura exprime com grande fidelidade as ideias, crenças, usos e costumes dos povos.

Na América começamos, já de cara, criando alguma coisa. O nosso estilo Colonial é mais adaptação do que cópia do Georgiano inglês da época. Depois, o grande pesadelo — aquele estilo Vitoriano gótico, que tão bem condizia com a hipocrisia e estreiteza da Era Vitoriana.

Ali pelo fim do último século, Hunt e McKim entraram cá com a Renascença Francesa e Italiana. Arqueológico, foi o trabalho deles. No edifício do *New York Herald*, desenhado por McKim, temos uma perfeita cópia dum palácio de Verona. E as númerosas construções devidas a esses dois mestres exerceram uma influência que ainda se nota entre os nossos estudantes de arquitetura. A Renascença dos diferentes países europeus foi transplantada em jacazinhos para a América. Outro palácio italiano tornou-se a residência de Joseph Pulitzer, o fundador do *World*. A velha Gerry House, tão notória, não passava dum castelo francês.

Os jovens arquitetos da América deram de emular os dois mestres, copiando as velharias da Europa e adaptando-as às nossas modernas condições, nem sempre de maneira feliz, mas com o resultado de desenvolver o gosto público por meio de demonstrações do que o passado já havia feito em matéria de arquitetura. Isso preparou o caminho para um estilo novo, realmente inédito.

Com a precipitação de marcha da era da máquina, com o ímpeto dum povo de alto senso prático e ainda com abundância de materiais novos — tudo coincidindo com o surto das ideias revolucionárias — veio a exigência de algo novo, mais adaptado aos nossos problemas e casos personalíssimos.

As clássicas cornijas, ridiculamente a se salientarem em projeção nas fachadas, foram dos primeiros absurdos a irem para a lata do lixo. Além de dispendiosas, diminuíam a luz dos andares que lhes ficavam por baixo.

Coincide isto com o aparecimento das leis do novo *zoning*, caracterizado pela imposição de recuos progressivos, que dessem luz e ar às ruas por mais que crescessem os prédios.

Detalhes dispendiosos, ornatos — tudo eliminado. Só importam as massas. Delas tirará o arquiteto os seus efeitos de luz e sombra — e temos afinal o estilo novo — belo porque honesto e sincero para com o objetivo da construção.

Hoje venceu em toda a linha. É o verdadeiro estilo americano, afinal. Por isso condenamos a nova igreja que Fosdick construiu em Riverside Drive. É Idade Média, coisa boa para a gente daquela época. Impressiona como monumento arqueológico, fiel às tradições que se foram. Mas destoa das nossas ideias ambientes — da nossa atitude em face da religião.

Quem pode imaginar que esse edifício foi feito todo de aço? Uma igreja moderna deve ser um esplêndido auditório, de boa acústica, bem ventilado, bem iluminado, onde o manejador da palavra possa ser visto e ouvido por todos. Esse auditório existe para dar posição de destaque a esse homem, de cuja boca sai a palavra que atrai ao recinto o público.

Os arquitetos exploram hoje campos até aqui desconhecidos, onde não há precedentes que os guiem — *felizmente*... Em matéria arquitetônica já estamos salvos.

— Sim, sim, — interrompeu Mr. Slang. — Tudo é novo hoje na América. A arquitetura não podia deixar de seguir o movimento.

— Novo, tudo! — concordou o desconhecido. — Novo até acima da loucura imaginativa de Júlio Verne. O rádio, a ligação de todo o continente pelo telefone, o cinema falado, a televisão, o aeroplano e o dirigível, a *mass production*, a máquina a multiplicar-se com velocidade que mal permite a adaptação do homem — nada disto, ou, antes, o conjunto que disto resulta não pode ser expresso em qualquer estilo da Renascença. O passado não mede, não define, não traduz o que criamos de novo. Daí este estilo arquitetônico inédito, em pleno viço de crescimento. A um século de hoje entrará para a história das artes ao lado das grandes criações humanas — perfeito definidor que é da nossa era.

— Mas por que o considerou definitivo?

— Restritamente o é. *Achamo-lo*, afinal. Justo, portanto, que permaneçamos dentro das suas linhas gerais por um espaço de tempo bastante longo para permitir o uso desse qualificativo.

Mr. Slang concordou.

— E quanto à altura, Mr...

— Jacobs, Allan Jacobs.

— E quanto à altura, Mr. Jacobs? — perguntei eu. — A que altura poderão chegar as cidades verticais que aqui se chamam arranha-céus?

— Imprevisível. Esta semana apareceu uma notícia de sensação para nós construtores. Um professor da Universidade de Ohio alega ter inventado um novo tijolo do peso de vinte libras por metro cúbico, em vez de cento e vinte, como os de que dispomos hoje. Se essa invenção resultar prática, poderemos prever estruturas de uma milha de alto.

— Uma milha! — exclamei, atônito diante da fleugma com que Mr. Jacobs dizia aquela barbaridade.

— Por que não? Da cabana do índio, de dois metros de altura, já chegamos aos trezentos e oitenta metros do Empire Building. Por quê? Simplesmente porque os materiais de construção de que dispomos fazem disso uma mera questão de cálculo de resistência física. Com um material seis vezes mais leve e da resistência e indestrutibilidade desse anunciado no Ohio, poderemos sextuplicar a altura do Empire — seis vezes trezentos e oitenta dá 2284 metros, mais que a milha que tanto o assustou...

Saímos. Como Mr. Jacobs levasse o mesmo rumo, mergulhamos no mais próximo "sorvedouro" da New York subterrânea, para emergir adiante, na estação da Pennsylvania. Lá, antes de separar-nos, ele nos disse ainda:

— Esta estação, por exemplo, que se inspirou nos banhos romanos. Mente à nossa era. Coisa que perdeu o espírito, a alma, é coisa que morreu, que passou e jamais dará sensação de vida. Por isso admiro mais uma chaminé, um elevador de trigo, do que esta cópia ou casca de molusco já extinto — o banho romano. Nosso país está cheio de exotismos deste naipe, de coisas herdadas, tomadas de empréstimo da velha cultura europeia. Daí o meu êxtase quando vejo uma chaminé de ferro e minha frieza diante duma coluna dórica.

— Coluna dórica posta aqui, note-se, — exclamou Mr. Slang, que pensava da mesma maneira. — Porque lá onde ela teve origem nada existe de mais belo.

— Está claro, — concluiu Mr. Jacobs despedindo-se. — Soa mal nesta terra uma coluna dórica como soariam mal as chaminés de Highland Park ao lado do Pártenon...

— *Bye, bye...*

Também me despedi de Mr. Slang. Fui para a cama, cansado. Vive-se em New York numa hora mais que em todo um ano de aldeia — e naquele dia eu tinha vivido mais do que na véspera.

XXI

Uma carta sobre política. Eleições no Brasil. Votar, meio fácil de adquirir um chapéu novo. O gado eleitoral. Eleições na América. Hoover e Smith.

Entre as cartas do Brasil que no dia seguinte me trouxe o correio vinha uma dum velho amigo apaixonado pelo voto secreto. Queria minha opinião sobre o voto secreto na América. Era assunto que ainda não me preocupara. Mas para não desapontar esse amigo, dei balanço às minhas reminiscências e respondi-lhe nestes termos:

Eu vinha de um país, onde muito se discute a possibilidade do sistema representativo. É possível escolher? É possível eleger representantes? É possível a um cidadão escolher livremente de acordo com sua consciência? Haverá jeito dessa escolha manifestar-se por meio dum voto público? Tais os problemas que ao tempo preocupavam todos os nossos homens de boa vontade.

Levava-os a essa ordem de considerações a falência no Brasil do sistema representativo sob o regime da constituição republicana. Embora se conduzissem eleições periódicas e as urnas "manifestassem a sua vontade livre", todos sabiam que na realidade o eleitor era um único — o Presidente da República. Por mais que reformassem a lei eleitoral a coisa não mudava. Voz das urnas, na prática, significava sempre, de norte a sul, a voz do Presidente. Diante da renitência do mal as "pessoas limpas" desinteressaram-se do voto, que passou a monopólio de criaturas limitadas a função de "portadoras de voto" ou, antes, de cédulas fechadas contendo o nome indicado pelo "alto". O portador de voto não precisava saber que nome era aquele, nem tinha nada a ver com isso. Sua função consistia apenas em levar o papelzinho até a seção eleitoral e enfiá-lo numa caixa de madeira — a tal urna sagrada.

Está claro que para ser esse mero portador de voto a criatura devia possuir unicamente qualidades negativas — não ter capacidade para escolher livremente, não ter independência moral, não conhecer nada da situação do país, e não ter... chapéu! Em regra a paga do carreto (levar o papelzinho à urna) se resumia num chapéu novo — e dos mais ordinários.

Votar ficou assim transformado em biscate dos pobres diabos. Lembro-me de ter ouvido entre dois pés-rapados uma conversa deste teor:

— Ouvi dizer que você vai a Aparecida. Já marcou viagem?

— Já, sim. Vou depois das eleições.

O outro olhou-lhe para o chapéu furado e disse sem ironia nenhuma, o mais naturalmente possível:

— É. Com esse chapéu até Nossa Senhora se ofende.

Nas cidades grandes ainda havia um simulacro que disfarçava a comédia. No interior, por todo o vasto interior do Brasil, não. Nada disfarçava a crueza da realidade. Eleitor era sinônimo de gado. O coronel Fulano, por exemplo. Está bem, diziam. Possue cem mil pés de café, trezentas cabeças de gado e cento e vinte eleitores.

Ter eleitores equivalia absolutamente a ter uma espécie de gado bípede, do qual se tira o leite do voto em certas ocasiões.

Numa eleição a que assisti pude observar a entrada no povoado dum fazendeiro a cavalo, tangendo uma ponta de eleitores. Vários cabos eleitorais os guardavam com cautela, para prevenir o estouro. Chegados à cidadezinha, foram encurralados num grande quintal murado de taipa. Às esquinas dispuseram-se capangas armados, para evitar que alguns fugissem ou que gente do partido contrário pulasse para dentro do curral afim de "corrompê-los".

O nome técnico daquele recinto era esse: — "curral". Havia o curral do partido do governo e um menor da oposição. Dentro de ambos, enquanto se esperava a hora da "livre manifestação da urnas", os votantes comiam um boi e esquentavam o corpo com a pinguinha.

Um boi gordo, um quinto de cachaça, um pacote de envelopes fechados com uma cédula impressa dentro: eis os ingredientes com que na vastidão dos nossos oito milhões de quilômetros quadrados se elegiam os representantes do povo. A coisa essencial do sistema representativo — *escolha consciente e livre manifestação dessa escolha* — isso nunca passou pela cabeça dos manipuladores da política. Besteira para os ideólogos da oposição, diziam às gargalhadas os chefes e os cabos eleitorais.

Daí veio que desde menino a expressão "eleitor" provocava em meu cérebro uma reação muito próxima da de "mendigo". Um ponto acima, apenas. Os mendigos ganham chapéus velhos e níqueis: os votantes ganham chapéus novos e notas de cinco, às vezes até de vinte e mais — sempre pagas pela verba "socorros públicos" que todas as municipalidades do interior nunca deixavam de prover.

Essas impressões, quando recebidas na infância, gravam-se indelevelmente em nosso cérebro. Por esse motivo, quando um dia Vergueiro Steidel me fez convite para virar eleitor numa hoste que ele e outros idealistas estavam reunindo, não pude deixar de rir e responder:

— Mas eu já tenho quatro chapéus, meu amigo. Que irei fazer com outros?

E nunca pude pensar a sério no sistema representativo. Mudava de conversa, aborrecido, sempre que alguém puxava o assunto perto de mim. Bobagem, perda de tempo pensar nisso. Votar? Tolices — quando a gente possui chapéu. E lá se me ficou no espírito que era assim, que sempre fora assim, não só no Brasil como no resto do globo. Descri em absoluto do regime representativo.

Um dia na América do Norte voltei ao assunto; e como fora ao tempo da eleição do Presidente Hoover, em vez de ir ao Roxy deu-me na telha assistir às eleições. "Quero ver como é o curral dos americanos", creio que pensei lá no subconsciente.

Fui... Vi... e se o queixo não me caiu foi por estar bem pregado na caveira.

Incrível! O sistema representativo existe!... Funciona! ... O eleitor escolhe livremente, vota livremente, seu voto é apurado! E de tudo resulta que só toma assento na Casa Branca quem realmente é escolhido pela maioria!...

Dias, meses antes das eleições já eu notara um fenômeno novo para mim. Todo mundo a discutir o mérito dos candidatos em luta, Herbert Hoover pelos Republicanos e Alfred Smith pelos Democráticos. Os jornais e o rádio esmiuçavam-lhes as vidas, apontando-lhes as qualidades ou os defeitos. E eu, que era um estrangeiro, nunca me inteirei tão a fundo sobre a vida de dois cidadãos. Cheguei a ponto de tomar partido. Eu próprio pesei os dois candidatos e me decidi por um por achá-lo com mais méritos que o outro.

Isso que se deu comigo deu-se com toda gente, inclusive as mulheres, que aqui também são gente. A inúmeras, às quais por curiosidade perguntei em quem iam votar, ouvi carradas de argumentos ora em prol de Hoover, ora em prol de Smith. Razões gerais, razões pessoais. Lembro-me desta resposta: "Eu votaria em Smith, se não fosse a sua mulher. Mrs. Smith não está na altura de ser a primeira dama do país. Fora daí, acho que Smith daria um grande presidente".

Dia de eleição, afinal. Fui ver, já um tanto abalado em alguns pontos da minha incredulidade. E vi. E vi votar-se!...

Nada de aglomerações, barulho, berreiro, fechas, tumulto. Em cada rua, de distância em distância, um *pool*, isto é, uma improvisada agência de receber votos, como há agências distritais de receber cartas do correio. Agências improvisadas em escolas, edifícios públicos, casas de negócio — onde possa ser, de modo que se atendam do melhor modo às necessidades do público.

Estive observando duas; a primeira improvisada numa casa de flores, a segunda, numa relojoaria. Durante toda a tarde a florista não deixou de vender suas flores, nem o relojoeiro de espiar o interior dos relógios com aquela lente encastoada num tubo preto, que seguram no olho qual monóculo.

Foi quando o queixo quase me caiu. Deveras? Seria crível? Votava-se ao lado daquele relojoeiro que nem sequer interrompia um serviço exigidor de tanta atenção? Era fato!... Votava-se!...

A um canto da loja estava a mesa eleitoral, presidida por quatro pessoas, dois homens e duas mulheres. Noutro canto, a cabina que ocultava a máquina de votar, fechada aos olhos do público por um reposteiro.

O eleitor entra e apresenta à mesa o certificado que tirou dias antes e o autoriza a votar naquela seção. A mesa registra-o e pronto. A função dela se resume nisso. O resto cumpre ao eleitor. Da mesa dirige-se ele para a cabina. Abre o resposteiro, entra, fecha-o de novo. Segundos depois abre-o ainda uma vez e sai. Votou. Moveu lá dentro uma das pequenas manivelas que fazem a máquina registrar o voto. Ao deixar a cabina, a máquina, em seu automatismo, recoloca a manivela mexida na posição anterior, pronta para ser movida pelo votante seguinte. Cada manivela corresponde ao nome de um candidato.

Ninguém fala, ninguém discute, ninguém berra, ninguém sabe em que nome o cidadão votou. Finda a eleição, a máquina dá os números, que são o registro exato dos movimentos da manivela.

Nessa eleição, assim calma transcorrida no país inteiro, a manivela que trazia o nome de Herbert Hoover foi movida 21.392.190 vezes; a com o nome de Alfred Smith, 15.016.443; a com o nome do socialista Thomas, 267.420; a com o do trabalhista Forster, 48.770.

Como antecipadamente ninguém pode saber qual venha a ser o registro final da máquina, nenhum dos candidatos pode cantar vitória antes que o último resultado seja dado. Porque a máquina de votar gosta de fazer surpresas...

A cidade de New York, por exemplo, é um velho baluarte democrático. Os republicanos sempre perdem as eleições ali. Hoover perdeu, tendo 714.000 votos contra 1.167.000 dados a Smith. Mas no estado de New York, que é também democrático e tem governador democrático, Hoover ganhou de Smith por mais de cem mil. Surpresas...

Nas eleições municipais, a mesma coisa. No distrito de Queens, por exemplo, que faz parte de New York, a administração municipal era democrática. Mas o presidente da Câmara e outros elementos viram-se acusados de traficância. Levados a júri, foram condenados. Consequência: na eleição seguinte, apesar de Queens ser tradicionalmente democrática, os republicanos venceram. A máquina de votar castigou desse modo o partido que não soubera escolher os seus homens.

Esses fatos provocaram uma revolução em meu cérebro. Convenceram-me de que o sistema representativo é possível, e funciona admiravelmente. Mas também me convenceram de uma coisa: que só é possível onde o povo haja alcançado o grau de desenvolvimento econômico que a América demonstra. Independência moral tem por base a independência econômica. País tão pobre que necessita trocar o voto por um chapéu, nunca poderá alçar-se à categoria de eleitor. Tem que permanecer na posição de "portador de cédula", sem que lhe seja permitida, sequer, a audácia, o topete, de querer saber o nome que a cédula traz.

— "Cachorro! Que é que tem você com isso?" — ouvi certa vez um cabo eleitoral berrar para um votante encurralado, que lhe fizera tão inocente pergunta. — "Cumpra o seu dever e não encrenque."

O "dever" do pobre diabo se resumia em executar sem tugir nem mugir as ordens do patrão. Querer saber em quem ia votar era ser "encrenqueiro"...

Como sairmos disto? Por meios diretos, com uma nova lei eleitoral? Ingenuidade. Só por meios indiretos o conseguiremos. Só o desenvolvimento econômico do país, com a criação da siderurgia, com a descoberta do petróleo e outras coisas que fizeram a independência do americano. Copiamos da América as suas leis básicas.

Esquecemos de fazer o resto. Daí o fato dessas leis básicas funcionarem na América e falharem no Brasil. Tais leis requerem um alicerce econômico que nos falta. Sem criá-lo, impossível sairmos do regime do curral. Ainda que o suprimamos nas capitais, persistirá por toda a vastidão do interior. As capitais constituem minoria. O interior é a grande massa. É o Brasil.

XXII

Velha conversa com Mr. Slang a respeito do voto secreto. Como ele me limpou o cérebro de muitas teias de aranha. Sua visão geral do caso brasileiro.

Foi isso no Rio, numa visita que fizemos à ilha de Paquetá, no dia seguinte ao levante do general Isidoro em S. Paulo.

Confessei a Mr. Slang que semelhante movimento me causava a maior das surpresas — e aqui reproduzo a conversa que anotei logo ao chegar em casa.

— Pois a mim não, — observou ele. — Quando vocês cometeram aquela imbecilidade do 15 de Novembro, rompendo de brusco a evolução do país para adotar o figurino presidencial americano, Bartolomeu Mitre, que via longe, disse: "Vamos ter trinta anos de revoluções no Brasil".

— Errou por treze. Já estamos com quarenta e três anos de perturbações revolucionárias...

— Sim, e terão talvez outros tantos. A furunculose adquirida a 15 de Novembro ainda não está no fim do processo, ainda não deu de si todos os abcessos de que é capaz. Os povos pagam caríssimo os atos impensados da estupidez política. Enquanto o veneno inoculado naquele dia fatal não for todinho eliminado, este pobre país terá que sofrer dos seus efeitos.

— Que veneno acha que seja esse?

— O mesmo que dá origem a revoluções em todos os países do globo: tirania.

— Mas nós não inauguramos a 15 de Novembro a tirania. Inauguramos um governo constitucional, representativo, com presidentes eleitos pelo povo...

— Eleitos de mentira. Não pode haver governo representativo sem verdade de representação — e não há verdade de representação baseada em votos falsos. O voto falso é aqui, como em toda a América do Sul, salvo Uruguai e Argentina, a causa de todos os males.

— Quer dizer então que o que nos falta é o voto secreto?...

— Exato — politicamente.

Espantou-me ver Mr. Slang afirmar assim tão categoricamente a valia do voto secreto e tê-lo como o desintoxicante do organismo nacional. Cá no meu íntimo eu sempre tivera o voto secreto como panaceia muito boa para programa de partido oposicionista.

Objetei. Objetei o comum que costumam objetar os adversários do voto secreto. Em vez de responder a essas objeções, que são em extremo sofísticas, o meu inglês penetrou fundo no caso.

— Raciocinemos, — disse ele. — Discutir com palavras, com verbalismos tão ao gosto de vocês aqui, não conduz a nada. Raciocinemos. Que é votar, diga-me?

Engoli o resto do guaraná que tomava e declarei, depois d'alguma reflexão:

— É manifestar uma escolha. Se eu voto em Fulano é que *escolhi* Fulano.

— Perfeitamente. Votar é manifestar uma escolha. Mas a manifestação dessa escolha só vale, só representa uma verdade, se você for *livre* na escolha, e se for igualmente livre na manifestação da escolha.

— Está claro.

— A escolha é um ato de consciência, de foro íntimo, que só pode exteriorizar-se, isto é, manifestar-se, caso o votante não corra nenhum risco de sofrer más consequências. Se eu souber que escolhendo o nome de Fulano para tal ou tal cargo venho a sofrer com isso, não o escolherei. Passarei a escolher Sicrano — isto é, aquele de cuja vitória não me venha nenhum mal — embora lá no íntimo eu esteja convencido de que Fulano era o melhor nome a ser escolhido.

— Muito bem. Continue, Mr. Slang.

— De modo que temos dois caminhos. Na votação a descoberto, em uso aqui, o leitor só escolhe, ou só vota, *baseado em razões de defesa pessoal ou da sua família*. A aptidão do escolhido para o cargo não entra em consideração. O pobre eleitor escolherá muitas vezes o homem que em consciência considera o pior possível para a comunidade; mas entre contribuir para causar um mal a todos em geral e *causar um mal para si próprio ou sua família*, não vacila, nem pode vacilar. O egoísmo existe. Pergunto agora: que valor de consciência tem essa escolha, ou esse voto? Nenhum. Não representa um ato de consciência e sim um puro ato de covardia ou de defesa. Uma mentira.

— Perfeitamente,

— Mas se o voto for secreto, se for absolutamente impossível descobrir-se em quem o eleitor votou, tudo muda. O eleitor então passa a escolher livremente, isto é, de acordo com a sua consciência, pois sabe que nenhum mal lhe poderá advir disso, nem para si, nem para a sua família. Logo, o voto secreto representa a verdade, como o voto a descoberto representa a mentira.

Pus-me a refletir. Aquelas palavras de Mr. Slang aclaravam-me singularmente o assunto.

— Realmente, — disse eu. — No sistema do voto a descoberto o voto *já sai falsificado de dentro do eleitor*! Nunca eu tinha reparado nisso...

— Já sai falsificado, sim, — repetia Mr. Slang. — Já é uma mentira — e por isso ninguém o respeita. Não o respeita nem sequer o eleitor que o deu. Se sou *forçado* a votar em quem não quero, está claro que não respeitarei esse meu voto falso. Daí a instabilidade dos governos com base no voto a descoberto. Daí a facilidade de se organizarem *máquinas eleitorais* que perpetuam no governo homens que o povo detesta — que os próprios eleitores detestam. Daí as revoluções — meio único de alijar tais homens do poder. Daí a simpatia do povo pelos movimentos revolucionários, isto é, pelo alijamento a força de armas dos homens que esse mesmo povo elegeu constrangido. Daí o estado de miséria, de atraso, de desordem, de todos os países latinos da América que ainda persistem no sistema do voto que já sai falsificado de dentro do eleitor.

Em país de voto secreto jamais o povo apoia qualquer movimento revolucionário. Por que motivo recorrer-se à violência — que é dolorosa e economicamente desastrosa para a comunidade — se por meio da eleição é possível mudar-se um mau governo? E como daria o povo o seu apoio a movimentos armados contra homens que ele povo escolheu livremente, em absoluto acordo com a sua consciência? Se eu escolho livremente um homem para um cargo, está claro que estarei ao seu lado nos momentos difíceis, e que o defenderei como defenderia a mim próprio. Esse homem representa a minha consciência manifestada nas urnas. Se por acaso trair-me, se não desempenhar o mandato que lhe conferi de modo que me satisfaça, não recorrerei às armas para alijá-lo: na próxima eleição votarei contra ele, confessando a mim próprio que tive parte na culpa. Errei. Não escolhi bem, eis tudo.

Assim falou Mr. Slang e eu rendi-me aos seus argumentos. De fato, só o voto absolutamente secreto pode sair puro de dentro do eleitor. O outro já sai falsificado; e, portanto, não merece o respeito de ninguém — nem sequer do covardão que o deu...

Convenci-me, não havia remédio. Mr. Slang tinha um modo de argumentar que era só dele.

— Vejo que não se trata de panaceia como sempre supus, — disse eu. — Talvez seja por isso que os povos que já aprenderam a governar-se adotam o voto secreto...

— Sim. É o sistema usado na Inglaterra e basta, — confirmou com orgulho o meu inglês. — E também pelos Estados Unidos e França e Suécia e Noruega e todos os países *decentes*, os países onde as revoluções já não se fazem possíveis, por *desnecessárias*.

— Mas a resistência entre nós a esse sistema de voto é ainda muito grande.

— Resistência por parte de quem? De quem vota ou *de quem se habituou a ser votado cabrestalmente*?

A resposta estava contida na pergunta.

— De quem se habituou a ser votado cabrestalmente, está claro. Dos velhos políticos que o povo despreza, acoima de ladrões e, de medo, por covardia, continua a eleger...

XXIII

New York é um cacho de cidades. Sua riqueza. Vida subterrânea.
Up Town. O sistema de estradas de ferro metropolitanas.

New York... cacho de cidades autônomas que ao crescerem se fundiram num só monstro. Cem *villages* e mil comunidades compõem hoje esse cacho. New York!... Arco voltaico tão poderoso que de todos os recantos de terra afluiu e aflui gente em massa para alimento da fornalha que basta a si própria — pela sua indústria e ligações com o resto do mundo. Sua indústria! A estatística dá-lhe 32.590 estabelecimentos manufatureiros somando um capital de três bilhões de dólares, com um valor de produção de cinco bilhões e meio — trinta vezes o valor da nossa produção de café...

New York, a cidade que despende com educação pública, incluindo bibliotecas, cento e setenta e seis milhões — hoje dois milhões e oitocentos mil contos da nossa moeda.[8] Com museu e parques, duzentos e vinte e quatro mil contos. Com

---
8 Dólar a oito mil e trezentos réis.

higiene e saúde pública, um milhão e cento e vinte mil contos. Com o benefício das crianças, cento e doze mil contos. Com caridade ou assistência, cento e noventa e dois mil contos.

A cidade que cresce igualmente nos dois sentidos, para o céu e para o inferno. Que é a Grand Central ou a Pennsylvania Station, senão arranha-céus invertidos — *hellscrapers* — arranha-infernos?

O mundo subterrâneo de New York vale, como maravilha, todas as sete do mundo antigo somadas. Um sistema de viação copiado às formigas, onde as formigas newyorkinas trafegam incessantemente aos bilhões por ano. Em 1930 o tráfego pelos *subways* foi de, exatamente, 1.971.845.159 formigas humanas.

A cidade que tonteia o recém-chegado e não raro lhe perturba o equilíbrio dos miolos. Que impõe ao homem uma adaptação especial. Num estudo a respeito o Dr. Wallace House, neurólogo e psiquiatra do Flower Hospital, diz que a população flutuante de New York despende vinte por cento mais de energia vital do que a média dos seus habitantes fixos, nela nascidos ou já com longa residência. O newyorkino torna-se imune ao fragor da cidade por meio da adaptação sensorial. Já o visitante reage normalmente, contra o nunca sentido fragor, isto é, reage sem estar escorado pela defesa da adaptação especialíssima. Daí aumento da respiração, tensão muscular fora do comum e muitas vezes perturbações cardíacas.

De fato, quando, pela primeira vez uma criatura vinda de plagas onde o som é o velho som que a humanidade sempre conheceu, sente em seus tímpanos o choque dum trem elevado que passa vibrando a formidável estrutura de aço do seu leito, reconhece a existência na terra de coisas com as quais nunca sonhou a sua filosofia. Leva as mãos aos ouvidos, como se o fim do mundo estivesse chegando. Mais tarde assombra-se de ver nas infernais avenidas por onde correm os "elevados" crianças brincando na rua, tão desatentas ao furacão que passa como nós hoje no Brasil ao bonde. Adaptação...

A cidade subterrânea é de fato uma cidade subterrânea. Nela pode uma criatura morar toda a vida sem nunca ter necessidade de vir à tona. O comércio floresce luxuriosamente dentro da terra. Lojas de tudo — desde roupas brancas até livros. Muito livro comprei lá dentro, nos magníficos *stands* da Grand Central. Restaurantes, hotéis, casas de calçados, de roupas feitas ou por fazer, barbeiros, engraxates, cutelarias, *hosieries*, *Drug Stores* — até agências bancárias. Ali se desconta um cheque tão rapidamente como na superfície. Dali um homem de negócios telefona para todas as partes do mundo, como do seu escritório comercial.

Certa vez uma repórter meteu-se por um "sorvedouro" de *subway* a dentro para verificar por experiência própria quanto tempo podia uma criatura viver lá. Ao cabo de oito dias ressurgiu. "Inútil prolongar a experiência", disse ela no seu jornal; "fiquei oito dias, como poderia ter ficado oito anos, ou oitenta." A vida subterrânea está organizada em todos os seus detalhes, tal qual a da superfície.

Às esquinas, de espaço a espaço, um gradil no passeio assinala um "sorvedouro de gente". É uma entrada do *subway*. As massas humanas que formigam nas calçadas súbito se "sovertem" naquele ponto — água de enxurro a esvair-se em bueiro. Vão tomar o trem...

E que trens! De três em três minutos um que passa, com dez grandes carros metálicos, sempre apinhados. A congestão é eterna. Por mais que se aperfeiçoem os sistemas de transporte da cidade única, jamais atendem em certas horas do dia ao afluxo e refluxo da onda humana.

Down Town e *Up Town* — eis as duas expressões que o recém-chegado aprende antes de mais nada e sem as quais não pode locomover-se na ilha de Manhattan. A ilha é sobre o comprido, cortada em sentido longitudinal por avenidas que vão dum extremo a outro; e no sentido lateral por infinidade de ruas numeradas. Onde é *Down Town*? Onde é *Up Town*? Rigorosamente, em parte nenhuma, ou, antes, em toda parte. Essas indicações são relativas ao ponto em que nós achamos. Quem está na rua 72, por exemplo, considera *Down* todas as ruas abaixo desse número, e para ele a rua 73 já é *Up Town*. Mas para quem está na rua 74, a 73 já é *Down Town*.

Os trens correm em linhas separadas nos dois sentidos, e se dividem em locais e expressos. Estes só param mais ou menos de cinco em cinco estações, correspondentes a quarteirões. Os locais param de estação em estação. Em muitos pontos as linhas se superpõem. Na Grand Central, por exemplo, há várias camadas ou andares de trens, até profundidades que o público só alcança por meio de monstruosos elevadores.

A Grand Central assombra a menos assombradiça das criaturas. Estação inicial do sistema de estradas de ferro que tem esse nome e leva a todos os pontos do país, coincide com a principal estação de *subway*, depois da de Times Square. De modo que naquele subterrâneo, construído com fino luxo, não só circulam setecentos trens por dia para todos os cantos do país, como ainda os milhares do tráfego urbano. Descrever isso é tentativa louca. Coisa de ver-se, abrir a boca e concordar que New York é New York — a única.

Os desastres tornaram-se fenômenos de raridade — e as companhias frisam isso no *Subway Sun*, jornal da organização que afixam diariamente em cada carro. Não há no mundo, diz com algarismos o *Subway Sun*, estrada de ferro que apresente menor porcentagem de desastres por número de passageiros transportados — creio que um ferido para quinhentos milhões de incólumes.

Nada me deu tanto a medida da capacidade de organização do povo americano como a maravilha dessa segurança, obtida por meio dum sistema de controle que eliminou praticamente o homem. A máquina faz tudo.

XXIV

Uma opinião sobre a mulher. Femininice da América. Matercracia.
Como gostam de ler. Lei da evolução. Puritanismo grotesco.

Estas coisas ia eu pensando a caminho do apartamento de Mr. Slang, que me esperava para uma visita à Biblioteca Pública. Encontrei-o ainda furioso com as mulheres.

— Sim, é isto! — disse-me logo após ao *How do you do?*, ainda com o jornal que estivera lendo na mão. — Mr. Rodgers está certo.

— Will Rogers?

— Não, Robert Rodgers, do Instituto Tecnológico de Massachussetts. Acaba de fazer uma notável comunicação à Business Conference, de Babson Park. Diz que o pensamento americano é feminino, em consequência das escolas serem conduzidas mais pelas mulheres do que pelos homens. Aos métodos de ensino da escola americana, diz ele, falta virilidade — deficiência que está "feminizando" a América.

Faz meio século, declara ainda Rodgers, que a maior parte da nossa juventude está sendo treinada exclusivamente por professoras, nas quais a preocupação de método, o interesse do detalhe, a pouca inclinação para o pensamento matemático, político ou filosófico e a muita para insistir em crenças abstratas a serem aceitas docilmente, vem abafando o livre *give and take* da crítica. Cinquenta anos desta praxe produziram o que vemos — incompetência para pensar política e filosoficamente. O pensamento americano mudou de sexo, passou a feminino — altamente acurado em detalhes, imediato quanto a aplicações, rigidamente idealístico a despeito dos fatos — e débil quanto ao livre exame crítico.

— Essa acusação da femininice da América é geral, Mr. Slang, — acrescentei.
— Inda ontem, pelo *New York Journal*, Keyserling o denunciou, com aquela sua agudeza de mestiço de alemão e russo. Acha que é preciso emancipar o homem. Acha que a preponderância feminina inibe as faculdades criativas do macho americano, havendo também ela, a mulher, destruído, ou arrefecido, a sua faculdade criadora. Keyserling está montado no ponto de vista europeu. Quer a mulher na sua velha função de inspirar e encantar o homem.

— Sei, sei... É a grande questão constantemente agitada. A mulher avançou demais na sua investida para igualar-se em direitos e ação ao homem. Avançou tanto que o ultrapassou. Isso de encantar não existe mais aqui. Só se preocupam de dominar, mais e mais — e consolidar suas vitórias. Vai ver amanhã a onda de indignação que se erguerá contra Rodgers.

— Todos nós homens pensamos assim, — ajuntei. — Mas, pergunto, será possível voltar atrás e, depois de haver o macho permitido tamanho avanço à velha fêmea tradicionalmente subalterna, fazê-la recuar das posições conquistadas?

— Não creio, — opinou Mr. Slang. — Estas mulheres jamais recuarão. A América já é uma matercracia e o será em escala mais intensa cada ano que se passe. Elas são o sapo — quando seguram não largam mais. O homem foi batido na América, não resta dúvida — e muito receio que lhe aconteça o mesmo no resto do mundo. A influência crescente da América nos outros continentes causa apreensões ao ex-sexo forte. Em Berlim um jornal já deu o grito de alarma. Denunciou o fenômeno como tendente a provocar a maior crise da história. O "perigo americano" — não mais aquele "perigo amarelo" de Guilherme II. Não consiste o perigo americano, na opinião desse jornal, na dolarmania, nem na excessiva mecanização da vida, mas no predomínio da mulher sobre o homem — fenômeno absolutamente único entre as nações cultas. O perigo está em espalhar-se pelo mundo qual outra epidemia de influenza, causando a queda do Ocidente.

— E a insistência com que esse assunto é abordado indica que há fundamento na acusação, — adverti. — É o que me parece.

— E a mim também, — concordou Mr. Slang. — Elas se apoderam de tudo. As estatísticas financeiras mostram que três quartos da fortuna americana já foi parar nas mãos das mulheres através dos seguros. Governam de fato. As casas editoras só publicam o que elas querem. Delas dependem os sucessos de livraria. Em cada casa editora há uma "cérbera" à porta de entrada para exame dos originais submetidos — e como o público maior com que os editores contam é composto sobretudo de *girls*, o remédio é lhes aceitarem a dominação, como aconteceu com o cinema.

— Lerão de fato mais, Mr. Slang?

— Está provado. O mês passado o Carrol Club fez uma curiosa investigação a respeito, por meio dum inquérito entre milhares de *girls* de New York. Foi apurado que elas vencem um salário médio de trinta e três dólares e cinquenta por semana, dos quais gastam 7,56 com o vestuário, 9,53 com a manutenção, auxílio à família, caridade e igreja, e economizam 4,75. O inquérito ainda apurou que a maior parte do lazer de que dispõem é empregado na leitura, a qual representa em suas vidas três vezes mais que o esporte, a dança, o bridge e o teatro. Ora, havendo neste país, segundo o último censo, dez milhões de mulheres que, como estas *girls* de New York, vivem do seu trabalho e que como elas se entregam assim à leitura, fácil é deduzir que tremendo mercado representam para os livros novos. Daí a tirania. Só se publica com sucesso o que elas querem ler. São as fautoras do *best seller*, não há dúvida. Quando vejo um livro alcançar tiragens fabulosas, já sei a razão — caiu-lhes no goto. Os editores deploram o permanente grito por "coisas novas" com desprezo pelas obras primas da humanidade. Verificam eles que o gosto pela leitura cresce. Livros, mais livros, sempre mais livros, é o clamor. O número de "títulos" saídos cada ano cresceu de 5.714 em 1919 a 10.187 dez anos depois. Dobrou num decênio. O total da tiragem desses livros atingiu o número de 227 milhões e meio em 1927. O progresso intelectual está evidentemente crescendo. Mas o interesse pelos grandes livros do passado decai.

Anunciar um livro com "algo novo" é abrir as portas da venda em massa. Querem o *thrill* do novo. O *Pilgrim's Progress*, de Bunyan, está ameaçado de cair em olvido dentro de uma década.

— O *Pilgrim's Progress* que fez esta América...

— Sim, há evidentemente uma revolta da mocidade, contrabatida aliás pelos avanços da censura. O velho fanatismo puritano reage e, colocado nas fontes de produção, "censura". Constantemente são passadas leis nos Estados Unidos que provocam os maiores clamores do pensamento liberal, já não digo da vanguarda, mas dos homens moderados.

E aqui vejo claro o pensamento do professor Rodgers. A mulher afeiçoando o futuro e em conflito consigo própria. A *girl*, cuja atitude moderna tão bem justifica o juiz Lindsey no seu livro sobre a revolta da mocidade, mal se sente, com o vir dos anos, seca de glândulas, passa ao campo oposto e vai oprimir — vai fanatizar. Vai proibir o uso do álcool, vai condenar Darwin e impedir que entrem nas escolas livros que se refiram à lei da evolução.

Outro dia em Little Rock, no Arkansas, o dicionário *Webster* foi banido das instituições educacionais mantidas com dinheiros públicos "porque define a lei da evolução segundo Darwin".

— Ridículo, — comentei. — O mundo inteiro ri-se da América. Riu-se pelo menos no célebre caso do professor Scopes, levado ao tribunal pelo crime de ensinar essa lei.

— O mundo não se ri tanto como a própria América pensante. O mal é que a carolice ainda está no governo e o país tem que sujeitar-se às suas pasmosas injunções. A carolice censura oficialmente. A palavra "moral", representando a velha concepção moral do puritano, tranca todas as bocas.

Mr. Slang era um liberal irredutível e capaz de furor. O puritanismo irritava-o.

— Mas o puritanismo criou aqui grandes coisas, — disse eu mais para provocá-lo do que por convicção. — Enrijou o caráter nacional. Não sei se haverá justificativa no contínuo ataque que lhe fazem.

— Não creia, meu caro. Nesta matéria penso com Ruppert Hugues, um da vanguarda. Acha ele que o maior perigo da América está justamente na moralista de profissão que entende de regular tudo, desde o que o povo veste até o que o povo lê ou pensa. Traidores, lhes chama ele — traidores sob capa de patriotas.

Quando o clorofórmio apareceu e foi aplicado nas parturientes em trabalhos difíceis, a carolice ergueu-se inclinada. "A Bíblia diz que a mulher dará à luz com dor. Deus determinou assim. Deus quer que a mulher sofra nessa emergência." E só depois que o clorofórmio foi aplicado na rainha Vitória para que viesse ao mundo indolormente mais um príncipe de Gales, é que o seu uso se generalizou.

— *God save the Queen*!

— O mesmo sucedeu por ocasião das primeiras tentativas para implantar a estrada de ferro. Ergueram-se imediatamente os carolas. "Deus nunca teve intenção de permitir que o homem viajasse com velocidade maior de vinte milhas por hora. Se assim intencionasse, tê-lo-ia provido de asas. Portanto, a estrada de ferro constitui impiedade", — e Mr. Slang tirou do seu cachimbo uma baforada piedosamente irônica.

— É incrível, — continuou ele, — mas ainda há milhões de criaturas nesta América que pensam da mesma forma quanto às coisas novas, correspondentes hoje às estradas de ferro e ao clorofórmio daquele tempo. A causa disso? A mulher. A mulher depois que emurchece de glândulas. Keyserling tem razão. Ou o homem emancipa-se ou teremos uma situação inédita para o mundo. Decadência do poder criador. É isso.

— Está tudo muito bem, Mr. Slang. Mas eu não vim cá para ouvir as suas objurgatórias contra a biblicite. Bem sabe que não necessito de catequese. Vim para irmos à Biblioteca Pública.

— Pois vamos, — respondeu ele, guardando o cachimbo. — É uma visita que sempre me atrai.

Estava nevando — a primeira neve do ano. Ao pisar na rua, logo que os primeiros flocos me bateram no rosto recordei-me da velha ânsia que sempre tive de conhecer a neve. Disse-o a Mr. Slang.

— E em que circunstância viu a primeira neve? Porque imagino que a primeira neve deve ser coisa de muita importância na vida dum filho dos trópicos.

— E é realmente, — concordei. — O meu caso, porém, foi excepcional. — Tive o anúncio da neve a cair na rua, a primeira do ano, como esta de hoje, dado por uma... imagine, adivinhe, se for capaz, Mr. Slang! Por uma das famosas *girls* do Ziegfeld Follies!...

— Curioso, não há dúvida. Conte-me lá isso, — disse ele acendendo os olhos.

Era na realidade fato digno de contar-se. Neve anunciada por uma das mais lindas *girls* da América...

XXV

*Florenz Ziegfeld e suas maravilhosas girls. Neve e beleza.
Inesquecível anúncio da primeira neve. Divórcios.
Só as mulheres ganham com ele. Pagadores de alimonies. Casos trágicos.*

Florenz Ziegfeld nasceu sob os auspícios de Apolo e Vênus. Com um raro senso da beleza feminina, passou a vida a mobilizar a beleza da América para exibi-la nos seus maravilhosos "shows". Quando aportei a New York, um deles, "Rio Rita", estava no auge da vitória teatral, apesar de permanente no cartaz havia já um ano. Em New York, peça que "pega", eterniza-se. Dois, três, quatro anos no cartaz significa, em teatro, eternidade.

Um *show*... Que é um *show*? *To show*, mostrar; *show*, exibição. Uma exibição do que quer que seja. Os *shows* de Ziegfeld sempre foram incomparáveis exibições da beleza feminina.

Todo mundo conhece esse gênero teatral que chamamos "exibição de pernas" — revista ou comédia musicada cujo objetivo último é dar números de dança com mulheres nuas. Gênero clássico, universal, observável do Rio de Janeiro a Xangai. Procuram-se mulheres de forte *sex appeal* para gáudio da libido do público, reprimida de mil modos ou mal satisfeita na vida real. Gênero vulgar e grosseiro, bom para plateias de marujos, soldados de licença, comerciantes pequeninos casados com megeras.

Ziegfeld sublimou o gênero. Glorificou a *American Girl*. Um dos seus *shows* tinha esse nome *Glorifying the American Girl* — e, de fato, escolhê-las segundo um sábio cânon de beleza, como ele sempre o fez, e apresentá-las naquela moldura de riqueza e arte, era positivamente glorificar.

Impossível reunir grupo de criaturas humanas mais belas que as duas ou três dúzias conhecidas como as *Ziegfeld girls*. Da mesma idade, do mesmo viço, da mesma altura, das mesmas proporções, da mesma beleza plástica e de rosto, vê-las na dança de conjunto, despidas como estátuas, valia por sentir o choque da beleza pura — não o choque do *sex appeal* apenas. O esplendor da mocidade, o esplendor da beleza e o esplendor da arte — eis em que consistia o segredo da tremenda sedução que o gênio artístico desse homem soube criar na América, para deslumbramento dos nossos olhos e regalo desse misterioso *quid* a que chamamos senso estético.

Para as *girls*, ser colocada por Ziegfeld no seu mostruário correspondia à vitória suprema que a americana aspira — celebridade e milhões. A celebridade vinha instantânea — e os milhões logo atrás pelo casamento. Num jornal li que setenta por cento dessas *girls* eram, pelos milionários casadoiros, arrancadas a Ziegfeld com o gancho do casamento.

Pois bem: ter a neve, a primeira neve do ano e a primeira que o bugre dos trópicos ia ver, anunciada por uma das famosas estrelas dessa plêiade única de joias de vinte anos, vale por episódio desses que a memória jamais esquece.

— Sim, mas como foi isso? *show* insistiu Mr. Slang, para quem a beleza, junto com o dinheiro e o talento, constituíam as três forças supremas da vida.

— Eu estava no escritório dum velho amigo, por essa época agente comprador de filmes de cinema, rapaz bonachão que fazia do seu escritório o verdadeiro club dos brasileiros em New York. Súbito, a porta envidraçada abriu-se e uma criatura de rara beleza entrou.

— Quem será? — indaguei dum frequentador do escritório com quem eu conversava no momento.

— Pois é a *Miss* Naomi J., uma Ziegfeld *girl* que está se divorciando do C., não sabe a história?

Vim a saber naquele dia. Esse C., rapaz brasileiro de muito brilho e capacidade, mas destituído dos freios de controle que fazem da capacidade e do talento uma verdadeira força, apaixonou-se pela famosa Ziegfeld *girl* e entendeu de arrancá-la ao teatro pelo único processo admissível — o gancho do milionário. Tais artes fez, que a seduziu e pelo espaço de um mês depois de casado soube dar-lhe, e à *entourage*, a impressão de que era realmente filho dum grande magnata do Brasil, com vários milhões de cabeças de gado nos campos e outros tantos milhões de cafeeiros em S. Paulo. Com alguns milhares de dólares, que não se sabe como arranjou, pôde, num dos melhores hotéis de New York, manter por um mês o seu *show* matrimonial. Por fim, os dólares evaporaram-se e... o pano desceu. No mês seguinte *Miss* Naomi requeria divórcio — caso tratado escandalosamente numa página inteira, com lindas gravuras, pelo "*New York American*". Apesar de ter advogado americano, Miss Naomi aparecia ali às vezes para tratar do seu caso com o dono daquele escritório, espécie de advogado também, e conselheiro oficioso — isso graças à nacionalidade de ambos, o nosso amigo e o "milionário brasileiro".

Miss Naomi ao entrar saudou um dos presentes, também seu conhecido, e disse:

— *The snow is falling*.

A neve está caindo! Aquela notícia alvoroçou-me tanto, a mim que esperava cheio de ansiedade o primeiro contato com a maravilha da neve, que cometi o crime de retirar-me precipitadamente do recinto honrado com a presença da Vênus para ir ver a neve cair.

Vi a neve cair nos seus lentos flocos vadios, que descem boiando com a preguiça de fragmentos de penugem. Mas senti-me logrado. A neve só é neve como a sonhamos nos jardins ou nos campos, onde pode ir-se acamando sobre a relva ou galhos das árvores de modo a formar aquela *feérie* que nunca cessa de nos deslumbrar. Na rua, a cair sobre a cabeça e os ombros de bípedes apressados, ou sobre os passeios e o pavimento, onde é logo apisoada e toda se converte em gelada pasta de lama, em vez de bela é simplesmente sórdida — e, pois, não valia o sacrifício que eu fizera duns minutos mais de contemplação duma Ziegfeld *girl*. Voltei ao escritório. A Vênus já se havia retirado. Tive portanto, de contentar-me com rever o quadro rápido que se me desenhara na memória — a sua entrada, a sua saudação de cabeça e aquele *The snow is falling* de que jamais esquecerei o tom.

— Muito bem, — comentou Mr. Slang. — Quanto a mim confesso que fui menos feliz. Não me lembro do meu primeiro contato com a neve. Filho dum país de neve, eu, como todo os mais, comecei tão cedo a ver a neve cair, que não guardo memória da primeira impressão. Mas essa Ziegfeld *girl* obteve divórcio, afinal?

— Está claro que sim. Todos tomaram o seu partido, sendo o pobre C. forçado a sumir-se da circulação.

A conversa caíra ocasionalmente no assunto divórcio, onde ficou por algum tempo. Divórcio, divórcios... Ninguém escapa de tal debate, tão frequente é ele e tão tratado pelos jornais. Em toda a América, em cada cem casamentos dezesseis se dissolvem com o divórcio. Em certos Estados a porcentagem é mais alta — nos Estados em cuja área se erguem as cidades tentaculares. O urbanismo intenso favorece o divórcio.

O assunto é dos mais universalmente debatidos, com os campos bem delimitados — os que lhe são favoráveis e os que lhe são contrários. Em cada país, entretanto, o divórcio significa uma coisa diversa. Nuns favorece ao homem. Na América só favorece a mulher. Quem divorcia na América é a mulher. O homem "sofre" o divórcio. Embora as leis fossem feitas pelos machos, tanto se excederam nas garantias outorgadas à fêmea, que hoje se arrependem com lamentos de cortar o coração — porque já agora é tarde e não há voltar atrás. A americana, repito, é como o sapo. Quando agarra não larga mais.

Cada divórcio, a não ser que se trate dum milionário para quem um corte de vulto em sua fortuna em nada lhe altera a situação econômica, vale pela criação duma vítima — o marido. Os juízes, ao decidirem o pleito, invariavelmente favorecem a mulher, condenando o marido ao pagamento de *alimonies* ou pensões; e se o desgraçado vive do seu trabalho, tem de permanecer pelo resto da vida escravizado economicamente à criatura da qual se desquitou — ou que lhe deu o pontapé.

A esposa fica livre de casar-se de novo. A famosa Peggy Joyce já casou sucessivamente com cinco milionários — por esse processo milionarizando-se também. Mas o pobre do marido não pode fazer o mesmo. Como recasar, se ganha, por exemplo, trezentos dólares por mês e tem de pagar toda a vida cem de pensão à sua cara, *caríssima* metade de uns tempos?

— Os juízes são escandalosamente feministas, — observou Mr. Slang. — Chego às vezes a revoltar-me com tanta parcialidade. E sabe você donde vem isso? Do predomínio político e social que a mulher adquiriu. O juiz vê-se forçado a pender para o lado da mulher individual, cujo caso tem a decidir a fim de escapar à terrível sanção da mulher coletiva, organizada em clubes e sempre alerta na defesa dos direitos conquistados.

— Quer dizer, Mr. Slang, que a luta entre os sexos está travada.

— Sem dúvida. Os dois sexos se digladiam. Finda a subordinação ao homem em que a mulher viveu desde os tempos mais remotos, subordinação que dava ideia duma perfeita harmonia entre o macho e a fêmea, surgiu esta mentalidade feminina americana, mal compreendida, ou antes, impossível de ser compreendida fora daqui. "Quem manda agora sou eu", é o que diz a americana em todos os seus atos. "Você já governou por muito tempo, meu caro machinho. O poder está agora do nosso lado." E o homem é aguentar. Daí os choques constantes — episódios da guerra travada, recontros em que o macho sempre perde a partida. Tão vantajoso para a mulher da América virou o divórcio, que de 1909 a 1929 a média subiu de oito a dezesseis em cada cem casamentos.

— Pois nesse caso o remédio para o homem é não casar. Quero ver como elas se arrumam, — sugeri simplisticamente.

Mr. Slang deu uma gargalhada.

— Não casar? Mas se são elas que casam! E se são elas que casam com os homens, que hão de fazer estes derrotados? Leia os jornais chamados "tabloides", que se tiram aos milhões e representam melhor, ou refletem melhor o espírito da América do que os grandes e sérios, ao tipo de New York Times. Veja como andam inçados de notícias de casamentos e divórcios e que importância dão a tais casos. Essa imprensa é pura e completamente feminina. Os colaboradores, os repórteres, os *featuristas* — tudo feminino; em consequência, os pontos de vista que os tabloides defendem são sempre os da mulher. A tal ponto vai a coisa, que elas estão virando tabu — sagradas! Lembram-me o português no Rio de Janeiro. Observei no Rio que a imprensa era livre de tratar de tudo com a máxima liberdade, menos do português. Jornal que se atrevesse a dizer o que pensa dos portugueses, recebia logo a réplica no balcão — retiravam-lhe os anúncios, sangue sem o qual nenhum jornal vive. Na América o Português se chama Mulher.

E para comprovar o que dizia, Mr. Slang tomou vários daqueles tabloides. Correu por eles os olhos.

— Não custa reunir provas do que afirmei. Nestes jornais tenho-as às dúzias. Está aqui um caso típico, da Califórnia, dado em telegramas: Samuel Reid, conhecido como o mártir da *alimony* do Norte da Califórnia (o que quer dizer que há o mártir do Sul, do Oeste e do Leste), começou hoje o seu quarto ano de cadeia, por escusar-se a pagar à sua esposa a *alimony* determinada pelo juiz ao conceder o divórcio. Reid mantém-se na recusa baseado nas mesmas razões do princípio. Nada pagará enquanto o filhinho do casal não for retirado da posse da mulher e posto sob a custódia dum tutor. Veja, quatro anos — um verdadeiro mártir! Ficará lá dez, vinte — porque as mulheres são implacáveis e os juízes, timoratos.

Outro caso: Thomas Daly foi para a cadeia por trinta dias em virtude de amar em excesso a esposa. Havia abandonado o lar por algumas semanas, em consequência duma briga. Certo dia voltou, humilde, protestando o seu amor sem fim. "Não posso viver sem você *honey* (por azedas que sejam, ou amargas, os maridos tratam sempre as esposas de *honey* — mel)," *Get out!* Ponha-se no olho da rua! foi a resposta da requestada. O pobre Daly obedeceu. Retirou do apartamento os seus pertences e os meteu no porão do edifício. E ficou na rua qual cachorrinho, diariamente tentando amolecer com súplicas o coração da esposa. Mrs. Daly, furiosa, deu queixa à Corte — e o juiz, com o rabo entre as pernas, arrumou com trinta dias de cadeia para cima do marido colante. Mas mesmo na cadeia Daly continua a cultivar o seu amor. "Nada me fará nunca deixar de amá-la", suspira ele...

A iniquidade das leis americanas, pelo menos em alguns estados, consiste em não dar a ambos, mulher e homem, igualdade de direitos. Dá mais direitos à mulher. No Estado de New York, por exemplo, a mulher não está sujeita a pagar *alimony* quando o divórcio é julgado contra ela, o que seria de equidade. A propósito vejo aqui uma notícia que dá um raio de esperança aos sócios do *Alimony Club*.

— Já existe um? perguntei sorrindo.

— Existem vários, meu caro. Os maridos condenados ao pagamento de *alimonies* andam a se congregar em clubes, onde possam queixar-se uns aos outros da prepotência feminina. Diz a notícia: "A salvação bruxuleia no horizonte para os sócios do *Alimony Club* neste momento encarcerados por falta de pagamento das pensões a que foram condenados. Um projeto de lei foi submetido ao congresso, em Albany, pedindo que seja nomeada uma comissão revisora das leis que regulam a matéria. Robert Ecob, presidente da *Alimony Payer's Protective League* — Liga Protetora dos Pagantes de Pensões, pede o concurso de todos os interessados para que o projeto se converta em lei. 'Deve haver algo errado nas leis atuais, alega Ecob, mas nunca pudemos investigar coisa nenhuma porque não nos é permitido intimar testemunhas'." Veja, meu caro! Veja a que trapo a mulher anda a reduzir o poderoso rei dos animais aqui nesta América...

Por longo tempo conversamos sobre aquele assunto, de súbito interrompido por uma notícia de outro gênero, caída sob os olhos de Mr. Slang.

— Pobres negros! — exclamara ele largando o jornal sobre os joelhos. — Ajudaram a fazer esta nação (à força, é verdade), mas não conseguem escapar ao estigma da cor. Leia isto.

Li. "Posta no ostracismo por suas próprias companheiras de escola, e transformada numa pária social até na sua própria família, Bernice Seeney, 25 (é assim que os jornais dão notícias — um número adiante do nome, indicando a idade — ou os milhões, se se trata de gente de milhões), que só após cinco anos de matrimônio, e de dois filhos, verificou que o esposo tinha sangue negro, obteve o seu divórcio, concedido pelo juiz Hatch. Mrs. Seeney, ao depor, declarou que desejava não só romper o casamento como ainda sacrificar seus direitos de mãe em relação aos dois filhos, que pedia fossem entregues ao marido. Declarou mais que ao casar-se não percebera sinal nenhum em Mr. Seeney de que tivesse nas veias sangue negro. Só cinco anos mais tarde, ao descobrir um seu parente, veio a ter conhecimento da terrível coisa."

— É demais, Mr. Slang! — exclamei revoltado. — Renegar o marido, tão branco na aparência que só depois de cinco anos de convívio, e por acaso, ela soube que tinha nas veias uma remota gota de sangue africano, já era muito. Mas esta puritana da raça vai além — renega aos próprios filhos. É odioso, não acha?

— Não sei, — respondeu Mr. Slang, que apesar de inglês participava bastante do preconceito racial americano. — Não sei se não será isto um instinto da raça que se defende. Cruel, confesso. Crudelíssimo, neste caso. Mas os altos interesses da pureza da raça não estarão acima dos pequeninos interesses do indivíduo?

XXVI

Na Biblioteca Pública. Roupas feitas. Matar o tempo. Beleza das africanas. Anatole, Putois, Voltaire e Edison. Irreverências de Mr. Slang.

A conversa caiu sobre raças. Haverá raças? Que é raça? E ainda debatíamos esse tema quando chegamos à Biblioteca Pública da Quinta Avenida. Eu gostava de parar ali, subir a escadaria e debruçar-me no parapeito que circunda o patamar do imenso edifício, perto dum dos leões de pedra que, sentados, montam guarda nos cantos. Era de onde melhor eu podia sentir a massa humana que, como águas de um rio, rola eternamente pelo leito da rua.

Detivemo-nos naquele ponto.

— Veja, — disse Mr. Slang, ao debruçar-se comigo no parapeito, — veja como *elas* circulam. Só aqui circulam. Em toda parte, no mundo todo, a mulher ainda é o animal caseiro. "A mulher foi feita para a casa", creio que isto vale por apotegma universal. Quem circula é o homem. Só aqui na América ambos circulam.

De fato, o número de mulheres correspondia com sensível equilíbrio ao número dos homens. Todas bem trajadas, ao modo americano, isto é, estandardizadas sem exagero — primorosamente vestidas. Era um ponto que sempre muito me impressionou, aquele bem vestir-se geral.

— Estranho, Mr. Slang, como todas trazem vestidos tão bem feitos, tão bem cortados.

— Natural. A "costureira" praticamente já não existe — a mulher que para viver faz costuras. Há as companhias de costuras, a *mass production* do vestido. Um mestre o desenha, um mestre o corta, um exército de operários servidos por máquinas engenhosas o reproduz aos milhares. A americana média não perde tempo em vestir-se. É coisa de entrar no Macy's ou no Gimbels ou no Altman, esses imensos Departament Stores que vendem de tudo, desde automóveis até carne fresca, e escolher entre os milhares de modelos à mostra um do seu número, cujo padrão lhe agrade. Escolher e vestir e pagar e ir saindo.

— Com os homens é a mesma coisa, — lembrei eu. — Pouquíssima gente aqui mandará fazer a roupa. Mais cômodo, rápido — melhor, comprar o terno feito. Mas noto que só aqui é isto possível. Noutros países "roupa feita" equivale a roupa mal feita, de "carregação", como dizemos no Brasil. Tão mal ajambrado fica um freguês dentro duma "roupa feita", que de relance todo mundo o percebe. Aqui, não. Impossível distinguir a diferença.

— A mania de ganhar tempo, — explicou Mr. Slang, — introduziu este costume e fê-lo generalizar-se, tanto entre os homens como entre as mulheres — e isso permitiu às grandes companhias resolverem cientificamente o problema da roupa feita. *Time is money* — isto é uma das realidades da América. O tempo realmente vale ouro aqui. Matar o tempo constitui crime.

Fiquei a pensar comigo como era a coisa lá no meu Brasil sossegado. O esporte predileto do brasileiro, sobretudo nas pequenas cidades do interior, é matar o tempo. "Que estás fazendo aí, meu caro?" "Estou *matando* o tempo." Esta pergunta e esta resposta repetem-se de norte a sul milhares de vezes por dia. Matar o tempo! Crime dos crimes. Tempo que é vida, que é o bem único, insubstituível, impossível de ser comprado no armazém. Matá-lo, destruí-lo... No entanto constitui o nosso esporte predileto. Na América, se alguém declara que está matando o tempo, ou que matou o tempo, só falta ser preso, julgado e condenado à cadeira elétrica. Não matarás, diz o Decálogo — e os americanos ajuntam: nem sequer o tempo.

O desfile da massa humana é perpétuo, e intensíssimo naquela hora. Os escritórios despejam-se dos seus empregados. As moças que trabalham dirigem-se aos milhares para as estações de *subway*, ou esquinas onde param os ônibus. Que magníficas criaturas são! Altas, esguias, sólidas de pés, brancas de verdade, músculos com a *souplesse* que dá a ginástica. Sente-se a boa origem racial, a boa alimentação vitaminada e a vida higiênica — o tudo dando como resultado saúde. Chamei sobre isso a atenção do meu companheiro.

— É realmente onde se encontram em maior número os mais belos animais humanos do sexo feminino, — advertiu Mr. Slang, com a sua autoridade de turista conhecedor de todos os continentes. — Só na África vi mulheres lindas como aqui, desta lindeza que a saúde dá.

— Na África? — exclamei desconcertado. — Que ideia!

— Na África, sim. Os negros, sobretudo em certas zonas de condições climatéricas favoráveis, são animais perfeitos. Com alterar e infringir o que há de natureza em nós, a civilização nos vai deformando. A americana é este belo animal porque, graças à higiene, está cada vez mais se voltando à natureza, ao ar livre, ao exercício muscular, à satisfação normal dos seus "urges" orgânicos. Quando as inibições religiosas cederem lugar às prescrições da Eugenia, será a América o campo mais propício para a florescência do homem de amanhã, animal muito mais belo que o homem de hoje. Porque hoje, meu caro, somos ainda uma *congérie* de monstros. Repare no homem que passa. Irregular de feições, irregular na estatura, visível, evidentemente "mal feito". Sempre me impressionei com isso, com a feiura que trouxe para a humanidade a religião e as morais saídas da religião. Com o "desprezo à matéria," que pregam, desleixaram do corpo em proveito da alma, isto é, em proveito duma sócia do corpo. Consequência: a feiura horrenda da Idade Média que ainda persiste hoje, apenas minorada de leve com os avanços da higiene. Mas não basta a higiene. Temos de chegar à Eugenia. Esta sim. Esta será o grande remédio, o depurativo curador das raças. Pela Eugenia teremos afinal o homem e a mulher perfeitos — perfeitos como os cavalos e éguas de puro sangue.

— E quando isso?

— Um dia, a duzentos, quinhentos, mil anos de hoje. O avanço da Eugenia se faz em progressão diretamente proporcional ao retrocesso da religião, que é a força que preserva, embaraça, impede, inibe.

Mr. Slang libertara-se já em absoluto da teia do passado, que é visceralmente religioso. Certa ocasião em que discutíamos o assunto disse-me ele de improviso:

— Conhece aquele conto de Anatole France, *Putois*? Considero a obra prima desse francês manhoso. Sem usar uma só vez a palavra Deus ou religião, Anatole descreve ali a criação de Deus à imagem e semelhança do homem, e como consequência da criação de Deus, o surto das religiões. A dama que num momento de apuros inventou o jardineiro Putois, viu a sua criação de tal modo aceita por todos da cidade, e de tal modo a atuar na vida social da cidade, que acabou também acreditando na existência de Putois.

— Sim, mas veio Voltaire e... — comecei a dizer, muito sem propósito, pelo hábito de puxar o nome de Voltaire sempre que vinham à berlinda fatos da religião. Mr. Slang cortou-me a vaza.

— Engano, meu caro. Voltaire, bem analisadas as coisas, talvez haja consolidado a ideia de Deus e fortalecido as religiões. Atacar às diretas jamais derrubou um partido. Quem começou a fazer mal ao Deus antropomórfico, e consequentemente às religiões, foi Edison, esse mago sem tímpanos de Menlo Park.

— Edison?! — exclamei surpreso. — Explique-me isso, Mr. Slang.

— Sim, com a sua lâmpada elétrica. As religiões e os deuses nasceram das trevas. A treva gera o medo. O medo gera os deuses e os diabos, que por sua vez geram as religiões. Ora, foi Edison com sua lâmpada quem deu o grande golpe nas trevas. Uma criança de New York, por exemplo, cresce sem saber o que é o escuro, e, pois, sem sentir nos nervos, nunca, o arrepio estranho que a criança dos sertões de Goiás sente quando a noite cai e a terra toda se recobre de escuridão impenetrável. Tem a criança de Goiás, para combater a treva envolvente, a lamparina de querosene, de luz mortiça, oscilante, criadora de sombras móveis. Já a criança newyorkina, com a lâmpada de Edison em todos os cômodos da casa, cresce sem saber o que significa psicologicamente a treva. Daí a ausência de medo ao escuro e aos produtos do escuro — diabos e deuses. A religião que adquirem vem apenas por transmissão, por sugestão dos pais e mestres. Não a recebem da própria natureza. O pequeno goiano, porém, não necessita recebê-la dessas fontes indiretas — recebe-a diretamente da fonte original — o escuro, a mesma que a criou no homem das cavernas.

Benzi-me às escondidas e, com medo de que nos caísse na cabeça um raio vingador de tanta impiedade, fiz a conversa voltar para assuntos menos perigosos — mulher, roupa feita, eugenia. Por fim, cansados do desfile de gente, entramos.

XXVII

Public Library. A biblioteca das crianças. Dois futuros Lindberghs. Peter Pan é relembrado. Meninice e mocidade. Amor, amor...

Sair da Quinta Avenida, o torvelinho perpétuo, e cair na Biblioteca Pública, corresponde a mudar de planeta. Reina lá um silêncio de recolhimento, e ainda uma constante temperatura de primavera, por mais que fora o verão escalde.

Mr. Slang levou-me à seção das crianças, que eu ainda não conhecia.

As crianças... Creio que foi Dumas quem disse ser estranho como duns animaizinhos tão inteligentes sai o estúpido bicho que é o homem adulto. Sim, sim. Tem razão. O lindo da criança, o ultra lindo das crianças está em que são naturais. Com o crescer mete-se a educação a fazer do animalzinho natural o animalejo social. Educar vale dizer socializar, isto é, artificializar. Daí a estupidez adulta. Educação... Meio de arruinar a exceção em proveito da regra, disse Nietzsche. Meio de destruir a coisa única que dá valor: — personalidade, individualidade. Mas...

Encantou-me, aquilo. Em duas grandes salas, presididas, do centro, por uma guardiã na sua mesa entre grades (ótimo esse engradamento do único adulto ali existente), desdobram-se, cobrindo as paredes, as estantes baixas onde tudo que é literatura infantil publicada no mundo se reúne. Cadeirinhas de meia altura, mesinhas em miniatura, toda a mobília criada *ad hoc* para os frequentadores da seção, fazem-nos sorrir logo de entrada. Apesar de estupidificado pela educação, o pobre adulto conserva dentro de si a criança que foi — e sorri sãmente, animalmente, todas as vezes que algo lhe fala a essa criança.

Assim se deu comigo. Pus-me a sorrir o sorriso puramente biológico, sem intenção, sem causa — o sorriso da criança solta. Aquelas cadeirinhas, aquelas mesinhas, aqueles livros de figura...

Não há ali regulamento estragador do prazer do consulente; ou então o regulamento é feito de modo a coincidir com os impulsos naturais da criança que entra:

— "fossar" na imensidão de livros, sem atender a mais nada além da sua natural curiosidade e irrequietismo.

Gostei, sim; gostei do sistema. Vi dois meninos entrarem, de narizinho para o ar, farejando. Já conheciam os recantos da biblioteca. Foram a uma estante e sem vacilar um deles puxou certo livro. Sentaram-se no chão para folheá-lo.

Aproximei-me para ver que obra os havia interessado. Era um livro de ciência infantil, aberto na página dos aeroplanos. O mais taludo explicava ao menor uma particularidade qualquer de certo aparelho, talvez expondo uma grande ideia que tivesse na cabeça. O outro olhava apenas, sem ânimo de objetar.

— Um futuro Lindbergh, — murmurou Mr. Slang. — É assim que eles se formam.

— Estou gostando imensamente da liberdade que gozam aqui as crianças, Mr. Slang! Deitados sobre o livro, no chão, esses dois! Mas isto é único! Chega a fazer-me perdoar vários crimes da América.

O prazer das crianças é ali intenso, porque podem mexer à vontade. O "não faça isso, não bula nisso" não existe. Podem tirar das estantes os livros que desejarem, dois, três, quatro ao mesmo tempo, e vê-los, lê-los, cheirá-los quanto quiserem, onde e como quiserem — no chão, como os nossos dois futuros aviadores, nas mesinhas, nas cadeirinhas de balanço. E nem sequer necessitam repô-los no lugar. Nenhuma obrigação ali, além da de se regalarem com a livralhada deliciosa, cheia de coelhinhos que falam, como o famoso *Uncle Wrigley* que todas as crianças adoram; e a *Raggedy Ann*, boneca de pano famosa, e *Alice in Wonderland*, e Robinsons de todos os jeitos, e Gullivers de todos os formatos, e *Tom up my thumb* e Cinderela...

— Quanta razão tinha Peter Pan, o menino que jamais quis crescer! — murmurei com toda a sinceridade de alma. — Que asneira crescer, ficar gente grande, ter de virar bicho social — estúpido, hipócrita, recalcado... Ser um Hoover, atrapalhadíssimo com os tremendos problemas do após-guerra, quando se pode ser aquele garoto, que sonha talvez um novo aeroplano, sem asas, sem motor, sem rabo...

Mr. Slang concordou, confessando que a vida lhe fora um perfeito sonho mágico até o dia em que perdeu a crença nos coelhinhos que falam, nas fadas que com a varinha de condão viram uma coisa noutra, nos príncipes encantados que se casam com princesas mais encantadas ainda. E contou vários episódios da sua infância de sonho, passados no Kensington Garden de Londres, parque onde jamais se atreveu a entrar depois de adulto — de medo de matar as deliciosas impressões ali recebidas em criança.

Ao sairmos, de rumo ao andar superior onde estão os livros para a gente grande — a gente que caiu na asneira de crescer — passamos por uma comprida galeria em cujas paredes de mármore largos bancos também de mármore se espaçavam. Num deles vi uma menina aí dos seus dezesseis anos, reclinada, mãos nas têmporas, absorvida na leitura dum livro. Tão lindo me pareceu o quadro, que insensivelmente me atardei; e ao chegar ao extremo da galeria entreparei, sem ânimo de dobrar a esquina. Depois da visão das crianças na biblioteca infantil, aquele quadro da juventude absorta em sonhos me completava o dia. Era a imagem da flor que se alheia ao mundo; e ainda com mais pétalas perdidas para a infância do que para o "outro lado", vive a sua vida de sonho, a sugestão dum livro que naquele momento lhe traduz todos os anseios d'alma.

Romance de amor? Certo que sim. Em tal idade não é outro o alimento que a carne e o espírito pedem. O episódio devia ser dos mais empolgantes. Para aquela menina absorta deixavam de existir New York, público, ambiente. Existia o herói que lhe tomava a imaginação, talvez vivendo no livro um dos grandes momentos que só o amor dá. Lindo! Cem anos que eu viva e jamais me sairá da memória aquele quadro da mocidade a sonhar. Mocidade: arranco da infância, salto que a vai transportar dum mundo para outro... Salto, sim... Estado de levitação. A mocidade, como salto que é, boia no ar, levita-se na euforia do amor. Depois vem a queda — o chão duro e áspero do resto da vida — a idade do adulto, a fase que enchia de horror ao sábio Peter Pan...

Mas... e Mr. Slang? Procurei-o inutilmente. O quadro da menina que lia fez-me perder a pista do meu companheiro e interromper ali a minha visita a uma das grandes bibliotecas do mundo.

Saí.

XXVIII

Um artigo de Fritz Wittels. De Forest, o inventor do rádio. Grandes homens e grandes ricaços. Simplicidade dos nababos. Henry Ford e suas ideias sobre o dinheiro.

Ao chegar ao meu apartamento encontrei no jornal que levara da rua um artigo do Dr. Fritz Wittels com o título: *Flaming Youth should be encouraged, not lambasted*, etc. A mocidade... como traduzir *flaming*? Flamante deve ser o correspondente direto ou ardente. A ardente mocidade deve ser encorajada, não *lambasted*... *Lambasted*? Que é isto? Vou ao meu dicionário vivo, isto é, telefono para Mr. Slang.

— "Ah, sim?"

— "Por que o pergunta?"

— "Um artigo dum Fritz Wittels que me parece interessante, mas engasguei no título."

— "*Wittels? Spell it, please.*"

Soletrei o nome.

— "Conheço-o muito. Um velho amigo meu, dado a estudos de psicanálise. E por coincidência temos um encontro amanhã. Se quiser, venha. Conhecerá um tipo bastante curioso, de ideias penetrantes."

— *All right*, — respondi, voltando ao artigo com mais interesse. Não cheguei a lê-lo, porém. Ia estar com o autor, ouvi-lo em pessoa — escusava portanto conhecer-lhe o pensamento empalhado naquele artigo. Além disso, o rádio anunciava para aquela hora uma execução da *Viúva Alegre* em Viena, regida pelo próprio Franz Lehar, e isso me atraía. Fui-me ao rádio.

Como vai o mundo mudando por forças das invenções! Estar eu ali a ouvir música feita em Viena e a ouvir a voz do compositor num breve discurso introdutório! Uma ideia puxando outra, lembrei-me de Forest, o inventor da válvula de rádio, a quem conheci numa conferência pública na Universidade de Columbia. Eu sentara-me ao lado dum homem de aparência vulgar, já grisalho. Enquanto esperávamos pelo conferencista (um russo que ia dissertar sobre a nova orientação que, como diretor, dera ao cinema na Rússia) puxamos prosa. Como o desconhecido tivesse à direita a esposa, que já estivera no Brasil, em Minas, não foi difícil travar conversa.

— "Que maravilha é Ouro Preto!" — disse ela. — "De tudo que tenho visto nas minhas viagens, o pedacinho de ruínas que mais desejo rever é Ouro Preto."

No fim da conferência de Eiseinstein, quando nos separamos, apresentei-me:
— "Fulano de Tal, que também já viu Ouro Preto" (era mentira).
— "E eu, De Forest."

Levei um susto. Poucos dias antes os jornais haviam publicado a decisão judicial que dera ao De Forest, inventor da válvula de rádio, ganho de causa numa demanda contra a Rádio Corporation, que lhe invadira uma patente. A empresa invasora tinha sido condenada ao pagamento de vários milhões. Se aquele De Forest fosse por acaso parente do grande De Forest, meu dia estaria ganho. Indaguei:

— "É parente do De Forest da válvula de rádio?"
— "Sou o próprio", — respondeu ele sem sequer sorrir, como eu sorriria, palermamente vitorioso, em seu caso. Assombrei-me. Arregalei os olhos. Mirei-o de alto a baixo.

— "Espantoso isso, Mr. De Forest!..."
— "Que eu haja inventado a válvula?" — retrucou sorrindo enquanto saíamos.
— "Não. Que seja um homem como os outros", — expliquei, sempre a devorá-lo com os olhos, pois era o primeiro grande inventor que eu via assim de perto.
— "Oh, os inventores nem sequer chegam a ser como os outros. O que não daria Edison para ter o que todos têm — tímpanos em bom estado..."

A simplicidade dos grandes americanos sempre foi coisa que me seduziu. Certa vez, em Detroit, na sede da General Motors, fui apresentado a meia dúzia de magnatas, cada qual mais rico e poderoso. Como os conhecia de nome e peso, avaliei-os monetariamente, em meio bilhão de dólares. Pois estive em conversa com esses homens por uns vinte minutos sem sentir em nenhum o cheiro de um centavo sequer. É característica do americano não denunciar por todos os poros a fortuna que tem, como certos indivíduos da minha terra, que, com apenas algumas centenas de contos empatados em hipotecas, cheiram ou fedem a dinheiro a vinte passos de distância.

O dinheiro lhes vem tanto e tanto, a esses capitães da indústria, que perde o valor e a significação. Para Henry Ford, por exemplo, o ouro não passa dum material de construção como outro qualquer. A um jornalista que lhe perguntou quanto tinha, respondeu:

— "Quanto carvão ou quanto ferro tenho?"
— "Não. Quantos dólares."
— "Ignoro, nem é coisa que me interesse saber. Ouro é um material de construção, como o carvão ou o ferro. Para criar uma indústria necessitamos dos três materiais: ouro, ferro e carvão. Nesta remodelação da minha fábrica, por exemplo, para produzir o meu novo tipo de carro, os materiais precisos foram três — ouro, carvão e ferro. Nenhum é mais importante que o outro, já que só com o concurso dos três consigo os meus objetivos."

— "E, por falar, — advertiu o jornalista, — em quanto ficou a remodelação da fábrica? Quanto gastou? pergunto.
— "Quanto carvão gastei?"

— "Não. Quantos dólares".

— "Ignoro, nem é ponto que me interesse. Tinha um montão de hulha aqui, outro de ferro à direita e outro de ouro à esquerda. Fui tirando de cada monte o necessário à mistura da qual tudo sai. Ainda não medi o monte de carvão, nem o de ferro, nem o de ouro para saber quanto me resta de cada um — e, pois, quanto gastei."

A América dá várias lições. Nenhuma, porém, maior que a dos seus grandes milionários. Transformam-se em certos captadores e redistribuidores do dinheiro. Realizam uma obra de socialização que constituem o sonho dos radicais russos. Que é Rockefeller hoje senão um redistribuidor para fins sociais? Vem daí o vulto gigantesco que o "donativismo" tomou aqui. Em 1929, por exemplo, a lista dos donativos subiu a... dois bilhões e quatrocentos e cinquenta milhões de dólares, sendo de notar que se vem mantendo em nível superior a dois bilhões anuais desde 1923.

Em 1929 os dois bilhões e meio de donativos foram repartidos assim: religião, 996 milhões; educação, 467 milhões; caridade pessoal, 279 milhões; caridade organizada, 279; saúde pública, 221; socorro a povos estrangeiros, 132; belas artes, 40; recreio público, 21; outros fins, 14.

Essa lista é curiosa de examinar-se por apresentar aspectos que só se observam na América. Um deles é a quantidade de donativos anônimos, que sobem a milhões. Vi lá um donativo de três milhões de dólares, que seriamente me impressionou. Dar assim três milhões a uma universidade e não querer sequer que lhe conheçam o nome, é positivamente *algo nuevo*.

....

— Wittels marcou-me encontro no *Pirate's Den*, em Greenwich Village. É tempo de rodarmos para lá, — foi como Mr. Slang me saudou quando surgi no seu apartamento.

— Bravos! — exclamei. — Sinto certa paixão por esse *Quartier Latin* de New York, que aliás conheço pouco por falta de um bom guia. Bairros dessa ordem, desordenadamente artísticos, só com cicerones. Mas quem é esse Wittels, Mr. Slang?

— Um vienense freudiano que se especializou no estudo do amor. Diz ele que como há médicos que só estudam o cancro ou a tuberculose, era necessário que os houvesse especializados em amor — e fez-se um. Sabe o amor de A a Z. Destrinça-lhe os bastidores com o microscópio de Freud, e já anda tão conceituado que quando fala o americano o ouve. Tem uns livros também.

— Hum! Agora me lembro. Já li algo desse homem. Deixe-me ver...

— *All for Love*?

— Não. Outro...

— *Caveman*?...

— Isso. *Caveman against Man*, livro onde estuda os instintos que nos vem dos tempos em que morávamos nus em cavernas, e que ainda subsistem em perpétuo choque com as restrições impostas pela cultura, determinando nossas reações contra o meio e, pois, condicionando o nosso fado. É a tese. Gostei. Engenhoso, sim.

E, ainda discutindo Wittels, saímos a vê-lo.

A estação do *subway* que serve Greenwich Village é a da rua Christopher. Lá saltamos e deixei-me guiar pelo meu inglês, bom cicerone para aqueles meandros.

Porque a velha Greenwich Village forma uma salada de velhíssimas ruas tortuosas e becos onde só um velho conhecedor pode orientar-se.

Subimos pela rua Christopher.

Como tudo ali muda e nos descansa da cansativa estandardização do resto de New York! A não serem os *Drug Stores* das esquinas, que repetem o padrão comum em que caíram no país inteiro, tudo mais é novo — novo no sentido de diferente, pois quanto à idade é velhíssimo.

O ímpeto de remodelação que já transformou a mor parte de New York e que do West Side começa a invadir o East Side — zona mais popular, mais pobre, intensamente judaica — ainda respeita a Village, embora a haja reduzido de área. Subsiste o núcleo central. O resto já se renovou, e conquanto ainda procure ser Greenwich Village soa a falso. A Greenwich que atrai é a velha, toda pardieiros coloniais, irregularíssima, de ruas estreitas e malucas, verdadeiro labirinto de Creta.

As casas de curiosidades artísticas se sucedem, *Curio Shops*, como se chamam, onde o comprador encontra tudo o que é feito à moda antiga, manualmente, e nada do que é obra da máquina. Esse, o contraste maior com o resto da cidade ou do país. No resto da cidade, em todas as casas de comércio, ninguém sente, no artigo exposto à venda, o homem, a mão do homem, o artista. Tudo é *mass production*, tudo é produto da máquina, sem outra assinatura além dum nome de companhia e dum número de patente. Estandardização.

O que se vende nas lojas da Village são as velhas coisas que desde os mais remotos tempos produz a criatura que se ausculta a si mesma e nas coisas mínimas revela a sua personalidade (o introvertido, o sonhador, o homem que medita, que foge do mundo de toda gente e cria o seu próprio). Coisas artísticas, em suma. Coisas que a mão faz, pois que o sublime instrumento por meio do qual todas as maravilhas da arte se afeiçoam é sempre esse prodigioso órgão com: cinco dedos, unhas, palmas e o M da morte no centro. Em Greenwich Village a Mão impera — daí o seu encanto.

— É ali! — disse Mr. Slang interrompendo-me a cadeia do pensamento e apontando para uma tabuleta — *The Pirate's Den* — o Antro dos Piratas.

Entramos. Wittels lá estava, de cara redonda, gordo, testa amplíssima e olhos verrumantes. Escolhia coisas no menu, pedindo informes ao criado — se o peixe era mesmo *mackerel*, se o cogumelo era mesmo de Plainfield e outras niquices de guloso.

Foi um inesquecível jantar. Não só o requinte dos pratos, como um vinho evidentemente anterior à guerra, e sobretudo o picante das ideias de Mr. Wittels, tornaram-no uns dos jantares notáveis que tive em New York.

Especialista em amor, foi sobre o amor americano que Mr. Wittels discorreu. Não me sinto habilitado a julgar suas ideias. Isso de ideias de há muito que me habituei a apenas exigir que sejam engenhosas, bem arranjadas com aparências de verdade. Não vou além, nem peço mais. E Mr. Wittels as tinha singularmente engenhosas.

— O americano é um Creso de dinheiro mas uma bancarrota em amor, — foi a tirada com que, mascando um cogumelo, o doutor vienense abriu o assunto.

Mr. Slang concordou que a preocupação excessiva do negócio — do grande negócio — de fato impropriava o americano para o cultivo do amor ao modo da velha Europa.

— A reserva de energia vital de um homem tem limites, — disse ele. — Negócios e amor fazem-se à custa dessa reserva. Quem despende demais dum lado, vê-se em déficit do outro.

— É o que se dá com o americano, — ajuntou Mr. Wittels. — Gasta todas as energias com os *business* — e nem pode deixar de ser assim, de tal modo se fazem grandes os negócios aqui. Uma vez preso na engrenagem, não há fugir-lhe aos dentes. E o americano sente volúpia em ser esmagado pela engrenagem dos negócios. Daí sua falência no amor. A libido do americano gasta-se mais no negócio do que no amor.

O freudiano surgira, e eu, sempre curioso desse novo sistema de investigar o quarto escuro humano, apurei os ouvidos. Quis conhecer o sentido que Mr. Wittels dava a palavra libido.

— Força Vital, — respondeu-me ele. — É como Bernard Shaw lhe chama. Feixe dos instintos básicos de que resulta a força propulsora da raça. Tem suas raízes mestras no sexo, mas não se manifesta de modo exclusivamente sexual. Pode expandir-se em diversas direções. Sublima-se, idealiza-se. Pode ainda ser recalcado. Pode igualmente ser derivado para caminhos que só remotamente se relacionam com o sexo.

O americano, ou sublima, ou reprime, ou desvia a libido em tal extensão que enfraquece a função biológica do sexo. O que vemos na América, obra dos americanos, é um sistema de ética e um conjunto de leis que tentam negar, ou ladear, os instintos básicos sobre os quais a vida se alicerça.

Como especialista do amor, tenho estudado a fundo o caso. Do mesmo modo, tenho psicanalisado inúmeros homens e mulheres desta terra — e todos, em regra conformados com a moral em vigor, revelam no obscuro subconsciente desejos que nem sequer a si próprios ousam declarar. Tais confissões, juntas a observações laterais, levam-me a concluir que a mulher americana constitui um desenvolvimento inédito da humanidade, uma floração nova na árvore da vida.

— Tem-nas realmente nesta alta ideia? — perguntei.

— Sim. Vejo nelas *algo nuevo*. São na realidade as mais belas mulheres do mundo, tão belas que já formam um novo tipo. E por que são assim tão belas? me pergunto a mim mesmo. Vá que o sejam as criadas no ambiente favorável da riqueza. Mas a *shop girl*? a rapariga modesta, humilde, que não se forma em ninho de plumas? Também estas atingem a beleza — e sem o recurso enganador dos cosméticos e modas. Possuem uma beleza que elas evolvem de si próprias, como atendendo a uma exigência biológica.

Penso que há na mulher americana mais "vontade de beleza" que em qualquer outra mulher do mundo, porque ela sente necessidade de ser bela para atrair o *evasivo e relutante macho*. Não lhes basta para isso a natural feminilidade. São forçadas a somar a feminilidade com algo mais.

— E por que acha o americano tão evasivo? — perguntei.

— O "evasivismo" se dá em virtude de um hiper-refinamento do gosto ou por depressão, diminuição de força no instinto do macho. No caso americano pendo para a segunda hipótese. O constante atrito da libido, o dispêndio excessivo por canais diferentes, enfraquece o amante americano. E a sua falha neste ponto força a mulher à inversão de papéis. A iniciativa passa a ser dela.

Mr. Slang interveio, declarando que na sua opinião o povo americano era tão fortemente sexual como outro qualquer e citou o número avultado de crimes passionais que enchem as folhas. Além disso o assunto sexo era dos mais frequentes, não só em livros e jornais como ainda na conversação. Achava ele que em país nenhum do mundo a palavra "sexo" tinha tão alto consumo como na América.

— Por isso mesmo, — contraveio Mr. Wittels. — Falar, escrever, conversar sobre *sex* denuncia o estado d'alma que apontei. Quem a todo momento fala em amor nunca é, na realidade, um bem sucedido praticante do amor. A discussão, o debate, é um substituto da expressão sexual.

— Derivativo?

— Sim, — insistiu Mr. Wittels. — Um derivativo. Ocorre ainda que o *petting* e o *necking*, tão característicos da vida americana, constituem iniciativas femininas. Foram inventados pelas *girls* das modernas gerações, por sugestão do instinto, para estimular, acordar o modorrento macho.

Mas Mr. Wittels não generalizava de maneira absoluta.

— Está claro, — disse ele, — que minha teoria não abrange todos os americanos. Muitíssimos há, magníficos *he-men*, que receberiam altas notas num concurso mundial de virilidade. Mas o número dos positivamente inadequados para o amor é bastante grande para constituir uma variedade da espécie humana.

Os *Night Clubs* andam cheios de americanos de todos os tipos e idades, que pagam preços fantásticos por um mau *drink*; e quando voltam para casa depois de haver alisado a mão duma mulher, gabam-se no dia seguinte dum maravilhoso *good-time*. Sentem orgulho em serem considerados *suckers*.

— Coronéis, dizemos nós na nossa terra.

— A ambição deles, — prosseguiu Mr. Wittels, — não vai mais longe. É que a libido está enfraquecida. Tal depressão faz deles maravilhosos marchantes, mas lamentáveis Romeus.

O americano médio evita a mulher, influenciado pela fraqueza da sua libido e ainda pelo respeito que tem por ela. A mulher necessita e quer respeito, sim, mas entre o respeito e o amor prefere o amor. O exagerado respeito com que o americano a trata é uma astúcia protetora. Colocando entre si e ela a espada nua do puritanismo, o homem guarda-se da tentação.

— E o *flirt*? — perguntei.

— Mero substituto de amor. O americano gosta de brincar de amor — o *flirt* é isso — mas defende-se como pode contra a tentação de ir além. Natural. Esse gigante do *business* durante o dia, no seu escritório, onde lança as redes por sobre o mundo inteiro, está à noite cansado — e o amor é noturno. E, cansado que está, foge à mulher sob a capa do respeito.

— Mas dão a elas tudo, — interveio Mr. Slang. — O trabalho ciclópico feito durante o dia reverte todo para o luxo com que ele aninha a companheira.

Mr. Wittels sorriu e meneou a cabeça.

— Essa liberalidade nasce do desejo de proporcionar alguma compensação à mulher. Não podendo dar-lhe amor, dão-lhe tudo o que o dinheiro compra. Puseram-na num pedestal, não é? Mas a mulher prefere ser amada a ser adorada qual um ídolo de porcelana. São de carne. Isso de pedestal é outro truque. Meio de meter distância entre ambos, astúcia na batalha que o homem vem sustentando contra a atração feminina. Nos começos a mulher aceitou com vaidade essa atitude de veneração. Por fim descobriu que era *defesa* — e muito fria para valer o que lhe negavam em troca. Hoje, cansada da separação, das "cautelas", do "respeito", a americana atira-se à conquista do evasivo macho, destruindo-lhe as trincheiras e procurando eliminar as suas inibições. Daí o novo tipo de mulher que venho estudando na América.

— Realmente, um tipo novo?

— Novíssimo. Inédito no mundo. Na Europa as mulheres permitem-se envelhecer. Aqui não conhecem velhice. Ainda quando bem entradas em anos, conservam o *charm*.

— E que diz do avanço da mulher em aperfeiçoamento?

— Admito-o, pois não. Enquanto o homem trabalha e se absorve no *business*, a mulher liberta-se e adquire cultura. Intelectualmente e fisicamente já está batendo o companheiro. Que elemento de sedução apresenta o americano, além do dinheiro? Eles "tomam" a mulher, como tomam um *cocktail*. Nada do *savoir faire* do velho europeu, o qual, "cultiva" a mulher e beberica sibariticamente o vinho. O homem lá, de cultura, faz da vida uma arte, e do amor, uma ciência. Já aqui o que o americano pede é não ser incomodado pela mulher — salvo por breves momentos.

— Mas, Mr. Wittels, creio que as coisas estão mudando. Noto que a geração atual já não sofre as mesmas repressões que tanto torturaram os seus antepassados. O puritanismo cede terreno. Esse espírito novo, de revolta, é constantemente censurado em artigos de moralistas e em sermões — sinal de que se desenvolve.

— É certo, e no entanto a mocidade devia ser encorajada, em vez de *lambasted*.

Lambasted... Tinha eu afinal pescado o sentido da palavra que pela manhã me fizera telefonar a Mr. Slang.

— A revolta da mocidade, — continuou Mr. Wittels, — é a revolta da *girl* americana — e tudo me faz, crer no começo da derrota do puritanismo. Já durou demais essa praga.

Os olhos de Mr. Slang brilharam. Ele detestava o puritanismo, e aquele anúncio de Wittels sobre o começo da queda do seu "inimigo pessoal", lhe soube inda melhor que o vinho, que bebia a goles medidos.

— Tenho acompanhado, — ajuntou Mr. Slang, — os sintomas dessa investida contra o puritanismo e concordo que a coorte rebelde se compõe mais de mulheres do que de homens.

— Perfeitamente. O macho segue o movimento, mas com relutância. No fundo, sempre o receio de ser empolgado pela fêmea. E a *girl* se vê forçada a abandonar a natural reserva a fim de vencer a inibição masculina. Daí o corte de cabelos à moda dos rapazes, daí o trajar masculinizado — astúcias tendentes a fazer o americano esquecer que ela é uma rapariga, até que num momento de descuido ele se renda às fascinações do sexo.

— Acha, Mr. Wittels, que a moça americana vencerá a batalha?

— Tem que vencer. Está vencendo. Os trajes masculinizados, bem como o cabelo cortado, começam a cair: as linhas puramente femininas retornam. As moças já necessitam menos desse recurso desinibitório dos rapazes. Estão vencendo. A mudança de penteado e trajes indica *desmobilização parcial*.

O momento era oportuno para consultar Mr. Wittels sobre o que pensava do casamento.

— Diga-me, Mr. Wittels: a maior liberdade sexual que as mulheres reclamam virá destruir o casamento?

— De modo nenhum. O casamento é necessário à mulher como meio de desempenhar a sua função biológica. Mas não vejo motivo para que o casamento não se adapte a mudanças no regime sexual. Qualquer que seja o resultado da luta entre os sexos na América, tenho como certo que o casamento subsistirá. Passado este período agudo de revolta, de escândalo, de torvelinho e confusão, a "nova mulher" e o "novo homem" encontrarão uma nova forma de equilíbrio para o casamento.

Assim terminou a nossa conversa com aquele especialista do amor, e nessa mesma noite, voltando ao meu apartamento, fui ler com avidez o artigo que pela manhã me chamara a atenção para Mr. Wittels. Abundava nos mesmos conceitos e, por malícia do jornal que o dera vinha ilustrado de caricaturas que frisavam, com uma ponta de grotesco, as passagens principais. Hoje, que ponho essa conversa em livro, não considero deslocado intercalar nela alguns desses desenhos perversos.

XXIX

Igrejas conjugadas com hotéis e mais negócios. Um olhar de dúvida. A resposta de Mr. Slang. Nosso almoço numa igreja. Desconfiança em si próprio.

Várias vezes eu havia conversado com Mr. Slang sobre a ideia dos arquitetos de conjugar duas coisas na aparência inconjugáveis — uma igreja e um hotel ou casa de apartamentos. Dissera-me ele que isso não representava novidade, pois conhecia várias. Duvidei, não com palavras, mas com o olhar. Mr. Slang não insistiu e mudou de assunto. Um belo dia recebi de Syracuse um telegrama seu, dizendo: "Venha amanhã almoçar comigo numa igreja. Hotel tal".

— Almoçar numa igreja? — repeti, deslembrado da antiga conversa e sem alcançar as intenções do meu excelente amigo. Que queria dizer com isto?

Em vez de quebrar a cabeça na decifração do enigma aproveitei a folga do fim de semana para tomar o trem de Syracuse.

— Viva! — disse ele ao ver-me surgir em seu quarto. — Vamos ao almoço. Demorou, mas chegou o dia de vingar-me dum seu olhar...

— Dum meu olhar? — repeti, realmente intrigado.

— O olhar de dúvida que teve quando lhe falei das igrejas conjugadas a hotéis e casas de apartamentos.

Só então me veio à lembrança a nossa conversa a respeito.

Fomos almoçar. A igreja-restaurante era exatamente do tipo por ele assinalado. Um grande edifício que exteriormente não apresentava a forma clássica das igrejas, embora desse um ar. E, de fato, não era igreja, e sim um *building* com uma igreja encravada dentro. O bloco fora construído de modo a formar unidade, e planejado de jeito que a renda do hotel suportasse financeiramente a igreja. Vi, pois, e convenci-me de que o que tomara como pilhéria de Mr. Slang não passava de realidade — e realidade já grisalha, pois aquela conjugação de hotel e igreja funcionava desde 1914, o ano da guerra.

Comi lá o meu bife, a minha omelete, o meu *pie* de maçã com o mesmo apetite com que o faria num restaurante de New York, embora com um pouco mais de unção. Mr. Slang foi discorrendo.

— Há já vários templos deste tipo. Em New York estão erigindo um majestoso, o Broadway Temple, em Washington Heights, lá pela rua 173. Está em ossatura ainda. Vai ter uma torre bem alta, com a clássica insígnia das igrejas cristãs no topo. O corpo do edifício, deduzido o espaço a ser ocupado pelo templo, comportará ainda um hotel, um ginásio, um campo de *squash*, outro de *bowling*, outro de *basketball*, piscina de natação, apartamentos, etc. A renda de tudo isto está calculada para amortizar as despesas da construção e ainda deixar duzentos mil dólares para as obras religiosas e sociais da confraria.

Esse Broadway Temple constitui a primeira combinação de arranha-céu e igreja que o país vai ter. Breve a veremos funcionando. Planejadas, ou em início, existem várias outras.

— Acho a ideia ótima, Mr. Slang. A igreja, assim, suportar-se-á a si própria, sem necessidade da coleta de dinheiros, que tão mal impressiona e tão incerta é.

— Foi o que induziu os americanos a entrarem por esse caminho. Muitas igrejas existem localizadas em zonas que outrora foram arrabaldes e hoje são distritos intensamente comerciais. Os terrenos que ocupam valem fortunas fabulosas. A transformação da cidade criou para tais igrejas uma série de problemas com duas únicas soluções boas: mudarem-se ou adaptarem-se. A princípio mudavam-se. Hoje estudam a adaptação. Conservam-se no ponto onde foram originariamente erigidas, mas transformam-se em arranha-céus, dess'arte tirando partido da tremenda valorização dos terrenos. Passam de pobretonas que viviam de esmolas a arranha-céus de alto rendimento.

— Realmente, — murmurei, pensando na Trinity Church, que, como um absurdo de pedra, fronteia a Wall Street, rodeada de túmulos velhíssimos, com as inscrições já roídas pelo tempo. — A Trinity Church vive de esmolas e no entanto ocupa um terreno cujo valor sobe a muitas dezenas de milhões de dólares. Que nababesca renda não tiraria ela, se se adaptasse!

A Trinity Church, por onde eu passava todos os dias de caminho para o escritório, sempre me impressionou. Velhíssima, com uma torre que já foi a mais alta da América, dá hoje a sensação duma igrejinha de presepe. Os imensos arranha-céus da Wall Street e começos da Broadway cresceram-lhe em redor como cogumelos, abafaram-na, anularam-na, fizeram da sua torre um brinquedinho de criança. No entanto, vem resistindo a todos os ataques do *business*. Teima em ficar ali, rodeada das suas carcomidas pedras tumulares, como para lembrar aos apressados magnatas em trânsito pela "rua que governa o mundo" o *memento homo* da Bíblia. Não o consegue, porém. A cabeça dum magnata vive tão cheia de coisas anti-bíblicas, tão obstruída de cotações de bolsa e planos de golpes a dar ou a aparar, que talvez nenhum ainda haja olhado para a igrejinha pela qual passam todos os dias.

De volta a New York fui com Mr. Slang ver o majestoso bloco da Manhattan Towers, que quando concluído associará a Igreja Congregacional de Manhattan a um grande hotel. Rente ao solo, será uma igreja como todas as outras. Sobre essa igreja, porém, se sobreporão trinta andares a serem ocupados com o hotel. Nisto, como em muitas outras coisas, o americano mostra a sua capacidade de criar, sem atenção às sugestões do passado europeu. Criticam-no, metem-no a riso os outros povos. Por fim acostumam-se à ideia e acabam fazendo o mesmo. É desse modo que o progresso se processa.

Nem todos os povos possuem instinto criador. Muitos apenas imitam, e copiam quando imaginam criar. Nada fazem sem preliminarmente verificar se existem precedentes. E alguns de tal modo se aferram a esta subalternidade, que erigem em argumento — em grande argumento, em argumento decisivo — uma frase interrogativa desta laia: "Mas se é assim, por que os outros povos já não fizeram isso?".

Quando o novo processo de fabricar ferro por meio da redução em baixa temperatura, desenvolvido em Detroit pelo grande William S. Smith, foi levado em notícia ao Brasil, como em condições de resolver, de maneira tão inesperada quanto segura, o caso siderúrgico brasileiro, o grande argumento dos técnicos do governo chamados a fala foi esse: "Se é assim, por que os Estados Unidos ou a Alemanha já não adotaram esse processo?".

Não pode existir prova mais perfeita de insuficiência mental, de pobreza criadora ou, para falar língua mais positiva, de imbecilidade congênita. Desse mal está livre a América. Jamais o americano, quando uma ideia nova surge, olha em roda para ver se já recebeu o *placet* de outro povo. Não se considerando inferior a ninguém, estuda o caso, mede, calcula e, se encontra vantagens, adapta-a, qualquer que seja a opinião estrangeira. Tudo quanto existe foi criado. Um dia nasceu. Alguém abriu caminho. Admitir que os *outros* possam abrir caminho e *a gente não*, não é reconhecer-se visceralmente incapaz?

XXX

Um professor hostil à riqueza. Idealismo. Mr. Slang, porém, queria mais. Abuso do crédito. Ideias dum magnata. As procelárias. Figuração concreta dum milhão.

Muitas vezes conversei com Mr. Slang sobre assuntos econômicos e principalmente sobre a verdadeira pletora de riqueza de que a América principiava a queixar-se. Sim, queixar-se. Lembro-me do diretor dum colégio experimental da Universidade de Wisconsin que em certa solenidade "censurou" o enriquecimento excessivo da nação. Esse homem estranho e fora de todos os moldes evocou a república de Platão, na qual a riqueza não tinha autoridade e as autoridades não possuíam nenhuma riqueza.

Enriquecemos muito depressa, disse ele, e por isso estamos em sério perigo. Todas as nossas *agencies of enlightement* (focos de iluminação mental!) pecam por excesso de riqueza. Riqueza e educação vivem em conflito. A riqueza material cega o homem. E como pode o cego guiar cegos?"

Por paradoxal que isso pareça, o orador deu ao tema visos de lógica. Comparou a América à morada dum milionário que nela vive com um filho a educar-se e um professor encarregado dessa empresa. "Mas o milionário controla o professor: eis o mal."

Não era ele contra a riqueza, mas contra a sua intromissão em campos onde não lhe compete imiscuir-se. E desenvolvendo suas ideias, pede livros que não sejam feitos com o alvo de lucro; jornais isentos da influência do dinheiro; arte cujo fim único seja pintar as coisas como são; evangelismo que não queira nem precise agradar; tribunais cuja integridade e imparcialidade estejam acima de qualquer dúvida; instituições de ensino que se devotem ao estudo de quanto seja de importância para a vida humana e deem os resultados desses estudos com a mais absoluta isenção...

— Só falta pedir que nasçam asas de anjo nos omoplatas de cada americano! — comentou Mr. Slang ao ler-lhe eu esse discurso. — A América está cheia de descontentes desse naipe, contemplativos que querem coisas, que imaginam coisas, que reformariam o mundo de A a Z, se lhes caísse na mão a vara mágica de Moisés. Infelizmente, ou felizmente, o mundo é o que é. Jogo de interesses pessoais que se chocam. Se um país consegue, por meio dum conjunto de leis e duns tantos princípios de moral, manter em equilíbrio esses interesses, evitando que os homens (*homo homini lupus*) se entredevorem na praça pública, o ideal está atingido. Esse estado de perfeição que os ideólogos impenitentes procuram não pode constituir um sistema de equilíbrio. Mera ficção utópica.

— Mas acha, Mr. Slang, que a riqueza excessiva realmente esteja danificando a educação e outras instituições da América?

— A riqueza, como tudo, apresenta duas faces. Nada é absolutamente bom nem absolutamente mau. O contrário da riqueza é a pobreza, que também não é coisa absolutamente boa nem absolutamente má. Mas não creio que haja uma só criatura humana que, de instinto, não prefira sofrer os males da riqueza a sofrer os males da pobreza. Riqueza significa *poder*; pobreza significa *não-poder*. Ora, não poder é para mim o mal dos males. Além disso, apesar da América ser o país mais rico do mundo, e rico em escala nunca julgada possível, acho que ainda está longe do que pode e tem de ser.

Espantei-me de ver Mr. Slang querer ainda mais para a América. Já tinha ela tanto que estava pondo contra si o resto do mundo. Tinha tanto que esperdiçava em escala gigantesca. Já fora demonstrado que com o que o americano põe fora, nações inteiras, inclusive a China com os seus quatrocentos milhões de chineses, poderiam viver a farta.

Aleguei isso.

— Sim, — respondeu ele, — a América tem muito, se a compararmos com inúmeros povos que nada têm. Mas isto é apenas um começo. Com o aparelhamento industrial de que se dotou, e os laboratórios de que se vem enchendo, e com todas as conquistas da ciência a serviço da exploração do seu imenso território, esta riqueza de hoje parecerá mediana a um século daqui. Sabe em que progressão a *renda* do povo americano aumentou nestes últimos vinte anos? Duzentos por cento!...

— Duzentos! — exclamei apateado. — É forte...

— Em 1909 era de trinta e cinco bilhões de dólares. Está hoje, vinte anos depois, em noventa e cinco bilhões, segundo os dados do Chatam Phenix National Bank. Esse surto não conhece paralelo em parte nenhuma do mundo, em tempo nenhum. Se continua — e não vejo motivo para não continuar — qual será a renda per capita do americano dentro dum século? Era de 325 dólares em 1909. Em 1928 estava em 745 dólares... Há de continuar, — diz o amigo otimisticamente.

Objetei:

— Muita gente, entretanto, prevê uma parada, senão um retrocesso.

— Sim, parada, estação de repouso. Mas tudo continuará depois, com ímpeto maior. As crises são periódicas e não passam de estações de repouso e reajustamento. Já li a história das crises americanas e até ando a deduzir a lei que as rege.

— A que as atribui?

— Inflação por abuso de crédito. Especulação excessiva por excesso de crédito. O excessivo abuso do crédito dá origem a inúmeros negócios de base aleatória: a hipótese de que a progressão continuará na mesma marcha em que está vindo. Um abalo nesse alicerce (e eles abalam-se ciclicamente, em períodos de oito, dez anos) determina o fenômeno crise. Cai, e é varrido para o lixo como um castelo de cartas tudo quanto se ergueu sobre o alicerce precário. Saneamento. Poda de árvore. Limpeza dos galhos "falsos". Mas, passada a crise, a árvore mundificada continua a crescer com ímpeto maior do que antes.

E como falamos em crise, a conversa recaiu sobre a de 1922, uma das mais fortes que abalou o país. Mr. Slang havia acompanhado o seu desenvolvimento e até certo ponto a previra. O mesmo ia dar-se com a próxima. O meu arguto inglês via de todos os lados os sintomas da crise de 1929.

— A inflação está no apogeu, e inflação em escala nunca observada até aqui. A tempestade decenal aproxima-se, — profetizou ele.

— Esse seu pressentimento, Mr. Slang, está em oposição com todas as afirmativas dos capitães da indústria, desde Rarkob até Albert Schwab o rei do aço. Raro o dia em que a palavra dum deles não aparece nos jornais, provando que a *prosperity* repousa em bases de cimento armado. "Nova era econômica", chamam a isto que vemos, e tão aperfeiçoada está a engrenagem do crédito, dizem, e tão forte é a trama dos bancos, que não há mais a recear a repetição das crises anteriores.

— É um dos sintomas que me fazem ver crise próxima; — objetou Mr. Slang. — A insistência com que os capitães da indústria, que estão a amontoar milhões com a "prosperity", andam a falar na sua solidez, na sua eternização, dá-me arrepios. A insistência na tecla soa-me como grasnos de procelárias econômicas...

Disse e foi à sua secretária em busca de qualquer coisa. Voltou com um jornal assinalado com uns xizes a lápis vermelho.

— Aqui temos a prova do que afirmei, — continuou, mostrando-me um artigo do presidente da Metropolitan Life Insurance. Leia.

Li.

"O povo americano está como nunca esteve, — dizia esse economista. — Jamais gozou de tanta prosperidade material. Nossos vinte e nove mil agentes (da Metropolitan), em contato permanente com dezenove milhões de 'wage earners' (homens que vivem de salários), demonstram isso, fazendo-o refletir nos totais da companhia. Estamos realizando mais seguros do que nunca. O povo tem cada vez mais dinheiro para, feitos os gastos da vida, pôr de lado uma parte afim de salvaguardar o conforto da família nos casos de doença, acidente ou morte.

Nosso povo está cada vez mais liberto da doença e da pobreza. O homem vive mais. E vive melhor que antigamente. Dispõe de mais lazer e sabe como aproveitar-

-se desse lazer. Grande satisfação devemos sentir de vivermos num período destes, assistindo às miraculosas transformações que se vão realizando."

— Miraculosas! — interrompeu Mr. Slang. — Note a força do adjetivo. Povo sem adjetivos, como é o americano, o uso crescente que começam a fazer do adjetivo, é uma das coisas que me apavoram. Procelária...

Continuei a leitura.

"Há razões para este milagre. A primeira, é a extraordinária riqueza natural do país. Fomos dotados com 'mais do que a nossa quota' nas reservas naturais do globo — e desenvolvemos os meios de mobilizá-las. Nosso território é suficientemente rico para nos abastecer a nós próprios e ainda a uma boa parte do globo. A melhor reserva de petróleo, cobre, carvão e ferro do mundo nos pertence. Possuímos clima excelente e soubemos formar o país com os melhores elementos humanos. Apesar de sermos cento e vinte milhões, cada um de nós possui quatro vezes mais terra do que um europeu. E quanto a reservas do subsolo, cabe a cada um de nós muitíssimo mais do que aos europeus, que já de muitos séculos vem desfalcando esses recursos.

Uma estimativa do valor dos nossos recursos armazenados no solo é impossível. Cada ano que se passa, entretanto, traz-nos o conhecimento de mais reservas acumuladas.

Os números que representam a riqueza nacional americana são estupendos. O último cálculo dava um total de 353 bilhões de dólares. É fácil falar em bilhões de dólares, mas difícil figurá-los. Que é um bilhão de dólares? Quando procuramos ter dele uma ideia concreta, sentimo-nos tão fracos como o selvagem que só conta até dez, pelos dedos. Talvez uma imagem ajude a ideia. Um milhão de dólares, em moedas de vinte dólares, ou cinquenta mil moedas, pesa tonelada e meia e constitui a lotação dum desses caminhões blindados que os bancos usam para o transporte do dinheiro. Seria necessário organizar uma procissão de mil carros blindados para transportar um bilhão de dólares. Percorrendo uma determinada rua na toada de seis por minuto, a procissão levaria três horas a passar."

— Para o desfile processional de toda a riqueza americana, — comentou sorrindo Mr. Slang, seriam, pois, necessários trezentos e cinquenta e três mil caminhões blindados, num desfile ininterrupto de mil e cinquenta e nove horas...

Interrompi a leitura do artigo para figurar na imaginação essa teoria sem fim de milhões. Veio-me à lembrança uma história da carochinha com que em criança me faziam adormecer. Era uma história da qual eu nunca vim a saber o fim. Havia no meio uma carneirada tangida pelo pastor através duma ponte. Começavam a passar os carneiros, a passar, a passar... e a história tinha de ser interrompida nesse ponto porque era preciso que passassem todos, sem perda de um só.

— "Ainda faltam muitos?" — perguntava eu com os olhos sonolentos, quase a se fecharem.

— "Falta um monte! Lá vão eles passando, passando, passando..."

E o sono vinha antes que uma pequenina parte do rebanho imenso passasse.

Essa lembrança fez-me interromper a leitura. Transportei-me para a era feliz da vida, com uma lembrança a associar-se a outra nesse trabalho furta-cor do cérebro. Mr. Slang chamou-me à realidade.

— Continue. Vale a pena ler tudo o que essa procelária escreve.

XXXI

A palavra saving *está escrita no ar. Quanto o americano põe de parte cada ano. O que gasta com a vida, o que economiza, o que despende com seguros. A formação do maior centro monetário do mundo.*

Continuei.

"Cada ano que se passa aumenta o gigantesco ativo da nação. Empilham-se mais riquezas, constituída pelos *savings* do povo."

— *Savings*, — disse eu interrompendo a leitura. — Está aqui uma palavra que se lê no ar, na terra, nas nuvens, em tudo, nesta América. A preocupação de acumular, economizar, pôr de parte, é geral.

— E é como a riqueza se acumula, — observou Mr. Slang. — Há o que produzimos, o que consumimos; e há o que pomos de parte para o futuro. O americano produz como povo nenhum ainda produziu; consome e esbanja como jamais foi consumido ou esbanjado; mas nunca deixa de acumular. Não existe nesta terra instituição mais prolífica do que a do *savings banks*. Em cada esquina vejo um. Continue...

— Pois o *saving* americano está em treze bilhões de dólares por ano, diz aqui este senhor. Quantos carros blindados, Mr. Slang? De que comprimento a procissão?

— Continue, — respondeu ele gravemente. — Com dinheiro não se brinca...

— Nota em seguida o meu homem que a renda total do povo é de um quarto da riqueza nacional, e que isso em si constitui algo de extraordinário como proporção, só sendo possível num país em que prevalece o alto salário daqui.

"Da nossa renda nacional, — diz ele, — a parte maior provém de ordenados e salários vencidos anualmente pelos trabalhadores. Estes elevaram-se o ano passado a vinte e cinco bilhões de dólares, ou sessenta por cento do total da renda nacional.

A parte maior deste dinheiro é empregada no custeio da vida; uma parte acumula-se nos *saving banks* e outra é invertida na compra de ações.

A renda média duma família operária na América está em dois mil dólares por ano, dos quais cem são postos de parte, ou cinco por cento. Porcentagem que seria baixa, se outros cinco por cento não fossem despendidos em seguros — segunda forma de *saving*.

E não será ainda uma terceira forma de *saving* a compra pelo povo de automóveis, rádios, pianos e geladeiras — engenhos que determinam economias? Esta participação do povo nas coisas boas do mundo explica muito da nossa prosperidade. Eram, anos atrás, e são ainda hoje no resto do globo, artigos considerados de luxo e reservados aos ricos. Agora, uma vez que toda gente os consome, passaram a artigos de primeira necessidade.

Todavia, apesar do que se diz da disseminação destes ex-luxos e da compra a prestações de coisas que não constituem necessidade absoluta, os depósitos nos '*saving banks*' cresceram em 1928 de dois bilhões e meio sobre o ano anterior."

— Dois mil e quinhentos caminhões de ouro, com um milhão em cada um, — disse Mr. Slang ilustrativamente. — Bela procissão para um ano!

— E não é só, — continuei. — Menciona-se ainda aqui mais um bilhão recolhido pelas *building and loan associations*.

— Mais mil caminhões...

— E ainda os três bilhões que as companhias de seguros tomam.

— Mais três mil caminhões...

E ainda o empate em *bonds* — quatro bilhões, e o empate em títulos — três bilhões e meio. Tudo isto torna o país o centro financeiro do mundo, posição até bem pouco tempo retida pela Inglaterra.

— Sim, sim, — disse Mr. Slang. — Daí provém esse interesse tremendo que o mundo mostra hoje pelos Estados Unidos. Todos sentem, reconhecem, que as possibilidades da América são ilimitadas — note bem: ilimitadas! Seu território, todo ele habitável e utilizável, corresponde a nove décimos da Europa, a seis vezes a França. E se o dólar é o que é, se a riqueza existe na proporção que existe, unicamente a si próprio o americano o deve. Fez ele esse dólar, que não existia antes; acumulou-o em quantidades tremendas à custa de tremenda quantidade de trabalho, norteado por uma organização única. Oh! — exclamou, interrompendo-se, com um olhar no relógio. — Quase uma hora já. Vamos ao *lunch* no meu Child's aqui da esquina, a gozar o aspecto gastronômico dessa organização...

Depois do lanche naquele Child's, que me ficou o mais simpático de quantos New York possui, tantas vezes ali lanchei com o meu velho amigo, tive de acompanhá-lo a Brooklyn, para onde o chamava um negócio. Ao chegarmos à ponte monumental Mr. Slang retomou o seu hino a América, de maior valor por vir dos lábios dum inglês.

— Esta ponte, que poderemos chamar fantástica, com a velha cidade Brooklyn dum lado e a monstruosa Manhattan de outro, constitui uma estação onde havemos que parar e "admitir a América".

— Pois paremos e admitamos a América, — respondi, descendo com ele do bonde para atravessarmos a ponte a pé, coisa que pouca gente faz.

Sou amigo de pontes. Tive a pachorra de atravessar a pé todas as pontes de New York, tarefa exigidora de mais coragem do que parece. São imensas. Três, quatro quilômetros de cabeça a cabeça. Atravessá-las a pé constitui caminhada para andarilhos.

No meio da ponte detivemo-nos em contemplação do quadro titânico. Titânico, sim, por pernóstico que pareça o adjetivo. Tudo que dali víamos dava muito mais ideia duma construção de titãs, os gigantes da fábula grega que superpunham montanhas para escalar o céu, do que obra do bipedezinho homem. Em baixo corria sereno o Hudson, àquela hora, como sempre, coalhado de embarcações em marcha rápida. Nunca deixei de impressionar-me com a pressa das embarcações que sulcam as águas de New York, tão contrastantes com a preguiça e lentidão clássica dos veículos marinhos.

— Impossível! — murmurou Mr. Slang após alguns minutos de contemplação. — Uma criatura nascida e desenvolvida aqui não pode ser igual aos demais seres humanos. Há de ser mais.

— Mais o quê?...

— Mais, só. Mais qualquer coisa — ou mais tudo. Quando chegar o dia da arte para este país, que grande, que revolucionária os americanos a vão ter!...

Era a primeira vez que em nosso intérmino cavaco Mr. Slang abordava aquele tema. Apurei os ouvidos.

— Ainda não houve tempo para a arte, — prosseguiu ele, como que falando consigo mesmo, de olhos perdidos no horizonte distante. — Ou, melhor, não cabem na América as velhas formas da arte europeia. O ritmo da vida acelerou-se em excesso para que o que satisfazia o grego, e ainda satisfaz o francês, encha a vida de quem nasce neste Maelstrom. Impossível, impossível... Este povo jamais usará roupas velhas, as roupas surradas do europeu...

— Resta que as suas roupas novas valham as velhas, — adverti latinescamente.

— Serão diferentes... Serão outra coisa... Uma sincronização única no mundo ocorreu aqui. Tudo, casas e sociedades, se desenvolveu ao mesmo tempo, de ímpeto, cogumelarmente. Por pressa apenas, urgência de erigir, é que se voltaram para a Europa e tomaram os seus modelos. Foi a fase do provisório. Doravante, na construção do definitivo, a América tirará tudo de si, e o que faz na arquitetura e está fazendo na música, fará em todos os mais campos.

Ficamos os dois em silêncio, cheios de ideias que não conseguiam tomar corpo. Sonhando acordados. Entrevendo a América futura, já a denunciar-se em mil brotos de desconcertante vigor. Mr. Slang suspirou. Percebi que tal suspiro era a homenagem do seu coração à Europa.

O velho mundo tinha de passar — estava passando. O dia de amanhã ia ser americano — foi como traduzi aquele suspiro.

XXXII

Walden Pond. Henry Thoreau. Seu personalismo. A morte do indivíduo. Colmeização. A bacanal do consumo. Abuso do crédito.

Muitos passeios instrutivos fiz com Mr. Slang, o qual me lembrava os filósofos gregos que só filosofavam caminhando — os peripatéticos. Passeios ao acaso, guiados pela fantasia ou veneta do momento. Recordo-me dum a Walden Pond, lago hoje histórico, como no Brasil ficou histórica a ponte sobre o Rio Pardo, ao pé da qual, enquanto a construía, Euclides da Cunha escreveu *Os Sertões*. Rememorei esse fato quando Mr. Slang, a lançar pedrinhas na água para vê-la abrir-se em ondulações concêntricas, observou:

— Aqui esteve, fará mais de oitenta anos, Henry Thoreau, o mais individual dos individualistas americanos. Construiu com as suas próprias mãos uma cabana tosca na qual passou dois anos a escrever *Walden*, livro hoje clássico. Vivia com o dispêndio de um dólar por mês, para a alimentação, e soube realizar um período de absoluta vida livre. Contam que certa vez lançou ao lago os três únicos enfeites que havia na cabana — três pequenos pedaços de calcário que ele mesmo recolhera numa das suas excursões pelos arredores. "Escravizam-me. Exigem que eu os espane..."

— Compreendo essa atitude, — comentei, recordando os meus dias de humor negro e enjoo da civilização e da vida em sociedade, em que me vinham ímpetos de viver o anacoreta no deserto. — A disciplina social exaure. O chamado progresso não passa duma escravização cada vez mais apertada, que as massas consentem e aplaudem e, portanto, impõem a minoria individualista. Conheço a obra de Thoreau. É o meu homem nos momentos de desespero.

Mr. Slang arregalou os olhos, como admirado de que eu conhecesse Thoreau. Por fim deu-me parabéns daquele encontro. Também ele se refugiava em Thoreau nos seus momentos de cansaço da civilização. Embora fosse, como era, o mais impetuoso justificador do progresso sob a sua forma *yankee* de aplicação em massa da ciência à vida, Mr. Slang não escapava à sociedade, ou, antes, à saudade das formas de viver d'antanho. Sua adaptação, porém, ainda não se fizera completa, porque a faculdade de adaptação de Mr. Slang tinha o passo mais curto que o progresso americano.

— Gostemos ou não, — disse ele, — tenhamos ou não o índice adaptativo exigido pela marcha das coisas *yankees* somos forçados a aceitar o contato dos nossos contemporâneos, hoje muito mais íntimo, muito mais intrusivo do que no tempo de Thoreau. Ignoro se é para bem ou para mal nosso que progredimos em corporatividade e diminuímos em indivíduo. Vamos tendendo para a vida da colmeia, onde o indivíduo não conta. A marcha para a frente é dirigida, mais e mais, por fatores corporados, com rumo a um ideal coletivo. O motor e a eletricidade como os temos agora, a imiscuírem-se em quase todos os atos da nossa vida diária, nos gregarizam mil vezes mais do que no tempo de Thoreau. E dada a ojeriza de Thoreau por *encroachments*, creio que se vivesse hoje esconder-se-ia no fundo do lago, em vez de o fazer na cabana construída à margem.

A independência pessoal que o levou a vir filosofar neste silêncio está hoje moribunda, graças ao incansável avanço da máquina. Vai-nos ela transformando em abelhas. Presos na sua engrenagem, o espernear dos indivíduos se torna pueril. As novas adaptações econômicas — a produção em massa, a entrefusão das empresas (*mergers*), os *chain stores*, os *chain* teatros, os *chain* jornais e todas as modalidades do emassamento, da coletivização, nesta guerra contra o indivíduo, tornam bem claras as tendências do amanhã: corporatividade do mundo. Colmeização.

Cada novo invento significa passo à frente para a vida agregada, para a uniformidade, para o padrão. A tendência é fortificar os grupos, fundi-los em grupos sempre maiores, integrar o indivíduo na massa, fazer da média, não da exceção, o ideal. Criar, em suma, o homem-abelha.

— Será para bem, — adverti. — A humanidade já experimentou o individualismo. O sistema não resolveu a série de problemas que o viver em sociedade determina. Acho lógico que enveredemos pelo caminho oposto.

— Também eu. E vou mais longe. Tenho que a forma de vida social até aqui tentada pelo homem falhou, de modo que é forçado pelas circunstâncias que ele procura adotar o sistema das abelhas. Há que sacrificar o indivíduo como o tivemos até aqui. Em seu lugar surgirá a unidade coletiva. Daí a frase do grande John Dewey: "O indivíduo morreu".

— *O grande Pã morreu!...* — exclamei recordando a voz da Grécia. Mr. Slang prosseguiu, comentando-a:

— Sim, foi a voz que o piloto Tamo ouviu certa noite no Mediterrâneo, seguido dum coro lamentoso de ecos. Morrera com o deus Pã o mundo antigo. John Dewey põe-se qual o moderno Tamo. Ouviria ele esse grito, vindo das caladas do seu subconsciente divinatório? *O indivíduo morreu!* A frase me soa bem merencória...

— Dói-se disso, Mr. Slang, o senhor, um homem sempre na vanguarda? Acha que devemos reagir?

— Reagir seria voltar as costas ao que vem vindo na frente por amor a fantasmas de lá atrás. O que foi, foi. Deixou os seus resíduos positivos em nosso imo como material para a construção do Amanhã. Resistir é abandonar a criancinha que temos nos braços para tentar a arregimentação de espetros. O que há a fazer resume-se em descobrir caminhos novos para o indivíduo, em criar um individualismo que aceite a vitória da ciência industrial e lhe descubra os meios de com ela caminhar de braços dados. Durante sua vida inteira Thoreau pregou a liberdade — liberdade até da pressão das nossas próprias necessidades. Chegou a ponto de não deixar dominar-se pelo desejo de possuir qualquer coisa. Sua vida transcorreu qual um constante desafio à tirania ambiente, dos homens e das coisas. "Simplificar", era o seu moto. Raymond Fosdick estuda muito bem o fenômeno, e tem o meu aplauso quando diz que estamos hoje sufocados pelo excesso de coisas.

— Bravos! — exclamei. Encontro finalmente um homem que sabe definir o que sinto e o que sentem todos os habitantes deste país. Vivemos todos sufocados pelo excesso de coisas. Coisas demais, vida intensa demais, ciência demais a serviço da indústria para promover a *gavage* de toda uma nação. Excesso, excesso, eis o verdadeiro mal da América, o não sei que causador do indefinível mal estar que todos sentimos. Oh, como compreendo Thoreau lançando ao lago as três pedras que lhe enfeitavam a cabana! Simplificar! eis tudo. Não fomos criados, nós homens, para vida assim pletórica. Temos necessidade de horizontes limpos, descampados, vazios — superfícies lisas de repouso. Sinto-o comigo muito bem.

— Mas temos que nos adaptar ao excesso de coisas. O impulso é nessa direção. O rádio nos invadiu a vida, como a invadiu o jornal e a perseguição da reclame. Todas essas invasões vivem a serviço da indústria, que só cura de criar novas coisas e despertar no povo a necessidade de possuí-las. O demônio jamais para com as suas tentações. Prova-nos, convence-nos de que sem o automóvel é impossível a vida; ensina-nos que essa máquina devoradora do espaço é uma vitória do nosso individualismo locomotor — e dess'arte impele cada família americana a ter o seu automóvel. Alcançado que foi o ponto de saturação, a sereia surge agora com o programa de dois automóveis por família — e prova que isso vem aumentar a liberdade das famílias. E assim com tudo. Cada criatura na América sente-se autorizada e é provocada a ter o que o vizinho tem. A indústria, por meio da sua maquiavélica obra de sugestão, fomenta essa ânsia. Depois, graças ao preço baixo que a *mass production* e a organização econômica das vendas com bases em saques sobre o futuro permitem, dá-lhe os meios de possuir a coisa. E temos o americano transformado em freguês possível e forçado do milhão de coisas novas que em escala sempre maior a indústria lança. Comprar, comprar — ter coisas, mais coisas. Para permitir esse ímpeto inédito no mundo veio a teoria e prática do salário alto, altíssimo mesmo. O pedreiro com quinze dólares por dia. O operário de fábrica, com sete dólares diários. A cozinheira com quarenta por semana. "Pagando-lhe tais salários, faremos deles clientes." E esse freguês inédito, o operário, surgiu — freguês em massa, aos milhões e milhões. Quanto mais lhe pagavam, mais o operário comprava — e a indústria tomou a serviço toda a ciência do mundo para melhorar os seus processos, reduzir o preço de custo, vender por cinco o que antes da entrada em campo desses milhões de fregueses só poderia ser vendido por cinquenta.

— Mas...

— Sim, há um mas. A dificuldade da situação está em que esta nova estrutura da indústria se baseia num estímulo permanente do desejo de mais, mais, mais coisas. Enquanto o povo responder ao estímulo que a propaganda incessante e habilíssima organizou, a indústria crescerá, as empresas distribuirão dividendos, suas ações se conservarão em alta na Bolsa. O consumo intensíssimo constitui o alicerce da *prosperity*. No dia, porém, em que o eretismo do consumo fraquear, teremos uma crise catastrófica, de proporções jamais imaginadas.

— Poderá fraquear? — perguntei especulativamente, porque não via nenhum sintoma disso.

— Acho que vai fraquear, que é fatal a crise. O ímpeto do "mais" deu no excessivo. O mal estar por excesso de coisas, que você sente, todos acabarão sentindo. Tudo cansa, até ter. O que estamos assistindo nesta América de após-guerra é uma verdadeira bacanal de consumo. Pura orgia. A *salesmanship* elevada à categoria de ciência é sereia que tem conseguido manter em estado de frenesi a ânsia de adquirir coisas, úteis ou inúteis, boas ou más, desejadas realmente ou compradas por arrastamento. Vejo, entretanto, um ponto perigoso no sistema. O povo já está comprando a crédito, já está sacando sobre o futuro. O operário que adquire uma Frigidaire para a pagar em vinte meses, está usando, como se dólar fosse, a *probabilidade* de manter-se no gozo daquele salário durante vinte meses. Venha uma perturbação econômica qualquer, tenha esse operário o seu ganho diminuído ou suprimido — e desabará sobre a América um cataclisma econômico de proporções únicas, capaz de refletir-se desastrosamente no mundo inteiro.

Enquanto Mr. Slang falava, eu mirava a paisagem. As águas do lago viam-se amiúde com o liso encrespado por assomos passageiros de brisas leves. Paz e doçura. A calma da natureza que o homem ainda não industrializou. Algo mexeu-se à beirinha d'água. Firmei a vista. Era uma dessas feíssimas criaturas a que os americanos chamam *snapping turtles* — pequena tartaruga predatória, de terríveis dentes. Estava de tocaia aos peixes incautos.

— É uma brutinha, — comentou com filosofia Mr. Slang; — mas como teve a sabedoria de permanecer dentro da lei natural, vive num perfeito equilíbrio com o meio. Nós homens nos afastamos em excesso da natureza. Metemo-nos a criar coisas — e hoje nos sentimos infelizes com a nossa escravização a essas coisas criadas. Pobre Thoreau! Se já se sentia asfixiado pela América de um século atrás, como suportaria este arranque sem tréguas que é a América de hoje?...

XXXIII

O crack da Bolsa. Dias de pânico. Reação. O bull e o bear.
A função controladora e saneadora do bear.

E afinal a crise veio. Tivera razão Mr. Slang em ver maus sintomas na ânsia com que os capitães da indústria insistiam na nota da *prosperity* permanente e na extinção das crises cíclicas. Procelárias...

A crise veio, sim. A 23 de outubro desse funesto ano de 1929 o arranha-céu especulativo da bolsa, que vinha desde a guerra a erguer-se num ímpeto jamais observado, desabou. A baixa nesse dia foi ultraviolenta e indicativa não das oscilações comuns dos tempos normais mas de terremoto em perspectiva, de tromba d'água trazida nas asas de um ciclone. Pânico... Tal fora a confiança criada pela sistemática propaganda dos capitães da indústria quanto à Era Nova, isto é, quanto à entrada do país numa fase de prosperidade contínua, não mais sujeita aos abalos sísmicos das crises até então cíclicas, que ninguém pôde admitir aquilo como aquilo tinha de ser. Todos se firmaram na esperança duma reação altista que restabelecesse a curva sempre ascendente dos preços.

Vieram sucessivas reações de alta, sim, bem violentas algumas, mas sem força para deter o ímpeto da queda. E o mercado degringolou na série de pânicos que culminaram a 13 de novembro. Nesse dia lúgubre, quando tudo parecia perdido, um conjunto de fatores favoráveis, *bullish news*, interferiu. Coligaram-se, para criá-lo, os bancos, o governo e até Rockefeller com a famosa cunha de cinquenta milhões com que deteve a queda das ações da Standard Oil de New Jersey. Os *bears* vacilaram pela primeira vez desde o início do *crack* e precipitaram-se a comprar o que durante três semanas vinham vendendo diluvialmente. O espírito de especulação do público reanimou-se e fê-lo voltar ao mercado.

Nos dezoito dias de pânico a destruição de valor atingiu a soma fantástica de cinquenta bilhões de dólares, cataclisma suficiente para aniquilar por um século outro país que não os Estados Unidos.

Que é o Stock Exchange de New York? Difícil dar ideia... Um Monte Carlo onde o mundo inteiro especula em proporções absurdas.

Em 1929 as ações ali negociadas subiram à vertigem de 1.124.990.980, o que representa *alguma coisa*, sabendo-se que a 1.º de outubro o valor médio de cada ação era de oitenta e três dólares. Além desse movimento de títulos houve ainda o movimento de *bonds*, cujo total montou, para o mesmo período, em 3.200.316.700 dólares. Dia houve em que dezesseis milhões de ações foram negociadas, das onze horas às três...

E o jogo bolsista em New York não se cifra ao Stock Exchange. Há ainda a Curb, a bolsa dos títulos que se preparam para entrar no Stock Exchange ou que, em vista de razões especialíssimas, preferem ficar fora dele. E há ainda as bolsas dos outros Estados...

As proporções demarcadas que o jogo de títulos atingiu na América decorrem logicamente da disseminação da riqueza numa população de cento e vinte milhões de criaturas amigas de especular. Pobre ou rico, milionário ou trabalhador de fábrica, não há quem não compre ações a termo — mediante o depósito duma margem de vinte e cinco por cento — e até em prestações semanais. Desse modo, como o país inteiro especula, as crises cíclicas a que a vida dos negócios está sujeita afetam o país inteiro e não apenas ao capitalista profissional. Os cinquenta bilhões de dólares perdidos naqueles dezoito dias repartiram-se por cento e vinte milhões de indivíduos. Direta ou indiretamente, ninguém escapou de pagar a sua quota na evaporação dos valores.

Ao romper do dia 14 de novembro o pânico estava conjurado. A queda a prumo dos preços fora detida. As reações de alta se sucederam até abril de 1930, com recuperação de quarenta bilhões. A baixa, entretanto, não havia ainda processado o seu inteiro curso. Acentuou-se de novo desse mês em diante e novos *bottoms* foram alcançados — mas já aqui por degraus e fora da ação do pânico.

Bottom. Creio que nunca, como nesses dias, se fez maior consumo desta palavra. *Bottom* quer dizer "fundo".

Numa queda, seja qual for, a preocupação exclusiva de quem está caindo, ou vendo algo cair, é o fundo. O fundo significa o fim da queda, o ponto onde a vítima se esborracha ou se salva.

Quando a massa gigantesca de títulos listados na Bolsa de New York despencou do píncaro a que se alçara numa ascensão contínua por vários anos, a preocupação exclusiva da plateia se tornou adivinhar o momento em que a avalanche atingiria o *bottom*. Para o portador do título o *bottom* representaria o fim da sua tortura. Para o candidato a esses títulos o *bottom* indicaria o momento de comprar. Uma vez atingido o *bottom*, o corpo em queda está amparado e só pode mover-se em sentido reverso. O título que atinge o *bottom* está *ipso facto* em início de alta.

E ficamos, Mr. Slang e eu, a acompanhar a ânsia indagativa daquele povo para adivinhar o *real bottom*. Porque em matéria de *bottoms*, se foi atingido ou não, se é apenas um falso *bottom*, nenhum elemento de informação positiva existe. Tem que ser adivinhado.

— Veja que curioso é o fenômeno, — disse-me um dia Mr. Slang. — Os títulos caem vertiginosamente. O público abandonou o mercado, como zona perigosa. Os "bears" dominam a situação. Sua arrogância não tem limites. Mas o público está de atalaia, espiando a maré. Assim como há pânicos, como este em que todos cegamente se precipitam a um tempo para vender, há o pânico reverso, em que todos se atiram para comprar. O país inteiro está tocaiando o *bottom*. No momento em que uma corrente de intuição coletiva disser que o fundo foi realmente atingido, iremos assistir ao movimento contrário. O público a comprar e os *bears*, apavorados, a comprarem também.

Há dois partidos o do *bull* e o do *bear*. O *bull* joga na alta, e portanto compra. O *bear* joga na baixa, e portanto vende. O *bear* vende o que não tem, vende a entregar. Sobrevindo baixa, ganha, pois realiza a entrega comprando por menos o que vendeu por mais.

Nos momentos de pânico os *bears* o agravam, somando as suas vendas a entregar com as vendas normais dos que realmente traspassam os títulos que possuem. Intensificam, portanto, a oferta e assim forçam, ou prolongam, o movimento de baixa. Mas também eles estão de olho atento no *bottom*. Se sentem que o fundo foi atingido, veem-se forçados a cessar as vendas e a passar a compradores, afim de se cobrirem. Em vista disso, do mesmo modo que precipitam, acentuam e prolongam a baixa nos momentos de pânico, os *bears* se tornam um fator violento de alta quando a situação se inverte. Forçados a adquirir, erguem o mercado a nível mais alto que o natural.

O clamor contra os *bears* nos dias de pânico foi intenso. A eles se atribuía a calamidade que o país estava sofrendo. O governo chegou a intervir, e a administração do Stock Exchange tomou as medidas que pôde para lhes limitar as atividades. Assim acossados, retiraram-se os *bears*, ou reduziram suas operações ao mínimo. A consequência foi inesperada. O mercado caiu num marasmo mortal. O povo americano, que não dispensa o seu querido esporte bolsista, fonte das maiores emoções, verificou que as coisas neste mundo estão muito bem entrosadas, nada sendo dispensável na máquina dos negócios, nem mesmo o odiado *bear*. E o *bear* voltou, como ingrediente amargo, antipático, mas indispensável ao jogo de títulos.

— O público tem razão, — comentou Mr. Slang. — A Bolsa constitui o pulso deste país. Se cai em marasmo, com os preços uniformemente os mesmos por dias sucessivos, a sensação é de morte. O *bear* exerce uma função preciosa. É quem vivifica o mercado. Se a inflação vai impetuosa, ele tira a prova real da "qualidade" da alta intensificando as vendas. Persista a procura apesar do excesso artificial que as vendas dos *bears* determinam, está feita a prova — é alta sadia, em que o baixista sai perdendo, pois para cobrir-se tem de comprar por mais o que vendeu por menos. Se a alta é falsa, sem base, promovida por especulações dos *bulls*, os ataques dos *bears* põem a limpo a situação, visto como, se vencem, *ipso facto* demonstram que se tratava da alta sem base.

Durante os anos da inflação, culminados em outubro de 1929, os *bears* foram batidos sistematicamente em todos os seus "raids" contra o mercado. Tudo mudou daí por diante. O dia 24 marcou o início duma campanha em que os papéis seriam diametralmente invertidos. A derrota do *bull* passou a ser sistemática, e muito fácil a vitória dos seus adversários. Como numa luta política em que o partido vencedor faz a derrubada dos contrários e lhes toma todas as boas posições, assim os *bears*, derrancaram os *bulls*, numa revanche jamais observada na vida financeira da América. O número de milionários que viram suas fortunas em títulos se derreterem como sorvete, deve equivaler ao dos que se milionarizaram vendendo o que não tinham.

Mas, repito, é impossível dar uma ideia do que é a especulação de títulos na América. Nisso, como em quase tudo mais, esta nação se mostra *sui generis*, única, impossível de medir-se por meio dos velhos estalões comuns à velha humanidade. Quem, por exemplo, pode medir o que representa uma redução de valores como a observada nos dezoito dias de pânico? Esse monstruoso sorvete que se derreteu — um sorvete de cinquenta bilhões, ou sejam quinhentos milhões de contos ao câmbio de dez mil réis o dólar?

Tal soma representa 15 vezes a riqueza nacional do Brasil...

XXXIV

Crises cíclicas. Sensibilidade da Bolsa. Opinião dum metalurgista sobre o Brasil. Ferro e carbono. O ferro como antídoto do separatismo.

— Sim, sim, sim, — disse Mr. Slang, pondo sobre a mesa um número do *Times* que estivera lendo. — São cíclicas estas crises, sim. O professor Mitchell organiza este quadro que é bem sugestivo.

Tomei o jornal. Vi o quadro. Tirei minhas ilações e conclui por mim:

— As crises da Bolsa vêm se repetindo com intervalos médios de quatro anos, e sempre como antecipação de crises econômicas. A Bolsa é mais sensível que o sismógrafo na detenção do abalo de crédito que se aproxima.

— Sim, sim, sim, — continuou Mr. Slang seguindo o curso do seu próprio pensamento. — O fenômeno é sempre o mesmo. Pulo para a frente — inflação; parada brusca, ou crise — reajustamento. No pulo à frente noto um fator constante: abuso de crédito, crença generalizada na ilusão de que a marcha para a frente pode ser feita assim rápida, aos saltos. O avanço conquistado com o pulo provoca entusiasmo e o entusiasmo traz consigo uma vitória do otimismo, a qual se concretiza no uso e intenso abuso do crédito. Ganhar tempo, sacar sobre o futuro! Mais, mais, mais! Mas subitamente, deflagrado por uma circunstância qualquer, sobrevém o medo de ter avançado muito, a desconfiança, o movimento precipitado de recuo para consolidar as posições. Esse retrocesso, feito em massa, por todos ao mesmo tempo, traz atropelos, quedas, desastres; e promovido por estes acidentes ocorre o pânico. Vem a deflagração e com ela o doloroso período de reajustamento. Reina o pessimismo. Desaparece o crédito, com a impressão geral de que o dinheiro acabou. No marasmo de repouso que se segue, o saneamento dos negócios se opera. A vassoura da falência limpa a árvore do *business* dos galhos secos ou enfermiços. O que subsiste merece viver, está são. Findo o período do repouso saneador, novo pulo à frente. E tudo continua...

— Sim, sim, sim, — murmurei, poupando ao meu amigo o trabalho vocal de pela terceira vez repetir o seu sim tríplice. Mr. Slang sorriu e, mudando de assunto, propôs-me uma visita a Detroit, para onde o chamava certo negócio com uma firma de lá.

— Quando?

— Amanhã. Temos um avião que parte às oito.

Detroit sempre me atraiu. Aceitei.

....

O grande metalurgista W. H. Smith, no nosso encontro na sala azul do Detroit Golf Club, expôs a sua visão do Brasil. A mesa onde almoçáramos já estava desimpedida, de modo que ele pôde figurá-la como o mapa da minha terra. Apoiou a mão no centro, onde devia ser o Estado de Minas, e disse:

— Vocês têm aqui uma montanha de minério do mais alto teor. E cá em redor (e esse em "redor" era o resto da mesa, isto é, do Brasil) têm a floresta, ou, siderurgicamente falando, carbono. Com esses dois elementos a Ciência produz ferro, matéria prima da civilização. Vocês possuem em grande os dois elementos primeiros da civilização: óxido de ferro e carbono. Por que não a criam, produzindo o metal básico?

Por quê? Dificílima a resposta. Dificílima sobretudo de ser compreendida por um americano. Têm eles nas vísceras, herdada do inglês, a intuição do que é o ferro. Têm diante dos olhos o esplendor duma civilização saída inteirinha do ferro. Sabem que são ricos e poderosos e temidos e donos do mundo porque compreenderam desde os inícios a verdadeira significação do ferro. Como explicar a uma mentalidade dessas que a palavra ferro nada significa para os países de pau?

Olhei para Mr. Slang, que olhou para mim e ambos juntos olhamos para o grande metalurgista à espera da nossa resposta. Por que não produz o Brasil ferro, se a natureza o dotara de todos os elementos com que o homem isola esse metal?

Nossa resposta foi o silêncio. Não havia tempo para preparar o terreno de modo que a resposta fosse compreendida. Teríamos de começar pelo ano de 1500, quando Cabral abicou em Porto Seguro. E ao falar de Cabral, explicá-lo, contando a história da formação de Portugal, pequeno país de que o almirante era um produto. Teríamos depois de fazer um curso inteiro de história, geografia e sociologia. E como tudo isso ainda fosse insuficiente, teríamos de levar esse homem ao Brasil para que visse, ouvisse e cheirasse um mundo de peculiaridades locais. Era, evidentemente, tarefa acima das nossas forças. A solução única no momento consistia em mentir. E mentimos.

— Houve um retardamento na solução desse problema, — respondi eu com desplante, — mas tudo agora mudou e o Brasil vai produzir ferro. O governo está empenhado nisso.

Um dos meios de enganar americanos é falar em governo. Por inexplicável anomalia, eles, que tudo fazem por iniciativa particular e, portanto, não creem em governo, engolem esta palavra como algo mágico, sempre que se trata dum país estrangeiro, sobretudo sulamericano.

— Muito bem, — disse o metalurgista. — O ferro dará a vocês a máquina, o grande engenho que aumenta a eficiência do homem. Mas para mover a máquina têm vocês de mobilizar a hulha e esguichar o petróleo. Estão cuidando disso também?

De novo olhei para Mr. Slang, que de novo olhou para mim. Em seguida olhamos juntos para o grande metalurgista.

— Sim, sim, sim, o governo está a cuidar disso também, — declarei, corando levemente.

— Ótimo, — exclamou o nosso homem. — Produzindo ferro, terão a máquina e produzindo carbono terão a energia mecânica necessária para mover a máquina. Só assim a unidade territorial do seu país, que é a maior das riquezas, poderá ser assegurada.

Espantei-me. Aquela conclusão fora em absoluto imprevista. As rugas interrogativas da minha testa levaram-no a ser mais explícito.

— Os países de grande território, — disse ele, — correm o risco do esfacelamento, da subdivisão em pequenas repúblicas, quando por meio do ferro não homogeneízam a massa da população. A primeira significação do ferro é transporte em todas as suas modalidades. Só o transporte, na intensidade em que o temos aqui, suprime o regionalismo e, portanto, só o transporte *nacionaliza*.

Semelhantes palavras de fino sociólogo impressionaram-me a fundo.

— A escassez de transporte, — continuou ele, — *regionaliza*. Faz que os grupos de população se diferenciem de mentalidade e acabem antagônicos. Não se visitam, não se conhecem, não se intercambiam, e acabam por se julgarem diferentes e *melhores*, mais merecedores de coisas do que os outros grupos.

Enquanto o meu homem ia falando assim em tese, ia eu dando nomes aos bois. Grupos de população: Minas, S. Paulo, Rio Grande. *Melhores* que os outros: Minas, S. Paulo, Rio Grande.

— A diferenciação de mentalidade acarreta antagonismos invencíveis, fomenta a ideia secessionista e acaba desagregando o país. O remédio é homogeneizar a massa. Fazê-la circular. O homem do Kentucky ou do Texas que jamais saiu do seu estado natal julga-se superior ao homem de Kansas ou do Missouri, e constitui terreno apto à germinação de ideias desagregacionistas. No dia, porém, em que adquire meios fáceis de locomoção e sai de visita aos estados que até então via de revés, volta transformado. Verifica que é igual aos que julgava inferiores — e morre-lhe n'alma o separatismo.

Pensei no mineiro, no paulista e no gaúcho. Comparei os inúmeros que conhecia. Vi que nos viajados a ideia da superioridade própria, em contraste com a inferioridade dos vizinhos, desaparecera, ao passo que se conservava cada vez mais viva, e ativa, nos nunca saídos do buraquinho natal. E compreendi o alcance das palavras do grande metalurgista. O Brasil, devido à sua grande extensão territorial e a segregação, por falta de transporte, dos seus vários núcleos de gente semeada pelos portugueses iniciais, estava cada vez mais ameaçado de perder a unidade. Esses núcleos não se conheciam uns aos outros e todos se tinham como superiores aos demais. Só a criação intensa do transporte, pelo desenvolvimento da indústria do ferro, os levaria à convicção de que tal superioridade jamais existiu. Saídos do mesmo barro, gestados no mesmo útero, equivalem-se. A convicção da equivalência, só ela, mata o espírito de secessão.

— Sim, sim, sim, — murmurei com o pensamento distante dali. — Compreendo agora o alcance das suas palavras. Só o ferro unifica, porque só ele dá transporte, o grande homogeneizador.

— Aqui na América, — concluiu o metalurgista-sociólogo, — o espírito de bairro desapareceu de todo, sobretudo depois da expansão do automóvel. As células componentes do país de tal modo se mobilizam, ou se intercambiam, que apesar da extensão territorial somos o país mais homogêneo do mundo. Daí a nossa força.

....

Nesse mesmo dia, na Fordson donde diariamente defluem duas mil toneladas de ferro gusa que por etapas caminham e se afeiçoam através do estômago metálico que é a usina Ford, até surgirem no extremo oposto elaboradas em nove mil automóveis, Mr. Slang recaiu no assunto.

— As palavras do metalurgista-sociólogo não me saem da cabeça, — disse ele. — Realmente só o ferro une, só o ferro cria, só com ele o homem adquire a eficiência explicadora de todas as vitórias. Se eu fosse resumir num vocabulário esta América que juntos andamos a "conversar", não vacilaria um segundo na escolha da palavra certa: "Eficiência". E se me pedissem para definir este mundo fordiano que nos rodeia, outra não poderia ser a minha síntese senão *mass efficiency* — eficiência em massa. Se creio na América em grau estranhável num inglês nascido em Londres é simplesmente porque creio na eficiência...

Uma série de vagonetes puxados por um trator apareceu nesse momento no pátio para o qual abria a seção onde nos achávamos. Era o almoço dos operários. Tive curiosidade de ver como se almoça à Ford. Aproximei-me.

Os vagonetes traziam milhares de caixas de papelão contendo cada qual um almoço completo, estudado e dosado por um corpo de bromatologistas. No Brasil, com o hábito existente no povo de comer o que pode comer — ou o que o vendeiro da esquina nos fornece a mais baixo preço — ninguém "entenderia" o conteúdo daquelas caixas. A fruta, a sanduíche, o creme... Tanto de calorias, tais e tais vitaminas — ciência, ciência, o máximo de ciência possível no caso. Ford faz estudar a alimentação dos seus homens como faz estudar a alimentação dos motores e do mesmo modo que o motor não "come" o que quer e sim ingere o combustível exato que o fará operar com maior rendimento, assim também os entes humanos que lhe trabalham nas usinas recebem a sua dose de combustível alimentar na quantidade e na qualidade cientificamente requeridas.

— Eficiência, meu caro, — comentou Mr. Slang. — O gênio de Henry Ford não constitui uma exceção, um fenômeno isolado, como o de um Bacon que vivesse na Zululândia. É uma resultante. Ele apanhou no ar as moléculas da eficiência que esta América exsuda e as corporificou neste imenso todo. O gênio de Henry Ford não passa da individualização do gênio da América.

XXXV

Eficiência e ineficiência. Um caso típico. Absurdos fiscais.

De volta a New York, nossa conversa no Pullman do velocíssimo *Detroiter*, o expresso que nos levava, permaneceu ainda algum tempo pousada no tema eficiência, que o meu amigo e eu com ele tínhamos como o característico essencial daquele povo. Víamo-la em toda parte, sob os mais engenhosos aspectos, tudo marcando de modo impressionante.

— Essa feição do povo assinala-se de maneira tão intensa que já a palavra "americano" começa a confundir-se com a palavra "eficiência". Quem diz sistema americano, métodos americanos, está *ipso facto* referindo-se a sistema ou métodos nos quais a característica fundamental nasce da preocupação da eficiência. E essa preocupação já galgou até a máquina administrativa. Por absurdo que o pareça, a administração americana é eficiente.

Meu pensamento voltou-se para um país onde tudo nos leva a crer que o ideal visado é justamente o oposto — a ineficiência. Mil fatos me acudiram a memória, confirmativos. Sim, sim, sim. Lá nesse país, o ideal administrativo era, e sempre fora, o caminho mais comprido, mais áspero, mais penoso para o público, de menor rendimento...

— Tem razão, Mr. Slang, — disse eu por fim, depois dum suspiro. — Dias atrás um meu conhecido narrou-me um caso bem típico. Esse rapaz...

Tive de interromper a história. O meu inglês reclinara a cabeça na poltrona e ressonava.

Vá aqui o caso. Um meu conhecido, rapaz do Ceará com dois anos de residência na América, teve de pagar, ao fim do primeiro ano de estada, o seu imposto de renda. É esse o grande e praticamente o único imposto existente. É justo. Ganhou durante o ano? Pague. Nada ganhou? Não pague. No Brasil os impostos, sob as centenas de formas absurdas, vexatórias e antieconômicas com que se apresentam, é sempre devido. Quem requer do Estado seja lá o que for começa pagando um imposto de selo ainda que o requerimento acabe indeferido. Uma sociedade que se organiza para auferir lucros da exploração duma indústria qualquer, antes que comece a funcionar já paga uma série de impostos que tem de sair do capital social. Quem afixe simples letreiro numa vitrina convidando o público para um certo concerto, paga um imposto, ainda que o público não dê atenção ao aviso e lá não compareça. Um simples recibo paga imposto e está sujeito a multa caso nele não venha colado o selo com as armas da república, indicativo de que o imposto foi pago. Se não há um selo à mão no momento, a transação tem que ser adiada, qualquer que seja o prejuízo que isso acarrete às partes.

Na América o imposto só é devido quando há lucros. Nenhum embaraço, nenhum "avanço" no capital que se reúne para início dum negócio. Só ao cabo de um ano faz-se o imposto pagável — caso tenha havido lucros. Se a escrita da sociedade não os denuncia, nada a pagar. O que há de justo, de equitativo, de eficiente.

Mas esse meu conhecido, tendo de pagar o seu imposto de renda, encheu a fórmula das declarações e a enviou pelo correio à repartição arrecadadora, acompanhada dum cheque. Ficou liquidado o caso.

Nesse mesmo dia veio visitá-lo um amigo de mais longa residência no país, com o qual o meu cearense conversou a respeito do assunto.

— "Você esqueceu de declarar uma isenção a que tem direito e pagou cinquenta centavos a mais. Reclame-os."

O meu cearense sorriu. Vinha do Brasil, a terra onde reclamar, restituição de impostos vale por pilhéria das boas. Além disso, tratava-se de cinquenta centavos, uma ninharia. Não valia a pena o trabalho.

— "Que trabalho?" — indagou o outro. — "Não há trabalho nenhum. Basta encher outra fórmula de maneira correta e enviá-la pelo correio com a nota de que segue em substituição da primeira, que não está certa."

— "Não tenho de requerer coisa nenhuma? De ir lá? De esperar?"

— "Claro que não. Experimente."

O meu cearense assim fez. Encheu nova fórmula e anotou-a da maneira indicada. Em seguida meteu-a num envelope, endereçou-o e enfiou-o na caixa postal da esquina.

Três dias depois, com o maior dos assombros, recebia uma carta da repartição arrecadadora contendo um cheque de cinquenta centavos. Estava liquidado o incidente — um incidente impossível de ser liquidado no Brasil...

Eficiência administrativa. É eficiência poderem o contribuinte e o estado liquidar suas contas e resolver incidentes pelo correio, sem o ritual do clássico requerimento "competentemente selado", em que o postulante se curva até o chão e com todo o respeito pede à cavalgadura que dirige o serviço arrecadador que lhe seja feita a altíssima mercê da restituição do que é seu. As formas da praxe, humilhantes, com que um cidadão se dirige aos altos funcionários brasileiros, vêm do tempo em que eles eram os agentes sagrados do Rei, e a humanidade a rastejante serva dos reis. São deprimentes para o caráter dum homem que se diz livre e qualifica-se, ou é qualificado, de cidadão. Além de deprimentes, onerosas — o desgraçado, para tentar reaver o imposto que pagou a mais, tem que pagar mais um imposto, o do selo, sem o qual o requerimento não é lido. Além de onerosas, lentas. Toma tempo fazer requerimento, levá-lo pessoalmente à azêmola burocrática, entregá-lo com vozinha quebrada e rapapés. E além de lentas... inúteis. As azêmolas riem-se da ingenuidade do postulante, lançam no papel um despacho que o encaminha para outra seção — e o ingênuo nunca mais tem notícias do caso...

Uma só coisa ganha esse desgraçado contribuinte: fama de imbecil integral — por ter tido a ideia de reclamar o que era seu.

Dormi também. Dormi e sonhei. Sonhei, não com a Bolsa, nem com o metalurgista-sociólogo, nem com o ferro como agente unificador ou algum outro dos inúmeros temas de tanto interesse discutidos em Detroit. Sonhei com a humilde e grotesca tartaruguinha de Walden Pond, que tocaiava os peixes incautos. Um homem sentado à beira d'água conversava com ela — Thoreau, talvez.

— Se quer paz, venha morar comigo dentro desta água, — dizia ao filósofo o bichinho. — Temos peixes em barda para comer e uma liberdade infinita. Você nunca terá que espanar coisa nenhuma...

O homem fez movimento para entrar n'água, como seguindo o conselho da tentadora. Depois vacilou. Em seu olhar li o seguinte: "Sim, paz, calmaria eterna. Mas..." e olhou para um grupo distante de fábricas, com grandes chaminés fumarentas. "Mas..." e sem concluir a frase ergueu-se dali e para lá se dirigiu.

Um sonho estúpido, sem nexo, sem beleza, sem significação, inexplicável a não ser para um Sigmund Freud. Felizmente parou aí, pois acordei. Vendo Mr. Slang também acordado, convidei-o a recolher-nos ao carro dormitório. Era tempo. Onze horas.

XXXVI

Processo secessionista. Antagonismo dos grupos regionais. Minas, S. Paulo e Rio Grande. Previsões nem tristes nem alegres. Revolver...

No trajeto da Pennsylvania Station ao apartamento de Mr. Slang a conversa recaiu de novo sobre o Brasil, a propósito das ideias do metalurgista-sociólogo.

— Aquele homem tem carradas de razão, — disse Mr. Slang. — Por míngua de desenvolvimento econômico, o qual por sua vez decorre da falta de ferro, vocês no Brasil estão ameaçados duma tal intensificação do regionalismo que não me admirarei se desfechar em secessão.

— Acha realmente isso, Mr. Slang? — perguntei com ar cético, menos por cepticismo do que para espicaçá-lo.

— Claro que acho, — respondeu ele. — O processo da desagregação do Brasil já foi iniciado com a separação da província Cisplatina, há um século.

— Mas a Cisplatina era platina. Tinha a sua órbita natural em torno de Buenos Aires, não do Rio de Janeiro. Natural que se integrasse no sistema planetário a que pertencia.

— Perfeitamente. Mas não lhe parece que o Rio Grande, embora em escala menor, pende mais, pertence mais ao sistema platino do que ao brasileiro? Já esteve separado por um decênio durante a rebelião de Bento Gonçalves, e se voltou ao Brasil não o fez à força, mas por efeito da sedução e em troca de vantagens. Desde aí vem o Rio Grande guardando na chamada federação brasileira uma posição *sui-generis*. Continua, ou permanece, federado em troca do tributo que o Brasil lhe paga.

— Tributo? — exclamei com cara lorpa. — Não entendo...

— Reflita que entenderá. Nenhum estado lucra mais com deixar-se ficar na federação do que o Rio Grande. O quase monopólio que tem dos altos postos do exército, as subvenções federais que recebe, a autonomia absoluta de que goza, tudo isso não passa de formas disfarçadas de tributos para que não se separe. Outra forma é a voz que tem no concerto da trindade que dirige o Brasil: — S. Paulo, Minas e Rio Grande. Todos os presidentes têm governado, e só podem governar, com apoio nesse tríplice sistema de equilíbrio. O primeiro que o romper levará o Rio Grande à rebelião, na qual, ou vencerá e permanecerá federado, ou não vencerá e destacar-se-á numa república à parte.

— Impossível! O Rio Grande está sempre dividido e isso o enfraquece. O maquiavelismo dos governos federais empenha-se em manter essa fraqueza.

— O instinto de conservação o unirá no dia em que for preciso. O Rio Grande gira mais em torno de Buenos Aires do que do Rio. Despreza o resto do Brasil — a baianada, como dizem os gaúchos. Possui ou é dominado por um orgulho infinito. Tem-se na conta de povo privilegiado, eleito de Deus. A velha concepção dos povos eleitos é irredutível.

Donde provém, donde se origina esse estado de espírito? *Da fraqueza econômica do país, da escassez de transporte, da segregação.* A maioria dos gaúchos nasce e morre sem nunca visitar as outras partes do Brasil. Ora, o remédio para esta fraqueza é um só — ferro, como muito bem disse o metalurgista-sociólogo. Ferro e petróleo — máquina e energia. Se o Brasil souber, ou puder criar a indústria do ferro e a da energia, evitará a desagregação. Em caso contrário, não sei... Pelo menos ao Rio Grande é capaz de perder.

E se um separar-se, outros também se separarão. Os mineiros e os paulistas já se entremotejam. Enquanto viverem politicamente aliados, tudo irá bem. No dia em que divergirem e um estado tiver de subordinar-se ao outro, quero muito saber qual dos dois se sujeitará. Também não se conhecem e se julgam feitos duma massa especial. Só um intenso desenvolvimento econômico, devido ao ferro e ao petróleo, os misturará, matando as ideias erradas que a respeito de si próprios alimentam.

— E o Norte?

— O Norte queixa-se do Sul e atribui a estagnação em que vive à predominância do governo nas mãos da trinca S. Paulo, Minas e Rio Grande. Num ponto a queixa procede. O Sul fez-se industrial à custa de proteção alfandegária. Como o Norte não pode criar indústria, vê-se forçado a comprar bem caros os artigos manufaturados no Sul, quando os poderia importar melhores e mais baratos, se não fosse a barreira alfandegária que apenas aproveita aos industriais do Sul. Só o desenvolvimento econômico, trazido pela expansão da indústria do ferro e da energia, tem elementos para sanar a situação.

Como se vê, a pobreza do Brasil, decorrente de não produzir ferro e não haver desentranhado o seu petróleo, numa era em que ferro e petróleo constituem a base econômica dos grandes países, vai lentamente conduzindo o trabalho de sapa da desagregação.

Pus-me a refletir naquilo com certa tristeza.

— Será uma pena se isso se der, Mr. Slang. E espero que a força da língua, da religião e da raça neutralizem a força dos fatores econômicos.

— São, de fato, forças bastante fortes, mas não esqueça que nada fala mais alto, nem com maior eloquência, do que o bolso. As razões que o bolso começa a apresentar em favor da desagregação crescem dia a dia — e são razões mais claras do que as puramente sentimentais. Toda federação tem por base o interesse das partes. Quando tais interesses se sentem prejudicados, o instinto de conservação força a ruptura do equilíbrio artificial.

— E haverá um equilíbrio natural no sistema dos estados do Brasil?

— Sim. S. Paulo (e por S. Paulo entendo o São Paulo geográfico, compreendendo o Paraná, que é uma projeção paulista, o Triângulo Mineiro e Mato Grosso que lhe gravitam comercialmente na órbita), S. Paulo tem todos os elementos para ser uma grande nação.

Também os tem Minas, a Minas que incorpore ao seu território essas faixas sem significação própria que a isolam do mar — estados do Rio e do Espírito Santo.

O mesmo digo do Rio Grande e do grupo nortista que se prende a Pernambuco.

— E o resto?

— Impossível qualquer previsão lógica quanto ao resto. Territórios conquistáveis, colonizáveis. Terra a ser aproveitada no dia em que o progresso resolver o problema da vida do homem branco nos climas tropicais. No momento, a maior parte do Norte não interessa ao problema.

Chegamos. Com imensa surpresa minha, os jornais da noite davam notícia do rompimento duma revolução no Brasil.

— Veja, Mr. Slang? — exclamei de olho arregalado mostrando ao meu amigo um número do *Evening Graphic*. — Revolução no Brasil!...

— No Rio Grande? — perguntou ele, sem emoção nenhuma.

— Sim...

— Pois vem a calhar, — concluiu o meu extraordinário inglês, premindo o botão do elevador. — Servirá, quando nada, para tirar a prova do que acabamos de debater. *So long, dear boy*...

O elevador sumiu-se com Mr. Slang rumo ao vigésimo andar, enquanto eu continuava de olhos pregados nas cinco linhas da magra notícia, imóvel, com as ideias transtornadas.

— Revolução! — pensei comigo. — Vão eles revolver. Vão incidir na eterna ilusão de que revolver, mudar o nome das ruas, mudar os homens, melhora alguma coisa. Revolver não conserta. O que conserta é *criar, aumentar*. Todas as revoluções explodem em consequência da pobreza, da miséria, da falta de oportunidades. Mas o remédio para a pobreza, para a miséria, para a falta de oportunidades, nunca foi *revolver* e sim *criar*. Com o que vai gastar para *revolver*, o pobre Brasil criaria as duas grandes indústrias cuja ausência determinou o mal estar deflagrado em revolução...

Suspirei e dirigi-me para casa automaticamente, com uma infinita pena dos povos latinos. Apesar de toda a experiência acumulada, reincidem sempre no mesmo erro — o erro de tentar solver os seus problemas políticos a tiros e pata de cavalo. Os povos de origem inglesa usam instrumento muito mais decente. Usam o cérebro...

ADVERTÊNCIA

Em dois capítulos de *América* o autor discute o voto secreto — e de fato antes de sua partida para os Estados Unidos foi o voto secreto uma das preocupações de Monteiro Lobato. Logo depois da revolta isidorista em S. Paulo, em 1924, teve ele a insigne "coragem" de endereçar ao Presidente Bernardes uma carta pessoal sobre o assunto; em seguida incluiu-a na famosa *Carta Aberta a Carlos de Campos*, então na presidência de S. Paulo; fê-la assinar por várias pessoas e deu-lhe larga publicidade em folheto.

A repercussão foi enorme, pois o Brasil atravessava um negro período de reação legalista, com feroz censura da imprensa e restrição de quase todos os direitos civis, sobretudo o de livre manifestação do pensamento. Nessa Carta Aberta Monteiro Lobato disse aos dois presidentes, com o maior desassombro e sinceridade, tudo quanto pensava da situação — e o que Lobato pensava era o que todas as pessoas conscientes pensavam. E como o disse na sua maneira tão pessoal, com argumentos todo seus, produtos da meditação sobre o assunto, a Carta Aberta calou fundo e circulou pelo país inteiro, foram tiradas outras edições, sendo uma de bastante vulto no Rio Grande do Sul.

Muitos foram no Brasil os lutadores pelo voto secreto, mas talvez contribuição nenhuma tenha sido mais eficaz para a vitória da ideia do que a Carta Aberta de Lobato. E como em *América* os dois interlocutores abordam o tema, não achamos descabido agregar a este volume o curioso documento que todo mundo leu e comentou aos cochichos naquela época de supressão de liberdades.

O Voto Secreto
Carta aberta ao dr. carlos de campos

Muito vacilamos em dirigir a V. Excia. esta carta, cuja preocupação exclusiva é a da verdade sem refolhos; e se o fazemos é na crença de que para os espíritos superiores nunca poderá ser mal vista a sinceridade. Nela resumimos o nosso sentir íntimo, e nos fazemos intérpretes da opinião coletiva, agitada neste momento como em período nenhum da vida nacional. O que temos a dizer liga-se à situação política da nossa terra, em crise incubada de 89 para cá e em crise de solução — talvez fase do tumor que vem ao furo — neste momento; e como sobre o assunto um dos signatários dirigiu ao Exmo. Presidente da República uma carta cujos conceitos todos encampamos, começaremos por dar a V. Excia. conhecimento dela em seu conteúdo integral.

***

"São Paulo, 9 de agosto de 1924.

Exmo. Sr. Dr. Artur Bernardes:

Hoje, aniversário de V. Excia., venho com as minhas felicitações e o meu presente: esta carta. Nela resumo uma série de observações sobre o estado do espírito do nosso povo, que de há muito ando a estudar com a maior isenção de ânimo. Fotografei esse estado de espírito no doloroso momento presente e fiz-me preciso e frio como máquina, para não interferir com as minhas ideias e sentimentos no trabalho delicado da focalização. Sondei centenas de criaturas de todas as classes sociais, ricos e pobres, patrões e operários, gente de baixo e gente de cima. Como a maior parte dos homens tem duas opiniões, uma de uso social e outra íntima, resultante da experiência pessoal, desprezei sempre a primeira, pura máscara, e arranquei confissões à segunda, única que interessa. Estas observações valem, pois, pela intenção com que foram feitas e pela dose de verdade que encerram. Se V. Excia. as conhecer e sobre elas refletir nalgum momento de sossego que acaso tenha, estou certo de que algo bom resultará. E é nessa esperança que me animo a enviá-las ao homem em quem sempre me impressionou o vivo interesse patriótico de resolver os tremendos problemas de nossa infeliz terra; ao homem que a posteridade cognominará de presidente-mártir, pois nenhum sofreu maiores amarguras, nem foi tão sarjado pela calúnia, nem tão insultado — e menos compreendido em suas intenções honestas.

As minhas conclusões são as seguintes:

Estado de espírito do povo brasileiro é de franca revolta. Tomei médias e creio não errar orçando em noventa por cento o índice das criaturas que quando se abrem na intimidade denunciam esse estado de revolta. Do espírito de revolta ao espírito revolucionário a transição é mínima. Basta que deflagre um movimento militar para que a passagem se opere e o revoltado se transforme em revoltoso. Revoltoso platônico, é verdade, mas perigosíssimo, pois dará à explosão a força moral das suas simpatias, e também a material, sendo-lhe possível.

Esta média elevadíssima espanta-me, e posso afirmar que tem crescido sempre, acentuando-se até entre os próprios empregados públicos. Abrange todas as classes sociais sem exceção e sobretudo a classe pensante, a parte culta do país.

Verificado este estado de espírito, tratei de indagar de suas causas, usando os mesmos métodos de observação serena e meticulosa; e cheguei à conclusão de que isso se dá em virtude do completo divórcio entre a política e a opinião pública. De toda gente ouvi os maiores horrores sobre a política e os políticos — tida aquela como a arte de explorar o Tesouro, e estes, como usurpadores indignos. Daí o completo desinteresse da nação pela política.

Ora, sendo a política, em sua legítima acepção, a arte de governar os povos, não se concebe que os cidadãos assim se desinteressem do que tão de perto lhes afeta a felicidade e o bem estar. Por que, então, esse horror que a elite da nação, a sua melhor parte, a parte rica, a parte culta, a parte cérebro, a parte nobre por excelência, demonstra com tamanha franqueza? Por que a imprensa livre — a que direta ou indiretamente não recebe favores oficiais — é tão acintosa contra *todos* os governos? Por que despreza o povo a imprensa amiga dos governos, e dá apoio incondicional à imprensa oposicionista? Há de haver nisto causas mais profundas que as habitualmente apontadas.

Neste ponto do meu estudo as conclusões foram as seguintes.

Um vício mantém cada vez mais vivo o divórcio entre o governo e a elite do país, vício tão grave, que se não for corrigido a tempo nos arrastará à completa ruína. Esse vício é o nosso regime eleitoral de censo baixo. A experiência dos povos demonstra que o sistema representativo só dá benéficos resultados quando o regime é de censo alto. Porque o censo alto é o controle da política pela elite da nação, é o respeito à lei natural de todos os organismos, é a parte-cérebro desempenhando suas funções de cérebro e a parte-músculo (massa bruta, populaça, gente rural sem cultura nem capacidade de discernimento) subordinada naturalmente ao cérebro. As várias eleições a que assisti assombraram-me. Interroguei numerosos eleitores, em regra tabaréus boçalíssimos, e poucos encontrei que soubessem sequer o nome do candidato em quem votavam; nenhum vinha às urnas espontaneamente, no cumprimento livre de um dever cívico; este vinha em troca de um chapéu novo ou uma nota de cinquenta mil réis; aquele, por ordem de um patrão ou cabo qualquer. Em nenhum desses indivíduos notei *capacidade natural* de voto; tinham apenas a capacidade artificial que a lei concede. Mas como a lei não outorga inteligência, cultura, discernimento a quem os não possui de fato, essa *capacidade artificial* representa uma grosseira mentira de funestas consequências.

Ao lado dessa massa bruta, deste músculo inconsciente ao qual a lei dá funções de cérebro mas que permanece músculo, visto como acima das leis humanas estão as leis naturais, ao lado dessa multidão ignara, verdadeiramente boçal, vi a elite do país, a parte culta, a parte cérebro, a parte pensante, a parte nobre por excelência, conservando-se na mais rigorosa abstenção! De modo que entre nós vota quem não tem o direito natural de voto; e não vota justamente quem devia votar, isto é, quem possui a capacidade natural de voto, com base na cultura e no discernimento!...

Como consequência imediata deste absurdo temos que a política, a nobre arte de governar, se transforma em monopólio dos políticos, isto é, dos homens que fazem da política profissão e meio de vida. Como a massa bruta que elege não tem discernimento para escolha, o político no mau sentido apossa-se dela e fá-la um passivo instrumento referendário da sua permanência no poder. E surge o mal tremendo do "censo altíssimo": *controle* de tudo por parte de um grupo cuja mira é uma só — não cair. Fecha-se, dess'arte, a carreira política a todas as vocações, a todas as forças novas. Não há mais ventilação possível. Nem renovação possível. Há apenas uma classe que se cristaliza em casta. A admissão na política não procede mais da eleição e sim da escolha dos que estão de posse da máquina. O homem de maior capacidade não consegue fazer-se eleger pela força das suas ideias, e só penetraria na política se de cima lhe derem licença. Assim é e assim será enquanto durar a funesta inversão de valores que transfere para o músculo a faculdade de eleger e afasta o cérebro.

Pergunta-se: mas por que a elite não concorre às urnas? Por que foge de cumprir esse dever de todo cidadão? A resposta é rápida: porque considera absoluta inutilidade ela, minoria consciente, lutar com a massa bruta inconsciente, que é maioria. No corpo humano também, se o cérebro, na balança, quisesse apostar em peso com o músculo, claro que seria vencido. O raciocínio geral é este: se meu voto, estudado, ponderado, calculado, livre, tem de ser anulado pelo voto do meu jardineiro, que é um imbecil, sem discernimento nem cultura, prefiro ficar na moita. E não há outro raciocínio no caso. Desse modo temos *automaticamente afastados das urnas justamente os homens possuidores da capacidade natural de voto*.

Neste ponto tornam-se claras as razões do divórcio entre os governos e a parte nobre do país. Ela tem os governos em má conta e despreza-os, justificando-se ainda com os péssimos resultados colhidos de tal regime. O Brasil está praticamente falido, não tem instrução, não resolve nenhum dos seus problemas vitais e irá ao esfacelamento, se uma reforma radical não detiver esta marcha de coisas.

Este divórcio está de tal forma intenso que se torna possível o fato assombroso acontecido em São Paulo: um governo cai integralmente, derruído em todas as suas peças, e ninguém surge à defendê-lo! Numa população de setecentas mil almas, colocam-se ao lado do Presidente, nos Campos Elísios, setenta pessoas! Logo depois esse governo reentra em funções e é recebido friamente. E note-se que o povo não tinha a menor queixa desse governo; ao contrário, dava-lhe muita simpatia, louvando-lhe sem reservas os primeiros atos. Porém era governo imposto... As tropas legais desfilam pela cidade e o povo não as aclama como libertadoras. Silêncio mortal. Silêncio de desapontar. Indiferença absoluta.

Por quê? Porque governo revolucionário ou governo legal, para o povo é tudo um, já que nenhum é livremente escolhido por ele.

Este fato aterrorizou-me. Vi a possibilidade de uma subversão completa da ordem no país inteiro, como se deu na Rússia, com o cotejo infinito de sofrimentos e horrores que as convulsões revolucionárias acarretam. E pus-me a refletir no meio prático de evitar a catástrofe. Interroguei, indaguei, conversei com grande número de pessoas cultas sobre o curioso caso e afinal consegui apreender a chave do problema.

Na opinião geral, o remédio está na adoção do censo alto e consequente afastamento das urnas da massa bruta; meio de conduzir a isso é um só: o voto secreto. A princípio não compreendi o alcance desse remédio e relutei grandemente em ver nele as virtudes que tanto entusiasmavam os seus adeptos. Mas a força de pensar no caso abriu-se-me o cérebro. O voto secreto opera o milagre de destruir o mal do *Censo Altíssimo*, mero disfarce da ditadura duma casta, e instituir o *Censo Alto*, que é o bom, porque é a direção do país pela sua elite pensante. Nem Censo Baixo nem Censo Altíssimo — sim Censo Alto. Opera a seleção que é mister, afastando o eleitor inconsciente ou venal e atraindo o voto livre e consciente da elite do país. Que interesse tem em votar, sob o regime do voto secreto, o meu criado, que é um imbecil, *se ninguém lhe impõe esse ato ou não lho paga*? Impossível como se torna o controle da votação, eliminado está, *ipso facto*, o voto por pressão e o voto por dinheiro; e como os eleitores atuais *só vão às urnas movidos por esses dois motivos*, claro que a elas não comparecerão jamais. A lei os autoriza a votar, mas eles *cessam de ter interesse nisso*. Seu interesse era todo subalterno, não era interesse cívico, dada a sua incapacidade natural de civismo. E temos assim afastado o músculo boçal da comédia de fingir cérebro.

Deixando de ir às urnas essa massa bruta, desaparece o motivo que delas afastava a elite da nação, e veremos apresentarem-se os homens de bem, os homens cultos, todos enfim que constituem a parte nobre do país. E isto tudo automaticamente, naturalmente, sem forçar a ninguém *e sem infringir essa grande ilusão do sufrágio universal*, que é ainda a base das democracias modernas.

No dia em que tal acontecer, os governos passarão a exprimir fielmente a vontade nacional, e a opinião estará com eles, porque os escolheu com liberdade. A política deixará de ser o que é, mero negócio de um grupo, e abrir-se-á a todas as capacidades. Os políticos manter-se-ão à testa dos negócios públicos enquanto se conservarem dignos disso, e cairão no dia em que perderem a confiança dos eleitores. E nesse tempo, quando um levante de soldados tentar aluir um governo, o povo pulará em massa para defendê-lo. Ele o elegeu livremente, ele será o seu melhor guardião. — "O homem em quem livremente votei terá o meu apoio em todos os terrenos. É sagrado. Encarnará a lei que eu respeito e pela qual me baterei furiosamente. Mas posso tomar as dores do homem que não elegi? que não escolhi? no qual votou, a troco de dinheiro ou por imposição, a parte menos nobre do meu organismo?" Assim pensa o povo, e não pode pensar de outra maneira.

Todos os países que adotaram o voto secreto, inclusive a Argentina e o Uruguai, caíram num admirável equilíbrio político, cessando neles a fase das revoluções, porque os governos se tornaram de fato emanação direta, livre e consentida, do povo, por intermédio da parte nobre, da parte cérebro desses países.

Entre nós, por que persiste o cancro das revoluções militares? Por que se revela o povo tão simpático a tais movimentos, sejam encabeçados por quem for? É porque o povo não se sente ligado ao governo, e não vê diferença entre governo revolucionário e legalidade usurpada. Opere-se o casamento, cesse o divórcio, e para esmagar levantes militares não será preciso recorrer à força: o eleitor defenderá o seu elegido.

Como vão as coisas, vejo tudo negro. Esta revolução não será a última, porque a revolução está na alma de toda gente. Reprimida aqui, ressurtirá além, e o nosso pobre Brasil não fará outra coisa senão curar feridas periodicamente reabertas.

A repressão não atinge a causa última do fenômeno. Equivale a combater a febre, em vez de atacar a causa da febre. De que valeu a terrível repressão castilhista no sul? Cada degolado dava origem a dez futuros revoltosos — seus filhos e parentes, e a revolução lá está em perpétua incubação, com explosões periódicas. É preciso atacar as causas últimas do espírito de revolta, o que só se conseguirá dando ao povo o que o povo quer: direito de eleger livremente por meio do voto secreto. Não fazer isto é incubar eternamente o ovo da revolução.

Há dois meios de se realizarem transformações políticas. Um, dolorosíssimo, pela violência, como na Rússia; outro, suave, pela evolução, como na Inglaterra. A revolução vem quando os de cima erguem muralhas contra as aspirações populares; a evolução se dá quando em vez de muralhas os de cima preparam rampas.

O trabalhismo inglês encontrou uma rampa, desfez-se nela como onda em praia, e a Inglaterra deu ao mundo a mais notável lição de sabedoria política. Como é inteligente o idealismo orgânico do inglês!

Já o vagalhão das aspirações russas só encontrou as tremendas muralhas do cesarismo, e destruiu tudo.

A meu ver, a rampa de que a nossa onda precisa é simplesmente o voto secreto, honestamente instituído, como o instituiu Sáenz Peña, e honestamente praticado, como o praticou Victorino La Plaza. Fora daí só vejo remendos, contemporizações e nenhuma solução prática.

Creia V. Excia. etc."

* * *

É sobre este tema que vimos insistir perante o Presidente do nosso Estado, no qual vemos uma inteligência de escol, capaz da televisão necessária ao verdadeiro estadista moderno. Porque governar é hoje, mais do que nunca, prever e ver longe.

A base do sistema representativo, sob qualquer regime, monarquia ou república, é uma só: a eleição. Se a eleição não existe como base, poderá o sistema usurpar o nome de representativo — mas não o será. Ora, é justamente o que sucede no Brasil desde o 15 de Novembro, pois a partir do momento em que um governo se impôs pelas armas e não pelo voto, deixamos de ter em casa o governo representativo.

Em vez da eleição, instituiu-se o regime, que até hoje perdura, da "escolha do alto". Os dominantes escolhem e um eleitorado baixíssimo referenda essa escolha, automática e inconscientemente. Isso deu lugar a que se fossem afastando das urnas todos os elementos nobres do organismo social, até chegarmos à maravilha deste absurdo orgânico; *vota quem não tem capacidade natural de voto e não vota quem a tem*! Daí o divórcio entre o governo e a opinião, pois só forma opinião no país o elemento pensante, que não vota.

A extensão deste divórcio, como diz a carta acima, ninguém a pôde medir com maior acuidade do que o Presidente de São Paulo, que no momento do perigo se encontrou sem o amparo do povo. Haverá nada mais eloquente, nada mais impressionante e fecundo em lições, dessas de que os verdadeiros estadistas tiram as normas do bem fazer?

Para que cesse tão calamitoso divórcio é mister que haja eleição, e para que haja eleição é mister escolha íntima do eleitor, livre de coação e venalidade, coisa impossível no regime do voto a descoberto, condenado como absurdo pela psicologia.

O homem é um ser dúplice. Em cada homem coexistem dois, um escravo e outro livre. O homem escravo é o homem social, que usa a máscara imposta pelo meio, e outra coisa não faz na vida senão mentir ao homem livre que traz lá por dentro. E como as manifestações desta máscara, deste escravo, são falsas e mentirosas, o voto dele não representa a escolha do seu foro íntimo. É um ato maquinal, acovardado, que quase sempre o põe de mal com a própria consciência.

Pois bem: no regime do voto a descoberto quem vota é este miserável mascarado; e pois o seu voto é papel moeda sem lastro. É a moeda má que expele a boa. Dentro dele, entretanto, habita o homem verdadeiro, o libérrimo homem de consciência, o homem do *E pur si muove* de Galileu. Só as manifestações deste são sinceras e dignas de fé.

Como, porém, conseguir arrancar ao cidadão este voto livre?

Este problema só teve solução perfeita depois da maravilhosa invenção do voto secreto.

Dizemos *invenção* muito de indústria, porque podemos equipará-lo ao telefone, ao cinema, a radiotelefonia — criações que surgiram de brusco e vieram alterar profundamente a vida do homem na terra, solvendo problemas até então insolúveis. O voto secreto vale por invenção no terreno psicológico, tão maravilhosa, de tão benéficos resultados, que já a adotaram *todos os povos cultos, com exceção de um só*. Levou-os a isso o instinto do progresso político, que é no fundo ramo do instinto de conservação. E nesses povos ninguém concebe hoje a hipótese do regresso ao voto a descoberto, como entre nós ninguém concebe a volta ao regime de escravidão anterior ao 13 de Maio.

Com o voto secreto vota o "homem do foro íntimo", vota a consciência, e vota, portanto, a verdade. A prova é fácil e temo-la dentro de nós. *Que cada criatura humana ponha a mão na consciência e diga se o seu voto secreto e, portanto, livre, será o mesmo que o seu voto a descoberto e, portanto, escravo*. A mesma criatura vota de modo diverso conforme está sob um regime ou outro — e sobre qual seja o "voto verdadeiro" não é preciso insistir...

Quanto ao palavrão usado pelos sofistas, de que o eleitor deve assumir a responsabilidade do seu voto, basta contrapor-se-lhe apenas esta pergunta: responsabilidade perante quem? Se a escolha é uma decisão do foro íntimo, um ato de consciência, que tribunal existe na terra acima da consciência?

Tão verdade é isto que já o voto secreto se impôs ao mundo inteiro com resultados impressionantes, e tem na América operado milagres.

Poderemos nós resistir a esse movimento universal, estupidamente empacados num velho erro do idealismo utópico? Poderemos fazer o papel de um povo que veda a entrada em seu território a uma invenção maravilhosa? Concebe-se país que tenha resistido à adoção do telefone, do Ford, da cinematografia?

Há-os, sim; há países retardatários, bagageiros como o nosso, que foi o último a proclamar a liberdade do negro e pode ser o derradeiro a libertar a consciência do branco. Mas tem que fazê-lo, visto como se trata de coisa imposta pelas inexoráveis leis da evolução.

Ora, se tem de o fazer, se está como todos os demais povos condenado a progredir, que serviço imenso não lhe prestará o estadista de larga visão que, em vez de opor óbices à maré montante, lhe rasgar fáceis caminhos?

Estadistas desta marca se tornam semideuses e vivem imorredouramente na alma popular.

Se o presidente de São Paulo encabeçasse entre nós um movimento neste sentido, tornar-se-ia o maior vulto da nação, e seria eternamente abençoado como um benfeitor máximo. O momento é o mais oportuno. A onda se avoluma, a ideia do voto secreto é uma ideia-força, riacho hoje, torrente amanhã — tão empolgante já agora que chega a fazer parte de programas revolucionários.

Não sabemos se V. Excia. tem auscultado o sentimento geral. Muitas vezes a posição de um homem de governo o enclausura e impede de ver o que todos veem. Mas o estado de espírito da nossa população é altamente significativo e merece atento estudo por parte de quem está ao leme de um pequeno país como São Paulo.

Esse estado de espírito é secretamente revolucionário; e quando a revolução se opera assim nos espíritos pode considerar-se vitoriosa, mais cedo ou mais tarde. Que revolução? Qualquer. *Qualquer que tenha em mira destruir o que existe.*

É espantoso o que se passa. Não há legalismo na intimidade. Desafivelada a máscara do empregado público, do comerciante, do industrial, do acadêmico, e até do menino de colégio (reflexo dos pais), veremos o simpatizante da revolução.[9]

O apoio de que os governos se supõem cercados é cada vez mais precário, e é falso. Diremos mais: é traidor, porque é apoio da boca para fora e só na frente. O apoio de coração está hipotecado a uma qualquer coisa vaga que em essência é contrária ao que aí está. *Ninguém sabe o que quer, mas ninguém mais quer o que aí está.* Esta é a tremenda verdade!

No entanto, como tudo se mudaria, numa reviravolta de mágica, se do governo partisse o que o povo pede e a revolução promete: voto secreto, liberdade de eleger de acordo com o foro íntimo, e não escravizadamente, em farsa referendatária da escolha feita no alto, por meio de títeres que votam por dinheiro ou por pressão!

Em vez da pressão, que de homens livres faz escravos, surgirá o regime da persuasão, que transforma escravos em homens livres, e determina naturalmente a formação de partidos, indispensável à vida política dos povos modernos. O eleitor inconsciente, essa peste que corrompe as urnas e se faz sórdido instrumento do político parasita, afastar-se-á delas, não por força de nenhuma lei, mas por injunção da sua própria mentalidade. Concomitantemente, a parte nobre do país virá substituí-lo na alta missão de eleger — e teremos realizado, enfim, a magna conquista de que tanto necessitamos.

Já dura demais a funesta inversão de valores, a torpe mentira, mãe de tantos males e causa única do estado deplorável em que, como povo, o Brasil se encontra

---

9   A revolução de 1930 veio plenamente confirmar estas palavras.

hoje. Fomos perdendo, por ação dela, todas as nossas liberdades, a ponto de fazer-se mister um 13 de Maio em favor do branco. O caráter nacional liquefaz-se, a corrupção administrativa cresce e o mal-estar da consciência pública é indizível. Não se reúnem dois brasileiros em comentário às coisas pátrias que não lamuriem interminavelmente e não concluam com um desolador estribilho: — Que tristeza ser brasileiro...

Tudo porque a mentira sistematizada é a pior das gangrenas e a nossa mentira política já dura mais do que o comporta a resistência de um organismo social. Os nossos males todos, inclusive o das revoluções militares periódicas, que tão caras nos saem, têm nessa mentira a sua causa última. Ela corrompe o exército, desviando-o de suas funções; corrompe a imprensa, que ou se aluga aos governos ou ao ódio do povo; corrompe a justiça; corrompe a alma nacional, cindindo o país em duas classes hostis, a dos pretorianos e a dos escravos.

Se o voto secreto deu tamanhos resultados no mundo inteiro, por que faria exceção entre nós? Duvidar será formar um juízo em excesso desonroso das nossas qualidades de caráter.

Nosso apelo se resume, pois, em que o presidente de São Paulo tome a si a chefia da grande revolução legal. O caminho é claro como o dia: antecipar o movimento, impedir que venha mais tarde pela força, com sangue, dores, desgraças e azares, o que em todos os países cultos tem vindo evolutivamente, pela compreensão de estadistas ao molde de Sáenz Peña. Fazer isso será aniquilar para sempre a revolução que fermenta no país e que, abafada aqui, ressurte além, e já não pode ser tida como simples reincidência de movimentos militares. De 89 até hoje contam-se mais de trinta convulsões desse tipo, entre as pequenas e as grandes, e de tal forma as coisas se agravam que o estado de sítio se vai tornando um estado permanente. Os prejuízos imensos que tais explosões acarretam ao país não explicarão, só eles, a nossa ruína financeira? E, dada a inutilidade da repressão, não é o caso de atacarmos de vez a causa última do fenômeno: o divórcio entre os governos e a opinião?

O Uruguai era assim. Vivia em perpétua revolução, considerada pelos sociólogos ligeiros como cancro incurável. Pois desde a entrada do voto secreto, há vinte e tantos anos, nunca mais se registou ali a menor explosão revolucionária! Haverá exemplo mais concludente?

Que chegue a nossa vez, e que o grande exemplo parta aqui de nós.

São Paulo, que já tem tanto que perder, não só se asseguraria para sempre da riqueza adquirida, pondo-a a salvo de movimentos revolucionários, como ainda acentuaria a missão, que lhe compete, de líder. Proclamada aqui a liberdade de consciência, inaugurado o regime eletivo que nos falta, breve o veríamos, por contágio, dominando o país inteiro; e veríamos, enfim, o Brasil a matar esse atraso de cem anos a que a dupla escravidão do corpo do preto, outrora, e da consciência do branco, hoje, o vem condenando ignominiosamente.

Está nas mãos do presidente de São Paulo operar esse milagre e matar assim no germe as futuras revoluções, sempre tão funestas ao progresso do país.

Quanto a esta carta, não veja nela V. Excia. nenhuma intenção mofina, senão a mais alta homenagem pessoal — que é sempre a mais alta de todas, e a dos amigos leais, dizer desassombradamente a verdade inteira. A verdade dolorosa, mas a verdade que salva.

Não Ficção

NA ANTEVÉSPERA (1933)

NA ANTEVÉSPERA

Prefácio da 1ª edição

Escrever é gravar reações psíquicas. O escritor funciona qual antena — e disso vem o valor da literatura. Por meio dela fixam-se aspectos da alma dum povo, ou pelo menos instantes da vida desse povo.

Neste livro está enfeixada uma série de reações ocorridas num período bem atormentado da vida brasileira. Todos sentíamos um terrível e indefinível mau ambiente. Um cheiro de fim. Era a República Velha que ia agonizando na presidência Bernardes.

A revolta surda que em toda gente latejava explode nas reações do escritor sob forma de cólera represa, de sarcasmo, de simpatia pela Rússia de Lenin. Há o anseio vago por uma revolução que viesse quebrar a sórdida cristalização leda e cega em que vivíamos desde 89. A espaços, fugas para o passado — para o passado nosso e para o passado da França, visto como para o brasileiro daquele tempo (e talvez ainda para o de hoje) havia o Brasil aqui e a França lá fora. Fugas que nos aliviassem do mau presente.

E a revolução sentida no ar veio. A experiência está a processar-se. Muito cedo para determinar se houve ganho d'alguma coisa ou não.

Na aparência desordenada e desunificada deste livro de impressões dadas em jornal — pelo O Jornal *de Assis Chateaubriand e pela* A Manhã *de Mário Rodrigues — há uma estranha unidade, denunciadora do estado de espírito dos tempos.*

Na Antevéspera *era livro que devia sair em começos da presidência Washington. E que não saiu por uma razão bem de cabo de esquadra: falta de título. Preguiça, desânimo de descobrir um título. Por fim os originais se desgarraram, sumiram-se — e assim sumidos passaram vários anos. Um dia encontrei-os, amarelecidos pelo tempo, atrás dum armário. Reli-os com extrema curiosidade.*

— Onde já lá vai tudo isto! foi o comentário da saudade.

Durante esses anos de interregno o autor viveu fora do país. Voltou para ver o grande sonho da Revolução realizado.

Que certas revoluções revolvem, sabemos. Mas que não melhoram o material revolvido, ficamos sabendo. Creio que hoje há por aqui mais tristeza, mais desespero resignado, porque andamos todos a sentir que a grande coisa para a qual sempre apelávamos veio mas falhou. E se falhou, para que mais apelar?

Manuelita Rosas

Manuelita Rosas, a filha única de Don Juan Manuel Ortiz de Rosas, esse homem de gênio, o mais belo, o mais forte, o mais hábil do seu tempo na América, (para nós ainda hoje apenas o "tirano Rosas", com "z", da História do Brasil, com "z", de Lacerda), foi um caso notável de reequilíbrio biológico. De Vries, Mendel e outros entendidos em hereditariedade veriam nele uma resultante lógica do ardente *punzó* materno e do frio azul paterno, formando o mais suave e tranquilo lilás, graças a um salto regressivo aos avós, Dona Agustina e Don Léon, tipos de fidalgos do século dezoito.

Para definir o caráter e a finura destes ancestrais basta um trecho de carta do pai ao filho, reeleito para uma função governativa: "Amado filho, é de necessidade que venhas ver tua mãe e trates com teus melhores meios de desimpressioná-la dos efeitos que tem causado em sua imaginação a notícia da tua reeleição para o governo. Seus suspiros contínuos me cortam a alma"...

É um *nec plus ultra* de finura século dezoito, suspirar a velha porque o filho subiu ao governo; e alegar o velho, como razão decisiva, esses suspiros que lhe traspassavam a alma...

Vem assim ao mundo Manuelita como revanche da natureza assustada diante de duas criações fortes em excesso.

Rosas foi o gênio da premeditação implacável, o calculista frio, a razão que jamais erra, pois não se ilude a respeito de nenhum dos valores psicológicos de uma coletividade.

Em Los Cerrillos teve esse homem a mocidade ocupada numa tarefa que não passou de aprendizagem de governo.

Darwin, que pernoitou nessa estância de setenta léguas quadradas, diz que ao avistar-lhe a sede teve a impressão de uma cidade com a sua fortaleza; notou ainda que os moradores eram de tal modo disciplinados e aguerridos que a estância estava a coberto de todos os ataques dos índios.

Nessa escola, verdadeira miniatura do país, Rosas estudou os homens, compreendeu-os e apreendeu as linhas gerais da técnica de conduzi-los. Impôs-se a todos pela força física, tornando-se o melhor cavaleiro, o melhor amansador de potros das redondezas; vestia e falava à moda gaúcha, de *chiripá*, jaqueta e poncho, sabendo, entretanto, manter a distância; era o chefe completo pela norma que a natureza indica, a um tempo protetor e verdugo, juiz e pai, distribuidor do bem e do mal. Afável e severíssimo, risonho e terrível, amenizando fulminações de Júpiter com bromas de bufão, criou o fanatismo da sua pessoa e a obediência cega. O cacique Cachuel dizia, exprimindo o modo de pensar comum: "Juan Manuel nunca nos enganou. Eu e toda a minha tribo morreremos por ele. Sua palavra é o mesmo que a palavra de Deus".

Este estado de espírito, assegurado no feudo à força de compreensão psicológica e de rigor justiceiro, deu-lhe ali o comando único, temporal e espiritual.

O caso de Rosas é virgem na história. Vence por hipertrofia do seu feudo. As terras vão-se-lhe aumentando sempre, pela aquisição de novas estâncias, e com elas vai crescendo o seu prestígio e o número dos súditos agregados. Infatigável, e dotado de uma capacidade de trabalho que só tem parelha na de Bonaparte, *Rosas é um proprietário que à custa de diligência cresce a ponto de acabar dono de todo o país.*

Seu feudo torna-se um estado dentro do estado; um estado organizado, disciplinado, eficiente, onde todos percebem a mão construtora e a cabeça firme do chefe, dentro de um estado em desordem, presa do permanente tremor-de-terra político de um liberalismo ideológico, opulento em palavras sonoras, mas incompreensivo e incapaz de obter a ordem.

O estado nuclear de Rosas, bem ordenado, cresceu tanto à custa do seu rival desordenado, que terminou por substituir-se a ele. Rosas não assumiu a ditadura de assalto, o que é a regra; *a Argentina é que aos poucos veio colocar-se sob o regime por ele criado para Los Cerrillos*. E como chefe supremo da nação Rosas agiu com a mesma segurança, aplicando a mesma técnica que a experiência lhe ensinara como a melhor para a direção da estância. É inimigo? Elimina. É boi, cavalo bravo? Amansa, mete na canga. É rebelde? Olho da rua. A prova da excelência do sistema foram os vinte e tantos anos de ordem que o país teve, *período de sossego que permitiu o surto das riquezas pastoris e preparou a base econômica da Argentina atual*.

Rosas varreu do país o liberalismo palavroso. Uma fórmula simplicíssima dizia tudo, entrava cabeça a dentro ao mais bronco e tornava inúteis a arenga comprida, o discurso, a justificação, mil coisas complicadas e ineficientes. Essa fórmula começou assim: "Mueran los salvajes unitarios". Unitário abrangia tudo quanto era anti-rosista: o poeta autor dum soneto desagradável ao paladar do déspota, o padre que murmurava no sermão contra um ato seu, o filósofo que filosofava sobre as necessidades da pátria, etc. Mais tarde, para combater a onda crescente do liberalismo tiririca, que brota sempre por mais que a enxada lhe corte as raízes, enfeitou a fórmula mágica de mais dois adjetivos: "Mueran los salvajes, asquerosos, imundos unitarios".

Isto, para vencer a imaginação; para vencer o másculo criou a "mazorca", espécie de fascismo desenfeixado e sem organização militar. Era a matilha da plebe, que funcionava aparentemente por conta própria, mas de fato açulada pelas habilíssimas sugestões do ditador. Com estes simples ingredientes Rosas alijou do país o liberalismo e pôde à vontade organizar Los Cerrillos transformado em Argentina.

Mas a máquina de dominar (havia ainda duas peças, os bufões Don Eusébio e Biguá) revelou-se falha.

A Argentina inteira não era, como Los Cerrillos, composta só de peões. Havia nela uma elite que, embora pequena, significava muito; havia ainda o elemento estrangeiro, os diplomatas, os viajantes ilustres, escol para cuja coacção era impotente a fórmula mágica. Esse elemento sutil não vai pela força; quer ceder pela sedução.

Entra em cena a sedutora: Manuelita, herdeira de todas as qualidades nobres do pai, acrescidas umas, modificadas outras, e herdeira também do senso da oportunidade que caracterizava sua mãe.

Dona Encarnación Escurra foi uma virago de alta potência, bem merecedora do cognome de "Heroína da Federação" que lhe conferiu Rosas. Era feia, máscula, mulher de armas levar, exaltada, violenta, maliciosa, suspicaz, sem o menor toque de graça ou langor femininos. Foi uma companheira de Rosas escolhida a dedo pelo Destino. Sem ela talvez Rosas não vencesse, como sem Manuelita talvez não se prolongasse tanto a sua dominação. E os fados, sábios em suas combinações, fizeram desaparecer do palco a mulher violenta no momento preciso em que, obtida a vitória, era mister consolidá-la — papel prescrito não mais à mãe e sim à filha.

Rosas, para que sua auréola crescesse sempre, morava longe das cidades, onde seus rivais se consumiam pelo atrito. Vivia ou nas estâncias ou em campanhas contra os índios — o mesmo truque de Napoleão com a sua campanha do Egito. Crescia-lhe assim o renome, insuflado pela notícia de feitos bélicos que a distância ampliava.

Mas Rosas, como Bonaparte, nada deixava ao acaso e, embora sempre longe da cena política, e como que alheio a tudo, de fato manobrava todos os cordéis por intermédio de Dona Encarnación.

Era esta mulher o tipo da agitadora, da intrigante habilíssima que não escolhe meios e vai como a seta ao alvo. Aliciava, comprava adeptos, tramava, matava, espancava — uma verdadeira fúria esquecida a Ariosto.

Todas as cóleras e ódios ela os chamava para sua cabeça, desviando-os assim da cabeça do marido — tão longe, o coitado, a desbastar índios no deserto...

Para ilustração do caráter desta heroína basta a leitura de uma das suas cartas a Rosas.

"A mulher de Balcarce (era o governador que os restauradores queriam derrubar) anda de casa em casa vomitando tempestades contra mim; o menos que diz é que vivo na dissipação e no vício e que tu me olhas com a maior indiferença, e que por isso não cuido de conter-me. Elogia-te o quanto degrada a mim; este é o sistema, porque a eles lhes dói, por seus interesses, perder-te e porque ninguém dá a cara do modo que eu a dou. Mas nada se me dá de tais maquinações; tenho bastante energia para contrabatê-las; só me faltam tuas ordens, que em certos casos as supre a minha razão e a opinião de teus amigos, a quem ouço e classifico conforme valem, pois a maioria de casaca tem medo e só me faz o 'chambalé'... Tagle (ministro de Balcarce) mandou pedir-me uma conferência, que só desejo para cortar-lhe as orelhas"...

E esta outra:

"Um mulato, Carranza, muito unitário, foi para o exército; dizem que te leva um barril de azeitonas; não as comas sem que alguém o faça primeiro, não sejas tolo... Mando-te os pasquins saídos estas últimas noites. Minana foi para o Norte muito bem instruído sobre o modo como deve agir (para a revolução restauradora); se o descobrem, estes malvados (os do governo) me lançarão a culpa a mim, mas isso pouco importa. Por toda parte *tienen bomberos*; um dos que espiam nesta casa é o 'pícaro' de Castañon o *edecán*, porém no dia em que eu o pilhe hei-de metê-lo dentro e *le he de pegar una soba*... Don Elias não aparece, creio que anda *cubileteando* porque me tem muito medo."

E mais este trecho de outra carta em que narra a invasão da casa do cônego Vidal, elemento contrário à política de Rosas:

"Tiveram muito bom êxito os balázios e o alvoroço que mandei fazer no dia 29, pois disso resultou que se vai embora para sua terra o facinoroso cônego Vidal..."

Não é preciso mais nada para definir a poderosa auxiliar de Juan Manuel, executora das suas ordens e para-raios dos ódios que ele atraía. A atuação foi perfeita e oportuníssima. Fez-se a revolução, Balcarce foi derrotado e organizou-se um interinato fragílimo, mero guarda-cadeira que viveria até que viesse tomar o leme do comando o comandante nato. Rosas aparece então preguiçosamente, como quem não quer, rogado e implorado pela nação inteira de mãos postas. A sua técnica, como a de Bonaparte no Egito, produziu um resultado maravilhoso. Tornou-o único no meio da multidão de políticos estragados pelo uso e enfraquecidos pelas rivalidades. Veio do deserto como um triunfador e displicentemente acedeu ao clamor deplorativo das rãs que pediam rei, dando à Argentina a honra de presidir os seus destinos.

Vencer, como ganhar dinheiro, não é tudo; resta a segunda parte: conservar, que é muito mais difícil. Na primeira teve Rosas o instrumento ideal em Dona Encarnación Escurra. O papel primacial caberia na segunda a Manuelita.

Resultante de duas forças extremadas, raiz e tronco, veio a flor com o seu perfume, o brilho da suas cores, a sutileza da sua inteligência, a sedução da sua plástica, embelezar a tirania de Rosas durante largos anos, tornar-lhes possível a duração e transmitir ao futuro o ensinamento de que os droguistas americanos tiraram tão ótimo partido: o açucarado e o dourado sobre a pílula amarga. Manuelita foi a fina flor de sentimento e razão que açucarou e abrigou uma das mais longas ditaduras da América.

Não se diria bela a filha de Rosas, no sentido grego da palavra; possuidora entretanto de todas as sub-belezas filhas da Graça e da Distinção, valia por belíssima. Beleza moderna, em suma, teia muito mais de prender os olhos e o coração do que a inexpressiva, inumana e desinteligente beleza da Vênus de Milo. *"Su mirada es vaga"*, diz um contemporâneo, *"y sus ojos, como su cabeza, parece que estuvieram siempre movidos por el movimiento de sus ideas"*. Era alta, morena, pálida, tinha abundantes cabelos negros e o ar mais distinto e elegante que se possa imaginar — diz Ventura de la Vega que a conheceu em Londres. E acrescenta: *"Su conversación es franca, pero muy fina y con golpes de talento que dejan parado."*

Neste traço final está toda Manuelita e o segredo da sedução que exerceu sobre quantos dela se aproximaram. Vibrava em seu rosto a beleza d'alma de mistura com a força da inteligência. Aqueles *"golpes de talento que dejan parado"* explicam melhor que todo um longo discurso o prestígio de fada que a nimbou durante a vida inteira.

Valeram-lhe talvez este fato raro: passar pela tirania mais conspurcada da época sem que o acérrimo ódio a Rosas ousasse espirrar em seu regaço o menor toque de lama.

A meninice de Manuelita foi o que podia ser uma meninice num agitado lar de caudilho — lar de carinho sem ternura e união sem delicadeza, Era a casa de Rosas um permanente quartel de conspiradores e fanáticos do mais variado pelo, e até dos seus aposentos ouvia a menina o rumor das armas, o vozeio da turba em exaltações a seu pai, com o entremeio das arremetidas de Dona Encarnación em constante vociferar contra os unitários.

A fúria política varria a Argentina, forçando aquela infância melancólica a assistir a tremendos dramas de sangue e brutalidade, como a revolução de Lavalle e o fuzilamento de Dorrego.

Sua sensibilidade, rica de todas as finuras, recolhe-se consigo ao bafo recrestante de tal ambiente — e Manuelita sazona antes do tempo, qual manga verde metida em abafo morno de cinzas.

É contingência do caudilhismo político firmar-se nas piores borras humanas. A casa de Rosas refervia de caudilhetes de bairro, "fósforos" eleitorais, cabos de motim, negros e mulatos espiões — futuras peças da Sociedade Restauradora e da Mazorca.

Nesse tempo abundavam em Buenos Aires os negros, encurralados nos subúrbios em zonas turbulentas, chamadas *barríos del tambor* em vista do constante tam-tam dos candomblés. Organizados em colônias de minas, mandingas, moçambiques, benguelas, congos, cada nação tinha lá seu rei, sua rainha e suas usanças d'África.

Rosas corteja-os, vendo nessa bárbara plebe de linhite boa matéria prima para a máquina de compressão social que já idealizava. Em carta à esposa estabelece tal política:

"Já deves saber o que vale a amizade dos pobres (referia-se aos negros) e o quanto importa conservá-la sem desdenhar meios de atrair e cultivar suas vontades. Não cortes pois com eles.

Escreve-lhes, manda-lhes presentes, sem que te doa gastar com isto.

Digo o mesmo a respeito das mães e mulheres dos negros e mulatos que nos são fiéis. Não deixes de visitar as que o mereçam, nem de socorrê-las em suas desgraças. Aos fiéis que já te hajam servido deixa-os que joguem bilhar em casa e obsequia-os como puderes."

Manuelita, já utilizada pelos pais como força de sedução, era mandada à sala do bilhar, onde devia sorrir para aqueles "tertulianos" de cujas bocas só saíam sandices e *palabrotas*. Também ia, a convite, presidir tertúlias negroides, festas que não principiavam antes que a princesinha chegasse.

Iam buscá-la em préstitos. Conduziam-na a tronos. Só então começavam as danças, os cantos, a música, a vociferação sempre afinada pelos mesmos temas: louvores ao Magnânimo Restaurador das Leis e morte aos selvagens, imundos, asquerosos unitários.

Não se dispensava Rosas da colaboração feminina, revelando nisto sua alta intuição da psicologia humana. A esposa lhe servira às maravilhas enquanto o problema fora escalar o poder; sua tática, com base na dissimulação, exigia comparsa fidelíssimo, identificado em absoluto com os seus interesses e capaz de executar, a mandado e por inspiração própria, todo um maquiavélico plano de golpes enxadrísticos. Uma vez guindado ao poder, todavia, dispensava-se de uma Cérbera ao pé do trono, a rosnar, nem era esse o papel para que a natureza melhor adequara Dona Encarnación.

Tratava-se de conservar o poder e isso exigia ingredientes mais fluídicos, essenciais que a alma da Heroína da Federação, demasiado violenta, não sabia estilar. Nascida para o assalto, para acometer, para *pelear*, ignorava o sorriso que descrispa os dedos agarrados ao punhal; ignorava a clemência que amaina o furor das ondas.

A situação exigia, em vez de dentes arreganhados, o veludo negro duns olhos de fada donde fluísse o mel da leniência e da simpatia.

E o destino de Rosas deu-lhe em Manuelita o tópico ideal, que faria duradouro e tolerável o seu álgido despotismo.

Perfeita antítese da mãe, a vontade superior de Manuelita, norteada por sua inteligência de escol, dominava-lhe os ímpetos do temperamento herdado e a mantinha sempre num suave equilíbrio de serenidade. Poderia referver por dentro em lavas; essa lava ressurtia fora transfeita em flores e sorriso. De alma aberta a todos os ventos e, pois, compreensiva de todas as impressões alheias, possuía a mais um controle absoluto de sentimento, a ponto de não lhe apontar a história uma só descaída de linha.

O cálculo frio de Rosas fez-se nela prudência; o impulsivo da mãe transfez-se em medida. E se a finura da sua sensibilidade, táctil a todas as nuanças das coisas, inclinava-a à ternura — foi terna sem arroubos, porque a inteligência, sempre de freio à imaginação, mantinha-a atenta às realidades, impedindo-lhe o deformá-las.

Em pleno delírio romântico (que outra coisa não é a revolução) recebia Manuelita o calor da onda de fogo sem inflamar-se, como não pegava de contágio nenhuma das febres ambientes. Seu realismo penetrante livrou-a até da efusão mística, tão comum às espanholas; piedosa e crente, não tomou da religião o histerismo e sim, apenas, a parte pragmática — consolo e resignação na desgraça.

A moral de Manuelita foi uma e inalterável: amar a seu pai e cumprir até ao estoicismo o seu dever de filha. Na filha boa do rei Lear, Shakespeare desenha traços da sua irmã platina. A juventude inteira sacrificou-a Manuelita ao egoísmo paterno, suportando em respeito de *su tatita* transes que lhe deveriam custar as piores torturas morais. Não seria das menores o forçar constantemente sua bondade ingênita a uma ação mais passiva que ativa, dando ao sorriso mais afabilidade que cordialidade.

Como instrumento diplomático foi de finura inexcedível — e com grande habilidade a empregou Rosas. Quando Oribe parte de Buenos Aires à frente das tropas que vão enfrentar Lavalle, manda Rosas que a filha o acompanhe por um bom pedaço. Efeito fulminante. Impressionado com a atitude da menina, Oribe escreve a Rosas: *"Con su señorita hija le mando decir que fineza de esta clase sólo se pagan con sangre, como si llega el caso lo haré".*

Outras vezes a utiliza para firmar cartas por ele mesmo habilmente escritas, capazes de confundir ao mais hábil psicólogo de epistolografia feminina. Na época do terror encarregou-a do manuseio dos papéis secretos, das listas de proscrições — e o historiador de hoje "fica parado" ao imaginar a cena da fada boa a lidar com as listas negras do carrasco...

Além de seu melhor instrumento foi Manuelita a doce companheira do tirano. Consagrada inteiramente à tarefa de zelar por ele com carinhos de mãe, constituiu-lhe todo o lar, encheu-lhe toda a vida íntima.

Também tomava a si o contato do ditador com o mundo. Ela, quem atendia aos clientes, recebia os pedidos, ouvia as súplicas, dava esperanças, fazia promessas; ela, em suma, quem representava no sombrio palácio de Palermo a parte da graça e da misericórdia.

Amou, Manuelita?

Sim, embora menos do que foi amada. Amou a seu pai sobre todas as coisas e amou ao homem que mais tarde, no exílio, já em idade madura, veio a ser seu esposo.

Amada foi de numerosos galãs. Um enamorado britânico deixou crônica: Lord Howden. Par do reino, este romântico fidalgo fora enviado à Argentina como representante da Inglaterra para dirimir o conflito de que resultou o bloqueio do Rio da Prata pelas esquadras inglesa e francesa.

Homem de altas aventuras, ex-ajudante de ordens de Wellington, companheiro de Byron na Grécia, herói da batalha de Navarino, comissário inglês no cerco de Amberes, nem o muito mundo que correra, nem as muitas mulheres que conhecera, o imunizaram contra os encantos de Manuelita. Frequentava assiduamente as tertúlias da princesinha e lá se enlevou na sua teia de sedução.

Um dia promoveu uma passeata a cavalo, durante a qual conseguiu emparelhar-se com a filha do tirano e declarar o amor que o devorava.

Manuelita ouviu-o silenciosa e grave, com os olhos perdidos no azul do horizonte. Dias depois enviou a Lord Howden uma gentilíssima carta em que lhe pedia carinhosamente que apenas visse nela uma extremosa irmã.

Ibarguren transcreve a resposta do inglês, engenhoso modelo de ironia que mal empalha o seu despeito ante a fina diplomacia da repulsa...

Esse amor inspirado ao diplomata britânico influiu seriamente na marcha dos acontecimentos.

Lord Howden rompe com o emissário francês, conde de Walewski — não o filho do Corso com a formosa condessa eslava — e faz suspender o bloqueio por parte das fragatas inglesas.

Ficaram os franceses a sós com a prebenda, arcando com o rancor dos argentinos, que incontinente sacam do lombo dos unitários e pespegam no dos franceses o terrível — "imundos e asquerosos".

Howden era um homem de espírito. Entre agradar Manuelita e agradar à França não vacilou...

Mas o drama se precipita.

Soa em Buenos Aires o grito de Roma: *Annibal ad portas!*... As legiões de Urquiza avançam contra a capital, afogueadas de entusiasmo. Partem ao encontro delas as duas criaturas que Manuelita mais amava no mundo — seu pai, na chefia das forças oponentes e Máximo Terrero, o mancebo que soube conquistar o coração da princesinha federal. Ia o noivo incorporar-se às tropas e levava como talismã um lenço de Manuelita, bordado pelas suas próprias mãos.

Não há descrever os transes da filha e da noiva quando o eco dos canhões alvorotou a cidade. O embate seria decisivo e ela jogava na batalha o seu coração. Caiu de joelhos e orou...

Sobrevinha a noite quando Rosas reapareceu, fugitivo, disfarçado no poncho e no gorro vermelho de um ajudante de ordens. Apeou na legação britânica, mandou um rápido bilhete a lápis à filha e pediu o asilo da Inglaterra. Às oito da noite Manuelita reúne-se ao pai, pronta para a fuga.

Seguem dali para a fragata *Centaur* e desta para o *Conflict*, que os leva para o exílio.

Estava terminado o papel de Rosas no mundo. Na Inglaterra iria vegetar numa casa de campo como um bom boiadeiro retirado dos negócios, mais atento ao reumatismo do que à política de sua pátria.

Ao seu lado Manuelita redobra de carinhos filiais e ameniza o exílio do leão enjaulado. O egoísmo de Rosas revela-se em toda a sua grandeza. Continua a opor-se ao casamento da filha, exige o sacrifício da amável criatura nas aras da dedicação indivisa. Continuava a opor-se ao seu casamento com Terrero, não que lhe parecesse indigno o noivo, mas para não se apartar da filha.

Manuelita escreve a uma amiga em 53: "Aqui me tens na Inglaterra ainda sem saber onde iremos morar — mas há de ser numa casa de campo. Nela viveremos conformados com a vontade de Deus e observando a rigorosa economia que nossas circunstâncias impõem; passaremos como seja possível, confiantes na justiça do céu. Esta escola de conformidade, que é a vida de meu querido paizinho, não me há faltado um só dia e assim vivo perfeita e humildemente submissa ao meu destino".

Mas Terrero muda-se para a Inglaterra, arrastado pelo amor e isto revoluciona o coração da amável conformada, que afinal resolve quebrar a resistência do egoísmo paterno e receber como esposo o eleito do seu coração. Casa-se e escreve à mesma amiga: "Petronita! Já estou casada com o meu Máximo!... Tu, que o conheces, podes ter a certeza de que ele me fará completamente feliz. A doçura de pertencer-lhe me fez olvidar todos os maus momentos e todas as desgraças da minha vida. Abraça-me com força, e rejubila-te da felicidade da tua amiga".

Já Rosas é num tom muito diverso que anuncia a Petronita esse casamento. "Muito pouco me resta hoje, depois que tua amiga (Manuelita) me abandonou com inaudita crueldade, e me deixou só no mundo, justamente quando mais necessitava da sua assistência."

Ficou ele em Southampton, na sua casa de campo, e Manuelita passou a residir em Londres, donde vinha visitá-lo amiúde.

Essa separação forçada era a única nuvem que empanava a felicidade de Manuelita, e daí o procurar amenizá-la com visitas frequentes.

Rosas alugara uma chácara e trabalhava para garantir a sua subsistência. É belo o fim da vida desse tirano que teve tudo, que foi dono da Argentina inteira, e acabava trabalhando a terra para viver. Seu estoicismo espanta. Pobre e só, produzindo em terra estranha o pão de que vivia, nesse momento o homem apresenta-se-nos maior do que o tirano de Palermo.

"A justiça de Deus," escreve ele a dona Josefa Gomes, "está acima da soberba dos homens. O homem verdadeiramente livre é o que, isento de fraquezas ou desejos excessivos, em qualquer país e em qualquer condição em que se ache, segue os mandamentos de Deus, atende à sua consciência e guia-se pela razão."

Em Buenos Aires o partido vencedor leva a cabo o processo de Rosas e o condena à morte e ao confisco de todos os bens.

Rosas protesta. O seu julgamento "só compete a Deus e à História, porque só Deus e a História podem julgar os povos".

Manuelita recebe a notícia qual punhalada. "Que lhe parece a vida, amigo meu?" escreve a Francisco Plot. "O general Rosas reduzido a viver do trabalho de suas mãos aos setenta anos de idade, vítima da mais cruel espoliação e das ofensas incessantes com que o perseguem seus inimigos, com permissão do país ao qual tudo sacrificou! Os poucos recursos que trouxe, e isso devido a um acaso providencial, esgotaram-se. Se acaso meu pai necessitasse ainda de justificação, esta pobreza completaria a sua coroa de glória. Expulso da pátria, submetido sem murmurações ao seu destino, fiel aos seus princípios, sem faltar nunca ao respeito da autoridade seja lá quem for que a represente, privado dos seus bens de família, injuriado sem tréguas, é ele, no entanto, para mim, para seus fiéis amigos e para o seu país, o mais grandioso espetáculo que a história apresenta entre os grandes decaídos. Apesar disso, como filha carinhosa, cada vez que considero a sua posição choro sem termo, e minha dor é mais cruel porque me vejo despojada de tudo e não posso ajudá-lo. No meio de tudo, porém, ao contemplar tão grande infortúnio suportado com tamanha virtude e elevação de alma, confesso: é uma lição que aceito orgulhosa, pois vem desse grande homem a quem devo a vida."

E assim transcorrem os últimos anos de Rosas, sempre assistido pela grandeza moral da filha, a mais bela alma de mulher que ainda figurou na história americana.

Um dia Manuelita é chamada com urgência a Southampton pelo médico de Rosas. Vai. Era o fim. "Pobre *tatita*!" escreve ela de lá ao marido. "Ficou tão contente ao ver-me chegar! As nossas predições desgraçadamente se realizaram, pois dizíamos sempre a *tatita* que aquelas saídas com tempo úmido, em pleno rigor do frio, lhe haviam de trazer a pneumonia. A sua paixão pelo campo abreviou seus dias... Imagine que com um destes dias de frio espantoso ele saiu e esteve fora até tarde. Resfriou-se e as consequências estão aí."

Rosas estava mal; não obstante conversou lucidamente com Manuelita e troçou do médico. Depois ordenou — até no último momento ainda sabia ordenar! que a filha ficasse num aposento vizinho.

Às seis da manhã batem-lhe à porta. "Saltei da cama," escreve ela ao marido, "e quando me cheguei ao doente beijei-o quantas vezes, como tu sabes que o fazia sempre, mas senti que sua mão estava fria. Perguntei-lhe: 'Como vai, *tatita*?' Sua resposta foi mirar-me com a maior ternura: 'Não sei, filhinha'. Saí do quarto para mandar vir com urgência o médico e o confessor; só me demorei nisso um minuto; mas quando tornei já ele tinha deixado de existir.

Vês, meu Máximo, que suas últimas palavras e seus últimos olhares foram para mim, para sua filha..."

Com a morte de Rosas desaparece do cenário do mundo Manuelita e surge em seu lugar a suave senhora Terrero. Viveu ainda longos anos, escondida como pérola no recesso do lar, e por fim se apagou com doçura, como as tardes serenas que caem lentamente após um longo dia tempestuoso.

Com esta imagem feliz fecha Carlos Ibarguren o seu precioso livro sobre Manuelita Rosas, donde colhemos o material deste retrato. E o leitor "fica parado" e acaba perdoando a Juan Manuel a sua ditadura em troca de haver enriquecido a história com tal filha — magnólia de inebriante perfume desabrochada sobre a lama rubra dum *saladero*.

O primeiro livro sobre o Brasil

Em Frankfort-sobre-o-Meno apareceu em 1556 um livro de chamar atenção. As terras da América, recém-emergidas do limbo, tinham o dom de espertar nos europeus funda curiosidade e aquele *vient-de-paraitre* versava sobre as aventuras de um náufrago alemão que dera à costa no Brasil, estivera longos meses cativo dos tupinambás e conseguira por fim fugir-lhes à sanha canibalesca. Assunto palpitante, pois, como se diz em jornalística moderna, e impressão pública muito irmã da que nos deram há pouco tempo as ressurreições faraônicas de Lord Carnavon.

Hans Staden havia apalpado, cheirado, provado a misteriosa terra dos ameríndios, aqueles rudes homens sem tanga, amicíssimos de trincar a carne dos seus semelhantes como o fazemos ainda hoje ao nosso irmão o porco, ao nosso paciente companheiro de trabalho o boi. Seu livro suava realismo; tudo coisa vista e vivida, laivada do inimitável sabor da impressão direta.

Hans seria de poucas letras. Daí o fazer estilizar o livro por um notável da época, o doutor Zychman, médico de Marpurgo, o qual o narigou de um prefácio que é um modelo de literatura encruada.

Em matéria de graças literárias a Alemanha do século XV vagia. Plena fervura da Reforma, o debate religioso em latim sufocava o renascimento preluzido pelo humanismo. Há Erasmo, cujo ovo, no dizer do tempo, Martinho Luthero chocara; essa figura primaz, entretanto, não se atreveu a escrever o *Elogio* no alemão bárbaro do povo. E fora Erasmo os nomes da época são menos nomes que pequenos marcos cronológicos do estado fetal de uma literatura cujas formosas qualidades, mais tarde apuradas ao requinte em Goethe, mal se denunciavam. O livro de Staden, apesar de revisto por um mestre, dá bem a medida e o tom da *rudis indigestaque mole*. Tal é, porém, a força da obra vivida, que ainda assim vale por uma das coisas mais curiosas e empolgantes que já se escreveram.

Para nós o seu valor requinta-se não só por ser o primeiro aparecido sobre nossa terra, como o que melhor nos mostra a arte com que os Vateis tupinambás, nossos avós em linha aborígene, abatiam, esfolavam, arrolhavam, assavam, degustavam entre goles de Cauim *White Label* os retacos e maciços portugueses, nossos avós em linha europeia.

A carne lusa era positivamente um acepipe de lamber os beiços. Provam-no o caso da velha índia catequizada por Anchieta, a manifestar antes de morrer o seu último desejo: esbrugar entre os tocos dos dentes uma munheca de criança moqueada; e a abalizadíssima opinião de Cunhambebe, que adiante mencionaremos. Pena é que a *sensiblerie* moderna (medo às baratas) não permita que a par da ressurreição do estilo colonial, ardorosamente preconizado por José Mariano, não se restaure a praxe gastronômica dos nossos maiores — no caso de não haver perdido suas qualidades de paladar o petisco em questão.

Staden viu-se possuído da febre aventureira, a gripe do século dos descobrimentos. Seduzido pelas lendas em giro na boca do povo, relativa aos maravilhosos países das Índias, deixou muito moço a casa paterna, em Homberg, e se foi para Lisboa, entreposto marítimo no apogeu e donde o largar de navios para as terras novas era constante.

Lá se engajou de artilheiro a bordo da frota que encontrou a sair, realizando assim, em 1548, sua primeira viagem até Pernambuco, ida e volta. Gostou. Passou à Espanha e em Cádis engajou-se de novo, agora em nau castelhana, tomado de curiosidade pelo Rio da Prata.

Desta feita os fados não lhe correram de feição: naufragou nas costas de S. Vicente, após horrível temporal que ele descreve de modo impressionante. Em terra caminhou ao acaso e foi dar com os ossos em Itanhaém, incipiente núcleo lusitano cujos moradores o receberam de braços abertos.

Itanhaém e S. Vicente estavam em zona de índios tupiniquins, amigos e aliados dos portugueses; milhas adiante começava a zona dos tupinambás, nação inimiga e antropófaga. Vivia-se em guerra aberta e as constantes incursões dos tupinambás tiravam o sono aos portugueses. Daí a ideia de erigir-se um fortim na Bertioga, à entrada do canal por onde as canoas inimigas costumavam descer para o ataque.

Construiu-se o fortim (ainda hoje lá se vê, muito bem conservado, o forte com seteiras que o substituiu), mas como não houvesse artilheiro à mão, ficou algum tempo ao léu, como inútil espantalho.

Foi, pois, com grande gosto que os vicentinos viram cair das asas de uma tempestade aquele artilheiro providencial.

Contrataram-no para tomar conta do forte por quatro meses, enquanto não vinha do reino o oficial pedido. Ia a findar o prazo quando chegou o coronel Tomé de Souza; instruído dos serviços de Hans, louvou-lhos e induziu-o a reformar o contrato por mais dois anos, findos os quais o recambiaria à Europa com rendosa carta de recomendação a El-rey.

A gula dos tupinambás atrapalhou o conchavo. Certo dia em que Hans, à espera de hóspedes, saíra em caça de jacus para o almoço, aconteceu estar nas florestas circunvizinhas um bando de tupinambás, de tocaia a bípedes implumes. Agarraram-no de surpresa, amassaram-no a pancada, impuseram-lhe incontinente a indumentária da terra, nudez absoluta e, bem amarrado com fortes muçuranas, conduziram-no para o fundo de uma canoa. E assim, incomodamente, de papo acima, foi o dolicocéfalo louro transportado à taba de Ubatuba, na qual residiam os dois índios que primeiro lhe puseram as unhas: Alkindar-miri e Nhaepepô-açu, panela pequena e panela grande. Eram seus donos por direito de guerra. Quanto ao destino que Hans teria, estava esclarecido: panela.

A entrada de Hans na taba não merece com propriedade o qualificativo de triunfal, que lhe daria quem de longe se iludisse com o delírio de aplausos do mulherio. Foi antes tragicamente humorística, pois o forçaram a entrar gritando em língua da terra:

— Eis a vossa comida que vem chegando!

Em certos freges do Rio há o menu cantado. Naquele bom tempo cantava o prato...

As mulheres receberam o aviso com grande alarida, como se diz à acadêmica. Tomaram-no das mãos dos guerreiros e se foram com ele por diante aos safanões e bofetadas, dando perfeita imagem de um cardume nu de sufragistas inglesas rebuçadas de chocolate. Lambiam os beiços (hoje mimosos lábios de carmim Doré em suas netas) e escolhiam pedaços com a máxima desenvoltura de gula: O braço é meu — Para mim o coração — Quero esta nádega...

Introduzido que foi na taba o petisco em pé, os guerreiros se foram guardar as armas e ingerir cauim, ficando Hans entregue às suaves carícias do belo sexo. Puseram-no em uma rede, rodearam-no e, como gatas em círculo centrado pelo camundongo, por largo tempo judiaram com ele, justificando-se:

— *Che anama pipike aé* — vamos nos vingar em ti do mal que os teus nos fizeram.

Hans suou a coleção inteira dos suores frios e tratou de encomendar a alma a Deus. Salvá-la, já que do corpo não salvaria nem um osso. Estava nisso quando Alkindar e Nhaepepô vieram ter à cabana afim de participar-lhe que o haviam traspassado, a título gratuito, a um tio, Ipirú-guaçu, homem vaidoso que ardia por encomprir o nome.

Davam-se os índios ao luxo de periódicas ampliações onomásticas, operação que exigia a captura e o devoramento de um inimigo. Digerida a carne, ficava o nome da vítima aposto como sobrenome ao nome do algoz.

Dada que foi a agradável nova, os ex-donos de Hans o deixaram outra vez entregues às Evas.

— *Poracé! Poracé!* — ganiram as índias, e levaram-no para o terreiro, puxado pelas cordas manietadoras.

Hans desconhecia essa palavra e pensou lá consigo que fatalmente seria o sinal do fim. Resignou-se ao trespasse, revirou os olhos para o céu; depois circunvagou-os pelo terreiro, a ver se avistava a iverapema, pau de matar todo enfeitado, hoje, por evolução, cadeira elétrica nos Estados Unidos.

Não viu iverapema nenhuma. Viu aproximar-se madame Ipirú-guaçu com uma gilete apavorante: enorme lasca de cristal embutida em cabo recurvo. Seria que, antecipando a civilização dos seus netos sulinos, aquela tribo já substituíra a morte a tacape pela degola? Nada disso. Vinham apenas fazer-lhe a toilette. Depilá-lo! A fígara pôs-lhe abaixo as sobrancelhas, os bigodes e atacou a barba.

Aqui a vaidade masculina do cliente reagiu. Hans relutou, esperneou, e pediu que o matassem com barba e tudo.

Riram-se as mulheres, declarando que não iam matá-lo tão cedo. Primeiro engordá-lo...

Salvou-se nesse dia a barba de Hans, única peça de vestuário que ainda tinha sobre o corpo. Por pouco tempo, todavia. Logo depois apareceu na taba um presente de francês: tesoura. Os filhos de França já preparavam o país para futuro escoamento da sua indústria da *toilette*. Nada havia na taba que cortar, nem folhas de parra. Como, porém, fosse indispensável ajuizar da boa marca da tesoura, lembraram-se de fazer experiência nos pelos de Hans.

Desde esse dia a conformidade do prisioneiro com o *dernier cri* de Ubatuba foi perfeita: nu sem pelos.

A repentina adoção da moda tupinambá por parte de um europeu de terras do norte, afeito a pesadas roupas de lã, não podia correr sem consequências nevrálgicas.

E não correu. Veio agravar a indizível aflição do aflito a mais formidanda dor de dentes que o século XV registra.

Hans chorou por uma aspirina. O remédio, entretanto, era curti-la até que Tupã desse o basta. E Hans entrou a curtir a dor cruel, rejeitando sistematicamente todos os alimentos apresentados.

Tal jejum não fez conta aos índios; viria emagrecer a presa na mais imprópria das ocasiões.

Apareceu-lhe, então, um índio truculento, de formidável tenaz de guatambu em punho. Era o dentista da tribo. Hans fremiu de horror e fazendo cara alegre declarou que a dor passara subitamente. Mesmo assim o bugre insistiu em arrancar-lhe os dentes, talvez com a generosa intenção de prevenir futuras recaídas. Hans lutou pelos dentes como lutara pela barba — e venceu. O dentista guardou o boticão, depois de adverti-lo de que a teima em não comer era péssima política, pois induziria Ipirú a matá-lo quanto antes. Condição de vida: engordar — e o pobre Hans, embora estalando nas crispações da sua nevralgia histórica, entrou a comer como um frade.

Residia na taba de Ariariba o grande chefe Cunhambebe, terror de tupiniquins e peros (os índios chamavam assim aos portugueses). Além de guerreiro astuto, hábil em dirigir expedições bem sucedidas, Cunhambebe apreciava singularmente a carne lusa. *Gourmand* famoso, talvez *gourmet* de requintes, é pena que os nossos restaurantes não lhe lembrem o lindo nome em um bife. Merece positivamente essa homenagem, merece-a talvez mais que o Arariboia que tem herma em Niterói.

Cunhambebe quis *de visu* ajuizar daquela rica *entrée* loura com que iam regalar-se os ubatubanos, e mandou que a trouxessem à sua presença.

Hans é trazido. Encontra o pantagruélico morubixaba a beber cauim numa roda de companheiros. Reconhece-o logo pelo aspecto e pela insígnia: colar de conchas brancas enrolado seis vezes ao pescoço.

Conversam. Hans aproveita o lance para protestar pela milésima vez que não era pero, e sim ótimo francês. Sabia que se pudesse impingir aos selvagens essa dupla invenção estaria salvo. Argumentou, alegou o louro dos cabelos e o azul dos olhos.

O morubixaba sorriu diabolicamente e disse:

— Já comi cinco portugueses e todos mentiram.

O aborígene não acreditava na palavra do branco, de tantas petas vinha sendo vítima desde o fatal 1500. Além disso nunca houve pero que diante da iverapema não alegasse francesia. O cético morubixaba, porém, só se rendia à opinião do seu paladar apuradíssimo. Depois de bem assado o prisioneiro, ao trincar-lhe o pernil é que proclamava entre estalidos de língua:

— Francês nada. É português dos legítimos.

O alemão consternado viu que teria de passar por essa prova, a única que o não interessava...

Duas vezes esteve Hans com esse chefe. Da segunda encontrou-o sentado junto a enorme cesta de carne humana, comendo gulosamente uma perna. Hans exprobou-lhe a gula, dizendo que nem os animais inferiores comiam seus semelhantes.

Cunhambebe podia, com base em autoridades antropológicas e ainda mais na futura ação dos europeus relativa aos selvagens da América e África, alegar que o branco era dissemelhante. Não o fez. Contentou-se com responder tupinambamente:

— *Jauára ichê!* (Sou um tigre). Está gostoso!... — e esfregou na cara do alemão aquela *delicatessen*.

A habilidade, os prodígios de astúcia que Hans Staden empregou a fim de provar que nunca fora pero, e ainda para convencer os índios de que o seu Deus o protegia e era mais poderoso que os maracás de cabaça, deram resultado. Os selvagens foram-lhe protelando o sacrifício e acabaram convictos de que de fato não era português. Orçou por oito meses o é-não-é e daí veio a sua salvação. Durante esse tempo residiu em várias tabas, trabalhou com os índios, acompanhou-os em expedições guerreiras e prestou-lhes uma assistência médica talvez melhor que a dos pajés.

Sempre que adoecia algum e era procurado, apontava logo a causa da doença: uso de carne humana. Queria assim salvar a sua, criando a desconfiança em relação à petisqueira.

Certa vez foi chamado à cabana de um morubixaba queixoso de peso no estômago. Hans apalpou-o e disse logo:

— É o raio da carne humana. Aposto que a comeu! É veneno...

O doente deu balanço nos seus menus e declarou:

— Comi há meses um português inteiro e noto que desde essa ocasião é que sinto o tal peso, a tal bola no estômago.

— Pois é isso! Mais indigesto, nem pepino cru.

O doente concordou e prometeu abster-se.

Este fato prova que a digestibilidade dos nossos avós não era uniforme. Talvez variasse com a província natal do acepipe, mais na Beira, menos no Minho. A não ser que prove apenas diferença de potencialidade entre estômagos. A moela de Cunhambebe suportava cinco e pedia mais. O outro morubixaba entupia com um.

Já as índias nunca se queixavam de encruamento estomacal. Cabia-lhes as partes internas, mais tenras e de mais fácil digestão, fosse qual fosse a nacionalidade da rês. Tinham o hábito de ferver a barrigada em grandes vasilhas até que tudo se desfizesse em caldo grosso e muito apreciado, ao qual davam o nome de mingau. Esta *purée* destinava-se às crianças e convalescentes, nunca fazendo mal a ninguém, em que pese à suspeitíssima propaganda de Staden. No preparo deste mingau há um detalhe que não pode ser contado aqui. O batoque. O batoque preventivo... O batoque que impedia que algo se perdesse...

A culinária francesa, ao inventar a *bécassine* assada com as tripas cheias ao natural, não inventou coisa nenhuma.

Ao cabo de oito meses de cativeiro, depois de mil incidentes e várias decepções mortais, conseguiu Staden embarcar no *Bel'Eté*, navio francês ancorado em Iteron (Niterói). Foi levado a bordo pelos índios de Itaquaquecetuba, em cuja taba passara a residir e de cujos índios se fizera amigo. A despedida foi cordialíssima. Na hora do abraço derradeiro Hans prometeu voltar com um navio carregado de presentes, facas, machados, espelhos, vindo passar o resto dos seus dias no amável convívio de Abati-poçança, chefe de Itaquaquecetuba.

Bom europeu que era, mentiu mais uma vez. Não voltou coisa nenhuma. A posteridade, entretanto, o absolve da feia falta por amor ao presente que lhe fez das suas memórias — precioso espelho da nossa ascendência, que nós, menos por pudor que desleixo, só trezentos e tantos anos depois de dadas a público em Frankfort vimos a conhecer em tradução recém-publicada.

País de tavolagem
O GRANDE MAL — A POBREZA

Quem olha d'alto para o nosso país apreende logo a causa última de todos os seus males: pobreza. No entanto vivemos a entoar loas às nossas fabulosas riquezas. Confundimos infantilmente riquezas com possibilidade de riqueza.

O café de S. Paulo é uma riqueza. As jazidas de ferro minerais são uma possibilidade. Da confusão desses termos nasce a vesguice indígena.

O Brasil é pobre; e tirante as poucas regiões em que as possibilidades naturais foram realizadas, é paupérrimo. E por ser pobre não consegue resolver nenhum dos seus problemas elementares.

Nada mais elementar que a instrução e a higiene. Se o Brasil é analfabeto e doente, consequência é isso exclusivamente da sua pobreza. Nas zonas que se vão enriquecendo, a instrução cresce por si, automaticamente, e o índice da saúde avulta.

Tomai um analfabeto do interior, doente de opilação. Instrui-o e curai-o. Depois largai dele, deixando-o entregue a si mesmo. Esse homem, vítima da pobreza, recairá em estado de doença: seus filhos, por falta de recursos, recairão no analfabetismo. A solução do seu caso falhou porque foi uma solução direta — e só as soluções indiretas resultam eficazes.

Aplicai a solução indireta. Enriquecei-o. Que acontece? Automaticamente esse homem tratará de curar-se e, como tem meios, não se reinfetará jamais. Seus filhos ele os educará, porque o primeiro pensamento de um pai, quando resolve o problema econômico, é dar aos filhos uma instrução mais alta do que a que teve. E de quantidade negativa passa esse homem a quantidade positiva, na economia social.

Vejamos o inverso. Lançai na miséria um homem culto. A primeira consequência será a perda da saúde; a segunda será o regresso da sua prole a um nível de instrução inferior ao seu. Em pouco tempo estará criado um valor negativo para o progresso social.

Evidente, pois, que só uma solução existe para todos os problemas nacionais: a indireta, a solução econômica. Só a riqueza traz instrução e saúde, como só ela traz ordem, moralidade, boa política, justiça.

— Enriquecei-vos! — deve ser a senha dos nossos estadistas.

Mas para que o povo possa enriquecer é preciso que o estado resolva equitativamente o problema da terra e consiga a estabilidade da moeda, visto como a riqueza não passa do lento acúmulo dos bens filhos do trabalho. Este acúmulo, sedimentação que é, só se opera quando há estabilidade. Em águas agitadas não se formam depósitos. Estabilidade na ordem social pelo bom regime e na ordem econômica pela ausência de oscilações dos valores. Um país eternamente convulsionado pelas revoltas não pode enriquecer: a guerra desfaz. Também não pode enriquecer um país eternamente convulsionado pelas bruscas oscilações dos valores: a crise desfaz. Um país nessas condições passa a vida num trabalho de Sísifo, a fazer e a desfazer — permanecendo na desordem e na pobreza.

O dever número um dos estadistas é pois criar condições adequadas ao enriquecimento do país, caminho único que leva à boa ordem social, à cultura, à higidez.

Mas como pode o estado criar estas condições, se tudo depende da operosidade dos indivíduos? Da maneira mais simples: não criando obstáculos a essa operosidade. Os grandes homens de estado não são os que reformam: são os que tiram do caminho os embaraços com que a má fé, o espírito de parasitismo e a estupidez embaraçam os movimentos do povo.

Logo, está nas mãos dos homens de governo promover ou retardar o progresso de uma nação.

Dentre os embaraços que a estupidez cria há um que avulta sobre todos os demais: o resultante da incompreensão da vida econômica. Esse embaraço é mortal, porque deflete para todos os rumos e vai afetar a vida do povo até no que aparentemente nada tem que ver com a economia, como é a sua moral.

A vida do homem moderno se resume num perpétuo jogo de compra e venda. Todos compram e todos vendem, desde que o sol nasce até que a luz dos lampiões se acenda.

O operário vende o seu labor e compra mercadorias. O patrão compra trabalho e vende o produto dele. Se vender e comprar é a ocupação permanente dos homens, quer isso dizer que a vida gira em torno do valor.

O jogo dos valores pois, cria o ritmo da vida, e tanto menos oscilam os valores, tanto mais em segurança se sente o homem, tanto mais feliz, tanto mais animado de espírito criador. Vem daí que a estabilidade dos valores é tão necessária para o bom funcionamento do organismo social como a estabilidade do clima o é para o bom funcionamento do organismo animal.

Se o trabalho se desvaloriza, sofre o trabalhador. Se oscila o valor dos produtos, sofre o industrial. O ideal seria uma estabilidade completa; como, porém, o valor é função de uma férrea lei econômica, qual seja a da oferta e da procura, não é possível atingir esse ideal absoluto.

Temos que nos contentar com o possível, isto é, com a oscilação reduzida ao mínimo. Este oscilar mínimo é perfeitamente suportado pelo homem e dentro da sua órbita um povo pode prosperar indefinidamente.

Para o jogo dos valores, entretanto, há necessidade da adoção de uma medida. Ninguém pode comprar ou vender sem medir o valor. Essa medida é a moeda. Mas, medida que é, a moeda não pode variar. Moeda que varia é coisa tão absurda como um litro que mudasse, um metro que ora tivesse cinquenta centímetros ora cem, um quilo sujeito a câmbio, hoje valendo setecentos gramas, amanhã seiscentos e cinquenta.

Logo, a primeira coisa que a um estadista cumpre criar é uma medida de valor que não varie, que não seja elástica. Porque assim fazendo removerá da vida do povo o embaraço maior de todos, o obstáculo que jamais permitirá que esse povo acumule riqueza.

A experiência da humanidade resolveu o problema da medida do valor com a adoção do ouro. As coisas valem em relação ao ouro; e o ouro não vale em relação a coisa nenhuma, visto que é o padrão.

E todos os povos se foram passando ao regime do padrão ouro, único que provou bem de quantos experimentados. E sob o seu regime erigiu-se a economia moderna e possibilizou-se o comércio internacional. O sonho da língua única para todos os povos foi precedido pela unicidade do padrão monetário. E ficou axiomático: o metro do valor é o ouro.

Para comodidade das transações inventou-se a moeda papel; em vez de circular o ouro, que é pesado e incômodo, circularia uma cédula do Tesouro, um vale contra a caixa. O portador, no momento em que o desejasse, trocaria esse cheque ou vale por metal. Isto vinha resolver com rara felicidade os problemas determinados pelos inconvenientes da circulação metálica.

Mas há povos trapaceiros, ou melhor, povos guiados por estadistas trapaceiros. Estes piratões imaginaram uma falcatrua que fez época, deu resultados aparentes e por fim arrastou os países à ruína.

Essa falcatrua era fazer em ponto grande o que os moedeiros falsos fazem em ponto pequeno. Era substituir a moeda papel por papel moeda. Era mentir no cheque dizendo: "No Tesouro Nacional se pagará ao portador desta a quantia de tanto", e não pagar coisa nenhuma, ou pagar menos que o valor especificado nos lindos algarismos de bela gravação em aço.

O Brasil teve a desgraça de enveredar por este caminho. Passou à categoria de povo trapaceiro e ingênuo. Os povos sérios, de moeda honesta, olharam-no de soslaio, riram-se do pobre bugre e começaram a fazer preço cada vez mais irrisório para as suas cédulas do Tesouro. Para cada mil réis, para cada milhão de réis com que procurávamos deslumbrar os povos sérios, eles nos ofereciam ora um xelim, ora um pedacinho de xelim, ao sabor de um termômetro que o brasileiro não tira diante dos olhos, chamado "câmbio", sem que o bugre saiba por quê.

Os males que a camuflagem da moeda causaram ao nosso povo não têm conta. O primeiro foi relegá-lo à categoria dos desonestos e chamar para nós o desprezo universal. O segundo foi impedir que nos enriquecêssemos. O terceiro foi impedir que, em virtude da miséria crônica, pudéssemos resolver os nossos problemas internos, a principiar pelo da instrução.

Nossa vida se transformou em pura jogatina. Ninguém sabe quanto possui. O negociante que faz um pedido para o exterior não tem base para calcular o quanto vai pagar pela mercadoria quando a tiver na alfândega. Os governos, quer da União, quer dos Estados, não têm base para organizar um orçamento de receita. O serviço das dívidas pode absorver cinquenta mil contos, como pode absorver cem. E o Brasil se transformou numa casa de tavolagem onde todos, queiram ou não, se vêm forçados a jogar.

Herbert Casson tem um livro em que prova que o negócio é uma ciência regida por axiomas e leis tão duras como as leis naturais. Esses axiomas, entretanto, falharam no Brasil. Para deduzi-los Casson estudou a vida comercial dos povos de moeda ouro. Está claro, pois, que não valem para um país cuja moeda já não é moeda, e sim vergonhoso conto do vigário. De modo que aqui, em vez de ciência, o negócio é um jogo.

Além do estado de pobreza que o uso do "paco" nos acarreta, não têm conta os seus funestos reflexos no caráter nacional. A sífilis monetária não deixa célula do organismo sem infecção — nem sequer as células da matéria cinzenta do cérebro.

No entanto vivemos nesta lazeira sem dar por ela, com uma resignação de árabe na cabila. As crises se sucedem, e o brasileiro olha para o céu, consulta cartomantes, faz promessas a Santo Antônio. E todos os dias corre ao jornal para ver o câmbio — isto é, para ver quanto os outros povos entendem de nos dar pelo nosso ridículo mil réis...

Crise significa ruptura de um estado de equilíbrio econômico, seguida de convulsões até o encontro dum equilíbrio novo. As oscilações da nossa moeda determinam um rosário de crises sem fim, funestíssimas. Se a temperatura do Rio oscilasse diariamente de quarenta graus a dez, que organismo resistiria ao desequilíbrio resultante? Nenhum. No entanto, é num regime idêntico que o nosso país vive, em matéria econômica.

O HIPOGRIFO

No tempo em que havia imaginação, era este mundo um esplendoroso jardim zoológico. Nas águas folgavam ondinas, nereidas, sereias umbigo acima mulher, umbigo abaixo peixe; nos bosques, ninfas que Corot ainda alcançou ver; nos ares, silfos encantadores, como o Ariel biografado por Shakespeare na *Tempestade*.

Além desta fauna amabilíssima, regalo dos vates bucólicos, outra havia, terrificante, composta de dragões flamívomos, hidras de sete cabeças, medusas vipericapiladas, polifemos de um olho só, e que tais.

No penedo da Lamúria morava uma orca horrenda. Para que não assolasse as paragens circunvizinhas, os solícitos piratas da ilha de Ebuda lhe serviam diariamente à guisa de tributo propiciatório, uma virgem nua. E viveria a orca a vida inteira sempre a almoçar esses régios pedaços se se não engasgasse certa vez com a formosíssima Angélica, amada de Rolando.

Ariosto fez-se o fiel cronista dessa era de maravilhas, no poema em que estudou a alienação mental do conde Rolando, par de França e dono de uma espada cuja têmpera, para alívio do crânio dos mouros, se perdeu.

Narra-nos Ariosto assombros sobre assombros — e era cidadão de muito conceito em Reggio para que lhe duvidemos das afirmativas. A apressada gente de hoje não entende assim. Metida a cética, ignora ou ri-se de Ariosto, como os incréus sorriem da aparição de Jeová a Moisés numa touceira de sarça em fogo, ou da parada do sol ao gesto do general Josué.

Em paz os homens de má fé, e vejamos como Ariosto nos conta do hipogrifo que Bradamante, a formosa donzela guerreira, com seus lindos olhos viu.

Essa belicosa dama, revestida de cintilante armadura e montada em fogoso corcel, andando a peregrinar por montes e vales à procura de Rogério, seu amado, houve por bem repousar numa estalagem das proximidades de Bordéus. Albergou-se e, a recato, pôs-se a cismar no seu fadário estranho. Súbito, lhe chega aos ouvidos um inusitado rumor. Assusta-se, e exclama a correr para donde vinha o estrépido:

— "Que será isto, virgem santíssima?"

O estalajadeiro e toda família, uns à janela, outros fora de portas, lá estavam de olhos no céu, pasmados, como se nele rabeasse um cometa.

O prodígio, entretanto, era outro — e incrível! Um grande corcel de asas fendia os céus, montado por um cavaleiro de brilhante e luminosa armadura. Voava na direção do poente, onde por fim desapareceu atrás das montanhas.

Contou então o estalajadeiro que já vira aquele corcel voar muitas vezes, sempre encavalgado pelo nigromante do castelo vizinho, o qual nele se elevava até às estrelas, ou voava resvés do chão, raptando as mulheres bonitas da zona; disso vinha que as míseras donzelas do país, quando formosas, cuidavam de ficar bem escondidas enquanto fazia sol.

Era o hipogrifo, o impetuoso cavalo com cabeça e asas d'águia que, representou papel de vulto na aviação da época e permitiu a Orlando salvar Angélica das garras da orca.

Os céticos negam tudo isto — mas ninguém nega a vivacidade da cena descrita por Ariosto, e muito menos o autor destas linhas, que viu reproduzir-se fielmente o quadro, na roça onde morava.

Certo dia, um vozear estranho chamou-me à janela do casarão da fazenda. Homens e mulheres esparsos pelo terreiro olhavam para cima como quem olha cometa. Olhei também e vi... o hipogrifo!

Era Edu que passava, a mil metros de altura, na sua primeira viagem de S. Paulo ao Rio — façanha de alta monta na época.

O espetáculo constituía novidade absoluta para os roceiros ingênuos. Aquele avejão, zumbidor qual besouro, desnorteava-lhes a imaginativa.

Um mais fantasioso sugeriu logo:

— "Gavião-pato!..."

— "Daquele tamanho?" — contraveio outro, que além de caçador de gaviões criava patos.

O informante emendou:

— "Gavião-rei, como há urubu-rei. Assim qualquer coisa como o Minhocão do Paraíba."[1]

Edu riscava o espaço tal qual o hipogrifo de Ariosto, e breve escondeu-se atrás das montanhas, deixando os pobres matutos a olharem-se uns para os outros com as mais assombradas caras que ainda vi em vida minha.

Hoje está vulgarizado o hipogrifo de hélice em vez de bico d'águia, e panos de tafetá em vez das asas de penas. Seu zumbido já ergue para cima somente metade dos narizes que lhe passeiam sob o raio de ação, e um dia não erguerá nenhum. Voarão como os urubus, sem que os pedestres lhes liguem maior nota que aos automóveis da rua.

Mas não é para dizer isto que tantas linhas se traçaram. Quero frisar que os monstros de Ariosto começam a voltar, embora mecânicos e despidos da velha poesia.

A orca temo-la nos submarinos. Não se alimenta de virgens, mas vem custando à humanidade um pesado tributo de vidas masculinas.

O hipogrifo aí está, pondo o Rio a algumas horas de Recife.

Os silfos, do ar, invisíveis, tão amigos de cantar e tanger o alaúde, a radiofonia os restaurou; e se não cantam maviosos como os da ilha de Próspero, lá chegarão — no dia em que o último ressaibo a gramofone for extirpado das radiolas.

Só os bosques permanecem ermos de ninfas; ou tão amáveis criaturas se fizeram pernilongos ou os pernilongos as expulsaram de lá.

Ninfas hoje só nas avenidas, disfarçadas em mulheres modernas pelos costureiros inventivos. Dado, porém, o progresso do nu, já vitorioso nos trololós do Hotel Glória, e quiçá um dia também nas ruas, ninguém perca a esperança de ver restaurada na terra a fauna inteira de Ariosto — para regalo de todos nós e reabilitação da memória do insigne fantasista.

Fala Jove

No princípio era o vento.

Só ele tinha forças para propelir o homem ousado que, em pequenas gamelas flutuantes, com um pedaço de lona espetado em espeques, se atirava à aventura sobre o dorso histérico das ondas.

E nasceu a assombrosa epopeia da navegação — coisa linda dita assim com galanice de retórica, mas de inenarrável travor para os que lhe padeciam as torturas.

Depois veio Fulton. As gamelas de pau viraram marmitas de ferro, dotadas da astuciosa máquina que reduz a água a vapor e fá-lo voltar a hélice imersa no "undoso elemento", como se dizia nos saudosos tempos da épica.

A epopeia mudou de tom. Passou de *berceuse* trágica a marcha mecânica. O que vencia não era mais a dureza do homem, sua paciência, sua resistência às privações. Vencia a inteligência do engenheiro que na paz do gabinete calculava com precisão a resistência dos materiais e o jogo das peças, ao conceber leviatans não previstos pela natureza.

---

[1] Existe na gente piracuara a lenda de uma enorme serpente que vive no fundo desse rio — o Minhocão.

E o oceano, atônito, assistiu à completa devassa dos seus domínios — com grande escândalo de Netuno.

Pobre deus! Quando o *Deutschland* operou o maravilhoso mergulho transatlântico que o trouxe de Kiel a New York, Netuno lançou aos sargaços o tridente, exclamando num sincero grito d'alma:

— "Não sou mais deus de coisa nenhuma. Deus é esse piolho da terra que inventa máquinas e se ri dos meus vagalhões, zomba dos meus ventos, fulmina minhas baleias e põe-me assim, no fim da vida, um miserável rei de opereta... Já destronou Cibele, a deusa da terra, já destronou Urano, o deus do céu. Até Júpiter, o deus dos deuses, onde lá vai! Só resta Vênus...

Também Urano a princípio sorrira, quando viu Gusmão lançar para os seus domínios a frágil passarola, vítima dum beiral de telhado. Sorriu ainda, desta feita amarelamente, quando Montgolfier ergueu bem alto suas esferas de ar aquecido.

— "Vence a altura," — murmurou consigo o deus, — "mas obedece aos meus ventos. Voará como a palha, jamais como as aves."

Mas quando Urano viu Santos Dumont singrar o espaço num charuto, não paina que o vento leva mas ave firme na diretriz escolhida, o sorriso gelou-se-lhe nos lábios; e pela espinha veneranda lhe correu o arrepio de Napoleão em Waterloo, ao dar com Blucher no ponto em que devia aparecer Grouchy.

E o deus dos céus fez o testamento e as malas, e se foi para o Asilo dos Deuses Inválidos, jogar o gamão da aposentadoria com Netuno, Jove e outros que já se achavam lá.

De passagem pelo Cáucaso, Urano objurgou o encadeado Prometeu:

— "Vê tua obra, miserável! Com o fogo que nos roubaste e lhe deste, a miserável vermina da terra nos destronou um a um."

Desse refúgio merencório os velhos deuses assistem hoje ao voo de Ramón Franco e trocam impressões.

— "Vem ele de Paris ao Prata em horas", — comenta Urano, — "e neste andar os homens acabarão vencendo essa distância em minutos... Riem-se dos nossos éolos tão temidos, ganham das nossas águias no elance, varam a sorrir nossos nevoeiros, escravizam e transformam em moços de recados os invisíveis fluidos que tu, Jove, usavas tonitruantemente... Como isto dói, irmãos!"

Também Netuno falou, cofiando as imensas barbas verdes.

— "Rumo ao Prata... Saiu ontem de Palos e chegará amanhã ao destino... Esse trajeto só era possível outrora por mar, e nos bons tempos consumia meses, seis, oito, dez — e eram deliciosos meses para mim. Divertia-me despejando contra as caravelas a cornucópia inteira dos meus ventos, ora de feição, ora contrários, ora remoinhantes em trombas furiosas. Mas o meu supremo regalo era pô-las sem vento de espécie nenhuma, ali nas proximidades da cinta equinocial. Chamavam eles a isso "calmarias" e nada os aterrorizava tanto. Ficavam parados no mar morto dois, três meses. Devoravam todas as bolachas de bordo. Consumiam as últimas reservas de agua pútrida. E era de vê-los estorcerem-se nos horrores da fome e da sede, atirando-se à caça dos ratos e roendo como cães tudo quanto era de couro. Em roda dos veleiros, meus esqualos, de dentuça arreganhada, riam-se de tanta miséria. E meus peixes-voadores alavam-se em cardumes aperitivos, bem à vista, mas fora do alcance dos famintos. E meu mar ondulava-lhes sob as embarcações, tantalizando os sedentos com a sua imensidão impotável. Mesmo assim me iludiam muitas vezes; transpunham a zona maldita do equador — forno sem brisa à volta do mundo estirado — e prosseguiam na rota às terras do ouro. Por mais que eu açulasse e baralhasse meus ventos, não consegui vencer a todos eles; e se a incontáveis fiz tragar pelos meus escarcéus espumejantes, e a outros rachei de encontro aos penedos, inúmeros se salvaram e vieram plantar no mundo novo as sementes dessas metrópoles gigantescas, onde hoje lhes pulula a descendência vitoriosa.

Aqui Netuno parou. Uma zoada no ar atraíra-lhe a atenção sonolenta. Ergueu os olhos envidrados e viu de asas espalmas o avejão de Ramón Franco em pleno voo.

Apesar dos preconceitos de casta e do ódio divino contra a vermina da terra, o deus de barba verde sentiu n'alma um frêmito incoercível.

Olhou para Urano. Ess'outra múmia, a cair de séculos, também arregalava os olhos e fremia.

Era o entusiasmo, sentimento que pela vez primeira alcançava vibratibilizar o duro basalto que deve ser o peito de deuses caídos em caquexia senil.

Estavam assim, de nariz para o ar, quando atrás deles soou a voz de Jove, que se aproximara.

— "Amigos, tratemos de nos naturalizar homens. É o meio único que nos resta de voltarmos a ser deuses..."

UMA OPINIÃO DE M. JERÔME COIGNARD

Toda gente que escolhe leituras já leu esse compêndio de alta sabedoria que são *Les opinions de M. Jerôme Coignard*, de Anatole France. O padre Coignard possuía uma visão das coisas e dos homens muito livre para lhe permitir o acesso às grandezas humanas, e passou a vida a pé, pobre como Diógenes, mas contente. Era rico apenas em filosofia, a qual transmitiu ao seu bom discípulo Jacques Tournebroche, o qual por sua vez no-la transmitiu a nós, compendiada por Anatole France num livro de diálogos encantadores de finura.

O que nem todos sabem é que por morte de Anatole foi encontrado no baú da sua cozinheira um capítulo inédito desses diálogos. Por que motivo deixou de incorporar-se à sua obra impressa? As opiniões divergem, prevalecendo, entretanto, a que atribui isso a razões de estado. Esse capítulo versava sobre o jogo e singularmente se adaptava a um país amigo da França; é possível que o Quai d'Orsay tenha influído no abafamento do escrito para evitar complicações diplomáticas...

Um jornal brasileiro, entretanto, não possui as mesmas razões de reserva do Quai d'Orsay, e pode dar a público o precioso inédito.

Aqui vai ele religiosamente traduzido em vernáculo, sem título, como o encontramos.

....

Naquela tarde fomos, meu mestre e eu, até à Ponte Nova, onde abundam os alfarrabistas de rua que meu mestre frequenta. Em caminho chamou-nos a atenção um tumulto à porta de um vendedor de loterias e outros jogos. Eu quis chegar até lá, mas meu mestre deteve-me pelo braço.

— Não. O povo só é interessante visto de longe, como massa que se agita. Além disso não é necessário chegar até lá para descobrir do que se trata. A velha mitologia tem símbolos eternos; Saturno devorando seus próprios filhos é um deles.

Não compreendi de pronto a alusão do meu bom mestre, e ia pedir esclarecimentos, quando passou por mim um vendedor de jornais. Adquiri uma folha da chamada "certa imprensa", visto como não nego pertencer eu à classe da "certa gente".

Havia na primeira página um formoso artigo trescalante de indignação contra o jogo, "cancro social". Mas havia também na quinta página uma seção de palpites de jogo aconselhados pela direção da folha.

— Mestre, — disse eu, — como se explica a incoerência deste jornal, fulminando o jogo na sua coluna de honra e estimulando-o páginas adiante?

O padre Coignard mansamente correu os olhos pela folha e disse:

— Tournebroche, meu filho, já várias vezes te fiz notar que a contradição é própria do homem e dos jornais. Direi hoje que é própria da vida. Esse jornal é sincero nas duas opiniões contrárias que emite simultaneamente sobre o jogo. Condena-o porque o acha imoral, estimula-o porque o acha humano e necessário à boa ordem das coisas na terra.

— Não compreendo, mestre. Se é imoral, é contrário à boa ordem das coisas na terra, visto que a moral não passa de um conjunto de regras tendentes a manter essa boa ordem.

— Uma discussão sobre moral nos levaria longe e eu tenho de estar dentro em pouco à porta de Catarina a rendeira, que é uma criatura notoriamente imoral e no entanto necessária à boa ordem da vida. Vida é sinfonia, meu caro discípulo, e as sinfonias necessitam de todas as notas musicais.

Essa tua folha tem duas opiniões a respeito do jogo e nisso se conforma com um dualismo universal. As opiniões nascem xifópagas, com caras contrárias, mas ligadas entre si.

— Mas uma delas há de ser a verdadeira, disse Tournebroche, e eu queria que meu mestre me desse a sua sincera opinião sobre o jogo.

— Prefiro, meu caro Tournebroche, dizer-te que o jogo faz parte da única trindade santíssima que o homem jamais negou: amar, jogar e beber. Nasceu no Éden com os nossos primeiros pais e há de morrer com o último homem. Adão bebeu as palavras da serpente, Jogou a sua inocência e amou Eva. Desde aí essas três ilusões passaram a constituir o supremo enlevo do homem — e os três elementos de que ele dispõe para amenizar este nosso vale de lágrimas.

— Logo, o meu caro mestre defende o jogo, ou pelo menos o justifica.

— Apenas o explico, meu filho. O homem que trabalha dia a dia para a conquista do pão, e não vê acumular-se nenhuma reserva em suas arcas, encontra no jogo a única esperança de felicidade. Comprar um bilhete de loteria, comprar uma pule, comprar um bicho, é comprar essa coisa maravilhosa que se chama esperança, e o homem que espera é feliz. Enquanto a sorte não decide se ganhou ou perdeu, o homem que joga sonha e é feliz. Se ganha, realiza o sonho; se não ganha, joga de novo e vai prolongando assim, indefinidamente, o seu estado de felicidade com base na esperança.

— Mas o jogador acaba sempre perdendo e desse modo se prejudica.

— Não vejo em que, nem vejo que, bem consideradas as coisas, o jogador saia perdendo. Desde que adquire esperança e a esperança é o supremo bem da vida, o jogador nunca perde. Apenas dá o seu dinheiro em troca de uma mercadoria que não pode ser pesada na balança de pesar batatas.

Quem bebe compra, não o álcool em si, mas a doce e rósea ebriez que ele dá. Quem ama à Catarina e lhe dá dinheiro, não adquire materialmente um pedaço dessa interessante criatura, mas sim a ilusão de amor que ela dá.

O que vale nesta trindade santíssima é o que há nela de imaterial, imponderável e ilusório.

— Mas, — disse Tournebroche, — o Estado, que é paternal e sábio, condena e persegue o jogo.

— Tournebroche, meu filho, o Estado faz como a tua folha: condena e persegue o jogo apenas durante passageiros acessos de histeria moral. Mas permanentemente o estimula, como faz a tua folha pela seção dos palpites. O Estado, como já expliquei, guia-se por meio de razões de Estado, razões que o povo não alcança, mas não passam de razões das pessoas que representam o Estado.

Por isso te disse eu que Saturno devorava seus filhos. Pois, responde-me sem vacilar, quem é que mantém o jogo pai, o jogo substantivo, do qual os jogos adjetivos não passam da prole adjunta?

— O Estado, está claro, — respondeu Tournebroche, — já que é ele quem institui as loterias, e as regulamenta, e as fiscaliza, e lhes participa dos lucros.

— Perfeitamente. O Estado é o pai do jogo, e se persegue o jogo pequeno filho do jogo grande, é porque Saturno devora seus filhos. O Estado condena e persegue os jogos menores por uma razão muito simples, embora dê como razão disso a moral. Persegue-os porque esses jogos fazem concorrência ao grande jogo que ele banca por intermédio dos concessionários de loterias. Estes homens se sentem lesados pela concorrência, o Estado lhes reconhece razão e transforma essa razão de concessionários em altas razões de Estado.

— Nesse caso o que eu não compreendo é o povo. Se o tudo é jogar, por que o povo não se limita a jogar no jogo que o Estado institui, garante e fiscaliza?

— As razões são claras, meu filho. O povo, erradamente, está visto, considera o Estado como uma associação maléfica que explora o imposto, e desconfia dele. Tudo que emana do Estado é suspeito ao povo, que não compreenderá nunca a delícia que é sermos governados por ele. E sistematicamente, em igualdade de condições, o povo prefere o jogo instituído pelos particulares ao jogo instituído pelo Estado.

— Mas nisso o povo erra, visto como o jogo do Estado tem as garantias da lei e o outro não.

— Erra e não erra, meu filho. Erra porque é um erro duvidar da benemerência infinita desse grande aparelho de nome Estado, que faz as guerras e retira das sarjetas os gatos mortos. Não erra porque o jogo particular, justamente por não ter as garantias da lei é infinitamente mais honesto, expedito e inteligente que o jogo do Estado. Estou velho e jamais vi reclamações contra os bicheiros. Catarina a rendeira comprou o mês passado duas libras tornezas de Coelho, e horas depois recebeu quarenta e seis, visto como ganhou. Ela sonhara com Mr. Bouchard, recentemente eleito para o Instituto de França.

— E o mestre acha alguma relação entre esse sonho com Mr. Bouchard e o Coelho?

— Nenhuma. Tenho que Mr. Bouchard, a ser um bicho, seria o Touro, por motivos que um bom mestre não deve expender diante de um discípulo como tu. Mas o considerá-lo tão acertadamente Coelho é um desses mistérios acima da compreensão humana comum, e só possíveis a intuições puras como a de Catarina, que tu sabes, não possui a faculdade do raciocínio.

— É bem pensado isso. Eu de uma feita sonhei com o meu caro mestre e joguei na Águia.

— E deu?

— A Borboleta.

— Há qualquer coisa de borboleta em mim, reconheço. Quer Buffon que as borboletas borboleteiem, e a mim me parece que, afinal, não faço na vida outra coisa.

Neste momento passou pela calçada fronteira um vendedor de bicho, escoltado por dois guardas policiais. Ia preso e fora sua prisão a causa do tumulto mencionado no começo deste capítulo.

— Vê, meu filho, que belo quadro da iniquidade humana. Este homem vai preso porque jamais lesou a um seu semelhante. Não há cozinheira neste bairro que não jure sobre a sua pontualidade de banqueiro de bicho. Foi ele quem pagou a Catarina as 46 libras tornezas de Mr. Bouchard.

— Realmente, o Estado tem razões que a razão desconhece.

— E tem ciúmes, meu filho. Não há neste país nada tão bem organizado como o jogo do bicho. O jogador apresenta-se num *guichê* e faz a lápis, num papelzinho, a sua aposta. O banqueiro recebe o dinheiro e dá-lhe em troca uma papeleta numerada. Essa papeleta, conforme o número final da loteria que o Estado faz diariamente correr, implica às vezes em pagamentos enormes, os quais se realizam mediante a simples apresentação da papeleta. Para um negócio de vulto correspondente, ou com particulares ou com o Estado, teríamos mil maçadas, teríamos que passar escrituras, aceitar letras, apresentar testemunhas, etc., e ao cabo de tudo o mais certo seria termos delongas, despesas de lubrificação ou demandas judiciárias, que se eternizam e nos arruínam. Digo que da parte do Estado há ciúmes porque jamais conseguirá ele organizar nada tão perfeito, tão simples e sobretudo tão honesto. Se o Estado não estivesse convencido da sua onisciência, o que deveria fazer, em vez de perseguir os bicheiros, era estudar-lhes a organização e convidá-los a pôr nos serviços públicos essa maravilhosa ordem e rapidez que caracterizam o seu negócio.

— Isso o Estado não fará. O que vai fazer é acabar com eles.

— Não te enganes, meu filho. As crises histéricas passam e o jogo fica. Fica porque é humano, eterno e necessário. Além disso, sabe defender-se. Conhece os calmantes que aplacam o histerismo do Estado, deliciosos calmantes muito gratos às pessoas de carne e osso como nós que constituem as vísceras do Estado. Quem vem lá? Parece-me Catarina...

Era, de fato, Catarina a rendeira, que vinha furiosa com a prisão do seu bicheiro. Parou em face de Coignard e disse-lhe..."

O manuscrito de Anatole France, encontrado no baú da sua cozinheira, parava aqui. E foi pena, porque nos privou da opinião da linda rendeira, opinião a que Coignard dava grande apreço por ser intuitiva e não reflexo de longas meditações, como as suas.

1926

Bacillus virgula

Os jornais argentinos dão-se a luxos nababescos. Questão de dinheiro. Eles lá têm pesos, dos sonantes; nós cá, apesar das nossas decantadas riquezas, temos o peso da permanente miquea que em tudo se reflete e no jornalismo tanto quanto no resto, senão mais.

O jornal moderno, ao molde americano, é a reportagem sensacional. Mas com este alcaloide estupefaciente se dá o mesmo que com os filmes de estrondo: só está ao alcance das empresas que nadam em ouro. Sem derrame de libra, dólar ou peso, não há colher as preciosas orquídeas da sensação — flores que se não confundem com o escândalo social.

Em matéria de reportagem temos que nos ater à reportagem do pobre: visitas ali ao morro do Pinto, revelação de casas d'ópio numa colônia chinesa sem ópio nem rabicho, *interviews* com personalidades itinerantes. Troco miúdo. Libras de alumínio amarelo.

Já no Prata as coisas mudam. Os jornais são monstros tentaculares que, se drenam do público rios de ouro, em troca lhe dão acepipes dos mais finos, mandados vir de onde quer que se encontrem, custem o que custarem. Lembram os Lucullus romanos que despachavam naus aos confins do mundo em busca do peixe raro e da ave exótica; se tais gastrônomos não comeram as asas da fênix ensopadas em molho de fígados de grifo, é que não houve arapuca bastante astuciosa para filar tais aves.

A ambrosia moderna do *sensacional*, que nós aqui só temos requentada, dessorada, adquirida em "sebos", têm-na os platinos de primeira mão, fresca e cheirosa como Ganimedes a apresentava a Júpiter. Para obtê-la enchem de pesos magníficos repórteres e os lançam aos confins do mundo. O processo dos Lucullus, pois não há outro.

Tenho diante dos olhos uma coisa dessas. É a reportagem de Adolfo Agorio, um perfeito escritor mandado à Rússia por um jornal que tira (paciência, Brasil!) duzentos e cinquenta mil exemplares: *Crítica*. Agorio foi ao teatro eslavo ver com seus olhos, ouvir com seus ouvidos e apalpar com suas papilas tácteis o imenso drama social encenado por Lenine.

Bajo la mirada de Lenin, é o título, em seis colunas, do magistral estudo com que o jornal brindou o público em trinta edições consecutivas. Graças a isso tem a Argentina a sua visão pessoal da Rússia, enquanto nós aqui pensamos dela o que suspeitíssimo francês quer que pensemos. Paris nos manda, com os figurinos, visões da Rússia *ad usum* basbaquismo antártico. Falsas, pois. Visões tendenciosas.

Outrora a senha de Quintino Bocaiuva era — "Olhemos para o México". Hoje no mundo inteiro a senha é: — "Olhemos para a Rússia". O dia da amanhã referve lá, como o dia de hoje já ferveu em Paris, na Convenção. Mas nós só vemos a Rússia com os óculos pretos que o francês nos dá.

Isso nos leva a monumentos de ratice, como foi o caso do navio russo que impedimos de entrar em nossos portos. Deu-nos o medo de que o pobre barco mercante viesse com carga de ideias novas e nos contaminassem as ideias velhas, bolorentas como batatas podres, em torno das quais vivemos de cócoras.

O fato lembra-me uma impressão da meninice.

Dera o cólera-morbo às nossas plagas e ao espanto do primeiro momento sucedeu logo um louvabilíssimo arrepio sanitário. Houve febre de planos profiláticos, mais intensa que a febre atual das palavras cruzadas. Os coronéis, órgãos pensantes, deliberantes e agentes do Interior, mexeram-se, coçaram-se no Chernoviz e por fim acordaram numa novidade linda: estabelecer cordões sanitários.

Eu estava em Tremembé e assisti ao esticar-se dum esses cordões à cabeça da ponte sobre o Paraíba, rio que banha aquele feliz recanto do orbe. Constituíam-no três soldados, de Comblain ao ombro, com ordens terminantíssimas de não deixar passar... o *bacillus virgula*!

Riem-se os da capital da ingenuidade coronelícia: no entanto, em que se diferencia ela do caso do navio russo?

Tal navio desceu ao Prata e ancorou em Buenos Aires; lá refrescou, tomou carvão e depois seguiu viagem, mansa e pacificamente.

Não infeccionou coisa nenhuma; só serviu para abrir o apetite àqueles povos e lhes inocular o desejo ter a sua visão pessoal da difamada Rússia. E *Crítica* tratou com Agorio um excurso ao "vulcão", onde ele esteve meses sem ser devorado pelo ogre de Moscou. Ao voltar deu a público suas impressões, ventilando assim o ambiente pátrio com as auras das ideias novas, nunca tão feias como as pintam os parasitas das ideias velhas.

Lá, assim; aqui continuamos a ignorar o fenômeno russo e a negá-lo sob palavra dos *rentiers* franceses, naturalmente furiosos com a perda dos milhões devorados pelos grão-duques e não devolvidos pelos soviétes.

Coronel, tu és onímodo! Onímodo e onipotente. Mas, por mal teu, és cru em história como um pepino. Se soubesses um pouco de história verias que já houve tempo em que tuas mofadas ideias, hoje tão ferozmente defendidas como "verdades", foram ideias novas, malsãs, de circulação vedada por meio de cordões sanitários. A Santa-Aliança, que Deus haja em santa glória, botou em todas as pontes da Europa os teus três soldadinhos...

Não obstante, as ideias passaram com as brisas, contaminaram o mundo, todo, venceram, envelheceram, embolorarem e serão amanhã pó, como é hoje pó a áspera ideologia da Santa-Aliança.

A censura ao pensamento humano é cerca de taquara. Ideias são ondas hertzianas. Cada cérebro vale por emissor e receptor, sem antenas visíveis, mas de infinita potencialidade. Pega o vento da Rússia tão facilmente como o da barra — e pega como o sapo que não larga mais. Seus soldados, em que pese à tua poderosa estupidez, coronel, jamais fisgarão de passagem um fluido mais sutil que o *bacillus virgula*.

Apesar disso continuarás por longos anos a ser o instrumento pensante, deliberante e agente da linda terra de Santa-Cruz...([2])

---

2   Após a publicação deste artigo sobre a Rússia recebi a intimação da polícia para comparecer perante um delegado auxiliar. Fiz o testamento e fui. Dei com um moço fino, muito longe do truculento Javert que esperava encontrar no posto. Constando à polícia que eu ia editar o livro de Adolfo Agorio, via-se ela na contingência de advertir-me que o não fizesse, porque recebera

Ideias russas

Na reportagem de Adolfo Agorio sobre a Rússia existe um trecho sobremodo interessante relativo à questão sexual.

Lenine, esse ogre na opinião dos franceses, ainda há de dar o seu nome ao século como o maior reformador social de todos os tempos. Nenhuma criatura operou em maior escala, nem foi mais radical em suas ideias. Semeou como um deus, e até ao derradeiro momento de vida presidiu ao novo estado de equilíbrio social que implantou na Rússia. O tempo irá aos poucos corrigindo sua obra; a adaptação far-se-á; mas ninguém lhe tirará a glória de ter arquitetado o dia de amanhã.

O caudal de diatribes e infâmias que os lesados esguicham sobre o seu nome e difundem pelo mundo inteiro, passará, como passam os enxurros. Onde está hoje a massa formidável de libelos impressos na Grã-Bretanha contra o ogre da Córsega? Napoleão, no entanto, purificado, brilha na história com o Perseu de uma Górgona: o direito divino.

É assim que a humanidade caminha — napoleonicamente, leninescamente, aos sacões. A prudência, tão preconizada pelo artritismo dos marqueses de Maricá, é virtude que apenas conserva, como o vinagre conserva o pepino, mas não cria coisa nenhuma.

No que diz respeito à mulher, Lenine aparece como o seu messias. Libertou-a da escravidão doméstica, aboliu o preconceito da sua inferioridade, pô-la em situação de ocupar todos os cargos da república, desde o comissariado do povo até o juizado. O regime de igualdade dos sexos é perfeito, pois. Lenine destruiu o formidável acervo de injustiças acumulado em vinte séculos de helenismo e outros tantos de civilização cristã — isto é, de despotismo do galo.

Houve um formidável sacolejo de forças psicológicas adormecidas, vento que varreu e ventilou o ambiente, desde o lar às mais complexas formas de atividade coletiva.

A mulher liberta-se da servidão conjugal. Os direitos dos dois cônjuges equiparam-se sob um severo regime de responsabilidades e deveres mútuos. A união livre, controlada pelo Estado, não significa a anarquia sexual que pintam os escri-

---

ordem de cima para apreender tal livro, caso aparecesse. Admirei intimamente a perfeição da nossa espionagem policial, pois de fato me ocorrera a ideia de pedir ao autor permissão para traduzir e publicar esse livro realmente precioso, o único de quantos sei capaz de dar ao nosso público uma noção exata do que se passa na Rússia. A benemerência dos editores está em lançar os livros sérios, não tendenciosos, merecedores de fé. Ora, sendo Agorio um alto funcionário do governo argentino, e tendo o seu livro saído lá, não só num jornal de larguíssima tiragem, como em edição de dezenas de milhares, sem que as instituições se subvertessem, pareceu-me o naturalmente indicado para ser divulgado aqui.

A polícia, cumprindo ordens de cima, pensou de maneira diversa, e como editor bem policiado resignei-me a não prestar ao meu país esse bom serviço. Agradeci ao amável delegado o aviso que me vinha prevenir dissabores futuros e saí a meditar no mistério daquele cima, de donde emanavam ordens que tão a pique vinham confirmar os meus conceitos emitidos n'*A Manhã*. Seja quem for, é um de cima bem irmão do nosso coronel da roça — e como ele bem ignorante de história. Por pouco que soubesse do passado verificaria uma coisa extraordinária: a coincidência de ter o bolchevismo explodido justamente na Rússia — na Rússia, onde a polícia era um polvo monstruoso que enleava cada criatura com um tentáculo e dispunha da Sibéria, região muito maior e mais eficiente para destruir díscolos do que a nossa pobre ilha Rasa. Se essa coincidência não é de molde a convencer a todas as polícias do mundo de que o pensamento humano e a emigração das ideias não são policiáveis, não sei o que seja. Walter Rathesão usou de uma bela palavra para indicar o processo de difusão das ideias: imigração vertical. Enquanto os coronéis de cima botam cordões sanitários nas pontes e erguem outras cerquinhas de taquara, as ideias entram por projeção vertical.

Além disso é ingenuidade acreditar em ideias russas. Se Lenine quisesse justificar as suas ideias com as de Jesus, era só abrir o Evangelho. Se o de cima que impediu a publicação do livro de Agorio fizesse um exame de consciência nas suas ideias (e não duvido que as possua) veria com espanto que tem o cérebro cheio das chamadas ideias russas. Até a sua crença na eficácia da polícia na compressão do pensamento humano é uma ideia russíssima. Esteve encasquetada durante séculos na cabeça dos czares empenhados em manter a servidão do povo eslavo, e está na cabeça dos líderes bolchevistas que suprimem os que não pensam como eles.

bas anti-russos a serviço do cômodo *status quo* capitalístico. Essa anarquia sexual existe, sim, no regime burguês da mentira monogâmica sem divórcio, monstruoso Moloch que só funciona à custa do mais cruel lubrificante: a prostituição.

O casamento na Rússia repousa unicamente no amor, e é mais duradouro que o alicerçado no dinheiro. Recorda Agorio o assombro de um seu companheiro de viagem ao verificar o número ínfimo de divórcios russos. No entanto, se é fácil casar, mais fácil ainda é divorciar; para o primeiro ato basta o comparecimento dos dois interessados perante o oficial civil; para o segundo basta apenas o comparecimento de um.

A humanidade se divide em duas classes: os que possuem imaginação e os que a não possuem. Os imaginativos idealizam e, como idealizam, raro alcançam a felicidade — tanto o real é inimigo do ideal. Vem daí que os imaginativos são em regra infelizes no nosso regime sexual.

Na Rússia não. Mme. de Bovary não se suicida. Solta o primeiro marido, inservível por insuficiência glandular (devia ser isto), e vai sucessivamente casando até encontrar o eleito da sua fantasia. E acha, pois as almas andam aos pares, a afinidade eletiva é um fato e o tudo é que a sociedade não as impeça de se reunirem.

— Por que motivo, — disse uma dama russa a Agorio, — havemos de trazer sapatos apertados, que nos magoem o pé, se trocando-os podemos tê-los cômodos? Ora, o nosso coração não merece menos que o nosso pé, além de que as feridas nele abertas são de muito maior duração.

Quem sofre com o regime russo é o homem. Perde a liberdade de borboletear de mulher em mulher, clandestinamente, qual um besouro luético, sem nenhuma consequência funesta para o seu egoísmo. Não mais se regala com o sadismo de fazer mãe a uma virgem e largá-la à sua triste sorte, sob os olhares complacentes do *status quo*. Sua responsabilidade torna-se absoluta. O código bolchevista, que no fundo é a lógica reação do pobre espezinhado contra o rico prepotente, garante todos os direitos da maternidade. As obrigações do homem não são neste caso para com a mulher, e sim para com a mãe. Ao fundar as bases da família nova, quis Lenine poupar ao seu país o espetáculo degradante da mulher desamparada no seu transe mais nobre, convertida em máquina de abortos e infanticídios, escrava do regime social que faz dela um objeto de compra e venda, um semovente reduzido a campo de experiências dos monstruosos apetites e das abomináveis paixões, não digo masculinas, mas homescas.

A mulher trabalha livremente e possui igual ao homem a iniciativa no amor. Pode escolher à vontade. Nenhuma barreira se opõe aos impulsos do seu coração. Contribui para a manutenção econômica da sociedade conjugal e assim afirma a sua independência e justifica os seus direitos.

Não há na Rússia essa classe de mulheres que vivem em absoluto às costas do marido, qual ostras no espeque. Mais difícil ainda é ver-se o contrário disso, como, por exemplo, o chopim da nossa organização atual.

O problema do celibato, consequentemente, desaparece. A solteirona o é por anomalia de temperamento, já que nada a impede de afrontar a experiência matrimonial. No nosso regime, a cuja monstruosidade não atentamos porque o cão não atenta à coleira quando a recebe desde o nascer, milhões e milhões de pobres criaturas mirram no tormento da castidade à força, ao lado de outros milhões que se rebolcam nos prostíbulos, devoradas, umas, de histerismos vários e outras, de variadíssima sífilis, para que Monsieur Homais, de braço dado ao conselheiro Acácio, possa sentenciar gravemente:

— "O casamento é uma instituição divina. Não lhe toquem!"

Os homens e as mulheres na Rússia não se olham como inimigos, oscilantes entre o amor e o ódio, polos da mesma exaltação sentimental; não enchem as folhas com o escândalo diário do seu engalfinhamento, de seus tiros de revólver, de suas facadas. Olham-se como companheiros, iguais nos direitos, iguais nos deveres. E como apesar desta soberania de si mesmos, e desse culto reflexivo da própria responsabilidade diz Agorio que nada perderam do encanto feminino, é justo que fechemos os portos aos navios russos que trazem em barris tais ideias.

Viriam perturbar a deliciosa lambança sexual, leda e cega, em que vivemos, com um olho nos bismutos e outro nos macacos de Voronoff...

Doloi stid

Diz Agorio, em sua reportagem sobre a Rússia, que a nova organização da família permite o ressurgir legal do hetairismo grego, mas livre. A hetaira grega, erroneamente por aí confundida com a cortesã, não era livre, era uma escrava de grau superior. Glicéria foi para as mãos de Filémon em troca de dez mil medidas de trigo, depois de haver coabitado com o poeta Menandro e, antes, com o pintor Pausias.

A hetaira russa não é uma escrava. Elege, escolhe, dispõe de si, é livre.

O hetairismo sempre existiu. No Japão é constituído pelo gueixismo. A gueixa, educada desde a infância para o amor em sua tríplice expressão, física, espiritual e sentimental, torna-se uma harpa erótica, ressoante, como a eólia, às menores brisas — mas é de aluguel. Alugam-na a prazos fixos, como se fora um móvel de luxo.

Na França, que têm sido as Ninon de Lenclos, as Teroigne, as Maíntenon, as Dubarry? Hetairas livres, negadas pela lei mas aceitas pelos costumes e, graças aos seus dons de espírito, tão famosas como essas gregas que enchem de encanto a antiguidade clássica — Aspásia, Laís, Frineia, Safo, para só citar as maiores. Agorio também cita as menores, como Timandra, amiga de Alcebíades; a escultural Arqueanasa, a boa musa de Platão; Corina, que descobriu aos olhos maravilhados de Píndaro o mistério da poesia; Hérpilis, colaboradora de Aristóteles; Thaís, a amada de Alexandre e de Ptolomeu.

A hetaira há de reunir à beleza física a graça da cultura e a sutileza do espírito; só assim, completa, possui todos os requisitos para enliçar os homens superiores, os aedos, os artistas, os filósofos, tornando-se-lhes a companheira ideal.

Sempre existiu, já disse, aceita pelos costumes dos países da alta cultura, como a França, mas negada pela lei. Quer Agorio que na Rússia ressurja essa forma de companheirismo, mas desta vez legalmente.

É curiosa esta volta à Grécia depois de cada revolução social. Na revolução francesa, arrasado que foi o terreno, os novos esboços de construção iam à Grécia pedir modelos. Agora se dá o mesmo na Rússia. Esta reincidência prova como a Grécia era logicamente animal e natural.

O culto do nu, em vigorosa ressurreição na terra de Lenine, mostra a tendência de retorno à harmonia clássica. Diz o escritor argentino que por toda parte se pode admirar a beleza ondulante do corpo humano. O gosto pelas emoções plásticas ganhou com rapidez a alma dos russos. Nas procissões públicas da juventude comunista, belas raparigas semidesnudas se mesclam a efebos adolescentes, em encantadora promiscuidade. Confessa Agorio que é inolvidável o espetáculo. A linha flexível do corpo, envolto às vezes num torvelinho de véus rubros, dá à forma humana o mistério resplandecente das estátuas — vivificados no ritmo, na serenidade, na harmonia. Tais procissões, ao toque de músicas deliciosas, provocavam-lhe a sensação de frisas gregas em movimento.

O exagero sobreveio. O gosto discreto do nu foi exagerado pelos *doloi stid*, sectários de fundo místico, que aliás têm proliferado menos na Rússia do que na Alemanha e nos países escandinavos.

Os primeiros membros desta seita que se atreveram a arrostar os preconceitos do povo russo foram um homem e uma mulher. Tomaram o bonde em Moscou sem outros trajes afora a estreita faixa vermelha onde se lia a inscrição — *Doloi stid!* (Abaixo a vergonha!) a qual deu nome à seita. Foi um escândalo a princípio; depois vieram os sorrisos irônicos; por fim, a indiferença.

Este fato foi em toda a Europa comentadíssimo de maneira desfavorável à confederação dos sovietes, não se levando em conta a origem alemã do doloistidismo. A seita destes fanáticos do nu tem seu ninho na Alemanha do norte, onde se constitui em colônias ao ar livre, nos bosques e margens dos rios. Sustentam que a roupa não só é antiestética, como ainda representa um constante atentado contra as leis da natureza. Homem e mulher nascem nus e nus devem viver.

A doutrina, diz Agorio, cifra-se nisso, e qualquer estrangeiro que a aceite está em condições de filiar-se ao grupo. Só lhe exigem que varra do cérebro qualquer ideia pecaminosa, e jure conservar a pureza e inocência dum recém-nascido.

Feito isso, está apto a ser aceito num lar *doloi stid*.

Entra. Surge um criado vestido da sua pele natural, que o ajuda a desnudar-se num vestiário e em seguida o introduz. Vão-se-lhe deparando quadros comezinhos da vida caseira, já seus conhecidos uns, outros inéditos graças à ausência de véus. Vê, por exemplo, brincarem as crianças como um bando de róseos Eros sem asas; e vê a clássica octogenária em sua poltrona tecendo peúgas. Peúgas na casa do nu? Sim. Os velhos estão isentos do adamismo, já que o aspecto do corpo humano em decadência não sugere ideias agradáveis.

Mas vêm agora ao seu encontro os donos da casa. Decepção. Em regra, embora não velhos, os donos da casa pecam pelo bambo das carnes ou pelo excesso de ventre. E já pensa o neófito em abjurar o doloistidismo, quando lhe aparecem os convidados. Tudo muda. São moças de formas estatuárias, que servem o chá com uma impassibilidade que espanta. Totalmente nuas, não; trazem no corpo alguma coisa — nem podia deixar de ser assim: mostram nos lábios um pouco de carmim e nas unhas um róseo brilho artificial. Só...

Enfrentam os homens com absoluta serenidade. Dir-se-ia que trazem sobre os instintos aquela túnica de gelo que defende a castidade das banhistas públicas de Estocolmo.

A festa de recepção aos profanos em regra termina em baile — que é um desastre para o neófito em cujas veias corre o caprino sangue meridional. O comum é fugirem da sala por incapacidade de sustentar o juramento de inocência feito à entrada. Fogem, com imenso escândalo da paradisíaca assistência.

Nada é novidade no mundo. Aqui onde estamos, neste Rio cujas moças incidem em tantas censuras por mostrarem dois palmos de magros cambitos, os nossos avós tupinambás, donos da terra, viviam, ledos e cegos, em doce *doloi stid*, sem escândalo de ninguém.

Escândalo, e imenso, causou a chegada das cinco francesas vindas em 1558 com os navios de Bois le Comte. Desembarcaram no forte de Coligny e dias depois se apresentaram na praia aos selvagens reunidos.

Ao vê-las, nossas vovós tupinambás, puras Evas antes da folha de vinha, levaram a mão aos olhos, arquiescandalizadas:

— Mulheres vestidas! O mundo está perdido...

E benzeram-se com o maracá.

O DRAMA DO BRIO

Há dezesseis anos ocorreu em São Paulo um crime singular.

Estava de guarda no quartel da Luz um soldado pernambucano de nome José Rodrigues Melo.

Era um homem. Embora rude, ninguém no regimento o vencia em firmeza de caráter. Melo personificava o brio militar — mais que isso, Melo personificava a dignidade humana.

Estava de guarda, embora tivesse a mão direita enferma. Os pernambucanos são rijos, e um simples ferimento não bastava para arredar aquele do serviço.

Começa aqui a tragédia do Brio. O Brio o impediu de ir vadiar à enfermaria. O Brio iria inutilizá-lo para sempre.

Passou por Melo um oficial francês.

Nesse tempo São Paulo vivia cheio de oficiais franceses, contratados para amestrar nossa gente na arte de matar pela escola de Saint-Cyr. E como para bem ensinar a arte de bem matar o primeiro passo é domesticar o aluno, os professores de França não largavam o instrumento clássico da domesticação: o chicote. E ninguém lhes fosse lembrar uma tal lei de 13 de Maio, etc., etc.; rir-se-iam com superioridade metropolitana, silvando "*Fi, donc*"!

Ao passar o francês, nosso soldadinho pernambucano perfilou-se na continência do estilo. Acontece, todavia, que isto de continência é a colocação dos pronomes dos militares — coisa seriíssima. Melo errou num pronome. Em vez de fazer a continência com a mão direita, impedida pela enfermidade, fê-la com a esquerda sã.

Ai! O lambe-feras avança para Melo e chicoteia-o impiedosamente na cara.

— *Sale nègre*!

E a tragédia explode. Tudo quanto havia em Melo de dignidade humana faz-se maremoto incoercível. Não era mais um homem quem recebia a afronta, era a raça. Era essa coisa enorme e brutal que se chama pátria e borbulha dentro do peito de certas criaturas sob forma de sentimentos explosivos como a nitroglicerina.

As mãos de Melo crisparam-se na Mauser... e lá partiu a bala certeira que iria privar Damasco de mais um bombardeador.

Negrel morreu ao lado do chicote infamante — e parece que o chicote em São Paulo morreu com Negrel.

Foi esse o drama. Positivamente drama da raça. Drama da honra. Drama do brio. Drama da dignidade humana.

Ia começar a comédia da covardia.

Não houve em São Paulo um nacional que não fremisse de entusiasmo diante do revide de Melo.

Minto. Houve doze homens que destoaram do coro unânime. Eram homens que se fossem chicoteados no rosto, em vez de reagir meteriam a cauda entre as pernas e iriam, ganindo, beijar as mãos do chicoteador. Nenhum deles tinha dentro de si a raça. Nenhum deles chegava a homem; meros sub-homens à *tout faire*.

Pois a coincidência quis que tal dúzia fosse constituir o conselho julgador do honroso crime de Melo.

Condenaram-no. E nada mais lógico, nada mais canino, do que a condenação a trinta anos de prisão celular infligida ao Brio. Condenaram-no só a trinta anos porque a lei não admitia penas de cinquenta; nem permitia a aplicação das engenhosas torturas com que Luiz XV, o rei *Bien Aimé*, durante um dia inteiro divertiu Paris com o espantoso suplício de Damiens.

O crime de Melo era gravíssimo. Era crime de lesa-galicidade. E como o medo à França fez calar a imprensa, sofreando ao nascedouro a onda de simpatia nacional, Melo foi apodrecer em vida num cubículo penitenciário.

E lá vegeta há quinze anos.

Nesse intervalo, quantos criminosos repugnantes não obtiveram perdão? Quanto cangaceiro que mata pelo prazer de matar não se gozou duma sólida impunidade? E também, quantos marroquinos e quantos sírios não foram trucidados cientificamente pelos franceses, por terem no peito o sentimento de raça que perdeu Melo?

Nossos "dúzias" perdoam tudo, menos a dignidade, e o ensino inoculado pela missão do chicote calou fundo. Se lá na Síria os mestres bombardeiam os criminosos desse crime, aqui os alunos os fazem apodrecer nos ergástulos.

Há dias um repórter carioca, em visita à penitenciária de São Paulo, teve ocasião de falar com Rodrigues Melo.

— "Está arrependido do que fez?",— perguntou-lhe.

— "Não!" — retrucou firmemente aquele brio de aço. — "E diga-me o senhor: se fosse iniquamente chicoteado na cara por um estrangeiro só porque lhe fez continência com a mão esquerda, visto ter a direita enferma, não faria a mesma coisa? Confesso que pratiquei o crime fora de mim, mas a atenuante da privação de sentidos não foi inventada para nós..."

E suspirou com os olhos brilhantes de lágrimas.

— "Por que chora?"

— "Saudades de minha mãe, uma pobre velhinha que vive a esperar por mim lá no fundo de Pernambuco. Oitenta e seis anos!... Vê-la-ei ainda?"

Melo não se arrepende, e é diante de firmeza assim que nos renasce a fé na raça.

O desfibramento atual tem que ser passageiro. Eclipse momentâneo. Nem todos os Melos estão encarcerados; há de havê-los soltos; e, por escassa que seja a semente, a espécie há de proliferar um dia.

O "não" de Melo ao jornalista carioca é sublime. Diz "não!" após quinze anos de cárcere. Dirá "não!" ao cabo dos trinta anos da pena. E se no dia seguinte à soltura um francês o chicotear de novo, a raça incoercível, transfeita em diamante dentro desse homem, fa-lo-á matar de novo.

Os anos e as torturas são impotentes para quebrar a dignidade em quem a recebeu do berço — como coisa nenhuma a dará a quem dele saiu eunuco.(²)

Literatura de cárcere

De século em século opera-se uma revisão nas ideias humanas, e vai para o refugo muita coisa tida antes como verdade absoluta. Hoje, por exemplo, o certo é a justiça pegar num homem, fazê-lo julgar por juízes e metê-lo por dez, vinte, trinta anos num calabouço. A verdade de um século atrás era que isso se fazia como castigo. Essa verdade foi para o refugo, substituída pela verdade de hoje: não castigo, mas defesa social. A verdade futura será bem outra, visto como dia a dia se patenteiam o inócuo desta defesa social, o seu resquício de crueldade medieval e a sua falta de correspondência com o grande ideal moderno que é produzir.

O inócuo da defesa está em que, cumprida a pena, o condenado se torna muito mais perigoso, graças à maré de ódio que lhe encheu o peito. A crueldade está em distinguir entre um apodrecimento em vida e uma tortura da inquisição. E o antieconômico, no retirar da produção uma unidade e fazê-la peso morto, a cargo dos que produzem.

Para julgar o nosso sistema de defesa social basta uma pergunta: a quem aproveita a reclusão dum ser humano? À sociedade? Não, porque ele vai pesar sobre ela na sua categoria de não-produtivo à força. À vítima, ou à família da vítima do ato delituoso? De forma alguma. A si próprio? Não é matando o coração de um homem que o tornamos melhor.

Não aproveita a ninguém; no entanto, o peso tremendo da nossa infinita estupidez perpetua esse regime — e agrava-o, hoje que de vasto hospital passou o Brasil a vasta masmorra.(³)

Só em S. Paulo há qualquer coisa que denuncia inteligência e nobre compreensão do problema.

A penitenciária como existe lá, amplíssima oficina de ótimo aparelhamento técnico, capaz de atenuar o horror da reclusão por meio do trabalho remunerativo, deixa-nos entrever quão diferente será o futuro o regime penal. S. Paulo já é século vinte; o Rio e o resto do Brasil ainda é Pina Manique.

Há dias, nesta coluna, falei de Amador Santelmo, uma das vítimas da incompreensão reinante em matéria penal. Referi-me a um seu livrinho que não terá nunca prêmio da Academia — mas que comove estranhamente como expressão ingênua da dor dos triturados.

A reclusão é uma singular reveladora da alma humana! Revela-a, sobretudo, a si própria. E Santelmo, que, cá fora, livre, jamais teve olhos para os bichinhos, na

---

2 Rodrigues Melo foi indultado logo depois da publicação deste artigo.
3 Alusão ao grande número de prisões que caracterizou a presidência Bernardes.

prisão enterneceu-se com uma simples mariposa; viu nela uma companheira e compreendeu um pouco do universo. A página em que o conta merece transcrição.

"Um companheiro de infortúnio teve a delicada lembrança de mandar-me uma gentil mariposa dentro de uma caixinha. Tirei-a da caixa e coloquei-a sobre uma toalha felpuda, na minha cama, esperando que ela se fosse para sua casa, mas não foi.

Pareceu-me que não gostava muito da toalha, porque passeava com dificuldade, embaraçando-se nos fios crespos e arrastando sobre eles o seu vestido de noiva.

Abri então uma folha de papel almaço, onde a botei a passear. Gostou, pois mostrou-se mais contente, andando mais desembaraçada, sempre a arrastar o vestido branco, mas sem sair do papel.

Horas passei assim, vendo-a passear, esperando que ela fosse para sua casa, mas não ia.

Eu por um lado não queria que ela se fosse; por outro queria, porque havia de ter alguém à sua espera.

Vendo que Nívea (eu já a tinha batizado, e foi sua madrinha o retrato de uma pessoa que eu tinha comigo), vendo que Nívea não se ia embora, julguei que tivesse fome e dei-lhe pão, porém ela não comeu. Dei-lhe fruta, e também não provou. Não sei que é que comem estes bichinhos de Deus!

E assim passamos o dia. Eu estava contente por ter uma companheira com quem conversar. E tão gentil! Tinha o corpo bem feito e o vestido branco enfeitado de arminho.

Por que não se ia ela embora, ver seus parentes ou filhos que a esperavam? Estaria zangadinha com o marido?

Entretanto a noite chegou sem eu dar por isso. A lâmpada do cubículo acendeu-se e a mariposa, a gentil Nívea, agitou-se satisfeita, abriu as asas, sacudiu o vestido branco, mostrando a graça do seu lindo corpo, e ergueu voo em direção à lâmpada. E ficou num doido corrupio em redor da luz.

Que mistério terá a luz que tanto atrai as mariposas? É como o sol, que atrai os mundos, os olhos, o coração..."

Há alguma coisa neste analfabeto que aprendeu a ler consigo mesmo no cárcere e saiu de lá escritor.

Outra página interessante é a em que fala dum vigarista.

— "Estou preso por passar o 'conto' em quem o queria passar a terceiros. Imagine que o *otário* comprou-me dez contos de notas falsas por dois bons. Ora, eu que não quero 'trabalhar' com 'michas', e antes quero ser pirotécnico ou fabricante de dinamite do que pegar em notas falsas, vendi-lhe, em vez de notas, papel branco em pacos. Ele é que devia estar aqui, porque queria notas falsas para passar. Quem é então o vigarista? Mas nem por isso lhe quero mal. Todos no mundo passamos o conto do vigário. Passa o conto o negociante que vende um gênero por outro, o padre que reza sua missa em latim que ninguém entende, o doutor que mata o doente, o marido que engana a mulher, a moça que engana os homens com seios postiços, o jornal que mente, o cinema que faz reclame, o governo que desgoverna. E até Deus passa o conto mostrando um céu azul que não é azul, um mar verde que não é verde, estrelas que não são estrelas, a luz da lua que não tem luz, e até a vida, que é um conto do vigário, pois não passa de um sonho, um pesadelo neste planeta de misérias. Mas o caso típico do conto é o conto do casamento. O homem vê uma mulher, gosta dela, namora, casa-se. Na noite de núpcias já veem os dois o conto em que caíram, porque a mulher também caiu no conto do homem. E quando isto não acontece, vem depois o conto do filho adulterino.

Ouvi enervado o aranzel filosófico do vigarista e depois perguntei:

— É também vigarista o juiz que pune os vigaristas?

— E dos bons! O juiz é um vigarista ilustre que a sociedade elegeu para passar o conto nos vigaristas pequenos, que passam o conto nos vigaristas grandes...

Pouco a pouco foi-me ele convencendo de que a vida é uma interminável cadeia de contos do vigário. Por fim disse-lhe eu:

— Contudo, vai o senhor sofrer aqui as consequências do conto do juiz.

— Está enganado! — respondeu-me. — O meu advogado, que é um vigarista insigne, vai passar o conto no juiz e eu serei posto em liberdade pelo conto do *habeas-corpus*, que é o conto do vigário que a Lei passa na justiça..."

Para nós não é assim. Mas para uma inteligência divina, bem pode ser que seja assim...

NOVO GULLIVER

Há lembranças da meninice que jamais se apagam do cérebro adulto, mesmo quando esse receptador de impressões não consegue, por fraqueza senil, reter as da véspera. Lembro-me de um cromo da vivas cores que vi aos cinco anos, reclame da linha de coser Coat, e não me lembro dos desenhos alegóricos a Cristo publicados nos jornais da última sexta-feira santa. Representava aquele cromo um gigante estirado à borda do mar e enleado de mil fios de linha Coat; em redor formigava a legião dos pigmeus amarradores. De mãos à cintura, muito contentezinhos, confundiam a imobilidade do gigante, consequência do bom sono que dormia, com a imobilidade da mosca enleada por mil voltas da teia de aranha.

Mais tarde, quando chegou o belo tempo dos livros de Grimm, Andersen e outros maravilhadores da imaginação infantil, travei conhecimento com Jonathan Swift e tive a explicação do meu cromo de Coat. Representava Gulliver no país de Liliput, amarrado durante o sono por mil cordas liliputianas. Mas Gulliver acordou, estirou os músculos e com um simples espreguiçamento rompeu, com grande assombro dos locais, toda a amarrilhoca que o prendia.

Quem trepa a um Corcovado imaginário e de lá procura ver em conjunto o Brasil, espanta-se da sua atitude. É um gigante deitado e amarrado. Mas não dorme; estertora com a respiração opressa e faz desordenados movimentos convulsivos para romper o cordame enleador.

O Gulliver sul-americano principiou a ser amarrado pelos portugueses, quando Portugal descobriu que em suas veias circulava ouro, o sangue amarelo; e desd'aí até hoje os homens do cipó, vulgo homens do governo, outra coisa não fizeram, federal, estadual, municipalmente, senão dobrar cipós, cordas e fios de arame sobre seus membros para que, a salvo de pontapés, possam sugá-lo com suas trombinhas de percevejo.

Portugal só organizou uma coisa no Brasil-colônia: o Fisco, isto é, o sistema de cordas que amarram para que a tromba percevejante sugue sem embaraços. Quem lê as cartas régias e mais literatura metropolitana enche-se de assombro diante do maquiavélico engenho luso na criação de cordas. Cordas trançadas de dois, de três, de quatro ramais; cordas de cânhamo, de crina, de tucum, de tripa; cordas estrangulatórias de espremer o sangue amarelo e cordas de enforcar.

E assim foi até que um português de gênio impulsivo se condoeu da triste sorte do gigante e cortou o cordão umbilical que o prendia à Metrópole: corda mestra, corda mãe de toda a linda coleção de cordas fiscais secundárias. E o gigante respirou e viveu feliz, sobretudo no meio século de "compreensão" que o magnânimo filho do primeiro Pedro houve por bem outorgar-lhe.

Mas não há felicidade que dure mais de meio século. Uns bacharéis formados pela universidade da Lua e uns generais tentados pela serpente da traição — picaram-se com a velhice do príncipe magnânimo, acusaram-no de saber quatorze línguas, de assistir a exames de meninos, de boicotar com um célebre lápis azul os maus juízes, em vez de fazer as coisas interessantes que, quatrienalmente, postos no lugar do velho sábio, eles, bacharéis e generais, fariam. E deportaram-no; meteram-no a bordo dum mau navio e:

— "Vai ninar os netos de Vitor Hugo. Tu não entendes de lidar com o gigante."

O bom velho partiu e os bacharéis e generais, a olharem-se uns para outros, sorridentes e gozosos, tomaram conta da casa.

Não diremos aqui das consequências inúmeras da mudança; basta que as sintamos todos os dias como o suplício da gota d'água; diremos somente da coisa capital que a república fez, faz e continuará a fazer. Estomagada com a liberdade de movimentos do bom gigante, resolveu amarrá-lo de novo. Foi às cartas régias da Metrópole e ressuscitou uma a uma todas as cordas fiscais rompidas pelos Pedros; recompô-las e recomeçou a enlear pachorrentamente o pobre Gulliver. Amarra os braços, amarra as pernas, amarra as mãos; amarra, amordaça a boca para que não grite — e foi-se a Constituição; amarra os olhos para que não veja — e lá se foi a imprensa.

Sobre o corpo de Gulliver desceram todos os arrochos. Não bastaram os cipós e cordas de invenção lusa; importaram-se cabos de aço, torniquetes complicadíssimos, borzeguins medievais remodelados pela engenhosidade moderna. O Fisco tornou-se o objetivo supremo de todas as suas altas cogitações. Anualmente se reúnem, durante meses, centenas de técnicos cuja função é uma só: inventar novas torturas fiscais, novos aparelhos de sarjar as carnes e extorquir sangue à vítima.

Gulliver estertora. Todas as suas forças emprega-as ele em defender-se das cordas e ventosas que o Congresso torce e engenha. O Santo Ofício virou um marquês de Sade repartido em bancadas; não se contenta em tirar sangue, há que tirá-lo da maneira mais dolorosa, da maneira mais incômoda, da maneira mais lesiva ao organismo do bom gigante. A invenção do novo borzeguim — imposto da renda — excede a tudo quanto saiu da cabeça dos inquisidores: *a vítima ignora o que tem de pagar* e se não paga com *exatidão* incide em pena de confisco! E se em desespero de causa pede ao Fisco que lhe explique o mistério, que lhe dê a chave vertical e horizontal do quebra-cabeças, o marquês de Sade sorri e responde diagonalmente:

— Pague com cheque cruzado, — e explica com grande ironia de detalhes como se toma de uma régua, duma pena molhada em boa tinta e como se cruza um cheque.

Não há criatura neste país que não confesse um desânimo infinito. As energias do homem que trabalha e produz despendem-se por três quartos na luta contra a escolástica e o sadismo da capoeira fiscal; sobra-lhe uma pequena parte para dedicar à sua indústria. Até esforço muscular dos dedos o sadismo do fisco lhe rouba. Pela manhã, ao acender o primeiro cigarro, tem que gastar o esforço de duas unhadas para romper o selo com que o fisco tranca as caixas de fósforos e os maços de cigarro...

Este engenhoso sistema de tortura tem em vista uma coisa só: permitir que sobre o corpo do gigante a vermina duma parasitalha infinita engorde em *dolce far niente*, como o carrapato engorda no couro do boi pesteado.

Vermina ininteligente! Consultasse ela os carrapatos e receberia deles um conselho salutar:

— "É perigoso levar a sucção a grau extremo; morre o boi, e com ele a parasitalha."

Será que nem o instinto da conservação própria consiga meter um raio de inteligência nos miolos do *Triatoma megista*, nome científico do que vulgarmente chamamos governo brasileiro?

O Pátio dos Milagres

Há no mundo nações tão bem ordenadas, tão limpas de vida que se tornam insulsas e *intelegrafáveis*. Suécia, Noruega, Dinamarca, Holanda e Suíça (a lista não vai além) chegam à perfeição de impedir a permanência em seu território dos solícitos correspondentes de Havas, da United, da Associated Press. Proíbem-lhes o ingresso? Absolutamente não. Apenas lhes negam fatos telegrafáveis. Não há desastres, não há crimes, não há revoluções, não há guerras, não há sítios, não há golpes de estado, não há nada dessa pitoresca desordem da França, Itália, Portugal, Brasil e outros, uma fonte de telegramas que enriquecem as agências à custa da universal curiosidade.

A Suécia chegou à perfeição das colmeias. Nos bondes os passageiros depositam o níquel da passagem numa caixinha adequada. Nem cobradores, nem fiscais — e nunca um sueco lesou nenhuma empresa de *tramway*. Se porventura esquece em casa os níqueis, viaja de graça, mas no dia seguinte, ao tomar de novo o bonde, não esquece de pagar em dobro. A venda dos jornais às esquinas é feita pelo mesmo processo. O freguês toma a folha que quer e deposita o preço. Se está sem miúdos, ele mesmo faz o troco. As moedas permanecem numa caixa aberta, à vista do público, sem que passe pela cabeça de ninguém a ideia absurda e anti-sueca de furtá-las.

Na Suíça deu-se há três anos um crime. Um russo, em trânsito por Lausanne, matou a outro russo por motivo de vingança política. O abalo foi medonho. Do Jungfrau à última vaca bernesa, a Suíça inteirinha fremiu de horror, e durante meses foi esse crime o tema de todas as conversas e de todos os espantos. Até hoje, quando quer um suíço referir-se a fatos do ano 1923, diz, ainda arrepiado: "Foi no ano daquele crime...".

Países assim têm o defeito gravíssimo da insipidez. Lembram a ilha da Perfeição, onde a deusa Calipso abrigou Ulisses e de tantas delícias o cercou que o mal acostumado grego deu de bocejar, saudoso da bela desordem da sua Ítaca.

Esta insulsez da ordem perene foi-me há dias confirmada por um turista sueco, que desceu do *Arlanza* para uma rápida inspeção à nossa cidade e acabou fixando residência aqui.

— Estou maravilhado! — disse-me ele. — Nunca supus que no mundo houvesse uma coisa (ele chama ao nosso país coisa) tão interessante e pitoresca! Começa pela mistura das raças. Nós lá somos vítimas da perfeição étnica. Todos os homens se parecem uns com os outros, todos regulam no porte, na cor dos olhos, no louro dos cabelos, no bem proporcionado dos membros. Ora, isso afinal cansa, porque ver um é ver todos. Mas aqui, que maravilha! Os homens apresentam a gama inteira da somática humana. Há-os grandes, médios, pequenos e minúsculos. Há-os retos como cabos de vassoura, gordos como abóboras, magros como palito, tortos como latas velhas, capengas, pretos, castanhos, achocolatados, aços, amarelos, ruivos, vermelhos, verdes e até brancos. Costumo ficar na rua Larga vendo o desfile do povo suburbano. Não há dois seres iguais e ainda não vi um com a forma humana clássica dos Apolos esculpidos na Grécia ou dos jovens que passam pelas ruas de Estocolmo.

Isto, meu caro senhor, é uma pura maravilha para um viajante como eu, que corre mundo em procura do pitoresco ausente da terra natal. Somos na Suécia vítimas da ordem perfeita, ordem em todos os sentidos, inclusive a economia. Esta chegou a tal ponto que até esse velho elemento estético, tão caro aos artistas, que é o romântico mendigo de rua, desapareceu dentre nós. Pintor sueco que se propunha pintar um quadro como *O Piolhento* de Murillo, vai pintá-lo fora da Suécia ou tem de camuflar de mendigo a um sadio mecânico aposentado de Trolhatan.

Aqui, entretanto, que riqueza de motivos pictóricos só no que diz respeito a admiráveis mendigos autênticos! Em plena Avenida, num esplêndido contraste com as montras cintilantes de joias e as damas que passam vestidas de todas as cores do íris e de todas as missangas de Paris, tenho visto exemplares que fariam fremir de entusiasmo o pincel do nosso grande André Zorn. Mendigos primorosos, com belíssimas chagas, vermelhas como cactos, ótimas para o estudo da gama inteira dos carmins e dos lilases gangrenosos. Outros, dotados de soberbas inchações lustrosas, nas quais Zorn descobriria tons de ocres inéditos para a sua palheta. Além dos efeitos de cor desses maravilhosos mendigos, os efeitos de expressão! Que riqueza! Resignados, uns, como felás do Cairo, exibindo elefantíases de entusiasmar; outros em tal penúria orgânica que o passante artista se detém, na esperança do espetáculo raro que é um estrebuchamento final, rico de convulsões em pleno sol.

Esta riqueza inaudita de temas pictóricos constitui a grande riqueza de vosso país, e no dia em que for conhecida lá fora, pela inteligente propaganda dos vossos cônsules, atrairá para cá toda uma legião de pintores e escultores europeus.

E tudo isto vós o conseguis com um insignificante dispêndio de níqueis sabiamente largados nas mãos que se estendem!

O processo da assistência ao inválido, que em má hora a Suécia adotou, deu cabo do mendigo por lá, com grave dano do pitoresco das nossas ruas. O vosso processo do níquel é inteligentíssimo. Mantém, conserva a enorme classe dos inválidos, não em asilos, fora dos olhos do público, o que é contrário à estética, mas bem à mostra do passante, estorvando-lhe a passagem, forçando-o a deleitar-se com o pitoresco da miséria humana.

Sois grandemente sábios, sem o saberdes. Sois uns inconscientes criadores de beleza, numa era em que a organização social vai dando cabo da beleza do mundo. A desordem é condição da beleza, e a bela desordem que noto em todas as vossas coisas denuncia os dons estéticos com que a natureza vos dotou. O regime de seleção às avessas adotado pela vossa política, o empirismo dos vossos governos, a fabricação de leis sem o mínimo estudo das realidades, tudo isto é profundamente estético. Vossos governos e vossas leis com muita sabedoria impedem que o Brasil vire uma Suécia, uma Suíça — ilhas de Calipso onde a perfeição orgânica cria o tédio e mata o pitoresco.

Prevejo que o critério da vossa elite dirigente vai conduzir-vos à hegemonia do pitoresco. Haveis de derrotar Espanha, Portugal e Itália.

Haveis ainda de ser a *great attraction* do turismo universal, quando em consequência lógica da vossa orientação o Brasil se transformar no Pátio dos Milagres da América, irmão daquele maravilhoso Pátio dos Milagres que Vitor Hugo descreve na *Notre Dame de Paris*. Esta perspectiva de tal modo me encanta que deliberei fixar residência aqui, e talvez até me naturalize. Porque, meu caro senhor, devo confessar que sou um temperamento visceralmente artístico, desses que...

Neste ponto o meu sueco interrompeu-se e, num enlevo d'alma, caiu em êxtase diante dum *cul-de-jatte* de terceira ordem que aos arrastos se nos defrontara e me estendera a mão faminta de níqueis.

Um orgulho imenso encheu-me a alma. Senti-me enfunado de radiantes ufanias patrióticas e tive um dó imenso daquele desgraçado sueco, que para deleitar-se com um mau exemplar de *cul-de-jatte* tinha de deixar sua terra e atravessar os mares.

— Isto não é nada, — disse-lhe eu com paternal superioridade. — Temos coisa muito melhor. Temos cinquenta mil morféticos admiráveis!

— Cinquenta mil? — exclamou o sueco num assombro, mordendo os lábios de inveja. — Nós lá tínhamos um, mas morreu...

Ri-me da pobreza da Suécia e, num gesto à Cyrano de Bergerac, dei ao *cul-de-jatte* um níquel novinho — o precioso níquel com que, tão inteligentemente, fazemos as Suécias se curvarem ante a nossa formidanda superioridade estética...

1926

Vatel

Se houvesse entre nós mais amor à cultura, seria o Rio um formidável consumidor de livros.

O excentrismo topográfico da cidade obriga seus moradores talvez ao maior movimento de locomoção ainda observado em centro urbano. O carioca devia chamar-se naveta, já que a ir e vir passa a vida, como a lançadeira das máquinas de costura. Carioca que morre sessentão, três anos pelo menos morou no bonde. Outros chegam a morar vinte ou trinta; mas estes não contam, motorneiros e condutores de profissão que foram.

Ora, se este tempo do bonde, em regra perdido a olhar com displicência o desfile das casas margeantes, fosse empregado na leitura, que grandes ledores não seriam os cariocas e que ótimo negócio o dos livreiros!

O bem far-se-ia duplo: desencrostar o espírito do cascão que Manuel, Cunhambebe e pai João nos legaram e encurtar as distâncias. Do centro à Tijuca, a ler, dura a viagem cinco minutos, se o livro é bom, ou quinze, se medíocre. A olhar as casas parvoamente, como se foram palácios, dura horas.

Porque nada mais elástico que isto de hora. A marcação mecânica dos relógios difere da única marcação verdadeira, que é a psicológica. As horas de amor têm cinco minutos; as de seca literária, cento e vinte e às vezes mais.

Muito esmoí o cérebro dos nossos prefeitos (que o têm) o problema do encurtamento das distâncias — e nada de vir solução que preste. É que procuram solução mecânica num caso em que só é possível a solução psicológica.

Ensine-se a ler ao povo e forneçam-se-lhe livros interessantes, portáteis, em brochura para o bolso do revólver. E que cada condutor de bonde nos dê em troca da passagem, em vez do papelucho colorido que nos destacam à vista e o vento leva, um livrinho acomodado à extensão da viagem.

A *Linda Mentira*, de Adelmar, a quem vai à Lapa; o *Rocambole*, a quem vai ao Leblon. E ninguém murmurará jamais contra as distâncias psicologicamente suprimidas.

As boas soluções são essas, as indiretas.

Isto o digo por experiência própria. Meu bonde me consome vinte inexoráveis minutos de relógio em levar-me de casa ao centro. Se vai comigo um livro, não percebo o desfalque do meu capital-vida; se vou a olhar casas, sinto-me roubadíssimo.

Além de que é uma delícia o refugiar pela imaginação ao ambiente de asfixia em dobro que nos dá o estado de sítio em cima do calor. Leituras tópicas: *Guilherme Tell*, de Schiller e *Viagem ao Polo*, de Amundsen.

Somem-se as barreiras do espaço e do tempo. Com a mesma facilidade com que pulamos do Rio à Grécia e lá assistimos à greve das mulheres contra o ardor dos maridos contada por Aristófanes, saltamos do dia de hoje ao século dezoito e ouvimos de Mme. de Sevigné a história da morte de Vatel, caso único de morte por hipertrofia do ponto de honra culinário.

Meu bonde ontem foi de palestra com Madame. Esta senhora imortalizou-se de verdade com um punhado de cartas escritas à filha e a outros figurões, todas elas modelos de graça, leveza e observação.

Os franceses têm a palavra *pimbêche* para designar a mulher de ânimo belicoso que vive em guerra aberta com todos da família. A criar-se lá o antônimo de *pimbêche*, seria fatal o *sevignéche*, tal a adoração que nas cartas Madame mostra pela filha e pelos seus. Adoração que acaba enjoando o leitor, como os doces doces demais. Aquilo já passa de sentimento a *sensiblerie* pura, da só possível naquela antissocialíssima vida de corte em que um enxame de cortesãos zumbia em torno do décimo quarto Deus-Luiz.

Quando, porém, um fato de nota ocorria, a correspondência da Sevigné escapava à bombonização rósea do pensamento e o narrava com muita naturalidade e graça.

Numa de suas cartas ocupa-se da morte de Vatel, chefe supremo da cozinha da casa de Condé. O rei fora visitá-lo, a Condé, e houve caçada, passeios, colação ao luar num sítio poético tapetado de junquilhos. À noite, ceia.

Mas a comitiva apareceu maior do que a prevista de modo que o assado faltou a algumas das mesas.

Isto para Vatel foi um golpe de morte.

— "Estou desonrado; não poderei suportar este desastre..." — murmurou ele.

Mais tarde disse a um Gourville:

— "A cabeça me vira; há doze noites que não durmo; ajude-me a dar ordens."

Gourville o consolou como pôde.

O assado não faltara à mesa do rei e sim a mesas subalternas. Mesmo assim Vatel definhava de dor.

O príncipe de Condé foi até seu quarto, consolá-lo.

— "Tudo vai bem, Vatel; a ceia do rei esteve maravilhosa."

— "Monsenhor, vossa bondade me confunde; mas eu sei que o assado faltou em duas mesas."

— "Tolices, não te aborreças, tudo vai bem", — concluiu o príncipe.

A noite chega. Há um fogo de artifício que falha por causa do mau tempo. (O fogueteiro, que era parente de Vatel, nem por isso perdeu o sono.)

Às quatro da madrugada Vatel, já em movimento de cá para lá, encontra um fornecedor de peixe que lhe traz algum.

— "É tudo?" pergunta Vatel. E ao saber que era, acha pouco e superexcita-se inda mais. Impacienta-se. Não espera que os outros *pourvoyeurs*, mandados a todos os portos de mar, cheguem a tempo. Cruza-se com Gourville e diz:

— "Não sobreviverei a esta nova afronta; tenho honra e reputação a zelar"...

Gourville caçoa dos seus escrúpulos e segue caminho.

Vatel sobe ao seu quarto, encosta a espada à parede e traspassa o coração. Três enfincadas deu, conseguindo a morte na última, como diria Mr. de La Palisse.

Mal expira o intendente, eis começam a chegar de todos os lados os *pourvoyeurs* — e é peixe a dar com pau. Correm à procura de Vatel; esbarram na porta do seu quarto fechada; arrombam-na — e lá o encontram morto, num lago de sangue. Compusera o seu último prato: Vatel em molho pardo...

A tristeza foi imensa. Condé adorava-o e via nele a coluna mestra do seu prestígio de príncipe. A deserção do Shakespeare da cozinha viria certamente diminuí-lo na consideração do estômago real e dos estômagos azuis da corte. Não se suicidou, entretanto. Apesar de príncipe, não sofria de hipertrofia do ponto de honra, como o seu cozinheiro.

O nosso dualismo

O futurismo apareceu em São Paulo como o fruto da displicência dum rapaz rico e arejado de cérebro: Oswald de Andrade. Turista integral, alternando estadias em Paris com passeios a Ribeirão Preto, leituras de Marinetti com leituras d'*O Democrata* de Pilão Arcado, visões de mármores de Mestrovic com santos de olhos arregalados feitos na Bahia, apachismos elegantes de boulevard com o mumismo urbano de Mariana e Diamantina — sentia melhor do que ninguém a nossa cristalização mental e empreendeu combatê-la.

Mas combatê-la como? O velho processo do riso, da sátira, do sarcasmo sempre se revelou inútil entre nós. Dá resultados nos países de cultura disseminada, onde um riso como o de Voltaire se propaga em ondas hilariantes dum extremo a outro. Aqui morre nos lábios de quem o arrepanha, porque a incultura não ondula coisa nenhuma.

Mas Oswald, psicólogo de fartos recursos, teve uma ideia genial: recorrer ao processo da atrapalhação.

— "Esta gente," — refletiu ele, — "está a jogar uma partida de xadrez que não tem fim; sempre as mesmas pedras, sempre as mesmas regras, sempre as mesmas saídas de peão do rei, sempre os mesmos cheques de rainha e torre. O riso, a piada de quem lhes sapeia o jogo, de nada vale: não ligam, estão absortos demais. O recurso é um só, meter as mãos no tabuleiro e mexer as pedras como quem mexe angu."

E embora justificasse o angu com teorias metafísicas, transcendentalíssimas, tais teorias não passavam duma peninha (o futurismo), cujo fim era atrapalhar inda mais.

Sabem o caso da peninha?

Um sujeito propôs a outro, esta adivinhação: "Qual é o bicho que tem quatro pernas, come ratos, mia, passeia pelos telhados e tem uma peninha na ponta da cauda?"

Está claro que ninguém adivinhou.

— "Pois é o gato", explicou ele.

— "Gato com peninha na cauda?"

— "Sim. A peninha está aí só para atrapalhar."

As teorias estéticas dos futuristas são esta peninha...

Assim pensou e assim fez Oswald. E os enxadristas, com grande indignação, tiveram de interromper a partida interminável. Xadrez exige calma, repouso, ordem, regra, sistema, boa educação, e do mexer o angu nascera a desordem, a molecagem, o barulho, a extravagância.

O rei passou para o lugar do peão; a rainha deu de pular como o cavalo; o cavalo passou a ter movimentos de bispos e no fim de tudo quem levava o xeque-mate era quem saía ganhando.

"A besta do Homero... A cavalgadura do Shakespeare... O cretinismo do Anatole..."

Inversão, ou, melhor, atrapalhação, angu completo dos valores e regras universalmente aceitos. A gramática, a boa ordem, a justa medida, a clareza — pilhérias! Por que é que o pronome reflexo não há de abrir períodos? E zás: "Me parece que..." E o "você" expeliu o "tu" e, a velha asneira, que andava no refugo porque só os asnos a manuseavam, foi reabilitada, vestida à moderna e veio à tona de livros e jornais, toda garrida, provando mais uma vez que tudo vai da apresentação, e que um urubu preparado por Vatel pode saber melhor ao paladar do que uma perdiz assada pelas nossas cozinheiras do trivial.

S. Paulo é um meio muito rico de vitaminas mensais e só lá era possível que o gesto de Oswald criasse escola. Assim é que brotou do Bom Retiro, Brás, Bexiga e adjacências uma legião de asseclas. Como sempre acontece, poucos dos legionários compreenderam o alcance da "batalha do *Ernani*" oswaldina, puro "meio" para a consecução de um "fim". E com raríssimas exceções esses bravos guerreiros de dezoito anos e menos adotaram o meio como fim. Atrapalhar, para Oswald, era o meio de conseguir descristalizar a mentalidade. Só. Mais nada. Ela depois que criasse o que lhe aprouvesse, livremente, sem nenhum dogma, nenhum quadro, nenhuma autoridade constringente. Não foi outro o objetivo de Oswald, embora ele próprio, no calor da luta, se iludisse e tentasse construir, esquecido de que as duas funções, a destrutiva e a construtiva, jamais cabem juntas a um mesmo homem. Oswald revelava-se aquele fecundo Nietzsche do "*Vade mecum? Vade tecum!*" Queres seguir-me? Segue-te!

Em vez disso a plêiade futurista, coesa no bloco do Quebra-Vidraças, deu de seguir Oswald, atrapalhando também, mas errada. Errava adotando a atrapalhação como fim supremo, objetivo de todas as manifestações artísticas modernas, e não como simples meio, único eficaz numa terra onde o riso do Voltaire, em vez de matar, engorda.

Por instinto, Oswald sempre repeliu os sectários e sempre refugiu de transformar sua colher de mexer, hoje colher de pau-brasil, em paradigma, em maracá sagrado. E passa a vida a criar cismas dentro do grupo, a dividi-lo, a renegar sumos pontífices (como Graça Aranha), a expulsar adesistas — a impedir, enfim, que o chamado futurismo se cristalize em escola e passe a ser fim em vez de simples meio de combate.

Esta brincadeira de crianças inteligentes, que outra coisa não é tal movimento, vai desempenhar uma função séria em nossas letras. Vai forçar-nos a uma atenta revisão de valores e apressar o abandono de duas coisas a que andamos aferrados: o espírito da literatura francesa e a língua portuguesa de Portugal. Valerá por um 89 duplo — ou por um novo 7 de setembro. Nestas duas datas está exemplificado o modo de falar da escola antiga, francesa, e da nascente escola nacionalista.

Por que é estranho isto de permanecermos tão franceses pela arte e pensamento e tão portugueses pela língua, nós, os escritores, nós, os arquitetos da literatura, quando a tarefa do escritor de um determinado país é levantar um monumento que reflita as coisas e a mentalidade desse país por meio da língua falada nesse país.

Formamos, os escritores, uma elite inteiramente divorciada da terra, pelo gosto literário, pelas ideias e pela língua. Somos um grupo de franceses que escreve em português — absolutamente alheios, portanto, a um país da América que não pensa em francês, nem fala português.

A eterna queixa dos nossos autores, de que não são lidos, vem disso — dessa anomalia que eles não percebem. O público não os lê porque não lhe entende nem as ideias nem a língua. Têm eles que contentar-se com um escol muito reduzido de leitores também educados à francesa, os quais em regra preferem ir logo às fontes, aos franceses de lá, aos Anatoles e Verlaines.

Este dualismo de mentalidade e língua tem que cessar um dia. Os gramáticos hão de convencer-se, afinal, de que a língua portuguesa variou entre nós, como acontece todas as vezes que um idioma muda de continente. Como o mesmo latim variou em França dando o francês, em Portugal dando o português, em Espanha dando o espanhol. E que continuará a variar, a distanciar-se mais e mais da língua mãe, até que um dia fique em face dela como está ela hoje em face do latim de Cícero. Seria fato virgem no mundo persistir imutável, apesar da mudança de continente, o instrumento língua — que é eólio e varia até quando muda para um país vizinho.

Em casos tais, frequentes na história, a regra é a língua velha ir ficando cada vez mais confinada entre os eruditos, enquanto a língua nova se expande no povo. Por fim vence o povo, que é o número e a força. Nos países europeus de base latina o latim resistiu quanto pôde, escorado pelos sábios e eruditos — os desprezadores da "corrupção" popular. Dia houve, porém, em que toda a resistência foi inútil e d'alto a baixo a língua se tornou una, pela vitória popular.

Entre nós estamos ainda longe do tempo em que o português será língua apenas de um ou outro abencerragem feroz e não lido, mas tudo caminha para tal desfecho. O dissídio já está patente. O povo fala brasileiro e os próprios escritores que escrevem em português não o falam em família. Em casa, de pijama, só se dirigem à esposa, aos filhos e aos criados, em língua da terra, brasileiríssima.

Contou-me Bastos Tigre que ouviu Rui Barbosa dizer de um autor numa livraria:

— "Já conheço ele."

E ai de quem não falar assim no trato comezinho da vida! Não só ganha fama de pedante, de "difícil", como não é bem entendido. Sobretudo ao telefone. Dada a necessidade de extrema clareza, ninguém ao telefone fala em português, se quer evitar complicações.

Bastos quis um dia falar, depressa, depressa, caso urgente, e esqueceu-se de que estava no Brasil.

— Alô! Se o excelentíssimo X está, obséquio, e grande, far-me-á o atendente, chamando-mo.

Ninguém pescou. Basto insiste. Nada. Berra. Nada. Por fim manda às favas o português de frei Luiz de Souza e diz:

— O seu Coisada tá aí? Quedele ele, então? Me chame ele, já, sim, meu bem?

O Coisada acode pressuroso e Bastos jura nunca mais falar ao telefone em língua de escrever.

Já temos dois grandes escritores que escrevem na língua da terra, em mangas de camisa, e pensam de chapéu de palha com ideias da terra: Cornélio Pires e Catulo.

A elite franco-portuguesa isola-os com o mesmo desprezo que em França e Itália tinham os faladores de latim para com os Dantes e Ronsards latinófobos.

Em 1559, um tal Sebillet publicou uma coisa com este título: *Défense et Illustration de la Langue Française*, onde havia este pedaço: "Nossa língua não deve ser desprezada, *même de ceux auquels elle est propre et naturelle, et qui en rien ne sont moindres que les Grecs et les Romains.*"

Entende-se mal e mal o que o homem queria dizer, mas deduz-se que o francês nascente era "desprezado" pela elite latinizante.

O mesmo se dá entre nós. A língua de Cornélio e Catulo só merece sorrisos — e é no entanto a que vai vencer! Já a falamos; e acabaremos, cansados de resistir, por escrever como falamos. Só então a literatura será entre nós uma coisa séria, voz da terra articulada e grafada na língua das gentes que a povoam.

A resultante da campanha futurista vai tender para apressar este processo de unificação. Mas não o realizará. Não é isso obra de um homem, nem de um grupo. É obra do tempo e do povo.

Herói nacional

Uma grande lição para os escritores, o fato de só sobreviverem os livros vividos. E são raros, porque os homens que vivem não têm tempo de escrever; e os que escrevem profissionalmente, não vivem. Poderá chamar-se vida ao marasmo do escritor sempre metido entre quatro paredes, a ler o que os outros escreveram e sem ânimo, ou sem jeito, ou sem oportunidade, ou sem temperamento, para viver a crueza e a violência da vida? Eles apenas imaginam a vida, e na pintura duma floresta ou dum tipo não conseguem esconder a imitação inconsciente que em sua arte substitui a criação.

Daniel Defoe escreveu dezenas de livros. Um só nasceu vivo, e vive ainda hoje, e viverá sempre, *Robinson Crusoe*, porque foi tomado da boca de um marujo que realmente naufragara e vivera sozinho numa ilha deserta.

Prevost também os escreveu às dúzias, mas só a história de Manon Lescaut vive e viverá eternamente, porque nela a vida estua e palpita como um coração ofegante.

O valor de Kipling, de Conrad, de Jack London, está na intensidade e na variedade de vida que esses homens viveram.

Não há em seus livros cena ou paisagem que não ressalte como coisa vista e vivida.

E no caso dos livros vividos pouco importa que os autores tenham sido escritores; a vida interessa tanto à humanidade, que ela tudo perdoa a uma obra vivida. Venha sem forma, venha bárbara, grosseira, incompleta, ao avesso de todos os cânones da arte. Se é obra de vida, viverá.

Isto sucedeu ao livro de Hans Staden, publicado há 369 anos em Marpurgo, livro onde relata aos povos atônitos o seu cativeiro entre os canibais de um país recém descoberto à curiosidade europeia, o Brasil. As façanhas dos truculentos tupinambás, sua avidez pela carne humana, seus usos e costumes, tudo interessava grandemente pela novidade — e como a narrativa era feita ao vivo, a obra teve grande público e veio pelo tempo em fora a propagar-se em traduções e edições sucessivas.

Hoje, quase quatro séculos depois, o livro interessa da mesma maneira, não já ao curioso de novidades, mas ao curioso do passado. Os tupinambás passaram; o invasor luso, que começava a chegar no tempo de Staden, ganhou a partida e destruiu esse ramo da raça vermelha. Já não existem nem as ossadas dos heroicos aborígenes que defenderam palmo a palmo a terra natal, como hoje os rifenhos defendem a sua no norte da África. Tudo passou. Só não passa o livro de Staden, que fixou um momento da vida daqueles heroicos selvícolas que morreram, mas não se dobraram ao jugo dos roubadores de sua terra. E é nesse livro, o primeiro publicado sobre nosso país, que hoje vamos buscar a emoção do contato inicial com a terra virgem.

O curioso é que tal livro não interessa a nós apenas. Se aqui as edições se sucedem e a obra dia a dia mais se vulgariza, começando já a penetrar nas escolas, no velho mundo se dá outro tanto. A estudiosa Alemanha, que mesmo ferida a fundo pelo maior dos desastres não abandona o pendor pela cultura, não perde de vista o rude compatriota que há quase quatro séculos veio naufragar em nossas plagas, e entre nossos índios nus, nu viveu meses de mortal agonia.

Dirigida pelo Dr. Richard N. Wagner, de Frankfurt, acaba de sair uma nova e primorosa edição da obra de Staden, reproduzida fotograficamente da segunda edição de Marpurgo, dada em 1556.[4]

Se para a Alemanha Staden ainda é reeditável quase quatrocentos anos depois da sua tragédia, que não é ele para nós, cuja terra e gente em seus primórdios só em suas palavras se retratam com "a vivacidade da vida"? Em Staden desenha-se o tipo de Cunhambebe, terrível antropófago e implacável inimigo do invasor, dos quais comia com avidez quantos encontrasse — apesar da má qualidade da carne.

Comia-os por vingança, com o prazer com que um rifenho ou um sírio deve comer um francês. Há de ser uma delícia trincar o coração dum roubador que nos vem tirar tudo, a terra, a liberdade, a vida...

Cunhambebe foi um guerreiro notável. Suas arremetidas contra os lusos jamais falharam e, embora o regime de cacicado não permitisse entre nossos índios o surto de um chefe supremo, correspondente ao rei europeu, ele caminhava para isso em virtude do sucesso crescente de suas armas.

Já era obedecido pelos morubixabas seus iguais, e acabaria impondo-se a todos e dirigindo-os — se não tombasse em plena mocidade, vítima duma razia da varíola.

Os nossos poetas não souberam ver nele o que ele realmente é: o herói nacional da terra brasílica, o Vercingetórix brasílio, o Cid vermelho, o Armínio que de dentro das florestas investia contra os lusos e os desbaratava.

Faltou a Cunhambebe um pouco mais de vida; aliado aos franceses de Villegaignon, receberia deles conhecimentos táticos indispensáveis para contrabater a tática do invasor luso, e como possuía a seu mando gente guerreira da mais decidida, é provável que, se o não vencesse a varíola, vencesse ele aos conquistadores, mudando assim os destinos da nossa terra e da nossa raça.

O melhor retrato de Cunhambebe quem no-lo dá é Staden, na anotação da entrevista que com ele teve. O grande cacique perguntou-lhe que ideia faziam os "peros" da sua atividade.

— "Falam muito de ti e das guerras que tu lhes moves, e por isso erguem um forte na Bertioga."

— "Hei de caçá-los a todos, como caçamos a ti no mato", — disse com arrogância o índio.

Não pôde realizar a façanha, vencido que foi pelas bexigas; mas deixou um nome que infundia terror e que vive e viverá sempre graças ao livro de Staden. E até dá nome a ruas, como o Duque de Caxias e o Marquês do Herval. Em Ubatuba existe a Rua Cunhambebe.

A Armínio, o destroçador das legiões de Varo, venceu a traição dos seus pares.

A Cunhambebe venceu a fatalidade. Mas não vemos em que não mereça ir para a plana dos Armínios. Ambos consagraram-se a um ideal supremo: a defesa da terra natal.

E acresce que ao nosso herói cabe mais uma credencial: comia e digeria os inimigos para que nem o chão se contaminasse com os seus cadáveres...

---

4 A primeira edição trazia uns desenhos absurdos: índios vestidos á moda da Índia, com turbantes, montados em ajaezadíssimos elefantes...

A "Feminina"

Não pode ser mais feliz, com este calor, a ideia da fundação duma academia feminina de letras. Já que a masculina, contrariando a opinião unânime dos fisiologistas, teima no erro de dar sexo à inteligência, não admitindo em seu seio mulheres, lógico se torna o revide da saia, o qual, para ser completo, devia ainda expressar-se à porta numa tabuleta de moer: *Homem aqui não entra.*

Resta agora que o novo grêmio se organize por moldes autônomos, libérrimos, que deem boa medida da invenção guanabarina.

Para isto faz-se mister que antes de tudo as fundadoras se esclareçam no relativo ao que é, foi e poderá vir a ser uma academia — coisa na aparência fácil, mas na realidade dificílima. Tão difícil, que um mesmo homem as define pela tabela A, enquanto a namora; e pela tabela Z, depois que a possui.

Ao caso não servem definições masculinas; as fundadoras hão de consultar as definições femininas, entre às quais ressalta a de Mme. de Linange.

Disse esta aguda madama: "Academia é uma sociedade cômica onde se guarda o sério".

Pergunta-se: conformar-se-ão nossas damas de letras com a rigidez de tal programa? Terão a linda coragem, não digo de ser cômicas, o que seria lamentável, mas de guardar o sério?

Parece nos difícil. Na fotografia do grupo das fundadoras, publicada pelos jornais, uma há que ri — e ri lindamente.

Vemos nisso um vício de constituição. Riso intestino, assim de começo, lembra cavalo de Troia dentro da Praça — e a sombra de Príamo poderá dizer como são perigosos tais presentes de grego!

Tudo muda, porém, se o riso fica de fora. É neste caso inócuo, pois não consta que riso algum, amarelo ou rabelaisiano, jamais haja morto nenhum acadêmico.

Se existissem entre nós mulheres editoras, muito lógica seria a esperança de uma Alves, que à vara mágica dum legado resolvesse para sempre a questão. Mas não consta que haja, e fora daí não parece possível que venha herança.

É verdade que em França já houve um precedente.

Clemência Isaura, formosa dama de Toulouse, tomou-se de singular paixão pela Academia dos Jogos Florais; e vendo que por escassez de fundos a olorosa instituição definhava, teve a ideia feliz de legar-lhe sua fortuna.

Tudo mudou, como aqui com a herança do Francisco Alves. Foi um derrame de primavera no esfaimado inverno da academia moribunda. Restaurou-se incontinente o brilho da festa anual em que, como prêmios às melhores flores poéticas apresentadas, o vencedor recebia uma violeta de ouro.

Que mimo! Em vez dos prosaicos prêmios em vil papel moeda de nossa Academia de Letras, uma violetinha de ouro!

A renda proporcionada pela interessante Clemência possibilizou a criação de novos prêmios: uma sempre-viva, para as odes; uma eglantina, para as charadas; um amor-perfeito, para os acrósticos; um lírio, para os poemas — tudo de ouro, com exceção do lírio, que seria de prata dourada. (Larousse não o diz, mas está no caráter francês. O lírio é flor muito grande para ser reproduzida em ouro...)

Essa Clemência teve estátua no salão nobre do Trianon de Toulouse, estátua que os *maîtres ès* jogos florais, no 3 de maio de cada ano, revestiam de flores; e diante da qual um deles, emergindo de enorme corbelha de rosas, fazia o panegírico da padroeira.

E como apesar de tudo ainda sobrasse dinheiro, a academia floral agregou àquelas festas simbólicas banquetes lautíssimos. Banquetes que degeneraram em orgia e fizeram intervir, com denúncia ao rei, um marquês de Maricá da época (não ganhara violetinha, com certeza...). O qual rei, abespinhado, restabeleceu policialmente o sério próprio das academias ainda que florais. Orgia fina era coisa que os reis reservavam unicamente para si próprios.

Nutrirá esperanças duma Clemência Isaura a nossa Academia Feminina? Não estará acaso convicta de que sem fundos não é possível viver decente nesta era mais que nunca idólatra do Boi de Ouro, que ingenuamente Moisés abateu no deserto?

Outro ponto a estudar é o sistema eletivo, ou, melhor, o critério da escolha. Dada a notória implacabilidade da morte para com os imortais, terão as nossas academias de reunir-se várias vezes no ano a fim de completar a equipe desfalcada. E surge o problema tremendo; qual o critério da escolha?

Ponto melindroso, tanto varia o critério humano na apreciação dos valores exorbitantes ao quadro métrico decimal.

Entre os inúmeros existentes, há um, o de Guizot, que se revela profundamente sábio (da boa sabedoria, a pragmática!).

Perguntaram-lhe se votava em N. N.

— "Sim," — respondeu o acadêmico, que apesar de ex-ministro tinha sal; — "dar-lhe-ei meu voto porque N.N. possui todas as qualidades dum perfeito acadêmico. Veste-se bem, escova os dentes, é polido, é condecorado e não consta que tenha nenhuma opinião. É verdade que publicou uma obra... Mas, que querem vocês? Não há ninguém perfeito..."

Sob forma de blague há no critério de Guizot uma altíssima sabedoria. O fim último dum grêmio, de parte as belas palavras do programa, é um viver amável em boa sociedade. Erra, pois, quem atende mais à obra do candidato do que ao seu feitio social. Obra vale para uso externo; internamente a amenidade do convívio só exige os formosos dotes do N. N. de Guizot.

Arquitetada nestas bases, a nova academia terá vida longa e amena. Nossas damas se reunirão todas as semanas para conversar sobre modas, fatos sociais, casamentos, divórcios, etc., isto antes da sessão. Durante sessão uma lerá versos de poetisas esquecidas, como a Nísia Floresta; outra dissertará sobre o absurdo sapato das chinesas; outra deitará apóstrofes fulminantes contra o tráfico das brancas; outra provará que a inteligência humana não tem sexo.

Finda a assembleia, irão todas para casa, muito contentes da vida, ansiosas por lerem a reportagem da festa nos jornais do dia seguinte.

E a harmonia do universo em nada se perturbará. Nísia Floresta continuará esquecida; os proxenetas continuarão a escravizar as brancas; as chinesas continuarão a torturar os horrendos pedúnculos e a inteligência humana continuará dividida em dois sexos — o masculino, que leva Newton a descobrir a lei da gravitação e o feminino, que nos leva a fazer asneiras.

— Ou a escrevê-las... — dirá mordendo os lábios dona Mercedes Dantas.

O BOCEJO DE LEOA

O acaso entra por muito nos destinos humanos. Mas há também o cálculo, e se fosse possível estudar a vida de um criatura como o físico estuda um jogo de forças naturais, quem sabe não se reduziria a resultado final de um puro cálculo o que chamamos acaso, destino, sorte? Os vencedores da vida seriam neste caso os calculistas exatos, os que não erram no decurso da operação, os que não dão passo sem tirar a prova dos noves fora, os que constroem pedra a pedra e adotam na construção de seu viver social os processos friamente exatos de um construtor de casas.

Em 1635 nasceu numa prisão da França uma menina. Seu pai, mau tipo duas vezes acusado de espionagem, azedou a alma nos cárceres e por fim teve de emigrar para uma ilha da América, onde morreu. A menina volta para a França com doze anos e começa a sofrer os safanões da vida. Vai para a casa duma parenta longe, onde é tratada com extremo rigor.

Querem domá-la, querem torcer-lhe num certo rumo o pepino do caráter, para que não puxe ao patife do pai.

Ela reage, e dizem que sua juventude foi desgraçada, e que da formosa Ninon de Lenclos recebeu a boa lição de duplicidade da vida — vida "para a Moral ver", em cima e vida solta embaixo, bem secreta, bem oculta em boas casas de encontros clandestinos.

Aos dezesseis anos surge-lhe um casamento ao qual se agarra como a um presente do céu. Chamava-se Paul Scarron o noivo.

Era velho, *cul-de-jatte*, poeta e impotente. Mas a menina, já mestra em cálculos, calculou certo ao aceitar a monstruosidade dessa ligação. Libertava-se da tirania da parenta má, adquiria uma situação social e não se comprometia a coisa nenhuma — nem sequer a ser mulher de seu marido.

Scarron vivia de versos e esmolas. Tinha uma pensão da rainha-mãe a título de "doente da rainha". O "meu *cul-de-jatte*", dizia ela, como hoje certas donas de casa dizem "o meu pobre". A uma destas senhoras ouvi informar outra, recém mudada para a sua vizinhança:

— "Não te incomodes com fornecedores. Vou mandar-te o meu padeiro, o meu açougueiro, o meu fruteiro e até o meu pobre, que é um pobre limpo, decente, sem doença feia e muito bonzinho."

Scarron morreu quando sua "mulher de ver com os olhos" entrava nos vinte e cinco anos — e deixou-a na miséria. Francisca — demos-lhe o nome — requereu ao intendente da rainha-mãe que lhe mantivesse a pensão do esposo. Esse intendente era italiano, cardeal e marido oculto da rainha; além disso, um forreta de marca. Recusou em nome da patroa.

— "Está doente Francisca? Não. Como quer então suceder ao marido no cargo de doente da rainha? Adoeça e volte", devia ter sido o despacho.

E a viuvinha passou miséria até que conseguiu do rei uma pensão de duas libras, arranjo que lhe daria para passar como uma datilógrafa de hoje.

Adoradores, sedutores, rodeavam-na de todos os lados, mas o cálculo a defendia melhor que um cinto de castidade. O cálculo nesta situação é proceder de jeito que nada desfavorável mareie a reputação de vestal, de modo a conservar-se a criatura desimpedida e com os músculos bem treinados para o bote, para o grande bote que é o objetivo final dos grandes calculistas.

Francisca, vira de cá, vira de lá, consegue cair nas graças de Mme. de Montespan, amante oficial de Luiz XIV. Faz-se sua criatura de confiança. Torna-se-lhe indispensável. É quem, logo ao nascerem, toma sob o manto os produtos da cruza do Rei-Sol com a outra e foge a ocultá-los em Paris. Sete vezes procedeu assim, fazendo desaparecer de Versalhes sete filhotes de rei. Em Paris organiza uma sábia criação desses entes meio humanos, meio divinos, uma coelheira real, e escreve numerosas cartas ao coelho envergonhado, dando conta dos progressos dos reais coelhinhos. O rei, que a princípio não suportava a presença de Francisca d'Aubigné — digamos-lhe afinal o sobrenome — e censurava a Montespan por tê-la consigo, interessa-se pelas cartas e as lê com recrescente agrado. Fraco em cálculo, o rei se enliçava no estilo do "cálculo feito mulher", que era Francisca d'Aubigné. E passa da curiosidade à amizade e da amizade ao amor e do amor ao desejo de posse. Esquece, repudia, afasta a Montespan e estende os braços para a Maintenon — nome com que a heroína penetrou na história.

Enganou-se, porém. Pela primeira vez uma mulher lhe resistia, e o Rei-Sol conheceu essa coisa romântica que os franceses chamam *languir*.

O cálculo vencia. O cálculo é o que é — e o que é o que é vence sempre. Resistir ao rei, coisa que jamais ocorrera a nenhuma mulher da França, era o meio único de conquistar o rei.

E o rei conquistado, já viúvo por esse tempo, aceitou a imposição da calculista insigne:

— "Ou casas comigo ou..."

Este *ou* apavorava o rei. Era aquele estado vago, incerto; era o langor, espécie de febre do Texas que só não dá nos zebus; era condenar-se a passar o resto da vida com o peso de uma derrota na consciência e a sensação insuportável duma curiosidade não satisfeita em matéria de amor. Luiz XIV não teve ânimo para enfrentar o terrível, misterioso ou, e contraiu com Mme. de Maintenon um casamento secreto. Tinha ele quarenta e oito anos e Mme. Cálculo, cinquenta e dois.

Estava a pobre menina, filha do espião, transfeita em rainha da França e mais poderosa do que nenhuma mulher jamais o fora.

Deu-se por satisfeita? Encontrou a felicidade? Não. Um trecho de carta revela o imenso tédio de seu coração.

"Se eu pudesse comunicar-te a minha experiência, — escreveu ela a uma amiga, — e revelar-te o tédio que devora os grandes, e o penoso que lhes enche os dias... Não vês que morro de tristeza, no apogeu de uma fortuna que excede aos maiores delírios da imaginação? Fui jovem e bela; gozei todos os prazeres; fui amada. Na vida madura passei os anos no comércio do espírito e alcancei o favor supremo; mas juro-te, filha, que todas estas fases da existência me deixaram n'alma um vácuo horroroso!"

Que grito d'alma! Sente-se que ao fazer essa confidência, a maior calculista do século deu um pontapé na matemática e abriu o seu coração blindado. A leoa traiu-se. Bocejou...

Catulo — voz da terra

O Brasil existe e insiste. Tem uma alma caótica, isto é, em formação — caos não significa apenas desordem. Tem a carne sensível, apesar dum sistema nervoso rudimentar como o das baleias. O Brasil é imenso. Desdobra-se por 8.525.000 quilômetros perfeitamentes quadrados e até já passa disso em virtude do aterro do mar com a terra do Morro do Castelo. Possuem terras feracíssimas, como as roxas de S. Paulo, e carrascais piores que o deserto de Góbi. E zonas onde tudo são águas, pirarucus e jacarés truculentos ao lado de zonas onde a seca periódica só poupa às cactáceas.

"Nesta terra se dá tudo", disse Vaz Caminha; "mas a formiga come tudo o que se planta", acrescenta o Jeca, de cócoras na filosofia da sua longa experiência. Talvez seja por isso que na terra que dá tudo quem quer uma fruta adquire, a peso de ouro, nas "joalherias", pêssegos da Califórnia, maçãs da Argentina, uvas de Alicante.

Mas que dá tudo, dá. Dá café, cacau, coco babaçu, mandioca, besouros enormes, coronéis ainda maiores; dá papo, maleita, revoltosos e legalistas, doutores e anofelinas, casebres de sopapo e arranha-céus, academias de letras e reformas de ensino; dá imposto e carrapatos devoradores de impostos; dá o algodão com o curuquerê ao lado; dá sempre o pró rente ao contra, um pró magro e um contra gordo que o inutiliza.

Só não dá justiça.

Desse, e o grande poeta nacional, esse Catulo que ninguém ouve sem sentir dentro de si a emoção da raça, não estaria de barbas postiças, num teatro, a trocar o frêmito de seus versos pela magra subsistência.

Rosalina Coelho Lisboa, voz harmoniosa desse algo superior que paira sobre os homens, denuncia a profanação:

— "É na Academia de Letras que ele deve estar..."

Não sei. As academias têm *morgue* e Catulo é o que há de mais livre e boêmio. Só mesmo onde deve estar estará bem: no coração do povo.

Catulo é o grande poeta nacional.

O Brasil possui poetas em barda e alguns magníficos; mas são poetas universais, que jogam com imagens vindas de longe — de Anacreonte a Verlaine. Poetas que tanto seriam brasileiros como mexicanos, franceses ou russos.

Catulo, porém, é o poeta da terra, a harpa eólia que ressoa ao menor arfar destes chãos. Amores, anseios, sofrimentos humildes, cismas vagas, o verdadeiro sentir da nossa gente só nele encontra voz. E que voz! Com que vigor se exprime! Com que inaudita riqueza de imagens novas, sem eiva de reflexo europeu!

Catulo é bem a voz da terra brasílica. Voz das coisas e voz das gentes. Tanto fala nele o amor do vaqueiro como a angústia bracejante da peroba que a queima da floresta deixou semicarbonizada no viso do espigão.

Aos demais poetas ouvimo-los com o cérebro. São filhos da cultura geral, são traduzíveis.

A Catulo ouvimos com o coração, e ouvimo-lo tomados dum estranho transtorno interno. Uma coisa grande, uma coisa vaga, informe, monstruosa, cresce dentro de nós, expulsa o moderno de importação e nos deixa sozinhos com a raça. Nosso peito se enche de avós, como um albergue tomado de assalto por sombras ambientes.

Acodem tupinambás de pedras verdes nos lábios, dos que comiam portugueses com tripas e tudo; acodem velhos lusos de barba em colar; acodem as iracemas que se cruzaram com esses barbadões iniciais; acodem avós fazendeiros de açúcar, bandeirantes, tropeiros que acabaram barões do Império, acodem homens dos garimpos, caçadores de onça, senhores de escravos, sinhás-moças e sinhás-velhas — toda essa gente passada que viveu, amou, chorou e com as armas que pôde foi tirando da floresta imensa um país.

Acodem em tumulto para ouvir a língua que foi a deles e ouvir aquelas imagens, únicas que lhes sugerem coisas vistas e vividas. E enquanto o poeta geme ao violão o seu descante, permanecemos assim, obstruídos de raça, no êxtase de íncubos atravancados de veneráveis súcubos avós.

O Brasil dá tudo, menos justiça. O Brasil recompensa tudo, menos o mérito. Que há de esperar Catulo de sua pátria, senão umas barbas postiças?

Há um poema lindo onde ele narra o amor dum papagaio de estimação pela cachorrinha Sauna. "Mártir, velha, escorraçada, quase no extremo da vida, andava sempre escondida e não morria esfomeada porque às vezes lhe tocava um frangalho de comida que a outro cão sobejava. Seus olhos, salva a heresia, lembrava os olhos da Virgem Maria. A sua melancolia era saudosa e macia como a sombra do luar. Quanta dor, quanta poesia, quanta filosofia chorava naquele olhar!"

Desprezada por todos, só o papagaio a estimava. "Quando lhe faltava um osso para o jantar, era belo, era sublime, ver aquele papagaio, como quem comete um crime, às ocultas lhe ofertar alguns bocados gostosos do seu gostoso manjar." E repetia vinte vezes o nome de Sauna, só porque ela, debaixo do seu poleiro, se quedava extática a ouvi-lo.

Um dia Sauna morreu. Encontraram-na com a barriga inchada à porta do curral, rígida e fria, mas nos seus olhos inda "se lia aquela filosofia da dor irracional. E só porque já fedia foi que o vaqueiro Zé Marco enterrou a pobrezinha ao pé dum velho pau d'arco".

Quando o papagaio soube da morte da triste sarnenta, emudeceu e nunca mais repetiu o nome de Sauna.

Catulo conclui o poema com um grito d'alma verdadeiramente sublime:
Meu Deus!... Por que não fizeste os homens irracionais?

Quem grita assim, quem atinge tais alturas, merece castigo. Merece como ganha-pão no fim da vida, não uma, mas duas barbas postiças.

Justiça oxigenada

Feliz circunstância me permitiu examinar em provas um livro que é um livro. Para que um livro seja livro não basta possuir a forma de livro, nem rechear-se de frases compostas segundo a arte do bem escrever, e impressas de acordo com a boa técnica dos Elzevires.

Há que dizer algo novo, encerrar uma grande ideia, desenvolvida ou em gérmen, dessas que valem por empuxões de bom pulso na sonolenta carreira da rotina.

Subscrevê-lo-á J. A. Nogueira, juiz da 6.ª vara, que o nomeará *Aspectos de um ideal jurídico*.

J. A. Nogueira trouxe para o juizado um elemento invulgar. Trouxe uma larga dose de compreensão humana, haurida na viagem que desde a juventude empreendeu através dos maravilhosos países da literatura e da filosofia. Tempo há de vir em que só caberá a toga ao homem que assim viajou, e do excurso assim tirou as fecundíssimas lições da visão dilatada a todo o círculo do horizonte mental.

Porque há o juiz que fica num quadrante e só vê as coisas por um postigo, nem sempre de todo aberto. E é desse confinamento que procedem a fauna monstruosa dos juízes fanáticos, como aqueles infames bispos que assaram Joana d'Arc; a fauna vesânica dos Le Coigneux, que desesperam de não poder condenar ao mesmo tempo as duas partes; a fauna de *coeur léger* dos Bridoye de Rabelais e dos Bridoison de Beaumarchais; e finalmente a fauna dos brasílicos jabotis togados, que dormem anos na pontaria dos despachos e causam à economia pública mal maior que o juiz que se vende, mas é expedito.

Certa vez apresentou-se ao imperador Teodorico uma viúva queixosa de juízes à brasileira; contendia ela com um senador e já se passavam três anos sem que os meritíssimos lhe julgassem a causa. Teodorico chamou à sua presença os jabotis e intimou-os a apressarem a marcha do processo. No outro dia estava lavrada a sentença.

— "Se era coisa tão simples," disse-lhes o grande imperador, "por que motivo retardastes de três anos o julgamento?"

E mandou cortar a cabeça aos três.

Morrem os jabotis mas não morre o jabotismo. Vige e viça por cá, como em seu verdadeiro habitat, visto que os não assusta o abençoado cutelo do imperador ostrogodo.

Dessa viagem que fez ao país do sol pleno J. A. Nogueira nos trouxe vários livros, todos marcantes em nossas letras: *Amor Imortal*, impressionismo espiritualista; *País de Ouro e Esmeralda* e *Sonho de Gigante*, variações sobre as realidades nacionais; *Organização da Democracia Representativa*, estudo sociológico de largo voo — e foi assim armado que penetrou no mundo jurídico.

Seu espanto é de imaginar-se. Vinha do sol e entrava na Caverna do Caranguejo. Túnel puro. Umidade, salitre, bolores verdes. Tudo velharias, em que pese às carátulas modernas. O jurista aferrado ao reverencial dos precedentes. A ciência reduzida à arte boticária dos repertórios e casos julgados. A escolástica, a silogística, a glosa, o latim sebáceo, o brocardo revelho e todo o cortejo bafiento dos opiatos da Idade Média; e com ele todos os emplastos, tinturas, esparadrapos, revulsivos, robes, resinas, sabões, purgas, pós, noções, basilicões, obreias, méis, marmeladas, luques, licores, infusos, grajeias, pílulas, gargarejos, gomas, releias, fumigações, elixires, eletuários, vomitórios, colutórios, cáusticos, cataplasmas, colírios, clisteres, apozemas e supositórios de pimenta dum chernoviz tramado contra a Vida por todos os Lobões, Souzas, Silvas, Melos e mais Eusébios Macários do direito reinol. E tudo vascolejado, filtrado, alcoolizado, empilulado, enfrascado, rotulado na *Botica de Têmis* da rua dos Inválidos, vulgo Fórum — essa Cabeça-de-Porco onde as tábuas gemem ao pisar dos passantes, as aranhas veneráveis tramam de aranhóis os tetos encardidos e das fendas borbotam percevejos, baratas e ratos que em vida anterior foram oficiais de justiça, os quais bichos se esgueiram por entre as pernas dos oficiais de justiça de hoje, que em vida futura ressurgirão ratos, baratas e percevejos.

Toda essa farragem expluída aos miolos do Mem Bugalho Pataburro que Herculano nos retrata no *Bobo*, tem mantido nossa justiça arredada de uma coisa linda e única verdadeira, chamada Vida, na qual nossos juízes não acreditam, já que erguem muralhas contra o ar novo, o ar livre, o ar vivo, o ar que se coa por montes, vales e mares e todo se enriquece de ricos oxigênios hostis às sulfurinas cadavéricas.

É J. A. Nogueira, talvez, o primeiro magistrado nosso que tem a bela coragem de abrir janelas ao céu azul e ao sol nascente.

Nas suas sentenças usa a língua de todos nós, paisanos da esotérica jurídica; e tanto refoge ao pedantismo técnico da forma, como se insurge contra o caquetismo da hermenêutica emperrada. Procura introduzir entre nós os ideais dos renovadores do direito na Europa, os Geny, os Van der Eicken, os Salailles, os Gmur, os Degni, os Demogue.

Seu livro vale por um programa de renovação. Abre-o o formoso discurso com que recebeu na Cabeça-de-Porco uma espontânea manifestação dos advogados cariocas — fala que soou em nosso meio como estranha novidade. Um juiz a dizer a missão social do juiz! A proclamar que o direito não é fim, mas meio! A condenar o velho brocardo do *Fiat justitia, pereat mundus*, em nome do *Pereça a justiça, mas viva o mundo*.

É vulgar ouvir-se a um juiz de estirpe pataburrina: "Esta decisão me repugna à consciência, mas tenho que dá-la. É a lei".

A consciência é neste caso a vida; o texto é a negação da vida... e vence o texto!

Mas não há lei repugnante à sã consciência que não se preste a uma larga interpretação. Para além da técnica estreitamente interpretativa há toda uma amplidão nova de técnica criadora ou renovadora. O juiz perfeito não é máquina de aplicar textos. É partícipe da lei. É o cérebro, o músculo, o nervo vivo que encarna os descarnados ossos do esqueleto textual e os põe vivos a agirem em prol da vida. Nunca lhe falecem meios de aliar à justiça a bondade e o bom senso. Há que examinar os litígios na sua realidade e moralidade e julgá-los por equidade; em seguida, procurar a forma técnica adequada a essa solução. Daí um conselho de G. Renard aos advogados: "Procurai convencer ao juiz de que tendes a vosso favor, não a legalidade, mas o direito justo; em seguida apresentai-lhe uma forma jurídica que a esse direito se amolde. É preciso tornar a vossa tese amável; só depois mostrareis que é imprecisa e não passa dum instrumento de aproximação. As intuições imediatas do bom senso devem retificar os processos lógicos".

Estas ideias não são absolutamente novas. A novidade está em serem proclamadas e praticadas por um magistrado nosso. No livro do dr. J. A. Nogueira tal orientação se reflete em todos os trabalhos que o compõem, não só nos capítulos de doutrina, *Missão ao juiz, Artes de julgar, Hermenêutica moderna, Casuísmo judiciário e sua estética, Entre o espírito e a letra da lei*, como nas sentenças que ao lado da teoria lhe revelam a prática.

Entre as decisões publicadas uma há de indenização pedida à Light, onde circula a boa solidariedade humana deste princípio: toda atividade lucrativa que traz um agravamento de risco para o meio em que se exerce acarreta a responsabilidade civil pelos danos dela decorrentes.

Notável é também uma sobre sequestro de bens conjugais durante a lide do desquite. Nela orienta-se o intérprete à luz sociológica, de par com uma alta concepção jurídica da mulher na sociedade conjugal, de acordo com os ideais modernos.

Há uma sentença sobre o valor de certo documento, picado aos pedacinhos e depois recomposto, que é um primor de análise psicológica, onde a finura da crítica vem de mãos dadas à amenidade expositiva.

Aspectos de um Ideal Jurídico é um livro, em suma, que o leigo lê e entende, sem perceber que está diante de questões transcendentalíssimas, impenetráveis ao seu cérebro quando expostas por algum sacerdote do esoterismo jurídico. Dele saímos com a impressão final da arte superior de um prudente romano, cujos requintes de sutileza se filtram através duma aguda sensibilidade de artista moderno.

O Brasil é uma terra de males. A fórmula comum de abertura das nossas palestras é sempre a mesma:

— "O nosso maior mal..."

E antes de beber o chope, entrar no cinema ou jogar no bicho, o brasileiro desenvolve para o amigo que na rua agarrou pela gola a sua concepção do nosso maior mal e dá os remédios. Está claro que cada um possui o seu maior mal; entretanto, é na má justiça que a mor parte das opiniões se encontram.

— Porque, — diz-se, — ou a temos corrupta, o que não é bom; ou a temos estreita, o que é positivamente mau; ou a temos lenta, o que é malérrimo — dada a inexistência de Teodoricos por cá.

Mas havemos de convir que pelo menos da estreita não há que desesperar. Casos como o do juiz Nogueira hão de reproduzir-se. A aura é contagiosa, pois brota do instinto de conservação social, e tudo vai de que um vanguardeiro desenrole pendão e arremeta contra os quadrados da rotina. Esse trabalho começa a fazer-se. Rompem-se de brechas as muralhas. Mem Bugalho Asinipedes acabará corrido, e uma Têmis nua e linda como Vênus há de destronar aquel'outra vendada com o lenço de rapé dos Le Coigneux, soldadescamente armada dum refle e ingenuamente atrapalhada com uma balança muito própria para pesar toicinhos, mas inadequadíssima para galvanometrar os imponderáveis da vida.

As cinco pucelas

Quando nas *Memórias Póstumas de Brás Cubas* Machado de Assis põe o herói a rabiscar, alheadamente, sem consciência do que fazia, um verso da *Eneida* — "arma virumque cano", traçou com a mestria incomparável do seu gênio um breve estudo da ideia fixa que se trai por tabela.

Brás Cubas pensava em Virgília; Virgília trouxe Virgílio; Virgílio lembrou a *Eneida* — e a mão vadia foi repetindo no papel ocasional o único verso que esse personagem podia saber da *Eneida*, o primeiro — como todos nós conhecemos de Camões o "As armas e barões assinalados".

Não há quem por experiência não conheça isso do lápis escrever a esmo cem vezes, à margem dum jornal ou mesa de café, o "arma virumque" que nos trai o pensamento enquanto conversamos sobre mil coisas diversas. Ou então é mentalmente que repetimos uma mesma palavra, ou trauteamos uma mesma ária, as quais insistem, voltam, teimam como moscas de verão por mais que mudemos o rumo ao pensamento.

A quem escreve em jornais sucede o mesmo. Temas há que insistem, e botam as orelhas de fora mesmo quando o articulista aborda assuntos que nem de longe a eles se relacionam. O remédio é desabafar, como o remédio para o apetite é comer.

O meu amigo Silva anda doente de um ideia fixa; e em tudo quanto escreve ou fala — escreva sobre finanças ou fale do pivetismo do Brasil na Liga das Nações — ele se trai escandalosamente. Amigo das mulheres, o problema que o corroí é o seguinte: Qual a primeira mulher que veio ao Brasil?

Já consultou os compêndios de história e já foi à fonte das histórias, os historiadores. Consultou Rocha Pombo, o mestre que alia o saber à gentileza. Já consultou Capistrano e João Ribeiro. Mas tanto histórias como historiadores o deixaram na mesma — e Silva definha. É um pálido Édipo que em cada mulher que passa na Avenida vê uma esfinge *a la garçonne*, murmurando, como a tebana:

— "Decifra ou devoro-te: qual foi a primeira?"

Do que há escrito, apurou ele na obra de Jean de Léry — *Histoire d'une voyage à la Terre du Brésil*, que na expedição de Bois de Comte vieram, a bordo do *Rosée*, cinco frescas rosas de França, chaperonadas por uma venerável folha de tinhorão.

Diz Lery que embarcaram *"cinc jeunes filles avec une femme pour les gouverner, qui furent les premières femmes françaises menées en la terre du Brésil"*.

Chegadas que foram, e alojadas no forte de Coligny, logo se casaram duas delas com dois mancebos, criados de Villegaignon — isso a 3 de abril de 1557, vinte e seis dias após à chegada — e estou que esperaram muito!

Realizaram-se os enlaces por ocasião da prédica religiosa que todas as noites se fazia no fortim; e Léry menciona o fato "não só porque foram os primeiros casamentos à moda cristã celebrados no Brasil", como ainda para frisar o assombro dos convidados selvagens diante de mulheres... vestidas.

Nunca se tinha visto semelhante coisa na edênica América, e a impressão foi positivamente de escândalo.

As desnudas índias, que acompanhavam seus desnudos maridos, retiraram-se da festa vexadíssimas, corridas de vergonha, à visão de colegas louras que assim tão despejadamente se revelavam só com o rosto, o pescoço e os braços nus! E ao regressarem para suas aldeias, com grande alvoroço contaram às outras o caso inaudito, provocando os mais desencontrados comentários.

— Vestidas! Imaginem...

A MODA FUTURA

É sumamente difícil aos contemporâneos de uma transição social apreender as linhas mestras do fenômeno e sobretudo prever até que ponto ela irá. Só depois da transformação operada é que os sociólogos veem claro. Sem o recuo do tempo, impossível visão de conjunto, como sem recuo no espaço impossível fazer a menor ideia da altura, forma, estilo de um castelo.

É inegável que sobretudo depois da guerra se acentuou o começo do fim do governo representativo com três poderes autônomos, harmônicos e independente, em moda ainda hoje.

Os fatos cansaram-se de provar que isto de representantes são como os procuradores que procuram para si; não representam coisa nenhuma, a não ser o interesse pessoal ou de um grupo. O nosso Senado timbrou há pouco em mostrar mais uma vez que é assim, na votação da lei da receita.

Os fatos ainda provam que a tricefalia autônoma dos poderes não passa de pura pilhéria, nem sequer engraçada.

É antinatural um monstro dessa ordem num mundo onde só as minhocas conseguem ter duas cabeças — e por isso vivem condenadas a não aparecer à luz do sol.

Uma das cabeças há de preponderar e engolir as outras, sob pena do organismo explodir por excesso de órgãos. *Quod abundat nocet* — e se uma só cabeça nos leva a tantas asneiras, três, agindo simultâneas e livres, no mínimo nos leva ao desastre.

De modo que o tricefalismo vigente não passa de pura mentira fisiológica, na qual só os que dela vivem fingem acreditar.

Ora, à medida que uma mentira social vai perdendo os cabelos que lhe escondem a nudez do crânio, surge a inquietação, o mal estar; e o homem procura romper essa falsa forma de equilíbrio para adotar outra mais consentânea com a "verdade".

É o que se dá no momento. A ânsia de sair da mentira representativa tricéfala entremostra-se em todos os povos, sendo que em alguns passou de ânsia a realização.

Na Itália, Mussolini, com rude franqueza, operou a mudança e vai aos poucos procurando a forma de cristalização que permita durabilidade ao sistema sucessor.

Na Espanha Primo de Rivera fez o mesmo, embora sem a espetaculosidade do *duce* italiano; Rivera não tem a queixada napoleônica de Mussolini e parece agir mais como satélite do que como criador.

Na Rússia a transformação foi violenta demais para que possamos fazer qualquer ideia certa; as informações que temos são duvidosas, como oriundas da propaganda e da contrapropaganda, fontes por igual suspeitas.

Na França sentem-se todos às portas de mais uma das suas numerosas rupturas de equilíbrio, sendo imprevisível o rumo que tomará a pobre Mariana, cujos sintomas de velhice não há *maquillage* que consiga esconder.

Outros países existem ainda onde, confessadamente ou às hipócritas, só *in nomine* vigora a tricefalia representativa — e para atinar com um desses países não é necessário que tomemos passagem no *Cap Polônio*.

A corrente avoluma-se, pois, e com ela a curiosidade de saber que moda virá substituir a atual moda de governo.

Teremos regresso à crinolina de Napoleão III, com o nome mudado? Iremos buscar na Grécia a elegante tirania de Péricles? Virá o despotismo científico preconizado por Augusto Comte?

O despotismo não virá pela razão clara de não ter-se ido nunca. Sob qualquer que seja o disfarce é sempre ele que de fato governa. Forma natural, tornou-se odioso desde que o liberalismo acendeu nas chamas da Revolução Francesa o facho da indignação declamatória com que o vem fulminando ingenuamente. Mas apesar de condenação de 89, o despotismo tem sabido tão bem adaptar-se, que às mais das vezes é ele quem mais furiosamente condena... o "despotismo".

Se payer de mots é destino humano. As palavras despotismo, ditador, tirano, etc., horripilam. Mas a coisa com o nome trocado se torna suportável e muitas vezes reclamada.

O que a inquietação dos povos neste momento pede não passa de uma nova mudança de nome. Cansados da farsa representativa e das designações engenhosas com que o liberalismo disfarçou o irônico e eterno Mefisto, querem *algo nuevo*, esquecidos de que neste mundo inovar é mudar de roupa, mudar de nome apenas.

Infelizmente, para a humanidade tal operação não é simples como para o indivíduo. Não se faz sem sangue, sem a dor que toda ruptura de um estado de equilíbrio traz e sem os sofrimentos de toda ordem consequentes à procura de um novo equilíbrio.

Crises, chamam-se essas passagens — ou revoluções, no caso de serem hemorrágicas.

O que custou à França mudar o nome de "rei" para "gabinete"! O que vai custando à Rússia mudar o nome de "czar" para o nome ainda em elaboração que o vai substituir!

A luta ideológica mantida contra o despotismo equivaleria no corpo humano à grita de todos os órgãos contra a cabeça, se fosse perfeito o símile entre os dois organismos.

Tem como fundamento a velha fermentação utópica, filha do erro de dar-se o homem como super-animal, ser fora das leis gerais que regem na terra a vida dos cavalos, das moscas, das sardinhas e dos elefantes.

Quando essa toxina utópica for de todo eliminada, então a humanidade aceitará sem disfarces, sem refolhos, sem folha de vinha, a nudez do despotismo. Um pastor à frente e o rebanho atrás, pastando com deleitosa despreocupação, já que o rei-filósofo de Platão vela. A dificuldade para atingirmos essa idade de ouro reside apenas numa coisa na aparência bem simples, mas na realidade dificílima: no nome a dar ao déspota. Quem achar um que satisfaça plenamente e que nem de maneira remota lembre as denominações anteriores caídas em ódio, fará à pobre humanidade um presente, talvez de grego, porém maior que o que lhe fez Gutenberg com a imprensa, Papin com o vapor ou Edison com o gramofone...

Plágio post-mortem

A 11 de outubro de 1916, à tardinha, entra a esvoaçar em São Paulo um corvo sinistro: o boato da morte de Ricardo Gonçalves.

— "Será possível!..."

Era. O boato confirma-se. *La buffera infernal che mai non resta* tragara-o para sempre.

Ricardo, a tiros de revólver no coração, fechara o epílogo da sua tragédia de amor. E a Pauliceia, tão fria, tão sem gestos, tão fechada consigo mesma, chorou-o com as suas melhores lágrimas — irmãs das que teria mais tarde para Moacir Piza.

Criatura de eleição, era Ricardo o feitiço dos seus amigos — e nenhum possuiu que o não chore ainda hoje. Poeta dos que falam à alma, seus versos, dos mais ricos de poesia de quantos se fizeram no Brasil, moravam na boca dos amadores, passavam de álbum a álbum, perpetuavam-se nas folhas à força de transcrições. Esperança do povo, sua ação social revelada em discursos de perturbadora eloquência fazia os humildes enxergarem nele a aurora de um Graco. Paixão das mulheres, sua beleza física, de fundo romântico, culminava nos olhos divinos de expressão e nostalgia do Além, tornando-o o homem fatal dos amores que fulminam.

Em suma: caso raríssimo de requinte racial, de confluência harmônica das três grandes forças: gênio, beleza e coração. Desse amálgama feliz vinha o dom supremo: — a bondade filha da suprema compreensão.

Uma bala de revólver roubou a São Paulo a flor peregrina ainda mal desabrochada.

Mas o perfume ficou: seus versos.

Ricardo os fazia de raro em raro, sem mira noutra coisa senão fazê-los. Linguagem natural do coração, exteriorizava-os despreocupado, como a violeta que rescende à tardinha.

Não os publicava; a sede da perfeição inatingível não lho permitia. Seus amigos, porém, os foram levando a jornais e revistas, receosos de que se perdessem tão finos lavores.

Seis anos após sua morte esses versos foram reunidos em volume — *Ipês*. A coleção trazia além das suas produções originais alguma traduções de Lecomte e Rostand. E Ricardo Gonçalves passou a viver a doce vida da sombra, em seus versos e na saudade dos amigos. Conquistara a paz. Dera a vida terrena em troca dessa mansa quietude.

Os anos passam. Súbito, em certa revista carioca explode uma acusação hienal contra a memória do morto. Xavier Pinheiro impiedosamente o acusa de plagiário; mais, de gatuno de versos alheios. Acusa-o de haver furtado a Porto Carrero uma tradução de Rostand...

E o articulista esmaga a nobre sombra cotejando as duas produções — na realidade uma só porque eram absolutamente idênticas.

Mais que brutal, mais que grosseira, a conclusão do acusador era inepta. Se o livro de Carrero apareceu depois da morte de Ricardo, como poderia este plagiar "post-mortem"?

Se plágio havia, plagiou quem apareceu por último. A cronologia, portanto, invertia, virava pelo avesso o libelo — e punha em má situação Porto Carrero.

Era, entretanto, absurda qualquer das duas hipóteses. Nenhum dos dois poetas merecia que nem por sombras pairasse sobre eles tão infantil suspeita.

O caso devia ser bem outro, e era.

Havia acontecido o seguinte.

Como o livro *Ipês* só foi organizado muitos anos depois da morte do poeta, o organizador do trabalho teve que lutar com muitas dificuldades. Teve que catar as produções esparsas aqui e ali, escabichando coleções de revistas e jornais, álbuns, memória de amigos. E no afã da colheita apanhou a tradução de Carrero e a incluiu na coletânea como sendo a de Ricardo.

Só agora, com o alarme de Xavier Pinheiro, se verificou o engano, e graças a uma busca rigorosa foi possível desenterrar de uma revistazinha antiga a tradução de Ricardo, que traz a data de 1904.

A Manhã, órgão de desagravos, vai desagravar a sombra caluniada publicando as duas traduções. E seus leitores, comparando-as, hão de forçosamente exclamar:

— Que feliz criatura este Rostand, cujos versos encontram tradutores de tal quilate!

Mas a de Ricardo é a melhor:

MANEIRA DE FAZER PASTÉIS DE AMÊNDOA DOCE

Com três ovos — cada clara
Bem batida, uma por uma,
Se prepara
Uma xícara de espuma
Branca e leve qual se fosse
Neve pura; põe-se então,
Com leite de amêndoa doce,
Quinze gotas de limão.

Depois se bate e adelgaça,
Visando-se obra perfeita,
Fina massa
Que se deita
Numas formas especiais.
E em cada pastel, brocado
Lado a lado,
Põe-se a espuma e nada mais.

Os pastéis assim obtidos
São no forno muito quente,
Docemente,
Com cautela introduzidos.
Espera-se um pouco e, após,
Na bandejinha que os trouxe,
Enfileiram-se ante nós
Os pastéis de amêndoa doce.

A de Porto-Carrero é a seguinte:

TORTAZINHAS DE AMÊNDOAS E MODO DE AS FORMAR

Batam-se bem alguns ovos
Inda novos;
Nas ondas que a espuma trouxe
De cidra o sumo se deite.
Grosso leite,
Bom leite de amêndoa doce.
Passe-se dentro da lata
Fresca nata
Em formas de bom-bocado;
De damasco a borda peje-se;
E despeje-se
Gota a gota com cuidado

> Tudo na forma, de forma
> Que essa forma
> Vá para o forno; e, rendendo-a.
> Sigam-se as outras; saindo
> Venham vindo
> As tortazinhas de amêndoa.

Imagino (gratuitamente) que os próprios tradutores torceriam o nariz aos pastéis feitos pelas suas receitas — mas poeticamente as duas estão ou devem estar certas.

AMIGOS DO BRASIL

Amigos do Brasil? Pois há disso?... Há. Houve e há estrangeiros que se apaixonam pelas nossas coisas, vêm estudá-las e de volta às suas terras dão-se ao sentimentalismo de quererem bem ao país onde o verão e o estado de sítio se mostram eternos.

O saudoso e recém falecido J. C. Branner, reitor da Universidade de Stanford, estudou na mocidade a nossa geologia e de regresso, até o fim da vida, conservou-se amigo do Brasil. Quando publiquei meu primeiro livro recebi dele uma carta que conservo como prêmio. Discutia a "geringonça", ou gíria, como dizemos hoje; e falava com a segurança do homem de ciência para o qual tudo quanto representa criação tem valor.

Na Alemanha tivemos sempre inúmeros amigos, a partir do grande Martius. Hoje também os temos, e um deles é o Dr. Frederico Sommer, que se empenha em verter e lá publicar os livros mais característicos da nossa literatura.

Até na França, tão de si própria, temos amigos. Mr. Le Gentil dedica-se a estudos brasileiros; e em companhia de M. Gahisto, Martinenche e outros, mantém na *Revue de L'Amerique Latine* uma seção dedicada amorosamente ao Brasil. Não contentes, criaram na Sorbonne um centro de estudos brasileiros e cuidam agora de constituir uma biblioteca de livros brasileiros. Tudo isto sem subvenções, à custa de enormes esforços e ao arrepio da nossa muçulmana indiferença.

Outro, de nome menos conhecido entre nós, é Mr. Jean Turiau. Já residiu no Brasil, conhece as nossas coisas e as rememora com saudades. O Brasil é algo delicioso visto assim de longe. Um meu amigo, grande patriota, dizia sempre:

— "Meu ideal é a diplomacia. Viver do Brasil, mas longe dele, de modo a sentir sempre doces saudades da pátria, que delícia!"

Mas Turiau quer bem a isto aqui — e gostos não se discutem. Trabalha em traduções e vai tornando conhecida em França a nossa esfarrapada literatura. Na última carta que me escreveu lamenta-se da sua situação de funcionário público, como toda gente em França, situação que lhe não permite adquirir obras sobre o Brasil. E chora por uma *Rondônia*, por uma *História do Brasil* de Rocha Pombo, *trop chère*...

A interpenetração literária é o que há de mais profícuo na aproximação dos povos. Só ela suprime as muralhas que a estupidez dos governos ergue. Só ela demonstra que somos todos irmãos no mundo, com as mesmas vísceras, os mesmos defeitos, os mesmos ideais. Se a França tornou-se amada entre nós a ponto de bombardear Damasco e esmagar Abd-el-Krim sem que isso nos arrepie as fibras da indignação, deve-o aos senhores Perrault, La Fontaine, Hugo, Maupassant, Taine, Anatole e quantos mais nos trouxeram para aqui esta sensação da irmandade do homem. Se a Alemanha não se gozou de idênticas simpatias é que víamos os atos de violência dos seus homens de governo e não havia dentro de nós, para atenuar-lhes a repercussão, o coxim de veludo da literatura alemã, bem absorvida como temos a francesa.

Grande serviço, pois, prestam aos povos esses homens beneméritos que trabalham na difusão da literatura alheia em seus próprios países. Estão a preparar os preciosos coxins de veludo, amortecedores dos choques. Criam a compreensão e a tolerância. Demonstram, com a exibição de documentos humanos, que somos iguais, todos filhos do mesmo macaco que rachou a cabeça ao cair do pau.

Mas o nosso descaso é imenso. Nenhuma livraria do Rio, por exemplo, tem à venda essa revista da América Latina. Por quê? Não há procura. Estupidificados pelo estado de sítio crônico, parece que um desalento nos ganhou a todos, um desânimo de tudo, uma indiferença de chim.

Se alguma coisa valesse alguma coisa nesta terra: eis a frase com que um jornalista traduz tal estado d'alma. Frase horrível, reflexo do desespero, do desânimo e, no entanto, lógica, sempre que um povo perde a sua liberdade e tomba no boçalismo da escravidão.

Mas tudo passa. Depois da noite vem o dia. Depois das Idades Médias vêm os 89. Tolice desesperar. Esperemos, e enquanto esperamos não contaminemos com o nosso desalento de escravos os abnegados pioneiros das nossas letras em França. É noite? Não importa. Também de noite se trabalha — e não há trabalho mais abençoado que o que se faz dentro da noite para apressar a vinda do dia claro. E é trabalhar para um dia melhor meter mãos à obra da difusão literária.

Os morcegos passam e os livros ficam.

O inimigo

Muito se há dito contra a nossa República, mas para sermos justiceiros é mister não lhe neguemos os benefícios que trouxe. E trouxe-os, incontestavelmente. Há o estado de sítio permanente, há a delapidação permanente, há o permanente desastre da Central, há o déficit permanente, há a seleção às avessas permanente. São erros, e só os erros dão na vista. Os acertos, esses permanecem ignorados. Gozamo-nos dos seus benefícios, esquecidos de exaltá-los e lançá-los num dos pratos da balança onde se pesam os crimes da República.

Entre esses acertos profundamente benéficos está o modo de proceder republicano em relação ao livro.

Como todo mundo sabe, o livro é o causador de todas as desgraças que derrancam o homem moderno. Antes que Gutenberg inventasse o meio de pôr o livro ao alcance de toda gente, a vida do homem no mundo era edênica.

Um rei em cima, uma corte em redor, plebe infinita em baixo e o carrasco de permeio. O rei queria, a corte dizia amém, a plebe executava. O carrasco mantinha a ordem da maneira mais eficiente — cortando a cabeça aos díscolos, enforcando-os ou assando-os na fogueira.

Mas veio Gutenberg e toda esta linda organização desabou. Os homens deram de instruir-se, descreram do direito divino dos reis e dos sagrados privilégios da corte. O papa deixou de ser o dono das consciências e viu sua fogueira depuradora reduzida a tições extintos. O rei teve que submeter-se a delegações chamadas parlamentos e virou rei de baralho. A plebe folgou. Abriu os olhos e convenceu-se de que também era gente.

Isto foi bom para a plebe, porém péssimo para o papa, para o rei e para os valetes. Tivessem eles adivinhado as consequências da humilde invenção de Gutenberg, e assá-lo-iam numa boa fogueira, com todos os seus tipos de pau, antes que a peste da cultura, que vai com os livros, se propagasse pelo mundo. Não se mostraram avisados, não acudiram a tempo — e a consequência foi o que estamos vendo. O livro multiplicou-se e envenenou a humanidade com "a doença que abre os olhos".

Aqui no Brasil começou essa doença a disseminar-se, como nefasta gripe, em virtude de termos por cinquenta anos um chefe de estado que sabia ler e era amigo dos livros. Esse mau homem favoreceu a propaganda da peste e acabou por ela vitimado: a República veio como consequência da difusão do livro entre nós.

A República, porém, logo que se pilhou instalada, reconheceu o perigo do livro e tratou de sufocá-lo. Como? Onerando de impostos proibitivos a matéria prima do livro, o papel. Quis assim precaver-se, e mui sabiamente, contra a peste que matara a monarquia e podia também pô-la de catrâmbias. E o vai conseguindo. Há quase quarenta anos que a República subsiste talvez graças à sabia taxação com que mantém asfixiado o perigoso germe. Eis, pois, uma das benemerências da República, que vale por contrapeso dos muitos males que nos trouxe.

Essa abençoada guerra ao livro, inteligentemente surda para que não dê na vista do espírito liberal (que é a desgraça dos povos), intensifica-se de ano para ano, com muito bons resultados. Criam-se progressivos aumentos de impostos contra a odiosa matéria prima, além de embaraços alfandegários que acabarão desanimando os seus importadores. E neste andar chegaremos ao objetivo visado: tornar o livro só acessível aos ricos, gente comodista que não faz revoluções porque para eles tudo corre pelo melhor, no melhor dos mundos possíveis. No dia em que o livro for de vez arredado das mãos da plebe, a vitória republicana estará perfeita. Fica outra vez o rei em cima (tenha o nome que tiver), os valetes e damas em torno e a plebe em baixo, cavando a terra de sol a sol, sem caraminholas na cabeça, sem pensar em seus irrisórios direitos, reivindicações e outras bobagens.

No momento atual o papel para livro paga de direitos o "dobro do custo". Já é alguma coisa, pois que já afasta o livro de três quartos da população. A experiência, porém, demonstra que se um quarto do país ainda pode ler, continua o perigo. Cumpre ao Estado elevar o imposto ao triplo, e mesmo ao quíntuplo, se a triplicagem for insuficiente. Com um pouco mais de boa vontade lá chegaremos, para felicidade nossa.

Outra medida profilática muito sábia que o governo republicano tomou contra o livro, foi a instituição dum protecionismo às avessas, de modo que a "indústria editora nacional, não possa concorrer com a portuguesa". Livro é papel impresso. Se o papel vem de fora em branco para ser impresso aqui, paga, como dissemos, o "dobro do custo"; mas se já vem feito da Metrópole, goza de "absoluta isenção de direitos". Este protecionismo, instituído por D. Maria I quando mandou destruir os prelos do Brasil colônia, foi restaurado pelo governo republicano sob o hábil disfarce de favorecer o intercâmbio com a Metrópole, intercâmbio, está claro, que não existe, nem pode existir.

Foi um golpe de mestre. A concorrência tornou-se impossível, porque não há concorrência possível quando o protecionismo intervêm a favor de uma das partes.

Mas, dirão, tudo é livro, venha da Metrópole ou seja feito aqui na colônia. Logo, a República não é de todo infensa ao livro.

Sim, mas os livros que nos vêm da Metrópole são livros estrangeiros, que não estudam as nossas coisas, que não gritam, que não petrolizam, que não esperneiam. Inócuos, portanto. Da rósea literatura cosmética de Júlio Dantas virá uma dose maior de gravata ao caixeirinho da esquina — ideia, nenhuma; já de um livro indígena de Oliveira Viana ou José Oiticica podem vir ideias — e isso é o diabo.

Alta sabedoria, portanto, demonstra a eterna colônia em manter a avisada lei de D. Maria I. Dos males o menor. Cosmético perfumado, sim. Ideias, nunca. É de cedo que se torcem os pepinos. Se a França tivesse queimado vivos os Elzevires e outros difundidores da peste gráfica, não andariam hoje as estantes cheias desse nefasto Anatole France, que sorri de Jeová, dos reis e dos valetes. País novo que somos, é mister que tudo se faça para que jamais prolifere aqui a estirpe maldita dos que duvidam. E o meio é esse: taxar ainda mais o livro, favorecer ainda mais o protecionismo à indústria editora da Metrópole contra a sua rival na colônia.

Diz Antonio Torres que em Minas o povo ainda não está convencido de que D. Maria I morreu. Supõe-na ainda no trono, velhinha, mas tesa.

Minas pensa muito bem, e a nossa felicidade está em sermos por ela governados.

— Amém.

A ROSA ARTIFICIAL

Primo de Rivera, num discurso pronunciado em Alcalar, acaba de dizer grandes coisas.

"Não consulto a vontade popular, — disse ele, — porque tenho a convicção de a estar servindo e interpretando a contento. Com tais consultas se perderia tempo e a perturbação sobrevinda com as eleições seria inútil. E que iríamos fazer com os eleitos? Para que queremos eleitos? Temos órgãos de consulta para todos os problemas do estado. Por conseguinte é inútil ressuscitar *esse artifício chamado Parlamento, que os povos, que ainda o possuem, não sabem o que fazer para abandonar*."

É a primeira vez que sai dum chefe de estado — Rivera não é outra coisa — a verdade nua, a verdade de amanhã.

O artifício chamado parlamento de fato não passa de um artifício, isto é, coisa inatural, não decorrente dum modo lógico da árvore da nação. Salvo na Inglaterra.

Só lá ele é natural, porque só lá o parlamento se originou por força de uma contingência orgânica inelutável e intraduzível por outra forma.

Abro a interessantíssima *Little Arthur's History of England*, de lady Callcott, ingênuo livrinho onde as crianças inglesas aprendem a trágica história do seu país, e leio o trecho relativo às origens do parlamento.

"Às vezes os reis queriam mudar as velhas leis ou fazê-las novas. O povo, porém, se opunha, dizendo que não era direito que se fizessem leis para ele povo sem que ele povo fosse ouvido e dissesse se lhe convinha ou não. Assim, sempre que o rei queria fazer uma lei nova, ou reformar uma velha, reunia os *aldermen* (os homens mais velhos), os bispos e os *thanes* (primeiro grau de nobreza por merecimento) para saber deles o que convinha fazer e conformava-se com o parecer desses homens. Depois também chamava o povo para opinar sobre as leis propostas.

E, se o povo concordava, fazia-se a lei e o povo a respeitava e os juízes puniam os desobedientes.

Mas como isso trazia muito incômodo a muitas pessoas, o povo achou melhor escolher entre os seus homens mais avisados três ou quatro dos melhores e mandá-los ao rei para que decidissem pelo povo, que deste modo não se veria perturbado constantemente no seu trabalho dos campos. E então o rei e os nobres e os bispos e os homens do povo passaram a reunir-se, a fim de discutir as leis, num lugar chamado Witena-gemot, palavras do velho inglês que querem dizer "reunião de homens avisados". Era alguma coisa parecida com o que chamamos hoje parlamento, que também significa "lugar de falar", porque nele todos parlam a respeito dos melhores meios de fazer as leis, antes de fazê-las. Por este processo os anglos e os saxões eram governados por leis que eles mesmos consentiam e ajudavam a fazer."

Nesta lição em língua ingênua está patenteada, melhor do que em qualquer tratado político, a origem natural e a formação orgânica do parlamento na Inglaterra. Nasceu por força da utilidade comum, como nasce a rosa da roseira — a seu tempo, da cor, forma e perfume logicamente predeterminados pela constituição orgânica e funcional da planta.

Mas há macacos no mundo. Há macacos-povos. Há povos macacais.

Os Bandar-Logs de Kipling não constituem ficção de novelista.

Os povos macacos, vendo o bom resultado do sistema inglês, adotaram-no bananescamente, esquecidos de que imitar o inglês seria, não tomar a rosa da roseira inglesa, mas deixar, como ele, que a planta nacional abrochasse a tempo na sua flor, qualquer que fosse. O resultado desse erro a história o vem registrando.

A rosa artificial que ocupa nos povos macacos o hastil da flor que o macaquismo impediu de abrochar, é rosa artificial, rosa de papel. Não tem vida, nem cor, nem perfume — não harmoniza com a planta, não responde à sua organologia.

É o *artifício* de que fala Primo de Rivera.

Assim entre nós. Que relação o nosso parlamento — casa mais de xingar e "engrossar" do que de discutir — tem com o Brasil, suas gentes e coisas? Nenhuma, absolutamente nenhuma! É um corpo estranho, uma flor de papel nem sequer de seda, um artifício; e como tal nocivíssimo aos interesses da coletividade. Cuida de si, faz negociatas, vende-se a industriais, explora o imposto, agrava de ano para ano o parasitismo que entreva e entrava o país, e atamanca as mais extravagantes, ineptas e absurdas leis que ainda se viram no mundo. Não é um corpo técnico. Ninguém cai ali porque tem mérito, e sim porque sabe entrar por baixo do pano, como os moleques em circo de cavalinhos — pelo suborno, pelo parentesco, pela subserviência aos chefes ou pela eleição, isto é, pelo índice de papeluchos que uma gente ignara chamada eleitores leva a um recipiente chamado urna num dia chamado dia de eleição.

Não são os *aldermen* dos ingleses, velhos experientes; não são os *thanes*, homens que pelo mérito se destacavam no conceito público; não são os *cleverest of our neighbours*, como os delegados da plebe inglesa. São negocistas ou títeres — e se não causam maior mal à nação é que têm o bom senso de, em quase tudo, se escravizarem servilmente a um líder, portador da voz do Chefe do Estado.

Em Espanha a mesma coisa. Lá, como cá, foi o parlamento tomado da Inglaterra, por cópia conforme.

É artifício, é rosa de papel fincada num pé de cacto.

Primo de Rivera disse a grande verdade — para a Espanha. Quem dirá entre nós a nossa grande verdade? Quando o instinto de conservação despertará no Brasil e o fará varrer com o artifício, com a rosa de papel de embrulho, para que surja a flor natural?[5]

O PERIGO DE VOAR

A insistência com que foram aclamados no Pará os aviadores argentinos acabou por apavorar aqueles pobres homens. O entusiasmo da população de Vigia e outros lugarejos transitados a pé pelos heróis aéreos tornou-se asfixiante — sobretudo vindo de mistura com o calor, que é lá um caso sério, e as nuvens de carapanãs, caso seríssimo. Isto mais uma vez prova que o Brasil é bom para voar por cima, mas derrancador para ícaros que põem pé em terra.

O Brasil admira a gritos, a discursos inflamados e a abraços de quebrar ossos o homem que voa. Está no sangue. Quando Dumont, depois da sua vitória em Paris, veio cá a passeio, tanto o maltrataram a marretaços de retórica, discursos e vivas, que ele regressou a Paris correndo, e a fazer cruzes. E mais tarde, se amigos lhe perguntavam porque não vinha ao Brasil matar saudades, respondia:

— "Vontade não falta de ir respirar os ares pátrios. Mas apavoram-me as manifestações!"

Sacadura e Gago, idem. Foram massacrados pelo entusiasmo popular, vindo um deles a falecer em consequência do traumatismo. Tanto o vivaram e abraçaram, que o homem se desarranjou de nervos, perdeu o controle das faculdades — e na primeira ocasião em que voou foi a pique.

O Brasil ignora — e é natural, visto como não lê coisa nenhuma — que a aviação já se tornou comezinha na América do Norte e nos grandes países europeus, a ponto de industrializar-se como meio de transporte regular. Linhas normais de aviões e aeronaves funcionam ligando entre si capitais e cidades com a mesma regularidade das estradas de ferro. De Berlim e New York, por exemplo, todas as manhãs a tantas horas partem avejões ou charutões sem que o público dê ao fato importância maior que à partida dos trens diários. E à tarde chegam outros, no horário, como a coisa mais natural do mundo. Voar nesses países tornou-se, depois da guerra, uma forma de viajar perfeitamente equiparável ao deslizar dos trens ou ao correr do automóvel.

Mas nós aqui ignoramos isso, e quando um jornal qualquer traz informação a respeito, dizendo que a empresa tal fez no último ano tantas mil viagens, com um infinitesimal zero vírgula de acidente, rimo-nos da *piada*.

---

5 NOTA. O tom deste artigo mostra como estava agudo o cepticismo em relação ao Congresso nos últimos anos da República Velha. O Congresso não impunha o menor respeito e a grita geral se tornara "varrer com aquilo"...

— "Estes *yankees*, que blefistas!"

Não acreditamos, positivamente; e se um Sacadura, um Ramón, um Duggan passa por aqui, desconjuntamo-nos na epilepsia dos aplausos, convencidos de que o homem é no mínimo encantado.

Vem daí a impossibilidade de estabelecer-se uma linha regular aérea no Brasil, entre Rio e S. Paulo, por exemplo. O entusiasmo popular impediria o funcionamento dela. Ponhamos o caso na Central. Imaginemos que a cada trem que parte de S. Paulo o povo se aglomerasse na estação para vivar o maquinista e o foguista, e aclamá-los como os Reis do Trilho, os Napoleões do Apito, etc., e abraçá-los e coroá-los de flores. E que ao chegar ao Rio o trem outra cataduppa de delírio fosse de encontro a esses homens cansados e só desejosos de um bom banho e melhor cama. Seria possível que a Central continuasse a funcionar? Claro que não. Pois esse nosso entusiasmo pela aviação, que não arrefece nunca, impede-nos de ver adotado aqui um meio de transporte já normal no velho mundo e na parte civilizada do novo...

Precisamos educar a nossa gente nesse sentido. Começar nas escolas a ensinar aos meninos que isto de voar não é novidade; que a guerra deu um tal empurrão no invento de Dumont que hoje já se contam por dezenas de milhares as máquinas de voar em uso lá do outro lado do mundo onde há dinheiro e civilização; e que a boa política quando um aviador passa sobre nossas cabeças, ou aterra, é segurarmos o abraço incômodo e engolirmos os vivas que incoercivelmente nos sobem das tripas à boca, pois isso é condição para que também aqui se aclime... a única invenção brasileira.

Porque a continuar como vai o certo é os aviadores de raides esportivos riscarem o nosso país das suas rotas, ou espetar no Brasil dos mapas-múndis um alfinete com papeleta:

— Zona perigosa, assolada por ciclones de entusiasmo e trombas de retórica. Passar de largo, ou a cinco mil metros de altitude.

Quer Antonio Torres que Minas não está convencida de que D. Maria I já morreu. Diz que todos lá a *têm* como ainda reinante na corte de Lisboa, sendo os Srs. Artur Bernardes, Melo Viana e outros, simples criaturas de sua real nomeação.

Mas será só Minas que pensa assim? O Pará, o Piauí, a Bahia, o país todo não pensará do mesmo modo?

Tudo leva a crer que sim. Só S. Paulo sabe que a boa velha já não existe — e o sabe porque os imigrantes que lhe chegam da Europa falam de Mussolini, Rivera, etc., e juram que em matéria de rainhas Marias só há hoje a da Romênia, que é linda.

Se houvesse, um meio de convencer o país de que esses imigrantes estão bem informados e sabem o que dizem...

Forças novas

Vem de S. Paulo um livro que vale pela mais pura revelação artística destes últimos tempos. *O Estrangeiro*, de Plínio Salgado. É menos que um romance. Dá a impressão dum grande plano cíclico, ao molde da *Comédia Humana* de Balzac; qualquer coisa como notas estenografadas com mão febril para ulterior desenvolvimento. E talvez por isso seja tão forte, e tão nova a impressão que causa. A mesma que causaria a *Comédia Humana* se do estado de diluição analítica passasse ao de concentração sintética em um só volume.

Plínio Salgado consegue o milagre de abarcar todo o fenômeno paulista, o mais complexo do Brasil, talvez um dos mais curiosos do mundo, metendo-o num quadro panorâmico de pintor impressionista.

Que formidável *steeple-chase* é São Paulo! Confluem para ele não só as incoercíveis energias do homem que arregaça as mangas na Itália, na Síria, na Alemanha, na Rússia, no inferno e vem para a América vencer, como os elementos mais eugênicos de todos os estados do Brasil. E refere a *curée* da terra roxa em torno do Café, ouro-fênix de eterno rebrotar. O atropelado *rush* ao Klondike repete-se. Faca nos dentes, músculos retesados e um grito só: Dinheiro!

Essa onda ádvena, arreitada de ambição, choca-se com os primeiros ocupantes, os desbravadores já vitoriosos, e deflagra o drama de luta que Plínio Salgado traceja a espatuladas fulgurantes, com nababesco desperdício de tintas raras. E, como sempre, vence o mais forte.

Nos Mondolfis descreve Plínio o ciclo ascendente dos colonos de boa cabeça, rijos no trabalho. Com rapidez passam da Hospedaria dos Imigrantes à riqueza e à direção política. Formam o amanhã de S. Paulo.

Ao lado deles, ciclo descendente, os Pantojos, família velha mas já dessorada das boas energias vitais, morrem na curva da parábola. Pantojo vende aos Mondolfis suas terras e vai para São Paulo esbanjar em farras o dinheiro. Morre na penúria, com os filhos já a se diluírem na massa anônima dos vencidos.

Zé Candinho, caboclo rijo de cerne, simboliza a velha guarda que se retira para o sertão, mas não se rende. Vai continuar a obra de seus maiores, neo-bandeirante que é, violador nato de terras virgens.

O professor Juvêncio resiste crispado no seu nacionalismo de raciocínio, mas vai sendo posto de banda naquele violento parigato, como voz de eco impossível na algazarra da refrega.

O major Feliciano representa a política vitoriosa, safadíssima, toda em resumo no "vencer para gozar".

Eugênio Fortes, o poeta, figura o intelectualismo doentio, sem forças para a violência da ação. Contempla e comenta, mas de palanque.

Ivan, um russo, constitui a figura central do livro. "Síntese de todos os personagens (diz o autor no prefácio onde esquematiza a obra), consciência de todos os males. Ação norteada por um realismo *a priori*, anulado por cepticismos cruéis em face do utilitarismo ambiente e do preconceito esmagador. Pletora de personalidades contrastantes e incapazes."

Mas de nada valeria o belo esquema prefacial se o autor não introvertesse na realização da obra uma revolta onda de talento, e a não fizesse exatamente como fez, numa desordem procurada e sem preocupação da forma. De tontura em tontura segue o leitor pelo livro a dentro, empolgado pela força do estilo, que é única e sem rival entre nós. Quadros há pintados como os pintaria Júpiter — a coriscos. A outros esboça o autor com tintas novas, inéditas na palheta acadêmica, audaciosíssimas.

Um chá dançante: "Na nuvem dourada do *jazz* corpos brancos e macios enroscavam-se na empernada delícia das mornas chamadas jeitosas e discretas. Os róseos lábios entreabertos e os olhos de ternura molhada adivinhavam premidas puberdades. Mas os chás dançantes, em geral, eram em benefício de Santa Terezinha de Jesus"...

Mais uma transcrição que dê medida do seu impressionismo. Juvêncio, o exasperado nacionalista, vai com seus alunos em excursão ao salto do Avanhandava e leva consigo os três papagaios que dera de presente a Carmine Mondolfi e tomara de novo. Que tomara porque tinham as aves aprendido o hino fascista e outras italianidades. Queria, dentro da natureza selvagem, restaurar a brasilidade dos papagaios.

— "Vou curá-los no sertão.

Mas foi inútil...

Uns caboclos de Santa Barbara acercaram-se, curiosos.

Os fords pinoteavam como cabritos na estrada pedrenta que furava a mata-virgem.

O Tietê tombou, de chofre, com ribombo e estilhas. Catadupa de ouro líquido. Piscina larga de muros a pique. E os papagaios de Carmine gritavam, roucos:

— *Giovinezza, giovinezza, primavera di bellezza*!

Uma grande arara gargalhou gostosa no alto de um ipê. Juvêncio, de pé sobre a rocha, exclamou:

— Quem ri desta cachoeira? — E voltando-se para os discípulos e caipiras amontoados:

— Vamos! É algum de vocês capaz de rir-se desta cachoeira?

E explicou:

— Esta queda d'água poderia fornecer força a muitas cidades, mover usinas, iluminar. Assim é o homem da nossa terra. No litoral desmancha-se em arroio, mas aqui é bruto e forte.

Agarrou então os papagaios — *giovinezza! giovinezza!* — e um por um os foi estrangulando e lançando à onda brava da catadupa. Indignos todos os seres que falam como papagaios, sem pôr nas palavras a força e o calor da Terra! Indignos os homens que falam com os lábios e acabam transformando-se na insensibilidade dos fonógrafos!"

Todo o livro de Plínio Salgado é uma inaudita riqueza de novidades bárbaras, sem metro, sem verniz, sem lixa acadêmica — só força, a força pura, ainda não enfiada em fios de cobre, das grandes cataratas brutas.

Não cabe nesta página o muito que há a dizer de livro tão forte e novo.

Nela fique, pois, apenas, um brado de entusiasmo pelo *algo nuevo* que vem de revelar-se ao país. Já tardava que São Paulo, terra de prodígios, desse da sua uberdade mental tão saboroso fruto. Plínio Salgado é uma força nova com a qual o país tem que contar.

"Em pleno sonho"

Outrora, no Brasil de anquinhas, ser poetisa era suspirar. Viera a moda do reino. "Desde 1848 a 1866," — diz Camilo, — "contavam-se por dúzias as cantoras que em Portugal poisavam gorjeando nos periódicos do tempo, com grande riqueza de charadas e muitíssimos Suspiros dignos dos círculos mais lacrimosos do Dante." Assim, mulheres lá, cá homens e mulheres — todos suspiravam de cortar o coração, quando a musa lhes tumescia o estro.

Hoje, tudo mudou. Se há suspiros é em casa das doceiras: clara d'ovo batida com açúcar e assada no forno aos pingões.

Suspiro poético, arrancado ao imo d'alma à força de contrações do diafragma e sibilo de nariz, isso morreu, saiu da moda, acabou. E é pena. Se não tinha graça num marmanjão de cabeleira que morria hético aos vinte anos, tinha-a demais nas representações do sexo hoje ex-frágil, cujos corações não eram consultados nem para o negócio supremo das suas vidinhas: casar.

A poetisa de hoje emparelhou-se com o poeta moderno. E assim como este perdeu a cabeleira, a caspa, as atitudes fatais, e veste-se, come, bebe e lava-se como todo mundo, assim também a poetisa desfatalizou-se e não há mais discerni-las à janela pelo negror das olheiras, nem à noite pelo modo canino de ferrar o olho na lua.

Compuseram-se. Alçapremaram-se a nível superior. Emparelharam-se às demais criaturas finas de elegância mental, distinção e sobriedade de maneiras.

Quem lê uma Francisca Júlia tem a impressão duma eleita da linha, no caráter e na mentalidade.

Gilka Machado dá a sensação nobre de criatura afeita a partir cristais com martelo de ouro.

Albertina Berta documenta a capacidade feminina para voos elegantes sobre cumeadas alpestres onde esvoaçam os d'Annunzios.

E agora Maria Eugênia Celso revela em livro a maneira galharda com que neta e filha podem empunhar um ceptro de nobreza moral legado pelo avô, e uma pena refulgente que ainda maneja o pai.

Nem resquício da poetisa à antiga, aves cômicas que "poisavam gorjeando nos periódicos do tempo". Mas a criatura de fina sensibilidade e larga cultura, de nobilíssimo caráter e suave equilíbrio, à qual apraz traduzir em versos os seus mais sutis estados d'alma.

Surge em campo com um livro — *Em pleno sonho* — carruagem da rainha Mab que permite ao leitor um passeio inesquecível através duma alma. Passear pelas alamedas duma alma!

Pervagar virginalmente pelo jardim das suas impressões, descortinando paisagens psicológicas, florestas palpitantes de anseios e riquíssima de tons emotivos!...

Prazer de encanto redobrado quando nos conduz mão de mulher. Abençoados os livros assim — cartões de ingresso permanente à nobre intimidade das almas encantadoras.

Sentir tais livros, sentem-nos todos: é questão apenas de pertencer ao gênero *Homo*. Já criticar, só os críticos. Fale pois o crítico. Venha um, com sua maleta de cirurgião, seus instrumentos de dissecar, seu olho de lince. Tome o livro; submeta-o à autópsia; desarticule-o; pese; meça; corte; prove; cheire, apalpe e fale. O operador é moço. Tem nariz adunco e olhos cansados da muita leitura. Incuba em si um déspota de amanhã. As nossas letras hão de curvar-se à sua férula como se curvaram as francesas ao bolo de La Harpe. Vai abrir a boca. Tosse, pigarreia e diz assim:

— "É a crítica a manifestação de arte que mais reformas tem sofrido em seus processos. Os estalões estéticos"...

— Não poderá o amigo saltar por cima desse nariz de cera e ferrar logo o assunto?

— "Paciência. Somente Rodin atrevia-se a esculpir corpos sem cabeça. Comecemos do princípio. Os estalões estéticos, aferidores da obra d'arte, por mais firmes que pareçam em certas épocas sofrem constantes reformas. Guerrilhados sem dó nem folga pelos iconoclastas, caem os padrões, como caem os ídolos. E poucos vingam transpor o tempo que medeia entre uma geração de ideias e outra. Há, entretanto, ideias que sobrenadam e resistem às mais rudes provas. Dou um exemplo com a ideia de que em toda obra d'arte a parte do sentimento é sempre maior que a parte puramente pensada. Disfarcem-no como quiserem, humilhem-no à lamúria, dilatem-no à revolta, subjuguem-no à lógica: ele subsiste e predomina."

— Até aí...

— "Espere. Em face dessa verificação, força é convir que as mulheres são mais artistas que os homens, devendo, portanto, ser femininos os tipos mais superiormente representativos da arte. A conclusão é lógica."

— Mas não tem sido verdadeira.

— "Perfeitamente. A causa dessa anormalidade, desse contrassenso, residirá talvez no próprio excesso de sensibilidade muliebre, que redundaria assim numa sensível quebra de equilíbrio estético e numa consequente, não direi incapacidade, mas inadaptabilidade do poder de expressão artística."

— Perfeitamente. Puxe agora o "mas"...

— "Mas há casos em contrário. Neste livro, por exemplo, noto o milagre de conjugar-se o poeta com a mulher, isto é, noto um caso onde coexistem extrema sensibilidade feminina e forte poder de expressão artística.

Toda poesia não passa duma confissão do que vai de anseios, torturas, desejos, frêmitos e volições na alma do poeta. E esta nova poetisa sabe ajoelhar-se ao confessionário da Poética e ir desfiando aos nossos olhos o rosário inteiro das vibrações emotivas de sua vida de moça: — seus sonhos. Já nos versos liminares declara que não fará senão confessar-se. E pelo livro a dentro confessa-se. Sua alma é cândida e ardente. Daí o tom pessoal e subjetivo de sua arte, a ternura repassada de nostálgicas tristezas que não chegam até ao pessimismo. Isso enubla o livro na deliciosa névoa de melancolia e suavidade que lhe dá ambiente.

Sincera, seus versos brotam límpidos, duma fonte sempre feminina, sempre despida da preocupação de mascarar o próprio temperamento à força de preciosismos, atitudes de escola ou arrebiques falsos, tão do agrado do sexo.

Divide-se o livro em duas partes: *Devaneios* e *Aquarelas e Sonho Interior*. Se para intitular a primeira houvesse escolhido o título de Th. Gautier, não teria errado. São essas composições pequenos esmaltes de muito brilho e lindos camafeus de acabado lavor. As mesmas qualidades de fatura caracterizam-nos a todos. Finura de lavor, desembaraço, vivacidade, elegância nos recortes, riqueza de filigranas e em muitos deles grande pureza de traços.

É uma estreante. Por isso nos surpreende umas tantas medalhas de ouro vivo, cunhadas dum golpe — desses golpes de que só têm o segredo os velhos ourives de mão treinada.

Cito *O Cipreste, Crepúsculo, O Ruço, Os bambus, Canção do rio na serra*. E cito *Musmé*, que se me revela aparentada na família dos camafeus de Heredia."

— Parentesco próximo ou...

— "Parentesco em primeiro grau. Nas baladas quero ver quase um gênero seu dileto, um tanto influenciadas algumas por mestre Rostand. Todas revelam riqueza de expressão, de cor e ritmo.

Sonho Interior é, como em toda obra lírica, confissão de amor. Gênero escorregadio, hoje. Tropeçam nele até mestres, tais exigências lhe impõe o saturado paladar moderno. Se o poeta não possui um finíssimo senso do equilíbrio, ai dele! Ou cai na pieguice ou rola pela rampa do ridículo. E por esse motivo o lirismo constitui hoje a prova suprema, a que o poeta de hoje só vence à custa de tacto e senso da medida. Ainda este passo vence-o Maria Eugênia Celso com grande desempenho. Revela-se artista segura ao serviço de valente psicóloga. Destaco a poesia *Antes do Amor*. Devaneio de todas as moças na época em que deliram sob a pressão torturante do amor, estado d'alma por que todas passam, ela o interpreta com habilidade

> 'E penso em ti, desconhecido amante,
> 'abro-te os braços sem saber por que'...

Esta composição é um poema de sinceridade e verdade psicológica, e está burilado com suma elegância. Aliás é a elegância uma das melhores características deste livro encantador."

— Donde concluis...

— ..."que temos no campo das letras uma poetisa nova de singular valor pessoal — bastante para imprimir a seus versos um cunho inconfundível e universal, e suficiente para fixar o sonho vago dum milhão de criaturas."

Parou aí o crítico afim de tomar fôlego e concertar o pigarro. Que prazer demonstram eles depois que anatomizam um livro, jogando com o tal arsenal de chavões revelhos que aplicam em todos os casos concretos! Alguém, entretanto, torceu o nariz ao La Harpe.

— Terás razão. Espetaste na tala de cortiça, com o teu alfinete de entomólogo, uma linda borboleta azul. Mas, perdoa-me. Eu cá me fico a pensar que não homenageia em nada a um poeta a autópsia de sua arte, como nada de bem faz à borboleta o alfinete espetado e o latim classificatório em baixo. O que vale, a um e a outra, é ouvir ao passante que o lê ou a vê exclamações simples como esta:

— Ainda há belas coisas na vida!

E esta homenagem rendem ao livro de Maria Eugenia todos quantos abrem uma pausa no torvelinho da vida, para nele repousar o espírito durante uma boa hora.

A INFLUÊNCIA AMERICANA

Havia em Roma um buldogue de mau focinho, agressivo e avarento, mais venenoso e azedo que o próprio sal de azedas: Marco Pórcio Catão.

Esta famosa bisca só sabia rosnar, rezingar e morder. Nenhum sentimento generoso encontrava guarida em su'alma de ácido sulfúrico. Seus conselhos reviam acidez. "Não emprestar dinheiro, ou coisa que o valha, a ninguém. Aos escravos inutilizados por doença ou velhice, vender a peso, como cacos velhos."

Foi a Cartago, viu rica e florescente a metrópole africana e logo todo se remordeu por dentro, como a cobra do ódio e da inveja. E veio com o abcesso que o empolgou pelo resto da vida: "É preciso destruir Cartago". Nunca mais fez um discurso sem fechá-lo com o estribilho sinistro: *Delenda quoque Cartago*.

Nomeado censor, teve o mel caído na sopa — e o buldogue pôde enfim rosnar, morder gozosamente. E passou a estragar, a azedar, a vida dos seus contemporâneos, sob pretexto de refrear a corrupção e forçá-los à volta aos bons costumes antigos.

A simplicidade de costumes desse homem, entretanto, explicava-se pela sordidez de sua avareza, que ia a ponto de auferir lucro até da coabitação dos seus escravos com as respectivas esposas. Não podiam unir-se sem pagar uma taxa de licença....

Catão deixou semente, a qual vem pelo tempo afora expluindo-se em catões minúsculos, todos ao molde da matriz romana — igualmente azedos, mordentes e de coração substituído pelo fígado ingurgitado de mau fel.

Mas Catão e sua descendência caracterizam-se por uma coisa muito simples: incompreensão. Como não compreendem, condenam. Quem compreende sorri, como Anatole France.

O grande erro dessa casta de homens é confundir corrupção com evolução. Condenam as formas novas de vida, que se vão determinando em consequência do natural progresso humano, em nome das formas revelhas. Logicamente, para eles, o homem é a corrupção do macaco; o automóvel é a corrupção do carro de boi; o telefone é a corrupção do moço de recados.

Conheço um que não cessa de catonizar contra os Estados Unidos e sua nefasta influência na vida brasileira. Isto aqui seria o paraíso terreal se não fora o *yankee* com a sua penetração irresistível, diz ele. O país vai mal, a máquina administrativa não funciona, o povo não enriquece, não aprende a ler, não tem justiça, etc.; tudo graças à influência americana. Rolamos por um despenhadeiro porque o americano nos empurra.

No dia em que mo apresentaram estava ele num bar a sorver regaladamente um *ice cream soda*, muito bem posto em seu terno de *Palm Beach*. Viera da Tijuca de bonde, estivera no escritório a ditar cartas à datilógrafa, tinha falado três vezes ao telefone e dado um pulo ao Leblon, numa Buick de praça, para concluir um negócio. Depois do *ice* iria ao Capitólio ver a Gloria Swanson na *Folia*.

O *ice* refrescou-lhe as tripas; o terno de *Palm Beach* tornou-lhe suportável o peso do calor; o bonde o trouxera da Tijuca em trinta minutos por três tostões; as cartas feitas numa Remington impediram que sua má letra fosse dar origem a atrapalhações comerciais; as telefonadas pouparam-lhe uma trabalheira insana; a Buick permitiu-lhe voar agradavelmente ao Leblon em minutos; o cinema ia fechar o seu dia com uma complexa e deleitosa impressão de arte e beleza.

Sem a influência do americano esse homem teria de vir da Tijuca a pé, cavalo ou de carro de boi. Gastaria três horas e chegaria escangalhado. Sem o americano consumiria ele três horas no mínimo para fazer o que fez com as telefonadas. Sem o americano teria de gastar seis horas para a ida ao Leblon, se não morresse pelo caminho de insolação. Sem o americano teria de escrever à unha suas cartas, com poucas probabilidades de se fazer entendido no seu aranhol de gatafunhos. E se acaso depois de tamanha trabalheira inda lhe restassem forças para tomar uma hora de teatro, sem o americano teria de ir ver a sua beiçuda e morrinhenta cozinheira a figurar de "estrela negra" no Largo do Rocio, em vez de maravilhar-se com o encanto da sereia de olhos de gata, que é a Gloria Swanson.

Catão malsina justamente as únicas coisas que se salvam nesta terra, todas devidas à influência americana. Se a cidade funciona, isso o deve ao engenho do povo que lhe deu o presente máximo: a velocidade. A velocidade no transporte da carga, a velocidade no transporte do pensamento. E que lhe dá, com os maravilhosos espetáculos da arte muda, uma lição de moral que, se fora aceita, tiraria ao Rio o seu aspecto de açougue do crime passional. O cinema americano ensina o perdão...

Entretanto, cada vez que o nosso censor deblatera contra a influência americana, os basbaques, com preguiça de pensar, murmuram em coro:

— "É mesmo!..."

KRISHNAMURTI

As religiões nascem, crescem, esclerosam-se e morrem. É ridículo dizer isto, porque o próprio dos truísmos é se tornarem ridículos à força de evidência.

No entanto, tais truísmos ao nascerem provocam espanto e suscitam a mais cruel repulsa por parte das verdades de cabelos brancos, bem instaladas no oficialismo.

Os exemplos clássicos destas verdades que viram axiomas — ontem tímidas revoltosas, amanhã ferozes legalistas — são também ridículos. Tornaram-se ridículos à força de repetição, como acontece com as árias célebres, a *La donna é mobile*, por exemplo, que não perdeu a beleza mas cansou. Por isso deixo de citar o caso de Galileu às voltas com a polícia censora da época, firmíssima na verdade oficial do sol em giro à volta da terra.

Ora, pois, as religiões nascem; e como nascem, crescem — salvo quando nascem mortas. E, como crescem, atingem a maturidade, encruam na arteriosclerose do oficialismo e acabam agonizando às mãos de débeis religiões meninas.

Erro pensar que é a ciência que mata uma religião. Só pode com ela, outra religião.

Um período da história sobremodo interessante ao estudioso ocidental é o do choque entre o cristianismo revoltoso e a legalidade pagã. Como abundam documentos que refletem a mentalidade greco-romana durante o longo período do choque, fácil se nos torna a apreensão do quadro.

Luciano de Samósata, por exemplo, denuncia em inúmeros diálogos como estava combalida a crença nos deuses olímpicos, um século antes de Cristo.

No *Júpiter-Trágico* esse Voltaire sírio tem lanços de humor que lembram Mark Twain ou Bernard Shaw.

Travara-se na terra, em presença de numerosos assistentes, uma disputa entre o estoico Tímocles e o epicurista Dâmis. O estoico defendia os deuses e Dâmis os negava. A disputa correu animadíssima e acabou interrompendo-se no meio para ser decidida no dia seguinte. Como, entretanto, a assistência se retirasse inclinada para Dâmis, o Olimpo assustou-se e Jove amarrou o burro. Vem Juno e indaga da causa da divina zanga. Teria acaso a Terra partejado novos gigantes que, à imitação dos Titãs, pretendessem escalar o céu?

— "Nada disso, coisa muito pior!" diz Júpiter. "Estão lá embaixo os homens travados numa disputa de cujo desfecho depende a estabilidade do Olimpo. Se sai vencedor Dâmis, ai de nós!..."

O caso foi tido como dos mais sérios, e Jove resolveu convocar todos os deuses para que, "debruçados na amplidão", acompanhassem os debates e torcessem pelo paladino da boa causa.

Assim se fez. Quando, porém, no dia seguinte os dois disputantes novamente se enfrentaram, um arrepio de pressentimento perpassou, gélido, pela espinha de Júpiter.

— "Tímocles parece-me trêmulo e perturbado. Vai estragar tudo. Já vi pela cara que não pode medir-se com Dâmis."

E os deuses, em desespero de causa, põem-se a rezar pela vitória do campeão...

Começa a disputa. Júpiter manda que as Horas arredem umas nuvens que lhe estão tapando a vista.

Trava-se o duelo de argumentos. Dâmis leva o outro à parede, "dá-lhe na cabeça", como se diria hoje, e a assistência percebe que em poucos *rounds* estará Tímocles nocaute.

Em certo ponto o estoico puxa um argumento espadagão: o fato de serem deístas todos os povos. Dâmis responde com o antropomorfismo e mais toda a bicharia ou natureza deificada: no Egito o boi, na Assíria a pomba, na Etiópia o dia, na Pérsia a água, na Pelúsia a cebola, em outros países o gato, o íbis, o cinocéfalo, o crocodilo, etc.

O deus Momo dá um aparte inquieto:
— "Eu não disse, Júpiter, que os homens ainda acabavam descobrindo isso?"
Júpiter, jeitoso, sossega-o:
— "Tens razão, mas havemos de dar um arranjo no caso."

A causa dos deuses era positivamente insustentável depois do rapto de Ganimedes e outros escândalos olímpicos; e Tímocles, falto de argumentos, resolve fazer como os Tímocles de todas as épocas: insultar o contendor e apedrejá-lo. E atira-lhe em rosto um vocabulário muito nosso conhecido: infame, desenterrador de cadáveres, esterco imundo, filho das ervas, adúltero, corno, monstro de impudicícia, etc.

Os deuses regozijam-se com a "derrota" de Dâmis. Júpiter, entretanto, cisma:
— "É, mas eu preferia ter do meu lado um Dâmis a dez mil apedrejadores..."
Em toda a obra de Luciano o que se vê é a inquietação dos deuses em face dos progressos do epicurismo, isto é, do livre exame.

Estavam as coisas da legalidade religiosa nesse pé quando irrompe a revolta de Cristo. O choque foi tremendo e a repressão feroz. Mas se a repressão esmaga o que resiste, nada pode contra o que não resiste. É o caso da bala que espedaça a pedra, mas morre de encontro ao saco cheio de paina.

A religião revoltosa venceu, entronizou-se, fez-se legalidade, assumiu o cetro de única verdadeira; e passou com o tempo de ingênua menina a moça belicosa, e de moça a matrona inimiga de novidades. Por estas alturas é que costuma sobrevir a arteriosclerose. Os músculos emperram, as articulações endurecem, as veias calcificam-se. Em matéria de religião isto equivale a dizer que a religião se "igrejifica"; e ao invés de convencer, acha mais cômodo impor uma rígida disciplina partidária. É a fase do "Crê ou morre!" imperativo e absoluto, prenúncio de que o terreno está apto para o advento de uma religião nova.

Assistimos hoje no mundo ao belo fenômeno do choque de uma religião velha com uma religião nascente, em estado de nebulosa ainda, muito vaga e tateante, mas perfeitamente perceptível em suas linhas gerais. Essa religião nova é o espiritismo.

Ninguém mais de boa-fé, nem sequer a ciência positiva, nega as manifestações metapsíquicas. E como tudo leva a crer que o metapsiquismo cresce na humanidade e cada dia que se passa mais amplia as suas manifestações, o homem volta-se para ele e inconscientemente o vai ordenando em religião.

Surgem "verdades", cristalizam-se dogmas, uma moral viva e praticante vai se codificando, enquanto cresce prodigiosamente o número dos adeptos. Inutilmente a religião velha guerreia a nova, e de todos os seus baluartes lhe despeja em cima obuses anatematizantes. Inutilmente a ciência positiva, cansada de negar os fenômenos, resolve-se a estudá-los, declarando de antemão que nada há sobrenatural nesse metapsiquismo. A religião nova, em estado cósmico, segue o seu curso, indiferente à negação ou à análise. Já tem fanáticos, e terá mártires se a antagonista conseguir reacender suas fogueiras depuradoras.

Depois do espantoso abalo mental que sofreu o mundo com a guerra, e por influxo da formidável injeção de espíritos frescos com que a hecatombe enriqueceu o intermúndio astral, o espiritismo ganhou um avanço enorme. E reflexo disso temos na imprensa. Todos os jornais abrem seções permanentes às coisas do espiritismo, ao lado das seções consagradas à religião velha. E os que o não fizeram ainda fá-lo-ão amanhã por injunções da clientela. Editores surgem, especializados em livros espíritas — e prosperam grandemente, num país de editores falidos ou queixosos. Grandes nomes nas letras e nas ciências passam-se com estrondo para os novos arraiais. O espiritismo já não é um riacho. Tem tudo da onda que rola.

Para os sectários da religião anciã é isso um mal horrível. Para o filósofo não é bem nem mal. É apenas um fato. E um fato muito lógico do espírito humano.

Que é que determina o surto de uma religião? A aflição humana. A pobre humanidade, para alívio dos seus males, apela para o céu. As formas desse apelo chamam-se religiões, e perduram enquanto funcionam como bálsamo minorador da humana angústia. Quando deixam de o fazer, os sofredores, cheios de inquietação, agitam-se em procura de uma forma nova. E esta mata aquela.

Estamos em pleno período de entrechoque de duas formas de apelo ao incognoscível. Quanto tempo durará a luta? Cem, duzentos anos? O futuro o dirá. O presente só diz que a luta está travada.

E que diz o passado, por meio de suas férreas lições? Diz que sempre vence a forma que "promete ou dá mais". Ora, uma nos deu a imortalidade da alma, com o paraíso para a alma dos legalistas e o inferno para a oposição. A outra suprime o inferno e nos dá o paraíso aqui mesmo; deixa-nos as almas dos entes queridos ao alcance do nosso espírito; podemos ouvi-las, receber seus conselhos, vê-las em certos casos. Não é isso o "mais" que vai decidir da vitória? Foi muito sabermos que as almas dos mortos não acabavam com o corpo; mas é muitíssimo tê-las à mão, consultáveis e manejáveis.

O homem não se conforma com a morte. Teima em não morrer. Aferra-se a todos os meios de sobrevivência, inclusive a imortalidade acadêmica. Mas já se não contenta com a imortalidade dogmática, sem prova provada. O espiritismo será a religião de amanhã porque "prova" a sobrevivência.

E no choque entre as duas religiões tudo se precipita para uma batalha de Waterloo, das decisivas.

No fundo da Índia, eterno ninho de religiões, um messias vem sendo criado a preceito para o grande embate. Iniciou-o Annie Besant, essa mulher-força, talvez a que mais tem influenciado cérebros de quantas mulheres apareceram no mundo.

Chama-se Krishnamurti o eleito da luz nova, e seu campo de ação vai ser imenso; abrangerá desta vez todo o mundo budista e todo o mundo cristão.

A moral da religião nova, provisoriamente denominada espírita, participará das duas mais belas morais existentes, a de Buda e a de Jesus, ecletismo que a fará superior a ambas.

Quem viver verá... e verá daqui a séculos o krishnamurtismo vitorioso esclerosar-se em igreja, e por sua vez morrer contrabatido por uma religião que ainda prometa mais — e só poderá ser a que acene com absoluta supressão da morte.

Chamar-se-á "Ciência" esta última religião?

O direito de secessão

Novicow, firmado em analogias biológicas, pede para limites dos Estados as fronteiras naturais das nacionalidades, como meio único de dar às associações políticas base tão racional quão duradoura.

De fato: se o fim da associação é o aumento progressivo do bem estar das unidades, nenhum alicerce tem solidez se o não cimentam as afinidades mentais e morais das células componentes.

Isto, como condenava a associação forçada da Alsácia à Alemanha, da Polônia à Rússia, condenava também, em tese, a de qualquer parte peada em seu desenvolvimento pela permanência em um todo hostil.

Daí, como decorrente lógica do direito à individualidade nacional, o direito de secessão.

Inda hoje, entretanto, este direito não é na prática reconhecido como tal, pelo muito que obscurece a visão humana o prestígio póstumo de ideias decaídas, como essa que liga o conceito de território ao de propriedade — propriedade duma dinastia ou, nas repúblicas, propriedade da ficção soberania.

E, assim, admite-se o direito das populações se consorciarem, negando-se-lhes o direito correlato, embora polar, de dissociação.

Livremente se agregaram as colônias inglesas da América, quando lhes conveio a forma associativa; entretanto, porque o Sul quis usar do mesmo direito, embora em sentido inverso, direito puríssimo e iniludível, qual o de separar-se por não mais lhe convir aos interesses a permanência no bloco, o Norte, por meio de uma guerra tremenda, coagiu o Sul a permanecer associado.

Os formidáveis princípios do direito divino, hauridos na Bíblia, tão fundo se radicaram na alma do homem, que nas próprias democracias ressurtem sob disfarces capciosos. Pelas sequências próximas ou remotas desses princípios é que o direito de secessão é contestado em tese, e na prática havido como o mais negro dos crimes. Afeiam-no de um sambenito bíblico: rebelião. Ou duma juridicidade maquiavélica: lesa-pátria — quando no âmago do caso o que os opressores enxergam é uma simples lesão da sua propriedade. A secessão magiar, trentina ou polaca, lesa, não pátrias, mas a propriedade territorial dos Habsburgos e Romanoffs.

Nas democracias o argumento é o mesmo, substituída a palavra dinastia por outra mais bem soante — soberania nacional.

Também uma filosofia *ad-hoc* o condena em nome dum instinto de conservação *ad-hoc*, afirmando que quanto maior for o Estado territorialmente, tanto melhor sobrevive na luta pela existência — pura mentira pia que o sociólogo desfaz com vinte páginas de História folheadas a esmo.

A Inglaterra, exemplifica Novicow, seria mais poderosa sem a Irlanda; a Alemanha sem a Alsácia; a Rússia sem a Polônia. Essa associação forçada enfraquece tais nações na proporção da soma de forças gastas para manter a asfixia das rebelonas. Muito mais ricos, continua Novicow, seriam os Estados Unidos se a secessão se operasse em paz; o paradoxo anti-secessionista esvai-se à simples enumeração dos milhões de dólares e dos milheiros de vidas que a repressão levou à conta de perdas.

Os estados não sobrevivem apenas pelo respeito imposto pelas suas armas. Aí estão Portugal, Suíça, Bélgica, Holanda, Dinamarca e tantos outros vivendo ao lado de gigantes. Mantém-nos o "direito histórico", certas leis de equilíbrio social e racial — espécie de gravitação histórica ainda à procura do Newton que a formule.

Quando firmar-se de vez a noção de que não é a força militar que mantém coesas as associações políticas, e sim, cada vez mais, este direito histórico, esta gravitação, este equilíbrio intersocial; quando desmoralizar-se a ideia caduca de que a um maior território corresponde uma força social maior, o direito de secessão perderá o caráter de crime para adquirir o de meio natural, rigorosamente conforme às leis da vida, de estabelecer no mundo um equilíbrio menos instável que o de hoje.

Tem-se operado a secessão por dois processos típicos: um violento, como no caso das colônias espanholas, e outro evolutivo, pela descentralização lenta, imperceptível, como no caso de certas colônias inglesas. Canadá e Austrália vão se despegando da metrópole pelo mais racional dos processos. Politicamente, o que os liga hoje à Grã-Bretanha é o simples cordão umbilical dum governador de nomeação metropolitana, que cada vez governa menos. Quando lhes convier a separação absoluta, esta se fará sem outra ruptura além do rompimento desse cordão, sem nada desastroso para a metrópole ou para a colônia.

A secessão é aqui evolutiva.

O uso do direito de secessão trará aos povos um benefício enorme, qual o de se agruparem as populações ao sabor das suas personalíssimas exigências vitais, e não, como no passado ou hoje, ao sabor dos interesses políticos da ficção "estado", de acordo com planos preconcebidos pelas dinastias ou pelo critério ideológico dos estadistas.

Além disso, será o caminho mais breve conducente ao aperfeiçoamento dos governos. Reconhecido o direito da parte se despegar do todo quando este é mal regido, e não podendo o governo lançar mão da força para reter o "rebelde", só lhe resta um caminho para conservar a integridade da associação: aperfeiçoar-se, administrar melhor, prender o separatista pela supressão dos motivos que o arrastaram a essa tendência.

Hoje, se uma província procura destacar-se do bloco que por mal administrar-se a lesa profundamente, surge a coação militar para forçá-la a persistir na associação nociva, e o mau governo que, por mau, lhe criou a contingência de desagregar-se, continua tão mau como antes, com sacrifício visível tanto do todo como da parte.

Dentro dum mesmo Estado, sobretudo nos de grande extensão territorial, vemos províncias tomarem rumo tão diverso do resto do país, distanciarem-se dele econômica, financeira e mentalmente em proporções tais, que uma situação patológica se origina do evidente desequilíbrio social. Os interesses dessas províncias deixam de coincidir com os interesses gerais do país, a diferenciação cria antagonismos violentos, colidentes, exasperantes, e tais que a permanência dela na associação resulta em penosa asfixia da sua vitalidade.

Um dilema impõe-se: ou essa província assume decisiva preponderância no governo do país de modo a fazê-lo instrumento do seu progresso particular, isto é, conquista a hegemonia política necessária à conservação da hegemonia econômica já adquirida, ou separa-se, usando do *direito de secessão*.

Permanecer associada por acatamento a razões sentimentais, formalísticas ou poéticas, é suicidar-se.

Suponhamos, para ilustrar a tese do sociólogo russo, uma federação onde uma província, graças a circunstâncias mesológicas, econômicas e étnicas, caísse no desequilíbrio precitado, fornecendo-lhe metade das rendas arrecadadas e onde, por motivos de ordem moral e mental, o desequilíbrio político não seja menor; suponhamos que o aparelho administrativo dessa província se aperfeiçoe constantemente, ao passo que o do país afocinhe num desmantelo progressivo, de forma a ressaltar a vitalidade da parte em contraposição à inviabilidade do todo: momento chega em que essa província, não vendo vantagens recíprocas justificadoras da sua permanência no bloco, *sente* a necessidade biológica de viver por si.

Calculando quanto contribui de impostos para o tesouro comum e quanto recebe em troca; sabendo, por exemplo, que já pagou milhões de contos e não recebe serviços correspondentes que valham de longe uma pequena parcela dessa contribuição; sabendo que o país não possui sequer exército e marinha eficientes para defendê-la em caso de agressão externa; sabendo que seus interesses econômicos nunca são amparados nos momentos de crise; não vendo advir da representação diplomática geral vantagens particulares para si, decorrentes de bons tratados comerciais; não vendo, enfim, absolutamente nada que signifique permuta contra a enorme contribuição que paga, essa província mentiria ao seu destino se não alçasse o pendão secessionista.

O imposto não se justifica sem uma equivalente compensação de serviços. Fora daí é puro roubo.

Ora, no caso prefigurado, o imposto é pago em troca da honra de viver consociado a um bloco inviável.

Essa federação não existe, está claro. Mas se existisse, denegaria alguém a tal província o direito de separação?

Suponhamos ainda que nessa imaginária federação um cardume de esqualos políticos se apoderasse da máquina administrativa central e que durante anos de depredação sistemática atirasse com o país à insolvência, à situação do *homme malade* europeu, à tutela financeira, ao marasmo das águas verdes, ao mais intolerável parasitismo; e que esse governo vivesse da província laboriosa como a erva de passarinho vive da laranjeira: — o mais rudimentar instinto de conservação sacudiria no ar o lema iniludível de *separar-se para viver*.

Suponhamos ainda que, por ciumadas ou inveja, se acentuasse nesse país um ambiente de rancor, de hostilidade e má vontade contra as mais justas pretensões da província próspera, a ponto de arredá-la, a ela que paga as contas, duma coparticipação equitativa no governo geral; suponhamos que a lavoura, a indústria, o comércio dessa província só encontrassem obstáculos nas emanações legislativas do centro hostil; e que toda a sua população sentisse na pele o contato das ventosas do polvo central criadas expressamente para lhe sugar o sangue precioso: — essa província, porque tem direito à vida, tem o direito de separar-se!

Suponhamos ainda que esse país, exausto por excessos orgíacos, sem crédito interno ou externo, vendo o capitalismo judaico bater-lhe as portas na cara, recorre para aumento de rendas à lanceta, ao trocate cavalar, à sangria *à blanc* do produtor; e que nessa agravação de tributos a mira seja a província próspera, visto como devorá-la é o supremo recurso da salvação federal: — tal província tem o direito de saltar fora da associação funesta!

Suponhamos, finalmente, que esse país se vê eivado na máquina administrativa central de vícios orgânicos insanáveis; que não há esperanças de o corrigir duma *panne* iterativa; que permanecem à frente dele, revezando-se, eternos maus maquinistas; e que a sua vida política não passa de mera agitação parasitária: — a província viva, esse núcleo de população mais capaz, mais civilizado, mais enérgico, tem, não já o simples direito, mas o dever imperioso da secessão!

Porque o dilema se cristaliza numa fórmula simples de extrema rigidez: — *separar-se ou apodrecer...*

Esse país, repetimos, não existe. Mas, caso existisse não ilustraria à saciedade as doutrinas de Novicow relativas ao direito de secessão?

O grande problema

Pelas colunas d'*O Estado* o sr. Cincinato Braga escreve formosos artigos sobre os magnos problemas econômicos do seu estado natal, dá-lhe balanço às riquezas, mostra os caminhos para uma riqueza maior e traça um programa que em regime de opinião o candidataria à presidência da República, pelo menos.

De fato, sai-se desse estudo com a certeza de que S. Paulo está rico. Só em 1919 uma exportação de milhão e meio de contos, e saldo comercial vertiginoso.

Infelizmente S. Paulo não conduz de par com os saldos econômicos os saldos de sua cultura. Não progride pois com o sincronismo que era mister. Endinheira-se mais do que enriquece.

Progredir, hoje, é menos encher a caixa dos bancos ou o pé de meia plebeu do que aperfeiçoar, cultivar o cérebro. Só esta cultura fornece indestrutíveis bases econômicas. Veja-se a Alemanha. Revelou-se com a guerra opulentíssima de bens materiais acumulados pela cultura. Vencida pela "civilização", esta organizou um saque a frio, o mais completo de quantos reza a história. Confiscaram-lhe tudo, puseram-na em fraldas, nua. Mas está arruinada a Alemanha? Não! Subsiste a sua maior riqueza, a mental, representada pela cultura dos seus filhos. Riqueza que o tratado de Versalhes não pode expropriar. Árvore de produção infinita. Veeiro inesgotável. Que é arrancar os frutos à arvore se ela os possui latentes e infinitos? A cultura alemã em vinte, cinquenta anos — minutos na vida de um povo — refará tudo quanto lhe tiraram os vencedores.

Riqueza é cultura, e só ela.

Portugal: onde está o ouro que Portugal drenou do Brasil, e mais o que da África e das Índias tirou em marfim e especiarias? Caso típico dum fenômeno inverso do da Alemanha. Endinheirado até aos gorgomilos, o velho reino não soube e não pôde fixar em casa a bolada dos navegadores. Papas espertos e traficantes ladinos comeram-lhe os cobres, sendo de citação forçada o caso dos milhões e milhões de cruzados que a incultura de um rei deu a Roma em troca do superlativo "Fidelíssimo". Finda a maré, passado o fluxo da sorte grande, Portugal tombou no marasmo, dando lugar àquela tremenda página de Ramalho sobre a mendicância lusa — mendigos todos, do rei ao porteiro de repartição.

Sem cultura não se fixa, não se perpetua a riqueza.

Entre nós, a Amazônia viu canalizar-se para seu bolso um Pactolo de esterlinas refulgentes. Mas o ouro entrou por uma porta e saiu por outra, como a vaca amarela. Não havia cultura; não houve progresso, e o vagalhão deixou após si apenas a salsugem.

Em S. Paulo também será assim, se debaixo da riqueza cafeeira não se construírem os alicerces que lhe darão fixidez e estabilidade.

Corre-nos hoje tudo à feição. O café continua, mágico, a borbotar golfões do nobre metal. Veio a Geada Grande, e parecia o fim de tudo. Saiu-nos, entretanto, um *royal street flush*: a parada ganha foi de um milhão de contos.

Mas no dia da crise? Quando o Azar substituir-se à Sorte, como na Amazônia, como em Portugal, com que contaremos para contrabatê-lo? Onde o dique, o remédio, o para-choque, a árvore que se não esgota — a cultura? Onde esse recurso de que a Alemanha, mais pobre que Job, forçada a entregar à "civilização", suas vacas, seus aeroplanos, suas locomotivas, seus navios, seu carvão, sua potassa e seus marcos até o derradeiro vintém, vai lançar mão para ressurgir?

Vale o cérebro. Dum simples químico sai uma descoberta que revoluciona o mundo e enriquece um país. Por artes de Edison e Marconi criam-se formidáveis indústrias. Liebig deu mais lucro à sua terra do que a vitória de 1870. As guerras, a política, o mexerico dos homens de estado, o palavreado dos Lloyd Georges, dos Millerands, dos Eberts, tudo isso nada vale, que é agitação apenas; quem neste momento está criando os novos rumos da Europa é algum humilde sábio desconhecido, lá no fundo do seu laboratório. Quando Bonaparte se dava à ilusão de dirigir os destinos do mundo, quem de fato os dirigia era o obscuro Fulton. A obra do primeiro fica na história como um jorro de sangue; a do segundo como a dominação dos mares.

Ora, pois, só vence, só cria, só constitui riqueza a cultura, e em S. Paulo o que temos tido é uma série de "boladas".

É preciso frisar este ponto, porque só daremos passo decisivo para a frente depois de bem nos convencermos disto.

Infelizmente bem longe estamos de nos convencermos disto. No século da química, onde a nossa escola de química? No século da técnica, qual a nossa educação técnica?

Persiste a lagarta rosada do bacharelismo. O estudante não estuda, "cava" a carta, o funesto diploma. Senhor dele, toca depois a "cavar" a vida. Em matéria do ensino superior, além do megatério fóssil do "sagrado mosteiro" onde Lobão emperra os espíritos e onde, numa modorra de cinco anos, se gestam promotores públicos, requeredores de *habeas-corpus* e mais a parasitalha inteira de Têmis, existe uma escola de engenharia com mais lentes do que alunos; uma de medicina em inícios, e outras menores. Todas, porém, com a preocupação de diplomar, anelar de pedras várias os fura-bolos matriculados.

Casas de ciência que aparelhem técnicos maravilhosos para a indústria, onde? quais? E onde bibliotecas populares, escolas especializadas, laboratórios bem montados, colégios honestos que apetrechem para a vida os rapazes? E onde a compreensão de que a ciência é tudo e fora dela não há salvação?

Daí o perigo ante as rebordosas da sorte, e o consequente programa a adotar.

Reflexos da incultura temo-los a cada instante. Na política basta ser mudo, incolor, inodoro e insípido para alcançar fama de estadista. Sem cultura, impossível opinião; sem opinião, impossível política que não seja essa piorreia que nos derranca, e cuja missão, no dizer dum velho político já morto, é desfazer de dia os passos que as coisas dão naturalmente de noite.

Da periódica incursão no governo de bandos de piratas, qual a causa? A incultura.

O domínio eterno do coronelão analfabeto, por quê? Incultura.

Se a honestidade e a competência inopinadamente assumem o governo, obra é isso de mero acaso, e logo a pirataria coligada, que cobreja em torno, minando-as, alcança-lhes a sucessão. Por que isso? Incultura.

Na lavoura, após a geada, o desespero do agricultor pô-lo em caminho novo: o algodão. Vem a lagarta rosada e come-lhe o melhor do hercúleo esforço. Por quê? Incultura.

Em questão artística damo-nos ao ridículo de nos deixar embair, embeiçar, embrulhar por um patarata italiano que vai meter no bolso milhares de contos em troca de um atestado em mármore passado à nossa ingenuidade estética. Por quê? Incultura.

Inútil prosseguir. O nosso problema capital, magno por excelência, é criar a cultura. Escolas profissionais para o povo, não cinco, ou dez, mas cem, mil, uma em cada cidade.

A escola primária ensina a ler. A profissional ensina a tirar partido da leitura. Uma sem outra é cartucho sem espingarda, ou espingarda sem cartucho.

Depois, em cima, escolas técnicas, escolas superiores, escolas que não deem diplomas nem anéis, mas ciência fecunda: — isso fará de São Paulo uma verdadeira nação moderna, tirando-lhe o caráter de Fenícia ítalo-brasileira encravada numa Índia contemplativa, em modorra à beira do mar e dos rios.

Que legou ao mundo Cartago? Um nome. Já a Grécia, como se alicerçou na cultura, é eterna, chegou até nós, influencia-nos, ensina-nos, e levará sua vibração luminosa pelo tempo além até à consumação dos séculos. Mais vale um Platão, um Aristóteles, um Ésquilo do que vinte grosas de condes macarrônicos, emersos duma lata de óleo ou dum barrilete de banha falsificada.

O nosso magno problema é, pois, o homem, o cérebro. E como a escola é que o faz e o refaz, o nosso magno problema se reduz a escolas. Não burocráticas, não decorativas, de fachada apenas, pau-de-sebo com um anel no topo; mas eficientíssimas, aos moldes alemão ou norte-americano. Os demais problemas se solvem por si, quando o problema capital encontra solução. Em caso contrário tudo é instabilidade, perigo, caos, indecisão — jogo.

O progresso de São Paulo é, por enquanto, jogo feliz. Tem ganho contra tudo, governos apiratados e pulgão branco, coronelões e lagarta rosada. Abriu seu caminho econômico apesar da União, apesar da República, apesar dos seus grandes estadistas do Micomicão. Mas pode perder, porque nada vira tanto como a sorte no jogo. Diga-o a Amazônia. Para que não perca, para que sua bandeira penetre vitoriosa como a de Pais Leme no seio da civilização, o caminho é um só: cultivar a terra roxa do cérebro paulista — esse Oeste virgem onde até agora só se semearam pergaminhos vistosos e aros de ouro com cristais coloridos no engaste.

A GRANDE IDEIA

Uma grande ideia alapa-se numa disposição humilde oculta na cauda do art. 19 da Reforma do Ensino. Uma ideia que, desenvolvida, extinguirá rapidamente o analfabetismo entre nós. "Perceberão os professores uma gratificação adicional pela alfabetização que lograrem." Está aqui o busílis. Basta meditarmos um segundo sobre o caso para apreendermos o alcance destas palavras.

Denunciam elas o primeiro passo dado pelo estado para a desescravização econômica do professor.

Até aqui cuidava-se de tudo, menos de atender aos interesses pessoais do professor público. Com um ordenadinho calculado no suficiente para não morrer de fome e não andar nu, o professor não passava de um pobre diabo sem direito a aspirar a menor melhoria de vida.

Todo mundo trabalha movido pela ambição do lucro; ele teria que trabalhar sem perspectiva de lucro nenhum.

O mais rude operário traz diante dos olhos a miragem consoladora da riqueza. Pode prosperar. Pode guindar-se ao éden dos milionários. O professor não. Seus horizontes econômicos trancam-se com a ridícula muralha dos eternos duzentos e cinquenta ou trezentos mil réis mensais, quer dizer, o feijãozinho diário e a roupinha surrada. Só, só, só. E ao cabo de trinta anos de serviço, o grande prêmio da aposentadoria: a mesma miséria de mil réis.

De modo que ser professor é autocondenar-se uma criatura humana a consumir a mocidade, a idade madura e até a velhice num castigo de soldado: marcação de passo. Quem ganha toda a vida trezentos mil réis não sai do lugar, economicamente. Marca passo, de castigo.

Ora, isso mata o professor. Por mais abnegado que seja — e neste mundo ninguém tem obrigação de ser abnegado — dentro de alguns anos dessa arqui-estafante tarefa de ensinar crianças o mártir se sente "estafetado". É um homem morto, sem ideias, sem sonhos, de alma azeda, indiferente a tudo quanto se relacione com a pedagogia. Essa coisa tão linda nos livros, a pedagogia, soa-lhe como a suprema infernização. Cada novidade froebeliana, um novo meio de encanziná-lo.

Os governos nunca se lembraram de que o professor é um homem como os outros, e que, como todos os homens, só tem um problema a resolver: o problemazinho pessoal da sua prosperidade econômica. Ora, amarrando-o ao poste dos trezentos por mês, matam nele a esperança de resolver o seu problema pessoal; e como homem em quem morreu esta esperança não é mais homem e sim sombra de homem, passamos a ter um professorado de sombras.

Conhecem a vida de um professor de bairro? Lá está ele a estas horas, num fundão deserto, à frente de um punhado de crianças pobrezinhas e broncas. Sol de rachar lá fora. Um calorão na salinha humilde. Pela janela aberta o mártir vê a estrada serpeando vermelha até sumir-se nas massas monótonas da verdura: e no céu azul, andorinhas a retraçarem figuras de geometria no espaço. Se volta os olhos vê, pendurada de um prego, no batente da janela, a gaiola do curió.

O professor está meditativo. Pensa na cidade, no luxo das capitais, na riqueza dos automóveis reluzentes, nos teatros, nas coisas todas da vida que "valem a pena". Mas tudo lhe é vedado. Tem uma grilheta aos pés. O que ganha não lhe permite economias nem para um regabofe anual nas volúpias da civilização, pelas férias. E será sempre assim, aos vinte e cinco, aos trinta, aos quarenta, aos sessenta anos. Seu presente é negro; o futuro, pior, porque se resume nos mesmos magros trezentos mil réis, mais a hemorroida. Ali, pois, toda a vida, entre aqueles meninos desatentos...

José, o pretinho de olhos vivos, não sai do b-a-bá. O Bastião, caboclinho opilado, é aquela modorra sem fim. Os outros todos o que querem é disparar para casa. Um está a pensar na arapuca que armou às rolinhas. Outro remexe na algibeira as minhocas com que vai pescar.

A escola é desinteressante — bem o sabe ele... Como também sabe o meio de torná-la atrativa. Mas está arrasado, neurastênico e pouco se lhe dá que aquilo melhore ou não. Exigiria esforço, cansaço — e quem lhe paga esse esforço? O professor boceja. Olha o curió. Perde-se em cismas a ouvi-lo chilrear ao sol, sob o azul imenso do céu escaldante.

— Zezinho, vá ver se o curió tem água. E você, Antônio, traga o livro. Que letra é esta?

— Agá.

— Não!

— É ó.

— Não!

— É eme.

— Não!

— É... é...

— Você, Chiquinho, dê um quinau aqui nesta toupeira. Que letra é esta?

— É zê!

— Não! Adiante.

— É ene!

— Não. Ninguém sabe? Prestem atenção: isto é o A!...

Era o A. Ninguém ainda sabia o A... Que desânimo infinito...

Está aqui o que é, por dentro e por fora, um condenado ao "estafetamento pedagógico".

Pois bem. Querem fazer ressurgir este autômato? Nada mais fácil. Basta apenas admitir que ele é um homem como todos os outros e abrir ante seus olhos a miragem da prosperidade. Basta "interessá-lo" na obra pedagógica, "remunerando" o seu trabalho.

— Terás os mesmos trezentos mil réis mensais para o custeio do estômago e da prole. E terás ainda, ao fim do ano, um adicional de tanto por cabeça de analfabeto que abrires à luz.

Imediatamente sua vida se transfigura, seu futuro sorri, sua prosperidade possibiliza-se. A gratificação anual, recebida de um bloco, permitir-lhe-á a acumulação do sonhado pecúlio. Será em breve a casinha própria, o conforto da família, ou, quando o professor é solteiro e farrista, um regabofe em regra, pelas férias, no Rio ou em São Paulo. Mas como essa bolada só vem em troca de meninos desanalfabetizados, ele fará prodígios para vencer a resistência mental da jecalhada miúda. Desperta-lhe-á o gosto pela escola, tornando-a interessante; dispensará a inspeção, porque o seu interesse em ensinar crianças coincidirá com o interesse do estado; e realizará o que a obrigatoriedade não conseguiu até aqui. Ira desencovar analfabetinhos em quanta biboca houver para matriculá-los em sua escola, conseguindo dos pais, por meios jeitosos, o que não consegue a carranca da lei. Pudera! Cada bichinho daqueles vale, preparado, alfabetado, um cobre regular; e todos somados, valem um cobrão. O arranjo de sua vida ficará dependendo, pois, da sua diligência e do seu esforço.

Na luta moderna entre o capital e o trabalho a vitória será deste por um acordo com o capital. O operário passará de escravo a sócio. Participará dos lucros. Só assim, interessado pecuniariamente, trabalhará com amor.

O professor também só agirá de modo eficiente quando passar de escravo a interessado, quando houver proporcionalidade entre o seu esforço e a remuneração percebida.

Assim, nada mais sábio que o artigo 19 da lei nova onde se lançam as bases da reconciliação do professor com o interesse público.

Infelizmente a timidez dos reformadores arbitrou em... cinco mil réis por cabeça o prêmio ao "matador" de analfabeto!

É pouco, é nada. Devia ser de vinte mil réis enquanto não pode ser de cinquenta ou cem. A cinco mil réis por cabeça as quarenta cabeças da hidra que o professor pode esfolar num ano rendem-lhe duzentos mil réis. Muito pouco. Insuficiente para influir decisivamente em sua psíquica. Se foram cinquenta mil réis, imaginemos, seriam dois contos anuais. Bolada, portanto. Dinheiro que já enche a mão. Achega preciosa, permissiva de que em cinco ou dez anos esteja, ele, se é econômico, folgado; ou se é gastador, com a ressaca de meia dúzia de farras supimpas na memória.

Renascido assim de ambição, o autômato de outrora operará prodígios, e tais, que a hidra do analfabetismo dará o berro dentro de poucos anos.

Nos velhos países europeus, assolados pelos lobos, o meio de extingui-los foi por-lhes a prêmio a cabeça. Ponha-se a prêmio aqui a cabeça do lobo do analfabetismo e ele será extinguido até nos mais ínvios recessos dos sertões.

O ARMISTÍCIO DE CATANDUVAS

No livro do tenente Cabanas vem mencionado um dos mais curiosos incidentes da revolução: o armistício espontâneo de Catanduvas.

As forças legalistas e revoltosas achavam-se frente a frente, enterradas em trincheiras à moda europeia. Tão próximas umas das outras que nos intervalos do bombardeio trocavam-se piadas de parte a parte, os soldados mutuamente convidando-se à deserção.

Em fevereiro a luta estagnou. Silenciaram os canhões. Uma quietude sinistra caiu como um véu de morte sobre os dois beligerantes. Esse repouso exerceu uma influência anestésica no espírito dos soldados. Começaram a refletir. Tiveram tempo para isso — e a 24 desse mês, dia da Constituição, as trincheiras revoltosas foram invadidas por grupos de soldados legalistas desarmados, que davam provas evidentes de um ânimo confraternizador não observado até então. Abraçaram-se, legalistas e revoltosos, e abriram-se em expansões de camaradas. Começaram a contar-se casos, presenteando-se mutuamente como amigos velhos que depois de longa separação o acaso reunia de novo.

O exemplo dos soldados foi seguido pelos oficiais subalternos, e as duas forças, perdido o nexo militar, transformaram-se num alegre ajuntamento de festeiros.

Ninguém podia explicar o fenômeno. Não houvera premeditação, nem acordo. Um impulso muito humano arrastara a pobre carne de guerra àquele entremisturar-se amigo. Em ambos os campos, que era o soldado? O pobre que obedece ao rico ou poderoso e mata ou faz-se matar por ele. O rico ou poderoso é o dono do mundo. Inventa leis de honra, "defesa da ordem social", disciplina férrea, etc., lindos formalismos tendentes todos a utilizar-se do "pobre" como instrumento da sua comodidade e da manutenção do *status quo*: ricos em cima, pobres em baixo.

Aqueles homens que durante meses vinham a trocar tiros de carabina e canhão, atracando-se aqui e ali em ferozes lutas a arma branca, por que ideias se estavam batendo eles? Nenhum o saberia dizer. Obedeciam apenas. Estariam a lavrar a terra para plantar milho, ou a tanger gado para os rodeios, se as ordens dos seus diretores fossem essas. Naqueles dolorosos meses os seus diretores ordenavam que se matassem — e eles vinham se matando. Vagamente sabiam que entre seus diretores andava divergência grossa. Uns queriam tomar o governo, outros não queriam largar o governo. Governo é uma coisa boa. Quem está nele dirige a seu bel prazer, com leis ou chanfalho, a massa imensa dos pobres. Explora-a, espreme-lhe o caldo do imposto com que se pagam aos amigos do governo farras na Europa: "comissões". De modo que aqueles dois grupos de pobres se matavam reciprocamente para verificar a que grupo de ricos caberia a exploração exclusiva da sua pobreza...

Que coitadinho é o homem pobre na terra!

O armistício de Catanduvas unificou os dois grupos de pobres durante quatorze horas. Não se observou entre eles a menor diferença de mentalidade. Gente roceira, gente da ralé inculta, gente pobre, sem a menor noção de dignidade humana e dos direitos humanos — direitos que, embora não escritos, são os únicos realmente merecedores de que por eles um homem pegue em armas. Tivessem a noção dos direitos humanos e ali mesmo dariam cabo dos oficiais, como inconscientes delegados duns tantos ricos que por intermédio do Estado os têm a soldo, e voltariam para suas casas, de braços dados, como bons irmãos que eram.

A guerra só acabará no mundo no dia em que o soldado compreender que Pátria, Estado, Honra, etc., são os engenhosos engodos com que, em benefício exclusivo de seus interesses, a minoria rica explora a multidão pobre.

Mas aquele armistício inopinado, aquele fim da revolução, aquela paz brusca, seria um desastre para o negócio dos ricos que, de longe, faziam os pobres se entrematarem. E os inconscientes delegados dos ricos, feitores daquela multidão de pobres, trataram sem demora de acabar com "aquilo". Aquilo era a paz, o fim da chacina. Entenderam-se dos dois lados, porque os ricos, ou seus delegados, sempre se entendem às maravilhas — e começaram a separar as reses de canhão, momentaneamente baralhadas por uma crise de sentimentalismo.

— Carne legalista para cá, carne revoltosa para lá, foi a ordem.

O rebanho deixou-se separar. O vinco que milênios de escravidão imprime na mentalidade dos homens é formidável. As reses bernardistas voltaram a atolar-se nas suas imundas trincheiras, e do outro lado as reses isidoristas se sumiram em seus buracos lamacentos. A matança ia prosseguir...

O trabalho de apartar o gado de canhão durou duas horas. As reses faziam corpo mole, demonstrando preguiça, nojo de voltar à tarefa homicida. Mas como não obedecer, se é essa a missão do pobre na terra? O rei dos ricos lá estava no Catete, presenteando amigos, muito hierático dentro das suas frases sonoras. Defendia a ordem legal. Ordem legal: *status quo* que permite dar aos amigos o dinheiro arrancado ao povo sob forma de impostos implacáveis. Era preciso que não fosse perturbada a munificência do rei dos ricos. A paz tirar-lhe-ia a razão dos régios presentes. Como chamar "defensores da ordem legal" aos amigos presenteados, se viesse a paz? O estado de guerra convinha como nenhum outro. Era o sítio, a censura, o tesouro livre...

O bombardeio de São Paulo

Como os homens esquecem rapidamente! Foi ontem que se perpetrou esse crime, o mais monstruoso da América, e parece já de todo esquecido. Os jornais consagram colunas e colunas a casos individuais realíssimos, como o desse Saldanha da Dolly, e nenhum estigmatiza a inominável infâmia do bombardeio que durante quase um mês flagelou a cidade mais rica e industriosa do Brasil — uma metrópole de oitocentas mil almas.

As vítimas civis passaram de dois milheiros, quase todas estraçalhadas de modo horroroso por estilhaços de granada. O número de prédios destruídos ou simplesmente estragados subiu a milhares. Dia e noite os canhões legalistas despejavam metralha às tontas, sem o menor objetivo militar — metralha adquirida com o dinheiro de S. Paulo. Havia lá dentro três mil rebeldes disseminados no seio de uma massa de oitocentos mil civis. O mais rudimentar cálculo faria ver que, por força do bombardeio às tontas, seria mister massacrar duzentos e setenta civis para dar cabo de um revoltoso.

Que importa? Era com um prazer satânico que a demência com assento no poder telegrafava, temperando de ironia o sadismo ingênito: "O paulista é bastante prolífico e trabalhador para reconstruir e repovoar a sua bela metrópole, que vamos destruir para que não pereça o princípio da autoridade".

O princípio da autoridade existe para que não pereça o mundo. Pela inversão sádica é que surge o perecimento do mundo para que sobre os escombros flutue essa abstração que é o princípio da autoridade. Aplicado ao maior centro industrial do país, a linda cidade de S. Paulo, terceira da América, o princípio da autoridade só se justificaria para que S. Paulo não perecesse. Só a insânia o poderia invocar para destruir São Paulo.

E se os revoltosos, assombrados diante da frieza do marquês de Sade, não se retirassem para campo aberto, unicamente movidos do humano intuito de salvar a cidade mártir, a sanha mineira prolongaria o bombardeio até à sua completa destruição!

Daí a gratidão dos paulistas para com os revoltosos e o ódio profundo com que passaram a ver o sombrio marquês.

No tempo do Império o nosso governo protestou à face do mundo contra o bombardeio de Valparaíso. Durante a guerra mundial o bombardeio de Paris fez brotar de todos os peitos brasileiros a indignação mais viva contra as façanhas dos Taubs e da *grosse Bertha*. Mas quando mal muito pior desabou sobre a cidade nossa, pois o bombardeio de S. Paulo estraçalhou mais gente e destruiu mais casas do que o de Paris pelos alemães, não houve voz de protesto que se erguesse. À imprensa amordaçada não se permitiu o menor gemido — e a atrocidade se prolongou por vinte e tantos intermináveis dias...

De longe, a salvo de qualquer agressão, o Catete sorria sinistramente. "A prosperidade de S. Paulo é um mal para o Brasil. Já que o Brasil não pode acompanhar S. Paulo, é mister descer S. Paulo até ao nível do Brasil." Esta fórmula, onde a maldade disputa preferência à estupidez, viu no bombardeio o caminho mais curto para alcançar o nivelamento entressonhado. Destruir S. Paulo era fórmula que soava no Catete como um *tocsin* patriótico. Sempre a loucura do marquês que Napoleão internou em Charenton! Loucura desta vez não erótica, mas pior: patriótica. Que lindo caso tem a estudar um Maudslay! A loucura patriótica foi o delírio que levou na revolução francesa o insigne crápula Barère a formular o famoso decreto cujo artigo 3° dizia: "*La ville de Lyon sera detruite*", e cujo artigo final rezava assim: "*Sur les débris de Lyon sera levé un monument où seront lus ces mots: Lyon fit la guerre à la liberté... Lyon n'est plus*".

Bertrand Barère acabou polícia secreta de Napoleão...

O telegrama do Catete, pregando a destruição de S. Paulo, filia-se a este gênero de loucura. Até a inscrição de Barère vemos nele sugerida: "S. Paulo desrespeitou o princípio da minha autoridade; que S. Paulo deixe de existir".

O nosso Barère sonhou essa inscrição nos escombros da terceira cidade da América — e vive ainda!

Durante o horror do bombardeio, um homem surgiu como a Providência Encarnada: Macedo Soares. Organizou abrigos, abastecimentos, socorros aos desamparados. Tornou-se um ídolo. Na desordem infernal era o ponto fixo com que a cidade contava. Milionário, podendo egoisticamente pôr-se a salvo, expunha a vida e empregava todos os seus recursos no socorro da aflição. Para ele acorriam as mães com os filhinhos famintos ao colo — e o justo lhes dava pão. Outros lhes levavam seres queridos com os corpos a sangrarem de estilhaços bernardistas — ele os abrigava, ele os internava em hospitais improvisados. Nunca um homem se elevou tanto. Era com lágrimas de gratidão nos olhos que uma população inteira, a ouvir no ar dia e noite o estouro do "princípio da autoridade", evocava o homem sublime que, único, poderia socorrê-la. O nome "José Carlos" passou a símbolo. Dizia a coisa mais alta que se pode dizer de um homem: dizia o contrário de "Bernardes".

Um era a granada, o obus, a bala Mauser, o incêndio, o ferimento horroroso, o lar destruído, a fome, a dor, o roubo, o saque, a violência, o estupro. Outro era o Bem. Era o pão — a faixa de gaze que ligava a ferida — a injeção que impedia a gangrena — a mangueira que apagava o incêndio — o manto acolhedor — a palavra de consolo — o sorriso de Jesus.

Jesus! Que foi Jesus senão este manto de José Carlos extenso a todo o gênero humano?

A maldade venceu outrora e hoje. Cristo foi para a cruz, José Carlos para o cárcere. Meses e meses pagou ele na prisão o crime de por alguns dias praticar o bem na sua cidade natal. Depois enxotaram-no da pátria. Exilaram-no...

O "CABEÇA CHATA"

Nada mais difícil do que julgar. Quem ouve as razões dos dois lados, vacila em dar sentença. Porque ou dá razão às duas partes ou não a dá a nenhuma.

A vesguice do regionalismo no Brasil criou o hábito de dar sentenças antes de atendidas as razões das partes. Frequentemente ouvimos um nortista dizer que o paulista é isto ou aquilo e vice-versa. Mas paulistas, nortistas, gaúchos ou mineiros, quando se conhecem, mudam logo de parecer. Percebem o falso dos julgamentos coletivos. Somos, de norte a sul, terrivelmente irmãos, nas qualidades e nos defeitos. E a norte, a sul, a leste e oeste existe a mesma quantidade de gente boa e de gente má.

Depois do fracasso da revolução de 1932, quando S. Paulo foi invadido pelas tropas federais, a exasperação contra os nortistas chegou ao apogeu. O "cabeça-chata"! Com que gosto os paulistas estigmatizavam esses irmãos nordestinos que o governo federal fardara e lançara contra nós! A expressão "cabeça-chata" dizia tudo, principalmente na boca das mulheres, sempre tão hábeis na destilação dos venenos verbais.

Lembro-me dum caso melancolicamente triste ao qual denominarei: "O Caso da Dama Paulista e do Cabeça Chata". Coisa vulgar. Simples incidente de rua — mas caso em que o Orgulho teve de baixar os olhos para esconder uma lágrima.

Eu havia tomado um ônibus na Praça da Sé e sentara-me no banco fronteiro ao ocupado por duas senhoras — a Dama Paulista e outra. O veículo seguiu. Na primeira parada entrou um homem moreno, anguloso, recurvo — o tipo clássico do nordestino. Veio sentar-se ao meu lado.

A presença daquele homem no mesmo ônibus que ela tomara irritou terrivelmente a orgulhosa dama paulista, e ei-la a desabafar-se nos termos mais cruéis.

— "Nem conheço mais a minha terra", — começou a dizer à meia voz para a companheira. — "A gente põe o pé na rua e só vê disso, essas 'coisas' que o norte manda para cá, para estragar a cidade. Deus que te marcou alguma coisa em ti achou. O achatamento da cabeça é marca de ruindade" — e foi por aí além, a rosnar as impertinências mais ofensivas.

Aquilo incomodou-me. Se o homem perdesse a paciência e revidasse, tínhamos escândalo e dos piores. Olhei para ele, certo de vê-lo já rubro de cólera e em ponto de explosão. Enganei-me. Sua expressão era de calma absoluta, embora um tanto dolorosa. Tinha a cabeça baixa, como quem está absorvido em cismas.

E a dama a dar-lhe.

— "Andam morrendo de fome por lá, e quando caem aqui ficam como os donos da casa. Ah, eu é que queria ser governo, para mostrar como se faz! Expulsava-os todos! É cabeça chata? Então, rua! Isto aqui é nosso. Não pode estar sendo estragado com a presença dessas lacraias..."

Era demais. Se o nortista não se ofendia, eu me ofendi por ele. Embora paulista, a atitude daquela dama estufada de orgulho me envergonhava — e, mais que isso, me exasperava. Deliberei intervir, chamá-la à ordem. E, voltando-me, bruscamente, comecei:

— Minha senhora, permita-me que lhe diga que...

Mas não fui além. O cabeça-chata me deteve, pondo a mão no meu ombro.

— Não! Não a irrite ainda mais. Ela seria capaz de arrancar-me o olho que resta...

Só então lhe notei o defeito.

— Cego dum olho?

— Sim. Perdi a vista direita num dos combates do Túnel, quando me batia por São Paulo.

Fiquei de olhos parados por alguns segundos. Depois voltei-os para a dama orgulhosa, que estivera atenta ao diálogo. Estava muda, de cabeça pendida, procurando qualquer coisa na bolsa entreaberta. O revólver para matar o cabeça-chata? Não... O lencinho. ..

1937.

O DESPIQUE

O carreirinho deu volta ao campo à cata dos bois e só encontrou três. Faltava o Chibante.

Boi malvado, cerqueiro até ali! Em pilhando vedo de moirões combalidos, *blaf*, metia-se de chifres entre os arames e varava mesmo, com a ideia na querência. Bem que o coração o avisara. Até o sono perdera imaginando aquilo. Tinha feito promessa a Nossa Senhora da Conceição, de levar à capela uma pedra de arroba, se o malvado passasse a noite quieto. De que valeu? Santo até parece que só ouve gente grande... E agora, só com a junta de guia, como tirar o carro naquela tejuqueira da raiz da serra? Ir à fazenda buscar outro boi era o remédio... Mas quem ficava vigiando o carro?

Estas coisas pensava um caboclinho aí de seus quatorze anos, que viera de Itaoca até àquele pouso conduzindo um sortimento de armazém.

O rancho onde pernoitara — seis esteios cobertos de sapé — erguia-se à beira da estrada, fronteiro a um córrego bebedouro. Junto ao rancho a venda do Manuel Labrego, dono do pasto, homem zangadiço e mau, que fatalmente lhe tomaria contas das reinações do boi. Pouso forçado de tropas e carros, sempre numerosos naquela estrada, justamente naquela noite havia dormido deserto o rancho. Ninguém para ajudá-lo! Amanhecia, e o pobrezinho, que tinha madrugado e já correra o pasto, viu sair da venda o Labrego, esfarelando fumo na palma da mão, com o mau focinho de sempre.

— Que é que esperas, rapaz?

— "Não vê que" o Chibante fugiu...

— Fugiu? E por onde? Querem ver que me arrombou a cerca?

Relanceou o olhar pelos arames e logo percebeu, longe, três moirões pendidos. A cólera chispou-lhe nos olhos.

— Ó canalheta, pois tu me arrombas o vedo e ficas aí a banzar? Não sei onde estou que te não finco três valentes pontapés, ladrão!

O pequeno tartamudeou que fora o boi.

— E de quem é o boi? Paga o carreiro pelos bois, não sabes? Olha: quero a cerca arrumadinha como estava, do contrário não me sais de cá hoje. Quero-a escorreita, ouviste? Anda-me lá, sô palerma, e depressa! Vai à casa, pega do machado e tira moirões na grota.

A vontade do masmarro era completar a frase com os pés. Obstou-lhe o intento a ligeireza com que o menino correu em busca do machado, contente de sair-se da entalada com uma hora de trabalheira.

O português foi examinar o estrago, resmungando pragas contra aquelas pestes de carreiros que lhe atenazavam a vida. Mentira. Do pouso dos carreiros tirava ele bom lucro. O tostão de cada boi rendia mais do que a venda. Bem pago! Um "rapador" daqueles, só barba de bode e saúva...

O pequeno cortou no mato um pau-de-canudo, picou-o em três torradas e carreou-as uma a uma para a cerca.

Abriu penosamente as covas com a foice velha que fazia de cavadeira; e tratava de fincar o primeiro moirão quando o portuga repontou ao longe.

— Lá vem o implicante! — pensou consigo o pequeno.

Labrego chegou e farejou os postes.

— Pau-de-canudo! Eu logo vi. Não achaste lá um guamirim ao menos?

— O senhor não me falou nada. E, depois, pau melhor lá não há. Aquilo é só embaúva...

Labrego tinha orgulho do seu capão de mato, único nas redondezas, e ofendeu-se.

— Embaúva! Estás a brincar comigo? Olha que te espeto essa foice nos miolos! Um homem como eu a ouvi-las a este fedelho!...

O menino, amedrontado, calou-se e rapidamente fincou os moirões. Em seguida olhou para os fios, inda presos aos postes arrebentados, e disse:

— Agora... com que tiro os grampos?

— Com os dentes, ladrão! foi a resposta do bruto, já de rumo ao armazém onde havia apeado um cavaleiro.

O pequeno rosnou consigo: "Com os dentes da avó" — e lá os arrancou como pôde, a empuxões e costadas de foice. Repregou em seguida os quatro fios na madeira nova, limpou com o dorso da mão o suor da testa e suspirou.

— Arre! Nem acredito!...

Mediu, depois, o sol, já alto.

— A que horas vou chegar, meu Deus! Três léguas ainda...

Foi-se aos bois, encangou-os, meteu à frente o desemparceirado e tocou. Até à grota uma junta apenas puxaria bem, mas depois?...

O carro, cem metros adiante, começou a rechinar e o pequeno levou sabão à chumaceira. Estava triste, não queria saber de músicas.

Tão criança e já metido em talas! Os irmãos, aquilo é que era vida... Só alimpa de café, serviço à toa de enxada, sem pensão; e ele, um crila que nem levantava três arrobas, já ali no duro, lidando com bois velhacos... Isto é, velhaco, um só. Não, Bordado? Você não fazia uma coisa destas para o seu carreiro, heim, Bordado? Nem você, Brilhante — não pense que não sei reconhecer os amigos. Nem tu lá, seu Pintassilva — gritou para o guia que, solto, espontava os capins à frente. Nenhum de vocês três. Mas deixa estar que na primeira finco a guiada naquele ladrão, que ele há de ver fogo. Boto um prego novinho, bem apontado.

Pausou uns instantes; depois, alto:

— Raio de galego!

Não lhe saía da garganta um nó de ódio contra o brutamontes. E o menino procurava um despique — sim, porque havia de vingar-se, olá!

Chegando à raiz da serra parou ao pé da porteira. Dali para cima era impossível prosseguir. Descangou os bois, escorou o carro e deitou-se à beira do caminho, à espera... À espera da solução, fosse qual fosse. Tudo se arruma na vida, e é tolice uma criatura amofinar-se.

Viandantes passavam, ora um, ora outro, ninguém a jeito de ajutório. Por fim repontou um cavaleiro.

— Por mal que pergunte, o senhor não passa pela fazenda do coronel Totó Leite? — indagou o carreirinho.

— Não; mas posso chegar, sendo preciso. Pra que é?

— "Não vê que" um boi de guia fugiu do pasto esta noite, e só com a junta do coice eu não subo a serra. Queria que o senhor — se não fosse atrapalhação na sua vida — desse uma portada lá e...

Interrompeu-se. Vinha descendo a serra um boi tangido por um negro. A cara do menino abriu-se em riso.

— Lá vem o malvado! É ele mesmo, o Chibante... O senhor me desculpe e Deus lhe pague. Eles lá já viram o que aconteceu e mandaram o boi de volta. Deus lhe pague muito a boa vontade! Até um dia!...

Quando o carro transpôs a porteira da fazenda o sol descambava. Só então o pequeno carreiro notou que não comera nada naquele dia — nem tomara um cafezinho.

— Estou que estou estalando de fome, — disse ao preto.

— Também você é lerdo. Por que não pediu comida na venda?

— O portuga? Deus me livre! Antes morrer de fome do que pedir isto praquele carrasco...

— É ruim o diabo, assim?

— Nossa! Aquilo a gente quebrando esses fueiros na cabeça dele ainda não satisfaz!

O negro sorriu — eh! eh! — mostrando toda a gengivada cor de pitanga.

— Espere, que um dia ele se estrepa.

— Isso valia se eu fosse o estrepe...

— Aí, caboclinho zangado! Gosto disso! Você é bem filho do defunto seu pai. Homem mau, aquele! Uma vez...

Quinze dias depois o carro descia a serra, de meia carga, a pegar novo sortimento na vila.

O pequeno vinha contente, repimpado, ouvindo com enlevo d'alma o rechino azoinante. Trazia ferrão de ponta reluzente — prego novo, bem pontudo, especial para o Chibante.

Pobre boi! Estava pagando naquele dia todos os pecados de sua vida. Por qualquer coisinha, ou por coisa nenhuma, chuçadas que o punham vivo como lambari.

— Aguenta, fujão!

Um carro passou em sentido contrário, carreiro velho à cola.

— Não judie do boi, menino! Quem faz paga.

O pequeno riu-se.

— É isso mesmo! Chibante fez e está pagando...

Bravateou, mas deixou o boi em paz.

Pensava agora no Labrego. Vinha perto a venda. Ia vê-lo. Se pudesse encangá-lo ao carro!... Ai, gosto! *Hem! Hem!*...

O pequeno mordia os lábios, manejando o ferrão como chuço, aos golpes sobre o inimigo invisível. *Hem! Hem!*...

Na Grota Fria parou. Ponto de almoço. Água? O melhor é pegá-la adiante, no fundo da grota. Fria e perfeita.

Foi, de facão em punho, divertindo-se em decepar os báculos tenros dos samambaiaçus e os cachos róseos das begônias.

Que frescura! E como parecia noite ali dentro!

Sussurros precipitados... Inambus?

— Ah, a minha trochada aqui!

Em certo ponto viu a relva com machucamento fresco.

— Quem será? Caçador, com certeza. O Dito Grande? É bem capaz. Mora aqui perto e não larga dos cachorros. Vou ver.

Pôs-se a caminhar pela trilha. Nem bem mediu cem passos, um gemido, longe. O coração pulsou-lhe. Orientou-se e foi, cauteloso, com a sua dosezinha de medo n'alma.

— Gente? Caapora?...

Andou, andou, todo olhos, devassando a mata. Súbito, novo gemido mais perto. Vinha dum socavão. Olhou. Era um homem. Aproximou-se. Mais... Mais...

— Nossa Senhora! O Labrego!...

O menino estarreceu, retesado. Toda a cólera concentrada em seu coração explodiu, ganhou-lhe o corpo inteiro. Ganhou-lhe as mãos. Sentiu-se de aguilhada em punho a picar aquele bruto. Um — toma! e outro — toma! e outro, e outro, e cem pontaços raivosos.

Não tinha ali o ferrão mas era o mesmo: tinha a faca. Podia judiar dele à vontade — e sob a pressão da onda de sangue venenoso que lhe afogueava a cabeça pulou para dentro da furna.

O português, ao dar com ele, arregalou os olhos mortiços, murmurando em voz débil:

— Foi o céu que te mandou aqui, menino. Estou liquidado. Caí lá de cima e moí-me todo...

Tão lamentável era a situação daquela pobre massa de carne humana, que a raiva assassina arrefeceu de brusco. Surgiu a piedade, entrou no coração do pequeno e travou os pulsos à cólera. Perdoarás! Impunha-lho a expressão grotesca daquele rosto angustiado, esfolado e sujo de terra.

A dor quebra a harmonia normal das feições humanas e cria-as novas, às vezes cômicas. A do Labrego era cômica. O repuxo de músculos faciais, ao acicate de agudas dores internas, dava-lhe aspectos a um tempo horríveis e grotescos.

O menino, com a alma transformada em campo de luta entre o dó e a sede de vingança, cruzou as mãos à nuca e ficou um tempo assim, a olhá-lo sem dizer palavra.

Lembrava-se dos moirões, dos insultos, e vinham-lhe desejos de pelo menos fincar-lhe um pontapé dos bem fincados. Mas punha os olhos nos olhos do triste desabado e apiedava-se.

Segundos decorreram assim. Ao cabo o dó venceu o ódio e varreu com ele do coração da criança. O menino curvou-se para a pobre massa de carne gemebunda e prestou-lhe solicitamente os primeiros socorros.

Logo depois, auxiliado de outros viandantes, era o Labrego metido no carro e conduzido à venda.

O pequeno ajudou a metê-lo na cama e, enquanto corriam a chamar a mulher na roça, ficou parado à cabeceira.

Pensou: — Ele sara e volta a maltratar-me.

O dó fraqueou, entreabriu a porta do coração e o sentimento de vingança meteu a cabecinha.

Não era a grande vingança, mas uma pequena vingança — um despique apenas.

— Digo-lhe *uma* bem pesada e raspo-me. Uma boa!...

Mas dizer que coisa? Nada lhe acudia. E o pequeno carreiro pensou, pensou... Subitamente o rostinho queimado de sol iluminou-se de um clarão. Viera-lhe à ideia a palavra terrível, venenosa, que o vingaria bem vingado, mais do que uma roda de pontaços de ferrão.

Radiante, o carreirinho inclinou-se para o ouvido do homem e disse:

— Escute, seu Labrego, escute esta. Eu...

Mas interrompeu-se. O doente parecia dormir. Sacudiu-o de leve. Inútil. O homem estava morto!...

Com arrepios pelo corpo, os cabelos em pé, o menino esgueirou-se do quarto. Correu ao carro. Jungiu os bois, ensebou o eixo e bateu para a vila, com os olhos parados, desmesuradamente abertos...

E o melhor da história se perdeu porque ninguém conhecerá nunca a palavra terrível elaborada pelo herói de quatorze anos sob o influxo do rebrotado sentimento de vingança.

O novelista é um historiador de almas. Não inventa. Mas convence-se de certas coisas. Convence-se, por exemplo, de que a "palavra" que a visão da morte murchou na boca do menino seria uma rara flor da venenosa planta grega de nome *Eironeia* — talvez a mais bem dosada em venenos de quantas abotoaram naqueles sertões sob o nome modesto de "despique".

Perdeu-se... e fica a minha pobre história como anel sem pedra....

Euclides, um gênio americano

Há homens que influem até no vocabulário dos países. Depois de Euclides da Cunha, a palavra "estupendo" passou a ter no Brasil um consumo triplicado — e um sentido euclidiano. Não há estupendos em José de Alencar; não há um só estupendo em Machado de Assis. A língua literária no Brasil enriqueceu-se desse adjetivo depois que Euclides — o Estupendo, revelou o estupendo de certos contrastes da nossa tragédia geológica e humana.

Euclides!

> Este caboclo, este jagunço manso,
> Misto de celta, de tapuia e grego...

Foi como ele se definiu a si próprio em verso — e nesses dois versos concentrou todos os traços dominantes do seu caráter físico e moral: porque no físico era realmente um caboclo de cara mongólica; era no temperamento um jagunço manso; e tinha na arte o impetuoso espírito *primesautier* do celta casado ao senso de proporções do grego. Demais no retrato só há aquele tapuia, simples enfeite do verso. O tapuia: a pior espécie de índio do Brasil, sem traço nenhum de relevo, de carne tão ruim que até os aimorés antropófagos a devoravam com caretas. Não podia dar nada a Euclides.

O aparecimento d'*Os Sertões* foi meteórico. Rebentou na lagoa verde do nosso marasmo mental como um trovão em dia sem chuva, desses que por muitos segundos ecoam pelas quebradas invisíveis. Era o *algo nuevo*... Na nossa literatura de reflexo, insistentemente água de rosas, cor de rosa, maciazinha, cheia de "pequenas" cor de batata, de morenas de buço, de "Moreninhas" que se perdem com boêmios velhos e se casam com amanuenses de peito afundado; tremendamente burocrática em Machado de Assis; sem um herói que não fosse suburbano, sem uma paisagem que não fosse variante da palmeira com um céu "americanamente azul" atrás, irrompe de súbito Euclides como um Mongol Tonante a chispar raios — raios de metáforas inéditas, uivos de indignação, com asperezas de lixa grossa, com desprezo de todos os veludilhos. A forçar, a reforçar, a dobrar a força dos verbos dessorados com o adminículo do "re" reforçante — ressurte, rebrame, recresce, refoge, ressalta... A enxertar na pobreza do vocabulário beletrístico uma quantidade de termos técnicos de alto efeito analógico — imprimadura, jusante, a montante, incoercível... A introduzir todas as ciências na literatura — até a Geologia, coisa que os nossos antigos vates de cabeleira desconfiavam ser alguma irmã esquecida do velho lote das musas gregas. A arremessar à cara do leitor incauto nomes-bombas: Maudsley, Gumplowicz... A ter a coragem de erguer os olhos dos detalhes meramente pitorescos à grande visão de conjunto — e a ver o país como ele é: sonho de Nabucodonosor. Colosso de pé-no-chão bichento na base (o sertão); de modesta calça de brim no meio (as cidadezinhas); de gravata de seda e cartola no topo (Rio de Janeiro). Indumentariamente civilizado da cabeça ao pescoço, cartola, pastinha, *pince-nez* de galalite, bigode raspado, colarinho americano, gravata de viscose (Capital Federal); semicivilizado do pescoço ao umbigo (nos sentimentos de cordura e aceitação resignada, budística, chinesa, do marasmo eterno (o "interior" urbano); barbaresco do umbigo aos pés (no sertão sem fim, lá onde Getúlio acaba e Lampião começa).

E isso num meio geográfico literariamente canaãnesco, todo perfumes da "balsamina em flor", todo sabiás pousados em espanadores em pé (palmeiras), todo borboletas amarelas e aguinhas murmurejantes; mas na realidade, com a exceção do Sul, todo carrascais e caatingas espinhentas, e mandacarus cruéis, e rios que correm para dentro como unhas encravadas, e pantanais que não têm fim, e estiagens re-dantescas, e um sol, ah, que sol! que re-sol! que peste de sol! que eterno Lampião facinoroso!

Euclides, gênio que era, foi o primeiro a ver a realidade do conjunto, a tragédia do homem derrotado pelo meio, e a traçar um grandioso painel à Gustavo Doré no *Inferno*, mas sem os arredondamentos clássicos de Doré. Quadro estupendo! E pintou-o com tintas inéditas; não com os tubinhos de aquarela Windsor & Newton ou Gunther Wagner, mas com tintas tomadas do chão: a lama negra dos barreiros, o vermelho do sangue em coágulos dos jagunços, as escorrências sépias do cangaço dos sertões e do cangaço pior da mazela administrativa. E não espalhou essas tintas com pinceizinhos macios de pelo de marta, sim com estupendas brochas de barba-de-bode amarradas com cipó arranha-gato. Na "casa dos dois mil réis" da nossa literatura, *Os Sertões* de Euclides equivalem a um bloco de pedra, trabalhado a picareta por um Bourdelle mongol e estouvadamente atirado para cima de todos aqueles pentinhos e sabonetinhos e miminhos de celuloide.

Mas como os gênios são por natureza universais, havia dúvida no Brasil sobre a genialidade de Euclides, Faltavam pontos de referência para a comparação. Só um, já longe, na poesia — Castro Alves. E um na música, Carlos Gomes. Mas na prosa? Como saber se Euclides era na realidade gênio, assim sem um ponto de referência em casa e sem que a gente da lá fora se manifestasse?

Mas os gênios são por natureza universais; e por mais tempo que fiquem de castigo no canto da língua em que plasmaram sua obra, acabam transplantados para todas as línguas decentes. O transplante de Euclides começou. *Os Sertões* acabam de aparecer em Buenos Aires em espanhol. Quer dizer que Euclides, até aqui gênio duvidoso no Brasil, começa a ter cheiro de gênio de verdade. Já está no mundo hispânico — primeiro passo para a universalização. Há de penetrar no mundo inglês, no francês, no germânico, no eslavo. Porque apesar do tamanho geográfico da sua terra Euclides extravasa do Brasil: fica de pernas e cabeça de fora. Tem que universalizar-se, "para que caiba".

Isso, entretanto, condiciona-se à abnegação alheia; depende do aparecimento duns tantos homens de ilimitada renúncia — os tradutores das obras consideradas intraduzíveis. Felizmente ainda os há, como ainda há santos nas prisões. Homens que esquecem o mundo, a caça ao dinheiro, o "negócio", e sem esperar recompensa nenhuma, nem neste nem no outro mundo, consagram um pedaço de sua vida, e todos os seus miolos, ao duro trabalho do transplante linguístico de uma obra.

Benjamim de Garay, esse D. Quixote da brasilidade para uso externo, foi o primeiro a empreender a gigantesca tarefa — e venceu. Sua tradução dada agora em dois magníficos volumes editados pelo Ministério da Instrução Pública da Argentina, jogou Euclides para cima do mundo hispânico, com a nota, em prefácio, de que não podia ficar adstrito ao Brasil um extravasante gênio americano.

O trabalho de Garay nessa tradução deve ter sido dez vezes maior que o de Euclides no criar o original. Traduzir é a maior das tragédias mentais, porque é anular-se um homem da maneira mais absoluta, subordinar sua mentalidade à dum estranho, penetrar um autor como um gás penetra poros, compreendê-lo nas mais microscópicas minúcias, decifrá-lo no que é indecifrável. E tudo isso sem recompensa de espécie nenhuma, sem nenhuma paga séria, sem nenhum resquício de glória. Esse incomensurável paquiderme de mil cérebros e orelhas a que chamamos "público" nunca tem o menor pensamento para o mártir que estupidamente se sacrifica para que ele possa ler em língua sua uma obra prima gestada em idioma estranho.

A tradução de Garay está perfeita, e das palavras do prefácio se vê o quanto lhe custou. Apesar de cientificado disso, está claro que o paquiderme não recompensará Garay com uma isca de gratidão. É do regulamento.

A edição argentina também traz um prólogo de Mariano de Vedia, filho de Agustín de Vedia, figura argentina de relevo que manteve correspondência com Euclides. Prólogo excelente e de muita riqueza informativa. Numa das cartas a Agustín de Vedia vem o juízo que Euclides, já então "jagunço manso", fazia de sua própria obra. Vedia havia reclamado o livro.

"Não lhe mandei espontaneamente *Os Sertões*," — diz Euclides, — "porque esse livro bárbaro de minha mocidade, monstruoso poema de brutalidade e força, está tão longe da maneira tranquila como hoje considero a vida, que a mim mesmo, às vezes, me custa a compreendê-lo. É entretanto o primogênito do meu espírito e críticos audazes afirmam que é o meu único livro... Verdade? Custa-me admitir que com ele eu haja chegado a um ponto culminante, ficando pelo resto da vida a descer dessa altura."

Sim, aquele primogênito de Euclides, mais *saído* de sua alma do que *feito* a canivete e com o metrônomo a marcar o ritmos, foi um parto vulcânico — o grande parto de sua vida. A onda de indignação que o afogou ao presenciar o ensanguentado choque entre a Estupidez Federal e a loucura coletiva dos jagunços, explodiu em quinhentas páginas dum estupendo libelo, com o remate do apelo a um Maudsley para as loucuras e crimes das nacionalidades.

Não apareceu tal Maudsley. O público ouviu o libelo, concordou e moita. A nacionalidade continua pacífica e mansamente nos seus crimes e loucuras. Nada penetra certos couros de anta. Lincoln disse da autora do *Uncle Tom's Cabin*: "Aquela mulherzinha que fez a guerra...". O grito de indignação de Euclides não fez guerra nenhuma. Ele o vendeu por dois contos de réis a um editor e pronto! Ah, o couro de anta!

Os Sertões não passam disso: um uivo de indignação e desespero. Tinha de marcar o ponto culminante, o Guarisankar da vida vulcânica dum gênio.

Passado o assomo de indignação, Euclides caiu em si — e até se acanhou. Virou remanso — catadupa que depois da epilepsia do embate contra a resistência das pedranceiras, remansa em baixo na horizontalidade sem espumas dos remansos. Entraram-lhe na vida coisas dessorantes. Um barão — Rio Branco. E empregos e comissões — essas platitudes. Felizmente uma bala salvadora livrou-o da ignomínia suprema do apodrecimento gelatinoso da "aposentadoria".

Gênios como Euclides não merecem fins de vida sórdidos. São explosões da Natureza — e devem acabar em explosões. Fique para nós outros, "mede-palmos", a "aposentadoria" com seus reumatismos, seus pigarros, sua imbecilidade caquética. O prêmio de Nietzsche foi a loucura. O prêmio de Shelley foi o afogamento. Num mundo mais mecanizado, como o nosso, está muito bem que o prêmio de Euclides haja sido uma bala de parabélum no peito.

A MATA VIRGEM

Imóveis, com os dedos no gatilho, os dois caçadores apuravam os ouvidos para não perderem uma só nota da acuação. Acabara de soar um *au-au* distante.

— O Despique não nega, — murmurou baixinho o José d'Almeida; — está acuando no espigão da mamica-de-porca.

— Não vá ser coati... — aventou o seu companheiro, Mesquimba, o negro.

José sorriu amarelo.

— Capaz! Despique é mestre de porco.

Entenderão os da cidade este "mestre de porco"? Em gíria de caçador vale dizer cão especializado em acuar porco do mato — só porco; emudece, pois, se lhe sai à frente coati, cotia ou qualquer outro bicho menosprezado pelo caçador.

Andavam os dois homens no rasto dos caititus com fim duplo: assar-lhes o lombo ao espeto e livrar dos seus estragos as roças do Varjão, devoradas a eito por aqueles porcos descidos da serra.

A acuação parou.

— Quer ver que não é porco? — insistiu o negro, sempre duvidoso da mestria do cão.

José d'Almeida não respondeu, mas pensou lá consigo: — "Isto só se responde com um tiro na orelha ou o desprezo do silêncio".

Ficou no desprezo, para economia de uma carga de chumbo.

Esperavam num carreiro batido de novo, com rastos do dia, ao pé duma furna de pedra musguenta, couto habitual dos caititus. A entrada na furna eles a fecharam com toretes de pau a pique. A vara de porcos, ao dar de focinho contra o vedo, entrepararia, o que lhes permitiria matar a cômodo quatro ou cinco.

Taquaruçuzal cerrado. E úmido. E escuro. Como não houvesse vento, ouviam-se os menores rumores da mata virgem.

A espaços arfavam de manso as frondes perpassadas de brisas menores; ringiam taquaras encruzadas e tudo silenciava de novo nesse musical silêncio da mata, picado de breves regorjeios distantes.

Um pio em escala, longo, insistente.

— Diabo! Quem ouve e não sabe, jura que é inambu. Uma isca de passarinho que não vale uma escorva...

E piavam tangarás. E, longe, juritis em casal — arrulho tão de veludo, tão cheio de poesia e saudade que lá foram elas, pelas mãos de Alencar, para a galeria das aves literárias, aparceiradas ao sabiá, à graúna, à patativa.

Mas é ali na mata, nas longas esperas da caça, que se vê quão pobre é nossa literatura em alados. Alencar lançou meia dúzia de aves, que logo se tornaram clássicas à força de repetição.

Por que tão poucos, se a mata é imensa e infinita a fauna? Por que nas árvores dos poetas só pousam sabiás e só regorjeiam patativas e pintassilgos? É que nossos bucolizantes não conhecem a mata. Imaginam-na. Acham mais fácil colher em Alencar a jaçanã já estilizada do que vir atolar na turfa preta dos brejos em busca de outras aves pernilongas, comedoras de minhocas. Como é mais fácil tomar da Iracema a graúna do que vir procurar novidades de negrume alado nestes sertões ondeantes de morraria e grota. Não convida, isto de galgar espigões, com a língua de fora, sob a auréola dos mosquitos, a escorregar mil vezes, a espetar-se no arranha-

-gato pungente, a tropicar na capoeira que se insinua, qual lombrigas sem fim, rijas como cordas de tripa, sobre o acamado das folhas secas.

E um que venha ver com os seus olhos a mata, ouvi-la com os seus ouvidos, sentir-lhe a aspereza com a sua pele, esse desnorteia, e não consegue coordenar o multiforme da impressão, nem pô-la de consonância às reminiscências literárias — sempre florestas de Chateaubriand com polvilhamento de Alencar.

A sensação da mata virgem, a inicial, a envolvente, a sensação a que todas as mais se ligam, como as cambiantes se ligam às cores fundamentais, é única e inesquecível.

A umidade do ar não lembra nenhuma outra umidade, porque é sadia, sem bafio de coisa humana, arejada de todas as brisas.

Também a sombra não relembra as sombras a que está afeito o homem das cidades — sombras artificiais, em blocos criados por muros, paredes e cortinas, ou uniformes como a do cair da noite nos terrenos escampos.

Na mata rutila, por cima, um sol vivo e puro; a folhagem das frondes filtra--lhe a luz, rendilha-a, desfá-la em ínfulas. Esse primeiro repasse é seguido de outros, operados pelos caprichosos anteparos dos ramos miúdos e reiterados pelo dos troncos, da galhaça grossa e da capoeira escorrida árvores abaixo como cordoalha de nau antiga destroçada pelo temporal. E, por fim, quase no chão, a luz ainda se esbruga nas jiçarinhas e mais arbustos desmedrados que, à guisa de ralé, se encarangam na anemia dos famintos.

O sol desce, assim malaxado, num estraçalhamento progressivo, até diluir-se em penumbra, aqui e ali estriada de raios felizes que conseguem tremer no solo as suas manchas de ouro, ora apagadas, ora alargadas, ora oscilantes como pêndulos ao sabor do meneio das frondes.

Os ouvidos ouvem um rumor novo, um rumor que não ouviram nunca, feito de mil barulhos discretos. Às vezes estridente, quando é a cigarra que chia. Mas se a cigarra canta inexorável em todas as matas descritas por processos, não é assim constante nas matas de verdade. Cantam ao seu tempo, em seus dias. Mas é constante o encontrarmos a casca das cigarras, feita de mica translúcida, enganchada no rugoso das cascas de pau por uma aspa das patinhas.

Nosso tato aprende as sensações novas da grossa casca pipoquenta dos cedrões, da casca estriada dos "jacarés", da maciez peliculosa do pau-de-mastro, todo envolto nas lâminas de papel de seda cor de pinhão com que os colibris forram seus ninhos. Aprende a rudeza das paineiras silvestres, enverrugadas de mamicas; aprende o cortante de certo capim-navalha; a lixa de certas folhas; a maciez de certos musgos.

Os olhos gozam um repasto inédito na cordoalha dos cipós, emaranhados na galaça uns, outros a galgarem de tronco a tronco em bamboleios recurvos ou esticados como vergas.

E há o reino das bromélias de folhas abauladas e flores em cacho vermelho, sempre de cócoras nas forquilhas ou nos galhos horizontais, donde pingam a água acumulada pelas chuvas em seu vasilhame verde — bebedouro de araçaris e baitacas.

E há a babugem das parasitas e orquídeas e musgos e líquens que descem pelos troncos abaixo ostentando mil formas, em fios grossos ou finos como letria, em cabeleiras de Iara, em barbas de velho, em capuchos, em carapinha de negro, em manchas redondas, verdes, vermelhas, amarelas...

Circunscrito a um pequeno âmbito, nosso olhar pouco mais vê afora fustes arbóreos, colunas irregulares, estípites — estacada que a meia altura se perde na maranha da ramaria. A base das árvores é o prodígio inventivo da implantação no solo, cada espécie criando um sábio sistema de raízes adequadas à solidez do terreno; há a arquitetura da sapopemba — "pranchões arcobotantes"; e há a emissão de raízes adventícias a dez palmos do solo, cabos de alta solidez que amarram a árvore à terra e lhe permitem zombar dos sacões da ventania.

E o prodígio de engenho que todas desenvolvem para alcançar a luz do alto? A jiçara é um mastro, um jacto de caule rijo, faminto de luz, que afuroa o céu. Lá se abre em gracioso leque murmurejante como os riachos. E domina a mata.

Vozes tem-nas a mata nas que lhe dá o vento. Cicia com a aragem, ramalha com as brisas, geme com os vendavais, ronca e estruge com os pegões das nortadas.

É de ver como o vento a trata. Desgrenha-a com fúria de possesso, estala a galhaça morta, deita por terra anciões seculares. É o saneador. Limpa a floresta de todas as suas partes fracas, galhos semimortos ou extintos. Deixa de pé a vitória. Deixa de pé o que é rijo, a folha bem viva, o galho bem implantado, o tronco limpo de carcoma.

O chão da mata, livre de miseráveis ervas rasteiras, é todo ele um macio colchão de úmidas folhas mortas. Por entre os troncos vitoriosos vagueiam como fantasmas os *trainards* macilentos, raquíticos, verdadeiras imagens de tuberculosos desamparados.

O espírito se nos dilata à força de sugestões profundas. Está ali Vida em estado de nudez. A Vida em carne viva. A seleção natural nua de qualquer véu.

Tudo é luta às escâncaras — mas silente, pacientíssima.

A meta suprema é a conquista do sol. O dilema, alcançar a luz ou morrer. Uns sobem eretos, majestosos. São os heróis. Outros vão aos coleios. São os políticos. Outros matam para viver. São os bandidos.

O mata-pau é o ingrato vitorioso. Lembra a víbora aquecida no seio do homem da fábula — ou as serpes de Laocoonte. Humílimo enquanto uma simples liana, com a qual confunde os fios que do alto envia ao solo, logo que os sente enraizados revela-se o facínora que é. Bebe a seiva da árvore incauta a que se agregou; vai encorpando, enleia-lhe o tronco, domina-o, devora-o. Aquelas miseráveis lianas do tempo da mentira transformam-se em calabres grossíssimos, que quanto mais engordam mais constringem.

O mata-pau transforma-se em tronco pujante, e engole, como jiboia, a árvore que o recebeu criancinha — que o recebeu com a mesma despreocupação com que recebe as inocentes orquídeas. E a floresta se povoa de enlaces macabros, de troncos mortos a se desfazerem em carcoma dentro de troncos vivos que os abraçam de cíngulos espacejados — abraços de Judas. Só esses vegetais, entre tantas espécies que povoam a mata, nos evocam a imagem do homem...

Mas Despique acuou de novo, mais perto. — "Eivêm"! — exclamou José d'Almeida, com um brilho singular nos olhos. — É porco mesmo!

O coração dos caçadores palpitou apressado. A emoção da caça bole no sangue.

Súbito, o latido esmoreceu.

— Parou!... O porco está enfrentando o cachorro...

O momento torna-se grave. José d'Almeida inquieta-se. Receia pela vida de seu "mestre de porco".

— É capaz de virar para a face de lá... — disse ele ainda.

E assim foi. A caça virou de rumo, a acuação prosseguiu, mas afastada e por fim cessou.

— Dobrou o espigão, — disse José d'Almeida, — e vai sair na espera do Luiz Pedro. Hoje o dia é da caça...

Puseram-se a caminho. Mesquimba o negro não dizia nada. Estava convencido de que o Despique se distraíra com algum coati; mas receava dizê-lo, temendo ofender o amigo.

Por fim não conteve:

— Eu, p'ra mim, foi coati...

José d'Almeida fuzilou-lhe um olhar de cólera.

— Coati é a avó, negro à toa.

E alcançaram a estrada em silêncio, amuados.

Ariel e a Rainha Mab

É nos Alpes, nos velhos cimos ancianizados pela neve, que a mimosa edelweiss desabrocha, a lhes ouvir pensativamente as lendas trágicas e toda arrepios de susto quando o eco traz de longe o fragor das avalanches. Outras flores haverá no sopé mais garbosas de forma, de mais amavios no aroma, com mais vida nos tons. Mas nos torneios da Graça e do Mimo nenhuma vence a edelweiss.

Na arte, as edelweiss do sentimento, as muscíneas da ternura, as maciezas de pétala, o fugace veludo duma curva, os tímidos aromas, um idílio de nuanças, o fugidio desta cambiante, o perfume daquele tom, um emurchecido que põe a nu a alma duma flor em transe, a viração que morre, o beijo com que essa viração arrepia n'água tranquila uma ondulazinha arisca, o debrum d'oiro que o brilho de Vésper engasta na fímbria dessa ôndula, a filigrana de diamante em pó com que o sol e o orvalho pela manhã irisam a teia d'aranha... essas quintessências sutilizadas da arte só desabrocham nos altos cimos dos gênios.

Na criação de tais joias o ciclópico criador d'almas que foi Shakespeare sobrexcedia a quanto atormentado Cellini moderno tresnoita-se pelas regiões do Inédito, de bateia em punho, a garimpar as pérolas que o vulgo não vê e esmói sob as patas grosseiras.

Aquelas manoplas de gigante, afeitas a amassar num barro eterno seus heróis imortais, folgavam do trabalho deixando sair por entre os dedos inigualadas obras primas de mimo e graça. Junto à ferocidade de Otelo, sob os pés incertos do rei Lear, perfumando o delírio amoroso de Julieta, de mistura ao arquejante ofegar de Ofélia, como entremeio ao amontoado caótico das grandes paixões humanas dos Shylocks, dos Iagos, dos Hamletos, dos Ricardos, dos Macbeths, dos Henriques, dos Falstaffs, dos Glosters, o musgo do mimo cresce numa perene floração de graça.

Na *Tempestade*, Ariel, geniozinho invisível cuja história é toda um auto de fada, regira em torno do drama como a materialização dum sonho cor de rosa.

A horrenda feiticeira Sicorax, grávida do monstruoso Caliban, sai de Argel deportada para uma ilhota distante, e leva consigo, escravizado pela sua magia perversa, o mísero Ariel, espírito muito delicado para suportar o governo da abominável megera. Revolta-se Ariel, reage contra o jugo odioso; mas, fraco, é logo vencido pelos sortilégios da velha, a qual lhe impõe um castigo tremendo. Abre o tronco dum pinheiro, mete dentro o rebelde e, recompondo de novo a árvore, deixa-o durante doze anos na agonia daquela tortura sem nome. Ariel rompe céus e terras com o lancinante de seus gemidos. E eram tantos esses gemidos, lançados "com a rapidez das rodas dum moinho", que aos próprios lobos arrancavam uivos de piedade e olhares de compaixão.

Ao cabo desse tempo Próspero, sacudido por um solavanco do Destino, lá aparece e ouve os gemidos de Ariel; alanceado de dó, procura a árvore carcereira, fende-a a golpes de sortilégios e restitui o martirzinho à luz e ao ar, seus elementos.

Ariel, liberto do pinheiro, escraviza-se a Próspero, que dele se utiliza como de sua mão direita. Se Próspero quer crispar o oceano nas convulsões da borrasca, incendiar um navio, adormecer uma tripulação, sussurrar ao ouvido dum rebelde a senha salvadora, ou rolar o calhau dum imprevisto entre o algoz e a vítima, é sempre Ariel quem parte a convocar os silfos das águas e do ar, e a guiá-los, como bom capitão, para que em tudo se cumpram as determinações do mágico.

Ariel, entretanto, tem o gênio trêfego das crianças; quer respirar livremente a volúpia da liberdade; quer, diz ele cantando ao som do alaúde, ir nas rosas escarlates sugar o mel que às abelhas inebria, e adormecer na corola das "primaveras" aos primeiros pios da coruja notívaga; deseja, quando o sol houver tocado a recolher e já nenhum raio erre pelo mundo, sair em caprichosa excursão montado no dorso de um morcego. Mas não pode, é escravo, embora de um senhor bondoso, ilustre e magnânimo. "Ah! — suspira — como serei feliz quando, livre, a terra inteira for minha, e meus todos os galhos em flor, para neles me balouçar com volúpia..."

Próspero, que o adora, promete-lhe esse precioso dom, mas como se não dispensa dos serviços do silfo, vai dilatando o termo da libertação. Ariel queixa-se, invoca os serviços prestados, a sua boa vontade e o seu bom humor inalteráveis, o carinho no desempenho das missões; e relembra-lhe uma promessa antiga, feita em momento de apuros, de antecipar de um ano o prazo fixado para a volta à vida solta. Próspero irrita-se, fá-lo olhar para trás, rever a tirania da "velha de olhos azuis", os doze anos de doloroso empinheiramento; e ameaça-o, se continuam as lamúrias, de encafuá-lo por outros doze anos nas entranhas nodosas duma carvalheira.

Ariel, amedrontado, implora perdão e promete continuar zeloso e alegre como sempre.

Ouve-o Próspero, pensativo, e murmura entre si: "Meu encantador Ariel!". Porque o mágico o adora, e tem a cada instante palavras de carinho para amimá-lo: "Meu hábil geniozinho!" — "Meu diligente Ariel!" — "Meu Ariel!..."

Um dia acerca-se-lhe Ariel e pergunta, entre caricioso e tímido:

— Gostas de mim, mestre?

— Ternamente, meu encantador Ariel.

Diálogo de namorados quando nada se têm a dizer. E logo, comovido, o bondoso sábio, acarinhando-o num meigo olhar, promete para dali três dias a felicidade implorada naquela singela pergunta.

Chega afinal a hora e, fiel à promessa, depois de uma derradeira incumbência, o mago o restitui às rosas vermelhas e aos galhos floridos. Com a voz repassada já de saudades, exclama: "Vai, Ariel! Desempenha esta última missão, reúne-te aos livres elementos e sê feliz!...".

É Ariel uma criação sem par nos domínios do antropomorfismo estético. Assim arrancada à moldura natural e enroupada numa língua estranha e de índole tão diversa, perde o brilho e a linda irisação que possuem no original: mas vista dentro do quadro em que a pôs Shakespeare, na ilha deserta, explicada pelo drama, realçada pelo contraste brutal de Caliban e Sicorax, é duma sedução maravilhosa, dessas que nos fazem deixar o livro e cair num doce êxtase saudoso — tal qual o de Próspero ao vê-lo integrar-se nos "livres elementos".

Nessa mesma fantasia a cada passo topam-se joias preciosas pela leveza do lavor. Na invocação de Próspero aos gênios invisíveis há todo um escrínio.

Os silfos da praia, tão leves que as suas pegadas não assinalam a mais sutil areia, uns a perseguir a onda que foge, outros a fugir da vaga que cresce. Os sacis da meia noite fabricando as ervas amargas que a ovelha pela manhã fareja e rejeita. Os geniozinhos minúsculos, ocupados, nesses instantes em que já não é noite e ainda não é madrugada, em provocar o crescimento dos cogumelos, a espiá-los, atentos, a ouvir-lhes o rumor microscópico do crescer moroso e balofo... Os sererês da noitinha, d'orelha em pé, enlevados do dobre longínquo duma Ave-Maria...

Quantas não burilou aquela mão possante afeita a sopesar os Macbeths e Iagos, e com que fartura as não derramou como um polvilho de ouro pela via láctea de suas obras primas!

Em *Romeu e Julieta*, caso de amor que pintou para sempre o Amor, inesperadamente nos surge a rainha Mab, outra preciosa gema de graça e agudeza.

Que é ela senão o eterno perfume da esperança sempre viçosa em nossa alma? Que imagem mais viva daria corpo a essa encantação máxima da vida?

— "Oh! eu vejo que a rainha Mab te visitou esta noite," — diz Mercúcio. — "É a fada dos sonhos, essa criaturinha. Tem o tamanho da ágata que brilha no anel dum *alderman*; anda numa carruagenzinha minúscula a passear pelo nariz dos que dormem bons sonos. As rodas têm os raios feitos de pernas de mosquitos. O toldo é feito da asa transparente da cigarra, e as rédeas tecidas com a mais sutil teia d'aranha; os arreios foram afeiçoados com fios do luar, e um pelinho finíssimo, embutido num osso de grilo, serve de chicote. O cocheiro é um mosquitinho de libré castanha, tão pequeno que o vence em porte a pulga magricela.

Quem burilou esse carrinho numa esquírola de noz foi o marceneiro Serelepe, de combinação com mestre Besouro, hábil serralheiro desde tempos imemoráveis a serviço das fadas.

Todas as noites, nessa frágil equipagem, Mab galopa através do cérebro dos amantes, desabrochando sonhos de amor. Se corre sobre os joelhos dum cortesão, põe-se ele a imaginar zumbaias fecundas. Nos dedos dum advogado, fá-lo pensar em fabulosas maquias. Nos lábios duma mulher, provoca devaneios langues, onde chovem beijos. Às vezes se encoleriza, percebendo neles ressaibo de gulodices que aborrece, e então os chicoteia sem dó.

Outras vezes, com uma palhinha, faz cócegas no nariz dum prebendário — e ei-lo a sonhar novas mamatas; ou passa veloz pela nuca dum soldado, o qual logo entrevê gloriosas carnificinas, assaltos, inimigos passados a fios de espada, lâminas de Toledo, tambores em rufo. É Mab o travesso duendezinho que emaranha à noite a crina dos cavalos — e assim pressagia desgraças. É quem visita o sonho da menina e o muda no pesadelo do casamento. É ela que..." — E mais diria o loquaz Mercúcio se a impaciência de Romeu lhe não gritasse, "Basta!".

Uma visita a Guiomar Novais

Foi na manhã seguinte à sagração paulistana de Teatro Municipal. A saleta em que nos recebeu semelhava uma loja de flores. Sumiam-se os móveis sob corbelhas de todos os formatos; e como fossem as corbelhas mais numerosas que os móveis, havia-as ainda acomodadas pelo chão, pelos cantos, onde coubessem — só reservado o espaço para três pessoas se moverem.

Não teriam outro aspecto os aposentos da Desirée de Zola, se um dia lhe desse na veneta enfeitá-los com todas as flores do Paradou.

Predominava a angélica em palmas esguias de perfeita brancura; e na salinha, turbilhonada amiúde pelo ar fresco das janelas abertas, se mesclava toda uma gama de perfumes.

Só faltava a pianista, mas não tardou que viesse completar com sua presença a sedução daquele ambiente. E foi-me uma surpresa: era a mesma de anos atrás, quando partiu à conquista dos difíceis louros da consagração europeia. Há tanta gente que com uma chegadinha a Paris esquece até a língua...

Naquela criatura de escol a estação no velho mundo, e os triunfos obtidos, antes lhe acentuaram a personalidade do que a diluíram no amorfo, no anfíbio esnobismo cosmopolita.

Sinal seguro de uma individualidade estável, em todo o decurso da palestra de mil modos novamente o confirmou. Volta de lá tão brasileira como antes de partir. A uma pergunta sobre as impressões trazidas, Guiomar, ainda cansada da luta, das viagens, do corre-corre, dos concertos que deu, dos professores que aturou, dos empresários que a perseguiram, exibiu francamente o seu extremo brasileirismo.

— Tudo muito bom e muito bonito; mas aquele rigor!... A hora certa!... Como é bom aqui! Que sossego! Se chove, como agora, ninguém sai de casa; adia-se o concerto ou a visita e todos acham muito natural. Pois se está chovendo... Não há as obrigações forçadas de lá. Tão bom, tão cômodo isto. ..

— Pelo que vejo é...

— Preguiçosa, pode dizer, e por isso gosto daqui, onde se pode preguiçar à vontade. Que saudades eu tinha! E agora, no seio da família, não penso em nada, não quero saber de nada, não faço projetos, não sei se fico nem se vou, nem sequer se darei outro concerto. Deixo tudo para a mamãe resolver. Que alívio!...

— É bem brasileira, não resta dúvida e sendo assim como teve ideia e ânimo de ir cursar o Conservatório de Paris? Sugestão de alguém?

— Não. Eu sempre tive desejo de obter o primeiro prêmio do Conservatório de Paris. Faltava a oportunidade. Proporcionaram-na a fidalga generosidade de uma senhora paulista de nobilíssimo coração, d. Alda Prado, e a subvenção concedida pelo Estado — e eu parti, muito naturalmente, a conquistar o primeiro prêmio... Hoje me rio daquela grande convicção de criança. Tinha tal certeza que me não passava pela ideia outra hipótese. Não era pretensão, nem vaidade. Ingenuidade, talvez. Lá enfrentei 386 concorrentes que disputavam nove lugares. Fui classificada em primeiro. Não me admirei daquilo, achei naturalíssimo. Pois não viera com esse intento?

Findo o curso deram-me o primeiro prêmio. Também achei muito natural. Não valia a pena atravessar o Atlântico para menos. Veja como eu era!

Guiomar ri-se a bom rir da esplêndida convicção da Guiomarzinha de outrora. Um modo gentil de ser modesta. Juramos, entretanto, que hoje, se houvesse alguma nova grande prova a vencer, Guiomar iria para a refrega escudada naquela mesma esplêndida confiança em si. O artista de verdade nunca desconhece o valor próprio — o que explica a miséria em que muitos caem para não transigir com a mediocridade envolvente.

— E deu muitos concertos?

— Só em Paris toquei nuns trinta, em Londres nuns oito, em Berlim noutros tantos, em Lausanne não sei em quantos; andei de déu em déu. O público de que mais gostei? Todos me receberam tão bem, com uma simpatia tão grande... Eu não sei porque lhes caio na simpatia. O público inglês me seduziu muito. É frio, mas quando se quebra o gelo não há gente mais entusiasta, nem mais sincera. E generosos em extremo. Presentearam-me com inúmeras joias e flores. O que mais me encantou naquelas plateias foi a sua cultura musical. Quem vai a um concerto não é só gente que gosta de música, mas gente que sabe música. Isso dá muito valor aos aplausos.

— E aqui?

— O teatro ontem esteve esplêndido. Não notei diferença das melhores noites de lá. As paulistanas são tão bonitas e se vestem tão bem...

— Não se emocionou com essa estreia em sua pátria?

— A emoção do costume, nem mais nem menos.

— E lá na Europa, da primeira vez que se viu diante de um público estranho, de outra raça, não se amedrontou?

— Nem fale! Um medo horrível, que reaparecia em cada novo concerto. Não foi só na estreia. Mas um medo esquisito, um medo necessário, criador, que nos leva a tocar melhor.

— Há falta de uma palavra própria para designar esse complexo estado de alma do artista em face do público. Diz-se medo, mas não é isso.

— Tem razão, não é bem medo, é...

— Sugestão, hipnotismo...

— ... é uma coisa esquisita. Centenas de olhos e de ouvidos atentos, esperando, analisando, julgando... O fluido que se desprende de todas aquelas almas...

— ... uma eletricidade humana que se exala do público para vir acumular-se no artista...

— É isso, é tudo isso e ainda é mais do que isso. Conheço-lhes os efeitos mas não sei definir. O interessante é que ninguém escapa. O próprio Paderewsky não adiou um concerto em Paris, certa vez, à toa, só por causa do tal medo?

— Já que tocou em Paderewsky, falemos dos pianistas. Qual o seu predileto?

— Não posso dizer que tenha um. A impressão que me causam depende de meus dias, o que se dá também com os compositores. Não posso dizer que prefiro Beethoven a Chopin. Em certos momentos Beethoven me fala à alma como nenhum; noutros dias é Bach; noutros, Liszt. E por isso não tenho uma preferência decisiva por este ou aquele. Em todo caso Beethoven sempre me impressionou muito.

— Não se sente com aptidões para compor?

— Creio que não. Em geral o executante não compõe.

— Sim, mas quando compõe integra-se, produzindo um artista completo.

— Não penso em subir a essas alturas. Aí reside a exceção.

— E não será Guiomar uma exceção?

— Engano, eu sou como toda gente; o que há é que se simpatizam muito comigo e os olhos da simpatia enxergam demais.

Um dos segredos da sedução por Guiomar exercida sobre o público, pondo de parte o prestígio do seu talento real, é a deliciosa modéstia, a absoluta despretensão com que se apresenta. É tão comum a *morgue*, o empolado, a "atitude" nos artistas... Criaturas já destacadas do rebanho humano pelo fato de cultivarem uma arte, mais pronunciado ainda procuram tornar o estigma adotando uma atitude "fatal". A cabeleira do músico, a gravata em borboleta do pintor! Os modos trágicos do poeta lembrando parentesco e afinidade com os Átridas, o tom enfático de super-humanidade, ou sibilismo de iniciado e detentor de arca santa!

Há todo um guarda-roupa de teatro, com postiços de toda ordem, adequados a estarrecer o pobre leigo que abre a boca e... a bolsa. Sobretudo no meio-artístico, o abuso da farragem embasbacadora é de inevitável praxe.

O colete vermelho da plêiade francesa de 1830 não atraía a atenção de Mr. Prudhomme unicamente para satélites, senão também para chefes da ordem de Gautier. Seria tolice condenar tão inocente vezo — uma vez que diverte Mr. Prudhomme. A ausência de cabeleira em Von Vecksey notabiliza-o, não há dúvida, mas a cabeleira de Paderewsky vai-lhe muito bem. Com cabelos à escovinha deixem estar que se diminuiria — e os cordões da bolsa do conspícuo cidadão pagante haviam de conservar-se mais apertados.

Guiomar, artista equilibrada, sem altibaixos, cheia de um bom senso normal e sadio, não procura revelar o seu valor por meio de artifícios. Fá-lo ao piano, simplesmente, e unicamente arrancando das teclas, com o máximo de alma de que são capazes os seus dezessete anos, toda a emoção, todas as coisas que um Beethoven põe na música e não se leem nas notas.

Não faz acrobática de sons, não faz malabarismo musical; traduz, interpreta, promove a eclosão misteriosa do "não sei que" latente nas grandes composições. Como é notável a diferença entre o artista que "sente" e o charlata do *métier*!

O "professor" que executa uma sonata com fidelidade de piano elétrico, o pintor que reproduz na tela com a precisão duma chapa ortocromática todas as minúcias da paisagem, o escultor que trabalha a pedra com apuro de marmorista, alisando todas saliências musculares do modelo — como tudo isso difere da criatura animada da centelha divina que, Paderewsky, extrai do teclado e comunica aos ouvintes tudo o que o musicista não pôs materialmente na obra, mas deixou entrevisto, subentendido, para ser adivinhado unicamente pelos seus afins; ou que, Corot, traduz em tons estados d'alma da natureza imperceptíveis ao vulgo; ou que, Carpeaux, põe vibrações dionisíacas na imobilidade eterna do mármore!

Fora do piano, esvaída a momentânea e perturbadora comunhão com os grandes manejadores do Som, Guiomar é a menina simples, sem pedanteria nem exageros, revelando um claro equilíbrio de sentimento e mentalidade,

Fora do piano desaparece a artista para dar lugar à criatura cheia de alegria e graça — dessa graça espontânea que é perfume na flor e oxigênio na madrugada.

E Guiomar, que já é tanto, ainda é uma criança...

— Sabe Guiomar, que certas moças, não podendo falar mal da sua arte, vingam-se com um aumento de idade? A uma ouvi provando com os mais felinos argumentos que você já tem vinte e três anos.

— Só vinte e três? Foi generosa. Ao "seu" Chiaffareli uma garantiu que eu tinha trinta...

— E no entanto Guiomar só tem dezessete, — interveio uma sua irmã ali presente.

— Dezoito aliás, — emendou a pianista; — nasci a 28 de fevereiro de 1896 em S. João da Boa Vista.

Como se vê, a nossa gentil patrícia não é forte em aritmética. Quem nasceu em 96 e sabe somar, só em 1914 completa dezoito anos.

— Falar em idade a uma mulher constitui pecado venial se ela está na casa dos vinte; mas já é pecado mortal se ela está na casa dos trinta. E é *casus belli* daí por diante. Mas a quem está nos dezessete creio que se não lhe ofendem os melindres, não?

— Ora que enjoamento! Ainda que eu tivesse trinta ou quarenta. Que importa o número de anos? O tudo é a mocidade da alma e do espírito.

— É natural que pense assim. Aos dezessete anos sempre pensamos assim...

E a palestra continuou zigzagueante por mil meandros; quando esmoreceu, a jovem pianista, pressentindo naquilo uma entrevista, perguntou:

— Vai pôr no jornal alguma coisa do que conversamos?

— Talvez. Os jornais andam muito cheios de cousas graves e cômicas; só se veem artigos sobre crise, sobre política... É bom que lhes enflore as colunas, contrastando tais prosaísmos, o perfil de uma menina excepcional. Será uma flor colocada numa vitrina de chapéus duros.

— Mas teria tão pouca coisa a dizer...

— Mas há "poucos" que dizem tanto...

O "SACO DE CARVÃO"

Meu primeiro artigo em jornal grande foi no *Correio Paulistano* em 1913 — sobre Guiomar Novais, recém-chegada do seu precoce triunfo no Conservatório de Paris. Mas me passei logo para *O Estado*, que ficou desde então sendo o meu jornal. Creio que a principal razão da mudança estava na feição oposicionista do velho órgão. Eu também nascera na oposição, mais ou menos como aquele espanhol que desembarcou em Santos e foi logo perguntando: "Há governo nesta terra?". Responderam-lhe afirmativamente e o espanhol empertigou-se: "Pois então sou contra".

Não conheço as razões do espanhol; em mim foi uma eterna revolta contra a desonestidade dos governos. Meu amor por José Américo decorre da sua intransigência, e meu entusiasmo por Prestes Maia vem da sua honestidade absoluta. Honestidades relativas conheço muitas.

Fui sempre colaborador de *O Estado*, mas *free lancer*, colaborador livre, dos que só aparecem quando querem ou têm algo a dizer. Não sei escrever por força de contratos ou encomenda. E naquele tempo me tornei "sapo" da redação, na boa companhia dos dois grandes Lopes: Filinto, o incomparável humorista, verdadeira reencarnação de Mark Twain, e Maneco Lopes, espécie de bomba atômica barbada.

Sapo de redação quer dizer o sujeito, amigo da casa, que lá comparece todas as noites, e fila o café, e faz daquilo o seu clube. Os sapos comentam as notícias do dia, dão palpites, tosam nos adversários e metem a ronca no próprio jornal. Por quê? Por amor à casa, pura e pia revolta pela não introdução de melhoramentos que a eles parecem indispensáveis.

Quem secretariava *"O Estado"* naquele tempo era Nestor Rangel Pestana, talvez o mais admirável tipo de homem que me foi dado encontrar na vida. O equilíbrio mental e moral do Nestor! A natural incorruptibilidade do Nestor! O inalterável bom senso do Nestor! Tudo sob um belo aspecto físico de homem — "um perfeito senador romano" — como o definiu Isadora Duncan. Sua ação no jornal era catalítica. Nestor agia por simples ato de presença. Nada precisava fazer para que *"O Estado"* se mantivesse sempre na linha e em perfeita vertical. Bastava mostrar-se, comparecer lá todas as noites e sentar-se à sua prodigiosa secretária americana, onde, com o correr das semanas, a papelada ia se amontoando até impedi-lo de trabalhar; vinha então uma limpeza a fundo; tudo aquilo ia para os arquivos ou o lixo — e nova montanha de papel começava a formar-se.

Os espíritos conformados nesse molde são em regra conservadores. Quantas vezes nós, com a leviandade e a irresponsabilidade dos sapos, não propúnhamos coisas, mudanças, reformas no jornal, que achávamos excessivamente pesadão ou casacal, como dizia Maneco. Julinho Mesquita, então no esplendor da mocidade, concordava, mas com um suspiro: "Impossível. Nestor não quer". E se nós, tomados de revolta, pulávamos com a alegação de que os donos do jornal eram eles e não Nestor, um simples contratado, a invariável resposta vinha sempre a mesma: "Sim, nós somos os donos, mas Nestor é o secretário".

Aquilo nos encantava, e mais nos amarrava àquele toco. Eles, os proprietários absolutos, não tinham ânimo de impor. O célebre "Nestor não quer" fala mais alto do que qualquer outra coisa da superioridade daquele ambiente.

Julinho, naquela época o "Capitão", vivia numa permanente crise de entusiasmo, extravasada em furiosos debates sobre a coisa pública. Muitas vezes errado (na nossa opinião) mas sempre sincero, firme e violento. Gostávamos daquilo, da sua "ferocidade" patriótica, já que para equilíbrio tínhamos o Nestor. O consumo da palavra "pátria" na sala do Julinho sempre foi grande. O sereníssimo e ultra filosófico Léo Vaz, lá da sua mesa de canto na redação, apontava com a caneta, quando o debate rugia: "A sala da pátria está a cem graus".

Creio que foi aquele o período áureo de *O Estado*. Da sua bela fazenda de Louveira Júlio Mesquita "tele presidia" o grupo com a sua inesquecível superioridade de semideus aposentado. Nestor ali no leme era a própria imagem da prudência e da experiência mais alta. Julinho representava o elemento fogo; era a mocidade; o futuro. Os sapos faziam o papel do coro das tragédias gregas.

Muita gente lá fora rosnava, achava o jornal "muito fechado" — e creio que era realmente fechadíssimo — mas não há negar que foi essa feição que lhe deu tamanho prestígio na opinião pública. Antes muito fechado que muito aberto. O São Paulo da era perrepeana jamais tomou partido em qualquer coisa sem primeiro saber como *O Estado* pensava — para declarar-se, a favor ou contra. Comuníssimo, e frequentíssimo, na capital e no interior, a frase: "Vamos ver o que *O Estado* diz".

O jornal dava a sua opinião pela primeira nota das "Notas e Informações". Fosse uma questão política ou dum qualquer interesse geral, era ali que em seu estilo tão puro e sintético Júlio Mesquita se manifestava — e às vezes, creio, também Nestor. As notas não eram muito frequentes, o que ainda mais lhes aumentava o prestígio.

O coro grego, irreverentíssimo, formava rodinha longe dos ouvidos do Nestor, e caçoava: "*O Estado* está convencido de que é centro do sistema planetário; daí a cautela com que emite opinião. Puro medo de que com um pequeno deslize venha a perturbar-se a harmonia universal e rebente alguma catástrofe cósmica". Ah, o cuidado de Nestor na escolha dos adjetivos! Para que o jornal atribuísse a alguém a qualidade de "distinto" ou "notável" era preciso muita coisa, sobretudo que o sujeito o fosse realmente. As palavras nestorianas só saíam depois de meticulosamente pesadas em balança de alta precisão.

Em 1918 ocorreu por lá curioso incidente. Por esse tempo era eu um dos sapos mais assíduos; não dispensava o encontro diário com os dois Lopes, com Julinho e Nestor. Irrompera a gripe, que breve se tornou calamidade pública. A preocupação de todos era uma só — a gripe. O trabalho de todas as conversas era um só — a gripe. O trabalho de todos, um só — socorrer gripados. E toda gente ia caindo de cama. O número dos conhecidos mortos começava a assustar.

Às notícias na sala da redação passaram a ser de um só tipo. "Chegou telefonada de Louveira. Júlio Mesquita caiu." E logo depois: "Sabem quem caiu? Julinho. E Chiquinho também". Já ninguém dizia "cair com gripe", ou "adoecer", e sim, e só, "cair".

Certa noite, ao entrar na redação, não encontrei Nestor na célebre mesa. Dez horas, onze horas e nada. Telefonamos para sua residência. Tinha caído também. Logo depois nos aparece Plínio Barreto, que vinha substituí-lo no secretariado. Mas no dia seguinte cai Plínio e surge Pinheiro Júnior em substituição. Dois dias apenas esteve Pinheiro a postos, porque também caiu. E como lá em baixo, na administração, houvessem caído Chiquinho, Ricardo Figueiredo o gerente, e seus substitutos, aconteceu que em certo momento todo o estado-maior do jornal ficou fora de combate.

Lembro-me da noite em que só encontrei lá Filinto Lopes. Esperamos até onze horas pelo substituto de Pinheiro Júnior. Ninguém apareceu. O jornal estava acéfalo e ameaçado de não sair no dia seguinte. Falta de quem o dirigisse. Lá na "Vala Comum", isto é, na sala geral dos redatores, cozinheiros e repórteres, a brecha aberta pela gripe fora de cinquenta por cento ou mais, e ali na sala do secretário o desfalque era integral.

Uma ideia me ocorreu.

— Amigo Filinto, a situação é grave. O jornal está sem cabeça e correndo o risco de paralisação. E não há a quem recorrer. Os donos caíram, e caíram os gerentes e mais de metade do pessoal. Dos sapos só restamos nós dois. Até Maneco, apesar da sua grande barba, foi para a cama. Proponho que assumamos o comando. Do contrário não teremos *O Estado* na rua a partir de amanhã.

Filinto Lopes gravemente concordou.

— Pois então, — continuei, — tome conta da sala de espera e receba lá quem vier com informes e comunicações, que eu me sento à mesa do Nestor e despacho o expediente.

E assim fizemos. Enquanto na sala de espera seu Filinto recebia gente, eu na sala do Nestor abria o famoso bauzinho da "matéria" e passava os olhos naquilo, selecionando o que tinha de sair no dia seguinte, podando excessos, baixando os adjetivos, rabiscando instruções. Depois zás! metia a papelada no tubo pneumático que por baixo da terra levava tudo às oficinas de composição e impressão.

Para reforço da "Vala Comum" mobilizei vários elementos de fora, como Léo Vaz e Alarico Caiuby, que por esse tempo trabalhavam comigo na *Revista do Bra-*

sil — e como desfecho de semelhante mobilização Léo Vaz entrou definitivamente para o corpo de redatores d'*O Estado*. E fez carreira. Quando Nestor faleceu foi quem o substituiu como secretário do jornal; mais tarde alçou-se ao posto supremo: diretor, em substituição de Plínio Barreto. Hoje Léo Vaz tira o chapéu na rua sempre que ouve a palavra "gripe".

Nesse trágico momento da vida d'*O Estado* ocorreu um incidentezinho que tem sua comicidade. Este jornal e o *Correio Paulistano* sempre viveram às turras, órgãos que eram de políticas adversas. Em havendo ensejo, um dardejava contra o outro uns borrifos de veneno, mas sempre com muita linha e elevação. Pois bem: aproveitei-me do fato de estar sozinho e sem controle à frente do jornal para umas alfinetadas no governo. Com toda a gravidade, numa sábia imitação do estilo de Júlio Mesquita, lancei uma das tais notas entrelinhadas sobre a "falta de coordenação dos serviços oficiais de combate à gripe". Certo de que quem falava era o pobre do Dr. Júlio, lá na cama em Louveira, o *Correio* vibrou de cólera: "Nem numa ocasião como esta, de calamidade nacional, o grande órgão esquece os seus rancores políticos!". Eu, impassível ignorei o estrilo e continuei com as notas, numa verdadeira *scie* sobre a tal falta de coordenação. Lá em Louveira Júlio Mesquita folheava o jornal na cama e danava: "Quem é que me anda em S. Paulo com estas absurdas impertinências?" — e não podia informar-se pelo telefone, porque em S. Paulo todo mundo estava morre-não-morre nas unhas da gripe.

Durou uns dias o pega dos dois jornais, muito a sério do lado do *Correio*, sempre a ver naquilo o "dedo do Júlio"; e da minha parte com piscadelas do olho esquerdo para seu Filinto.

Mas tudo tem fim. Ao cabo de duas ou três semanas, indo à noite para a redação (era na Praça Antonio Prado), esbarrei na rua Quinze com um vulto encapotado, de *cache-nez* e gola erguida. "Nestor!..." Sim, era ele que saía pela primeira vez, depois de sua temporada na cama. Seguimos juntos, Nestor a contar da doença e eu, com muito medo de censura, a falar da nossa intromissão na seara alheia. Mas Nestor apenas disse: "Bem que andei desconfiado do milagre — todos na cama e o jornal a sair. Foi ótimo" — e deu-me a absolvição.

Chegados à redação, passei-lhe a vara e apresentei-lhe os meus elementos, Léo e Caiuby. Dias depois foram surgindo os alcançados pela gripe — menos os que morreram, evidentemente, como caiu na asneira de o fazer o nosso querido Adalgiso Pereira.

Este fato revela o clima do "velho órgão". Tão grande a identificação de todos com a alma do jornal, tamanha a confiança recíproca, que sem ordem de ninguém dois meros filantes de café assumem o comando do maior jornal do Brasil e dirigem-no autocraticamente por mais de uma quinzena. E finda a "ocupação", os donos e gerentes de nada se queixam, antes agradecem a lembrança e perdoam, sorrindo, aquela intrusão inédita nos anais da imprensa. Porque nunca, jamais, em país nenhum do mundo, ocorreu uma coisa semelhante...

Tal era o *esprit de corps* do jornal de Júlio Mesquita. Imagine-se agora o espanto, o estarrecimento, e depois a indignação quando em 1942 correu pela cidade a nova de que *O Estado* fora invadido e ocupado pela polícia; e que a polícia havia descoberto lá metralhadoras, canhões, tanques, *dreadnoughts*, submarinos e bombas atômicas — terríveis armas com que "o pessoal do *O Estado*" pretendia derrubar a ditadura que nos vinha fazendo tão felizes...

E depois veio o exílio dos donos do jornal, e vieram as ameaças e as pressões, e por fim a compra à força feita pelo governo. A sensação do público de S. Paulo foi de um fim de tudo. E parecia na realidade o fim de tudo, aquele coroamento da ocupação militar que desde 1930 desabara sobre S. Paulo. Entre todas as humilhações com que a ditadura nos obsequiou para castigo do levante de 1932, nenhuma tão dolorosa como a que destruiu o último consolo que nos restava: *O Estado* sempre de pé, sempre digno, sempre mudo, mas de extraordinária eloquência em sua mudez. Era nosso único meio de protestar contra a onipotência getuliana.

E a gente paulista viveu três anos com um peso no coração. O confisco d'*O Estado* não era ofensa dessas que saram. Abriu em nossas almas uma úlcera fagedênica. Já não podíamos protestar contra a pilhagem de S. Paulo nem sequer por meio da eloquente mudez de um jornal...

Mas tudo tem fim, e hoje é com imensa euforia que assistimos ao grande ato da reparação. A entrega do seu a seu dono, a devolução d'*O Estado* aos Mesquitas, vai ser o começo de cicatrização da ferida aberta na alma paulista pela onda predatória em que se transformou a arrancada libertadora de 1930.

A Via Láctea possui em certo ponto uma falha, um negror profundo que recebeu dos astrônomos o nome de "Saco de Carvão". Na longa e luminosa via láctea do jornal de Júlio Mesquita, a fase de 1942 a 1945 aparecerá como um saco de carvão. O velho órgão continuou a sair na sua forma física de sempre, mas já sem alma, sem coração, sem cérebro. Vazio. Puro fantasma de Macbeth. E assim foi até que o Último Interventor, atendendo às instruções de um grande Ministro da Justiça, restaurou-o no que fora, devolvendo-lhe a alma, o coração e o cérebro. Quando Macedo Soares assinou o decreto redentor, estava simbolicamente pingando o ponto final na ocupação naziforme da terra bandeirante.

"Faça-se justiça para que não pereça o mundo" — é o brocardo de incomparável beleza que os juízes da República Judiciária espanejaram e retiraram do longo olvido. Abençoados sejam.

D. Bosco e o petróleo

Não deixa de ser curioso que a primeira afirmação de grandes lençóis de petróleo na América do Sul, especificadamente os que se locam entre os graus 15 e 20, faixa que apanha Mato Grosso, não venha de nenhum geólogo, ou explorador de sertões, ou economista imaginativo. E sim venha de Dom Bosco, um piedoso sacerdote que por mérito de suas virtudes a Igreja Católica santificou. E isso ocorreu em 1883, numa época em que o petróleo estava longe de ter a importância econômica de hoje, servindo apenas, sob forma de querosene, para fins de iluminação.

Andava Dom Bosco preocupado com a criação dum Vigariato e duma Prefeitura Apostólica na Patagônia, quando certo dia, exatamente na noite de 29 de Agosto de 1883, teve um sonho que ao despertar fixou em todas as suas minúcias num caderno de notas. Consistiu esse sonho numa viagem de trem pela lombada dos Andes, de Cartagena a Punta Arenas; pelo caminho ia o futuro santo descrevendo o que visualizava na superfície e no *interior* das terras.

Passado o grau 15, e a caminho para o grau 20, vê desdobrarem-se ante seus olhos imensas planuras e montes pouco elevados (seios de terra, como ele diz, isto é, elevações suaves), em cujas entranhas se escondiam riquezas minerais prodigiosas, inexauríveis jazidas de carvão de pedra e RESERVAS DE PETRÓLEO COMO JAMAIS FORAM ACHADAS EM OUTROS LUGARES. E acentua que esse seio de terra, bastante largo e longo, emergia dum lago. Quem estuda no mapa a zona descrita percebe claramente que ele só poderia referir-se ao grande pantanal mato-grossense, ou o Pantanal do Xaraés, naquele período do ano já transformado em lago pelas chuvas da estação. Desse lago emergiam os "seios de terra" — isto é, as elevações constituidoras do sistemazinho orográfico da Serra da Bodoquena.

No dia em que se desvendarem as minas ocultas nas entranhas daqueles montes, diz ele, surgirá ali a Terra da Promissão, "fluente de leite e de mel" — e "será uma riqueza inconcebível". Tendo se referido na frase anterior a imensas jazidas de petróleo, este "fluente de leite e mel" diz desse mesmo petróleo com palavras indiretas — pois é o petróleo a grande riqueza natural que flui.

Em amarelecida página de velha publicação salesiana, já extinta, encontramos a referência ao sonho de Dom Bosco e, com a atenção sempre voltada para o problema do petróleo nacional, tratamos de averiguar sua fonte e autenticidade.

E verificamos que no volume XVI das *Memorie Biografiche di San Giovanni Bosco*, do Sac. Eugênio Ceria, *Edizione Extra-Commerciale*, da *Societá Editrice Internazionale*, Torino, 1935, cap. XIII (Nel Brasile, Vicariato e Prefettura), pag. 390, onde ele relata um sonho tido em 1883 (na noite de 29 a 30 de agosto), existem de fato referências a grandes depósitos de petróleo no Brasil. Transcrevo o trecho ao pé da letra:

"Io vedeve nelle viscere delle montagne e nelle prefonde latebre delle pianure. Aveva sott'occhio le richezze incomparabili di questi paesi, che un giorno verrano scoperte. Vedeva mineri numerosi di metalli preciosi, cave inesauribili di carbon fossile, depositi de petrolio cosi abbondanti quali mai finora si trovarono in altri luoghi. Ma cio non era tutto. Tra il grado 15 e il 20 vi era un seno assai largo e assai lungo che partiva da un punto ove formavasi un lago. Allora una voce disse ripetutamente: "Quando si verrano a scavare le minere nascoste in mezzo a questi monti, apparirá qui la terra promessa, fluente latte e miele. Será una richezza inconcepibile."

A tradução é a seguinte: "Eu enxergava nas vísceras das montanhas e nas profundas da planície. Tinha sob os olhos as riquezas incomparáveis dessas regiões, que um dia serão descobertas. Via numerosos minérios de metais preciosos, jazidas inesgotáveis de carvão de pedra, depósitos de petróleo tão abundantes como jamais se acharam em outros lugares. Mas não era tudo. Entre os graus 15 e 20 existia um seio bastante largo e longo, que partia dum ponto onde se formava um lago. E então uma voz me disse repetidamente: 'Quando vierem escavar os minerais ocultos no meio destes montes, surgirá aqui a terra da promissão, fluente de leite e mel. Será uma riqueza inconcebível'."

Há duas maneiras de interpretar estas profecias, ou visões no tempo — como também as visões no espaço. Uma é a interpretação religiosa, em que o profeta, ou o visualizador, fala como intérprete de potências sobrenaturais, ou, entre os cristãos, de Deus. Outra é a interpretação científica, em que tais criaturas se mostram possuidoras dum sexto sentido; ou da faculdade de se projetarem além de si próprias, tanto no tempo como no espaço.

No precioso livro de Alex Carrel, *Man the Unknown*, em que o grande cientista franco-americano mostra como o homem ainda se desconhece a si mesmo, há referência a essa faculdade prodigiosa da criatura irradiar-se para além das suas fronteiras anatômicas.

"A criatura expande-se a grandes distâncias," diz Carrel, "pode cruzar oceanos e continentes em tempo tão curto que se torna inapreciável. Pode encontrar no meio duma multidão a pessoa desejada e comunicar-lhe pensamentos. Pode descobrir na imensidão e confusão duma grande metrópole moderna, a casa, o quarto e o indivíduo que procura, embora nada conhecendo dos lugares. Os seres dotados desta forma de atividade comportam-se como seres extensíveis, como amebas dum estranho tipo, que projetam seus pseudópodos a distâncias inconcebíveis."

E mais adiante: "Entre certas criaturas e a natureza existem sutis e obscuras relações. Tais homens podem projetar-se no espaço e no tempo, apreendendo realidades concretas. Parecem escapar a si próprios e também à continuidade física (*physical continuum*).

E ainda: "Há em certos indivíduos um elemento psíquico capaz de viajar no tempo. Como já mencionei, os clarividentes percebem não só fatos especialmente remotos como também acontecimentos passados ou ainda a virem no futuro. Parecem vogar com tanta facilidade no espaço como no tempo. Ou libertar-se do *physical continuum*, tal o inseto que se destaca do quadro e, a voar, o contempla de cima".

Os sábios ao tipo de Alex Carrel põem Dom Bosco nesta categoria dos prodígios da extra-corporalidade. Os homens de espírito religioso o colocam na classe dos seres sobrenaturais, emissários, intérpretes, da divindade. Mas em nenhum dos grupos haverá negadores do valor da sua visualização profética, já em boa parte realizada. O que Dom Bosco anteviu na Patagônia, que naquele tempo não passava dum deserto esquecido, está hoje em intensa marcha de realização. Comodoro Rivadavia é uma cidade moderníssima, a regirar em torno de quase dois mil poços de petróleo abertos na zona. Já chegou ao estágio há cinquenta e três anos previsto por Dom Bosco, *quando ninguém no mundo sonhava com petróleo na América do Sul e muito menos naquele terrível deserto.*

O mesmo se dará com o que Dom Bosco previu nas planuras e seios de terra de Mato Grosso, entre os graus 15 e 20 de latitude. As imensas riquezas minerais da "terra promessa" serão postas a nu um dia e lançadas na caudal do comércio. E os depósitos de petróleo que ele lá assinalou hão de assombrar o mundo com a sua possança. O petróleo do Xaraés — já o disse uma criatura que nada tem de santo — está destinado a formar os alicerces do Quarto Poder Mundial do Petróleo. Os fatos hão de demonstrar que, como o viu Dom Bosco, existem realmente lá "*depositi di petrolio cosi abondante quali mai finora si trovarano in altri luoghi*".

E nesse dia Dom Bosco será proclamado o padroeiro do petróleo no Brasil, já que foi o primeiro homem no mundo a vê-lo e a indicar-lhe a magnitude.

Estradas...

Este é um dos muitos artigos que M. L. escreveu sobre estradas. Sua preocupação com o problema do transporte no Brasil jamais esmoreceu.

Há mais de um século aportou no Brasil um imigrante predestinado — o café. Vinha de remoto continente, humílimo, oculto no saco de viagem de um desses homens "diferentes dos outros" que a honrada bronquidão dos medíocres acoima de "esquisitões".

Lançado à terra, o café germinou, cresceu e deu de si excelentes contas.

Mas para isso exigia uma condição cruel: negro no eito movimentado a chicote. Ora, o café procedia de terras africanas e não se conformava com uma prosperidade embebida no sangue dos seus co-continentais. Queria regime livre, e para consegui-lo mudou de clima. Tacteou o caminho, rumo a S. Paulo, e aqui arranchou-se de vez, na sua canaã prometida. Só então, nessa maravilhosa Mesopotâmia da terra-roxa, ao contato de um solo que leva a fertilidade ao furor, pôde expandir-se desassombradamente, e exsolver-se num Pactolo inesgotável.

Tudo em S. Paulo mudou desde aí e tudo ainda hoje sofre a ação plasmadora do café. O regime agrícola, a indústria, a viação, a ordem econômica, a vida bancária, o sistema de crédito, a mentalidade individual e coletiva, a formação étnica — tudo que é atividade humana e biomorfismo, norteou-se, moldou-se, modificou-se, determinou-se pela diretriz imposta pelo café.

É ele o sol que arde luminoso no centro de um especialíssimo sistema de gravitação. E, como sol, é um criador.

Criou a rede ganglionar das cidades oestinas, prepostas à tarefa de vivandeiras da sua expansão.

Criou o único sistema ferroviário do Brasil que não cultiva a cicuta do déficit.

Criou a Pauliceia: cidadezinha perrengue, como as há inúmeras por aí, erigida de chofre, a um golpe de vara mágica, em metrópole sul-americana, a terceira do continente.

Criou um tipo novo de raça, mesclando os vários sangues europeus que melhor se adaptavam ao ambiente novo — tipo mais audaz e mais capaz que o preexistente.

Criou, em suma, o fenômeno global a que chamamos S. Paulo — núcleo de organização suscetível de progresso, enxerto de carne viva operando na carne atônica da grande baleia.

S. Paulo, em essência, não passa disto: vida na meia-morte, broto em tronco escasqueado, brasa em meio de cinzas. E também disto: rodas redondas, mancais de bolinhas, lubrificante fino na terra clássica das rodas quadradas, do pedregulho e do visgo.

Mas esta ação transformadora do café restringiu-se às zonas do solo amigo do café. Às de solo hostil o café excomungou cruelmente: — Permanecerás baleia.

E por tal forma é assim que até em redor da Pauliceia vemos persistir uma cinta samambaienta de Brasil semimorto, de cócaras, rezando, de anzol na mão, a negacear a traíra das poças, o padre nosso de São Jeca.

A zona que a nova estrada de rodagem recém-aberta nos revelou é bem deste tipo desalentado.

Forma um bloco de morretes e mamelões, degraus da serra dos Cristais —

desertos, áridos, encarapinhados de samambaia, sem uma árvore sequer a lhes quebrar a dolorosa monotonia. Até Jundiaí uma única árvore rompe a unidade da desnudez — uma paineira marginal... Ela só!

Esse bloco é baleia pura. E é depois de transpô-lo, perto de Jundiaí, que reentramos em São Paulo.

Começam a aparecer pelos espigões uns tufos de carapinha cafeeira e já o pulsar da vida se denuncia.

Esta zona, porém, recebeu um *ultimatum* sério, escrito numa faixa de dezenas de quilômetros de chão: incorporar-se a São Paulo, desbaleiar-se; e dentro de poucos anos a impressão de quem por ali passar será bem diversa da de hoje. Surgirão, à beira da via, sitiocas, chácaras, pastagens; a terra valorizar-se-á pela procura; a zona povoar-se-á e a mancha de azeite do paulistanismo conquistará para as utilidades da vida mais essa posta do cetáceo.

Nem todos compreendem o infinito alcance das estradas de rodagem na vida de um país. Correspondem ao sistema de artérias e veias de um corpo, e é pela sua rede que o sangue econômico circula. E tanto mais perfeitas e mais bem coordenadas são elas, mais fluente é o curso das riquezas e mais rápida e sólida a prosperidade do país. No corpo, quando a arteriosclerose arruína a rede das estradas de rodagem por onde circula o sangue, sobrevém a doença, a decrepidez e a morte. Num país, quando o sistema arterial e venoso, descurado, esclerosa-se de atoleiros e caldeirões, a miséria, o marasmo, a paralisia expulsam a prosperidade e instalam-se como em casa da sogra.

O problema da circulação — do sangue no corpo e das utilidades num país — é, pois, o problema básico a que tudo mais se filia.

No Brasil a causa primária da lazeira econômica — e sequentemente da lazeira moral, da lazeira política, e da lazeira eugênica, é a lazeira em que jaz o sistema circulatório. E não há resolver nenhum dos nossos problemas vitais — analfabetismo, doença, pobreza — sem a solução radical do problema circulatório. Porque é pelas estradas que circulam não só as utilidades econômicas como a instrução e a saúde do povo.

Que é que se chama estrada no Brasil? Um trilho aberto pelas tropas, alargado depois pelos carros e conservado depois pelas câmaras.

O erro vem do início: um traçado feito pelo burro e não pelo engenheiro! Segundo erro: alargamento operado pela pata dos bois e pelos rodízios da carreta — os dois instrumentos clássicos de deteriorar estradas! Terceiro erro: conserva a cargo das câmaras. Ora, as câmaras no Brasil, com exceção de bem poucas, nunca passaram da camaradagem de doze sujeitos chamados "vereadores". Conservam no bolso dos afilhados as verbas que votam para a conservação das estradas e conservam nestas, cuidadosamente, o traçado que o burro fez e a melhoria que o carro de boi introduziu.

E a baleia vítima de tal regime morre de inanição por falta de estradas...

Para bem definir a ação das câmaras municipais em matéria de estradas basta um caso.

Um amigo nosso, de viagem pelo interior, socado no lombo de um burro de trote, volta e meia dirigia-se ao camarada, interpelando-o:

— Ainda falta muito para chegar, Filogênio?

O camarada respondia que sim, mas antes de responder descia os olhos para o chão, como que interrogando o caminho.

Esse gesto, amiúde repetido, impressionou o nosso viajante, o qual dele teve explicação depois de repetir pela última vez a pergunta.

— Falta muito ainda?

Filogênio examinou o chão e respondeu com segurança:

— Estamos chegando.

— Como sabe?

O homem riu-se.

— Pois não vê a estrada? Quando estrada começa a zangar, é aquela certeza: câmara municipal está perto!

Com efeito. Minutos depois, dobrando um espigão, o meu amigo avistou uma cidade...

A pucela de Indiana

A história da revolução — ou do começo da revolução que o país pede por todos os poros — começa a ser escrita. Até aqui, em virtude da mordaça do estado de sítio, só apareciam versões legalistas, únicas que não interessam ao povo nem aos amigos da verdade histórica. A palavra legalismo confundiu-se com bernardismo e passou a tresandar a verba secreta, a suborno, a mentira sistematizada. Tornou-se suspeita. E como a Censura, o buldogue do bernardismo, trancava no poço a nua mas invencível verdade, condenamo-nos — os que não somos escravos de coisa nenhuma — a esperar com paciência que o buldogue, cansado, se recolhesse ao canil. A Censura apenas retardou o conhecimento da verdade — e isto mostra a infinita estupidez dos processos compressores. Retardam: não impedem nunca a vitória final da verdade.

Começam agora a aparecer livros merecedores de fé. Um deles, impresso no Paraguai, vem assinado pelo tenente Cabanas. É a curiosíssima história da "Coluna da Morte" que ele comandou desde a retirada de S. Paulo até à rendição de Catanduvas.

Sobre este homem muito se extremam os juízos. Herói para uns, bandido para outros. Extremam-se também, ainda hoje, as opiniões sobre Bonaparte. Os homens de guerra serão sempre julgados com a lógica dos partidos. A um espírito sereno, entretanto, fora de partidos, o tenente Cabanas representa um perfeito tipo de homem de ação, cabo de guerra dos que nascem feitos, general plasmado pela mão da natureza, muito diverso dos que se formam artificialmente nas escolas. Simples tenente da polícia de S. Paulo, revelou-se na hora H um gênio da guerra. E diante dos milagres que fez com a sua pequena coluna, perpétuo terror das forças legalistas, não é difícil prever o que faria se estivesse no comando supremo.

No dia em que o Brasil tiver na sua direção militar homens como este, generais natos como Cabanas e Prestes, nesse dia o Brasil será uma eficiência bélica.

Certa vez um coronel pediu a Napoleão que o promovesse a general.

— A vitória faz os generais — não eu. Ganhe uma batalha e a vitória o promoverá.

Sob um Napoleão Cabanas seria marechal, como o foi Murat, Ney, Lannes.

Se permanece tenente é que não houve um Bonaparte na nova revolução.

O seu livro vale por precioso ensinamento. O Estado Maior está no dever de estudá-lo e tê-lo como o melhor manual de "enganar e destruir o inimigo" — e outra coisa não se aprende nas escolas de guerra. A arte da guerra é determinada pelo meio geográfico e pelo ambiente psicológico. Cabanas, pois, ensina mais ao brasileiro do que Clausewitz ou Schlieffen.

Entre os muitos episódios heroicos, trágicos ou cômicos, de que se recheia o seu livro, um há possivelmente *inédito* no mundo, e revelador de que não se acha extinta a raça da Brites, padeira de Aljubarrota. Agredida por um grupo de soldados espanhóis, a valente padeira lusa, armada duma pá de forno, os desfez em três tempos — e penetrou na história.

Uma donzela brasileira fez melhor.

Deu-se o caso em Indiana, onde acampara a Coluna da Morte, que vinha na retaguarda das forças revoltosas a embaraçar por todos os meios a marcha dos legalistas.

Um cabo velho e um corneteiro moço, aproveitando-se da momentânea folga, saíram pelos arredores da cidade em excursão de pirataria. Era a velha *maraude* dos franceses, povo que em vista dum longo passado beligerante possui um amplo vocabulário de guerra. Nós aqui temos de usar a mesma *pirataria* para as ações do bernardismo contra o Tesouro e para a que iam fazer os dois *maraudeurs* da Coluna da Morte.

Saíram à aventura, armados de facão e revólver, e depois dalgum caminhar deram com um casebre retirado e oculto no arvoredo.

Moravam ali duas mulheres, uma pobre anciã de setenta anos e uma jovem de compleição robusta e olhar firme, dessas que arregaçam as saias e treinam os músculos no rude mourejar das roças.

Verem-na e incendiarem-se da velha concupiscência bíblica foi obra de um só momento. Os piratas arregalaram os olhos e lamberam os beiços. Era justamente a caça que procuravam — e surgira melhor que o sonhado, pois a moça de fato tentava. Um "pedaço", como se diz em gíria pirata.

Rodearam-na ambos com palavras doces e propostas amáveis, sem nem por sonhos admitirem que podia estar ali uma padeira de Aljubarrota.

E estava.

A donzela irritou-se e insultou-os. Riram-se os piratas e dispuseram-se a tomar pela força das armas a fortaleza que não cedia a intimações. Avançaram. Em vez, porém, do clássico faniquito, o que houve foi reação violentíssima. A donzela apoderou-se logo do facão do corneteiro e investiu contra os dois com tamanha fúria que os pôs fora de combate. E fez mais ainda: desarmou-os! E ainda mais: prendeu-os e os levou, cabisbaixos e sangrentos, à presença do tenente Cabanas.

— Estão aqui, tenente, os dois piratas que invadiram minha casa e tentaram violentar-me. Castigue-os como merecem.

Cheio de entusiasmo pela varonil patrícia, Cabanas felicitou-a e convidou-a a voltar ao acampamento no dia seguinte, afim de assistir à punição dos culpados.

E assim foi. No dia seguinte reapareceu por lá a heroica pucela de Indiana, e teve o gosto de assistir à surra de chicote com que Cabanas estragou no cabo velho o seu amor à polpa feminina.

O corneteiro só se livrou de sova idêntica porque se achava recolhido ao hospital de sangue, em vista dos ferimentos que recebera na luta com a Brites.

Diz o tenente Cabanas que o fato foi presenciado pelo Dr. Whitaker, velho fazendeiro da zona e irmão do Dr. José Maria, ex-diretor do Banco do Brasil.

Este episódio merece divulgação para escarmento dos piratas e lição às mulheres. Mostra que uma criatura do sexo fraco pode resistir a duas do forte quando em vez do fanico recorrem a uma arma qualquer — pá de forno ou facão. Se cedem tão facilmente, será talvez que encontrem um secreto deleite na derrota. Mistérios do masoquismo...

Azoteida[6]

Medido a "olhômetro" — o grande instrumento de precisão nacional, tem o Brasil oito milhões e pico de quilômetros quadrados. Este pico varia muito, e pode cifrar-se no número que nos aprouver à veneta. Seja pois, para a nossa hipótese, de 8.327.563 de quilômetros rigorosamente quadrados a superfície do Brasil. E como a camada de ar atmosférico que rodeia a terra tem uma espessura de 43 mil metros — se não erra o olhômetro de Humboldt — segue-se que os ares territoriais brasileiros alcançam o volume de 357 milhões de quilômetros cúbicos.

Isso na hipótese de ter a nossa camada atmosférica espessura igual à dos demais povos, o que é improvável, visto como nosso céu tem mais estrelas, nossos prados têm mais flores, nossa vida mais amores, e não há razão alguma para o ar fugir à regra. Mas, para argumentar, demos de barato que fuja à regra, e que se dê à humilhação duma espessura igual aos ares das outras terras.

Sabemos que o ar se compõe de azoto na proporção de setenta e nove por cento, de oxigênio na de vinte e pico por cento — e mais uns gasesinhos novos, sem grande importância, espalhados na massa apenas para lhe dar um certo buquê.

Ora, o azoto é uma riqueza. É o pai da vida vegetal, o fautor máximo das colheitas fartas, o biotônico de Ceres, o óleo de fígado de bacalhau de Pomona.

Plantinha enfezada que tome diariamente sua dose de azoto fica para aí árvore luxuriante, seivosa, gorda de boa clorofila. E os povos adiantados, como sabem disso, captam azoto do ar em grandes usinas elétricas, reduzem-no a ácido nítrico e utilizam-no para adubar as terras, tornando-as coisa assim como a Canaã bíblica ou o famoso Jacarezinho do Paraná.

Se é possível isto, e se já se faz isso, por que não metemos mãos à obra, nós, detentores de 357 milhões de quilômetros cúbicos de ar?

Nesta formidável massa há de azoto quase oitenta por cento, quer dizer, nada mais nada menos de duzentos e oitenta e seis milhões de quilômetros cúbicos! E azoto de superior qualidade...

Ensina-nos por outro lado a química que um litro de ar pesa um grama vírgula três. O ar brasileiro pesará um pouco mais, aí um grama e meio, ou dois... Mas, para argumentar, conformemo-nos com a pesagem clássica do velho Arago, feita em ar francês visivelmente mais leve que o nosso. Teremos, pois, como peso total das nossas jazidas aéreas, a respeitabilíssima soma de 465.380.771.700.000 gramas, ou sejam 465 milhões de toneladas. O azoto entrando aí com oitenta por cento, segue-se que possuímos uma reserva intacta de 371 milhões de toneladas de fertilíssimo azoto, o qual, reduzido a sais aptos para a adubação da terra, e vendido pela ridicularia de cem mil réis a tonelada, equivale a trinta e sete milhões de contos, ali na ficha!

---
[6] Cincinato Braga, no seu livro sobre os grandes problemas nacionais, dera como uma das nossas possibilidades imediatas a extração do azoto do ar.

Dá tonturas este cálculo!... Apenas com o quebradinho dessa quantia o Brasil habilitava-se a pagar toda a dívida da União, dos Estados, dos Municípios e dos Indivíduos. E sobrariam quatrocentos e cinquenta milhões para nadarmos em ouro. Que perspectivas estupendas se nos abrem ante os olhos, se por um minuto refletimos na massa de dinheiro aéreo que nos cerca! As nações todas de rojo aos nossos pés; o país transformado num jardim de Armida; o Amazonas canalizado para o Ceará; os cafezais de S. Paulo asfaltados para evitar que o mato cresça; o jeca feliz, gordo, saneado, a ler Júlio Dantas em fofíssimas poltronas acolchoadas com penas de ave do paraíso; os mendigos pedindo esmolas em limousines de luxo, confortavelmente, os coitados; a imprensa, feliz, corada, rica, imprimindo suas folhas em níveo crepe da China...

Além disso, com a retirada do azoto o nosso ar ficava oxigênio puro, o que se refletiria nos nossos organismos, pondo-nos para aí lépidos, vivos, ativíssimos como serelepes dum planeta mais adiantado.

Dá vertigens a ideia. Mais que a do moto-contínuo ela possui filtros capazes de tresloucar a imaginação em que se atarrache com fixidez. E no entanto os nossos governos não dão passo na senda captatória do azoto... O tempo corre, o país está à beira do abismo, os estados falidos, as municipalidades em bancarrota, os indivíduos a pão e laranja. O crédito exterior não existe, o judeu fechou a bolsa, o câmbio desce, o papel-moeda infla-se... Tudo mal — do grande mal, a miquea. E os governos, nada de enveredarem resolutos pelo único caminho verdadeiro — o da salvação azótica!

Pobre país! Pobre povo!...

Pergunta-se agora: e que é mister fazer para lá chegar? Uma coisa facílima. Como sabem, a extração do azoto se faz por intermédio da corrente elétrica. Basta, pois, reduzirmos a energia elétrica esse borbotão formidável de hulha espumejante que ronca dia e noite nos socalcos da Iguaçu, da Paulo Afonso, da Sete-Quedas, da Urubupungá e de tantas outras cataratas.

Só isso. Se tivéssemos espírito de iniciativa, se aquela flama que chameja no cérebro norte-americano ardesse também no nosso, em vez de estarmos aqui a brunir a cidade para regalo do real olho de S. M. Alberto, estávamos a armar turbinas nos despejadouros do rio Paraná. E dentro de um ano, com todos os problemas resolvidos, olharíamos d'alto para a soberba, ex-pérfida Albion, e daríamos boas gargalhadas quando nos falassem do milhardarismo *yankee*.

Nada fazemos, no entanto. Continua o Jeca nos campos a "maginar" na vida, e nas cidades o governo olha burocraticamente para o umbigo.

E a hulha espumarenta a jorrar, a afogar no oceano seus milhões de cavalos--força. E os nossos 465 milhões de toneladas de azoto, inúteis, cochilhando nos braços do oxigênio...

E os nossos possibilíssimos trinta e sete milhões de contos sempre gaseificados sobre as nossas cabeças...

Infeliz povo! Desgraçado Creso de algibeiras vazias, tão necessitadinho de contos de réis e tão rico de contos de fada!...

Desacocora-te. Faze-te fazendeiro de azoto, que rebentarás de rico. Do contrário, rebentas de fome.

Urge, pois, que os governos, etc., etc.

Não Ficção

O ESCÂNDALO DO PETRÓLEO (1936)

O ESCÂNDALO DO PETRÓLEO
Nota à edição de 1948

O mais acentuado característico de Monteiro Lobato é a capacidade de apaixonamento — e com isso muito se sacrificou em suas temerárias empresas. Na terra clássica em que "tudo se arranja" e só com "arranjos" e acomodações uma ideia pode vencer, ele queria que as grandes ideias vencessem pelo mérito próprio, e jamais pensou em arranjos — sobretudo com as peças da administração das quais tudo depende. Sua campanha do ferro e do petróleo — principalmente esta — foi de extrema belicosidade, e quanto mais se acirravam contra ele as forças contrárias, mais se retesava ele na violência da defesa. Sua luta pelo petróleo tem grandeza, e na sua irredutível coerência extremou-se a ponto de incidir numa condenação pelo Tribunal de Segurança.

Mas, aparentemente derrotado, venceu. Se temos hoje o petróleo já revelado, neste país em que durante tanto tempo era "coisa de sonhador" admitir a existência do petróleo, a ele devemos. E quis o destino que o primeiro poço de petróleo aberto no Brasil surgisse numa localidade da Bahia que tem o seu nome — no Lobato...

Esse poço foi aberto em 1939 — e numa curiosíssima previsão Monteiro Lobato o anunciou dois anos antes. Na primeira edição d'O Poço do Visconde, o livro em que ele ensina a geologia do petróleo às crianças, publicado em 1937, existe este pedacinho profético, no capítulo em que enumera os pontos onde "vai sair" petróleo: "A Bahia perfurou na zona dos camamus e encheu-se de petróleo; E ATÉ NA ZONA DO LOBATO, NOS SUBÚRBIOS DA CAPITAL, ABRIRAM-SE POÇOS DE EXCELENTE PETRÓLEO".

Quase dois anos mais tarde, a 22 de janeiro de 1939, um domingo, Oscar Cordeiro, o verdadeiro descobridor do petróleo no Brasil, vai ao acampamento muito cedo e com grande assombro dá com o petróleo defluindo da perfuração que lá se abria. Como estivesse sozinho, teve a glória de ver o fluxo do nosso primeiro petróleo, rebentado durante a noite, depois de parado o serviço da véspera... O anjo Gabriel do petróleo brasileiro, foi, pois, o visconde de Sabugosa...

As revelações e demonstrações d'O Escândalo do Petróleo são tremendas, e já não há ninguém que possa alegar ignorância do que se passa nos bastidores. A muralha foi rompida, um feixe de luz desfez o velho mistério; e não só já temos o petróleo revelado como sabemos porque demorou tanto e porque tarda tanto em tornar-se o que tem de ser — uma prodigiosa fonte de riqueza nova e o verdadeiro alicerce da independência econômica do Brasil. Lobato deu dez anos de sua vida a essa campanha, saiu esmagado, arrasado — mas vencedor. O que ele semeou está germinando e será árvore um dia — e nesse dia o Brasil compreenderá a grande luta de Lobato e o valor do seu sacrifício.

Na segunda parte deste volume vem de novo à tona da publicidade a sua luta pelo ferro. Para Lobato, Volta Redonda não é a solução certa. O grande futuro da siderurgia ele o vê na redução dos óxidos de ferro em baixa temperatura — processo ainda muito novo em seu ajustamento final e que ainda luta contra a velha onipotência do alto-forno. No dia da vitória do "Ferro Puro" o nome de Lobato resplenderá, pois foi ele o anunciador desse processo no Brasil, e quem preconizou, contra a sabedoria de todos os nossos técnicos oficiais, o triunfo final da redução em baixa temperatura. Ceci tuera cela — diz ele referindo-se a esse processo em contraposição ao alto forno. Confirmar-se-á esta sua profecia, como se confirmou a da saída do petróleo no Lobato? O futuro o dirá.

PREFÁCIO

Monteiro Lobato, o contista, o sociólogo, o romancista, o inexcedível contador de histórias infantis, o escritor dos sete instrumentos, é aqui o economista. Não o economista árido das abstrações e discussões acadêmicas, mas o economista prático que corajosamente se coloca ante os grandes problemas do país, e nesta sua linguagem peculiar que o destaca sem confronto entre os escritores brasileiros vivos ou mortos, apresenta soluções claras e precisas. O petróleo e o ferro... o sangue e os ossos do mundo moderno.

Monteiro Lobato apresenta em alto grau, e o revela neste livro e na sua vida, um traço psicológico que não é frequente no Brasil: o idealismo do progresso material. Temos idealistas, carradas deles. Somos um país de idealistas, e qualquer ideia generosa logo enfileira atrás de si uma corrente de esforçados lidadores. Mas isto quando são ideias que apelam diretamente aos sentimentos, e vêm isentas de qualquer traço de preocupação material. Quando são produto único e exclusivo do coração; este grande e inesgotável coração brasileiro.

Pelo contrário, as ideias práticas, terra a terra, parece que repugnam, e não se consideram dignas do pensamento militante e dos grandes movimentos coletivos. Elas se relegam para o setor menos digno das preocupações individuais, e se restringem aos impulsos particulares de cada um. Encontramos muitas vezes idealismo e objetivos práticos nas mesmas pessoas. Mas não coincidem, não se harmonizam e confundem senão muito raramente nisto que é o "idealismo do progresso material" de um Mauá, para tomar um exemplo de casa, e que vamos encontrar tão acentuadamente em Monteiro Lobato. Idealismo que se nutre do alto pensamento e da visão geral e ampla de um mundo melhor, de homens mais bem alimentados, melhor vestidos e abrigados, mas tem suas raízes solidamente plantadas no terreno das realizações práticas, possíveis e imediatas. Entre nós, *idealismo* parece incompatível com preocupações materiais e objetivos mercantis.

Este traço da psicologia brasileira não é de difícil explicação. Basta consultar a nossa história. O "idealismo do progresso material" foi produto específico da moderna sociedade burguesa, estágio social que não tivemos e talvez não venhamos nunca a ter na forma em que ocorreu na Europa do século passado e sobretudo nos Estados Unidos, onde a obsessão do progresso material, do país em conjunto e dos indivíduos em particular, se tornou em quase religião e exprime a consciência vitoriosa de uma forte burguesia que domina sem contraste. Que dominou, pelo menos.

No cenário brasileiro, Monteiro Lobato representa uma destas poucas exceções de verdadeiro e ardente idealista do progresso material. A origem de seu pensamento encontra-se na consideração deste povo maltratado e sofredor que é o brasileiro, e para o qual criou o símbolo consagrado e imortal do JECA TATU. Mais tarde, o espetáculo da grandeza norte-americana fez-lhe ver o que podia e devia ser um Brasil libertado de suas duras contingências materiais. E pôs mãos à obra. Não se contentou, como simples escritor, em estudar o caso brasileiro e propor remédios. Torna-se capitão de indústria. Consulta técnicos, convoca engenheiros, reúne capitais, e lança-se nesta grande tarefa de descobrir o petróleo brasileiro. Não idealizou o assunto, não colocou o problema em termos abstratos ou teóricos. O seu pensamento não ficou pairando no mundo dos sonhos e dos projetos e prédicas. Transformou-se em ação; e seu ideal de melhorar a sorte do povo brasileiro, de regenerar o seu Jeca Tatu, materializou-se num negócio de grandes perspectivas e amplas possibilidades.

Mas... e aqui vai a história do fracasso, triste para o Brasil, da iniciativa de Monteiro Lobato. Ele a relata no livro que o leitor tem nas mãos. E nenhum depoimento melhor sobre a questão do petróleo brasileiro que este de um pioneiro que à qualidade de participante direto e pessoal no assunto, reúne a de grande escritor e estilista sem par.

O grande valor, para o público brasileiro, da experiência de Monteiro Lobato, está em que ela revelou, além de qualquer dúvida, um dos principais fatores do atraso e da pobreza do Brasil. A ação nefasta do imperialismo em países fracos e dependentes como o nosso não é por certo assunto novo. Mas coube a Monteiro Lobato evidenciá-la pela primeira vez entre nós com uma experiência em larga escala que proporciona conclusões seguras e definitivas. O leitor deste livro, cujo título é mais que merecido, verá desfilar diante dos olhos o relato de acontecimentos que não seriam críveis se não fossem vividos por quem os narra e que está acima de qualquer suspeita; e se não viessem acompanhados, como vêm, por um acúmulo de provas irrefutáveis.

São inconcebíveis, à primeira vista, os extremos a que vão a força, o poder, os métodos e processos das grandes organizações industriais e financeiras do mundo moderno em relação a países fracos como o Brasil. Fraqueza econômica que degenera tão facilmente numa vergonhosa fraqueza moral exposta sem defesa à mais vil corrupção. Já sem falar nos atentados aos interesses e direitos privados que têm a infelicidade de esbarrarem com a ação e os planos dos trustes internacionais, vão de roldão, frente a eles, os mais sagrados interesses do país, a probidade e decência dos homens que no governo e na administração respondem pela coisa pública, a própria honra nacional. Tudo se desfaz em frangalhos e se achata debaixo do rolo compressor de um destes grandes trustes que entende subordinar o país aos seus objetivos. Nada os faz recuar, nenhum extremo criminoso; e pela frente não encontram outra coisa que a mais passiva e humilhante submissão.

Não quer isto dizer, contudo, que estamos frente a um problema moral que se resolverá com a regeneração dos nossos homens. A ação nefasta do imperialismo não se combaterá simplesmente com uma nova "atitude" da nossa parte com relação aos trustes internacionais. Mesmo porque a ação direta e escandalosa destes trustes (como no caso presente do petróleo) está longe de esgotar o papel negativo que a organização internacional do mundo moderno reserva ao imperialismo. A ação deste, em conjunto, é muito mais ampla, mais complexa e subtil. E nem sempre assume este caráter de atividade consciente e deliberada contra os interesses nacionais.

Esta advertência é importante sobretudo para aqueles que num simplismo primário têm a tendência de personalizar o imperialismo, emprestando-lhe sempre ação e malícia deliberadas. O imperialismo é muito mais que isto; é sobretudo muito mais complexo. Ele não se manifesta e age no mais das vezes porque "quer"; mas simplesmente porque existe, isto é, porque representa um conjunto de relações do mundo moderno em que países como nós ficamos em posição desvantajosa. São tais relações que precisamos modificar, se pretendemos atingir as raízes do mal. O que é possível porque representamos um de seus termos.

Mas enquanto permanecer o sistema que nos envolve, em particular certos elementos da nossa economia interna em que o imperialismo encontra suas bases essenciais, serão inúteis nossos esforços. O inimigo zomba dos golpes que tentamos desferir-lhe, e não raro mesmo torna-os paradoxalmente em novas vantagens a seu favor. Haja vista o que sucedeu no caso do nosso CÓDIGO DE MINAS relatado por Monteiro Lobato. Esta lei, ditada por um ardente espírito nacionalista e voltada de dentes arreganhados contra o capital estrangeiro, resultou em última análise em mais um trunfo nas mãos dos trustes internacionais interessados nas nossas jazidas minerais. A tal ponto que Monteiro Lobato chega a afirmar que foram eles os seus autores ocultos; o que pode ou não ser verdade sem infirmar o que foi dito acima sobre a inutilidade de toda política anti-imperialista que não desça até os fundamentos do sistema em que assenta o imperialismo, sem maior caso pelos seus efeitos externos e diretos contra que se assanha sem proveito o nacionalismo indígena.

O mesmo se poderá dizer do CÓDIGO DE ÁGUAS, irmão siamês do outro, tanto nos propósitos como nos resultados. E igualmente de toda esta histeria xenófoba que se apossou do Brasil depois de 1930, e fez ver em cada estrangeiro, fosse ele qual fosse, um "perigoso inimigo" do país. Sentimento este que constituiu uma das bases de todos os assomos fascistas que tivemos nestes últimos quinze anos.

Monteiro Lobato não ficou em suas atividades de economista prático no caso do petróleo. Interessou-se também pelo outro grande problema brasileiro: a siderurgia. Não entrarei aqui na análise ou crítica do novo processo siderúrgico que ele procurou introduzir no Brasil. Mas o assunto estudado sugere uma questão geral e muito ampla que se relaciona intimamente com a nossa vida econômica e social, e com a nossa formação histórica. Quero aproveitar a ocasião para abordá-la. Não se trata aliás de nenhuma novidade, mas sempre é interessante relembrar coisas importantes para nós, que são frequentemente esquecidas.

Em resumo e no essencial, o assunto de que se ocupa Monteiro Lobato é o do emprego de um processo de redução do minério de ferro mais praticável entre nós em face das condições particulares do país: deficiência de carvão mineral de boa qualidade. Este problema tem similares em muitos outros terrenos em que se propõe igualmente a questão de soluções específicas e apropriadas às condições particulares do Brasil.

Uma tal questão prende-se a considerações muito gerais: o nosso país difere profundamente tanto por suas condições naturais e geográficas, como também sociais e econômicas, dos países e povos que constituem os focos geradores da nossa cultura e onde vamos buscar modelos. Padrões de pensamento, ciência, técnica, cultura em geral, tudo isto nos vem de fora, e o que é mais grave, de um mundo diferente do nosso.

Não é preciso encarecer os inconvenientes que tal situação apresenta. Eles se manifestam ao lado de toda a nossa história; e vão-se tornando mais graves à medida que avançamos e adquirimos fisionomia própria e mais definida. A adaptação de cultura estranha a um meio diferente nem sempre é fácil; frequentemente só se faz à custa de um grande desperdício de esforços, e mesmo às vezes é impraticável, resultando em soluções inteiramente falsas e contraproducentes.

O caso da siderurgia (para ficarmos no exemplo que temos à mão) é entre outros típico. A técnica siderúrgica mais vulgarizada (emprego do carvão mineral como combustível e do coque como agente redutor) nasceu e se desenvolveu na Europa e depois nos Estados Unidos condicionada por circunstâncias particulares àqueles continentes: seus grandes recursos de carvão mineral facilmente explorável e de boa qualidade. Outras fossem as circunstâncias, e outras teriam sido as soluções e técnicas delas derivadas. O que não é simples especulação, porque efetivamente existem e são empregados, hoje como no passado, embora em menor escala, processos e técnicas diferentes para a redução do minério. E se não tiveram o desenvolvimento do processo clássico, é precisamente porque nas condições vigentes na Europa e nos Estados Unidos eram menos interessantes. O que não quer dizer que o mesmo se dê em outras partes.

Este caso da siderurgia ainda é mais favorável com relação a nós porque a ciência e a técnica europeia e norte-americana apresentam várias soluções; e embora umas sejam muito mais elaboradas e aprofundadas no momento que as outras, podemos dentre elas escolher, em rigor, a que mais nos convêm. É disto aliás que Monteiro Lobato se ocupa.

Mas em outros casos, muito mais generalizados, isto não se dá, e vemo-nos diante de uma ou mais soluções, mas todas pouco interessantes para nós. E na ausência de uma elaboração cultural própria, encontramo-nos na contingência de aceitar passivamente o que nos é oferecido, seja ou não conveniente. Fazemos isto, em geral, sem ao menos perceber que poderíamos criar, na maior parte das vezes, algo de novo, e enxergando nos modelos que nos são impostos dogmas definitivos e imutáveis.

Esta atitude prende-se em parte a uma concepção falsa do processo do conhecimento humano. Deriva da ideia de uma ciência absoluta, completa, desligada das contingências particulares de época e de lugar, e aplicável universalmente no tempo e no espaço. Uma tal ciência não existe senão na imaginação especulativa e no domínio da abstração. Não tem existência real. A ciência que conhecemos e utilizamos, que guia nossos passos e fez do homem o senhor da natureza, é múltipla; não é única, constituindo um sistema universal que se vai completando por partes, mas forma um complexo de conhecimentos elaborados em cada caso pelo entendimento para conduzir o ser pensante em sua luta pela vida. É assim tão variável, ou antes diversa e múltipla quanto são variáveis as peripécias daquela luta.

Torna-se assim grandemente desfavorável a situação de países como o Brasil, que em vez de elaborarem uma cultura própria na base de suas condições, experiência e necessidades particulares, contentam-se em aceitar passivamente modelos criados em circunstâncias estranhas e diferentes das suas. Muito mais grave que ser colônia econômica é esta situação de cega dependência cultural. Porque esta dependência também contribui para aquele estado, e é um dos grandes fatores que permitem sua perpetuação. O Brasil não se libertará efetivamente enquanto não topar com o caminho de uma cultura própria e autônoma. E o ponto de partida deste caminho encontra-se na determinação e coragem de recolocar ou propor novamente em cada caso, sem nenhum preconceito ou timidez, todos os problemas e necessidades que surgem no correr da nossa vida e evolução. Mas propô-los em seus termos mais simples, sem se embaraçar com elementos que embora já introduzidos e adotados trazem uma origem em última instância estranha.

Não se trata evidentemente de recomeçar de novo toda a evolução do conhecimento e do pensamento humanos, e reiniciar a longa e difícil jornada do progresso cultural da humanidade. Devemos partir do já adquirido, nos inspirarmos nele e utilizarmos os dados e métodos conquistados. Mas devemos também acrescentar uma inspiração própria, e olhar para este mundo que nos cerca, tão diferente do mundo europeu ou norte-americano que até hoje nos tem servido de modelo, sem o prisma deformador de uma cultura estranha. É esta uma das premissas fundamentais da nossa libertação e do nosso progresso.

Isto já foi reconhecido muitas vezes no Brasil. Mas não passou ainda de opiniões isoladas, É preciso agora que se desenvolva nesta matéria uma consciência coletiva. Já existem para isto algumas condições preliminares necessárias. O nosso velho e tradicional complexo de inferioridade (de que o por-que-me-ufanismo constitui um sintoma característico) começa a ceder ante uma visão mais honesta e objetiva da realidade boa e má que nos cerca. E certamente um futuro próximo nos reserva a eclosão de uma verdadeira cultura nacional. Nisto deveriam empenhar-se todos aqueles que têm a responsabilidade de conduzir, pelo pensamento ou pela ação, os destinos do Brasil. E aqui mais uma vez, Monteiro Lobato, pela sua obra em conjunto, e neste livro em particular, soube traçar diretivas preciosas.

S. Paulo, fevereiro de 1946.
CAIO PRADO JÚNIOR.

O Escândalo do Petróleo
HOMENAGEM

Há mais de um quarto de século, um menino de vinte anos, filho do Norte, lançou um livro de gênio — caótico, meio ciência, meio hino divinatório, o mais profundo grito d'alma do seu tempo e o menos ouvido e compreendido. Considerado "louco", foi perseguido, difamado, escorraçado da sua terra. Mas suas palavras ficaram — e quero que na entrada deste livro figurem algumas, que cito com profunda emoção.

....

"Somos um povo de retrocessos", — diz Otávio Brandão em Canais e lagoas; — *"moralmente, a ampliar a decadência romana; literariamente, a copiar o bizantinismo; religiosamente, a repetir o misticismo da Idade Média. Perdemo-nos em*

discussões estéreis, em faladas tolas, em discursos balofos... Reproduzimos em pleno século 20 a epopeia bárbara dos Bandeirantes ancestrais. Temos o instinto da devastação. Com essa nossa natureza tão rica e tão prodigiosa, só o homem é infeliz... só o homem é triste e desconfiado. Vivemos cheio de brumas, num país de sol; cercados de fantasmas, num país de luz... Vivemos numa perpétua inconsciência da vida, num estado marasmático, estúpido, aniquilador... Nosso país é um plano inclinado. Não é uma montanha que vamos subindo; é uma encosta que vamos descendo. É um despenhar de nacionalidade. Quase um naufrágio, um soçobra-não-soçobra... Já é tempo de abrirmos nossos olhos para as nossas riquezas, e confiarmos antes nelas do que nos clássicos empréstimos indecentes ou nas promessas falazes dos nossos pretendidos irmãos latinos ou amigos britânicos, que afinal de contas não passam de sanguessugas insaciáveis... Não preciso insistir sobre a abertura de sondagens de onde se extrairá o petróleo do Broma, da Volta d'Água, Riacho Doce, etc.*

O livro de Otávio Brandão foi publicado em 1919, há trinta e sete anos, portanto, e os petróleos de Alagoas — e do Brasil inteiro — continuam sabotados...

Primeira parte
Introdução

O caso do petróleo brasileiro prende-se ao caso do petróleo em geral. Esse produto é o sangue da terra; é a alma da indústria moderna; é a eficiência do poder militar; é a soberania; é a dominação. Tê-lo, é ter o Sésamo abridor de todas as portas. Não tê-lo, é ser escravo. Daí a fúria moderna na luta pelo petróleo. O livro de Essad Bey revela tudo isso do modo mais impressionante.[1]

A base do poder dos Estados Unidos está sobretudo no petróleo. Arrancam do seio da terra quase um bilhão de barris por ano, na maior parte consumidos lá — e nossa imaginação tonteia ao calcular o que tamanha onda de óleo, transfeita em energia mecânica, representa para a economia daquele povo.

"*Qui aura le pétrole aura l'Empire*", escreveu Henri Bérenger na nota diplomática que em 1928 endereçou a Clemenceau, nas vésperas da conferência franco-britânica sobre o futuro do mundo. "*Império dos mares, por meio das essências leves; império dos continentes, por meio da gasolina. E império do mundo, por meio do poder financeiro desse produto, mais precioso, mais envolvente e mais dominador do planeta do que o próprio ouro.*"

Na *Luta Mundial pelo Petróleo*, La Tramerye comenta assim as palavras de Bérenger: "País possuidor desse precioso combustível verá os milhões possuídos pelo resto do mundo afluírem para os seus cofres. Os navios das outras nações não poderão circular sem recorrer aos seus depósitos de petróleo. Esse país que construa uma frota possante e ei-lo senhor dos mares. Ora, o povo que domina os mares

---
1 *A Luta pelo Petróleo*, tradução de Ch. Frankie e Monteiro Lobato.

arrecada taxas do resto do mundo. Indústrias novas se desenvolvem em torno de seus portos. Seus bancos se tornam os órgãos dos pagamentos internacionais. Rapidamente o mercado regulador do crédito se desloca. Foi o que sucedeu no século 18 quando o desenvolvimento da marinha inglesa deslocou de Amsterdam para Londres o eixo da hegemonia financeira. Com o surto do petróleo os homens de estado britânicos inquietaram-se; o eixo começava a deslocar-se para New York. Daí a luta tremenda entre a Inglaterra e os Estados Unidos para a posse de reservas do precioso óleo."

Elliot Alves, chefe da British Oilfields que o governo inglês organizou para lutar contra a Standard Oil Company, disse: — O país que dominar pelo petróleo dominará também o comércio do mundo... Exércitos, marinhas, dinheiro e mesmo populações inteiras de nada valerão diante da falta de petróleo.

A Grande Guerra provou essa afirmação. Mas por que é o petróleo essa força imensa ante a qual o mundo inteiro se inclina? Simplesmente porque a base fundamental da vida industrial moderna repousa no combustível.

O grande combustível já foi a hulha. Hoje é o petróleo. Eis tudo. O petróleo apresenta sobre o carvão vantagens enormes. Extração muito mais fácil. O petróleo, uma vez aberto o poço, jorra, isto é, minera-se por si mesmo, ou é extraído por meio de bombas. A refinação pode ser feita no local ou a mil léguas de distância. As despesas da refinagem são mínimas, quando operada em grande vulto. O pessoal necessário também é mínimo. Isso põe a indústria do petróleo a salvo das crises operárias inevitáveis nas indústrias exigidoras de verdadeiros exércitos de homens — como a do carvão.

Transporte facílimo. O petróleo caminha em terra por dentro de oleodutos — como a água encanada. O varejo é abastecido a granel por meio de carros e auto-tanques — ou em tambores e latas. Circula sobre os mares em navios tanques. As bombas de gasolina o distribuem pelos consumidores em todas as estradas de rodagem do mundo.

Tais e tantas são as vantagens do petróleo, que o fedorento sangue da terra passou a ser o sangue da indústria, das finanças, do poder e da soberania dos povos. Se é assim, como então o Brasil se conservou de olhos fechados por tanto tempo?

Por uma razão muito simples. O petróleo está hoje praticamente monopolizado por dois imensos trustes, a Standard Oil e a Royal Dutch & Shell. Como dominaram o petróleo, dominaram também as finanças, os bancos, o mercado do dinheiro; e como dominaram o dinheiro, dominaram também os governos e as máquinas administrativas. Essa rede de dominação constitui o que neste livro chamamos os Interesses Ocultos.

O Brasil, com o seu imenso território em tantos pontos marcado de indícios de petróleo, constituía um perigo para esses trustes. Gustav Grossman, um geólogo que estudou secretamente as nossas possibilidades petrolíferas, escreveu na conclusão dum seu relatório reservado, feito por conta e uso dum desses trustes: *Dada a sua área, a quantidade de petróleo do Brasil talvez seja maior que a de qualquer outro país do mundo.*([2])

---

2   "Considering the enormous area of Brazil, and that there is a broad belt of geological outcroppings generally associated with accumulations of oil, I think it is only question of short time before petroleum in commercial quantities will be discovered in Brazil, especially in view of the fact that Brazil is one of the few remaing countries in the World in which no systematic explorations for oil has been carried on.
Brazil is rich in petroleum. In comparison with its area, the amount of petroleum contained is probably larger than in any other country". (Gustav Grossman)

Ora, se era assim, o negócio dos trustes tinha de ser acaparar terras potencialmente petrolíferas do Brasil e também catequizá-lo — convencê-lo de que em seus oito milhões e meio de quilômetros quadrados haverá tudo, menos petróleo.

Esses trustes nos conhecem. Sabem que o brasileiro é uma espécie de criança tonta, que realmente só se interessa por jogo, farra, carnavais e anedotas fesceninas. Sabem que o Brasil não dá a mínima importância ao estudo, havendo até inventado um "sistema de aprender" totalmente novo no mundo: ciência por decreto. Por causa dumas gripes, os meninos que não puderam estudar as matérias do curso — física, geometria, química ou o que fosse — receberam autorização para "requerer exames", isto é, pedir que o Governo atestasse que eles sabiam as ciências não estudadas...

Os trustes estão ao par de tudo, neste nosso maravilhoso país. Sabem que o lavrador colhe café e o Governo o queima aos milhões de sacas, para manter o "equilíbrio estatístico" — coisa que ninguém percebe o que é — nem trata de perceber. O brasileiro impressiona-se profundamente com o que não entende. "Economia dirigida", por exemplo. Ninguém entende isso — e por isso mesmo a "economia dirigida" do Ministério da Agricultura vai fazendo carreira. Depois de haver *demonstrado*, da maneira mais absoluta, a sua inépcia em dirigir com eficiência as coisas mais elementares, como seja uma simples estrada de ferro, o Governo arregaça as mangas para "fazer economia dirigida", isto é, transformar a complexíssima economia da nação numa vasta Central do Brasil.

Os trustes sabem de tudo e sorriem lá entre si. Sabem que a partir de 1930 o brasileiro cada vez menos se utiliza do cérebro para pensar, como fazem todos os povos. Sabem que os nossos estadistas dos últimos tempos positivamente pensam com outros órgãos que não o cérebro — com o calcanhar, com o cotovelo, com certos penduricalhos — raramente com os miolos. Daí o desmantelo cada vez maior da administração pública; daí a bancarrota, a miséria horrível do povo. A miséria é tanta em certas zonas, que a grande massa da população rural já está perdendo a forma humana. Há povoados inteiros de papudos — e nos fundões de Goiás surgem as primeiras criaturas de rabo. Involução darwínica. Degenerescência física por miséria fisiológica não observada nem entre os chineses...

Os trustes sabem disso e sorriem. E lá entre si combinaram:

— "Nada mais fácil do que botar um tapa-olho nessa gente. Com um bom tapa-olho, eles, que vegetam de cócaras sobre um oceano de petróleo, ficarão a vida inteira a comprar o petróleo nosso; enquanto isso, iremos adquirindo de mansinho suas terras potencialmente petrolíferas, para as termos como reservas futuras. Quando nossos atuais campos se esgotarem, então exploraremos os 'nossos' campos do Brasil."

Resolvido isso, nada mais fácil que a execução — e os Interesses Ocultos entraram a agir. A primeira coisa a fazer estava em "orientar" os órgãos técnicos da administração; esses órgãos técnicos por sua vez conduziriam os ministros pelo nariz; os quais ministros conduziriam os presidentes; os quais presidentes conduziriam o Congresso. Desse modo, partindo da pulga para o elefante, os trustes obteriam as leis mais adequadas aos seus intuitos.

Ao mesmo tempo, graças a uma hábil propaganda feita até nas estradas de rodagem por meio das bombas de gasolina, convenceriam o indígena bocó de que era absurdo existir petróleo no Brasil, porque *"Ora! Ora! Então se aqui existisse petróleo pensa você que os americanos já não o tinham tirado?"* Ou então: *"Deus nos acuda! No dia em que tivermos petróleo no Brasil, a gasolina ficará pelo preço da água de Caxambu".*

Para gente que pensa com outras partes do corpo que não o cérebro, argumentos dessa ordem valem ouro. Matam a questão. E quarenta milhões de criaturas passaram a repetir como papagaios os argumentos "estandardizados" que as bombas de gasolina forneciam de lambuja a cada comprador de essência.

Não era bastante. Tornava-se necessário meter ciência no meio. Organizar cientificamente o não-petróleo. Ora, o brasileiro tem uma concepção muito curiosa de ciência. Ciência é o que ele não entende. Se entende, é besteira — não é ciência da legítima.

Eusébio de Oliveira governava então o Serviço Geológico. Apesar de todos os seus defeitos, tinha uma qualidade inegável: falar compreensivelmente. Não servia. O chefe ideal do departamento tinha de ser um "verdadeiro homem de ciência" — dos ininteligíveis. E surge *the right man in the rigth place* — Fleury da Rocha.

Os Interesses Ocultos exultaram. O Brasil iria ser iluminado por ciência da "legítima". Em vez de dizer-se, à Eusébio, "Olá, negrinho, feche a janela por causa do vento", dir-se-ia, à Fleury, "Sus, etíope, claudica a fenestra por causa do furibundo Bóreas". Esse homem, escapo a Molière, iria também revelar-se mestre inigualável na fatura da Lei de Minas sonhada pelos trustes. Uma lei que embaraçasse, que trancasse da maneira mais perfeita, a pesquisa e a exploração do subsolo nacional. Uma lei-mundéu.

Quem quisesse explorar o subsolo teria de entrar por uma das portas da ratoeira — e ai do desgraçado! Dante escreveu nas portas do inferno: *Lasciate ogni speranza, voi ch'entrate*. Quem entra no inferno da Lei de Minas, não escapa. Está perdido para sempre.

Com semelhante mundéu colocado como porta do subsolo, a triste sorte das primeiras vítimas desanimaria os outros — e ninguém, nunca mais, teria o topete de mexer num subsolo donde poderia jorrar a preciosa substância fedorenta que nos custa meio milhão de contos por ano.

Lei labirinto de Creta. Lei cipó arranha-gato. Lei serpes de Laocoonte. Lei arapuca. Lei mundéu. Lei trapa. Lei gramaticida. Lei mata-pau. Lei rolha. Lei atentado de lesa-pátria, de lesa-direitos, de lesa-bom senso, de lesa-dignidade humana. Lei Fleury, em suma.

Aquele amontoamento de obstáculos insidiosos, de portas falsas, de incompreensibilidades manhosas, de garrotes e cordas de enforcar tinha o *fim expresso de impedir que o estrangeiro tomasse conta do nosso petróleo*. Patriotismo puro a trescalar de todos os seus cipós o mais suave bodum de brasilidade.

Há, porém, dois patriotismos. Um, peludo, orelhudo, mas sincero, respeitável. Outro, glabro, sem orelha nenhuma — patifíssimo. O famoso Dr. Johnson o classificou como *"the last refuge of scoundrels"* o último refúgio dos patifes.

Em todas as realizações patrióticas é sempre o patriotismo classificado pelo Dr. Johnson que leva o outro pelo nariz.

A Lei de Minas, manipulada pelo segundo patriotismo e inocentemente promulgada pelo primeiro, destituiu o proprietário da terra do direito ao que está no subsolo — apesar da nova Constituição manter intacto o direito de propriedade. E não contente com o confisco, ainda trancou com mil trancas a exploração do subsolo. Trancou-a a todos — aos nacionais e à perigosa gente de fora — *e como era justamente isso o que a perigosa gente de fora queria, os Interesses Ocultos piscaram o olho.*

Já que o programa dos trustes consistia em conservar o Brasil como eterno comprador do petróleo que eles vendem, a Lei-Fleury veio ajustar-se como luva aos seus verdadeiros interesses. Ficavam os trustes impedidos de tirar petróleo cá. Ótimo! Quem está com superprodução em seus campos, regala-se de não ser forçado a abrir poços em zonas novas. *Mas como também o nacional ficava impedido de abrir poços*, tudo correria pelo melhor, no melhor dos mundos possíveis — para os trustes. Era o meio seguro de manter o Brasil como eterno comprador do petróleo deles.

Enquanto isso, toca a estudar o nosso território e a comprar as terras potencialmente petrolíferas e a fazer contratos de subsolo. Reservinhas para o futuro. Precaução para que o nacional não possa nunca perfurar nas melhores zonas. Tudo ótimo! Bis-ótimo! Que maravilhoso achado, para os Interesses Ocultos, esse Sr. Fleury da Rocha!

No decurso deste livro o leitor verá como a máquina do calamitoso Ministério da Agricultura "trabalhou" e "trabalha bem" dentro do programa de "NÃO TIRAR PETRÓLEO, NEM DEIXAR QUE O TIREM". *Apenas* com o dispêndio de cinco mil contos anuais, pagos pelo seu bolso de vítima, o Brasil algema-se aos trustes como um perpétuo mercado comprador (hoje de meio milhão de contos, amanhã de um milhão) — e ainda evita que surja no mundo um novo produtor de petróleo em condições de perturbar o "equilíbrio estatístico" da produção americana.

Que excelente negócio! Como é fácil vencer no jogo da vida, quando se raciocina com a cabeça! Como é maneiro e manejável o patriotismo número dois! Como é simples despistar um país de quarenta milhões de "ora vejas"...

O tal desvio fisiológico, que nos leva a pensar com órgãos outros que não o cérebro, faz que borbulhem na imprensa artigos com cabeços assim: *"Mas afinal de contas, temos ou não temos petróleo?"*

Esse título de artigo, essa pilhérica interrogação, vai se perpetuando a despeito do tremendo afluxo de sinais de petróleo, de vestígios de petróleo e até de *exudações fortemente ativas* de petróleo, que o Brasil apresenta.

Não falarei do Amazonas, nem do Pará, nem do Maranhão, onde abundam todos os sinais que levaram povos menos lerdos a extraírem da terra milhões de barris de óleo; nem de Alagoas, onde, no único ponto estudado a sério (Riacho Doce), a geofísica alemã acaba de assinalar todas as condições clássicas exigidas para a existência do petróleo; nem de toda a costa nordestina da qual Riacho Doce é um ponto; nem do petróleo do Lobato, na Bahia, oficialmente perseguido talvez por ter o meu nome; nem do petróleo do Espírito Santo, que vive a manifestar-se em inúmeros pontos; nem do que indubitavelmente existe na região fluminense das lagoas. Não falarei do petróleo de S. Paulo, onde só não saiu em virtude da sabotagem dos poços e da perseguição oficial às companhias. Não falarei do Paraná, onde em torno do afloramento do devoniano os agentes dos trustes se assanham na pega de contratos. Nem de Santa Catarina, onde as evidências são as mesmas que no Paraná.

Por mais milhões de barris de petróleo que durmam nessas zonas, tudo isso não passa de café pequeno diante do formidável lago de petróleo em que se assenta Mato Grosso. Detenhamo-nos um momento em Mato Grosso.

Que foi Mato Grosso em eras remotíssimas? Que foi esse Mato Grosso de 1.478.000 quilômetros quadrados, maior que a Venezuela, que o Peru, que a Colômbia, que o Equador, que a França, que a Alemanha, que a Itália, que cinco S. Paulos? Que foi essa matéria prima de todo um império? Um mar. Um fundo de mar. Isso há milhares de séculos, no período siluriano, tempo em que Fleury da Rocha não passava de humílima ameba — serzinho gelatinoso ainda a decidir-se entre o reino animal e o vegetal.

Mato Grosso constitui uma parte do fundo do mar de Xaraés — mar que ainda hoje se denuncia nos resíduos subsistentes, do mesmo modo que a rês morta há muitos anos se denuncia pelos ossos esparsos. Lagos, lagoas e pântanos de água salgada — e toda a imensa área alagadiça do sul (que se chama Chaco nas repúblicas vizinhas e Pantanal no Brasil), representam a ossada dispersa do velho mar de Xaraés. Nesse mar mediterrâneo, encurralado pelo levantamento dos Andes e pelas barreiras montanhosas, norte-sulinas, do Brasil atual, formou-se um tremendo depósito de petróleo.

Como afirmar isso? Com bases nas perfurações e estudos feitos nos pedaços desse fundo de mar que constituem territórios das repúblicas vizinhas — Bolívia, Peru, Argentina, Paraguai. Um grande rio navegável corta em duas metades o fundo do Xaraés — o rio Paraguai, esse Mississipi, esse verdadeiro *flumem nostrum* que há de um dia tornar-se a Broadway aquática na América do Sul. O pedaço do fundo do Xaraés que hoje pertence ao Brasil equivale em possança à soma dos pedaços em mãos dos países limítrofes.

Mas acontece que esses países limítrofes nunca tiveram um D. N. P. M.([3]). Nunca tiveram um Fleury e por isso perfuraram; e como perfuraram, demonstraram que todo o centro da América do Sul não passa dum lago de petróleo. Esses vizinhos extraem dos respectivos subsolos milhões e milhões de barris. Nós... nós... nós jogamos no bicho.

O petróleo xaraéense está cansado de exibir-se em Mato Grosso, está cansado de denunciar-se de todas as maneiras, de implorar pelo amor de Deus que o tirem das profundidades. Nós... nós... nós gastamos cinco mil contos por ano, ou seja dezessete contos por dia, para, por amor à Standard Oil, nos mantermos algemados. Basta dizer que esse Departamento NUNCA fez o menor estudo em Mato Grosso, NUNCA abriu lá um poço! Medo, pânico, pavor de sujar-se com o inevitável jacto do petróleo xaraéense...

Enormes extensões do território de Mato Grosso estão marcadas de sinais de óleo; de lagoas de água salgada, de calcários, conchas e aglomerados fósseis indicativos de formações petrolíferas; de derrames de asfalto, ou petróleo que perdeu por evaporação as partes mais leves; de eflorescências de petróleo; de natas de óleo nos pântanos e cacimbas abertas; de emanações de gás de petróleo. Até os bois sabem disso, pois se recusam a beber certas águas, dizendo com os seus grandes olhos:

---

3 Departamento Nacional de Produção Mineral.

"Isto é óleo". Os bois mato-grossenses sabem do petróleo do Xaraés. O Ministério da Agricultura ignora-o...(4).

Mato Grosso tresanda a petróleo, sua petróleo, exsolve-se em petróleo. E não contente de o denunciar por quantas juntas tem, ainda chega a ponto de jorrar petróleo — de possuir *"oil seepages"*, isto é, exsudações ativas, fontes de petróleo, olheiros de petróleo fluente.

Há mais de vinte anos um geólogo dinamarquês, Thorvald Loch, descendo um rio a sul do Mamoré, observou n'água um derrame oleoso a derivar em nata irisada. Seguiu-lhe a pista rio acima. Alcançou o ponto do barranco por onde o óleo descia. Acompanhou-lhe o rasto em terra. Por fim encontrou a *"oil seepage"*, o olheiro, a mina que brotava duma encosta. Mediu-lhe a vazão. Era de quinhentos a seiscentos litros por vinte e quatro horas. Petróleo verde-castanho, ótimo, dos melhores.

"Oil seepage" desse tipo tem uma importância enorme. Não é mais indício de petróleo. É o próprio petróleo que por força das pressões internas escapa por fendas e derrama-se na superfície. É a *chapopotera* do México, que permitiu a abertura daquele Cerro Azul de trezentos mil barris diários. É a *salsa*. É o manadouro de óleo, lama, areia e gases — o pus dos grandes tumores subterrâneos. É o sinal que permitiu no mundo inteiro a abertura dos maiores poços.

As *"oil seepages"* assemelham-se a pequeninos vulcões de lama. Sofrem de periodicidade. Aumentam ou diminuem conforme o regime da pressão interna e até das fases da lua. Muitas vezes perduram anos e anos ativas; às vezes extinguem-se por anos e anos para recomeçarem de novo, inesperadamente.

Loch assinalou geograficamente a posição da *"oil seepage"* e prosseguiu viagem. Aparelhou-se. Voltou. Procedeu a levantamentos da zona. Verificou que por extensíssima área o terreno tinha o mesmo fácies característico dos campos de petróleo do Oklahoma, onde ele trabalhara. A mesma vegetação raquítica, envenenada pela emanação constante dos gases. Colheu muitos litros de óleo e, radiante, encaminhou-se para o Rio de Janeiro a fim de assombrar o mundo com a sua descoberta.

Ai! O Carnaval fervia. Foi preciso esperar que o Carnaval acabasse. Acabou um e começou outro. Loch esperou que esse outro carnaval acabasse. Veio o terceiro, o quarto, o quinto carnaval — e Loch levou dois anos com a *"oil seepage"* na mão a esperar que o Carnaval carioca chegasse ao fim...

Ele e seus sócios perderam horas e horas nas antecâmaras ministeriais e nas antessalas dos Fleurys e Oppenheims, esperando, esperando, esperando as

---

4 O governo que suprimir o Ministério da Agricultura e arrasar os casarões que ele ocupa, prestará ao Brasil um serviço tremendo. O Brasil viveu desde Pedro I até Nilo Peçanha sem ministério da agricultura e por isso prosperou, criou a lavoura do café e tudo mais de que temos vivido até hoje. Chegamos a ter câmbio acima de vinte e sete. Ser lavrador era uma felicidade.

Um dia Nilo Peçanha, por capadocagem, lembrou-se de criar aquilo — e nossas desgraças começaram. O parasita foi encorpando, foi emitindo tentáculos, foi se imiscuindo em tudo — nas culturas, para atrapalhá-las; na criação de porcos, para burocratizá-la; na avicultura; na citricultura; na pomicultura; em tudo que diz respeito a extrair coisas do solo. O lavrador coçou a cabeça. A "assistência" daquele parasitismo começava a embaraçá-lo seriamente. Depois a "assistência" degenerou em "proteção" — esse tremendo negócio de parasitas que acaba matando o parasitado. O câmbio entrou a cair. De vinte e sete desceu ao que está, pertinho de zero. Os credores nunca mais viram nenhum juro do seu dinheiro.

A tênia burocrática prosseguiu no seu desenvolvimento. Passou a invadir o subsolo. Tomou conta dele — e hoje ninguém mais pode cavar o chão do seu quintal sem a "assistência" do parasita.

O mostrengo anda agora a falar muito amiúde em "economia dirigida". Quer estender ainda mais a sua rede de sufocação. Quem ler no depoimento de Hilário Freire a análise da Lei de Minas, o *capolavoro* do Ministério da Agricultura, terá uma rápida visão do que seremos quando a economia nacional for regulamentada pelo Sr. Fleury da Rocha. Nesse dia um só remédio nos restará — o suicídio em massa. Quarenta milhões de criaturas a beberem lisol ou a estourarem os miolos à bala — na certeza de irem para o inferno, mas na convicção de que o inferno será um céu em comparação da nossa vida econômica regulamentada pelo Ministério da Agricultura.

audiências. Mostravam os mapas da zona, apresentavam o cheiroso petróleo verde-castanho, riquíssimo de essências voláteis, já analisado — e nada de nada de nada. Ninguém queria saber daquilo. Ninguém se interessava por aquilo. Os homens a quem o Brasil paga cinco mil contos por ano para descobrir petróleo, querem *perpetuar-se na procura do petróleo — mas não querem saber de petróleo*.

Loch e seus sócios, sempre com a "*oil seepage*" nas mãos, insistem, pedem pelo amor de Deus que o Ministério da Agricultura mande ver, mande estudar a fonte ativa de petróleo, conceda-lhes autorização para explorá-la — e nada de nada de nada!... O Ministério tapa os ouvidos, toca os homens de lá. E este ano, nas *Bases*(5) que o Ministro da Agricultura compôs aparece este pedacinho de ouro:

> *No Brasil, onde o petróleo não foi ainda descoberto nem por acaso, nem por exsudação abundante...*

Uma "*oil seepage*" de quinhentos, seiscentos litros por dia é das maiores exsudações espontâneas observadas no mundo. Existe! Existe de fato. Foi descoberta por Loch. Medida. Locada. Mapada. Proclamada. Levada ao Ministério. Lá ajoelhou-se diante do D. N. P. M. pedindo por amor de Deus que a tomassem em consideração.

Tudo inútil. Como *oficialmente o petróleo está proibido de existir*, o Ministro da Agricultura, com base nas informações recebidas do Sr. Fleury da Rocha, continua afirmando em sua exposição aos juízes do inquérito que no Brasil nunca foi encontrada nenhuma exsudação espontânea do petróleo...

Exército, onde está o teu idealismo? Mocidade, que sono é esse? Guatambu das florestas, quando entrarás em ação? Guanxuma dos campos, em que dia te erguerás sob forma duma vassoura imensa?

Something is rotten in the State of Denmark...

Retrospecto

A ignorância em que andava o nosso povo da importância tremenda do petróleo no mundo moderno foi se dissipando depois que milhares e milhares de volumes da *Luta pelo Petróleo*, o magnífico livro de Essad Bey, se espelharam pelo país. Monteiro Lobato abriu-o com o seguinte prefácio:

"A pobreza, a lentidão do desenvolvimento do Brasil sempre me preocupou vivamente. Refleti comigo durante anos, com a sensação de que as causas geralmente apontadas para explicar o fenômeno eram causas secundárias; e que antes de apreendermos a causa primária, a causa das causas, nada poderia ser feito para mudar a situação.

O problema localizara-se em meu espírito sob uma forma simplista: Por que dos dois maiores países da América, descobertos no mesmo ciclo, povoados com os mesmos elementos (europeu, índio e negro), libertados politicamente quase na mesma época, com territórios equivalentes, um se tornou o mais rico e poderoso do mundo e o outro permaneceu atrofiado?

---

5   *Bases para o Inquérito* sobre o petróleo, volumosa publicação do Ministro Odilon Braga.

A observação atenta do fenômeno americano deu-me a resposta clara: *Porque nos Estados Unidos o homem adquiriu elevada eficiência e no Brasil a eficiência do homem está pouco acima da do homem natural.*

A eficiência do homem natural, que só dispõe dos músculos, é mínima. Ele pode o que seus músculos podem. Começa a crescer em eficiência à medida que se vai equipando de instrumentos multiplicadores da força dos músculos. Com o arco arroja um projétil a distância muito maior do que com os músculos arremessaria uma pedra. Com o machado de sílex corta a árvore que jamais poderia abater a pulso nu.

Os elementos multiplicadores da eficiência do homem vão crescendo em complicação até se transformarem no que chamamos máquina. A máquina número um, a máquina *mater*, surgiu com a alavanca — um pedaço de pau não flexível que firmado num ponto de apoio nos permite levantar pesos. Não foi invenção humana. O homem encontrou na terra a alavanca — um pedaço de pau. Apenas descobriu o meio de utilizá-la. Mas a roda foi invenção sua. Da combinação da alavanca e da roda surgiu o veículo — a máquina de transportar, e foram vindo todas as mais máquinas existentes no mundo. Que é máquina? Um meio engenhoso de multiplicar a eficiência do músculo humano.

Mas a máquina é inerte. Tem que ser movida. Exige uma pressão. O que ela faz, é apenas multiplicar essa pressão. E o homem dava pressão à máquina com os seus músculos. Depois concebeu a luminosa ideia de escravizar os músculos de seres menos inteligentes, ou mais fracos, para pô-los a mover a máquina. Daí a domesticação do boi e do cavalo. Mais astucioso, o homem transferia para os músculos desses irmãos a tarefa de puxar os carros e mover as moendas. Outra ideia luminosa surge: escravizar o próprio homem. Roma propulsionava as suas galeras e movia os seus moinhos por meio dos escravos feitos nas guerras.

A escravização do boi, do cavalo e do homem permitiu ao mundo um progresso imenso, porque significava a descoberta duma fonte de energia capaz de mover a máquina. E como a máquina é um sistema rígido, a matéria prima da máquina tinha de ser, não a madeira primitivamente empregada, mas um material de maior rigidez e durabilidade. Qual? O ferro. O homem aprende a derreter certas rochas que encontra na superfície do solo e a extrair uma coisa chamada ferro. Material maravilhoso, de extrema rigidez e durabilidade — e desde então a matéria prima da máquina ficou sendo o ferro.

A partir daí o astuto bípede começa a dominar o mundo, a arrostar as leis naturais, a tirar dum ponto o que a Natureza pusera noutro, a rir-se de animalões enormes como o elefante e a governar a terra como propriedade sua. Deu de "civilizar-se", isto é, de sobrepor às leis naturais uma lei nova saída da sua cabeça, e quanto mais aperfeiçoava a máquina, mais aumentava de eficiência e pois mais se "civilizava". Mas o seu "progresso" (que é como ele chama a velocidade do seu civilizamento), via-se embaraçado pela pobreza da força de que dispunha para mover a máquina. Era preciso descobrir algo indolor e potente que substituísse o músculo — e surge afinal o aproveitamento da enorme fonte de energia mecânica que existe na força expansiva do vapor d'água.

Maravilha! Aquela coisa tão simples — água aquecida até transformar-se em vapor — vem libertar o homem do uso exclusivo do músculo dolorido como força motora da máquina. Indolor e de potência ilimitada!

O progresso intensifica-se. Num século de energia mecânica aplicada à máquina o homem faz mais progressos do que em todo o passado da humanidade. Sua eficiência cresce dum modo tremendo.

Mas para ferver a água torna-se necessário o calor. O calor é produzido pela combustão. Para ter combustão o meio é conjugar dois elementos de que a natureza é pródiga, o oxigênio e o carbono. Oxigênio existe na atmosfera em quantidades ilimitadas; já o carbono se mostra mais escasso. Numas zonas existe abundante, noutras rareia. E começa então um desequilíbrio de nível no "progresso". As zonas, ou os países onde o carbono é abundante permitem que se tenha muita combustão, e pois muito calor, e pois muito vapor d'água, e pois muita energia mecânica, e pois muita máquina em movimento. E o homem que habita essas zonas começa a crescer tanto em progresso que acaba pondo sob seu domínio, como escravos, os seus irmãos das zonas menos carbônicas. Surge a Inglaterra, que amarra a si toda uma fieira de zonas, ou povos. O seu carbono permite-lhe o mais violento surto de eficiência da nossa era.

O mundo passa a dividir-se em países fortes e países fracos. Nos países ricos em carbono, que podem desenvolver enormes quantidades de energia mecânica, o homem avulta cada vez mais o seu índice de eficiência.

A primeira fonte de carbono utilizada para criar a energia mecânica foi a lenha. Tinha o defeito da produção limitada e cara, além do fraco rendimento calórico, da dificuldade de transporte e outros. Depois surge o carvão, raios de sol que nas eras primitivas ficaram soterrados. E o sol fóssil, vindo de novo à tona, mostrou-se o material ideal para fonte de energia mecânica. Fez-se o pai do progresso moderno. Mas esse progresso ficava privilégio dos países dotados de grandes reservas de carvão — Inglaterra, Estados Unidos, França, Alemanha. Tais países tornaram-se os mais ricos e poderosos, os astros de primeira grandeza num mundo de satélites, porque a soma de energia mecânica que podiam desenvolver com a queima do carvão viera aumentar tremendamente a eficiência do homem politicamente chamado inglês, americano, francês, alemão.

O mais rico em carbono fóssil, a Inglaterra, apesar duma simples ilha sáfara, domina o mundo. Invade todos os continentes, pega a Austrália, as Índias, a melhor parte da África e quantas terras lhe convém; 400 milhões de homens de todas as cores submetem-se ao punhado de ilhéus que tinham ilimitadas quantidades de carvão para queimar.

Mas um dia o coronel Drake fura a terra na Pensilvânia e faz jorrar um líquido negro chamado petróleo. O mundo vai mudar. O equilíbrio de forças não será mais regulado pelas quantidades de carvão existentes no subsolo dum país — e sim pela quantidade de petróleo de que esse país dispuser. O petróleo iria revelar-se a mais alta forma de carbono industrial a de maior rendimento térmico, de mais fácil transporte — e a mais barata, porque uma vez aberta a fonte vinha à tona por si mesmo, sem necessidade de mineração. Tudo muda. Os países de petróleo sobem ao poder.

Surgem na arena os Estados Unidos, projeção inglesa na América. De simples colônia, passa esse país, em pouco mais de um século, ao primeiro lugar no mundo, como o mais rico, o mais poderoso e por fim o credor universal. Por quê? Porque graças à produção intensa da matéria prima da máquina — o ferro, e da produção intensa da matéria prima da energia mecânica — o petróleo, conseguiu elevar o índice de eficiência do seu homem a quarenta e dois — isto é, cada americano passou a "poder" tanto, a produzir tanto como quarenta e dois "homens naturais" (os que só podem o que os seus músculos podem, como o selvagem). Distanciou o europeu em trinta e um pontos. O índice de eficiência do europeu em 1929 era igual a treze.

Enquanto esse milagre se operava ao norte do continente, um país ao sul, de igual extensão territorial e povoado com os mesmos tipos de elementos humanos, europeu, negro e índio, permanecia em profundo estado de dormência. Um pântano com quarenta milhões de rãs coaxantes, uma a botar a culpa na outra do mal estar que sentiam. Procuram soluções políticas, mudam a forma do governo, derrubam um imperador vitalício para experimentar imperantes quadrienais, fazem revoluções, entrematam-se, insultam-se, acusam-se de mil crimes, inventam que o pântano permanece pântano "porque há uma crise moral crônica". O mal das rãs é julgar que sons resolvem problemas econômicos. Trocam o som "monarquia" pelo som "república", e trocam este som pelo de "república nova". Depois inventam sons inéditos — "reajustamento", "congelados", "integralismo". O próprio das rãs é esse excessivo pendor musical. Querem sonoridades apenas. "Somos o maior país do mundo." "Temos o maior rio do mundo." "Nossas riquezas são inesgotáveis", etc. Enchem o ar dessas músicas — e mandam o ministro da fazenda correr Nova York e Londres de chapéu na mão a pedinchar dinheiro.

Se a rã esquecesse um pouco dos seus queridos sons e olhasse em redor de si, veria que está perpetuamente rã porque só dispõe da forma de carbono mais rudimentar — a lenha. Não pode portanto aumentar o seu índice de eficiência, muito perto ainda do do homem natural. Como não encontrou carvão fácil e ótimo em seu território, que substituísse a lenha, nem teve a elementar ideia de furar o chão para abrir fontes de petróleo, vê-se o brasileiro obrigado a adquirir, em troca de ouro, o magro carbono indispensável à movimentação do pequeno parque de progresso que conseguiu montar. Atrasou-se na maquinização da sua estrutura econômica por falta de ferro (que não tem porque não tem carbono) e igualmente adquire fora, a peso de ouro, este elemento básico.

E assim, sem ferro produzido em casa, com que se maquinizar, e sem carbono nas suas formas mais altas, com que mover a máquina, o Brasil está no que está — um pobre gigante exangue, dono de imensa possibilidades mas sem meios de desenvolvê-las. Viveu de empréstimos enquanto houve prestamistas e agora, perdido o crédito, não sabe para onde voltar-se. E a miséria da sua população cresce à medida que o país cresce demograficamente. Somos quarenta milhões de pobretões; quando a população dobrar, seremos oitenta milhões de mendigos.

E esse absurdo estado de coisas de modo nenhum se modificará enquanto o problema do carbono não for COMPREENDIDO e SOLVIDO!

Um banho do brasileiro é pago em ouro ao país que lhe fornece o carvão donde sai o gás do aquecedor. Um bife, um ovo frito que coma nas capitais, custa ao país a emigração duma certa quantidade de ouro em troca do calor gasto pela cozinheira. Uma simples corrida de auto determina uma sangria de ouro em troca da gasolina que o carro queima. Daí o não-enriquecimento. Os atos mais elementares da vida, os que todos os dias se repetem, ele os paga em ouro.

Esse ouro, décadas atrás, vinha de três fontes básicas, café, borracha e empréstimo. Por não termos resolvido o problema do carbono e do ferro, não resolvemos o problema do transporte eficiente no norte do país — e lá se foi a primeira perna da tripeça econômica, a borracha. Por excesso de "proteção" governamental, fraqueja hoje a segunda perna, o café. As monstruosas taxas que o amparo acarretou vão rapidamente desenvolvendo a sua cultura em outros países, beneficiados com uma proteção que só a eles protege. A terceira perna da tripeça, o empréstimo, desapareceu em consequência da Revolução.

A tripeça está hoje com uma perna só, o café, cada vez mais caruchada e vacilante, e agora procuramos escorá-la com amarrilhos de algodão. Ora, se quando dispunha de três pernas o Brasil já mal se aguentava financeiramente, que será dele quando perder a última que lhe resta?

A situação, menos que má ou péssima, é grotesca, chegamos ao estágio da insolvência e caminhamos rápidos para o entrevamento econômico — o que é cômico para um país possuidor de oito milhões de quilômetros quadrados de território. E esse entrevamento virá mais depressa do que os próprios pessimistas imaginam, se não surgir um estadista de visão larga que *veja claro no problema e o solucione*.

No dia em que o Brasil se convencer de que a sua fraqueza decorre da falta da eficiência do homem que habita, e ponderar que o crescimento dessa eficiência só pode vir com a produção do ferro (matéria prima da máquina) e do petróleo (a fonte de energia mecânica que move a máquina), o PRIMEIRO PASSO para a sua definitiva restauração econômica e financeira estará dado.

O primeiro passo será esse — VER CLARO NO PROBLEMA. O segundo, muito mais fácil, será resolvê-lo. Como? Dando carbono ao Brasil. Que carbono? O mais alto, o petróleo. De que modo? Fazendo o que TODOS os países da América já fizeram — perfurando, PERFURANDO, PERFURANDO!

Mas perfurando de verdade, e não deixando esse serviço a cargo dum serviço geológico federal cuja política parece coincidir singularmente com a das companhias estrangeiras empenhadas em que nos perpetuemos como eternos compradores do petróleo que elas produzem...

Importamos anualmente meio milhão de contos de combustível. Breve importaremos um milhão.

Como se vê, não é o Brasil um mercado absolutamente desprezível para as grandes companhias abastecedoras. Daí o interesse delas em que permaneçamos eternamente fregueses.

Em virtude disso, muito logicamente e de longa data, vêm elas sugestionando a nossa opinião pública para manter o indígena convicto de que aqui não há petróleo.

Pois bem, nada as ajuda tanto nessa propaganda como a política anti-petroleira do nosso Departamento Mineral cujo lema se resume nisto: *Não tirar petróleo e não deixar que ninguém o tire*.

As pouquíssimas perfurações que esse serviço fez em quinze anos de "atividade" nunca realmente visaram descobrir petróleo — e sim desmoralizar as zonas, arraigando ainda mais no espírito do povo a convicção desse absurdo que é não haver petróleo em oito milhões e meio de quilômetros quadrados do continente petrolífero por excelência. O Serviço Geológico fingia que furava e depois, com a carinha mais inocente do mundo, dizia: "Não tem. Vocês estão vendo que não tem..."

Mas era mentira. Não furava coisa nenhuma. Fingia que furava. Abria buraquinhos ridículos, insuficientes para qualquer conclusão, buraquinhos de tatu, de cem, duzentos, trezentos, quatrocentos metros, coisa que nada vale numa era em que as perfurações vão até mil e quinhentos, dois mil, três mil metros — havendo já um poço nos Estados Unidos com mais de cinco mil. Basta dizer que nos vinte e dois poços que em quinze anos o Serviço Geológico abriu em S. Paulo, a média da profundidade não passou de quatrocentos e vinte e cinco metros — isso numa zona de planalto, seiscentos metros em média acima do nível do mar.

Além da escassíssima profundidade, quase todos esses poços se perderam em virtude da queda de trépanos, ruptura de cabos, etc., fatos que usualmente aconteciam sempre que a perfuração tinha o topete de dar indícios favoráveis. Ai do poço que revelasse gás ou vestígios do odiado petróleo! Era infalivelmente *acidentado*...

Chester Washburne, o grande geólogo americano que o governo de S. Paulo contratou para estudar o território do Estado, apresentou um parecer luminoso, no qual diz, referindo-se a esses poços abertos pelo Serviço Geológico: *Tests completed up this time have not been located on favorable structure and have little significance*. POÇOS NÃO LOCALIZADOS EM ESTRUTURAS FAVORÁVEIS E DE PEQUENA SIGNIFICAÇÃO.

E o próprio Sr. Fleury da Rocha, que hoje está à testa desse Serviço, diz no relatório que apresentou ao ministro Juarez, depois de analisar minuciosamente a obra feita em quinze anos: "TUDO ESTÁ POR FAZER". Ora, se tudo está por fazer, então é que NADA foi feito. Nada foi feito, na opinião desse homem que deve saber o que diz, justamente no período em que o petróleo teve nas três Américas a sua maior expansão! Vejamos o que os nossos colegas de continente fizeram enquanto o nosso Serviço Geológico abria em S. Paulo vinte e dois buracos de tatu e mais quarenta e três no resto do Brasil. Ao todo, sessenta e cinco.

Estados unidos

Até 1859 os Estados Unidos estiveram, como nós hoje, sem petróleo — mas PERFURARAM, e em 1927 já tinham quase um milhão de poços. Só no período de quinze anos em que abrimos os nossos sessenta e cinco poços, os Estados Unidos abriram trezentos e oitenta mil. A média foi lá de setenta poços por dia; a média nossa foi de *quatro por ano!*

Eis o número de poços abertos na América até 1927:

Ano	Número de poços abertos	Produção em barris	Valor em dólares
1859	4	2.000	32.000
1860	175	500.000	480.000
1861	340	2.113.000	1.035.668
1862	425	3.056.690	3.209.525
1863	514	2.611.309	8.225.668

1864	937	2.116.109	20.896.576
1865	890	2.497.700	16.459.853
1866	830	3.597.700	13.455.398
1867	876	3.347.300	8.066.993
1868	1.055	3.646.117	13.217.174
1869	1.149	4.215.000	23.730.450
1870	1.652	5.260.745	20.503.754
1871	1.392	5.205.236	22.591.180
1872	1.183	6.293.194	21.440.503
1873-4	2.480	20.820.731	30.474.991
1875	2.400	8.785.514	7.368.133
1876-7	6.860	22.483.032	54.772.000
1878	3.064	15.396.868	18.044.520
1879	3.049	19.914.146	17.210.708
1880	4.220	26.286.123	24.600.638
1881-2	7.192	58.011.135	49.079.00
1883-7	13.497	125.875.000	104.457.000
1888	2.127	27.612.025	17.958.000
1889-90	14.854	80.947.085	62.328.345
1891-3	13.042	153.238.378	85.383.553
1894	7.556	49.344.000	25.522.095
1895	13.069	52.892.000	57.632.000
1896	13.808	60.960.361	58.518.709
1897-8	18.182	115.839.749	85.067.431
1899	13.894	57.070.850	64.603.904
1900	15.517	63.620.529	989.000
1901	14.372	69.389.194	66.417.335
1902	15.407	88.766.916	71.178.910
1903	18.365	100.461.337	94.694.050
1904	20.261	177.080.960	101.175.455
1905	16.371	134.717.000	84.157.399
1906-8	55.838	471.116.271	341.630.668
1909	18.327	183.171.000	128.329.000

1910-11	28.708	430.006.391	261.994.440
1912	17.180	222.935.044	164.213.247
1913-14	48.727	514.208.765	451.246.603
1915	14.157	281.104.104	179.462.890
1916	24.619	300.767.157	330.899.878
1917	23.407	335.215.601	522.635.213
1918	25.687	355.927.716	703.943.961
1919	29.173	378.367.000	760.266.000
1920	33.911	442.929.000	1.360.745.000
1921	21.937	472.183.000	814.745.000
1922	24.689	557.531.000	895.111.000
1923	24.438	732.407.000	978.430.000
1924	21.888	713.940.000	1.022.683.000
1925	25.623	763.743.000	1.284.960.000
1926	29.319	770.874.000	1.447.760.000
1927	24.143	901.120.000	1.172.830.000

A produção total até 1927 havia sido de dez e meio bilhões de barris, no valor de vinte e um bilhões de dólares. Atualmente a produção anual americana anda pegando um bilhão de barris. O valor do petróleo produzido só em 1927, depois de refinado e desdobrado em vários produtos, ascendeu a três bilhões e quinhentos e oitenta milhões de dólares.

Se tivessem por lá um Serviço Geológico da marca do nosso, estariam com apenas sessenta e cinco poços e com toda essa imensa riqueza ainda oculta no seio da terra.

México

O México também não tinha petróleo, mas resolveu tê-lo, e como não se visse embaraçado por um Serviço Geológico ao tipo do nosso, pôs-se a perfurar, havendo produzido as seguintes quantidades:

```
1901 barris ..................................................................10.000
1902 barris ..................................................................42.000
1903 barris ..................................................................72.000
1904 barris .................................................................120.000
1905 barris .................................................................240.000
1906 barris .................................................................480.000
```

1907 barris	970.000
1908 barris	3.932.000
1909 barris	2.713.000
1910 barris	3.634.000
1911 barris	11.552.000
1912 barris	16.558.000
1913 barris	25.606.000
1914 barris	26.235.000
1915 barris	32.910.000
1916 barris	40.545.000
1917 barris	55.292.000
1918 barris	63.828.000
1919 barris	87.072.000
1920 barris	163.397.000
1921 barris	193.397.000
1922 barris	182.712.000
1923 barris	149.584.000
1924 barris	139.497.000
1925 barris	114.784.000
1926 barris	90.421.000
1927 barris	64.121.000
1929 barris	50.000.000

Isto dá um total, até esse ano, de um bilhão e quinhentos milhões de barris, representando um valor igual a dois *bilhões e duzentos e cinquenta milhões de dólares*.

Os poços mexicanos são os mais famosos do mundo como se vê da enumeração de alguns.

Los Naranjos n.° 4	40.000 barris por dia
Amatlau n.° 1	50.000 barris por dia
Amatlau n.° 2	80.000 barris por dia
Los Naranjos n.° 10	60.000 barris por dia
Los Naranjos n.° 5	50.000 barris por dia
Los Naranjos n.° 9	90.000 barris por dia
Pazzi n.° 5	100.000 barris por dia
Zurita n.° 3	30.000 barris por dia
Chotes n.° 1	60.000 barris por dia
Tapetate n.° 11	50.000 barris por dia
Tapetate n.° 8	50.000 barris por dia
Chapatote n.° 1	50.000 barris por dia
Chimampa	50.000 barris por dia
Potrero del Llano	100.000 barris por dia

Em 1916 irrompeu o Cerro Azul n° 4, o maior do mundo, com uma produção calculada pelo Dr. L. C. White em trezentos mil barris diários.

Por esses dados é possível fazer ideia da riqueza imensa que um só poço pode representar para um país, e consequentemente que crime anda cometendo contra o Brasil um departamento que *não perfura, nem deixa ninguém perfurar*. O poço Potrero del Llano produziu em dezesseis anos cento e dezoito milhões de barris de óleo, no valor de duzentos e trinta e seis milhões de dólares. Quem nos garante que a política do nosso Serviço Geológico já não impediu o surto entre nós de um Potrero del Llano?

Venezuela

A Venezuela também não tinha petróleo, porque todos os países começam não tendo petróleo. Igualmente não tinha um Tortulho preposto a impedir que se perfurasse. E a Venezuela perfurou e hoje é o terceiro produtor do mundo.

1917 barris	120.000
1918 barris	333.000
1919 barris	425.000
1920 barris	457.000
1921 barris	1.433.000
1922 barris	2.201.000
1923 barris	4.300.000
1924 barris	9.042.000
1925 barris	19.687.000
1926 barris	36 911 000
1927 barris	63.134.000
1928 barris	105.749.000
1929 barris	137.388.000

O valor desse petróleo foi de MEIO BILHÃO DE DÓLARES, ou SEIS MILHÕES DE CONTOS[6].

Nos anos de 1928 e 1929 produziu duzentos e quarenta e três milhões de barris no valor de *quatro milhões e trezentos e sessenta mil contos*. Nesse período o Brasil comprou as seguintes quantidades de petróleo e carvão, graças à mirífica ditadura do nosso departamento mineral:

Óleo lubrificante	1.153.000 tons	12.191.000 dólares
Carvão	2.095.000 tons	10.860.000 dólares
Gasolina e Óleo Combustível	3.850.000 barris	32.406.000 dólares
Querosene	3.448.000 barris	21.055.000 dólares

ou sejam SETENTA E SEIS MILHÕES DE DÓLARES — *um milhão quatrocentos e quarenta e quatro contos de réis ao câmbio de hoje.*[7]

---
6   Dólar calculado a doze mil réis, esse sonho...
7   Dólar calculado a dezenove mil réis, essa realidade...

COLÔMBIA

Também não tinha petróleo, mas como igualmente não tivesse nenhum tapume embaraçador, resolveu perfurar e começou a ter produção em 1922.

1922 barris	323.000
1923 barris	424.000
1924 barris	445.000
1925 barris	1.007.000
1926 barris	6.446.000
1927 barris	14.600.000

ILHA DA TRINDADE

Também perfurou e começou em 1909 a ter óleo.

1909 barris	57.000
1910 barris	143.000
1911 barris	285.000
1912 barris	437.000
1913 barris	504.000
1914 barris	644.000
1915 barris	750.000
1916 barris	929.000
1917 barris	1.602.000
1918 barris	2.082.000
1919 barris	1.841.000
1920 barris	2.082.000
1921 barris	2.354.000
1922 barris	2.455.000
1923 barris	3.051.000
1924 barris	4.057.000
1925 barris	4.387.000
1926 barris	4.971.000
1927 barris	5.272.000
1928 barris	5.200.000

Em tão poucos anos, quarenta e cinco milhões de barris, no valor de noventa milhões de dólares.

PERU

Também não tinha petróleo, mas deliberou tê-lo e em 1900 iniciou a produção com 274 barris, a qual foi crescendo constantemente. O petróleo obtido nos dez últimos anos foi o seguinte:

1917 barris 2.577.000
1918 barris 2.527.000
1919 barris 2.628.000
1920 barris 2.817.000
1921 barris 3.699.000
1922 barris 5.314.000
1923 barris 5.599.000
1924 barris 8.379.000
1925 barris 9.252.000
1926 barris 10.782.000
1927 barris 10.762.000

Temos aqui sessenta e cinco milhões de barris em dez anos, no valor de cento e trinta milhões de dólares.

Argentina

Também não tinha petróleo. A primeira produção apreciável ocorreu em 1908 — doze mil barris. Foi num crescendo a exploração e nos dez últimos anos produzia as seguintes quantidades:

1918 barris 1.263.000
1919 barris 1.331.000
1920 barris 1.651.000
1921 barris 2.036.000
1922 barris 2.866.000
1923 barris 3.400.000
1924 barris 4.639.000
1925 barris 5.997.000
1926 barris 6.500.000
1927 barris 7.900.000
1928 barris 8.700.000

Começou explorando a zona de Comodoro Rivadávia, na Patagônia, e agora também trabalha ao norte, perto das fronteiras do Brasil. Mas com o tapa-olho que o Departamento lhe mantém no rosto, o Brasil não percebe coisa nenhuma.

Chile

Na província de Parapaca, sul de Patilhos, são fortes as evidências de petróleo e o governo chileno acaba de completar os estudos geofísicos necessários para dar início à exploração.

Equador e Bolívia

As imensas reservas da Colômbia e da Venezuela prolongam-se pelo subsolo do Equador e descem para a Bolívia, onde já existem três grandes áreas em exploração — a Zona Oriental com dezoito milhões de hectares, a Central com cinco milhões e a Ocidental com um milhão.

Esse lago subterrâneo de óleo entra depois pelo norte da Argentina e pelo Grã Chaco. Nos pantanais do Chaco as existências revelaram-se de tal importância que deram origem à terrível guerra que hoje faz gemer as agências telegráficas. Num dos capítulos do seu livro Essad Bey mostra-lhe as causas secretas.

Mas o imenso lago de petróleo do Chaco boliviano e do Chaco Paraguaio teve o cuidado de respeitar a fronteira do Brasil. Não se prolonga pelo pantanal mato-grossense, que é geologicamente o Chaco brasileiro. Respeitou os limites, porque sabe que ali começa o Brasil e seria feio desmoralizar as teorias do não-há-petróleo das nossas orelhas-de-pau geológicas.

Outros países

Além destes países a América ainda revelou petróleo no CANADÁ, no ALASCA, em HONDURAS, na GUIANA INGLESA, em BARBADOS, em CUBA e na TERRA NOVA.

Quer dizer que a América é um continente todo ele petrolífero, de norte a sul, da ponta aleútica ao extremo patagônico. Mas a Natureza, há milhões de anos atrás, quando o petróleo entrou a formar-se, refletiu consigo que numa área de oito milhões e quinhentos mil quilômetros quadrados desse continente iria formar-se um país chamado Brasil, e determinou que o petróleo circundasse de todos os lados essa área imensa mas não lhe transpusesse as fronteiras. Eis porque não temos petróleo. A natureza previu que íamos existir e no-lo denegou por antecipação, para que nos gozássemos da delícia de sermos eternos compradores do combustível alheio.

Em 1931 um escritor de livros para crianças, impressionado com o não-há-petróleo oficial, resolveu fazer uma tentativa. Fundou uma pequena sociedade, levantou dinheiro e trouxe da América um aparelho indicador, inventado pelo Dr. F. B. Romero. O aparelho foi aplicado em Alagoas e nas provas feitas na região do Riacho Doce indicou petróleo. Grande entusiasmo entre os promotores. Telegramas. Entrevistas à imprensa. Alagoas tem petróleo! O aparelho Romero deu indicações positivas!

O Tortulho Geológico enfurece-se e pula para os jornais. No dia seguinte à chegada ao Rio do telegrama comunicando o feliz resultado das provas em Riacho Doce, o chefe supremo surge na primeira página d'*O Globo*. Nega a pés juntos. Jura que é mentira. Que não há petróleo lá.

Não acredito na existência de petróleo,
na quantidade indicada, na zona referida,
nem na eficiência do aparelho Romero, nem tão pouco
na sinceridade dos que procuram organizar sociedade
comercial que pensa explorar os tais lençóis
de petróleo.

No entanto, graças a esses ideólogos em quem o chefe não acreditava, o problema do petróleo no Brasil tomou um grande incremento.[8] Iniciou-se a abertura de quatro poços, dois dos quais neste momento já estão muito mais profundos que todos os poços federais feitos em quinze anos. O poço Balloni está com mil duzentos e quinze metros e o poço do Araquá, da Cia. Petróleos do Brasil, com mil e setenta.

O modo de obter milho é um só — plantar milho. O modo de obter petróleo é um só — perfurar o chão. Mas perfurar de verdade, a fundo, de acordo com todas as regras da arte — e são justamente os homens oficialmente acoimados de insinceros (ou exploradores do bolso do público), que estão fazendo isso pela primeira vez no Brasil. Estão fazendo o que o Serviço Geológico deixou de fazer. Estão fazendo o que competia ao Governo fazer. E o estão fazendo com o maior sacrifício à custa das magras economias de milhares de pequenos acionistas.

No entanto, por mais benemérito que seja o esforço desses pioneiros, cujo triunfo será o triunfo do Brasil, os maiores óbices com que até aqui se defrontaram procedem justamente da campanha contra eles movida pelo serviço público que o país paga para resolver o problema!

O livro de Essad Bey virá mostrar à nossa gente o que é o petróleo, que significação tem hoje no mundo o sangue negro da terra e como é vital para a soberania dum povo dispor das suas próprias fontes de combustível líquido. Virá mostrar... Porque, por incrível que o pareça, ninguém entre nós tem a menor ideia do significado mundial do combustível líquido. E entre os homens públicos, então, a ignorância aterra — e só essa aterradora ignorância explica o abandono em que até agora ficou o problema.

Essad Bey conta da luta gigantesca empenhada entre os dois grandes trustes mundiais em todos os recantos de todos os continentes. Toca de leve no Brasil, apesar de haver aqui matéria para todo um capítulo.

Também no Brasil a penetração dos trustes se faz sentir, por mais secretamente que trabalhem. Um deles, o mais velho, estabeleceu o programa de ir adquirindo os terrenos potencialmente petrolíferos, depois de estudá-los geológica e geofisicamente.

Mas não adquire terras provadamente petrolíferas para explorar o petróleo — *sim para impedir que outros o explorem*. Como esse truste está com superprodução em seus inúmeros campos pelo mundo, não lhe convém abrir fontes no Brasil

---

8 A situação atual das pesquisas de petróleo no Brasil é a seguinte.
   Em junho de 1932 constituiu-se em S. Paulo a COMPANHIA PETRÓLEOS DO BRASIL, com o capital de três mil contos, propondo-se a perfurar com base nas indicações do aparelho geofísico inventado pelo Dr. F. B. Romero, e também a fazer provas geofísicas para outras companhias.
   As primeiras provas foram feitas em Riacho Doce, Estado de Alagoas e em consequência foi proposta ao público a formação da COMPANHIA DE PETRÓLEO NACIONAL, com sede no Rio de Janeiro e capital de vinte mil contos. As segundas provas foram feitas no município de S. Pedro, Estado de S. Paulo, nas terras da COMPANHIA PETROLÍFERA BRASILEIRA, ainda não constituída e com o capital proposto de vinte mil contos. As terceiras provas foram feitas em Bofete, perto de Tatuí, em terras da COMPANHIA BRASILEIRA DE PETRÓLEO "CRUZEIRO DO SUL", sociedade já constituída com o capital de seis mil contos. O estudo geofísico do Dr. Romero nessas três zonas deu resultados positivos, assim confirmando as velhas previsões geofísicas que davam tais zonas como petrolíferas.
   A Companhia de Petróleo Nacional abriu a tomada de ações e concomitantemente iniciou perfurações em Riacho Doce; mas tal foi a campanha de descrédito que o Serviço Geológico Federal lhe moveu pela imprensa carioca, que não logrou reunir o capital necessário e teve de retardar a conclusão dos seus poços.
   A Companhia Petróleos do Brasil locou o seu primeiro poço perto de Xarqueada, município de S. Pedro, e começou a trabalhar com uma sonda Wirth de propriedade do Governo de S. Paulo. Aos mil e quarenta e quatro metros tocou numa duríssima camada de diábase que lhe retardou grandemente o avanço: neste momento o seu poço — o Poço do Araquá — encontra-se pouco acima de mil e setenta metros.
   Esta foi autorizada a aumentar o seu capital para três mil e quinhentos contos, mas viu a tomada das novas ações impedida pela campanha que o Serviço Federal, empenhado em que tal perfuração fracassasse, lhe moveu em telegramas circulares à imprensa do país.

— e muito menos deixar que outros o façam. Daí a propaganda do não-há-petróleo com que manobra a bacoquice indígena e também a ação oficial.

Mas como não abrir poços nos terrenos que compra é mais fácil do que impedir que outros os abram perto, ocorreu ao truste uma ideia dum maquiavelismo genial. Habilíssimos, traquejadíssimos, com uma velha sabedoria vulpina de lidar com a humanidade, manobraram os nossos homens públicos e fizeram que por suas mãos inocentes fosse desferido no Brasil o grande golpe. O truste gestou a Lei de Minas; o nacionalismo patriótico a pariu.

Como não babaria de gozo Maquiavel, se ressuscitasse!

Os homens públicos que assinaram essa lei fizeram-no convictos de estarem defendendo da melhor maneira os nossos tesouros subterrâneos. Leis como essas são técnicas; presidentes e ministros apenas as subscrevem — não as leem. Há o pavor de meter os dentes em "matéria técnica". É tabu lá dos técnicos. Mas se acaso esses homens tivessem hoje a curiosidade de ler o que assinaram e com o seu natural bom senso refletissem sobre o texto, haviam de ficar de cabelos arrepiados. Porque a *Lei de Minas tranca da maneira mais absoluta qualquer investigação do subsolo*. Cria tais embaraços que só um doido varrido irá perder tempo em cavocar a terra.

A coisa é clara. Já que o truste interessado no petróleo do Brasil não pretendia explorá-lo, e sim apenas acaparar as terras petrolíferas para reforço das suas reservas potenciais, nada melhor do que o aparecimento de uma lei que, trancando as pesquisas em geral, só favorecesse a política secreta do truste em particular. E para obter uma lei dessas nada melhor do que pegar o indígena num dos seus acessos de febre nacionalista. Desse modo o truste afastaria os concorrentes para, com todo o sossego, ir acaparando as zonas geofisicamente estudadas.

O plano surtiu efeito completo.

A nova lei constitui o mais lindo trabalho ainda feito no mundo para manter o subsolo dum país em rigoroso estado de virgindade até o momento em que o espírito santo de orelha entenda de explorá-lo. Por essa época, então, e já dono de todos os pontos estratégicos, nada mais fácil do que mobilizar a opinião pública e denunciar o absurdo da lei, fazendo-a substituir. Quantas vezes esse truste já não manipulou, fez e desfez, leis de minas por este mundo de Cristo afora?

A Lei de Minas, anunciada pelos seus promulgadores como o *Sésamo, abre-te* das nossas riquezas minerais, saiu um *Sésamo, fecha-te!*... Fecha-te, até que todos os estudos geofísicos do truste estejam completos; todas as estruturas petrolíferas que lhe convenham estejam adquiridas; a atual superprodução do petróleo esteja passada; e haja para o truste interesse em abrir aqui novas fontes. Só então a bacoquice indígena perceberá a esparrela em que caiu, e virá com o clássico "Ora veja!".

O CASO DE ALAGOAS

No prefácio da *Luta pelo Petróleo* vem pormenorizadamente o caso de Alagoas. Vou resumi-lo.

Quem primeiro estudou e afirmou o petróleo no Riacho Doce, em Alagoas, foi José Bach, um geólogo alemão residente em Maceió. Mas logo que formou uma pequena companhia para explorá-lo, "foi morrido afogado" numa lagoa.

Mais tarde, Eutichio Gama e Pinto Martins retomaram a iniciativa. Mas quando Pinto, no Rio de Janeiro, estava para assinar um contrato com os ingleses, "foi suicidado" num hotel.

Anos depois Edson de Carvalho associa-se a Monteiro Lobato, Lino Moreira e outros. Retoma o negócio. Consegue fundar a Cia. Petróleo Nacional e tenta as primeiras perfurações.

O Departamento Nacional de Produção Mineral abre campanha contra a empresa. Recorre à imprensa. Procura desmoralizar os pioneiros. Assaca-lhes as maiores infâmias. Nada consegue. Edson resiste e trabalha, mas a guerra não cessa. Surgem as sabotagens descritas no meu depoimento e no de Hilário Freire, obra do sr. Oppenheim, cornaca do sr. Fleury da Rocha, chefe do D. N. P. M. Por instigação dessa gente, um interventor federal em Alagoas abre devassa na companhia e tranca os trabalhos da sonda por catorze meses. Foi o período da ocupação militar.

Edson não desiste. Pacientemente espera que o interventor caia e venha outro. Vem Osman Loureiro. A perfuração é retomada. Mas já não há dinheiro. Edson está trabalhando sozinho, desajudado de todos, quase no fim da sua heroica resistência. De diretor da companhia passa a perfurador. Pessoalmente dirige o serviço, de mangas arregaçadas. Para obter recursos, monta a cavalo e afunda dias e dias pelos cafundós. Só lá pode vender algumas ações, porque na capital e nas cidades maiores está difamado pela campanha insistente, persistente, onipresente, da camorra federal vitoriosa.

Mas Edson resiste. Nada o abate. Levanta um pouquinho de dinheiro no sertão e volta a perfurar mais uns metros. Outra viagem a cavalo; mais uns metros. E assim vai com o poço S. João até duzentos e cinquenta metros. Súbito, irrompe um fortíssimo jacto de gás de petróleo. Tinha vencido!

A notícia corre. Aflue gente de Maceió. Estabelece-se para Riacho Doce uma romaria permanente. Todos querem ver, cheirar aquele maravilhoso fluido que brota das entranhas da terra. Vai Osman Loureiro. Vão Costa Rego, deputados, jornalistas, estudantes. Todos contemplam a formidável chama que se levanta quando Edson risca um fósforo. O exame mostrou tratar-se de gás de petróleo.

A camorra federal agita-se. Que maçada! Aquela peste do poço S. João podia dar panos para as mangas e estragar os negócios da Standard Oil no Brasil. Era urgente um golpe decisivo contra o perigoso Edson. Repetir em Alagoas o golpe de Fleury da Rocha contra a Companhia Petróleos do Brasil, de S. Paulo. E começam no Departamento os cochichos.

Osman Loureiro, entusiasmado com o que vira em Riacho Doce, manda ao ministro da agricultura um telegrama em que conta o auspiciosíssimo fato e pede amparo técnico. O Departamento que enviasse para lá seus grandes geólogos e engenheiros petrolíferos a fim de auxiliar o partejamento do petróleo.

Fleury olha. Entre os parteiros do serviço federal havia um mestre em abortos de poços: Bourdot Dutra. Graças à sua perícia, o Departamento abortara o poço do Tucum, em S. Paulo, o infame poço que tivera o topete de dar gás e os primeiros galões de ótimo petróleo ainda revelados no Brasil. Fleury piscou o olhinho. "Vai, Dutra", disse ele. "Vai ajudar aquela gente. Você sabe o jogo." E lá seguiu mestre Bourdot Dutra.

Grande alegria em Maceió quando o parteiro desembarca.

Daquela feita o petróleo saía mesmo. Mas em vez puxar o fórceps, Bourdot saca do bolso um ofício de Fleury da Rocha exigindo a entrega imediata da sonda federal com que Edson estava perfurando...

Os escândalo foi medonho. Alagoas ergueu-se rubra de cólera. Comícios. Discursos. A imprensa pega fogo. A infâmia federal estava absolutamente clara — estava escrita, assinada pelo sr. Fleury da Rocha, o diretor do Departamento que custa ao Brasil cinco mil contos por ano e cuja missão aparente é descobrir petróleo.

Osman Loureiro revida o golpe com um telegrama histórico que aqui transcrevemos para honra de Alagoas e vexame eterno da pústula federal.

Dr. Odilon Braga, Ministério da Agricultura.

Tenho o pesar de levar ao conhecimento de v. excia. que o dr. Eugênio Dutra, enviado do D. N. P. M., EM VEZ DE TRAZER A APARELHAGEM NECESSÁRIA PARA EXAMINAR A SITUAÇÃO DO PETRÓLEO DO RIACHO DOCE, APRESENTOU UM OFÍCIO RECLAMANDO A ENTREGA DA SONDA CEDIDA AO ESTADO PARA AQUELE FIM. A retirada da sonda no momento atual não seria somente uma decepção, EM DESABONO DO CRÉDITO DO SERVIÇO OFICIAL, SENÃO TAMBÉM A CONFIRMAÇÃO DOS RUMORES DE QUE INTERESSES OCULTOS ENTRAVAM O ANDAMENTO DAS PESQUISAS DO PRECIOSO ÓLEO. Solicitamos, pois, com vivo empenho, a revogação da ordem de retirada da sonda, garantida pelo Estado em contrato firmado, bem como a determinação de exame dos poços registrados em Riacho Doce. Atenciosas saudações.

(a) Osman Loureiro

O escândalo repercutiu no país inteiro. A imprensa comentou-o de norte a sul. Todas as minhas acusações ficavam provadas de modo absoluto. E não era agora eu sozinho a proclamar a infâmia do Departamento Mineral: era um governo de estado, por intermédio da palavra insuspeita do seu governador.

O Departamento encolheu-se, roendo as unhas de ódio. Pela primeira vez inflingiam-lhe uma derrota séria. Bourdot Dutra esgueirou-se de Maceió como um camundongo ante o inesperado abrir-se de uma janela. Volta ao Rio cabisbaixo. Cochicha com Fleury e Oppenheim. "Aquela gentinha é perigosa. Não foi à toa que Floriano nasceu lá..."

Nesse entretanto escrevi a Osman Loureiro sugerindo prospecção geofísica pela ELBOF, a entidade especializada em tais estudos de maior renome no mundo. A sugestão é aceita incontinente. O congresso vota créditos e o governo alagoano assina contrato para três meses de estudos geofísicos na zona do Riacho Doce.

Quando essa notícia chega ao Rio, rebenta o pânico no Ministério da Agricultura. Era preciso impedir aquilo por todos os meios. Se a ELBOF fizesse estudos em Riacho Doce, os resultados iriam ser opostos aos feitos pelo Departamento — um verdadeiro golpe de morte na camorra. E começa o ataque.

O ministro oficia ao governo de Alagoas protestando contra os estudos contratados. Alega que o Departamento está pronto para fazê-los. Osman declara que o que está feito está feito e que Alagoas não voltará atrás.

O ministro oficia novamente, insistindo em que o Departamento desejava fazer estudos geofísicos em Riacho Doce e que duas turmas trabalhando ao mesmo tempo, a nacional e a dos alemães, uma atrapalhava a outra. Cada turma consta de três ou quatro elementos! Osman retruca que o contrato com os alemães sendo de três meses apenas, ficava o resto da vida para o Departamento realizar quantos estudos quisesse. Não havia necessidade de serem feitos ao mesmo tempo e no mesmo lugar.

O Ministro alega ainda que era desperdício de dinheiro dois estudos na mesma zona. Para que duas despesas, se tudo poderia resolver-se com uma só? Osman responde que a despesa com os estudos alemães já estava feita e que portanto ao Ministério da Agricultura cumpria não duplicá-la. "Nós já gastamos o dinheiro; economizem vocês o seu, já que estão assim tão zelosos dos dinheiros públicos."

Raio de homem! Impossível conduzi-lo pelo nariz! Sabia o que queria e sabia querer! E o Ministério da Agricultura teve que aguentar a derrota, sob os olhares de desprezo de todo o país.

Os alemães da ELBOF cumprem o contrato. Fazem os três meses de estudos geofísicos obtendo RESULTADOS INTEIRAMENTE REVERSOS DOS FEDERAIS, como o leitor verá no depoimento de Hilário Freire.

Há um ponto a frisar. Até o caso de Alagoas as manobras sabotadoras do Ministério da Agricultura, sistemáticas, sempre se fizeram à sombra, por trás das cortinas; mas com o súbito aparecimento dos gases do poço S. João tornou-se mister agir de pronto e às claras. Só um golpe desnorteante poderia salvar a situação. E o Ministério o deu, em pleno dia, aos olhos assombrados do país inteiro.

Audaces fortuna juvat, refletiam lá entre si. Mas erraram. Tudo tem fim na vida. O fim da tirania anti-petroleira da camorra federal começou no momento em que Osman Loureiro redigiu o seu famoso telegrama.

Esse momento assinala o ponto final duma época e o começo duma aurora. Lá em seu túmulo Floriano sorriu. "Esse Osman é dos meus", devia ter pensado consigo o Marechal de Ferro.

E é. Sob a capa daquela mansidão infinita esconde-se o aço.

Cem homens desse naipe no governo, e com homens como Edson à frente das companhias, teremos petróleo.

Honra à pequenina Alagoas!

....

Depois do incidente da sonda, houve ainda por parte do D. N. P. M. várias tentativas para impedir o estudo do petróleo em Alagoas, como o leitor verá no depoimento de Hilário Freire. Tudo falhou ante a magnífica resistência daquele povo chefiado por um homem do destino — Osman Loureiro. Graças à sua energia, foi lavrada a 25 de dezembro de 1935 contrato para estudos geofísicos com a firma Piepmeyer & Cia., seção ELBOF. Hilário Freire narra a série de entraves federais opostos à realização dos estudos. Esses entraves revelavam tal empenho em levar ao fracasso a iniciativa do governo de Alagoas que nos forçou a denunciar ao país a conspiração — e Monteiro Lobato o fez numa Carta Aberta endereçada ao Ministro da Agricultura e publicada em todos os grandes jornais, de norte a sul. Mas antes de chegarmos lá, temos ainda de insistir no caso de Alagoas.

Alagoas, São Paulo e o Brasil

Façamos um pouco de história.

Tenho de falar de mim. Eu estava na diretoria da Cia. Petróleos do Brasil, já então ferida fundo pela sabotagem do Sr. Fleury da Rocha, diretor do Departamento Nacional de Produção Mineral. Apesar de esfaqueados pelas costas, prosseguíamos na abertura do poço do Araquá. No mês de agosto de 1934 havíamos vasado duzentos e treze metros, ao preço excelente de sessenta mil réis por metro. O entusiasmo era grande. Mesmo ferida de morte, se a perfuração consegue mais um ou dois meses de marcha como aquela poderia alcançar a profundidade em mira.

Mas sobreveio a diábase. A diábase é uma rocha eruptiva de extraordinária dureza, que se apresenta em introsões. Uma espécie de D. N. P. M. subterrâneo. A despeito de trabalharmos no poço vinte e quatro horas por dia, a resistência do obstáculo era tamanha que em quatro meses e meio só vasamos dezoito metros. O custo por unidade passara de sessenta mil réis a seis contos e tanto — mais cem vezes!

E o pior consistia em não termos nenhum elemento para avaliar a espessura da camada de diábase. Seria de cinquenta metros? De cem? De duzentos? Continuar perfurando por aquele preço e na incerteza da espessura era insensatez. Recurso único: o emprego da geofísica. A geofísica determinaria a espessura da diábase e portanto nos esclareceria sobre o que fazer — parar ou continuar.

Entrei em entendimentos com entidades europeias que vinham ao caso, e depois de muitas negociações obtive uma oferta excepcionalmente vantajosa. Um grupo técnico-financeiro alemão interessou-se pelo problema e apresentou uma proposta que resolveria tudo. Esse grupo propunha-se a financiar todos os trabalhos de perfuração da Cia. Petróleos e das outras empresas paulistas, a abrir quantos poços fossem necessários, a montar refinarias, a construir oleodutos e o mais relativo à criação da indústria petrolífera, tudo a ser pago por meio de porcentagem do óleo produzido. Nenhuma interferência na vida das companhias. Nenhuma exigência de controle. Apenas prestação de serviços técnicos e fornecimentos de material, a serem pagos com porcentagem do produto obtido. Isso asseguraria a vitória de todas as companhias, sempre curtas de dinheiro e de técnica.

Uma coisa, entretanto, era exigida como condição *sine qua non*: o levantamento geofísico das zonas onde operavam as companhias tinha de ser feito pela entidade de confiança do grupo: a ELBOF, seção de Piepmeyer & Cia., de Cassel, Alemanha. Se os estudos da ELBOF resultassem positivos, indicando probabilidades de petróleo em quantidades comerciais, entraria em vigor o contrato de financiamento.

Mas esses estudos eram muito caros, não estando dentro das forças duma companhia já baleada no peito pelo exímio atirador Fleury da Rocha. Fui ao governador de S. Paulo. Expus-lhe o caso. Mostrei-lhe a proposta alemã. S. Excia., depois de tudo examinar, respondeu textualmente: "O problema está resolvido. Vocês nunca tiravam petróleo porque nunca tinham dinheiro e técnica suficientes. Façam uma representação à Assembleia."

Estimuladas por essas palavras, as companhias paulistas de petróleo endereçaram à Assembleia a representação na qual se expunha o caso de todas; acentuavam os muitos milhares de contos já gastos sem que conseguissem uma só perfuração decisiva; frisavam o enigma da espessura da diábase e a imperiosa necessidade de medi-la geofisicamente; alegavam o recebimento da proposta de financiação, condicionada a estudos positivos, feitos taxativamente pela ELBOF. E concluíam pedindo que o Estado custeasse esses estudos, contratando-os com a ELBOF, unicamente com a ELBOF, pois só a ELBOF dispunha de financiamento paralelo. Estudos feitos por outra qualquer entidade não resolveriam o problema financeiro das companhias por não se articularem com financiamento nenhum.

A Assembleia votou unanimemente um credito de seiscentos contos para os estudos pedidos.

Muito bem. Por solicitação das companhias a ELBOF apresentou a sua proposta. *Mas assim que essa proposta deu entrada na secretaria da Agricultura, imediatamente os Interesses Ocultos se moveram e mais duas propostas, não pedidas por ninguém, não desejadas de ninguém, puras intrujices, apareceram.* Entraram por baixo do pano — e não sabemos por que milagre foram admitidas em igualdade de condições com a proposta ELBOF, solicitada pelas companhias como a única tábua de salvação de todas elas.

O jogo tornou-se logo bastante claro. *Era preciso afastar a proposta ELBOF. Por quê? Porque tinha financiamento atrás e com financiamento as infames companhias paulistas eram bem capazes de tirar petróleo e... e...*

O D. N. P. M. interveio para "orientar" o governo de São Paulo. Era indispensável impedir que S. Paulo cometesse aquela "criançada" de Osman Loureiro — a criançada que valeu a passagem do saudoso *Non ducor, duco* de Piratininga para a lapela de Alagoas.

E tudo se paralisou. Mais de um ano já se passa da minha conferência com o governo. Mais de sete meses já decorreram da promulgação da lei votada sobre os estudos geofísicos — e nada de nada de nada. O governo de S. Paulo está pensando...

Enquanto S. Paulo pensa, Alagoas age.

Quando percebi, logo depois de votada a lei paulista, que íamos ter luta e sabotagem, voltei-me para Alagoas. Endereçei ao interventor Osman Loureiro uma carta expondo a questão e frisando a vantagem para Alagoas de promover estudos geofísicos pela ELBOF. A resposta me surpreendeu. Não foi a resposta clássica do "vamos ver, vamos pensar" e outras capadoçagens assim. *A resposta foi a imediata apresentação à Assembleia Alagoana dum projeto de lei autorizando o Executivo a contratar a prospecção geofísica.*

Dias depois de recebida a minha sugestão estava a lei votada! Essa foi a resposta que esse extraordinário Osman Loureiro deu a uma simples carta que lhe escrevi...

Tudo lá voou a galope. O contrato foi assinado prontamente. Se há cágados no Brasil, não é em Alagoas.

Os Interesses Ocultos deram pinotes. As tais propostas não convidadas, aparecidas em S. Paulo, correram a meter-se lá também, por baixo do pano. Ofereciam vantagens miríficas. Umas tentações. Osman Loureiro murmurou apenas: "Quando a esmola é demais o santo desconfia" — e mandou arquivá-las.

No depoimento de Hilário Freire vem a história da luta contra a ELBOF em Alagoas. O Ministério da Agricultura saltou em campo: "Não! Não! Não!". Osman Loureiro, filho legitimíssimo daquela terra de Floriano, respondeu: "Sim! Sim! Sim!".

É fácil influenciar gente gorda, porque o gordo tem banhas a perder. O alagoano é magrinho, seco, enrijado pelo sol terrível do Nordeste. O alagoano é florianesco. O Ministério teve que recuar. O D. N. P. M. meteu o rabo entre as pernas. Esbarrara numa diábase inédita — a diábase do civismo...

Consequência: parte da zona do Riacho Doce já está geofisicamente estudada e com resultados ótimos. Tudo quanto o D. N. P. M. tinha assente sobre aquela geologia foi revogado. Era mentira. Era sabotagem.

O D. N. P. M. sempre jurou que o "cristalino" (a camada granitoide final, eruptiva, onde não pode haver petróleo estava muito próxima da superfície, e portanto a zona era inadequada para o acúmulo do petróleo.

As mediações geofísicas provaram o inverso. Provaram que o cristalino está abaixo de mil metros e que, portanto, a espessura das camadas de sedimentos (onde o petróleo se forma) é arquibastante para o acúmulo de tremendas quantidades de petróleo.

O D. N. P. M. também jurava que o asfalto seco ou semilíquido encontrado nos lençóis de xisto do Riacho Doce provava apenas que o petróleo *existira* por lá em priscas eras, havendo-se evaporado até à última gota. Eram "primários", aqueles lençóis de xisto.

Mentira. O relatório da ELBOF mostra o inverso. São lençóis "secundários", provenientes de reservas petrolíferas subterrâneas.

E tudo mais assim. Os estudos dos alemães vieram comprovar o que José Bach proclamava, e mostrar ao país que as afirmativas do D. N. P. M. só valem quando tomadas em sentido diametralmente oposto.

Graças à visão, decisão pronta, energia e hombridade de Osman Loureiro e Edson de Carvalho, o pequeno estado nordestino vai ter petróleo, vai enriquecer-se tremendamente, vai exportá-lo até para S. Paulo — se na sua solene gravidade S. Paulo persistir em pensar em vez de agir. E pensar com que cabeça, Santo Deus! Com as cabecinhas malandras do D. N. P. M.!...

Os Interesses Ocultos são poderosíssimos, oniscientes e onipresentes. Controlam os bancos. Controlam o mundo. Daí as inesperadas e invencíveis resistências anti-petrolíferas que os pioneiros encontram de todos os lados, sobretudo nas zonas já bastante desenvolvidas economicamente. Os pioneiros só poderão vencer atacando as linhas de menor resistência — os estados de gente magra.

Bendita sejas tu, ó sadia magreza alagoana!

Os primeiros mártires do petróleo

José Bach, um incompreendido sábio alemão que o Destino fez encalhar em Alagoas, levou treze anos a estudar aquele trecho da costa nordestina e a fazer levantamentos geológicos. Com base nesses estudos, proclamou a tremenda riqueza oleífera do Riacho Doce. "Há aqui petróleo para abastecer o mundo", dizia sempre. E formou uma modesta empresa.

Súbito, morre afogado. Ao atravessar um braço de lagoa, conduzido por um canoeiro que não era o habitual, a embarcação revira e o pobre sábio perece. O canoeiro limitou-se a um banho.

Dias antes, a 26 de agosto de 1918, havia Bach enviado ao Chefe de Polícia de Alagoas o seguinte apelo:

Exmo. Sr.:

Achando-me com minha família residindo em Garça Torta, onde exerço as funções de diretor técnico da Empresa de Minas Petrolíferas, e achando-me sem garantias pessoais e materiais, venho solicitar de V. Excia. as necessárias providências, afim de que sem receio possa aqui residir e exercer minhas funções. Agradecendo desde já as acertadas providências de V. Excia., subscrevo-me. etc.

Dr. José Bach

O desaparecimento de Bach retardou de muitos anos a mobilização do petróleo do Riacho Doce.

Temos aqui o mártir número um do petróleo brasileiro.

Mais tarde um senhor de Maceió adquire da viúva Bach os estudos e direitos do infeliz geólogo e associa-se com Pinto Martins para a renovação da iniciativa. Pinto Martins era um rapaz de vistas amplas. Segue para Londres. Negocia. Volta para o Rio de Janeiro por ar, direto de New York, num voo notável para os tempos. O povo o aclama herói nacional. O Congresso concede-lhe um prêmio de duzentos contos, que ele não chega a receber. "*Suicida-se*" antes disso num quarto de hotel, sem que ninguém compreendesse semelhante tragédia.

Era o petróleo. Na véspera do "suicídio" Pinto Martins havia telegrafado ao seu sócio em Maceió: "*Negócio fechado; assinarei contrato dentro três dias*". A sua papelada — mapas, relatórios e mais estudos de José Bach em seu poder — tudo desapareceu do hotel...

Pinto Martins: mártir número dois do petróleo nacional.

Em junho último descobre-se em Recife que dois caribios andavam aliciando capangas para uma "caçada de gente" em Riacho Doce. A chefatura de Alagoas é informada de que a vida de Edson de Carvalho corria perigo. A polícia monta guarda à casa do pioneiro e à sonda. O golpe falha.

Autógrafo de José Bach, pedindo providências à polícia por sentir-se ameaçado.

O nome do terceiro mártir do petróleo alagoano ficou em branco.

Barzaretti, engenheiro italiano, faz estudos de petróleo em Mato Grosso e consegue contratos de terras. Anuncia que o petróleo do Pantanal vai ser explorado. Súbito, em Campo Grande, uma bala o pega. Tiro mortal. E de bons efeitos práticos: ninguém mais falou no petróleo mato-grossense.

Barzaretti, primeiro mártir do petróleo de Mato Grosso.(9)

O Dr. Romero dizia sempre: "Lidar com petróleo é agarrar um leão pela cola".

De fato. O tremendo vulto do negócio, com suas mil *implications* diretas e indiretas, determina uma terrível organização de defesa, ofensiva e defensiva. Os trustes descobrem meios até de legislar em terra alheia, sob a égide do mais puro nacionalismo.

Os pioneiros sabem que o petróleo é leão; mas também sabem de casos em que o leão do petróleo foi vencido.

Certo mau empregado dum banco da Holanda atracou-se um dia com o maior leão de todos os tempos — Rockefeller, o leão que tinha as quatro patas assentes sobre todo o petróleo do mundo. Esse mau empregado de banco chama-se hoje Sir Henry Deterding. Criou o Segundo Poder Mundial do Petróleo porque teve a inaudita coragem de atracar-se com o feroz Rei do Petróleo. Em vez de ser comido, virou leão também. O petróleo do mundo cindiu-se em duas metades. Passou a ser governado despoticamente por dois leões.

Anos depois os russos se atracaram à cola desses dois leões; e porque tiveram essa tremenda coragem, criaram o Terceiro Poder Mundial do Petróleo — o Óleo Vermelho. E o Reino do Petróleo passou daí por diante a ser governado por três leões.

Por que não nos atracarmos à cola desses três leões, e não criarmos o Quarto Poder Mundial do Petróleo — o Óleo Verde-Amarelo?

O valor bruto do bilhão de barris que cada ano os americanos extraem do seio da terra é muitas vezes maior que o valor do café, do boi, do fumo, da borracha, do algodão, do milho e todas as mais quitandas que o Brasil produz. E o valor final desse petróleo desdobrado em seus produtos e transformado em trabalho mecânico é, num ano, maior que o de tudo quanto o Brasil produziu desde os primeiros açúcares coloniais até hoje.

Ora, com uma cubagem de subsolo equivalente à do subsolo americano, o Brasil terá dentro dele uma reserva de óleo equivalente. Por que, então, vacilarmos? Por que não atirar-nos à Riqueza, ao Poder, à Dominação Financeira?

Por que resignar-nos ao apodrecimento na miséria, na bancarrota, no descrédito eternos?

Sonho?

Antes de ser o que é, o Primeiro Poder Mundial do Petróleo foi um sonho de John Rockefeller.

---

9   Há ainda o "suicídio" de Harry Koller em Buenos Aires (ver pag. 1142). Foi outro mártir do petróleo brasileiro.

Antes de ser o que é, o Segundo Poder Mundial do Petróleo foi o sonho dum empregadinho de banco.

Antes de ser o que é, o Terceiro Poder Mundial do Petróleo foi o sonho duns exilados russos.

Não há no mundo grande realização que não comece pelo sonho. O sonho é a própria realização em estado potencial. É a nebulosa difusa e confusa donde saem os mundos.

Com as montanhas de ferro que possui e com o que existe de óleo em suas entranhas, o Brasil pode passar, da grotesca situação que hoje ocupa no mundo, à plana dos grandes países. Basta que arrede do seu caminho os obstáculos que os Interesses Ocultos amontoaram: — D. N. P. M. enervantes, as leis-ratoeiras e mais patifarias de igual naipe.

Só isso. O resto virá lógica e naturalmente.

CARTA ABERTA AO MINISTRO DA AGRICULTURA
PORQUE O BRASIL NÃO TEM PETRÓLEO

"Sr. ministro: — Há coisa de um ano o abaixo-assinado enviou ao sr. Presidente da República uma séria denúncia contra a sabotagem sistemática que de muito tempo o Serviço Geológico, hoje rebatizado em Departamento Nacional de Produção Mineral, vem exercendo contra o petróleo brasileiro. Essa denúncia acusava o Departamento de ter como divisa: 'Não tirar petróleo e não deixar tirá-lo'; acusava-o de falsear os resultados geológicos e geofísicos a fim de desanimar as pesquisas promovidas pelas companhias nacionais; de haver substituído a velha Lei de Minas, liberal e exequível, por um mostrengo sesquipedal que impossibilita de maneira absoluta qualquer exploração do subsolo; de tudo fazer, em suma, para que o Brasil se perpetue, *per omnia secula*, como mercado comprador do petróleo estrangeiro, para regalo dos trustes que no-lo vendem. Decorria daí o fato grotesco de, no continente petrolífero por excelência, que é a América do Sul, *todos os países terem petróleo, exceto justamente o maior de todos — o nosso*.

O sr. Presidente da República transmitiu essa denúncia ao sr. Ministro da Agricultura para as necessárias providências. Como o tempo se passasse e não viesse nenhuma, o signatário resolveu repeti-la, desta vez à nação, por meio do prefácio escrito para o livro de Essad Bey *A Luta pelo Petróleo*.

Esse prefácio abalou o público pensante, fazendo a imprensa abrir-se em comentários severamente desfavoráveis ao Departamento Nacional de Produção Mineral. O qual Departamento, em vez de chamar à responsabilidade o "caluniador", limitou-se a uma comunicação aos jornais, bastante chilra, que concluía desta maneira: *"Quanto às acusações aleivosas, formuladas por aventureiros de má fé, estamos certos de que a Comissão de Inquérito sobre o Petróleo, solicitado pelo ministro da Agricultura ao presidente da República, saberá apurar a verdade e apontar à Nação os nomes que devem ser punidos pela Justiça"*.

Os aventureiros de má fé claro que eram, em primeiro lugar, o autor do infame prefácio, e em segundo, os heroicos pioneiros que à frente das companhias nacionais procuravam, com tremendo esforço, dar petróleo ao Brasil.

Criminosa aventura de má fé, sonharem com um Brasil poderoso, rico, liberto para sempre da sangria anual de meio milhão de contos, que é quanto lhe custa não haver ainda mobilizado as tremendas reservas de óleo que indubitavelmente possui. Infâmia suprema: atreverem-se denunciar, com provas na mão, a camorra enquistada no Departamento Nacional com o fim expresso de impedir que o grande objetivo seja alcançado.

Sr. Ministro: os aventureiros de má fé cujos nomes deverão ser apontados à Justiça estão dentro do Departamento Nacional, não fora. Vamos fundamentar a afirmação.

Antes de mais nada, porém, é mister esclarecer um ponto. Esse famoso Departamento Nacional de Produção Mineral, que custa ao país mais de cinco mil contos por ano, é um organismo composto de numerosas peças. Umas ornamentais apenas, de mera função decorativa, como o seu diretor geral. Outras técnicas, mas simplesmente burocráticas. Existem, todavia, duas peças mestras que estão para o resto do organismo como o cérebro humano está para o corpo. São elas o diretor da Geofísica, Mr. Mark Malamphy, e o diretor de Geologia, Mr. Vítor Oppenheim. Peças mestras, sr. Ministro, porque um é o *detentor em primeira mão dos resultados dos estudos geofísicos; e o outro é o detentor em primeira mão dos resultados dos estudos geológicos. Esses dois homens, portanto, dispõem, sempre de primeira mão, de todos os segredos do subsolo nacional, revelado pela Geofísica e pela Geologia.* Conjugados, formam a cabeça do Departamento, a cabeça de onde tudo emana — sejam as determinações do diretor geral, sejam as instruções do Ministro da Agricultura.

E tão intima é a associação desses dois hemisférios cerebrais do Serviço Geológico, que acabaram constituindo uma firma comercial para uso externo — Malamphy & Oppenheim. O endereço telegráfico dessa firma é — *Malop. Mal*, primeira sílaba de Malamphy, e *Op*, primeira sílaba de Oppenheim. Ora, um cérebro é um cérebro; e por maior que seja um corpo, tem, em todas as suas partes, de subordinar-se ao cérebro. Daí o fato de o pomposo Departamento Nacional de Produção Mineral reduzir-se hoje a uma simples dupla — à dupla *Malop*. Quem quer negócio de subsolo no Brasil, não procura o Departamento; procura *Malop*.

Mas, sr. Ministro, donde vieram esses homens e que fazem?

Vieram diretamente do truste que tem como ponto de programa conservar o Brasil em "estado de escravização petrolífera." Com que fim? Retardar, senão impedir, o nosso 13 de Maio econômico. Por que meio? Transformando um serviço público que nos custa cinco mil contos por ano em mero instrumento dos Interesses Ocultos contrários a que o Brasil seja produtor de petróleo. Indague o sr. Ministro da procedência desses homens e assombre-se da nossa infinita ingenuidade.

Que fazem?

Anunciam em revistas estrangeiras, para uso de quem lá fora queira apossar-se das terras petrolíferas brasileiras, os serviços profissionais da firma Malamphy & Oppenheim. Vendem, pois, os segredos do subsolo nacional, de que são detentores em primeira mão. Se o sr. Ministro tem dúvidas, mande consultar as coleções do *Professional Directories of Mining and Metallurgy*, de Nova York, bem como as do

Mining Magazine, de Londres. Lá encontrará a dupla Malop oferecendo ao estrangeiro segredos do subsolo nacional conseguidos à custa dos cinco mil contos anuais arrancados a um pobre povo na miséria.

Mas, sr. Ministro, se essa prova não for considerada bastante, o signatário poderá apresentar outra, de esmagadora evidência. Poderá apresentar no inquérito a abrir-se o original de uma carta de Mr. Mark Malamphy, em resposta à consulta dum americano interessado em adquirir terras petrolíferas no Brasil. A consulta do americano foi provocada pela leitura dos anúncios da *Malop* feitos nas revistas indicadas.

A tradução dessa carta é:

"Prezado senhor: — Sua carta de 4 de outubro foi recebida ontem, ao voltar do campo. Espero que me perdoará a inevitável demora em respondê-la.

Há algum tempo atrás, Mr. Oppenheim e eu fizemos anúncios no *Professional Directories of Mining and Metallurgy*, de Nova York, e no *Mining Magazine*, de Londres. Mas há um ano fomos obrigados a suspender esses anúncios, em parte por motivos políticos e mais especificamente porque os trabalhos decorrentes dos nossos contratos com o governo nos impossibilitavam de aceitar outras obrigações naquele tempo.

Relativamente aos seus amigos interessados nas possibilidades do petróleo no Brasil posso dizer que teremos muito prazer em oferecer a nossa cooperação para qualquer empresa legítima que tiverem em vista. Mr. Oppenheim anda atualmente ocupado numa investigação geológica no Vale do Alto Amazonas e não pode ser alcançado neste momento, mas estou seguro de que também concordará com isto.

Se quiser avisar seus amigos para se comunicarem comigo e darem-me uma ideia geral dos planos que têm em vista, eu terei *prazer* em discutir com eles o auxílio que poderemos prestar-lhes.

Em relação à nossa integridade profissional devo dizer que tanto Mr. Oppenheim como eu somos membros do American Institute of Mining Engineers e da American Associaton of Petroleum Geologists, estando com os nossos papéis arquivados nas secretarias dessas entidades técnicas. Também sou membro da Society of Petroleum Geophysicists e da American Geophysical Union. Qualquer informação desejada a esse respeito poderá ser obtida de Mr. A. B. Pearson, secretário da A. I. M. E., Nova York, rua 39 West, n.° 29.

Esperando nova comunicação sua e de seus amigos, e agradecendo o incômodo que teve para encontrar o meu endereço, subscrevo-me sinceramente seu — *Mark C.Malamphy* — Rua Prudente de Moraes, 451.

P. S. — Nosso endereço telegráfico é: *Malop* — Rio."

Será possível, sr. Ministro, prova mais clara do que o signatário vive afirmando? Essa carta revela apenas uma abertura de negociações com um freguês novo. Quantas muito mais positivas não existirão nos arquivos secretos das entidades estrangeiras namoradoras do petróleo que "oficialmente não temos", e que por todos os processos se vão apossando das nossas terras petrolíferas para utilização futura? E no entanto, sr. Ministro, é por meio da firma Malop que o diretor geral do Departamento se orienta e induz a orientação do Ministro da Agricultura!...

A política dos grandes trustes mundiais de petróleo em relação ao petróleo do Brasil consiste em "acaparar" as terras potencialmente petrolíferas depois de à nossa custa estudá-las geológica e geofisicamente por intermédio da dupla Malop. Essas terras, "já adquiridas em enormes quantidades", se destinam a ficar como reservas para futuro aproveitamento, quando vierem a extinguir-se os campos que os trustes atualmente exploram. E nesse intervalo cinquenta anos ou um século — que fique o nosso pobre Brasil na miséria, a combater comunismos filhos da miséria e a despender meio milhão de contos anuais na compra do combustível indispensável à sua economia. E mais cinco mil contos para benefício pessoal de *Malop*...

Sr. Ministro: o signatário não é um difamador. Não passa dum humílimo escritor de livros para crianças que viu claro o complô tramado contra as riquezas do nosso subsolo e por todos os meios o vem combatendo — já com a promoção de companhias nacionais que abram perfurações, já por meio de insistente denúncia da camorra que embaraça e impede a vitória dessas empresas. É um homem que não se conforma com o fato de os Estados Unidos extraírem do seu subsolo mais de cem milhões de contos por ano e o Brasil, com um subsolo equivalente, não extrair coisa nenhuma.

Não é um aventureiro de má fé, sr. Ministro. Bem ao contrário, é a criatura de maior boa-fé que possa existir, ingênuo a ponto de esperar que suas palavras sejam lidas e meditadas por um Ministro da Agricultura. E também leal, porque essa criatura de boa-fé sabe ver no sr. Ministro uma boa-fé irmã da sua, filhas ambas da natural honestidade de que ambos são dotados. Porque um homem tão culto, tão bem formado intelectualmente como Odilon Braga, unicamente a boa-fé das almas limpas pode explicar o fato de vir se deixando enganar pela manhosa camorra enquistada no Departamento Nacional. O crime é na realidade tão monstruosamente cínico que a um espírito reto como o do sr. Ministro repugna admiti-lo. Mas a carta que acaba de ler é de molde a abrir os olhos até a cegos de nascença.

Mais um ponto a esclarecer, sr. Ministro, e este referente ao caso de Alagoas. Em seu comunicado de 5 do corrente, dado à imprensa, o sr. Ministro transcreve a conclusão do relatório do sr. Bourdot Dutra sobre a manifestação do petróleo dada pelo poço de trezentos e oito metros que o antigo Serviço Geológico abriu em Riacho Doce há muitos anos atrás. Bourdot confessa o encontro dos primeiros petróleos. Pois bem: está aí um ponto que o inquérito prometido tem que apurar. Por que motivo esse poço foi abandonado? Se a sondagem fora feita para descobrir petróleo e o petróleo começara a aparecer, por que motivo a sondagem não foi levada por diante? Por que motivo está parada há tantos anos? Por que motivo o Departamento anda a procurar petróleo no Alto Amazonas (onde ainda que jorre nos será de nenhum valor devido às dificuldades de transporte), quando o Departamento sabe existir petróleo em Riacho Doce, a cem metros do mar, a quatorze quilômetros dum porto de exportação — Maceió?

Isto quer dizer, sr. ministro, que o petróleo já foi revelado no Brasil há muitos anos — mas que sua descoberta vem sendo sabotada. O prejuízo que tal sabotagem causou ao país, a quanto montará, sr. Ministro? Dez, vinte, cem milhões de contos?

Mande fazer a conta, sr. Ministro, de quanto o Brasil despendeu na aquisição de petróleo estrangeiro, desde a data da abertura, em Riacho Doce, dessa sondagem reveladora de petróleo (como o confessa o próprio Departamento pela boca do sr. Dutra), até hoje. Só aí encontrará uma soma de vários milhões de contos — soma que representa uma quota mínima no prejuízo fantástico que vem dando ao país a política negativa e sabotadora dos "aventureiros de má fé" alapados no Departamento Nacional.

Era este, sr. Ministro, o depoimento que o signatário desejava prestar no inquérito sobre o Petróleo. A estranha demora em dar-se início a tal inquérito leva-o a vir depor em público, fazendo sinceríssimos votos para que o sr. Ministro reflita a fundo — e resolva como a sua consciência de homem de bem o determinar.

(a) MONTEIRO LOBATO

A impressão dessa denúncia foi tremenda. Não houve jornal que a não comentasse em termos candentes. O Ministro da Agricultura viu-se forçado a tomar providências — e surgiu a Comissão de Inquérito sobre o Petróleo nomeada por decreto presidencial a fim de apurar os fatos da denúncia. Essa Comissão ficou constituída pelos srs. Joviano Pacheco, general Meira Vasconcelos, comandante Ary Parreiras, engenheiros Lima Silva e Pires do Rio, ao qual coube a presidência.

A essa Comissão o Ministro da Agricultura apresentou as *Bases para o Inquérito*, onde reuniu sobre o problema do petróleo no Brasil todos os elementos que o D. N. P. M. houve por bem lhe fornecer.

O Dr. Pires do Rio oficiou a Monteiro Lobato pedindo que depusesse — e Monteiro Lobato o fez por escrito, pela forma que segue.

Depoimento de Monteiro Lobato

Exmo. Sr. Dr. Pires do Rio
Presidente da Comissão de Inquérito sobre o Petróleo.

Atendendo ao convite de V. Excia. venho trazer o meu depoimento escrito no qual presumo provar todas as arguições que avancei na "Carta Aberta" ao Sr. Ministro da Agricultura, publicada, sob o título "Por que o Brasil não tem Petróleo", em vários jornais, a 13 de fevereiro deste ano.

Minha primeira afirmação foi que o serviço federal de minas tem como divisa NÃO TIRAR PETRÓLEO E NÃO DEIXAR QUE O TIREM.

Não tirar...

O "não tirar" provou-se, precipuamente, pelo fato de não o haverem tirado nos quinze anos decorrentes da primeira perfuração até hoje. Graças a isso permanecemos na ultra grotesca situação de único grande país das Américas sem petróleo próprio. Mas a prova absoluta do "não tirar" temo-la no *programa de perfurações adotado*, pois dentro desse programa também não se tiraria petróleo em nenhum outro país do continente. Se não, vejamos.

Pelo "Quadro Geral" das perfurações para petróleo feitas nesse lapso de quinze anos, publicado em apenso nas *Bases para o Inquérito*, verificamos que elas montaram a sessenta e cinco, somando 16.826 metros, ou seja uma média de 258 metros para cada poço. Houve uma de 768 metros em São Paulo e uma de 723 no Pará. Seis pararam na casa dos quinhentos. As restantes, muito abaixo disso. E com base nos resultados negativos desses poços, *ia ficando assente a não existência do petróleo nas zonas perfuradas*.

Alego que se esse programa fosse executado nas principais zonas de petróleo dos Estados Unidos, da Argentina ou da Bolívia, também lá não seria encontrado petróleo.

Tomemos o caso de Alagoas. A região do Riacho Doce de longos anos vinha sendo considerada petrolífera por todos os geólogos que a examinaram. O serviço federal resolve tirar a prova e para isso abre lá seis poços, respectivamente de 41, 78, 130, 155, 220 e 245 metros. A conclusão aparente, está claro, foi não haver petróleo. Mas se esses seis poços, fossem abertos no Oklahoma, no Texas, na Califórnia, no México, na Argentina, na Bolívia ou na Venezuela, bem em cima dos melhores mananciais de petróleo lá existentes, *também não teriam revelado petróleo em todos esses países e distritos*. Podemos classificá-las de perfurações de não achar petróleo, tão rasas são.

Na Bahia foram igualmente abertos seis poços, o mais profundo com 387 metros. Esses seis poços colocados sobre o riquíssimo campo de petróleo de Monterey, na Califórnia, *também seriam negativos, porque não alcançariam o lençol petrolífero lá existente*.

Inútil prosseguir nesta demonstração. É clara demais. E se em vez de sessenta e cinco apenas, o serviço federal houvesse aberto sessenta e cinco mil perfurações com essa média de profundidade, os resultados seriam igualmente negativos — negativos aqui e em numerosos dos mais possantes campos petrolíferos do mundo. Ora, tal programa de perfurações pouco profundas, e, portanto, inconclusivas só pode ocorrer a um serviço que tenha como lema não tirar petróleo. Não o tirou no Brasil; não o tirará nunca e *não o tiraria ainda que operasse nos melhores campos petrolíferos da América*.

Mas a intenção de não tirar petróleo prova-se também com um fato concreto dos mais interessantes. Na minha "Carta Aberta" afirmei que o "petróleo já fora revelado no Brasil, mas que sua descoberta vinha sendo sabotada". Vou provar o asserto com a apresentação de dois documentos. O primeiro é um trecho do relatório apresentado em 1926 ao Ministro Lyra Castro pelo sr. Eusébio de Oliveira, então Diretor do Serviço Geológico. Diz ele: "ESTADO DE ALAGOAS. O Serviço Geológico até hoje não conseguiu vencer as grandes dificuldades que se têm apresentado nas sondagens de Riacho Doce devido à natureza extremamente friável das camadas e às dobras caprichosas, as quais, facilitando o escorregamento das camadas, fazem que o furo diminua de diâmetro, inutilizando a perfuração. Nas sondagens ali executadas (Riacho Doce) TEM SIDO ENCONTRADO PETRÓLEO LIVRE. Por isso e pela possibilidade de se encontrar outros sistemas geológicos abaixo da conhecida série de Alagoas (cretáceo superior ou terciário), *a execução dessa perfuração até atingir as rochas cristalinas é perfeitamente justificável* sendo sem fundamento as críticas que, do ponto de vista científico, têm sido feitas à execução desse furo."

O segundo documento é a cópia fotográfica das páginas 330 e 331 do "Livro de Perfuração" desse poço, datadas de 5 e 7 de novembro de 1922. Na cota dos 285 metros o perfurador anota o seguinte: SHISTO MUITO MOLE, SAINDO MUITO ÓLEO (anexo n. 1).([10])

Temos, aqui, portanto, uma página do *Livro de Perfuração* (que é a caderneta de campo do trabalho) *provando a revelação do petróleo já em* 1922; e temos o relatório do sr. Eusébio de Oliveira afirmando o encontro de PETRÓLEO LIVRE nos poços de Riacho Doce. Não se trata mais de simples impregnação betuminosa, nem de vestígios de óleo. Trata-se daquilo que se procurava, daquilo para cujo encontro a sondagem estava sendo feita: PETRÓLEO LIVRE e SAINDO MUITO.

Com esses documentos provo minha afirmativa de que o petróleo do Brasil já foi revelado há muitos anos. E para provar a segunda parte, isto é, que sua descoberta vem sendo sabotada, basta o fato do estranho silêncio que envolve esse poço alagoano. Silêncio tão grande que até nas *Bases para o Inquérito*, que o Ministro organizou para uso da Comissão do Inquérito, *nada consta a respeito*.

O sr. Eusébio declara que para prosseguir naquela perfuração tinha necessidade de tubos de revestimento (e talvez por não obtê-los interrompesse o trabalho); declara que o aprofundamento do poço até alcançar o cristalino era perfeitamente justificável, não só devido encontro de petróleo livre como também por outras razões de ordem geológica; declara ainda sem fundamento científico as críticas feitas em contrário. Por sua vez o perfurador atesta que o poço estava dando muito óleo. Pois, apesar disso, dezesseis longos anos já se passaram sem que a perfuração fosse retomada. Os tubos de revestimento não apareceram. A sonda foi desmontada e removida. O Estado de Alagoas viu-se riscado do rol das zonas onde vale a pena perfurar. Aquele PETRÓLEO SAINDO MUITO assustou o Sr. Fleury da Rocha. Daí o seu novo grito de guerra: Rumo ao Acre!

Por quê? Por que razão num poço aberto para encontrar petróleo suspende-se o serviço justamente quando o petróleo é atingido? Por que motivo a sonda foi desmontada e retirada a despeito da categórica afirmação do Diretor do Serviço Geológico de que fora encontrado petróleo livre e era perfeitamente justificável prosseguir no furo até alcançar o cristalino? Por que não foi dada a esse relatório de Eusébio de Oliveira a mesma larguíssima divulgação que o Departamento dá a tudo quanto nos é desfavorável em matéria de petróleo? Por que esse relatório não é citado nas *Bases para o Inquérito*?

Há mais ainda. Por que misteriosa injunção esse poço de Riacho Doce — o ÚNICO ABERTO NO BRASIL QUE DEU PETRÓLEO SAINDO MUITO – não figura na lista geral das sondagens que vem apensa às *Bases para o Inquérito*?

No quadro parcial entre as págs. 33 e 64 mencionam-se dois poços em Riacho Doce, ambos com 165 metros, um com o número de ordem de 42 e outro sem número. Já na "Lista Geral" esse poço 42 aparece, com 220 metros, um aumento de 55 metros. O segundo poço de 165 metros não figura na "Lista Geral". No quadro de pag. 64 reaparece o poço 42 de novo com 220 metros mas sem nenhuma indicação na coluna "Perfis e Resultados". Nada de petróleo livre ainda.

---

10 Esse *Livro de Perfuração*, que devia estar nos arquivos do Departamento, milagrosamente fora parar nas mãos de Edson de Carvalho.

Entre as págs. 75 e 76 temos outro quadro parcial em que se menciona um poço em Riacho Doce sem número de ordem e com profundidade incerta. Está lá "trezentos (?) metros". Quer dizer que o Departamento ignora a profundidade exata desse poço; não sabe se realmente chegou a trezentos metros, o que aliás não o impede de declarar na coluna "Perfis ou Resultados": *Aos trezentos metros ainda ocorriam argilitos e folhelhos betuminosos.* Do petróleo livre, nada de nada de nada.

Como explicar esta ausência, esta desordem nos poços de Alagoas, esta discrepância com o que afirma Eusébio de Oliveira e confirma o *Livro de Perfuração*, senão como o desempenho fidelíssimo do programa de NÃO TIRAR PETRÓLEO?

O objetivo duma perfuração para petróleo, em todos os tempos e em todos os países do mundo, sempre foi encontrar petróleo — exceto no Brasil. Entre nós, quando se abre uma perfuração para petróleo e se encontra PETRÓLEO LIVRE SAINDO MUITO, para-se, fecha-se o poço, desmonta-se e remove-se a sonda — e sonega-se o fato até a ministro que pede ao Departamento dados para a organização de bases para um inquérito!...

Por mero acaso o depoente se acha em situação de requerer a juntada aos autos desses documentos; se não fora esse acaso, como poderiam os juízes decidir com acerto? E que segurança têm os juízes de que outros documentos desta ordem, isto é, favoráveis ao petróleo, não foram igualmente sonegados ao Sr. Ministro?

O poço aberto em Xarqueada, S. Paulo, foi o mais profundo dos sessenta e cinco perfurados. Alcançou 768 metros. No quadro entre as páginas 83 e 84 esse poço figura sem observação nenhuma na coluna "Perfis ou Resultados". Mas se a Comissão for examinar-lhe o perfil verá que deu bastante sinais de óleo depois dos setecentos metros. Um acidente impediu-o de ir além. Tudo levava a crer que os indícios encontrados induzissem ou a salvar-se o poço ou abrir-se outro ao lado. Nada disso aconteceu.

Muitos fatos semelhantes poderia eu aduzir para provar que o lema do Departamento é realmente NÃO TIRAR PETRÓLEO NEM DEIXAR QUE O TIREM, mas parecem-me suficientes os apresentados. Com a política de perfurações pouco profundas adotada, o serviço federal não tirou petróleo aqui e não o tiraria no Oklahoma. E com a política de suspender a perfuração logo que o petróleo se revela em estado livre, o serviço federal não tirará petróleo aqui nem o tiraria no Texas, nem em Baku, nem na Califórnia, nem na Pérsia, nem na Argentina, nem na Bolívia, nem na Venezuela, nem em parte nenhuma deste ou de qualquer outro mundo de nosso sistema planetário ou de todos os outros mundos de todos os sistemas planetários do universo.

...e não deixar que o tirem

Vejamos agora a segunda parte do lema. Para demonstrar esta segunda parte vou limitar-me à apresentação de dois fatos, um relativo à Companhia Petróleos do Brasil e outro relativo à Companhia Petróleo Nacional.

A Petróleos do Brasil deliberara perfurar na zona de São Pedro de Piracicaba, onde geólogos e geofísicos eram unânimes em apontar possibilidades de petróleo.

Foi lá que o antigo Serviço Geológico abriu maior número de perfurações, infelizmente pouco profundas e portanto inconclusivas. Fazia-se necessário naquela zona um poço profundo. A Petróleos resolveu abri-lo. Seria o poço do Araquá. Programando-o para dois mil metros (ou mais, se preciso fosse), a Petróleos prestaria com essa sondagem um serviço de extraordinário valor para a nossa geologia, qual fosse tirar a limpo a hipótese de Washburne, o emérito geólogo americano em tempo contratado pelo governo de São Paulo. Em seu relatório, Washburne sugeria o seguinte:

> "Uma possibilidade atraente para o DESENVOLVIMENTO DE GRANDES POÇOS DE PETRÓLEO DE PRIMEIRA QUALIDADE é dada pela possibilidade da presença do folhelho devoneano no centro e no oeste do Estado. Deduz-se isso de considerações especulativas, como o encontro de PETRÓLEO VERDE LEVE, EM QUATRO POÇOS, e da presença, em todos os flancos da bacia do rio Paraná, dos arenitos devonianos inferiores, que na Bolívia se sobrepõem ao folhelho alergênico."
>
> (C. W. Washburne, *Petroleum Geology of São Paulo*)

Para alcançar o seu objetivo a Companhia Petróleos montou um campo de primeira ordem, o mais completo que ainda se viu no Brasil, com acomodações ótimas para operários e pessoal técnico superior, laboratório químico, enfermaria, serviço dentário, etc.; entregou a superintendência dos trabalhos de campo a um engenheiro de alta capacidade, com muitos anos de prática em Comodoro Rivadávia e assegurou a assistência contínua dum químico-geólogo de renome. Nenhuma precaução foi desprezada.

Pela primeira vez o Brasil ia ter um poço iniciado com vinte e quatro polegadas de diâmetro, em condições técnicas permissoras de um avanço inédito pelo subsolo a dentro. A sonda Wirth era das mais potentes, dispondo de grande cópia de tubos de revestimento e de excelente oficina mecânica. A direção, honestíssima. Os diretores haviam desistido dos seus honorários para que os recursos da empresa se empregassem exclusivamente nos trabalhos de campo.

A abertura do poço do Araquá correu muito bem até 1.044 metros, cota em que esbarrou numa camada de rocha eruptiva de excepcional dureza — a diábase. O rendimento da perfuração, que no mês anterior ao encontro da diábase fora de nove metros por dia, caiu a centímetros. O avanço mensal passou a ser de três a quatro metros. A despesas se agravaram. A espessura da camada excedia a todas as expectativas. Meses correram naquela luta até que o capital da companhia chegou ao fim. Tornou-se necessário um refinanciamento.

Reunidos os acionistas em assembleia, foi autorizado um aumento de capital, e a 21 de outubro de 1934 saiu o Manifesto (Anexo n. 1 das *Bases*) em que eram oferecidos ao público mais quinhentos contos de ações. O manifesto teve boa acolhida. A tomada de ações começou a fazer-se satisfatoriamente. Foi quando o Departamento Nacional interveio maliciosamente, desferindo mais um dos seus venenosos golpes sabotadores. Dias depois de publicado o Manifesto, todos os jornais de importância estampavam o célebre comunicado do Sr. Fleury da Rocha, transcrito à pag. 27 das *Bases*. Dizia ele:

1) As transcrições de resultados e opiniões do D. N. P. M. sobre o problema de Pesquisa do Petróleo em São Paulo, feitas pela Cia. Petróleos do Brasil em "Manifesto para Aumento de Capital" de 21 do corrente, no jornal *O Estado de S. Paulo*, estão truncadas, não tendo sido interpretadas dentro do espírito geral dos trabalhos de onde foram extraídas.

2) O D. N. P. M. não se pronunciou sobre as opiniões do geólogo Washbume; transcreveu-as em retrospecto histórico.

3) A fiscalização do D. N. P. M. junto à sondagem do poço São Pedro I, da Cia. Petrolífera Brasileira, incorporada por Ângelo Balloni, não endossa a ocorrência de impregnação de óleo nos horizontes citados, afirmada pela Cia. Petróleos do Brasil.

4) O D. N. P. M. ainda não tem motivos para se armar do otimismo da Cia. Petróleos do Brasil sobre o grave problema da existência e pesquisa do petróleo em São Paulo e no Brasil Meridional, conforme longamente tem explanado em pareceres divulgados pelos principais jornais do país, em abril e maio do corrente ano.

5) Dentro de poucas semanas serão publicados os resultados geofísicos definitivos sobre a região de São Pedro, assim como a opinião do técnico especialista em petróleo sobre o problema da sua existência no sul do Brasil.

6) O D. N. P. M. não oculta o alto valor estratigráfico e geológico que poderá advir com a continuação da sondagem da Cia. Petróleos do Brasil em Xarqueada, sob a sábia fiscalização da Comissão Geográfica e Geológica do Estado de São Paulo.

Estava desferido contra o poço de Araquá o golpe de morte, apesar do "alto valor que poderia advir da sua continuação, etc.". Fácil avaliar a repercussão dessa ducha, à qual o Sr. Fleury deu publicidade inversa à do relatório de Eusébio de Oliveira sobre o encontro de petróleo livre em Alagoas. Se a Comissão ler atentamente o Manifesto da Cia. Petróleos e logo em seguido o insidioso comunicado, verá com que má fé foi feito, e que clara era a intenção de ferir a companhia no momento melindroso em que apelava para mais dinheiro. A Comissão verá que o Manifesto se havia baseado nas conclusões dum recentíssimo relatório sobre as pesquisas de petróleo em São Paulo que o Sr. Fleury apresentara ao Ministro Juarez e fora publicado meses antes no Boletim do Ministério da Agricultura (Anexo n. II das *Bases*). Mestre Fleury concluía assim: —

PETRÓLEO DEVONEANO. "A pesquisa do petróleo originário e localizado nos sedimentos pré-glaciais não metamórficos não foi objeto de consideração por parte dos serviços técnicos federais no Estado de São Paulo. Washburne despertou a atenção para o problema com as seguintes palavras: *'Uma possibilidade atraente para o desenvolvimento de grandes poços de petróleo de primeira qualidade é dada pela possibilidade da presença do folhelho devoneano no centro e no oeste do Estado. Deduz-se isto do encontro de petróleo verde, leve, em quatro poços e da presença, em todos os flancos da bacia do rio Paraná, dos arenitos devonianos inferiores que na Bolívia se sotopõem ao folhelho alergênico'.* Como tudo está para ser feito, fácil será seguir um programa racional e eficiente. Uma fase intensa de reconhecimento estratigráfico, tetônico e magneto métrico, deverá ser iniciada para facilitar à Diretoria de Minas um conhecimento que lhe falta sobre o devoneano. Com os dados provenientes dum estudo exaustivo dessa ordem poderá ser organizado um plano de poucas sondagens profundas, capazes de atingir o arqueano, executadas por sondas combinadas, com o diâmetro inicial de vinte e quatro. É necessário que a Diretoria de Minas disponha de recursos que lhe permitam levar avante um programa racional, CAPAZ DE DAR AO BRASIL A MAIS AGRADÁVEL SURPRESA. E não seria justo que se afastassem por momentos essas indagações, uma vez que se TRATA DE

FORMAÇÃO GEOLÓGICA COEVA DA QUE NO NORTE DA ARGENTINA E SUDOESTE DA BOLÍVIA FORNECE CAMPOS PETROLÍFEROS EM FRANCA EXPLORAÇÃO, CONSTITUINDO RENDOSA INVERSÃO DE CAPITAIS".

Este homem que na conclusão do seu relatório cavalga com tanto entusiasmo a hipótese do petróleo devoneano aventada por Washburne, e admite que com perfurações profundas poderia ter o Brasil a mais agradável das surpresas, é o mesmo que no comunicado sabotador nega que haja encampado as ideias de Washburne e confessa pessimismo quanto ao petróleo do sul do Brasil!

Quem o arrastou a mudar? Quem influiu nesse homem para o levar a tão completo repúdio das ideias da véspera? Resposta: o famoso, o celebérrimo Victor Oppenheim, o trampolineiro corrido da Argentina, o judeuzinho de Riga que depois de sabotar o poço São João, em Riacho Doce, recebeu como paga passar a oráculo supremo do Departamento Nacional. Era ele o "técnico especialista" cuja opinião o Sr. Fleury anunciava para breve no 5.º item do seu comunicado.

A opinião anunciada não tardou. Vou reproduzi-la para enlevo d'alma da Comissão, que poucas ocasiões terá de deliciar-se com melhor salada russa. Numa comunicação apresentada pelo Sr. Fleury da Rocha ao major Juarez, apareceu a grande peça oppenheímica.

"Em relatório que oportunamente será apresentado ser-vos-á esclarecida a origem de supostas estruturas definidas pelo geólogo Ch. Washburne. Com efeito, foram elas resolvidas em simples deformações locais por injeções lacolíticas ou de falhas e fazem parte, antes, de mau processo magmático do que da deformação estrutural por dobramento da massa continental da crosta terrestre. O processo diastrófico permotriássico e postriássico não foi, porém, orogênico. O escudo, ou seja, o maciço meridional não se consolidou após o colapso triássico do processo orogenético, ou, mais claramente, por compressões tangenciais que desenvolvessem 'estresses' ou estados de tensões favoráveis à reconstrução da crosta pela transformação termodinâmica do trabalho mecânico em reajustamentos moleculares de ordem fisioquímica. Dessa forma é o fenômeno de polimerização de substâncias hidro carbonáceas contidas nos sedimentos de que resulta o petróleo. Acontece, porém, que os fenômenos diastróficos, cujos prolegômenos se verificaram na sedimentação permotriássica, tiveram caráter disruptivo. O maciço meridional, por efeito isostático, sofreu deslocamentos verticais, cujo efeito foi o cisalhamento em direções de menor resistência. A consequência natural seria um verdadeiro naufrágio de blocos continentais no *substratum* basáltico que se insinuou pelas fendas e se derramou pela superfície. O resultado foi a consolidação do maciço novamente cujos blocos e fragmentos foram soldados pelas injeções e derrames. Não obstante isso, verifica-se um processo em vaso aberto de franca comunicação com o exterior; de tal modo toda a matéria volátil destilada do horizonte do Iraty teria escoado e se perdido por combustão em contato com o ar, ou arrastada em forma de vapores pelas correntes de ar. O que ficou de tal hecatombe ciclópica foi um resíduo asfáltico impregnando formações areníticas".

E por aí além.

Com base nesse *morceau de roi* que daria a Molière tema ótimo para um *pendent* às *Precieuses Ridicules*, surge a conclusão fulminante de mestre Fleury "*A região de São Pedro é, do ponto de vista geológico, estratigráfico e tetônico, francamente negativa para futuras pesquisas de petróleo, confirmando, na estrutura local, o caráter dum* graben".

Não entro na apreciação científica de tal conclusão; disso se encarregou Chester Washburne na crítica publicada no boletim da American Association of Petroleum Geologists (anexo n. 2), onde se demonstra a desonestidade científica de Fleury-Oppenheim. Limito-me a produzir o fato como justificativa das minhas arguições. Esse departamento, tão secretivo quando se trata do encontro de petróleo livre, tão lerdo em todos os seus movimentos, sabe correr, sabe espalhar aos quatro ventos as boas peças negativas que consegue, ainda que cheirem a pilhéria geológica como essa de Fleury-Oppenheim. Por quê? *Porque é necessário sabotar sempre, e porque naquele caso era necessário impedir que fossem por diante as duas perfurações profundas que se faziam em São Pedro — a da Petróleos e a da Cia. Petrolífera.*

Nunca, em país nenhum do mundo, o conhecimento das convulsões dum subsolo, ocorridas a milhares de séculos atrás, atingiu a exatidão matemática que Fleury & Oppenheim demonstram relativamente àquele trecho do território paulista. Dessa exatidão matemática decorre o peremptório da conclusão final: NÃO EXISTE PETRÓLEO EM S. PEDRO. E no entanto esses dois homens sabem muito bem que tanto a geologia como a geofísica não dispensam o "fato" da sondagem. Só a sondagem esclarece em definitivo. Só a sondagem diz a última palavra. Não tem conta o número de sondagens que vieram desmentir a pedanteria pernóstica dos geólogos de encomenda. Numa das últimas publicações da American Association of Petroleum Geologists acentua-se fortemente este ponto — que apesar dos progressos da geologia e da geofísica é ainda a sondagem a suprema esclarecedora.

O *animus sabotandi* do comunicado e do anfiguri do Sr. Oppenheim é manifesto. Aquilo foi arranjado como bomba para arrasar a Petróleos e impedir a continuação do poço de Araquá. Pois, por que motivo, sendo o Brasil tão grande, o Departamento manda aferventar estudos oppenheímicos justamente em redor daquela sondagem? Por que não os fez no Acre? Se tinha realmente interesse na geologia da zona de São Pedro, por que não esperou que a Companhia Petróleos concluísse o poço e com ele fornecesse um ponto de referência, um corte do subsolo, de valor inestimável para qualquer conclusão geológica definitiva?

Mas esse golpe — isto é, a condenação formal da zona de São Pedro — não foi bastante para derrubar a Companhia Petróleos. E o Departamento colocou-se na tocaia, de trabuco em punho, à espera de nova oportunidade. Essa oportunidade veio. Foi o Manifesto da companhia pedindo mais capital ao público.

A Comissão que leia o Manifesto e em seguida o Comunicado. Ressaltará claríssima a intenção de sabotagem. Era o meio prático de assustar o público, de impedir o refinanciamento e desse modo quebrar as pernas à companhia.

O objetivo foi alcançado. O poço do Araquá teve de interromper-se aos 1070 metros. Mas qual a verdadeira vítima do insidiosíssimo golpe? O Brasil. A Petróleos tentava solver um problema em que o Brasil era um milhão de vezes mais interessado que ela. Embaraçando-a, impedindo-a de verificar a verdade da hipótese de Washburne, o Departamento sabotou a solução dum problema eminentemente nacional e de extraordinária importância para o Brasil. Graças ao Sr. Fleury a hipótese de Washburne permanece ainda hoje hipótese. Graças ao Sr. Fleury, o petróleo porventura existente naquele ponto não pôde ser produzido. Graças ao Sr. Fleury, mil e muitos contos de pequena economia popular, gastos na perfuração, foram destruídos.

Mas não há negar que esse homem é profundamente lógico. Já que o lema do Departamento é NÃO TIRAR PETRÓLEO E NÃO DEIXAR QUE O TIREM, como poderia agir de outro modo?

Nas *Bases* o Sr. Ministro procura defender as "boas intenções" do grande lógico. Não havia ali hostilidade, diz santamente o Ministro. O Departamento estava apenas convencido do "erro" da Cia. Petróleos (erro em abrir uma perfuração profunda, dentro do programa do próprio Sr. Fleury da Rocha!). Permitir o refinanciamento seria "sacrificar inutilmente a empresa, prejudicando os seus acionistas", etc.

Estas razões lembram as dos inquisidores que queimavam vivos os hereges com o piedoso intuito de evitar efusão de sangue. O Departamento destruiu a Petróleos de dó dos acionistas da Petróleos...

Mas ter dó de acionistas é lá função do Departamento? Que tem ele com a vida e os negócios das empresas particulares? Quem o erigiu em fiscal de sociedade por ações? Que função policial é essa, não prevista na lei das sociedades anônimas, nem em nenhuma outra lei brasileira?

Mais uma prova da intenção sabotadora daquele comunicado temos no artigo difamatório que sob o título de "Os Mistificadores do Petróleo" andou publicando pela seção livre de vários jornais o Sr. Henry Leonardos, vogal de outro Leonardos que faz parte do Departamento. Diz esse alto-falante no trecho marcado em vermelho no Anexo n. 3:

> "Mas um dia o dinheiro acabou. Daí novo apelo ao patriotismo paulista. DESTA FEITA, PORÉM, A POLÍCIA FEDERAL TEVE NO MAJOR JUAREZ TÁVORA UM BOM "G-MAN" E A TRAMOIA FOI PUBLICAMENTE DENUNCIADA NUM COMUNICADO DELICADÍSSIMO DO DEPARTAMENTO NACIONAL.
> Diante das palavras do Dr. Fleury da Rocha... o público se retraiu."

A "tramoia" era o poço do Araquá, a mais perfeita perfuração ainda tentada no Brasil, a de maior diâmetro, a dirigida por maiores competências técnicas, a que se enquadrava perfeitamente no programa de perfurações profundas do Sr. Fleury, a que ainda que não desse petróleo seria de valor inestimável para esclarecer a hipótese da presença do devoneano em São Paulo — hipótese de capital importância para todas as pesquisas subsequentes.

Há na Comissão dois membros que visitaram o campo de Araquá e poderão testemunhar o capricho e seriedade com que eram conduzidos os trabalhos (anexos n. 4). Se esses senhores voltassem àquele acampamento, hoje transformado em tapera, sentir-se-iam de coração confrangido. O pai dessa tapera, quem é? O Sr. Fleury da Rocha, piedoso Diretor do Departamento Nacional de Produção Mineral.

Outro exemplo revoltante de sabotagem da iniciativa privada temos no caso da companhia de Alagoas. Desde o dia em que essa empresa foi proposta ao público no manifesto inaugural dos incorporadores, entrou a sofrer a mais odiosa campanha da imprensa. Os incorporadores ainda não tinham feito nada; haviam apenas proposto ao público um negócio, qual fosse a abertura de sondagens em Riacho Doce. Apesar disso, era de *scrocs* o mínimo de que os acoimavam. Quem promoveu essa campanha? O Departamento Nacional. Não há jornalista carioca que desconheça o fato.

A despeito, porém, da campanha infame, apareceu dinheiro e os trabalhos de campo tiveram início. Edson de Carvalho, o chefe, deu começo à abertura dos primeiros poços em Riacho Doce. Ocorrem azares. Perdem-se as sondagens iniciais. Cometem-se todas as faltas próprias da inexperiência. Mas obstáculo nenhum foi de molde a desviar Edson da realização do seu objetivo. Insistia, persistia, resistia. Todos viram que, com o tempo, a vitória fatalmente tinha de coroar tamanha tenacidade.

Em dado momento o Sr. Malamphy corre em "auxílio" da empresa alagoana. Insinua a Edson de Carvalho a entrega da direção técnica dos serviços ao seu sócio Victor Oppenheim. Insiste durante oito meses e acaba vencendo a resistência de Edson. Oppenheim assume a direção dos trabalhos da Cia. Nacional, em Riacho Doce. O que foi a ação sabotadora desse homem na Cia. Petróleo Nacional, a outro compete dizer, não a mim. Limitar-me-ei apenas a produzir um fato que mais uma vez corrobora a minha proposição de que o lema do Departamento é NÃO TIRAR PETRÓLEO E NÃO DEIXAR QUE TIREM.

Depois de inutilizar, por desvio do prumo, o poço de São João, que já ia a meio caminho, mestre Oppenheim abandona a companhia e vem ao Rio receber o prêmio do belo serviço feito. Recebeu-o. É admitido no Departamento Nacional com grandes honras, tornando-se desde esse dia o Oráculo de Delfos do sr. Fleury da Rocha, o Orientador Supremo, o Homem que Diz a Última Palavra. Merecia a recepção que teve. Dera na empresa alagoana um golpe irmão do que ia dar na empresa paulista. *Qui ressemble s'assemble*. Fleury e Oppenheim passaram a entender-se maravilhosamente.

Mas o golpe do judeu de Riga não fora suficiente para destruir a teimosíssima companhia alagoana. Edson de Carvalho, seu heroico promotor, insiste em salvar o poço São João e, sozinho, desajudado de tudo, já completamente esgotado de recursos financeiros, consegue esse milagre, anulando assim a obra sabotadora de mestre Oppenheim. Salva o poço e continua a perfurar.

Ao verificar isso, o Departamento espumeja de cólera. Era demais. Era desaforo! Era uma infâmia — num conciliábulo secreto Fleury e Oppenheim combinam contra a empresa alagoana um golpe mortal. Oppenheim, representando o Departamento, insinua-se na confiança do capitão Afonso de Carvalho, interventor recém-nomeado para Alagoas, e consegue provar-lhe, entre cochichos, que a Cia. Petróleo Nacional era uma tramoia igual à Petróleos do Brasil. Resultado: *o interventor manda fechar a sonda, mete soldados de guarda e abre severíssima devassa nos negócios da empresa.*

UM ANO E DOIS MESES ficou o acampamento ocupado militarmente, sem que Edson de Carvalho nele pudesse penetrar. Enquanto isso, a odiosa devassa se processava em Maceió. Nada foi apurado contra a honestidade dos incorporados. Os cochichos do Oppenheim não passavam de mais uma das suas muitas infâmias. Afinal o interventor Afonso de Carvalho é substituído e Edson consegue reentrar na posse do acampamento. O resto da Comissão já deve saber pelos informes do governador Osman Loureiro.

Não quero entrar em detalhes. Para a minha tese basta o fato da ocupação militar da sonda durante catorze meses e da devassa ilegalíssima feita nos negócios da Nacional. Quem promoveu isso — esse ato franco de miserável sabotagem? O Departamento. Por quê? Porque a ABERTURA DO POÇO S. JOÃO VIRIA DESMASCARAR A SABOTAGEM FEITA NO TAL POÇO DE RIACHO DOCE QUE DEU PETRÓLEO LIVRE "SAINDO MUITO". Esse poço aberto em 1922 está localizado na mesma estrutura, a poucos metros do atual poço São João...

Se os senhores juízes tomarem o depoimento do hoje major Afonso de Carvalho, ficarão perfeitamente esclarecidos sobre este ponto.

Mais uma prova: A Lei de Minas

Não contente com a ação direta contra o petróleo, o Departamento concedeu um meio indireto de IMPEDIR DA MANEIRA MAIS ABSOLUTA QUE ALGUÉM TIRE PETRÓLEO NO BRASIL. Esse meio é a atual Lei de Minas, a obra mestra do Departamento. Se a Comissão se der ao trabalho de estudar aquele cipoal dantesco de embaraços, de exigências absurdas, de burocracias desesperantes, de centralização grotesca verá que a aplicação dos dispositivos do mostrengo é praticamente impossível.

Confessadamente, esses embaraços foram criados para impedir que os trustes estrangeiros se apossassem das riquezas do nosso subsolo. Mas como para embaraçar os estrangeiros fosse necessário também embaraçar os nacionais, resultou o que temos hoje: o trancamento da exploração do subsolo tanto para os nacionais como para os estrangeiros: *exatamente o que os trustes queriam*, como demonstrarei mais adiante.

As restrições e limitações que a Lei de Minas estabeleceu com o intuito de barrar a entrada dos trustes de fora, caíram sobre a cabeça dos nacionais. Os trustes estrangeiros riram-se, piscaram o olho e, à sombra da Lei-Cipó, entoaram a acaparar as terras potencialmente petrolíferas, não para explorá-las, o que dentro da nova Lei de Minas lhes é impossível, mas a fim de tê-las como reservas para o futuro — para quando o petróleo de outros países vier a escassear. E esse acaparamento de terras vai segregando da possível exploração as melhores zonas de petróleo que o Brasil possui.

Os interesses estrangeiros

Mas será verdade que os trustes estrangeiros não querem, no momento, tirar petróleo no Brasil, nem querem que o nacional o tire? Vou provar este ponto. E provado esse ponto a Comissão verá que a nova Lei de Minas se ajusta de tal modo ao interesse declarado dos trustes que até parece uma lei de encomenda. O Departamento do Sr. Fleury inspirou ao major Juarez Távora uma lei sob a medida exata do que os trustes que nos abastecem de petróleo queriam! Como não hão de rir-se os americanos da nossa infinita ingenuidade!

Em 1934, estando eu na direção da Cia. Petróleos, recebi uma carta da Argentina assinada por Harry Koller, ex-geólogo da Standard Oil de lá. Depois de contar a sua situação naquela companhia, da qual vinha de afastar-se por motivos que expunha, Koller oferecia os seus serviços profissionais. E com a inocência própria aos cientistas, desdobrou inteiro o panorama da política de petróleo que a Standard adotara em relação ao Brasil. Diz ele em certo ponto: "Depois de servir quatro anos nos serviços geológicos da Companhia Geral Pan-Brasileira de Petróleo (Standard Oil C°. Argentina, S/A) durante os quais percorri todas as possíveis zonas petrolíferas (potenciais), localizando mais de doze estruturas nos diferentes estados do Brasil, tenho a perfeita convicção da primordial necessidade de uma prolixa investigação magnetométrica nas zonas de interesse. Tenho já os suficientes conhecimentos estratigráficos para seguir nos trabalhos de localização, coisa de muito interesse, VISTO A CAMPANHA DE ORGANIZAÇÃO E CONTRATOS ATUALMENTE EXECUTADOS PELA COMPANHIA, considerando que só a Cia. Geral de Petróleo Pan-Brasileira e OUTRA já possuem mais de dois mil alqueires de terras sobre anticlinais de primeira classe em São Paulo e no Paraná, muito especialmente na famosa Paraná Arch. É ÓBVIO QUE AS COMPANHIAS IMPORTADORAS NÃO TÊM INTERESSE NO DESENVOLVIMENTO DAS FONTES DE PETRÓLEO QUE O BRASIL INDUBITAVELMENTE POSSUI, INTERESSANDO-LHES MAIS, DADA A ATUAL SUPERPRODUÇÃO DOS DIVERSOS *FIELDS* EM EXPLORAÇÃO, A ESCRAVIZAÇÃO PETROLÍFERA DO BRASIL. É PORÉM EVIDENTE QUE, DADAS AS ATUAIS CONDIÇÕES, AS EMPRESAS AMERICANAS TÊM QUE ACAPARAR O SOLO POTENCIALMENTE PETROLÍFERO PARA ASSIM DEFENDER OS SEUS NEGÓCIOS DE IMPORTAÇÃO, DO QUE RESULTA O INTERESSE QUE DEMONSTRAM EM IMPEDIR A EXPLORAÇÃO".

A despeito da má redação própria dum estrangeiro mal seguro da nossa língua, essa carta tem o extraordinário valor de abrir o quadro inteiro da política petrolífera dos trustes em relação ao Brasil. Para melhor compreensão vou reproduzi-la com esclarecimento e interpretações entre parênteses. "Depois de servir quatro anos no Brasil (SÓ ESTE GEÓLOGO TRABALHOU AQUI PARA OS TRUSTES DURANTE QUATRO ANOS. QUANTOS MAIS NÃO FIZERAM O MESMO?) nos serviços geológicos da Companhia Geral de Petróleo Pan-Brasileira (Standard Oil Co. Argentina, S/A). (AQUI ELE DENUNCIA QUE ESSA CIA. GERAL NÃO PASSA DUMA TESTA DE FERRO DA STANDARD OIL DA ARGENTINA, O TENTÁCULO DA STANDARD OIL CO. QUE CONTROLA OS INTERESSES DO POLVO NO BRASIL) durante os quais percorri todas as possíveis zonas petrolíferas (potenciais), localizando mais de doze estruturas nos diferentes estados do Brasil — (KOLLER CONFESSA QUE SÓ ELE LOCALIZOU MAIS DE DOZE ESTRUTURAS PETROLÍFERAS EM DIFERENTES ESTADOS. QUANTAS MAIS NÃO FORAM LOCALIZADAS POR OUTROS GEÓLOGOS? E A QUEM PERTENCERÃO HOJE AS TERRAS ONDE FORAM LOCALIZADAS TAIS ESTRUTURAS? ESTÁ CLARO QUE OS ESTUDOS E LOCALIZAÇÕES NÃO FORAM FEITOS POR ESPORTE. O OBJETIVO COMO KOLLER DECLARA ADIANTE, ERA ACAPARAR O SOLO POTENCIALMENTE PETROLÍFERO) — tenho a perfeita convicção da primordial necessidade de uma prolixa investigação magnetométrica nas zonas de interesse. Tenho já os suficientes conhecimentos estratigráficos para seguir (ELE QUERIA DIZER PROSSEGUIR) nos trabalhos de localização, coisa de muito interesse (PARA A CIA. PETRÓLEOS A QUAL ELE

ESTAVA OFERECENDO OS SEUS SERVIÇOS), visto a campanha de organização e contratos atualmente executados pela companhia (QUER DIZER QUE ISSO TINHA MUITO INTERESSE PARA NÓS BRASILEIROS EM VIRTUDE DA CAMPANHA DE ORGANIZAÇÃO DO ACAPARAMENTO DO SOLO POTENCIALMENTE PETROLÍFERO E DE CONTRATOS DE SUBSOLO FEITA PELA "COMPANHIA", ISTO É, PELA PAN-BRASILEIRA, TESTA DE FERRO DA STANDARD) considerando que só a Cia. Pan-Brasileira e outra (TALVEZ A CIA. PAN-AMERICANA DE PETRÓLEO, CUJA VIDA É MISTERIOSA) já possuem mais de dois mil alqueires de terras sobre anticlinais de primeira classe em S. Paulo e no Paraná, especialmente na famosa Paraná Arch. É óbvio (PARA ELE É ÓBVIO; SÓ NÓS NÃO VEMOS ISSO) que as companhias importadoras (REFERE-SE ÀS COMPANHIAS AMERICANAS FILIADAS AOS TRUSTES DE PETRÓLEO, AS QUAIS SE CONSTITUEM AQUI DE ACORDO COM AS NOSSAS LEIS PARA SEREM INTERMEDIÁRIAS NA DISTRIBUIÇÃO DO PETRÓLEO AMERICANO) não têm interesse no desenvolvimento das fontes de petróleo que o Brasil indubitavelmente possui (SÓ O BRASILEIRO TEM DÚVIDAS SOBRE O PETRÓLEO DO BRASIL) interessando-lhes mais, dada a superprodução dos seus diversos *fields* em exploração, a escravização petrolífera do Brasil — (ISTO É, A PERPETUAÇÃO DO BRASIL COMO COMPRADOR DE PETRÓLEO. DE FATO, UM COMPRADOR QUE GASTA NISSO MAIS DE MEIO MILHÃO DE CONTOS POR ANO NÃO É FREGUÊS DE DESPREZAR. ACHO COMERCIALÍSSIMO QUE OS TRUSTES TENHAM ESSA POLÍTICA DE ESCRAVIZAÇÃO PETROLÍFERA DO BRASIL, MOSTRA QUE SÃO BONS NEGOCIANTES. O RIDÍCULO, O TRÁGICO É DEIXARMO-NOS EMBAIR E IRMOS NOS PERPETUANDO NA IDIOTÍSSIMA SITUAÇÃO DE ÚNICO PAÍS DA AMÉRICA SEM PETRÓLEO PRÓPRIO, ENQUANTO OS TRUSTES NOS ACAPARAM AS TERRAS PETROLÍFERAS POTENCIAIS). É, porém, evidente que, dadas as atuais condições (ISTO É, O MOVIMENTO PRÓ-PETRÓLEO QUE ALGUNS PIONEIROS NACIONAIS ANDAVAM A PROMOVER EM S. PAULO E ALAGOAS, PODENDO DAR PETRÓLEO DUM MOMENTO PARA OUTRO) as empresas americanas têm que (SÃO FORÇADAS A) acaparar o solo potencialmente petrolífero (COMPRAR AS TERRAS OU FAZER CONTRATOS DE SUBSOLO) para assim defender os seus negócios de importação (ISTO É, PARA MANTER O BRASIL COMO MERCADO COMPRADOR DE PETRÓLEO AMERICANO), do que resulta o interesse que demonstram em impedir a exploração (KOLLER TOCA NUM PONTO VITAL AQUI. O INTERESSE DESSAS ENTIDADES INTERESSADAS EM NOSSA ESCRAVIZAÇÃO PETROLÍFERA MANIFESTA-SE DE MIL MODOS, SEMPRE EM FORMAS DE EMBARAÇO A TODAS AS TENTATIVAS NACIONAIS DE PESQUISA DE PETRÓLEO E NADA COINCIDE MAIS COM ESSE INTERESSE DO QUE A POLÍTICA DO "NÃO TIRAR E NÃO DEIXAR QUE TIREM" DO NOSSO DEPARTAMENTO NACIONAL DE PRODUÇÃO MINERAL).

Harry Koller ingenuamente confessa[11] tudo que há quatro anos venho afirmando pela imprensa. Confessa o programa dos trustes, nossos abastecedores de petróleo, de manter o Brasil em estado de escravidão petrolífera. Confessa a campanha de organização e contratos para o acaparamento das boas estruturas com o fim de impedir que os nacionais as explorem. Confessa a intensidade com que estudam nossa geologia e adquirem terras. Confessa o interesse que demonstram em impedir a

---

11   E por isso "teve" de suicidar-se. Semanas depois do aparecimento da 1a edição deste livro, com reprodução da carta acima, foi encontrado morto em um quarto de hotel em Buenos Aires. Suicidado...

exploração do petróleo brasileiro. Confessa tudo quanto, qual Cassandra em terra de surdos, vivo proclamando por todos os meios.

A Lei de Minas, poderão alegar, prevê o caso e dispõe as coisas de modo que o dono da terra não pode impedir a exploração do subsolo por outrem que o queira fazer. Teoricamente é assim. Teoricamente é possível, com a lei na mão, explorar terra alheia. Mas na prática é irrealizável. De modo que os acaparadores do nosso subsolo potencialmente petrolífero riem-se da Lei de Minas e continuam a monopolizá-lo, adquirindo imensas extensões por preços irrisórios para quem joga com moeda ouro em país de papel super-desvalorizado.

Malamphy & Oppenheim

Na minha "Carta Aberta" declarei que os chefes contratados da geofísica e da geologia do Departamento Nacional, Malamphy e Oppenheim, negociavam lá fora informações geológicas e geofísicas colhidas durante os trabalhos de campo. Mostrando o ridículo desse temor, um dos técnicos do Departamento, Sr. Glycon de Paiva, diz pelo *Diário de São Paulo* que estudos dessa ordem não constituem segredos, sendo reunidos em livros e postos ao alcance de quem quer que por eles se interesse. Perfeitamente. Foi o que sucedeu com os estudos geofísicos e geológicos de Malamphy & Oppenheim na zona de São Pedro. Cumpre, todavia, observar que esses estudos feitos em 1934 somente apareceram no Boletim do Ministério da Agricultura de março deste ano de graça de 1936. Ora, nesse intervalo de dois anos entre os estudos e a publicidade dos mesmos, há tempo de sobra para negociações de qualquer informe útil por parte dos seus detentores.

E que esses dois técnicos contratados entram em negócio de informes petrolíferos de que são detentores em primeira mão, acho que ficou exuberantemente provado com a carta de Malamphy a que dei publicidade (anexo n.º 5). Essa carta é a resposta a uma consulta de certo cidadão de Nova York, que desejava, com outros, adquirir terras petrolíferas no Brasil (anexo n. 6). Lendo o anúncio de Malamphy & Oppenheim em revistas técnicas americanas, a eles se dirigiu. Malamphy responde por si e seu sócio, com o qual mantém endereço telegráfico internacional comum — MALOP, declarando-se pronto para entrar em entendimento com os interessados. Que se apresentem, que digam que planos têm na cabeça, que ele, Malamphy, dirá o auxílio que lhes poderá prestar. Quanto ao sócio Oppenheim, naquele momento a descobrir petróleo no Acre, Malamphy responde por ele em gênero, número e caso.

Acho tudo isso claro demais, e apesar da bela defesa que desses homens faz o Sr. Ministro nas *Bases*, parece-me que a única resposta que decentemente poderiam dar para Nova York, seria: "Como técnicos contratados, não podemos entrar em entendimentos com ninguém para o negócio proposto. Os interessados que se dirijam ao governo brasileiro".

Nas *Bases* o sr. Ministro estranha a minha atitude em face da técnica e das empresas estrangeiras, acoimando-me de incoerente.

Há aqui um erro de apreciação. Não sou chauvinista, nem inimigo da técnica e das empresas estrangeiras. Reconheço a nossa absoluta incapacidade de fazer qualquer coisa sem recurso ao estrangeiro, à ciência estrangeira, à técnica estrangeira, à experiência estrangeira, ao capital estrangeiro, ao material estrangeiro. Tenho olhos bastante claros para ver que tudo quanto apresentamos de progresso vem da colaboração estrangeira. E nesse caso do petróleo nada faremos de positivo, se teimarmos em afastar o estrangeiro e ficarmos a mexer na terra com as nossas colheres de pau.

Mas estou também convencido de que os trustes estrangeiros de petróleo querem manter-nos em escravidão petrolífera, e em consequência agem cá de mil maneiras para acaparar as boas estruturas com o único fim de pô-las fora do alcance da exploração. Desconfio, pois, sistematicamente, de todas as entidades estrangeiras que se metem em petróleo no Brasil, já que a intenção confessada não é tirá-lo, sim impedir que o tiremos. Acho, entretanto, que do seu ponto de vista comercial essas entidades estrangeiras estão certas. Estão agindo como bons e sábios negociantes, dos que enxergam longe e preveem o futuro. Quem não está agindo com inteligência somos nós, fechando os olhos a isso, duvidando disso, permitindo que isso se vá fazendo indefinitivamente. Não os denuncio e combato por serem estrangeiro, mas apenas por estarem seguindo uma política contrária aos nossos interesses.

Mr. Oppenheim, por exemplo, em artigo de defesa que publicou num jornal do Rio, diz com desespero de vítima: "Tudo isso, todos esses ataques, só porque sou estrangeiro!".

Engana-se Mr. Oppenheim. Os ataques de que tem sido vítima não passam da naturalíssima reação das companhias nacionais que ele tem procurado destruir. Não o combatemos por ser estrangeiro. Combatemo-lo por ser safado.(¹²)

O que ele fez contra a Petróleos, induzindo o sr. Fleury a subscrever uma conclusão geológica tão formal quanto destituída de base, e os golpes sabotadores que desfechou contra a companhia de Alagoas, não depõem contra a sua nacionalidade, sim contra o seu safadismo. Não nos iludamos nesse ponto.

Sobre este Oppenheim chamo a especial atenção dos senhores juízes, convencido como estou de que vem agindo de um modo extremamente nocivo aos interesses das companhias nacionais, interesses que coincidem com o Interesse Nacional, visto como a vitória dessas companhias significará a vitória do Brasil.

Depois da sabotagem do poço São João o Sr. Oppenheim foi contratado pelo Departamento como cientista de notabilíssimos méritos, a ponto de com sua obra *Rochas Gonduânicas e Geologia de Petróleo do Brasil Meridional* haver revogado velhas concepções geológicas e imposto ao Departamento novas diretrizes práticas. A crítica, no entanto, que Chesteh Washburne fez desse trabalho no *Bulletin of American Association of Petroleum Geologists*, de 11 de novembro de 1935, redu-lo às suas verdadeiras proporções.

Washburne estranha que Oppenheim, em seis meses de estudo, sem dispor de auxiliares, haja coberto uma área três vezes maior que a que ele Washburne cobriu em três anos, ajudado por vários assistentes. Suas palavras textuais são estas:

"*The State of São Paulo has aproximately the area of Texas but Washburne could spend only three years in it, not more than two of which could have been devoted to actual field work. Oppenheim spent only six months within an area about*

---

12 O presidente da Comissão de Inquérito, Pires do Rio, chocou-se com esta expressão: achou-a pouco "parlamentar". É um amor, este Pires. Evidentemente feito de porcelana "casca de ovo"...

three times as great. Washburne had most capable associates, specially Drs. Joviano Pacheco, Guilherme Florence and Domicio Pacheco e Silva, the first two of whom had spent most of their adult lives in studying the geology of the region. In his report Oppenheim mentions no assistents. This seems to give Washburne some advantage, but none of his associates is to be considered responsible for any of his published conclusions, regardless of the extent to which he drew upon their knowledge. In spite of this, Washburne admits that, within the time involved, NO MAN IS CAPABLE OF JUDGING THE ULTIMATE MERITIS OF AN AREA SO GREAT."

Washburne acha que HOMEM NENHUM PODE CHEGAR A CONCLUSÕES DEFINITIVAS NUMA ÁREA TÃO GRANDE, em tão pouco tempo e tão desajudado de assistência. Homem nenhum!... É que Washburne não conhece Oppenheim nem o Sr. Fleury da Rocha. Na sua ingenuidade de cientista honesto, o grande geólogo não imagina de que são capazes homens que fazem geologia política, com o fim expresso de dar tombo em empresas nacionais.

Em outro ponto da sua análise mostra Washburne a desonestidade científica de Oppenheim no preparo das razões geológicas que iriam condenar a região de S. Pedro. Diz ele: "Oppenheim, in desagreement with Washburne, believes the country to be highly faulted and unliked to contain oil fields. He does not present any convincing evidence of the existence of faults in the petroliferous region, his main argument being what he considers large difference in stratigraphic elevation between some adjacent wells. In this matter one easily may be misled by a hasty examination of Oppenheim's cross section (Folhas 5-17) in which he uses vertical scale forty times the horizontal, and in which he draws the formation pattern of each plotted log to a width of about one kilometer. To the eye of the reader this gives the appearance of sudden change in depth, suggesting faults, yet if the reader were to draw lines through identical horizons in adjacent wells, he would find that none slopes is more than 5.°, common dip on the small folds of the region, etc.".

Depistamento geológico...

Mais adiante Washburne declara: "Even should many faults exist in the interior of the States of S. Paulo and Paraná, and if the rocks were highly jointed, which they are not, experience elsewhere shows that these conditions do not prevent the retention of oil in profitable pools, nor do they necessarily cause any seepage of oil. Thus in most of the highly faulted fields of the Rocky Mountains, oil seepages are lacking, even in places where productive sands lie within 1.500 feet of the ground surface; and in the Salt Creek field, Wyoming, numerous faults have not permited recent Communications between a great area of salt water in the First Wall Creek sand and oil in the Second Wall Creek sand only a few hundred feet below it. Not merely do faults fail to destroy many oil fields, but commonly they fail even to create surficial seepage. Oppenheim's statement that the lines of chapopoteras in México occur along faults, is open to question, for wells fail to reveal corresponding displacement in the shallow strata". Etc.

Na fúria de negar, Oppenheim põe em dúvida as amostras de petróleo verde e leve que Washburne menciona. Eis como o geólogo americano atende a este ponto: "In few words Oppenheim dismisses the suggestion of Washburne that the small traces of lighter oil found in the Itararé (glacial) beds of doubtful Permian age, seem to represent a type distinct from the black oil in the higher Permian and Triassic strata, and that the oil of former type, possibly paraffinic, may have risen from Devonian or other concealed strata. Oppenheim (pg. 113) seems to doubt the accuracy of Washburnes description of one of these oils from a well at S. Paulo, as "light green yellowish", possibly because Washburne failed to write that Dr. Eugênio Dutra, then in charge of governamental drilling showed him a sample of this color. If a laboratory report on this oil called its color "red" or "chesnut", one may suspect that the sample was held not against a black opaque object, but was held so that light could pass through it. Of similar significance in regard to the possibility of deeper oil, is Oppenheim's doubt concerning the validity of the green highly fluid oil in well n. 1 of the Cia. Cruzeiro do Sul, at Bofete, S. Paulo. Presumably he failed to appreciate the description by Washburne (pg. 220) of the intimate penetration of this oil throughout a sample of saturated typical tillite, a degree of penetration that hardly could be imitated artificially, indicating beyond reasonable doubt that the green oil occurs in glacial beds. Oppenheim's remark that I. C. White reports no oil in earlier wells in the same vicinity has no bearing on this matter, because the older wells were much shallower. Oppenheim is right in saying, indirectly, that Washburne presents only meager evidence of the occurrence of a distinct type of oil in the lower horizons (Itararé formations), and Washburne admits that his suggestions were hardly more than "grasping at a straw" in the hope of finding better oil a greater depth in the undrilled central parts of the Paraná basin. Yet even meager evidence seems more valuable than unsupported opinion to the contrary. That deeper source beds of dark marine shales of the Devonian, and possibly mari- ne Carboniferous strata, may exist under parts of the Paraná basin, seems quite possible, not only because of the presence of Devonian shales in Paraná and of marine Carboniferous in Southern Paraguay and Uruguay, but also because of general frequency which stratigrafic lacunae at the margins of other great basin are filled at least partly by other intervening strata in central parts of the basin." Etc.

Bastam essas citações para mostrar o valor científico da maravilhosa obra que Oppenheim lançou como o Novo Testamento da Geologia Nacional e que tão fundo calou no ânimo dos basbaques, a ponto de dar orientações novas ao D. N. P. M. Por quê? Porque constituía a consagração científica, iniludível, indestrutível, inexpugnável, do programa negativo desse serviço federal. Porque importava na condenação e destruição das pobres companhias nacionais. Porque seria a morte da Petróleos, da Petrolífera, da Cruzeiro do Sul. Porque era o que convinha aos tais trustes que, piscando o olho, acaparam quanto podem dessas terras "negativas para futuras explorações de petróleo"...

CONCLUSÃO

Nada tem feito tanto mal ao nosso país como a tendência para resolver problemas só pelo lado teórico, com desprezo absoluto do lado prático. Na fatura de certas leis, o nosso legislador parte duns tantos pontos de vista abstratos, esquecendo-se de levar em conta o meio, a gente, as condições locais especialíssimas, o momento — isto é, as realidades iniludíveis. Daí o partejamento de monstruosidades dignas de museus teratológicos — leis inaplicáveis, leis que tudo entravam, leis paralisantes de todas as iniciativas, leis que desgraçam esta pobre terra, embaraçando-lhe, impedindo-lhe o desenvolvimento econômico.

A nova Lei de Minas, ao aparecer, foi dada pelos seus promotores como o "Sésamo, abre-te!" das riquezas do subsolo nacional. Mas os que praticamente tentavam mobilizar essas riquezas, os que trabalhavam no campo, viram logo tratar-se de um "Sésamo, fecha-te!". Impossível dar um passo dentro daquela maranha de entraves criados pela mais cavilosa burocracia. E regredimos. Empresas em via de formação dissolveram-se. Outras já com trabalhos iniciados desistiram de ir além. Outras ainda em germe goraram. Tudo se paralisou — e paralisados ficaremos *ab eterno*, impedidos de tocar nas riquezas do subsolo, enquanto essa lei concebida por parasitas burocráticos, dos tais que "imaginam coisas mas não nas sabem", não for substituída por uma lei decente, clara, viável, prática, que não antagonize o interesse particular com o público.

Há quatro anos mergulhado neste problema do subsolo, tenho elementos para afirmar que não foram os obstáculos criados pela natureza os que mais nos consumiram energias, a mim e aos meus companheiros — sim os obstáculos artificiais, filhos da burocracia, não só os que ela embrechou nas leis, como os que ela sistematicamente antepõe à execução dos dispositivos monstruosos dessas leis.

Se a intenção do governo federal é impedir que os particulares toquem no subsolo, parece-nos muito mais simples, muito mais honesto, que essa proibição se faça às claras. "Ninguém pode mexer no subsolo" e acabou-se. Os que hoje perdemos tanto tempo e trabalho nessa faina iríamos cuidar de outra coisa. Mas apresentar leis, como a de Minas, qual um "Sésamo, abre-te!" quando não passam de ultra maquiavélicos ferrolhos, chega a ser puro sadismo. Castigar aos que, tentando uma arrancada rumo ao subsolo, trabalham para a grandeza do Brasil, castigá-los com a má vontade dos Fleurys, com as sabotagens dos Oppenheims, com os empeços de toda ordem que esses homens e outros, fortes nos cargos que ocupam, criam incessantemente, não passa duma indignidade.

A Comissão de Inquérito poderá prestar ao Brasil um benefício imenso, abrindo de par em par as portas à nossa redenção econômica, se concluir os seus trabalhos com a única sugestão que a lógica impõe: "O que há a fazer, é fazer justamente o contrário do que se tem feito". Só isso.

Abriam-se poços de escassa profundidade? Pois abram-se poços profundos. Perseguiam-se as companhias nacionais? Pois que sejam auxiliadas. Amontoavam-se nas leis mil entraves para a pesquisa do petróleo? Pois sejam criadas mil facilidades.

Tão simples o remédio!

Com a organização existente, com as leis-cipós, com o eterno "dar-para-trás", com Fleury e Oppenheim mantidos como batoques, o petróleo não saiu e não sairá nunca. Pois inverta-se a organização, modifiquem-se as leis em sentido contrário, arquivem-se os dois batoques — e o petróleo jorrará aqui como jorrou nos Estados Unidos, no México, na Trinidad, na Venezuela, na Colômbia, no Peru, na Bolívia, na Argentina.

Mas se porventura Fleury com sua filha a Lei de Minas, e Oppenheim com a sua Gondwana, têm mais importância para o Brasil do que o petróleo a jorrar de mil poços, então que o governo o confesse logo. Os atuais petroleiros desistirão do grande sonho, e irão plantar couves ou batatas. Representa muito mais para a economia da nação um humilde plantador de couves ou batatas do que um escavador de poços de um petróleo que, por misteriosas razões acima do nosso alcance, está proibido de aparecer — ainda quando se revela "em estado livre e saindo muito"...

(a) MONTEIRO LOBATO
Praça da Sé, 83 - S. Paulo

O QUE SOMOS E O QUE PRECISAMOS SER

O Brasil tem vivido cocainizado por uma ilusão — a de ter-se como um paraíso terreal, um país riquíssimo, invejado pelos outros povos. Nem a bancarrota do estado, nem o nosso mal estar perpétuo, nem a penúria chinesa do que chamamos a classe baixa (isto é, oitenta por cento da população do país), nem a miséria intensíssima observável até nas capitais quando deixamos as avenidas e os bairros privilegiados, nada de tão terrível realidade arranca o brasileiro à mentira crônica em que se encoscorou.

Em todas as estatísticas de produção, de comércio, de riqueza nacional, de cultura, etc., o lugar do Brasil é entre os mais baixos da escala.

Tomemos a Dinamarca. Tem quarenta e quatro mil quilômetros quadrados e uma população de três milhões e meio de habitantes. Do tamanho do Espírito Santo, menor que Alagoas, Paraíba e Rio Grande do Norte, que são dos menores estados do Brasil — e no entanto produz e exporta mais que o Brasil inteiro. Em 1929 a pequena Dinamarca exportou quatrocentos e oitenta milhões de dólares contra quatrocentos e catorze exportados pelo Brasil; e importou quatrocentos e cinquenta e sete contra quatrocentos e cinquenta e seis.

Alegam os patriotas incompreensivos que é por sermos um país novo. Somos tão novos como os Estados Unidos e a Argentina, países que também nos distanciaram em tudo — o primeiro dum modo fantástico.

Só do subsolo os Estados Unidos extraem mais de CEM MILHÕES DE CONTOS POR ANO. Nós com um subsolo equivalente só extraímos minhocas. Veja-se este quadro estatístico do Department of Commerce, abrangendo o decênio de 1918 a 1927:

PRODUTOS METÁLICOS E NÃO METÁLICOS
VALOR EM DÓLARES

1918	5 bilhões e 541 milhões de dólares
1919	4 bilhões e 596 milhões de dólares
1920	4 bilhões e 918 milhões de dólares
1921	4 bilhões e 139 milhões de dólares
1922	4 bilhões e 647 milhões de dólares
1923	5 bilhões e 987 milhões de dólares
1924	5 bilhões e 306 milhões de dólares
1925	5 bilhões e 678 milhões de dólares
1926	6 bilhões e 213 milhões de dólares
1927	5 bilhões e 520 milhões de dólares

Temos aqui a média anual de 5 bilhões e 454 milhões de dólares, ou sejam mais de CEM MILHÕES DE CONTOS POR ANO em nossa moeda, o dólar a dezenove mil réis — essa beleza que a mentira crônica nos deu.

Nada como gráficos para meter pelos olhos a dentro as realidades. Nos gráficos que seguem veremos o que é a nossa riqueza nacional, a nossa produção, o nosso comércio, etc., comparados com os equivalentes americanos. Tomamos os dados de anos normais, imediatamente anteriores à crise de 1930 e aplicamos nos gráficos sempre a mesma escala.

RIQUEZA NACIONAL DOS ESTADOS UNIDOS EM 1922

(cálculo da Federal Trade Commission)
356.035.000.000 dólares

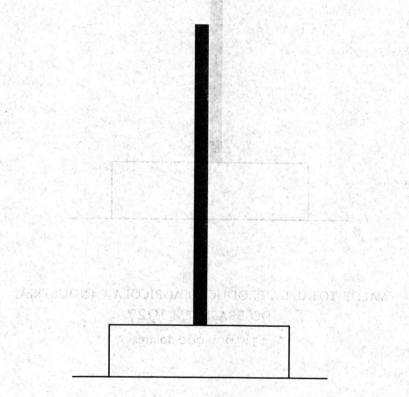

RIQUEZA NACIONAL DO BRASIL EM 1927

(cálculo da Associação Comercial)
10.000.000.000 dólares

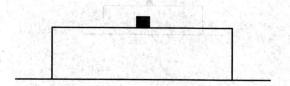

VALOR APENAS DO PETRÓLEO AMERICANO EM 1927

3.580.000.000 dólares

(Compare-se este algarismo com o da página seguinte)

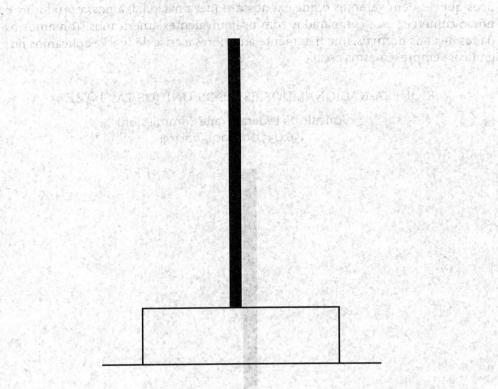

VALOR TOTAL DA PRODUÇÃO AGRÍCOLA E INDUSTRIAL
DO BRASIL EM 1927

1.320.000.000 dólares

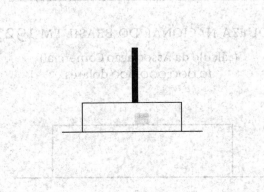

PRODUÇÃO INDUSTRIAL DOS ESTADOS UNIDOS EM 1928
62.713.000.000 dólares

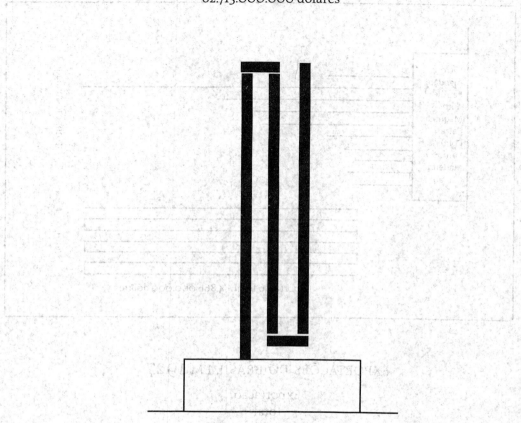

PRODUÇÃO INDUSTRIAL DO BRASIL EM 1928
867.000.000 dólares

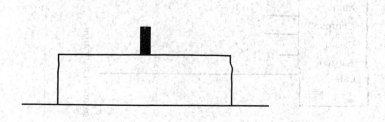

EXPORTAÇÕES DOS ESTADOS UNIDOS EM 1927

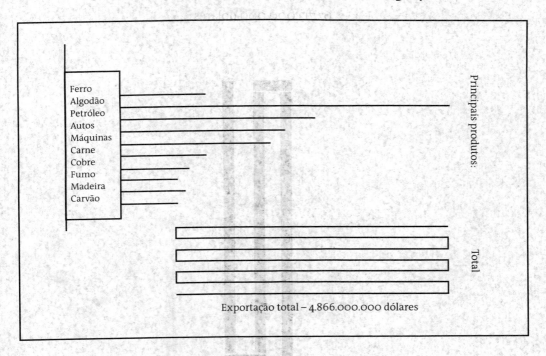

Exportação total – 4.866.000.000 dólares

EXPORTAÇÕES DO BRASIL EM 1927

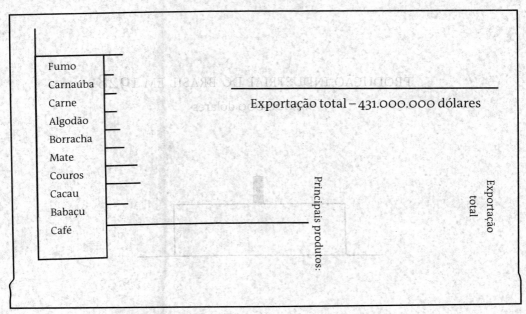

Exportação total – 431.000.000 dólares

Não é ultra doloroso isto? Não é ultra vergonhoso que, dispondo dum território em tudo equivalente ao dos Estados Unidos, nos deixássemos ficar numa bagagem degradante?

E como combatemos essa situação de inferioridade? Negando-a. Mentindo oficialmente. Mentindo agora pelo rádio. Mentindo uma mentira sistemática e onímoda, que não engana a ninguém no mundo — nem sequer a nós mesmos.

Basta de cocaína. Tenhamos a coragem dum frio realismo. A mentira não constrói — destrói. Destrói a reputação de quem a impinge. Somos o povo mais desmoralizado do mundo em consequência deste perpétuo regime de mentiras adotado como atitude nacional. *E no entanto poderemos nos equiparar aos Estados Unidos em grandeza, cultura, eficiência e poder, se tomarmos pelos mesmos caminhos.*

Que caminhos são esses? Os do subsolo. A grandeza dos Estados Unidos vem de que mobilizaram e mobilizam continuamente as reservas do subsolo. Vem de que se ferraram intensamente e ainda se ferram com as várias dezenas de milhões de toneladas de ferro que cada ano produzem — enquanto nós tropicamos eternamente desferrados pela estrada da vida em fora, sem a menor atenção para as montanhas de minério que possuímos.

Vem de que abrem anualmente mais de vinte mil poços por onde esguicha o sangue da terra, o maravilhoso líquido que se transforma em energia mecânica e move os milhões de toneladas de ferro transfeito em máquinas aumentadoras da eficiência do homem — enquanto nós abrimos anualmente vinte mil casas de loteria e bicho.

Vem, em suma, de que raciocinam com a cabeça — enquanto nós, queimando café em vez de queimar o Ministério da Agricultura, damos ao mundo uma curiosa demonstração do perigo que é raciocinar com outros órgãos que não o cérebro...

Café é riqueza criada? Queima-se.

Ministério é impedimento de riqueza? Conserva-se.

Está errado...

O "CONTO DO PETRÓLEO"

O Globo, do Rio, publicou uma reportagem sobre a excursão feita pelos acionistas da Cia. Petróleos do Brasil às margens do Araquá, onde essa empresa está perfurando um poço de petróleo. Ao lado da notícia o vespertino carioca inseriu comentários, recordando a opinião sobre as nossas companhias de petróleo, dada àquela folha pela maior autoridade oficial do Brasil[13] — o sr. Eusébio de Oliveira, diretor do Serviço Geológico e Mineralógico Federal. "*Conforme frisamos então, diz O Globo, esse técnico não teve dúvidas em classificar as iniciativas desse gênero entre nós como idênticas aos célebres 'contos do petróleo' muito comuns na América do Norte, onde se improvisam e se desfazem grandes companhias para devorar não menores capitais de acionistas incautos.*"

Realmente, o sr. Eusébio tem razão. O que andamos a organizar, nós, os petroleiros do Brasil, não passa do velho "conto do petróleo", tão conhecido no mundo inteiro quanto por aqui o "conto do vigário".

---

13   Isso foi em 1932, antes do aparecimento do sr. Fleury da Rocha.

Nos Estados Unidos o "conto do petróleo", consistente em atrair dinheiro de acionistas bobos para perfurar o chão, começou a ser praticado muito cedo, logo depois da descoberta do petróleo na Pennsylvania — e a consequência foi que com o dinheiro assim tomado ao público, os piratas abriram até hoje nada menos de um milhão de poços, dos quais jorrou, até a presente data, a brincadeira de quinze bilhões de barris, no valor de vinte e dois bilhões e meio de dólares. Ao câmbio azul do Banco do Brasil, isso corresponde a duzentos e noventa e dois milhões de contos de réis.

Graças à esperteza desses "contistas", o "otário" americano, que "caiu" com dinheiro para as perfurações, beneficiou-se com uma soma equivalente a várias vezes a riqueza nacional do Brasil.

Para melhor realçar o fantástico desenvolvimento que tomou o "conto do petróleo", nos Estados Unidos, aqui pomos os números referentes aos anos de 1929, 1930 e 1931. Unicamente nesse triênio o célebre conto fez resultar uma produção de 2.761.323.000 barris, no valor, ao pé dos poços, de cinquenta e quatro milhões de contos de réis — ao câmbio azul...

Em vista do excepcional sucesso do "conto do petróleo" entre os *yankees*, outros países da América principiaram a sentir coceiras, e a pedir, pelo amor de Deus, que os espertalhões fossem operar em seus territórios. E os resultados da pirataria insigne não foram menores.

No México, só nesse triênio, o "conto do petróleo" deu como resultado a extração de cento e dezoito milhões de barris. O "otário" mexicano hoje esfrega as mãos e olha com muita ternura para os "contistas" que o enriqueceram.

Na Venezuela, os "contistas" conseguiram perfurar poços em número suficiente para, nesse triênio, jorrarem trezentos e noventa e quatro milhões de barris. O "otário" venezuelano também esfrega as mãos e lambe as unhas, sorridente.

A Colômbia quis logo entrar no bolo. Abriu a bolsa aos "contistas" e obteve em igual período uma produção de sessenta milhões de barris. Ótimo! exclamou o "otário" colombiano, piscando o olho.

Depois veio o Peru. Quis da mesma forma ser "tungado" pelos "contistas do petróleo" — e conseguiu no triênio em causa arrancar ao seu subsolo trinta e sete milhões de barris do precioso líquido. Magnífico! — grugulejou o Peru, de papo cheio.

Lá em cima, a pequena ilha de Trinidad, invejozinha, deixou que os "contistas" viessem operar em seu exíguo território — e obteve nesses três anos a ninharia de quatro milhões e seiscentos e sessenta mil barris. Serviu, serviu...

O Canadá, aflito, chegou a importar da terra de Tio Sam hábeis "contistas" — e graças a eles pôde, nesse período, extrair do solo quatro milhões e trezentos mil barris. O rei Jorge, lá em Londres, congratulou-se consigo mesmo.

A Bolívia deixou-se de puritanismo, e entrou na bandalheira. Está hoje, graças ao "conto" com os seus "otários" rejubilantes.

A Argentina foi nas águas dos demais. Importou "contistas" e deixou que operassem livremente os "contistas crioulos"; tomou muito capital de acionistas incautos e já perfurou mil e seiscentos poços, dos quais, só no período acima, obteve vinte e oito milhões e trezentos mil barris, quase o bastante para o consumo nacional. Está também, essa nossa vizinha, satisfeitíssima com ser "otária" de tal "conto". Abençoa-o.

Como se vê, na quase totalidade absoluta dos países das três Américas, o "conto do petróleo" deu os melhores resultados, sendo que num deles, os Estados Unidos, contribuiu com alta quota para fazê-lo o mais rico e poderoso país do mundo.

Enquanto todos esses países deixavam que os espertalhões aplicassem livremente o fecundíssimo "conto do petróleo", consistente em tirar dinheiro de acionistas incautos afim de perfurar a terra, aqui neste Brasil de imenso território, por si só quase metade da América do Sul, ficamos todos nós — quarenta milhões de bobos — assistindo, de boca aberta, à cômica aplicação do "conto do Eusébio".

Em que consiste? Em aplicar anualmente uma verba de dois ou três mil contos *na demonstração de que não há petróleo no Brasil, e na barragem sistemática dos "contistas do petróleo"*. Com esse dinheiro extorquido ao povo sob forma de impostos dolorosos, Euzébio diverte-se abrindo buracos de tatu nas zonas mais indicadas e dizendo: "Não há petróleo; vocês estão vendo que não há petróleo". E se acaso um desses buraquinhos de tatu atreve-se a dar indícios indiscretos de petróleo próximo, Eusébio, furioso, tapa-lhe a boca com cimento...

Nem fura, nem deixa furar — é sua política geológica.

A desgraça do Brasil e sua derrocada financeira decorrem em grande parte disso — de Eusébio o Todo-Poderoso não deixar que se aplique aqui o "conto" que está a enriquecer "todos" os países da América. Mal um grupo de "contistas" se reúne para apanhar dinheiro do público afim de perfurar (meio único que se conhece de tirar petróleo), o bode geológico e mineralógico do Brasil dá o grito dos gansos do Capitólio e em entrevistas aos jornais previne os possíveis "otários" contra a "marosca". "No Brasil não há petróleo, diz ele. Eu, que sou onisciente, sei disso. Deus, o Supremo Arquiteto das Anticlinais e Sinclinais, informou-me em nota confidencial." E o "conto" falha.

Quando o dr. Romero veio ao Brasil, contratado por uma companhia que se formou especialmente para fazer uso do seu aparelho indicador de óleo e gás, o Júpiter Tonante do Hidrocarbureto trovejou do alto da sua pilha de tamancos: "Mistificação! Ignoro tudo a respeito desse tal aparelho — mas é uma guitarra. Adivinho-o. Eu, eu, eu, eu, o Grande, o Infalível Eusébio, juro-o de mãos postas sobre uma camada do Devoneano".

Mas apesar do escabujamento délfico da Vestal, firmíssima no seu dogma do NÃO HÁ PETRÓLEO NO BRASIL, acionistas incautos apareceram, e quatro companhias aplicadoras do "conto" estão hoje e perfurar o selo nos pontos marcados pelo aparelho Romero.

Mas Eusébio tem razão. O que essas companhias fazem no Brasil não passa de tirar dinheiro de acionistas incautos para perfurar a terra. Logo, "conto do petróleo" perfeitamente caracterizado, do legítimo, do que foi intensamente praticado na América do Norte. Sua maldade, porém, esconde o resto, e ele "esquece" de acentuar que justamente por ter sido lá comuníssimo esse gênero de "conto" é que Tio Sam conseguiu abrir um milhão de poços e tirar de dentro deles o *big stick* com que mantém a sua hegemonia do mundo. Se tivesse havido em Washington um Eusébio ao tipo do nosso, com suficiente prestígio oficial para impedir a intensa aplicação do "conto do petróleo", os Estados Unidos da América estariam hoje no mesmo pé dos Estados Unidos do Brasil — na miséria, com o serviço da dívida externa suspenso pela quarta vez, sem isca de crédito e forçado a sangrar-se fundo no bolso para a aquisição no exterior dum combustível básico que todos os países americanos retiram do seu subsolo.

Há treze anos que este senhor Eusébio mantém o Brasil no regime do "dar para trás no conto do petróleo", impedindo assim, com a sua imensa autoridade de Iluminado-que-sabe-o-que-está-escondido-lá-no-fundo-da-terra, a fecundíssima aplicação do "conto do petróleo". Graças à sua heroica resistência contra os piratas petrolíferos, o pobre e surrado Brasil teve, só nesse período, de despender quatro ou cinco milhões de contos para a compra do que já devia estar produzindo e exportando.

Por que, santo Deus? Qual o segredo da fúria eusebiana contra todos os que se atrevem a perfurar — isto é, " fazer aqui o que no mundo inteiro se faz para descobrir petróleo"?

Muito simples. Eusébio dirige a seu bel prazer, e sem controle, uma gorda verba para "investigações de petróleo", com a qual vai abrindo os seus buracos de tatu e orientando a campanha contra os "contistas". Se vier petróleo, raciocina ele, não vem para mim — e a verba some-se do orçamento. Ora, entre o Brasil ficar com petróleo e eu sem verba, tolo seria se vacilasse A verba é uma realidade; o petróleo é uma hipótese. Viva quem quiser de hipóteses; eu vivo de realidades.

É este o "conto do Eusébio".

Segunda parte
ONDE ESTÁVAMOS EM 1936?

O Escândalo do Petróleo foi escrito e publicado em 1936, nas vésperas de irromper entre nós o fascismo vitorioso na Europa; venderam-se rapidamente quatro edições, num total de 18 mil exemplares — e no ano seguinte o livro desapareceu nas trevas da supressão de todas as nossas liberdades. Hoje ressurge — agora que com o esmagamento do fascismo na Europa os nossos escravizadores não tiveram remédio senão afivelar no rosto a velha máscara da democracia. E *O Escândalo do Petróleo* volta a mostrar ao povo a imensa patifaria que desde o começos vem sendo o caso do petróleo no Brasil.

Nas edições anteriores dividia-se o livro em duas partes: a Primeira, por mim escrita, e a Segunda, com o brilhante depoimento apresentado por Hilário Freire à *Comissão de Inquérito sobre o Petróleo*, que o governo se viu obrigado a nomear em virtude das acusações da minha "Carta Aberta" ao ministro da agricultura. Na atual reedição d'*O Escândalo* tive de sacrificar a parte de Hilário Freire para abrir espaço a muita matéria nova. Doeu-me fazer isso, tão brilhante e esmagadora era a exposição desse meu amigo, sobretudo na análise do Código de Minas, com que finalizava, e na do caso dos poços em S. Paulo, logo no começo. Cada vez que uma das perfurações federais feitas em S. Paulo dava "sinal de qualquer coisa", era "castigada", e por fim abandonada, depois de bem entupida com concreto para que ninguém fosse meter lá o nariz. E como uns tantos poços ficavam de boca aberta ao lado de outros assim obturados, generalizou-se naquelas zonas a convicção de que *poço fechado com concreto era poço que havia revelado petróleo*. Hilário abordou com muita segurança o caso.

Outro ponto em que me vejo forçado a transcrevê-lo é o relativo à exsudação ativa de petróleo encontrada por Loch e desprezada pelo Departamento Mineral.

Leiamos as suas palavras.

"Não fica aí entretanto a extensão da obra de despistamento oficial nas suas manifestações ativas. Existem também as formas passivas da mistificação: o silêncio ou a ocultação, a indiferença ou a inércia, o descaso ou o desprezo.

Leia-se o relatório ministerial, na página 206. Ele explana a orientação do programa em execução. Estabelece como premissa doutrinária o seguinte: 'Em se tratando dessa pesquisa (do petróleo), duas têm sido as atitudes do homem: a empírica, que produz excelentes resultados nas regiões em que o petróleo ou aflora, ou ocorre como acidente em sondagens para outros fins...'

E a seguir fixa, como matéria de fato, este ponto: 'No Brasil, onde o petróleo ainda não foi descoberto, *nem por acaso, nem por exsudação abundante...*'

Essa informação preliminar fornecida ao honrado ministro não é exata. No Brasil já está descoberta e identificada pelo menos uma exsudação ativa, *oil-seepage*, nascente natural do petróleo. E essa descoberta é do conhecimento do diretor da geofísica, sr. Vítor Oppenheim, desde 1935.

Com efeito, aos 28 de maio do ano passado, portanto dez meses antes do relatório ministerial, compareceram perante aquele funcionário os srs. Alexandre Housding, concessionário de jazidas de diamantes do rio das Garças e incorporador da Mineração Hidráulica de Diamante Chapadinha e Criminosa, com autorização de lavra outorgada por vários decretos federais; e o engenheiro Torvald Loch, dinamarquês, com as necessárias credenciais de idoneidade.

E pessoalmente comunicaram-lhe, *com todos os documentos correlativos*, o descobrimento de uma *oil-seepage*, em local situado à margem direita do rio Mamoré e esquerda do rio Pacanovas, a setenta quilômetros da estação Guajará-Mirim, da Estrada de Ferro Madeira-Mamoré, nos limites com a Bolívia, a noroeste do Estado de Mato Grosso.

Tais documentos eram os seguintes: um memorial, um relatório da descoberta, dois mapas parciais da zona indicada, determinando a posição geográfica da fonte de petróleo a 11° 10' de latitude e 64° 60' de longitude. Juntamos por cópia esses mapas e o relatório do engenheiro Loch.

Historiando a sua invenção, narra Loch, em resumo, o seguinte:

'Estava montado em canoa subindo um rio quando achei petróleo boiando n'água, beirante à margem. Trilhei o petróleo durante dia e meio rio acima, até o ponto em que vinha de terra; e depois de abastecer-me de víveres internei-me pela terra a dentro até descobrir donde o petróleo provinha. No quarto dia descobri uma *oil-seepage*, num dos morros, dando aproximadamente de quinhentos a seiscentos litros por dia de vinte e quatro horas. Enchi com ele uma das minhas borrachas de água e também colhi amostra das areias que saiam com o petróleo. Era um óleo de cor verde-castanho, de gravidade leve e parafinoso — da mais alta qualidade conhecida. Aquele campo petrolífero apresenta muita semelhança com os do Oklahoma e do Texas, nos Estados Unidos. A formação geológica é provavelmente do período Paleozóico ou do Siluriano, e tudo ali indica que esse campo talvez seja o maior campo de petróleo da América do Sul. A estratificação do petróleo deve estar a uns quinhentos, seiscentos metros. O terreno é um chapadão ondulado, com faixas de vegetação escassa, doentia, aleijada, em virtude das emanações de gás. Ao Norte e Oeste estendem-se planícies e vales extensos, a cento e vinte pés acima do nível do mar. Há nas vizinhanças dos rios bastante madeira, própria para construção de torres de sondagem.'

Acresce a circunstância de que as amostras de petróleo trazidas por Loch já haviam sido devidamente analisadas pela seção competente do ministério da Agricultura.

E cabe notar que a vasão do petróleo *in natura* atingia desde logo quantidade comercial, a saber, cento e cinquenta barris por mês, ou mil e oitocentos por ano, com o valor aproximado de oitenta contos.

Essa era uma comunicação verdadeiramente sensacional.

A *oil-seepage* é, digamos, o poço espontâneo, nativo, fluente, é a existência viva, palpável, medível, utilizável do petróleo. Diante dela não se cogita de estruturas, nem de gás, nem de sedimentos, nem de cristalino, nem de tudo quanto seja possibilidade ou indício. A *oil-seepage* não é indício, é o petróleo na sua realidade. É a decisão do problema sobre a existência, ou não existência, do petróleo no Brasil.

Com uma circunstância favorável a mais: o seu estudo imediato não oferecia dificuldade alguma. O local é mais acessível pelos meios de transporte do que o Acre. Até Porto Velho há um serviço regular de navegação, cada quinze dias, em embarcações confortáveis, denominadas 'gaiolas'. De Porto Velho até Guajará-Mirim trafega a estrada de Ferro Madeira-Mamoré. Em Guajará-Mirim, o rio permite a ancoragem de hidroaviões de carreira. A Condor em breve estenderá por ali uma linha regular entre Mato Grosso e o Amazonas. A setenta quilômetros desse ponto, subindo o rio Pacanovas, também navegável, a *oil-seepage*.

Não era, portanto, um roteiro obscuro como o das Minas de Prata de Robério Dias. Era, sim, uma localização geográfica precisa.

Cumpria, pois, ao Departamento o estrito dever de verificar imediatamente e oficialmente o conteúdo da comunicação. Ela representava a chave elucidativa de toda a tragédia do descobrimento do petróleo no Brasil. Para outra coisa não contratara o Departamento os srs. Mark Malamphy e Vitor Oppenheim. Nem missão mais precípua tem sobre os ombros o sr. Fleury da Rocha.

A denúncia da *oil-seepage* era idônea. Trazia a assinatura de um profissional com a fé de seu grau. Esse profissional apresentava todas as credenciais de idoneidade, certificadas pela Legação da Dinamarca, seu país de origem, e por entidades particulares insuspeitas. A credibilidade de sua palavra, como de todos os profissionais em igualdade de condições, impõe fé e constitui elemento de prova plena, mesmo em juízo. Ele não emitia uma opinião pessoal em ponto de doutrina, atestava um fato de existência permanente, em razão do ofício.

Ou o Departamento aceitava o fato como real e verdadeiro, e não podia diante dele cruzar os braços, como cruzou, porque essa indiferença é um crime de lesa-pátria; ou reputava o fato duvidoso, sub-reptício, incerto, e nessa hipótese acudia-lhe o dever de desmascarar o impostor, que, baseado na impostura, propunha um negócio ao governo, induzindo-o a erro ou engano para, por esse meio, procurar para si lucro ou proveito. Tão solícito fora o sr. Oppenheim contra as amostras do Lobato, por julgá-las estranhas ao local; tão solícito fora o Departamento contra o manifesto da Petróleos do Brasil, por duvidar do petróleo em S. Pedro, quão desdenhosos agora são ambos diante da descoberta da *oil-seepage* de Mato Grosso!

O alhear-se a esse caso é o negar a própria finalidade do Departamento Mineral. Sobremaneira para o sr. Vitor Oppenheim, que, nas *Rochas Gonduânicas*, reputa como privilegiada a área limítrofe com a Bolívia, por via de suas estruturas favoráveis ao acúmulo de petróleo com a mesma latitude e a mesma formação geológica do Território do Acre.

Ainda mais, e também muito grave: era sabido na alta administração da Estrada de Ferro Madeira-Mamoré que elementos ligados ao Departamento Mineral nutriam grandes esperanças na ocorrência de petróleo na zona do rio Guaporé, que, como se sabe, é contribuinte de Mamoré e corta extensos pantanais, assemelhados aos campos alagadiços do rio Paraguai. Causou-lhes, pois, chocante surpresa o saberem do encaminhamento das pesquisas oficiais para o Acre.

Esse espanto aumenta quando se considera que as margens do Pacanovas e do rio Guaporé estendem-se em terrenos devolutos pertencentes ao Estado de Mato Grosso, sem nenhuma possibilidade de litígios internacionais. Em poder de quem estarão os terrenos recomendados do Território do Acre? Pois não é sabido que a Standard Oil, soberana da Bolívia, promoveu a guerra do Chaco para obter uma saída pelo Atlântico, através da bacia do Prata? Pois não é notório no Estado Maior do Exército que a falta da plena execução do Tratado de Petrópolis ainda pode acarretar complicações internacionais? Pois não é plausível que esses atritos possam ser desencadeados pelos poderes ocultos que cobiçam o petróleo? Que lhes custaria convulsionar o Acre a pretexto de concessões de subsolo e de inadimplemento do tratado petropolitano, para reaver ao Norte a área petrolífera que perderam ao sul com o desfecho da guerra entre o Paraguai e a Bolívia?

A verificação da *oil-seepage* era um direito e um dever. Direito, que se aniquilou, não se exercendo; dever, que se rasgou, não se cumprindo. E em consequência da falta desse direito e desse dever, o relatório do Ministro *afirma que ainda não se descobriu exsudação abundante de petróleo no Brasil*! Mas essa exsudação existe! O descobrimento, ou invenção, do engenheiro Loch está de pé, até que se prove o contrário. Quem, no entanto, claudicou na informação? O egrégio Ministro? Não. Oppenheim e Fleury da Rocha.

Sabotagem ou omissão, inércia ou falsidade, negativismo ou Código de Minas, burocracia petrolífera ou perfurações epidérmicas, toda essa profusa sinonímia, na copiosa variedade de suas formas, tudo vem sendo a mesma obra do Proteu federal: *não tirar petróleo e não deixar que alguém o tire...*"

Terrenos petrolíferos acaparados

Neste pormenor lemos o seguinte no depoimento de Hilário Freire:

"É evidente que todas essas companhias, manobradas pelos poderes ocultos, querem apenas segregar os terrenos petrolíferos, porque pretendem exatamente não furar. Qual a extensão de suas conquistas em nosso subsolo? Ignoramos. Só a estrutura de Washburne lhes deu em Piraju e Ribeirão Claro cento e vinte e oito contratos!

E quantos produziram à Pan Geral as doze estruturas localizadas por um só de seus geólogos, o sr. Harry Koller? E as demais companhias?

Simples particulares, por muito que nos esforcemos nas pesquisas, nosso campo e nossos meios de agir são limitados. Vemos, entretanto, que somente algumas notas colhidas em publicações oficiais desvendam um mundo consolidado dos interesses ocultos. A máquina oficial, que tudo devia saber, ignora tudo. Nem o Departamento, nem o Ministério, estão ao par de nada. Ou porque não procuram saber, tendo todos os recursos para fazê-lo. Ou porque ocultam o que sabem. Ou porque sabem o que ocultam.

Há, entretanto, informes seguros de que, por entre os pinheirais paranaenses, regurgitam nos cartórios de Garapuava, de Palmas, de Porto Vitória, escrituras idênticas. Em todo o extenso vale do Rio Jangada, centenas de pequenos proprietários, que o povoam, recebem o soldo decenal dos trustes. Em Mato Grosso, em todo o vasto Chaco ou Pantanal, domicílio pré-histórico do mar de Xaraés, onde se acamam os sedimentos do extinto mediterrâneo da América do Sul — quer nas fronteiras com a Bolívia, quer nos limites com o Paraguai — a infiltração e as tentativas de infiltração se multiplicam pela mesma forma. E, no mesmo estilo, pelo país além...

Todavia, o sr. ministro da agricultura, à pag. 86 das *Bases para o Inquérito* conta-nos, com aquela sua grande simplicidade oficial:

"*O Departamento Nacional de Produção Mineral não tem conhecimento das aquisições de terras a que alude o missivista (Monteiro Lobato).*"

Não fora certo que o pior cego do mundo é aquele que não quer ver...

É de assinalar-se, neste passo, um vivo contraste de atitudes. Enquanto as empresas estrangeiras, timbram em não abrir perfuração, todas as brasileiras só se organizam para perfurar. Desde o primeiro empreendimento de Eugênio Ferreira de Camargo até o dia de hoje, seja Cruzeiro do Sul, seja a Petrolífera Brasileira, seja a Petróleos do Brasil, seja a Petróleo Nacional, todas nasceram sob o signo das perfurações — e perfuram até esgotarem os seus últimos recursos.

Aí estão, na Petrolífera, com um poço de mil trezentos e tanto metros, que só se aprofunda lentamente porque lenta é a colheita dos meios necessários; a Cruzeiros do Sul, com um poço de quatrocentos e trinta metros e a Petróleos do Brasil, com outro poço de mil e setenta metros, ambos paralisados por falta de capitais — justamente porque o departamento mineral lhes embargou novos levantamentos por subscrição, com a sua intervenção nefasta; a Petróleo Nacional, com um segundo poço de trezentos metros em trabalhos, depois de ter perdido o primeiro por sabotagem do pontífice do ministério, sr. Vitor Oppenheim — sempre foi encarniçadamente guerreada, desde o lançamento do primeiro manifesto.

E onde as perfurações da Pan Geral? da Marítima? da Brasileira de Petróleo? da Brasil Patentes? da Nacional de Petróleo?

Fala-se nas maravilhas do nacionalismo do Código de Minas. Mas *os seus obstáculos são magníficas maneiras de cooperação com o programa das empresas estrangeiras, que não querem tirar, nem que se tire petróleo*. Seus embaraços algemam apenas as nacionais. Estas não dispõem de capitais para imobilizar em contratos, pagando a multa anual moratória de não perfuração. Todo o dinheirinho que obtêm, empregam logo na abertura de poços. As estrangeiras, ao contrário, manejam largos recursos para paralisar as explorações do subsolo, visto como a imobilização desses recursos no Brasil representa a segurança de sua renda no exterior, à custa do Brasil.

O Código de Minas, com a sua *selva oscura* de formalismos, de absurdos os mais inacreditáveis, de grosseiro inconstitucionalismo e de centralismo inquisitorial, foi, nestes anos, o maior desastre possível para o problema do petróleo brasileiro, peando, com suas amarras, as nossas iniciativas e cooperando, de forma decisiva, para o bom êxito dos interesses escravagistas do combustível líquido.

As Donzelas de Ruão do nacionalismo do subsolo apregoaram muito cedo a vinda dessa codificação messiânica.

Diante de sua iminência, antes que fosse extinto o domínio privado do subsolo para atribuí-lo, como se pretendia, à Nação, os interesses secretos lançaram mão de todos os recursos para a política de acaparamento denunciada por Koller, isto é, para obter os contratos e opções à sombra do direito anterior, convertendo-os em direito adquirido, a tempo e a hora, antes do golpe pseudo-nacionalizador. Esse direito hiberna dentro dos contratos e asfixia quaisquer iniciativas.

Promulgado o Código, cada um desses grupos estava em condições de sorrir: *'Je m'en fiche... Minha vida está arrumada. Não desejo mesmo tirar petróleo...'*

Assim o Código, com o pretenso intuito de defender para a nacionalidade o subsolo, nada mais fez do que servir os interesses invisíveis dos trustes onipotentes. Nunca tivemos sinistro igual. Cataclismo para nós. Para eles, ouro sobre azul.

Enfim, o Código de Minas nada mais é que ótima tranca posta a uma casa despojada. Não lhe resta outra finalidade, atualmente, que *impedir a entrada dos seus legítimos senhores e possuidores*. As melhores joias dela retiradas estão no cofre de aço dos contratos e opções, estilo Piraju e Ribeirão Claro...

....

Nas *bases para o Inquérito* o Ministro declara que 'O Departamento Nacional de Produção Mineral não tem conhecimento das aquisições de terras a que alude o missivista (Monteiro Lobato)...' Na 'Carta Aberta' de Monteiro Lobato ao Ministro de Agricultura dizia ele: 'A Política dos grandes trustes mundiais em relação ao petróleo do Brasil consiste em 'acaparar' as terras potencialmente petrolíferas, depois de à nossa custa estudá-las geológica e geofisicamente por intermédio da dupla *Malop*. Essas terras 'já adquiridas em enormes quantidades' (como declara a carta do geólogo Koller), ou essas terras 'acaparadas' pelos trustes, são coisa do domínio público. Só não sabe de nada o coitadinho do Ministro da Agricultura e o coitadinho do Departamento Mineral. Ainda acabam saindo de asinhas brancas, como anjos de procissão.'

....

O implacável programa contra as entidades nacionais está sobejamente provado. Passemos adiante. Monteiro Lobato, há quatro anos, brada e repete que as organizações externas se vão apropriando, por todos os processos, de nossos terrenos petrolíferos, para utilização futura, quando se esgotarem os campos que elas exploram em outros países. Essa denúncia é a expressão rigorosa da verdade.

Existe por esse pobre Brasil afora um vasto império, bem instalado, de interesses estrangeiros com seus direitos de cidadania assegurados em todo o subsolo do território pátrio, para o fim de *'não deixar tirar petróleo'*.

Em abono de seu asserto, Monteiro Lobato transcreve em seu depoimento uma carta que recebeu da Argentina, subscrita por Harry Koller, ex-geólogo da Standard Oil no Rio da Prata e no Brasil, contendo as mais preciosas informações, de fonte isenta de suspeitas. São elas, em resumo, as seguintes:

1º — Que, como geólogo da Companhia Geral Pan Brasileira de Petróleo (que é a mesma Standard Oil of Argentina S/A) localizou, durante quatro anos de trabalho, para sua empresa, doze estruturas petrolíferas em diferentes estados brasileiros;

2º — Que a Standard Oil, por suas filiadas, desenvolveu um programa metódico e constante de organização de contratos de subsolo, sendo que a esse tempo só a Pan Geral Brasileira e outra (*veremos adiante que há várias outras*) possuíam mais de dois mil alqueires em anticlinais de primeira classe em S. Paulo e no Paraná;

3º — Que as empresas monopolizadoras são contrárias à abertura de fontes de petróleo no Brasil, em virtude da superprodução mundial, estando todo o seu interesse concentrado em manter a nossa escravização petrolífera;

4º — Que '*dadas as atuais condições*', a saber, as circunstâncias decorrentes da nova legislação, trataram de acaparar previamente todos os terrenos potencialmente petrolíferos, PARA IMPEDIR A EXPLORAÇÃO.

Todo o conteúdo das revelações de Harry Koller é rigorosamente verdadeiro.

Tomemos, por exemplo, duas regiões indicadas pelo geólogo americano: a de Piraju, em S. Paulo e a de Ribeirão Claro, no Paraná.

Tendo Washburne, quando em serviço do governo de S. Paulo, localizado uma anticlinal em Belo Monte, na comarca de Piraju, conforme se verifica das suas conclusões publicadas no relatório da Secretaria da Agricultura de 1928 (pgs. 298 a 324), para aquela cidade afluíram diversos geólogos estrangeiros e dois diretores de companhias estrangeiras batizadas de nomes nacionais: o sr. Ivar Hoppe, da Pan Geral Brasileira de Petróleo; e o sr. dr. Luiz Oscar Taves, da Companhia Brasileira de Petróleo. A Pan Geral é Standard. A Brasileira é outro truste. Dentro em pouco iremos identificá-las convenientemente.

Na fazenda dos irmãos Furlan, em Belo Monte, abriu-se um poço com uma sonda do governo federal. Quando o poço principiou a revelar petróleo de um modo positivo, e com violentas explosões subterrâneas, foi interrompido. Tentaram obstruí-lo com cimento armado, porém os irmãos Furlan a isso se opuseram, como no-lo narram na carta já referida. Paralisaram-se os trabalhos completamente em 1930.

Mas os diretores das citadas entidades empenharam-se em obter arrendamentos do subsolo de todos os proprietários da zona recomendada, mediante as seguintes bases essenciais: os proprietários conservariam a liberdade de cultivar a superfície; as companhias deveriam iniciar as perfurações dentro de um ou dois anos, e enquanto não o fizessem, no prazo comum de dez anos de todos os contratos, ficavam obrigadas a pagar uma multa anual de dez mil réis por alqueire contratado.

Oferecemos, em anexo, dois exemplares desses contratos, celebrados por escritura pública no primeiro cartório daquela comarca. Um, em 21 de maio de 1931, entre os srs. Francisco Alves de Almeida e sua mulher, como senhores de um sítio de doze alqueires, e a Companhia Pan Geral Brasileira de Petróleo, representada pelo seu presidente sr. Ivar Hoppe e este pelo seu procurador sr. Leônidas de Carvalho. Outro, em 3 de Junho de 1931, entre os srs. Manoel Joaquim Vieira e sua mulher, como donos de um sítio de cinquenta e quatro alqueires, e a Companhia Brasileira de Petróleo, representada pelo seu procurador dr. Luiz Oscar Taves. Iguais a esses foram lavrados cinquenta e dois contratos no primeiro tabelionato de Piraju, sendo quarenta e seis da Pan Geral e seis da Brasileira. Contrataram com a Pan Geral os seguintes proprietários:

1 — André Martins Crespo e sua mulher.
2 — Lázaro da Silva Leme e sua mulher.
3 — José Anicésio Pena, sua mulher e outros.
4 — D. Leopoldina Mariana de Faria e outros.
5 — João Dall'Agnolo e sua mulher.
6 — Victorio Vecchia e sua mulher.
7 — Pedro Bonametti e sua mulher.
8 — Antônio Alves da Silva e sua mulher.
9 — Joaquim Alves Martins e sua mulher.
10 — Antônio Martins de Araújo e sua mulher.
11 — Benedicto José Gonçalves e sua mulher.
12 — Coronel Joaquim Rodrigues Tucunduva.
13 — João Dias e José Leme de Brito e suas mulheres.
14 — Antônio Ignácio Franco, sua mulher e outros.
15 — José Rodrigues de Camargo.
16 — José Pedro da Silva Leme e sua mulher.
17 — João Leme de Oliveira e sua mulher.
18 — Lázaro da Silva Leme e sua mulher.
19 — Dr. Claro César e sua mulher.
20 — Martim Wolf e sua mulher.
21 — José Generoso da Costa e sua mulher.
22 — Elias de Souza Oliveira e sua mulher.
23 — Francisco Alves de Almeida e sua mulher.
24 — Miguel Leonel Ferreira e sua mulher.
25 — José Lopes Olmo e sua mulher.
26 — Mariano Jodar e sua mulher.
27 — Sinibaldo Caramaschi e sua mulher.
28 — Manoel Alher e sua mulher.
29 — José Lúcio Ferreira e sua mulher.
30 — Antônio Cestari e sua mulher.
31 — Pedro Leme de Brito e sua mulher,
32 — João Leme de Brito.
33 — D. Rita Maria Francisca.
34 — Matheus Benedicto Dias, sua mulher e outros.
35 — Cândido Leme de Brito e sua mulher.
36 — Apparecido Cabral e sua mulher.
37 — João Eiras e sua mulher.
38 — Antônio Ignácio, sua mulher e outros.
39 — Francisco Pereira da Silva e sua mulher.
40 — João Domingues de Oliveira e sua mulher.
41 — Ataliba de Castro Negrão e outros.
42 — Thomaz Martos Porcel e sua mulher.
43 — Isaías Assis de Paiva, sua mulher e outros.
44 — Adriano Custódio de Souza e sua mulher.
45 — Lázaro Marcelino da Motta e sua mulher.
46 — Indalécio Fernandes e sua mulher.

Contrataram no mesmo ofício com a Companhia Brasileira de Petróleo, os seguintes agricultores:

47 — Jorge Mello e sua mulher.
48 — Jorge A. Jeffery e sua mulher.
49 — Mário Martinelli, sua mulher e outros.
50 — Coronel Antônio Eulálio de Carvalho.
51 — Manoel Joaquim Vieira e sua mulher.
52 — José Gery e sua mulher.

No cartório do segundo tabelião de Piraju encontram-se mais sete contratos com a Companhia Brasileira de Petróleo, o que eleva a cinquenta e nove o total das escrituras públicas de concessões do subsolo, incluindo-se mais os seguintes proprietários:

53 — Máximo Barradas.
54 — Salvador Cortez.
56 — Antônio Maximiano de Godoy.
57 — Carlos Nillo de Morais.
58 — Justino Francisco da Rocha.
59 — João Severino da Rosa.

E passemos agora a Ribeirão Claro, na vizinha fronteira do Paraná, em que Washburne também localizou outra anticlinal.

Nessas localidades as duas empresas contratadoras conseguiram mais sessenta e nove convênios iguais, também por escrituras públicas, passadas nos seus cartórios, sendo vinte e três da Brasileira e quarenta e seis da Pan Geral, o que perfaz, somente nesses dois municípios, o zelo total de cento e vinte e oito contratos de subsolo. O sr. Taves, da Brasileira, obteve os seguintes clientes:

60 — João Carlos de Faria.
61 — Carlos Stirti.
63 — Fernando Martini.
64 — Francisco de Oliveira Carvalho.
65 — Apparício Alves de Campos.
66 — Desidério Gavioli e Filhos.
67 — Antônio Thomaz Camilo Ruas.
68 — Joaquim Correia.
69 — Eugênio Minghini.
70 — Maria Delfina de Jesus, filhos e genros.
71 — João Pereira da Silva.
72 — Augusto Seraphim.
73 — José Paulino Rodrigues de Aguiar.
74 — Virgílio e Victório Chiarotti.
75 — Menores Benedicta Pereira da Silva e seus irmãos.

76 — Carlos Campana.
77 — João Baptista Amadeu.
78 — Estevam Callegari.
79 — Pelegrino Piolli.
80 — José Lino de Almeida.
81 — Fortunato Salvalaggio.
82 — Antônio Pedron e outros.

Com o sr. Ivar Hoppe, presidente da Pan Geral, representado pelo sr. Leônidas de Carvalho assinaram contratos as seguintes pessoas:

83 — Baptista Minghini.
84 — João Rosso.
85 — José Rodrigues de Almeida.
86 — Pedro Ross.
87 — Pedro Amadeu.
88 — Leodor Benedicto da Silva.
89 — Mário Frigieri.
90 — Salvador Frigieri.
91 — José Francisco Adolpho.
92 — Eugênio Antônio Pinto.
93 — Paulo Baccon.
94 — Ricardo Denobi.
95 — Anacleto Campos.
96 — Sebastião Antunes Ferreira.
97 — João Baccon.
98 — Juvenal Antunes Ferreira.
99 — Lourenço Maximiliano da Cunha.
100 — Benedicto Cirelli e outros (menores).
101 — Apparício Leonel de Carvalho (menor).
102 — Bernardino Pereira Padilha.
103 — Felício Minghini.
104 — Manoel Alves de Campos.
105 — Antônio Panichi.
106 — Donaria Maria de Jesus.
107 — Salvador de Campos e Joaquim Correia Barbosa.
108 — Giácomo Biagio.
109 — Antônio Cirelli.
110 — Felício Minghini.
111 — Leopoldina Maria de Jesus e outro.
112 — Giácomo Biagio (outro).
113 — Ruginini Maria e outros.
114 — Pedro de Lorena Neia.
115 — Venerando José da Silva e outros.
116 — Joaquim Roque Teixeira.
117 — Francisco Bernardo Neia.

118 — Anacleto Matavelli.
119 — Benedicto Correia Ferraz.
120 — Alfredo Cirelli e outros.
121 — Sebastião Manoel dos Santos.
122 — José Manoel dos Santos.
123 — Olinda Leonel de Carvalho (menor).
124 — Álvaro César de Camargo.
125 — João Amadeu Baptista.
126 — Frederico Gardi e outros.
127 — Moysés Rahuam.
128 — Sebastião Manoel dos Santos.

Os contratos de Piraju e de Ribeirão Claro são a documentação indiscutível, incontrastável, peremptória da verdade das acusações que Monteiro Lobato formulou e da sinceridade da carta que Koller lhe dirigiu. Há que analisar a extrema gravidade dessa situação. Antes, porém, atentemos bem na técnica contratual, maduramente pensada e aplicada pelos departamentos especializados dos trustes.

Eles estatuem uniformemente, por um prazo decenal, *a exclusividade* de prospecção, pesquisa, descoberta, exploração, extração e produção de óleo. Desde que UM POÇO seja perfurado nesse tempo, *será prorrogado o prazo por igual período subsequente de dez anos, e assim indefinidamente, enquanto não se esgotarem as jazidas*. Se pelo menos um poço não for iniciado (*note-se bem, apenas* INICIADO) dentro de um ano, pela Pan Geral, ou dentro de dois, pela Brasileira, *as empresas se obrigam a pagar aos proprietários anualmente, no decurso do contrato, dez mil réis por alqueire da área estipulada e assim sucessivamente até o início da perfuração do primeiro poço*. Na falta de INÍCIO DE PERFURAÇÃO desse primeiro poço, OU NA FALTA DOS PAGAMENTOS A SEREM FEITOS EM VEZ DO INÍCIO DA PERFURAÇÃO, os proprietários terão direito à rescisão do contrato. A esse respeito somos seguramente informados de que os pagamentos vêm sendo efetuados com rigorosa pontualidade. Todos os anos o pagador oficial de cada empresa corre a sua zona e salda *o foro especial de não perfuração*. Isto é, *pagam para não furar*. Não perfurar é impedir produção. Impedir produção é assegurar o consumo procedente do exterior. Os Césares do petróleo não haviam mesmo de admitir que de seu império escapasse a grande providência de consumo do Brasil. Habilmente inventaram então a fórmula do senhor pagar um foro de benefício aos servos para que a servidão continue. O que eles acaso despendam nessas anuidades, ser-lhes-á, se necessário, imediatamente reposto com um pequeno acréscimo de tabela nas bombas de gasolina que nos abastecem. O donos dos terrenos de S. Paulo, Paraná, Mato Grosso, e outras regiões ganham esse tributo de César para que o Brasil permaneça na escravidão econômica do petróleo.

Essa dura escravização está garantida inicialmente *pelo menos por dez anos*, dentro dos quais os proprietários, mediante uma indenização irrisória, aceitam o jugo dos contratos. Eles não são os culpados diretos. Culpado direto é o departamento nacional que os mantêm na ignorância das riquezas de seu subsolo, com a tese oficial de que em tais zonas não há possibilidade de petróleo. Não admira, pois, que o proprietário territorial, desiludido pelo órgão técnico da administração, aceite a primeira proposta que lhe proporciona uma renda qualquer. A inconsciência não é deles. É das altas esferas dirigentes."

Que houve depois de 1936?

Estou escrevendo esta parte muito depois de finda a luta pelo petróleo, a *Mein Kampf* que durou desde 1931, por ocasião do aparecimento da Cia. Petróleos do Brasil, até 1941, ano da minha condenação pelo Tribunal de Segurança. Durante a maior parte desse tempo lutei com todas as armas — o jornal, o livro, o panfleto, a conferência, a formação de companhias, a perfuração de poços — e as coisas se iam equilibrando. Mas veio o golpe de estado de 1937. Desapareceram como sorvete ao sol todas as liberdades civis. A imprensa foi amordaçada. Uma ditadura gosmenta envolveu o país inteiro num visgo de mentira onímoda. A derrota dos que teimavam em dar petróleo ao Brasil tornou-se inevitável.

O Departamento Mineral passara a dispor de todos os meios de compressão, e as empresas nacionais estavam impedidas até de gemer. E para que a vitória do Não-Petróleo fosse perfeita surgiu inopinadamente um monstro administrativo denominado *Conselho Nacional do Petróleo*. Que história é essa? Pois se não há petróleo no Brasil, como afirma o governo, para que um Conselho do que não existe? O povo a princípio não entendeu, mas começou a entender quando viu no comando do Conselho um general. Sim, fosse o Conselho uma coisa apenas técnica e o seu diretor tinha de ser um técnico; se punham na direção um general absolutamente leigo em matéria de petróleo, então, não havia dúvida, os verdadeiros fins do Conselho eram mavórticos — eram matar de vez as companhias nacionais de petróleo, extinguir a tiro de canhão o movimento popular pró-petróleo, amordaçar com granadas de mão a boca dos pioneiros, realizar, em suma, perfeitos atos de guerra contra um inimigo.

E nunca houve um general tão ajustado à missão. Escorado pela Ditadura, livre de qualquer crítica por parte da imprensa, onipotente no "comando" do Conselho — um grupo de tímidas ovelhas que só diziam "mé" — esse homem comportou-se com a arrogância dum *gauleiter* ou dum Protetor da Boêmia e da Morávia.

Ao advogado de uma de nossas companhias que, polida e civilizadamente, o procurou para acentuar a ilegalidade dum ato do Conselho, enfunou-se todo e disse em tom passo-de-ganso: "A Lei sou eu. Sou a Lei Viva". Os países em que a imbecilidade insolente chega a tais cumes, sem que o povo reaja com a vassoura da purga, acabam miseravelmente como a Alemanha, o país donde vinham todos os figurinos da grosseria.

O Conselho venceu. Matou uma a uma todas as companhias nacionais de petróleo, e não lhes permitiu nenhuma declaração pelos jornais — a fim de pô-las mal perante os acionistas. O Conselho acusava publicamente as companhias e não lhes permitia que se defendessem. A infâmia era perfeita. E os jornais foram proibidos de falar em petróleo, nem que fosse academicamente.

Apesar da Lei Viva na direção do Conselho, fizeram-se necessários muitos decretos e leis comuns para a destruição integral das companhias. E essas armas de guerra foram vindo em sucessão, a partir do Código de Minas decretado em 1934 — essa Declaração de Guerra ao Petróleo Nacional.

O ditador não era só. Subdividia-se em vice ditadores, sub-ditadores, infra ditadores, através de todos os seus auxiliares, órgãos autárquicos, órgãos técnicos, etc., cada qual formulando novas disposições inexistentes em leis do primeiro ditador — e isso deu atribuições legislativas até a simples escriturários.

O Conselho Nacional do Petróleo viveu legislando à vontade em casos particulares e criou uma lei para cada um, já que o seu presidente era a própria *lei viva*... Certa feita, na questão de validade de um documento, votaram contra 5 e a favor 2; o presidente declarou: "Tendo havido empate, voto por desempate a favor..."

As leis dessa natureza, leis *ad-hoc* do Conselho, são inumeráveis e inumeradas... e não constam da relação seguinte.

Leis do Petróleo

1 — Código de Minas — dec. 24.642 de 10-7-1934.

2 — Dec. 24.673 de 11-7-1934: Cria as taxas dos Códigos de Minas e Águas.

3 — Lei 94 de 10-9-1935: Prorroga o prazo fixado no art. 1° do Código de Minas.

4 — Dec. 371 de 8-10-1935: Transfere ao Estado de Minas atribuições de concessão de minas e jazidas.

5 — Dec. 585 de 14-11-1936: Regula as áreas de autorização e pesquisas.

6 — Dec. 1.657 de 18-5-1937: Altera o limite de áreas do dec. 585 de 36.

7 — Constituição de 10-11-1937: Dispõe sobre minas e jazidas.

8 — Dec.-lei n. 66 de 14-12-1937: Declara em vigor, com modificações, o Código de Minas e leis subsequentes e determina as bases de sua execução.

9 — Dec.-lei n. 366 de 11-4-1938: Incorpora ao Código de Minas novo título instituindo novo regime legal do petróleo.

10 — Dec.-lei n. 395 de 29-4-1938: Declara de utilidade pública a importação, exportação, transporte, distribuição e comércio do petróleo e a indústria de refinação de petróleo importado ou não e cria novas exigências para a incorporação de sociedades dessa natureza.

11 — Dec.-lei 538 de 7-7-1938: Organiza o Conselho Nacional do Petróleo.

12 — Dec.-lei 938 de 8-12-1938: Estabelece a autorização prévia do governo para o funcionamento das sociedades de mineração de petróleo.

13 — Dec.-lei 961 de 17-12-1938: Modifica o decreto-lei 395 criando a exigência de nacionalidade brasileira para todos os acionistas.

14 — Aprovação do Presidente da República ao parecer do Procurador Geral da República interpretando a questão da nacionalidade brasileira — (Diário Oficial de 2/1/1939).

15 — Dec.-lei 1.217 de 24-4-1939: Transfere ao Conselho Nacional do Petróleo a atribuição de processar as autorizações e concessões.

16 — Dec. 4.071 de 12-5-1940: Regula o abastecimento nacional de petróleo.

17 — Dec.-lei n. 1.369 de 23-6-1939: Transfere para o Conselho Nacional do Petróleo o material do Ministério da Agricultura para a pesquisa e lavra do petróleo e gases naturais.

18 — Decreto-lei de 29-1-1940: promulga o novíssimo Código de Minas, publicado no "Diário Oficial" de 30-1-1940.

19 — Retificação do § 2.° do art. 3.° do mesmo Código, publicada no "Diário Oficial" de 10-2-1940.

20 — Decreto-lei 2.627 de 26-9-1940 que, regulando as sociedades anônimas, interferiu na organização das sociedades de petróleo.

21 — Decreto-lei n. 3.236 de 7-5-1941: modifica o Código de Minas de 29-1-1940, instituindo *novo regime legal das jazidas de petróleo* e introduziu novos dispositivos sobre a organização e funcionamento das empresas de petróleo.

Desde a Constituição de 1937 as leis subsequentes foram restringindo o direito de organização das empresas de petróleo, excluindo gradualmente, de toda e qualquer forma, a participação do capital ou elemento estrangeiro, mesmo os naturalizados brasileiros.

O cúmulo dessa restrição figura no parecer de 2-1-1939, da Procuradoria Geral da República, aprovado pelo Chefe do Estado, em resposta a consultas do Conselho Nacional do Petróleo. Concluiu tal parecer: 1° que o brasileiro nato, casado com estrangeira, no regime da comunhão de bens, não podia ser acionista de empresas exploradoras da indústria de petróleo; 2° que, da mesma maneira, não podia ser acionista de empresas para fins de mineração.

Foram dados efeitos retroativos a todas essas leis de organização das empresas, de sorte que, de asfixia em asfixia, em 1941, todas já estavam sepultadas no cemitério oficial do petróleo. Extinguiu-se o movimento popular pró-petróleo nacional. Firmou-se a escravização do Brasil aos trustes onipotentes. O pedestal de miséria do povo em que as classes altas se assentam, consolidou-se; não mais a hipótese de desagregá-lo, de desfazer a miséria de dois terços do país por meio do enriquecimento que o petróleo traria, como trouxe a todos os países em que foi revelado e explorado.

Dezenas de milhares de contos da economia popular postos em ações das empresas de petróleo ficaram totalmente perdidos. Nunca um general obteve mais completa vitória. E como seria incoerência continuar como o Coveiro das companhias nacionais de petróleo, pois não havia nenhuma desenterrada, o general Lei Viva passou a zelar pela sua vitória contra o Brasil — passou ao cargo de Zelador do Cemitério do Petróleo. ([14])

ÚLTIMA REAÇÃO DOS PETROLEIROS

Impossibilitados de trabalhar nos poços em andamento, impossibilitados de se defenderem em público, com todos os ventos contrários, o desânimo nas hostes petroleiras se tornou absoluto. A Cia. Petróleos do Brasil, com o seu belo poço do Araquá já em mil quinhentos e trinta metros, não podia prosseguir no avanço, porque as leis retroativas a manietavam. A Companhia propôs ao Conselho uma

---

14 Há o caso do geólogo polonês que apareceu no Rio de Janeiro, ao tempo em que era Ministro da Agricultura o Sr. Fernando Costa. Era um sábio de renome europeu, e da visita que fez ao Ministro resultou a ideia duma sua conferência sobre o petróleo em geral. Fernando Costa providenciou tudo, sala para a conferência, convites, etc. Mas nada se realizou porque horas antes da conferência a polícia apareceu no hotel onde se hospedara o sábio, agarrou-o e levou-o para a cadeia. Com ordem de quem? Do general Horta Barbosa, Presidente do Conselho Nacional do Petróleo. Por quê? Porque o sábio polonês, sem sua licença, ia falar sobre um tema proibido, o petróleo. E o Ministro da Agricultura lutou para arrancar o prisioneiro às garras do general...

solução prática: prosseguir na perfuração do poço do Araquá, com a subvenção que o governo de S. Paulo lhe estava dando; entrementes continuaria na tarefa de nacionalização dos seus acionistas imposta pelo Conselho. Se por acaso o poço viesse a dar petróleo antes de concluída a nacionalização, o Conselho fecharia o poço e fixaria para a Petróleos um prazo para completar a nacionalização. Se a Petróleos não o fizesse dentro do prazo, o poço passaria a pertencer ao governo federal.

Essa proposta foi levada ao Presidente Getúlio pelo próprio Interventor Adhemar de Barros. O Presidente concordou, achou muito justa e boa a proposta; mas como havia um departamento petrolífero — o Conselho Nacional do Petróleo — ele que fosse ter com esse órgão e trouxesse de lá o decreto sobre o assunto discutido, para ser assinado.

O Interventor Adhemar de Barros foi ter com o general Lei Viva, expôs-lhe o caso e comunicou a determinação do Presidente da República. O general enfezou-se todo, perfilou-se e disse:

— "Não me fale mais nesse assunto. O poço dessa companhia não irá para a frente porque nós não queremos, e para manter a nossa determinação recorreremos até à força militar, se for preciso."

Diante de tal decisão, o Interventor de S. Paulo e o Presidente da República encolheram-se...

A Cia. Mato-grossense, com duas sondas montadas em Porto Esperança, não tinha licença de pô-las em movimento. O poço da Cia. Nacional de Petróleo, de Alagoas, que estava sendo aberto no ponto marcado pelos geofísicos de ELBOF, não pôde passar de cento e poucos metros. Proibido de avançar! A mesma coisa com as outras empresas ainda não de todo mortas.

Nessa altura, engulhado com tamanha infâmia, enderecei ao Presidente da República a seguinte carta:

São Paulo, 5 de maio de 1940.

Dr. Getúlio:

O Petróleo! Nunca o problema teve tanta importância: e se com a maior energia e urgência o senhor não toma a si a solução do caso, arrepender-se-á amargamente um dia, e deixará de assinalar a sua passagem pelo governo com a realização da Grande Coisa. Eu vivi demais esse assunto. No livro O Escândalo do Petróleo denunciei à nação o crime que se cometia contra ela — e com a maior dor de coração vejo hoje que o oficialismo *persiste nesse crime*, e agora armado duma arma que não existia antes: o monstruoso tanque chamado CONSELHO NACIONAL DO PETRÓLEO.

Dr. Getúlio, pelo amor de Deus ponha de lado a sua displicência e ouça a voz de Jeremias. Medite *por si mesmo* no que está se passando. Tenho a certeza de que se assim o fizer, tudo mudará e o pobre Brasil não será crucificado mais uma vez.

Histórico

A procura de petróleo era uma atividade aberta a todos os brasileiros e na qual muita gente, nos últimos anos, começava a empenhar-se. Surgiram empresas novas. O capital principiava medrosamente a interessar-se pelo assunto. Os obstáculos eram os obstáculos naturais do negócio, e os artificiais criados pelas entidades que nos vendiam petróleo e muito naturalmente não queriam que tivéssemos petróleo próprio. Mas íamos vencendo a campanha. Eu e meus amigos conseguimos formar três companhias novas. E tal foi o vulto do movimento petrolífero que o governo, que jamais no Brasil cuidara do petróleo, entrou em cena e, com as melhores intenções, criou o CONSELHO NACIONAL DO PETRÓLEO.

Mas rapidamente esse órgão fugiu à sua missão. E tais coisas pôs-se a fazer, que convenceu o povo de que o *Governo não quer que os brasileiros tirem petróleo*. Também se vai generalizando a opinião de que a política oficial obedece, mais do que nunca, aos interesses do imperialismo da Standard Oil, dona do mercado nacional, visto como o resultado da política do CONSELHO só beneficia a essa entidade.

Parecerá absurda semelhante afirmação, porque nas falas do CONSELHO as palavras "pátria" e "nacionalismo" dançam um foxtrote no palco dos "considerandos" justificatórios — mas no fim da dança só saem ganhando as companhias estrangeiras que nos vendem petróleo. Quanto mais retardarmos a criação da grande indústria petrolífera, tanto melhor para elas — e outra coisa não faz o CONSELHO, 1) com a perseguição sistemática às empresas nacionais; 2) com o amontoamento de embaraços legais à exploração do subsolo; 3) com a ideia secreta do monopólio oficial; e finalmente 4) *com o tiro de misericórdia que, sub-repticiamente, acaba de dar em nossas companhias com o decreto-lei 2.179 de 8 do mês passado.*

Qui prodest?

Na investigação dum crime o primeiro passo dos criminologistas é estudar a quem o crime aproveita. *QUI PRODEST?* — A QUEM APROVEITA? Pois bem: não há um só ato do CONSELHO que, próxima ou remotamente, não aproveite ao polvo Standard Oil — e só a ele...

Destruição das companhias nacionais

Os Estados Unidos abriram o primeiro poço em Titusville em 1859. Um ano depois já havia lá cento e setenta e quatro poços e dezenas de companhias novas. E o movimento foi em marcha ascensional até chegar à média de vinte mil poços por ano, na qual se mantém até hoje.

O Brasil abriu o primeiro poço de petróleo no Lobato, em 1938. Um ano depois estava com *três poços a menos* e três companhias feridas de morte pela ação do Conselho! Neste andar, quando chegaremos aos vinte mil poços por ano dos Estados Unidos?

Vamos aos fatos.

A *CIA. PETRÓLEOS DO BRASIL* estava perfurando em São Paulo o poço do Araquá, e já o havia levado a mil quinhentos e trinta metros. O Conselho *mandou parar* essa perfuração e trancou a companhia!

A *CIA. CRUZEIRO DO SUL*, também em S. Paulo, estava parada, mas com um poço a quatrocentos e trinta metros de profundidade; ia organizar-se para prosseguir na perfuração, quando o Conselho *lhe cortou* braços e pernas.

A CIA. MATOGROSSENSE DE PETRÓLEO, que se constituiu em 1938, está com *duas* sondas montadas em Porto Esperança, mas *até agora não foi reconhecida* pelo Conselho, *não podendo*, portanto, trabalhar.

A CIA. PETRÓLEO NACIONAL, de Alagoas, encontra-se na mesma situação.

Restam a ITATIG e a COPEBA, das quais não tenho conhecimento da vida interna.

Os fatos são estes, e contra fatos de nada valem sofismas. Esses fatos tornam bem clara a política do Conselho: *impedir que as empresas nacionais trabalhem, impedindo assim que o Brasil tenha petróleo em abundância*; ficar toda a vida com os pocinhos oficiais do Lobato — e é exatamente o que o Polvo Standard quer, porque assim continuará dono do nosso mercado interno e sem o perigo dum novo concorrente no mercado mundial.

Os pretextos

Nunca faltam pretextos às políticas de segundas intenções. Para que o Conselho pudesse executar o seu programa de massacre, promulgaram-se duas leis horrorosas, que em meu livro denunciei como gestadas pela Standard e paridas pelo nosso nacionalismo ingênuo.

Uma é a Lei de Minas, na qual se criam tantos embaraços à exploração do subsolo que ninguém mais se atreve a pensar nisso. Outra é a Lei do Petróleo, que pôs nas mãos do Conselho todas as armas para a completa aniquilação dos esforços do país na exploração do petróleo.

A ideia central dessas leis é a *nacionalização do capital*. Mas houve uma insidiosa confusão. Evitar que o capital estrangeiro se aposse das nossas reservas minerais, é coisa plenamente justificável; mas *impedir que o estrangeiro que está no Brasil se torne acionista das empresas, é maldade pura*. Esses estrangeiros — um português aí do Rio, que veio mamando e aqui enriqueceu; um italiano cá de São Paulo que veio há cinquenta anos e também aqui enriqueceu — *são detentores de capital nacional, são compartipantes do Capital Nacional*, impedir que sejam acionistas de petróleo é maquiavelismo puro, cujo único fim foi, *sob capa de nacionalismo, fazer que a parte maior do capital nacional disponível* (justamente a que está na posse desses homens) não pudesse contribuir para o desenvolvimento da indústria do petróleo, desse modo agravando as dificuldades de dinheiro das empresas nacionais. Matarazzo pode dirigir uma gigantesca indústria de alimentos, coisa que diz diretamente com a nossa vida e saúde — mas não pode tomar uma ação de cem mil réis numa empresinha de petróleo! Um nacionalismo que raciocina desse modo, evidentemente não pensa com o cérebro — sim com qualquer membro menos nobre do corpo.

Com essa exigência, a nossa "política secreta" do petróleo deu o golpe número um nas empresas nacionais, retirando-lhes o concurso de DOIS TERÇOS do *capital nacional*. O segundo golpe foi, aproveitando-se dessa grotesca disposição de lei, exigir que companhias *formadas há anos, dentro das leis vigentes na época*, expulsassem os acionistas estrangeiros. O Conselho manda expulsá-los, *mas não diz como*, esquecido de que esses acionistas *estão assegurados* por todas as nossas leis.

Existe uma coisa chamada Código Civil, que o Conselho na sua inopia desconhece. Esse Código não prevê essa expulsão desejada pelo Conselho.

E desse modo as nossas quatro companhias ficaram sem saber como agir: dum lado, o Conselho com a sua proibição: *não pode trabalhar enquanto houver entre os acionistas um só português ou italiano*; do outro lado, o Código Civil garantindo a propriedade desses portugueses e italianos...

Mas houve uma companhia, a MATOGROSSENSE, que realizou o milagre: desembaraçou-se de *todos* os acionistas estrangeiros, apresentando certidão de nacionalidade brasileira de todos os seus subscritores. Pois bem: apesar de já estar constituída há um ano e oito meses, o Conselho *continua sabotando essa companhia*, impedindo-a de trabalhar, negando-lhe a declaração de "companhia nacionalizada".

Não está mais que clara a intenção malevolente?

Monopólio petrolífero

A opinião pública anda convencida de que é ideia secreta do governo monopolizar o petróleo. Mas se é assim, porque não o faz? O Estado Novo tem nas mãos todos os elementos necessários para isso. Agir como está agindo será tudo, menos honesto. Porque o que o Conselho está fazendo não passa disto: *aniquilamento das companhias por inanição, para não ter de indenizar os acionistas*.

O honesto, o decente, seria oficializar o petróleo e encampar as empresas, indenizando os acionistas. Esses acionistas, aos milhares, são gente do povo, que por mero idealismo empatou suas magras economias em ações de empresas que os capitalistas grossos refugavam.

A PETRÓLEO DO BRASIL tem um capital de três mil contos distribuído entre mil e duzentos acionistas. A CRUZEIRO DO SUL tem um capital de seis mil contos, distribuído entre uns quinze mil pequenos acionistas. A CIA. PETROLÍFERA BRASILEIRA, que nem chegou a constituir-se, tinha um capital de vinte mil contos de uns dez mil acionistas. O capital da MATOGROSSENSE é de vinte mil contos, de treze mil acionistas, que as compraram em prestações e ainda as estão pagando. O capital da CIA. PETRÓLEO NACIONAL, de Alagoas, é também de vinte mil contos, só em parte subscrito por alguns milhares de acionistas.

Para não restituir o dinheiro dessa pobre gente, o Conselho foge de adotar a encampação; prefere ir matando as empresas no garrote, uma por uma. Que adjetivo merece tal política?

Outro aspecto do monopólio é a *impossibilidade* do governo criar por esse meio a grande indústria de petróleo que o Brasil precisa. O senhor não ignora a incapacidade do estado no mundo inteiro para dirigir empresas industriais, incapacidade por demais evidente no Brasil. O Lloyd Brasileiro e a Central do Brasil são exemplos típicos e eternos. Perpétuas fontes de desastres, de desordem e déficits. A indústria do petróleo, oficializada pelo governo, viria fazer desse duo um trio, com tremendos gravames para o tesouro e péssimo serviço para o público. Quem, em consciência, negará isto?

E onde o governo descobriria os milhões de contos necessários para a criação dessa indústria? Tão grandes são as exigências de capital na montagem da indústria do petróleo, que só com o concurso de todo o país o conseguiremos, como se deu nos Estados Unidos e em todos os países que a têm. *País nenhum* ainda monopolizou o petróleo. A Argentina criou os Yacimientos Fiscales, instituição semi-oficial, *mas deixou livre a exploração pelos particulares*. Não houve monopólio, como o Conselho parece querer instituir aqui. E mesmo assim foram necessários mais de um milhão de contos para movimentar os Yacimientos. Onde o nosso governo vai achar esse dinheiro? Mas não quero fugir ao ponto. O ponto é este: se o governo quer monopolizar o petróleo, que o faça, mas encampando as companhias particulares, e indenizando o povo do dinheiro que a elas forneceu. Ficar no jogo atual do Conselho, de ir matando as companhias, é política merecedora dos piores qualificativos do dicionário. Consulte a sua consciência, Dr. Getúlio, e veja se é ou não é assim.

A INEFICIÊNCIA OFICIAL

A prova na ineficiência e incompetência dos órgãos oficiais em matéria de petróleo, tivemo-la no caso do Lobato. Quem descobriu aquele petróleo foi Oscar Cordeiro([15]), e levou anos em luta com o Departamento Mineral (do qual o Conselho é hoje o digno sucessor) para que lá se fizessem os necessários estudos e perfurações. O Departamento afinal moveu os seus insignes técnicos e estudou a zona. Os resultados desse estudo aparecem no Boletim do Ministério da Agricultura, de abril-junho de 1934. As conclusões são estas:

> ESTA LOCALIDADE (LOBATO) DO PONTO DE VISTA DA GEOLOGIA DO PETRÓLEO É POSITIVAMENTE DESFAVORÁVEL À PRESENÇA DE HIDROCARBONETOS... O CONJUNTO GEOTETÔNICO DESSE LOCAL É ABSOLUTAMENTE NEGATIVO... OS ELEMENTOS TÉCNICOS ATESTAM DE MANEIRA FORMAL A NÃO EXISTÊNCIA DE JAZIDAS PETROLÍFERAS NO LOBATO... ESTÁ PROVADA À SACIEDADE A INEXISTÊNCIA DE DEPÓSITOS PETROLÍFEROS NO LUGAR DENOMINADO LOBATO, NA BAHIA.

Nada mais positivo, nada mais categórico, nada mais perfeito, em matéria de negação — *e no entanto foi exatamente naquele ponto que surgiu o primeiro poço de petróleo do Brasil*, historicamente tão importante como o de Titusville nos Estados Unidos! Ora, o povo não é idiota; sabe disso e ri-se quando o Departamento Mineral ou o Conselho afirmam qualquer coisa, porque sabe que o Conselho é o mesmo Departamento com outro nome — a mesmíssima gente, a mesmíssima mentalidade.

QUE CUMPRE FAZER

O que cumpre é fazer exatamente o contrário do que está sendo feito.

1) Substituir a indecorosíssima Lei de Minas, toda ela tendente a embaraçar a exploração do subsolo, por uma lei que venha fomentá-la. A Lei de Minas é tão monstruosa, que depois de promulgada *ninguém mais fez coisa nenhuma com o*

---

15 Acaba de ser preso e demitido do cargo de diretor da Bolsa de Mercadorias, que ele próprio fundou...

subsolo; e os raros que o tentam logo desanimam. Não foi lei feita para harmonizar os interesses privados com os públicos, mas para impedir, para *obstruir*, para *obstar*, para *trancar* — e o está conseguindo maravilhosamente!

2) Substituir também a Lei do Petróleo, que é pior que a de Minas, pois inventou novos embaraços esquecidos nesta.

Os efeitos da Lei do Petróleo já se tornaram patentes nos poucos meses de sua vida: poços fechados, companhias impedidas de funcionar, e *nenhuma* empresa nova formada. Isto é altamente significativo, Dr. Getúlio. Em todos os países o aparecimento do petróleo determina a *oil fever* — a febre do petróleo. Pululam imediatamente inúmeras empresas novas, o capital acode em crescente afluxo, e a coisa não para mais. Aqui foi o contrário. Depois de revelado o petróleo na Bahia, tudo morreu. A febre foi às avessas. O capital retraiu-se. O povo não quer mais ouvir falar em ações de companhias de petróleo. Ninguém mais pensou em organizar uma só companhia nova — uma só que fosse! E a coisa se perpetuará assim, se o Presidente da República não *inverter* a situação e convencer o povo de que o oficialismo não está vendido ao Polvo.

Que fazer praticamente?

1) Uma lei como a da Alemanha, subvencionando as companhias particulares por metro de poço perfurado. Imediatamente o público deduziria que o governo não é contrário ao petróleo e voltaria a ajudar as empresas existentes e as novas que surgissem.

2) Uma lei sobre estudos geofísicos. O governo contrataria turmas de geofísicos para fazer estudos nos terrenos das empresas particulares, só mantendo a subvenção por metro para as que perfurassem nos pontos aconselhados pela geofísica. Procedendo assim, articularia, da maneira mais prática e eficiente, a ação pública, previsora, com a privada, realizadora...

Bastava isso. O efeito desses dois passos seria fulminante. Restaurar-se-ia o movimento petrolífero que o Conselho matou. O Nordeste seria todo ele investigado, perfurado e teríamos poços produtores desde o Maranhão até Campos, no Estado do Rio, pois toda essa faixa é potencialmente petrolífera. E teríamos poços no Rio Grande do Sul, Santa Catarina, no Paraná, em São Paulo, em Mato Grosso e em Goiás. E o Brasil daria um imenso pulo à frente, com probabilidades de tornar-se, dada a extensão do seu território, o Quarto Poder do Petróleo. Como o dr. Getúlio sabe, há três Poderes dessa categoria. Primeiro, o Poder Mundial do Petróleo Americano. Segundo, o Poder Mundial do Petróleo Inglês. Terceiro, o Poder Mundial do Petróleo Russo. Seríamos o Quarto. Que maravilha!

Ouro líquido a brotar do seio da terra por mil bocas — por milhares de poços, como nos Estados Unidos. Todas as necessidades internas de combustível atendidas. Frotas de navios-tanques levando o petróleo do Nordeste para todas as partes do mundo. Nossa moeda revalorizada. O Exército forte, afinal. O Dr. Getúlio sabe que um exército só o é quando intensamente motorizado, e que não há motorização sem petróleo. Daí a tremenda luta dos atuais povos beligerantes para se abastecerem de petróleo. Na última guerra a vitória dos aliados veio sobre a onda de óleo que Rockefeller encaminhou para a França.

Com abundância de petróleo resolveríamos imediatamente o problema siderúrgico, e com ferro e petróleo seríamos *gente* e não a triste sombra de gente que somos. Se entrássemos agora numa guerra, só teríamos munição para um dia, foi a conclusão do general Marshall na visita que nos fez.

Qual o segredo dos Estados Unidos? Ferro e petróleo na maior abundância. Tirem-se de lá esses dois elementos, e o exército e a marinha daquele país serão coisas de mera aparência.

Suponha-se que quando jorrou o petróleo em Titusville, em 1859, surgisse lá o nosso Conselho com a mesma política que desenvolve entre nós. Que sucederia? *Exatamente o que está sucedendo aqui.* Nenhuma empresa nova. As existentes, destruídas como o Conselho destrói as nossas. E adeus, riqueza! adeus, expansão econômica! adeus, exército poderoso! adeus, marinha de verdade! E adeus, Estados Unidos!

Que diabo, Dr. Getúlio! Será que o nosso destino é o que Hitler deixa entrever em seu livro? *"Não se pode admitir que enquanto os países mais capazes do mundo sofrem de congestão demográfica, enormes territórios permaneçam desertos e sem desenvolvimento, ocupados por povos incapazes"*, disse ele. Também Reynaud, hoje premier da França, escreveu, quando Ministro das Colônias, que não concebia a possibilidade de guerra de expansão na Europa, enquanto houvesse países imensos, "como o Brasil", que estavam à espera de conquista,

Quem sabe dos futuros resultados da guerra atual? Quem sabe até quando os Estados Unidos manterão a doutrina de Monroe — a única coisa que impede a nossa conquista? Basta que nos falte o apoio dessa defesa, e estaremos empolgados pelo Japão, pela Alemanha, pela Itália ou outro povo extravasante. E poderemos acaso opor-lhes qualquer resistência? Poderemos aguentar a guerra moderna, toda baseada em ferro e petróleo, por uma semana que seja?

E, no entanto, poderíamos enfrentar o futuro, se não houvesse desabado sobre nós a desgraça do CONSELHO NACIONAL DO PETRÓLEO! Porque, sem ele, pululariam empresas pesquisadoras — e teríamos a mesma progressão de abertura de poços observada na América do Norte.

O destino das nações depende muitas vezes da atuação dum homem que enxerga mais longe que os outros. Dr. Getúlio: faça do caso do petróleo, como eu o exponho aqui, ponto do seu programa, objetivo de sua vida — e desse modo trabalhará para o Brasil dum modo infinitamente mais profícuo do que apenas regulamentando o que existe. O que existe é tão pouco, que não há regulamentação nenhuma que adiante. Sem riqueza real um povo apodrece.

Temos, entretanto, ferro, temos gasolina para todos os tanques do mundo, temos montanhas de ouro — tudo potencialmente, no subsolo. Leis que impedem a transformação da potencialidade teórica em realidade, como a Lei de Minas e a Lei do Petróleo, e instituições malévolas como o Conselho, equivalem a batalhas perdidas — correspondem ao preparo do terreno para que um dia o inimigo nos entre em casa, dizendo:

— Abençoados cretinos dirigiram este país. Graças a eles, aqui viemos encontrar, intactas, estas imensas reservas minerais que vão fazer a *nossa* grandeza.

O TIRO DE MISERICÓRDIA

Mas nada do mal que já fez foi julgado suficiente pelo Conselho. Era preciso dar um tiro de misericórdia nos "infames traidores" que querem dar petróleo ao Brasil. Era preciso garantir a situação da Standard Oil como dona do nosso mercado consumidor de petróleo — e veio o Decreto-Lei 2.179 de 8 de julho findo. Foi o Ponto Final. O Brasil leu-o e baixou a cabeça...

Esse decreto fixa os impostos sobre derivados do petróleo que porventura venham a produzir-se no país. A ânsia de fazer o jogo da Standard Oil é tamanha, que o Conselho chega a inventar uma novidade: *fixar impostos sobre uma coisa que ainda vai existir — fato virgem nos anais da História Econômica do Mundo!*...

Esse imposto proíbe a criação da indústria refinadora de petróleo no Brasil por meio da imposição duma taxa igual à existente sobre o petróleo importado. A nossa política econômica sempre foi protecionista. Taxa o produto estrangeiro para que a indústria correspondente possa desenvolver-se aqui. Era regra que nunca sofreu exceção — mas a exceção acaba de vir: para o petróleo! Todas as indústrias nacionais serão protegidas pelas tarifas de alfândega, menos a futura indústria do petróleo! Só ela ficará sem proteção nenhuma, forçada a lutar em perfeito pé de igualdade com a indústria equivalente estrangeira. Por quê? *Porque isso é o meio de firmar aqui dentro, de maneira inexpugnável, o domínio da onipotente Standard Oil Company*...

Esse Polvo está com a indústria montada, paga e repaga; dispõe de recursos financeiros ilimitados, com os quais destrói todos os concorrentes possíveis quando os defronta em igualdade de condições. O medo de prejudicar o Polvo fez que o Conselho injetasse cianureto de potássio no feto duma indústria nacional ainda por nascer: a do petróleo! Sejamos protecionistas da indústria nacional — menos no caso do petróleo, é como pensa o Conselho...

Talvez o Dr. Getúlio tenha interesse em conhecer alguns detalhes do caso concreto.

Os lucros médios das refinarias nacionais que operam com óleo cru importado são de cento e cinquenta réis por quilo de gasolina. O imposto estabelecido é de quatrocentos e trinta réis, e há ainda um aumento proporcional para os outros derivados do petróleo. A gasolina e o querosene destilados aqui eram dados ao público por cento e dez réis menos que os similares estrangeiros. A nova lei, matando esse lucro, mata as refinarias — destrói todo o capital nelas empregado, impede que elas fiquem a postos para refinar o futuro óleo cru nacional; *e também impede que alguém cuide de produzir petróleo no Brasil.* Que fazer dele, se não pode ser refinado?

Aparentemente o decreto só atinge as refinarias nacionais de petróleo, condenando-as ao fechamento. Mas na realidade *também condena ao fechamento todas as companhias que se formam para pesquisar e produzir petróleo bruto*. Logo, que foi senão o tiro de misericórdia no petróleo brasileiro? *QUI PRODEST?* — pergunto eu. A quem aproveita esse golpe? Ao polvo Standard Oil Company, unicamente...

Quem mais pensará em petróleo neste país, se depois de tirá-lo não pode refiná-lo, isto é, não pode pô-lo em forma comerciável?

Sofisma

É certo que sempre haverá a possibilidade de criar uma destilaria oficial, nos moldes já pleiteados pelo Conselho. Mas isso seria um monopólio contrário aos dispositivos expressos da Constituição de 10 de Novembro que estabelece *ser a iniciativa privada* a base da economia nacional. Também é inconstitucional o imposto porque atenta contra as refinarias nacionais, isto é, contra a iniciativa privada.

Não ignoro que o presidente da República tem se manifestado contra esse monopólio oficial, bem como o dos trustes internacionais. Não é segredo que em abril do ano passado o Conselho propôs o monopólio oficial, concentrando a pesquisa, a lavra e a industrialização do petróleo em suas próprias mãos. A ideia não foi aceita pelo Governo. Também não é segredo que em fins do ano passado o Conselho entrou com um projeto de lei sobre a instalação duma destilaria oficial, impondo que as destilarias particulares revertessem ao estado ao fim de dez anos, sem indenização nenhuma. Isto é, propôs o confisco decenal das empresas — o confisco da indústria particular — a pena de morte para a iniciativa privada. Ainda desta vez o projeto não logrou a aprovação do Governo e foi arquivado. Mas o Polvo não dorme e agora, sorrateiramente, sob a capa dum simples imposto de consumo, conseguiu o que queria. Em quatro linhas, e por tabela, condenou à morte a grande aspiração do petróleo brasileiro! O Polvo está radiante, porque embora ainda haja a possibilidade de instalação da refinaria oficial, isso o não incomoda. Sabe muito bem, com base na experiência do mundo inteiro, de como são precários os serviços industriais oficiais — as Centrais do Brasil, os Lloyds Brasileiros...

Resumo

O decreto 2.179 *arruína* a indústria nacional das refinarias; *aniquila* no berço as companhias nacionais de pesquisas e produção de petróleo; *paralisa* todas as iniciativas privadas nesse setor; *impossibilita* a formação de empresas novas; e PERPETUA a nossa situação de colônia econômica dos trustes internacionais.

QUI PRODEST? A quem aproveita essa política? Ao Brasil? Não. Unicamente ao Grande Polvo Standard Oil Company... E será possível, dr. Getúlio, que o senhor permita que tal monstruosidade ocorra no seu governo?

Dr. Getúlio: o senhor tem uma responsabilidade tremenda nos destinos do Brasil, maior que a de qualquer outro presidente. Pode, com a sua ação pessoal, fazer uma coisa imensa: destruir a Força Secreta que não quer que tenhamos petróleo nosso. Pode dar o golpe no Polvo como o México o fez. Pode passar para a História como um Grande Criador de Riquezas — mas o caminho é um só: INVERTER A POLÍTICA DO CONSELHO NACIONAL DO PETRÓLEO. Inverter! Fazer exatamente o reverso do que está sendo feito.

E se não agir depressa, se não pensar com sua própria cabeça, pondo de lado as insinuações dos promotores da atual política do petróleo, arrepender-se-á horrivelmente um dia — no dia em que deixar o Governo e verificar que foi iludido pelos lobos que se disfarçam sob a pele do carneiro "patriótico". A nota do "patriotismo" vibra em todas as resoluções do Conselho — mas ninguém se ilude com ela. O povo sorri e pergunta QUI PRODEST? E como tal patriotismo só aproveita aos trustes internacionais, lamenta que o homem que pode libertá-lo, que tem nas mãos as armas para conferir-nos o 13 de Maio econômico, deixe de o fazer — *iludido* pela voz de sereia dos interesses encapotados e surdo à voz do Brasil — o qual só se manifesta por meio de criaturas sem forças e sem manhas, como, por exemplo, este triste e desapontadíssimo.

(a) MONTEIRO LOBATO.

Dois dias antes havia eu dado igual denúncia ao general Góes Monteiro, chefe do Estado Maior do Exército, numa carta quase nos mesmos termos, em que havia o seguinte *Post Scriptum*:

P. S. — Depois de escrita esta carta chegou-me ao conhecimento o golpe final, o tiro de misericórdia que o Conselho desferiu na indústria do petróleo no Brasil. Um decreto-lei de 8 do corrente instituiu impostos sobre a futura gasolina e os futuros derivados do futuro petróleo nacional. *Pagarão eles as mesmas taxas que pagam os similares importados* — e assim a Standard Oil fica perfeitamente a seguro em suas posições aqui dentro. Colocando em absoluto pé de igualdade a poderosíssima Standard Oil e as incipientes empresas nacionais, claro que estas não poderão resistir à concorrência e abandonarão o campo.

Curioso! O governo sempre manteve política protecionista em matéria industrial. Sempre beneficiou todas as indústrias nacionais com tarifas de alfândega sobre os produtos similares estrangeiros, e assim permitiu a formação do nosso parque industrial. *Mas dessa política foi excluído o petróleo!* Todas as indústrias continuarão protegidas, menos a do petróleo! Só a indústria do petróleo nacional terá de manter-se em perfeito pé de igualdade com a estrangeira...

Curioso também que, pela primeira vez no mundo, se estabeleçam taxas sobre produtos ainda não existentes. A fúria do Conselho em bem servir à Standard Oil inventou uma coisa inédita: a taxação de fetos, a taxação de produtos ainda por existir!...

A indústria de refinaria do óleo cru já estava se estabelecendo entre nós. Entre grandes e pequenas, já tínhamos umas quarenta refinarias do óleo cru importado, e era nessas refinarias que iríamos refinar os primeiros óleos crus extraídos aqui. A margem de lucro dessas refinarias era de uns 100 réis por litro de gasolina. Mas sendo a taxa que o Conselho lançou de quatrocentos e trinta réis por litro, o lucro de cem réis desaparece, substituído por um déficit de trezentos e tantos réis. Consequências: *todas terão de fechar as portas e desaparecer...*

Ora, se o Conselho matou com esse decreto as refinarias já existentes, matou, *ipso fato*, a possibilidade da montagem de novas; e matando a possibilidade do refino do petróleo entre nós, também mata a possibilidade da produção do óleo bruto. Pois qual é o louco que irá tirar petróleo, sabendo que não poderá refiná-lo, isto é, pô-lo na forma em que o petróleo é apresentado ao consumidor?

Essa monstruosa taxação fetal foi o golpe de morte no petróleo brasileiro. A Standard Oil venceu em toda a linha. Pobre Brasil...

M. L.

A resposta

Não tardou a resposta do general Góes Monteiro, amável e inteligente. Resposta política. A resposta do Presidente veio onze meses depois e sob forma para mim inesperada. Em abril de 1941, ao tomar o ônibus da tarde para casa, comprei uma *Folha da Noite*. Mal a abri, dou com o meu retrato na primeira página, ilustrando uma notícia de sensação, a avaliar pelos grandes títulos e subtítulos. Era um telegrama da sucursal do Rio, dizendo o seguinte:

O procurador do Tribunal de Segurança, sr. Gilberto Goulart de Andrade, apresentou a seguinte denúncia contra o escritor Monteiro Lobato, processado pelo mesmo Tribunal, por crime de injúria à pessoa do presidente da República, ao Conselho Nacional do Petróleo e ao Departamento Nacional de Produção Mineral:

"O sr. general Júlio Horta Barbosa, presidente do Conselho Nacional do Petróleo, remeteu a este egrégio Tribunal, devidamente autorizado pelo excelentíssimo senhor presidente da República, o original de uma carta endereçada ao chefe da Nação pelo escritor Monteiro Lobato. Existindo nesse documento conceitos injuriosos ao exmo. sr. presidente da República, ao Conselho Nacional do Petróleo e ao Departamento Nacional de Produção Mineral, pela orientação dada à política do petróleo em nosso país, foi instaurado o presente inquérito na polícia do Estado de S. Paulo.

A simples leitura da missiva da autoria de Monteiro Lobato (folhas 15 a 29) já revela desrespeito pelos termos em que é vasada, evidenciando audaciosa e injustificável irreverência. Confrontando-se, porém, os conceitos e as afirmativas dessa carta e os documentos oferecidos pelo Conselho Nacional do Petróleo, quer na exposição de folhas 5 a 14, quer nas cópias autênticas e certidões de folhas 49 a 117, verifica-se que o acusado faz afirmações destituídas de verdade, inteiramente falsas, com o objetivo evidente de injuriar os poderes públicos.

Conselho Nacional do Petróleo demonstrou *ex-abundantia*, nos documentos oferecidos ao exame deste egrégio Tribunal e constante dos autos (folhas 5 a 11 e 49 a 117), que nenhuma das acusações levantadas contra a orientação que o governo vem imprimindo à exploração petrolífera no país repousa em qualquer fundamento verídico. Ao contrário do que afirma o acusado, muitíssimo ao contrário, as restrições feitas a certas empresas de petróleo foram no sentido de obrigá-las a cumprir as leis de nacionalização, amparando assim, o governo essa indústria básica da defesa nacional, da intromissão ou influência de elementos estrangeiros. Isto está exuberantemente provado nos autos.

Agora, o que é sobremodo estranhável — e ainda melhor exprime a insinceridade dos conceitos emitidos na carta de folhas 15 a 29 — é o fato de *oferecer o inquérito provas evidentes de ligações comerciais do acusado, justamente com elementos estrangeiros*, ele que sempre apareceu em público como defensor da nacionalização da indústria do petróleo. Tais provas foram colhidas nas buscas procedidas pela polícia de S. Paulo nos escritórios do acusado. São documentos que dormiam nos arquivos; estão relacionados no auto de folhas 121 *e podem ser examinadas dentre os numerosos exemplares de folhas 123 a 306*.

A análise da correspondência apreendida revela, ainda, indícios de irregularidades, em torno da organização da "Companhia Mato-grossense de Petróleo", da qual é o acusado um dos principais dirigentes, irregularidades que, devidamente apuradas e investigadas, podem conduzir, talvez, à descoberta de crime contra a economia popular. Daí resulta, pois, a necessidade de instaurar-se o inquérito policial que requeiro.

O relatório de folhas 329 destaca os termos mais injuriosos da missiva que motivou o inquérito.

Ouvido a folhas 209, o acusado reconheceu a autoria da carta e confirmou os seus termos.

A folhas 325, *usque* 327, constam os depoimentos de quatro testemunhas.

À vista do exposto é de concluir-se que José Bento Monteiro Lobato, qualificado à folha 309, está incurso no artigo 3.º inciso 25, do decreto-lei n. 431, de 18 de maio de 1938, sujeito à pena de seis meses a dois anos de prisão."

A desonestidade do Conselho Nacional do Petróleo revela-se nas menores coisas. Nesta denúncia do Tribunal de Segurança, baseada em informações dadas pelo Conselho, vemos, nos trechos por mim grifados, a sordidez da instituição. As tais "ligações comerciais com elementos estrangeiros" é dessas fantasias a que a má fé recorre sempre que se dirige ao monstro de mil cabeças chamado público. Entre as cartas apreendidas em meu escritório havia duas de estrangeiros: uma dum engenheiro uruguaio meu amigo, que me felicitava pela publicação d'*O Poço do Visconde*, obra na qual um sabuguinho científico descobre petróleo no sítio de dona Benta, e a outra... era um cartão de *Merry Christmas*, recebido de New York. O general evidentemente examinou o cartão e concluiu que o tal Merry Christmas estava me escrevendo em código e devia ser um perigosíssimo petroleiro internacional...

O mesmo direi das "irregularidades reveladas" na Cia. Mato-grossense, descobertas em minha correspondência. Os caluniadores esqueciam um fato muito simples: fui um dos *incorporadores* dessa companhia de petróleo, mas nunca tomei a menor parte na sua direção, depois de constituída. Infâmia e calúnia puras.

Raciocínio *sui generis*

Por esse tempo andava eu com intenções de chegar à Argentina para fins editoriais. Vários livros meus iam sair lá e minha presença era reclamada para julgamento de traduções e mudanças adaptativas aconselháveis, em se tratando de literatura infantil. Encarreguei uma agência da rua dos Gusmões de me tirar o passaporte e deixei com ela o dinheiro. Faltavam os retratos. Fiquei de levá-los, mas como a denúncia sobreviesse logo depois, esqueci-me da agência e do passaporte. Pois apesar disso fui preso no mês seguinte e mantido em detenção preventiva enquanto o meu processo corria no Tribunal de Segurança.

Por que fora eu preso preventivamente? Logo vim a saber. Informado o Lei Viva de que na Polícia de S. Paulo existia um meu pedido de passaporte para a Argentina, o general houve por bem assanhar-se, coçar-se, raciocinar, concluir e oficiar ao Tribunal de Segurança sobre *a necessidade da minha prisão preventiva, visto como eu estava querendo fugir para a Argentina*.

Francamente não sei com que órgão certas pessoas raciocinam. Neste caso, por exemplo. Como pode estar querendo fugir para a Argentina quem requer um passaporte para lá? Requerer passaporte à polícia é declarar à polícia que pretende transpor as fronteiras. É fazer justamente o contrário de quem pretende fugir. Quem pretende fugir, foge, não vai declarar solenemente à polícia, num requerimento de passaporte, que pretende transpor as fronteiras...

Em minha vida já longa esbarrei com muita imbecilidade humana. Vi-a de todos os naipes e graus. Mas a imbecilidade maior com que jamais me defrontei foi essa teoria de que *quem requer passaporte é porque quer fugir*. Até o dia dessa interpretação do fato de requerer passaporte, o corrente era o oposto: se F. requereu passaporte, então é que não pretende fugir, e sim transpor as fronteiras legalmente, autorizado pela polícia.

Pois apesar da imbecilidade da interpretação, o insigne Tribunal de Segurança aceitou-a e determinou a minha prisão preventiva...

Semanas depois de recolhido à Casa de Detenção de S. Paulo, quando ainda me achava em lua de mel com aquele ambiente tão limpo, onde não havia a infeccioná-lo nenhum membro do Conselho Nacional do Petróleo, nenhum técnico do Departamento Mineral, nenhum general Lei Viva, e sim lealíssimos assassinos e ingênuos transgressores dos códigos humanos, chegou a notícia do meu julgamento. Cada caso entrava em dois julgamentos no Tribunal de Segurança: o primeiro, por um juiz singular; o segundo, pelo tribunal em conjunto, menos o juiz que já funcionara. Meu caso coube ao juiz Maynard Gomes e sua sentença foi esta:

Sentença
Processo 1.607 de S. Paulo

Vistos, etc.... O General Júlio Horta Barbosa, Presidente do Conselho Nacional do Petróleo, enviou ao Tribunal de Segurança Nacional, devidamente autorizado pelo sr. Presidente da República, o original de uma carta endereçada ao Chefe da Nação pelo escritor Monteiro Lobato.

Em virtude dos termos dessa missiva, entendeu o Ministério Público de seu dever denunciar o referido escritor como incurso na sanção penal do art. 3.° inciso 25 do decreto-lei 431 de 18 de maio de 1938.

Tendo em vista a comunicação da Superintendência da Segurança Política e Social de S. Paulo, decretou este juízo a prisão preventiva do acusado, a qual foi efetivada em 22 de fevereiro próximo passado, achando-se o mesmo recolhido à prisão especial da Casa de Detenção da Capital daquele Estado.

Isto posto:

Considerando que é direito que assiste a qualquer cidadão brasileiro o livre exercício de crítica aos atos do governo, justificado por esse motivo o instituto da censura;

Considerando que a crítica exercida por José Bento Monteiro Lobato à "política do petróleo", em epístola dirigida ao exm° sr. Presidente da República, o foi em linguagem íntima, dadas as relações de amizade existentes entre o autor e o destinatário;

Considerando que, dado o caráter sigiloso do instrumento em apreço, e a nenhuma culpabilidade do autor em sua divulgação, não é possível concluir-se pela intenção de injuriar;

Considerando que, sendo impessoal o assunto criticado, o são igualmente os conceitos proferidos, como se verifica nas expressões "monstruoso tanque chamado Conselho Nacional do Petróleo", "polvo Standard", "Royal Dutch" etc.;

Considerando que, afastada a hipótese de injúria ao sr. Presidente da República, implicitamente o está aos órgãos do governo, não só pelas razões expostas, como por não se ter a eles dirigido o autor da carta em questão;

Considerando que, na ausência dos elementos material e moral, característicos do crime de injúria, não é lícito concluir-se pela sua existência;
Considerando o mais que dos autos consta:
Absolvo o acusado José Bento Monteiro Lobato da acusação que lhe é feita e recorro desta decisão para o Tribunal Pleno, na forma da lei.

Distrito Federal, 8 de abril de 1941.

(a) Augusto Maynard Gomes.
Juiz do Tribunal de Segurança Nacional.[16]

Diante de uma sentença tão clara, julguei liquidada a minha questão. O Tribunal Pleno, em seu segundo julgamento, fatalmente encamparia as considerações do juiz Maynard — e absorvi-me nas notícias da guerra. Os alemães haviam realizado uma proeza incrível: explodir o *Hood*, o maior couraçado inglês, com uma bomba arremessada pelo *Bismarck*. O golpe ferira fundo o velho orgulho inglês, e a perseguição do velocíssimo *Bismarck* pelos melhores vasos de guerra britânicos virou aquela cena da *Ilíada* em que Aquiles sai a vingar a morte de Pátroclo. O mundo ficou em suspenso, e nós ali na prisão ainda mais, como se aquele duelo fosse um caso pessoal nosso. Quando nos chegou a notícia do afundamento do *Bismarck*, a minha alegria foi tamanha que não dei tento de outra notícia chegada na mesma hora: a minha condenação a seis meses em virtude de sentença do Tribunal Pleno. Só no dia seguinte, arrefecido já o gozo d'alma causado pela destruição do *Bismarck*, é que pude atentar no meu caso.

Filosofei e absorvi-me na tradução do *Kim* do meu grande amigo Kipling, já iniciada na prisão e em andamento. Para refrigerar uma alma da desgraça de ser coeva de juízes de segurança, generais Lei Viva, Fleury da Rocha e a mais inominável gente do Não-Petróleo, nada melhor que a companhia do endiabrado Kim e daque-

---

16 Nota — Ao ter a notícia da absolvição pelo juiz Maynard, enderecei ao general Horta a seguinte carta:
S. Paulo, Detenção, 9 de abril de 1941
General Horta Barbosa
D.D. Comandante do Conselho Nacional do Petróleo
Rio de Janeiro
Exmo Senhor:
É profundamente reconhecido que venho agradecer a V. Excia. o grande presente que me fez, por intermédio do augusto Tribunal de Segurança, de uns tantos deliciosos e inesquecíveis dias passados na Casa de Detenção desta cidade. Sempre havia sonhado com uma reclusão desta ordem, durante a qual eu ficasse forçadamente a sós comigo mesmo e pudesse meditar sobre o livro de Walter Pitkin. (*A Short Introduction to the History of Human Stupidity*.) Lá fora, o tumulto humano e mil distrações sempre me iam protelando a realização desse sonho; e eu já não tinha esperança de nada, quando fui surpreendido pela denúncia do Conselho do Petróleo ao Tribunal de Segurança e logo em seguida preso preventivamente.
— Bendito seja esse benemérito general! — murmurei comigo ao ter conhecimento de que fora por sugestão dele que o Tribunal me prendia, isto é, me proporcionava a realização do velho sonho.
Como, porém, fui agora absolvido por sentença do juiz Maynard e tenho de interromper a leitura da obra de Pitkin, considero-me no dever de, antes de mais nada, remeter meus agradecimentos ao general Horta Barbosa, o promotor da realização do meu sonho.
Passei nesta prisão, general, dias inolvidáveis, dos quais sempre me lembrarei com a maior saudade. Tive ensejo de observar que a maioria dos detentos é gente de alma muito mais limpa e nobre do que muita gente de alto bordo que anda solta. E também tive ocasião de receber inúmeras provas de amizade e solidariedade de excelentes amigos que nunca imaginei tivessem por mim tal estima. Fui leal. A todos fiz ver que a realização do meu velho sonho eu a devia a uma pessoa apenas, o general Horta Barbosa, comandante superior do benemérito Conselho Nacional do Petróleo.
Pesarosamente tenho talvez de deixar hoje esta prisão, mas seria o maior dos ingratos se antes de despedir-me do "chiqueiro" chamado Sala Livre, não cumprisse o meu dever, batendo na máquina esta carta de agradecimento. Creia, general, que a minha gratidão vai ser eterna.

Cordialmente,
(a) Monteiro Lobato

P.S. —
Tomo a liberdade de lhe enviar pelo correio uma caixinha de bombons, sobrados dos muitos com que os amigos me obsequiaram. Os sentimentos que me animam para com o meu generoso bem-feitor agaloado são doces como esses bombons.

la múmia semovente que era o Lama Vermelho do Tibete. O meu tempo de prisão foi um dos mais deliciosos tempos da minha vida. Cenário em que vivi: a Índia!... A Índia é um grande remédio, um tópico. Montanhas imensas, raças variadíssimas, todas as loucuras em matéria religiosa, bois sagrados pastando as couves dos verdureiros nas ruas — mas nem sombra do Conselho Nacional do Petróleo por lá. Feliz Índia...

Estava já eu no meu terceiro mês de prisão pelo crime de escrever uma carta sincera ao Presidente, quando me chegou a notícia de haver sido indultado. Não pedi, nem por nada no mundo pediria, indulto — mas o indulto veio por artes de berliques e berloques. Não tive a curiosidade de saber como se processou.

Ao Presidente Vargas, em dia de seus anos, 19 de abril, tive ensejo de mandar lá da Cadeia a seguinte carta, que aqui transcrevo com desrespeito do sigilo, já que ele não respeitou o sigilo da minha sobre o petróleo.

Dr. Getúlio:

Amanhã é dia de seus anos. Quero dar-lhe um presente. Esse presente é uma ideia. Essa ideia é a seguinte: Assim como o governo formou a Cia. Nacional Siderúrgica com quinhentos mil contos de capital, por que não funda também a Cia. Nacional do Petróleo, com outros quinhentos mil contos de capital? Era o meio de ao mesmo tempo solver os problemas do ferro e o do petróleo, de igual importância.

A solução que proponho apresenta muitas vantagens: acaba com a já muito longa luta de morte entre as nossas companhias e o Conselho Nacional do Petróleo; permite o aproveitamento de todo o material das várias companhias e do pessoal técnico das mesmas; defende os milhares de contos da economia popular empregados em ações de empresas petrolíferas.

Se o Sr. Presidente examinar esta minha proposta, verá que é perfeita e atende maravilhosamente aos altos interesses da nação brasileira. Permite até o aproveitamento do Conselho Nacional do Petróleo. O general comandante desse Conselho e os mais membros que o compõem, caso empregados como combustível nas fornalhas das sondas, darão para mover as máquinas por uns dois ou três dias — vantagem que positivamente não é de desprezar.

Esperando que o Sr. Presidente tome na devida consideração a minha proposta — e a aceite como o meu presente de anos, subscrevo-me

Respeitosamente

Monteiro Lobato

A CONFISSÃO DOS INTERESSES OCULTOS

Entre a remessa de minha carta ao Presidente Vargas e a sentença do Tribunal de Segurança ocorreu um fato esclarecedor de tudo e que veio dar razão integral ao que afirmei n'*O Escândalo do Petróleo* e nas cartas que me levaram à prisão. Esse fato foi o seguinte.

Havia em S. Paulo uma revista denominada *Petróleo*, que mantinha o fogo sagrado entre os inúmeros acionistas das companhias de petróleo existentes. Certa vez o seu diretor, um rapaz ativo e de ideias, desconsolado com o desânimo reinante nos arraiais do petróleo, concebeu o plano de ir ao Rio entrevistar os diretores de empresas petrolíferas lá residentes.

Foi. Uma semana depois regressava — e antes de ir à sala da revista *Petróleo* apareceu em meu gabinete que era no mesmo prédio. Entrou, largou o chapéu sobre a mesinha de centro e disse o seguinte:

— Já arranjei uma colocação no Rio. Vim apenas para liquidar a revista, entregar a sala e dispor dos móveis — e não quero nunca mais em minha vida perder tempo em pronunciar a palavra petróleo...

Estranhei o tom terminante daquele exórdio.

— Que houve de tão grave, homem?

O rapaz falou até o fim, sem que eu o interrompesse:

— Houve o seguinte. Fui, como disse, fazer uma reportagem com os diretores das empresas de petróleo residentes no Rio. Passei a semana a falar com um e com outro. Encontrei o mesmo desânimo daqui. Todos sentem que a derrota é inevitável, que não podem lutar contra um governo armado de todos os poderes da violência. Propus um movimento conjunto, um protesto coletivo de todas as companhias. Riram-se de mim, melancolicamente. Protestar perante quem? O governo? Mas se é o governo que nos persegue... Vi que nada havia a fazer naquele setor e fui visitar o chefe do Conselho do Petróleo. Ah, antes não fosse. O general recebeu-me com quatro pedras na mão — e nem sei como não me mandou fuzilar. A palavra "petróleo brasileiro" deixa aquele homem fora de si. E eu já estava me aprontando para vir embora, quando dei com o endereço de mais uma companhia de petróleo, que me era desconhecida. Vim a saber que era uma companhia distribuidora de gasolina que a Standard Oil mantém no Rio, organizada segundo as leis brasileiras.

Recebeu-me o diretor, um sujeito assim assim — e quando eu disse ao que vinha ele riu-se e pôs-me à vontade.

— "Sente-se, moço. Vamos conversar. Ando há muito tempo com vontade de encontrar um elemento das companhias nacionais de petróleo, para dizer certas coisas que vocês não conhecem e é bom que saibam.

Sentei-me. Ele fez o mesmo; lançou os pés sobre a mesa e começou:

— "Olhe: vocês são uns sandeus e aquele Monteiro Lobato é o rei dos cretinos. Vocês partem dum ponto de vista inteiramente falso. Vocês partem do ponto de vista de que o petróleo é um negócio nacional, isto é, de cada país. Não é. O petróleo é um negócio internacional, da Standard. Ela criou esse negócio no mundo e o mantém contra tudo e contra todos. O petróleo do mundo é da Standard, onde quer que se encontre. E contra a vontade da Standard país nenhum tira o petróleo que haja em suas terras. O único país que até hoje conseguiu libertar-se da Standard foi a Rússia, por causa da revolução; mesmo assim a Standard não deixa que o petróleo russo transponha as fronteiras e seja vendido em outros países.[17] A Argentina descobriu petróleo por mero acaso — mas depois de muita luta teve de dividir o campo

---

17 Está aqui a decifração da atitude do nosso governo no caso de troca do petróleo russo pelo nosso café contado neste livro sob o título de OS GRANDES CRIMES COMETIDOS CONTRA OS POVOS.

com a Standard. Em todos os outros países o negócio do petróleo é conduzido de acordo com a Standard. Contra a sua vontade, em nenhum. Como então vocês, deste pobre país falido, sem forças, sem estadistas, sem governo decente, têm a pretensão de ter petróleo próprio, contra a vontade da Standard?

Saiba que os melhores campos petrolíferos do Brasil já se acham perfeitamente estudados e demarcados — mas os elementos colhidos não estão aqui com vocês, e sim nos arquivos da Standard. A Standard já gastou centenas de milhares de dólares em estudos geológicos e geofísicos em território brasileiro — mas para o seu uso pessoal, não de vocês. E saiba mais que todos os embaraços que vocês, das companhias de petróleo nacional, têm encontrado, partem de uma fonte única: a Standard. Ela é que sabota as companhias nacionais por intermédio dos órgãos do governo. E para maior eficiência dessa sabotagem nós sugerimos a criação do Conselho Nacional do Petróleo, que é positivamente um órgão nosso, para só fazer o que convém aos interesses da Standard e reduzir essas companhias do Lobato, do Edson e outros bobinhos a zero. E agora as companhias nacionais estão irremediavelmente perdidas porque o último decreto — redigido aqui nesta mesinha (e bateu com o calcanhar na mesinha onde apoiava os pés) é desses a que ninguém escapa.

— "Que decreto? — perguntei.

— "O que impõe sobre a futura gasolina nacional um imposto de quatrocentos e trinta réis por litro, — respondeu ele. Essa taxa corresponde ao imposto de entrada que paga na alfândega a nossa gasolina distribuída no Brasil. A gasolina de vocês nem com a cabeça de fora está ainda — e nós já estamos cá com a marreta dos quatrocentos e trinta réis para dar cabo dela..."

O rapaz contava aquilo atabalhoadamente, ansioso por sair dali e ir cuidar da vida nova em que nunca mais pronunciasse a palavra petróleo. Mas eu insistia. Passou-me pela cabeça *A Mais Bela História do Mundo*, de Kipling, em que o contador está displicente e cada vez menos interessado, e quem a ouve vai redobrando de tensão.

— E que mais disse o homem? — insisti. — Não tenha tanta pressa...

— Em certo momento ele me disse: "Vocês falam da Standard como se soubessem o sentido dessa palavra, mas não sabem — e abrindo uma gaveta tirou um rolo de papel. Desdobrou-o aos meus olhos. "Veja. Aqui está a lista das grandes empresas, das grandes companhias, dos grandes bancos e das grandes instituições financeiras direta ou indiretamente ligadas à Standard Oil. Temos aqui setecentas e tantas companhias, somando um capital de muitos bilhões de dólares. Sabe o verdadeiro nome da Standard, bobinho? Capitalismo internacional..." Bom. Chega. Não quero perder mais um minuto com isto. Como me dói o tempo que perdi! Adeus, doutor Lobato. Volto ao Rio depois de amanhã. Quero tomar posse do meu emprego novo...

O rapaz saiu e fiquei longo tempo a pensar naquilo. Tudo exatinho como eu previra e vivia proclamando — mas apesar disso a crueza daquela exposição me abalou. "Vou fazer uma coisa apenas", pensei comigo, "e por simples desencargo de consciência. Vindo a falhar, retiro-me também, para sempre, do maldito petróleo. Nove anos de luta e derrotas. É demais..."

E naquele mesmo dia escrevi àquele homem da Standard. Narrei o que ouvi ao rapaz da revista que o entrevistara. Admiti a minha ingenuidade. Mas ainda tinha uma sugestão a fazer. "Sim, sei que a Standard é a dona do petróleo do mundo onde quer que esteja, salvo na Rússia. Sei que tirar petróleo contra a vontade da Standard é loucura, ou coisa só possível num país que tenha um governo honesto — e já não sonho com esse milagre em minha terra. Mas por que não entrarmos em acordo? As companhias nacionais de petróleo abaixam-se diante da Standard, reconhecem-lhe o poderio incontrastável, submetem-se a todas as imposições que ela haja por bem fazer — mas, pelo amor de Deus, Standard, deixe que o Brasil tire petróleo para minorar a situação de horrível miséria da sua população pobre. Tudo aqui é transporte, e é impossível transporte sem petróleo. Tome a parte que quiser, Standard, mas deixe que um bocadinho do petróleo acamado no subsolo do Brasil caiba ao Brasil, tão necessitado dele anda esse coitado eternamente traído pelas camorras oficiais ..." etc.

Essa carta, meu último passo no petróleo, não teve resposta.

Histórico do petróleo do Lobato

Resumo das informações que em longo relatório Oscar Cordeiro forneceu a Monteiro Lobato

Os indícios do petróleo do Lobato, localidade a quatro quilômetros da cidade do Salvador e fronteira à península de Itapagipe, chamaram-me a atenção em 1931; fiz pesquisas na zona e em 1933 convidei o eminente geólogo Dr. Teodoro Sampaio para verificar minha descoberta. Tudo visitou ele demoradamente, e a respeito me mandou a seguinte nota: AO VOLTARMOS DA VISITA AO POÇO DO LOBATO PROMETI AO AMIGO DIZER ALGO SOBRE O QUE VI E OBSERVEI NO LUGAR ONDE OCORRE O ÓLEO MINERAL ESPESSO E DE COR NEGRA ALI COLHIDO EM PROFUNDIDADES DE 3,4 METROS E EM NÍVEL QUE ME PARECEU INFERIOR AO DO MAR ALI TÃO PRÓXIMO. ESSE ÓLEO MINERAL, DE CHEIRO INEQUÍVOCO, TIRADO DO FUNDO DOS POÇOS ONDE SOBRENADA EM QUANTIDADE MUITO APRECIÁVEL, SENDO LANÇADO SOBRE PALHAS OU ALGODÃO, QUEIMA FACILMENTE COM UMA LUZ VERMELHA FUMARENTA, E QUEIMA DEMORADAMENTE POR PEQUENA QUE SEJA A QUANTIDADE LEVADA À PROVA. TRATA-SE EVIDENTEMENTE DE PETRÓLEO IMPURO, MISTO DE SUBSTÂNCIAS OUTRAS QUE DE ORDINÁRIO COM ELE SE ASSOCIAM. SE COM AS AMOSTRAS COLHIDAS NO POÇO DO LOBATO NÃO PODEMOS DIZER QUE ESTAMOS NA IMINÊNCIA DE ALCANÇAR UM LENÇOL PETROLÍFERO PROMETEDOR, ESTAMOS TODAVIA NA POSSE DE INDÍCIOS TÃO VEEMENTES COMO NENHUNS OUTROS AINDA SE DEPARARAM NO PAÍS NAS MESMAS CONDIÇÕES.

Nesse mesmo ano convidei o engenheiro Manoel Inácio Bastos a trabalhar comigo nos trabalhos de exploração das minas do Lobato, depois de as ter registrado no Cartório de Registro da Capital e comunicado a descoberta ao Presidente Vargas, ao Ministro Juarez e ao Interventor Juracy. Em abril de 1933 enviei ao Presidente Vargas um caixão de garrafas de petróleo das nossas minas do Lobato; ele mandou-o examinar e obteve a classificação de "petróleo de base parafínica". E como eu lhe havia apresentado um relatório completo sobre as minas, no qual solicitava a cooperação do estado, começaram assim os meus contatos com o governo.

Em setembro de 1933 pedi ao Ministério da Agricultura um técnico para acompanhar os trabalhos do Lobato; a resposta foi que "NÃO PODIAM ATENDER AO MEU PEDIDO PORQUE FALTAVAM TÉCNICOS E VERBAS NA DIRETORIA DE MINAS". A má vontade começava a trair-se. Em vez de todos se precipitarem para a abertura do primeiro poço de petróleo do Brasil, no ponto em que o sangue negro da terra se revelava tão insistentemente, um frio telegrama burocrático, indiferente...

Resolvi arrumar-me como pudesse, sem técnico oficial, e solicitei do Ministério da Agricultura uma sonda para a abertura do poço, das muitas que o Ministério possuía e andavam a furar inutilmente em pontos onde não havia petróleo. A resposta foi negativa: "SOBRE AS SONDAGENS DO LOBATO OPORTUNAMENTE SERÃO TOMADAS PROVIDÊNCIAS, VISTO QUE AS POUCAS SONDAS DISPONÍVEIS SÃO PRECISAS AOS SERVIÇOS EM ANDAMENTO DA DIRETORIA MINERAL" — isto é, as sondas disponíveis, tinham de ficar furando onde não havia petróleo...

Diante da recusa da sonda pedida, adquiri uma pequena perfuradora e todo o material anexo necessário — e requeri autorização para perfurar, comunicando que já estava com a situação das minas perfeitamente legalizada segundo as leis vigentes. Esse meu requerimento deu entrada em novembro; em fevereiro do ano seguinte o Departamento Mineral me comunicava que "SOBRE O SUPOSTO PETRÓLEO DO LOBATO AS AMOSTRAS ANALISADAS NO DEPARTAMENTO HAVIAM SIDO ENVIADAS SOB A EXCLUSIVA RESPONSABILIDADE DO INTERESSADO; PELOS ESTUDOS REALIZADOS PELOS TÉCNICOS DO DEPARTAMENTO MINERAL NÃO É POSSÍVEL HAVER PETRÓLEO COMERCIAL NOS TERRENOS DO LOBATO, POIS AS ROCHAS ALI EXISTENTES SÃO GNEISS". Com base nessa informação o Ministro da Agricultura indeferiu o meu pedido. Quero citar aqui o nome do técnico que lavrou a informação: Luciano Jaques de Morais.

Não me conformando com os pareceres, voltei à carga e tive a surpresa de receber esta monstruosidade: "QUE O GEÓLOGO VITOR OPPENHEIM, ESPECIALISTA EM PETRÓLEO, QUE TRABALHOU EM VÁRIAS JAZIDAS PETROLÍFERAS E NOS ÚLTIMOS ANOS NOS 'YACIMIENTOS FISCALES' DA ARGENTINA, HAVIA CERTIFICADO QUE O PETRÓLEO DO LOBATO ERA ESTRANHO AO LOCAL E QUE OSCAR CORDEIRO BOTAVA PETRÓLEO BRUTO DENTRO DOS POÇOS".

Indignado com tamanha infâmia, protestei e solicitei do Ministro Juarez explicações sobre aquela monstruosidade assacada contra mim. Em carta de 14/5/34 o Ministro declarou-me que A OPINIÃO DO GEÓLOGO OPPENHEIM ERA A OPINIÃO DOS TÉCNICOS DO DEPARTAMENTO MINERAL E PODIA SER RESUMIDA COMO ESTAVA NOS OFÍCIOS A MIM DIRIGIDOS E QUE OUTRA OPINIÃO NÃO TERIA AQUELE MINISTÉRIO A NÃO SER A DE SEUS TÉCNICOS QUE ESTUDARAM O ASSUNTO QUE ME INTERESSAVA...

Tudo inútil! A guerra que me moviam e a hostilidade ao petróleo do Lobato vinha de ser um petróleo que estava minando — e que existia de fato; e, como disse Monteiro Lobato, o programa do Ministério sempre fora NÃO TIRAR PETRÓLEO NEM DEIXAR QUE OUTREM TIRE. E no "Boletim" do Ministério da Agricultura de abril e junho de 1934 veio a monstruosa negação, que é o maior atestado da incapacidade, má fé e inépcia do Ministério da Agricultura. Exatamente sobre o ponto do território brasileiro em que ia jorrar o nosso primeiro poço de petróleo, exatamente naquele distrito do Lobato onde eu trabalhava, caiu a mais absoluta e peremptória das condenações: "ESTA LOCALIDADE (LOBATO) É POSITIVAMENTE DESFAVORÁVEL À PRESENÇA DE HIDRO-CARBONETOS — e lá diz ele por que. O CONJUNTO GEO-TETÔNICO DO LOCAL É ABSOLUTAMENTE NEGATIVO — e lá diz ele por que. OS ELEMENTOS TÉCNICOS ATESTAM DE MODO FORMAL A NÃO EXISTÊNCIA DE JAZIDAS PETROLÍFERAS NO LOBATO — e atestavam mesmo. ESTÁ PROVADO À SACIEDADE A INEXISTÊNCIA DE DEPÓSITOS PETROLÍFEROS NO LUGAR DENOMINADO LOBATO NA BAHIA"...

Hoje, ali naquele lugar, existe um monumento com inscrições — mas esqueceram de gravar esta tremenda negação do Ministério...

Cansado de lutar com aquela miséria burocrática dos sabotadores oficiais, prossegui na perfuração com os meus recursos próprios — e por esse tempo desabou sobre o país mais um golpe tendente a matar qualquer iniciativa em matéria de petróleo: o novo Código de Minas, a monstruosa lei que veio travar e trancar o subsolo brasileiro. Estava eu a ler e a procurar entender aquele cipoal de embaraços à exploração das nossas riquezas minerais, quando aparece lá pelo Lobato outra peste, um integralista, Othon Leonardos, técnico do Departamento Mineral. Depois de duas horas de mexe-mexe, sugeriu que eu abrisse galerias para ver de onde o petróleo vinha. (Que monstruosidade! O que ele queria era que eu me enterrasse num trabalho absurdo.) De volta ao Rio o charlatão abriu campanha contra mim e Monteiro Lobato pela *Ofensiva*, jornal integralista, e nos acusou de "mistificadores do petróleo". Desse Leonardos fica na história uma frase célebre: "O PETRÓLEO DO LOBATO É UM CASO DE POLÍCIA". Em paga da sua ação sabotadora, foi elevado pelo Governo a Conselheiro do Departamento de Minas e Metalurgia... Viva o Brasil...

Mas eu ia pondo de lado todas aquelas misérias da perseguição oficial e continuando nos trabalhos do poço, ao mesmo tempo que juntava toda a exaustiva documentação que as novas exigências da Lei de Minas nos impunham. Mandei para o Rio um carregamento de certidões, registros e manifestos das minas — e tudo foi aceito sem reclamações ou exigência de mais. Aquela aquiescência, porém, era ronha recolhida; anos depois recomeçaram a sofismar os meus documentos.

Em meados de 1935 apareceu no Lobato, vindo de Alagoas, o engenheiro Bourdot Dutra, que tudo examinou comigo e entusiasmou-se. Mais tarde veremos a sua ação. Devo dizer que desde 1933 eu me comunicava com o Sr. Getúlio Vargas, seus ministros e outros elementos de projeção, não só pelo correio aéreo como pelo telégrafo; mais do que me comunicava, eu gritava, berrava, suplicava — mas tudo inutilmente, porque Getúlio também parecia identificado com o grupo do Não-há--petróleo-no-Brasil.

Dois anos depois do meu manifesto e do registro das minas do Lobato recebi em 1935 um ofício do Departamento Mineral cheio de sofismas sobre os meus documentos e com a advertência de que EU DEVIA REQUERER ÀQUELE DEPARTAMENTO LICENÇA PARA PESQUISAR... Tudo estava legal, legalíssimo mas eles não cessavam com a sua guerra de nervos, mesquinha, infernal. Resisti a mais esse golpe e fiz valer meus documentos.

Ainda em 1935, sabendo que o Ministro da Viação Marques dos Reis havia fornecido mais de uma perfuradora para a turfa do Maraú, solicitei também uma para apressar a abertura do primeiro poço de petróleo do Brasil, justamente o que devia receber as maiores atenções de todos; e como os jornais publicassem a notícia de que o Departamento Mineral recebera verba para fazer sondagens de petróleo em Guajará-Mirim, lá no fim do mundo, fiz ver que aquele ministro da viação, um baiano, devia bater-se pela perfuração no Lobato, não só por ser um ponto de petróleo evidente, como vantajosissimamente colocado junto a um porto de mar. A resposta foi: A VOSSA IMPERTINÊNCIA NÃO ALTERA A SERENIDADE DESTE MINISTÉRIO... Sim, o programa petrolífero de Monteiro Lobato, que eu estava a pique de solver ali na Bahia, era uma "impertinência" para aquele gordo advogado dos trustes...

Finalmente, em 1939, a campanha de Monteiro Lobato atinge o apogeu com a sua célebre Carta Aberta ao Ministro da Agricultura — e o sr. Getúlio Vargas teve de mandar abrir o "Inquérito Sobre o Petróleo".

Contribuí para o inquérito com a remessa de um caixão de garrafas de petróleo e mais muita coisa. E, seja efeito disso ou não, o Ministério afinal deliberou ceder-me uma perfuradora de duzentos metros; descarreguei-a nas docas, mandei-a para o Lobato, montei-a, ajustei-a, coloquei-lhe peças novas — mas a geringonça não funcionava; tinha falhado na perfuração para água no palácio Guanabara e por isso é que me ofereceram tão solicitamente... Dias depois chegou do Rio uma sonda com capacidade para mil e quinhentos metros. Fiquei radiante. Será que afinal haviam atendido aos meus brados de tanto tempo? Que ilusão! A sonda desembarcou em Salvador e foi levada para Camaçari. Protestei, e o Ministro da Marinha me telegrafou que a sonda tinha vindo para o Lobato. Mostrei o telegrama ao grupo do Departamento Mineral, e um dos técnicos, Waldemar Veiga, respondeu: O MINISTÉRIO DA MARINHA NÃO TEM ATRIBUIÇÕES PARA DAR ORDENS AO MINISTÉRIO DA AGRICULTURA. Os telegramas que enviei ao Sr. Getúlio e ao Ministro da Agricultura não tiveram resposta; estavam muito ocupados com o golpe nazista em preparo.

Além daquele desvio da sonda, ainda me desviaram um hábil perfurador e me mandaram de Camaçari o pandorga José Miranda e um cretino de nome Silva. Vieram bem "trabalhados" sobre o que deviam fazer. Assim foi que quando a perfuração chegou a vinte e tantos metros e deu numa camada de "calcário talco xistoso", os dois pandorgas paralisaram a perfuração e telegrafaram para o Rio dizendo que HAVIAM ATINGIDO O CRISTALINO. O cristalino é a camada de rocha final, que uma vez atingida interrompe todas as pesquisas de petróleo.

Protestei, esperneei, retirei novos testemunhos que mandei analisar na Bahia e foram classificados como "calcário talco-xistoso"; a amostra que foi para o Departamento Mineral nunca tive notícia dela. Por mais que eu reclamasse a análise oficial, nunca a recebi. Concluída a sabotagem, os pandorgas voltaram para Camaçari e eu fiquei a lutar sozinho, a fazer tudo que havia de humanamente possível para que furassem naquele local em que havia petróleo, eles sempre tão prontos em perfurar onde não há sombra de petróleo...

Em 1938 passa novamente pela Bahia o engenheiro Bourdot; vai ao Lobato, entusiasma-se de novo e promete me arranjar uma sonda para quinhentos metros. Do Rio telegrafou-me estar tudo arranjado. Isso no começo do ano; em maio chega o seguinte telegrama: PERFURADORA DESTINADA LOBATO FOI EMBARCADA ONTEM

PARANAGUÁ. ROGO PROVIDENCIAR MADEIRA NECESSÁRIA MONTAGEM, A FIM SONDADOR ERNESTO POSSA PREPARAR EMBASAMENTO. SAUDAÇÕES, EUGÊNIO DUTRA.

Ora graças! Comuniquei ao governo o grande acontecimento, aos ministros e à imprensa, pois estava na certeza de que dessa vez eu acabava com a lenda do "Não há petróleo no Brasil". Montada a nova perfuradora fiz novas instalações, construí depósitos de material, escritório, cercados, pequena oficina e uma ponte para descarga de combustível de cento e trinta e cinco metros. Concluída a montagem, comuniquei gloriosamente às autoridades o início da perfuração que iria dar petróleo comercial ao Brasil — mas em vez de congratulações recebi do Gabinete do Presidente da República uma carta que dizia: O MINISTÉRIO DA AGRICULTURA INFORMA QUE SE TORNA NECESSÁRIO COMPLETEIS OS DOCUMENTOS PARA O REGISTRO DE VOSSAS JAZIDAS DE PETRÓLEO NOS TERMOS DO ART. 10 DO CÓDIGO DE MINAS. LUIZ VERGARA, SECRETÁRIO DA PRESIDÊNCIA. Encarreguei um procurador no Rio de satisfazer todas as novas exigências da eterna ronha burocrática.

A perfuração ia se fazendo lentissimamente e com muita curteza de recursos. Eu tinha de estar ajudando e financiando. Eu mantinha o Presidente ao par de tudo, de modo que a perfuração lá se ia arrastando e eu sempre a esperar novas encrencas. E tive de engolir coisas, como a volta do pandorga Miranda, que depois do maior fracasso em Camaçari foi novamente posto na perfuração do Lobato.

Em dezembro os testemunhos já começavam a dar sinais de impregnação de petróleo, segundo as análises do Dr. Fróis de Abreu, um homem de bem naquela imensa quadrilha. Aqueles sinais de petróleo próximo agitaram o Departamento. Mandaram para o Lobato o eng.° Custódio Braga e logo depois um Moacyr da Rocha, parente do célebre Fleury. Desconfiei de alguma ursada — e foi o que não tardou. Certos lá no Departamento Mineral de que o petróleo do Lobato saía mesmo, o pirotécnico do Departamento, Luciano Jaques de Morais, oficiou ao Conselho Nacional do Petróleo sugerindo a conveniência da PARALISAÇÃO DA PERFURAÇÃO DO LOBATO. Povos do Brasil, guardai bem este nome: *Luciano Jaques de Morais!*

Gritei, berrei, esperneei e continuei nos trabalhos da perfuração, mas parece que vieram ordens para me afastarem do Lobato. Resisti a tudo e fiquei — e mais atento do que nunca.

No dia 20 de janeiro entramos numa camada de arenito bastante impregnada de petróleo. Custódio, Moacyr e Miranda costumavam ficar na cidade; quem dirigia o serviço era o perfurador Ernesto apenas.

Arquitetei um plano. Dei jeito dum velho operário amigo de Ernesto convidá-lo a passar o domingo fora. No dia 21, sábado, ele fechou o serviço ao meio dia e foi para casa. Fiquei sozinho no campo, alegre, ansioso, satisfeito, torcendo lá por dentro para que não me aparecesse nenhum sabotador. O último testemunho retirado do poço mostrava-se impregnadíssimo, mas Ernesto, que nunca vira petróleo, não dera atenção.

No dia 22, domingo, fui cedíssimo para o Lobato e tive a mais formidável sensação de minha vida. O petróleo manava da boca do poço e corria pelo chão rumo ao leito da estrada de ferro!...

Voltei correndo para casa. Mandei telegramas para Getúlio, Horta, Fróis e outros — menos a Fernando Costa, que era ministro novo e cuja ideias sobre o petróleo eu desconhecia. Comuniquei também ao Interventor da Bahia, que estava em Santo Amaro.

Segunda-feira o Interventor foi com uma comitiva visitar o Lobato. Fui com eles, e lá encontrei o Braga e seus companheiros desapontadíssimos com o desastre: um petróleo que eles tinham recebido ordens para sabotar e que saíra na ausência deles, de noite, e pela primeira vez fora visto por mim — o MISTIFICADOR!... Encontramos a boca do poço entupida e o petróleo que havia escorrido rumo ao leito da estrada fora oculto por uma camada de areia. "Então, que há?" foi a pergunta de todos; e eles, com caras criminosas: "Não há nada".

Mas os presentes insistiram na retirada dos tampos que obstruíam o poço. Braga alegou que era trabalho demorado, de horas. O Interventor disse que esperaria — o sabotador não teve mais remédio, foi obrigado a dar ordem aos operários. Removidos de pronto os embaraços, a sensação dos presentes foi prodigiosa, ao VEREM O PETRÓLEO DO BRASIL BORBOTAR DAQUELE POÇO!...

Estava acabada a lenda do não há petróleo no Brasil.

O prêmio que tive pela imensa trabalheira de anos de luta para a abertura do primeiro poço de petróleo do Brasil foi o decreto do Sr. Getúlio Vargas nacionalizando as minhas minas do Lobato, sem a menor indenização, nem sequer das despesas que fiz durante tanto tempo para que o Brasil tivesse petróleo. E fui corrido do Lobato! Fui expulso do meu campo! E como não encontrassem fundamento para me submeter ao Tribunal de Segurança, o Governo demitiu-me da presidência da Bolsa de Mercadorias, instituição por mim fundada e da qual fui o organizador e o presidente durante doze anos. E depois de arrancarem todas as placas que havia no escritório, nos depósitos e na sonda do meu campo do Lobato, ergueram ali um obelisco com os seguintes dizeres:

O PRIMEIRO CAMPO ONDE JORROU PETRÓLEO NO BRASIL
ORGANIZAÇÃO DO CONSELHO NACIONAL DO PETRÓLEO
NO GOVERNO DO DR. GETÚLIO VARGAS

E penduraram ali o célebre retrato que figura obrigatoriamente em todos os açougues, sapatarias e quitandas do Brasil...

* * *

Temos aqui um apanhado do longo relatório que Oscar Cordeiro me mandou sobre o caso do Lobato. Acentuo apenas três pontos. 1) A opinião oficial do Ministério da Agricultura e do Departamento Mineral sobre a existência de petróleo naquele sítio, constante do parecer Oppenheim, aparecido no Boletim do Ministério da Agricultura, número de abril-junho de 1934:

ESTA LOCALIDADE (LOBATO) DO PONTO DE VISTA DA GEOLOGIA DO PETRÓLEO É POSITIVAMENTE DESFAVORÁVEL À PRESENÇA DE HIDROCARBONETOS O CONJUNTO GEOTECTÔNICO DESSE LOCAL É ABSOLUTAMENTE NEGATIVO...

OS ELEMENTOS TÉCNICOS ATESTAM DE MODO FORMAL A NÃO EXISTÊNCIA DE JAZIDAS PETROLÍFERAS NO LOBATO... ESTÁ PROVADO À SACIEDADE A INEXISTÊNCIA DE DEPÓSITOS PETROLÍFEROS NO LUGAR DENOMINADO LOBATO NA BAHIA.

2) Oscar Cordeiro sustenta uma luta épica contra os maravilhosos técnicos do Ministério da Agricultura, encampadores dessa terminantíssima e infamíssima falsificação da ciência e VENCE — consegue ver o petróleo brotar e consegue impedir a sabotagem do poço. Oscar Cordeiro, pois, representa para o Brasil o que o coronel Drake, abridor do primeiro poço americano em Titusville, representa para os Estados Unidos.

3) Mas a diferença da sorte de ambos mostra que ainda não somos, moralmente, um país. Somos um ajuntamento de aventureiros e de dirigentes profundamente desonestos. A paga de Drake foi explorar o petróleo e enriquecer a si e ao seu país. A paga de Oscar Cordeiro foi o roubo da sua obra, da sua descoberta, do seu campo, do seu poço, do seu petróleo e da sua glória. Roubaram-lhe o tempo — anos e anos — que ele gastou na luta para dar petróleo ao Brasil. Roubaram-lhe o muito dinheiro que gastou naquilo. E, não contentes, roubaram-lhe a presidência da Bolsa de Mercadorias, por ele criada e organizada. E em vez do retrato de Oscar Cordeiro figurar num selo ou numa moeda como um dos benfeitores máximos de sua terra, surgiu no Lobato aquele grotesco obelisco que cobrirá de vergonha os criminosos no dia em que forem chamados a contas por tantos e tantos crimes:

O PRIMEIRO CAMPO ONDE O PETRÓLEO JORROU NO BRASIL — ORGANIZAÇÃO DO CONSELHO NACIONAL DO PETRÓLEO NO GOVERNO DO DR. GETÚLIO VARGAS

O MISTÉRIO

Nos Estados Unidos, depois de aberto o poço do coronel Drake em 1850, no ano seguinte havia cento e setenta e quatro poços novos — e o ímpeto da abertura de poços nunca mais parou, chegando a uma média de vinte mil por ano. Mas aqui entre nós? O primeiro petróleo revelou-se no dia 22 de janeiro de 1939. Essa é a data do descobrimento do petróleo no Brasil. Seis anos já se passaram... e... e que é do petróleo nacional? Veio a guerra, sofremos uma desastrosíssima limitação no recebimento da gasolina americana, tivemos toda a vida do país perturbada pela diminuição dos transportes... E de que nos valeu o petróleo do Lobato? Que nos adiantou a demonstração de que o Brasil tem petróleo? Nada, absolutamente. O Conselho Nacional do Petróleo pairou como um gavião sobre todas as companhias nacionais de petróleo, não permitindo em todos esses anos que a iniciativa particular abrisse um só poço no país... E como quem governava o petróleo do Lobato era o Conselho, ninguém sabe o que o Conselho fez lá, porque age sempre com mistério, e quando diz uma coisa pelos jornais ninguém acredita.

O fato é que a sabotagem do petróleo brasileiro continua, apesar do poço do Lobato haver em janeiro de 1939 demonstrado espetacularmente a existência de petróleo em nossa terra. Por quê? Qual o segredo de todo esse emperramento do Conselho?

Os tratados com a Bolívia

A Bolívia é uma espécie de Estado de Minas da América do Sul; não tem comunicação com o mar. Quando a Standard Oil abriu lá os poços de petróleo de Santa Cruz de la Sierra, na direção de Corumbá de Mato Grosso, a desvantagem da situação interna da Bolívia tornou-se patente. Estava com petróleo, muito petróleo, mas não tinha porto por onde exportá-lo. Ocorreu então um fato que parece coisa de romance policial.

Os poços de petróleo da Standard trabalhavam sem cessar mas o petróleo que passava pelas portas aduaneiras bolivianas e pagava a taxa estabelecida no contato de concessão era pouco. O boliviano desconfiou. "Aqueles poços não cessam de jorrar e o petróleo que paga taxa é tão escasso... Neste pau tem mel."

E tinha. A espionagem boliviana acabou descobrindo o truque: havia um oleoduto secreto que subterraneamente passava por baixo das fronteiras e ia emergir na Argentina. A maior parte do petróleo boliviano escapava à taxação do governo e entrava livre no país vizinho. Um negócio maravilhoso.

Ao descobrir a marosca, a Bolívia fez um barulho infernal e cassou todas as concessões de petróleo dadas à Standard Oil. Vitórias momentâneas sobre a Standard quantas a história não regista! Vitórias momentâneas. Meses depois um coronel ou general encabeça um pronunciamento político, derruba o governo e toma o poder. O primeiro ato do novo governo está claro que foi restaurar as concessões da Standard Oil cassadas pelo governo caído...

Mas como resolver o problema da saída daquele petróleo fechado? De todas as soluções estudadas a melhor consistia no seguinte: forçar o Brasil por meio dum tratado a ser o comprador do petróleo boliviano; esse petróleo iria de Santa Cruz a Corumbá por uma estrada de ferro a construir-se e de Corumbá seguiria pela Estrada de Ferro Noroeste. Isto, provisoriamente. Mais tarde se construiria um oleoduto de La Sierra a Santos, Paranaguá ou outro porto brasileiro do Atlântico. Desse modo o petróleo boliviano abasteceria as necessidades do Brasil e também seria exportado por um porto do Brasil.

Ótima a combinação, mas para que não viesse a falhar era indispensável que o Brasil não tirasse petróleo. Eis o segredo de tudo. A hostilidade oficial contra o petróleo brasileiro vem de grande número de elementos oficiais fazerem parte do grande grupo americano, boliviano e brasileiro que propugna essa solução — maravilhosa para a Bolívia, desastrosíssima para nós.

Os tratados que sobre a matéria o Brasil assinou com a Bolívia não foram comentados pelos jornais dos tempos; era assunto petróleo e a Censura não admitia nenhuma referência a petróleo nos jornais. A 25 de janeiro de 1938 foi assinado o tratado entre o Brasil e a Bolívia no qual se estabelecia o orçamento para a realização de estudos e trabalhos de petróleo no total de um milhão e quinhentos mil dólares, dos quais o Brasil entrava com a metade, setecentos e cinquenta mil dólares, hoje quinze milhões de cruzeiros. O Brasil entrava com esse dinheiro para estudos de petróleo na Bolívia, o mesmo Brasil oficial que levou sete anos para fornecer a *Oscar Cordeiro* uma sondinha de quinhentos metros...

Um mês depois, a 25 de fevereiro de 1938, novo tratado entre os dois países, com estipulações para a construção duma estrada de ferro Corumbá a Santa Cruz de la Sierra; a benefício dessas obras em território boliviano o Brasil entrava com um milhão de libras ouro...

O representante do Brasil para a formulação e execução dos dois tratados tem sido o Sr. Fleury da Rocha.

Chega. Não quero nunca mais tocar neste assunto do petróleo. Amargurou-me doze anos de vida, levou-me à cadeia — mas isso não foi o pior. O pior foi a incoercível sensação de repugnância que desde então passei a sentir sempre que leio ou ouço a expressão *Governo Brasileiro*...

Os grandes crimes contra os povos

A economia humana é em linhas gerais muito simples: uns produzem — outros transportam e lidam com os produtos — todos consomem. E o ideal é que todos possam consumir e a produção nunca seja maior nem menor que o consumo. Mas na Ordem Social vigente o jogo financeiro na passagem do produto das mãos do produtor para as do consumidor faz que apesar da superprodução milhões de criaturas humanas vivam no regime do subconsumo e até morram de fome. E de tal modo a pulsação econômica do mundo se foi perturbando com a hipertrofia do jogo financeiro, que chegamos ao absurdo impasse duma ordem social que só pode subsistir por meio da destruição cada vez maior de vidas em guerras mundiais periódicas e da destruição igualmente monstruosa de produtos de alimentação na paz. Do impasse veio o dilema: ou o mundo destrói essa forma cancerosa de capitalismo, como fez a Rússia, ou essa forma de capitalismo destrói a humanidade. Que capitalismo? O anônimo, internacional, controlador dos governos fracos e o verdadeiro promotor das guerras entre os governos fortes.

Um meu amigo teve a paciência de extrair de várias publicações de 1935 — *New York Post, Pan, Súmula, Inteligência, O Estado de S. Paulo, Diário da Noite* — os seguintes dados estatísticos de numerosos países correspondentes às destruições de "comida" na plena paz do ano de 1934: trigo, dois milhões de toneladas; açúcar, duzentas e cinquenta e oito mil toneladas; arroz, vinte e cinco mil toneladas; café, sete milhões e setecentas e cinquenta mil sacas; porcos, cinco milhões e duzentos mil abatidos e incinerados; carneiros abatidos e largados para os urubus, quinhentos mil; leite lançado nos esgotos de Los Angeles e Hartford, duzentos e vinte mil litros por mês; vacas de leite eliminadas, seiscentos mil; laranjas destruídas, milhões; pessegueiros arrancados, oitenta mil. No estado de Oregon metade da safra de peras foi deitada fora. Na baía de Karchetan, quarenta mil salmões foram destruídos. Nas Índias Inglesas e Holandesas, trinta milhões de quilos de chá foram lançado ao mar.

Superprodução? Como, se nesse mesmo ano de 1934 as estatísticas do mundo assinalaram dois milhões e quatrocentas mil mortes por inanição e um milhão e duzentos mil suicídios por extrema miséria, isto é, medo da morte a fome? O que na realidade há é uma tremenda jogatina financeira na distribuição dos produtos do trabalho humano — e ou a Ordem Social vigente corrige esse erro ou acaba como Benito Mussolini acabou; pendurada pelos pés. Desse dilema não há sair.

Quem examina a contribuição do Brasil para o *status quo* dessa monstruosa economia, assombra-se. Para ela o Brasil contribuiu de duas maneiras: uma passiva, não explorando as suas riquezas do subsolo; e outra ativa, queimando imensas massas de produtos de seu solo. Hoje trataremos apenas da queima de oitenta milhões de sacas de café realizada de 1931 para cá. A não-exploração do subsolo será objeto de outro artigo.

O primeiro ímpeto de quem estuda o caso da queima do café no Brasil é reescrever o livro de Walter Pitkin, *Breve Introdução à História da Estupidez Humana* a fim de acrescentar o capítulo que falta. Depois se convence de que não é nessa obra que a queima do café cabe, e sim numa ainda não escrita, "Breve Introdução à História da Desonestidade Humana".

Se a nossa produção de café fosse realmente maior que a procura, a solução natural e honesta seria reduzi-la ao nível do consumo não produzindo o café em excesso. Mas na realidade nunca houve superprodução. Como decretar a existência da superprodução se aqui mesmo, neste pobre Brasil, metade da população não consome café, e lá fora um país imenso como a Rússia, de duzentos milhões de habitantes, tudo fez para comprar o nosso café em excesso e não o conseguiu? Entre descobrir um meio de facilitar o uso do café à nossa pobre gente e negociá-lo em troca de petróleo com a Rússia, o nosso governo preferiu queimá-lo. Não uma queima ocasional, momentâneo recurso de emergência, mas uma queima prolongada por anos a fio, adotada sistematicamente como solução definitiva e perpétua do problema do café. O resultado da monstruosidade só podia ser o que foi: "descadeiramento" da principal lavoura do país e a miséria geral que reina no interior.

O prodigioso da solução dada pelo governo, com assentimento de toda a fazendeirada, está em que ninguém percebia um fenômeno dos mais simples: *a indústria que queima o que produz está se queimando a si própria e acaba extinguindo-se*. O governo deixava que o fazendeiro continuasse a cuidar do café, a limpar o café, a colher e puxar o café, a secar o café nos terreiros, a beneficiá-lo, a ensacá-lo, a enviá-lo em lombo de burro, carro de boi ou caminhão às estações das estradas de ferro e a embarcá-lo para determinados pontos. Lá então o governo o tomava e com luxuosa burocracia e alta técnica o queimava.

Era a própria lavoura do café que estava se queimando a si mesma sem o perceber. No cálculo do "valor-nacional" dos oitenta milhões de sacas de café destruído entra o "valor-energia" do trabalho humano que esse café custou na fase de produção e transporte; entra o coeficiente de deterioração com que a deslocação de tamanha carga afetou o nosso débil sistema ferroviário e rodoviário; e entra o "valor-potência" da quantidade de sais, húmus e outros componentes da fertilidade do solo destruída pela queima — coisa de suma importância num país que tem na fertilidade nativa do solo o seu único patrimônio.

Oitenta milhões de sacas de café equivalem a... quatro milhões e oitocentas mil toneladas de substância do país, de carne do país, de elementos vitais destruídos para sempre. A causa aparente duma destruição dessas é a mesma causa aparente das destruições de trigo, porcos, frutas, leite, carneiros e o mais que citamos: estupidez. A causa verdadeira é a desonestidade do regime em que vivemos. *A queima de oitenta milhões de sacas de café brasileiro foi feita porque o convinha ao jogo financeiro do capitalismo anônimo que se interpõe entre a produção e o consumo.*

O caso do café brasileiro os efeitos desastrosos da queima não foram só os mencionados. A operação permitiu a formação dum sistema de parasitismo depredatório chamado D. N. C. No dia em que Salvador Piza, ou Otaviano Alves de Lima ousarem escrever a *História Sincera do D. N. C.*, as larvas devoradoras de cadáveres hão de tapar o rosto com as mãos, murmurando: "Como somos atrasadinhas!"... A queima do café foi a nossa primeira experiência de "economia dirigida" e inspirou as demais do mesmo gênero feitas pelo Estado Novo sob o nome genérico de Coordenação. A angústia que o país sofre, a falta de tudo, até das coisas mais elementares, não vem da guerra, como os ingênuos acreditam — vem do travamento de todas as atividades do país com as regulamentações do governo federal, profundamente ineptas e pouco honestas. Vem da "economia dirigida", em suma. Há "economia dirigida" e há "planejamento". Neste opera-se um como levantamento topográfico da situação real do país e planeja-se cientificamente a construção do dia de amanhã. Foi o que a Rússia fez. Na "economia dirigida" não há nenhum planejamento científico atento ao futuro, e sim uma série de medidas compulsórias para dirigir a economia dum país do modo mais favorável aos grupos que estão no poder ou o exploram financeiramente. O Estado Novo escolheu este caminho, como que norteado por um lema: "Criar embaraços para fazer dinheiro com a suspensão dos embaraços" — e nesse regime ainda estamos.

O mundo está cheio de ingênuos para os quais tudo quanto o governo diz é. Por mais que a palavra "oficial" seja sinônimo de "desnaturação da verdade", permanece com o prestígio de sempre — e Walter Pitkin sabe por quê. Esses ingênuos perguntarão: "Mas haveria mesmo outro modo de enfrentar a superprodução do café, além da queima?".

Vou citar duas, uma científica e outra comercial. A solução científica foi estudada por Afrânio do Amaral e consistia no desdobramento do café que estava sendo queimado por invendável em vários componentes vendabilíssimos, como a cafeína, os óleos insaponificáveis que dão hormônios, o ácido cafeico resolúvel em benzina, o ácido quínico resolúvel em hidrobenzina, a trigonilina resolúvel em explosivos, etc.

O desdobramento do café nesses componentes representava um valor comercial maior que o do café *in natura*. O defeito desta solução era ser muito científica. O governo brasileiro sempre teve uma vaga desconfiança dessa coisa chamada ciência. Espécie de comunismo...

Outra solução, a comercial, foi proposta pela Rússia — e sobre ela posso falar de cadeira porque brotou e germinou sob meus olhos em New York em 1930. Quero dar o meu depoimento. Se no processo do Estado Novo cada um de nós contasse o pedacinho que sabe, a patota de que teve conhecimento, a imbecilidade a que assistiu, formar-se-ia um dossiê precioso para uso de qualquer governo honesto que porventura venhamos a ter. Só o estudo dos erros do passado ensina qualquer coisa aos estadistas do futuro.

Eu era adido comercial interino nos Estados Unidos, com escritório em New York. Certo dia apareceu-me lá um russo, com um pedido qualquer de informação. Puxei prosa. Era funcionário de Amtorg Corporation, a agência que os Soviets mantinham na América do Norte para a realização do intercâmbio entre os dois países. Na América do Sul havia, com sede em Montevidéu, uma organização semelhante, a Yuyamtorg, para o intercâmbio com a América do Sul. Os Estados Unidos faziam naquele tempo, como sempre fizeram, grandes negócios com a Rússia Soviética, num movimento de dezenas de milhões de dólares. Cá entre nós a Rússia estava proibida pelos padres, pelas beatas ricas e pelo governo...

O homem da Amtorg, em certo ponto da conversa perguntou-me:

— É verdade que seu país está com superprodução de café?

— Sim, — respondi baixando os olhos, porque naquele tempo já eu considerava a superprodução do café como um fenômeno de inépcia coletiva.

— E o Brasil não extrai petróleo do seu imenso território?

— Não, — murmurei de novo, baixando ainda mais os olhos e corando até à raiz dos cabelos.

O russo nada percebeu do meu drama íntimo; refletiu uns instantes e disse:

— Por que seu país não troca esse café que tem demais com petróleo russo? Vocês têm café em excesso; nós temos petróleo demais. Por que não trocarmos uma coisa pela outra?

Nada atrapalha tanto um brasileiro no exterior como essa pergunta: "Por que o seu país não faz isto ou aquilo?". A gente não pode confessar que é por estupidez orgânica, e começa a inventar umas razões tão cabo-de-esquadra que o interpelante sai convencido de que o interpelado também é uma cavalgadura irremediável. Armando-me de coragem, sinceramente confessei a minha ignorância: eu não sabia a razão. E depois de longo debate, assentamos num projeto: discutirmos o caso com Moscou, a ver se era possível a realização da troca do café que o Brasil estava queimando pelo petróleo que a Rússia possuía na maior abundância. Carta vai, carta vem, quatro ou cinco meses depois recebi autorização para comunicar ao governo brasileiro o seguinte:

A Rússia, desejosa de combater no Exército Vermelho o abuso do álcool, propunha ao Brasil a troca dos excessos de café por todos os derivados do petróleo que a economia brasileira necessitasse, encarregando-se a Rússia de fazer em seus navios o transporte do petróleo e do café. E os russos ainda acentuavam que com a contínua passagem pelas fileiras de milhões de moços, o hábito do café adquirido durante o tempo do serviço militar seria levado para o seio das famílias, espalhando-se por toda a Rússia, com possibilidades de com o tempo fazer dela um comprador de café do Brasil tão grande ou maior que os Estados Unidos.

O negócio me pareceu simplesmente prodigioso, e pus-me a pensar no pulo de contentamento que o Brasil iria dar ao saber daquela imprevista solução do emperrado problema do café. Isso foi em fins de 1930. Em começos de 1931 vim para o Brasil com a proposta no bolso, todo risonho, à espera do estouro de contentamento da pátria amada.

Cheguei e encaminhei ao Ministério do Exterior o meu relatório e a proposta russa. Mas a pátria não reagiu. Esperei todo um mês e nada, nem sim nem não. Refiz a minha exposição, já meio desconfiado, e encaminhei-a à Presidência da República. A pátria continuou não reagindo. Mais um mês de espera e nada. Insisti com outro Ministério. Nada. A pátria sempre naquele eterno mutismo de peixe. Desapontadíssimo, oficiei àquelas três entidades, àqueles três peixes da pátria, pedindo que me dessem uma resposta qualquer, sim ou não, pois que eu me comprometera a dar uma resposta qualquer à Amtorg. Nada. Silêncio de morte. Os três peixes persistiram na inviolável mudez dos peixes.

Cinco meses passados, recebo um telefonema do Hotel Esplanada: dois russos vindos do Uruguai queriam ver-me. Fui lá. Eram representantes da Yuyamtorg que haviam recebido ordem de Moscou para se informarem comigo sobre o ponto em que estava o negócio da troca do café por petróleo.

— E então? — perguntaram-me eles.

Corei até à raiz do calcanhar. Que dizer àqueles homens? Que mentira pregar? Como confessar que o nosso governo é o que é? A mentira que o pudor me sugeriu foi dizer que "ainda estavam estudando o assunto". Os dois homens sorriram e lembraram a organização dum grupo que fizesse particularmente o negócio da troca do café com petróleo, sem intervenção do governo — e encerramos a conversa.

Tratei no dia seguinte de saber se o governo tinha alguma objeção contra essa troca feita por particulares. Minhas consultas continuaram sem resposta. Abandonei o caso — dessa vez envergonhadíssimo da desgraça de ser brasileiro.

A tentativa, entretanto, prosseguiu. Outras pessoas insistiram em levá-la por diante. Apareceu uma objeção: "Os Estados Unidos é que estão impedindo que o Brasil faça essa troca". Os interessados foram ter com Edwim Morgan, embaixador americano, por esse tempo aqui em S. Paulo, hospedado em casa de Dona Olívia Guedes. A resposta de Morgan foi a que tinha de ser: "Os Estados Unidos de nenhum modo jamais se oporão a um negócio vantajoso para a prosperidade do Brasil".

— Sim, — disseram os consultantes, — mas isso é opinião sua. Nós queremos a opinião do governo americano. Pode telegrafar?

Morgan telegrafou e recebeu de Washington uma resposta exatamente nos termos da sua. Ficou assim afastada a hipótese de que o governo do Brasil não fazia o negócio proposto pelos russos de medo de represálias do governo dos Estados Unidos.

Pergunto: por que motivo o nosso governo recusou o mais maravilhoso negócio que jamais apareceu para o café — uma solução que não só acabava com a superprodução como eventualmente poderia dar ao nosso café um freguês tão grande ou maior que os Estados Unidos? E um negócio que além disso nos resolvia o problema da gasolina, do querosene, do óleo combustível e de óleo lubrificante, fazendo-nos economizar os milhões e milhões de dólares gastos todos os anos na compra desses produtos? Por que não foi dada nem sequer uma simples resposta de cortesia, um simples não, a quem apresentou a proposta russa?

A solução do enigma é uma só: o nosso governo não tem coragem de antepor o bem público, as verdadeiras necessidades do país, a felicidade e a prosperidade de quarenta e cinco milhões de pobres diabos coloniais que somos, aos interesses dos grupos financeiros daqui, ligados ao Capitalismo Anônimo Internacional que paira sobre o mundo como tremendo Pássaro Roca controlador dos governos fracos e promotor de guerras entre os governos fortes. Tanto dentro da forma democrática como dentro de qualquer forma de ditadura, os governos dos países fracos não passam de bonecos nas mãos do Poder-Oculto do Capitalismo Internacional Anônimo — do qual até agora só um país se salvou: a Rússia.

Esta é a verdade que ninguém se anima a dizer.

Diário de São Paulo, 1935.

NÃO FICÇÃO

ps
A barca de Gleyre 1º tomo (1944)

Estas memórias...

Edgard Cavalheiro

Quando, há cerca de um ano, Monteiro Lobato me proporcionou a leitura de um punhado de folhas datilografadas contendo parte da correspondência trocada com Godofredo Rangel, vi logo o originalíssimo livro que seria a sua reunião em volume. O livro sai agora e, não sei bem por que agradável desígnio, cabe-me a grande alegria de precedê-lo de algumas palavras. Neste pórtico devia estar Godofredo Rangel — o assíduo correspondente, o amigo de tantos anos, aquele que acima de todos melhor poderia explicar a gênese e o desenvolvimento de uma amizade que constitui, dentro da nossa literatura, um caso original, único.

Caso único, na verdade, e talvez não só na história literária do Brasil. Cartas de escritores — aos amigos, parentes, bem-amadas, colegas, etc. — são comuns. Os volumes da correspondência de Flaubert são em maior número que os da sua produção original. E ninguém desconhece as centenas de cartas de Vitor Hugo à sua noiva. Mas uma troca de cartas entre dois amigos, e sobre o mesmo assunto, que tenha durado quarenta e tantos anos, parece-nos coisa inédita.

Se o fato em si é original, as consequências são originalíssimas. Pois aqui estão as "memórias" de um homem, escritas sem ele saber, compostas sem plano preconcebido, realizadas com um máximo de fidelidade e isenção de ânimo. Sabemos todos como são falsas, duvidosas ou apaixonadas as histórias dos homens que escreveram sua própria vida.

Nem Santo Agostinho ou Kropotkin, Rousseau ou Goethe, escaparam ao perigo das "poses", dos "gestos" para a posteridade. Aliás, o próprio autor do *Fausto* reconhecia que só ironicamente podemos falar na primeira pessoa do singular. Uma coisa é preparar laudas de papel para encher com recordações do passado, mesmo com a mais pura das intenções. Outra, muito outra, é chegar ao fim de uma acidentada existência e receber de um amigo, com o qual nos carteamos durante quarenta e tantos anos, centenas e centenas de páginas, com os tipos de letras mais variáveis possíveis e os mais estranhos papéis, e verificarmos que essas cartas nada mais representam senão a nossa própria existência, pormenorizadamente contada. Páginas amarelecidas pelo tempo, mas todas elas tão vivas pelo que revelam de duas personalidades! Uma — alma tímida e timorata, encaramujada, em longínquos lugarejos, aparentemente satisfeita no ramerrão de uma vida sem tropeços, sem altos e baixos. Outra, inquieta, insatisfeita, buliçosa, desambientada em Areias ou Taubaté, em São Paulo ou Rio de Janeiro, ambicionando sempre campos mais vastos, passando por grandes experiências, precisando cair no bruhaha de New York para encontrar campo propício para os seus altos sonhos. Enquanto Godofredo se conforma ou parece conformar-se com a vidinha de juiz nos inacessíveis municípios mineiros, Lobato aventura-se na capital paulista, mete-se em negócios, chega a nosso adido comercial em New York, funda companhias para a exploração do ferro e do petróleo, numa eterna inquietação, numa febril atividade. São almas díspares, aparentemente nada têm de comum.

Um, espírito interiorizado, dominado por complexos de inferioridade, escrevendo muito (chegando a numerar romances com a facilidade com que o outro numerava contos) mas nada ou muito pouco publicando, nem quando o amigo, dono de uma editora e de uma grande revista, insiste nos originais. Outro, com grandes intervalos na produção; mas divulgando muito, até mesmo ligeiras notas de cadernos íntimos, pois, algo cético por natureza, tem momentos de febricitante entusiasmo. Se o primeiro raramente se eleva e grita, o segundo está sempre gritando, e jamais aceitará situações intermediárias. Onde, então, o ponto de contato a uni-los? Que estranho elo terá sido esse que os ligou tão intimamente? Em que regiões personalidades tão contraditórias poderiam tão harmoniosamente se encontrar? É fácil a resposta: ambos eram visceralmente literatos. A literatura que os uniu nas tertúlias boêmias do "Minarete" manteve-os ligados para sempre. Como um visgo que neles grudasse, a doença literária não mais os deixou e, vítimas do mesmo mal, nesses amplos, estranhos e misteriosos domínios eles se irmanavam, numa fraternidade isenta de malícia, fonte perene de compreensão, encantamentos e alegrias insuspeitadas. As "belas letras", com era hábito dizer, levou-os às primeiras conversas quando estudantes. Formados, seguiram destinos diversos. Mas o "vírus" estava inoculado e do mal literário poucos se livram a tempo, embora a ausência de ambiente e estímulo tornem a tendência quase sempre um martirológio.

É ainda com os pseudônimos da república de estudantes que trocam as primeiras cartas. O ano está recuado, 1903. E Lobato vai prevenindo: "Sigo logo para a fazenda e quero de lá corresponder-me contigo longa e minuciosamente em cartas intermináveis; mas é coisa que só farei se me convencer de que realmente queres semelhante coisa".

Desde então não cessam as cartas. Muitos anos depois o hábito tornara-se uma segunda natureza. Não se tratava, porém, de uma amizade no sentido comum, dessas que exigem a presença física da pessoa querida. Reclamam, sem dúvida, visitas, planejam viagens em conjunto, convidam-se mutuamente. Mas não há uma necessidade por assim dizer orgânica do encontro pessoal, da conversa verbal. Tanto que Lobato podia acentuar que o hábito "de escrever-nos desdobrou-te em dois Rangéis: o de carne, professor; marido e lá sei que mais; e o Rangel epistológrafo. Este é que é o meu. Deste é que conheço as ideias e as manhas".

De que tratam eles em tantas cartas? De tudo. Especialmente de livros e autores. De vez em quando uma ligeira incursão sobre assuntos domésticos, políticos ou sociais, mas a preocupação absorvente é quase sempre de ordem literária. Impressões de leituras, discussões em torno de obras, estilos, tendências. As leituras são muitas. Uma miscelânea de autores e assuntos, todos sofregamente devorados. Por vezes pequenas pausas. Enfarados, procuram produzir. Trocam então críticas, submetem um ao outro suas produções, estimulam-se, sem, no entanto, abdicar do direito de crítica.

Contando — numa linguagem despida de pretensões, sem o público como elemento controlador, sem outro censor que o amigo certo — suas inquietações espirituais, suas preocupações artísticas ou descobertas nos campos da estilística ou da filologia, Lobato vai traçando a linha seguida pelo seu espírito tanto no terreno do estilo propriamente dito, como no da concepção da arte, suas causas e efeitos.

O simples fato de não cortejar qualquer espécie de leitor permite-lhe abrir-se com a mais absoluta franqueza, com certa rudeza mesmo. Que importa se o que está escrevendo irá prejudicá-lo aos olhos do público? A carta é íntima, não chegará até mãos profanas. Isso não só valoriza imensamente estas "memórias", como é a mais segura garantia da autenticidade dos sentimentos nelas expressos.

Aliás, nada comprova melhor este aspecto do livro do que as contradições, os vai-e-vem em que se debate o escritor. Sobretudo nos anos de formação, quando ainda em Taubaté ou Areias, tateia caminhos, procurando o gênero a que se dedicar, debatendo-se na incerteza da verdadeira vocação. As notas, neste sentido, são preciosas, e com elas podemos reconstruir a estrada percorrida até a publicação de *Urupês*, momento em que as cartas assumem outra feição e o escritor, abandonando a pacatez de uma cidade morta ou a vida sem grandes atropelos de uma fazenda, aventura-se aos altos negócios, transformando-se nessa coisa algo absurda para o nosso meio: o profissional da pena, o intelectual que faz da inteligência arma social, nobilitando o vocábulo até então pejorativo e quase somente aplicado a seres aéreos, subjetivos, sem contato com a vida ou sem nela se integrarem como partes ativas do mecanismo social. Mais do que esse período, porém, interessará aos "fans" de Lobato o conhecimento minucioso das suas experiências para chegar a *Urupês* ou *Cidades Mortas*.

Aos jovens escritores de hoje, ou a esses rapazes que datam quinhentas páginas de poesias feitas em dois meses, e que antes da maioridade já ostentam numerosa bagagem literária, o aprendizado do escritor Lobato, que este livro revela, servirá de severa advertência, de preciosa lição. O ex-estudante que em 1904, com o canudo de bacharel debaixo do braço, seguiu para a cidade de Taubaté, talvez já tivesse escrito contos suficientes para encher um ou mais volumes. A publicação de um livro trar-lhe-ia, com toda a certeza, prestígio entre os companheiros que ficavam, garantindo-lhe invejável situação na cidade que o aguardava com o orgulho de mais um filho doutor. Mas ele não tem pressa. Sabe que está irremediavelmente condenado a ser literato. "Tentei", escreve em junho de 1904, "arrancar de mim o carnegão da literatura. Impossível. Só consegui uma coisa: adiar para depois dos trinta o meu aparecimento." Contava então vinte e dois anos de idade. Muitos sonhos enchiam-lhe as noites. Planos não faltavam. Mas ele bem sabe que para se fazer boa literatura é necessário, antes de mais nada, esta coisa simplíssima: viver. "Estamos moços", escreve ao amigo, "e dentro da barca. Vamos partir. Qual é a nossa lira? Um instrumento que temos de apurar, de modo que fique mais sensível que o galvanômetro, mais penetrante que o microscópio: a lira eólia do nosso senso estético. Saber sentir, saber ver, saber dizer. Nada de imitar seja lá quem for. Temos de ser nós mesmos... Ser núcleo de cometa, não cauda. Puxar fila, não seguir."

É todo um programa esse trecho. Saber sentir, saber ver, saber dizer... Dentro desse tríptico a coerência do aprendiz de escritor é perfeita. Modelar. Nada o afastará. Nem mesmo as glórias que os primeiros trabalhos lhe trazem. É fácil ir respingando, aqui e ali, dia-a-dia, semana-a-semana, mês-a-mês, ano-a-ano, as aquisições feitas, as lições aprendidas e decoradas, os tropeços vencidos. As descobertas que vai fazendo ao longo do caminho são apontadas com a alegria das grandes descobertas, dos grandes achados, ou a constatação, melancólica dos rumos errados, dos fracassos em perspectiva. "Na propriedade da expressão está a maior beleza: dizer 'chuva', quando chove, 'sol', quando soleja. Acho o 'percutir' muito de gatilho de espingarda, muito metálico; monjolo é pau e pau que bate noutro não percute, dá um choque balofo." Ou então: "Nos grandes mestres, o adjetivo é escasso e sóbrio — vai abundando progressivamente à proporção que descemos a escala dos valores". Agora uma autocrítica: "Tenho um defeito grave: espremo e encurto demais o enredo, não o esclareço bem, não dou coloridos de transição, faltam-me tons, passo bruscamente duma coisa para outra, de modo que eu me entendo mas não me entendem os outros". As ambições são amplas: "Quero contos como os de Maupassant ou Kipling, contos concentrados em que haja drama ou que deixem entrever drama. Contos com perspectivas. Contos que façam o leitor interromper a leitura e olhar para uma mosca invisível com olhos grandes, parados. Contos estopins, deflagradores das coisas, das ideias, das imagens, dos desejos, de tudo quanto exista informe e sem expressão dentro do leitor. E conto que ele possa resumir e contar a um amigo — e que interesse a esse amigo. Tenho examinado os últimos livros de contos aparecidos. Nada como quero. Nada além de amorecos e adulteriozinhos de Paris. Isso fede. Serão como os de Kipling — com paisagens, árvores, céu, passarinhos, negros...". Mas não basta querer. Ele bem o sabe... "O meu conto, agora... Que tristeza, Rangel! Reli-o depois que chegou e achei-o tão seco, tão magro. As tuas observações me abriram os olhos. Vou seguir os conselhos."

Chega o desânimo, a insatisfação, a perspectiva do fracasso: "Sou incapaz de produzir um conto." "Creio que não passo de um cronista." "Hoje, que positivamente já falhei..." Foge para a leitura. Devora livros sobre livros. "Ando vogando em Anatole..." "Tenho lido um milhão de coisas." Descobre a literatura inglesa e ela o deslumbra. Kipling, Dickens, Shakespeare, Wells... Mas os contos continuam não saindo como deseja. Outras fugas, outros derivativos. "Nasci pintor e pintor morrerei", comunica ao amigo, acrescentando: "e mau pintor."

Reside então em Areias, onde é promotor público. "Areias, Rangel! Isto dá um livro à Euclides. Areias, tipo da ex-cidade, de majestade decaída. A população de hoje vive do que Areias foi. Fogem da anemia do presente por meio de uma eterna imersão no passado." Está longe de pressentir que o lugarejo sem vida, do qual "nem Shakespeare tiraria sequer um título de drama" fornecer-lhe-á motivos para um dos seus mais deliciosos livros. No momento aquilo é um suplício. Sente-se apodrecer. Somente a leitura o salva. Os livros e a correspondência com o amigo, que lhe é de muito valor como incentivo, "como enchimento do tempo vazio, como ocupação mais nobre do que discutir política na farmácia ou caçar as moscas do imperador Domiciano".

Mas um dia morre-lhe o avô, e ele herda uma fazenda, passando de promotor a fazendeiro. Começa então o contato direto com a terra, com os pobres caboclos. E aos poucos vai sentindo que algo se está "gestando" nele. "Gesto uma obra literária, Rangel, que realizada será *algo nuevo*". Anota então, que entre os brasileiros cultos e as coisas da terra há um divórcio. Não sabe ainda como será essa obra que sente nascer num processo inconsciente. Pensa num romance. Ou numa série de contos e coisas e com uma ideia central. "Nessa obra aparecerá o caboclo como o piolho da terra, tão espontâneo, tão bem adaptado como nas galinhas o piolho de galinha... Já te escrevi sobre isso: e se a ideia volta e insiste é que de fato está se gestando, bem vivinha e será parida no tempo próprio."

A ideia não mais o abandonará. Algumas linhas mestras repontam aqui e ali: o grande incêndio das matas nas queimadas de agosto; a obra de pilhagem e depredação inconsciente do jeca; a tristeza e depauperamento de uma raça fadada a desaparecer. Observa que a nossa literatura é fabricada nas cidades por sujeitos que jamais penetraram nos campos. Falseiam o caboclo e sua miséria, tudo colorindo com as tintas róseas de um otimismo criminoso. "Se eu não houvesse virado fazendeiro e visto como é realmente a coisa, o mais certo era estar lá na cidade a perpetuar a visão erradíssima do nosso homem rural." Sente que não é de um livro, e sim de um libelo que a nossa literatura está precisando. O livro sairá quando tiver de sair. "Não procuro escrevê-lo, ele é que tem de formar-se dentro de mim como um tumor." Mas os trabalhos que irão compor *Urupês* ganham contornos, corporificam-se em forma de contos ou crônicas. Primeiro é o artigo "Velha Praga". Depois "Mata-pau". Em seguida "Chóo-Pan". Refaz pela quarta ou quinta vez "Os Faroleiros". Se divulga algum desses trabalhos em revista ou jornais, é com intenção de revê-lo mais tarde, pois nada melhor do que a correção em texto já impresso.

A repercussão e o começo de glória que ameaçam envolvê-lo com a divulgação dos primeiros contos, em lugar de estímulo somente servem para refrear-lhe os impulsos. Volta, por uns tempos, a usar os velhos pseudônimos dos tempos de estudante. Agrada-lhe, porém, o efeito produzido pelos artigos. Nele vê um despertar de consciências adormecidas. Resiste, porém, à tentação do livro, que ainda não está maduro. "Não tenho pressa, nem entusiasmo. Já estou muito longe do assanhamento dos dezoito anos", afirma em 1917.

O aprendizado fora árduo. As cartas nos dizem que passou uma temporada debruçado no dicionário de Aulete. "O que mais aprecio num estilo é a propriedade exata de cada palavra e para isso temos de travar conhecimento pessoal, direto, com todos os vocábulos, um por um, em demorada, pensada e meditada vocabulação dicionarística." A esse demorado passeio pelo país dos vocábulos, seguem-se outros passeios: a obra de Machado, a centena de volumes de Camilo, Camões, todo o Balzac, Stendhal, Kipling, Euclides — quantos outros mais! Não frequenta filólogos, preferindo aprender diretamente nos mestres. Confessa sua ignorância em questões gramaticais, afirmando guiar-se pelo tacto e pelo faro, pelo aspecto visual e auditivo da frase. Camilo apaixona-o. Chega mesmo a transformá-lo em base de operações, para as incursões em outros setores. Convida o amigo para um passeio através do mundo camiliano, como "remédio contra o estilo redondo dos jornais, que somos obrigados a ingerir todos os dias. Camilo é laxante. Cada vez que mergulho em Camilo saio lá adiante mais eu mesmo — mais topetudo. E o topete filosófico eu o extraio de Nietzsche". Estranha combinação, na verdade, mas que se harmonizava perfeitamente com o espírito irrequieto, insatisfeito, buliçoso e combativo do panfletário de "Velha Praga". E por isso mesmo contraditório. Tanto assim que logo percebe estar abusando de Camilo, e alerta o amigo: "Abusamos de Camilo como certos sifilíticos abusam do mercúrio. O espiroqueta morre, mas ficamos com os dentes estragados. Temos que eliminar todas as cascas e ficarmos em carne viva". Ser aquilo que numa enfática advertência o rapazinho de vinte e dois anos aconselhava: "Seja você mesmo, porque ou somos nós mesmos ou não somos coisa nenhuma. Ser exceção e defendê-la contra todos os assaltos da uniformização: isto me parece a grande coisa".

Mas fugir à bitola comum não significa desprezo pelo que nos precederam. Se é verdade que estilos não se fabricam nem se ajustam por influxo de regras, não é menos verdade que o desprezo às experiências e conquistas feitas só denotará ausência de espírito crítico, falta de senso. Aprendendo com os mestres, Lobato não se submete, porém, a eles. Consome anos na procura do meio de expressão mais adequado às suas ideias, pois quer vesti-las decentemente. Refaz quatro ou cinco vezes o mesmo trabalho. Longos romances são reduzidos a exíguos contos. Anota que tanto ele como o amigo estão dando espaço demais ao cenário, com prejuízo das figuras. Quantas outras observações não vai anotando no decorrer dos longos meses de incubação, até o momento em que se sente maduro, com o instrumento já amolado, em forma. A afirmativa feita em 1905 — "ou dou um dia coisa que preste, que esborrache o indígena, ou não dou coisa nenhuma" — vai, enfim ser concretizada. *Urupês* está no ponto.

Não é este o lugar para comentários sobre o que se seguiu à barulhenta estreia que foi a publicação desse livro, nem para acompanharmos o autor através dos anos que vieram depois, anos cheios de realizações e glórias, fracassos e decepções. As cartas ora divulgadas mostram o que foram as lutas de mestre Lobato, nos vários setores em que empregou sua extraordinária capacidade de trabalho. Indústria de livros, ferro, petróleo, traduções, literatura infantil... São capítulos de uma vida a ser contada para exemplo das gerações vindouras.

Por ora, acentuemos tão somente a lição proporcionada pelo contista, na inquieta busca a que se entregou, de criar um estilo, de erguer uma obra literária que no setor só iria encontrar paralelo na do mestre Machado. Que importa se mais tarde ele próprio, no mar das suas contradições, tão humanas e por isso mesmo tão comoventes, abandone o gênero que tantas glórias lhe trouxe? A lição aí está: a árvore deu os frutos esperados! Estas cartas — se tantas outras coisas não nos dissessem de um homem que é uma das mais puras expressões da nossa vida intelectual — serviriam de excelente roteiro aos moços que ora começam e que, deslumbrados pelo êxito fácil, se entregam à ilusória notoriedade das grandes bagagens literárias, como passaporte para a imortalidade. Além de serenidade e experiência, honestidade e talento, arte é também esforço, é também, principalmente, árduo aprendizado. "Noventa por cento de transpiração e dez por cento de inspiração: eis o gênio", dizia Edison.

Que os moços procurem nestas cartas o caminho percorrido pelo mestre, não para imitá-lo ou submeter-se passivamente ao seu modo de ver e de sentir as coisas, mas sim como ponto de partida para outras aquisições e outros feitos. Procurem, não só a lição do *conteur*, mas do mestre da vida, daquele que já no fim da carreira podia escrever ao amigo: "Tenho sido tudo e creio que minha verdadeira vocação é procurar o que valha a pena ser". Insatisfação, inquietude, inconformismo...

Ai dos satisfeitos, dos suficientes, dos conformados! ...

TRÊS NOMES...

Nesta casca de árvore quero escrever três nomes: o de Purezinha, a Mater Dolorosa com a qual vou descendo o morro, de mãos dadas e saudades em comum; o de Marjori, a criaturinha que simboliza todas as que se lembram de mim e me escrevem; e qual seria o terceiro, senão o de Ricardo o Inesquecível?

Escusatória

Estas cartas se salvaram, das que escrevi a Godofredo Rangel no dilatado espaço de quarenta anos. Quarenta anos do mesmo amigo e mesmo assunto, que fidelidade!... E a consequência foi se tornarem uma raríssima "curiosidade". Não sei em nenhuma literatura de tão longa correspondência, sobre o mesmo assunto, entre só dois sujeitos.

O gênero "carta" não é literatura, é algo à margem da literatura... Porque literatura é uma atitude — é a nossa atitude diante desse monstro chamado Público, para o qual o respeito humano nos manda mentir com elegância, arte, pronomes no lugar e sem um só verbo que discorde do sujeito. O próprio gênero "memórias" é uma atitude: o memorando pinta-se ali como quer ser visto pelos pósteros — até Rousseau fez assim — até Casanova.

Mas cartas não... Carta é conversa com um amigo, é um duo — e é nos duos que está o mínimo de mentira humana. Ora, como da minha conversa escrita com Rangel se salvassem quase todas as cartas, tive ensejo, um dia de lê-las — e sinceramente achei que constituíam uma "curiosidade editorial" de bom tamanho. E que teriam interesse para o público justamente porque ao escrevê-las nunca me passou pela mente que jamais fossem dadas a público. Mas vacilei. Dá-las ou não? Tão íntimo tudo aquilo. Tantas perversidadezinhas para com os amigos, tanta piada para cima do Nogueira — o companheiro que no fundo mais admirávamos... Além de que isso de cartas é sapato de defunto. Depois que o autor morre é que elas aparecem.

Pensei, pensei, pensei. Por fim, vá lá. Tenho sérias dúvidas sobre se estou ainda vivo — e se as cartas saírem com a minha revisão de semivivo, apresentar-se-ão podadas de muitas inconveniências que um semimorto já não subscreve.

1903

Primeira visita de Lobato a Rangel[1]

---

[1] Minarete, era como chamávamos o chalezinho amarelo da rua 21 de Abril, no Belenzinho, uma rua sem calçamento, toda sebes de espinheiros. Devia haver, mas não me lembro, casas por lá, afora o chalezinho do Minarete centro dum terrenão de Chácara. Uns cinquenta metros de frente, cerca viva com o portão de ferro no centro — o clássico portão de ferro com pilastras de tijolo e vasos em forma de urna em cima. Dentro dos vasos, essas pobres plantinhas que lembram pés de ananás, mirradas, atrofiadas, impedidas de crescer pela angústia de espaço para as raízes. No mais, laranjeiras, ameixeiras, creio que um pé de romã, o coqueiro ao lado, a horta e uma grande paineira à esquerda. Era ali a toca do Rangel.

Diz ele em carta recente: "Eu naquela época trabalhava como escrivão de subdelegacia no posto policial do Brás. Foi onde conheci o Ricardo, que um dia lá apareceu como repórter do *Correio Paulistano*. Vendo que, na folga do serviço, eu estava a ler um romance de fancaria, aconselhou-me coisas de mais valor; e convidando-me a ir à sua casa, lá me emprestou, para iniciação literária, o *Germinal* de Zola.

Pouco depois fui removido para o Belenzinho, e como o novo posto policial ficasse longe da casa de meu cunhado, que era onde eu morava, aluguei os altos do futuro Minarete a um Sr. Júlio, excelente criatura que morava com sua gente no andar térreo. Dois cômodos. Por eles eu pagava vinte mil réis por mês — e podia dar-me esse luxo porque vencia cento e vinte mil réis pela verba da guarda-cívica. E lá fiquei morando, só indo à casa de minha família para jantar.

Algum tempo depois apareceu Ricardo de visita ao meu sótão, como eu dizia; e tão encantado ficou que resolveu também mudar-se para lá — ao meu modo, isto é, só dormindo e almoçando lá. Nosso almoço era coisa sumaríssima. Prato de resistência, uma boa gemada batida em copo, na qual despejávamos café quente.

Na biquinha do terreiro lavávamos o rosto e as vasilhas do café — e nessa labuta Ricardo perdeu certa manhã o valioso brilhante dum seu anel.

Muitas vezes, acompanhados pelo Raul e o Artur Ramos, que logo começaram a aparecer em companhia do Ricardo, saíamos do Minarete à meia noite. Para alguma farra? Nunca. Para do alto do Belenzinho, perto duma fábrica de vidro, vermos os efeitos do luar sobre o rio Tietê. Sem qualquer resolução preconcebida, nada conversávamos sobre amores e nada sabíamos das pequeninas aventuras uns dos outros. Eram coisas vulgares e desprezíveis, ao lado de nossas elevadas cogitações sobre a arte pura...

Um dia, creio que domingo, Ricardo apareceu com o Raul, o Lobato (pela primeira vez), o Tito e penso que também o Artur Ramos e o Albino; fizemos uma refeição coletiva na horta, perto do coqueiro. Ainda me lembro, o Tito, no final, teve uma frase de sensação, comparando os restos do 'banquete' aos destroços dum campo de batalha. Eu já o conhecia e respeitava o Tito, sem que ele o soubesse, isso desde que... Mas tenho de parar, porque as reminiscências não teriam fim.

Rangel morou no Minarete um ano ou pouco mais. Ricardo e eu moramos uns meses. Estou a imaginar como surgiu a denominação do chalezinho. Ricardo entra lá pela primeira vez, vai à sacada e encanta-se com a vista agreste, com o coqueiro ao lado e a paineira à esquerda. E numa expansão: "Mas é uma torre, Rangel! Veja que amplidão de vista se descortina! Uma torre — um Minarete!... E você é um muezim..."

Depois da adesão do Ricardo, deu-se a minha. Fiz como ambos: lá dormia e almoçava; o jantar era na cidade, em casa duma irmã. Lembro-me que entrei para o Minarete com grande fúria reformatória. Os dois cômodos eram caiados dum tom róseo já sujo. Resolvi deixar aquilo um encanto. Vou à cidade, compro na Casa Ferreira um lindo papel meio crepom, de listas de três dedos de largura, uma azul claro, outra cor-de-rosa desmaiado e outra café com leite mais leite que café — uma beleza! E pus-me a empapelar o cômodo da frente. O papel só deu para três paredes. E como não houvesse dinheiro para mais, ou arrefecido já estivesse o entusiasmo, o empapelamento não foi por diante. O cômodo ficou como aqueles venezianos ou florentinos que usavam as pernas em *maillot*, cada uma duma cor...

Havia duas inscrições na parede. Uma delas: AQUI SÓ SE COME PÃO DO ESPÍRITO. Inscrição de defesa, ou espantativa dos "penetras" que só se lembravam de visitar os muezins na hora da gemada... E também havia um letreiro contra os cacetes: AS VISITAS DOS PROFANOS SÓ PODEM DURAR DEZ MINUTOS. Lembro que um dia, depois de ter estado lá o Ercole de Beccari, apareceu uma nova inscriçãozinha a lápis, em letra medrosa e miudinha: *Dio vigliaco!* O extremamente miúdo da letra era uma clara precaução para que aquilo passasse ignorado aos olhos de Deus, que, muito velho que é, deve tê-los cansados...

Nas visitas que os outros companheiros do Cenáculo nos faziam, era praxe, lá do portão, "baterem" o Hino do Minarete, cuja música fora composta pelo Rangel. As palavras reproduziam a grita de guerra dos terraconenses como aparece no *Tartarin* de Daudet, com leve alteração no fim:

Dé brin o dé bran
Cabussaran
Dou fenestron
De Tarascon
Dedins lou Rose.

Queria dizer que, por bem ou por mal, jogariam (o inimigo) de cabeça para baixo, da janela de Tarascon dentro do Ródano. Em vez do "dou fenestron de Tarascon dedins lou Rose", o nosso hino rezava: "dou fenestron de Minaron dedins lou Tetiose". A janela de Tarascon passava a ser sacada do Minaron, ou Minarete; o Rose virava Tetiose, ou o Tietê.

Cada vez que lá no portão soava o hino, o muezim que estivesse em casa aparecia à janela e saudava o visitante com o "Vé!" dos tarasconeses.

— Vé, Costecalde! ou Vé, Bompard!

E o Costecalde ou o Bompardi respondia lá de baixo com o "Tél".

— Té, Bezuquet! ou Té, Tartarin!

Porque todos nós andávamos cheios do *Tartarin de Tarascon* de Daudet e cada um personalizava um dos heróis do romance. Ricardo era o Tartarin. Rangel, o Bezuquet. Cândido Negreiros, o Bompard. Artur Ramos, o espingardeiro Costecalde. Eu, Pascalon e o Engraçado. Havia até o Chameau — aquele camelo da Argélia que não largava de Tartarin e tentou acompanhá-lo na sua volta à França. Chameau era um meninão aí de dezoito anos, filho do capitão Júlio, que muito admirava e rentava o Ricardo, sem nunca abrir a boca. Naquele tempo tinha posto militar. O "Sr. Júlio" do Rangel era capitão.

E quais as vítimas que no Hino do Minarete eram "arremessáveis" no Tietê? Está claro que os "penetras", os filantes de gemada e os detestados "literatos do Brás" — Macuco, Artur Goulart e outros, perenes alvos das nossas ironias de gênios de primeira classe. Por aquele tempo florescia no Brás, em torno de Artur Goulart, uma panelinha de literatos de pernas tão curtas que seus nomes não conseguiam transpor a várzea do Carmo.

O nosso grupo, ligado por misteriosa afinidade mental, era composto de Ricardo Gonçalves, ou o Ricardito, o maravilhoso poeta que nos mantinha em perpétuo estado de encantamento e tão cedo se foi. Godofredo de Moura Rangel, o mais delicado e bonitinho do bando; vegetou toda vida como juiz e hoje, na aposentadoria, geme os reumatismos em Belo Horizonte. Cândido Negreiros, o aristocrata do grupo, rico e elegantemente fraco dos pulmões (dava-se ao luxo de ter pulmões, coisa que nós outros nem sabíamos o que era); foi o primeiro a desertar; morreu poucos anos depois num sanatório da Suíça. Tito Lívio Brasil, o grandalhudo, jornalista pantagruélico, orador *à outrance*, eterno perpetrador de trocadilhos mesmo depois de passada a moda; mora hoje em S. Paulo, sempre enorme e bamboleante. Albino de Camargo, o nosso filósofo absoluto, o eterno duvidador que não tinha coragem de afirmar coisa nenhuma e nem sequer concluía as frases; no meio do caminho duvidava do que queria dizer e parava; foi deputado estadual pelo Partido Democrático e é lente de psicologia e lógica no ginásio de Ribeirão Preto, onde duvida dos alunos e da lógica. Raul de Freitas uma criatura de grande doçura, irredutivelmente romântico e já naquele tempo mais parasitado de saudades que o Bernardim Ribeiro; funcionário público, vive hoje a sofrer as conseqüências de duas operações cirúrgicas que pioraram o soneto; Raul era a sombra do Ricardo e a sua memória sobressalente: quando na recitação dum poema Ricardo engasgava, Raul desengasgava-o, pois sabia na ponta da língua os mil sonetos e máis coisas que o poeta gostava de recitar. Lino Moreira, a bomba voadora do grupo, o Desmoulinzinho, o orador apoplético e fulminante, o mais nervoso e impetuoso dos homens; hoje purga o pecado da exaltação na placidez dum cartório de notas na rua Rosário, Rio.

Estes formavam o verdadeiro Cenáculo, o grupo inicial. Com o tempo outros se foram agregando, como o José Antonio Nogueira, primo do Rangel, que um dia nos caiu no Minarete como um bendengó vindo dos céus de Minas, egresso dum tremendo seminário daquele Tibete, onde já andava de batina e quase padre; um sopro de Voltaire revirou-lhe as crenças de pernas para o ar — e Nogueira emergiu em S. Paulo como Lázaro saído do túmulo, esgrouviado, desconfiado do sol, um desvario no olho, a pingar por todos os poros Deus e farelos da teologia, ainda na terrível luta mental do crer ou não crer; foi lá no Minarete que o evadido ao campo de concentração teológico travou relações com Zola, o sorvete, o amendoim torrado e outras liberdades de pensamento. O tempo transformou a descabelada e esgrouviada magreza do Nogueira no volumoso e notabilíssimo juiz que é hoje no Rio de Janeiro, onde preside o Tribunal de Apelação e planta uma *Nova Floresta* de meditações filosóficas nas colunas do venerando e ainda existente *Jornal do Comércio*. Júlio Costa, um professor recém-formado, esteve em observação como possível cenaculoide — mas, qual estrela cadente, afundou em Guaratinguetá e nunca mais soubemos dele.

Artur Ramos era um adido ao Cenáculo; não cultivava arte nenhuma, mas cultivava carinhosamente a adoração pelo Ricardo, de quem era parente, satélite e guarda-costas. Ricardo gostava de meter-se em pancadarias, e nessas ocasiões Artur funcionava como um precioso batalhão da reserva. Edgard Jordão apareceu tarde, sem tempo de integrar-se no bandinho.

No bilhete que lhe deixei no chalé num dia em que fui visitá-los, o estilo em falsete imitava o "no ar parado um sino canta" do Bilac, e fazia troça do saudosismo romântico do Raul em suas "crônicas das saudades" saídas no *Minarete* jornal. Essa visita não foi a primeira, como por engano está no título. Talvez fosse a segunda. Logo depois também me instalei lá.

Té, muezins!

Asas da saudade abertas ao vento! Por elas arrastado transportei-me hoje — sábado — ao Minarete fecundo.

Estava deserto. No ar parado moscas zumbiam. Moscas zumbiam no ar parado... Tristeza. Desolação. Sobre a mesa dormiam um Flaubert e um Coelho Neto. Não os despertei. Mas dum companheiro de soneca, Bruno de Cadiz, furtei alguns sonetos desconhecidos. Era o *álbum do Minarete* e nele revi a cena inicial dos Domingos Boêmios, e nele encontrei recordada a "memorável farpela cor de pinhão do Lobato".

Boa farpela! A mais espetacular que ainda possui. *Alfaiataria Galo*. Mereces na verdade mais que uma simples menção — mereces biografia, ó veneranda companheira da *vecchia zimarra*, da famosa capa de borracha do Lino e da "fatiota *verde do Tito*". Se algum dia me acudir engenho e arte, juro-te, farpela cor de pinhão, que te narrarei a mocidade, a maturidade e a melancólica velhice.

Havia ainda sobre a mesa... Céus!... Que prodigioso acontecimento! Que jamais prevista prodigalidade! Havia tinta!...

Silêncio. No ar parado não canta o sino. Só voejos de moscas e o leve sussurro do vento na folhagem da paineira. As folhas do coqueiro afiam ao vento. Silêncio... Súbito, um apito distante corta o espaço e, triste e melancólico, vem ferir-me o ouvido. É a Central... E em meu coração brotam pungentes saudades da minha infância em Taubaté. Ó infância minha na roça, quanta poesia, etc. etc. O meu passado que não volta mais, etc. etc. Adeus, vou-me embora, vou-me levado para outras terras. As recordações angustiam-me, etc. etc. Adeus, muezins ausentes, que deixam as portas abertas. E se eu fosse um ladrão?

Em resumo: O Lobato veio visitá-los e perdeu o latim. Volta amanhã. Deixa *Lendas e Narrativas* e *Robert Helmont*. Está de férias por todo um mês, Adeus. Té, Bezuquet! Vé, Tartarin!

Lobato

Segunda visita

Rangel

Estive ontem e voltei hoje. Ninguém ainda. Só as moscas, o Flaubert e o Coelho. Muezins infiéis que desertaram o Minarete! Por Alah que já é serem errantes — beduínos dos desertos da boêmia. Que a ira do Profeta vos caía sobre a cabeça. Volto amanhã à mesma hora.

Lobato

Primeira Carta

S. Paulo, 9, 12, 1903, ou 9 de Yewsky do ano II do nascimento do Cenáculo. (A ideia foi do Tito. Os meses ficaram assim: Janeiro, Bruno.(²) Fevereiro, Raul. Março, Tito. Abril, Lino. Maio, Rangel. Junho, Júlio. Agosto, Nogueira, Setembro, Albino. Outubro, Cândido. Novembro, vago. Dezembro, Yewsky).

Rangel, anjo do Cenáculo:

Acabo de profanar a palavra "anjo", pois ao escrevê-la arrotei. É que saí do almoço com as ingestões ainda mal assentadas lá dentro. E por que escrevo em momento assim impróprio? Porque amanhã, sábado, entro em exame oral e estou com os minutos contados, a recordar definições e textos desta horrível seca que é a "matéria". E escrevo hoje, em vez de após ao exame (como seria o natural), porque acabo de ler no *Minarete*(³) a tua primeira joia, meu Rangel, o teu primeiro vagido literário

---

2   Bruno de Cadiz, pseudônimo literário de Ricardo Gonçalves.

3   *Minarete*, o jornalzinho que Benjamim Pinheiro manteve em Pindamonhangaba de julho de 1903 a julho de 1907. Benjamim havia se formado em direito e como pretendesse derrubar a situação municipal dominante, tinha necessidade dum aríete demolidor. Discutimos o assunto. Surgiu o problema do nome. Eu, que morara com o Benjamim numa república, estava nesse tempo morando no *Minarete* do Belenzinho. "Pois dê ao jornal o nome de *Minarete*, sugeri, e no primeiro número explicaremos aos povos o que é minarete — aquelas esguias torres das gentes islâmicas, de cujo topo, ao cair da tarde, os muezins convocam os fiéis à prece. Um jornal é um minarete de cujo topo o jornalista dá milho às galinhas da assinatura e venda avulsa. Fica muito bem esse nome — e é nome que não está estragado. *Tribunas do povo*, por exemplo, existem centenas." Benjamim aprovou a ideia e o Minarete veio ao mundo em formato 25x35. Esse calibre revelou-se logo insuficiente para abalar a fortaleza do situacionismo político local; era uma Flaubert de matar sanhaço. Seis meses depois Benjamim punha o *Minarete* no calibre 30x43 — e a fortaleza empalideceu. Com quatro anos de bombardeio, a situação veio abaixo e, gloriosamente chamuscado de pólvora, Benjamim subiu à Prefeitura.

O *Minarete* começou com escândalo e foi um perpétuo escândalo na pacatez da "Princesa do Norte", como se cognominava Pindamonhangaba. Essa cidade fora rica outrora, no tempo do Império, mas atravessava o pior período da sua decadência, nos trágicos anos anteriores ao Renascimento do Vale do Paraíba, começado com a introdução da cultura do arroz e das indústrias. Pinda morria, coitada; Pinda desabava. Os recursos da Câmara não davam nem para reparar uma parede do teatro, que estava aluindo. E Benjamim, de Pinda, me fazia por carta encomenda de pelouros. "Zé Bento: preciso de um artigo bastante severo, atacando a Câmara por causa duma racha na parede do teatro. E outro sobre o capim que há nas ruas. Ataque de rijo." E eu atacava, mesmo sem conhecimento pessoal da extensão da racha nem da quantidade do capim das ruas. Outra carta dizia: "Há um chafariz sem água em tal largo. Meta o pau". Outra dizia: "É preciso pôr culpa na Câmara do preço da carne. Quero um artigo intitulado *Carnes Verdes*. Imagine só o escândalo: os açougueiros andam ganhando cinquenta mil réis em cada boi! A carne está por um absurdo. A mil réis o quilo, a de primeira! Mil réis, sim, Zé Bento! E a banha, a oitocentos réis! Inda ontem compramos aqui em casa dois quilos de lombo de porco, sabe a como? A oitocentos réis o quilo! Meta o pau na Câmara".

Eu me divertia fazendo de longe o *Minarete* quase inteiro. Quantos números totalmente escritos por mim — o soneto, os contos, o "humorismo", as "variedades", o rodapé, o artigo de fundo! Isso me forçava a um grande sortimento de pseudônimos, para dar ao público a impressão de que o jornal dispunha de um exército de colaboradores: Lobatoyewsky, Yewsky, Pascalon o Engraçado, Ruy d'Hã, Hélio Bruma, Enoch Vila-Lobos, Matinho Dias, B. do Pinho, Osvaldo, P., N., Yan Sada Yako, Mem Bugalho, She, Antão de Magalhães, Nero de Aguiar, Bertoldo, Marcos Twein, Olga de Lima, etc. etc. E todos lá do Cenáculo nele escrevíamos. Bruno de Cadiz publicava as saudosas crônicas do *Álbum do Minarete*. Raul de Freitas, as suas tão sentimentais Recordações. Cândido aparecia nos primeiros números com a coluna *Fen dé Brut*, assinando Bompard. Rangel assinava Bezuquet. Albino assinava Guy d'Han. Ricardo também publicou no *Minarete* muitos dos seus sonetos e as traduções de Rostand e Leconte.

Os artigos de encomenda — os "pelouros" — eram os clássicos "Melhoramentos Municipais", "Cemitério Municipal", "O Calçamento", "Fechamento de Portas", "Policiamento", "Iluminação Pública". Um dia aconteceu um caso curioso. Eu estava em S. Paulo, morando na república do Cândido, e lá recebi uma carta do Benjamim: "Preciso dum artigo sobre a iluminação pública. Pinda está às escuras. O pessoal da Câmara quer iluminação a álcool; nós da oposição temos de querer outra: lampiões belgas, por exemplo. Meta o pau no álcool e defenda o lampião belga".

Eu ia saindo para a aula quando recebi a carta, e disse ao Cândido que estava de folga: "Leia isso e faça o que o Benjamim quer". Quando voltei, de tarde, vi umas tiras na mesa do Cândido.

— Escreveu o que pedi?

— Sim, — respondeu ele lá da cama, onde lia o *Tartarin de Tarascon*.

Corri os olhos. Infame! Havia feito uma molecagem. Propusera o lampião belga, mas viera com um exemplo da França, pura brincadeira na qual figuravam personagens do *Tartarin*. Dizia ele: "Em 1893 a cidade de Beaucaire, na França, passou pelas mesmas indecisões que nós. Queriam substituir a luz baça e insuficiente das feias e malcheirosas lâmpadas de azeite por coisa melhor. A Câmara Municipal, de que era presidente Mr. Pegoulade, o mesmo que depois tanto se notabilizou na construção de pontes sobre o Ródano, abriu concorrência. Os projetos vieram aos milhares: a elegante luz elétrica, o álcool, o gás, tudo. Havia entre eles um mais humilde: o da iluminação de Beaucaire por meio de lampiões belgas, e tão vantajoso eram os seus termos, que a Câmara se deteve no estudo. Foi aceito esse projeto, e dali a seis meses, no dia 14 de julho de 1894, ocorreu a inauguração com a presença do Prefeito e mil pessoas gradas. O efeito foi magnífico, com grande pesar dos despeitados (que existem em toda parte) e hoje raras são as cidades sobre o Ródano que não sejam iluminadas a lampiões belgas. Suas vantagens são enormes, e temos a certeza de que, aceito o nosso alvitre, dentro em pouco veremos as nossas ruas claras em vez de escuras, e não teremos a vergonha de dizer com que a Princesa do Norte é iluminada. Etc."

— "Ora, Cândido!" — exclamei desapontado. — "Pedi um artigo sério e você me vem com brincadeira. Beaucaire, Mr. Pegoulade... Pontes sobre o Ródano... Não posso mandar isto."

— "Mande. Eles não percebem..."

impresso, pois que manuscritamente tens vagido muito. Não calculas como aquilo está bom, sobretudo na primeira parte. Todos, sem exceção, gostamos imenso — e foste proclamado o *primus inter pares* do Cenáculo. Enquanto o resto dessa cainçalha se amofina por aqui, infecunda e lorpa, só alcançando sucesso pela fúria, como o Lino ou com desordens, como o Bruno, lá num socavão mineiro nosso Anjo progride desembaraçado e já apresenta contos dignos de Daudet.(4)

Franqueza, Rangel, invejo-te muito! Nesse andar *chegarás*. Quem leu os teus comecinhos n'*O Combatente*(5) e agora lê o teu Vagido, apalpa o progresso. Mas dei-

---

Cocei a cabeça, indeciso. Mandar ou não mandar? Por fim, com preguiça de escrever outro, mandei. O Benjamim que decidisse.

Dias depois recebemos o *Minarete* de 16 de Julho de 1903, com o artigo de fundo "ÀS ESCURAS" exatinho como Cândido o escrevera. Lá estava Mr. Pegoulade, um dos heróis do romance do Daudet, transformado em Presidente da Câmara de Beaucaire, a cidade de Tartarin... E o curioso é que foi tiro e queda. Lida em sessão da Câmara por um vereador oposicionista, homem do Benjamim, a brincadeira do Cândido causou sensação. Se Beaucaire, uma cidade da França, resolvera assim o seu problema da iluminação pública, por que Pindamonhangaba não faria o mesmo? E o situacionismo foi derrotado. A Câmara aprovou a solução apresentada pelo artigo de fundo do *Minarete*. "E requeiro senhor Presidente," disse o vereador oposicionista, "que este artigo seja transcrito nos anais da Câmara para memória da posteridade." Foi aprovada a transcrição — e lá deve estar nos Anais da Câmara de Pindamonhangaba o artigo de brincadeira do Cândido...

Foi essa a primeira vitória de Benjamim nos negócios municipais. Abriu caminho para outras, e quando chegaram as novas eleições ele derrotou estrondosamente o situacionismo e virou o Mr. Pegoulade da Princesa do Norte.

O *Minarete* foi um jornal *sui generis*, inteiramente fora dos moldes do jornalismo do interior. Escrevíamos para nós mesmos, para brincar uns com os outros, e os leitores pindamonhangabanos viviam tontos com aquelas incompreensibilidades. O primeiro número abriu com o rodapé dos LAMBEFERAS, um romance absurdo, de capítulos curtinhos e esquizofrênicos. Amostras:

"CAPÍTULO V

Chegamos. Almoçamos. Descansamos. Dormimos.

"CAPÍTULO XII

Em que em vez da "rapariga interessante"
se fala no destino que teve uma dália murcha.

"CAPÍTULO XVII

Que não passa dum parêntesis aberto no interior para
tratar do inconveniente de se encherem, demais os bules de café."

CAPÍTULO XXXV

(Suprimido a pedido do bom senso.)

Também no *Minarete* saiu "O QUEIJO DE MINAS ou HISTÓRIA DE UM NÓ CEGO", "*romance joco-sério, em capítulos curtos e portugueses de lei, com duas mortes trágicas e outras coisas interessantíssimas, no qual os autores deixam de escrever os pedaços que os leitores habitualmente pulam*". Era meu e do Rangel, mas não chegou a bom termo. Em dado momento impliquei-me com um dos personagens do Rangel e matei-o. Rangel revidou, matando um dos meus — e assim foi até ficarmos em campo só nós dois, os autores. *Et le combat cessa, faut de combatants...*

4 Primeiro conto de Godofredo Rangel no *Minarete*, "Simbólico Vagido", no qual descreve o seu próprio nascimento é o seu primeiro vagido...

5 Oscar Breves, sisudo funcionário dos Correios, mantinha um jornaleco desses de "pegar anúncios" — *O Combatente*. Um dia os rapazes do Cenáculo "invadiram" o jornal de Oscar Breves e transformaram-no em algo supremamente vivo. Nele publicou Rangel um longo itinerário de viagem, *De S. Paulo ao Guarujá*, um primor de descritivo em que denunciava o seu talento. Rangel empreendera essa viagem com apenas sete mil réis no bolso, e teve de voltar de Guarujá a Santos a pé, assustando os caranguejos da lama preta do mangue e alimentando-se de pão e bananas. (*) O nosso introdutor n'*O Combatente* fora o Ricardo, pelo qual o Oscar Breves tinha uma admiração em que metade era medo. Fez parte do "comando" invasor o Tito Franco, um rapaz sem pescoço, atarracado, famoso em S. Paulo pelo seu extraordinário talento e pelo horror que tinha aos banhos. Tito Franco inventou logo uma *scie*. Em cada número d'*O Combatente* ele tomava à conta um figurãozinho qualquer da mocidade elegante de S. Paulo e "serrava-o". A primeira vítima foi Heráclito Viotti, moço muito evidente e feio. O até então austero jornal do Breves, tão respeitador de tudo, incapaz de rir-se, sempre cheio de artigos severíssimos (como a série Grêmios da Defesa Nacional do próprio Breves), apareceu inopinadamente com versos do Ricardo, crônicas e brincadeiras dos outros e o tal itinerário do Rangel. Mas o pior foi que entre um artigo e outro vinha um "bigode" com uma frase em negrito dentro — artes do Tito Franco — e todas as frases cantavam, com variante de forma, sempre a mesma coisa: a feiura do Viotti. Um dizia: "Como é feio o Viotti!". Outro dizia: "Mas é muito feio o Viotti!". E outro: "É feio demais o Viotti!" e assim por diante. O Breves, coitado, ficou muito vexado com aquela quebra de compostura, mas como reagir contra toda uma alcateia de cães terribilíssimos? E acovardou-se. No número seguinte a vítima foi um Benedito de Sales Guerra, moço da moda. Tito Franco impicou-se com a sua elegância e fez os "bigodes" assim: "Como é elegante o Sales Guerra!" — "Mas é muito elegante o Sales Guerra!" — "Para elegância, o Sales Guerra!" e vinte vezes isso pelo jornal inteiro. E desse modo viveu *O Combatente*, a publicar as nossas maluquices, até que o Breves foi chamado à polícia e teve de fechar o pobre jornal. A razão da *scie*, na explicação do Ricardo, era que, para justificar o título, *O Combatente* tinha de combater qualquer coisa — e não somente a gramática, como quando o Breves o escrevia sozinho...

* Consultei-o sobre este ponto, e em carta de outubro de 1943 veio esta nota: "Viajei com sete mil réis no bolso, o que dava para a passagem de 2ª e para comer alguma coisa pelo caminho (deu para umas sardinhas e um café); o 'café', tomado em Santos no dia da volta, consistiu numa média de sessenta réis e um pão de quarenta réis, se não me falha a memória. Como única bagagem levei um cobertorzinho e a escova de dentes... Eu não sabia que a passagem da barca dava direito à viagem de trem na ilha, e por isso fiz o trajeto a pé, ida e volta, aí seus nove quilômetros."

xemos isto, porque tens a mania de modéstia e o sestro de me considerar irônico. Sigo logo para a fazenda e quero de lá corresponder-me contigo longa e minuciosamente, em cartas intermináveis — mas é coisa que só farei se me convencer de que realmente queres semelhante coisa.

Mando um *Estado* com o discurso do Ramalho Ortigão, e o começo do meu Diário. E vai uma revista com capa minha.

Responda sem demora se está disposto a ser caceteado à distância — telecaceteado! Pode dirigir a carta para Taubaté, para onde sigo nestes três dias.

Yewsky

S. Paulo ... 1903

Rangel:

Ainda com os dedos trôpegos dum interminável ponto de Direito de Falências que acabo de copiar, venho responder à tua carta, que esteve encalhada no Minarete, do qual eu e Ricardo fugimos e está agora habitado só pelo Nogueira. Anda o Nogueira injetando vida e calor no corpo apalermado do Cenáculo, espantando o tédio mortal que nos ia consumindo. Vive a citar Voltaire e Max Nordau, todo ideias "caóticas e protéicas", como ele mesmo as classifica. Ricardo batizou-o de "anacronismo ambulante". Será, mas é antes de tudo um fole, um insuflador de vida. O depauperado Cenáculo reviveu, coisa que parecia impossível. Todas as noites, no café Guarani, três, quatro, cinco e às vezes todos os cenaculoides nos reuníamos, e nos olhávamos sonolentos, chupando cigarros silenciosamente, sem que uma ideia viesse sacudir os nervos dos cenaculoides embotados. O Cândido puxava mais uma história dos seus famosos tios; o Tito lançava à mesa um trocadilho nojento. Ricardo não tirava os olhos de moscas invisíveis; o Albino bocejava. Só a força do hábito nos arrastava àquela mesinha para mais noites de tédio em comum. Nem o Raul tinha ânimo de vir com "uma do Eça" — e Lino, o irascível, desertara. Pois bem: o Nogueira aparece lá uma destas noites e tudo se transforma. Trava-se logo violentíssima e intérmina discussão em que saiu tudo, desde o Jeová bíblico até o Macuco. Choque elétrico! Todos nos lançamos contra o Nogueira, todos nos acotovelamos para "lapidar" o Nogueira! Até o Lino emergiu da rua Quinze em garoa e veio berrar. O Cândido zumbia como mamangava. O Albino gania. Tito zurrava. Pandemônio puro. *Té*, Nogueira!...

Lobato

S. Paulo ... 1903

Bezuquet:

Não és capaz, nunca, de adivinhar o que estou comendo. Estou comendo... Tenho vergonha de dizer. Estou comendo um companheiro daquilo que alimentava S. João no deserto: içá torrado! Sabe, Rangel, que o içá torrado é o que no Olimpo grego tinha o nome de ambrosia? Está diante de mim uma latinha de içás torrados que me mandam de Taubaté. Nós, taubateanos, somos comedores de içás. Como é bom,

Rangel! Prova mais a existência do bom Deus do que todos os argumentos do Porfírio de Aguiar. Só um ser Onipotente e Onisciente poderia criar semelhante petisco.

Mas deixemos de lado o Içá e o seu Excelso Criador e falemos do teu cartão do dia 17. Sabe quando consegui agarrá-lo? Ontem, 11! E sabe onde? Na insondável profundidade daquilo que com tamanha modéstia o Nogueira chama "bolso". O Bolso do Nogueira! Tremei, futuros cartões do Rangel! Aquilo é o Báratro! É o Elevador do Jacinto Galião. O que lá cai, engancha como o peixe do Grão Duque.

A pesca do teu cartão processou-se no Guarani sob a expectativa ansiosa de todos. A mão do Nogueira desceu às profundas do Báratro como um escafandro; e lá dentro, com muita perícia, aqueles dedos teológicos agarraram o soterrado e o foram tirando, lento e lento, num esforço de fórceps. Respirações suspensas! A música para! Por fim surge à luz do gás o teu cartão, Rangel — o primeiro chegado daí.

Lemo-lo com unção. No pedacinho em que dizes: "Dia e noite erro por montes e vales..." Tito desfechou o trabuco do trocadilho: "Ah, ele *erra* por montes e vales? Como *acertou* indo para lá!". Pausa para a pancadaria grossa; só depois da chacina do Tito é que a leitura prosseguiu.

O nosso Minarete havia desabado,[6] mas com a entrada lá do prodigioso ermitão Nogueira as ruínas "desarruinaram-se". Ele é uma prodigiosa trombeta de Josué às avessas. O Nogueira é a Guerra, é a Teologia Beligerante! É Louis Veuillot! É novamente Ezequiel!

Andamos agora cheios de projetos grandiosos. Em janeiro vamos nos meter pelos sertões da Mantiqueira para apalpar o terror cósmico e ler Nietzsche berradamente do alto das maçaranduvas. E panteizar. Em fevereiro, uma algara contra Buenos Aires. Em março, o lançamento d'*O Gato*, todo unhas e mios famélicos. Em junho...

Exames adiados para dezembro. Companhia de operetas num sucesso doido. Tito falou na aula do Lessa sobre a morte do Ferreira Viana. O Largo do Rosário, firme no mesmo ponto.[7] Raul mais cheio de "ohs" do que nunca. Ricardo, uma mistura de sambuca, versos, tédio e extravagâncias. Cândido, magro e intragável, todo tios. Lino, nervoso como sempre e felídio: arreganha e morde. São as notícias da terra e do bando.

Lobatoyevsky

P. S. — *O Minarete* vai sair em formato maior.

S. Paulo 13,12,1903

Rangel:
Venho da casa do Ricardo, que esteve uns dias de cama, tomado de febre: res-

---

6 Alusão a um artigo do Rangel, "Se o Minarete desabasse..."
7 O Largo do Rosário, assim chamado porque ficava ali a igreja do Rosário, traz hoje o nome de Praça Antonio Prado. S. Paulo tinha naquele tempo uns quatrocentos mil habitantes. O Triângulo, formado pelas ruas 15 de Novembro, Direita e S. Bento, era a sala de visitas da cidade, e o Largo do Rosário, ponto de confluência da rua 15 com a de S. Bento, constituía a capital do Triângulo. "Fazer o Triângulo": expressão das mais comezinhas. Depois do jantar toda gente ia fazer o Triângulo, e lá todo mundo encontrava todo mundo. O ponto de parada das rodinhas era o Largo do Rosário — as rodinhas literárias, as esportivas e as elegantes. O primeiro de nós que chegava, parava — ficava à espera dos outros. E vinham os outros — era infalível. Depois de reunidos, íamos para o Café Guarani, no começo da rua 15 e lá ficávamos até tarde, a bebericar "laranjinhas" (cem réis o cálice). No Guarani tínhamos a "nossa mesa", a primeira da entrada, à direita.

saca de idílio com uma moreninha do Brás. E deu-me um papel dizendo: "Carta do Rangel". Meti aquilo no bolso e vim. Depois de refestelado, abri e *qu'est ce que c'est que çá*? Papiro egípcio? Coisa cuneiforme da Babilônia? Mas como não sou Champollion, examinei o papel e fiquei na mesma. Em todo caso, como Bruno classificara aquilo de "carta do Rangel", fui obrigado a admitir que sim — mas não em consequência dos meus esforços decifratórios. Depois tive a intuição de tudo. Você leu que Zola havia perdido as suas primeiras obras por impossibilidade de decifrá-las e quer que aconteça o mesmo com as tuas primeiras cartas. Pois está acontecendo — e pelo menos nesse ponto estás igualado a Zola.

Amanhã entro em exame. O Albino já rodou para Ribeirão Preto com lata ao rabo — um miserável grau quatro. E aquele Sheridan ([8]) que nos desancou a todos, menos a você, é mesmo o Lino. Bem que tentou esconder-se, desancando-se também a si próprio — mas estilo é o homem, e o Lino está mais ali do que na rua Bráulio Gomes.([9]) Ricardo entristeceu com a referência ao defeito do braço — e de toda a descalçadeira foi o de que não gostamos. O resto está ótimo — e estimulante. E aquele Souza Castelo, que nos "A pedidos" do *Minarete* surgiu em defesa do Cenáculo, é o Tito. Está uma defesa pior que o nariz dele.

Lobato

---

8   Pseudônimo de Lino Moreira, com o qual assinava os artigos publicados no *Minarete*. O primeiro artigo de Sheridan foi um tremendo ataque ao Cenáculo, do qual só foi poupado Godofredo Rangel, o mais querido de todos pela sua extrema bondade e delicadeza. O ataque de Sheridan apareceu no 21.º número do *Minarete* sob forma de carta ao Redator: "Eis em dois traços, senhor Redator, quem sou: um neurastênico, doente febril, alucinado; na cabeça, um caos de visões sombrias e fantasmas; na língua, o prurido da difamação; na alma, ódio e fel; e nas resfolegantes narinas, o faro do ridículo, do ignóbil, do imbecilizante. Modificando algo da minha terrível índole, consegui conviver algum tempo com meia dúzia de precoces temperamentos literários já dignos de análise. Desabrocham esses espíritos tenros e notavelmente pretensiosos dentro dum vocábulo engraçado e cristão — o Cenáculo. Estudei-os com requintado regalo de feroz apreciador da pretensão humana: meia dúzia de rapazes fundamentalmente parvos... E note, Egrégio Redator, que nesta incultíssima Pauliceia eles são o escol, a gema puríssima do espírito nacional, o seleto pensamento latino em seu máximo esplendor. Vejamos com rapidez o desfile dos silhuetados:

"1) Yewsky (Lobato): baixinho, miudinho. Moreno e rosto de expressão incolor. É o *magister dixit* da comandita de elogios mútuos. Espírito multiforme e versátil, elástico e científico (supõe-se ele). Muda de opiniões mais ou menos filosóficas com a sofreguidão dum comboio célere através de florestas. Intolerante e extremado no que escreve. Cultiva o mais escabroso gênero literário, a crítica. Estuda muito. É o lobras ponderosas... Escreve romancecos e esboça infames aquarelas. Quando fala, ou preleciona (o mais comum), numa vozinha alambicada, espremendo as mãos, deixa transparecer nos lábios sarcásticos uma ponta de superioridade, seguro de si, orientado solidariamente pela meditação de pesados autores e provoca silêncio ou sono. Chama todo mundo de imbeci-i-l. Em resumo: farofas de filósofo num cérebro de literato à Machado de Assis.

"2) Cândido Negreiros: o mais irritante de todos. O mais estroináceo, o que mais bem se veste. Mania de viagens. Feio e antipático, e seco no trato. Voz pausada e a todo ele pretensões. Fumaças de escritor elegante ou, melhor, galante... Possui tios aos milhões e todos esses tios são heróis, fidalgos, talentosos. Amigos de caçadas. Filhote espúrio do Graça e do Eça.

"3) Bruno de Cadiz (Ricardo): Seria um apreciável tipo de meridional se não fosse humana pequeno defeito físico num dos braços e o ar gingado de capoeira. É poeta... sentimentalismo piegas cheirando a caipira e atraso. Tem alguns sonetos sofríveis. É um agitador socialista, de um nihilismo vermelho e desorientado. Não é orador, não é polemista, não tem a solidez, robusta de preparo, dos paladinos das grandes ideias. Lírico cediço e incaracterístico. Victor Hugozinho da roça...

"5) Martinho Dias (Tito Brasil): Este é pavoroso! Vem das noites sombrias da história do Curso Anexo e vai para a eternidade das reprovações. Estudante crônico. Alto, corpulento, o andar mais impagável do mundo: parece um régulo da Hotentócia, balançando a majestosa figura por entre a turba de basbaques que o temem, cheios de espanto. Tipo vulgar, plebeu e por isso popularíssimo. É, ou diz-se, jornalista. Desde menino de três anos que "desbastava" o estilo. Falador de péssima dicção e grotesca expressão muito afetada. Faz trocadilhos tão maus que só a Inquisição lhe daria as penas merecidas" — e por aí além. Lino desanca a todos, arrasa-os a todos, menos ao Rangel, do qual diz:

"11) Rangel, o anjo do Cenáculo. Muitíssimo simpático, grande pureza de linhas. Olhos grandes e bons, meigos, de grande ternura. O fulgor de seus magníficos olhos tem qualquer coisa de paternal e irônico, mas de uma ironia leve, fina, aérea, encantadora. Bondosíssimo. Trato de moça, cativante, suave, irresistível. Generoso, modesto, duma modéstia sincera. Belo e robusto talento. Tem contos e descrições admiráveis. Há de notabilizar-se na literatura como o maior e mais brasileiro dos nossos contistas. Agora estuda a natureza da montanhosa Minas. Belas páginas! Seu estilo nervoso e cantante tem em cada cenaculoide um apaixonado saboreador. Muito de Bourget e tudo de Daudet."

A bomba de Sheridan foi o grande sucesso literário de Lino Moreira, e o fato de em onze retratos só poupar ao Rangel prova que encanto era o Rangel para todos nós. Mas Lino também traçou o seu próprio retrato, ótimo como caricatura: "4) L. M. Este moço tem muito de arlequim e palhaço, com excessos de ademanes, trejeitos e parolice estouvada e estafante, de arengador romântico. É o mais acabado tipo do 'falador' nacional. Barulhento e superficial. Fala por todos os poros. Mania de discursos; celebrizou-se como fazedor de brindes e artigos sibilinos, inextrincáveis, fabulosos. Falta-lhe imaginação poética, nutrida de metáforas, calor, vida, brilho, elevação. Não tem nada disso. Se crescer e aparecer, será mais um papagaio chato e nulo numa cadeira de deputado..."

9   A família do Lino morava na rua Bráulio Gomes.

Taubaté, 28,12,1903

Rangel:

Escrevo ao pingar duma chuva miúda e sem fim que nos alaga há dois dias. As ruas são passagens de lama bem amassadinha pelas rodas dos carros e patas dos animais. Sair é um impossível, e chega a ser rasgo de ousadia pôr o nariz fora da janela. Estamos encarcerados numa prisão de fios de chuva — coisa mais aprisionante que grades de ferro. Leio, leio interminavelmente. Meus olhos já estão cansados. Lamartine me faz ver a Revolução Francesa, com Mirabeau, Theroigne de Mirecourt, Lafayette e o resto; recita-me arengas de Lameth, Robespierre e Marat; descreve-me o caráter altivo de Mme. Veto, de par com a molenguice toicinhenta de Luiz 16. Quando Lamartine me cansa, mudo-me para Zola na história de Gervaise Coupeau, dos invejosos Lorilleux, da promissora Nanazinha. Ainda há pouco, ao fechar o *Assomoir*, estava Zola a descrever-me o jantar da *blanchisseuse avec un tas d'amis ouvriers, polissons pleins de gaieté, de debarbouillements, de fripouilles emousseuses.* Farto de Zola, pulo para Michelet na sua visão da Índia primitiva; ele começa bem mas entusiasma-se a ponto de dar pinotes; e eu, assustado, fecho o livro — fecho a boca de Michelet. Vou então para Renan — o sereno evocador da verdade. Renan é água clara e filtrada. Descansa-me. Ainda ontem esteve a explicar-me o *Eclesiastes*, esse tão amado livro do Jacinto Galião — e lá vi eu a fonte em que Nobre & Cia. bebem inspirações. Aquele: "e isto não será também vaidade?" é uma novidade velha como Matusalém. Hoje pedi uma conferência ao Sr. Oliveira Martins, e nem bem começou ele: "O socialismo é a evolução..." alguém me chamou e lá deixei o homem latindo. Ontem o amigo Eça me enfiou a história dum frei Genebro, santo que se rebolava em estrume de boi para castigar a carne inocentíssima, e que apesar disso foi para o banho-maria do Purgatório. Um leitãozinho de três pernas (a quarta ele assara e comera) havia pesado mais na balança do Supremo Juiz do que todo o esterco do refocilamento. Eça está muito querido cá em casa; todos o "adoram". A semana passada apareceu-nos um comediógrafo, José Piza, e durante três dias só lidamos com o Eça. Meu avô lê *A Cidade e as Serras*, minha irmã lê *A Ilustre Casa de Ramires*, eu leio suas histórias de santos — e como somos só três neste imenso casarão, não erro dizendo que a casa inteira lê o Eça.

E você? Conta-me tudo — os planos, as novas ideias, a influência do queijo em tua mentalidade. Lino entra em exame amanhã. Tito arrancou um plenamente em Filosofia e deixou o resto para março. Cândido extorquiu plenamente em todas as cadeiras. Do Ricardo e do Raul nada sei.

Lobato

1904

Taubaté, 4 de Bruno, de 1904

Rangel:

Acabo de ler tua carta e dou parabéns pelo "bisbilho". Ótimo! Vou adotar. Não está em nenhum dicionário. Sonoro e lindamente onomatopaico. Uma floresta vive cheia de bisbilhos.

Queres a minha opinião sobre a *Canaã* e a *Chácara*, e insistes nisso. *Canaã* é o que chamam uma obra-forte, e obra-forte quer dizer obra-fraca. Não é paradoxo. As obras-fracas no presente são as incompreendidas, ou de compreensão só possível no futuro. E as fortes são as que de tal modo satisfazem às exigências do presente que provocam estouros de entusiasmo — obras despóticas. Mas passam com a passagem dessas exigências. Acho a tese de *Canaã* muito atual: imigração, colonização, absorção, etc. Quando tudo mudar, daqui a cem anos, quem vai interessar-se pelas ideias de Milkau e Lentz? Quem hoje lê os romances sobre a escravidão? Os argumentos da *Cabana do Pai Tomás* nos fazem sorrir — e eram tão fortes no tempo que deflagraram uma guerra. Os romances de Mme. de Stäel nos dão ideia de anquinhas, saia balão. *Canaã* será um grande livro enquanto perdurarem os nossos problemas imigratórios; depois irá morrendo — e os futuros leitores pularão os pedaços de Lentz e Milkau. Já o *Brás Cubas* é eterno pois enquanto o mundo for mundo haverá Virgílias e Brases; mas Milkau é um metafísico de hoje, tem ideais de hoje e filosofa hojemente; amanhã só será lido pelos futuros Meios Morais.

Quanto à tua *Chácara*, está primorosa — mimosa, bem lapidada. Há umas coisinhas. Aquela "cabeça derrubada sobre o colo" me soa mal. Derrubar uma árvore, derrubar um trono; para a cabeça duma pobre velhinha fica melhor "pendida". Na propriedade da expressão está a maior beleza; dizer "chuva" quando chove — "sol" quando soleja. É a porca que entra exata na rosca do parafuso.

"Balbucio adorável." É preciso expulsar do teu vocabulário este adjetivo que o Macuco e a pandilha do Brás puseram a perder. O "adorável" está babado demais, gosmento. "Doídas saudades": é um perigo este adjetivo; fatalmente o tipógrafo comporá "doidas" e o revisor deixará passar. "Espaços trêmulos de asas ruflantes": restos do nefelibata; coisa sonante, harmoniosa, mas *trop litteraire*. "O baque dos monjolos *percutia*": acho o "percutir" muito de gatilho de arma, muito metálico; monjolo é pau e um pau que bate noutro não percute, dá um choque balofo. O "sem fim das colinas" está magnífico. É teu? Quanto ao fecho (a pergunta final), não compreendo bem a sua razão de ser. Tudo mais, ótimo.

Sapho de Daudet, tenho. Mais alguns Maupassants, aceito. Dos romances só li *Bel Ami* e *Notre Coeur*. Há outros? Pierre Loti é uma besta. Afeta simplicidade. Em água assim rasa, só temos guarás e sapinhos rabudos. Mas nas profundidades dum Dostoiévsky há todos os peixes — pesadelos do mar — e até aquela serpente marinha de Kipling, que não existe.

Recebi os retratos e o desenho. Cultive. Pegue no lápis e desenhe do natural. Nada de cópias. Croquis só.

Li mil e quinhentas páginas de Lamartine e estou saturado. Mais tarde te contarei a minha doença: *delirium legens*, espécie de *delirium tremens* dos bêbados. Leio tanto, que quando vou para a cama meu cérebro continua a ler maquinalmente.

Tenho muitas novidades. Quando tua provisão aí escassear, dá o brado. Tenho um Renan inteiro — e que homem! Que estilo de fonte!

Comecei no *Minarete Memórias dum Velho*. Imagino-me velho e de retorno da Europa, e conto o estado em que encontrei todos os amigos.

Lobato

S. Paulo 10,1,1904

Rangel:

Tua carta é um atestado da tua doença: literatura errada. Julgas que para ser um homem de letras vitorioso faz-se mister uma obsessão constante, uma consciente martelação na mesma ideia — e a mim a coisa me parece diferente. Tenho que o bom é que as aquisições sejam inconscientes, num processo de sedimentação geológica. Qualquer coisa que cresça por si, como a árvore, apenas arrastada por aquilo que Aristóteles chamava entelequia — e que em você é o rangelismo e em mim o lobatismo. Deixa-te em paz, homem, não tortures assim o teu pobre cérebro. Andas a fazer com ele como os comilões ininteligentes que comem até adoecerem. Esqueça que há literaturas no mundo e viva aí uma vida bem natural. Ande muito a pé ou a cavalo, converse com toda gente, coma bem, namore caboclinhas nas estradas, vá aos serões do senhor Cura, arrote — e quando dormir, ronque. Verás que boa é a vida sem literatura. E também verás como fica boa a literatura quando o corpo está contente.

Já notei que esses constantes e permanentes contatos com as Grandes Ideias e os Grandes Prestígios operam do mesmo modo que aqueles inúmeros "confortos" do Jacinto Galião das *Cidades e as Serras*. Enfaram, esmagam. Pensamos que aquilo saiu da cabeça dos autores como Minerva da cabeça de Júpiter e achamo-nos inferiores, com grande dor do nosso amor próprio. E, perturbado, com os olhos tontos pela doença, chegas até a ver em mim *algo nuevo*, quando na realidade o que há é um pouco da coisa saborosa que o Sieur de Montaigne inventou (literalmente): bom senso, *horse sense*, como dizem os ingleses — senso de cavalo. O Bom Senso é a filosofia da justa medida, do ver-claro, do enxergar até de noite, como os cavalos.

Perguntas quantas horas "literatizo". Nem uma, meu caro, porque só leio o que me agrada e só quando estou com apetite. Não troco uma conversa com uma macaquinha (o sexo na mulher corrige a banalidade, no homem agrava-a, diz Machado) pela melhor tragédia de Eurípedes, porque por mais banal que seja a moça é sempre mais humana que um livro — e o humano quer o humano. Ler e comer, só quando há apetite; fora daí é uma insuportável *corvée*. Também não escrevo por obrigação. Escrevo quando os dedos comicham — ou quando o Benjamim me *força* a escrever. Neste caso é o meio de ver-me livre do Benjamim. Não tenho horas prediletas — minhas horas são as que coincidem com a disposição. Há horas em que nos sentimos extraordinariamente aptos para pensar e tudo nos vem fácil e claro. Outras há em que estamos imaginosos, todo cheios de casulos a picarem, como ovo na hora de sair o pinto. Queira você tirar o pinto antes do tempo — o pinto morre. Estômago e cérebro: duas respeitabilidades. Respeitemo-las, Rangel.

Estou de viagem para Taubaté, onde vou ganhar dinheiro e juntá-lo para o sonhado *tour du monde*. Podias te mudar para lá e organizaríamos o truste da advocacia no Norte de São Paulo. O Benjamim seria o nosso representante em Pinda e o Pereira de Matos em Caçapava. *Sare*, homem! Estás malíssimo de engurgitamento literário. Vomite o Flaubert.

Lobato

P. S. — Ontem, no Largo do Rosário, classificamos a Caïnçalha (não é mais o Cenáculo). Ricardo: Cão Lírico que ladra à lua; Tito, Cão Rafeiro, ou como propôs o Raul, Cachorro, só, sem mais nada; Lobato: Buldogue; Edgard: Cão de Fila; Raul: cachorrinho de estimação ou cãozinho de colo; Cândido: Cão de Raça; Rangel: Cachorro de caipira; Lino: Cachorro que late e não morde; Tito Franco: Perro Imundo; Nogueira: Podengo de Clérigo; Júlio Costa: Cachorro Ensinado; Albino: o Cunegundes. Lembra-te o Cunegundes, aquele vira-lata que vivia pelos cafés e restaurantes, um velho cachorro à toa, sem dono?

Lobato

Taubaté, 20,1,1904

Rangel:

    Tua carta veio como aragem. Eu estava com saudades dum voo e aqui não há asas — só se discutem coronéis políticos e namoros. E eu estava cansado, esmagado pela genial estopada do maçante Zola no *Travail*; andava descontente comigo mesmo, com as minhas ideias, com estes miolos que quanto mais aprendem menos sabem, e a pensar na morte — todo ódios e invejas. Tua carta foi um sopro em queimadura. Vou responder longamente, porque enquanto escrevo as ideias-morcego não me perseguem; e vou dar largas ao meu magisterdixismo. Bem que eu procuro humilhar essa feição do meu espírito. Ela teima. Mas acho que hoje amarrei o magister na argola do canil.

    Meu Soriano de Sousa está em S. Paulo, no fundo dum caixão, ou dum dos meus caixões, o que é pior; impossível te servir. De Daudet só tenho aqui *Nababo*, *Tartarin*, *Jack* e *Sapho*. E as cartas do moinho. E tenho ainda algum Machado de Assis, algum Eça, Herculano e... os *Dez Contos* do Goulart. O Goulart é o meu Montaigne — o livro de cabeceira. Ali aprendo como não se deve escrever. A biblioteca de meu avô é ótima, tremendamente histórica e científica. Merecia uma redoma. Imagina que nela existem o *Zend-Avesta*, o *Mahabarata* e as obras sobre o Egito de Champollion, Maspero e Breasted; e o Larousse grande; e o Cantù grande; e o Elysée Reclus grande; e inúmeras preciosidades nacionais, como a coleção inteira da *Revista Ilustrada* do Ângelo Agostini, a do *Novo Mundo* de J. C. Rodrigues e mais coisas assim. Há uma coleção do *Journal des Voyages* que foi o meu encanto em menino. Cada vez que naquele tempo me pilhava na biblioteca do meu avô, abria um daqueles volumes e me deslumbrava. Coisas horríveis, mas muito bem desenhadas — do tempo da gravura em madeira. Cenas de índios sioux escalpando colonos. E negros achantis de compridas lanças, avançando contra o inimigo numa gritaria. Eu ouvia os gritos... E coisas horrorosas da Índia. Viúvas na fogueira. Elefantes esmagando sob as patas a cabeça de condenados. E tigres agarrados à tromba de elefantes. E índios da Terra do Fogo, horríveis, a comerem lagartixas vivas. E eu via a lagartixa bulir... E tragédias do centro da Ásia e lá das Guianas. O rio Orinoco me impressionava muito. Eram os romances de aventuras de Gustave Aimard e Mayne Reid. Certa vez encontrei naquela biblioteca um álbum de fotografias que me tumultuaram o sangue: só mulheres nuas!... Mas não eram mulheres nuas, Rangel: eram nus do Salon. Eu não sabia distinguir. Também encontrei lá todas as obras de Spencer. Essa biblioteca, pela maior parte, fora dum filho de meu avô que depois de formar-se em

S. Paulo deu de correr mundo, andou pelo Egito e outros países históricos, apanhou febre na campanha romana e morreu num hotel de Nápoles. Secretário de legação. Sua bagagem veio para Taubaté, com os mais preciosos e curiosos livros comprados aqui e ali.

Obrigado pelo *Mont Oriol*. *Pierre et Jean* já li. Toine, não. Escreveste à margem: "Sigo para São Paulo a 2 de Raul". Que mês é Raul?

E agora, um puxão de orelhas: Por que usas etiqueta comigo? Tuas cartas vivem cheias de "faça o favor", "se não for incômodo", e mais fórmulas da humana hipocrisia. São tropeços. Quando te leio, vou dando topadas nisso. Faça como eu. Seja bruto, chucro, enxuto.

Tuas cartas me são um estimulante; obrigam-me a pensar, abrem-me perspectivas. Mas estás um homem cheio de vícios mentais e cacoetes. O pior é a mania (que acho irônica) de te rebaixares e me pores nas nuvens (como o Rei dos Judeus), quando na realidade não passamos, os dois, de duas "sedes de saber", de duas "fomes de expressão" em tudo equivalentes. Que graça, botar a minha sede acima da tua! Sede é sede. Outro vício teu é a tal modéstia. Parece que você faz da modéstia palanque donde melhor regalar-se com a vaidade humana. Seja todo portas e janelas abertas, homem!

Queres mais impressões sobre *Canaã* (note que não digo "minha humilde opinião", "meu fraco parecer". Para quê?) Li *Canaã* num exemplar do Cândido, faz tempo, e achei um livro forte, sadio, certo — e com excelentes paisagens. Na pintura de cenas Graça Aranha é criador. Tudo vive. Na cena do teodolito, ao lado do magistral desenho do caráter de Felicíssimo — que é a vasta classe dos mulatos pernósticos — há na boca do alemão um "Estes mulatos!..." que pega muita gente. Outra cena que me ficou: a do caçador morto no ranchinho, rodeado dos cães amigos que lhe defendem o corpo contra a invasão dos *padres*. Originalíssima e com uns toques épicos. Suas descrições de florestas fazem-me sentir um mormaço e um cheiro de folhas e musgos molhados. Não é mais a mata descrita pelas receitas de Chateaubriand. É mata, mato de verdade. Os escuros dos verdes, os úmidos, os fofos, a calma dos troncos, a paciência de tudo, a paulama, a cipoeira, os farfalhos — todo o "jogo de futebol parado" da botânica, Equivale a Antonio Parreiras — o nosso único pintor que pinta matas certas.

A nossa justiça está ali "escarrada"; posso dar outros nomes a todos aqueles tipos forenses.

O livro conduz duas coisas paralelas, uma realista, outra simbólica. Milkau e Lentz são dois *revenants* do tempo de Byron vestidos à moderna, que passam pelo romance como nuvens, filosofando ao modo de Goethe no *Wilhelm Meister*, defendendo ideias polares — mas ligados pela mesma superioridade mental; Milkau simboliza a boa Alemanha contemplativa e musical, e Lentz simboliza a Alemanha perigosa que eu tenho medo surja de Nietzsche. São os Froments dos "Evangelhos" de Zola. Em baixo desse nevoeiro de filosofia, a boiar mansamente por toda a obra, vemos a vida brasileira sem nenhuma deformação patriótica, com todas as suas chinfrinices — e personagens apequenados pelo contraste com a violentíssima natureza tropical.

Acho Graça Aranha novo. Abre caminho para o artista-filósofo, o artista de cultura moderna que há de substituir os meros naturalistas descritivistas à Zola (mas sem o gênio esmagador de Zola). Zola me lembra o martelo-pilão das fábricas de ferro; os seus imitadores são martelos de quebrar coquinhos. O naturalismo foi uma reação violenta contra os exageros do romantismo. Mas o naturalismo passou da conta e por sua vez está provocando reações. O naturalismo acabou em fotografia colorida. O adjetivo de que o Macuco mais gosta deve ser o "nítido", e não há cretino que ao dar opinião sobre *qualquer* pintura (a *Gioconda* ou um Corot) não venha com o clássico: "Como está nítida!". Pois foi isso. O naturalismo morreu no nítido fotográfico.

Graça Aranha é um artista e um sociólogo; este passará mas aquele fica; os sociólogos lidam com problemas passageiros; só os artistas lidam com coisas eternas.

Se gosto de Stendhal? Imenso. Amigo velho na história da pintura, nas viagens, nas "promenades" em Roma, no *Le Rouge et le Noir* (um assombro!), na *Chartreuse de Parme*. A descrição que Stendhal faz da batalha de Waterloo é a maior das maravilhas. O herói não viu nada, só viu a si mesmo e aos companheiros mais próximos, e as cercas que andou pulando na fuga. Mais tarde é que veio a saber que aquilo fora a famosa batalha de Waterloo. No *Le Rouge et le Noir* o vermelho é o espírito napoleônico e o preto é o padre — a Reação. Stendhal tem relâmpagos; é sempre original, quase sempre sincero e poucas vezes atraente (à moda dos "fáceis"). Gênio.

Estou agora em Shakespeare, a *Tempestade* e Oliveira Martins, *Teoria do Socialismo*.

De Goethe só tenho o *Fausto* na tradução de Gérard de Nerval, o *Wilhelm Meister* — e as conversas com Erckmann.

Ando com ideia de traduzir o *Príncipe* de Machiavel. Nossos tempos são corruptos sem estilo e sem filosofia. Com o Machiavel bem difundido, teríamos um tratado de xadrez para uso destes reles amadores.

Chega. Não tenho tido notícias de ninguém do Cenáculo.

Lobato

Taubaté, 5,2,1904

Rangel:

Salve! Aplaudo com viva satisfação tua ideia de zéfernandear jacinticamente na doce paz desses vinhedos de Caldas, entre bons queijos e tigelões de leite gordo, a respirar o cheiro dos capins-melados e a morrinha do senhor Cura. Mas não te desleixes do Horácio e do Virgílio das *Bucólicas* para irrigação das flores do espírito nas noites calmas, depois de jantares bem arrotados. Que concilies sabiamente a dupla cultura do cérebro e do estômago. Sei que andas firmado em bons princípios, embora a alguns eu possa opor opiniões em contrário, como a tua ideia do mal de vinho e leite juntos no estômago, "porque vira queijo". Que importa que o queijo entre feito ou seja feito lá dentro? Um velho curandeiro instruiu-me nestas ciências. Quanto à "quentura do abacaxi", diz ele que os organismos variam, e o que é equador para um pode ser polo para outro. E documentou o asserto com o pão, que é quente para o forneiro e fresco para o freguês. No mais, de pleno acordo. E que tal o *Tratado das*

Couves? Vou mandar-te uma assinatura do *Boletim da Agricultura*, que é de graça e ensina coisas substanciais.

Esta carta, Rangel, está sendo interferida por um *pssiu*...

Aquele *Um Literato* que saiu no *Minarete* está bom; não digo ótimo, mas bom.

Onde anda o Nogueira?

Impossível, Rangel. A interferência continua. Adeus.

Lobato

S. Paulo, 2,6,1904

Mas, Rangel amigo,

Você se complica demasiadamente. A primeira página da tua carta parece um fragmento do *Assim Falou Zaratustra* do meu Nietzsche.

— ?

— Chegou, sim. Chegou-me o Nietzsche em dez preciosas brochuras amarelas, tradução de Henri Albert. Nietzsche é um pólen. O que ele diz, cai sobre os nossos estames e põe em movimento todas as ideias-germens que nos vão vindo e nunca adquirem forma. "Eu sou um homem-toupeira que cavo subterraneamente as veneráveis raízes das mais sólidas *verdades absolutas*." E é. Rói o miolo das árvores — e deixa que elas caiam por si. Possui um estilo maravilhoso, cheio de invenções e liberdades. Para bem entendê-lo temos que nos ambientar nessa linguagem nova.

Nietzsche me desenvolveu um velho feto de ideia. Veja se entende. O aperfeiçoamento intelectual, que na aparência é um fenômeno de agregação consciente, é no fundo o contrário disso: é desagregação inconsciente. Um homem aperfeiçoa-se *descascando-se* das milenárias gafeiras que a tradição lhe foi acumulando n'alma. O homem aperfeiçoado é um homem descascado, ou que se despe (daí o horror que causam os grandes homens — os loucos — as exceções: é que eles se apresentam às massas em trajes menores, como Galileu, ou nus, como Byron, isto é, despidos das ideias universalmente aceitas como *verdadeiras* numa época). "Desagregação inconsciente", eu disse, porque é inconscientemente que vamos, no decurso de nossa vida, adquirindo, ou, antes, colhendo as coisas novas — ideias e sensações — que o estudo ou a observação nos deparam. Essas observações, caindo-nos n'alma, lavam-na, raspam-na da camada de preconceitos e absurdos que a envolvem — a camada de antinaturalíssimos, enfim.

É assim, meu Rangel, que eu explico o fenômeno da *inconfundibilidade* dos grandes artistas, e o fenômeno da pasmosa confundibilidade da caravana imensa dos Goularts e Macucos. E foi assim que cheguei à minha ideia do aperfeiçoamento humano, a *conscientização do inconsciente*, na qual *medito*. Penso nela como Newton — só isso. Senti a maçã cair e penso no que a fez cair.

Perdoa-me o pedantismo ou imodéstia deste discurso. Mas estou pai presuntivo dessa ideia — e que não faz um pai com o primeiro filho? Ainda não ataquei os meus novos Nietzsches porque é coisa que requer silêncio e concentração, e este S. Paulo, com seus italianos que anunciam coisas *friescas*, mais os bondes e os autos, anda um horror de barulho. Felizmente as férias estão chegando, e naquele plácido remanso de Taubaté posso dar um mergulho de todo um mês no meu filósofo.

Que crueldade a tua, Rangel, com essa mania de explorar o meu magisterdixismo! Queres agora que eu diga de Byron... Que diga o que penso... Byron era um como nós, Rangel, mais bonito, aristocrata, com muito dinheiro e coxo. Revoltou-se contra o *temple enseveli* que todos temos dentro de nós (Maeterlinck). E como fosse poeta, pôs a revolta em versos. Taine estuda-o lindamente na *História da Literatura Inglesa*, que tenho aqui. Queres? O mais especial de Byron, para nós, foi a sedução que exerceu nos nossos revoltados poéticos daquele tempo. Todos byronizaram. Era a moda. Como depois todos hugoaram, quando a moda virou Hugo. "Talhado para grandezas, para criar, crescer, subir..." Depois parnasianamos com Raimundo e Alberto. E zolaizamos com Aluízio, etc. Chega.

Sabes que o Nogueira reapareceu? Mas está outro. Está *ex*. Corado, gordo, sem a cartolinha verde em cima da cabeça e sem o Volney por dentro. Veste-se à positivista. Mas o templo incendiado ainda fumega e há brasas sob os escombros. Às vezes deita uma chama — mas é fogo fátuo. Ontem o vi presenciando a demolição da igreja do Rosário. Que quadro! Eram dois demolidos um diante de outro — a velha igreja e o Nogueira. Olhavam-se com ternura e entendiam-se.

A propósito dessa igreja disse o *Diário Popular*: "Quem sabe se não é o som dos sinos o que vai depois transformar-se em canto de ave, murmúrio de águas, ciclos de brisas, etc." Aquelas corruílas do Belenzinho talvez fossem ex-sons, Rangel.

Ricardo, o nosso maravilhoso Ricardo, descamba como um sol. Se continua a viver, é capaz de acabar Cadete ou Joanito — tocador de modinhas. Foi reprovado em exame de geometria e *eufemizou* dizendo que se havia levantado. Não demonstre que sabe da sua bomba; finja, como nós, que acredita no levantamento. Ricardo é sensível como todo um pé de sensitiva. Este mundo não serve para ele, este nosso mundinho idiota. Querer que Ricardo, uma árvore de imagens e sensibilidades ultra-humanas, saiba o quadrado da hipotenusa e outras indecências! Todos nós, Lino, Albino e Tito, andamos agora rebelados contra o socialismo e a atacar com os mais sórdidos argumentos o maravilhoso socialismo-sentimento do Ricardo — e ele, em vez de refutar-nos, sofre, vê nisso hipotenusas atacando um perfume. A mim o que me está fazendo vacilar nas velhas ideias é um livro de Le Bon: P*sicologia do Socialismo*.

Albino filosofa com a superior intuição de Hegel. Acho-o uma cabecinha de ouro — mas sério demais para a nossa roda. Lino, depois da reprovação, parece que assentou; estuda e trabalha. Foi bomba que em vez de destruir construiu. Tito irradia felicidade. Atingiu o ideal supremo: virou o Cabo Eleitoral, o general Glicério da Academia. Catequizou duas turmas de calouros e impera, papisa infalibilescamente, sempre a bambolear o corpanzil como marinheiro recém-desembarcado. O João Ramos continua trabalhando naquele seu terrível serviço de procurar emprego. Planeja agora uma ida ao Acre, donde voltará derramando dinheiro pelo caminho, como lata furada. Artur jura que o Ricardo é um gênio e ai de quem duvide! O prolixo Breves, sempre atento na Pátria; ontem me disse que vai "compor um pequeno artigo de interesse geral em que aventará a ideia, bastante evidente aliás, de, como medida preventiva de futuras incursões bolivianas, promover-se a colonização do Acre com elementos étnicos brasileiros, quais sejam (para frisar a ideia com um exemplo) o sempre infeliz e vitimado elemento cearense, que, como a experiência de longos anos cabalmente o comprova, etc. etc.".

Tenho lido o teu *Guarujá* e nada digo, porque dizer algo é elogiar e elogiar é estragar. Quanto à *Ave-Maria*, perfeita. Todos aqui fomos unânimes no adjetivo, inclusive o Edgard Jordão. Já combinamos o nosso encontro contigo daqui anos: nas galerias da Academia de Letras por ocasião da tua posse. Tens de te precaver é contra os desequilíbrios à Ricardo. Essa instabilidade conduz ao tombo. Repare no maravilhoso equilíbrio de Olavo Bilac. E veja o calmo Zola, o calmo Goethe, o calmo Machado de Assis, o calmo Daudet. Ando com ideia de que os tais desequilíbrios amalucados, a tal boêmia *à outrance*, é falta de confiança em si próprio e preparo de escusas para o fracasso. "Coitado! Seria o maior prodígio do século, se não fosse o álcool, se não fosse a desordem, etc." E quanto a programa, Rangel, só conheço um que te sirva: rangelizar-te sempre e cada vez mais. Escreve em tua porta isto da *Gaya Scienza* de Nietzsche;

VADEMECUM – VADETECUM

Mon allure et mon langage t'attirent,
Tu viens sur mes pas, tu veux me suivre?
Suis-toi toi même fidèlement
Et tu me suivras, moi! Tout doux! Tout doux!

Estou prestes a fechar o meu curso. Entro na "vida prática" em dezembro e creio que realizarei o meu sonho: ser fazendeiro. A minha vida ideal (isto é, de ideias) está a pingar o ponto final. Vou morrer — vai morrer este Lobato das cartas. E nascerá um que te fale em milho e porcos, e te dê receita para acabar com o piolho das galinhas.

Está um frio de fim de vida. Meus dedos enregelam-se. Vou sair, andar, tomar sol. Adeus.

Lobato

S. PAULO, 16,6,1904

Rangel:

Saíram daqui há minutos o Ricardo, o Albino e o Lino. Desde o meio dia, uma interminável conversa por entre números d'*O Combatente* e xícaras de café. Sete horas de parolagem. Foste lido e vivamente discutido. Uns põem-te logo abaixo de Machado de Assis; outros arrumam-te em cima dele e achatam-no. Houve berreiros. Albino afirmou sob palavra de honra que ninguém escreve com a tua "propriedade". Ricardo jurou que tens o segredo do termo insubstituível. Eu pus o *De S. Paulo ao Guarujá* ao lado das excursões de Maupassant — ao lado direito! Todos fanatizados por você — e eu com medo que isso te perca. Estás sendo vítima duma *gavage* de elogios — como em Strasburgo fazem com os gansos do *foie-gras*. Cumpre que resistas, sereno, impassível, superior.

A tua operosidade contagiou o Ricardo, que anda a trabalhar num poema — *O Minarete*. Albino amigou-se com a metafísica alemã. Nogueira, no fundo do Brás, arranca do crânio as primeiras faíscas da "Positividade Hindu". Tito gesticula dia e noite: é ensaio para o grande discurso do dia 18. Eu matuto naquela lei da "Conscientização do Inconsciente". Em suma: o Cenáculo renasce, túmido de esperanças, apoplético de coragens. Uma ânsia de caminhar! Incubar, é o grande lema. O "Trabalhai mancebos", de Zola. E todos viramos formiguinhas.

Tentei arrancar de mim o carnegão da literatura. Impossível. Só consegui uma coisa: adiar para depois dos trinta o meu aparecimento. Literatura é cachaça. Vicia. A gente começa com um cálice e acaba pau d'água de cadeia.

Aqui até o dia 20; de 20 a 1.°, em Taubaté.

Lobato

S. Paulo, 11,7,1904

Rangel:

Quanta atribulação, meu caro! Tua última chegou no momento em que eu partia para Taubaté, na folga do mês de greve que nos deu esta nossa inefável academia. Fui com planos de responder de lá — mas sobrevieram atribulações. Andei léguas a cavalo, lá pelos sertões do Buquira, e cheguei até às raias de Minas. Voltei para Taubaté derreado, bambo. Tive lá o Cândido uma noite por vinte minutos, elegante, raro, com projetos de três meses em França. E cá estou de novo em S, Paulo — mas ainda atribulado. Mudei-me para um quarto de frente na rua Araújo 26, com um lampião de rua bem junto à minha janela. Tenho luz de graça. E defronte há uma vizinha janeleira que já piscou. Em vez de namorá-la, meti-me pelo futebol — Palmeiras. Joguei vários dias seguidos e fiquei mais derreado que com as léguas do sertão. Estou cheio de pisaduras e dodóis.

Isto deve ser o que na *Vida Intensa* o Th. Roosevelt quer. O futebol empolgou-me de alma e corpo; escrevo crônicas de futebol e jogo. Diz o Tito que é mania — e diz-lhe o Raul: *"Jacques, tu es un âne"*. Seja como for, asseguro-te que o futebol apaixona e contunde.

Ricardo viveu duas semanas de sonhos com *O Corvo*. O mesmo *Gato* de outrora com mudança de nome apenas. E com o mesmo calor com que miávamos o *Gato* em nossa mesinha do Café Guarani, passamos a crocitar o *Corvo*. O Breves andava querendo reviver *O Combatente* e Ricardo propôs-lhe que mudasse o nome para *O Corvo*. Breves devia ter amarelado por dentro, mas de medo não contrariou. Concordou e foi preparar a traição. Ricardo precisava dum *Corvo* para demolir um poeta Simões Pinto que de vez em quando espicha um sonetinho aqui e ali. O primeiro voo estava marcado para o dia primeiro; na mesinha sabíamos de cor todas as maravilhas do número. Havia até um artigo do Mario Corvo, aquele corvo legítimo de Minas. Pois no melhor da história o Breves acovarda-se e foge — desiste de lançar o jornaleco! Grande fúria do Ricardo. Bufos. Raul suspira. Albino dá de ombros.

O caso do *Minarete* foi uma sorte grande nossa, Rangel. Não se repete. Não há dois Benjamins no mundo e nunca haverá outro diretor de jornal tão passivo como aquele. Eu era para ele um dogma. Era eu dizer e era ele executar. Ficou de tal modo submisso, logo no começo do nosso curso naquela república da Alameda dos Andradas, que até seus namoros eram conduzidos por mim. Benjamim recebia as cartas da namorada em Pinda e eu preparava as respostas. Certa vez ia ele saindo para a aula quando o carteiro chegou. Havia carta de namoro. E Benjamim entregou-me a carta fechada: "Estou sem tempo, Lobato. Leia e responda". E eu conduzi tão bem esse amor, fiz cartas tão progressivamente amorosas, que quando chegaram as férias e ele se foi, eu disse cá comigo: "Encontram-se e casam-se galopantemente". Mas saiu o contrário. No ano seguinte, quando terminadas as férias o Benjamim voltou, a primeira carta que do namoro recebeu foi de rompimento. Dizia na essência isto: "Tudo está terminado entre nós. Alguma outra mulher anda metida no meio. Você não é o mesmo das cartas, Benjamim. Em vez do ardor que eu esperava, só encontrei um gelo...".

Bom, a cama está a chamar este corpo contuso. Adeus.

Lobato

S. PAULO, 24,8,1904

Rangel:

Antes de mais nada, resposta às perguntinhas. 1) Bilhetes de loteria comprei três em tua intenção, todos alvos como a neve. 2) O artigo d'*O Combatente* é do Tito Franco, um apêndice do Cenáculo, um chato, atarracado, sem pescoço e fedorento, mas prodigiosamente culto e inteligente. Será um perigo para as instituições no dia em que tomar o primeiro banho. 3) O artigo de João Chagas vem n'*O País*.

O meu romance é a coisa mais complicada do mundo. Começa com duas gravidezes na mesma casa: a da mulher do fazendeiro, da qual sairá Cristina, e a duma preta cozinheira, da qual sairá Bocatorta. A linha sismográfica das sensações (considero o romance uma coordenada de sensações) pode ser traçada assim: (falta pedaço)

Rangel: há muito que quero insistir em Nietzsche, e dele te mando um volume que lerás e devolverás, e então mandarei outro. Não há Nietzsches nas livrarias desta Zululândia. Estes me vieram de França. Considero Nietzsche o maior gênio da filosofia moderna — e o que vai exercer maior influência. É o homem "objetivo". O homem *impessoal*, destacado de si e do mundo. Um ponto fixo acima da humanidade. O nosso primeiro ponto de referência. Nietzsche está *au delà du bien et du mal*, trepado num topo donde tudo vê nos conjuntos, e onde a perspectiva não é a nossa perspectivazinha horizontal.

Dum banho em Nietzsche saímos lavados de todas as cracas vindas do mundo exterior e que nos desnaturam a individualidade. Da obra de Spencer saímos spencerianos; da de Kant saímos kantistas; da de Comte saímos comtistas — da de Nietzsche saímos tremendamente nós mesmos. O meio de segui-lo é seguir-nos. "Queres seguir-me? Segue-te!" Quem já disse coisa maior? Nietzsche é potassa cáustica. Tira todas as gafeiras.

E que estilo, Rangel! Aprendi nele mais que em todos os nossos franceses. É o estilo cabrito, que pula em vez de caminhar. O estilo de Flaubert é estilo de tatorana: vai indo até o fim. O de Nietzsche nunca se arrasta, voa de pulo em pulo — e chispa relâmpagos, e chia, urra, insulta. É a mais prodigiosa irregularidade artística. Quando leio Nietzsche sinto ódio contra Flaubert o Impecável. Nietzsche é o Grande Pecador.

No começo você estranhará, por que ele é ele, excessivamente ele e até joga com uma porção de palavras a que dá sentidos especiais — e daí tanto grifo no texto. Eu acho que Nietzsche te vai curar de todas as doenças do intelecto que acaso tenhas e das que possas a vir a ter. A chave de Nietzsche você a tem no aforismo 178 onde ele inconscientemente se retrata como um "semeador de horizontes" — e é. E no *Assim Falou Zaratustra* ele se define assim (definindo um personagem ideal): "J'aime tous ceux qui sont comme de lourdes gouttes qui tombent une a une du sombre nuage suspendu sur les hommes: elles annoncent l'éclair qui vient, et disparaissent en visionaires". Ele é isso. Corre na frente com o facho, a espantar todos os morcegos e corujas e a semear horizontes. É o abismo verlainiano da filosofia do Futuro Próximo. Se não me entendes, demite-te do cargo de meu amigo n.° 1. Nietzsche *anunciou* e afogou-se numa dolorosa loucura, que sua irmã conta num livro. Fico impaciente pelas tuas reações químicas em face dessa Catálise feita homem. Se não vierem como as quero, merecerás a Presidência de Minas, ao lado do Francisco Sales e do Bressane.

Lobato

P. S. — Mais uma vez insisto em que acabes com as delicadezas e rodeios. Tuas "fórmulas" já me enjoam. Amabilidades são coisas de caixeiro de loja. Olhe que eu e você, na sincera opinião de Ricardo, somos as grandes esperanças do Cenáculo — e Ricardo, como vate que é, vaticina. Temos que não nos enganar com adjetivos.

L.

S. Paulo, 2,9,1904

Rangel:

Já te deve estar assustando a minha negra ingratidão: quase um mês sem carta! É que me vieram atribulações. Mudança de casa, uma ida ao Rio e outra a S. Vicente com o Lino; e por cima disso tudo uma espessa nuvem de desânimo e horror à pena. Mas o sal marinho restituiu-me o equilíbrio e pus-me a escrever a todos os amigos.

Muito nos lembramos de você lá em Santos, e verificamos o bom descritivo da tua viagem ao Guarujá. Os buracos de caranguejos na lama preta do mangue, o homem do escarro no trem, a barca. O meu plano era ir a Guarujá a pé, como fizeste, mas o Lino e o Sancho Pança que há em mim não concordaram. Minha irmã mostrou-me hoje o teu "postal". É a mania de agora. Há quem deite no correio vinte, trinta "postais" por dia, com "pensamentos". Circulam muitos retratos de Lina Cavallieri, da Bela Otero e da Cleo de Mérode, amante do rei Leopoldo da Bélgica, um insigne tranca realengo.

O mundo está se amaricando, Rangel. Até o Tito — tradicionalmente sensato — afundou no "postal" da politicagem acadêmica e nos enche os ouvidos com histórias: "Porque o Vergueiro...", "Porque o Bias Bueno...". Totalmente obcecado pela política e pela palavra "marnel". Tito só vê hoje no mundo marnéis — e pauis, charcos, lodo, lama, atascais, sentinas, cloacas, chafurdeiros, e até em sonhos atola-se em tudo isso. Veja no *Minarete* os artigos de Martinho Dias, que é o Tito literário.

E o Lino anda obcecado pelo Euclides da Cunha. Durante toda a nossa estada em Santos só me deu Euclides — a mim que só queria siris e água salgada. Determinou esse estado d'alma um ditirambo sobre o acadêmico saído no *Onze de Agosto*.

E por falar: esse jornal abriu um concurso de contos. Vim a saber disso tarde, sem tempo de te avisar. Concorri. Os juízes são um Sílvio de Almeida e um Amadeu Amaral. Se me derem o prêmio, suprimirei o "um" a ambos; em caso contrário, passarão a ser "um tal" Amadeu, um tal Sílvio.

Ricardo traduziu o primeiro ato do *Cyrano de Bergerac*. Bateu o Rostand longe. Ah, se ele leva a obra até o fim!... Mas não creio. Ricardo não tem fôlego. Acho-o bem melhor dos nervos agora. Mais ordeiro, mais reconciliado com a vida. Já deixou aquela república da rua General Osório, onde morava com o Raul, o Tito e outro. Que república, meu Deus! Ricardo entrava de madrugada e metia o pé na porta. Mais simples arrombá-la do que tirar a chave do bolso. E o Edgard Jordão fez o mesmo, uma noite em que apareceu por lá "acompanhado" apesar de não ser cidadão dali. Por fim dormiu lá uma noite o Tito Franco, e disso veio a derrocada final da já vacilante república. Tito Franco é essencialmente porco, como o Brasil é essencialmente agrícola. Tresanda como toda uma tribo de hotentotes. O último banho que tomou foi às mãos da parteira. É um tipo chato, atarracado, sem pescoço, inteligentíssimo, mas com idiossincrasia pela água. Levou a sujeira ao épico. É o Carlos Magno da gafeira. Uma só vez dormiu lá, mas foi o suficiente para impregnar a república de tal cheiro que o remédio foi entregarem as chaves à Saúde Pública. Dizem que nessa noite o outro Tito, o nosso, passou acordado até à madrugada, preparando o discurso para a sessão do clube Onze de Agosto. E que passeava de lá para cá, de tiras em punho, com paradas diante do intruso semi-bêbado espapaçado no chão: "É preciso tomar banho, Tito Franco!". E este: "Boa piada! Boa piada!".

O Nogueira progride, assenta as ideias, descasca-se, começa a aceitar a civilização e o positivismo; já encostou a metafísica e agora filosofa com Spencer. Mais uns meses, e está mandando fazer roupas no Carnicelli. O Raul continua Mário a chorar sobre as ruinas de Cartago. A Cartago do Raul é o Cenáculo.

Vou mandar *Roman Brésilien*, de Adrien Delpech. Bem bom.

Lobato

S. Paulo, 30,9,1904

Rangel:

Impossível escrever hoje. Esta pena está de fato enferrujada porque anda muito sem uso. Não me compreendo. Há tinta, há papel, há vontade de escrever — e a pena enferruja porque a vontade não tem pernas. Está *cul-de-jatte*. Tenho duas cartas do Cândido a responder e nada me sai. Tenho milhões de coisas a te contar — coisas do Raul, do Nogueira, do Lino, e tudo vai ficando para quando vieres. Tua última carta martelava longamente sobre a tua paixão, mas só me conseguiu provar uma coisa: que não amas. Isso é literatura, Rangel, não é amor. Quem ama não é derramado assim. E, depois, nesse buraco de Minas, a quem hás de amar, Moura? Se aqui não aparece mulher que corrobore e vivifique, aqui que é S. Paulo, que esperar dessas terras que só expluem queijos?

O Combatente tem trazido o teu *Guarujá*, e o Oscar Breves continua sempre "apurado" — e tremendamente prolixo.

"Adeus, meu anjo, meu eterno amor, meu galhinho de alecrim; lembra-te sempre daquela que no fundo desta cidade, noite e dia, o coração palpita por TI." É assim que termina a carta de amor que recebi da vizinha fronteira.

Lobato

S. Paulo, 27,10,1904

Rangel:

Exames na janela! A chave pende no prego n.º 4 e eu com duas cadeiras vazias e sem coragem de enchê-las! E pretendo o grau 8! "É o cúmulo da presunção", diria o Oscar Breves — homem inferior que só apanha o verniz das coisas. "É o cúmulo da confiança", dirá você, homem superior que sabe descer ao fundo das psíquicas. E acertarás, meu grande, meu arqui-precioso, meu divino Rangel! Seja como for, voltei hoje para meu quarto cheio de tremendíssimas intenções, disposto, como nunca, a empanturrar-me de ciência. Mas assim que abri o Paula Batista, o cão do vizinho à esquerda prorrompeu em uivos à lua que nem um poeta; os filhos do vizinho da direita vieram brincar sob a minha janela; e a filha dos vizinhos da casa fronteira veio à porta da rua para o seu habitual dedo de namoro noturno. De modo que essas três irredutíveis instituições humanas — o vizinhato, o cão e o namorado noturno — interpuseram-se como uma trindade de aço entre mim e a ciência do Paula Batista, e com tal prepotência que me vi forçado a afastar o poço de sabedoria e matar o tempo com uma quarta instituição humana: conversar por escrito.

Não quer isto dizer que te escrevo apenas porque não posso estudar, dando-te uma posição de secundariedade. Há uma fina nuança escolástica no caso. Distingo! Mas não me aprofundo na matéria de medo de ter de recorrer a citações do Doutor Iluminado ou do Doutor Maravilhoso, ou do Doutor Seráfico. Evidentemente foi o Nogueira quem me instruiu sobre todos estes opiatos.

Rangel, Rangel! A tua personalidade periga. Andamos todos apreensivos. A velha Tarasca soluça e chora.([10]) Para mim tu estás noivo, homem infame! Para o Cândido, tu estás casado, homem secretivo! (Na carta que recebi ontem me dizia ele: "Rangel casado, Lobato! Tudo perdido!" e vinha com umas tantas considerações da mais sã moral. Chegou até ao patético — ele, Cândido Negreiros!) Para o Ricardo, estás viúvo — já de luto aliviado. O Raul quer ser padrinho do teu filhote Barbarin de

---

10   Alusão ao Cenáculo, aqui comparado ao monstro Tarasca, da cidadezinha de Tarascon, referido no *Tartarin de Tarascon*, de Daudet.

Minaron,(¹¹) que o Tito jura ser parecidíssimo contigo — e o Lino move pauzinhos para que o pequeno seja batizado segundo o rito maçom. Eu, como de espírito mais prático, procuro obter do Dr. Franco da Rocha um bom lugar para você no Juqueri. Decididamente estás louco ou em vertiginosa via disso. Tua última carta é um pródromo. Ideias de suicídio...

Mas, como ia dizendo, tu és um homem admirável. O teu talento é desses em que uma época se coa todinha para a Posteridade. Aqui nesta taba de nome Brasil, etc. etc. A tua *Viagem de S. Paulo ao Guarujá* dada n'*O Combatente* é uma dessas coisas que, etc. etc. Rangel: falemos sério. Pelo amor de Bárbara escreva alguma coisa quanto antes. Ando sequioso por elogiar-te, por pagar a dívida de bombons que tenho para com você. Quero retribuir. Quero afogar-te em mel. Tenho uma pipa de elogios inéditos para te derramar em cima, para te ungir, como outrora se ungiam os reis — e não me proporcionas ensejo, não escreves nada, cultivas a esterilidade absoluta! Falar em tua última obra prima é repetir um ditirambo já safado. Glosamo-la em tantos tons que já não resta nenhum. Chegamos a ir ao Guarujá, a refazer a tua viagem para melhor nos certificarmos da perfeição descritiva. Fizemos tudo — e em paga de tanto, emudeces como peixe! Nenhum outro primor pingou da pena tão exaltada...

Ávidos, todos os dias corremos jornais e revistas e estudamos os pseudônimos, desconfiados de que te escondas nalgum novo. Nada, nada...

Vamos, Rangel, exsolve-te em luz que nos dissipe a crosta de decepção que se forma e me alivie a mim dos remorsos. Minha dívida para contigo está grande demais. Esmaga-me. Minha dívida de elogios retribuitórios... As tuas cartas são puras delícias do gênero humano. Sabes tocar valsas inebriantes nas cordas sensíveis do meu Fraco. Dá-me azo, pois, ó meu prodigioso amigo, de também dedilhar um bocadinho a guitarra do teu Fraco.

Adeus. O cão cessou. As crianças recolheram-se. A filha dos vizinhos deixou o resto para amanhã. É a calma que se restabelece. Volto ao Paula Batista. Fica o Chatterton e mais coisas para outra vez.

Um abraço do teu

Lobato

P. S. — Concorre ao concurso de contos da *Folha Nova*. Condições: 1 — Conto com enredo; 2 — que não exceda de 200 linhas; 3 — que chegue lá até o dia 15 de novembro; 4 — que preste.

Há três prêmios.

Mexe-te.

L.

S. Paulo, 3,11,1904

Rangel:

Os ditirambos epistolares denunciam em você um futuro chefe político de Caldas, ou futuro deputado federal pelo Francisco Sales. Com tal arte e lábia no jogo

---

11 Evidente alusão ao nome de Tartarin de Tarascon e ao de Barbara, namorada do Rangel.

dos adjetivos bombons, um homem engatinha até muito longe, até aos cimos da política, do magistério ou da arte oficial. Tens pés de lã e mãos de veludo e uma bela tropa de adjetivos! Se eu fosse Presidente da República, ao receber tua carta telegrafaria em resposta: "Rangel, corre, voa, vem ser meu Ministro da Fazenda". Como não posso dar-te uma pasta, mando-te um livro (creio que em cada carta prometo um livro). Gosto de prometer, Rangel, mesmo que não tenha intenção de dar. Quem promete já dá alguma coisa. É um livro maravilhoso: *Relatório sobre os Filtros Rápidos*, do Dr. Ferreira Ramos.

Dizes que progredi no francês e é verdade: aprendi uma coisa. E sabes como? O Sílvio de Almeida, um dos juízes do concurso de contos, votou no meu, mas com uma advertência: "Primeiro lugar, apesar do título". Sabe qual era o título do meu conto? *Gens ennuyeuses!*... Alguém lá da casa do Sílvio me deu a informação. Corei como romã e fui ao meu velho Sevène (Lembra-te? *Calypso ne pouvait pas se consoler du départ d'Ulysses... — La rue du Savon — Pend-toi, Crillon; nous avons vaincu et tu n'y etais pas*) e verifiquei que *gens* em francês é macho e não fêmea, como pus no título. Voei à tipografia para fazer a correção. Era tarde...

Queres notícias daqui? Trágicas!... Raul, mais surdinho ainda, mais recurvo, mais humilde, é um *épave* do Cenáculo. Perambula à noite pelo Triângulo, entra nos cafés e espia os grupos; mete-se nas multidões e afuroa, sempre à cata dum fragmento qualquer do Cenáculo. Raul está engorgitado de "Ohs" e não encontra ouvidos em que os deposite. E esbarra em mim e não me vê; esbarra no Tito e não o vê; esbarra no Lino e não o vê — e assim por diante até o Ricardo. Ao Ricardo também não vê, mas a atração de imã que Ricardo sempre exerceu sobre ele puxa-o — e Raul adere e sorri com beatitude. Surdinho e tonto dos olhos.

Por puro milagre, ontem reunimo-nos três no Progredior, Lino, Albino e eu. Não demorou muito e Raul entrou. Entrou e espiou todas as mesas. Nós amoitamos, "para ver". Espia de novo, esbarra-nos com a ponta da capa e sai, suspirando. Querido Raul!

Ricardo deu em rábula. Está outro; já olha a vida mais burguesmente; defendeu um réu em Pindamonhangaba, citou Lombroso, enorme triunfo.

Lino prepara-se novamente para atacar o seu Porto Artur: — aquele inexpugnável Primeiro Ano.

Tito... Lembra-se, Rangel, daquele eterno *"Jacques, tu es un âne"*, do *Petit Chose* de Daudet? Pois o Tito virou o nosso Jacques. "Tito, tu és uma besta", é o que todos lhe damos — e ele sorri aquele tremendo sorriso rabelaisiano. Grande alma o Tito!

Nogueira sumiu depois da morte do pai e Albino anda esplêndido de filosofia. Dá de ombros com a maior perfeição. O Edgard sempre assombroso, gênio tétrico, todo mistérios — *Noite na Taverna* feita homem. Que olhos tem! Cândido, na fazenda, diz que toca violão e canta modinhas. Júlio aparece às vezes de relance[12]. Adeus, tempos do Minarete! Aquelas "manhãs de rosa com alacridade de festivos sinos..."[13] "Os saraus do Recreativo..." O Belenzinho... Adeus! Adeus!...

Suspiros do

Lobato

---

12 Júlio Costa, um quase-cenaculoide: Cão ensinado (era professor). O Nogueira protestava contra a palavra "cenaculoide"; queria "cenaculista".

13 A primeira crônica do Raul publicada no 3.º número do *Minarete*: "Manhãs de rosa com alacridades festivais de sinos! Manhãs de céu de porcelana, azuis e claras! Oh as madrugadas de maio, frescas e cheirosas — como eu vos adoro!..." Raul está inteiro nessa crônica. Aos vinte anos já era uma saudade feita homem.

S. Paulo, 7,11,1904

Triste coisa o desânimo... Devido a um atroz acesso de desânimo, desses que nos transformam em budistas, deixei de escrever-te, de rir, de ler — de viver, em suma... Mas passou e já tenho ânimo de pegar nesta realmente enferrujada pena para contar assombros do Nogueira. Esse homem formidável, filho do conúbio danado de Duns Scott e do Caraça, do qual o ano passado guardaste tão profundo ressentimento a ponto de em tua última obra o mimoseares com três ironias, o Nogueira demoliu-se todinho e reconstruiu-se de novo. Está o assombro de S. Paulo. Usa hoje, externamente, colete branco, terno cinza, colarinhos Santos-Dumont, botinas de pelica, *pince-nez*, ares doutorais; e internamente usa habilidades sinuosas, pruridos de *gentleman*, Marcel Prévost e as ideias políticas de Tito. Grudou-se à política municipal do Belenzinho, da qual é figura obrigatória com o seu fraque (tem fraque, sim), com o seu *pince-nez* de ouro (ouro de verdade, sim); e nas jantas partidárias de vários coronéis desforra-se dos jejuns do Minarete. Afez-se ao carolismo do mulherio — e elas o adoram pela sutileza com que destrincha um caso de consciência ou explica uma nuança do dogma. Reza em público com grande contrição, confessa-se com um padre que é também influência política, tira o chapéu até para as bananas de São Tomé e vive num regalo, com dinheiro no bolso e amizades femininas. Está quase civilizado. E quase porque aquele célebre gesto das mãos penduradas à altura dos sovacos ainda persiste. Basta um minuto de distração e pelo menos o braço direito vai se encolhendo em forma de V e a mão pendura. Já beijou uma mulher casada e anda pensando em comprar monóculo.

Saltando de Norte a Sul, direi que o Breves morreu — o Breves jornalista, porque o outro, da "burocracia biológica", esse vige e viça, sempre "apurado" e na concha. O Tito Franco deu de fazer n'*O Combatente* piadas contra o Chefe de Polícia, e o Chefe — diz o Ricardo — chamou o Breves para explicações e Breves as deu com desesperante prolixidade. Dizem que começou assim: "Senhor Doutor e conceituado Chefe do Policiamento Local, a mamãe..." e enveredou por aí, com a eterna mamãe puxando fila. E o caso é que *O Combatente* morreu. Perdeste o único editor, meu caro Rangel. Onde outro que tome a sério o teu, o nosso preconizadíssimo talento? O Breves publicou o teu *De S. Paulo ao Guarujá* apenas por sugestão do Ricardo. O poeta abriu-se diante dele em exclamações sobre a tua genialidade. Ele sorria aquele célebre sorriso postal que era uma obra prima de incredulidade, e de medo do Ricardo te publicava. Agora, de medo do Chefe de Polícia nem sequer edita mais o jornaleco. O Breves é todo medos — da mamãe, da esposa, do Ricardo, do Tito Franco, da polícia, do administrador dos Correios. O futuro biógrafo do Breves tem que pôr entre as suas obras primas (os artigos "Grêmios da Defesa Nacional" e os "Conselhos Úteis") o prodigioso sorriso, tão discreto, com que ele duvidava da tua genialidade, Rangel. Breves, o Infame!...([14])

Lobato

P. S. — Apontas-me, como crime, a minha mistura do "você" com "tu" na mesma carta e às vezes no mesmo período. Bem sei que a Gramática sofre com isso, a

---

14 Nota do Rangel: "O Breves morava na rua da Liberdade com uma mulata. Para enfeitar a casa ela fazia uns grandes tapetes de estopa com uns enormes O. B. em tirinhas de pano torcidas."

coitadinha; mas me é muito mais cômodo, mais lépido, mais saído — e, portanto, sebo para a coitadinha. Às vezes o "tu" *entra* na frase que é uma beleza; outras é no "você" que está a beleza — e como sacrificar essas duas belezas só porque um Coruja, um Bento José de Oliveira, um Freire da Silva, um Epifânio e outros perobas "não querem"? Não fiscalizo gramaticalmente minhas frases em cartas. Língua de cartas é língua em mangas de camisa e pé-no-chão — como a falada. E, portanto, continuarei a misturar o tu com você como sempre fiz — e como *não faz* o Macuco. Juro que ele respeita essa regra da gramática como os judeus respeitavam as vestes sagradas do Sumo Sacerdote. Logo, o dever nosso é fazer o contrário.

L.

S. Paulo, 15,11,1904

Rangel:

É cheio do passado que te escrevo. Imagina que fui ao *Rink* (coisa que não conheces: patinação) e lá encontrei numa roda de quatro a moça mais bela que a Natureza ainda produziu. Bela, fina, elegante... Estes adjetivos já não dizem nada por causa dos abusos do Macuco. Sabe o que é o belo, Rangel? É o que alcança uma harmonia de formas absolutamente de acordo com o nosso desejo. Se um mínimo senão na asa dum nariz rompe de leve essa harmonia, a criatura pode ser linda, bonita, encantadora — mas bela não é. Pois aquela moça era bela, Rangel. Chamava-se nos meus catorze anos, Belita, Isabelita — Isabel. Foi o meu primeiro amor, em Taubaté.

Mas falemos em coisas profanas. Li o teu último artigo... Nunca viste reprodução dum quadro de Gleyre, *Ilusões Perdidas*? Pois o teu artigo me deu a impressão do quadro de Gleyre posto em palavras. Num cais melancólico barcos saem; e um barco chega, trazendo à proa um velho com o braço pendido largamente sobre uma lira — uma figura que a gente vê e nunca mais esquece (se há por aí os *Ensaios de Crítica e História* do Taine, lê o capítulo sobre Gleyre). O teu artigo me evocou a barca do velho. Em que estado voltaremos, Rangel, desta nossa aventura de arte pelos mares da vida em fora? Como o velho de Gleyre? Cansados, rotos? As ilusões daquele homem eram as velas da barca — e não ficou nenhuma. Nossos dois barquinhos estão hoje cheios de velas novas e arrogantes, atadas ao mastro da nossa petulância. São as nossas ilusões. Que lhes acontecerá?

Somos vítimas de um destino, Rangel. Nascemos para perseguir a borboleta de asas de fogo — se a não pegarmos, seremos infelizes; e se a pegarmos, lá se nos queimam as mãos. Nós três, eu, você e o Edgard, sofremos da mesma doença e, pois, trilharemos as mesmas sendas e voltaremos ao cais na barca de Gleyre — com aquele mastro caído, a lira largada, a bússola sem agulha. E por que isso, Rangel? Porque em nós três há uma coisa que nos obriga a partir, a caçar a borboleta, embora certos de que o retorno será na barca de Gleyre. Essa coisa dentro de nós é o que explica a imensa disparidade entre você e o Breves, entre o Edgard e o Goulart, entre eu e o Macuco. O que não impede que Breves, Goulart e Macuco nos olhem com profundo desprezo. Devemos ser para eles o que eles são para nós.

Estamos moços e dentro da barca. Vamos partir. Que é a nossa lira? Um instrumento que temos de apurar, de modo que fique mais sensível que o galvanômetro, mais penetrante que o microscópio; a lira eólia do nosso senso estético. Saber sentir, saber ver, saber dizer. E tem você de rangelizar a tua lira, e o Edgard tem que edgardizar a dele, e eu de lobatizar a minha. Inconfundibilizá-las. Nada de imitar seja lá quem for. Eça ou Ésquilo. Ser um Eça II ou um Ésquilo III, ou um sub-Eça, um sub-Ésquilo, sujeiras! Temos de ser nós mesmos, apurar os nossos Eus, formar o Rangel, o Edgard, o Lobato. Ser núcleo de cometa, não cauda. Puxar fila, não seguir.

O trabalho é todo subterrâneo, inconsciente; mas a Vontade há que marcar sempre um norte, como a agulha imantada.

Esses nossos desalentos, esses nossos tédios iterativos, esses nossos desesperos, provam a favor, Rangel, não provam contra. São reflexos da misteriosa gestação subterrânea. Como vem isso? Sempre como eco do constante processo analítico inerente à gestação. Você lê uma página genial de Hugo e a comparação inconsciente que fazes entre ele e você desnuda-te uma aparente inferioridade. Eu vejo uma cena, procuro o meio de transmiti-la por meio de palavras, não consigo e perco a confiança em mim. O Edgard sente uma sensação nova, estranha, jamais sentida por ninguém no mundo; analisa-a, não a apreende — e ei-lo de dia estragado, azedo sem saber por quê. Mas esse eterno "procurar", Rangel, é que é a grande coisa que há dentro de nós e não há no Macuco. O Macuco não procura coisa nenhuma, porque está certo de que é um gênio e não precisa de coisa nenhuma.

Cansado de desanimar, eu não desanimo mais, depois que apanhei a causa dos meus desânimos. Trabalho às ocultas lá no subconsciente. Em quê? Na afinação da lira e na fixação com palavras do que ela apanha. O sonho, sabes qual é — o sonho supremo de todos os artistas. Reduzir o senso estético a um sexto sentido. E, então, pegar a borboleta!

Você me pede um conselho e atrevidamente eu dou o Grande Conselho: seja você mesmo, porque ou somos nós mesmos ou não somos coisa nenhuma. E para ser si mesmo é preciso um trabalho de mouro e uma vigilância incessante na defesa, porque tudo conspira para que sejamos meros números, carneiros dos vários rebanhos — os rebanhos políticos, religiosos ou estéticos. Há no mundo o ódio à exceção — e ser si mesmo é ser exceção. Ser exceção e defendê-la contra todos os assaltos da uniformização: isto me parece a grande coisa. Se a tomarmos como programa, é possível que um dia apanhemos a borboleta de asas de fogo — e não tem a mínima importância que nos queime as mãos e a nossa volta seja como a do velho de Gleyre.(¹⁵)

Lobato

S. Paulo, 9-12-1904

Rangel:

Esta é a última que te escrevo como estudante. Amanhã a estas horas estarei bacharel em ciências jurídicas e sociais — doutor Lobato! A sensação há de ser a que

---

15   Há um erro aqui. Esse quadro de Charles Gleyre, que entrou para o museu Luxemburgo e de lá se passou para o Louvre, sempre foi vítima de traições. Gleyre denominou-o *Soir*, mas o público foi mudando esse nome para *Illusions Perdues* e assim ficou. Eu também mexi no quadro. Pus o velho dentro da barca e fiz a barca vir entrando no porto, toda surrada. Trai o pobre Gleyre. Sua barca não vai entrando, vai saindo, como se deduz da direção do enfunamento das velas...

me causou a primeira calça comprida. Que vergonha de todo mundo, meu Deus! A impressão era de que o universo inteiro cravava os olhos em mim e sorria ironicamente. Adeus. Receba lá o último abraço do Lobatinho que vai ser guilhotinado ao meio dia — e por antecipação receba também o primeiro abraço do breve e grave Dr. Monteiro Lobato.

Lobato

P. S. — Veio de retorno o meu Nietzsche. Chegou bem de viagem e através das notas marginais disse-me que... que... que só te procurará em novos volumes alguns anos mais tarde, depois que o meu amigo Rangel amadurecer um pouco mais. Impertinente este alemão, não é verdade?

Emerson é americano — e grande. Estou à espera de *Representative Men*. O seu ensaio sobre a Natureza ensinou-me algo bastante curioso: se você olhar uma paisagem por entre as pernas, quero dizer, com os olhos de "cabeça para baixo", a paisagem fica uma coisa nova. Experimente.

L.

Taubaté, 30,12,1904

Rangel:

Aqui no exílio a modorra é um mal ambiente que derruba até os mais fortes. Exílio, Rangel, pura verdade! Saltar da libérrima vida estudantina de S. Paulo e cair neste convencionalismo de aldeia, com trabalhos forçados... Sinto-me rodeado de conspiradores; todos tramam o meu achatamento. Tudo quanto mais prezávamos — o nosso individualismo, etc., é crime de lesa-aldeia, de que o vigário, os parentes e as mais "pessoas gradas" nos querem curar. O ideal é fazer de nós mais uma "pessoa grada", mais um "cidadão prestante". É arredondar-nos como um pedregulho, lixar-nos todas as arestas — as nossas queridas arestas! Um homem aqui só fica bem "grado" quando se confunde com todos os outros e é irmão do Santíssimo Sacramento.

Ontem insinuaram-me que eu tinha de ir à missa dum coronel que morreu e nunca vi mais gordo; insinuaram de leve, porque a conspiração é jesuítica. E se não me defendo heroicamente, acabo papa-missa, papa-defunto, papa-sermão — e freguês da chimbica no fundo da farmácia.

Logo que cheguei (que cheguei "formado!") mimosearam-me com uma manifestação; foguetes (Taubaté não faz nada sem foguetes), a banda de música, molecada atrás e oito discursos, nos quais se falou em "raro brilhantismo", "um dos mais", "as venerandas arcadas" e outras macaquices que tive de aguentar de pé firme em casa de meu avô. Eu percebia o jogo: a manifestação era mais dirigida a ele do que a mim, porque ele é um grande visconde e eu não passo dum simples "neto de visconde".

Não respondi macucalmente, como era esperado. Declarei que não havia razão para homenagem, porque se tratava dum bacharel mais pelo Largo do Rosário do que pela Academia, no qual as ciências do Triângulo superavam as do *Corpus*

Juris. Disse ainda que um novo advogado não passa de mais uma filoxera social que sai do casulo — e por aí além. Os manifestantes entreolharam-se. A língua era nova e desconhecida na terra, mas a cerveja que o avô mandou servir (e creio que era ao que realmente vinham) reconciliou-os com o neto.

Não imaginas a estranheza da minha emoção quando estourou lá longe o primeiro foguete e alguém ao meu lado disse: "É a manifestação que vem vindo". Um foguete soltado por minha causa...

Mudando: ontem peguei um número d'*O Combatente* e reli o capítulo II do teu *De S. Paulo ao Guarujá*. "Terra Efervescente." Viajei de novo de S. Paulo ao Guarujá com aquela descrição que é um cinematógrafo com fonógrafo ao lado, ou, melhor, que é um extraordinário "biógrafo". Quando nos darás mais coisas como essas?

Veio o Maeterlinck.

Do teu desolado

Lobato

1905

TAUBATÉ, 24,1,1905

Rangel:

Recebi tua última a caminho da estação, e li-a entre Cachoeira e Guaratinguetá, com olhadelas para o tortuoso Paraíba que acompanha a Central. E como tinha diante de mim a Natureza, gostei das tuas referências à paisagem dessa Caldas. Porque, meu velho Rangel, não perdi ainda esse nosso mau costume de analisar tudo quanto tem a desdita de nos cair sob os olhos; e dentro daquele pó federal me pus a analisar tua carta, teu estilo, tua maneira de dizer, as qualidades que abotoam, etc. E notei um desembaraço maior, mais topete, mais desgarre da pena outrora tão encolhidinha.

Os teus ataques à Natureza me fizeram sorrir com saudades daquele Rangel tão tímido, tão moça, que só quando a coisa era demais arriscava uns átomos de ironia mansa ou de discreta revoltazinha. Já agora rompes contra a Natureza como Norma Absoluta, e críticas até o exagerado azul do céu. Ótimo! Só resta que não abuses como os que se metem a si mesmos como a Norma Absoluta.

Lembro-me de que há anos também andei brigado com certas mediocridades da Natureza. Eu ia para a fazenda a cavalo, e atravessava um trecho de capoeira onde tudo era chinfrim, desde os aromas da "balsamina em flor" até o relevo do solo. Eu olhava e nada via ali das decantadas excelências de Mãe Natura. E ia marchando, aborrecido com tamanha chateza, coisa inadmissível na Norma de Tudo. Logo adiante a topografia mudou e vi-me em zona montanhosa — a Mantiqueira — em trecho onde a estrada em ziguezague corta a floresta virgem. Senti então a tal coisa alegre e radiante da saúde moral em pletora — e num relâmpago apreendi tudo. É que a Natureza copia o homem; desdobra-se numa gama inteira. Tem os seus pedaços shakespeareanos para equilíbrio dos seus pedaços acacianos. O trecho visto um quilômetro atrás era o Conselheiro Acácio-paisagem. Aquele ali era no mínimo Ibsen no *Peer Gynt*. O teu mal, Rangel, é que moras num pedaço de natureza *Helena* de Machado de Assis.

Perguntas da minha vida. Completa. Eufórica Três amores, cada um dum tipo. Leio. Estudo. Trabalho. Engordo. Digiro admiravelmente e até tiro sortes de loteria (ontem, quinhentos mil réis). Feliz como um leitão em dia de abóbora. E estou transformado na "última palavra" da crítica local, depois duns artigos sobre os trabalhos da minha namorada número 2 — a de função estética. O povo olha-me com uma espécie de terror sagrado, tantas foram as coisas bonitas que, em estilo de *atelier* de Paris, eu disse na análise dos quadros de Georgina — chama-se Georgina. O meio de sermos admirados pelo povo é não sermos entendidos. Outros artistas da terra, geniozinhos municipais, procuram-me; querem também que eu diga deles coisas incompreensíveis. E o diretor do jornal fez-me a honra de declarar que sou a "única autoridade crítica da terra". Quer dizer que também não me entende.

Ontem houve concerto no teatro e uma comissão veio implorar que do alto da minha Competência eu derramasse a potassa da Crítica sobre as gorduras do Desempenho. Desfiz-me em frases feitas desmerecedoras do meu Mérito e por fim prometi. E acabo de encher cinco tiras com quanto *argot* musical assimilei em S. Paulo nas críticas do Camarate e do Barjona.([16]) Falei em vocalização, registro de voz, euritmia, tonalidades cromáticas e outras pilhérias do caso. Saiu-me coisa tão boa que, relendo-a, eu mesmo não entendi nada. Imagine o sucesso que vai ser!

Lobato

Taubaté, 2,2,1905

Rangel:
Tenho cá a tua opinião sobre Flaubert, Zola e a definição de arte deste — e como minha opinião precedeu a tua, estamos entendidos nesse ponto. Vamos a outro. Na penúltima carta dás como definição de arte do Taine a sua definição de obra d'arte, coisa muito diferente. Definição de arte foi coisa que o sensato e cautelosíssimo Taine teve o espírito de não tentar, para não dar a topada que todos os definidores vêm dando desde a Grécia. Todas as definições de arte que conheço degeneram em noção, e isto pelo absurdo de aplicar o processo definitório, coisa puramente científica e lógica, ao fato mais incientífico e ilógico da humanidade — a Arte. Com os sextantes mede-se a altura das estrelas, mas não se medirá nunca a altura do amor duma menina. Quanto à tua questão de "arte científica", não pesco um xis. Ciência — conjunto de conhecimentos sobre as leis dos fenômenos; arte — concretização de emoções. Misturar estas coisas é tentar a combinação química de ovos e batatas.

Eu não disse (e se disse retrato-me) que Flaubert não é artista, e sim que Flaubert me desagrada, me maça seriamente, e que me tem sido uma pura *corvée* a leitura de seus livros. Idiossincrasia de temperamento, vulgaridade de espírito, qual-

---

16 Críticos de arte em S. Paulo.

quer inferioridade minha, enfim — mas sinceridade, coisa de que te divorciaste na crítica a Zola, onde fizeste esgrima de epigramas e ironias — ou *boutades*, como lá diz o francês. O teu *Gouache* do último *Minarete* (o prodigioso revisor do Benjamim deixou sair "Gonache", palavra sem significação que deve estar dando dor de cabeça nos pindamonhangabanos), e teu "Gonache" é uma pura imitação pastichada desse Flaubert que te anda estragando as tripas do estilo. Entre a maneira de Flaubert e a de Rangel a diferença é nula — o que seria ótimo para você, se você houvesse vindo ao mundo antes de Flaubert.

Escapaste da imitação do Eça, mas sem sentir imitas o abominável Flaubert. Coisas assim, assinadas por Flaubert, seriam admiráveis — em você não passam de engenhosos ecos.

A conclusão é que você ainda não se pariu de todo a si mesmo, pensa que é uma coisa e é outra; e para prova leia o conto que mando, dum extraordinário Emígdio de Oliveira. Não sei quem é, só sei que é dos tais que souberam achar-se e são tremendamente si mesmos. Veja como é potável, e que linda pastoral à Longus é isso. E quem sabe ou fala desse homem? Estará nascendo agora? Emígdio de Oliveira! Esse nome não me diz nada, nem a ninguém daqui. Encontrei isso dele, li — e nunca mais necessitarei olhar para o seu nome em baixo para saber se uma coisa é de Emígdio de Oliveira ou não.

Adeus. Sinto-me rabugento. É a chuvinha que não para. Chove, chove, chove. Até sol.

Lobato

Taubaté, 16,2,1905

Rangel:

O teu amor pelos ricochetes é para mim neste momento uma preciosa qualidade, pois o argumento que mandei — "uma obra d'arte não é a arte" — voltou com a tua sanção nos seguintes termos: "um inglês não é a raça inglesa" e mais este reforço: "isto me parece uma grande verdade". E como o ponto de litígio era essa desigualdade que você negava, dou-me parabéns pela tua conversão à aritmética e à lógica. Quanto ao resto, onde há citações de Taine e Zola, fatos implicantes e implicados, explicitidades e implicitidades, pg. 227 de *Mes Haines*, logos, etc., reservo-me para depois que houver assimilado Duns Scott e Scaligero.

Que faz por aí o Nogueira? Fale-me dele. Estou com saudades daquelas nossas polêmicas sem fim sobre as causas primárias e últimas.

A notícia que dás da Cainçalha é a que eu esperava. Por falta de caça esses cães assarnentam-se, e vivem pelos cantos a bocejar e coçar as pulgas. Vejo que estão todos parados. O Tito até parece que voltou atrás, e só muito de longe em longe sente um calorzinho na pena. Está a escrever molemente, com grande afluxo de lugares comuns. Parece que aquele seu antigo e sagrado horror à Chapa não existe mais. *"Jacques, tu es un âne."* Do Ricardo só vi a última tradução do *Cyrano de Bergerac*. Pede-lhe por mim que me mande a bagagem de recortes poéticos que puder, para a propaganda que ando a fazer dele perante duas magnificentíssimas representantes do sexo oposto. E também preciso que me mandes dizer quando você e o Lino prestam os exames. Quero chegar até aí com os parabéns.

O Albino escreveu-me das profundas de Sertãozinho! Albino escrever! Isto é portento como quando lá em Heródoto aparecia a fênix. Que estará para sobrevir?

Lobato

Taubaté, 20,2,1905

Rangel:

Conversemos enquanto chove. Veio A *Ilustração* e ao lê-la me lembrei das famosas revistas que fundamos no Guarani: *O Gato, O Corvo*. Depois foi como se relesse um número da primitiva fase do *Minarete*, o pequenininho, no tempo em que o Cândido escrevia o *Fen dé brut*. Só faltaram você e o Albino, esse relapsíssimo Guy d'Han. E também o Ricardo. Reli a maupassanada do Tito e mais uma vez me convenci de que ele tem ali o seu *Vase Brisé*. O Tito de hoje não vale aquele. Lino, o eterno trovejamento de bombas. Sempre que o leio lembro-me do foguetório da Semana Santa, quando estouram os morteiros. Estouros, chiados, chispas e depois rolos de fumaça branca rumo ao céu. O Raul... Que coisas adoráveis esse adorável Raul escreveria, se fosse arrancado daquela infame estrada de ferro e posto a cultivar-se num curso folgado! E faltou também o Nogueira, o Fréron. Tenho saudades do Nogueira! A sua crônica inicial no *Comércio de S. Paulo*... as novidades de cabelo branco que ele, como um Isaías, atirava ao mundo... a sua tremenda descoberta do Valmiky...

Muito piegas deves estar achando o "Dr. Lobato", este homem sério que ontem foi metido no corpo dos jurados e também já foi convidado para a Irmandade do Santíssimo Sacramento, espécie de Ku-Klux-Klan local, inofensiva e de balandrau roxo, em vez de branco à moda americana. Bem que me esforço por tomar tudo isto a sério, Rangel; mas não vale — todo este burguesismo, Rangel, não vale uma hora das nossas horas do Minarete do Belenzinho, nem aqueles "aborrecimentos" conjuntos no Café Guarani, entre cigarros e laranjinhas.

O Jonas de Barros é um amor — ou pelo menos ficou assim depois de coado através da imaginação descritiva do Ricardo. "O Incompreendido." Ponha-o num conto, antes que eu o faça.[16]

Ah, Rangel, eu brinco mas o desespero anda a assaltar-me. Meu processo de burrificação marcha firme. Este ar, esta coisa chamada "interior", arrasa uma criatura em poucos meses. Sinto que estou me tornando tapera — com pés de joás, erva de Santa Maria, cordão-de-frade e guanxumas no terreirinho outrora tão limpo... As ideias vêm-me lorpas, com o carimbo local, ideias de boticário da roça. Sinto uma ferrugem no cérebro, tudo *grincheux*, difícil... Que suicídio lento é este viver de aldeia! Suicídio mental apenas, porque o corpo prospera lindamente. Faz-me falta o oxigênio metropolitano. Pelo Carnaval vou refocilar aí e matar as saudades — saudades sobretudo de vocês todos.

Que fim levou o Edgard Jordão?

Lobato

---

16 O *Minarete* publicou um conto meu com esse título.

Taubaté, 1,3,1905

Rangel:

O que me tem retardado na resposta à tua última é a dificuldade de escolha do por onde começar — tanta coisa há a dizer. Estive uma semana em S. Paulo e passamos noitadas como as de dantes — mas sem o entusiasmo e a sinceridade de dantes. Por incapacidade de criar, a cainçalha repete. Encontrei o Cândido magrela. Como tem com rara elegância o pulmão "afetado", nós posamo-lo de tuberculoso, com risinhos complacentes dele. Meio sorumbático, estacionário, neurastênico. Ricardo também está outro; já não recita nem produz nada. Sonambuliza. Tito desmorona. A Academia já se atreve a atirar-lhe pelas ventas com a nossa celebre síntese: "É uma besta!" Seu prestígio acadêmico degringola. Na questão das candidaturas não foi ouvido — imagine! ele o Tito!... E isso o emagreceu e amarelou. Nogueira chupa balas, namora e passa miséria. O Beccari, esplêndido de confiança, burrice e gênio. É uma floresta dos trópicos, todo fetos arborescentes. Atreve-se a achar o Ricardo um "moço banal". Albino, o eterno Albino. O Santa Rita cada vez mais roliço. Faz anos o mês que vem e está a organizar uma esbórnia de três dias. Vai alugar casa fora da cidade só para a festa. Como nem doses maciças de álcool o abalam, quer meter-se num regime de setenta e duas horas de sambuca, "para ver se fica levemente toldado". O ideal do Santa Rita é acabar como aquele Clarence de Shakespeare, afogado num tonel de malvasia. Convidaram-me para o porre histórico — eu o homem dos três chopes...

Paro aqui, Rangel. Estou fenomenalmente vazio e besta. Tens lido o *Minarete*? As primeiras páginas dos últimos números são totalmente minhas. Apareça por lá.

Lobato

Taubaté, 13,5,1905

Rangel:

Alegrou-me o correio de hoje, porque pressenti no calhamaço resposta à penúltima; mas como não fazes menção dessa carta, estou a supor que se desmandasse pelo caminho, como má carta que era. Se te queixas de trabalho em excesso, que direi eu, vítima do excesso oposto, *surménage de faineantise*? Como cansa, estafa, uma vida desocupada, vazia duma grande tarefa construtora, duma batalha a ganhar cujos detalhes nos encham do bom cansaço suarento e corado, criador dos sonos de pedra e de esperança aos montes! Esta nossa vida de grama branqueada sob um tijolo, que rastreia a luz de lá fora, vida toda cérebro, a ruminar ideias num merecismo de dromedário e afastada de toda a Ação — e dentro das leis orgânicas viver é agir — esta vida nossa, Rangel, é pura monstruosidade. Faz de nós plantas de estufa, falseia-nos a natureza, afrouxa-nos os andaimes. E tão falta de compensações! A maior compensação para uma vida que se desenvolve é a consciência do progresso desse desenvolvimento; e como ter consciência de qualquer progresso se a lentidão do nosso evoluir psicológico lembra a marcha do ponteiro pequeno dos relógios? A gente sabe que o ponteirinho está andando, mas não vê marcha nenhuma.

Você tem a grande *besogne*, o amor, um Moloch que devora tudo quanto nossas faculdades produzem, mas o teu mal está em que o teu Moloch é um Moloch literário. E fora do Amor, do Jogo e do Álcool, não sei de outra paixão que encha por completo uma vida. Ricardo enche a sua com a tonteira do sonho; tirem-lhe isso e ele morrerá de vácuo... Tu pretendes encher a tua com Amor, mas esse teu amor é pouco para o teu tonel e daí a razão dos "enchimentos" — literatura, trabalho, etc. Inútil. Irás pela vida em fora, *cahin-caha*, *clopin-clopant*, e chegarás aos Sete Pés sempre com o tonel a meio.

Ando agora estudando Napoleão, o homem de maior tonel interno que jamais existiu. Em Santa Helena, a sua conversação com Las Casas, que o taquigrafou, é um contínuo desenrolar de planos do que ele ia fazer, isto é, do que ele necessitava fazer para dar ao Moloch interno o repasto exigido. Privado da ação naquele penedo, o Moloch matou-o.

Que tanto Moloch! É que ontem estive conversando *Salammbô* com um velho filósofo daqui e hoje topei no *Minarete* com um artigo *Moloch*. Quer dizer que por estes dias o *jongleur* do meu trapézio do Brás Cubas vai ser essa palavra. Antes foi *abbatteur de besogne*. Que expressão nossa diz o mesmo? Sugere-me um pescoço enorme, ombros colossais, uma coragem de trabalho à Balzac ou Dumas. E tens a audácia de atirar-me à cara essa expressão tremenda, a mim que sou gramínea desclorofilada e murcha...

Vai o Darwin e um maço de *Minaretes*. Lê neles: "O Brasil, hoje", a brincadeira Nero-Olga, "Cor", "*Trubsal? Trube*" e "Pedro II e a Manada" (causou escândalo).

Adeus.

Lobato

Taubaté, 15,7,1905

Rangel:

O bilhete postal — um beliscão — *talvez* me faça dar resposta à tua última e dizer o que penso do *Diário* e do autor — coisa que há quinze dias pretendo mas não consigo fazer. Digo "talvez", porque talvez esta carta, fique a meio caminho. Conheces muito bem a doença periódica da grafobia que nos torna a pena odiosa e repulsiva. E estou adivinhando que durante essa demora, todos os dias, lá numa covanca de Minas, uma Vaidade de pernas ia esperar o correio, ansiosa, e a todas as malas mordia os lábios com os dentes da decepção. "Devia ter vindo (raciocinaria a tua Vaidade). É fatal que venham os deliciosos bombons com licor dentro. Mas por que tardam tanto? O pagamento antecipado já lá foi, sob forma de outros bombons marca 'Elogio Mútuo' — e o infame Lobato demora!"

Meu caro: a explicação é que Ragueneau anda bilioso, cheio de pensamentos negroides, e não tem feito pastéis de medo de trocar os ingredientes, metendo pedregulhos em lugar de azeitonas, com possível dano de algum dente incauto. Veja você que sábio é Ragueneau em deixar o forno apagado enquanto a bílis lhe amarela as ideias e o riso.

Ainda ontem enchi os ouvidos de uma das minhas namoradas com juras de arrebentar os miolos, e falei em revólver, faca e outras alavancas da indiferença feminina. Mas hoje, Rangel, minha intenção é molhar a pena em tinta cor de rosa — mas antes disso quero prolongar esse ar de decepção que estou vendo em tua cara, e em vez dos esperados bombons terás de ouvir de pé firme uma história de dormir em pé. É inútil pular estas linhas e ir procurar algum bombom no fim, porque hoje não vai nenhum — estão a secar ao sol. Julgas por acaso que é coisa decente este torneio de elogio mútuo em que andamos? Pensas que já me esqueceu aquela tua carta que começa assim: "O teu estilo tem todos os fulgores..."? Supões-me então ingênuo como um tal Godofredo Rangel que ouviu impávido uma *boutade* dum tal Ricardo Gonçalves, e manteve-a na boca como bala puxa-puxa, e anotou-a carinhosamente no *Diário* com que pretende escalar o morro da Glória: "O teu estilo é o mais perfeito que ainda apareceu no Brasil"? Rangel, Rangel! Seja um bocadinho mais hipócrita e raspe aquilo. Que não dirá a Posteridade?

Estilos, estilos... Eu só conheço uma centena na literatura universal e entre nós só um, o do Machadão. E, ademais, estilo é a última coisa que nasce num literato — é o dente do siso. Quando já está quarentão e já cristalizou uma filosofia própria, quando possui uma luneta só dele e para ele fabricada sob medida, quando já não é suscetível de influenciação por mais ninguém, quando alcança a perfeita maturidade da inteligência, então, sim, aparece o estilo. Como a cor, o sabor e o perfume duma fruta só aparecem na plena maturação. Repare no Machado. Quando lhe aparece a cor, o sabor, o perfume? No *Brás Cubas*, um livro quarentão. Que estilo tem ele em *Helena* ou *Yayá Garcia*? Uma bostinha de estilo igual ao nosso. Ao Eça só o encontramos já estilizado e inconfundível nos Ramires. Antes de nos vir o estilo o que temos é *temperamento*. Há na arte do desenho um exemplo claro disso na "estilização", duma flor, suponhamos. *A flor natural* é o nosso temperamento; a *flor estilizada* é o nosso estilo. Enquanto esse temperamento não alcança o apogeu da caracterização, não pode haver estilo. O Eça nas *Prosas Bárbaras* não tem estilo; usa e abusa barbaramente da "impropriedade" com o fim de irritar o Camilo Castelo Branco, o Bulhão Pato e os burgueses do Porto. Esse abuso da impropriedade, que à primeira vista parece ser a sua futura característica do estilo (tanto é alta a dose nas primeiras coisas), nos Ramires aparece homeopático e felicíssimo, e da mesma sábia dosimetria de Machado de Assis.

Poderás, Rangel, com os elementos básicos que há em você, ter um estilo, e certo que o terás — mas ainda é cedo. Estás verdolengo. E o terás lindo, sobretudo se deres menos apreço às lisonjas fáceis dos amigos. Lembra-te que mutuamente já todos nós demos de gênio lá no Cenáculo e no entanto bem pequena é a dose de simples talento de todos nós, reunidos e multiplicados uns pelos outros.

Proponho-te escrevermos com mais assiduidade no *Minarete*. Coisas leves, com diálogos — o diálogo areja. Coisas que interessam aos leitores, coitados, sempre tontos com isto de escrevermos só para nós mesmos, sem a mínima consideração para com eles, os sustentadores do jornal.

Os bombons ficam para outra.

Lobato

Taubaté, 18,7,1905

Rangel:

Andas zangado comigo e com razão, pois num momento de bílis não achei válvula para a peçonha e derramei-a toda no focinho da tua vaidade. Mas as coisas mudaram e está hoje uma lua tão bonita no céu da minha janela, e um grilo pia com tanto gosto, e faz tão bom fresco, que chego a esquecer a ferida aberta em meu orgulho e, feliz, espero conversar contigo à moda bombonesca. Essa ferida...

Fizeram-me orador do nosso Clube Recreativo, e no último domingo, em sessão de posse, meti-me por um longo discurso, que me saiu uma sucessão de caroços inacreditáveis. Tamanha foi a minha vergonha que ainda hoje não posso ver, sem corar e baixar a cabeça, as infames criaturas que assistiram à catástrofe. Nunca poderás imaginar, Rangel, que horror é um desastre desses e que quantidade de nevralgias morais nos põe nos nervos do amor próprio. A artificial reputação de talentoso que com o meu sábio silêncio fui criando aqui, aluiu como um castelo de cartas assoprado. Sou para Taubaté, doravante, "uma forte besta" — é o julgamento que leio em todos os olhos que me olham. Meu orgulho parece as ruínas de Pompeia. Humilhei-me. E tão humilde ando que não tenho coragem de falar do teu *Diário*. Que direito tem uma "forte besta" de andar emitindo opiniões?

Quanta razão tinha Esopo em meter a catana na língua! No mundo dos peixes não me sobreviria tal desastre.

Mas sacudamos a ferida para um lado.

Dia 19

Interrompi esta ontem para ler a tua última — e sinceramente confesso que me aborreci muito. Eu já estava arrependido de em momento de mau humor ter-te escrito aquela catilinária, que não supus tomasses a sério. Infelizmente foi o que se deu. Voltemos atrás, amigo, e permaneçamos os dois últimos abencerragens da velha panelinha.

"Em que te interessa a minha vida inteira?" dizes, amargo e ressentido. E eu te respondo que interessa apenas em grau logo abaixo da minha. Essa Bárbara de quem vais ser, conheço-a no tanto possível, e faz parte do meu *salon* imaginário; e o casamento que anuncias para abril enche-me de invejosa satisfação. Espero que no futuro ainda hei de chegar até aí com a minha metade pelo braço, e ouvir, na cozinha, D. Bárbara ordenar à preta: "Mais dois talheres na mesa, que hoje tem visitas — o Dr. Lobato e a senhora".

Aquela carta, Rangel, me saiu num momento de bílis preta. Num desses momentos em que um acúmulo de aborrecimentozinhos exige a abertura duma torneira qualquer. Uma espécie de eletricidade negra que nos entope os acumuladores e se mete a faiscar de todos os lados. Foi num desses dias aziagos, pretos até no céu chuvoso. Deu-me um tal nojo da vida que me pus a brutalizá-la, como os maridos ciumentos fazem às esposas inocentes. E não tendo a coragem dum rompimento definitivo com a vida por meio de bala nos miolos ou enforcamento na ceroula, brutalizei com mão nervosa a meia dúzia de laços fortes que a ela me prendem, justamente os mais queridos e mais próximos. Um deles foi a minha maior amiga daqui, a Dona Edel do *Lambeferas*. Outro foi a minha namorada de S. Paulo. Outro foi você, Homem Sensível de Moura Rangel! Elas me perdoaram e tu, que és o único Ele do bando, demoras em fazer o mesmo! Quero que queimes a tal carta e lances a cinza aos ventos, como Pedro Arbues fazia com a dos heréticos que torrava. Espero uma resposta que me tire da alma o peso deste remorso de Caim. E depois continuaremos, *bras dessus, bras dessous*, pelo macadame da vida afora, conversando nestas cartas que já duram mais de um ano.

Do teu lamentável

Lobato

Taubaté, 19,8,1905

Godofredo:

Criatura perversa! Sabes os fins miserandos que andam tendo os Macucos e ainda açulas o Torres a escrever novelas. Esse Torres é meu conhecido de nome e façanhas de amor; mas que faz versos e tem "uma Canaã de sonhos literários", é coisa nova para mim — e incompreensível. Gostei muito do preciosismo dele, misto de Raul e Andrelino. A "vara de *vime* dos críticos" (por que vime, meu Deus?), "meu futuro literário", "burilo versos"... Que amor!

Gostei do teu tédio pós-flaubertiano. É prova de mais um encontro nosso. A canseira que o excessivo trabalhado do estilo dava a Flaubert penetra também o leitor. Cansaço por indução. Para mim é como se assistisse a uma ópera em teatro de vidro, onde os cenários e as paredes transparentes deixassem ver toda a maquinaria oculta. Um anjo passa voando na apoteose final e toda a beleza do voo lá se vai porque o espectador está vendo os arames de suspensão. O trabalhado de Flaubert transparece em toda a sua obra — ou é sugestão minha por saber que ele trabalhava demais as frases? Às vezes gastava todo um dia com uma delas, e esguelá-la em todos os tons. Diz Faguet que Renan dissimula de tal modo a técnica de construir frases que deixa a ilusão de não ter nenhuma — e está aí um dos maiores encantos de Renan o Dissimulado. Ainda ontem vi com um rapaz daqui um horroroso relógio de mostrador transparente, com toda a engrenagem — toda a barrigada — visível. Flaubert é assim. Imagine uma moça belíssima, mas de carnes diáfanas, com as tripas, os bofes, o coração e todas essas coisas vermelhas aparecendo... E Flaubert ainda é, como dizes, "secante". O pai foi médico e os avós também. O filho herdou a fúria de escalpelar. Aquilo dele pegar e dissecar tipos incaracterísticos como a Bovary, Homard, etc., acaba secando a gente. Eu gosto dum Tartarin, dum Besoukov, dum Lantier, dum Ega.

A observação sobre os teus adjetivos pode ser generalizada. Apliquei-a aos teus porque me veio enquanto te lia. Nos grandes mestres o adjetivo é escasso e sóbrio — vai abundando progressivamente à proporção que descemos a escala dos valores. Um jornalistazinho municipal, coitado, usa mais adjetivos no estilo do que Pilogênio na caspa.

Eles pingam adjetivos. Contei os adjetivos em Montaigne, Renan e Gorki. Sóbrios. Shakespeare, quando quer pintar um cenário (um maravilhoso cenário shakespeariano!), diz, seco: "Uma rua". O Macuco diria: "Uma rua estreita, clara, poeirenta, movimentada, etc.". O Macuco espalhou mais adjetivos pelo Belenzinho do que gonococus — e nunca houve uma espingarda que o abatesse!...

Tolstói só usa o adjetivo quando incisivamente qualifica ou determina o substantivo. Tenho que o maior mal da nossa literatura é o "avança" do adjetivo. Mal surge um pobre substantivo na frase, vinte adjetivos lançam-se sobre ele e ficam "encostados", como os encostados das repartições públicas. A moda de hoje é o adjetivo eciano. Aquele "cigarro lânguido" do Eça fez mais mal à nossa literatura do que a filoxera aos vinhedos da Champagne.

Isto me veio ao ler em teu *Diário* a "mancha" sobre o lampião da sala. Se expulsasses dali todos os adjetivos encostados, aquilo ganharia oitenta por cento.

Lino manda-me um cartão. Diz: "Amo loucamente, faço discursos admiráveis, publico artigos sensacionais. Sou indubitavelmente uma glória acadêmica e incontestavelmente um reprovado no fim do ano". Ricardo estuda. Irei a S. Paulo para vê-los, logo que chova. O pó da Central!

Aqui está rugindo a festa do Tremembé.

Lobato

Taubaté, 27,9,1905

Rangel:

Duas folhas de papel xadrez, cheios dessa coisa fantástica a que muito humoristicamente chamas "minha letra", jazem penduradas do ganchinho de parede rubricado pela papeleta "Cartas a Responder", e no ganchinho correspondente do meu encéfalo está pendurada uma preguiça de quatro folhas. Estou de lombeira hoje — coisas que eu sei. Decifro os teus horrendos gatafunhos. Eles me dizem — ó desgraçado Mr. Lewisham mineiro! — que és todo a noivinha e te preparas para no altar de Vênus transformar a noivinha em mulher. Vais renunciar ao Demônio e Suas Pompas em troca de uns tantos dias de carnal novidade e quarenta anos de bocejo a dois, cueiros amoniacais, diarreias verdes, choradeiras, taponas... Renunciar ao Demônio, quando o Demônio é a única delícia reconciliadora do homem com o Mundo. Renunciar às suas pompas, isto é, a Paris, às voluptuosidades egoístas da Carne e do Dinheiro, dos vícios amáveis, dos lindos pecados que a Santa Madre Igreja condena com o fim secreto de requintar-lhes o sabor. Renunciar às aventuras perigosas. Renunciar ao Ideal que é ter uma gorda conta no Banco e nenhuma consciência nas tripas. Renunciar aos amigos vivedores e descuidados, a um automóvel com que atropelamos seis pedestres por ano, a duas éguas inglesas como as dos romances do Eça, a uma biblioteca estofada no conforto inglês, com poltronas de couro macio, nas quais, refocilados, amavelmente possamos filosofar sobre a miséria humana, com um havana entre os dedos e um gato persa no colo. E conciliar as três aventuras amorosas que estamos conduzindo, como o cocheiro russo concilia os três cavalos duma *troika*. E passar a noite na roleta, perdendo com a dignidade dos nobres ingleses. E ter uma obra d'arte em andamento e sem fim, que nos justifique aos nossos próprios olhos. Renunciar a tudo isso, ó Mr. Lewisham de Moura Rangel, para te fazeres galo duma galinha que te dá um ovo por ano e demonstra todos os dias que todos aqueles encantos de noiva não passavam de miragem do deserto.

Porque é aqui que está o Erro. A noiva é uma. Não tem fisiologia. E a mulher emergente da noiva tem-na terrível. O que atrai numa é a secreta e misteriosa virgindade, um seio que apenas transparece no boleado do casaquinho — e mais tarde degenera em úbere. O que atrai são os aromas capitosos da sugestão, o olhar cheio de promessas embriagadoras, é o coquetismo que o noivo não percebe que é coquetismo já do tempo de Eva e julga ser natureza. A noiva é o vinho; a esposa é o *vin aigre*. É a mesma criatura, mas sem os mistérios, sem as eletricidades, sem o *odor di femina*, sem os encantos do olhar — com tudo transformado em ranço e cinzas. As ultras maravilhosas qualidades da noivinha cessam de existir porque são armadilhas que a Natureza arma para pegar o tico-tico — e pegado o tico-tico, para que mais armadilhas? Agarrado o macho, que importa à mulher a conservação daqueles encantos? Em vez deles, em vez dessas miragens, ela dá ao esposo realidades: filhos, seios pendurados, ventre bambeado, talhe achamboado, sensualidade amortecida. E o bestalhão assombra-se... Pois foi então aquela criatura que o embeveceu de amor? Que o fez casar aos vinte anos? Que o fez deixar-se arrear e montar?

Que tombo o marido cai... Vê de noite a mulher de camisola e touca — aquele ser que ele só via enleado em gases e cassas afeiçoadas pela moda de Paris. E aquela mesma que corava de lhe mostrar o tornozelo, ele a vê abrir certo móvel, tirar certo vaso e sentar-se em cima com certo ruído. E de manhã quando acorda ao lado da diva, sente a realidade do *odor di femina*. E nota que aquele hálito que antigamente rescendia a rosas da Pérsia, cheira agora a estômago azedo. E lembra-se dum soneto que escreveu "À que me espera..." em que lhe cantava o "hálito de Iracema" — agora um cheirinho de dente cariado.

E isso na melhor das hipóteses, porque há o caso da noiva, que era "inconsútil", fechadinha, sem órgãos lá dentro afora o coração, dar numa mulher cheia de úteros doentes que metem o médico em casa, e mais uma porção de órgãos esquisitos que o homem não tem, com flores que não são de roseiras, e "geniosa", das que dão com o prato na cara do marido e passam a detestá-lo, e vivem eternamente ventrudas e a encher o mundo de fedelhos. E há as que trazem de dote a sogra e a irmã tia, e mais uma velha tia que é manca; e que lê os folhetins do *Jornal do Brasil* e chora nos "lances", etc., etc., etc.

Dirás, com alegre entono, que não é esse o teu caso, que Ela é uma criatura "diferente", como jamais houve no mundo outra; e ao dizeres isso, com o ar de quem diz a mais absoluta novidade, estarás repetindo plagiariamente o que cem por cento dos noivos disseram desde o Jacó da Bíblia até o Mr. Lewisham de Wells.

Há duas classes de homens na sociedade moderna: o que sabiamente faz como o Brás Cubas do Machado e não prolonga a miséria humana, e o que casa para que se perpetue no planeta a infinda procissão de bípedes que vêm do *Inde?* e vão como carneiros para o misterioso *Unde?* Escolheste o caminho da proliferação. Tua alma, tua palma. Mas depois não venhas chorar no meu colo.

E adeus. Vou mandar tua carta para o gancho das "Respondidas".

Lobato

Taubaté, 17,12,1905

Rangel:

Chegaram os volumes do *Diário*, multados em 800 réis, e duas cartas. Não sei pela qual começar... Já li uns trechos do *Diário* e fiquei com ideia mais nítida dessa que te seduziu a cabeça e o coração. Deve ser uma criaturinha deliciosa, comunzinha como centenas de outras, boazinha, bonitinha, engraçadinha, monopolizadora de meia dúzia de diminutivos. E vejo também que é coisa líquida a tua "lewishação", como Wells a descreve naquele *Mr. Lewisham*: o mal não tem cura. Quero, porém, dizer-te ainda uma ou duas coisas sobre o casamento, apesar de ser latim perdido.

Se um homem casa-se aos vinte anos, que deixa para fazer aos quarenta? Aos vinte temos mil novidades tremendas a fazer, porque ainda estamos na "surpresa da vida". Temos as grandes "asneiras". Mas aos quarenta estamos começando a "passar", já arrefecidos, já com o farnel das asneiras esgotado, e então casar com uma menina de dezoito é iniciar brilhantemente a segunda fase da vida. Aquele ditado do "quem casa quer casa" é muito sábio. Diz que para o bom casamento o homem deve estar estabelecido, rico, maduro, bem cristalizado, conhecedor de si próprio e do mundo — isto é, velhusco.

Casar criança é uma barbaridade, apesar das "pontinhas róseas dos dedos dela", apesar do "lindo moreno da pele", etc. Acho que é cabeçada, e por isso berro, apelo para os esbirros d'El-rei, sempre que vejo um homem de mente sã correr com uma braçada de coisas preciosas — liberdade, sossego, projetos de viagens, ideias — rumo à lata do lixo, para... para quê, meu Deus?

O *Minarete* trouxe a tua lânguida "Dona Fidalma". Ouça lá o que diz a medicina: "Durante esse tempo as mulheres mostram-se fracas, mais impressionáveis, de humor volúvel, apresentam exteriormente um aspecto sofredor, ficam com olheiras... movimentos mais morosos... sujeitas a caprichos singulares, a gostos bizarros, a mudanças no caráter; umas inclinam-se à tristeza, outras tornam-se irascíveis ou sentimentais". Exatamente como estava a dona Fidalma quando a apanhaste. Rangel, você a plagiar o Chernoviz naquele desagradável capítulo!

E o meu *Gilles de Rais*? Leste? Ando com ideias dumas coisas à Wells, em que entrem imaginação, a fantasia possível e vislumbres do futuro — não o futuro próximo de Júlio Verne, futurinho de cinquenta anos, mas um futuro de mil anos. Vou semear agora essas ideias e deixá-las se desenvolverem livremente por dez ou vinte anos — e então limito-me a fazer a colheita, caso a plantação subsista até lá. Se a terra dos meus canteiros mentais não for propícia a essas sementinhas, então é que não estou destinado a ser o H. G. Wells de Taubaté, e paciência. Ou dou um dia coisa que preste, que esborrache o indígena, ou não dou coisa nenhuma. Ser um Garcia Redondo, que coisa mais quadrada e pífia!

E enquanto as sementinhas germinam, sabe em que penso agora? Em indústria! Uma fábrica de doces em vidros, geleias inglesas, sistema Morton ou Teyssoneau. A firma será Lobato & Paiva. O Paiva é o Eugênio de Paiva Azevedo, meu companheiro de planos. E invadiremos o mercado com uma reclame verdadeiramente americana. Até por aí chegarão os almanaques, as folhinhas de parede, os cartazes de Lobato & Paiva. Nos cinemas, depois duma fita sobre a guerra russo-japonesa, em vez do retrato do Tsar ou do Filho do Sol em apoteose, lá aparece, num deslumbramento: "Para as lombrigas, compotas Lobato & Paiva". E hei de ver a dona Bárbara de Moura Rangel, atrapalhada com uma visita de última hora, dizer à criadinha: "Corra no seu Chico da Venda e diga que mande uma lata de morango marca Lobato, que é a boa. E você não fique lá toda a vida namorando aquele cara de fuinha. Ele que ponha na conta". Contrataremos o Raul para a seção de propaganda — para "Oh, as compotas de morango de Lobato & Paiva!". Ofuscar a glória do Morton, o Shakespeare dos *pickles* e das geleias!...

Chamei-te Lewisham, não que sejas como M. Lewisham, mas porque quem ama é sempre mais ou menos Lewisham. E ainda há uns pontos coincidentes — o colégio, a vida de professor, o Amor, Ethel e Bárbara.

Lobato

Taubaté, 1905

Rangel:
Espero catequizar-te para uma das coisas mais úteis a um homem que pensa por si mesmo. Porque quem pensa por si mesmo tem sempre à tona do pensamento coisas originais e novas — novas combinações, nuanças novas, tons novos, coisas que nos parecem inéditas e que realmente o são, caso contadas com todos os pelinhos com que brotaram. Esses pensamentos em geral se perdem — evaporam-se como as primeiras gotas de chuva em pedra quente de sol. São como a forma das nuvens. Não calculas como me agrada recordar hoje o que pensei um ano atrás; e se é bom com a diferença de apenas um ano, que dizer quando há dez ou vinte de permeio? Por que não grafar isso diariamente — não mariscar diariamente, de peneira, essa escumalha e pô-la no papel para futuro regalo? essas ideias-nuanças, essas sensaçõesinhas-tons? Comecei a fazer isso o ano passado e esta noite, relendo trechos do primeiro caderno, já cheio e relegado para o fundo da gaveta, achei-lhes um estranho sabor de autenticidade e cor fresca — e aí vai a amostra para te induzir a fazer o mesmo. Infelizmente esses arrepios de momento são grafados em letra também de momento indecifrável às vezes, já que a letra segue o estado d'alma. Há nelas um descosido, um desprezo às regras de enfurecer qualquer Catão da língua. Pontuação, ortografia — nada atrapalha. A impressão só, nada mais — manchinhas, como se diz em gíria de pintor.

Lobato

1906

Taubaté, 15,3,1906

Rangel:
Espantou-me a tua promessa de vir. Assombro! Vem por dois ou três dias. Avisa-me com antecedência para eu varrer o quarto.

Acabo de ler o *Queijo* e acho que te alcandoras muito. Aquilo é esbanjar filosofia com quem só quer polenta grossa. Perguntas se tenho leitores no *Minarete*. Talvez o Benjamim me leia — o revisor garanto que não. Em S. Paulo, Purezinha também me lê. Bem vês que sou lido.

No nosso *Queijo* não cabe mais ninguém. Já há lá gente demais. E até acho conveniente matarmos dois ou três personagens. Lembre-se de que prometemos aos leitores "várias mortes trágicas" e ainda estão todos vivos.

Eu e o Eugênio andamos com fúria devoradora de quilômetros. Todos os dias saímos em nossas bicicletas e varamos quantas estradas há. Penetramos até nos municípios vizinhos. Eugênio quer te conhecer.

Tenho lido muito em inglês — viagens. Há cá uma porção de números de *Wide World Magazine* e do *Strand*. Enjoei-me do francês. Quando ao Bourget, minha opinião é que vendas os dezoito volumes a algum fogueteiro. Não há ar nessa literatura francesa. E lembra-te, menino, que a arte é longa e a vida breve. Como perder tempo com bobagens? Ler é coisa penosa; temos de mastigar, insalivar e engolir — e que grande tolice comer palha! Alimentemo-nos dos Sumos — os Balzacs, os Shakespeares, os Nietzsches, os Bains, os Kiplings, os Stuart-Mills. Theuriets, Onhets, isso é palha. Bourget tem *Mensonges*. Fique aí. Dezoito volumes de Bourget! Como te foi cair nas unhas tamanha papelada?

Quanto aos épicos antigos, Dante, Milton, Homero, só com bons intérpretes, com Virgílios cicerônicos. O próprio *Lusíadas* nunca li inteiro. Cansa-me. Já investi contra o bloco cinco vezes. Começo achando-o belíssimo, e vai belíssimo até dez ou doze estrofes; daí por diante entram a amiudar-se os bocejos e a admiração vai morrendo. Na estrofe décima-sexta volto as páginas para ver se o fim do canto ainda está muito longe. Na vigésima acho meios de interromper a ingestão da obra prima e encostá-la por seis meses ou um ano. Mas é admirável o Camões, não resta a menor dúvida. Nós é que somos uns fracalhões, uns dispépticos, uns degenerados netos de truculentíssimos avós. Um dos nossos antepassados, Cunhambebe, comia um português inteiro sem arrotar. Nós mal escoramos uma asinha de frango...

Lobato

Taubaté, 1906

Rangel:

Ânimo de te elogiar não é o que falta — mas falta material para elogio. Minha esperança é que o anunciado "Sebastião" seja a tão reclamada matéria. O elogio, concordo, é o mesmo néctar dos deuses do Olimpo. O paladar da nossa mente reclama-o como o paladar físico reclama sal na comida. Quando passamos algum tempo sem comer coisas doces ou salgadas, nosso organismo, ressentido, passa a reclamar sal e açúcar por meio do apetite. Assim, secas as nossas fontes — aquelas fontes donde corriam com tanta prodigalidade todos os méis do Himeto, só nos ficaram duas: você para mim e eu para você.

Mutuamente nos engambelávamos para que mutuamente nos enlambuzássemos com o mel do elogio. Eu pincelava com ele a tua boca e você a minha. Nas nossas cartas os melhores pedaços eram os em que personalizávamos e permutávamos amabilidades chinesas. Juro que no meu *Diário* só leste os trechos que te dizem respeito. Como és humano meu Rangel querido!

L'Egoisme c'est le propre de l'homme não disse nenhum Chamfort mas devia ter dito. Tudo quanto finge desamor próprio, altruísmo, desprendimento, é anti-humano.

Soube que nos entreveros da greve Ricardo apanhou uma bala no braço? Mas nada sério; ferimento leve. Lino e Tito têm pintado o diabo — mas intramuros. O heroísmo deles prefere manejar a partazana da retórica a vibrar a marreta na rua, como o Ricardo.

Sê menos parco. Dá-me a encher.

Lobato

Taubaté, 2,4,1906

Rangel:
Por esta entediada Sexta-Feira Santa, em que Taubaté inteiro transpira na igreja em trevas, um pobre diabo que não aguentou o suadouro e raspou-se só vê duas coisas diante de si: dormir uma soneca ou escrever a um amigo. Eis como, Rangel, o fato dum suave galileu ter morrido na tortura lá nos fundos da Ásia me leva a comunicar-me com você — já que não há sono para a soneca. Ela está na igreja, mas a falta de luz é tamanha que não pudemos trocar olhares; e como me pareceu muito suportar tanto suor sem a compensação dos seus olhares desertei. (Há por aqui uma novidade na gíria, o verbo "grelar". Corresponde a flertar, ou namorar com os olhos. Tome nota.)

Aquele tédio antigo me voltou. Ando a ver tudo amarelo. Ontem reli coisas do teu *Diário*, mais analisadamente que da primeira vez. Estão lá os teus estados d'alma do tempo do namoro — esse primeiro degrau para o casamento. Tudo compreendo muito bem agora. A vida do celibatário numa capital justifica-se; nestas cidadinhas do interior é um absurdo. A absoluta ausência do que fazer nos força a casar — é o meio de fazer qualquer coisa. Mas para quem pensa um bocado, o tal casar o põe vacilante como Hamlet. É uma cumbuca com dois dados dentro — unicamente a sorte nos faz pegar no branco em vez de no preto.

Ela ou é extremamente complicada ou extremamente simples. São dois modos de ser tão distantes que comumente se confundem — entenda. Dá impressão da máxima fraqueza — mas pelo carnaval sustentou contra mim uma luta de lança-perfumes e me manietou as mãos com tanta força que tive de bater em retirada — e com mais uma incógnita a interferir na minha equação.

Rangel, quero que me escrevas com minúcias sobre o teu novo estado, as novas esperanças e projetos — e se o casamento dá a sensação da estabilidade que um ente depois dos vinte anos começa a necessitar. Meu cansaço é esse: instabilidade, vida no ar. Acentua-se em mim o desejo de ancorar num porto. E que porto há para o homem, senão a mulher?

Lobato

Taubaté, 5,5,1906

Rangel:

De volta de S. Paulo, onde passei quinze dias, encontro um bilhete e uma tira na qual contas da tua iniciação em Balzac. A Casa Garraux tem lá um Balzac completo a oitocentos réis o volume, o que há de barato. Encontrei na mesma livraria um magnífico Rabelais completo, num só e gordo volume, solidamente encadernado, por.... oito mil e quinhentos réis. Trouxe também Petrônio (quatro mil). Ésquilo, *Contos da Rainha de Navarra*. *Relíquias de Casa Velha*, de Machado; *Cartas d'Inglaterra*, do Eça; *Gordon Pim*, de Poe; *Ivan o Imbecil*, de Tolstói, e outros. Disponha.

Estive com o Beccari. Falou de você. "É um talento, não é um gênio, porque é mais observador do que criador." Ontem Beccari o Pavoroso agarrou-me em plena rua para urna injeção de Gioconda e Fornarina a propósito de um cartão postal. Tive de fugir e esconder-me num mictório.

Ricardo, magnífico, dorme empavonadamente sobre os louros conquistados da última bernarda, na qual agiu com a marreta e levou tiro. Raul está excelente e com o repertório renovado, cheio de coisas dum Lagreca de cabelo de fogo que o Cenáculo descobriu e explora. Quando apareceres por S. Paulo exige do Raul as "lagrecadas". São da gente morrer de rir. Ha três meses que não cultivam outra piada. (falta o resto)

Lobato

Taubaté, 17,6,1906

Rangel:

Li, arrepiei-me de gosto e devolvo com esta a *Ilustração* que iluminaste com o Tito em chamas. Toque! Já fez você fotografia? Depois do banho revelador e do de fixagem, vem um banho em água corrente de muitas horas para libertar a chapa dos traços do hiposulfito de sódio, que é a peste da fotografia. Um vestígio que fique desse impertinente e desagradável sal e as chapas correm o risco de se deteriorarem com manchas horrorosas, que as inutilizam. Você, com a ironia dos moços pretensiosos, já deve estar farejando a moralidade. Pois o faro é bom e a moralidade é essa mesma. O teu estilo ainda revê traços dos hiposulfitos, que no caso são as influências dos teus fatores. É por meio do hiposulfito que a chapa se faz, mas é também o hiposulfito sobejante o que a desfaz. Assim, do alto dos meus tamancos eu te digo, ó Homem Superior de Moura Rangel, que ainda deves dar muito banho de água corrente em teu estilo, porque nele ainda restam traços da flaubertite gonocócica e da ecite apanhada nos tempos do Minarete. Ria lá os teus melhores risos de superioridade, finca-me as esporas da ironia — mas pensa no meu conselho. É filho da real admiração que me prende ao futuro "imortal" mineiro.

Um feroz abraço do teu

Lobato

Taubaté, 1906

Rangel:

Hoje vai cartapácio; estou de veia e com saudades. Dirás: "Então por que não vens?". É que este hábito de escrever-nos desdobrou-te em dois Rangéis: o de carne, professor, marido e lá sei que mais; e o Rangel epistológrafo. Este é que é o meu. Deste é que conheço as ideias e manhas. Que fique com dona Bárbara o primeiro. Eu só quero o segundo. Este é o Rangel longe — e bem sabes como o longe embeleza as coisas; faz a montanha, que é verde, parecer-nos azul; e torna também azul um céu de ar incolor. O meu Rangel e o de Bárbara! O dela é o marido, o professor, o gastrônomo, o dono de casa, o filho — o cidadão certamente muito igual a todos os outros maridos e professores e donos de casa, etc. O meu é uma coisa que só eu sei, porque só a mim se revela. É um que me manda todas as flores que lhe nascem no canteiro da inteligência, como diria o Praxedes de Abreu, um jornalista daqui profundamente imaginoso.

Estou quase a dizer que um é *la bête* e o outro *l'ange*. E ir ver-te será também levar para aí a *bête* que sou, a ti que só conheces o anjo que também sou. Mantenhamos só a comunhão dos anjos.

E hoje temos de discordar um pouco. Dizes que *Inocência* não te agradou porque não tem muita arte. Mas que é arte senão esse dom de criar simpatias, provocadas, revelá-las, traduzi-las? Que valem as torturas artísticas dum Goncourt perto duma página de *Manon Lescaut* ou *Paulo e Virgínia*? Arte, esse torturado de borzeguim medieval ou o encanto, a simpatia humana de *Manon*? Bem sabes que *Manon Lescaut* é livro eterno — e Goncourt já passou. A arte deste só o é para um punhado de homens afins, num certo meio, num certo tempo — a arte de *Manon* é para toda gente, em todos os tempos.

A arte de *Inocência* me parece eterna porque é simpática, como a definiste — e que é simpatia? Uma correlação, uma corrente de indução entre A e B. Existe alguma arte que não produza esta corrente? E não deixa de ser artística a obra d'arte que a produz. Quem lê hoje uma obra antiga, se esta obra não traz incubada a força da simpatia que se traduz no prazer da leitura?

E passando da simpatia à arte torva de Mirbeau: se tens aí, manda-me o *Jardim dos Suplícios*. O Nogueira anda a proclamar Mirbeau "o mais profundo revelador do homem" — e quero decifrar esta metafísica.

Sofrendo da vista? Que horror! Não será de ler muito à noite? A natureza vinga-se da infração de suas leis. À noite ela quer que durmas. Conselho prático: só leia na cama livros que saciem logo e arranquem bocejos. Eu, se fosse médico de olhos, receitava Artur Goulart para a cura da mania de ler à noite.

Ando a elaborar uma teoria da vida. Escuto a voz do corpo, e a voz do espírito e ponho a Vontade ali de pé, muito solícita, para dar às duas vozes tudo quanto elas pedem. Acho que não temos o direito de contrariar os desejos de nenhum dos dois cuja soma somos; se pedem algo, é por força de misteriosas elaborações alheias à nossa consciência; e se não o damos, porque um tal papa assim o determinou, ou uma moda médica ou um código quer, isso será levar desarranjos e desarmonias ao fundo das células e preparar desastres futuros. Uma espinha que nos brote na asa do nariz talvez seja consequência de pequenina insatisfação dum pequenino desejo do espírito.

O método de atender a todas as exigências da "dupla" traz calma e serenidade. Os instintos mais sutis da nossa máquina, vendo que seus irmãos mais fortes são sempre atendidos, arriscam-se a espichar os pseudópodos; e encontrando o caminho livre realizam suas impalpáveis ambições, desse modo contribuindo para a Vida Perfeita.

Que é que chamamos felicidade senão a perfeita harmonia entre corpo e alma, o perfeito funcionamento de ambos — a direção da vida entregue aos instintos — ou vozes misteriosas do nosso ignoto? Nunca entregue a razão. A razão é uma coisa cheia de padres e bispos, de professores e filósofos, de tiranias e sedimentações de vontades alheias.

Esta semana, num desastre que emocionou a cidade inteira, tive ensejo de verificar a sabedoria do meu método nesta parte da direção entregue ao instinto. O trole em que eu e meu colega Eneias, o prefeito da cidade, íamos a uma fazenda do município, disparou numa descida perigosa, no fim da qual havia uma porteira e depois da porteira uma ponte com quatro espeques, um em cada canto. Os animais tomaram os freios nos dentes, como diz o George Ohnet, e o cocheiro não conseguiu sustê-los, porque o balancim, no íngreme, lhes ia batendo nas pernas. Se não sabes o que é balancim, informa-te. Era inevitável o desastre: choque do trole contra a porteira e depois trambolhão na ponte e tudo para dentro do rio! Na iminência do perigo, Eneias, que é um excelente advogado, raciocinou: "Vou pular porquê..." Vi que era a razão que o governava naquele momento. O advogado arrazoava, todo ele razões e razão. "Não pule!" gritei-lhe eu. Só, sem "porque" nenhum e sem a menor consciência de nada. Era a voz do instinto, que manda e não arrazoa. Senti que a minha razão queria intervir, dar a sua opiniãozinha, mas não deixei. Amordacei-a, para que nada atrapalhasse o comando do instinto. E o trole a voar na descida qual um bólide!

Como a consciência não estava agindo, não sei o que se passou no momento do desastre. Quando a reinstalei e pude ver e compreender a cena, vi o seguinte: Eu, de pé à beira do caminho, ileso e intacto, sem ter caído, sem sequer ter tocado com a mão no chão. E os outros... os que arrazoaram: Eneias, caído lá adiante gemendo. Havia se atirado logo depois que o meu instinto lhe gritou o "Não pule" e esborrachara-se todo. O cocheiro e um menino que ia na boleia, idem: raciocinaram, arrazoaram e atiraram-se — e esborracharam-se e ficaram sem dentes.

Lobato

Taubaté, 13,7,1906

Rangel:

Não tenho coragem de escrever-te. Ando pensando em escrever des'que cá chegou o teu *Diário*, e o mais provável é que isto aqui seja apenas um começo de carta — tentativa — ovo gorado. Escrever é como comer, exige fome ou pelo menos apetite — e tenho andado dispéptico. E eu precisava prestar contas do que me sugere o teu *Diário*. Duma parte dele nada direi, porque dizer alguma coisa seria falar mal: a parte escrita em fins de 1904, no período agudo da crise amorosa. Ver o amor dos outros é como ver comer quando a gente está de estômago cheio. Até enjoa. Por isso deixo de lado a tua verborreia amorosa, petisco muito gostoso mas só para quem o temperou. Coma-o lá você com a Bárbara, quando casados; será arroz-doce com canela por cima, ótimo para as sobremesas do plenilúnio de mel. O resto do Diário eu o dividiria em duas partes: uma escrita pelo Rangel literato e outra pelo Rangel pensador, e por força de afinidades está claro que pendo para o último. O "Bem" do *Minarete* de hoje, veio cimentar essa preferência. Mas em nada tal pendor... (falta o resto)

Lobato

Taubaté, 1906

Rangel:

Que te direi do teu *Diário* que já não tenha dito? Devorei-o, coisa de começar e não largar, e a impressão foi a dum filme que alternasse fotografias de ideias com fotomontagens de cenas. Diz você na carta que o mandou como reflexo do teu Eu atual, e vejo que muito já se distanciou daquele Rangel amoroso e em excesso descritivo dos anteriores volumes. Agora sim, está como compreendo um *Diário*: repositório de sensações de primeira mão, dos tais pensamentinhos que nos passam pela cabeça como relâmpagos, de ideias nascidas como em geração espontânea, insubsistentes, de vida curta como a dos fogos fátuos; poeira luminosa, pó de diamante da inconsciente e ininterrupta lapidação da nossa inteligência, mil coisinhas enfim que se perderiam se não fosse a patena dum diário e recolhê-las. Perguntas em francês o porquê da coisa e afirmas que Robinson não cuidaria disso. *Chi lo sa?* O maior prazer do nosso egoísmo é *gozar a sensação da nossa personalidade* — pelos ouvidos, ouvindo-nos — pelos olhos, vendo-nos — pela inteligência, introspeccionando-nos. O resto do mundo só nos importa pelos acréscimos, ou o "emprosperamento" que traz para o nosso Eu. Porque, afinal de contas, somos cada um o centro do Universo. Ora, um *Diário* conserva a imagem do nosso Eu no passado, fomenta-nos portanto os instintos do egoísmo, desse modo *redobrando a sensação dos eus passados*, isto é, das nossas fases evolutivas. Se um espelho comum já nos dá prazer, que valor não é um espelho retrospectivo que nos dê a cara dia a dia, pelo espaço de anos! O *Diário* é esse retrospecto da nossa inteligência. Por isso creio que, sendo como somos, ainda que fôssemos Robinsons escreveríamos *Diários*.

Escreve-me, com seiscentos milhões de Bárbaras! Já me deves quatro respostas.

Lobato

Taubaté, 22,7,1906

Rangel:

Recebi o *Jardim dos Suplícios*, com intimação de recâmbio para o Nogueira — mas onde paira o condor? Segue *The World*. Breve irá George Sand e mais coisas. Não andará por aí algum volume do meu *Diário*? Tenho ainda: *Le Rêve* e *Dr. Pascal*, de Zola, e *Le Bas* de Huysmans e *Salmagundi* de Washington Irving. Escolhe. O *Tião* é novela ou conto? Combinamos, eu e o Pinheiro (o de S. Paulo), um romance a dois ou três no rodapé do *Minarete* e fiquei de te convidar para a empresa: O *Boiadeiro Antropófago*, por Pinheiro, Rangel e Hélio! Nem plano, nem escola. Cenas obrigatórias: uma antropofagia, dois amores, um incêndio, duas ou três mães que não encontram a filha; e em vez do Dedo de Deus no fim, o Dedo do Ouro esmagando a Inocência e a Virtude! Coisa de derrancar Pindamonhangaba e fazer que aumentem as devoluções do *Minarete*. Cumpre desasnar o burguês.

    Você negou a superioridade da vida com base na vontade diretamente assentada na rocha viva dos instintos. É que não me expliquei bem. Imaginaste que na minha teoria o papel da inteligência era nulo, mas não foi o que eu disse ou penso. A inteligência existe como complemento do instinto, como desenvolvimento ulterior deste. Exemplo: sinto uma irresistível impulsão para destruir: vou e faço desse impulso a base dos meus estudos militares e da minha vida militar, e com a maior segurança e glória torno-me Napoleão. Compreende? Agora, se prescindirmos da inteligência, muito melhor ainda, porque nos tornaremos criaturas pura e exclusivamente naturais. Um tigre, um beija-flor, uma árvore são coisas absolutamente belas, perfeitas e felizes, porque só se movem levadas pelos impulsos do instinto. O pobre cachorro, só pelo fato de viver há uns milênios com o homem, adquiriu um pouco de inteligência e ficou uma coisa mais feia e infeliz que o lobo e sujeito a mais doenças — justo castigo de ter-se afastado da natureza. Diz você que é difícil saber o que o nosso instinto pede. Difícil saber quando temos fome ou vontade de mulher? Como, se o Instinto fala pelas maravilhosas bocas do Desejo, da Vontade e da Necessidade? E quero uma coisa: que você me aponte em tua vida um só ato bom, feliz e saudável, que não tenha alicerces no instinto. Até em teu programa diário de estudo vejo o instinto — um instinto que sabe que é a força de método, de pouco-a-pouco, de tijolo a tijolo, que se arquitetam as grandes obras. O mesmo instinto que criou o método inexcedível das abelhas e formigas. O teu programa já existia no fundo dos formigueiros.

    Li o *Le Jardin des Supplices* mas não vi nenhuma revelação do coração humano. Em primeiro lugar, esse coração nunca esteve irrevelado. O que Shakespeare, por exemplo, revelou, todo mundo já sabia intuitivamente — e gostamos de Shakespeare porque ele traduz coisas que sabemos confusamente. Shakespeare não era fotógrafo nem deus-homem — as únicas entidades que *revelam*; o fotógrafo, chapas; e o deus, a "verdade". Gostei do Mirbeau, mas não me deixo levar pelas suas blagues. No *Jardim* ele apenas explora o malsão. Cansados às vezes de coisas belas, céu azul, flores, marinhas, vem-nos a vontade de ir ver uma draga extrair o lodo de um fundo. Mas por descanso apenas, e breve. A obsessão do Nogueira pelo *malsain* me impressiona. O que anda a escrever ultimamente é híspido e hirsuto, isso em público. Em particular escreveu-me algo tão cru que não tive desejos de responder, com receio de nova dose. É natural que se exalte com Mirbeau e outros do mesmo naipe.

    Na "questão da simpatia" você me respondeu com argumentos *ad hominem*, o que em crítica não soa bem. Crítica tem que ser ciência, coisa alta, investigação dos fatos literários apenas. Fora disso a Crítica não passa de Impressionismo — ramo da literatura comum. Diz você: "Prefiro Goncourt a *Manon*". Mas isso não prova superioridade de Goncourt sobre *Manon*. Do mesmo modo que se você preferir Silvestre Ferraz, a Londres, isso não prova que Londres não seja a capital do Império

Britânico. Voltaire preferia Scarron a Shakespeare, o que não impediu que a Posteridade preferisse Shakespeare a Scarron. Quem quer fazer-se crítico deve pôr-se de lado, afastar o subjetivo; e se não for assim, faz literatura em vez de crítica. Fiz mal em opor *Manon* a Goncourt — é correlacionar heterogêneos. Mas digamos Daudet em vez de *Manon*. A força de Daudet contra Goncourt estará sempre na força irradiante da sua simpatia — e desse modo fica o caso liquidado.

Diz você que admira Camões apenas por ser velho, como respeitas aos teus velhos avós. Mas olhe que além do velho ele é realmente grande e diz como nenhum poeta novo diz.

>   Dai-me huma fúria grande e sonorosa
>   E não de agreste avena ou frauta ruda;
>   Mas tuba canora e belicosa
>   Que o peito acende e a cor ao rosto muda.

Há arte aqui às canadas, Rangel. E negará arte ao:

>   Por estes vos darei um Nuno fero
>   Que fez ao rey e ao reyno tal serviço;
>   Um Egas, um Dom Fuas, que de Homero
>   A Cithara para eles só cubiço.

Ou ao:

>   Outro Joanne invicto cavalleiro
>   O quarto e Quinto Affonsos e o terceiro

Ou aos:

>   Um Pacheco fortíssimo e os temidos
>   Almeidas por quem sempre o Tejo chora
>   Albuquerque terríbil, Castro forte
>   E outros em que poder não teve a morte,
>   ... e porfia
>   A ver os berços onde nasce o dia
>   Quando Júpiter alto assi dizendo
>   C'hum tom de voz começa, grave e horrendo...

Oh, Rangel, pelo amor de Deus!

Lobato

S. PAULO, 25,7,1906

Rangel:

A Caiçalha vai indo, mas muito sem alma. Reúne-se mais por força do hábito do que por prazer — aquele nosso maravilhoso prazer de outrora. Sacrificávamos tudo para estar um com o outro. *Tout passe*... Ricardo é o divino de sempre. À noite, quando a roda levanta acampamento do Café Guarani e se põe a perambular pelas ruas garoentas, a velha poesia volta. Ricardo diz versos e mais versos — e como os diz maravilhosamente! Ricardo é a encarnação da Musa. Ricardo é a própria Poesia. Sabe mil sonetos de cor; e se acaso vacila em algum, Raul, a eterna sombra do poeta, vem-lhe em auxílio. Raul é a memória suplementar do Ricardo.

Vínhamos subindo a rua Quinze. Já passava da meia noite. Tudo deserto e a garoa. Ali pelo Garraux cruzamos com um tílburi parado. Que tílburi triste! Que cavalo triste, de cabeça caída, a dormir de pé! Ricardo vinha derramando versos de ouro. Entreparou em frente do cavalo triste. Adiantou-se para ele num ímpeto. Abraçou-lhe o focinho e beijou-o, como talvez nunca haja beijado uma mulher...

Outra noite foi o cômico. Também já bem tarde íamos descendo a rua Direita, rumo ao Viaduto, quando aparece o Sebastião Sampaio e adere. E como viu que o Ricardo recitava, mete a mão no bolso e diz, sacando o papel: "Eu também tenho aqui uns versos que vou ler...". Ninguém pronunciou uma palavra. Não houve comentário nem combinação nenhuma. No maior *una voce* mudo que jamais vi, todos nos pusemos a correr e só paramos para lá do Viaduto, no começo da rua Itapetininga. Só então nos voltamos. A garoa leve dava para distinguir o vulto do Sampaio no princípio do Viaduto, com uma coisa branca na mão. Ninguém comentou. Reiniciamos a nossa perambulagem, com o Ricardo a dizer aquilo de Nobre:

Porque eu já fui um poderoso conde,
Naquela idade em que se é conde assim...

O Nogueira reapareceu, de olho cada vez mais astral, metido num fraque evidentemente silvestrino,([17]) com uma novidade literária no sovaco e frases na boca. Frases provocativas. A roda anda ultimamente muito utilitária, cada qual com o seu negócio e sempre a discutir os *affaires*, como diz o Raul. Mas quando o Nogueira surge é um refrigério. Os neo-negociantes abrem tréguas aos *affaires* (e devo te dizer que nenhum acredita nos negócios do outro. Meras atitudes). Nogueira para, abana o rabo do fraque e ataca qualquer coisa — e lá vem a guerra. Nogueira nasceu errado. O lugar dele era no concílio de Niceia, discutindo um ponto da Transubstanciação.

Diz Ricardo que te tem respondido às cartas — o que é fenômeno. Dei-lhe notícia do *Águas e Arvoredos*, que ambos esperamos ansiosos. Ando também ansioso por coisa assim — por uns meses na roça, para de lá debatermos umas tantas ideias novas. Uma delas: explorar literariamente o Beccari. Criar com ele um tremebundo tipo de romance. Se não estivesse morto o Daudet, podíamos mandar-lhe notas sobre o Beccari — para que ele o enxertasse no *Jack*, aquele ninho de gênios *ratés*.

Leio afinal o último romance do Anatole — *Les Dieux ont Soif*. Excelentíssimo... *A Catedral* de Blasco Ibañez que sei por que não me atrai. Creio que nunca lerei esse homem.

Lobato

---

[17] De Silvestre Ferraz.

P. S. — Como esta demorou, vai com apêndice. O Cenáculo tenta salvar-se com as mesmas histórias contadas e recontadas todas as noites — e é um rir sem conta e sem gosto... Como há o reler livros, há o recontar histórias. O curioso é que, como todos as sabem de cor, quando quem conta omite algum pedacinho é logo advertido. E há as sugestões: "Conte, Raul, aquela do Reichert" e Raul conta e há risos requentados. "Agora a da ponta do cigarro", e Raul conta e soam as mesmas risadas da véspera.

Outra mania é ir ao circo de cavalinhos ver as célebres pantomimas *Guerra de Canudos* e *Guarani* — ver e apreciar imensamente, e berrar de entusiasmo quando aparece o Cabo Roque, ou o Macambira, ou o "imorredouro" Carlos Gomes. Faz de Ceci uma mulata gorda e quarentona. Peri, por causa da voz, tem que ser italiano, de modo que fica um índio macarrônico. Na *Guerra de Canudos* os soldados do governo aparecem metidos em fardas da guarda cívica e apanham bordoada velha. O circo vem abaixo quando o jagunço destroça o governo. Lino compenetra-se e comove-se; chega a chorar quando Ceci e Peri somem no horizonte, montados na palmeira.

Tito continua mais rabelaisiano do que nunca. Ontem na Ponte Grande devorou três queijos de Minas, bebeu seis garrafas de cerveja União e comeu nos matos vizinhos quatro jabuticabas.

Grande sucesso o teu *Sebastião* nas altas rodas literárias de São Paulo (Cenáculo e mesas adjacentes). Todos aguardam ansiosos o resto. A razão verdadeira do meu eterno adiamento da visita a você aí é o medo. Medo de tua mulher, Rangel! Ponha-se no meu caso e compreenda.

Lobato

Taubaté, 8,8,1906

Rangel:
Acabo de chegar de São Paulo, leio por cima tua carta e raspo-me para o Tremembé. Amanhã ou depois escreverei contando coisas portentosas. Ricardo e Tito no Rio. Mate o Tião, ou melhor, encarne nele o boiadeiro. Mate, é melhor. Mas de morte inédita. Morte a dentadas humanas, por exemplo; ou caído do alto dum minarete e esborrachado na pedra. Vamos atacar o romance a duas mãos. Você, que é o nosso Machado de Assis, abre com o 1º capítulo. Eu entro com o segundo título: *O Boiadeiro Antropófago ou Os Crimes do Abutre Negro*.

Lobato

Taubaté, 17,8,1906

Rangel:
Ressuscite o Tião, pelo amor de Deus! Tão engraçado, sobretudo no penúltimo capítulo — a cena da natureza trocando as bolas. Faça-o sarar da queimadura, mas de um modo lógico e aceitável. O caso do boiadeiro fica bom para fim natural do Tião, porque o fim de hoje é artificialmente provocado e não vale. Eu e o Eugênio

(aquele gordo que falou contigo quando você passou por aqui de trem) esperamos ansiosos o *Minarete* por causa do Tião. Ressuscite-o depressa!

Lobato

Taubaté, 1906

Rangel:

Achei ótimo a teoria do pêndulo e já a verifiquei em mim. A felicidade sobrevém quando o pêndulo se imobiliza de vez. Ainda agora passei dum extremo a outro — com o pular do horror ao casamento para o... casamento. O diabo é que o pêndulo só deixa de oscilar com a morte. Se o teu pêndulo já tivesse parado, não andarias a desencovar deslizes literários, porque afinal de contas a harmonia do universo não se altera em nada com o erro dos 18 réis na soma de Machado de Assis, nem com os "pegureiros" do Coelho Neto. Acho tudo isso muito menos de espantar que o "Era por uma dessas tardes em que..." ou o "Gontran mordeu os beiços", etc.

Segue mais um volume do meu *Diário*, com a condição de o excluíres das vistas de tua consorte, pois esse volume ainda é daquele Lobato que odiava o casamento, e combatia o teu, e desairosamente falava dela sem a conhecer. E como as mulheres não percebem nada destas orgias intelectuais, tão inocentes, é capaz de tudo tomar ao pé da letra e zangar com o teu amigo.

Por que anda o *Minarete* mudo da tua voz, ó muezim? Os crentes reclamam-na.

Lobato

Taubaté, 20,8,1906

Rangel:

Vai um Bilhete Postal apenas, porque não há ânimo para carta. Ando num horror por tudo quanto é pensar por um minuto. Não leio há um mês e não faço absolutamente nada, tal o enjoo da vida que se apoderou de mim. Em S. Paulo a Caínçalha virou Corvoalha. Só falam n'*O Corvo*. Recebi deles um convite interessante: entrar num bolo para a compra do *Comércio de S. Paulo*, que morreu duma vez. Apesar da notória caveira de burro desse jornal, Raul e Pinheiro teimam em que, se o comprarmos, faremos dele, em meses, um rival do *New York Herald*! Consideram-me rico e querem que eu seja o coronel. Os inocentes. Já ressuscitou o Tião?

Lobato

Taubaté, 10,9,1906

Rangel:

Cheguei hoje de S. Paulo, meio depressa, porque devo por estes dias funcionar como promotor interino — e lá estive com toda a caínçalha velha. Transformações radicais. Ricardo, bonito, e pele boa, já não bebe, entra às dez e estuda bastante. Já fez conhecimento com o Pedro Lessa, que também o admira — deu uma lição em aula, muito elogiada, e é candidato a duas distinções. Ao Lino não vi, mas soube que anda magro de amores secretos. Tito ainda cospe trocadilhos, com planos de montar um armazém de secos e molhados — todos querem que seja só de molhados. Cândido, rodeado dos Coquelins da troupe José Ricardo, a Companhia Portuguesa; sempre magro e elegante. A mania geral agora é o reverso da antiga; em vez do horror ao burguês, burguesismo intenso. Todos procuram aburguesar-se como podem e o Raul (dizem) chega a meter um travesseirinho sob o colete de seda carmesim para simular abdome incipiente. Do Nogueira sei que levou uma grande "barriga" como repórter do *Comércio* e, danado, demitiu-se. Barriga em gíria de redação é engolir uma notícia falsa e fazê-la sair no jornal. Foi assim. O pobre Nogueira andava pernosticíssimo, de tiras de papel em punho e dez lápis n.° 1 no bolsinho, a sulcar a cidade de norte a sul, de bonde e de tilburi, à cata de novidades sensacionais, e queixava-se em *argot* do João da Ega que isto aqui é uma pocilga, "não há fatos, não há desastres, não há pernas esmagadas. Uma taba". E vai e os colegas planejam-lhe uma barriga. Arranjam um atestado médico falso no qual se provava que o Agrício de Camargo fora atropelado por um carro e tivera o pé esmagado. O Nogueira cai e tece uma notícia linda, com pormenores naturalísticos à Zola, coisa absolutamente *d'après nature*, de quem viu, ouviu e cheirou o chulé do homem. Sai a notícia e há protestos. Agrício apresenta na redação o pé incólume. Os outros jornais "piam" sobre a leviandade do *Comércio* e Nogueira, furioso, vai para a seção livre e desce a marreta em meio mundo, e cita o *Ramaiana* e os *Vedas*, e até um latim de Juvenal. E demite-se — mas à moda dos políticos que quando resignam uma cadeira de deputado é porque já estão com um cartório garantido.

Albino sacode os ombros, apático, abúlico.

Logo que desembarquei, imagine quem me agarrou no bonde? O Breves! O eterno, o imarcescível, sempre com aquela vozinha baixa de conspirador. Contou-me toda a história d'*O Combatente* desde o ponto da nossa saída de S. Paulo — a compra da tipografia, o empréstimo de duzentos mil réis que para isso obteve em "condições mui vantajosas", as "dificuldades que assoberbam a manutenção dum periódico" ao tipo do dele, etc.

Ao Beccari felizmente não vi. Como cansa aquela teatralidade de *raté* do 1830 francês! Não posso vê-lo sem pensar nos camaradas do *Jack*, beccaríssimos todos.

Palestra de Gautier com Goncourt que vem confirmar o nosso acordão sobre Flaubert: "... *puis, très souvent, son rythme nous échape, il ne l'est que pour lui seul. Un livre n'est pas fait pour être lu à haute voix, et lui se gueule des siens à lui-même. Or, il y a des gueuloirs dans ces phrases qui lui semblent harmoniques, mais il faudrait lire comme lui, pour avoir l'effet de ces gueuloirs. Nous avons tous deux des pages... aussi rythmées que tout ce qu'il a fait, sans nous être donné tant de travail...*" Fala depois que *"le pauvre garçon"* tem na *Madame Bovary* dois genitivos juntos — *une couronne de fleur d'oranger...*

Vacilas no Robinson, se ele operou como revelador ou educador. Educar não é criar, e eu creio que só a natureza cria. Tenho muito pouca fé na educação, porque nos educados só encontrei qualidades que a educação apenas pôs a nu, não criou, não justapôs. É como o banho revelador na chapa fotográfica — tira o que está latente lá dentro.

Tenho lido alguma coisa — *Miss Harriet*, *Fors l'Honneur* (Margueritte) Ridder Haggard e Dickens — este em francês. E Camões, obras dramáticas, prosa e poesias líricas — 6 volumes! Encontrei em Camões um desaforo original: fideputa. Ando com um rodapé no jornal daqui, *Tigelópolis*, história da célebre festa do Tremembé, escrito só para o entendimento dos personagens, meia dúzia de namoros. Na feira há muita rifa de tigelinhas com estampa do santuário e o clássico *Souvenir*. Daí o título.

Lobato

Taubaté, 15,10,1906

Rangel:

> Olhos sossegados,
> Pretos e cansados

Adivinhe de quem são estes versos, se é capaz! Do Grande Caolho, Rangel, que começaste a admirar logo que o começaste a entender. Lembras-te duma carta em que falavas nele e citavas a estrofe da "frauta ruda"? uma carta toda humor que hoje por acaso me caiu nas mãos e reli (e te mando para que faças o mesmo e a devolvas)?

Ando atracado com as obras completas de Camões e volta e meia fisgo belezinhas. Não prefiro a poesia antiga à moderna, mas acho na antiga um sabor mais amável, qualquer coisa como o cheiro dos velhos casarões de fazenda que a caseira abre para nos receber. A cor e o sabor da poesia moderna são mais ricos de torturas, têm mais pensamento, denotam mais matéria cinzenta no cérebro humano e isso nos agrada, a nós complicados homens de agora. A antiga dá ideia de pés em sandálias. Veja estes versos:

> Se curar não se procura
> Uma coisa destas tais
> Vem depois a crescer mais.

Camões está cheio de mimos assim — pena que seja mais cheio ainda de sensaborias e versos que nada dizem — endechas, glosas, vilancitos. (Um parêntese antes que a ideia me fuja: na nossa pontuação falta um sinal necessaríssimo, nuança do "?". Este raio do "?" serve para as perguntas, mas para a "pergunta repetida" não temos sinal nenhum e somos forçados a usar o mesmo, com grave dano da entonação. "Que idade tens?" — "Que idade tenho? Só vinte anos". A entonação do segundo "?" é totalmente diversa da do primeiro — e por pobreza diacrítica somos forçados a empregar o mesmo ponto de interrogação, o que não deixa de ser um defeito da língua escrita — porque na falada temos a variante da entonação. Vamos lançar o sinal que falta? *Ita parenthesis est*.)

A tua teoria da imagem tem o meu voto. Hudry vai mais além. A tese dele é mais geral, mas dela se deduz a tua teoria dos defeitos e qualidades, e a das imagens.

O Platão de Andrade é o tipo que descreves e, coisa curiosa! tão semelhantes ele e o Beccari, no anacronismo, no medievalismo, que entre as 150 mil mulheres que há em S. Paulo só encontraram uma que lhes coubesse no molde, e amaram-na juntos e brigaram... Está aí assunto para um dos teus contos. E lhe darás um fim hoffmânnico.

E por falar em contos... ando à espera dos que me prometeste. Já saíram da casca ou estão picando? Não gostas de reler coisas velhas, cartas antigas — e é o meu maior prazer. Ontem passei umas horas nisso. Pilhamos evolução de ideias. Vemos as ideias de hoje ainda em botão, medrosas — assustadas como se fossem audácias. Hoje estão velhas em nossas cabeças cínicas.

Estou promotor interino. Visito a cadeia no fim do mês, converso com os presos, mando um *memorandum* ao governo dizendo que a paz reina em Varsóvia — e tudo desliza sobre mancais de bolinhas. Tenho no júri de acusar nove desgraçados...

Lobato

Taubaté, 3,11,1906

Rangel:

Sinto-me doente — e já se enfronhou você sobre o que é a doença segundo as ideias de Metchenikoff? Uma coisa que parece romance. Ontem me veio o mal-estar, a cabeça dolorida e a febre. Sabe o que é febre? Os fagócitos, glóbulos brancos que passeiam na corrente do sangue como os soldados de polícia rondam as ruas, são a defesa natural do organismo, o corpo de bombeiros, os mantenedores da ordem. Logo que um bicho estranho — bacilo, cocus, bactéria, microorganismo enfim — penetra em nosso corpo, os fagócitos caem-lhe em cima, agarram-no e devoram-no. No microscópio dum médico amigo já vi um fagócito engolindo um gonococo. Se os fagócitos vencem os invasores, restabelece-se a ordem e reentra em exercício a autoridade legal, a Saúde. Se não vencem, os micro invasores alastram-se e fazem do organismo casa da sogra. É a doença. Segundo os mestres, um resfriado é isto: quando uma causa qualquer resfria de súbito a nossa epiderme ou as paredes do nosso estômago, o frio, pela sua peculiaridade essencial que é contrair os corpos, interrompe bruscamente a constante eliminação de toxinas, que se faz por toda a zona periférica do corpo, dentro e fora, e as toxinas penetram na corrente do sangue e o envenenam. A febre não passa do ardor da luta, do calor produzido pela assombrosa atividade bélica dos fagócitos. Combater a febre equivale a combater como causa uma inerme consequência.

Pois bem: ontem assisti, observei, vi todos esses fenômenos. De noite, de repente, sobreveio-me uma onda de calor e suor à pele: era um acirramento qualquer lá nos campos de batalha, um redobramento de energia da fagocitose. E os sonhos então...(Para que me entendas, devo dizer como entendo os sonhos. Uma pulga nos morde; os nervos transmitem ao cérebro a impressão; mas como o *conhecimento não funciona durante o sono e sim apenas a imaginação*, esta recebe o despacho telegráfico trazido pelo nervo; e em vez de, como faria o Conhecimento, traduzi-lo na noção "pulga que morde", tradu-lo fantasmagoricamente em sonho. E em vez da noção "pulga que morde", temos o sonho dum facínora com o punhal erguido sobre o nosso peito, ou duma horrível queda no abismo, etc. De modo que o sonho não passa da *representação fantástica dos acontecimentos que se vão dando em nosso organismo imerso no sono*, seja a mordedura de pulga acima figurada, seja uma certa impressão forte gravada na retina durante o dia, um mês ou às vezes anos atrás.) Pois bem: os sonhos que tive eram dignos de estudo. Um caos de coisinhas inconexas e fugazes. Porque mal um episódio da batalha era transmitido ao cérebro e traduzido fantasmagoricamente, já vinha outra mensagem, e outra e outra, de modo que a Imaginação atarantava-se e só podia produzir aquele farelo caótico de traduçõezinhas — tal qual um orador assediado de apartistas e que não pode levar avante o discurso porque tem de responder a todos.

Leia os *Estudos da Natureza Humana* de Metchenikoff, tome depois um bom resfriado e observe a série de fenômenos da fagocitose. Nada mais interessante.

Mudando: Não pare com o *Queijo*(¹⁸) porque vamos indo muito bem. Precisamos agora acelerar a ação. Parece-me tempo de matarmos um dos heróis. Olhe que prometemos ao público *várias* mortes trágicas!

Taubaté, 15,12,1906

Rangel:

Estou em atraso por culpa de não sei quê. Desisto de entender-me, porque cada vez me entendo menos. O *Nosce te ipsum* é um conselho fácil de dar. Ando atravessando um bom pedaço de vida, desses em que acompanhamos uma mulher de longe, divisando a larga estrada que conduz à casinha definitiva. Prelibamos, neste estado d'alma, a delícia de caminhar de mãos dadas pela vereda do noivado; antegozamos essa delícia e o antegozo é sempre mais cheio de requintes e menos sujeito a decepções que o gozo. Sinto-me feliz, como quem encontrou o segredo da felicidade. Queres a fórmula? Deduze-a tu mesmo desta quadra de Bartrina:

> Eu pergunto à Natureza
> Segundo em seus filhos vejo
> Por que fez o gozo anão
> E fez gigante o desejo.

Reduzir os desejos a proporções mínimas, de modo que, nada ambicionando, tudo quanto nos chega de bom seja lucro e fonte de prazer. Hoje, por exemplo, meu ideal é receber cem mil réis que um alfaiate prometeu pagar. O ideal de amanhã será ver pronto um colete de seda verde encomendado. E assim por diante. Foram-se os tédios, os desesperos werterianos. Compreender e aceitar a vida, e boiar em pequenas ondas. Pegar este ano uma promotoria, casar-me depois com um sonho

---

18 O *Queijo de Minas ou História dum nó Cego*, romance de colaboração publicado no *Minarete*.

de criatura — e ficar de papo para o ar, esperando... esperando heranças, sortes grandes, pepineiras, coisinhas, tudo felicidadezinhas.

Fiz um contrato com a Câmara para cobrar os impostos atrasados. Negocinho. E animar-me-ia a ir visitar-te aí, se não fosse o medo que me inspira dona Bárbara e a certeza da barbaridade sem igual que usaria para comigo. Tiveste a ingenuidade de mostrar-lhe os horrores que andei dizendo em cartas — e que mulher perdoa isso? Sinto saudades de você, Rangel, mas sempre que nos encontramos metemo-nos a posar um para o outro, cheios de paradoxos e ironias. Vê se dilues o rancor de tua bárbara consorte, pois do contrário nunca mais nos veremos.

Tenho lido meio milhão de coisas. Estou com uma coleção de David Corazzi — Biblioteca Universal, antiga e moderna, uns trinta volumes vermelhos com boas coisas de Dickens, Poe, Balzac, Goethe, Byron, Bocage, Camões (não os *Lusíadas*), Karr, Fontenelle, Collins, Voltaire. Pura mina.

Adeus.

Lobato

1907

Taubaté, 18,1,1907

Rangel:

Estou seriamente endividado para contigo, em cartas, livros, cumprimento de promessas, pedaços do *Queijo*... Mas explica-se a má finança. O mês de dezembro passei-o todo fora daqui, em S. Paulo e no Oeste. Corri as linhas da Paulista, Mogiana e Sorocabana, com paradas nas inconcebíveis cidades que da noite para o dia o Café criou — S. Carlos, um lugarejo de ontem, hoje com quarenta mil almas; Ribeirão Preto, com sessenta mil; Araraquara, Piracicaba a formosa e outras. Vim de lá maravilhado e todo semeado de coragens novas, pois em toda a região da Terra Roxa — um puro óxido de ferro — recebi nas ventas um bafo de seiva, com pronunciado sabor de riqueza latente.

Em Ribeirão, a colheita do município foi o ano passado de quatro e meio milhões de arrobas — coisa fabulosa e nunca vista. Um fazendeiro, o Schmidt, colheu, só ele, novecentas mil arrobas. Costumes, hábitos, ideias, tudo lá é diferente destas nossas cidades do velho S. Paulo e da tua Minas. Em Ribeirão dizem que há oitocentas "mulheres da vida", todas "estrangeiras e caras". Ninguém "ama" ali à nacional. O Moulin Rouge funciona há doze anos e importa champanha e francesas diretamente.

A terra-chão, porém, é uma calamidade — "enferruja", isto é, avermelha todas as pessoas e coisas, desde a fachada das casas até o nariz dos prefeitos. Vai um pacotinho de amostra. Não pense que é tinta, não.

Lá ninguém *mora*; apenas estaciona para ganhar dinheiro. Esse meu longo passeio de 3.453 quilômetros de via férrea buliu muito com as minhas ideias. Tenho que estacionar lá também, Rangel. Estou apertando minhas cunhas para ser nomeado para Ribeirão ou coisa equivalente. Nesta cidade encontrei o Albino e o Tito como fiscal do tracoma, mas sempre alegre, feliz, gastronômico. Albino está na transição do 5.º anista para o advogado e já advoga.

Saiamos destas nossas cidades cloróticas, Rangel, onde não dá italiano. Se permaneces por aí nessa Minas, acabas criando urupês na raiz da alma, ficas todo musgo e limos na faculdade da ação e quando deres acordo estás como o Rubião, apagado e sarrento como ele. E por falar no velho Rubião, não terá ele papelada antiga em que ninguém ainda mexeu? Vê isso, e se tem, pede-lhe para catar os selos. Dou-te uma coleção completa das obras de Balzac em troca dos selos que houver na papelada do Rubião. Dele ou de qualquer outro velho daí. Sempre tive a mania dos selos. Mando o 1.º volume dum Dickens. Se gostares irá o 2.º. E *Religiões do Rio*, do João do Rio — queres? Breve seguirá uma obra prima, o *Livro da Jângal*, do Kipling. É do Albino. Não há nas livrarias de S. Paulo. E você o recambiará diretamente ao Albino, em Ribeirão.

Há aqui meia dúzia de meninas encantadoras com as quais dançamos no Clube. Há a genial dona Stelia, pintora, que segue em março para o Velho Mundo, a cursar o Atelier Julien e voltar de lá gênio de primeira classe. É a que me provocou aquele artigo: "No atelier de Dona Stelia" — leste? Outra é Miss Farfala, uma timidez toda brancuras de coco, ultrafina, professora por luxo, como nós somos bacharéis por desfastio. Pastoral de Virgílio. E há a Miss Flerte, e a Mercedes e a Guiomar, e a encantadora palmeirinha humana Bebé — tantas, Rangel, e tão mimosas, tão casadoiras, que a gente acaba amaldiçoando a monogamia.

O clima daqui atrai gente de fora. Afluem famílias do Rio e S. Paulo, gente fina, com botõezinhos assim. E dança-se muito. Você aqui produziria um tratado sobre o flerte nacional.

Lobato

Taubaté, 26,1,1907

Rangel:

Recebi tua carta cheia de impertinências e rescendente ao nogueirismo. Juro que o homem está aí, a te perverter! O teu tom, Rangel, não é aquele; e quando sais do teu tom, desafinas lamentavelmente. A imbecil apreciação sobre Kipling, que transcreves e adotas, fez-me jurar nunca mais te mandar nada pelo correio, nem os Dickens já apartados, nem uns Mark Twains — nada. Ainda ontem te remeti, bobo que sou! o *Segundo Livro da Jângal*, mas não há mister de te atirares a ele com a amargura que a nogueirice te pôs na alma; basta refazer o endereço e expedi-lo para o Albino — porte por minha conta! Também do Beccari não vejo como puderam os belos versos te provocar tamanha ira. "Não sou plateia", dizes — e é verdade. Estás te tornando insuportavelmente palco.

Afogue o Nogueira na piscina do colégio antes que ele te destrua todos os lados simpáticos do espírito. Já a tua naturalidade epistolar se ressente. Não escreves como dantes, e sim para ter ensejo de colocar uns tantos paradoxos tipo nove Santos, e mais uns reles desaforos. Você não nasceu para o desaforo; teus desaforos não desaforam. Tudo, mal que o Tonante te pegou! E outros males inéditos te irá ele pegando até te fincar uma lápide no túmulo — "Aqui jaz o Paz-Vobis que me ouviu".

Não escrevi mais o *Queijo* porque entrei pelo 1907 jurado de não mais *fazer literatura*, essa sordícia. Se queres, acaba-o lá — mata todos os meus personagens — joga-lhes o Tonante em cima.

E adeus ou ao diabo. Estou excessivamente mau hoje, e zangado com o falso Rangel.

Lobato

Taubaté, 2,4,1907

Rangel:

Burro até aos fundamentos, infiltrado de incapacidades, com as ideias açucaradas, impenetráveis entre si, chocantes, de vidro fosco; o senso da nuança embotado, os dedos incapazes de tatear, as narinas só sensíveis aos cheiros mais violentos, um *engourdissement* geral; a lenta absorção do Hélio Bruma pelo "Dr. Lobato"; uma aproximação já menos repugnada, já menos cortada de náuseas, da coisa forense, do tabelião, do auto, do juiz, da quadrilha inteira, da Justiça de olhos vendados — uma lástima, Rangel, uma lástima sem nome o que me acontece, o que acontece a este teu amigo exilado neste lugar provinciano onde a Semana Santa assume foros de Panateneia e o padre Valois é ouvido como outro Bossuet.

Enquanto te escrevo, o foguete e a música atroam os ares, espantam os silfos invisíveis, matam a tiros de pólvora e guinchos de latão essa incomparável música chamada Silêncio. E passa uma bandeira vermelha, chamada o Divino, com fitas pendentes que vão recebendo os beijos de todas as beatas; e corre a salva do Divino para pingamento de níqueis. O Divino é um passarinho amarelo na ponta de um pau. Tudo África, neste século de Ruskin e do *arbor-day*.

Há uma semana que estou preso em casa porque lá fora a semana é santa. Há procissões de pretos e brancos a atravancar as ruas. Nas igrejas, muito consumo de aguinhas e fumaças cheirosas, e litanias. Por toda parte, povo — o nosso povo, essa coisa feia, catinguda e suada. Sovacos ambulantes. A *cohue*, Rangel; a *cohue*, Rangel. A carapinha assanhada, a venta larga "fuzilando", o coronel, o xale das mulheres, o chapéu-duro e a roupa preta das "pessoas gradas". Rangel, Rangel... Os olhos cansam-se de feiuras semoventes. Que urbes, estas nossas! As casas são caixões com buracos quadrados. E nem sequer os velhos beirais: inventaram agora o horror da platibanda. Não há mulheres, há macacas e macaquinhas. Não há homens, há macacões. Raro um tipo decente, uma linha que nos leve os olhos, uma cor, uma nota, um tom, uma atitude de beleza — nada que lembre a Grécia.

A Plebe, só ela, com o seu *fatras* democrático e religioso, a expluir vulgaridade e chateza. Eu vingo-me lendo Nietzsche, lendo o teu Goncourt, lendo até Kant e Hartmann. Vingo-me quebrando a cabeça nos enigmas insolúveis, Eu, Não-Eu, Sujeito-Objeto, Imperativos Categóricos, Inconscientes, coisas de Schelling, de Lotze, de Fichte — ideias-múmias, como diz Nietzsche. Vingo-me jogando xadrez.

Na sexta-feira santa peguei no xadrez quando o padre pegou na festa, e larguei do xadrez quando o padre largou da festa, entre estouros do sábado da aleluia e espedaçamento de judas.

O Goncourt... agora me lembro que... (perdido o resto)

Lobato

S. Paulo, 14,4,1907

Rangel:

O meu atraso epistolar tem origem na "cavação de promotoria" em que me empenhei em fevereiro e só agora, 4 de março, consegui levar a efeito, com derrota de um exército de candidatos. Estou nomeado promotor público da comarca de Areias, que deve ser nalgum lugar. Mais reverência, portanto, amigo, quando escreveres ao Lobato. Exijo DD. no envelope. Sou o DD. Promotor Público de Areias, cidade que positivamente há de existir. Cento e tantos candidatos para esse ossinho — informou-me o próprio secretário Washington Luís (com "s" — ele faz questão). Foi trunfo decisivo uma carta de meu avô ao general Glicério. De lá — de Areias — passarei para uma comarca da Terra Roxa, a terra abençoada onde se ganha dinheiro... E então casa-se.

E tu, meu velho? Conto estar contigo em S. Paulo, pois me disse o Nogueira que vens em maio, para o último exame. Espero que me avises, como das outras vezes.

Encontrei o Nogueira no colégio do Luiz Antonio, impando de lente, o cão, no meio duma roda de outros lentes empavesados como navios de vela, gravíssimos. A saleta estava grávida de lentes. Creio que o Nogueira trazia sobrecasaca; creio apenas; mas sobre a sua gravidade e o ar profundo, isso juro sobre dez bíblias. Mas estou falando do padre-nosso ao papa. Você conhece a fundo a fauna dos "professores de ginásio".

Também estive com o Tito; anda empenhadíssimo numa campanha para derrotar o Vitor Konder na Academia, apesar de reconhecer (veja que patife!) que é o Konder quem melhor se desempenhará do papel de orador do ano. Mas há razões de estado...

Nogueira desmentiu-te com calor e endeusou Kipling. E jurou pelos manes de Buda que jamais comparou o *Livro da Jângal* a contos da carochinha.

Quanto ao nosso ilustre marquês italiano, afirmo-te que é um grande porco. Imagine isto; a mana foi passar umas férias em Taubaté e deixou a casa entregue ao marquês, autorizadamente imitido nas funções de *honorable* guarda-casa, vulgo caseiro. Ele é um gênio, bem sabes. Gaba-se de ser o Leonardo da Vinci do Bom Retiro e adjacências. Pois apesar disso deixou a casa tão imunda que a mana teve de alugar outra. Incorporou boduns indeléveis em tudo lá dentro, paredes, assoalho, móveis. É um hidrófobo, como o Tito Franco. Não se lava. Nunca se lavou. Logo, os versos que ele fez são péssimos. Logo, tem você a razão e eu retiro os meus elogios.

Em Areias recomeçarei com a leitura, porque é impossível que haja lá criminosos que deem trabalho a um promotor.

Diga a dona Bárbara que um monsenhor Lobato que deitou fora a batina não sou eu.

Lobato

Taubaté, 1907

Rangel:

Recebi a filosofia, os quesitos e a carta de dona Bárbara. Vamos por partes. A filosofia não é novidade. Já Spencer definiu a lei da evolução como uma *complexidade*, uma crescente heterogenização de estruturas e funcionamentos, tudo alheio às ideias de Bem e Mal, que são relativas, a despeito de todos os esforços escolásticos para que sejam absolutas. Há fenômenos, causas e efeitos, radículas condicionais e condicionadas; mas finalidade, desígnio, é coisa que cai no "Incognoscível" de Spencer. Os teólogos "grilaram" essa terra devoluta, plantaram lá a tabuleta do Desígnio e surgiu o tremendo negócio de terrenos a prestação chamado Igreja. Vender terrenos incognoscíveis, indemarcáveis, que maravilha de negócio! Leia os *Primeiros Princípios* de Spencer e lá verás tudo claro e no limpo — tudo matematicamente esclarecido. Todos os pontos, todas as "bocas-de-sertão" a que a Ciência pode chegar estão lá; para adiante Spencer finca o letreiro famoso: INCOGNOSCÍVEL (criando, aliás, a objeção: como *sabe* que é incognoscível? Como fecha a questão dessa maneira?).

E o fato de chegar você por mera intuição pessoal às mesmas conclusões de Spencer, prova a força do teu senso filosófico. Nietzsche chama a isso (ter essa filosofia) colocar-se *além do bem e do mal*, isto é, num ponto de vista objetivo, sem perspectivas que adulterem as coisas e donde se possa perceber a emaranhadíssima rede das causas e efeitos das forças *indiferentes*. Um tiro no alvo, por exemplo; se acertou foi sorte, diz o povo comum; foi por obra e graça da entidade criadora do Desígnio — Deus, Divina Providência, etc., diz o teólogo. Mas o sábio à Spencer diz que o fenômeno foi rigorosamente determinado pelas condições do atirador, da arma e do meio ambiente; um fenômeno, portanto, é determinado por condições. Dadas aquelas condições, o fenômeno fatalmente ocorrerá. Aconselho-te Spencer nos *First Principles*. É uma Suma.

Quanto a Nietzsche, meu conselho é que passes por ele a galope no cavalo da tua inteligência; no rabo desse cavalo amarrarás o ímã do teu temperamento, de modo que na galopada o ímã só atraia, só aproveite, só chame, aquilo que te convier e que, portanto, te virá aumentar. Se o forças a atrair o que te parece bom, bonito, útil, embora não seja essa a opinião do teu temperamento, ficas abarrotado, mas não aumentado.

Faça isso e não me voltarás a dizer que achas Nietzsche "soporífero". Incrível! Talvez seja o único adjetivo que nunca jamais caberá a Nietzsche. É o contrário — é um matador do sono, da estagnação, da lagoa verde. É um desencrostador.

E por falar, contarei uma. Eu estava um dia no Gazeau, em S. Paulo, espiando livros velhos, e havia parado para folhear um volume de Nietzsche. E estava lendo lá um aforismo qualquer, quando atrás de mim, sobre meu ombro, uma voz desconhecida soou, dizendo: "Esse autor é dissolvente!". A resposta me veio instantânea, como se o próprio Nietzsche a desse por meu intermédio: "Tal qual o sabão!". E voltei o rosto para ver quem era. Um padre!...

Lembrei-me daquele aforismo em que Nietzsche dá a opinião dos teólogos como o reverso prático da verdade. Se o teólogo diz que é branco, então é porque é preto. Sim, Nietzsche é um sabão, o melhor desengafeirador que encontrei na vida. "Eu sou uma toupeira que anda debaixo da terra roendo as raízes das velhas verdades." Ele podia também dizer que era o Grande Sabão dissolvente das velhas verdades.

As minhas marcas no Nietzsche que mando representam o gráfico da primeira impressão. Há um grande B inacabado que marcou um vago pensamento que me veio ao ler aquele pedacinho, um pensamento associado a Bilac... É uma psicografia estenográfica que só eu entendo.

Lobato

Taubaté, 1907

Rangel:

Estou noivo. Pedi no dia 12 e obtive a 15 a mão de Purezinha, filha do Dr. Natividade que te examinou em Aritmética no Curso Anexo, minha prima longe, professora complementarista, loura, branca como pétala de magnólia, linda. Combinamos casar um dia.

Cheguei de S. Paulo ontem e lá quase que só noivei. Apenas uma noite estive com os Cães. Ricardo sobe como um câmbio. O Joaquim Nabuco fez-lhe tremendos elogios. Foi Ricardo quem o saudou à chegada, num discurso de maravilhosa eloquência. Lino também, de uma janela, atirou para cima de Nabuco um discurso de esmagar — mas engasgou no momento mais agudo da altiloquência perorativa. Um italiano da rua, entusiasmado, berrara um hilariante *Viva Brazile!* que quase fulmina o Lino de apoplexia colérica. Tito falou na manifestação dos estudantes, e bem, com períodos longos e bem boleados. Como vês, o velho Cenáculo faz figura quando quer. Todos ainda sabemos latir.

Quanto à nossa novela a dois, convenci-me de que a tua história do Boiadeiro é burrice e proponho a que aqui vai. Se concordas, escreve a continuação e manda tudo para o Benjamim Pinheiro, a tempo de sair no *Minarete* próximo.

Lobato

Taubaté, 1907

Rangel:

Se há no mundo um tranca integral é você. Que significa esse silêncio de bezerro com lombrigas? Quantas tenho de escrever para obter a honra duma resposta? Há dias reclamei com urgência a remessa de meus *Diários*, e hoje insisto e dou a razão. É que estou noivo já de um mês e boiando em plena lua de mel do noivado — e faço literatura amorosa às carradas. Inda ontem mandei para S. Paulo 100 gramas de ternura gráfica. E tenho de mandar mais, para completar a *"História Documen-*

tada do *Meu Amor por Você*", obra solidíssima, baseada em excertos do meu *Diário*, nas referências diretas ou indiretas que a Ela nele existem. E preciso dos volumes que estão aí. Apressa-te, Homem! Amor é impaciente.

Disse-me o Benjamim que já lhe mandaste mais capítulos do *Queijo* e estou ansioso por vê-los impressos. Vou esta semana a Pinda e lê-los-ei lá.

Beccari manda-me uma carta em verso. Para provar que é mesmo o Leonardo da Vinci do Bom Retiro, faz pinturas, faz esculturas, escreve cartas em verso e agora vem com uma invenção — e está absolutamente convencido de que realmente inventou uma coisa. É o "Transportador Aéreo Instantâneo" para uso da polícia. Consiste no seguinte. De uma torre central, ergue-se no topo um eixo ou gonzo, ao qual está articulada "a grande invenção", isto é, uma sanfona de aço que abre e fecha e gira em redor do eixo. Na extremidade exterior da sanfona vai um cubículo onde caibam vários homens. Há um distúrbio em qualquer ponto da cidade. A torre central recebe comunicação telefônica e tem que mandar soldados. Que faz? Vira a sanfona na direção do distúrbio, com soldados dentro do cubículo e zás! um maquinismo violento distende a sanfona até que o cubículo fique bem a pino sobre o distúrbio — e os soldados descem por cordas, tudo rapidíssimo. Os perturbadores são agarrados, içados para o cubículo e a sanfona então encolhe-se, trazendo tudo para a torre. As masmorras ficam na base, e por uma calha de lona a colheita policial é nelas despejada. Em três minutos está completa a operação...

E se puséssemos o nosso da Vinci no *Queijo*, como material duma das prometidas mortes trágicas?

Lobato

TAUBATÉ, 1907

Rangel:

É espirrando, tossindo — o nariz transformado em olho d'água e com um célebre pingo a insistir em colaborar nesta carta; é moído de defluxo que te escrevo, meu Rangel, para te avisar que sigo hoje para S. Paulo e só na volta direi as muitas coisas que tua última me sugere. Hoje, impossível. As ideias, sinto-as também constipadas, revestidas dum induto pastoso. Tenho-as penosas, de movimentos embaraçados como moscas dentro de mingau. Uma cutilada deste traiçoeiro vento de maio e os consequentes desarranjos nasais, metabólicos, pulmonares e espirituais. Mando-te um Mark Twain e um Gorki, e também um trecho de carta da F., para veres como o marquês anda posando para a pobre menina.

Adeus. O pingo está ameaçador.

Lobato

AREIAS, 14,5,1907

Rangel;

Bem-aventurado país, bem-aventurada Minas! Bravos a você, a Minas, ao Zé Fernandes! O que me contas é prodígio singular, inédito talvez em todo o planeta.

Um colégio que aumenta o ordenado do professor para retê-lo! O homem está louco. O certo seria regalar-se com a tua saída e contratar outro por menos. Sempre haverá no mundo quem trabalhe em qualquer serviço por dez mil réis menos. Para que um Zé Fernandes procure te conservar é que tu lhe dás um lucro enorme — mais que os dez mil réis que ganharia aceitando a tua retirada. Ora, se é assim, por que não lhe hás de chegar a faca ao peito, exigindo mais? Coisa apenas de verificar quanto para ele realmente vales.

Acho-te extraordinário, Rangel. Formas-te hoje; no dia seguinte és nomeado promotor de Cambuí; no terceiro dia resignas sem sequer ires ver se Cambuí realmente existe...

O mesmo não posso fazer eu, pois vim ver se Areias existia e fiquei. Areias, Rangel! Isto dá um livro à Euclides (e, por falar, Euclides passou uns tempos aqui, ocupando exatamente o quarto que é o meu). Areias, tipo de ex-cidade, de majestade decaída. A população de hoje vive do que Areias foi. Fogem da anemia do presente por meio duma eterna imersão no passado. Há casos, há crimes estupendos do período da passada grandeza. Um capitão-mor que passou oitenta anos a juntar moedas de ouro — patacões. Um dia a varíola o apanha — e da cama, morre-não-morre, todo pústulas, assiste ao saque. A "escravatura" roubou-lhe tudo. O processo, o júri, a condenação dos negros... Impossível dar uma ideia do drama em simples carta a galope. Talvez eu a conte no *Minarete*.

Perto de Areias fica Bananal — com um passado escravocrata que é um cacho de crimes lindos e muita banana ouro. Houve grossa riqueza por lá, quando aquilo era o Ribeirão Preto da época. Barões que usavam pinicos de ouro. Mulheres ciumentas que cortavam o seio das escravas. Cada casa lá — dizem aqui — é cofre duma lenda — aqueles casarões abandonados. Ainda há mistérios no ar.

O meu hoteleiro é um veterano da guerra do Paraguai. Gosta de falar e sabe tudo. Impossível melhor memória — ou imaginação. Erudição enciclopédica haurida nos vinte romances de Júlio Verne que sabe de cor e me recita à mesa, aos capítulos — e com as ilustrações. "Aqui há uma gravura representando um hindu de tanga amarrado à boca dum canhão. Em baixo diz: *Amanhã ao romper da aurora, pum!*"

Logo que cheguei fui à berlinda. Fiquei o bicho raro da terra, o *fait divers* sensacional, a coisa importante, o escândalo do dia. "O Promotor!" Juntava gente nas janelas e esquinas quando eu saía a desembolorar.

Terra de tradições. Anteontem queimaram diversos judas. Ainda há judas em Minas? Apareceu, de Euclides, um belo artigo sobre o judas no Acre (*Jornal do Comércio*, de 31). Leia.

Lobato

Areias, 15,5,1907

Rangel:
Creio na tua sinceridade quanto ao casamento, mas sob uma condição: creres também na minha. Estou de absoluto acordo contigo. O casamento é e não é o que dizemos. O casamento é o nosso serviço militar. Foste chamado e estás a fazer o ser-

viço. Fui chamado: — tenho de servir, e está acabada a história. E depois, Rangel, isso de enfrentar o perigo, de procurá-lo, de arrostá-do, não deixa de ter certa grandeza. Não procede de outro modo o capitão que ataca um reduto poderoso. Está lá dentro o Desconhecido. A Vitória ou a Derrota, a Felicidade ou a Vergonha.

Por que é que o homem bebe, sabendo que o álcool é um veneno? Por que se casa, sabendo que o casamento pode ser um veneno? Porque o homem é fundamentalmente aventuresco e gosta de agir aos sopetões, sempre de encontro à experiência e ao bom senso. O bom senso horripila-nos.

Não há negar a higiene do casamento, e também há a possibilidade de, às vezes, criar-se por esse meio o que os ingleses chamam *home* — e parece que os ladinhos bons do *home* compensam as coisas perdidas com a destruição do celibato. O nosso grande cavalo de batalha contra o casamento é o sacrifício da nossa liberdade — mas para que nos serve a tal grande liberdade senão para perdê-la nos momentos oportunos? Sem perdermos a liberdade, parcial ou totalmente, como sabermos que tal coisa existe? Só quem está sendo asfixiado aprende que o ar existe. E há ainda o seguinte: a liberdade torna-se às vezes um tal trambolho, um tal peso às costas, que o desfazer-nos dela produz uma imensa sensação de alívio. Coisa nenhuma cansa mais do que ser livre — e isso explica as ditaduras. Os povos cansam-se da liberdade e pedem um ditador que a trucide — e os indivíduos casam-se. Eu, por exemplo, vivo dentro dum tal excesso de liberdade que às vezes me toma a nostalgia. Do quê? Do tempo de prisão no colégio. Da horrível sineta que me fazia levantar às seis horas. E, por fim, farto dessa liberdade pessoal, resolvi lançá-la pela janela. Caso-me e pronto.

Vantagens? Oh, inúmeras — e entre elas a de queixar-me, como ouvi a um agora: "Eu iria em dezembro ao Japão, *se não fosse casado*." Mentira. Ele não iria ao Japão nunca, mas hoje tem uma bela justificativa. A condicional acoberta maravilhosamente todas as fraquezas, dubiedades, incapacidades e inaptidões orgânicas dum homem. Justifica até roubos — "Casado, coitado; mulher e filhos!". Dizer, por exemplo, a um amigo crédulo: "Zeca, eu tenho talento às arrobas. Sou capaz de escrever um *Rocambole* — e escrevê-lo-ia, se não fosse o casamento — a mulher, a baralhada das crianças. Zeca, Zeca, se queres cultivar a tua inteligência e dela extrair produtos lindos, como os extrai da terra preta o galego da horta, não te cases, ó Zeca!". E o Zeca te olha arregalado, com admiração nova, concorda em não produzir mais que o galego da horta — e casa — e faz muito bem.

E há a Espécie, Rangel! Somos forçados a ter muita consideração para com a Espécie. Que seria da Espécie se não fossemos nós, indivíduos? A Espécie nos impõe, por força de razões misteriosas, esposa e prole. E emprega o Amor como um visgo de passarinho; e uma vez visgados, temos de proliferar, porque, "Oh, é tão galantinho um bebê!... Casa sem chorinho de criança até dói...". As mulheres dizem isso e suspiram pelo bebê, porque elas fazem parte do Serviço de Agentes Secretos da Espécie. São as encarregadas de arrancar do homem as misteriosas sementinhas hereditárias.

E, portanto, nada de resistir a essas obscuras injunções. Já que a Mais Obscura das Injunções nos manda casar, é casar. Casar p'r'ali, como casou o avô, o bisavô, o tataravô e o macaco inicial.

O solteiro me lembra a mariposa que me vem dar cabeçadas no vidro do lampião. O casado lembrará o passarinho na gaiola, bem arrumadinho, com alpiste, água e folha de alface — e a regalar-se de ver, lá daquele seguro, a mariposa queimar-se na chama e o Romão volta e meia entrar do quintal com um canário solteiro na boca.

Já que estamos falando em casamento: já leu você a coisa mais espirituosa do mundo — *La Physiologie du Mariage*, de Balzac?

Vamos meter o Beccari no *Queijo*? E bem que cabiam lá os dois tipos que diziam horrores de casamento e um casou-se caladinho e outro tenta retratar-se...

Lobato

Areias, 7,7,1907

Rangel:

Restaurado finalmente na calmaria, começo a pagar minhas dívidas epistolares. Essas dívidas decorrem do muito que corri. Se não, veja. Da Serra da Bocaina, em cujo sertão me internei com um bando de caçadores atrás duma suçuarana que andava comendo novilhos numa invernada, só voltei para cá no começo das férias forenses, com doze léguas em lombo de cavalo em quatro dias, tostado do sol e do frio das altitudes, tatuado de espinhos — mas vazio de glória. Da onça só vi o rasto, na lama dum curral velho.

Chegado, acusei dois criminosos perante um júri de boca aberta e colarinhos sungados, arrumei a vida e, de novo no Beija-flor, trotei para Queluz, onde recebi tua carta. Fui lê-la no trem.

Portei em Taubaté, e com o Eugênio de Azevedo fui de bicicleta ver um negócio na fazenda dos trapistas — futura Abadia da Maristela, e retornamos com trinta quilômetros marcados nos ciclômetros.

Depois rumei para S. Paulo, onde matei as saudades da noiva, admirei o Salvini no *Oedipo-Rei* e nos *Espetros* de Ibsen, travei conhecimento com a *Zazá* de Leoncavalo, e enlevei-me na harmonia de movimentos duma Paquita Montes no Moulin Rouge. A seguir, Santos. Dancei duas noites, visitei três navios no cais, *Belgrano*, *Aragon* e *Tennyson*, contemplei a enorme carniça duma baleia encalhada na praia da Conceiçãozinha, consagrei um dia ao teu Guarujá, ganhei uma bolada no Casino e voltei à Pauliceia. Aprovisionei-me largamente de impressões da noiva, abasteci-me de pão do espírito (entre as novidades, *O Filho Pródigo* de Hall Caine, que anda na berra), dormi uma noite em Taubaté; e, reintegrado afinal no silêncio da minha Areias, interrompo a leitura do Hall Caine — estupendo! — para te escrever uma bem comprida.

O teu Rodrigo! Com que estado d'alma de menino de escola em vésperas dos prêmios anuais você espera a minha opinião, você a reclama, você a predispõe! Homem fraco e covarde, sem fé nem confiança! Que importa o meu parecer? Que importa o parecer de alguém? Quem tem talento e arte impõe-nos ao mundo — não pede licença. Você pede, e rebaixa-se, e usa truques. E manda uma carta propiciatória elogiando (sob pretexto de criticar) dois detestáveis artigos meus e um bom (*Filosofias*), com a evidente esperança secreta de que eu pague na mesma moeda. E gaba-me, e elogia-me, como se moeda falsa pudesse ter algum valor...

Sempre desejei em você um crítico brutal do que escrevo. Impossível. Você dissimula o que de fato pensa a meu respeito e só diz as coisas favoráveis. E vem a velha acusação... "*teu partido de não me pôr a boca doce...*" Engano, Rangel. Nunca pensei em tal; sempre dei a você o meu pensamento nu e cru e sempre o farei. A tua derradeira carta não me fará atenuar de um centésimo o que penso do Rodrigo. Vi nele tua autopsicologia, vi tua mulher, tua vida, o colégio de Zé Fernandes, os amigos (já que conheço através das cartas), e senti em algumas páginas a execrável influência dos Goncourts — esses execrabilíssimos fazedores de arte pela arte que hoje ninguém mais atura. "Nalgumas páginas" — note que restrinjo, porque na maioria você está puro sem mistura. E exatamente aí a novela melhora. Certos prosaísmos a sujam ("Ribeirão Preto", "quinhentos mil réis"), certas ideias pouco finas ("apetite tão grande que só se *engolisse o mundo*"), certos conceitos estapafúrdios ("... a voz humana, última metamorfose dos sons da Natureza, que *progrediram para pior...*"). Que quer dizer isto?

O estilo tem descaídas, cochilos — pontos que não levo a débito, pois são as naturais imperfeições do borrão. Escoimado desses senões, que me parecem vícios, a novela vira uma boa novela, com o defeito aliás de ser coisa para público muito restrito. A psicologia do Rodrigo é extremamente rara, e poucos a aceitarão. Acho tua arte subjetiva em excesso — e a grande arte é objetiva (Shakespeare, Tolstói, Zola, Balzac, Molière). Descreves um caso isolado, único, quando a arte está no contrário, na universalização; o particularismo cabe à ciência. Aquele Conselheiro do Eça: por que "pegou" mais que o Jacinto? Porque o Conselheiro tem uma universalidade de vinte por cento — e o Jacinto tem-na de um por cem mil. O teu Rodrigo é uma criatura que aparece uma em um milhão, e daí a restrição de público que prevejo.

Para prova dei-o a ler a um amigo daqui, rapaz de bom senso artístico — e ele achou-o confuso. Já a mim, que te conheço a fundo, a impressão pessoal foi muito diferente. Sei-te nas últimas minúcias, de modo que vejo ali, e entendo, coisas que para os outros não existem ou são "confusões". Na parte, porém, onde narras o amor, o casamento, a vida a dois, o lento desnudar-se do caráter de Rola, não há nenhuma restrição a fazer — empolgou-me. Em suma, se refundires a novela, aumentando-lhe a dose de drama, de movimento e de dor, acho que poderás publicá--la sem receio nenhum.

Bem sei (e por confissão tua) que os nefastos Goncourts te imbuíram da falsíssima noção do "nenhum enredo". Mas veja Kipling, Zola, Caine, Wells, Hugo, Balzac — todos os "grandes lidos". Quanto drama, quanto movimento em cada obra! O drama é tudo na arte, porque o drama é a biografia da Dor e a Dor é a mãe da Arte. Inda ontem, relendo Ésquilo, vi que sua grandeza repousa na grandeza das dores que pinta. Os Átridas, Prometeu, Orestes, Eletra, Atossa, Cassandra — dor, só dor, na desesperada luta contra a Fatalidade. A *arte nasce da dor, como a pérola*. Sabe que a pérola é o produto duma doença da ostra? Onde há doença há dor — logo a pérola vem da dor.

A minha colocação entre os teus quarenta não me adoça a boca, nem me leva a pôr você em outro lugar que não o em que sempre te pus. És um dos poucos em que tenho fé — pela tenacidade e amor ao trabalho. Vivo repetindo isto para todos. Mas por enquanto não és ainda — estás sendo — vais sendo — caminhas para lá —

não houve ainda nenhuma parada, a progressão é contínua. Estás na Barra do Piraí. O Rio não fica muito longe — mas ainda está longe.

    Você, entretanto, se perderá, como o Ricardo se perdeu, no dia em que (seduzido pelos cantos de sereia da amizade) se julgar chegado. Um homem evolui indefinidamente, e se se julga chegado ao máximo é que parou de progredir, virou Coelho Neto.

    Mande-me os contos. Não segue o *Ateneu* porque está em Taubaté. *O Filho Pródigo* irá logo — assombroso! Mande algo para o *Minarete*. O Beija está reclamando. Um diário de S. Paulo republicou o meu *O Pito do Reverendo*, uma das coisas tolas que tenho escrito, mas muito gostada por aí afora — e inçou-o de erros tipográficos. Como dói o erro tipográfico!

Lobato

Areias, 21,7,1907

Rangel:

    Chegou o Twain com tua carta dentro. Comecei a ler a história do esquimó. De fato, *it is a very bewitchful story*, como aliás tudo quanto Mark escreve. Kipling tem algumas coisas groenlandesas ótimas, onde tudo, a partir do cenário, é dum ineditismo único. *Os Inoitos* são uma — inoito é sinônimo de esquimau. Que felizes os homens que podem escrever uma novela europeia, outra americana, outra indiana, outra esquimó — haurindo as tintas em observações de primeira mão, feitas nesses meios tão variados! Tenho para mim que Kipling ainda não achou tempo de ler a literatura dos outros; os anos de sua vida devem ter sido poucos para ver e sentir do natural.

    Nós dois somos o inverso. Somos cracas eternamente grudadas ao pago natal. Somos cogumelos, chapéus-de-sapo, temos o aparelho da locomoção destituído de rodinhas amarelas — libras ou dólares. Somos ápteros. Pinguins! Nossas capacidades embotam-se na mesquinhez da introspecção e na sordidez tacanha de meiozinhos roceiros pífios, onde não há os caracteres fortes e sintéticos que o romance requer para não degenerar em teatrinho do João Minhoca; onde não há dramas — (como imaginar os Átridas em Areias?); onde nada há que não seja choco. Besta Areias onde apodreço há três meses nem o gancho dum Shakespeare tirava sequer um título de drama.

    Parece-me erro supor que o artista cria independente do meio. Meio pífio, artista pífio — obra d'arte pífia. Entre nós, só no Rio há ambiente para alguma arte — e por isso todos que têm veia para lá acodem. Os que ficam no interior só dão de si água panada. Veja, Rangel — estamos nós dois condenados a ser água panada... Você casou; eu vou casar. Casamento: feixe de raízes que virão agravar ainda mais o nosso chapéu-de-sapismo. E, no entanto, nós temos talento, Rangel — sentimos isso, não? Ninguém sabe, ninguém percebe; talvez nunca desconfie disso o mundo — e no entanto temos talento!

    Tu aí, eu aqui — duas touceiras segregadas de tudo quanto o nosso sonho de arte sonha. Eu, como absolutamente não me adapto ao meio, levo vida de recluso

— frade único do Convento do Meu Quarto. E quando me canso de tanto mascar e ruminar a mim mesmo cá intramuros, fujo para a Serra da Bocaina, de Winchester no arção e kodak a tiracolo. Que desafogo naquela outra solitude!

Contigo é o mesmo. Esse Silvestre Ferraz deve embolorar todas as vocações. O que te salva é o tremendo ardor laborioso que tanto invejo. Começar uma novela é coisa das mais simples; levá-la por diante por oitenta ou cem páginas, isso só você. Breve estarás trabalhando em romance de trezentas e vinte páginas. Assegurado o *entrain*, é fácil chegar até lá — o problema é ganhar o *entrain*.

Você está feito, está na reta da chegada — e me distanciou por não sei quantas cabeças. Cabeças? Ah, se fosse! Por corpos... Nunca mais te alcançarei. Vivo esperando a ocasião *propícia* — essa ilusão. Não há disso. Para quem de fato possui criatividade, todos os momentos são propícios.

Li hoje *Filosofias* (só agora o jornal me chegou) e envergonhei-me de haver achado aquilo bom. Tenho um defeito grave; espremo e encurto demais o enredo, não o esclareço bem, não dou coloridos de transição, faltam-me *tons*, passo bruscamente duma coisa para outra, de modo que eu me entendo mas não me entendem os outros. O tal conto prometido vou escrevê-lo com muita atenção a todos os defeitos notados — e você julgará.

O que dizes das coisas que nos agradam mais pela capacidade possível do que pela capacidade realizada, me parece uma bela observação. Sinto-o comigo.

Vai o Hall Caine e junto um volume das minhas notas; há-as preciosas, catadas ao correr das leituras.

Lembre-me na tua próxima da grande ideia a que cheguei à força de tanto pensar. Não cabe nesta. Uma ideia enorme. Ainda está em período de nebulosa.

Quanto à reforma ortográfica, lê no próximo *Minarete* a minha opinião sobre o horror que é homem sem H.

Hoje temos "escavalinho". Areias está arreitada. Imagine que há quinze anos não aparece nenhum circo por aqui. O meu comendador da Ordem da Rosa anda de olho aceso. Ao almoço (sou o único hóspede do seu hotel) foi espiar se a dona Maria (a esposa) não estava escutando atrás da porta e me disse, com quinze anos de concupiscência encruada no olho lascivo: "A moça do trapézio, seu doutor, tem umas coxas assim!" — e fez um grande tamanho no ar com os indicadores e polegares em curva e os outros dedos fechados.

Lobato

Uma coisa que ando para perguntar: tens sogra? Eu vou ter. Como o casamento nos aumenta!...

TAUBATÉ... 1907

Rangel:

Seguem umas tantas cartas da incomparável, para que palidamente avalies que fina criatura é. Suas cartas, seu modos e sentimentos, tudo são penugens, arminhos. Perfeita concordância do moral com o físico. Normalíssima. Para uma coisa te chamo a atenção; o seu modo de grifar certas palavras. Não grifa brutalmente, com um traço em baixo, e sim com um breve e tímido hífen, nuançando assim o grifo, dando cambiantes à intenção. Cartas, como verás ao correr da pena, sem esta nossa imbecil preocupação literária.

Mandei-te *O Filho Pródigo* de Hall Caine, com uma carta bastante comprida. Chegou?

Recomendações a D. B., a qual desejo um fígado mais ordeiro.

Lobato

Areias, 1907

Rangel:

Esta, em face da enorme provisão de assuntos, promete ser enorme — todo um caderno de papel. Mas você está a prova de tudo. Aguenta. E sabe por que tanto assunto? Porque ontem foi dia de festa, da mais deliciosa festa de S. Sebastião que vi em minha vida. Esse santo tem grande homenagem aqui; é o padroeiro, e entre dez areenses, um se chama Sebastião. Houve missa cantada, leilão de prendas e cavalinhos-de-pau.

Dia de festa na roça quer dizer dia das moças, e eu sempre tive pendor por esses curiosíssimos seres que só conversam casamento, namoro e baile, com as faculdades num perpétuo estado de eretismo e norteadas para O Fim Único e Exclusivo: perpetuação da espécie.

Nada menos obscuro, nada menos opaco, que uma moça: um instinto nu e cru vestido à moda do dia, com a moral do dia, com as astúcias do dia. A moça é um ser em dia. Com os homens tudo é diferente. Num predomina aquela "vontade de poder" do Nietzsche. Noutro, o instinto da exibição. Noutro, o da investigação. Mas nas moças — e ainda há cretinos que têm a mulher como misteriosa, esfingética! — a simplicidade é tamanha que às vezes nos desnorteia e passa por complexidade excessiva. A mulher é ovário, só, sem mistura.

Isto posto, que é uma festa para os ovários "com escritos"? Vi bem agora. Na igreja vão para as tribunas — os noivos e as noivas, os namorados e as namoradas, os pretendentes e as "com escritos". Essa parte da igreja — "as tribunas" — corresponde nos teatros aos corredores dos camarotes: é o lugar dos deliciosos encontros furtados. E ali *on cause*. E pode-se até fumar. O burburinho do povo lá embaixo sobe como um bafo, e a música e o canto nos mantêm os nervos num eretismo grato aos nossos instintos em ação.

Todas as grandes fases dos meus namoros — dos grandes — foram nesse ambiente de ebriedade das tribunas. Parece que é ali, ainda mais que nos bailes, que as moças se sentem como o peixe no mar. Moça quer contato. A Mulher é um desejo de contato — moral a princípio; sentimental, depois; e físico em 1.º grau (visual); físico em 2.º grau (baile, aperto de mãos, valsa); e físico em 3.º grau (beijos, noivado) e afinal o hurrah do instinto vencedor no grau 4.º. E como as festas de igreja são eminentemente favoráveis a vários desses contatos, as moças adoram-nas — e por instinto sustentam a Religião, os Padres, o Vaticano e Deus.

A materialização de Deus são para as moças, em última análise, as Tribunas. Quando um ateu aparece, todas se revoltam pensando nas Tribunas: aquele infame nega as Tribunas, quer suprimir as Tribunas!...

Há aqui algumas meninas encantadoras. Estavam ontem nas Tribunas a H. P. — a única com quem posso conversar uma hora seguida sem enfado, e a L., e a J., e a Niquita (minha namorada de brincadeira), e a Filhinha (um mimo!), e a Condessa...

Mas que adianta enumerá-las? São nomes que nada dizem a quem as desconhece. Eu queria ardentemente que você conhecesse um certo número de moças que tenho encontrado na vida, com o mesmo interesse com que tem conhecido minhas leituras — certas leituras. Quando em Taubaté me encontrei com *Guerra e Paz, La Carrière, Mannequin d'Osier*, quis logo que você os conhecesse, e como não querer que conheças estas obras primas do Instinto e da Futilidade Amável que encontrei aqui?

Entre centenas de criaturas apagadas e incolores, dessas que sofrem do maior dos males, pois, como diz Restif de la Bretonne "... *le plus grand mal c'est l'obscurité, c'est la vie de ces plantes mouvants qui végètent autour de vous, qui vivent et qui meurent sans que personne se soit aperçu de leur existence*", encontrei um certo número delas muito correspondentes ao nosso Cenáculo — essa seleção que fizemos entre centenas de colegas e conhecidos. Dá-me vontade de um dia colecioná-las num estudo à Goncourt — a uma dúzia delas pelo menos — o meu Cenáculo feminino.

No leilão é de uso aqui uma arquibancada só para moças. E ali lembram prateleiras de vasos com flores — como nas exposições de crisântemos. Pois ontem sentei-me, único, entre elas e passei horas deliciosas brincando, arrematando prendas. Ao meu lado esquerdo estava a F.; à direita, a Niquita; em cima, a H. e em baixo a L. Eu, emoldurado, enquadrado... Como esquecer um leilão assim? Depois fomos aos cavalinhos de pau, e tive de pagar para todas. Dias e noites encantadoras e inesquecíveis, estas festas religiosas que formam os secretos esteios das religiões e dos deuses.

E tua galeria feminina, Rangel? Nunca me falaste dela, e hás de ter uma, porque não há homem que não a tenha. O quanto são desinteressantes os moços (não os homens), são interessantes as moças — mesmo vistas com olhos alheios. No Tristan Bernard que te mando há uma insignificante Alice e uma Louison magnífica.

Mas agora vejo que tenho tua carta a responder. Este enorme preâmbulo mocengo veio para justificar, ou explicar, a facúndia epistolar que referi no começo. Após uma noite e um dia como os descritos, o cérebro vascolejado amanhece vivo e lépido como um sagui, e exige que lhe abramos todos os "ladrões" confidenciais. Se não sabes o que é "ladrão", informa-te com o bombeiro local.

O *La Bàs* chegou, e o Julinho está a lê-lo, fremente de entusiasmo, ganho pela arte maciça de Huysmans. Quanto ao Le Bon, suas ideias são correntes em todos os físicos de hoje, praticamente todos os físicos experimentalistas. Os teóricos, só teóricos, não contam, porque física não é escolástica.

Quer que resuma a teoria da energia intra-atômica e da radiação da matéria?

Outrora a matéria manifestava-se em três estados. O aparecimento do *radium*, um corpo que normalmente irradia calor e uma espécie de luz, *indefinidamente*, talvez *eternamente*, sem perder a sua energia e sem *receber* esse calor e essa luz de nenhuma fonte de fora, veio abrir uma exceção na termodinâmica, a base da mecânica moderna. Mas como nas leis da Ciência não pode haver exceção, os físicos começaram a estudar o fenômeno e chegaram a uma conclusão experimental que revolucionou a ciência moderna: todos os corpos emitem a coisa que parecia exclusiva do radium; questão só de intensidade maior ou menor; a Matéria, portanto, possui mais um estado só agora percebido: o estado radiante. Sólido, líquido, gasoso e radiante. Os dois princípios da conservação da matéria e da energia (Lavoisier e Robert Mayer) justamente os pedestais da física, foram revogados — ou pelo menos suspensos até ver. Como a nossa Constituição durante os estados de sítio — certos artigos ficam suspensos. O velho *"Nada se cria, nada se perde"* está ameaçado. A "oposição", ou a esquerda da ciência, apresentou uma emenda propondo a substituição do velho dogma por este outro: *Nada se cria, tudo se perde!* A MATÉRIA ESVAI-SE! O verdadeiro estado da matéria é o do perpétuo esvaimento.

Le Bon é um filósofo popular da física. Sistematizou as bases da Nova Física. Tese: é da energia intra-atômica, liberada pela desmaterialização da matéria, que deriva a maior parte das forças do universo. A matéria não é indestrutível, dissocia-se e o produto da dissociação aparece sob formas diferentes das formas características da matéria. Os corpos emitem partículas animadas duma prodigiosa velocidade, capazes de tornar o ar condutor da eletricidade, de atravessar obstáculos, de ser desviadas por um campo magnético. Os átomos desagregam-se, passam por uma série de fases — elétrons, íons, raios catódicos, raios X, raios Y, raios alfa. Estes raios atravessam placas de aço e vão impressionar chapas fotográficas. Mais: atravessam placas de ebonite, e, retidos num ácido, deixam nele resíduos da mesma composição química do corpo que os emitiu. Atravessam fases sucessivas, cada qual menos material, até que se esvaem em éter *insaisissable*! Uma perfeita desmaterialização, cujos produtos constituem substâncias intermédias entre o ponderável e o imponderável — os dois mundos que a ciência até aqui separava.

A matéria não é inerte (revogação do princípio fundamental da inércia!...), não restitui somente, como se pensava, a energia recebida de fora, mas é um colossal reservatório de energia — da tal energia intra-atômica — que ela despende sem o concurso de uma força estranha. Esta energia é a causa de todas as forças do universo, da eletricidade, do calor do Sol, etc. Força e matéria são duas formas diferentes duma só coisa.

A matéria representa uma forma estável da energia intra-atômica. A lei da evolução dos seres vivos é igualmente aplicável aos corpos simples; as espécies químicas, da mesma forma que as espécies vivas, não são invariáveis. Do éter vem a matéria e para ele vai. O dualismo das filosofias deixa de ter fundamento. A matéria é uma fase do éter — e que é o éter? O éter é o nada! Compõe-se de átomos o éter? Não, porque o átomo é a última partícula de matéria concebível, matéria-matéria. Quando o átomo se desagrega, como no *radium*, ele ainda é matéria, isto é, forma estável do éter; mas por um desdobramento infinito passa de estável a instável, isto é, a éter. Mal comparando, a matéria está para os átomos como a nebulosa de Kant e Laplace está para os astros de hoje. *En tant* que nebulosa, temos matéria — *en tant* que projetados no espaço, temos o éter. E a coisa vai por aí além...

Parece um sonho metafísico — e é física! Física experimental! Há aparelhos que provam essa aparente poesia científica. Mandei buscar em França o último livro do Le Bon — *Evolução da Força*, e aí o terás também.

Escrevi *ars brevis vita longa* por engano, está claro que não houve outra intenção. O "Gare!" entre parêntesis foi para o latim, não para a ideia, porque sempre ressalvo a grafia dos meus latins. O que me contas do *Filho Pródigo* é um grande elogio ao livro. As lágrimas de D. Bar valem mais que um ditirambo.

Estranhei tua carta. Está de quem acha que deve escrever, mas não está com vontade, nem tem o que dizer. Nunca procedas assim. Escrever e comer, só quando há apetite.

Ando para te passar um pito. Você grudou-se num certo número de autores, conviveu demais com eles — Zola, Flaubert, Goncourt — e estranha todos os que deles se diferenciam. Isso é estreiteza. Nada de hábitos, meu caro. Hábito é preguiça. Coisa para velhos e estropiados. Um homem vivo deve ser como o mar, sempre em movimento. O velho é o lago — manso lago azul, essa besteira.

O pior hábito teu é o Flaubert. É preciso que duvides de Flaubert — e pelas tuas cartas vejo que é o único homem no mundo de quem nem sonhas de duvidar. O duvidar dos deuses e de Deus é o princípio da sabedoria. No dia em que começares a duvidar de Flaubert, cresces vinte côvados.

A mim Flaubert me enfada: admiro-o, sim, mas como admiro a pirâmide de Quéops ou a Esfinge. E encontrei em Gouncort uma opinião sobre Flaubert que também discrepa da tua — 1.º vol. do *Journal*. Flaubert me dá ideia dum pedreiro, dum carapina literário — dum sujeito que faz livros, em vez de explui-los, exsudá-los, defecá-los. Felizmente a tua admiração futura por Anatole está se incubando na persistência da impressão indefinida que ele te causou. *Anatole tuera Flaubert*. O *Le Lys Rouge* é o livro de Anatole que menos o dá a conhecer. Uma exceção na sua obra de ironia social.

Por que não afundas em Anatole, Rangel? Sabe que isso já está me revoltando — essa demora em entrares no bom porto? Para começo da catequese prescrevo *Crainquebille, Putois, Histoire Comique* (onde o cômico é um ator; aqui em Areias os velhos ainda usam a palavra "cômico" por "ator"), *L'Orme du Mail, La Rotisserie de la Reine Pedauque e o Abbé Coignard* — a filosofia mais alta que o homem produziu até hoje — um encanto de diálogos. Com estas leituras você sarará da flaubertite crônica — essa gota militar adquirida no Minarete.

Outro revoltante defeito que noto em você é a falta de ambição monetária — fórmula vulgar do que Nietzsche assinala como a qualidade mestra dos fortes, a vontade de poder, a vontade de predomínio. Há muito pobre cuja ambição de enriquecer já é uma inapreciável riqueza. Eu, por exemplo. Sou um mísero promotor de trezentos mil réis por mês, mas meço as minhas ambições por alqueires. Bati nesse ponto ao próprio Rockefeller. Como é bom desejar ardentemente! Ambicionar! Já te esqueceu aquele pedaço do *Queijo de Minas* em que pregavas o desejo? Por que desesperar de fazer o que o Cândido anda a fazer — viajar? conhecer os velhos mundos? Não sei como tens coragem de falar em apólices, em cem mil réis mensais e outros desânimos. Varre com as ideias medíocres, homem e deseja! Aquela ideia do provisório é um grande bem. Só progridem os homens do provisório — os que repelem o definitivo. Viver não é sentir, parar, estacionar, deitar — é andar.

Meus agradecimentos a dona Bárbara pela lágrima que derramou pela infeliz Tora.[19]

---

19 Heroína do *Filho Pródigo*.

Areias... 1907

Rangel:

O que propões é simplesmente fazer a dois o que há muito fazes sozinho; mas em má porta bates, amigo, porque o Lobato já desistiu de imortalizar o Hélio Bruma, já desertou a falange beletrista — morreu antes de ter nascido. Isso não quer dizer que não aceite a proposta, mas o faz a frio, sem "sentir crepitar na alma o precioso fogo dos grandes entusiasmos e das grandes fés". Você, sim, não tem o direito de arrefecer, já que sente o fogo nas tripas e em grau criador. O volume de contos o prova. Há-os lá admiráveis, maupassanescos — embora a forma de todos, sem exceção, seja reles. E por isso mesmo mais os admiro, porque estão nus do encanto da forma bem trabalhada e perfeita. Borrões, vê-se — mas deles vou assinalar o que me parece defeito de observação e forma.

A história do cachorrinho sugere-me coisa semelhante de Maeterlinck. O final de *Últimas Disposições* está ótimo; o "Eram as más companhias", da história da velha e do menino (final), provocou-me grandes invejas; o *Destacamento*, o *Corvo Manso*, todos onde a vida está berrando em letra de forma, ótimos! Quanto às páginas fotográficas, por que perder tempo com isso? Há-as nos Goncourts inúmeras, que o leitor pula, e faz muito bem, porque cenário com pretensão a *premier rôle* não é bem arte. E duvidando do meu senso crítico passei os teus contos ao Júlio (o meu Eugênio daqui), o qual gostou tanto que, havendo lido os marcados com cruz e entregue o caderno, voltou hoje para buscá-lo "a fim de ler o resto" — com saudades já do *modus faciendi rangelesco*.

No teu caso eu me dedicaria exclusivamente ao conto e me ia aperfeiçoando sempre; e muito naturalmente viria mais tarde o romance, sem forçar o temperamento — como veio ao Maupassant e ao Eça. O romance é um conto de trezentas páginas e mais engalhado — e só ergue cem quilos de peso quem durante anos se treinou em suspender halteres de dez. Que pressa a tua em saltar para o romance? Dizes que desanimaste no n.º 4. Põe-no de parte, homem, e apega-te aos dez quilos. E lança ao público um livro de contos o ano que vem. O maior estímulo para fazer um segundo filho é já ter bem lépido o primogênito.

Li esta semana o primeiro romance do Malheiro Dias, *A Mulata*, um livro horrível, pesadelo enojante, Não há claros ali, tudo escuro — e toda arte é um claro-escuro. Nem um só personagem bom, decente, que escove os dentes — só crápulas. Não há cantinho de luz. Dá a sensação de bordel de janelas pregadas, onde tudo são mofo e fedores suspeitos. Ao terminar a leitura, o leitor corre a janela para ver se ainda há céu no mundo, e ar — morto de saudades desses dois preciosos elementos que o autor esqueceu de botar no livro. E veja os seus últimos romances, que diferença!

Outro que me anda enchendo as medidas é a Júlia Lopes — uma extraordinária mulher. Contos maravilhosos, únicos em nossa literatura. Conhece-os?

O meu conto gorou — não tenho ânimo de tentá-lo: a desordem nos *ménages* à passagem, num lugarejo como este aqui ou esse aí, duma estrela de "escavalinhos" — mulher cujas pernas dentro do *maillot* se preluzem admiráveis e que "ama" bem. Está no casulo. Eu sou uma árvore cheia de casulos pendurados, uns secos, outros em desenvolvimento, outros gorados, outros abertos e já vazios da borboleta. Mas quase sempre dos mais belos casulos saem as mais feias borboletas. Dum casulo verde, todo estriado de ouro, belíssimo, saiu uma negra mariposa, lerda, mole, incapaz de voo. De maneira que me falta a coragem para provocar a eclosão dos demais casulos. Medo de mais mariposas pretas. Contento-me com as crisálidas e dou asas à imaginação para que ela idealize o maravilhoso irisado das asas que *podem* estar lá dentro.

Estranhei o teu programa. Pois não é o que há anos, com breves interrupções, andamos nós dois fazendo? Anota-o para mais tarde. Os botânicos agem com um sistema ótimo para os romancistas. Herborizam e classificam — isso antes, preliminarmente. Ponha o Fernandes no teu herbário; depois decalque-o.

Reli as minhas cartas que mandaste. Que desordem, que incoerência, que instabilidade — no papel, na tinta, na letra, nas ideias... Isto me desanima. Quando me virá a cristalização definitiva? Trá-la-á o casamento, com a ordem e o método de Purezinha? Talvez, talvez. Tive, Rangel, com a leitura de tais cartas, a sensação de que somos como uma roseira — que, sempre a mesma do nascedouro à morte, varia sempre, varia incessantemente, e nunca dá duas rosas iguais. Embora idênticas na essência, as ideias que temos hoje não se mostram amanhã taisquaizinhas na forma. Falas em teu horror ao passado, mas que é o passado senão *toda a nossa vida*? Tens vinte e cinco anos;[20] isso quer dizer que és vinte e cinco anos de passado, um décimo milésimo de segundo de presente e um negror de futuro adiante. E não amas ao passado?

Vou logo a S. Paulo e lá poderei comprar os livros que queres. As tuas observações sobre a reforma ortográfica são simplesmente ineptas. Onde descobriste eliminação do "p", "t", nos grupos "pt" "tn"? O que houve foi coisa diversa, foi a simples supressão dessas letras quando mudas, isto é, quando inúteis, como em "escripta", "Ignácio". "Inepto" sempre conservará o "p" porque o "p" soa (sem trocadilho). Lê no *Minarete* um artigo de Hélio sobre o assunto — a coisa única sensata até agora publicada.

Adeus. Parabéns a D. Bárbara pelo bom comportamento do fígado. Lá diz o ditado que o "bom fígado a casa paterna torna". Escreve-me. Recebo tuas cartas cheio de alegria.

Hélio

S. Paulo, 9,8,1907

Rangel:

Acabo de receber a tua de... (sem data), na qual pedes que date as minhas; e recebi-a na Pauliceia, onde estou desde o começo do mês, com tenção de ficar até o fim. Estive com toda a cainçalha, menos Tito e Beccari. Ricardo parte para a Itália a 14 e despede-se da vida paulistana, sempre rodeado duma caterva reverente. Raul anda num roupão cor de estopa e calças boca de sino; paletó até os joelhos e chapéu espanhol. O Indalécio produziu essa caricatura que vai. Divina, hein? O Raul velho! Devolva-a. Pertence ao meu museu de curiosidades.

---

20 Rangel protestou. Tinha vinte e dois anos, era de 1884.

Vi o Nogueira mas não lhe vi as ideias. E também o Lino, o Pinheiro todo brumeliano, o Sampaio Freire, etc. Informei-os de tuas atividades. Insisto sobretudo no teu grego. Lecionas grego e lês Aristófanes no original. Se não é verdade, caluda! Nunca me desmintas, porque é *ad majorem Dei gloriam*. Fiz tremenda propaganda dos teus últimos trabalhos, mormente os contos. Pus-te na cabeça deles como um semideus.

E quanto aos contos, tenho ainda a te dizer que achei excelentes as histórias das crianças, e a das bonecas, e a do esconjuro — todas merecedoras de publicada, como diria o Nogueira. O que achas dos autores com os quais travamos conhecimento é o que se dá com as amizades pessoais. Quando topamos um amigo novo e com ele nos abrimos, não abrimos coisa nenhuma — tudo é reserva e vaga hostilidade. Só depois, quando o convívio desfaz esse velho sentimento do *hospes hostes*, é que começamos a conhecer o prazer da amizade. Por que tanto nos encantamos com Daudet? Porque é o nosso amigo literário mais velho — pré-cenacular ainda.

Ando com um projeto magnífico que depois exporei: um romance admirável de simplicidade e emoção. E não vai sair de nenhum dos meus casulos. Rebentou repentinamente em meu cérebro, já feito e completo. Estou sem tempo de mais. — Adeus.

Lobato

Areias, 31,8,1907

Meu caro Rangel:

Em Areias — cheguei ontem — reenceto a velha prosa, mas faço-o enervado por um livro de gênio, o *Crime e Castigo* de Dostoiévsky. Que coisa grande e informe é a literatura russa!... Dum livro francês sai-se como dum salão galante onde todos fazem filosofia amável e se chocam adultérios. Dum livro inglês sai-se como dum *garden-party* onde há *misses* vestidas de branco, zero peito e olhos de *volubilis* da bem azul. Dum livro alemão (alemão moderno, porque nos grandes antigos não é assim) sai-se contente — o inconsciente contentamento do latino vicioso — contente com a brutal paspalhice do tenente Müller, com a arrogância do *feld-marechal* von Bock, com a suficiência feliz do Comandante Blatendorff, com o inapreensível chiste das graçolas do major Frechutsbergen, com a inenarrável inocência do anspeçada Kurtgraft — contente com o sorriso das gretchens coradas, de touca e carrinho nos jardins cheios de soldados em folga, contente com a dona de casa que faz bolos cor de chocolate; contente com as meninas em idade de namoro que discutem pontos de higiene e comem salsichas com mostarda. Do alto da sua ultra requintada corrupção de raça *faisandée* o latino sorri contente de todas as manifestações alemãs, sempre higiênicas, científicas, gordurosas. Mas sair dum livro russo é sair dum pesadelo!

Não mais impressão cética ou finamente agradável, nem higienicamente científica — mas a formidável impressão de quem põe o dedo na máquina infernal do Futuro. É tudo muito grande, desconforme, assimétrico, brontossáurico... Amedronta, esmaga. Exorbita do quadro comum das nossas concepçõezinhas caseiras de latinos.

Uma simples prisão na Rússia é a Sibéria. Uma simples menina é Sonia Perowskaia, é Annouchka. Um Ricardo Gonçalves lá é nihilista e já explodiu um tzar. Um general de brigada, um simples general de brigada, é Tropoff. Um chefe de estado, essa coisa tão simples, é o Tzar onipotente. Uma estação do ano, uma simples estação do ano, é o inverno de 1813, com os seiscentos mil homens de Napoleão congelados. Um simples prefeito é Rostopchine — e põe fogo em Moscou. Um padre, um simples padre Gazineu, é o pope Gapone. Um camponês, um simples "caboclo da roça", é um mujique com cinquenta mil piolhos na barba — e que piolhos! Um soldado, um simples soldado como os do destacamento de Areias, é um cossaco do Don — huno! Um credo, qualquer coisa como a religião que o Nogueira queria fundar no Brás, é o Nihilismo — e dinamita o Tzar Alexandre! Um motim de rua, um "fecha" popular, é o massacre da perspectiva de Newsky!...

A França é um velho jardim clássico. A Inglaterra é um gramado lindo. A Alemanha é uma horta científica, adubada com pós químicos, bostas sintéticas, urinas duma Werke. A Rússia é a Grande Esterqueira onde fermenta o Futuro — os futuros valores, os futuros pensamentos, os futuros moldes sociais, as futuras normas de tudo. Toda a literatura russa me dá a impressão disso. Creio que é um dos livros de Turguenef que termina falando simbolicamente na *terra negra*... É isso. A Rússia é a Terra Negra da Humanidade.

Não te posso dizer nada sobre *Crime e Castigo* porque não há falar de coisas grandes com meios pequenos — com estas pulgas glóticas que são as "palavras em língua portuguesa", esse produtinho lá de Portugal, onde também fazem tamancos e palitos. A nossa análise está aparelhada com medidas francesas, decimais — um sistemazinho decimal de ideias. Não pode, pois, não tem jeito, não consegue dar ideia das coisas russas. Quando leio as outras literaturas, eu sinto isto e aquilo — sentimentos analisáveis e classificáveis. Quando leio os russos, eu pressinto. *Guerra e Paz*!... *Crime e Castigo*! — *Casa dos Mortos*! — Gorki — Gógol — Turguenef — todos...

Passei agosto em S. Paulo e não digo fazendo o que porque não me compreenderias. Nós só nós compreendemos (ou fingimos compreensão) quando, *bras dessous, bras dessus*, passeamos pelas aleias calmas do sibaritismo literário. Fora daí somos um para o outro a charada viva que um homem é sempre para outro homem. Nada te digo, pois, deste meu agosto d'aqui. Mas conto que o Ricardo lá se foi correr longes terras. Itália! Houve um bota-fora tremendo. As cabeças esquentaram-se no bar do navio e veio o "fecha". Quase tiro. Quase faca. Mas só correu cerveja e *whiskey*. Não estive lá. Contaram-me.

Quanta coisa nova! Coisas ótimas do Beccari. Mas não cabem aqui. O papel chegou ao fim.

Lobato

Areias, 22,9,1907

Rangel:
De um ano para cá tenho acompanhado o movimento literário da França de hoje e me parece que não decai do anterior — tão nosso conhecido, com Zola, Dau-

det, Goncourt, Flaubert; e hoje te mando um volume do Tristan Bernard, pequena obra prima de psicologia espirituosa, com muitas semelhanças com teu estilo e alguns personagens evidentemente furtados dos teus borrões. Nascido em França, serias o próprio Tristan Bernard. Lê e julga.

Dos autores que venho lendo e acho que posso recomendar, tenho como o mais paradoxalmente fino o requintadíssimo Marcel Prévost, nas *Lettres de Femmes* (3 vols.), *Lettres à Françoise, Jardin Secret*, etc. Abel Hermant ironiza com muita superioridade em *Les Transatlantiques* (americanos em Paris), em *Confession d'un Homme d'Aujourd'hui*, em *La Carrière* (costumes da diplomacia) — são os que tenho aqui. E Anatole? Esse você sabe. Abafa tudo. Há Paul Hervieu e Henri Lavedan na comédia. Henri Bernstein é um Shakespeare *up to date*. *La Raffale, Le Bercail*. Todo *coup de foudres*. Maurice Barrès, límpido como um cristal. Léon Frapié. Pierre Weber. Na poesia graúda, Verhaeren — o homem que associou ao polvo as grandes cidades. Quando alguém pronunciar perto de você esse horrível nome, boceje enfastiado e mumure "Cidades Tentaculares" — e haverá arregalamento de olho. Nunca deixes de associar tentáculos ao nome de Verhaeren, porque desmoraliza.

Informa-me com segurança de que sabes do *Livro da Jângal* pertencente ao Albino, que o reclama a berros. Anda aí?

Lobato

Areias, 3,10,1907

R.

Tua carta trouxe-me uma suspeita horrível. Teria ele mexido no pacote? Que imprudência a minha! Esqueci-me de que a correspondência daqui dá volta por S. Paulo. Mas será dele a letra do — "porque contém carta?" Fico sem saber o que pensar.

Tua ideia é absurda. Todas as tuas ideias são absurdas. Só tens ideias absurdas. O tal projeto nem se comenta, e duvido sequer que tentes realizá-lo. É tão absurdo como essa vida que levas, explorado pelo Fernandes, a te esfalfares no ensinar meninos. A profissão do pedagogo é coisa para analfabetos. Um homem de algum valor só deve ensinar a si próprio — o mais é perder tempo e burrificar aos outros e a si mesmo.

O que tens a fazer é arranjar uma promotoria aqui em S. Paulo, na Terra Roxa. Enriqueces num ápice. O meu antecessor cá na promotoria de Areias nunca foi outra coisa senão isso — e já tem setenta contos honestamente ganhos e bem empatados.

Tenho lido uns versos maravilhosos do Sampaio Freire, aquele grandalhão e caladão. Veja esse soneto que mando. Só em Bilac e Alberto encontrarás dois tercetos assim.

Tu aturas o Torres Bernardo! Dispara com ele, homem, mete-o num conto. Meu sistema é esse: empalho meus ódios. Manda-me uma carta desse desastrado. Sabes que o conheço? Pessoalmente não, mas através duma prima que em Caldas se apaixonou por ele ou vice-versa. Um homem que provoca paixão em minha prima ou por ela se apaixona, deve ser intelectualmente menos que tipo nove — quase "escolha". A prima dizia "Adoro-lhe o talento". Quando certas mulheres descobrem talento num freguês, o caso é dos irrecorríveis.

Lobato

AREIAS, 18,11,1907

Rangel:

Finalmente desembuchaste. Tua derrota estava prevista. O boletim postal telegráfico mentia como um boletim de Napoleão. A tua vitória reduz-se a uma batalha de Leipzig. Qual, Rangel, não poderás nunca enfrentar o Fernandes. Ele conhece os homens e a vida, e tu só conheces os livros. E isso é de tremenda importância, porque o Fernandes não é um — é toda uma classe, é a classe detentora da Força, do Poder, da Riqueza. É o *Vincitore*, a Mão que Distribui, a Vontade que Manda, o eterno Senhor que em Roma tinha escravos núbios, na Europa feudal tinha servos da gleba, no Brasil monarquia tinha negro do eito e hoje, aqui e em toda parte, tem Rangéis...

Rangel, Rangel: é preciso que te bandeies para o lado em que esse Fernandes está, isto é, para a Boleia! A vida é um carro; dentro vão os cultores do *dolce far niente* da riqueza ou do diletantismo, o que herdou e consagra toda a atividade à Arte de Bem Comer os Juros; ou os contemplativos, os vagabundos mentais, os artistas. Na boleia vão os que nasceram com a sede e vocação do mando, os *meneurs*, os gritadores, os meridionais, os voluntariosos. E na canga vai a turba inumerável dos que puxam o carro, suam, gemem e levam rebenque. É preciso que te encoscores de audácia e venças o Fernandes — agora, na forma atual fernandesca que ele tem; e que o venças mais tarde, sob todas as formas diversas sob as quais Fernandes, o irredutível e eterno, se apresente diante de ti. Assim pularás para dentro do carro.

Vencer é sempre bom, mesmo que a vitória seja uma porcaria. Ontem gozei as delicias duma vitória, numa causa que me veio logo depois que estiveste aqui e que era acompanhada com grande interesse por toda a população — porque aqui o negócio de um é negócio de todos. Esmaguei literalmente a pretensão do Autor, cujo advogado é o C. Uma delícia.

Caso-me a 1.° de janeiro, passo esse mês em Taubaté, Santos ou Rio e depois sigo com a Promotora para a promotoria que for minha, pois acho que vou ser promovido.

O Capistrano é um tipo que merece o banho de fixagem da tua arte de contar. Espero vê-lo breve no *Minarete*.

Pelos progressos no vestir — que é o estilo do corpo — parabéns. Um homem mal vestido é um escritor sem estilo, espécie de Sílvio Romero. Tanta ideia tem ele, tanto valor, mas aquele indecoroso desalinhavado na maneira de expressar-se faz que todos o evitem.

Faço progressos no inglês. Li todo um livrão — seiscentas páginas: Robertson, *Discovery and Conquest of America*. Hernán Cortés é um soberbo tipo de bandido!

Mudei-me de casa e de pensão, farto e refarto das amabilidades de Ismael o Comercial. Estou sozinho num casarão com dez janelas para a rua. Sozinho, eu e os ratos do forro. Ninguém aqui me faz amabilidades — oh delícias!

Lobato

Areias, 7,12,1907

Rangel:

Li dum trago o teu N.º 5. O maior elogio que se pode fazer a um romance é esse. Embora com as falhas naturais dum borrão, os tipos parecem-me estupendamente observados e vivos. A sujeira da Clara anteposta à idealização angelical em que a vê Licínio está ótima. O tipo de Noêmia, uma joia — pena que se demore tão pouco no palco. O episódio de Rufina e o de Sinh'Anão, ótimos, estupendos! A cena da macho-fêmea passando pela casa do doutor quando Licínio conversa com a velha, está de "não mexer mais ali". A mulatinha safada é tipo de ficar, caso publiques esse capítulo de romance. Eu o considero a primeira parte dum romance de três. As oitenta e tantas folhas manuscritas darão as cem primeiras páginas dum Eugene Fasquelle de trezentas e cinquenta, capa amarela. Maravilhosamente apanha você a vida de província e poderá, se não parar no caminho, tornar-se o Balzac da vida mineira — que há de ser a mesma vida do país todo. Acho que em vez do n.º 6 você deve escrever a 2.ª parte do n.º 5. E depois, a 3.ª. Dá um romance mais retratante do que somos do que nenhum outro.

Há, não resta dúvida, tipos demais, filhos demais na família do doutor. Licínio está desigual. No começo da história era um; do meio para o fim foi variando e virando você — esse você que você julga ser. A dona Rita, a velha apenas tolerada que ninguém atende! Mas é isso mesmo!

Eu lia o *Dorian Gray* do Oscar Wilde quando me chegou o teu romance. Wilde devia ter a tua idade quando escreveu aquilo — o seu único romance. Vê-se que é o primeiro. Tem todos os belos defeitos — defeitos de excesso — duma estreia. Comparei-o com o teu. Radicalmente diversos; não opostos, mas polares, e enchi-me da mais sólida confiança no teu futuro. Da sementeira do Cenáculo és a única semente que vai dar coisa.

Lobato

1908

S. Paulo, 8,1,1908

Rangel:

Os sorteados vão preencher o quadro do exército que é de vinte mil e só tem hoje quinze mil. De maneira que o país inteiro só terá de fornecer um contingente de cinco mil por ano; e como nos vinte e cinco milhões que somos metade é macho e desta metade só uns três milhões são sorteáveis (caso todos sejam alistados), resulta que só será sorteado 1/6%, se não me engana a aritmética. Como vês, há muito poucas possibilidades de termos de pegar no pau-furado por determinação da Sorte. A tua ideia do voluntariado é ótima e estou pronto para adotá-la — com a condição de fazermos o serviço juntos.

Que ótimo se pudéssemos nos engajar um ano como marinheiro, outro como soldado, outro como garçon de café, outro como cocheiro de tílburi — e assim vivermos nesses pitorescos e variados ambientes, vendo novas facetas da vida, em vez de nos estiolarmos com a fixidez num ponto da terra toda a vida, existindo mais que vivendo. Haverá nada mais sem sabor, mais água — incolor, inodora, insípida — que a nossa vida atual, a minha aqui, a tua aí, espécie de duas ostras gravitantes, você em redor do eterno Zé Fernandes, eu aqui com o meu sistemazinho planetário? Infelizmente o matrimônio é também coisa que não sabíamos: âncora! Peou-nos a nós ambos a locomoção.

Escreveu-te a Júlia Lopes? Isso é sério. Quero ver. Arre, que não estou sozinho no trombeteamento do teu valor!

Nogueira vai mas é dar um marido ótimo, arqui-perfeito, incapaz do menor arranhão no código marital. Cão que late não comete adultério. Nunca acredite nas coisas que o papel recebe quando é uma atitude que empunha a pena. Nogueira se julga um Gilles de Rais, um marquês de Sade — mas é tão inocente como bala de goma. Como também nós dois, Rangel. Somos dois inofensivos. Somos todos inofensivos no Cenáculo. Não conseguimos nem ao menos matar o Macuco.

Estou lendo *Dom Casmurro*. Já notaste como o Machado do *Esaú e Jacob*, pelo fato de muito requintar o seu *modus*, prejudicou a obra e obscureceu-a? Machado de Assis tem três fases: uma romântica (*Helena, Yayá Garcia*, etc.), insignificante como o que mais o seja — ilegível; outra a fase do *optimum* absoluto, onde surge a sua maneira famosa — *Brás Cubas, Dom Casmurro, Quincas*. E outra, a última, começada com *Esaú e Jacob*, em que sua maneira passa além do *optimum* e entra a degenerar.

Ando a ler uns livros do Pinheiro, que os tem ótimos e sempre bem encadernados. Há lá poetas de topete — Verlaine, Baudelaire, Gautier, Eugênio de Castro. Ele afirmou-me que os lê — de vez em quando. Este "de vez em quando" veio em consequência dum esboço de cara de dúvida que sem querer eu fiz.

Lobato

Areias, 3,2,908

Rangel:

É provável que já me tenhas incluído entre os amigos de cruzinha na frente, e me suponhas lá pelo Lethes a disputar com Caronte. Erro. Estou mas é em Areias e a ler Homero. Só agora, neste interregno de cinquenta dias que me separam do casamento, e reentrado nesta calmaria absoluta de Areias, é que tive oportunidade e *mood* de enfrentar o incomparável Homero — e lavo a alma das feias impressões do mundo moderno com este desfile sem fim de criaturas "belas como os deuses imortais".

Que diferença de mundos! Na Grécia, a beleza; aqui, a disformidade. Aquiles lá; Quasímodo aqui. Esteticamente, que desastre foi o cristianismo com a sua insistente cultura do feio!

A razão do meu silêncio está no meu andejismo. Em janeiro fiz mais de três mil quilômetros de trem, cavalo e navio. Andei mais que Telêmaco e se não encontrei Ulisses foi apenas porque o não procurei. O melhor desses passeios foi uma saída fora da barra a bordo do *Saturno*, no dia da partida da esquadra americana. Primeiro vimo-la sair, do *Saturno* parado perto da fortaleza de Vilegaignon; depois fomos atrás por umas trinta milhas. Tivemos mar calmo, mar grosso, ventania e chuva — uma bela exibição de amostras.

E o "avança" que houve a bordo, na hora do lanche? Coisa inconcebível. Toda aquela gente fora convidada, e claro que era o que se chama aqui "gente fina". Na hora de comer comportaram-se como cães famintos que se atiram contra um montão de bofes. O carioca ri-se e diz: "É o avança"... Isso de educação coletiva, só a vejo na pobre gente da roça. Na "gente fina" do Rio de Janeiro não existe nenhuma...

Sabe de alguma tradução de Homero em português? Leio na de Leconte.

Lobato

AREIAS, 25,2,1908

Rangel:

Chegou-me o Restif de la Bretonne com um bilhetinho. Pouco tempo antes, no cartório do Júlio, do qual havia eu recebido uns Maupassants, passamos muito naturalmente de Maupassant para o Rangel. E recordamos *O Destacamento*. Mas leio o bilhete e lá vejo o desânimo e outras atitudes. Estás proibido de te julgares. És suspeito. Isso compete a nós de fora. Toca a escrever e amontoar.

Este mês de fevereiro foi o meu mês de Homero. Li a *Ilíada* e a *Odisseia*. Estou recheado de formas gregas, bêbedo de beleza apolínea. Maravilhoso cinema, Homero! Gostei muito mais da *Odisseia*. A *Ilíada* peca pelo inevitável monótono do tema — a guerra, ou, antes, o combate. De começo ao fim, gregos e troianos a morrerem como insetos, enquanto lá no Olimpo os divinos pândegos puxam os cordéis e intrigam. Diomedes, Ájax, Aquiles, Heitor, Sarpédon racham crânios, estripam ventres, fendem ombros, decepam cabeças, amolgam capacetes, rompem escudos, tomados duma horrível bebedeira de sangue. Aquiles é uma beleza. Páris, outra, mas de outro gênero. Já na *Odisseia* o assunto é caleidoscópico e sempre empolgante. Lê-se tudo aquilo como um romance de Maupassant. Penélope é ótima. Ulisses, um divino pirata. A descida aos "campos de asfódelos", deixa ver a origem da *Divina Comédia*.

Finda a leitura, pus-me a pensar no quanto Homero influenciou e influencia ainda hoje o pensamento ocidental. Na linguagem corrente, quanto Homero, meu Deus! "Fulano é o meu mentor", "o teu calcanhar de Aquiles", "astuto como Ulisses", a "teia de Penélope", os "encantamentos de Circe", "entre Sila e Caribdes".

Estou agora às voltas com a *Eneida* — mas, pelo que já li, Virgílio está para Homero como o jornalista está para o escritor.

Pelo Carnaval vou a S. Paulo com três meses de licença. A 28 me caso. Depois, não sei para onde — talvez Santos, S. Vicente, um mar qualquer, e de lá te escreverei.

Alternei aquarelas com Homero — e aqui seguem duas.

Adeus.

Lobato

S. Paulo, 10,4,1908

Rangel:

A causa do prolongado silêncio é outra que não a suposta. Casei-me a 28, e os dias anteriores ao casamento passei-os aqui em S. Paulo, atrapalhado com as mil coisas concernentes; e depois de casado fui luademelar à beira do oceano, em Santos, Zé Menino. Mas lá, um belo dia, às três da tarde, quando tomávamos banho e brincávamos nas ondas como dois peixes nupciais, eis que pisamos num molusco venenosíssimo. Senti aquela moleza. Logo depois sobreveio um queimor na pele da sola; e veio uma comichão contínua e por fim rebentou a infecção — purulenta e dolorosa. E isso em nossos quatro pés — os dois meus e os dois de Purezinha.

Tocamos para S. Paulo e fomos para a cama. Um mês de medicinas e de pés em posição horizontal, incapazes de um passo, os dois a gemerem e maldizerem o mar com todos os seus moluscos. Só agora reentramos na posse do nosso direito natural de locomoção, se bem que ainda apoiados em bengalas e tropegamente.

Esse inesperado incidente insulou-me do mundo, desviando-me a atenção dos amigos para fixá-la toda nas bolhas de pus dos pés, que nasciam, cresciam e por fim expluíam — com descascamento da pele. E das coisas que eu mais sentia era não poder escrever-te.

Por quê? Porque para o Lobato você continua sendo o Rangel de sempre, espécie de sósia morador em Minas, único ouvido que hoje o ouve e único cérebro que o atura. Porque somos como dois desertores da caravana da vida — dois desertores que abandonaram a estrada larga de Todo Mundo, pela qual seguem os homens taralhando como baitacas, e preferiram seguir por um carreirinho marginal, gozando a delícia de pensar livremente e livremente contar um ao outro o que de melhor os miolos pensaram. Que seremos nós daqui dez anos? Os mesmos de hoje, apenas mais acrescentados com os sedimentos da vida. Somos uma aluvião, Rangel. Uma coluna geológica. Dez, vinte anos — que é isso? Nada. Há quantos anos somos os mesmos, apenas com mais depósitos aluviais? A nossa essência não muda. Fingimo-nos mudados, mas um exame de consciência mostra-nos a imutabilidade essencial.

As estações do ano! Cai uma folha, nasce outra. Isso chama-se o perpassar do tempo. Somos como as manchas da pele, as sardas, as pintas; as células que as compõem sucedem-se indefinidamente; não temos hoje em nossas pintas uma só célula que lá estivesse alguns anos atrás — mas a pinta continua a mesma. Somos os mesmos. Nem o casamento, que parece um cataclisma geológico, teve força para nos mudar.

Nos dias de reclusão forçada li e reli *A Relíquia*. Que livro! E Fialho d'Almeida (*Lisboa Galante, País das Uvas*). Que charanga! Li também alguma coisa de Heine. Que liberdade! Não atende a nada, não tem escola, nem método, nem freio nenhum. Libérrimo e lindo. *Atta Troll, Germânia, Mar do Norte*. Vou traduzir uns pedaços. E o *Intermezzo*? *O Livro de Lázaro*? É ático, fino, sutil, novo, original, *primesaut* — mais grego que francês, mais francês que alemão.

Também reli a *Campanha Alegre*, parte do Eça nas *Farpas*. É pura troça — mas que troça, que lógica tão bem humorada!

Hoje vou ao Alves ver se me vieram os Stendhais. Já te falei de Stendhal? Hei de passá-los a você, depois de lidos. É outro libérrimo, que não atende a coisa nenhuma solidificada em dogmas.

E assim, meu Rangel, vou empurrando a vida, alternando as calmas da vida conjugal com calmas exaltações estéticas. A minha metade encanta-me cada vez mais. É inteligentíssima e de tal finura de intuição que ao lado dela minha psíquica se torna pesada como um alemão gordo. Acho que sou perfeitamente feliz porque acertei com a metade certa. Tão felizes que vamos para Areias — aquele horror nos é indiferente.

E você? Ponha-me ao par das novas tiranias do tirânico Zé Fernandes,[21] manda-me mais "números" e bota fora essas ideias absurdas de nirvanismo. Nunca nos aproximamos tanto como agora — agora que o meu casamento veio apagar a nossa única diferença de vida.

Até fim deste, aqui, rua Santo Amaro 18; de junho em diante, Areias, com escala pelo Rio a ver a Exposição Nacional (o que também te aconselho. Podemos ir juntos, os dois casais. Uma semana lá, num hotel a cinco mil réis por cabeça. Quatro cabeças, vinte mil réis.)

Adeus.

Lobato

S. Paulo, 10,7,908

Rangel:

Há morte em casa. Aproveito para esta cartinha o vácuo que vai do último suspiro ao enterro. Ando em atraso contigo — mas é que o tempo encurtou-se-me depois que casei. Aquelas horas vagas que em solteiro eu empregava na boemização espiritual, já lendo, já devaneando ou escrevendo, a esposa absorve-as. Quem casa adquire sombra — e sombra é sombra. As mulheres são seres colantes e como fugir aos seus manejos? E depois não querem saber de literaturas — têm ciúmes dos livros que lemos, julgam-se lesadas com a meia hora que o marido lhes rouba para cartejar com um amigo. E como são práticas e positivas as mulheres! Como se entendem lá entre si quando é caso de doença, quando há casamento ou alguém morre! Enfermeiras natas, casamenteiras natas, lidadoras natas de defunto...

---

21   Diretor do ginásio em que Rangel lecionava.

Um homem desnorteia-se com o fenômeno morte. Larga-se da realidade presente e medita, inerte. Filosofa, em vez de lavar o defunto. A mulher faz tudo; arranja o morto, veste-o. Sabe qual é a toalete conveniente para a viagem ao Setepés. Sabe que as crianças se transformam em anjinhos e veste-as de cetim branco, com renda de filó e grinalda de flor miúda. (Eu era capaz de vesti-los de cetim violeta, sem renda nenhuma e grinalda de rosas amarelas; falta de senso do certo.)

A morta da casa é uma cunhadinha — Heloísa — de sete anos. Vi tudo. Vi a ciência infusa feminina em ação. Não há o que não saibam, as danadas. Sabem que se deve pôr nas faces do defunto um lenço embebido em água de Colônia — "para não pretejar". Sabem que entre os lábios é bom pôr um chumacinho de algodão — "porque pode subir alguma espuma", etc. E têm toda uma filosofia prática de grande comodidade, com a qual se consolam e consolam os outros: "Acabou de sofrer; agora é que ela está feliz. Vai para o céu, lá com Deus." "Que inveja tenho dela! Quando chegar ao céu, Deus não achará isto de pecado na coitadinha!" e marcam o "isto" na unha.

Tudo previsto, determinado, fixo. Enquanto o homem engasga-se com filosofias e oscila de Büchner a Pascal, elas praticam com a maior simplicidade d'alma essa filosofia da comodidade chamada Religião. Ingenuamente felizes!

Ricardo escreve da Itália uns cartões ardentes de saudades. Cândido já chegou e andou por cá uns dias — todo gravatas, todo roupas inglesas e aquele ar de bondosa indulgência rica para com os bororós. Com ele também chegaram uns tantos elegantes, caras conhecidas do Largo do Rosário, metidos em coletes ruidosos, mas zeríssimos por dentro. Que nada faz aos espíritos pequenininhos uma viagem pelo Velho Mundo! Nada veem do que há lá de excelente — nem os rumos da arte, nem o estuar da ciência, nem a sororoca da Ordem em vias de desabamento. Há sempre uma Ordem condenada a naufragar, porque há sempre uma Ordem Nova Que Vem Vindo. Nada disso eles pescam — mas trazem notícias do hotel X, "o único onde se come em Paris" — e do alfaiate Z, "o único que sabe fazer uma gola" — e da Polaire, a única uma porção de coisas — tudo dum *dernier cri* já do tempo do Pitecantropo Erecto. O Cândido, que é o Cândido, insignificantiza-se quando está com eles. Vamos ver como volta o Ricardo. Anda em Florença, e baboso.

Adeus. A choradeira está muito grande. Impede-me de continuar.

Lobato

Rangel:

Há tempos que ando para te dizer duma leitura que me pôs esbarrondado. *Lys dans la Vallée*, de Balzac, foi romance que sempre me afugentou por causa do sentimentalismo do título, mas agora, em falta de título de maior sugestão, fui-me a ele — e dele sai como quem sai dum mundo novo. Conheces Balzac? Se não leste o *Lys* posso afirmar que não, porque é ali que Balzac assume as proporções desmarcadas dum Shakespeare do romance. A princípio me soou entediante e falsa a sua maneira de tratar o assunto; mas, breve, reconsiderando e mudando o sistema de ler — lendo-o como o fanático lê uma encíclica e não como nós lemos um romance, a voar de ideia em ideia dentro do carro do estilo — lendo e pensando, lendo devagar, lendo palavra por palavra, frase por frase, cheguei a ponto de lê-lo dum modo novo: ler admirando, ler em êxtase, ler com espanto, ler bebendo as frases com o terror sagrado da beata que ingere a hóstia. Porque Balzac — só agora o percebi — é o Grande Gênio da literatura moderna. Compreendes? Balzac é o gênio da alma moderna, como Shakespeare foi o gênio da alma antiga. Penetrar, como Balzac o fez, no fundo do pensamento moderno, e pôr a nu todas as almas, quem mais que Balzac o fez? Meu entusiasmo é tanto que só tenho um conselho a dar-te: lê o *Lírio no Vale* e depois varre da tua cabeça o alfabeto, para que nunca mais nenhum livro venha profanar essa leitura suprema e última. Lê o *Lírio*, Rangel, e morre. Lê o *Lírio* e suicida-te, Rangel. Se não o tens aí, posso mandar-te o meu exemplar — e junto o revólver.

Lobato

S. Paulo, 4-8-908

Rangel:

Espero *Criaturas*. Temos jornal. Tito assumiu a redação da *Tribuna* de Santos, com setecentos por mês. Promete "pagar" a minha colaboração. Havemos todos de mamar na vaca. Aceito o convite para o "erckman-chatrianismo", (22) mas para quando deixar S. Paulo e voltar ao sossego de Areias. Setembro. Ricardo chega amanhã. Adeus.

Lobato

Areias, 28,8,908

Rangel:

Convite para uma boa maluquice. Aqui de Areias descortina-se um gigantesco amontanhamento de três mil metros de altitude máxima — as Agulhas Negras, azulíssimas vistas de longe. Que tal galgá-las para berrar lá de cima o nosso hino do Minarete,

> *Dé brin, o dé bran*
> *Cabussaran*
> *Dou fenestron*
> *dou Minaron*
> *Dedins lou Paraíba*

Que lá em baixo, como serpentina de prata, corre entre S. Paulo, Minas e Rio? Pois esse projeto evoluiu e está a ponto de fazer-se realidade. A expedição apresta-se. *Alpenstocks* e cordas, guias e burros. Galgar o nosso Everest!... Já somos sete — um geólogo, um fotógrafo, um Paganel, um Bompard, um botânico... Faltava o cronista: indiquei você, já famoso com o *De S. Paulo ao Guarujá*.

Tudo marcado para fins de abril ou meios de maio. Os que já lá estiveram derramam-se em "ohs!" do Raul. Dizem que há no cume lagos de água destilada, em

---

22 Erckman e Chatriam escreviam de colaboração.

côncavos de pedra pura — lagos com a superfície congelada, cor de prata nova. E efeitos de luz inesquecíveis. Tudo a zero e abaixo de zero — 12°. E neves eternas (só durante o mês de junho). E para nós, os sublimes estetas, imagine quantas coisas mais! Estou cheio de entusiasmos.

Resolve e escreve.

Lobato

Areias, 15,9,1908

Rangel:

Temos velhas contas a justar. No bilhete em que declinas do cargo de cronista da Ascenção, há isto: "Não pude ler o *Sur la Pierre Blanche!*"

Não pôde? Impossibilidade material, como olho furado? Proibição da polícia? Ou não pudeste ler por inferioridade da obra, ilegibilidade do Anatole France?

Não podendo tomar o "não pude" no primeiro caso, tomei-o no segundo — e sinceramente desejei que Hércules ressuscitasse para fazer em teu cérebro o que fez nas cavalariças de Augias.

O pobre Anatole nasce com fortes aptidões filosóficas e estéticas; educa-se laboriosamente durante cinquenta anos de vida europeia; afinal, apura, lapida, as qualidades ingênitas de pensador e artista da expressão; consegue atingir a meta suprema — vários Everests ainda não atingidos, entre eles o de "associar às verdades extensas da Ciência as verdades profundas da Poesia"; escreve o *Le Lys Rouge*, onde bate Dante e Petrarca na descrição do maior amor que jamais existiu; cria um gênero em que ele ainda está só, uma arte nova — a de engastar raios de ironia na gema da forma; eleva o Paradoxo à estratosfera, chega a desvendar o futuro — e ensina à França o Humor. E quando esse homem alcança o zênite e produz *Sur la Pierre Blanche*, onde, na mais cristalina das linguagens, diz todas as altas ideias que embaraçam as pernas dos Sílvios Romeros — diz ideias que são como o sol de certas manhãs de maio — tu, Rangel, tu, pulgão verde da roseira literária, tu, Silvério dos Reis, tu, queijo de Minas, dizes, com onze letras: "não pude lê-lo!..."

Cândido escreve-me do Egito, montado num camelo junto à Grande Pirâmide. Veja a maldade! Dar-nos em cima com túmulos de faraós! Mas o Egito dele é um cenário pintado de fotógrafo de Paris. Percebe-se.

Não te mando parabéns pela entrada na maçonaria.[23] Não há mais sociedades secretas porque não há mais o que derrubar. Lembras-te da Bucha, na Academia, com todos aqueles panos pretos e caveiras, tíbias e círios? Eu ri-me sem querer. Caveiras, tíbias: calcários inofensivos! E contas que lês Manzoni!... Que estômago, Rangel! Manzoni é polenta cristã demais.

Contes Drôlatiques? Sim, conheço. Balzac é grande em todos os gêneros — e igualmente o contrário de Flaubert em todos.

---

13 Rangel não entrou na maçonaria. Foi rebate falso. Sentiu curiosidade de conhecer aquilo, mas amedrontou-se com as misteriosas reuniões noturnas.

Ando vogando em Anatole, Carlyle e Wells — este dum terrível mecanicismo. E também ando fazendo alpinismo na Serra da Bocaina — aprendizagem para a nossa projetada ascensão às Agulhas Negras.

Lobato

Areias...

Rangel:

> Não se aprende, senhor, na fantasia
> Sonhando, imaginando ou estudando;
> Senão vendo, tratando e planejando.

Você que lá leu o Camões inteiro diga lá se há nele coisa melhor que esta — mais sábia, mais profunda, mais "pedagogia moderna". Reduz tudo ao *ver, fazer e insistir*. Ao ler no livro da vida, em vez de nos de papel. Ao ver com os nossos olhos, em vez de com os olhos dos outros. Ao pensar com a nossa cabeça, em vez de pensar plagiariamente.

E parece que Camões escreveu esses três versos para nós dois, Rangel. Nosso mal é que já apuramos o nosso instrumento de expressão, já sabemos jogar um período para o ar e vê-lo, qual um gato, cair sobre os quatro pés. Pegamos toda a técnica do escrever e educamos o nosso senso de observação — mas vivemos embolorados dentro de caixas. Esta Areias é uma caixa e essa tua comarca é outra. Nossas cartas são como o rabinho de rato que Hansel mostrava para a velha feiticeira. Somos a velha feiticeira um do outro. Você estira o rabinho de rato epistolar para que eu veja como está gordo e forte no estilo; eu faço o mesmo. Mas que assuntos, que temas, podem existir dentro de caixas?

Estamos como içás que derrubam as asas e afundam no buraquinho. O destino me deu este buraquinho de Areias e a você deu o de Machado. E invejamos Loti, o homem dos mares e do Japão. E Kipling, o homem todo Índias, todo *jungles*, todo Himalaias, todo feras. A única fera daqui é um pobre facadista barato. "Fulano é uma fera!" diz o Julinho. E a tua fera na vida, Rangel, o teu Mugger do Mugger Ghaut, é o chapadíssimo Fernandes... [24]

Somos uns pelicanos, Rangel. Vivemos a arrancar penas, carne e coisas de nós mesmos para que não morram os nossos pobres filhinhos literários. Os artistas subjetivos que só tiram de si em vez de tirar do mundo que os rodeia, ficam introspectivos em excesso e acabam satisfazendo a um público muito restrito: a si mesmos. Mas os artistas objetivos, os Kiplings, sugestionam e fazem estremecer de emoção grandes plateias — e o aplauso da plateia é o feijão com arroz de todos os artistas.

Casados, sem fortuna, com a coleira e a corrente do "ganhar a vida" presa ao pescoço e metidos na caixa de Hansel e Grettel, de que modo atendermos ao mandamento de Camões, do "vendo, tratando, pelejando"?

Lobato

---

24 Mugger, o velho crocodilo do *Livro da Jângal*, de Kipling.

Areias, 1,11,1908

Rangel:

Receba lá os meus pêsames pela morte do João Pinheiro. Talvez nem você saiba quem foi esse João Pinheiro. Pois foi o autor das razões do veto contra a lei anti-rábula, e da carta ao chefe de polícia a propósito do comparecimento da força pública nas procissões, E há ainda dele um manifesto político. Inteirado dessas coisas, a tua ignorância sobre o João Pinheiro se transformará em veneração. Essas três peças fizeram-me considerá-lo o único homem em condições de na Presidência da República ser um verdadeiro republicano. Senti mais a sua morte que a do Artur Azevedo. Uma desgraça nunca vem só, diz o povo. Não bastava o desaparecimento de Machado de Assis. Foi-lhe na peugada o Artur Azevedo e agora o João Pinheiro. Será possível morrerem quase ao mesmo tempo três melhores homens? E houve nisso uma coincidência. Machado de Assis era Diretor duma secretaria, e por sua morte foi promovido para o lugar o Artur Azevedo. Apareceu na repartição uma só vez. Parece lugar fatal. Tenho medo de que ponham lá o Euclides da Cunha...

Para onde vai você depois do mês de discursos? Sai do colégio? Alguma promotoria?

O Nogueira, o Nogueira...

O *Problema* é uma ideia feliz, se é como eu a compreendi. Mas você ainda não se libertou inteiramente do subjetivismo e já antevejo a resolver o problema, sabe quem?... O Rodrigo...

Ando a remoer uma observação que fiz há tempos e insiste. A forma perfeita é *magna pars* numa literatura. Não basta a ideia, como a reação contra o romantismo nos fez crer — a nós naturalistas. Há erro em querer que predomine uma ou outra. É mister que venham de braço dado e em perfeito pé de perfectibilidade. Há pelo Norte uns escritores de talento que só querem saber da ideia e deixam a forma p'r'ali. Eu também já pensei assim — que a ideia era tudo e a forma um pedacinho. Mas apesar de pensar assim, não conseguia ler os de belas ideias embrulhadas em panos sujos. Por fim me convenci do meu erro e estou a penitenciar-me. Impossível boa expressão duma ideia se não com ótima forma. Sem limpidez, sem asseio de forma, a ideia vem embaciada, como copo mal lavado. E o pobre leitor vai tropeçando — vai dando topadas na má sintaxe, extraviando-se nas obscuridades e impropriedades. E se é um leitor decente, revolta-se com os relaxamentos à Sílvio Romero, os pequeninos atentados ao pudor da língua — e com todas essas revoltas e extravios e topadas perde o fio da ideia e acaba com a sensação do caótico. Acho a língua uma coisa muito séria, Rangel. Como a nossa mãe mental.

A forma de Sílvio Romero e outros nortistas, Rodolfo Teófilo, Manuel Bonfim, etc., lembra-me uma estrada de rodagem sem pavimentação, toda cheia de buracos e pedras, e difícil de caminhar a cavalo — porque, ler é ir o pensamento a cavalo na impressão visual e outras. Machado de Assis me dá a ideia duma estrada de macadame onde o nosso cavalo galopa tão maciamente que nem mais atentamos na estrada. Nos outros não tiramos os olhos da estrada, tais os perigos e a buraqueira — e como há de ver a paisagem marginal quem vai de olhos pregados no chão? O mau português mata a maior ideia, e a boa forma até duma imbecilidade faz uma joia.

O "diabolô" já é meu conhecido. Cheguei mesmo a ganhar um 1.º prêmio lá em S. Paulo, num concurso em família, com cento e sessenta diaboladas sucessivas. É jogo interessante no começo, enquanto a gente progride. Depois monotoniza-se e enjoa. Ficamos tão hábeis que lançávamos o diabolô a grande altura.

O Tito tem faro de perdigueiro. Depois que descobriu o plágio daquele senador Abranches, entregou-se ao esporte — diz que está na pista de outros plágios ainda mais lindos.

Ando perdendo o gosto pela leitura e ganhando ultra gosto pela carpinteiragem, pela horta e outras coisas manuais. Enchi-me de ferramentas e passo as horas fazendo jardineiras, mesas toscas, divãs estofados, molduras para quadros. Também pinto muito. Aquarelas como sempre. A razão de preferir a aquarela ao óleo e que com este sujo-me todo, inclusive a ponta do nariz. Vou mandar-te um mar. Vivo aqui entre montanhas e pois muito sem horizontes — e sempre com grandes saudades dos horizontes marinhos. E pinto mar como derivativo. Invento mares, aquarelas de mar, com bases em pequenos estudos feitos no Guarujá. Invento mares para sentir o horizonte. O horizonte faz bem à alma. E quanto a escrever, nada de nada de nada. Só estas cartas, de quando em quando.

Lobato

Areias, 2,12,1908

Rangel:

Estou tão endividado com você que já não me animo a fazer as contas. Vamos fechar a conta velha e abrir nova, com a entrada de 1909. Ando cheio de curiosidades — da tua nova vida, da tua nova profissão; e se não fossem estas raízes do casamento, em vez de escrever ia ver-te. Ver-te Juiz! Ver-te Meritíssimo! Conheço-te sob todos os outros lados, menos esse — Juiz, Magistrado! O homem que rabisca nas petições o "Como requer" — e fatalmente o fazes piscando três vezes. E usa óculos nessas solenidades, Juiz? Toga? A cabeleira dos ingleses — *wig*? Engraçados, os ingleses. *Justice* é ao mesmo tempo *justiça* e *juiz*, ou o tratamento dado aos juízes.

Quanto a essa tua comarca do Machado, sei por informação que é um seiozinho de Abraão, mas com um grave defeito: não se ouve aí apito de trem. Eu divido o mundo em duas partes: a onde se ouve apito de trem e a onde não se ouve apito de trem. Uma é o inferno, outra é o céu. Porque quando o trem apita temos uma sensação de ave com asas; e se não há apito de trem, a nossa sensação é de prego fincado na parede. Esta minha Areias seria um areal monazítico, se um trem apitasse por cá. Mas temos que ir a Queluz — três léguas em horrível lombo de sendeiro — para nos regalarmos com o som do apito — o apito que anuncia S. Paulo, o Rio, a Europa, todas as tentações do mundo. E nós dois, senhor juiz, metidos em comarcas sem apito! E quem tira os quinhentos contos é aquele sórdido escriturário da alfândega — leu? Senti-me roubado. Aqueles quinhentos contos eram nossos. Eram as nossas asas, as nossas pernas. Para que quer ele essas asas e pernas, se mora no Rio, terra onde o trem apita? Evidentemente a Sorte é irmã da Justiça — tem a cegueira das minhocas.

As cartas do Edgard Jordão são preciosas para quem lhe conhece os antecedentes. Edgard é a maior vítima da boniteza. Se nascesse feio como eu ou careteiro como você, era provável que fizesse a figura dum corisco nos céus da literatura nacional. Mas como, se a boniteza não deixa?

Para neutralizar esta Areias sem apito tomei uma assinatura do *Weekly Times*, de Londres — edição semanal em que vêm os melhores artigos do *The Times* diário, o grande, o velho, o tremendo *Times* de Londres — e com os pés na grade da sacada injeto-me de inglês, de pensamento inglês, de política inglesa, enquanto pela rua passam os bípedes que vão mexer a panelinha da política local na farmácia do Quindó, meu vizinho. E tenho lido exclusivamente em inglês. O francês anda a me engulhar todas as tripas. Como cansa aquela eterna historinha dum homem que pegou a mulher do outro — como se a vida fosse só, só, só isso! A literatura inglesa é muito mais arejada, variada, mais cheia de horizontes, árvores e bichos. Não há tigres nem elefantes na literatura francesa, e a inglesa é toda uma arca de Noé. Só em Kipling há material para um tremendo jardim zoológico: Kaa, Bagheera, Shere Khan, a macacada... E há focas e pinguins. Estou lendo *The Water-Witch* de Fenimore Cooper, um Alencar americano, mas sem idealismo.

Lobato

Areias, 10,12,1908

Rangel:

Magníficas as notas e muito prometedor o livro. Infelizmente a minha colaboração não sai; ando assoberbado de maçadas, que aliás rendem alguma coisa, sobretudo as traduções do inglês. Dito-as da rede e Purezinha escreve, e assim vai rápido. Este mês deram-me oitenta mil réis.. E outra maçada são os preparativos para a ida a S. Paulo. Eis a razão das poucas lançadas no caderno, sob as tuas. O assunto é imenso, e novo entre nós. Precisamos reunir muito material. Os "falhos": são eles os autores dessa copiosíssima flora cogumelar de jornalecos e revistecas que inunda o país inteiro e é a mesma no Maranhão e na Caçapava rio-grandense. Precisamos ler e joeirar essas folhas. Eles criaram uma língua nova, de preguiça de estudar a velha; e erigem ídolos novos, e expluem "ideias novas" ou pequeninos abortos que supõem ser ideias. Mas é preciso não perder de vista o Goulart. O Nó Vital do teu romance é ele. Aquela ideia blenorrágica da sua última "novela" tem que constituir o ponto culminante d'*Os Falhos*.

Sigo nestes cinco dias. Queres os *Bem Casados*? Ainda não pude meter ali o bedelho. Duvido muito da minha colaboração. Ando oco demais. Temos de discutir o entrecho. Com os valentões poderás fazer um livro profundamente nacional — como o *Cyrano* o é para a França. Tive há dias uma visão desse livro, que me encantou. Adeus. Estou sem tempo. Em S. Paulo, rua Santo Amaro 18.

Lobato

1909

S. Paulo, 2,1,1909

Rangel:

Tenho as duas cartas. Não há dúvida que é belo o teu programa e exequível, como o primeiro passo acaba de demonstrar. N'*Os Falhos* poderás fazer nas nossas o que nas letras de França fez Daudet com o *Jack*. Os pecos, os chochos, as águias sem asas. Cabem no quadro não só aqueles *ratés* do Brás, que eram a nossa perpétua ojeriza no tempo do Cenáculo, como a própria gente do Cenáculo, pois cada vez mais me convenço de que de todos eles um só não vai falhar: você. Ricardo é positivamente um gênio, como aqueles botões de camélia que não se abrem são camélias. Há um defeito qualquer dentro do Ricardo, e temo que não se limite a "falhar" burocraticamente, como o Macuco, em paz, manso e gordo. Temo que Ricardo falhe às trágicas. Nunca me hei de esquecer da noite em que eu e o Artur o pilhamos, no Minarete, tentando enforcar-se com a gravata de seda. Ricardo me dá ideia duma criatura que não é deste mundo — caiu cá dum céu qualquer e não se acostuma. Como poeta, quase que se limita a sê-lo na ação — pouco produz. Fez aquelas palhoças de caipira, tão cheias de saudade, caçou um amarelo papo de tucano, mexeu no *Cyrano de Bergerac*, montou nos *Elefantes* de Leconte e ainda nisso está, cornaca tradutor, repimpado, com bocejos maiores que um bocejo de probóscida, todo tédio perpétuo, sem ânimo de descer e caminhar a pé. Conheci um pé de camélia que todos os anos "ameaçava" uma floração tremenda; vinham centenas de botões — e "melavam", ficavam nisso. Todos emboloramos à espera das centenas de camélias do Ricardo — e os botões vão caindo.

Raul é uma bromélia lírica em cima do Ricardo. Raul é um eco. Colhe as coisas que caem da boca do Ricardo, estiliza-as e no-las serve na Guarani entre dois chopes. Agora está virando bromélia do Cândido. O Lino é um evadido da Convenção Francesa — vai falhar eloquentemente, como o Ricardo promete falhar tragicamente. Albino é o filósofo que fala sozinho na rua; vai falhar em solilóquio e dando de ombros. O Nogueira é o Padre Severiano de Rezende sem batina, sem veia poética, um Severiano a sério e com o olho arregalado do Ezequiel bíblico. Vai falhar por excesso de Deus nas entranhas. O Edgard Jordão é o eterno pode-ser-que-sim pode-ser-que-não. Vai falhar por excesso de beleza física. Acho o Edgard bonito demais para que dele saia outra coisa senão produtos da beleza física. Homens assim acabam roídos pelas mulheres, como os queijos muito gostosos. Tito vai ser o nosso *raté* político. Preconiza demais a lábia própria, exalta demais a sua "perspicácia política", pisca muito o olho — e tudo lhe vai saindo às avessas na vida. O atual hermismo do Tito é o tiro de misericórdia que ele está dando no ouvido — pisca e acha que é um suprassumo de esperteza política. Tenho dele três cartas que são três tiros de misericórdia. Hermista! O galho hermista do Cenáculo... Cândido não falhará porque não pretende ser nada, Lobato é o *raté* enciclopédico — o que falhou na pintura, vai falhar na literatura, vai falhar nos negócios — vai ser o D'Argenton do grupo, como Purezinha muito bem previu. A única semente que grelou, brotou, cresce e dará alguma coisa é o Rangel — és tu, infame! traidor do grupo! desertor daquela combinação de fracassos...

É com entusiasmo, pois, que penso no teu romance *Os Falhos* e para ele quero contribuir com as minhas notas sobre os fracassos lobatinos, tudo coisas *d'après nature*.

A ideia dos valentões também é ótima. A dramatização poderá culminar com o episódio que te mando, recortado dum jornal. Luta das crianças com os urubus por causa dum rabo de bacalhau.

Penso também, e ando coletando coisas para um livro à Munchausen, de aventuras cinegéticas, como diria o tio do Cândido. Mentiras de Caçador. Mas não tenho o teu gênio, nem o teu método. Minha ação é desordenada, tonta. Age por impulsos desligados e intervalados — muito ao sabor da veneta. Após um mês de paixão por Camilo — paixão cega e que me tomava os dias inteiros — engulhei, e, engulhado estou até agora. Voltei ao desenho. Há duas semanas não faço outra coisa. Tenho ideia de fundar uma espécie de *Le Rire* em S. Paulo e ando a mexer nisso com um primo capaz da financiação. A *Lua* morre logo — e é uma limpeza. Impossível lua mais choca, mais minguante eterna. Acho que se praticar no desenho por um ano inteiro, adquiro mão. Desenho é como piano, questão de exercício. Mas já sei que de um momento para outro também me engulho do desenho e então voltarei aos *Bem Casados*. Fora desses ímpetos intermitentes, não sou capaz de coisa nenhuma.

Seguem os discursos do Rui aqui em S. Paulo. São catedrais de Chartres, Rangel! E aquele animal do Tito é hermista! Com catedrais destas, só admito o hermismo para os analfabetos e os safados.

Lobato

S. Paulo, 5,2,1909

Rangel:

Não entendi a tua anotação do xadrez. P 2 CRb — *qu'es-ce que c'est que ça?* Peão na 2ª casa do Cavalo do Rei branco? Mas se a 2.a do Cavalo é a casa primitiva do peão! Que cavalo me estás saindo... Mas para não perder tempo, começo eu com as brancas: 1 — P — R4. Mande as jogadas de acordo com o sistema do recortezinho junto, que tirei do *Weekly Times* — mas mande em português. Para quando o *Problema*? Vou propalar entre os Cães a grata nova do teu breve parto.

Lobato

Areias, 1,3,1909

Rangel:

Há dois dias que estou só e aproveito a solidão para esta. Purezinha foi dar à luz em S. Paulo, e cá o meu Juiz me facilitou sair sem licença e só vir quando haja serviço. E como em meio janeiro e todo fevereiro não aparecesse serviço, só agora vim — e volto amanhã. Este é o meio de levar uma Promotoria como esta.

Tirante o Pinheiro, não tenho estado em S. Paulo com nenhum dos nossos amigos — e, a falar a verdade, ando saciado deles. Parecem-me fúteis e vazios. Isto fique entre nós. Cândido só leva a sério elegâncias e modas de Paris; Ricardo embasbaca a sua turba de sempre com gestos vagos, palavras soltas, suspiros de tédio e nada. Raul anda adido ao Cândido como um bicho de pé. Está agora com ele não sei onde, divertindo-o, concordando com o que ele diz — estribeiro-mor daquele pequeno Luiz 14. Lino, a eterna carteira de traques. O Pinheiro é o menos brilhante, porém o mais capaz de todos. Realiza. É sincero, não põe acima de tudo o Remoque, a Perfídia, a Trepação, o *Bon Mot* à moda dos franceses.

Sabe que o Albino perdeu o pai? Está — coitado! — chefe de família. Edgard tem-me escrito cartas absurdas que só o diabo entende, e eu ando mergulhado na *Ressurreição* de Tolstói, algo tremendamente forte e sincero. Também tenho feito incursões pela literatura inglesa. *The Vicar of Wakefield* é qualquer coisa supremamente deliciosa — de Goldsmith, um tal que o Doutor Johnson classificou de "imbecil de gênio". E também estou em mergulho na *The bride of Lammermoor*, do puntilhoso Walter Scott. Falam que o inglês é fácil... Certo inglês comum, como o dos livros de ciência, será fácil; mas o de certas obras literárias é crespíssimo.

Que diabo de fim levou o Nogueira? No Colégio ainda? Nogueira foi vítima dum fenômeno físico — reação exagerada, consequente ao exagero duma ação muito prolongada. O Seminário manteve-o durante anos numa posição incômoda, como a do chinês na canga; quando conseguiu soltar-se, Nogueira reagiu violentamente em sentido contrário — e abusou dos Direitos do Homem, em vez de usá-los sabiamente como os homens que nunca estiveram em canga chinesa.

Lobato

P. S. — Li também *Memorial de Ayres* — o livro mais difícil de ser feito de quantos livros difíceis se fizeram no mundo. Do que nós chamamos nada, Machado de Assis tirou tudo — tirou uma obra prima. Mas quantos compreenderão a beleza desse livro?

Areias, 3,5,1909

Rangel:

De novo em Areias, donde estive ausente quatro meses, venho pedir contas de nossa partida de xadrez, do teu *Problema*, da tua vida. Escreve-me com abundância. Estou cá com a "obrigação" acrescida da Senhorita Marta, uma menina graúda, gorda, que não chora, ri e vende saúde. A paternidade... Nada tenho feito senão rejubilar-me diante deste primeiro produto do meu desdobramento. Um filho, um livro: afirmação criadora. E como isso nos muda! Em quatro meses de estada em S. Paulo não achei uma hora para procurar os velhos camaradas e não raro deles fugia. Solteiros! Infames solteiros! Quando estou com eles agora, sacio-me depressa e afasto-me, como um ser que já pertence a outro mundo. Eles são a esterilidade. Só com Pinheiro me sinto bem, porque o Pinheiro é fundamentalmente sério — e essa seriedade, essa positividade do bom senso, é o *habitat* natural da família. E, além disso, ele também é pai. Só quero pais. Acho tremendo ser pai.

Estou com a *Legende des Siècles* do velho Hugo, o Júpiter Tonante. Aqueles *William Shakespeare* que li no colégio, meninote ainda, abalou-me fundo. Também trouxe o *Ana Karenina*, que te recomendo como obra prima. Quanto mais leio Tolstói e Stendhal, mais os tenho como dois picos supremos. São verrumas da alma humana. E *Ressurreição*, queres?

Aguardo a tua jogada de xadrez.

Lobato

AREIAS, 20,5,1909

Rangel:

Segue o meu n.º 1. Está pronto, só faltando a brunidura final. Quero que dele digas com a mais absoluta isenção. Meu fito principal é criar uma impressão fortíssima no espírito do leitor — coisa de que ele não se esqueça nunca. Tê-lo-ia conseguido? A cena final me parece inédita — não a encontrei nunca. A existência do atoleiro é atestada por um naturalista alemão em livro de viagem, e foi dessa leitura que a ideia me veio. O melhor é passarmos os nossos contos à letra de forma do *Minarete*, para melhor os consertarmos. O *Minarete* tem a vantagem de exígua, ínfima, publicidade. Adeus.(25)

Lobato

AREIAS, 2,6,1909

Rangel:

Segue os teus *Mãe* e *Exame* e o meu *Bocatorta* refundido — e creio que melhorado. Teus conselhos abriram-me os olhos. Como estava infame o outro! E agora, vamos ao resto. Comecei umas ilustrações para o *Mãe*.

Lobato

AREIAS, 7,6,1909

11) D D
12) Roque

Rangel:

Nada sei de Ricardo. Estará no *Comércio de S. Paulo*? Suspeitei-o, encontrando por acaso um número desse jornal em que vinham os clássicos e nunca assaz republicados *Elefantes* do Leconte de Lisle da sua tradução e também o meu *Gens ennuyeux*, que entra assim na quarta edição em jornal. A mim não convidou para colaborar. Donde recebi convite foi da *Tribuna* de Santos, jornal cor de rosa que o Valdomiro Silveira dirige, e já mandei como pano de amostra uma coisa cruel

---

25 Referência ao conto *Bocatorta*.

contra o Hermes. Prometem pagar a colaboração logo que concluam lá umas reformas. É preciso que a literatura renda ao menos para o papel, a tinta e os selos. A primeira coisa paga que escrevi foram artigos sobre o Paraná, coisa de outiva. Renderam-me dez mil réis cada, uma assinatura de *Revue Philosophique* (trinta e três francos), um Aristófanes completo e um belo canivete de madrepérola com saca-rolha. Não foi mau o negócio, e assim pilhemos tão alta remuneração para tudo quanto produzirmos.

O que dizes d'*A Gargalhada*, [26] eu vagamente previa; havia ali coisa que me desagradava, sem que eu atinasse qual. Deve ser o que dizes. Vou refazê-la como indicas, e também dum jeito que ando cá a matutar. As vantagens do nosso sistema de mutualismo tornam-se cada vez mais evidentes.

Tuas observações sobre *Os Faroleiros* sossegaram-me e deram-me alento para pensar no n.º 4, do qual ainda não tenho ideia. *Os Faroleiros* escrevi sem plano; sentei-me à mesa e deixei-o escorrer de dentro de mim.

Quanto ao que propões sobre o português — interessante! — era o que eu ia propor-te nesta. Você foi o primeiro a alcançar o polo, como Amundsen. Mandei vir o dicionário de Aulete, que ainda é o melhor, e estou a lê-lo. Aventura esplêndida, Rangel! Os vocábulos são velhos amigos nossos que pelo fato de diariamente nos acotovelarem no brouhaha da Língua, não nos merecem a atenção curiosa e indagadora que damos às palavras estrangeiras. Pelo fato de frequentar um parente, você chega a ponto de não poder descrever-lhe a cara — e no entanto é capaz até de desenhar de memória a cara dum estranho que viu ontem. Deixam de nos impressionar as coisas habituais. Daí o valor da leitura de dicionário. Todo o povo tumultuoso da praça pública da Língua lá o encontramos individualizado, como soldados em quartel, cada um com o seu número, o seu posto, perfilados e obedientes quando os defrontamos. Na rua vemos passar cavalos. No dicionário encontramos um CAVALO. "Quem é você?" E ele muito sério: "... substantivo masculino. Quadrúpede doméstico, solípede; ramo ou tronco em que se enxerta; banco de tanoeiro, etc., etc.". A gente regala-se com o mundo de coisas que o cavalo é, e muitas vezes também nos regalamos com as cavalidades do dicionarista. Se o cavalo é um "quadrúpede doméstico", como se arranja o dicionarista para denominar um *equus* selvagem? E vamos assim mentalmente retificando aqui e ali o dicionário, enquanto ele nos faz o mesmo aos inúmeros pontos vocabulares em que claudicávamos sem o saber. Quantos novos sentidos de palavras, das quais sabíamos um só? Quanta construção bonita de frase, com forma intransitiva de verbos habitualmente transitivos? E as antigualhas merecedoras de restauração? Que deleite seguir em mente a evolução dum vocábulo! Ver, por exemplo, *agora* sair de *hac hora*, como a borboleta sai da crisálida; e *preto* sair de *pyraites* (queimado), como sai preto o papel branco depois que o fogo o queima. E *caravançará* sair do persa *Karvan sarai*. Essa leitura nos vai dando firmeza, com o conhecimento da exata propriedade dos vocábulos.

Euclides da Cunha foi um grande ledor de léxicos. Nos *Sertões* eu notei como ele fugia à vulgaridade sem cair no abstruso, por meio do emprego de palavras que o jornalismo não estafou (porque a cachamorra que achata todas as palavras da língua é sempre o jornalismo). Em vez de prematuro, *imaturo*. Implexo por complexo,

---

26 "O Engraçado Arrependido", conto dos *Urupês*.

etc. Uma variação dos prefixos habituais da imprensa — e a frase fica mais fina, toda petulante de distinção. A desgraça em tudo é a vulgaridade — o "toda-gente".

Estou lendo e marcando as palavras úteis para o meu caso, os sentidos figurados aproveitáveis nesta "nossa" literatura, etc. Ainda estou no "A" e já tenho belos achados. É um verdadeiro mariscar de peneira. Deves fazer a mesma coisa, e depois trocaremos as notas.

Não tenho nenhum bom retrato de Purezinha e da Marta. Por Areias passou antigamente um fotógrafo — e toda gente recorda-se com saudades do tempo em que podiam fixar as caras. Lá pelo fim do ano vamos para S. Paulo e então terás o que pedes. Também Purezinha tem muita vontade de saber como é a cara de dona Bárbara. Se tem retrato que dê ideia, venha.

Precisamos ler Camilo. Vou mandar vir um sortimento. Saber a língua é ali! Camilo é a maior fonte, o maior chafariz moderno donde a língua portuguesa brota mijadamente, saída inconscientemente, com a maior naturalidade fisiológica.

Eu tenho a impressão de que os outros *aprenderam* a língua e só Camilo a *teve ingênita* até no sabugo da unha de todas as células de seu corpo.

Lobato

Areias, 12,6,1909

Rangel:
Recebidos os cartões. 5) P — 3BD. Estou refazendo o n.º 1, que breve seguirá. Uma coisa: Você é hermista ou o que é? Ou não sabe de política?

Lobato

P. S. — Insistência de última hora: publicarmos no *Minarete* os contos à medida que os escrevemos. Será uma espécie de primeira prova tipográfica.

L.

Areias, 27,6,1909

Rangel:
Das muitas belas coisas propostas não vacilo em aceitar o plano do livro de contos a dois — mas com leves modificações. Em vez de fazê-lo à nossa custa, procuraremos editor. Há no Rio o Garnier. Quem sabe se esse Garnier... Com boas cunhas, Rangel, acho que podemos interessar um editor. Só em caso contrário editar-nos-emos por conta própria. Minha ideia é que quem se edita por conta própria faz uma coisa antinatural — como entre as mulheres o parir pela barriga, na cesariana. Mas, seja lá como for, proponho estes pontos: 1) Não haver pressa; 2) Apurarmos a forma, de modo que os críticos exigentes não descubram nem uma lêndea de pronome mal colocado; 3) Ler um a produção do outro, comentar, criticar, sugerir, vetar; 4) As

duas partes conformar-se-ão com as sentenças, mas ficam com o direito de rejeitar o veto; 5) A fatura material do livro será perfeita; prosa boa impressa em papel de embrulho vira carne seca da fedorenta; champanha em caneca de lata vira zurrapa. Sempre imaginei o nosso primeiro livro assim ao tipo daquela edição Guillaume do *Robert Helmont* com desenhos de Myrbach. Podemos lançar mão da bagagem já publicada, depois de devidamente brunida. E também enfiar coisas novas.

    Eu ando com uma ideia a me perseguir como certas moscas em dia de calor. Espanto-a e ela volta. Um conto. Um farol com dois faroleiros. O mar sempre a bater nas pedras do enrocamento da torre. A vida solitária dos faroleiros — o isolamento. As aves noturnas que se deixam cegar pela luz dos holofotes e se espedaçam contra os vidros. O objetivo é pintar o mar e as sensações de faroleiros isolados, mas para justificar a pintura ponho um drama qualquer — um mata o outro, algo assim. Faz uma semana que a ideia me está germinando lá num canteiro da cabeça, qual piolho interno.

    Sou partidário do conto, que é como o soneto na poesia. Mas quero contos como os de Maupassant ou Kipling, contos concentrados em que haja drama ou que deixem entrever dramas. Contos com perspectivas. Contos que façam o leitor interromper a leitura e olhar para uma mosca invisível, com olhos grandes, parados. Contos-estopins, deflagradores das coisas, das ideias, das imagens, dos desejos, de tudo quanto exista informe e sem expressão dentro do leitor. E conto que ele possa resumir e contar a um amigo — e que interesse a esse amigo.

    Tenho examinado os últimos livros de contos aparecidos. Nada como quero. O último foi o de Veiga Miranda, que a imprensa elogiou. Uns contos ordeiros, exatamente nos moldes de todos os outros — coisa feita, não saída. Espécie de presepe literário. Aqui, um boizinho. Aqui, um riozinho. Aqui, uma porteirinha para casar com a casinha lá adiante. E agora, uma mulherzinha com um homenzinho de olho nela, etc.

    O nosso livro de contos será o contrário disso. Todo cheio de novidades, na forma e no entrecho. E nada de amorecos e adulteriozinhos de Paris. Isso já fede. Será como os de Kipling — com paisagem, árvores, céu, passarinhos, negros... Eu gosto muito dos negros, Rangel. Parecem-me tragédias biológicas. Ser pigmentado, como é tremendo! Já leste *A mais Bela História do Mundo*? Impossível novela mais rica de horizontes. Do mesmo grande Kipling traduzi para o *Minarete* o conto *Um Fato*. Prodigioso. História duma serpente do mar que em consequência duma erupção vulcânica submarina rebentou lá no fundo e veio à tona, escabujando no desespero da "falta de pressão atmosférica", espécie de falta de ar. As serpentes vivem nas grandes profundidades e portanto sob tremendas pressões; trazidas à pressão menor da tona, elas estouram, soltam os pulmões pela boca, etc. Não pode haver pintura mais fiel, mais *d'après nature*, dessa serpente marinha que Kipling *viu* escabujar moribunda — que ele viu, apesar da serpente do mar ser apenas uma crendice de marinheiro! Ou Kipling ou Maupassant. Não há maiores. Tenho aqui *Boule de Suif, La Main Gauche, Clair de Lune, Mlle. Fifi, Sur l'eau*... Por falar neste: havia uma tradução portuguesa naquela coleção romântica, com uma moça na capa, lendo um livro à luz do lampião, lembra-se? Traduziram o *Sur l'eau* por *Vogando*, e parece que foi o único Maupassant que o Tito leu. Sempre que asava ensejo, lá vinha ele: "Como diz Maupassant no *Vogando*...".

O *Ana Karenina*, que li agora, ponho-o junto de *Guerra e Paz*, *Lírio no Vale* de Balzac e *Le Rouge et le Noir* de Stendhal. Como é grande Tolstói! Grande como a Rússia.

Mas, voltando ao assunto: a ideia de associar-nos é ótima, porque um escora o outro; dois bêbedos de braços dados têm menos probabilidades de cair. Até no namoro é assim. Quando em meninotes passávamos pela janela da namorada junto com um companheiro, lá passávamos firmes, sem tropicar em pedras inexistentes. Mas se passávamos sozinhos e Ela estava com alguma outra, a orelha nos avermelhava, quente, vinha uma comichão suada na cabeça, o passo perdia o ritmo normal, tornava-se, como dizem os ingleses, *self conscious* — e ou a bengalinha nos caía da mão ou era inevitável a topada na pedra inexistente. Se sairmos os dois no mesmo livro, vamo-nos aguentar um ao outro maravilhosamente.

Pode mandar o *Queijo*. Quanto ao espiritismo, não me preocupo. William Crookes, aquele inglês dos raios catódicos, fez experiências rigorosas e concluiu pela existência duma força mal conhecida que atua de várias formas, e a que ele, por comodidade, dá o nome de *força psíquica*. Foi do que li o que mais me satisfez — e nisso fiquei, como em filosofia física fiquei na Evolução e na filosofia estética fiquei naquele maravilhoso "*Vade mecum*? *Vade tecum*!" do Nietzsche. Essa força psíquica só agora começa a ser estudada pelos homens de educação científica; antes negavam-na. Outro físico inglês, Oliver Lodge, tem coisas ótimas a respeito, e estuda tais fenômenos com o mesmo rigor com que estuda os fatos físicos. A palavra "sobrenatural" empregada em relação a essas coisas me parece imprópria. O fato de não sabermos uma coisa não a exclui da natureza ou não a põe *sobre a natureza*. É apenas um aspecto da natureza que ainda não conhecemos. Um dia esses fatos psíquicos, hoje considerados sobrenaturais, estarão conhecidos e fichados, como tantos da química. A "ação de presença", por exemplo, sempre existiu e era um mistério — algo sobrenatural; hoje a ciência dá-lhe o nome de catálise e utiliza-a para efeitos práticos. O feiticeirismo da Idade Média, o ocultismo, o espiritismo, o esoterismo, o eterno pendor do homem para o Mistério, tudo isso implica na existência de qualquer coisa que coexiste ao nosso lado, que certas pessoas pressentem, etc. É o *au-delà*, o "outro mundo", como o mundo da luz solar é "outro mundo" para o cego, apesar de ser apenas um aspecto deste nosso mundo para os que enxergamos. Um sexto sentido parece que vem vindo, como foram vindo os nossos atuais cinco sentidos — e virá um sétimo, um oitavo, etc. Evolução. E cada novo sentido nos descortinará um "outro mundo". O médium, que é senão uma criatura em quem o sexto sentido está se denunciando? Um dia todos teremos esse sexto sentido — e adeus, sobrenatural! Um dia os compêndios de física trarão o capítulo novo da metapsíquica, como os compêndios de hoje trazem o capítulo novo da termodinâmica.

O *radium*, por exemplo. Não nos desvendou todo um "outro mundo"? Há agora o quarto estado da matéria — o radiante. Haverá o quinto — o metapsíquico...

Ando a regalar-me com Macaulay nos *Essays*. É uma espécie de Rui Barbosa da história e da crítica — e por falar: leu o discurso de Rui saudando o Anatole France? Este o classificou de mais uma bela página acrescentada à literatura francesa — e não o disse por amabilidade porque é mesmo. Rui é positivamente grande como o mar.

E a *Careta*? Já viu? A melhor coisa que no gênero humorístico já apareceu entre nós. Finíssima.

A minha Marta está considerada a menina mais bonitinha de Areias — e não vai nisto babo de pai. Reação da Natureza. Pai feio, filha bonita. E onde foste cavar esse nome Nelo que deste ao teu menino? Mau nome, como o do Lino. Presta-se aos trocadilhos do Tito: "Viu o Lino"? "Descasque esse abacaxi, Nelo." Não louvo o "Nelo", como também não louvo o teu "Caim de Nazareth". Caim, ainda passa; mas Nazareth lembra nariz constipado. Nome que se associa no som a certas palavras é feio. Não posso ouvir falar em "Corina" sem me lembrar do mictório. "João" me sugere "sabão", "feijão". "Cornélio" lembra "corno", etc. Os pais escolhem mal o nome dos filhos e muitas vezes perpetuam no mundo pequeninas tragédias. Conheço um "Medardo". Uma criadinha lá da casa de meu sogro, sempre que esse Medardo aparecia (era cliente), atrapalhava-se e anunciava-o com o "r" fora do lugar...

Chega. Adeus,

Lobato

Areias, 1,7,1909

Rangel:

Li *Bem Casados* duma assentada — e que quer você mais? Só as novelas muito empolgantes suportam essa prova. Todos os personagens fisgados da vida; e cada um, um tipo. Dona Alípia, ótima! O Coutinho, o Licínio, todos, até a Flausina, ótimos! Só dona Ismênia me parece algo imaginada — poderá lá existir tamanha carneirice? Mas fica bem num livro de tanto realismo essa leve fuga à realidade. É sal na melancia. Está você, portanto, doutorado em romance! Falta apenas um pouco de focalização e o polimento final. Há umas coisas fora de foco.

E há a língua. Acho que nisso de língua a coisa é a mesma que nas argamassas físicas. Se os ingredientes não forem de primeira ordem, bem limpos de impurezas e misturados nas exatas proporções, o cimento não pega, o reboco falha — e a obra esboroa-se antes do tempo. Contra o reboco o que atua é a chuva, a intempérie, a erosão natural; na obra d'arte é a crítica. Quantos escritores clássicos, vazios de ideias como potes sem água, ainda vivem pela língua em que puseram as suas sensaborias! O "são vernáculo", como é bonito! É como o asseio do corpo e das roupas. O escritor que escreve mal é um porco imundo, um fedorento, um chulepento. Não tenha pressa em publicar-se. Olhe os bons exemplos. Não digo o Flaubert, que aquilo também era demais — pura doença; mas os outros limpos. Doze anos levou Rostand a anunciar esse *Chanteclair* que anda agora bulindo com o mundo e já lhe rendeu um milhão de francos. Valeria a mesma coisa se fosse atamancado em dois meses?

Se você gastou dois meses no borrão dos *Bem Casados*, leve dois anos no polimento. E para dar comida à febre da criação, pode ir compondo o n.° 2 e o n.° 3. Mas imprimir, só quando estiver flaubertiano!

Que tal a tradução do *D. Quixote* que andas lendo?

Meu estudo de português continua, mas em tom mais baixo. Tenho um inimigo à ilharga, que desfaz o que Camilo faz. É o jornal. Não dispenso a leitura diária de três ou quatro desses infames massacradores da língua. Mas exercem uma função boa. Impedem-nos de nos afastarmos muito da realidade. Mesmo assim eu desejaria dispensá-los por uns anos. Bom lugar para estudo de língua seria a prisão. Imagino as boas leituras de Camilo lá no fundo do cárcere. Só num cárcere podemos atacar, roer e digerir um Heitor Pinto ou outro freire encruado.

Tua proposta de colaboração me seduz — e talvez seja o meu único meio de aparecer. Mas é tirar de um renome que pode ser só teu uma parte para mim! Vou experimentar, embora uma coisa se dê: não tenho a tua operosidade, nem o tempo comprido e uniforme desse vilarejo. Logo irei a S. Paulo por seis meses e não sei se lá haverá a mesma disposição para o trabalho.

Tenho mandado uns artigos para *A Tribuna* de Santos e publicado n'*O Estado de S. Paulo* umas traduções do *Weekly Times* — esse meu meio de neutralizar Areias. Leio o *Times* em Areias! Informo-me todas as semanas da saúde de Her Majesty. Quando encontro coisas muito interessantes, traduzo-as e mando-as para o *Estado* e eles me pagam dez mil réis. Acho estranho isto de ganhar um dinheiro qualquer com o que nos sai da cabeça. Vender pensamentos próprios ou alheios... Mas não tolero escrever por obrigação. Traduzo quando quero. Faço coisas para *A Tribuna* quando quero. Do contrário, sentir-me-ia escravo no eito. Vou fazer a prova da escrita a dois com um capítulo novo para os *Bem Casados*, que mandarei com amostra.

Do Ricardo nada sei. Parece-me que aquele nosso Cenáculo era um ninho de Macucos implumes. Tremendas promessas, e até agora, tirante você, nada de nada de nada.

A *Lua*, muito bonita e bem-feita no material! — mas como é insulsa e chata no texto, meu Deus! O tal caricaturista Yoyo, quer, coitado — mas a ponta do lápis não o ajuda. Um "curioso" ainda. Mandei para lá duas sensaborias — e arrependi-me, apesar de serem sensaborias. Por enquanto só temos no país inteiro *A Careta*. O nosso *O Gato* era uma maravilha, apenas etéreo demais; imprimíamo-lo no ar do Café Guarani... Tenho a impressão de que somos todos umas moscas azuis, mas sem perninhas e asas. Moscas "depenadas", como dizia um menino lá do colégio. O gosto dele era pô-las sobre um papel branco assim "depenadas" de pernas e asas, para "ver o que elas faziam".

Então o Bernardo, como você previa, vasa os seus queixumes na forminha clássica dos decassílabos? Não há escapar às influições de Calíope! Aposto que até você já versejou às ocultas, Rangel! É coisa que em certa idade nos vem como as espinhas.

Gastei duzentos e quarenta minutos ontem lendo o discurso de Juiz de Fora. Que assombro de homem, esse Rui! Que cetáceo, neste nosso marzinho de arenques! Ele rege as frases como um cocheiro russo rege a *troika*! Que nababo! Pare com o Camões e o Cervantes e pegue no Rui: ele resume-os a todos e é do nosso tempo. Acho uma honra tremenda sermos coevos de tal homem, e duvido que tenhamos outra semelhante na vida. Aprendamos a degustá-lo como ao rei da língua. É uma espécie de Império Britânico do vernáculo. Eu saio dele mais chato que um percevejo.

Lobato

Areias, 6,7,1909

3ª — P x P (Se você jogar
B x P, eu respondo: BR — 3D)

Rangel:

Em mãos a tua de 1°, chegada ontem. Ando com medo de começar. Nunca escrevi contos e não sei se me será coisa possível. O que eu considerava contos, se releio agora me sabem a crônicas com pretensões humorísticas. No fundo não sou literato, sou pintor. Nasci pintor, mas como nunca peguei nos pincéis a sério (pois sinto uma nostalgia profunda ao vê-los — sinto uma saudade do que eu poderia ser se me casasse com a pintura), arranjei, sem nenhuma premeditação, este derivativo de literatura, e nada mais tenho feito senão pintar com palavras. Minha impressão predominante é puramente visual. Ora, sendo eu assim, vejo-me em apuros com os teus empurrões para a realização imediata.

Vou tentar — mas bem desesperançado. Se até aqui não produzi um só conto que mereça tal nome, isso demonstra minha inaptidão para esse gênero literário. O único livro de que me acho capaz é uma espécie de *Journal des Goncourt*. E do meu *Diário* eu poderia extrair um volumezinho. ([27]) Mas, contos Rangel... Vejo-te, porém, tão animado que não me animo a vir com água fria — e vou começar.

Não encontrei o Kipling. Onde parará? Como de Tolstói só conheces a *Sonata de Kreutzer*, vou mandar a *Ana Karenina*, que o Julinho anda a ler. E com *Clair de Lune* mando *Boule de Suif*, que a crítica dá como o melhor de Maupassant. Chamo a tua atenção para o último conto, *Une Soirée*, uma coisa verdadeiramente única. Mas faça-os voltar, não como veteranos vindos duma guerra estropiadora, sim como turistas que voltam duma viagem de recreio. O pobre do Paul de Saint-Victor chegou bem "doente", apesar de ser todo super-homens e deuses. *O Filho Pródigo* do Hall Caine fez como o filho pródigo da Bíblia: chegou tão escalavrado e perrengue que lá baixou à enfermaria do encadernador. Ao que parece, você só tem amor à substância do livro. Despreza-lhe o corpo — a vil matéria.

Quanto ao teu espiritismo, acho que deves encostá-lo e só pensar nos contos. Metido com médiuns e em sessões, acabas mediúnico, astral, sideral e imprestabilizado para a literatura. Temos muito tempo de ser espíritos; aproveitemos este momentinho em que somos carne. Divisão de trabalho, especialização de funções. Se pudesse cochichar ao ouvido de dona Bar longe de você, dir-lhe-ia que te proibisse andar às voltas com almas penadas, mormente agora que tens o Nelo e o Livro a te pedirem todos os cuidados.

Inferno Verde é bom, mas não é essas coisas que o Ricardo anda dizendo. É um livro que seria original, se não existisse Euclides da Cunha, mas não é obra prima. O homem concentra coisas demais em cada frase, o que impõe ao leitor um grande esforço de atenção — e isso cansa. Coelho Neto precisa podar palavras, Alberto Rangel precisa desdobrar frases. O Ricardo não entendeu muita coisa do livro e por isso exaltou-o tanto. Eu também não entendi, mas tenho a coragem de não esconder a minha insuficiência atrás do tamanho do homem. E adeus.

Lobato

---

27 Ideia realizada catorze anos mais tarde, com a publicação de *Mundo da Lua*.

Areias, 22,7,1909

Rangel:

Recebi a carta e o *Exame de Consciência*, no qual mais uma vez voltas para Rodrigo. Sinceramente acho que é um exame de consciência e nada mais — não é conto é exame de consciência dum fracassado. Não vejo ali a tua maneira habitual. Aquela retórica, aqueles lugares comuns — aquilo não é Rangel, tenha paciência. A "pedra angular" logo na segunda linha já me pôs de orelha em pé; e a coisa vai até o fim sem uma novidade, sem um imprevisto, sem nada interessante. Paiva raciocina sem nenhuma elevação, como o Goulart ou o Macuco raciocinariam em idênticas circunstâncias, e você comete o erro de não fixar esse raciocínio como coisa dum *raté*; parece que encampa aquilo e acha muito bom. O meio de melhorar o *Exame* é esse — dar aquilo como coisa de *ratés*. Mas meio melhor ainda é guardá-lo na lata de lixo. Lembro-me dos contos tão finos, tão originais e ricos de psicologia que já escreveste. Por que não aperfeiçoas essas coisinhas velhas e ótimas? O *Destacamento* melhorado dá um Maupassant legítimo.

Dia 23

Acabo de receber o *Clair de Lune*, o meu e o teu primeiro conto. Li este. Ótimo! Aquela mãe está esplêndida — é muito comum essa perversão do amor que degenera em injustiça e causa os piores males. Todos os tipos estão bem acentuados de caráter e colhidos ao vivo. Só me parece fraca a cena do fim em que Próspero procura emprego. Ele deve procurar tal ou tal emprego. Como está, fica a cena rápida demais — curta como uns calças curtas. Outro senão: "luxo asiático". Chega de luxo asiático, Rangel. Pobre Ásia! Na pg. 5 acho muito abrupto o atletismo de Próspero. Não havia tempo. Na pg. 9, depois daquele choro, ele não devia prometer "tornar-se um bom filho e bom irmão". O idiota já era tudo isso; ruins, só os seus irmãos. E outras coisinhas assim. Mas está ótimo.

O meu conto, agora... Que tristeza, Rangel! Reli-o depois que chegou e achei-o tão seco, tão magro. As tuas observações me abriram os olhos. Vou seguir os conselhos. Defeito principal que só agora percebi: são tão curtos os períodos que o leitor não tem tempo de apanhar o que eles dizem. Fica tudo empastelado lá na compreensão do leitor, tudo "telescopado", como nos desastres da Central quando os trens se chocam e uns vagões entram pelos outros. O leitor salta para um período novo, onde tudo muda, antes de apreender totalmente o que o período anterior disse. Vou consertar. Coisa curiosa! No momento em que escrevemos, o nosso espírito acostuma-se com os defeitos, não os vê. Mas se passados uns dias relemos, já os defeitos se visibilizam.

Estou escrevendo o n.º 2, gênero totalmente diverso do *Bocatorta: A Casinha de Rótula*. Mando-te mais umas ilustrações.

Lobato

P. S. — Ando a colaborar no *Fon-Fon*. O que aparece lá assinado H. B. é meu. Desenho e caricaturas.

Areias, 3,8,1909

Rangel:

De volta de Taubaté, restabeleço o contato. Acabo de ler tua *Prosopopeia*. Tipos apanhados, e ótimo o perfil de Tata — a mocinha vulgar, mansa e apagada. Deste-lhe um fim que lembra o Maupassant da última fase, antes do *Le Horla*. Ficaria mais estranho e empolgante se o protagonista visse Tata não em sonho mas numa visão astral. No fim, aquela quase loucura ficaria melhor se contada por um terceiro; um amigo, por exemplo, vai visitá-lo e em carta conta a outro o estado do doente. Porque é difícil, naquele estado de quase loucura, alinhar pensamentos calmos que historiem a marcha gradativa do seu mal.

Estou escrevendo na *Tribuna*, de Santos, jornal cor de rosa, a dez mil réis o artigo. Mandei para lá hoje o *Bocatorta*.

Lobato

E o xadrez? Por que paraste?

Areias, 6,8,1909

Rangel:

Magnífico *O Destacamento* como caricatura, mas noto uns senões. O fim, aquela apoteose a foguetes de lágrimas e confetes, e aquela *imensa multidão* num lugarejo daqueles, isso estraga. Corte, que melhora cem por cento. E temos várias coisinhas. *Quase todo domingo*, não; *todos os domingos*, sim. *Famigerado salteador*; dá ideia da Calábria, aqui só temos bandidos; Antônio Silvino é um bandido. O período *"Toniquinho, você não faz bem"*, etc. precisa melhor torneio; "ques" demais. *"A concorrência foi enorme"*, etc.: aqui já você começa a carregar muito a mão; como está fica engraçado, mas não humorístico, que é o tom que deve guardar o conto. Fale na concorrência das pessoas gradas, do coronel, do padre, do coletor, mas não exagere. Dizes: *"todo o povo concorria para lá"*; ora, isso não é exato e estraga o efeito. Em vez de *"longas barbas brancas"* ponha barba amarela de sarro — fica menos S. Nicolau. O desembarque do destacamento eu o contaria assim: "... desembarcaram no meio da população alvoroçada dum sentimento novo entre pânico e regozijo". *Foi de ver-se a alarma*; acho "alarma" muito forte. Se o Miguelzinho estava tramando a dissidência, como podia fazer protesto de nunca mais pisar no Carmo, onde ia ser o campo da luta? *Olhares derretidos*, só entre namorados; para soldados tens de escolher outra espécie de olhares. *Espipocar da guerra*: guerra espipocante, só a do Alecrim e da Manjerona. Espipoca um tiroteio; guerra tumultua, referve, ou outras coisas assim. *O destacamento afinal era seu*, etc.: está obscuro este pedaço. Dizes que a Câmara exultava com o reforçamento da sua autoridade, pois o *Capitão Toniquinho não saía*, etc. Não percebi esta consequência. E como podia ele considerar a vinda das praças como um desprestígio da sua autoridade, se vivia clamando contra o governo porque não as enviava? Quando os soldados convidam o cabo para um pega no baiano, não está boa a transição entre a sua cólera e bravura de momentos antes e o repentino medo que você lhe atribui. Daí até o fim vai tudo muito carregado, muito fantástico.

São as observaçõezinhas que me ocorrem, mas o conto é dos melhores, talvez o melhor que você fez, com situações dum cômico extraordinário. E depois dos retoques, irá ficar em Nosso Livro como aquele *Soirée* no de Maupassant. Será nele um oásis de humor onde o espírito do leitor, cansado de tragédias, se espojará regaladamente.

Lobato

Areias, 14,8,1909

Rangel:

Chegaram os contos e a carta. Meu processo é outro: quando topo palavra que desconheço, ou conheço mal, ou que também se usa em sentido diferente do familiar, anoto-a com toda a frase em que está metida, frase que lhe entremostra a significação e a propriedade. Assim, já de começo o espírito pode utilizar-se da aquisição — é uma espécie de apresentação da nova personagem à inteligência, e passo primeiro para a familiarização entre ambos e consequente assimilação. Anotar apenas a palavra é perder tempo; só a mão lida com ela, e o faz maquinalmente, como copista automática que obedece a uma ordem do cérebro; este não trabalhou para a fixação da novidade, limitou-se apenas a dar ordem à mão para que a grudasse no papel.

Já percorri este ano as primeiras setecentas páginas do Aulete e breve chegarei ao fim, porque está me agradando o passeio. Mas depois do enriquecimento vocabular é preciso que aprendamos a bem gastar o acumulado, senão viramos *nouveaux riches* e insensivelmente nos metemos a ostentar riqueza vocabular. Machado de Assis é o mais perfeito modelo de conciliação estilística; seu classicismo transparece de leve e nunca ofende os nossos narizes modernos. Como vivemos neste século e neste continente, não podemos, sem uma hábil e manhosa tática, usar expressões lusitanas e de tempos já muito remotos.

Esse Albalat que o Ricardo te mandou anda interessando muito à rapaziada de S. Paulo que pretende lugar nas letras. Tenho a impressão de que é obra vã e perigosa, talvez das que ensinam um certo estilo — e neste caso teremos estilo postiço, como há dentes postiços. Estilo é cara; cada qual tem a sua e o que fazemos para modificar nossa cara é em geral mexer nos pelos, barba e grenha, e podemos sair um bigodudíssimo Umberto I ou um cara-rapada à americana. O mais do nosso rosto não se sujeita a travestis. No estilo também há algo de imutável, de ingênito, de inalterável, a despeito de tudo o que façamos para deformá-lo. Não as exterioridades, mas essa *alma-mater*, esse eixo central, é que verdadeiramente constitui o estilo.

De Camilo Castelo Branco tenho alguma coisa em Taubaté e aqui só o *Regicida*. Quanto àquele conto do F., desagradou-me em absoluto; parece pornografismo puro, digno de figurar no *Rio-Nu*. E teve a coragem de dar-se como protagonista! Chego a crer que é pilhéria. Dar-se como capaz de "amar" uma bodinha da rua, o tipo da coisinha à toa... E o entrecho e tudo mais, e aquele cínico desdobrar aos olhos do leitor das "doenças vergonhosas"... O nosso F. a contar uma aventura de alcoice com uma negra, onde espera na antecâmara, todo mordido de ciúmes, que o desconhecido que "ocupava" o seu "amor" saísse e lhe cedesse a praça. E tudo acompanhado de velhos sórdidos e sargentos podres de sífilis que tressuam mercúrio... Palavra, tenho lido muita coisa, mas em nada vi tão pesada atmosfera de bordel do mais reles...

Em literatura a condição básica é haver beleza, e que beleza ali existe? Numa negra sórdida, na vida imunda que leva, no "amor" que inspira, nas "doenças vergonhosas" que espalha, nos sargentos que enrabicha — onde qualquer resquício da beleza salvadora? Em nome da Arte veto esse conto e lamento que F. seja suscetível do estado de ânimo necessário à produção de tal coisa.

Lobato

AREIAS, 15,8,1909

Rangel:

Já mandei para o Ricardo aquele conto. Ando a passear pelo oceano das palavras, isto é, ando a ler o Dicionário de Aulete, e vou tomando notas. Já descobri três ou quatro palavras que eu pronunciava erradamente, como "probóscida" e "litania". Descobrindo as minhas batatas! E interrompi a fabricação de contos até que haja terminado esta leitura tão divertida. Pena serem tão pífios os nossos dicionários.

Estou sem ideia para o conto n.º 4. Mande-me um tema.

Recebi: C — 2D. Respondo: P — 3BR. Você: P — 4CR. Eu: P — 5R. Se você tomar o P com o C ou com o P, eu jogo: B4R.

Lobato

AREIAS, 22,8,1909

Rangel:

Perdi o meu xadrez e com dificuldade reconstituo o jogo no ponto deixado. Verifique isso e mande-me a série de jogadas. E se estou certo, a minha jogada é P — 5R.

Recebi a *Desforra*, que me encheu as medidas, principalmente no fim, da cena do sapezal em diante. Esta é a primeira impressão; depois lerei mais analiticamente.

Consolou-me a tua opinião sobre *Bocatorta* e isso me anima a pensar no N.º 2, que já está no útero. Não tenho feito outra coisa senão ler Macaulay nos *Essays* com um encanto cada vez maior, e também pinto projetos de cartazes para um concurso no Rio, ao qual arrojadamente vou concorrer. O *Fon-Fon* vai dar umas caricaturas minhas. Do teu *Mãe* ainda tenho aqui umas ilustrações, que seguem.

N'*A Desforra* há ótimos temas para desenhos que vou tentar.

Dia 23

Reli *A Desforra*, e a primeira impressão se confirmou. Ótimo, forte, bem construído. Merece dar o nome ao volume. Não tenho objeções contra o entrecho, e o desenvolvimento segue de rota batida, lindo.

"Rota batida"... Aprendi esta expressão aos quinze anos, com meu professor de aritmética no Coração de Jesus — Dr. Eliseu não sei de quê. Um baixotinho, que falava muito na Isolina Monclar, uma atriz em moda naquele tempo. Rota batida! O Dr. Eliseu chefiava o grupo que no fim do ano foi a exames em S. Paulo. Improvisamos uma "república" na rua Conselheiro Furtado, presidida por ele. Dr. Eliseu... Um dia mostrou-se afobadíssimo, precisando de trinta mil réis — "Quem tem aí trinta mil réis?" Eu tinha e dei. Dias depois, nova afobação — e mais trinta mil réis. O bom Dr. Eliseu esqueceu-se completamente desses sessenta mil réis, mas eu não me esqueci. Era o primeiro calote — e quem esquece as primeiras coisas?

— "De rota batida! Vamos agora terminar frações e depois seguiremos de rota batida até o fim."

Aquelas duas afobações eram para pegar um trem e mais não sei quê. Hoje sei que a afobação é um dos mais velhos truques para pegar sessenta mil réis.

Lobato

RASA (do latim *rasus*) medida antiga maior que o alqueire; rasoura: certa quantidade de linhas contida numa página de autos, etc. No sentido em que a empregaste não vem no Aulete.

Areias, 30,8,1909

Rangel:

Veio o 5, acompanhando o Albalat. Comecei a ler este e a gostar. Não é o bestalhão que imaginei. Parei com os contos e segui com o Aulete. Dá-me mais prazer isto, além das vantagens que traz — prazer pitoresco, variado como o de um general que assistisse ao desfile de setenta mil homens não uniformizados, cada um vestido dum jeito e lá com sua cara diferente. Outra vantagem está sendo a retificação de muitas palavras que eu pensava que eram uma coisa e são outra; e também já cavei vinte e quatro vocábulos que eu pronunciava erradamente. São vinte e quatro "batatas" de que fico liberto. Estou no M. O que mais aprecio num estilo é a propriedade exata de cada palavra e para isso temos de travar conhecimento pessoal, direto, com todos os vocábulos, um por um, em demorada, pensada e meditada vocabulação dicionarística. Só pelo conhecimento exato do valor de cada um é que alcançaremos aquela qualidade de estilo.

E quanto circunlóquio, quanto rodeio, esse conhecimento vocabular nos evita! Em vez de: "F. correu os olhos em torno da mesa" como fica melhor dizer: "F. circunvagou os olhos". Mas no uso dum vocabulário abundante torna-se mister o mesmo hábil discernimento de boa aplicação que distingue os Camilos dos Camelos — dos camelos plumitivos à Macuco, o fundador do Profundismo... É necessário aprender a bem gastar, como faz o rico inteligente, que gasta simultaneamente em proveito próprio e alheio, não à moda do perdulário inepto. O Macuco aprendeu um dia a palavra "apropinquar" e escreveu toda uma história só para ter ensejo de empregar dez vezes o grande achado — e apropinquou-se mas foi das cocheiras do Brás.

Não conheço melhor modelo que Machado de Assis. Camilo ainda me choca, é muito bruto, muito português de Portugal e nós somos daqui. Machado de Assis é o clássico moderno mais perfeito e artista que possamos conceber. Que propriedade! Que simplicidade! Simplicidade não de simplório, mas do maior dos sabidões. Ele gasta as suas palavras como um nobre de raça fina gasta a sua fortuna e jamais como o *parvenu*, o *upstart*, que começou vendeiro de esquina e acabou comprando um título de barão do papa.

Os Macucos adquirem vocabulário unicamente para fazer alarde da "riqueza vocabular"; os Machados, para da riqueza reunida só gastarem os juros. E, pois, espero terminar meu passeio pelo país dos vocábulos para em seguida retomar a tarefa dos contos.

Os três tipos de "falhos desenganados" são ótimos e merecedores de hiposulfito de sódio. Não os perca de vista. Achei boa a observação dos que fazem literatura na vida por impossibilidade de a fazerem no papel. Você fala nos *ratés* de Daudet meio de outiva, como quem os não conhece pessoalmente. Se queres o *Jack*, tenho-o cá. Eles acreditavam em si mesmos, não eram desenganados, como os teus.

O Mário Roberto andou meio ligado a mim no tempo da Academia; às vezes, depois da aula, íamos juntos até à casa do Sílvio de Almeida, onde ele morava, e eu lhe ouvia um ótimo Beethoven na penumbra da sala; tenho saudades desses dias musicais; eram um êxtase.

Da tua proposta acho aproveitável uma parte: colecionamento de tipos a dois, visto como ação e local são coisas consequentes e determinadas pela psicologia dos tipos. Dado o caráter deste ou daquele tipo, a ação tem que ser esta ou aquela, e o meio também está *ipso fato* predeterminado — são sequências lógicas. Vamos aos tipos. Você tem facilidade em ver o tipo dentro do homem comum. Uma espécie de raio X. Também o Ricardo é maravilhoso nisso. Instantaneamente ele capta o tipo das criaturas — e com que finura! Grande Ricardo! Dá-me ideia daqueles sujeitos da Califórnia, especialistas em conhecer, sem outro recurso além duma rápida inspeção, se em tal sítio há ou não há ouro. Esse faro natural de perdigueiro você também o tem, Rangel. — Já foste podengo em outra encarnação. Associemo-nos, pois.

Num romance, quando as radículas da nervura central são constituídas por tipos discretamente pintados, de modo a não projetar sombras na coisa principal, o efeito é maravilhoso. Em *Jack*, por exemplo. Como aviva a pintura do caráter de D'Argenton aqueles *ratés* secundários que o rodeiam! Em Machado de Assis lembro-me do Dias, o homem dos superlativos, tão discreto. Às vezes o que salva um romance é isso — esse fundo.

Ando frio com o conto. Acho um campo muito restrito, coisa só para os grandes mestres. Engano pensar que por ser mais curto seja mais fácil, mais próprio de principiante. Este deve começar com um *Rocambole* e só depois de bem maduro fazer um continho. A propósito, lembro-me dum plumitivo de Pindamonhangaba, que me abordou um dia e contou da sua ideia de publicar um livro de pensamentos. E explicava: "Nós, principiantes, devemos começar pelo princípio, pelo primeiro grau; coisinhas leves, pensamentos; depois sonetos; depois contos e por fim novelas e romances". Ele andava com uma trena no bolso.

Proponho uma coisa: concatenarmos um entrecho, armarmo-lo como o arcabouço duma casa; depois vamos metendo dentro habitantes, os heróis e tipos. Não sei o que sairá dessa casa a dois pedreiros — temos que fazer a experiência — é o que Bacon exige. Um entrecho do romance que sempre me seduziu é o de *Boca-*

torta, por causa da originalidade do desfecho — a necrofilia do negro e a morte por afogamento no barro. Imagino-o do modo que vai no papel anexo.

Um tipo que peguei aqui: o do homem eufêmico, extremamente delicado, que evita dizer as coisas como são e usa dos mais suaves circunlóquios. Não diz que F. está bêbado, e sim que está doente, e grifa com sutil entonação o "doente". Não diz "morreu" e sim "deixou-nos", "descansou". As prostitutas são as "infelizes" — e assim por diante. Podemos dar como mãe desse homem uma dona Eufêmia.

Mando *Karenina*. Livro de gênio como haverá pouquíssimos no mundo. E adeus.

Lobato

Areias, 1,9,1909

Rangel:

Volta a *Desforra* com algumas ilustrações. Estou melhorando e espero fazer coisa que não nos envergonhe. O meu n°. 2 são dois, um em meio e outro pedindo passagem a limpo. O quanto me dá prazer desenhar, aborrece-me escrever. E o Euclides da Cunha? Que horror, hein? Aquilo não me sai da cabeça. É como se eu houvesse levado a bala. Euclides naquele meio — com um inferno na cabeça...

Lobato

Areias, 2,9,1909

Rangel:

Ando a reclamar do correio a carta e o conto perdidos. Talvez estejam na agência de Taubaté. Quanto ao xadrez, aconteceu um desastre; como levei para lá o tabuleiro de papelão com as pedras de cartolina enfiadas, desprenderam-se algumas e não consigo recolocá-las propriamente. Se fazes questão de levar por diante essa interminável partida de xadrez, mande-me a posição do jogo no ponto em que paramos.

O meu negócio com a *Tribuna* é pequeno: cinco artigos por mês. Talvez também entre na *Gazeta de Notícias*, onde está agora o Sebastião Sampaio — você não o conhece — aquele da nossa corrida no Viaduto. Mas o negócio mais importante em que ando às portas é a compra, por um grupo, dum jornal de S. Paulo e eu iria para o comando literário. Se isso se realizar, meu Rangel, tu estás feito. Tens jornal e colaboração paga por tabela especial, mais alta que para os outros. Em fevereiro ou março vou passar seis meses em S. Paulo, para cuidar disso e mais coisas. Basta de Areias, Rangel.

Eu bem que vivia a berrar louvores a Tolstói, sem que me desses ouvidos. Tolstói é gênio, de sentar à mão direita de Shakespeare. Leia depois de *Ana Karenina* a *Guerra e Paz* — a novela panorâmica de maior fôlego que jamais foi escrita, toda ela gênio, gênio e mais gênio.

A Marta está uma turuninha, engatinha muito bem, diz papai e mamãe como as bonecas e já mostra dois dentes. Percorre a casa inteira com uma curiosidade sem fim, vendo e pegando tudo. E leva à boca o que encontra. Ontem, num momento de descuido da pajem, pegou uma lagartixinha tonta e levou-a à boca. Se Purezinha não aparecesse no momento, comia-a...

Que herói da coragem literária és tu, Hércules de Moura Rangel! Já no n.° 11! Onze coisas grandes — onze romances... Isso me achata. Vejo que não nasci para a coisa.

Vou atacar uns livros tremendos: *Anais de D. João III*, de Fr. Luiz de Souza e *Vida de S. Francisco Xavier*, de Lucena. Também vou afundar na *História Universal* de Laurent.

E o Vilalva? De que morreu? Foi pena — sabia português como pretendemos sabê-lo. Mas era mau de entranhas. Sarcástico e implacável. Com certeza fez alguma "perversidade" contra a Morte, e esta, danada, o levou.

Tens acompanhado a polêmica *pour rire* do Vicente de Carvalho com outro Carvalho muito pouco Vicente? J. J. Carvalho é médico e secretário duma Academia Paulista de Letras que anda tentando existir. Esse J. J. foi o parteiro dessa academia, a qual veio (diz ele na plataforma inaugural) como uma protestação contra o mau hábito da Academia Brasileira de Letras (que ele chama Academia do Rio) de não recolher em seu seio os J. J. estaduais. E fez uma nova academia de quarenta imortais. As academias hão de ser de quarenta, como as venezianas hão de ser verdes. Vicente ri-se do homem e o homem bate o pé e arreganha para o Vicente.

> Olhos encantados, olhos cor do mar
> Olhos pensativos que fazeis sonhar...

Como é linda a Rosa, rosa de amor... do sublime Maneta! Vilalva, se estivesse vivo, diria que o Vicente se fez Maneta para nem nesse ponto ficar abaixo de Camões — que era caolho.(28)

Lobato

P. S. — Li em Taubaté a *Paixão de Maria do Céu*, do Malheiros Dias, o mesmo que produziu o horrível *Mulata*. Estilo lindo, claro de meter inveja. É escrito em português de Portugal, do bom, do que corre como regato em leito de pedras lá da fazenda do meu avô. Vale a pena lê-lo só pelo português. Queres que o mande?

L.

Areias, 6,9,1909

Rangel:

Nossas cartas andam desencontradas. Temos que assentar numa coisa: um nunca deixará de responder ao outro dentro de dois dias, e se não puder responder acusará o recebimento por um bilhete-postal.

---

28 O grande Vicente de Carvalho sofrera a amputação de um braço.

O teu plano do louco está de arrepiar. Purezinha ficou horrorizada e sonhou. Acho-o ótimo, convenientemente podado e atenuado. Coincidência notável: um dos episódios do teu louco figura no conto n.º 1 que estou escrevendo e está me agradando. O arcabouço já se vai revestindo de carnes.

Quanto a arcabouços, minha ideia é que todos são bons. A fatura, o revestimento é que é tudo. E não vale a pena discutir planos ou arcabouços. É o mesmo que discutir esqueletos. A grande coisa é a carne que os reveste. Com o mesmo esqueleto a natureza faz uma Laís ou uma bruxa. Quanto ao que deva ser o livro, acho que deve ser o que sair. Nada de *parti pris* ou ergástulos. Gosto de ser livre como um passarinho. O programa é um só: *fazer bom* — e, trágico ou neutro ou cômico, o livro sairá bom.

Mando amostra das ilustrações que estou procurando fazer. Gênero novo, com uns pequeninos truques, ao qual depois de algum exercício espero *my faire*. Mande-me a toda brida o teu *Robert Helmont*, caso seja edição Guillaume. Não esqueça, é importante.

Lobato

Areias, 6,9,1909

Rangel:

Tenho recebido regularmente os teus cartões, e também as notas. Só não me veio a tua jogada depois da minha última T4BR. Festas, hóspedes e mais embolias têm atrapalhado a minha tarefa e me impedido de escrever-te alguma coisa sobre os projetos que propões. Mesmo assim dei conta do primeiro volume do Aulete e de mais duas letras do segundo. Antes de terminar esta viagem pelo país dos vocábulos não pretendo pensar no n.º 3 nem no 4. Queres que continue a mandar as notas? Em geral só nos sabem bem quando por nós mesmos colhidas — porque sem o perceber só colhemos aquilo muito afim com o nosso temperamento ou a nossa personalidade. E mando agora o *Ana Karenina*, do Tolstói. Grande, Rangel, grande...

Lobato

Areias, 15,9,1909

Rangel:

Boa nova: chegou a salvamento a história desgarrada e apresso-me em dar a notícia. Li — e acho que o teu verdadeiro gênero é aquele. Está pura e simplesmente ótima. A melhor coisa que produziste. Mas acho deficiente o teu português. Nós não sabemos essa maldita língua, Rangel, e manejamos achavascadamente plebeiamente, um barro, um caolim de primeira, com o qual se podem modelar as mais leves e finas coisas. Só agora ando alcançando a extensão do meu erro nesse ponto. Até aqui me repastei, quase que exclusivamente, no francês, e "ouvia falar" da "língua de Fr. Luiz de Souza". Meu português era o caseiro e do jornal. E eu ficava de olho grande: "Que linda não há de ser, meu Deus, a língua de Fr. Luiz de Souza!". Mas não tinha coragem de investigar. Agora, sim, a coragem me veio e entrei. Estou, Rangel, dentro da língua de Fr. Luiz, embora ainda longe de lá do centro, onde ele deve figurar como um Deus, com Herculano à mão direita e Camilo à esquerda. E sei que há uns frades tremendos da mesma família de Fr. Luiz — Fr. Pantaleão do Aveiro, um Lucena, um Fr. Heitor Pinto, e um "delicioso" Bernardes. Aquilo lá é uma espécie de Olimpo da Língua, todo deuses e semideuses e deusa nenhuma. Não havia mulheres em matéria de língua antiga, Rangel, como ainda as há tão poucas hoje — a Júlia Lopes e quem mais?

Parei com as minhas leituras de língua estrangeira. Não quero que nada estrague minha lua de mel com a língua lusíada, que descobri como o Nogueira descobriu a Pátria, e o Macuco o verbo "apropinquar". E sabe o que mais me encanta no português? Os idiotismos. A maior beleza das línguas está nos idiotismos, e a lusa é toda um Potosi. A parte que as línguas têm de comum é como a estrutura óssea das várias raças humanas, coisa que não varia apreciavelmente; o que as distingue, o que faz o inglês, por exemplo, ser tão diverso do italiano, são as feições, os trajes, os modos e as modas de cada um, isto é, os idiotismos fisionômicos. Note, observe. Fulana, a moça mais graciosa de rosto de todas que enfeitam aí essa tua cidade do Machado, que é que nela a distingue das demais e lhe dá aquela graça especial? O idiotismo com que a natureza a dotou; o narizinho arrebitado, a curva da boca, o modelado do queixo; particularidades essas, todas, que fogem à correção ideal e clássica das linhas dum rosto normal. Por que é o português de Portugal tão superior ao português do Brasil? Porque é muitíssimo mais idiotizado pela colaboração incessante do povo, ao passo que aqui o povo praticamente não colabora na língua geral — vai formando dialetos estaduais como na Itália.

Mandei vir *Noites de Insônia*, de Camilo, doze volumes, e ainda apanhei uns em Taubaté. E leio anotando os jeitos. Palavras novas não me interessam. A grande coisa não é possuir montes de palavras; se assim fosse, um dicionarista batia Machado de Assis. É saber combinar bem as palavras, como o pintor combina as tintas e o músico o faz às notas. Beethoven só dispunha de sete notas — e com elas abalou o mundo. Corot só jogava com as sete cores do arco-íris, que aliás são três. Deem cem notas a mim, que sou um cretino em música, e deem duzentas cores ao Jonas de Barros, que é em pintura o que sou na música, e não sai nada!

Já li um volume das *Lendas e Narrativas* de Herculano e releio o ultra-bom *Eusébio Macário* de Camilo — Camilo a fazer fosquinhas para os naturalistas! E tenho um livro de Fr. Luiz, uma hóstia sagrada, Rangel: *Anais de D. João III*. O Nó Vital é ali com esse frade, o verdadeiro dono moral da língua. Quantas vezes eu tinha lido, "A língua de Fr. Luiz de Souza"... Ando por Herculano, Camilo e outros, como quem anda sobre as lajes que se aproximam do templo.

Já encetei a série de artigos para a *Tribuna* e já fiz jus a quarenta mil réis. Com isso pago dois meses do aluguel da casa. Pagar a casa com artigos — que maravilha, hein?

Recebi carta dos fundadores dum semanário ilustrado em S. Paulo, gênero *Fon-Fon*, pedindo colaboração. Eles montam as revistas e saem com o pires... Chama-se *Lua*. Promete mundos e fundos — menos morrer do mal dos sete números. A primeira fase dessa lua será para janeiro. Posso meter lá o teu conto? Mas quero entrajá-lo por um figurino novo que lhe irá bem. Simples experiência. Como já não contavas mais com ele, tomo-o para uma experiência *in anima nobile*.

O trecho que mandaste sobre a algolagnia é bastante curioso; há um interessante estudo a se fazer por aí, no sadismo.

Em ortografia estamos num caos — e numa encruzilhada. O que penso a respeito está no artiguete que incluo — mas entre pensar assim e agir de acordo vai um passo, e eu me debato no pélago da indecisão, como diria o Macuco.

Tens os discursos do Rui? Que maravilha! Que deslumbramento! Que incomparável mestre e que artista da palavra! É o grande clássico que nos dispensa de lidar com os velhos clássicos — tudo que neles há de bom aparece em Rui, e melhorado. Tem todas as energias e todas as suavidades. Rui é um Everest.

Não há motivo para indignação, mesmo mansas como as tuas. "Talvez você, se compreendesse e se penetrasse de minha ideia, etc." Exprimi essa dúvida, enervado, zangado, aborrecido por não saber exprimi-la a contento. Era natural que você não alcançasse, bem, bem, bem, uma ideia que o pai expressou tão mal.

Aprovo as ideias sobre a composição e nada tenho a aditar.

Voltam as tuas notas. Não é bom o sistema de colher pétalas de flores, em vez da flor inteira e com cabinho. Quem quer apenas vocábulos exóticos ou raros, não precisa ler autores, é ler o Aulete. Lá estão todos, e já anotadinhos. Adote o meu processo, que é o único.

Lobato

Areias, 22,9,1909

Rangel:

Minha impressão de *Criança*: ótima na primeira parte até página 11; boa no resto, menos o desfecho, que me decepcionou. Não deve ser um médico o noticiador da morte; fica muito arranjado, muito Irmãos Zanganno. Além disso, o povo que invadiu o picadeiro era natural que se derramasse também pelo interior da barraca onde estava o menino. Nesses lances o povo não faz distinções, nem respeita nada. Ficaria muitíssimo melhor se Siá Chica irrompesse lá de dentro do povo com o menino morto ou moribundo para depô-lo aos pés do assassino, em meio a uma chuva épica de invectivas rubras de cólera com que vingasse a morte do filho adotivo. O Lopes está muito bem, e com a velha de bigodes, mais a Zizi, dá muita cor à cena. Em suma: aprovado!

Que letra péssima tens — ainda pior que a minha! Precisamos arranjar máquinas de escrever. Mas eu, quando quero, escrevo legibilissimamente, e você quanto mais capricha pior fica.

Vou ver se ataco o n.º 3. O teu n.º 4 envergonhou-me e meteu-me em brios. Estou lendo *Memoires d'Outre Tombe*, de Chateaubriand. Acabei o Albalat. Bom, mas de pouco valor para nós aqui. Discreteia sobre o estilo francês, e as coisas mudam *quando em português*. A parte referente ao estilo descritivo em Homero é ótimo, e boa para nós. A conclusão que tirei do livro é que estilos não se fabricam, nem se ajustam por influxo de regras; são o que são, como o nariz das pessoas. O mais, arrebiques, sobrecargas, postiços que só aparentemente melhoram o natural ingênito e espontâneo de cada um. Gostei do meu juízo sobre Chateaubriand coincidir com o de Albalat. Em Taubaté tenho *O Gênio do Cristianismo, Atala, René* e excertos. Deixe em repouso o número 4 para revê-lo mais tarde. Isso é bom.

Lobato

AREIAS, 23,9,1909

Rangel:

O meu xadrez estava errado, mas já retifiquei a posição e continuo: 9) C3BR — D3CR (na tua carta vem D3CD, mas como não é possível, atribuo-o a engano, troca de R por D). Minha 10) C4T

A tua operosidade envergonhou-me e fez-me vomitar o n.° 2 e o n.° 3. *A Casinha de Rótula* encalhou e, também outro sem nome. Espero que alguma forte maré os safe. O Edgard Jordão escreve-me essa carta que mando. Há nele muita originalidade e capacidade metafísica. Talento real. Já temos matéria para a metade do livro, umas cento e cinquenta páginas. Vou ver se faço coisas menos sanguinárias, sem morte. Temos que variar de nota, senão a crítica nos toma por uns Troppmans que erraram de vocação.

Lobato

P.S. — A Marta está um rolete de carne, com roscas no braço e covinhas pelo corpo. E está saindo uma danada! Creio que o segundo já está a caminho. Será Edgard Guilherme. Donde tiraste o nome do Nelo? Do Goncourt, aposto...

Xadrez: 21... P5BR; 22) CxC —
T x C; 23) B x P ch — R T; 24) P4TD

AREIAS, 23,10,1909

Rangel:

As minhas "batatas", referidas em carta anterior, são: Congérie, Cábrea, Caramanchão (eu dizia carramanchão), Cérbero, epifania, hábitat, hilare, homilía, homizío, dulía, hiperdulía, índigo, litania, liturgia, mándria, mnemotecnia. Das mais não me recordo. Eu acentuava-as errado. Com exceção da terceira, nunca as empreguei na conversa; mas se viesse a empregá-las pronunciaria errado. Começo a perceber o meu relaxamento com o português. Quando calouro, furtaram-me um Aulete que fora de meu pai e eu levara para S. Paulo, e desde essa ocasião (dez anos!) fiquei sem dicionário! De gramática sou a personificação da ignorância. Depois que me vi livre do exame, botei fora a infernal gramaticorra do Freire da Silva, que tanto me martirizou e me valeu uma bomba, e nunca tive comigo nem a gramatiquinha do Coruja.

E estou convencido da inutilidade delas, como também pensa o rei dos gramáticos, o Cândido de Figueiredo.

O exemplo que citei foi apenas para frisar a beleza da palavra própria. Talvez por simpatia minha, acho o circunvagar mais próprio para designar o movimento lento e circular dos olhos em torno duma coisa do que o correr. Correr dá sempre a sensação de pressa. "O moribundo circunvagou os olhos". Quando o movimento é rápido, então sim, cabe melhor o correr. "Corri os olhos pelo jornal".

O *Jack* é bem o que dizes, romance otimamente bem arquitetado, bem travado. Ótimo como modelo de fatura. Purezinha, que o leu, me viu no tipo de D'Argenton, e quando briga comigo me chama D'Argenton... Que tristeza, Rangel!...

Não concordo com a tua ideia de que todo crítico é um *raté* da literatura, porque a crítica é um ramo da literatura para o qual certos sujeitos nascem com aptidões especiais. Olhe Taine, Sainte Beuve, Maucaulay. Mas não deixa de ser certo que muitos críticos de segunda são literatos fracassados em outros gêneros. Sentem o prazer satânico de se suporem numa sacada, e lá de cima cuspirem nos que passam pela rua. Prazer de juiz sentenciador — mas juiz que se nomeia a si próprio, não é nomeado pelo governo. Vingança, picuinha contra a Fatalidade. "Falhei no meu poema? Pois esperem que vou desancar todos os poemas alheios." O Albalat me parece dos tais. Aquilo de só admitir Homero, e ir filiando um estilo a outro até chegar ao de Homero, aquilo me parece ódio aos seus contemporâneos donos de estilo.

Hás de notar a minha insistência em *Bocatorta*, mas é que ainda não me fiz compreender. O meu conto com esse nome não dá plena ideia da Ideia, porque tive de podá-la muito, só deixando o essencial. A minha ideia completa é a seguinte: um monstro hediondo no físico, mas homem de sentimentos normais por dentro. Afora a teratologia visível, ele é um homem como todos os outros. Não é negro, não é rudimentar de espírito como o do conto. Quando chegado à puberdade, nasce nele o desejo de mulher e em consequência o amor. Mas ao mesmo tempo vai cada vez mais adquirindo a consciência da sua horrível condição de monstro, e ele, que em menino vivia na fazenda do pai de Cristina a vê-la todos os dias, ao tornar-se homem, e bem conhecedor da sua disformidade, entra a sofrer um martírio horrível e afasta-se. Vira bicho do mato, foge dos homens; e os sentimentos normais que a natureza lhe deu, vão por influxo duma surda revolta contra o Destino, se avinagrando. O amor por Cristina (resultante da sua sexualidade expandida) transforma-se em ódio. Ele a espia do mato. Chora. Escabuja em acessos de cólera epiléptica. Pintar a vida dele na mata. Suas relações com a mata. Sua simbiose com a mata, mental e física. Amizade e antipatia por certas árvores (há mil coisas a desenvolver aqui). Algo daquele Mowgli do Kipling. Ensejo de pintar a natureza florestal com cores novas e processos novos — em que pese ao Albalat. Chateaubriandizar, mas com ciência, com biologia, com botânica. A floresta deste país de florestas que é o Brasil nunca foi pintada, nem interpretada! Não temos nada *d'après nature* em matéria de mata. Tudo é imaginado e tratado com receitas, com frases feitas — e sem ciência nenhuma. O grande triunfo de Euclides foi meter um pouco de ciência na literatura. Os papuas arregalaram o olho! Lá de dentro da mata Bocatorta acompanha o movimento da fazenda. Tira conclusões. Induz, deduz. Recompõe em espírito a vida de Cristina, que às vezes vê de longe, num passeio a cavalo. Chega a ir espiá-la num dos seus banhos na cachoeira. Nua! O inferno do drama interior... Um dia passa o trole que vem da cidade, e no trole vem um moço desconhecido. Bocatorta adivinha nele o namorado, o noivo. Sua dor. O ciúme. Contrastes constantes. Na fazenda a alegria radiosa do noivado; na mata, um círculo dantesco de impotência e ciúme e desespero. Bocatorta desabafa nos animais, trucida-os, tortura-os, esmaga as flores que encontra, gasta dias quebrando os brotos novos das árvores e ervas, na ânsia de aniquilar a vida, de vingar-se da natureza, etc., etc. Depois, o casamento — o macabro casamento de Cristina, não com o noivo, pois morreu, mas com ele, Bocatorta, no cemitério, de noite. Cristina desenterrada! Imagino uma coisa fortíssima — Bocatorta sempre latente na mata, naquela mata, como o próprio gênio da mata, o seu Caliban, a sua alma secreta e noturna. Quanta coisa, Rangel!

Mas da ideia à realização o caminho é áspero. Talvez você tirasse do assunto a coisa que imagino. Eu não me atrevo — por isso reduzi o romance a conto — um conto que é apenas um frouxo programa do romance.

Toda gente considera o conto um gênero leve — e tomam o leve como sinônimo de fácil. Mas note que em todas as literaturas só emerge do conto um Maupassant para dez romancistas. Mesmo assim, achas que é possível meter Maupassant na plana de Balzac, Dostoiévsky e Tolstói? Não creio. É mister fazer bom e grande e o contista, embora alcance o bom, não pode chegar ao grande. É ourivesaria, não é arquitetura. Cellini fez o Perseu, mas faria o Taj Mahal? O meu *Bocatorta* conto é pobre maquete em gesso dum terrível monumento. Miniatura.

Viver um ano, dois, três, dentro dum romance, construindo um romance, como Flaubert. Que fôlego exige! Que saúde — e nós somos uns doentinhos. Mas quanto aos contos que projetamos, absolutamente não penso em desistir; quando mais não seja, ao menos para habituar-me a conduzir uma tarefa do começo ao fim. Que saiam bons ou não, que se publiquem ou não, que amareleçam eternamente inéditos, nada disso importa: o que importa é a satisfação de não havermos procedido como *ratés* que planejam, delineiam, começam... e só.

Outra vantagem, e não menos preciosa, é obrigar-nos a esta correspondência, coisa que me é (e para você também) de muito valor como incentivo, como enchimento de tempo vazio, como ocupação mais nobre do que discutir política na farmácia ou caçar as moscas do imperador Domiciano.

Para o mês vou passar duas semanas em Taubaté e das notas que lá tenho extrairei os tipos e observações aproveitáveis. Se não presto para desentranhar tipos, tenho em Purezinha uma perfeita mestra na arte. Ainda ontem ela me contava duma família de gente excessivamente acaipirada, lá numa chácara em Taubaté, na qual só o pai, um velho de posses, tinha desembaraço e coragem de mostrar-se. Quando vinha alguma visita, as moças filhas do homem (solteironas) não apareciam na sala; o pai explicava que elas haviam acabado de sair naquele momento. Mas enquanto o velho conversava, a visita as pressentia (eram três) a se revezarem num velho buraco de fechadura. E Purezinha desenvolve o tema: "O buraco já estava grande, gasto, e cada vez maior; por ele se via um olho inteiro e uma rodela de cara". E enfeita: "A porta, de casa antiga, era curta, ficava a meio palmo da soleira, e pela fresta viam-se pés — seis pés — pés que mudavam de posição, "sôfregos e impacientes os de lado, e quietos, sem pressa, os que ficavam na linha vertical do buraco".

Purezinha começa com base num fato real e insensivelmente vai acrescentando apêndices lógicos que o frisam, com uma arte que me dá inveja.

Vou anotar as coisas assim que ela me conta e te mandarei.

Andei metendo o nariz na questão das candidaturas presidenciais, como verás do artigo incluso, da *Tribuna*. Repugna-me esse militarismo que certos jornais do Rio defendem... Mas não falemos nisto.

Lobato

1910

Areias, 12,1,1910

Rangel:

Vai por quatro o número de vezes que me ponho a escrever e estarrece-se-me em meio a pena, tolhida de súbita vergonha. É o caso que leio e leio e leio Camilo, com o afã dum Henry Morgan a remexer as arcas de um galeão espanhol capturado no mar dos Caraíbas. Leio-o e penetro-me de Camilo, ensaboo-me com as riquezas do maior sabedor da língua d'aquém e d'além mar, Algarves e Colônias; e, com a "descoberta" que fiz do que realmente é a língua portuguesa, espanto-me do atrevimento da filha bastarda que vingou vicejar nestas paragens, tomou-lhe o nome e vive a dar-se como sua sucessora!

Num romance de Júlio Verne há um Tiago Paganel, geógrafo de má memória, ao qual sucedeu o caso, que hoje não me espanta, de aprender o espanhol pelo português. Quando deu pelo engano, abriu a boca. Não me espanta porque fiz o mesmo: aprendi por cá uma língua bunda pensando que era a nobre e fidalga língua portuguesa.

Sempre vivi nesse elegante atascal da língua francesa, no qual me cevava de literaturas exóticas, eslava, britânica, escandinava e até hindustânica — sem me lembrar que isso só deve ser permitido aos que já perlustraram a fundo as províncias da literatura pátria. E tão encrostado me pôs o longo patinhar por anos a fio nesse engano ledo e cego, que não creio em cura para o mal. Tenho sífilis no idioma, da incurável! Mas é provável que encetando agora o estudo da Grande Língua, aos oitenta anos menos leigo serei de suas louçanias, que hoje. E como ajustado ao intento me pareceu Camilo, a ele me arremeti. Fiz vir um fardel de 50 volumes, que trago (tragar, engolir) em parcelas de meio por dia. E espero encomendas feitas a várias livrarias lusitanas, que me abasteçam de Francisco Manoel, um sujeito que deve valer muitos Stendhais e Taines. E de Almeida Garrett, o visconde resgatador de todas as alimárias viscondadas, baronadas, acondadas, marquesadas com que o moderno Portugal atravancou o mundo. E de mais Camilo, Herculano, e Tolentino, e Garção... Que coorte!

E enquanto de todos me não tornar amigo íntimo em diurno e noturno conversar, protesto não admitir amizades bárbaras (no sentido romano, isto é estrangeiras). Não me mandes, pois, o teatro francês, que te delicia; muito tempo hei perdido com esses deliciosos pechisbeques — cocadas que atendem ao paladar mas empecem a alma. Tenho deles em Taubaté um metro de estante, e acodem-me os nomes de Robert de Flers e Caillavet, o seu irmão siamês; e Tristan Bernard o Barbinegro, espirituosíssimo e safadíssimo; e Maurice Donnay, todo sutilezas de bordel e salão; e Alfred Capus, consolador dos que tudo esperam da Sorte; e Rothschild, e Paul Hervieu, e Lavedan, e Henry Cain, e o Octave Mirbeau do Nogueira, e Henri Bataille, e o traumatizante Bernstein, e Dario Nicodemi, o amante da *faisandée* Réjane; e Porto-Riche, e Tarride, e o Edmond Rostand do Ricardo... Acho que em França há mais teatrólogos do que espectadores.

O Acre... Para remeter dinheiro tanto vale o Correio como o Banco. Prefira o banco. No correio o provável é esbarrarmos na má vontade pachola dessa gente federal. O Acre... A Lua é um pobre satélite. Têm-te valido alguma coisa as minhas notas? Mando mais uma dose. Se te enfadam, dize. Joeiro agora as belezas de Camilo. Que Eldorado! A gente tropeça em pérolas. Tudo ali rutila e canta. Custa-me no Alves mil e trezentos réis cada um desses Camilos vermelhos da Parceria. O Acre... Você sabe o que é o Acre, Rangel? É fazer o que fez um Ricardo Arruda de S. Paulo, que comprou um bilhete inteiro da loteria de Espanha e meteu-se num prêmio de seis milhões de pesetas... (Falta o resto)

S. Paulo, 30,4,1910

Rangel:

Recebi tua carta. Não posso responder já porque ando à procura de casa para onde me mude, já que aqui no meu sogro uma hora de silêncio é sonho inatingível. Meti-me em coisas industriais e creio que deixo Areias e me fixo em S. Paulo. Não tenho tido tempo nem de me coçar. Muitas novidades.

Lobato

S. Paulo, 20,5,1910

Rangel:

Não é por falta de tempo que te não escrevo e sim por falta de sossego. Estou em casa de meu sogro, onde há muita gente, filhas que estudam piano (uma toca o dia inteiro o *Chiribiribi*) e onde há três pessoas surdas, ou de "ouvidos duros", de modo a produzir-se muito falar gritado. E há as mulheres, que surdas ou não, falam demais e sempre alto — e não há um cantinho sossegado onde um pobre cérebro possa pensar pensamentos como os nossos. Eis a razão pela qual não te escrevo, nem leio, nem faço nada além de ouvir. Ouço, ouço e mais ouço. Outra coisa que me rouba o tempo é a Rua — coisa que não existe em Areias. Passo do torvelinho da Rua para o borborinho da Casa e vice-versa — e assim me vão correndo os dias.

Ando querendo dar nova direção à minha vida, e por causa disso tomei mais três meses de licença. Tua carta me chegou como voz do outro mundo ou pelo menos do mundo em que eu estive há quatro meses passados.

Depois que saí de Areias, não pude nem sequer pensar nos nossos deliciosos planos, coitadinhos! Não sei que fazer de mim, se vou para Caçapava, se fico em S. Paulo ou retorno para Areias. Também ando a pensar em Ubatuba por causa do mar. Todo um ano só mar, mar, mar, como no *Joie de Vivre* de Zola, em que o mar marulha desde a primeira página até á última!

Estive ontem em Taubaté, onde a morte de uma parenta me fez herdar uma estatueta de Sèvres, Vênus nua com Eros bebê a querer alcançá-la — uma perfeição de beleza. Namoro-a todos os dias, e queria que a namorasses também. Esse Sèvres me fez curioso da porcelana, e eis-me atolado nuns volumes eruditos.

Ando ansioso pelo reatamento da nossa vida secreta, sempre lá pelos intermúndios literários, tão longe deste mundo de carne e ossos. Lembrei-me de te convidar para concorrermos ao prêmio da Academia e tua carta veio bater na questão. Deves concorrer sozinho — eu não presto mais para estas aventuras. Teus contos dão para o volume requerido. Faça uma coisa: refunda no *quantum* necessário os melhores e mos mande para uma inspeção final antes de subirem aos julgadores. Podias mandar *Bem Casados*, mas parece que é concurso só de contos. Mande-me o que está pronto do livro novo. Estou com saudades de te ler. Adeus.

O meu Edgard chora, o piano toca o *Chiribiribi*, as mulheres falam, os surdos gritam, um canário trina. O barulho não é uma ficção, Rangel.

Lobato

P. S. — O teu conto *História de Bonecas* não pode ir porque ficou em Areias.

AREIAS, 18,7,1910

Rangel:

Cá abicou o monstro. Cáspite! Hurras pela coragem do empreendimento e tenacidade da execução. Pena não usares a escrita mecânica. Compra-se hoje uma Oliver por cento e tantos mil réis e é dinheiro sapientissimamente bem empregado no caso dum sujeito de letra martirizante como a tua. Ando com ideia de realizar essa proeza — uma Oliver!

Lobato

S. PAULO, 22,7,1910

Rangel:

De conformidade com tuas ordens, voltam *Os Pioneiros da Luz*. Li de um gole a parte enviada e notei séria melhoria no processo narrativo e no estilo. Mais maleável este, ou com a fluidez dos estilos que escondem as técnicas da fatura. Sinto nele, entressachadas sem esforço e sem quebra de nível, todas aquelas nossas aquisições nas leituras camilianas. Na narrativa, muita ordem lógica e grande clareza — qualidade que em você é um dom — e observação constante, ininterrupta. Quem te lê percebe a honestidade literária. Adivinha que todos aqueles tipos foram estudados do natural, e até a pouca paisagem que ali aparece é *d'après*. Grande qualidade essa fidelidade ao natural, e quem a possui vence. Em suma: há progresso em teu novo romance: tua evolução literária tem sido constante, sem hiatos ou recuos, e tua personalidade se cristaliza. Já és bastante Rangel em quase todas as frases. Já és uma realidade!

Este teu romance, se prosseguires com o ímpeto de até aqui, merecerá a honra de ser publicado. Será o número 1, a estreia. Que beleza!

Pena não poder dá-lo a ler ao Manoel Carlos, que mo pediu e de você só conhece um conto e dos menos bons.

O primeiro livro de Spencer que li? *Educação*, em meu tempo de calouro. Como todas as mais obras desse Aristóteles moderno, é uma suma da mais alta e nobre sabedoria.

Minha vida continua furta-cor. Ia voltar para Areias esta semana mas resolvi tirar mais licença. Ando empenhado em ser sócio duma empreitada de sessenta quilômetros de estrada de ferro. Se não falhar, será tacadazinha. E ainda tenho outros negócios em marcha, que me animam a esperar para breve o ensejo dum suculento pontapé na promotoria.

Escrevo na sala de visitas desta casa da rua Formosa 53, em meio a um barulhão do inferno. Na sala de jantar, seis damas, visitas, falam todas ao mesmo tempo — e entendem-se! Atrás de mim quatro pessoas graves rosnam coisas sérias. Na rua passam constantemente os infernais bondes da Light. Já não sei o que está para trás, nem tenho ânimo de reler. Ando a pensar em refugiar-me no porão da casa, onde há um fundo escuro silencioso. Lá, sozinho, terei uma sensação de Areias e talvez possa escrever-te à moda antiga.

Lobato

S. Paulo, 30,7,1910

Rangel:

Respondo à tua de 21. Os defeitos de *Pioneiros*, a que de leve me referi, são coisinhas tão pequenas que nem merecem debate. Entusiasmo-me com a marcha em que vai tua obra, não só a literária como a erudita! Refiro-me ao teu dicionário. Pode estar nele o germe duma coisa tremenda. As mais tremendas coisas começam assim. O próprio Shakespeare começou dum espermatozóario. Também a mim me ocorre às vezes a ideia de fazer algo de ciência e desistir da literatura. Uma gramática histórica e filosófica, que me vingue da bomba que tomei no meu exame inicial. Comecei minha vida de estudos, bem sabes, com uma inabilitação em português. Ou um vocabulário brasileiro. Coisas assim de paciência. O perigo é nos meterem no Instituto Histórico. Não tenho ideia do que seja o Instituto Histórico, mas me represento um museu de múmias vivas, tossindo, escarrando. Antes disso talvez publique a minha tradução do *Anticristo* do Nietzsche, para a qual já tenho editor. Depende duma correção final do manuscrito que só poderei fazer quando acabar esta minha interminável estada em S. Paulo, consumidora de todo o meu tempo em coisas profanas.

Achei heresia a comparação do *Brás Cubas* com as *Memórias de um Sargento*. Conquanto estas memórias sejam um dos pouquíssimos livros bons da nossa literatura inicial, falta-lhe a ironia e o pessimismo sibarita e anatoliano de Machado. E falta estilo. Tenho a impressão de que as *Memórias Póstumas de Brás Cubas* foram escritas por um conjunto de mestres: Sterne, Anatole, Xavier de Maistre e Stendhal.

Não sei à conta do que levar, mas livro nenhum, daqui ou de fora, jamais me soube tanto às minhas mais íntimas e misteriosas vísceras estéticas. Parece um livro ateniense, anacronicamente rebentado no Rio de Janeiro — essa coisa berrantemente tropical! As *Memórias de um Sargento* têm contra si, no confronto, a vulgaridade plebeia das coisas ditas; e nem podia deixar de ser assim, pois que esperar dum sargento de milícias? Já o doutor Brás Cubas é fina floração de fim de raça, um *faineant* como aqueles das cortes luizescas de França. Flor de fim de Ordem Social. Ao primeiro sopro das Revoluções, os Brás Cubas morrem como passarinhos.

A minha ideia do porão falhou, porque uma criada ocupa a repartição próxima, e como é preta põe lá um bodum pior que o barulho da sala. Ando a ler uma batelada de coisas, entre elas a correspondência de Taine, a *Conduta da Vida*, de Emerson, uns Anatoles e um romance de Marion Crawford. Este mês decide-se o negócio da empreitada; e se não falhar mudo de vida. Meu dilema agora é este: ficar aqui metido em negócios ou remover-me para Ubatuba e passar um ano diante do mar — a namorá-lo, a cheirar-lhe as maresias, a comer-lhe os camarões e ostras, a pintar marinhas, a ouvir histórias de pescador, a pescar nas pedras, a tomar banhos e ficar ao sol da praia de mãos cruzadas sobre os olhos, como um caranguejo feliz.

Creio que foi aquela *Joie de Vivre* de Zola que me fincou na cabeça tal ideia. E caso meu plano se realize, que tal ires também passar lá uns três meses de licença, com a tua Bárbara? Ela há de estar precisadíssima de banhos de mar. Arranjo-te casa mobiliada junto à minha, se não couberem as duas famílias na que irei tomar — caso escape do hotel. E viveremos uns meses no mar, para o mar, do mar, pelo mar, com abandonos de mulher que se entrega ao amante. Levaremos uma batelada de literatura marinha, Lotis e Conrads, e faremos literatura, contos e novelas cheias de mar, com muito verde-cana e muito azul do céu.

Ubatuba é uma grande tapera à beira duma sucessão de praias lindas. Anda-se lá de pé no chão, com chapeirões de palha, sem paletó, a comer coco verde na rua e a sentir de todos os modos o mar, o mar — nos banhos, nas refeições, nas pescarias, na leitura dos escritores marinheiros.

O juiz de lá é meu tio por afinidade e velho companheiro de colégio, de academia, de tudo. Aquele Eneias que se atirou do trole no desastre da ponte, lembra-se?

Uma estada assim em Ubatuba será coisa de marcar época em nossas vidas, Rangel!... Seduz-me tanto que, podendo ser removido de Areias para Araraquara, estou negociando permuta com o promotor de Ubatuba. Talvez haja incompatibilidade por causa do tio afim. Já consultei a Secretaria e espero resposta. Mar, mar, mar... Há sempre saudades do mar na obscura trama do nosso imo. Já fomos filhos do mar, nos inícios da nossa evolução, quando éramos o peixe *amphioxus*...

Lobato

TAUBATÉ, 27,9,1910

Rangel:

Tua última me pegou neste Taubaté para onde vim por três dias em virtude da morte de meu sogro, a 13 do corrente. Esta morte atrapalhou-me um tanto os cálculos e talvez me leve de novo a Areias, e então retomaremos os fios. Coincide andarmos a ler o mesmo livro, *À Margem da História*. Como é novo, como são inéditos entre nós a ideia, o pensamento, o estilo, a língua de Euclides! E por causa duma simples mulher esse Homem Estupendo desapareceu numa voragem...

Certo o que dizes do Cândido. Teve elementos para tudo, mas o excesso de dinheiro o perdeu. Cândido pobre daria algo precioso. O dinheiro dessora e dá a preguiça. Outro que está se estiolando e de quem nem o Raul espera mais nada é o Ricardo — o gênio da nossa rodinha. Vive em S. José dos Campos.

O "literatinho da tua terra" definiu muito bem os falhos. Isso mesmo! Hoje, sarado já da catarata, coloco-me no lugar devido e nada mais espero de mim. Antigamente, a simples ideia de falhar me dava ânsias de desespero. Hoje, que positivamente já falhei, nem mais me acodem à mente os sonhos de outrora. Perguntas que tenho feito. Uma coisa só: procurado ganhar dinheiro, procurado mudar o rumo da minha vida — mas não espero nada este ano. A coisa não é fácil como eu supunha.

Ando ansioso por Areias — parece incrível! Mas aquele sossego me faz bem à alma e ao cérebro. Não há lá este dispersivo das grandes cidades; podemos cultivar uma horta. Aqui nada produzo. Meu jardinzinho do cérebro está cheio de mato. Sinto-me entorpecido dos miolos, como ficamos entorpecidos dos músculos quando muito tempo acocorados. Só de você espero ocasionalmente algum lubrificante. Literariamente, vivo pendurado em você, como quem caiu num abismo e se agarrou a uma raiz. Se você me larga, vou ao fundo.

Lobato

1911

Taubaté, 4,4,1911

Rangel:

Tua carta chegou-me ao voltar eu da missa de 7.º dia da morte de meu avô. Faleceu a 27 de ruptura de aneurisma, como se previa. Um grande homem, o meu avô, e grande amigo meu. Esse fato vem mudar minha vida. Já não volto para Areias — abandono a carreira. E com pesar. Aqueles dias lá passados, sem serviço como promotor, todo entregue ao mais absoluto borboleteio mental, ora em caça de coisas no Camilo, ora a ler e anotar o Aulete ou a traduzir artigos do *Weekly Times*, ou a tentar um conto, ou a ler um livro novo — tudo isso, dentro da nossa eterna troca de conversa escrita, é coisa de deixar saudades, pois não. Minha vida agora vai ser a de "proprietário". Em estudante eu tinha uma cama, uma cadeira de balanço, uma canastra e uma agulha — minhas propriedades paravam nisso. Essa agulha me fora dada aqui, certa vez, por uma velhinha de nome Nh'Ana Rosa. Conservei-a toda vida espetada na gola e com ela preguei todos os meus botões caídos. Chegou a entortar de tanto uso, a coitadinha. Pois hás de crer Rangel, que logo que me casei a primeira coisa que Purezinha faz foi perder a minha agulha histórica e tão amiga? Conservei-a comigo, na gola, oito anos! Depois que me casei assumi mais propriedades —

mulher, filhos, a responsabilidade de pai de família. E agora vou ser proprietário de coisas — casas, terras, fazendas. Mas a "nossa agulha" será conservada e continuaremos *quand même* a costurar as nossas secretas literatices.

Isso é raro e bom, Rangel. A mim me descansa da materialidade da vida e a você garante uma opinião sincera neste mundo de opiniões malandras. Ainda não sei que rumo vou tomar. O mais provável é ir viver naquela fazenda onde escrevi o hediondo *Os Lambeferas*. O lugar tem a calma propícia às letras — embora, dada a amostra, as produza péssimas. Produzirá melhor, feijão e milho. E lá me hás de visitar um dia, você, dona Bar e a prole. Prometido?

Os preços de impressão do Lello são realmente convidativos, mas de mim sou contra o teu lançamento agora. Eu queria que aparecesses com os seis romances ao mesmo tempo, de jacto, todos perfeitos, inatacáveis! Coisa de achatar a crítica indígena e dar uma tremenda prova de consciência do valor próprio. Essa história de vir com o primeiro livrinho e submeter-se à piedade da crítica, e ouvir que somos uma "bela promessa", isso não vai comigo. Ou entro e racho, ou não entro nunca. A coisa há de cair na taba como uma bólide.

Quanto a ganhar dinheiro com livro, e essas esperanças de criar um "nome vendável", uma marca de fábrica que tenha saída, varra isso da cabeça! Tão cedo o livro não será negócio de dar dinheiro no Brasil. Sabe que o pior negócio do Garnier foi a edição completa do Machado de Assis? O Paulo, gerente da livraria Alves em S. Paulo, disse-me que "o Alves não quer a obra de Machado de Assis nem de graça, porque não passa dum entulho de prateleiras" — tão divorciados andam entre nós a Glória e o Valor Comercial.

Pescar! Coisa deliciosa. Foi na minha infância o meu maior prazer. Em menino, o anzol, a tresmalhas e o covo me faziam esquecer o mundo. Ainda hoje é com emoção sagrada que levanto um modesto mandi. Em Areias eu pescava com o Fídias, delegado. O riozinho de Areias dá muito acará. Este capítulo é longo e com muito prazer a ele voltarei.

Hei de ler o Conan Doyle que recomendas. Gosto do homem. Leio-lhe tudo quanto pilho.

Lobato

TAUBATÉ, ABRIL, 1911

Rangel:

Li a última parte dos *Soldados do Livro*. Não resta a menor dúvida: estás romancista. Possuis todas as qualidades necessárias: 1) capacidade de trabalho, coragem de começar na primeira e ir até à pagina trezentos e cinquenta; 2) instinto da composição, da arquitetura, da montagem, do enredo; 3) habilidade de manter até o fim o caráter dos personagens; 4) estilo e correção de língua. Resta agora a lapidação de todas essas qualidades, que é um trabalho do tempo.

Noto no romance umas tantas excrescências, que o aumentam de tamanho e o diminuem de harmonia — uns tantos excessos que cumpre podar. Uma cara só é bonita quando nada tem de mais ou de menos. Suprima, por exemplo, ou atenue, a catequese dos botocudos pelo Marolo. Materialmente não havia tempo, entre sua saída do ginásio e o dia dos exames, do homem catequizar índios e padecer martírios. Faça a conta. Não dava tempo nem dele chegar a Cuiabá. Além disso, muito mais consequente com o caráter de Marolo será sair do ginásio e agregar-se parasitariamente ao bispado, em cargo que um leigo possa desempenhar.

O capítulo dezesseis pede refusão. Está prolixo, cheio de coisas que não dizem com o tom geral. Desafina. Noto que nos diálogos você se vulgariza um pouco. O diálogo no romance é o enxerto das coisas vivas, frisantes, engraçadas ou áticas, que por associação vão ocorrendo ao escritor. A cena dos conspiradores em casa do Dadico pede reparo. Da rua, portas e janelas fechadas, como podiam eles ver e ouvir tudo quanto se passava lá dentro? Muito melhor deixar entrever a situação do que narrá-la às cruas. E assim outras coisas.

Em muitos pontos é preferível entremostrar a mostrar, diluir os contornos duros, substituir luz por meia-luz ou penumbra. Há ganho de sugestão.

Nossos estudos de clássicos deram um resultado curioso: tua linguagem ficou metade século 20 e metade século 15. Pareces um homem de cartola e bofes de renda, ou de paletó saco e sapatos de fivela. O que eu achava melhor é que decantasse o estilo. Que o deixasses filtrar e assentar por si mesmo, porque estilo não é uma coisa que se faça deliberadamente de acordo com certos moldes; estilo é cara, é feição, é fisionomia, é nariz. O amanho da cara não vai além do asseio da pele, do pentear ou não os cabelos, do cortar ou não os bigodes. Se alguém passa além disso e usa cremes e ruges, perde a cara e vira *maquillage*.

Quer que mande já o livro ou prefere que o anote? Se insisto em anotar os defeitos é que muito o apreciei no todo e desejava vê-lo sem senão. Às vezes olhos alheios enxergam melhor em nossos filhos do que nós mesmos. Há aquela fábula dos filhos da coruja — e tudo quanto produzimos é filho de coruja. Por isso meus olhos, embora não sejam mais apurados que os teus, verão no que escreves defeitos que não vês — e, vice-versa: no que escrevo os teus verão muito melhor que os meus olhos de pai. É da vida. Minha opinião é que podes aparecer em público com este romance. Tema empolgantíssimo. Será uma grande estreia.

Os *Bem Casados* continuam aqui. Quer que os devolva? Apesar do meu atarefamento atual, estou pronto para recopiar o teu romance, pelo menos em parte.

O Nogueira escreve-me sobre a sua novela sideral. Vacila na nuança do papel, na largura das margens, na cor da capa, etc. Coisas evidentemente de muita importância nos intermúndios. E quer umas ilustrações minhas — imagine...

Lobato

Taubaté, 6,5,1911

Rangel:

Venho pôr-me em dia. Não há dúvida, os teus *Pioneiros* ganharão com algum desbate a foice, sabiamente feito nalguns trechos que me parecem muito copados. É o que estou fazendo aqui numa chácara que foi de meu avô: desbastando, derrubando tudo quanto é árvore inútil. Só ficam as árvores que dão renda. Pés de cambucá que produzem mal e frutas enferrujadas — machado neles! Mangueiras maninhas — machado nelas! No romance também é assim. Tudo que for inútil ao progressivo efeito central pede foice e machado. Podar, podar! Eis o grande segredo. Desbastar. O que fica eleva-se, ganha realce.

    O Sebastião andou tão arredio do colégio que será bom alijá-lo do livro. Está lá sem fazer nada. E não é possível uma coisa daquelas — um tal troglodita filho de gente fina. Poderás dar-lhe muita liberdade, para mostrar a desordem do colégio, mas não a ponto de fazer dele um Robinson. O Dario e o Meira estão pedindo poda. Em Adélia não toques. É um tipo muito corriqueiro na vida, que a gente sempre entrevê oculto no fundo das casas. Os velhos são a nota emotiva do livro e coisa realmente ótima.

    Tens uma impressão do *Robinson* que é também a minha, com a diferença que nunca o reli — nem relerei. Ganhei-o de presente num memorável dia de Natal e li e reli aquilo com um deleite inenarrável. Conservo essa impressão infantil com o carinho com que um poeta deve conservar a sua primeira produção. Que maravilha não será o *Robinson* para a formação do caráter dum menino inglês, que cedo vai para as Índias, a Austrália, construir uma vida de que Robinson é o espelho! Para nós não é tanto, porque não temos Índias para ir — somos ostras.

    Os Lambeferas... Deixemos aquilo em paz. Hórrido.

    Vou-me à vida livre do fazendeiro, criar porcos em vez de acusar réus, viver como bicho ou árvore em vez de como chapéu-de-sapo que o Dr. Washington desloca daqui p'r'ali.

    Não sei se o causar espécie é locução vernácula. Talvez um idiotismo — e idiotice é. Será francesismo? "Tresmalhas", no tempo em que eu pescava na Fazenda do Paraíso (nove a doze anos) era uma redinha de malha que atravessávamos no ribeirão à tarde e na qual na manhã seguinte encontrávamos peixes enroscados — peixes que descem o ribeirão de noite. Se o nome aí é outro, a coisa é a mesma.

    Recebeu os prospectos de novo dicionário? Imagine que são vinte e três volumes de quinhentas páginas cada um! Está sendo feito por um Jerônimo de Azevedo da Biblioteca Pública de S. Paulo. Vinte mil réis o volume. Irá saindo aos poucos.

Lobato

Taubaté, 22,6,1911

Rangel:

Será que a tal carta de meia légua se perdeu pelo caminho? Já estou cansado de esperá-la.

    O mês passado fundei aqui um colégio para aproveitar duas coisas: um casarão imenso deixado pelo meu avô e um parente que não conseguiu estudar. Que fazer de quem não conseguiu aprender, senão pô-lo a ensinar? Já inauguramos o externato — o internato fica para o ano que vem. Temos agentes pelas cidades vizinhas. E aí? Não me poderás conseguir um bom? E estou planejando o lançamento dum sanatório em São José dos Campos, O lugar é ótimo e ninguém ainda teve a ideia. Tenho cá um tratado sobre os sanatórios suíços e o engenheiro Huascar está me fazendo um anteprojeto.

Mas a grande ideia não é essa: é a de um colégio que não existe, só para meninos ricos. Um colégio onde só ensinem coisas de rico — esporte, *pocker*, *bridge*, danças, línguas vivas faladas, elegâncias, pedantismos, etiquetas e as tinturas de literatura, ciência e arte necessárias nas conversas de salão. O café está a dez mil réis, o fazendeiro nada em ouro — que fazendeiro não quererá os filhos educados assim? O passadio do colégio será excelente. Mesas redondas, garçons de casaca. E podemos até introduzir as cartolas de Eton. Estatutos luxuosíssimos, com maravilhosas gravuras. Agentes por toda parte onde haja ricos. Grandes reclames nos jornais, diretos e indiretos. Para professores, só medalhões, "imortais", homens bem postos, aristocratas estrangeiros; e o Beccari, que é marquês, poderá entrar como *maître d'hôtel*. E temos ainda o conde Lorenzaro para a equitação. Importaremos até um duque da Itália — ou um grão-duque da Rússia.

Preços exorbitantes, que encham de orgulho os pais, porque ter filho em tal colégio será o mesmo que ter frisa de assinatura permanente na Ópera: atestado de riqueza.

No fim do ano, excursões dos alunos pelos países de turismo clássico, com professores que expliquem a Esfinge e mostre as melhores *boîtes* de Paris e as mais afamadas casas de joias da Rue de la Paix. Em suma, ensinar aos meninos ricos o que eles vão necessitar pela vida afora — porque não sei de maior imbecilidade do que meter logaritmos na cabeça dum futuro herdeiro de milhões. Mas ensiná-los a ser ricos com decência e proveito social.

O rico educado! O rico treinado na sua alta função social. Pense nisto, Rangel. O rico forçado a ter altas obrigações, como aqueles nobres dos começos da nobreza.

A ideia me veio porque há aqui um rico (aliás mineiro) que tem boa alma, é decente, etc., mas está transformado na craca mais inútil do mundo porque nunca lhe ensinaram a arte de ser rico. Um rico educado em meu colégio será um nobre embelezador do mundo com a sábia arte de bem gastar em proveito próprio e alheio, que o colégio lhe ensinará.

Não comunique esta ideia ao Fernandes, que ele corre a executá-la. Incrível que um gênio da marca do Fernandes ainda não se tenha lembrado disto!...

Lobato

Taubaté, 7,8,1911

Rangel:

Já andava saudoso de algo sem conseguir precisar o que fosse, quando tua carta veio abrir-me os olhos. Era a falta das nossas palestras epistolares, nas quais nos chafurdamos no assunto que não cansa. Há quantos séculos interrompemo-las! Desde Areias. Mas como vou breve para a fazenda com o fito de demorar pelo menos um ano, e você de novo afundou nesse tremendo Machado, a distribuir justiça, é de crer que tenhamos ambos disposição e tempo para... Para quê? Que será realmente isto que fazemos? Devanear? Para mim o sabor de tudo está em que só nos momentos em que te escrevo, ou te leio, é que vivo a minha "vida insuspeitada". — uma vida velha, boa, cara e rara; uma vida proibida e única, de espanejamento de ideias, de espojamento mental. Observe como as bestas de carga se espojam no pó, quando, depois de longa viagem, o tropeiro as alivia das cangalhas! É o que fazemos epistolarmente, sem que o Mundo desconfie. Pobre Mundo! Como nós o enganamos...

Ah, eu no Mundo sou outro. Converso sobre o café, a alta do açúcar, raças de gado, política municipal. Mas com você eu ressuscito um Lobato alma de gato que não morre nem a porrete e literateja às ocultas — Lobato *quand même*. E há quantos anos já dura esta conversa misteriosa, de que o Mundo jamais desconfiará? Quanta coisa nos dissemos, quanto projetamos, quanto nos espojamos... Enquanto isso, fomos vencendo estirões na estrada da vida. Vencendo fases. Namoramos. Noivamos. Casamos. Proliferamos. Descobrimos o primeiro fio de cabelo branco...

Mas ando curioso de conhecer o teu pedaço de vida que vai da saída de Machado até a volta para Machado. Tanto machado, Rangel — não receias um fim à Ana Bolena? Conta-me lá esse pedaço de vida. Foi pena não quereres te associar ao meu colégio aqui. Vai de vento nas costas. Dei-o de presente a um cunhado, e diz ele que já lhe está rendendo um conto de lucro por mês, o que é alguma coisa para colégio começado este ano e aqui. E ele não é dos que têm grande jeito. Mas com você dentro — com toda a técnica que aprendeu do Fernandes...

Agora que te voltou o sossego tens de prosseguir no romance. Lembra-te que a ti cumpre salvar a Tarasca, já que és a única semente que não falhou. Todos nós vivemos de olhos grudados em você, como náufragos num penedo da costa. Quando algum dos cães pergunta de você (porque sobre o Rangel sou eu a grande autoridade), respondo com mistério: "Nada de pressas. É de lá que vem a coisa!". E o "a coisa" é dito em tom que os comove; os olhos do Raul brilham de amor. É que todos do Cenáculo esperam de você e de você só. O resto da cainçalha vive na voragem, esquecidos das ideias e juramentos de outrora. Ricardo engorda e em vez de sonetos produz filhos. Raul ainda se mantém o último abencerragem — ainda é um produto residual das leituras do Eça. Ainda acorda e emite aquele "oh!" quando ouve o nome do Eça. Albino policia Ribeirão Preto. Lino, Tito, eu... Até erva-de-passarinho me deu no estilo. Perdi o jeito de escrever, por força deste delicioso hábito de não escrever que estou adquirindo. Atualmente, sabe em que lido? Arquitetura... Fiz o projeto de uma capelinha que uma de minhas irmãs quis construir em sua chácara aqui da cidade — e peguei a empreitada! Estou arquiteto e construtor! Há três meses que vivo essa vida nova; passo os dias, desde as seis da manhã até noitinha, na "obra", dirigindo e fazendo. Ajudo o carpinteiro e o pedreiro. Eu mesmo preguei todas as telhas "Eternit" do telhado, porque o pobre pedreiro não entendia dessa novidade. Ontem, quando entrou lá na chácara o correio com tua carta, eu estava no alto da escada ajustando uns lambrequins (que não figuram no desenho que te mando). Que felicidade construir! Não me esquecerei nunca destes dias passados a lidar com a torrinha em ponta de flecha, a dez metros do solo, sob o sol. Nunca meu tempo correu tão depressa. Os pedreiros e carapinas não sabem como são felizes. A felicidade humana é diretamente proporcional à velocidade com que passamos o tempo — ou ao "andante" da vida. Pedreiro e carapina e mais operários manuais são ultra felizes porque vivem "prestíssimo". O mais desgraçado dos homens é o preso de cadeia, porque vive no "lentíssimo", com dias de cem horas. Meus dias da capelinha têm, sabe quantas horas? Nem sei. E a minha impressão é de serem horas de vinte minutos apenas.

A verdadeira vida dum artista deve ser esta que estou levando — vida de aprendizagem, como a teve o Wilhelm Meister de Goethe. Viver todas as vidas — depois pintar a Vida. Uns tempos como pedreiro, outros como carapina, vivendo no meio deles, com o aroma das madeiras morando-nos no nariz, mais os cheiros das telhas e da cal e do reboco, com a unha do polegar da esquerda sempre negra das marteladas em falso. E depois, o mar, uns tempos de mar — e engajado em barco de vela, cantando e apanhando bofetadas tremendas do capitão — um capitão de suíças. E depois, cocheiro de *cab* em Londres, ou de fiacre em Paris, ou mesmo de tílburi em S. Paulo. Depois, criado, maquinista, guarda-freio da Central, motorneiro da Light, vendedor de frutas no carrinho, e de bilhetes de loteria, e caixeiro, e faroleiro, e *camelot*, e farol de roleta... Viver as principais "vidas coloridas" e realmente vivas — e só depois então casar. Só assim um homem tornar-se-ia honestamente casável.

Mas sempre com dinheiro escondido no banco, para não passar a tal necessidade que goza fama de ter cara de herege. Vivo pensando nesse projeto, para quando alcançar a independência econômica — e sempre contando com você para companheiro. Sem você sinto-me podado, com falta de pedaço.

Se não todas, há entre essas vidas que citei algumas que teimo em viver. Uma é a do faroleiro. Não imaginas, desde aquele conto tentado em Areias, que profunda nostalgia me ficou da vida em farol. Ainda hei de passar dois meses num farol — e com você ao lado.

Quanto aos *Falhos*, creio que vão ser a tua obra prima. Nada observaste tão bem e tão ao vivo, talvez por superabundância de modelos. Estas cidadocas são cachos de *ratés*.

Não conheço o *Inocente* de D'Annunzio — nada tenho lido ultimamente, fora uns malucos de gênio como o Aretino e o horrível louco que foi o Marquês de Sade. E por falar: desconfio que este marquês é a fonte donde Nietzsche emana — o olho d'água de Nietzsche. Sade está no Index, e é de fato a coisa mais anticristã que possa ser imaginada. Mas é um gênio!

E como vai de filhos?

Lobato

Taubaté, 11,9,1911

Rangel:

Volto ao Euclides. Estive a lê-lo e pareceu-me que a sóbria e vigorosa beleza do seu estilo vem de não estar cancerado de nenhum dos cancros do estilo de toda gente — estilo que o jornalismo apurou até ao ponto-de-bala acadêmico, tornando-o untuoso, arredondado e impessoal. 1) Euclides evita prepor o adjetivo ao substantivo, o que contraria a lógica percepção cerebral. Por exemplo: "exaustivas correrias", "paupérrimas choupanas", "esguia palmeira". O que na mecânica da leitura o cérebro tem de representar ao receber a impressão dum desses adjetivos (sem ter ainda recebido a impressão do substantivo posposto), é uma qualidade vaga e dissipada em extremo, capaz de mil articulações diversas: ao passo que na forma contraria — "palmeira esguia", por exemplo — a impressão é de extrema nitidez e vigor; o cérebro representa a coisa indicada pelo substantivo e imediatamente a qualifica ou determina com o adjetivo posposto. Ora, em Euclides não há adjetivos prepostos aos substantivos, ao passo que no estilo de jornal é esta a forma que predomina ("nosso inteligente colaborador", "o distinto amigo", a "gentil senhorita", a "virtuosa consorte", o "honrado comerciante desta praça", etc.).

2) Os verbos em forma composta, essa nojenta coisa de agregar o "ter" e o "haver" ao resto da verbalhada. É outro vício dessorante, que enfraquece o estilo com amortecer a nitidez da impressão cerebral ("haviam feito", "tinham estado comendo", etc.). As formas verbais simples são esplêndidas de energia e Euclides só emprega as compostas quando indispensáveis. Já o estilo de jornal só quer saber das compostas, justamente porque melifluem a frase, fá-las de salão de Clube Recreativo. Abro um *Minarete* e encontro: "andaram percorrendo", "tiveram começo", "estavam reclamando", "foram verificados", etc. A explicação do fato é a mesma do adjetivo preposto — dispersão, dissipação.

3) Os advérbios em mente, outra asquerosa invenção do jornal com o fito de adoçicar o estilo por causa das leitoras folhetinistas, normalistas, pianistas, feministas — todo o hospital dos cloróticos para os quais o jornal é um pão de cada dia — pão doce. A razão ainda é a mesma. Claro que têm mais força as formas — "de leve", "à larga", "a sós" — do que o "levemente", o "largamente", o "solitariamente". Euclides é idiossincrásico aos advérbios em mente e o estilo de jornal não quer outra coisa. Pela-se por eles.

Veja este trecho: "A deiscência das vagens das catingueiras, abrindo-se com *estalidos secos e fortes*, soava-lhes como percussões de gatilho ou estalo de espoletas, dando a ilusão de *descargas súbitas* de alguma *algara noturna inopinada* — e as *grinaldas fosforescentes* dos cananãs fulguravam *ao longe*, esbatidas nas sombras, como restos de fogueiras quase apagadas, em torno das quais velassem, em silêncio, expectantes *tocaias numerosas*..." E compare como ficaria em jornalismo: "A deiscência das vagens das catingueiras, abrindo-se com *secos e fortes estalidos*, soava-lhe como *agudas percussões* de gatilho e *secos estalidos* de espoleta, dando a ilusão de *súbitas descargas* e alguma *inopinada algara* noturna, e as *fosforescentes grinaldas* dos cananãs fulguravam *remotamente*, esbatidas nas sombras, como restos de fogueiras quase apagadas, em torno às quais *estivessem velando, silenciosa e expectantemente, numerosas tocaias*, etc. (falta o resto)

Lobato

Taubaté, 10,10,1911

Rangel:

Ora a tua versão do "enigma do Olivais"! Ele assume atitude de enigma e vocês caem e tentam decifrá-lo. O fato é que Olivais anuncia, mas nunca mostra nada de bom que haja escrito. O cavalo de batalha é agora o Alberto de Oliveira — a famosa carta do Alberto! Quem precisava duma carta do Alberto, conferidor de talento, é o Dantas Barreto. *O País* transcreveu uns trechos da *Guerra de Canudos* desse imortal, simplesmente hilariantes. Que pena! A Academia vai descendo ...

Escreveu-te o Edgard. Donde vem tua ligação com o Edgard? Sei que ele reproduziu no aniversário de Euclides aquela sua célebre carta sobre o *Eternel Retour* nietzscheano, desta vez precedida de uma apreciação minha. O *Eternel Retour* do Edgard parece o soneto d'Arvers, um canto do cisne.

O que na Revolução Francesa me interessa é o que os estúpidos historiadores à moda clássica não contam. Eu quero fatias de vida da época, conservadas aqui e ali em memórias, em panfletos de despeitados. Interessa-me o *bas-fond* da revolução, o formigueiro dos interesses inconfessáveis, a trama secreta dos bastidores, os fios que movimentavam os polichinelos políticos — os subornos. A história fala no patriotismo de Danton, na virtude de Robespierre, mas o que me interessa conhecer é o apetite de Danton, a ambição de Robespierre. Os grandes homens aparecem infinitamente mais interessantes, mais homens, quando despidos das falsas atitudes com que os veste a História — esse reposteiro. Anatole acaba de dar um livro com drama da revolução, tal como gosto. Infelizmente os exemplares que vieram para S. Paulo derreteram-se como sorvetes. Cheguei tarde.

Quanto ao que me propões, não sei... Sou incapaz de literatura; convenci-me disso em Areias, onde tinha todo o lazer possível e não produzi nada. Minha literatura não é de imaginação — é pensamento descritivo; não cria — copia do natural. Em suma, sou pintor; nasci pintor e pintor morrerei — e mau pintor! Nunca pintei nada que me agradasse. Quando escrevo, pinto — pinto menos mal do que com o pincel. Copista, portanto, e só. Talvez seja capaz dum livro de viagens, de impressões e até de pensamentos, porque meu cérebro pensa — mas é só. E não tenho fôlego. Escrever aborrece-me — mas quando estou desenhando ou pintando, esqueço de mim e do mundo.

Lobato

Taubaté, 9,11,1911

Rangel:

Apavora-me a lonjura da tua toca, menos pela distância do que pelo tempo necessário para lá chegar. Não posso arredar-me daqui por mais de três dias, e para visitar-te é preciso no mínimo o dobro. O burro da canastrinha não trabalhará por minha causa — pelo menos por enquanto. Mas guardo o itinerário e o convite, e quando houver jeito irromperei por aí como você irrompeu em Areias. Quanto a malas, sossega; não sou parente do Jacinto Galião nem do Cândido. Levo uma só, e pequena.

Muito fácil — basta que a tua visão do Cenáculo não seja do nosso cenáculo e sim dum cenáculo teórico, epitomático, e estará a tua consciência em paz com os amigos que te serviram de modelos e que — o livro sendo cruel — não se reverão nele. Pinta-os sem dó, a largas espatuladas, e farás livro novo e muito vívido. E é livro necessário.

Por quê? Ora, porque há cenáculos em toda parte e em todos os tempos. O cenáculo é um tumor. Basta que meia dúzia de vaidades afins se juntem e pronto — está ali um cenáculo em estado fetal. Nós dizemos "cenáculo"; o povo diz "panela".

O livro que v. planeja sobre bandidos do sertão, capangas, etc., também é dos necessários. O assunto foi tocado pelo velho Bernardo Guimarães e outros — gente de pouco realismo, e de romantismo em dose maior que o *quantum satis*. O filão está virtualmente virgem.

Uma das vantagens do romancista brasileiro é poder lidar só com virgindades. Nenhum tema nosso tem "barriga suja". A literatura faz *pendant* com a lavoura; ambas só lidam com matas virgens, terras virgens. Tudo está por fazer. Aqui em S. Paulo, quanto elemento de primeira ordem à espera dos Balzacs e Zolas, pedreiros que saibam assentar tijolos! A Terra Roxa, o caboclo queimador de mato, o bandoleiro *avant coureur* da civilização representada pelo colono italiano: o bandoleiro espanta o "barba-rala" e permite que o calabrês se fixe na terra grilada; a invasão italiana nas cidades — o Brás, e Bom Retiro; a fusão das raças nas camadas baixas — e na alta; o norte de São Paulo invadido pela decadência do Estado do Rio e a migração dos fortes para o Oeste...

Mas quem pensa em escrever romance quando a senha é o pega-pega do dinheiro? Era preciso que o romance também desse dinheiro.

A ideia do livro fragmentário não é má — aproxima-se da *Lanterna Mágica* de Th. de Banville, uma série de quadrinhos sem outra ligação entre si além da paternidade comum. Tudo serve, tudo presta, tudo é material — a questão toda está na fatura.

Um livro de piraquaras, entremeado de lendas ribeirinhas (como a do Minhocão do Paraíba, comparável à Serpente do Mar dos velhos marujos: ouvia-a contar em Queluz), a atmosfera ambiente, o cheiro da água doce, dos guapés apodrecidos; e o marasmo da vida, o sol parado das duas horas, com cigarras, com a lombeira, com a menina estudando piano — batendo no piano uma escala de Czerni...

A empreender a coisa, eu faria assim: estudava o rio desde a humildade do olho d'água — o óvulo donde ele saiu, até que se fundisse no Nirvana de todos os rios, o mar. Acompanhava-lhe o curso todo, o despejar de todos os afluentes, e as inúmeras coisas que o rio vem criando ou modificando pelo caminho. O nosso piraquara é uma criação do Paraíba, tal qual o lambari, o taiabucu de rabo vermelho, o nhacundá pintadinho. É o homem em função do rio; acessório, portanto; matéria que o rio plasmou — que o rio folga nos anos de bom peixe ou esfomeia nos de penúria — e que envenena nas enchentes, quando a água em redor do piraquara apodrece nas lagoas verdes. Dramatizar o fluir do rio, as tragédias passionais e outras ocorridas nas suas margens, os afogamentos, os desastres, etc. E para comodidade da composição, podíamos pôr toda a história na boca dum átomo do Hidrogênio componente duma molécula d'água do Paraíba, que se dissociou, abandonou o Oxigênio e foi escrever suas memórias...

Rangel: esta carta foi interrompida há dias, e desde então corri tanto de cá para lá que perdi todos os fios. É que estou me mudando para a fazenda, o que me vai tomar todo o mês. E só depois de lá bem instalado é que poderei reatar a nossa prosa sem fim. Fica pois adiada a resposta à tua última e a continuação dessa história do rio. Isso não impede que você me escreva outra, uma vez que já estás definitivamente afundado, ou encravado numa pedra, como pretendo fazer com a minha mudança para a fazenda.

Adeus.

Lobato

Fazenda, 10,12,1911

Rangel:

O problema que propões é de tal ordem intrincado que para solvê-lo só um Balzac — e acho até que só o Balzac da *Fisiologia do Casamento*. Creio que a atitude do marido tem que ser um reflexo natural do seu temperamento. O bilioso, o linfático e o sanguíneo agem de modos diversos. Mas como a classe dos biliosos, linfáticos e sanguíneos se desdobra num infinito de variedades, assim também variam as atitudes maritais diante dos flertes públicos de que a consorte é objeto. Em tese, uma cara bonita que passeia pela rua por um braço masculino faz parte da paisagem; e, portanto, todos os transeuntes de bom gosto estético têm o direito de encher o olho com ela. Uma bela árvore, uma bela fachada de casa, um bonito jardim particular, uma bonita mulher na rua (ainda que com o Cérbero ao lado), são coisas para os olhos de todos — e o marido, tal qual o dono da fachada ou do jardim, só deve orgulhar-se das olhadelas admirativas e invejosas. A questão complica-se quando o olhar é mais que olhar. Há olhar e olhar. *Est modus in rebus*. Há o olhar atrevido do conquistador de esquina, coisa muito nossa e sobretudo carioca. No Rio abundam profissionais do olhar atrevido. Moram na rua e contra todas as mulheres que passam ao braço dos donos chispam eles o tal olhar magnético, na eterna esperança do *coup de foudre* (que às vezes sobrevem). Muito adultério deve ter-se gerado desses coriscos. O fim remoto e secreto de tais peixes elétricos é esse: caçar as Bovarys.

Mas vamos à atitude marital. Há o remédio homeopático: para um olhar atrevido e insistente, olhar ainda mais atrevido e insistente. *Similia similibus*. O defeito deste sistema está em que enquanto o marido encara o gajo, este está encarando a esposa e não percebe coisa nenhuma. Se, entretanto, percebe, enfia e some-se. Há a atitude linfática: fingir que não vê e quando em casa a mulher queixar-se do "mal-educado", enfurecer-se, ameaçar — e ir discretamente azeitar o tambor do revólver, mas de modo que a mulher o perceba. Há a atitude nervosa, ou sanguínea, em que o marido perde a tramontana e agride o insolente a bengaladas — e tudo acaba com explicações na polícia e entusiasmo da esposa. Há a atitude biliosa na qual não sei o que se faz, visto como sou bilioso e os homens não se conhecem.

A melhor solução me parece a de um sábio ecletismo, coisa muito ponderada: fingir que não vê enquanto isso é possível; encarar com insolência provocadora, quando isso aproveita; quebrar a cara do olhador, quando não houver perigo do feitiço voltar-se contra o feiticeiro. Faz-se mister um grande tacto na aplicação deste ecletismo, só possível, pois, para os homens que não perdem a cabeça.

Um meio que dá bons resultados é abordar o olhador e dizer-lhe qualquer coisa finamente mordaz.

Eu tive um companheiro de república, o Mateus, que se viciou em encarar e fulminar com fluidos magnéticos todos os palmos de cara bonitinhos com que se cruzava na rua. Uma vez estrepou-se. Foi no Largo do Rosário. O palmo vinha acompanhado do irmão, o qual entreparou e disse amavelmente ao Mateus, estendendo-lhe o cartão: "Moramos na rua tal, número tanto, onde teremos muito gosto em receber sua visita e onde poderá encarar minha irmã com toda a comodidade. Parece-me que aqui na rua o lugar é impróprio". Mateus, apesar de cínico, engasgou.

Ao "Patife, eu te quebro a cara!" ele sabia reagir, mas de que modo reagir contra um convite tão amável?

É esta reação que sugiro. Amável, limpa, decente, sem polícia no meio. É o sistema francês — atender a todas as situações da vida com um *bon mot*. E eles levam o processo ao extremo. O marquês de Gallifet, figura das mais altas na aristocracia francesa, vingou-se do chifre que *un tel* lhe pôs dizendo numa roda lá no clube, quando *un tel* entrou: *"Je viens de le faire cocu"*. E esclareceu a surpresa dos ouvintes: *"J'ai couché avec ma femme"*.

O inglês, dizem, resolve o caso com um murro — no que eu não acredito. E dizem que o italiano o atende com uma facada — o que é natural.

A você aconselho que guarde o revólver. Matar gente, além de contrário a um dos mandamentos de Moisés, deve ser uma tremenda maçada — o júri, o libelo, as imbecilidades do promotor e da defesa. Também não aconselho que finja que não vê, porque é desmoralizante. Tire o troco da tua veia de humorismo. Faça espírito. Não somente ficarás satisfeito contigo mesmo, lisonjeado com a mordacidade do *bon mot*, como deixarás o gajo "interdito" — e é até possível que tua mulher passe a te admirar. Elas lambem-se por qualquer forma de superioridade do esposo.

Estou na fazenda há já uma semana, lidando com doenças de bestas, bicheiras de carneiro, roças de milho e mais coisas. Ainda não adquiri o olho exclusivamente utilitário. Uso muito o estético — e temo que isso me dê prejuízo no fim do ano. É a opinião do meu utilitaríssimo administrador.

Quanto ao *Romance do Rio*, havemos de voltar ao assunto. Ideia já velha, mas boa. N'*Os Lambeferas*, de execrável memória, o melhor pedaço é o em que essa ideia bruxuleia. E cá a tenho ainda no útero mental, para o mais belo e original romance brasileiro do século vinte: O PARAÍBA.

Sabe quem andou por aqui? Um emissário daquele famoso coronel João Francisco do Rio Grande. Está com ideias dum saladeiro em Caçapava e pensa em comprar-me a fazenda.

Lobato

1912

Fazenda, 7,2,1912

Rangel:

Na Ilha da Trindade há um conto esquecido a Edgard Poe. É um *Escaravelho de Ouro* às avessas. Na literatura dos tesouros enterrados, a inevitável *boîte à surprises* é o encontro final do tesouro depois de mil e uma peripécias e decepções. Corresponde ao casamento no quinto ato dos dramalhões do amor contrariado pela "prepotência paterna". Ora, um conto ou novela em que, no desfecho, quando o leitor ansioso já sente o "afinal" aliviador de suas angústias, tudo lhe saia às avessas, será interessante — senão para o leitor ao menos para o autor. E não é mister ir à ilha. Daqui mesmo você faz a coisa. Por que te lembro a ideia? Porque sou incapaz de produzir um conto.

Lino escreve-me. Conta que para te publicar *Os Legionários da Ciência* arranjou *O País*. Felizardo! Com passinhos de lã vais caminhando para a Academia, para reabilitar aquilo... E eu cá a criar galinhas e porcos. Minha academia vai ser a Sociedade Nacional de Agricultura.

Por falar em galinha: estou de avicultor novo, um grego legítimo, contratado no Rio. É da ilha de Tinos e recém-chegou do Acre. Para valorizar minhas Leghornes dou-o como descendente bastardo de Homero. Purezinha vive a perguntar-lhe como é em grego isto e aquilo, e vai formando vocabulário. E como o Lino me promete um lote de Orpingtons pretas da preciosa criação de luxo do Pedro Toledo, Ministro da Agricultura, veja que produtos vou obter: aves aristocratas, ministeriais, de bom pedigree inglês e criadas por um neto de Homero — talvez um Átrida! Em tempo te mandarei um casal da maravilha, para que assombres Minas com o requinte.

Quanto ao teu Caio... Manda-me todos os sintomas que eu o curo.

Idade certa, se mamou leite materno e até quando, que regime está seguindo, há quanto tempo veio a diarreia — consistência, cor, cheiro e acidez (verificada com papel de turnessol), quantas vezes evacua por dia, se chora muito, etc., etc.

Virei médico à força por causa dos filhos, e tenho obtido curas maravilhosas. Em diarreia sou mestre. E como sou "doutor", todos aqui me procuram e tomam meus remédios e saram ou morrem — tal qual com os médicos de verdade.

O peralta é o Edgard. Põe-me doido e é escandalosamente protegido pela mãe e a tia Anastácia, a preta que eu trouxe de Areias e o pega desde pequenininho. Excelente preta, com um marido mais preto ainda, de nome Esaú.

Sim, se não fosses casado não estavas fazendo nada do que dizes: estavas correndo atrás duma mulher para casar. O *Homo sapiens* é uma besta, Rangel.

Já te expus a minha teoria do caboclo, como o piolho da terra, o *Porrigo decalvans* das terras virgens? Ando a pensar em coisas com base nessa teoria, um livro profundamente nacional, sem laivos nem sequer remotos de qualquer influência europeia. Muito possível que te vendo impresso n'*O País*, a Inveja, essa fecunda espora, me force a escrevê-lo. Se não sair, será mais um casulo que seca sem dar borboleta.

Lobato

Fazenda, 9,4,1912

Rangel:

Anda o Nogueira com livro em Portugal! Há de ser o *Venerando*, história já minha conhecida. Nogueira tem preocupações cômicas — a qualidade do papel, o tamanho das margens, ilustrações, como se um livro valesse por outra coisa que não o miolo. Quem procura essas galantezas estranhas à literatura não mostra confiança no que escreve. É procurar muletas. Veja se um Machado, um Anatole, um Euclides, lá vão pensar nessas bobagenzinhas. E por dizer-lhe eu isto, anda ele agora zangado.

Vou ver se consigo escrever um conto, o *Porrigo decalvans*, em que considerarei o caboclo um piolho da terra, uma praga da terra. Mas não garanto coisa nenhuma. A vida de fazenda é absorvente; pouco lazer me sobra para pensar em coisas alheias à faina.

Apareceu um novo livro do Anatole, com um drama da Revolução Francesa. Parece que já te falei nisto. Duns tempos para cá ando muito interessado nessa convulsão social. Li a história da Revolução de Michelet e estou lendo uma coisa enorme e enormemente boa — *As Origens da França Contemporânea*, do Taine

Infame. Andas então preparando os dentes para trincar o casal de Orpingtons que te prometi? Saiba que nos criadores do Rio não obténs um casal dessas galinhas por menos de duzentos mil réis. Tens que criar, bárbaro, fazer do casal prometido o núcleo da tua galinhada futura, isso sim.

Lobato

Fazenda, 19,8,1912

Rangel:

Deu-me inveja a vida desse A. Silveira que você pintou tão bonita, a viajar de serra em serra, de bacia em bacia. Há de ser solteiro, evidentemente. Casar é cortar as asas; ou, melhor, trocá-las por feixes de raízes cada dia mais fortes. E com certeza esse felizardo anda instintivamente a forjar as grilhetas que o vão ligar a uma mineirazinha. Quanto mais difícil se me vai ficando o viajar, mais ardo por isso. Com família é impossível. Já notou que a maior parte dos artistas são largados da mulher? Explica-se o caso. Casam, na idade de casar, porque o casar é como o sarampo — coisa que vem. Mas depois de casados a mulher enciúma-se da arte do marido, e este ou abandona a arte ou abandona a mulher. Em Taubaté havia um pintoreco que um dia se casou. Viu logo a incompatibilidade entre a pintura e a mulher, mais os consequentes filhos, e falou-me do seu mais ardente desejo: um sobrado para morar; no primeiro piso punha a família, no segundo punha a pintura — e nada de comunicação entre os dois andares a não ser um buraco no forro, que ele atravessasse "arranhando-se todo"; e para que a mulher não fizesse o mesmo, ele a manteria perpetuamente grávida de sete meses — "impassável" pelo buraco.

Quanto à ortografia, procedi de modo inverso ao teu. Atacaste-a pel'*A Lanterna* e adotaste-a em público. Eu defendi-a em público mas não a adotei. Por quê? Preguiça, incapacidade. Acho que deve ser dificílima para mim. Ter de aprender de novo, na minha idade, isso é duro. E há ainda uma razão estética. Acho razoabilíssimo que se escreva, por exemplo, "estética"; mas acho fidalgo, distinto, cheiroso, escrevê-la à antiga, com aquele inútil "h" a flanar no meio da palavra. Tenho paixão pelo "h". Dá-me ideia duma letra nobre, de muita raça, com avô barão rapinante nas Cruzadas. Só trabalha quando quer, e só para modificar o som de outras letras. Age por ação de presença. O "n", se o "h" lhe surge pela frente, mija-se todo e fica "nhe". E fora de casos assim, o "h" só aparece nas palavras por puro esporte, por uma espécie de parasitismo — para arejar-se, ou para exibir-se quando puxa fila, como em "Homem". E o que dá dignidade ao Homem é o "H". Imagine se o Gonçalves Viana propusesse mudar-nos para "Omem". Até eu, daqui, ajudava a linchá-lo.

Adotas a reforma desse Viana? Se eu puder decorar regras é possível que faça o mesmo — apenas para acompanhar o movimento, não que a ache bonita. Boa, sim, é. Ou então persistirei na antiga, contribuindo para vitória da nova com o criar os filhos nela. O Le Bon que te serve é o sobre a evolução da matéria. Não aceito o oferecimento do Poincaré porque agora só leio coisas agrícolas e com imenso encanto. Ontem, a *Galinocultura* de Delgado de Carvalho me enlevou a cabeça e a alma, como outrora as enlevava um romance de Daudet. Não calculas, Rangel, como tomo a sério a lavoura, nem que belezas há na vida do solo. O cruzamento das raças, a hibridação, a seleção — mundos! Tudo biologia ali na fonte. Estou empenhado em fixar uma nova raça de galinhas por meio do cruzamento da Wyandotte Silver-laced com uma raça crioula que encontrei aqui, muito rústica e adaptada. Aplico os processos americanos, que nisto são incomparáveis e têm formado raças maravilhosas. Adoro uma ninhada de pintos — penugentas biologias vivas. Que pena não te interessares pelo assunto! Ensejo de trocarmos cartas utilíssimas. Poderás começar criando galinhas — há de haver aí lugar para elas. Minas é grande. E apurarás uma raça, selecionarás. Impossível melhor distração, e mais nobre, para um homem de letras. Paderewsky é um dos primeiros criadores do mundo. Tem uma *basse-cour* avaliada em dois milhões de francos. Pintos que piam em sustenido e galos que cantam em lá menor.

Colecione as ideias do Nelo, suas agudezas e ingenuidades. Dará matéria para um livro que nos falta. Um romance infantil — que campo vasto e nunca tentado! A ideia do Nelo, de matar passarinhos com foguetes de espeto na ponta, é de se requerer patente.

Mando uma fotografia dos meus pintos empencados no pai-capão. E a da capelinha. E a de Purezinha feito Madona.

Lobato

Fazenda, 19,9,1912

Rangel:

A Academia está descendo porque a sina deste país é a descida. O primeiro erro da Academia foi fixar em quarenta o número de membros. A única razão para a escolha desse número, ou a dum número qualquer, só pode ser um precedente — a menos razoável de todas as razões. Por capricho dum rei, a França organizou uma academia de quarenta — e os nossos pitecos, zás, academia de quarenta! Mas se a França, por um critério bastante cabo de esquadra, acha que os imortalizáveis devem ser quarenta, parece-me pretensão bastante pitecoide que um país como o nosso também pretenda tanto. Vem daí que para um Machado de Assis, um Bilac, um Neto, valores reais, torna-se necessário meter lá "enchimentos", como o Dantas e outros. E a própria Francesa recorre a enchimentos — uns marqueses, uns duques, uns prelados. O resultado vai ver, cá na nossa, que acabarão entrando até presidentes da República, porque não há razão para que a um general Dantas Barreto não se siga um marechal Hermes da Fonseca. E assim a nossa Academia irá descendo, como tudo mais em nossa terra, até ficar uma panelinha de gente equívoca. Acho, pois, que um homem de letras visceral como você não deve nunca pensar em academizar-se. Muito preferível que de fato te imortalizes com três ou quatro romances à Flaubert, dos sólidos e imperituros. A Academia está ficando a Guarda Nacional da Literatura Indígena.

Se sou maçon? Não. E não porque não tenho temperamento religioso nem político, e a maçonaria me parece uma religião política. E a maçonaria da roça ainda é menos que isto — é a botica do Eusébio Macário portas a dentro. Acho, Rangel, que tudo quanto seja contato com os netos do Pitecantropo que têm três olhos deve ser evitado pelos que têm quatro — os três de todos os netos e o quarto, o olho estético que falta a tantos acadêmicos de letras perras. *Turris eburnea!*

E dela só sair para estudos do primata — para analisá-lo, daguerreotipá-lo, nunca para confraternizar com ele.

A maior delícia da minha vida de roça aqui é justamente lidar com pintos, com perus, com bois e cavalos, e do bípede humano só me meter com esta insuficiência mitral que é o caboclo da roça. Mesmo assim só lido com eles através do "administrador", a ponte de ligação. E o caboclo ainda é a melhor coisa da nossa terra, porque analfabeto, simples, muito mais próximo do avô Pitecantropo do que os que usam dragonas ou cartola, e se dão ao luxo de ter ideias na cabeça, em vez de honestíssimos piolhos.

Também não desisti do retorno à literatura. O Dantas Barreto encoraja-me, mas não acho ocasião — vou protelando. Ontem deliberei-me. Fecundei o cérebro com uma ideia e penso que com quinze dias de gestação sairá alguma coisa.

Ando, às furtadelas, escondido de mim mesmo, a reler Kipling, e meu próximo conto será feito sob sua égide. Um conto de animais, aves. Fiz um grande lago perto da casa e enchi-o de marrecos de Pequim, patos indígenas, gansos, mergulhões. E estou estudando o palmípede para escrever a história do tanque. Contar a história do fio d'água que primitivamente alimentava um brejo e hoje me alimenta o tanque — um brejo todo capituvas, peris, taboas — todo um pedaço da miúda flora aquática. E com guaruzinhos nos rasos, e traíras amigas do lodo, e batuíras e saracuras amigas das minhocas e vermes palúdicos. Fechei a saída da água e ela foi crescendo e afogando as capituvas, expelindo as batuíras — e por fim os meus marrecos tomaram conta da superfície. Tudo isso olhado do ponto de vista dum pequeno pica-pau de cabeça vermelha que mora num velho esteio fincado ali na água antigamente, não sei com que fim. Ele abriu na madeira, que é de lei, um buraco assim do tamanho duma jabuticaba das grandes e escuro como ela. Mora ali. Há de ter ninho lá dentro, e espia pela entrada do buraco redondo, com apenas a cabecinha vermelha de fora. Evidentemente se julga dono da minha lagoa e dos meus marrecos. É a sua janelinha, aquele buraco. A qualquer ruído estranho, uma grita de gansos, uma pedra que eu atire contra o esteio, lá aparece a cabecinha vermelha a ver o que é.

Em suma: a crônica do tanque, porque creio que não passo dum cronista.

Parabéns pela confiança. É a base de tudo. Sobrepõe o teu juízo ao de todo mundo, inclusive o papa. Crê em ti mesmo, como o Cristo cria em si — e afirma que és o Filho de Deus, e acabarás Filho de Deus — se conseguires escapar do Juliano Moreira.

Lobato

1913

S. Paulo, março, 1913

Rangel:

Já vai muito longo o nosso mútuo silêncio e preciso saber onde estás, em que céu, em que nuvens tu te escondes. Somos dois viajantes de itinerários diversos e condução diversa, mas combinados de não se perderem de vista a fim de um dia, reunidos afinal, seguirem juntos. Conte-me em que romance você está, qual é a ideia dona da casa e como se comporta o *entrain*. Eu teimo em organizar definitivamente a vida econômica para depois entregar-me todo à para a qual nasci. E como andam fortes as saudades da tua arte, espero me mandes o borrão dos últimos partos. Tenho lido pouco; os *affaires* comem-me o tempo, mas leio. Li Garrett nas *Viagens na Minha Terra, Arco de Sant'Ana* e li também Hoffmann. Conhece este bicho? Mando um volume mal rotulado de *Contos Fantásticos*, onde muita coisa me seduziu, sobretudo o *Zacarias Werner*. Veja que bela arte do bem dizer. Leia-o e depois conversaremos a respeito.

Estou associado ao Ricardo num negócio que se sair nos enriquecerá a ambos. Mandar-te-ei os recortes dos jornais, quando for tempo. Imagine que é substituir o atual Viaduto do Chá por um monumental viaduto habitável, com casas dos dois lados — uma rua suspensa!

O Manoel Carlos deseja muito conhecer o "Rangel através dum dos seus calhamaços". Manda o que houver para a rua Formosa 53.

Lobato

S. P. 21,4,1913

Rangel:

Em mãos as tuas últimas. Nossas empresas são práticas. A última é a rua aérea, suprimindo o hiato que existe entre a rua Direita e a Barão de Itapetininga, hoje vencido canhestramente pelo nosso velho viaduto. Lê o recorte incluso. Está orçado em dois mil contos e assegura boa renda. Se a Câmara nos der a concessão, estamos ricos. Tive essa ideia ao passar uma noite por lá, e associei-me ao Ricardo, que tem influência na vereança. Mas o negócio vai mal. Imagine que, movido duns estúpidos laivos de pieguice sentimental, encarreguei o B... de fazer o desenho do anteprojeto a apresentar à Câmara. E por burrice, ou inadvertência, deixamos que ele, um simples desenhista contratado, assinasse a papelada. Pois foi a conta. O homem inflou-se de vento, tomou-se do delírio das grandezas, não aceitou nossa proposta de coparticipação nos lucros e acabou rompendo conosco. Há duas semanas que o encaminhamento do negócio está paralisado em vista da atitude desse irredutível animal. O B... sempre viveu no mundo da lua, e na mais negra e suja miséria. Não sabe nada da vida dos negócios. Deslumbrou-se com as perspectivas da Rua Aérea e como desenhou o anteprojeto tem-na como saída da sua cabeça exclusivamente.

Nós não ignorávamos que o B.... era duma ignorância enciclopédica e creio que foi você quem o definiu assim. Agora verificamos que é também uma burrice erudita. Cita a ponte do Rialto em Veneza para provar que tem direito a um terço do negócio... Essa atitude nos extremou de tal maneira que o mais certo é abandonarmos o negócio. Se houver jeito de acordo, continuaremos com a Rua Aérea; do contrário, enterramo-la. Esse será o castigo da monstruosa ingratidão do quadrúmano. Que vil! Como ajudei esse homem na vida! Como lhe arranjei empregos e lhe dei dinheiro! A paga é essa. E o pior é que não o faz por maldade, sim por burrice — ou absoluta incapacidade de compreender um negócio à moderna, dependente de concessão e *ipso facto* de lubrificação das engrenagens.

    O Nogueira surgiu por cá. Não é mais aquele nosso Nogueira do Minarete. É o autor do *Amor Imortal*, que sabe de cor e declama para os amigos basbaques. É o Nogueira *beuglant*. Flaubert devia ser assim. Reformou-se-lhe a filosofia. A Vida é uma atitude. As filosofias são atitudes diante da Vida. O Homem é uma atitude. Tudo é atitude. E com este atitudismo, Nogueira posa atitudes diante da objetiva do futuro. A atitude atual é deduzida de Nietzsche, que ele descobriu, apoteosa e dissemina. Está causando sucesso em nossa rodinha semi-industrializada, como se fosse um homem caído de Marte. O perigo é algum auto moê-lo na rua. S. Paulo intensifica-se, e aquelas nossas palestras peripatéticas de antanho são hoje quase um suicídio. O ponto do Nogueira é o escritório do Ricardo. No meio dumas dessas discussões... (falta o resto.)

Lobato

S. Paulo, 9,5,1913

Rangel:
    Casualmente encontrei hoje a tua de 25 de abril, que um dos meus pimpolhos recebeu do carteiro e encafuou numa gaveta. E deu-me alegria saber que não degenerei — pelo menos na tua opinião — embora eu não perceba o que te levasse a tal conceito. Infelizmente, meu caro, ainda sou o mesmo; não consegui os belos resultados do Mário Roberto, apesar da fazenda, do jogo do bicho, do Beccari e do Hermes. Imagine que ao julgar-me completamente sarado, entro na livraria Alves para comprar um tratadinho de Salmon sobre *L'Élévage du Cochon dans l'Amerique du Nord* e saio com duzentos mil réis de Paul de Saint Victor, de Taine, Henri Fabre, etc. E mergulhei, literalmente chafurdei, no vício antigo, para grande escândalo dos meus canastrões, caracus e Leghorns. Que revanche! E no dia seguinte compro uma tal *Biblioteca Internacional de Obras Célebres* e estou agora organizando uma lista de memórias para mandar vir. Parece que ando na idade de ler memórias. Só nelas temos o que é possível de história verdadeira, com os *bàs-fond* e as cozinhas e copas da humanidade. A história dos historiadores coroados pelas academias mostra-nos só a sala de visitas dos povos. É um *garni* uniforme, incolor, tanto na França como na Turquia e Rússia. Mas as memórias são a alcova, as anáguas, as chinelas, o pinico, o quarto dos criados, a sala de jantar, a privada, o quintal — a pele quente e nua, ora macia e lisa, ora craquenta de lepra — da humanidade, a grande humanidade com

"h" minúsculo, esse oceano de machos e fêmeas que come, bebe e ama — e supõe que faz mais alguma coisa além disso.

O meu grande sonho literário, jamais confessado a ninguém, é um livro que nunca foi escrito e talvez não o seja nunca — porque Rabelais o esqueceu. É uma visão da humanidade extra-humana ou sobre-humana. O homem visto pelos olhos dum ser extra-humano, um habitante de Marte, por exemplo, ou dum átomo, ou da Lua. Um quadro da humanidade feito com ideias de um não-homem (que maravilhoso absurdo!). Uma pintura objetiva apenas, nada de julgamento de juiz. Toda literatura, todo romance, todo poema, por mais impessoal que procure ser, não passa de um julgamento. A ideia moral, que domina mesmo o autor mais liberto de tudo, não permite a simples pintura objetiva. E essa pintura seria um susto e um assombro para o homem, que não consegue jamais conhecer-se a si mesmo porque ninguém o desnuda. Livro de um louco. Livro para o Marquês de Sade, se não fosse a sua obsessão sexual — ele tinha gênio para tanto. Sinto que se apenas esboçar esse livro, metem-me no Juqueri. Encostemos por enquanto o pesadelo.

O Beccari nos tem aborrecido tanto, que a nossa roda já fala em roda de pau. Até Raul, o inofensivo, quer ter o gosto de colaborar na surra com a sua elegante bengala de junco. Que fim do Cenáculo! Os sub-gênios atacando em massa, e deslombando, o Gênio Máximo, o Leonardo da Vinci do Cambuci!

Se visses o Ricardo no escritório de advocacia que armou com o Luiz Maia e outros... O Luiz, como parente que é, e homem de um metro e oitenta de altitude e noventa quilos de tonelagem, tornou-se o chefe, o dirigente mental, o assessor e o motor do Ricardo. Empreendeu desenrabichá-lo das musas e casá-lo com a machorra da Advocacia. E para isso força-o a assinar o ponto às 11 horas e a ficar sentado a uma secretaria até às 4, diante de autos, de papel marcado, de cartões do escritório e de um Assessor Forense. Como única transigência admite, na estante que lhe fronteia a secretaria atochada de Lobões, Mafras, Bento Farias, Trigo Loureiro, Aveias e Coentros, bem em cima, em lugar pouco visível, uma coleção da Kosmos. Todos os dias às 11 em ponto Ricardo assoma à porta, entrepara, arranca um suspiro e entra. Pendura no cabide a capa e o chapéu, ouve uma descompostura do Maia e uns conselhos paternais (gênero do D'Argenton no *Jack*): "A vida não é um romance, Dr. Ricardo Gonçalves. A advocacia é coisa séria, de grandes responsabilidades, etc.". Ricardo, sem um pio, abanca-se, escreve uma petição ou razão, para afazer-se à forma tabelioa. O Luiz passeia pela sala e dita:

— "... e assim requer que o dito mandado..."

— "Dito mandado!" geme o poeta. Já há um "dito" atrás e está tão claro que é sempre o mesmo mandado ...

— "Escreva, escreva! É preciso muita clareza, senão o juiz não entende. Isto não é poesia, Dr. Ricardo Gonçalves. É coisa séria. A vida não é um romance."

E no papel, que outrora recebia os seus lindos sonetos, Ricardo lança aqueles odiosos "ditos", e safadíssimos "referidos", suspirando. E fora soa um chorinho abafado, no corredor. São as musas que não podem entrar e de longe espiam aquilo...

Como consolo aparece de quando em vez um abencerragem literário — em regra o Raul, que foge da repartição e vai vê-lo, todo *smart*, com um tédio superior no canto da boca e gestos de dedos espetados, mas já sem os "ohs," sem Eça e até sem Fialho. Também aparece um Joaquim Correia, crítico de pintura e versos que o Raul outrora hostilizava mas que o Ricardo considera boa pessoa. Também o Nogueira deixou lá rastro luminoso — e as musas quase entraram com ele. E como dissertou bem! "Porque o Alberto me disse... Porque o Artur me escreveu." O Alberto é o Alberto de Oliveira. O Artur deve ser o Rei Artur. Você não lhe pilha mais a camaradagem, Rangel! Serias para ele agora uma *mésalliance*. O Nogueira de agora é só ali no "imortal" e não faz por menos. E você, ingênuo, ainda lhe escreve! Mas não espere resposta. Nogueira só atende de Alberto para cima.

Pobre e bom Nogueira! É um excelente rapaz. Estas minhas maldades talvez sejam no fundo inveja do seu *Amor Imortal*. Inveja do que já é editado (ou "edicionado", como ele diz) pelo ainda não editado. Assim o tivéssemos sempre por aqui, para agitação e desempoeiramento das nossas ideias!

Lobato

1914

Fazenda, 3,4,1914

Rangel:

Estávamos no exame de consciência. Em virtude do teu desastre comercial com as galinhas, da tragédia íntima, do romance craniano, etc., deste balanço nos miolos e concluíste: "Sou meio curto de inteligência e meio bobo". Nesta conclusão, sim, tu te revelaste um alarve. Não tens tino comercial e por isso não és esperto como o rato, como o vendeiro da esquina, como o Afonso Coelho. Negócio é essa esperteza infame, Rangel. Mercúrio era um espertalhão. Os gatunos são espertíssimos. Comércio e gatunagem são os polos duma mesma atividade humana; o primeiro exige mais fôlego e se faz dentro da lei, hipocritamente e com toda a segurança; o outro se faz fora da lei, heroicamente, entre mil perigos e sem honra nenhuma. O vendeiro abusa-nos da fisiologia; vê a fome em nossa cara e acena-nos com um rabo de bacalhau, e em troca do fedorento peixe nos tira do bolso uma certa quantidade do nosso sangue-dinheiro. O gatuno que nos tira a carteira sem tentar a nossa fisiologia, é muito mais discreto, gracioso e cômodo. Ora, as tuas experiências apenas demonstram que não és negociante matriculado, nem gatuno. Se fosses, Rangel, se o teu negócio de galinhas desse resultado, estavas logo aí a fazer um *corner* de aves, e a açambarcar os ovos todos de Sapucaí, e a perturbar o mundo com a tua ganância, e a tentar a fisiologia humana, etc., com grave dano dessa coisa tremenda que se chama Literatura. Parabéns, pois, pelos desastres comerciais. Não foges, meu caro, ao destino de Messias do Cenáculo. Tu és o esperado. Tu és o que prometeu e deu. Todos os mais não granaram, como as espigas do meu arrozal do Barro Branco.

O Cenáculo — um pardieiro já, Rangel. Procura escorar-se com admissão de sangue novo. Andam querendo atrair o Roberto Moreira e o Plínio Barreto, mas acho-os muito pouco tartarinescos. Não tiveram a iniciação da Tarasca, como nós. O teu prestígio na rodinha cresce na proporção da tua demora em aparecer. "Ele que tarda é que vai ser formidável", informo eu, o iniciado nos segredos do Rangel, e sussurro coisas, conto que pões romances como as minhas Leghorns põem ovos — e às vezes até perdes um ou dois na rua de caminho para o fórum. (Sabe que com o Coelho Neto aconteceu isso? Perdeu um original de romance no bonde...) E descrevo o entrecho e a filosofia dos teus romances numerados, e o teu modo de trabalhar, e os prodígios que andas arrancando da língua. "O N.° 7 é assim" — e vou contando. "Ele escreve como Gautier, com um gato preto ao colo e um boi zebu no quintal. E está com um estilo que é mais que a música da Guiomar Novais. Se descreve um sol quente, o leitor sua. Se fala numa piabanha recheada, ninguém domina os arrotos da beatitude gastronômica. Eu lá na fazenda engordo os porcos de ceva lendo-lhes todos os dias um capítulo do Rangel sobre o milho vermelho." E todos ficam pensativos, com os olhos úmidos de ternura. Porque eles todos traíram a Tarasca, Rangel. Senão, veja lá onde param.

Ricardo não é mais o nosso Ricardito do Minarete — é o Dr. Ricardo Mendes Gonçalves, vereador da Câmara Municipal de S. Paulo!

Lino já não é o Lino da rua Bráulio Gomes — é o Dr. Lino Moreira, tabelião de notas na cidade do Rio de Janeiro!

Albino o Filósofo não é mais isso — é o Dr. Albino de Camargo, lente de psicologia e lógica do Ginásio de Ribeirão Preto!

Tito baba.

Raul, o último abencerragem, sempre surdinho, continua com os famosos coletes de seda e está acarrapatado a uma Secretaria qualquer.

O Correia... bom, o Correia não é do teu tempo.

Cândido está transformado em Carbono, Oxigênio, Hidrogênio e outros gases, e calmamente incorporado aos pinheiros da Suíça.

Edgard Jordão sumiu-se no *maelstrom* carioca.

Lobato enternece-se com os porcos numa fazenda da Mantiqueira.

Todas as luzes se apagaram — só resta a do eletricista de Sapucaí.[29]

Lobato

Fazenda, 30,4,1914

Rangel:

Incrível, mas ando sem folga para uma carta. É que estou construindo um chiqueirão, consertando a máquina de beneficiar café e remodelando americanamente as acomodações das minhas Leghorns. Isso me ocupa o dia inteiro, ora aqui, ora ali, e à noite estou deliciosamente cansado e sem ânimo de te escrever — e há muita coisa de que não te informei, sucedida no meu atochado ano de 1913.

O negócio do viaduto tem dado pano para as mangas. Aquela Casa de Orates que é o cérebro do Beccari fez dum negócio muito simples — pedido de concessão para um viaduto e nada mais — um tremendo affaire, com rompimento de relações, com parlamentares de lá para cá, advogados no meio, ameaças. Tudo porque de um momento para outro resolveu não contentar-se com a quota de lucros que

---

29 Rangel acumulava o cargo de juiz com o de contador de uma usina elétrica.

num contrato prévio lhe atribuímos. Só agora ficamos vendo como funciona aquele cérebro. Dum modo absolutamente diverso do normal. Coisas que para nós são claríssimas e evidentes, não entram nos miolos do Beccari. É louco, Rangel, e só agora o descobrimos! Se eu fosse contar o negócio inteiro com detalhes, lá se me ia uma resma de papel. Temos que meter o nosso da Vinci num conto, não há remédio. Tipos assim a gente empalha e guarda no museu.

Quanto aos *Legionários*, se esse romance ainda não foi publicado a culpa é só tua, Rangel, que recorres a estranhos em vez de à prata da casa. Manda-me isso, que tenho elementos para fazer que saia num dos diários de S. Paulo, *Estado*, *Correio*, *Comércio*. Manda-mo que sairá, já, já, já. R. Manso é um lorpa (e parece-se comigo, dizes — que lástima!). Chamo lorpa todo sujeito que faz espírito por empreitada. Espírito é sabor e perfume acompanhando uma fruta ou uma flor. Destacado da flor ou da fruta temos sabor em lata e "água florida". Quando numa conversa, ou numa coisa escrita, surge de repente um "espírito" bem a propósito, sem denúncia de encaixe a martelo, sentimos o mesmo prazer de quem recebe uma lufada de perfume da flor que está colhendo. Mas se um sujeito nos agarra e nos enfia pelas narinas uma série de perfumes, e isso diariamente, o que temos a fazer é fugir desse sujeito — meter léguas entre ele e as nossas narinas. Conquanto eu ache o R. Manso muito engraçado e espirituoso, raro o leio, porque minha impressão é de que o homem está pago para nos fazer sentir cheiros à força.

Deves andar muito atormentado com a tal eletricidade. Que tempo te sobra para a literatura? Temos que voltar a ela, Rangel, você e eu, porque estamos envelhecendo e o destino nos deu essa função na vida. O que não compreendo é como acumulas a função de juiz com a de eletricista. É então permitido isso aí em Minas? Casamento de Mem Bugalho Pataburro com Thomas Edison?... Que minério não haverá em Minas Gerais, Rangel!...

Sinto-me estafado hoje. Escrevo-te para não esfriar a nossa "corrente alternada" com o prolongamento da demora. Mas creio que com mais uma semana, acabo estes serviços todos e então conversaremos à moda antiga.

Mande os *Legionários*.

Lobato

Fazenda, 15,5,1914

Rangel:

Que estranha é a alma humana! Vivo há tempos com intenção de escrever-te e não escrevia, embora o *far niente* fosse absoluto. Agora que ocorreu por aqui uma revolução e estou abarbado de serviços e problemas, acho tempo para esta carta! Imagine você que há dias, cansado de ser hóspede em minha fazenda, cansado da minha literatura a *batons rompus*, cansado de fazer fotografia e pintar aquarelas e de ler uns Balzacs um tanto maçadores, deliberei repentinamente mudar, e da reserva me passar à ativa. Expus a situação ao meu administrador e dispensei-lhe os serviços. Mas o homem estava aqui de pedra e cal. Sorriu-se da minha ingenuidade de diletante e, fingindo ceder, pediu uma semana de prazo e pôs-se a conspirar nas minhas ventas sem que eu o percebesse. E sugestionou os camaradas e colonos todos, ameaçou aos que não pôde convencer (ele é parente do Moreira César de Canudos), preparou tudo para uma embolia geral dos serviços, justamente agora que tenho de dar começo à colheita. E finda a semana do prazo me disse com a maior segurança: "Seu doutor, sem eu aqui a colheita deste ano está perdida, mas continuo sempre às suas ordens", e partiu na besta calçada, pac, pac, pac.

Eu então solenemente desci da Casa Grande e fui para a Casa da Administração assumir o governo da fazenda em que até aquela data vivera como hóspede. E o que ocorreu foi abracadabrante. Começaram a chegar das fazendas e lugarejos vizinhos carros de boi e burros de tropa, que vinham buscar "meus camaradas", "meus colonos". E todos começaram a retirar-se, sem virem me dizer coisa nenhuma. Eu não entendia aquilo. Por fim um velho italiano, o Raimundo, que está na fazenda há trinta anos e cuida da criação e dos serviços do terreiro, veio despedir-se de mim.

— "Então você vai também, Raimundo?"
— "Que remédio! Tenho de ir..."
— "Tem de ir? Como? Não entendo..."
— "Eu não posso falar, seu doutor. Tenho de ir, tenho de ir..."

O caso começou a intrigar-me. Apertei o Raimundo, o qual, por fim, com muito medo, tudo me contou: o administrador passara aquela semana do prazo conspirando contra mim. Arranjara colocação nas fazendas vizinhas para todos os meus colonos, devendo a mudança se fazer no dia em que ele fosse embora, de modo a ficar um êxodo em massa. E a ele Raimundo e a outros ameaçara de morte, se não saíssem também naquele dia. O plano era deixar-me impossibilitado de colher o café — a não ser que eu o readmitisse como administrador, caso em que todos os colonos voltariam e ficaria tudo como dantes. Ou eu cedia ou arruinava-me!

Retesei todos os músculos da alma e virei herói.

— "Raimundo, vai-te para o inferno! Que todos vão para o inferno! Não preciso de ninguém aqui. Eu sabia de tudo, escrevi para S. Paulo e mandei contratar lá cinquenta colonos novos. Você vá dizer para essa gente que está saindo, ou vai sair, que o que quero é que saiam todos o mais breve possível, para desocupar as casas. Preciso delas para os colonos novos."

O Raimundo ainda contou que o administrador ia voltar no dia seguinte para ver se alguém o havia desobedecido. E eu: "Se voltar, não passa daquela porteira! Mato-o como quem mata um cão!".

O pobre homem assombrou-se e foi contar aquilo aos outros. Todos se convenceram de que o patrão era um homem tremendo, que matava de verdade, e começaram a mudar de ideia, a perder o medo às ameaças do administrador. E como no dia seguinte o truculento administrador não reaparecesse para "ver quem o havia desobedecido", o pessoal todo foi voltando, muito desapontado. Dias depois estavam todos cá, sem exceção dum só — e eu vencedor e dono final da minha fazenda.

Isso aumentou muito a consideração que eu merecia de mim mesmo. Vi que sei agir com firmeza e psicologia nas emergências tempestuosas.

Ontem perdi o sono e concluí a leitura do *Cousine Bette*. Rangel, Rangel! Balzac me assombra. É gênio dos absolutos. Lembro-me duma imagem de Zola, comparando a obra de Balzac a um colossal edifício inacabado — tijolos nus, andaimes, só o arcabouço externo. Não é nada disso. Não tem nada de inacabado — mas Balzac não é homem que desça a truques, remates, ornatos secundários. Pinta a largas espatuladas. Diz o essencial, cria blocos apenas, formidáveis blocos, mas não alisa a pedra, não usa lixas, não lhes enfraquece a grandeza. Que tipos! Que prodígios! Que coerência! Que fertilidade! Que mina! Que celeiro de ideias e imagens! Que multidão de gente viva estua dentro de seus romances! Como perto dele é pálido e artificial Zola, com sua arte mecânica, sua lógica invariável, seu romantismo despido das belezas heroicas do romantismo! Balzac nem em capítulos divide a narrativa. Aquilo rompe e rasga, e vai numa catadupa tumultuosa, numa avalanche, até o fim. *Quelle puissance!* Já li *Cesar Birotteau e a Cousine* e afundo-me agora em toda a sua obra, como num mar. Já não dispenso todo Balzac!

Adeus. Meu ajudante de ordens me chama para resolver qualquer coisa. Vou decidir, impor sabiamente a minha vontade. Sou rei deste território de mil e oitocentos alqueires de montes e vales ....

Continuemos. Já atendi ao caso. Foi assim: "Que há, Chico?" principiei. O Chico Eusébio coça a perna e diz: "Não vê que parece que o homem vem mesmo amanhã. Mandou dizer". Levei o Chico Eusébio para minha sala e mostrei-lhe uma carabina Marlin de doze tiros. Carreguei-a e descarreguei-a diante de seus olhos atônitos. "Doze?" "Doze, sim, Eusébio, e veja que balas." E ele: "Boas para matar queixadas". "Ou parentes do Moreira César de Canudos", emendei eu. "Mande dizer a esse homem que pode vir, mas trate de fechar o corpo primeiro."

Balzaqueano, hein?

Lobato

Fazenda, 7,6,1914

Rangel:

Temos contas a justar. Pena é que a Odete, um restolho feminino que veio engordar aqui, me esteja azucrinando os ouvidos com uma valsa d'*O Malho*. Tilita-me a ideia, dá-me nós no fio das ideias. E vem-me uma interrogação: será que a existência de Guiomares Novais compensa a existência de Odetes pianoteiras? Além do piano da Odete há uma pulga que conspira contra você, Rangel. Está nas minhas costas, lá onde a mão não alcança. Odete e pulga não querem que eu te escreva...

Da tua carta, modelo de ironia fina aliás, vejo que o juizado, mais Sapucaí, mais a luz elétrica, estreitaram um tantinho o âmbito das tuas ideias. Acenas-me com um tipo, com um molde, com uma forma de literato que é a que conformou o Artur Goulart e que hoje é o *garni* de inúmeros pretendentes à gloria. De passagem para a Vida, recém-saídos da Cartilha, é hábito da nossa rapaziada, ao mesmo tempo que fuma o primeiro cigarro e se inicia com a primeira mulher, fazer o primeiro soneto ou conto. Se o rapaz é de boa estirpe e sadio, faz essas coisas e passa adiante, entretido com outras muito diferentes. Convence-se por intuição de que a Glória é um pau-de-sebo com uma nota falsa na ponta. Mas se é um taradinho, se é um Macuco, insiste em subir pelo pau-de-sebo para pegar a nota — e besunta a cara e a roupa, enseba-se. E se é um tarado integral como o velho Goulart, que Deus haja, fica naquilo a vida inteira, obcecado pela nota falsa. Goulart morreu ao pé do pau-de-sebo, e morreu ensebadíssimo. Será Rangel, que você me inclui nessa classe?

Vou explicar-me. Acho que quem escapa de ser uma simples unidade na mediania do *vulgum pecus* é porque tem lá nas circunvoluções cerebrais um boleadozinho mais favorável. Disso vem a essa criatura o anseio e o direito de viver a sua vida, e não a do rebanho. Este viverá a vida preestabelecida pela tradição ou pelo interesse dos pastores que o tangem. Ora, nós dois, Rangel, temos a coisa favorável lá nas circunvoluções; e portanto nós gozamos da regalia de seguir no rumo da estrada real por onde seguem os carneiros, mas fora de forma, fora da massa de "més", por atalhos ou picadas laterais que vamos abrindo. Temos direito às nossas venetas!

Viver a sua vida é o supremo programa da vida. Mas o clã dos que vivem a sua vida é da mais tremenda variedade. Antônio Silvino, Olavo Bilac, Pinheiro Machado, Godo Rangel, coronel Rondon, Maria Lina, Edu Chaves, Monteiro Lobato, eis alguns representantes dessa classe de privilegiados, que criam os deuses à sua imagem e caminham na vida como franco atiradores, vendo de longe o desfile dos batalhões cerrados que ao som dos tambores da Moral e da Religião marcham suarentos para o grande destino comum da Morte. Nós também vamos para lá — mas não em nenhum passo-de-ganso. Vamos caminhando gostosamente. Aqui nos detém uma flor. Colhemo-la, aspiramos-lhe o perfume, e ficamos a analisar as associações de ideias que a cor, o aroma e a forma das pétalas nos provocam. O nosso cérebro sente o prazer de tal exercício. Mais adiante, um pôr-do-sol nos faz sentar numa pedra e lá nos acodem os devaneios. Se somos Antônio Silvino,[30] vamos enfrentar uma escolta do governo que vem em tal direção — e antegozamos a delícia da vitória. Se somos Rondon, o que nos interessa agora é descobrir uma nova maloca de índios nus. Para Maria Lina será mais uma vez convencer-se de que é linda e serpentina, pelos olhares babosos que vê nos homens da plateia. E Edu sonha varar de S. Paulo ao Rio pelo ar sem cair pelo caminho. E que faz Rangel lá num fundão mineiro? Aperfeiçoa o seu instrumento de expressão, como Stradivarius aperfeiçoava os seus violinos. E que faz Lobato no Buquira? Vive contente como um passarinho, a debater com Rangel coisas de que o mundo não desconfia — e que para o mundo não têm o mínimo valor.

Nós, Rangel, nós todos do Atalho, vivemos as nossas vidas. Uma revolução muda as instituições dum país? Nós perscrutamos a essência recôndita do fato, vemos as coisas que o rebanho não vê e passamos adiante, com a atenção atraída por um Beija-flor evidentemente parado no ar. Sim, eles e as varejeiras sabem ficar paradinhos no ar, por meio da vibração das asas. Por que não também o homem, o qual já começou a voar? E ou nós nos metemos na peleja e vamos chefiar o movimento e colher os despojos da vitória, ou vamos escrever os *Sertões*. Ora roubamos, ora matamos, ora somos o Marquês de Sade, ora César Bórgia. O que não somos nunca é ovelha — fiel ovelha do Santo Padre, de S. M. o Rei, do Partido, da Convenção Social, dos Códigos da Moral Absoluta, do Batalhão, de tudo que mata a personalidade das criaturas e as transforma em números.

Destes díscolos, que a grande massa Humana a seguir pela estrada real olha com desconfiança e inveja, um como você, escolhe como instrumento da afirmação

---

30 Cangaceiro muito famoso na época.

própria o livro, e com livros gritará para o mundo: "Sou assim, vejo assim, imagino, quero, sonho assim". A tua prancha de saltar é o prelo; o teu fim, uma imposição da personalidade. Vitória ou derrota virão do bom ou mau malabarismo que fizeres com as palavras. Outros como Antonio Silvino, queimam fazendas e berram para o país: "Eu sou assim, mato e esfolo"! O fim de Silvino é idêntico ao de Rangel: afirmar-se. Apenas usa a faca e o trabuco em vez do malabarismo dos vocábulos. E como se afirma o Pinheiro Machado? Fazendo e desfazendo leis, servilizando um Congresso, maquiavelizando, subjugando uma nação como o domador faz a um potro. E grita: "Eu sou assim. Domino, quero e mando. Afirmo a minha personalidade e divirto-me com fazer-me leão desta sórdida carneirada legislativa". Outros desprezam a plateia; são o que são para si sós, sem público, e vivem suas vidas individualíssimas por força do incoercível individualismo e nada mais. Quantos fazendeiros não há por aí tremendamente eles-mesmos, superiormente eles-próprios perante a sua consciência, os seus colonos, os seus porcos de ceva? Estes homens dispensam plateias. São indiferentes ao barulho chamado "palmas" e ao barulho "assobios". *Sono sodisfatto di me* e basta. Eu, Rangel, ainda ando nesta turma, contente comigo mesmo e vivendo uma bela vida mental, tendo à minha disposição maravilhosos livros e passarinhos, perfeita companheira e flores, porcos que engordam gostosamente na ceva e uns filhinhos viçosos. Vivo no mar do *Joie de Vivre* de Zola. Às vezes passa-me a ideia de agarrar palavras, fixá-las e, ao teu modo, dizer ao mundo: "Sou assim, quero assim, não tenho contas a te prestar, irmão, não te lisonjeio nem te satisfaço o paladar, ó carneirada feia! Não escrevo para ti, nem aspiro ao teu aplauso. Apenas satisfaço uma necessidade orgânica, sem visar coisa nenhuma". Pura fisiologia. Tal qual o homem que nos braços duma mulher chega ao momento da explosão da Via Látea por amor do amor, por pura fisiologia — não vendo o provável filho resultante.

 Rangel, Rangel, o piano da Odete continua a esfuracar-me os miolos. Ela malha-me com a valsa d'*O Malho*. Proibir o piano ao *vulgum pecus*, como a Igreja lhe proíbe a liberdade de pensamento... Em S. Paulo ouvi Guiomar Novais em casa do Gelásio Pimenta; sentei-me ao lado dela para bem ver e ouvir — e a propósito escrevi um artigo no *Correio Paulistano*, a primeira coisa na vida que assinei com meu nome inteiro. Que divina pianista! Desses mesmos sons azucrinantes da Odete ela faz uma nuvem de gaze em que a nossa alma se rebola em delíquio. Assim também com as mesmas palavras com que o Geraldo saúda a bandeira, Olavo Bilac nos conta divinamente o julgamento de Frineia.

 Rangel, Rangel! Receio que os autos forenses, que Sapucaí e a luz elétrica te hajam encolhido as ideias, já disse. Julgas-me então um *raté* pelo simples fato de não haver nas livrarias uma brochura amarela com o meu nome na capa? F. F. tem lá brochuras com o seu nome e esse, sim, Rangel, é o *raté* dos *ratés*. *Raté*, eu? Mas como, meu bobinho, se vivo a minha vida? *Ratés* são os que querem uma coisa e sai outra. O Goulart e o Macuco eram *ratés* porque queriam ser gênios e os quatro pés não deixavam. Um rebelde nunca é um *raté*. Só o será se quiser ser rebelde e permanecer escravo.

 Recomecemos, caro Rangel. Vamos por diante com a nossa eterna correspondência. Eu prefiro um leitor como você aos três milhares que vais ter n'*O País*. Dá-me mais prazer escrever-te do que escrever livros. Talvez que um dia, quando não te tiver mais como o meu público, talvez eu tome para meu uso o Público. Sei que será passar de cavalo a burro, mas é corrente aqui na roça que trocar de montaria descansa. Vamos lá, meu público, meu leitor único! Aguenta-me em teu lombo! Sigamos os dois como até aqui, peripateticamente, a debater frivolidades e a repastar as misteriosas exigências mentais dos nossos eus, apesar das centenas de quilômetros que nos separam. A separação é apenas geográfica — a menos separante das separações. Esta nossa caminhada já vem de dez anos. É provável que um dia nos separemos *nel mezzo del camin*... na encruzilhada da Saciedade ou no pouso do Nada-Vale-a-Pena. Mas em que quilômetro ficam essa encruzilhada e esse pouso? Não sei. Talvez para além da nossa vida — e morreremos sem tê-los alcançado.

Continuemos, Rangel. A grande coisa duma viagem não é o chegar — é o ir.

Lobato

Fazenda, 20,10,1914

Rangel:

Ora graças que nos encontramos de novo. Porque não tinha graça nenhuma que depois de tão comprida caminheira nós nos "estranhássemos", num quase divórcio, só porque você se meteu a eletricista e eu a fazendeiro. Vida em fazenda antes personaliza do que uniformiza. E argumento por argumento, os teus podem aplicar-se a você mesmo, que na classificação social tem a ficha de juiz mineiro. Quantos elementos cá na roça encontro para uma arte nova! Quantos filões! E muito naturalmente eu gesto coisas, ou deixo que se gestem dentro de mim num processo inconsciente, que é o melhor: gesto uma obra literária, Rangel, que, realizada, será *algo nuevo* neste país vítima duma coisa: entre os olhos dos brasileiros cultos e as coisas da terra há um maldito prisma que desnatura as realidades. E há o francês, o maldito macaqueamento do francês.

Não sei como vai ser essa obra. Talvez, romance. Talvez uma série de contos e coisas com uma ideia central. Nessa obra aparecerá o caboclo como o piolho da serra, tão espontâneo, tão bem adaptado como nas galinhas o piolho-de-galinha, ou como no pombo o piolho-de-pombo, ou como no besouro o piolho-de-besouro — espécies incapazes de viver em outros meios. O caboclo, piolho-de-serra, também é incapaz de outra piolhagem que não a da serra. Já te escrevi sobre isto; e se a ideia volta e insiste, é que de fato está se gestando bem vivinha e será parida no tempo próprio.

Atualmente estou em luta contra quatro piolhos desta ordem — "agregados" aqui das terras. Persigo-os, quero ver se os estalo nas unhas. Meu grande incêndio de matas deste ano a eles o devo. Estudo-os. Começo a acompanhar o piolho desde o estado de lêndea, no útero duma cabocla suja por fora e inçada de superstições por dentro. Nasce por mãos duma negra parteira, senhora de rezas mágicas de macumba. Cresce no chão batido das choças e do terreiro, entre galinhas, leitões e cachorrinhos, com uma eterna lombriga de ranho pendurada no nariz. Vê-lo virar menino, tomar o pito e a faca de ponta, impregnar-se do vocabulário e da "sabedoria" paterna, provar a primeira pinga, queimar o primeiro mate, matar com a pica-pau a primeira rolinha, casar e passar a piolhar a serra nas redondezas do sítio onde nasceu, até que a morte o recolha. Constrói lá uma choça de palha igualzinha à paterna, produz uns piolhinhos muito iguais ao que ele foi, com a mesma lombriga nas ventas. Contar a obra de pilhagem e depredação do caboclo. A caça nativa que ele destrói, as velhas árvores que ele derruba, as extensões de matas lindas que ele reduz a carvão. Havia uma gameleira colossal perto da choça, árvore centenária — uma pura catedral. Pois ele derrubou-a com "três dias de machado" — atorou-a e dela extraiu... uma gamelinha de dois palmos de diâmetro para os semicúpios da mulher! Também extraiu da gameleira morta um pilãozinho de moer sal. Como aproveitou a gameleira, assim aproveita a terra. Queima toda uma face de morro para plantar um litro de milho. E assim por diante. Um dia aparece o pó da Pérsia que afugenta a piolhada: o italiano. Senhorea-se da terra, cura-a, transforma-a e prospera. O piolho, afugentado, vai parasitar um chão virgem mais adiante.

Como você vê, não é fantasia nem carocha. É uma coisa que está aí e ninguém vê por causa do tal prisma. Rangel, é preciso matar o caboclo que evoluiu dos índios de Alencar e veio até Coelho Neto — e que até o Ricardo romantizou tão lindo:

Cisma o caboclo à porta da cabana...

Eu vou contar o que ele cisma. A nossa literatura é fabricada nas cidades por sujeitos que não penetram nos campos de medo dos carrapatos. E se por acaso um deles se atreve e faz uma "entrada", a novidade do cenário embota-lhe a visão, atrapalha-o, e ele, por comodidade, entra a ver o velho caboclo romântico já cristalizado — e até vê caipirinhas cor de jambo, como o Fagundes Varela. O meio de curar esses homens de letras é retificar-lhes a visão. Como? Dando a cada um, ao Coelho, à Júlia Lopes, uma fazenda na serra para que a administrem. Se eu não houvesse virado fazendeiro e visto como é realmente a coisa, o mais certo era estar lá na cidade a perpetuar a visão erradíssima do nosso homem rural. O romantismo indianista foi todo ele uma tremenda mentira; e morto o indianismo, os nossos escritores o que fizeram foi mudar a ostra. Conservaram a casca... Em vez de índio, caboclo.

Entrementes, colho café, planto feijão, milho e arroz, acompanho a guerra, leio Albalat, fumo cigarros de palha, não pago dívidas, carteio-me de longe em longe com o Rangel e, sempre magro, vejo engordar à vista d'olhos a legião de parentes e amigos que hospedei este ano e hospedo ainda. Agora que te puseste fora da eletricidade, que vais tu começar ou que tencionas concluir? Ando saudoso dos tempos de Areias, em que o correio me trazia os teus famosos romances numerados. Quando me mandas o último? Vamos, Rangel, toca a andar. Quem sabe se estamos perto? Às vezes a gente chega inopinadamente.

Lobato

Fazenda, 25,11,1914

Rangel:

Chove. Aproveito a interrupção dos serviços para pôr a minha correspondência em dia. Creio que desta feita a montanha parirá. Sinto cá dentro as agitações do filhote. O diabo é que não é um filho só, sim ninhada — assuntos a dar com pau. Publiquei a semana passada um artigo no *Estado* e, com surpresa, recebi a propósito cinco cartas e um convite da Sociedade de Cultura Artística de S. Paulo para fazer uma conferência lá. Em vez disso, eu e minha mulher fomos ler o tal artigo, cheios de vontade de gostar — e nada vimos que provocasse o entusiasmo dos paulistas. Fiquei na dúvida, porque cá no íntimo, Rangel, acho o meu talento muito problemático; o que tenho é jeito, habilidade; e assim como sem ser pintor, pinto minhas aquarelas, sem ser caricaturista faço minhas caricaturas, sem ser relojoeiro conserto relógios (dos grandes), e conserto fechaduras, e faço toda uma mobília tosca, como fiz em Areias, e construo uma capelinha com torre (como a construí em Taubaté), assim também, por força desse mesmo jeito para tudo, escrevo artigos e contos sem ter o real, o sólido, o bom talento do escritor que veio ao mundo só para escrever. Sinto-me capaz de tudo, mas sempre por força da habilidade e da manha, não pela força ingênita do artista que cria inconscientemente e de jacto. Sou, em suma, o tipo do "curioso" — e acho uma beleza de expressão esta palavra popular, equivalente a "amador". Eis Rangel, o que no fundo penso de mim.

A obra capital da minha literatura, Rangel, o porco macho da ninhada, é ideia muito velha em minha cabeça: o homem visto por um não-homem — e para comodidade este não-homem pode ser a alma duma montanha. Livro fragmentário. Impressões. Jactos. Manchas. Notas dum não-homem. Tenho algumas e mandarei para que ajuízes.

Outro feto que sinto no útero é um romance cômico onde se desenvolva o quatriênio Hermes, visto por um Zé Ninguém que o hermismo plantou num cargo público — de agente do correio, suponhamos. Outro feto que já me dá pontapés no útero é a simbiose do caboclo e da serra, o caboclo considerado o mata-pau da terra: constritor e parasitário, aliado do sapé e da samambaia, um homem baldio — inadaptável à civilização.

Por hoje bastam essas três amostras da barrigada. Mas antes delas o que vai sair é um estudo da guerra dum ponto de vista novo. Novo, imagina tu! A hostefagia, Rangel! Não dar comida aos soldados para que lhes venha água à boca à lembrança da carne dos inimigos. O grande prêmio do vencedor não é o saque — é a satisfação da fome velha com a carne assada dos inimigos. Napoleão trocará os quarenta séculos por quarenta mil bifes. "Camaradas, atrás daquelas pirâmides, quarenta mil mamelucos assáveis vos esperam!"

Lobato

Não Ficção

A barca de Gleyre 2º tomo (1944)

A barca de Gleyre
2º TOMO

Quarenta anos de correspondência literária entre Monteiro Lobato e Godofredo Rangel

1915

CAÇAPAVA, 16,1,1915

Rangel:

Meu atraso para com você vem da bacanal doméstica que se chama "mudança". E a mim a coisa triplicou. Resolvemos passar uns meses nesta cidade, mas com a pressa tomei casa errada — uma daquelas coisas horríveis em que moravam os nossos bisavôs, com alcovas escuras, sem jardim, sem ar, sem nada. Depois que vim com a família e a bagagem é que dei pelo erro. Começaram os suspiros da esposa. Tive de levar a família para Taubaté até que concluíssem cá a pintura de outra casa, moderna e como se quer. E como só ontem me instalei, só hoje posso pôr em dia a correspondência.

O que me dizes do artigo *Urupês*, à parte os exageros de amigo, é sábio. Só discordei da floração do ipê. Não haverá engano meu ou teu nisso? Tenho por ipê uma árvore que no outono toda se desfolha e fica amarelinha de flores. É esse o teu ipê ou impingiram-me como ipê outra árvore de flores amarelas? Se é não vejo mal em comparar uma floração de ipê à chuva de ouro parada no ar. É comparação tipo sete Santos, como a da lua com um queijo que boia no ar. No mais, dou as mãos à palmatória. De volta para cá, relendo aquilo, assombrei-me com um ror de coisas que hoje eu diria melhor — hoje, Rangel, um mês depois da ejaculação. Como mudamos a galope!

Sobre a matéria temos muito que falar — para dizer sempre a mesma coisa. Estilo é como o nariz na cara: cada qual o tem como Deus o fez e não há dois iguais. A miragem está nisto: a gente procura, por efeito de mil influições, aperfeiçoar o estilo — aperfeiçoar o nariz. No entendimento dessa *perfeição* é que nos transviamos. Há a estrada real, ampla, macadamizada, frequentadíssima, e há as picadas que podemos abrir marginalmente no matagal chapotado. Quase todo mundo toma pela estrada e pouquíssimos se metem pelas picadas. Resultado: engrossam-se as fileiras do estilo redondo e só um ou outro conserva o nariz que Deus lhe deu. Por aperfeiçoar o "estilo" temos de entender exaltar-lhe as tendências congeniais, não conformá-lo segundo um certo padrão na moda. O estilo padrão mais em moda hoje desfecha no estilo de jornal, nessa "mesmice" que floresce, igualada no gênio, na cor, no tom, no cheiro, tanto no *Monitor Paraense* de Belém como na *Tribuna do Povo* de D. Pedrito, e é o mesmo no *Estado* e no *Correio da Manhã*. Quem conduz a humanidade e esse estilo é o Mestre-Escola, é o Gramático Letrado, são os mil "Conselheiros" que no decorrer da vida nos vão podando todos os galhos rebeldes para nos transformar naqueles tristes plátanos da Praça da República — árvores loucas de vontade de ser árvores de verdade.

Mas se somos bons jardineiros de nós mesmos, o que nos cumpre é matar as lagartas, extirpar os caramujinhos e brocas, afofar a terra e bem adubá-la. Em matéria de poda, só a dos galhos secos. E a árvore que cresça como lá lhe determina a vocação. Isso, concordo, é aperfeiçoar o estilo. O mais desnatura-o, troca o nariz natural por um nariz de carnaval.

Minhas incursões pelos romances do Camilo têm duas intenções: uma, passarinhar naquela desordenada mata virgem, apanhando as boas locuções que não tenho em meus viveiros; outra, mariscar os idiotismos, que são as pérolas da língua. E também me é um descanso andar pela floresta do grande malabarista — descanso desta nossa crise monetária de vocábulos e graça, que nos envolve neste país em que a leitura do jornal mata a do livro. Não há livros, Rangel, afora os franceses. Nós precisamos entupir este país com uma chuva de livros. "Chuva que faça o mar, germe que faça a palma", já o queria Castro Alves.

Na tua carta levas ao extremo o estudo camiliano. Levá-lo ao extremo de esfarelá-lo num glossário metodicamente disposto para a rebusca de frases feitas. Condenas aquele meu terreirinho limpo onde caíam as sementes que o vento traz. Com o teu sistema de glossário, sabe o que acontece? Tornamo-nos uns Camilos enfezados, uns puros camelinhos, quando que eu quero é que de Camilo tu saias mais Rangel do que nunca e eu saia bestialmente Lobato — embora sem as brocas e lagartas para as quais o melhor veneno é justamente Camilo.

O meu processo é anotar as boas frases, as de ouro lindo, não para roubá-las ao dono, mas para pegar o jeito de também tê-las assim, próprias. Dum de seus livros extraí sessenta frases de encher o olho. Não releio mais esse livro — não há tempo — mas releio o compendiado, o extrato, e aspiro o perfume e saboreio. Formo assim um florilégio camiliano do que nele mais me seduz as vísceras estéticas. E não discuto nem analiso, porque seria fazer gramática, do mesmo modo que não analiso botanicamente um cravo ou uma gostosa laranja mexeriqueira. Cheiro um e como a outra.

Resumindo: meu plano é ter uma horta de frases belamente pensadas e ditas em língua diversa da língua bunda que nos rodeia e nós vamos assimilando por todos os poros da alma e do corpo. Um jardim de flores simpáticas à nossa estesia inconsciente. No meu passeio pelas *Vinte Horas de Liteira* apanhei isto: *Um corujão berrou no esgalho seco de um sobro*. Detive-me; fiz pouso nessa frase enchedora de olhos e ouvidos. E não anotei, porque anotada ficou para sempre em meu cérebro. Não a analiso, não a comento; ponho-a apenas em uma lapela do cérebro, como pus naquele prego um ninho de beija-flor encontrado no barranco. Se Camilo houvesse dito: *Uma coruja piou no galho seco de uma árvore*, eu teria deixado no barranco esse ninho de beija-flor. O "berrou" é que me seduziu. Toda vida, para toda gente, as corujas piam — só em Camilo aparece uma que berra. Lindo!

Filosofando: coletar modos de dizer, jeitos de expressão afins com esse misterioso *quid* que me leva a olhar com enlevo para os brincos-de-princesa que vejo pela janela, e com arrepios de asco para uma barata que apareça. E isso apesar de ciência que há dentro de mim dizer que ambos, brinco-de-princesa e barata, são duas prodigiosas obras-primas da Natureza.

O para que te convido não vai mais longe desse alegre varejar por Camilo e outros a dentro, saindo de seus livros como quem sai dum jardim, com a braçada de flores que nos caíram no goto. E enfeitarmos com elas o nosso ambiente de trabalho. Pendurá-la pelos pregos, como ao ninho de beija-flor — em vez de herborizá-las num glossário. (Esta palavra até me fede.) E de vez em quando olharmos para os "pendurados". E sentirmos-lhes o aroma. A velha boêmia cenacular, em suma. Nosso estilo — nosso nariz literário — fica assim num banho-maria ambiente.

Outra coisa que precisamos debater é a afinação do senso estético a fim de que ressoe às vibrações imperceptíveis ao vulgo. Para as almas gordas e coradas, bem simples é a classificação do mundo. Em matéria de visualidade, as sete cores do arco-íris; em som, as sete notas da escala. E há as três virtudes teologais, os três poderes do estado, os dez mandamentos da lei de Deus. E com tudo reduzido a três, a sete ou a dez, o bípede vive, ama, pensa que pensa e perpetua-se. O imensíssimo mundo das cambiantes escapa-lhe. E há ainda o mundo das sub-cambiantes, das infra vibrações, das coisas que só o tísico ouve ou só os perdigueiros farejam. Há o mundo subliminal, dos histéricos, artistas e loucos. E há as estratosferas e as toposferas. E há o *Au-delà*, Rangel. Temos que nos tornar harpa eólia de mil cordas, finas como os cabelos da Cabeleira de Berenice.

Ainda não concluí a leitura de *Águas e Arvoredos*. Andei numa longa estagnação de brejo e me arrependo. Ficou-me por tanto tempo pendurada ao cabide a harpa, que tenho de afinar novamente todas as cordas. Você me veio arrancar ao letargo. Aquela carta marota que me classificava no gênero "fazendeiro pai de família", foi um pontapé nos brios adormecidos.

Ando no *Cancioneiro Alegre* e recém-saído do *Amor de Salvação* — e lá receberás as flores colhidas.

Conheces o Cornélio Pires? Contradiz-me num jornal de S. Paulo. É um dos D. Magriços do caboclo Menino-Jesus. Frágeis demais os argumentos; mais que isso — tolos. *A Velha Praga* não cessa a peregrinação. Já foi transcrita em sessenta jornais, conforme me informa o Sinésio Passos, redator dum jornal de Guaratinguetá. Acho muito, e se o consigno é para frisar a ignorância em que andamos de nós mesmos: a menor revelação da verdade faz o público arregalar o olho. Só não gostei dos teus elogios, Rangel. Impossível que sejas sincero. Exageraste — e para quê, meu juiz? Andas, com os elogios a meu respeito, como esses doentes de urina solta. O remédio é Atropina, um constringente de esfíncteres. Lembra-te que, ao contrário da sabedoria popular, *quod abundat nocet*...

Uf!... Adeus.

Lobato

Fazenda, 23,1,1915

Rangel:

Confundes bobamente duas coisas: clássicos e Camilo. Camilo não é clássico no sentido gramaticoide do termo; e para afundarmos os dois no mar do classicismo, nunca te convidaria eu, porque os aborreço sobre todas as coisas. Convidei-te para o passeio através de Camilo como remédio contra o estilo redondo dos jornais que somos forçados a ingerir todos os dias. Camilo é o laxante. Faz que eliminemos a "redondeza". É a água limpa onde nos lavamos dos solecismos, das frouxidões do dizer do noticiário — e também nos lavamos da adjetivação de homens copados como Coelho Neto. Camilo é lixívia contra todas as gafeiras. E além desse papel de potassa cáustica, ele nos dá essa coisa linda chamada topete. Camilo nos "desabusa", como aos seminaristas tímidos um companheiro desbocado. Ensina-nos a liberdade de dizer fora de qualquer forma. Cada vez que mergulho em Camilo, saio lá adiante mais eu mesmo — mais topetudo. E o topete filosófico eu o extraio de Nietzsche. Agora estou fazendo uma viagem com o meu topetudo estilístico em *Vinte Horas de Liteira*.

Tenho escrito alguma coisa, mas ando exigente e refaço muito. Vai sair no *Estado* um meu estudo sobre a caricatura, em duas partes.

Quem é esse Bernardo que te escreve? Falas dele como se fosse meu conhecido. De Bernardos só conheço o Bernardo de Carpio, do *Carlos Magno e os Doze Pares de França*, e o Monte S. Bernardo, o dos cachorrões peludos na Suíça.

O Pinheiro me escreve e proporciona-te um cartão de ingresso nas letras paulistas. S. Paulo já é alguma coisa, e vale a pena entrar no Palco por essa porta. E iremos juntos. Eu atirei-me. Imagine que estou arrolado no rol dos conferencistas da Sociedade de Cultura Artística, para este ano. Que tema vou escolher? Ah, um ótimo: "O estadulho na vida e na obra de Camilo". A história de todas as sovas que Camilo apanhou no lombo ou sacudiu no lombo alheio. Camilo foi um grande mestre em surras. Descia o porrete com a mesma elegância com que manejava a pena. Em todas as polêmicas, quando a coisa chegava a certo ponto, ele largava a caneta e dizia: "Agora é a pau!". E era. Ia esperar o contendor numa esquina e deslombava-o. Já marquei em seus livros todas as cenas de pancadaria. São maravilhosas. Parece que em cada uma ele recorda uma briga real e a descreve — vinga-se dando de novo, literariamente, as pancadas que deu materialmente. O estudo da pancadaria na obra de Camilo dá todo um livro.

Outro assunto interessante seria o estudo da influência de Alexandre Herculano e de Eça de Queiroz na literatura da roça, a qual abre suas flores nos jornaizinhos locais. "Era por uma dessas tardes de verão em que o astro-rei no horizonte, etc." Eles não acham jeito de começar de outro modo. Sempre os começos de *Lendas e Narrativas* e do *Eurico*. E agora é o Eça. Só agora é que o Eça está chegando ao interior e é um espanto. "Olá, Gonçalo amigo!"

Manda-me dizer que devo declarar ao Pinheiro. Ele lá te ofende, supondo-te incapaz, financeiramente, de ficares com uma quota da sociedade em organização para o lançamento da revista. Respondi que deves estar riquinho. Se te convidarem, entra. Precisamos de portas, Rangel.

Lobato

Fazenda, 30,1,1915

Rangel:

O negócio de anotar Camilo só convém nas sobre-excelências; do contrário é copiá-lo inteiro. Livro há em que ele é uma roda de fogo de artifício, a chispar fagulhas do começo ao fim. Não cuidemos de quantidade, nem façamos disso tarefa. O meu sistema é lê-lo com atenção e marcar à margem as frases que me *encantam* e me *aproveitam*. Depois de terminada a leitura, encosto o livro: mais tarde abro-o e releio as coisas assinaladas — e copio num caderno as que *ainda* me impressionam.

Meu hábito em tudo é pôr de lado métodos e seguir as intuições da veneta. Acho a veneta algo muito sério e misterioso, Rangel. É como se uma força dentro de nós cochichasse.

Talvez tenhas razão em criticar a ortodoxia do *Estado*, mas cumpre ter em mente que é o único que possui tiragem — quarenta mil exemplares, com provavelmente cem mil leitores. É das nossas escadas regionais a de mais degraus e a mais sólida.

Se *Águas e Arvoredos* está em borrão, posso anotar nas costas, não é assim? Um defeito, meu, teu, nosso: damos espaço demais ao cenário, com prejuízo das figuras. Em Camilo quase não há cenário; as almas vão logo entrando em cena. Shakespeare pinta-o com uma palavra. Nós nos perdemos nas *mignardises* da paisagem, a copiar até as perninhas dos carrapatos — vício que vem do tempo em que o Naturalismo zolaiesco nos seduziu. Mas aquilo era exagero propositado. Eles estavam botando a língua para o Romantismo. Tu tens paisagens belíssimas, mas estragadas pela abundância dos detalhes. Queres descrever tudo, quando o certo é apenas sugerir — é dar um rápido relevo de estereoscópio com meia dúzia de pinceladas rápidas e manhosas. Pinceladas-carrapicho, nas quais se enganchem as reminiscências do leitor. Forçamo-lo assim a colaborar conosco — ele vê mil coisas que não dissemos, mas que com os nossos carrapichos soubemos acordar dentro dele.

O mais belo e sugestivo cenário que conheço é um de Shakespeare no *Henrique IV*, ato 3.°, suponho: "*A Street*". Nessa rua eu pus toda a impressão sugerida pelo transcorrer dos dois primeiros atos. Vi uma velha rua da cidade inglesa, como naquele *meu momento* me parecia deverem ser as ruas trafegadas por Falstaff. Qualquer outra indicação prejudicaria a ideia pré-sugerida lá no meu imo, colidindo. Isto mostra como a extrema sobriedade, quando hábil, desentranha maravilhas da imaginação do leitor — e o tolo as vai atribuindo ao romancista esperto. Em suma, o caso é de esperteza, como nas fábulas do jabuti. Fazer que o leitor puxe o carro sem o perceber. Sugerir. Arte é isso só.

Estou a suar em bicas. Faz calor como no inferno. E aí? Em Santos, ontem, derreteu-se o asfalto das ruas e correu para o mar como um rio de lava negra.

Lobato

P. S. — "Retrucou de pancada" — bom substituto do "respondeu imediatamente".

Quanto ao "no Brasil ninguém imita o Eça", do João do Rio, pode-se opor o "no Brasil toda gente imita o Eça". São exageros equivalentes. Eu já li e gostei do João do Rio; hoje parece-me tolo, *plaquet* chocalhante, maracá, cuia com pedrinhas dentro. Insubstancial. Usa umas elegâncias de *rastacuero*. Tem uns barões de Belfort que ele acha mais elegantes que os barões do Pilão Arcado ou um barão do Jambeiro da minha terra que não dava jambos. Não há mulheres em suas histórias, há *madames* — coisa muito parecida com madamas. E descobriu um homem inglês de nome Oscar Wilde que ninguém sabia quem era, e eu acho que é mentira dele. *Dorian Gray*! Potoca. Cárcere de Reading! Potoca. *Salomé*! Potoca. Esse misterioso "Oscar Wilde" (nome inteiro, Oscar Fingall O'Flahertie Wills Wilde) é uma pura mistificação do João do Rio.

Outra novidade dele foi o lançamento do adjetivo "inconcebível" e do *up to date* em vez de "na moda". João descobriu também uma tal língua inglesa, que igualmente me parece potoca. Tudo nele são potocas — tudo nele é Rua do Ouvidor. Não fica.

Lobato

Fazenda, 3,2,1915

Rangel:

Noto que a feição maciamente irônica de teu espírito — entregue ao estudo das almas boas da roça que se deixam viver ao sabor das correntezas da vida, sem revolta nem reação — é a tua feição predominante, Rangel. Em *Águas e Arvoredos* vejo-te em casa. Um suave ceptismo de paina. Paisagista dos seres humildes. Na cena da porteira eu senti a alma das porteiras — de todas as porteiras. Na cena final da mosca pintas como um mestre do claro-escuro, tal é o contraste entre as palavras e a ação. O que ali dizes, habilmente converge para entremostrar o que não dizes — e no que não dizes está tudo quanto queres dizer para a compreensão total duma alma toda paradoxos.

Do que não gostei foi do som — o estilo. Noto uma preocupação de simplicidade que me parece excessiva, como quem quer escrever de chinelas para ser lido por homens em chinelas. O som é meia vitória, meia glória, meio valor total duma obra. Talvez mais — talvez três quartos.

O que Anatole conta no *Silvestre Bonnard* entra por um quarto no total da obra-prima; os três quartos restantes forneceu-os o modo de dizer, o som.

Mas isto de opinião é como nariz, cada qual tem a sua e essa é a boa, como o bom e certo é o nosso nariz. Tu és maior em letras, e eu me saio um tolo com estas pedagogias. Lá tens tua arte; cá tenho a minha. Criticar é sempre dizer: "Eu faria assim". Ao que pode o Autor objetar como o Maneco Lopes: "E que tenho eu com isso?". Por essa razão não me meto a criticar as *Águas*. Dou apenas a impressão geral que pediste. E a impressão é esta: Tom, ótimo; som, fraco. Coisa reparabilíssima para quem está senhor de todas as gamas cromáticas da língua. É só calçar os punhos de renda de Buffon, pôr no colo o gato de Gautier e sacudir os excessos de virtude que puseste ali — a chãnice excessiva. Entre os picos de Góngora e o fundo do vale está a meia encosta, a Região Certa, cujo clima te recomendo. Ora, tu tens os magníficos punhos de renda de Buffon. É usá-los.

Lobato

Fazenda, 6,2,1915

Rangel:

Estou à espera dum americano que vem ver a fazenda. Se acaso sair negócio, talvez eu realize uma ideia: ir espiar o vulcão europeu de uma aldeia do Minho que seja toda ela Camilo. Quero ler Camilo em Cabeceiras de Basto, para ver se é assim mesmo. Isso será comer curau dentro do milharal. E conto contigo lá; alugarei uma quinta espaçosa onde caibam você, dona Bárbara, o Nelo e mais os gatos que, à imitação do Silvestre Bonnard, hás de ter. E lá comeremos os divinos figos minhotos e ouviremos latejar os olhos d'água donde todos saímos; e restauraremos as nossas virgindades estéticas, gafadas pelas superfetações cosmopolitas. E voltaremos, depois de dois anos de assimilação da língua ambiente, dois tremendos escritores, para assombro destes papuas.

Já li o segundo fascículo de *Vida Ociosa* e agradou-me ver os tipos se irem definindo, firmes. Emergem do limbo. Até o Américo, que na primeira parte me pareceu informe e incapaz de varar todo um romance como tipo sem recorrer a muletas, aprumou-se e vai numa beleza. O negrinho aluno está uma pura maravilha; conheço uns tantos desses pretos de pastinha, brancos por dentro, pretos só por fora. Zé Correto! Até o nome não podia ser melhor. A cena das galinhas: muito pitoresca, embora prejudicada pelo desenvolvimento excessivo, como farei ver em nota no original. E tudo mais no mesmo diapasão.

Recebi hoje uma carta do J. Carlos a propósito do meu artigo sobre a Caricatura. Carta cheia de adjetivos. Decididamente estou a caminho de glória nacional, coisa que a gente sabe pelo número de adjetivos que chove sobre nossa cabeça. Uma revista feminina de S. Paulo (até elas Rangel!) transcreve-me qualquer coisa e em linda nota chamariz me trata de "flamante colorista". Quatro séculos atrás chamar-me-iam "flamívomo".

É a Glória que começa, Rangel. Os adjetivos vão se chegando, como ratinhos ao queijo. Vêm primeiro os camundongos de todos os dias. Depois começam a aparecer as ratazanas — os ratos raros. "Flamante!" Isto me cheira a rato raríssimo, já é coisa ogival, *flamboyant*, das que queimam e tiram o sono à gente. Como irei dormir em paz, Rangel, se sou flamante, chamejante, uma espécie de tição em brasa? Pobre Purezinha...

Também a *Cigarra*, à qual mandei uma história das minhas crianças, me chia ao ouvido coisas deliciosas; infelizmente sei que esse mel procede do Gelásio Pimenta, que o dá a torto e a direito na revista. Apesar disso, lá te mandarei como documento essas primeiras ondulazinhas, para que todo te remordas de inveja da minha Glória. Aqui na roça planta-se o feijão e depois de nascidinho chega-se-lhe terra. Minha glória está nascidinha e chegam-lhe terra...

O momento é pois o mais oportuno, Rangel, para vendermos a fazenda e, montados na cobreira, irmos refestelar no Minho, onde, em vez de meninas revisteiras que nos flamejem, teremos cachopas coradas, divinamente estúpidas como as pintam Camilo e Fialho.

Isto de hoje não é carta. E apenas aviso de que chegaram a *Vida Ociosa* e o retrato dos meninos. Responderei de verdade depois que liquidar este caso do misterioso americano.

Lobato

Fazenda, 12,2,1915

Rangel:
Que carta escreves! Se me fosse lícito receber tudo aquilo pelo valor nominal,

ou mesmo com quebra de cinquenta por cento... Mas há ali muita visualidade de amigo. Ainda que sejas sincero, é sinceridade eivada duma simpatia atenuadora das arestas. Mas estive em S. Paulo três dias e todos me falaram da minha literatura com certo calor, achando que eu sou coisas. Ouvi os elogios de pé atrás, como sempre. Quem na cara não elogia? O que vale é o cochicho às costas. Pinheiro é amigo e me ficou atrás do quadro, como Apeles, para pegar o que de mim dizem pelas costas. Contou-me que na sala do Nestor, no *Estado*, houve uma séria discussão sobre aquele artigo *Urupês*, na qual poucos concordaram comigo totalmente, mas todos foram unânimes em que sou "novo de forma" e uma "revelação". Será Rangel, que com tão pequena amostra se possa chegar a esse veredicto? E disse mais o Pinheiro que cada um me atribuía uma filiação. Um provou que eu imitava o Eça. O Armando Prado, que eu imitava o Fialho. A maioria, porém, achou que eu me revelava pessoal e sem filiações aparentes. E disso resultou que o *Estado* vai pagar-me os artigos a vinte e cinco mil réis, logo que a folha volte à normalização financeira e se refaça dum desfalque de cento e cinquenta contos que lá deu o velho gerente — foi o que ouvi. Atualmente não pagam a ninguém, razão de terem desaparecido o Sílvio de Almeida, o Feliciano, o João Grave e outros. Isso são mistérios dos bastidores da nossa "grande imprensa".

    Dizes bem quanto à disseminação do nome por intermédio de outras folhas. Isto é como eleitorado. Escrevendo no *Estado*, consigo um corpo de oitenta mil leitores, dada a circulação de quarenta mil do jornal e atribuindo a média de dois leitores para cada exemplar. Ora, se me introduzir num jornal do Rio de tiragem equivalente, já consigo dobrar o meu eleitorado. Ser lido por duzentas mil pessoas é ir gravando o nome — e isso ajuda. Já tirei a prova. Indo ontem falar com um médico do Instituto Paulista, Enjolras Vampré, recebeu-me ele de dois modos: o primeiro, frio, indiferente, o modo de receber aos que na vida não passam de números — mas depois que dei o meu nome, a cara do homem clareou.

    — "Aquele que escreve uns belos artigos no *Estado*?" e ao ter a confirmação tratou-me como *alguém*.

    Veja você como para o mundo tem peso um nome que assina artigos no jornal. A gente passa de servo da gleba à classe dos senhores. O "senhor" é o homem armado, que pode desta ou daquela maneira tornar-se ofensivo. A grande desgraça na vida é ser inofensivo, Rangel. Veja as minhocas. Por essas e outras, não concordo com o teu afastamento do jornal. Para quem pretende vir com livro, a exposição periódica do nomezinho equivale aos bons anúncios das casas de comércio — e em vez de pagarmos aos jornais pela publicação dos nossos anúncios, eles nos pagam — ou prometem pagar.

    Quem mais anuncia, mais vende. E eu tenho sido o teu anúncio vivo, Rangel. Tal propaganda faço cá em nossas rodas paulistanas, que eles te têm como um canhão 42 oculto em Minas, e que quando atirar mete os obuses até aqui e tudo arromba — e eles esperam o tiro. E serás o rei dos tolos, se não surgires na arena com uma série de "anúncios" do nome que breve aparecerá na capa das brochuras amarelas. O Pinheiro conta com o teu romance para a *Cultura* ([1]) e, apesar do que me escreveste, também conta ver-te empoleirado no "grande órgão". ([2])

---

1 Primeiro nome proposto para a *Revista do Brasil*.
2 *O Estado de S. Paulo*.

Apareceu-me um editor, isto é, apareceu-me um papudo com esta proposta: reunir em livro várias coisas publicadas, *Bocatorta* refundido, com ilustrações minhas, a sova *Urupês*, *A Caricatura no Brasil* com reprodução dos desenhos de Ângelo Agostini lá referidos, *Jardim da Roça*, inédito, e mais uma morte carnavalesca também inédita. Não é um editor profissional, é um "cara". Ora, cara por cara, por que não a minha? Editor de verdade não creio que apareça, nem eu procuro. Chegar com os originais dum livrinho, isso me dá ideia de chegar com o pires. E se ele vem com o "Deus o favoreça, irmão!" com que tromba ficamos?

Andas a me fazer vir água à boca com a *Mlle. Maupin*. Li-a muito mal, num tempo em que não sabia ler, e de bom grado a releria agora — não fosse a guerra. Estou de mal com a França em tudo — e sabe por quê? Porque a rodinha do *Estado* é aliadófila demais, fora de toda conta e medida. Para equilíbrio, pus-me contra — o único lá. Numa roda em que estavam o Bilac e o Pujol, alguém falou da minha germanofilia, e o Pujol disse: "Mijando, sara". Estou com isso atravessado na garganta. Pobre Gautier. Vítima do Kaiser, do Clemenceau e do Pujol.

A tua observação sobre a Maupin é exata. É preciso alento para um escritor ir até o fim no tom forçado que assumiu no começo. Muito mais fácil fazer como Fialho, que não assume tom nenhum — é si mesmo no livro todo e vai às do cabo, nada o empece; diz "puta" e "fideputa" quando há mister e onde toda gente poria discretos sinônimos ou rodeios preservatórios dos arminhos e catarros moralísticos.

Ando meio enjoado do *Estado*, daquela gravidade conselheiral. Eles se têm como o umbigo do universo; num necrológio ou notícia qualquer, pesam numa balança de farmácia o adjetivo a dar ao sujeito — "distinto"; "notável", "conceituado" — e há neles a convicção de que se não deram ao sujeito o adjetivo matematicamente certo, Sirius pisca lá em cima e pode nascer uma lêndea na Cabeleira de Berenice. Aquela bisca do Fialho inoculou-me o vírus do tudo dizer sem papas, e pôs-me sem válvulas controladoras. Não sirvo para jornal. Meu campo é o livro, o panfleto — ou um jornal meu cá como o entendo. Também tenho escrito umas diabruras para *O Povo*, jornalzinho de Caçapava no qual sou livre como o era no *Minarete*. Sou lá o Mem Bugalho. Mando-te o último número para que vejas o tom da folha que eu queria ter aqui em S. Paulo. Esse tom é o meu tom natural, normal — qualquer outro será forçado. E o diabo queira escrever forçado! É o mesmo que andar arcado. Nada emperra mais a pena, e tolhe tanto o correntio da frase, como sentirmos sobre os ombros alguém a espiar-nos. A "feição" do *Estado* é um Censor que me espia sobre o ombro quando para ele escrevo. A Opinião Pública é outro Censor. A dos amigos, idem. As conveniências... Como vivemos amarrados, Rangel!...

Que belo jornal ou revista não faríamos nós, do nosso grupinho, acrescido do Plínio Barreto, do Heitor de Morais e mais uns tantos rebeldes sem medo de chegar fogo aos estopins!...

E o nosso livro de contos a dois? Chegou o tempo. Refaçamos o que tivermos de melhor e publiquemos. Manda-me a tua parte, coisa que dê aí umas cem páginas ou mais. Eu me encarregarei do resto.

Lobato

Fazenda, 30,3,1915

Rangel:

Grandes novidades me dás. Irão demitir-te a bem do serviço público, como o original do protagonista de *Vida Ociosa*, o juiz que perde inquirições de testemunhas por amor ao *otium cum dignitate* da roça? Irão suprimir essa comarca? Seja o que for, parabéns. Será arrancar um urupê desse pau podre aí. Não há nada como um tranco do Destino. Revira-nos de pernas para o ar — parece o fim de tudo, e acabamos ganhando. Eu continuo firme na minha ideia do artista de ambulatório, errante como aqueles *chemineaux* de Maupassant, harpa eólia de pernas a varar mundo e a ressoar a todos os ventos. A você e a todos os Eleitos só desejo uma coisa: movimento. A inação apodrece tudo, cria bolores, musgos, visgos.

Agora, tudo isto é muito interessante em tese, mas *il faut manger*, e há ainda a mulher e os filhos... Eu não disse que não casasse? Toma! Casar, só bem maduro e rico. Enfim, lá sabes da tua vida. Quanto a mim, o que hoje mais me seduz é afundar num convento de pátios frescos, arcadas, grande biblioteca de livros iluminados, bom vinho e bom irmão cozinheiro — vida de frade gordo. Palavra d'honra, isso vale mais que este corre-corre moderno atrás do dinheiro ou da glória. Por desgraça nossa, nem conventos do bom tipo há hoje. Ou frade ou soldado. Também o soldado vive a crua vida que remexe as profundas bárbaras da alma humana — *quando há guerra*. Na paz é um triste boneco que às vezes até se suicida *tired of buttoning and unbuttoning*, como um tal coronel inglês.

Não tenho voltado ao *Estado* porque me enfada aquele tom casacal. Até dos jornaizinhos amigos fugi, porque não me suportam o *tom*. Está me ganhando um azedume que só terá esgotos em jornal próprio. Acabo montando um, ou uma revista na qual só eu mande e desmande. Talvez seja influência de Camilo e Fialho, esses dois impenitentes. Sobretudo Fialho, que chega a tornar-se antipático de tanta ferocidade. Uma hiena com cirrose no fígado e enjaulada não estilaria tanto fel como a pena desse tranca. Que estilo! Bárbaro como um huno, belo como a saúde. Estilo que não dá satisfações a ninguém — que não manda dizer. Quanto a Camilo, vejo-o sempre o mesmo e único. E cada vez mais me dá Eça a ideia dum creme Chantilly, muito gostoso. Camilo é o rosbife quase cru, vermelho. A semana passada li dum fôlego *Agulha em Palheiro*. Que garbo! É um romance saído de dentro dele como um rato sai dum buraco. É um jacto. E sabe que anda em Portugal um vivo movimento de reação pró-Camilo? O câmbio do Eça cai, e como não há nenhum "grande novo", o remédio é retroceder umas estações e parar em Camilo. Amiúdam-se os estudos camilianos. Recebi mais um de Pimentel e há dias o *Jornal do Comércio* trouxe colunas sobre ele.

Eu de mim não quero outro mestre. Leia isto:

"As portuguesas caem de maduras, ou porque a lascívia as sorveu antes de sazonadas, ou porque vêm ao chão, de velhas. As indígenas são pardas como pão de rala, têm uns palavreados que travam a ervilhaca e gelam os mais escandecidos desejos, São carnes de ralé onde amor não acha em que pegue. Lembra-se (é de Camões que Camilo fala) das lisboetas que chiam como pucarinho novo com água."

Que desgarre!... "Chiam como pucarinho novo com água..." E mais adiante:

"Mas entrevejo na cerração de três séculos que o poeta, na apoteose de Albuquerque terrível e do Castro forte, elaborando a epopeia que sagrou em idolatria de semideuses uma falange de piratas, escrevia com as mãos lavadas de sangue inocente do índio, a quem os conquistadores apenas concediam terra para sepultura como precaução contra a peste dos cadáveres insepultos, quando não exumavam os dos reis indígenas, na esperança de que lhos resgatassem com aljôfar e canela. Façanhas de Camões não sei decifrá-las nos seus poemas; eles, os poemas, só por si sobejam na sua história como ações gloriosíssimas."

Isto, Rangel, não é dizer passado por alambique, mas mijado! Nada aqui da impecabilidade estafante de Flaubert, antinatural, anti-humana, antiartística, toda *ficelles*, receita, formas. As *ficelles* do Eça também transparecem muito, e começam a enjoar quando percebemos que são *ficelles*. Camilo é floresta virgem, irregular, com perambeiras e espigões, com taquaruçus, bromélias, borboletas de azul celeste em voos boiados, e mamangavas tremendas, e sapos que espirram leite venenoso. Eça é um jardim francês daqueles que Le Nôtre desenhava. É possível levantar a planta dum jardim, mas quem tira a planta duma floresta virgem — dum Camilo? Eu recomendo a *Boêmia do Espírito* aos que sofrem de lazeira de estilo.

Os tais americanos cá estiveram e se foram e — diz carta — o comprador vem em maio ou junho. Sairá disto minha viagem ao Minho, santo Deus? Praza aos céus. A estupidez por aqui não é crua, santa e sólida como a das aldeias minhotas. A estupidez nacional não tem estilo — acho-a mal-ajambrada e frouxa. Até nisso degeneramos.

Em matéria feminina, estou que a boa mulher, a certa para esposa, é a quituteira, mentalmente divorciada do marido e que lhe dá liberdade de esvoaçar. A monogamia não é agradável a Deus. O que Deus quer é a forma grega: esposas procriativas no gineceu e Aspásias no jardim. O francês resolve o problema com o *ménage à trois* e um tácito consentimento individual e social que sorri da combinação. Mas não há negar que o sistema binário existe entre os passarinhos. E também entre os homens, quando encontram esposas merecedoras de devoção, como as nossas.

Lobato

Fazenda, 3,4,1915

Rangel:

Leste a carta da Marina? Será possível que haja sinceridade ali? As mulheres fingem com tanta perfeição... Sincera ou não, se ela seguir os meus conselhos vai lucrar imenso. Eu andava a suspeitar das tuas faculdades críticas, tais os ditirambos com que me apresentaste a moça; agora compreendo a delicadeza da situação. Como seu tutor literário, hás de saber guiá-la. Conte-lhe que Flaubert levava dez anos para fazer um livro. E quanto a mim, estou quase a meter-me por um romance a dentro só para reagir às tuas aguilhadas. Porque, dizes muito bem, nossa vida é um eterno provisório. Isso de esperar o advento duma era de paz e prosperidade é tolice da grande. O mundo é eternamente guerra e desordem. À guisa de exercício, vou começar.

Vá parabéns pelo cuidado com que levas a vida econômica, de modo que mesmo atarrachado numa juizança mineira fazes voos livres, "com a família guardada em Machado". Ótimo. Nada introverte mais calorias do que estes periódicos despegamentos do lar — férias conjugais. Se fossem criadas, como temos as forenses e as escolares, muito melhoraria o mundo. Conheço um rapaz que reagiu contra o aprisionamento conjugal desde o primeiro dia. Chamava-se Doutor Sebo, porque era muito metido a sebo. Casou-se em Taubaté com uma mocinha modesta, dona duma casa. Dias depois encontrei-o em São Paulo. "Então, por aqui?" — "Sim, estou em viagens de núpcias." — "E a esposa, como vai? Está gostando de S. Paulo?" — "Ela ficou; eu viajo sozinho." — "!!!" — "Sim, vendi a casinha e, como deu pouco dinheiro, saí em viagem de núpcias sozinho. Quero ver se chego até Montevidéu." Este Doutor Sebo é que podia escrever de cadeira sobre a emancipação dos maridos.

Ando mergulhado na *Ana Karenina* e desmealhando o processo de Tolstói. Que prodígio de vida! Como a Rússia inteira palpita e freme ali! Como Tolstói bate longe Flaubert e os relatórios dos Goncourts...

Lobato

Fazenda, 17,5,1915

Rangel:

Após um interregno de negócios, de americanos que chegam, correm à fazenda e não resolvem, volto à vida antiga. Diz o agente do Rio, tramador de tudo, que seguiram informações para os U. S. A. e que em junho virá o comprador. Quarenta mil dólares. De posse dos dólares: negócios, tacadas, coisa de enriquecer duma vez e sossegar com o dinheiro. Em matéria de vida moderna acho que há dois termos: ou nada ou bastante. Ou montar numa boa cobreira ou falir — as duas coisas sossegam. Vidinha a meio pau, terá encantos para Horácio. Se não fosse a estúpida crise de 1914 e a guerra, eu estava neste momento rico; a ventania europeia mudou o rumo do meu barco.

Mas deixemos isto, que dinheiro é coisa que fede. Lembro-me que você é um selenita puro, dos a quem a palavra *business* causa mal-estar. E eu que acho poesia nessa infâmia? Fujamos desse setor. A nossa *joint account* é só literária.

Ontem emergi do *Turbilhão* do Coelho Neto — um livro simples, sem esparramo de adjetivos, sem pompas orientais, dum Coelho Neto evidentemente podado a podão e tesoura (*shears* em inglês é tesoura de podar; nós não temos a palavra). Os tipos são fotograficamente montados e de tudo resulta a montagem fotográfica do avacalhamento moral e social da família carioca. Documento, enfim, mas (falta o resto).

Lobato

Fazenda, 20,5,1915

Rangel:

Veio afinal a carta contando da saúde. Na verdade, a doença que te arriou foi das mais sórdidas. Envenenamento pela nicotina! Puah!... Sarrodepitose!... Quanto à neurastenia, não compreendo como possa ser vítima de tal coisa um homem dotado da tríplice felicidade de ser casado, juiz e morador de Santa Rita do Sapucaí. O casamento! Só esta delícia deve afugentar para muito longe as borboletas negras das psicoses depressivas. Ser casado é gozar uma tremenda superioridade sobre essa infame gente solteira. É ser um toco de pau solidamente agarrado ao solo pelas subterrâneas raízes, em vez dum miserável passarinho que anda voando pelo céu e vai para onde quer. Uma mulher nossa, só nossa, sempre nossa, eternamente nossa, celestialmente nossa — isso é sublime comparado à triste vida de D. João Tenório, sempre a pular duma Elvira para outra, como o beija-flor vai de rosa em rosa. Desgraçados os mortais que não se saboreiam com a ambrosia do casamento! E o infame Byron atreve-se a dizer que o casamento transforma em vinagre o vinho do amor. Iconoclasta!

Ser juiz: outra felicidade suprema. Toco social, piúca bem enraizada na terra fofa duma Comarca e com a nobre função de dar a A o que é de A e a B o que é de B. E do alto dessa suprema função, ver de palanque o turbilhão da vida agitar-se em redor.

Morar em Santa Rita... Imagino que seja um tonel de Diógenes, um tonel de paz pérpetua num mundo feroz em luta permanente, essa Santa Rita em que moras e onde dás a A o que é de A e a B o que é de B.

Como és feliz — e mesmo assim a neurastenia te engrifa! Que mais quererá do mundo Rangel o Incontentável?

Pois, meu caro, essa depressão nervosa não ficou por aí, anda também cá a me rodear. Sofro do mal do toco, do excesso de raízes e da falta de asas. Às vezes faço esforços convulsos para me arrancar destas serras e pelo menos ir morar onde a natureza seja mais completa, com terra, céu e mar. Falta-me aqui o mar, e nós temos sempre saudades subliminais do mar, porque já fomos peixes — tu já foste um *amphioxus*, juiz — e o fomos por milhões e milhões de anos, e só de muito pouco tempo somos mamíferos de terra. Estamos tão perto do mar ainda, que lhe não dispensamos o sal. O sal é o meio de termos algo marinho dentro de nós. O *amphioxus* que há dentro de mim anda a pedir sal.

Coelho Neto queixa-se de que recebe poucas "missivas". Isso é sinal de reação, *assoupissement*. Neto é aquela jabuticabeira que vejo daqui. A folhagem excessiva não me deixa ver o desenho nervoso e bonito do tronco e dos galhos. Se Neto tivesse a coragem de podar-se, que lindo não ficaria! Há nele duzentos mil adjetivos a mais.

— E o romance?...

— O romance, Rangel? Ah, nunca mais pensei nisso. Ando farto de letras, lidas ou escritas. Escrever apavora-me, como em criança me apavorava tomar óleo de rícino. É algo fisicamente doloroso — e por que procurar a dor? Todo este mês foi de desenho e aquarelas — com a literatura de castigo no canto. E se comparo o meu estado de beatitude quando desenho ou pinto, com o ar de mulher parindo quando me ponho a escrever um conto, convenço-me de que sou uma besta de andar a insistir na senda errada. Não escrevo mais. Nunca mais. Se há quem escreva nos outros países é que existem por lá compensações sérias, renome e dinheiro. Desde que entre nós não aparece compensação nenhuma, escrever não passa de pura manifestação de cretinice. Machado de Assis não fez outra coisa, e qual foi o prêmio? Ouvir o Alves dizer: "Não quero a obra dele nem de graça; viria atravancar estas prateleiras, tomando o espaço das minhas cebolas". O Brasil ainda é uma horta, Rangel, e em horta, o que se quer são cebolas e cebolórios, coentros e couves tronchudas, tomates e nabo branco chato francês. Não somos ainda uma nação, uma nacionalidade. As enciclopédias francesas começam o artigo Brasil assim: "*Une vaste contrée...*" Não somos país, somos região. O que há a fazer aqui é ganhar dinheiro e cada um que viva como lhe apraz aos instintos.

Lobato

Fazenda, 3,6,1915

Rangel:

Recebi mais *Vida Ociosa*. Só darei opinião quando me vier o fim.

A razão de estar a escrever n'*O Povo* com uma assiduidade de que nunca me julguei capaz (três colunas e pico por semana), é bem curiosa. *O Povo* imprime duzentos exemplares; quer dizer que tem cem leitores. Entre esses cem leitores há um velhinho de setenta anos, que não me conhece, nem é meu conhecido. é só para ele que escrevo.

Foi magistrado e há muitos anos que não sai de casa, ali a esperar a morte como o tio Maheu do *Germinal*. Um genro desse velhinho me disse um dia:

— Sabe quem não pode mais passar sem *O Povo*? O meu sogro. Quando recebe o jornal, vai logo em procura de artigo seu; e se não encontra, fica jururu. Lê tudo quanto é seu, e nos chama para apreciar certos pedacinhos.

Isto me calou, Rangel, e nunca mais deixei de mandar coisas para *O Povo* e sempre no gênero que o velhinho gosta. Às vezes não estou disposto e resolvo falhar — mas me vem o remorso de decepcionar o velhinho e escrevo. Desanco o Hermes — é o de que ele gosta. Sinto mais prazer nisso do que na vaidade dos cem mil leitores do *Estado*, e a verdadeira razão de nada mais meu aparecer no *Estado* é que tenho de escrever para *O Povo*. Não é um solilóquio no ermo, como dizes, mas dialogo com uma sombra.

Quanto a livro, Rangel, não sei se me sairá algum, algum dia. Porque isso de encher o mundo de livros é fácil — o difícil é produzir um livro que seja UM LIVRO. Note que não aparece nem um só por ano. Se em algum tempo me sentir capaz de produzir UM LIVRO, então aparecerei. Do contrário seria aumentar com mais uma pedrinha a imensa montanha da Mediocridade.

Ontem li *Histórias sem Data*, de Machado, e ainda estou sob a impressão. Não pode haver língua mais pura, água mais bem filtrada, nem melhor cristalino a defluir em fio da fonte. E ninguém maneja melhor tudo quanto é cambiante. A gama inteira dos semitons da alma humana. É grande, é imenso, o Machado. É o pico solitário das nossas letras. Os demais nem lhe dão pela cintura.

Você queixa-se, Rangel, e no entanto quem produziu mais que você, homem ingrato para consigo mesmo? Quem tem parido mais e com mais afinco? Falta-te apenas publicidade. No dia em que sair o teu primeiro livro, juro que sararás dos muitos males que te atormentam. E já é tempo de soltar o livro. Tens no mínimo três romances altamente merecedores de impressão. Que esperas? Eu não esperaria coisa nenhuma. E, por falar, que notícias há do livro do Nogueira? Não compreendo a demora.

Encontrei hoje umas ilustrações feitas em Areias para o livro de contos que íamos fazer de colaboração, e a ideia desse livro me voltou. Seria um *In memoriam* da nossa convivência mental. Um livrinho leve, bem impresso, bem ilustrado, com o que tivéssemos de mais fino e pessoal. Seríamos um o público do outro — o velhinho um do outro. Mando os desenhos a ver se eles te comovem e te fazem voltar à ideia.

Quarta sigo para S. Paulo e sexta para Santos. Escreve para Ponta da Praia, 55.

Lobato

Santos, 24,6,1915

Rangel:

Cheguei hoje e encontro cartas aqui. É que encalhei mais duma semana em S. Paulo. Não respondo hoje mesmo porque estou me adaptando à casa, ao mar (que ouço pelas janelas abertas). O *amphioxus* está feliz. Tenho belas coisas a contar-te, o livro do Nogueira, o projeto do meu, o do Ricardo — a combinação que temos para que tudo venha no mesmo dia, um dia de desova geral! Muita coisa. Enquanto isso, tome lá esse recorte de jornal para a tua coleção de atitudes beccarianas. A *Revista do Brasil*, *ex-Cultura*, sai em agosto, e nela cabe um dos teus contos ou romances. Manda o *Estado Maior*. São eles próprios que pedem.

Lobato

Santos, 30,6,1915

Rangel:

Viva o ressuscitado! Eu já andava compondo um "Adonais" para o extinto juiz e eletricista [3] de Santa Rita do Sapucaí.

São nove horas da manhã fria e sem sol. Sinos repicam lembrando o dia santo — Corpo de Deus. ("Deus tem corpo?" — "Não, é um puro espírito", dizia o meu catecismo.) Fumo um cigarro, com as pernas estiradas sobre uma gaveta entreaberta, e sinto na alma o dia santo; estou feliz, contente, amigo dos homens e das coisas, num estado d'alma merecedor de eternização. Olho para aquele vaso ali e me enterneço.

---

3   G. R. desempenhava o cargo de contador da empresa de luz da cidade de Santa Rita, para onde fora removido.

Coitadinha da porcelana! Por que, Rangel? Sei lá. Não sei nem quero saber, porque nestes momentos de felicidade misteriosa fujo de raciocinar. Parece que a felicidade é a animalidade contente, e raciocinar vale por desanimalizar-se. Nietzsche diz que a felicidade é a sensação de que a nossa força cresce. A roleta do Miramar fez crescer a minha. Há uma semana que jogo todas as noites e ganho.

Sabes o que é a roleta, juiz? Durante a ação, uma luta tenaz entre o Homem e a Sorte. Depois, uma alegre ou melancólica ressaca, em que relembramos os lances bons, ou maus, as coincidências e mil coisinhas que só os jogadores entendem. Como no xadrez. Explique você a um leigo a beleza dum cavalo que come a dama e dá cheque — e o leigo não vê beleza nenhuma. Mas no xadrez temos como adversário a ciência do parceiro; na roleta o adversário é o Destino. A deusa Sorte rodeia a mesa do pano verde (há que ser verde, como as venezianas que se prezam) e ora se reclina sobre o ombro de um jogador, ora sobre o de outro, e aqueles momentâneos beneficiados pelos reclinos ganham — e é *l'ebrezza*. Ontem perdi sistematicamente durante uma hora. Parei. Deixei transcorrer dez bolas nas quais os meus palpites não deram. Na décima primeira rebentou um deles. "É hora!" disse eu comigo e voltei a jogar. Senti no ombro a pressão dum seio — era a deusa que dera a volta e parara atrás de mim. Joguei forte no dezessete. Deu. Parei um instante, sondando. Nova pressão no ombro. Joguei forte no zero. Deu. Repeti o jogo. Deu. Carreguei no *double* zero. Deu. Arregalamento de olhos da assistência. Eram as melhores boladas da noite, e "em seco", o que é raro. Creio que vem dessa noitada o meu estado d'alma de hoje — uma ressaca feliz.

Não conheço nenhum estudo psicológico do jogo. Em geral, sobre ele só escrevem os moralistas, gente bocejante e sermonaria. Cheira-me que o jogo não é o que esses Catões dizem, já que se entronizou tão sólido na vida humana, como pé duma tripeça: Bebida, Mulher e Jogo. Dizem os teólogos que é a trindade do Diabo — mas a Ciência mostra que o verdadeiro nome do Diabo é *Homo sapiens*. O homem não pode viver sem uma certa ebriedade – *l'ebbrezza*. Bebida é *ebbrezza*. Mulher é *ebbrezza*. Jogo é *ebbrezza*. Fisiológica e psicológica. Bem-aventurada sejas tu, ó humaníssima trindade!

Por que tanta *ebbrezza* em vez de ebriedade? É que ando com a Itália dentro de mim, como azeitona em pastel. Leio Edmundo d'Amicis, senhor juiz, esse homem que é um encantador sem par (tomo a palavra encantador no sentido que tem na magia). Sabe quantas edições já teve o *Cuore*? Quatrocentas e cinquenta e uma! A *Vita Militare* teve noventa e três... *Idioma Gentile*, quarenta e seis... *Constantinopla*, trinta. Que explica semelhante coisa? A sedução, a magia do homem. É um visgo. A gente começa a lê-lo e vai embora. Magia, magia. Há a Magia Negra, a Magia Branca — e a Magia Literária. D'Amicis é um grande Mago Literário. E sabe, Rangel, que aqui no Brasil também há um livro com o poder de me enfeitiçar assim? Creio que já o li, espaçadamente ou de uma assentada, oito ou dez vezes, e sempre com o mesmo encanto: *Memórias Póstumas de Brás Cubas*. Outra "obra prima" que pelo jeito vai longe, sabe qual é? Aquele meu artigo "Velha praga", que continua a ser transcrito pelo país afora, precedido de elogios como esses do recorte incluso (e não precisas devolver porque está tolo). O homem só diz asneiras, e a mais curiosa é a que vai grifada e na qual tens parte, como pai do adjetivo. Diz o couve tronchuda que eu chamo aos políticos "matracolejantes caríssimos"! Como conseguiu ele jungir na mesma canga essas palavras? O jornalismo entre nós é perpetrado pela ralé da incompetência. Isso explica a apoteose que andam a fazer do Alberto Torres, cuja genialidade não passa de simples desvario. Diante de tantos louvores, comprei-lhe os livros e li-os; não me contive, mandei para o *Estadinho* dois rodapés de análise. Demonstro a insubsistência das ideias desse homem de miolo atrapalhado, que querem equiparar a Euclides da Cunha e já anda com maiúsculas no rótulo: Alberto Torres o Grande Pensador Nacional. *Le Penseur*, de Rodin. Há no Pará ou no Amazonas um político, Eduardo Ribeiro, que também tem o cognome de Pensador.

Eu não sabia de tuas relações com a Júlia Lopes! Parabéns.

Cá espero a *Vida Ociosa*. Purezinha tem faro estético mais fino que o meu e fá-la-ei ler também — e o que ela disser, é! Ontem abriu a *Casa de Pensão* do Aluísio e logo depois a largou por haver encontrado, na descrição dum mocinho, que "grossa cadeia de ouro pendia-lhe do ventre". Como essa cadeia e esse ventre envelhecessem o moço, ela fechou a casa de pensão para evitar maiores calotes.

Estou há um mês de viagem engatilhada e não desfecho... *Ubi bene ibi patria*. Em plena lua de mel com o jogo, do qual andava afastado de três anos, vou me ficando. O único bom e respeitável critério da vida é a Veneta. Tudo mais, servidão, moralismo.

Conheces a *Vita de Benevenuto Cellini*? O que diz d'Amicis despertou-me a fome. Lembro-me de ter lido uma redução da obra por Lamartine. Uma ovelha a reduzir um leão! Quero conhecer o leão *dipinto da se*.

Lobato

Ponta da Praia, 3,7,1915

Rangel:

Havia deliberado não escrever a ninguém nesta minha visita ao mar, nem ao administrador lá da fazenda, nem a você, nem ao papa. E conservei-me neste propósito até hoje, quando o correio me trouxe a tua. Por Netuno! Que redada de cincas de gramática apanhou você em meus escritos, ó gramaticão de má morte, ó Cândido de Figueiredo de Santa Rita! Dou as mãos à palmatória — exceto quanto a vieiro, que Aulete autoriza; e a undecimilla, de *undecimus-a-um*; e a *soerguer-se*, que é também erguer-se a custo (Aulete). E dou-me parabéns de conhecer no mundo um crustáceo tão meticuloso como o meu amigo juiz.

Confesso, Rangel, a minha ignorância do português-gramática e mais camarões da filologia. Guio-me pelo faro, como o pescador que sente que ali naquelas pedras há garoupas. Infelizmente, faro é nariz; e em dias de resfriado lá se vai o faro. Mas o vento que me leva hoje a escrever-te é o Bernardo Torres — esse extraordinário Bernardo o Eremita de Caldas. Escreve como fala e é tão nosso igual que tanto faz a mim escrever a você como a ele. Foi fabricado da mesma massa e no mesmo molde e com o mesmo ponto de forno de todos nós lá do Cenáculo. E é psicólogo. Diz uma grande verdade de que eu andava suspeitando às escondidas — que somos todos uns Jecas Tatus. Pura verdade. Com mais ou menos letras, mais ou menos roupas, na Presidência da República sob o nome de Wenceslau ou na literatura com a

Academia de Letras, no comércio como na indústria, paulistas, mineiros ou cearenses, somos todos uns irredutíveis Jecas. O Brasil é uma Jecatatuasia de oito milhões de quilômetros quadrados.

As observações do Bernardo sobre *Urupês* são muito justas. E algumas das inexatidões apontadas são propositais. A história do caboclismo... Aquilo foi fabricação histórica para bulir com o Cornélio Pires, que anda convencido de ter descoberto o caboclo, como o Nogueira se convenceu de ser o descobridor da Pátria O caboclo de Cornélio é uma bonita estilização — sentimental, poética, ultrarromântica, fulgurante de piadas — e rendosa. O Cornélio vive, e passa bem, ganha dinheiro gordo, com as exibições que faz do "seu caboclo". Dá caboclo em conferências a cinco mil réis a cadeira e o público mija de tanto rir. E anda ele agora por aqui, Santos, a dar caboclo no Miramar e no Guarani. Ora, meu *Urupês* veio estragar o caboclo do Cornélio — estragar o caboclismo. Se tens aí mais cartas do Bernardo, não confidenciais, manda-mas.

A grande besta G. B., que se corresponde com o Nogueira, não será uma que zurra no *Correio Paulistano*?

Recebi o resto de *Vida Ociosa*. Ainda não comecei a ler. Mas li o *Amor Imortal* e pretendo escrever a respeito. Aqui é impossível. Sou todo mar, roleta, aquarelas — não tenho repouso. Ontem passamos o dia em Itanhaém. Fomos de auto, beirando a fímbria das ondas. Encontramos vários pinguins arremessados por algum temporal. Havia um vivo que levei para casa. Morreu, coitadinho, no dia seguinte. Amanhã vamos à Bertioga. Depois, a um farol. Depois... Cada dia, uma festa. Mar, mar, mar. O *amphioxus* regala-se. O Heitor de Morais, meu cunhado, tem uma esplêndida biblioteca — uma biblioteca que seria o meu encanto... longe do mar. Porque quando caio no mar, sou só mar, mar, mar.

Lobato

Quem é esse Bernardo? Que faz? Onde mora?

Santos, 15,7,1915

Rangel:

Ontem e hoje dei folga ao mar para reler o livro do Nogueira, que me parece uma obra extraordinária. Fora os diálogos, que são em regra deselegantes, o resto é ótimo. A última novela, *Os Deuses Morrem*, é uma obra-prima. Nunca supus no Nogueira tamanha profundidade. Tem muito de Edgard Poe. Mas acho que bem pouco pode esperar do público. Não será lido pelas massas. Falta-lhe a nota do pitoresco e da comédia humana — da humanidade ao alcance da humanidade. Todos os personagens do Nogueira são exceções, coisas de Ibsen, astralidades. Já escrevi uma crítica do livro, bastante encomiástica.

O que me contas do Bernardo é realmente assombroso. Eu o imaginava um bacharel grudado como craca numa promotoria de Minas. E no entanto cultiva a vinha e tem venda na estrada!... Está melhor situado que nós, Rangel, para o estudo de almas humanas. Está mergulhado na massa do povo, e nós bestamente vivemos entre títeres que não são povo nem coisa nenhuma. É pasmoso como a sociedade esconde o homem em carne viva, todo instintos crus. A burguesia não tem alma. Educação e riqueza são máscaras de desindividualização. Que delícia nadar nas ondas da plebe, como num mar!... Como Gorki nadava...

Ontem fomos à Bertioga, onde há um velho fortim escalavrado do tempo de Tomé de Souza. As primeiras ruínas que vi em minha vida. Mas nada me sugerem aquelas ruínas de convento em Itanhaém e estas da Bertioga. Que havia ali antigamente? Frades por dentro e índios por fora. Mato e índios. Ruínas são as da Europa, da Escócia. Aqueles castelos cheios de dramas e até com fantasmas. As nossas ruínas são muito recentes. Os frades são os mesmos de hoje, os jesuítas de batina; e os índios são os caboclos de agora. Não sinto grandeza nenhuma, nem tragédia.

Nas pedras de São Vicente peguei outro pinguim, de asinha machucada. E por causa deste coitadinho tive de brigar no bonde. Eu o trazia ao colo. O condutor, um português bem merecedor de que Cunhambebe o houvesse comido, implicou. "O regulamento purive conduzir aves nos bondes." Eu quis discutir calmamente. "Ave tem penas, meu senhor, e onde estão as penas deste vivente?" aleguei. Ele teimou que era ave. Eu jurei que pinguim era filhote de foca, segundo a opinião de todos os zoólogos ou exploradores ao tipo de Amundsen, etc. — uma coisa comprida. Minha ideia era manter a discussão até que me aproximasse da casa do Heitor, mas o raio do mondrongo teve uma ideia luminosa. Fazer parar o bonde. "Com ave o bonde não segue!" Eu ainda fiz chicana: "E se o Rui estivesse aqui? Seguia ou não o bonde?" "Que Rui?" perguntou o alarve. "Rui, a águia de Haia". Ele desconfiou que eu estava a "mangaire" e fez parar o bonde e foi a um telefone "falar à Companhia e pedir *providências*." Voltou. Continuou o estúpido bate-boca. O bonde estava se atrasando. Havia mais gente dentro. Tive de ceder. Insultei-o à portuguesa e desci. A casa do Heitor não estava longe. Depois de exibido lá o meu pinguim, soltei-o de novo no mar. Com que gosto se meteu a nado! Quando vinha uma onda, enristava o bico e furava-a. E lá foi nadando e sumiu-se ao longe. Talvez tenha sido o único pinguim do mundo que jamais andou de bonde.

Quero agora visitar o farol da Moela, para captar impressões e refazer um velho conto de faroleiros que fiz em Areias. Pena é não estares aqui, Rangel. Não sei fazer nada sem você. Com os meus olhos somados aos teus, havíamos de ver muitas coisas a mais das que vejo.

O Gorgulho é outro prodígio aí de Minas. A história da álgebra da Idade Média numa cidadoca mineira vale todas as do Beccari.

Já enviou os manuscritos ao Pinheiro?

Lobato

S. Paulo, 1,8,1915

Rangel:
Acabo de ler a última parte de *Vida Ociosa* e corro ao papel para que nada se perca do calor da primeira impressão. Confesso que as partes anteriores me deram a suspeita de que em vez de um romance com *desenlace*, a coisa te saísse simples

crônica da vida roceira. Enganei-me. Parabéns! O capítulo do Sô Quim está magnífico de observação e graça: é da gente rir como em Mark Twain. Aquele "ajutório", aquele "fazer companhia", oh, aquilo é ouro. O remate, a seca do cliente, a surpresa do anel e a criação da escola, são uma obra prima de beleza, emoção e arte. A publicação desse livro vai ser um acontecimento literário. Coelho Neto, nada! Acadêmicos, nada! Você vale todos os romancistas da Academia de Letras.

Vou levar ao Ricardo o manuscrito, porque faço questão de que ele se convença por si mesmo do que sempre eu disse do Rangel. E desde já te dou o meu voto para o 1.º do Cenáculo, lugar que deixo de aspirar, já que o PRIMEIRO é você. Homem feliz! Empreendeste uma viagem longa e desalentadora e chegaste à meta. Hoje estás no ponto em que é só escrever e publicar: a crítica só terá carinhos com você. Uma coisa ainda aconselho: podar as camilices enxertadas na primeira parte. Estou convencido de que o vocábulo fora da moda, fóssil ou raro, é "pedra" de banana-maçã. O teu estilo é o desta última parte. Nela não há ressaibo de Camilo nem de ninguém: tudo ali é Godofredo até ao sabugo das unhas.

Adeus, Grande!

Lobato

S. Paulo, 4,8,1915

Rangel:

A carta que mandei ontem não se referia ao último capítulo, que é de fato uma excrescência. Deves aproveitá-lo para um conto, porque o livro acaba maravilhosamente no penúltimo capítulo. Lemos o teu manuscrito ontem, eu, o Ricardo e o Adalgiso Pereira. Grande entusiasmo. Aclamamos-te o Dickens do romance nacional.

É indispensável que apareças, já, já, em letra de forma, Rangel! Conquistas tudo de pancada. Vamos dar um capítulo, o penúltimo, em rodapé no *Estadinho* sem consentimento teu. Purezinha também gostou e louvou — ela é exigentíssima e incorruptível. Tem aquele faro infalível da cozinheira de Molière.

O pinguim também me decepcionou. Quando topei o primeiro, morto na praia, a surpresa foi enorme — surpresa literária: o Polo Sul, a tragédia do vendaval que o arrastara até ali, Rudyard Kipling, o capitão Scott. O encontro do outro, semivivo, foi o requinte da surpresa. O terceiro, apanhado no mar, nadando, já não me produziu grande sensação. Já era coisa vista. Hoje já não me abalo com pinguins, tantos encontrei mortos nas praias de Santos. A saciedade.

Dos pinguins de Santos passei à *Ilha dos Pinguins* do Anatole France, que comprei e vou ler.

Adalgiso te louvou o estilo nas partes onde as "aquisições camilianas não empecem de arqueologia a atualidade da língua". Condenou os trechos onde Camilo está demais. Também acho que deves raspar o excesso de Camilo. É forçoso que ele não fique com as orelhas de fora. Na segunda parte da *Vida Ociosa* está mais diluído, homeopaticamente, mas na primeira parte está alopático, em doses cavalares.

Enfim, Rangel, estás consagrado no nosso grupo como o grande romancista que o país esperava — e a nossa roda sabe o que diz, e o que ela diz é a opinião de amanhã. Queres negociar comigo a publicação da *Vida Ociosa*? O Monteiro Lobato editor do Godofredo Rangel — que maravilha!

Lobato

S. Paulo, 7,9,1915

Rangel:

Quantas respostas estou a dever-te, meu Deus! Consequência da corrimaça. Este mês volto para a fazenda e lá me ponho em dia. Recebi um teu bilhete-postal acompanhando o *Minas Gerais* e te remeti o *Estadinho* em que saiu o capítulo da *Vida Ociosa*. Como não estava revisto, veio-me a liberdade de, ao copiá-lo, fazer umas correçõezinhas, do que humildemente te peço perdão.

O Nogueira tem-me escrito com assiduidade. Ingênuo!... Esperava que com o aparecimento do *Amor Imortal* até a lua arregalasse o olho, surpresa do novo sol que surgia. A lua não arregalou, o mundo não parou e Nogueira, estomagado, com pisaduras de sangue preto na alma, queixa-se no meu colo. Consolei-o, mostrando que o mundo não para para ninguém, como os bondes, porque é cego, analfabeto e invejoso, sendo isso um modo natural de ser do Mundo e não acinte pessoal, picuinha malévola contra ele, Nogueira, como o nosso filósofo sideral santamente supõe.

Ainda não devolvi teus manuscritos porque metade está em Caçapava. Quero que vá tudo junto. Guarde isto do Araripe Junior: "Milton um dia, definindo a sua estética, disse: *Poet must be a true poem*. Com isto quis dizer que a obra literária que não é uma pura resultante dum organismo, pode ser tudo, menos obra artística. As verdadeiras regras estão no sangue, nos nervos, na estrutura do indivíduo, na celebração inconsciente." Grande verdade. Por que o Ricardo não compõe um poema? Porque ele é em si um poema — um poema de pernas. E nós sentíamos isso e adorávamo-lo como a encarnação de um poema de Musset. Que é que faziam o Raul e o Artur, sempre com os olhos no Ricardo? Liam aquele poema vivo e semovente. *Poet must be a true poem*! Eu queria esfregar Ricardo no nariz de Milton para que ele visse como acertou.

Lobato

S. Paulo, 21,9,1915

Rangel:

Tens razão quanto à minha vida de cigano. Já me está cansando, e volto para a roça a semana que vem, saturado desta civilização. A minha estada aqui, graças à popularidade que o *Estado* deu ao meu nome, foi fértil em conhecimentos novos, entre os quais Emílio de Menezes o Viperino. Estive numa comilança a céu aberto a ele oferecida pelos trinta de Gedeão das letras paulistanas, lá no Bosque da Saúde — *sub tegmini as fagi*, como disse o Juó Bananère. Emílio tem fama do homem de mais espírito deste país. E é o moto-contínuo da graça. Ri-me tanto, que voltei para casa com os músculos faciais doloridos e talvez inchados. Além de grande poeta satírico, é Emílio ator de incomparável máscara e senhor de todos os truques psicológicos que desmandibulam os homens mais sisudos.

Mas volto para o mato, Rangel. Aqui nada se faz. O nosso tempo some-se todo na vidinha social — visitas, palestras, teatro, rodinhas, Triângulo. Leitura, só de jornais e algo de fugida. Houve uma festa d'*O Piralho* que deu nota. Mando-te o número. Veja as caricaturas sonetadas do Emílio. Há um continho meu feito a galope, do qual gosto e pretendo refazer decentemente. O desfecho agrada-me. Recebi a revista mineira. Julguei que fosse teu o artigo sobre o *Amor Imortal*, mas vi logo que não.

A *Revista do Brasil* aparece em janeiro e pelos modos vai ser coisa de pegar, como tudo que brota do *Estado*, empresa sólida e rizomática. Razão para aderirmos. Prometi um estudo sobre o Almeida Júnior e você pode entrar com um dos romances. Continuaremos assim juntos. O Bernardo escreve-me de vez em vez e eu lá vou respondendo de corpo mole. O fato de me corresponder com você, Rangel, não me obriga a fazer o mesmo com quem queira corresponder-se comigo. Tenho comprado muitos livros para ler na roça. Entre eles a coleção *Les Mille Nouvelles*, de que te mando amostra. São os melhores contos modernos. Oitocentos réis o volume.

Lobato

Fazenda, 30,9,1915

Rangel:

Não mandas nada para a *Cultura*. Aquilo ainda é um espermatozoide do Pinheiro na madre de um projeto. Muito cedo. Ainda procuram acionistas de trezentos mil réis a quota. Em todo caso, se queres te coçar ao feto, dirige-a J. M. Pinheiro Júnior, redação do *Estado*.

Grande bem me fazes com a denúncia das ingramaticalidades. De gramática guardo a memória dos maus meses que em menino passei decorando, sem nada entender, os esoterismos do Augusto Freire da Silva. [4] Ficou-me da "bomba" que levei, e da papagueação, uma revolta surda contra gramática e gramáticos; e uma certeza: gramática fará letrudos, não faz escritores. Depois, quando cheguei à puberdade estética e sobrevieram as curiosidades mentais, pus-me a ler — mas só em francês e isso até depois dos vinte e cinco anos. Até essa idade conto nos dedos os livros em nossa língua que li: um pouco de Eça, uns cinco volumes de Camilo, meio Machado de Assis. E Euclides e jornais. Como vês, ensarnei-me a fundo na sarna gálica. A reação vem dos tempos da *Velha Praga*. Ali ainda sou o antigo. Em *Urupês* aparecem uns clarões ricocheteados de Camilo — o grande Camilo que me revelou a língua portuguesa e me fez ver as balizas que a extremam da língua bunda dos jornais e deputados — a Língua de Cafra para Cafrarias, diz Camilo. De *Urupês* em diante tacteio, na luta das transições, procurando saltar para o outro lado. Esse pulo não vai assim ao jeito dos pulos ginásticos; é pulo metafórico, pulo imperceptível

---
4 Monteiro Lobato foi reprovado no primeiro exame que fez — o de português.

de ponteiro de relógio. Estou com um pé na Cafra e o outro no ar, a descer com lentidão e medo sobre a língua lusa verdadeira. Conto saltar. Hei de saltar. No intento de apressar a coisa, voltei-me para a gramática e tentei refocilar num Carlos Eduardo Pereira. Impossível. O engulho voltou-me — a imagem do Freire e da bomba. Dá-me ideia duma morgue onde carniceiros de óculos e avental esfaqueiam, picam e repicam as frases, esbrugam as palavras, submetem-nas ao fichário da cacofonia grega. A barrigada da língua é mostrada a nu, como a dos capados nos matadouros — baços, fígados, tripas, intestino grosso, pústulas, "pipocas", tênias. Larguei o livro para nunca mais, convencido de que das gramáticas saem Sílvios de Almeida mas não Fialhos. Mil vezes (para mim) as ingramaticalidades destes do que as gramaticalidades daqueles. E entreguei-me a aprender, em vez de gramática, *língua* — lendo os que a têm e ouvindo os que ralam expressivamente.

Quando releio o que escrevi no *Minarete* vejo que me arranquei ao lodaçal em que os jornais e o francês me lançaram de cabeça para baixo. Mas mesmo assim grande serviço me prestas com o me ires apontando falhas.

Alegrou-me deveras a tua nota sobre o progresso da minha assimilação vocabular e da construção portuguesa. Receava andar iludido e só haver enricado de algumas palavras de bom cunho.

Tua análise do estilo rompente de Euclides me satisfaz. A ossatura e o músculo, ele os consegue como dizes. Mas não bastaria isso. Sem a rede de nervos dum pensar original, fortemente enfibrado pelo *metal deployé* das ciências naturais e sociais e da filosofia moderna, bem digeridas e assimiladas, Euclides não seria esse fenômeno novo que nos esbarronda, um homem que tem o que dizer, sabe o que diz e o diz — assombro! — em português de verdade. Porque a língua de Euclides já é a Língua. E, pois, apartados um momento, eis-nos de novo de braços dados na estrada real. Que importa que a massa nos não entenda? À massa compete admirar. O entender é só das minorias. Atenta neste belo clarão de Fialho: "Tomou as mãos do agonizante, um mármore molhado." A minoria entrepara, atônita com essa beleza. A maioria não para, passa, mas admira, porque não entendeu — o ininteligível é o supremo pasmo das multidões. Vejamos agora isso dito no estilo bunda: "Tomou as mãos do agonizante: estavam geladas por um suor frio". O clarão da frase de Fialho vira aqui luzinha de vela de sebo; entendem-na todos; a clareza democrática atinge o apogeu — mas que analidade! Língua bunda, estilo anal, ideias de toda-gente, aninhadas como piolhos dentro de bolas de escaravelho. O escaravelho da adjetivação dessorada pelo advérbio. O adjetivo sempre *medio* (porque *in medio virtus*! O *in medio* em tudo na vida só dá o medíocre). Nunca o adjetivo extremo; e para desenervar o adjetivo médio de suas últimas fibrilas ainda não flácidas, um auxílio pré ou posposto. Este auxílio é sempre muleta. É um modificativo que dessangra e empalidece o adjetivo, cambando o vigor da frase.

Em Camilo noto curiosa evolução: nos últimos livros, velho e doente, é ele um feixe de ossos amarrados por uma rede telefônica de nervos mais vibráteis que cordas eólias. Seu estilo reflete o Camilo do fim. Não há ali células de gordura. Nada balofo, só durezas. Veja na *Boêmia do Espírito*:

"Se o adversário Rodrigues almeja desforrar-se da justiça dura e rude com que o incomodo, haja-se por vingado na repugnância com que lhe replico. Tenho pesar de haver sacudido com a pena a luva que me atirou. Enganaram-me uns fementidos jornais que por aí inculcaram o teólogo com a adjetivação encomiástica das pílulas de família. Caluniaram-no. A sua ignorância dava-lhe jus a uma sossegada irresponsabilidade em coisas de letras. Colocaram-me nesta atitude de lutador pimpão, em mangas de camisa, obrigado a defender-me das vaias de ignorantes ao cabo de trinta e seis anos de estudo apenas interrompido pelas dores de todas as espécies e pelas prostrações das longas vigílias, etc.

Pelo contrário, escrevo com a tristeza dos velhos que, na penúltima estação da viagem, olham para o passado e não avistam na via dolorosa clareira onde não avulte um grupo de miseráveis. A Teologia era a única potência que me tinha deixado passar sem pedrada; mas afinal nem essa... Ela depois disso raros filhos desova que não venham gafos da oftalmia purulenta que os não deixa encarar as frechas aflitivas da luz. Alguns, porém, conheço com a íris normal, sã, remirando a fito todos os esplendores da ciência, etc.

Temos aqui treze adjetivos para cento e noventa e oito palavras — seis por cento! Não pode haver linguagem mais virilizada, mais enxuta, mais ossos e nervos — e gordura nenhuma. Nada amolengante. Lembra vergalho de boi estorricado ao sol. Só treze adjetivos e todos matematicamente exatos. Vejamos em Fialho:

"Tomou as mãos do agonizante, um mármore molhado. Está a amanhecer lá fora, e os cinzentos azuis dessa madrugada de inverno entram no quarto como albescências funéreas que me espantam."

Temos aqui três para trinta palavras — dez por cento e em descritivo!

O pior vezo nacional é cevar o estilo como se cevam porcos. O ideal literário parece que é a banha. Está gordinho? Ah, então está lindo.

Toca a jejuar até emagrecer às justas proporções — jejuar de adjetivos modificatórios. São a gafa. O qualificativo é tinta boa, viva, crua; o *modificativo* é água diluente, dessorante: "*Radiava um céu azul*"; o azul está forte, na pureza com que sai dum tubinho do *Ceruleum Blue* do Windsor & Newton. Posponha-se-lhe um "desmaiado".

Radiava um céu azul desmaiado...

Adeus, vigor! Junte-se mais um "diáfano",

Radiava um céu azul, desmaiado, diáfano...,

e do Portugal nervoso de Camilo saltamos para o Brasil toucinhento de João do Rio. Já é aquarela, água rala, água panada, pintura de moça. Dirão: "É um gênero como outro qualquer". Sim, mas que não sobrevive, como sobrevivem os fortes claro-escuros de Rembrandt — e o tudo na biologia é sobreviver. O que já nasceu desbotado, continua a desbotar pela ação do tempo. Cumpre notar que a coisa descrita perde, na passagem do cérebro do autor para o do leitor, uns trinta por cento de força pictural, como a corrente elétrica perde de intensidade na passagem do gerador para o quadro de distribuição.

Chega. Quando me meto por estas vias, seco — e não digo o que quero. Mas tu me entendes, ó grande Rangel, tu que conheces de longo o meu *modus explicandi*.

Já notaste como é mais vivo o estilo das cartas, do que o de tudo quanto visa aparecer em livro ou jornal? Acho maravilhoso o *prime saut* das cartas. Eu queria ver em todos os teus livros o *elance primesautier* da última carta que me mandaste. A caraça do público, a "feição" do jornal, os moldes do editor, sempre antepostos ao nossos olhos quando "escrevemos para imprimir", acanham-nos a expressão, destroem-nos a alerteza do *élan*. Eu, por mim, só lia cartas e memórias como as do Casanova.

Lobato

Fazenda, 23,10,1914

Rangel:

Est modus in rebus — nem tanto a Cândido, nem tanto a Graça. Olhe que se este nos autoriza ao "fazer com que", ao "cumprir com o dever" etc., é o caso de nos mudarmos para o bairro dos que o não autorizam. Há sempre uma alta nobreza no estilo que se põe nos moldes sintáticos dos grandes antigos, procurando tomar como regra o que neles for regra, e não se autorizando a constituir como regra geral uma exceção, uma cinca, um desleixo de Vieira ou Camilo, quando é certo que Homero cochilava. Quanto ao meu erro do "se o pratica" é coisa tão soez e chata que escusava te alongares tanto na demonstração. Já o expungi. Não fujo à pecha de ignorante em gramática, e até proclamo essa ignorância. E na realidade guio-me pelo tacto e o faro, pelo aspecto visual e auditivo da frase. Se algum período me soa falso, releio-o em voz alta para perceber onde desafina. E achada a corda bamba, não a analiso, dispenso-me de saber que preceito gramatical foi ali ofendido: aperto a cravelha e afino a frase. O método, não será dos melhores, mas é o meu. É o mau mas meu. Topete, hein? E queres ver que ilações tiro desse topete? Não arquiteto a frase: despejo-a sobre o papel no jeito, no tom, no rebarbativo, no elance com que me acode à pena. Depois barbeio de leve, sem escanhoar. Raramente substituo os adjetivos que saltaram à tona, como peixes. Chamo a isto *doigté* e está acabado. E isto porque dia a dia mais me enjoa a "forma" — tanto na composição da frase como no "raconto", como diz o Fialho em seu volapuque. Tomei-me de tal engulho pelo naturalismo formalístico, impessoal — pedaços da natureza vistos através dum molde — que o considero máquina de fabricar linguiça. Entram pela boca Zola, Aluísio e *tutti quanti*, sobraçando o assunto; dá-se à manivela e sai do outro lado sempre a mesma linguiça, na forma e no comprimento, apenas com leves diferenças no tempero interno.

O meu primeiro livro será minha primeira veneta. Talvez um misto de Sterne, Machado, Camilo, etc. Um capítulo de uma linha, outro de cem páginas, ora numerado, ora com um "De como..." maior que o texto, com digressões e o diabo. Mira suprema: 1) não estafar; 2) convergência disfarçada, não forçada, para realce da *ideia-mater*; 3) assuntos universais com cor local; 4) quando pintar um homem, dar a sombra do Homem; 5) evitar por sistema o descritivo que matou o Naturalismo e é quase masturbação. E por aí vou. Outra, o livro sairá quando tiver de sair; não procuro escrevê-lo, ele é que tem de gestar-se dentro de mim como um tumor. Se o tumor endurecer e não vier a furo, paciência — pêsames ao mundo pelo aborto da obra prima.

Noto de há muito tempo que essa tua vida isolada te vai pondo muito introspectivo. Vives num perene exame de consciência literário, e agora vais te submeter a processo — horror! — a júri talvez. Mas sairei a defender-te. Essa introspecção, se não mata, esfola — e nada aproveita. O tribunal ainda é o público. Faze-te julgar por ele. Se te condenar, apelas para a Posteridade e derrancas os juízes. Nada, porém, desse eterno julgares-te, condenares-te, penitenciares-te, absolveres-te. O que te falta é restaurar a saúde da alma comprometida por esse bioco de Santa Rita, sufocante. Estás aí como um vulcão arrolhado. Precisas rebentar, irromper. Com a boa erupção dum livro, saras dos hipocôndrios inflamados. As amas quando aleitam, se acontece que a criança lhes recusa o seio por algumas horas, sentem-no tão turgido e dolorido que têm de ordenhar-se como vacas. Assim tu, Rangel. Ordenha-te com a publicação dum livro, e voltarás à plena saúde.

Eu cá adotei um sistema: quando o humor negro vem chegando com os seus pés de lã, escrevo qualquer coisa e publico: provo assim ao venenoso demônio da desconfiança que ainda há lá dentro fibra rija e bons ovários, os quais um dia darão coisa séria. O tudo é a convicção permanente de que somos capazes. Adota este sistema: emissões periódicas de papel moeda declaratório de que na Caixa da Conversão há uma grande reserva de ouro. Esse papel-moeda entra a circular, e ainda na hipótese de não haver nenhum ouro na Caixa da Conversão (hipótese que não é a nossa), produz efeitos fiduciários e enriquece o emissor.

Há no *Pirralho* uma enquete sobre o Fradique Mendes do Eça. Queres falar? Convidaram-me a mim e me pediram o retrato, e vou fazer que também te convidem, boa ocasião para, deixando de lado o Fradique, darmos uma amostra do nosso pano. "Vejam como falando de Fradique eu habilmente falo de mim e me pinto lindo!" é o que se depreende de todas as respostas. Atende ao *Pirralho*, Rangel. É preciso um pouco de comercialização.

Lobato

FAZENDA, 7,12,1915

Rangel:

Sinto pruridos, ânsias de vômito, esquisitices. Consulto o Chernoviz e meu quadro de sintomas encaixa-se no artigo GRAVIDEZ. Estou grávido, Rangel! Grávido do livro — o Livro!... Interessante o meu pendor pelas letras. Vem e vai. Tem fluxos e refluxos. Um pêndulo. Depois de meses de engulho, em que apenas assimilei inconscientemente, sinto que a Necessidade de Produzir vem chegando com pés de lã. Neste andar espero que em janeiro ou fevereiro estarei em fase. E dos meus úteros hei de extrair um livro que não me ponha na lista do D'Argenton, do Labassindre e mais *ratés* do *Jack*.

Enquanto isso... que episódios sabes das travessuras do Pedro Malazarte? Estou a colecioná-las. Conheces alguma coisa de crítica sobre esse tipo do ladino? Dá um livro popular no gênero *Barão de Munchausen*. Mas não é este o *meu* livro.

Releio *Os Maias*. Como é grande, no sentido de volumoso! Dava dois, três livros diferentes. Acho que *Os Maias* seriam um belo romance se fosse traduzido em português e levasse poda de foice. Há frases como esta: "Desde moço fora célebre, na capital, por pôr casas a espanholas; a uma mesmo dera carruagem ao mês". Acho o Eça o culpado de metade do emporcalhamento da língua no Brasil, onde o lido e o imitado é só ele, ele e mais ele. Mas Eça progrediu muito no fim. *A Ilustre Casa de Ramires* já está escrita em língua que escova os dentes.

Da tua carta vejo que coincidem as nossas opiniões sobre o Nogueira. Está se formando dentro dele uma poça de vaidade onde nadam todos os peixinhos do orgulho mariscados no *Assim Falou Zaratustra*. E a poça é em cima da promotoria de Baependi, o que agrava o caso. Nogueira me dá aflição. Voa muito alto, bate as asas muito forte. Assusta-me. Estou acostumado a esta nossa andadura de égua de silhão, escondidos do mundo, pelas humildes veredas ermas dum matagal onde não aparecem intrusos nem guarda-caças. Desadoro cavalarias de alto voo, eloquências, atitudes diante da câmara fotográfica da Posteridade. Já sou mais velho que moço, e nada me vale este gamão que jogo há mais de dez anos com o Meritíssimo Juiz de Santa Rita do Sapucaí. Quando me surge um novo que quer andar comigo pelos mesmos caminhos, sinto-me esquerdo, fujo, enxoto-o. Estas veredas, Rangel, têm dono — são só nossas. Há um Menotti que anda querendo invadir a nossa propriedade, esse Menotti de que já tanto me falas. Estou com ciúmes. É um *braconnier*, senhor juiz! Ele está violando o nosso Paradou. O que eles procuram são as flores do elogio para enfeite das lapelas da vaidade. Não as colhem impressas em quantidade suficiente e metem-se a pescá-las manuscritas. Eu resisto. Quando me entra na tapada um *braconnier* novo, todo modesto mas com cheiro de quem procura tais flores, enxoto-o com o porrete da sinceridade. O último enxotado foi um Quintino de Macedo, que você, mole que é, me recomendou.

Para o trabalho do estilo, a primeira empreitada é mundificá-lo, como diz você, das "maneiras" consagradas. Fugir sobretudo da maneira do Eça, a mais perigosa de todas, porque é graciosíssima e muito fácil de imitar. "Cigarro lânguido" — "Caneta melancólica" — "Tinteiro filosófico". Também o descanso nas linhas exóticas é preciso — sobretudo no inglês. A literatura alemã também ensina muito. Sudermann revelou-te um grande segredo, e a mim quem mo revelou foi Hauptmann. O *Caminho dos Gatos* é romance de deixar sementes em nosso terreirinho, quanto à composição e ao modo de dizer.

A literatura francesa infeccionou-nos de tal maneira que é um trabalho de Hércules remover as suas sedimentações. É gafeira lamelar. Temos que ir tirando aquilo casca por casca. Da casca haurida em Zola já nos alimpamos; a flaubertiana e a goncurciana ainda subsistem em você. Temos depois as casquinhas hauridas aqui — a casca eciana, a fialhana, a euclidiana e até a camiliana. Abusamos de Camilo como certos sifilíticos abusam do mercúrio. O espiroqueta morre, mas ficamos com os dentes estragados. Temos que eliminar todas as cascas e ficarmos em carne viva. Será possível, Rangel? Certas cascas nos ficam como pele e dói o arrancá-las.

Li a *Caveira da Mártir*, onde há uns tipos soberbos. Ter de arrancar a casca camiliana, como isto dói! É ter de apear.

Diga ao Gorgulho que não seja bobo — que eu não sei desenhar nem pintar. Desenho e pinto como me coço, porque vem a coceira — mas só me coço portas a dentro, para mim mesmo. Eu sei o que é desenho — pintura. Sou velho assinante do *The Studio* de Londres. Diga-lhe que o Lobato não desenha, apenas se coça com o lápis quando lhe aperta a urticária crônica.

Lobato

1916

FAZENDA, 5,1,1916

Rangel:

Não. Em matéria de "contra", o rei é o Manequinho Lopes. Lembra-se dele? Nunca o vi a favor de coisa nenhuma — está sempre contra. Certa vez numa roda estava Maneco a arrasar tudo, completamente tudo — os alemães e os aliados, o Brasil e a Argentina. Eu perguntei-lhe:

— Mas, Maneco, que é que você é, afinal de contas?

— Sou antitudista, respondeu ele num daqueles seus prodigiosos repentes.

E realmente é o que ele é. As histórias do Maneco! Davam um livro. Ele gosta de beber, e uma noite voltou para casa de madrugada, toldadíssimo. Sacou do bolso a chave da porta da rua e tentou abrir. Mas o buraco da fechadura ia subindo, subindo. Maneco insistiu na tentativa até que, já na ponta dos pés, não o alcançou mais. Era um besouro... (Falta o resto)

Lobato

FAZENDA, 20,1,1916

Rangel:

Foi bom me chamares a atenção para o "jugular", que, não sei porque, empreguei como "subjugar". O meu Morais e o meu Aulete são deficientíssimos e especializados em não dar justamente as palavras que eu procuro.

Já viste a *Revista do Brasil*? É caso de tomares uma assinatura. Nasceu de boa estirpe, está bem aleitada pelo *Estado*, é a única nesse gênero em todo o país — e é nossa. Já no segundo número devo ocupar-lhe dez páginas com um conto de monjolos e monjoleiros, coisa muito buquirana, daqui — *Chóó-pan*. Vou acampar na revista e ficar lá à tua espera, para glória do Cenáculo (que no último número da *Revista da Semana* foi incidentemente citado).

Peguei de Garrett estes dias. É elegante, vivo, chistoso e libérrimo, no sentido de fugir a cangas de escolas e métodos. Estou em *Arco de Sant'Ana* e *Viagens*. Falta-

-lhe a genial truculência de Camilo. Também tentei umas leituras de clássicos, Vieira nas cartas, Lucena, Fr. Luiz de Souza... Não vai. Não me dão prazer nenhum. Jurei ler todo um volume de Fr. Luiz e fiquei perjuro. O mesmo que subir um Himalaia. Por maior que seja a decisão, a gente arreia a meio morro. O sono não deixa. Dormi dez páginas do maravilhoso Fr. Luiz de Souza. E que sono, Rangel! Dos incoercíveis. Duns que eu tinha em menino, quando me levavam ao teatro, de camarote. Lembro-me duma *Traviata*. Eu fazia esforços inauditos para ver o que acontecia àquela mulher, e consegui manter os olhos abertos até lá pelas onze horas. Aí não aguentei mais. Lembro-me que fiz um esforço prodigioso para ficar acordado — mas o sono me derrubou. Fiquei toda a vida com essa impressão na memória — a incoercibilidade do sono — e agora, nesta idade, vejo a coisa repetir-se, nesta fazenda, por obra e graça do "mavioso", do "maravilhoso" Fr. Luiz, o clássico que recebe os melhores adjetivos! Tanto adjetivo me faz desconfiar. Quando a gente dorme no meio duma coisa, o remorso nos faz dizer maravilhas dessa coisa. Impossível que os outros leitores desse frade também não haja sentido o "sono da *Traviata*" que eu senti.

O mérito de Camilo está em que nos ensina todas as acrobacias da língua, e nos mostra todas as "bravuras" e ainda nos diverte. Quando se põe a troçar é enorme! Quando vira palhaço e vai descambando para o reles, sai-se com um disparate de gênio e salva tudo... Em matéria de diálogos de gente do povo, não sei de nada igual. Veja isto, do *Onde está a Felicidade?*

O João Antunes, por alcunha o Cágado, natural de Lixa, viera rapazito de doze anos para Lisboa, conduzido pelo seu tio materno, o tio Antônio Cabeda, com destino de embarcar para o Brasil. Achando-se no cais da Ribeira com o dito seu tio, admirando o tamanho do iate, que o bom Antônio Cabeda denominava uma *anau de guerra marítema*, com grande espanto do rapaz chegou-se a eles um homem gordo, de jaqueta de ganga amarela e chinelos de ourelo, perguntando ao tio Cabeda se o rapaz embarcava. À resposta afirmativa, disse o homem gordo, mandando que se cobrissem os admiradores da *anau de guerra marítema*, que era dono de duas lojas de mercearia na Fonte Taurina, e muito desejava manter em uma delas um rapaz que tivesse boa pinta para o negócio.

— A respeito de pinta, ela aqui está como se quer, disse o tio, levantando com orgulho a cara do sobrinho, como o troquilhas que mostra os dentes duma cavalgadura.

— Não tem mau olho, não, disse o merceeiro. Quer V. deixá-lo comigo? O Brasil é em toda parte. Tenha ele cabeça e boa aquela para o negócio, que em toda parte se arranja dinheiro.

— Tu queres ir ou ficar, rapaz? perguntou o tio, atirando com a perna direita sobre o pau de lodo.

— Eu... resmungou o rapaz, fazendo em torcidinhas a borla do barrete.

— Vá... É decidir! Isto é maré de encambar enguias. Assim como assim, este senhor diz bem: o Brasil é em toda parte. Queres ou não queres?

— O que vosmecê quiser; eu antes queria ficar aqui mais perto da minha gente. Acho que o Brasil é por aí abaixo muito longe. Etc.

Qual é o naturalista que apanha viva assim uma cenazinha destas, de todos os dias? Eis porque incursiono nos outros, mas em matéria de língua minha base de operações é Camilo.

Tua carta vem com uma frase absurda: "Sinto necessidade de arrepiar carreira em estilo e recomeçar do princípio". Equivale a: "Examinei ao espelho minha cara e sinto necessidade de voltar atrás os bigodes, o nariz, o ar, e refazê-la segundo um molde que me bacoreja cá dentro". Olha, Rangel, enquanto te preocupares com o estilo, não o terás. Estilo é o jeito da gente. E todo jeito artificialmente procurado desajeita uma pessoa. O que devemos é comportar-nos com grande decência no trato da língua, e só a aprendermos no trato dos mestres. Que preocupação de estilo há nesse Camilo que transcrevi? E que estilo! Donde a conclusão: Têm-no os que não o procuram — os descuidosos.

Para o diabo o estilo, pois — e toca para a frente. A frente agora é a *Revista do Brasil*...

Lobato

Fazenda, 7,2,1916

Rangel:

Chegaram a salvamento *Os Faroleiros* e a carta. Aproveitarei muitas das observações. Como borrão que é ainda está cheio de "cracas". Meteste esta palavra num círculo floreado, mas sem razão. No Morais a encontras com o sentido que lhe dei, de marisco que reveste as pedras e os cascos de navio. De craca vem "craquento", áspero, adjetivo de muito curso à beira-mar.

O meu artigo *Nitrogênio* teve a sorte de cair em graça. Recebi cartas elogiosas, entre elas uma do Dr. Luiz Pereira Barreto. Aí vai ela. Fez-me bem essa opinião dum homem que eu venerava desde a sua famosa polêmica com o Eduardo Prado, e que sempre admirei pelo muito que alia a ciência com as mais altas qualidades literárias. Tem o tal estilo que prende o leitor.

E por falar em estilo: quando deixamos a ideia correr ao fio da pena, sem nenhuma preconcepção quanto a "maneira" ou regra e, pois, não procuramos "fazer estilo", é justamente quando temos estilo. Receita: Quem quiser estilo, jamais o procure.

Escrevi também em prol do Wasth Rodrigues, um pintor que *ia* passando despercebido. *Ia*, mas o brado valeu. Quebrou-se o gelo. A crítica tomou-o em consideração. Mas antes ninguém piava sobre ele, o que levou o pobre rapaz a mandar-me uma carta triste, pedindo socorro. Pelo *Correio* o Oswald de Andrade me combateu as ideias "anti-litoralistas", e o caso foi que a exposição do Wasth está muito frequentada e os quadros vendem-se. Já compreendi o nosso público. Para interessá-lo, é preciso vir com bombas na mão e explodi-las nas ventas de alguém, ou meter a riso qualquer coisa, farpear um grande paredro da política (o meu alvo predileto é o Fre Val, o murubixaba da estética oficial — ou então falar do caboclo. Em havendo caboclo em cena, o público lambe-se todo. O caboclo é um Menino Jesus étnico que todos acham engraçadíssimo, mas ninguém estuda como realidade. O caipira estilizado das palhaçadas teatrais fez que o Brasil nunca pusesse tento nos milhões de pobres criaturas humanas residuais e sub-raciais que abarrotam o Interior. Todos as têm como enfeites da paisagem — como os anões de barro de certos jardins da Pauliceia.

O *Estado* é cauteloso. Poda-me os pedaços mais atrevidos e portanto melhores. Baixa o tom das minhas violências. Em compensação, vingo-me n'O *Queixoso*, revista quinzenal de "pau no lombo". Lá não me cortam coisa nenhuma. É tudo à Camilo quando brigava. Uma curiosa empresa, o *Estado*. Emite galhos, ou rizomas, como certas gramíneas. Depois corta-os e deixa que os galhos vivam sozinhos. A *Revista do Brasil* é um galho do Estado que acabará autônomo. Talvez aconteça o mesmo com o *Estadinho*, o galho travesso e garoto do *Estadão*. E o mesmo com O *Queixoso*, a revista onde agora me expando.

No segundo número da *Revista do Brasil* apareço com a *Vingança da Peroba* — um conto de monjolo e monjoleiros que termina sangrentamente. Acho que o sangue em golfos trágicos e o amor são as únicas coisas que nunca saem da moda em todas as literaturas. A ideia desse conto me veio há pouco tempo, quando mandei um monjoleiro da zona fazer um monjolo cá para a fazenda. Eu passava horas na "obra", vendo aquele serviço de escavamento a enxó e provocando conversa com o carapina e o seu ajudante. Eles fizeram-me o monjolo e eu fiz o conto. Saiu escudado com uma bela citação de Camilo nas *Vinte Horas de Liteira*. Leia isso, seu Rangel, e achate-se.

Onde devo ir? Nas cidades é que já não há sentimento de originalidade nenhuma. As paixões de lá, boas ou más, têm tal analogia, que parece haver uma só manivela para todos os corações. Esta identidade é grande parte da monotonia dos meus romances. Há duas ou três situações que, mais ou menos, ressaem do enredo de vinte dos meus volumes cogitados, estudados e escritos nas cidades. Quando quero retemperar a imaginação gasta, vou caldeá-la à incude do viver campesino. Avoco lembranças da minha infância e adolescência, passadas na aldeia, e até a linguagem me sai de outro peito, singela sem afetação, casquilha sem os requebrados volteios que lhe dão os invezados estilistas bucólicos. Assim que descaio em dispor as cenas da vida culta, lá vem a verbosidade estrondosa, o tom declamatório, tinidos à força da violentada consciência a umas inocências e virtudes que me têm granjeado descréditos de romancista da lua. Conta-me, pois, uma história sentimental, amigo."

Isto é o tal estilo "pão com manteiga" de que não há enjoar nunca.

Quanto ao livro projetado, faço questão de que seja de nós dois. Anda você a me fugir com o corpo a essa ideia. Por quê? Como não viso carreira literária, quero, apenas por capricho, ter um livro que seja isto mesmo das nossas cartas sob o aspecto público. Desse livro me interessarei por meia dúzia de exemplares, que oferecerei à meia dúzia de pessoas que estimo neste mar de milhões de criaturas que é a humanidade. Como somos restritos!

Lobato

Fazenda, 10,3,1916

Rangel:

Estás mais adiantado que eu. Leste *O Poeta* e eu ainda o não vi. Não sei a que propósito me publicaram no *Estado* essas linhas escritas para prefácio duma edição microscópica dos sonetos do Ricardo, da qual só se tirariam dez exemplares. O editor era o Joaquim Correia. Não sei se a ideia foi por diante. Os Cães não me têm escrito, e até você passou tempo sem fazê-lo.

Ando às voltas com o rebento n.° 4, desta vez uma menina de nome Ruth nascida a 29. Purezinha não passa bem e eu estou como enfermeiro.

Tenho muita coisa a contar, e o melhor é como sempre do Nogueira. Sabes que ele empreendeu a sério a salvação da pátria? Em artigos vários — o último dos quais magnífico — Nogueira injeta coragem, emite Sus! Eias! para que nos afastemos da beira do abismo. Trocou comigo várias cartas em estilo assimfalouzaratustra, "concitando-me" a salvar a pátria junto com ele. Quer uma salvação a quatro mãos. Quer companheiros bem palavrosos para a arrancada — porque é só com palavras que vamos salvar a coitadinha. Eu a princípio pus-me sério; depois ri-me nesse artiguete que mando. Pois hás de crer que o Nogueira ficou seriissimamente magoado, como se a Pátria fosse avó dele, sogra dele, qualquer coisa lá da casa dele? Mandou-me a carta que junto, onde ressurge o velho Nogueira fundador da religião do Brás, e parece que rompeu comigo. O seu artigo *Pessimismo* é uma indireta a mim. Nogueira leu-me e não me entendeu. O caso é este. Depois do grito de Bilac, a imprensa repisou de tal modo o assunto, que só é lido hoje quem, desta ou daquela maneira, foge ao tom sério geral. Ora, justamente depois que os paladinos do Sorteio Militar ensarilharam as armas e assunto foi tirado do cartaz, o Nogueira chega atrasado lá dos cafundós de Minas e vem botar a sua acha de lenha na fogueira já reduzida a cinzas. Eu caçoei no tal artigo e ele está agora a cortar as nossas relações epistolares. "Não admito que brinquem com a minha sogra", parece dizer.

Não apareci no 2.° número da *Revista do Brasil* porque o Veiga Miranda estava na frente com *O Margarida*, aquele conto de que te mandei um trecho. Fui transferido para este mês. E agora faço questão fechada de que o conto do mês de abril seja teu. Cada número só traz um. Manda-mo cá, que eu o encaminharei. Falas em "conquistar" a *Revista*! Mas a *Revista* é nossa, bobo... Unicamente porque não tens relações com o Plínio, que é quem manda lá dentro, proponho isso de entrares por meu intermédio. Funcionarei apenas como introdutor diplomático. Deste no *Minarete* uma obra prima — aquela cena das visitas. Quer que a copie e mande para a *Vida Moderna*?

Tenho cá o Payot — mas não largo o cigarro. Há tão poucos vícios no mundo — e na roça, então?! É quase o único. A mim não me faz mal; quando fizer conversaremos. Já uma vez passei dois anos sem fumar, só por capricho — para tomar o pulso à força da vontade.

A propósito de que falas no *Fausto* do Castilho? justamente agora ando a traduzir para meu uso uns pedaços da tradução francesa do Gerard de Nerval (que o Goethe gostava mais que o original) e quero cotejar a tradução do Castilho com a minha. Escrevi ao Pinheiro encomendando o livro mas fiquei sem resposta. Estão todos lá em S. Paulo às voltas com Momo. Também acho Castilho uma perfeição de homem. Que língua! Que riqueza! Infelizmente dele só tenho *Sonho duma noite de S. João*, tradução do *Midsummer's Night Dream*, e não sei como Castilho mete a noite de S. João no meio do verão. Minha livraria é duma pobreza incrível em livros em língua portuguesa. Quase tudo francês. Uma vergonha.

Adeus. O estafeta vem vindo. Apontou lá na curva do morro.

Lobato

Fazenda, 17,3,1916

Rangel:

Vai um recorte do *Minarete* como claro indício dos tempos. Não te gabo a pachorra arqueológica e inútil. O que essas minhas cartas pedem é fósforo. Toca-lhes fogo e pronto. Quanta pretensão lá dentro!

Está bem definido o Nogueira como ator. Isso. E se acrescentarmos: ator de melenas de trinta anos atrás, ficará bem viva a definição. A última coisa dele por aqui foi uma Carta-Bilhete assim endereçada: *Excelentíssimo Sr. Dr. Monteiro Lobato — morador em uma fazenda — Caçapava*. O que veio dentro revê a mesma altissonância de divo digno a deixar cair palavras para que as aparem orelhas de papua. Em matéria de patriotismo está o homem uma galinha choca de pinto novo. O pinto é a *Pátria*. Nogueira arrepia-se e cacareja, se alguém olha para o pinto. O Albino e outros fundaram em Ribeirão Preto uma *Pátria* mensal, de cinquenta páginas, onde doutores locais desovam e incubam os pintos do patriotismo. Pois lá das profundas de Minas o Nogueira farejou e correu a empoleirar-se. E lá está com os seus pintos na primeira página, nas colunas de honra, com entrelinhas, todo ouriçado e de bico afiado para desferir botes contra quem sorria de qualquer coisa deste nosso amado Brasil. Nogueira virou um Alberto Torres apocalíptico, mestiçagem de Saint--Just, Deroulède e Santo Agostinho. No fundo é sempre aquele seminarista egresso que nos apareceu em S. Paulo a citar os *Vedas*, e procurou criar no Belenzinho uma religião nova. É o monge Schwab, descobridor de uma pólvora já descoberta pelos chineses séculos antes, que no teatro Sant'Ana, naquele 11 de agosto, assomou a um camarote, de melena caída na testa, e começou um discurso com objurgatória à divindade: "Não há Deus!". As risadas e apupos impediram-me de ouvir o resto mas me lembro que o Nogueira continuou na invectiva. Todo descobridor de pólvora tem fé integral na primazia de sua descoberta. Nogueira naquele tempo acreditava sinceramente que negar Deus era o Himalaia, como hoje crê que o Himalaia é proclamar aos mundos uma coisa tremenda chamada Pátria. E para isso veste-se de D. Quixote, põe na cabeça o elmo de Mambrino, monta um pangaré e sacode no ar uma lança, que na realidade é vara de bambu com faquinha de matar porco na ponta. Nas duas ocasiões esqueceu de que já na Índia Buda suprimira Deus, e que as armas de D. Quixote só existem hoje nos museus históricos. Nogueira é personagem fugido de romance romântico. Eu gosto imenso dele, mas fujo de brigar; prefiro cultivá-lo como a um cacto espinhento do deserto. Há cartas suas que são prodígios de megalomania espiritual. "Por que descrer da Pátria", diz numa delas, "se no Brasil há um Nogueira e um Lobato?" Está a preparar um livro tremendo, em que ele aparece como o Wagner do patriotismo. Segunda decepção que prepara, maior talvez que a do *Amor Imortal* — que apesar de todo o seu grande mérito, como eu e você reconhecemos, não deteve o curso do sol.

Recebi *O Poeta*. Que asneira darem a público aquilo que é só nosso; e com aquele entre parêntesis: "*Página de Saudade*!" Vexou-me o ser autor de "página". Uma coisinha tão sincera e íntima... Para mim Ricardo é o Poeta. Não produz, não publica, mas é poeta no modo de olhar, no falar, nos atos mínimos da vida. Que grande e bela alma a do Ricardo!

Quando a estudar a história do Brasil. Há nela bons blocos de mármore a serem entalhados. Os bandeirantes. Borba Gato, Fernão Dias — que bandidos soberbos! Estou a imaginar a Doença do Ouro no Brasil. O período das minas gerais, a avidez dos homens, a cobiça louca, a ação e a reação desse ouro aqui e no Velho Mundo — lá envenenando Portugal e enriquecendo a Inglaterra. Um romance histórico feito naturalisticamente. Já notaste que o romance histórico nem sequer ainda balbuciou entre nós? Imagino-o à maneira de Walter Scott, mas com as tintas modernas de Kipling. Não te sabe uma arrancadinha passado a dentro? O óbice maior será a restauração da fala dos personagens. O cenário é a mesma mata virgem de hoje, com as mesmas caças, o mesmo gavião-pato, os mesmos espinhos de brejaúva. Não conheço *As Minas de Prata* do velho Alencar, mas juro que também lá ele falsifica o homem — embelezando-o. Os índios de Alencar no *Guarani* são pescados na *Ilíada* de Homero.

Agora que ando com o espírito voltado para as coisas nossas, envergonho-me do pouco que possuo de obras nacionais de história. Que desleixo!

Mudando de assunto: leu a crítica do Adalgiso Pereira ao português do Afrânio? No *Estado*. Que perigo escrever com desleixo num mundo cheio de caracarás como o Adalgiso! O caracará é um gaviãozinho que frequenta os bois no campo, afim de lhes apanhar os carrapatos.

Incluo uns recortes do Dantas Barreto e do T., dos quais verás que a "imortalidade" não é incompatível com a suprema chateza literária. Lê, pasma e devolve-me tudo.

Lobato

FAZENDA, 20,3,1916

Rangel:

Comecei a extrair dum caderno de recortes o teu *Visitas*. Interrompi o serviço. Retomei-o e agora noto que me está faltando um pedaço do começo. Cá o devolvo. Recompõe isso e manda para a *Vida Moderna*. Não sei de quem será o conto do 4.º número da Revista do Brasil. Se não for teu, é preciso que o do 5.º número o seja. Faço questão de te ver lá, metendo de chancas para o ar os contistas anteriores.

A minha estreia foi bem acolhida. Dentre várias apreciações mando-te a dum jornal italiano de S. Paulo. Também recebi várias cartas a propósito de algo saído no *Estado*, uma delas curiosíssima. Aí vai para que decifres a psíquica da criatura. Respondi gabando-lhe... a letra! É realmente um primor caligráfico. Não imaginas como o meu artigo *Pecuária Suína* agradou! Exultação entre a fazendeirada. Um conde húngaro, recém-vindo da guerra e já afazendado por aqui, foi procurar-me em casa de minha sogra — para conhecer-me e dar-me os parabéns. Como não me encontrasse, ficou de escrever. Estou curioso do que me dirá esse homem — conde, húngaro, soldado da guerra... Um fazendeiro de Itatiba escreveu-me ontem e outro dia... Lagoa dos Patos! Por que interessou assim essa tal *Pecuária*? Porque é ironia para cima do governo — e quem não detesta os nossos governos? Meti a riso o sistema oficial de criar porcos à custa do Tesouro, porcos que saem uma beleza mas a um custo de produção três vezes maior que os meus aqui — e contei o meu sistema. Meu sistema de criar porcos é uma ofensa à biologia, mas contado em letra de forma fica bonitinho, A letra de forma, Rangel, é como o azul das montanhas.

Lobato

Fazenda, 15,4,1916

Rangel:

Recebi a de 12, com os recortes da parelha de "imortais" que mandei e sobre os quais silenciaste, O Frango Sura está me cheirando a literato dos bons. Ah, que gente! Que perus recheados com a farofa da vaidade! Enfarei-me deles em S. Paulo. O maioral da taba é o Vicente de Carvalho, poeta dos maiores da língua — mas que pena ser também peru recheado! Seus amigos formam-lhe uma corte luizesca; Vicente não solta um simples borborigma sem que eles, em redor, não arregalem o olho e murmurem em êxtase. "Não é arroto, é Camões!" O Amadeu Amaral é excelente criatura e esforça-se por ser modesto — mas de todos os lados "gavam-no" demais. Sabe o que é gavar? É a tradução do *gaver* francês — comer demais ou fazer comer demais. Em Strasburgo os produtores do "Patê de *Foie Gras*" prendem os gansos em gaiolas, pregam-lhes os pés para imobilizá-los e gavam-n'os, isto é, metem-lhes pela garganta a dentro um angu, a fim de superalimentá-los forçadamente. A maior vítima dessa violência alimentar é o fígado do ganso, que incha, fica enorme — exatamente o que os fabricantes do patê querem. Pois o excelente Amadeu deve estar com o fígado bem inchado, tal é a *gavage* a que o submetem. Anda mais cevado de ditirambos do que um imperador romano. O Emílio de Menezes disse que para o Amadeu entrar na Academia era necessário que se diminuísse a si próprio com um ano de banhos de pedra-hume! O Otávio Augusto, o Júlio César, todos — aquilo é um mútuo endeusar-se que está a pedir lenha. O Amadeu tem as chaves do *Estado* e recebe hosanas de toda parte — até de Baependi. O Nogueira manda de lá os seus gravetinhos para o fogacho propiciatório — mas Amadeu não murmura o *Sancta simplicitas* de João Huss na fogueira.

Tenho observado que não há resistir ao agradável — e que mais agradável que o elogio? Dá-nos a sensação de que somos ovos de duas gemas.

Quanto ao Frango Sura, saiba que me escreveu. Anda agora a reunir um florilégio de elogios, certo de que também é um ovo de duas gemas — ovo de galinha preta. E conseguiu um de Bilac, que ele anda a passear pelo nariz da gente, como um perfume. É dos tais que levam o livrinho ao crítico e ficam ao lado para assistir à leitura, com o "Que tal?" nos lances de efeito. Mas apesar de vir apadrinhado por Bilac e outros "imortais", em vez de cocada dei-lhe erva de Santa Maria e está claro que para ele virei "aquela besta do Lobato".

Conheces a Carolina Michaelis? Estou na leitura da sua *Saudade Portuguesa*, onde o raio da mulheraça prova que uma alemã vale três alemães. Eruditíssima e elegantíssima. Profunda. É a maior autoridade em língua portuguesa de Portugal, apesar de patrícia de von Mackensen. E chama a contas aos maus lusíadas: "Como explicar que ainda hoje os intérpretes da alma lusíada tanto desdenham do saber linguístico? Como explicar que espíritos cultos como Bruno, Afonso Vieira, Tomás Boba, não se persuadam de que a língua é a base, e é a mais genial, a mais original e nacional obra d'arte que cada nação cria e desenvolve?"

Apesar da pulga geográfica que é, Portugal nos bate quantitativa e qualitativamente — se pusermos de fora Machado, Rui e Euclides. A produção intelectual é lá maior que a nossa, e hoje refervem na fúria dum pequeno Renascimento. Renascem, e nós nem conseguimos morrer... O jornal nos sufoca todas as tentativas de literatura, com os seus repórteres analfabetos, com a sua meia língua engalicada, com os seus críticos de camaradagem ou de "passa cá cinco mil réis", com paredros receberem de gênio para cima (*O País*) ou de gatuno para baixo (*Correio da Manhã*)... Um "nome novo" consegue nos jornais amigos um "lançamento" igual ao do Tropon ou do Gelol. Parece que o mesmo homem que lança um Gelol lança um novo gênio — e o público passa os dois, a panaceia e o gênio. Balcão e camaradagem — eis a nossa imprensa. Há um "cafajestismo" que invade tudo — já invadiu o governo e vai invadindo toda a intelectualidade.

Mas o Nogueira vê "auspiciosos traços de capacidade racial" em toda essa decadência. E sabe por quê? Porque Quatrefages disse, e disse Gobineau, etc. Para bem penetrar nesses mistérios da Pátria, não há como o Nogueira. Tem consultório.

Minha ojeriza contra o "patriotismo" e o "nacionalismo" que o Nogueira, o Bilac, o Sura e outros andam a lançar, vem duma coisa orgânica em mim: o *"Amicus Platus sed magis amica veritas"*. Ponho sempre a verdade no topo — e não há verdade possível em nada visto através dos óculos desnaturadores de qualquer apaixonamento — seja patriotismo, nacionalismo, hermismo, civilismo, etc. Tudo isso não passa de políticas partidárias, de que os filósofos naturalmente se afastam.

Lobato

Fazenda, 2-3,4,1916

Rangel:

O Frango Sura saiu-me melhor que a encomenda. Chapado! Publicou no *Estadinho* uma página sobre a Mulher, merecedora de Academia por aclamação — para *pendant* do X. Aqui incluo a frangorreia. Agora me lembra quem é ele. O Zé Correto da tua *Vida Ociosa*, o discípulo amado do Américo! Exatamente isso...

Comecei a ler *Exaltação* da Albertina Berta, o livro que assombrou o Araripe Junior. Caso curioso. A mulher tem talento e até gênio, mas consegue destruir a ambos à força dum amaneirado de estilo que raia o grotesco. Lembra uma obra de d'Annunzio que um Zé Cantinho ou um Frango Sura reescrevesse na linguinha deles. Que pena! Com uma tesoura de podar, picando o livro e reduzindo-o à metade, eu faria dele uma coisa excelente. A mulher tem um grande talento, mas nenhum tacto plástico.

Fora disso recebi visitas. Tive um mês de casa cheia. O último que se foi acaba de partir agorinha — um pintor, Wasth Rodrigues. Vinham com ele o Ricardo e o Raul, mas doença na filha do primeiro gorou o projeto. Raul não veio sozinho porque é a sombra do Ricardo.

Aguardo os contos refundidos, e positivamente estou ansioso de ver-te em letra de forma na *Revista do Brasil*. E é bom que te apresses, porque as revistas no Brasil têm a duração das rosas de Malherbe; e quando morre uma, passam-se anos sem nascer outra.

Lobato

Fazenda, 30,4,1916

Rangel:

Primo philologare... Não concordo com as glosas. O "deparar com" não o autoriza uma incorreção do Garrett. Se me dás com um "deparar com" em Garrett, aponto-te nele centenas do deparar certo. Se uma simples incorreção de clássico fizesse lei, não haveria gramática possível. Nesses casos atenho-me ao gênio da língua e ao gênio do próprio vocábulo. O "porém" inicial encontro-me com ele em Camilo e outros, ligando o que foi dito no período anterior ao que se vai dizer adiante, mas incide na minha observação acima; ofende o gênio dessa conjunção, a qual conjuga coisas dentro do mesmo período, mas não conjuga períodos distintos. A propósito há umas coisas luminosíssimas em Ruy, na *Crítica ao Parecer*. Escudo-me com ele. Quanto ao "lhe", idem. É muito novo para idiotismo. A ir por esse caminho, todos os erros contra a gramática cairiam na "idiotice" e adeus língua!

Aquela troça às paulistanas visa uma coisa: que saia à arena algum Magriço de lança em riste em prol das damas ofendidas. Meio de cá me eu expluir estes Camilos polêmicos de que ando ingurgitado. Mas parece que o tempo da Cavalaria realmente já passou; as damas, já sem macho que acuda por elas, se vêm na dura contingência de virem à arena em pessoa, brandindo as sombrinhas. E com mulher não podemos discutir, porque a vitória é fácil demais: basta que lhes ergamos a saia em público. A saia delas ou da gramática delas (livra!).

Não me veio o último número da *Vida* e já reclamei. E os teus contos estão retidos no correio de Caçapava por insuficiência de porte. Já mandei o necessário para desencravá-los.

Acho explicação do teu mal na falta do cigarro. Fume, homem! Com seiscentos milhões de cachimbos, fume que sara. "Fumar como um doido" está claro que é asneira, como também é asneira não fumar como um santo. Também te está faltando vida ativa. Ser juiz é incubar nevroses. É vida anti-animal. O animal no homem! O trazê-lo bem tratado e saciado é alegria, saúde e felicidade. Com um mês aqui viravas uma abóbora.

Vou pintar um dia meu aqui na roça — o de hoje, por exemplo — e lá o compararás com um teu dia de juiz. É a *joie de vivre* e a nevrose.

Levantei-me às seis. Tomei um copo de leite de cabra e saí. Dei volta pelos terreiros, distribui umas ordens e voltei para o café da manhã com bolinhos de milho — que adoro. Nisto chega-me uma visita, o Ângelo, fazendeiro e criador de gado meu vizinho o qual sempre que vai a S. Paulo passa aqui pela fazenda para um dedo de prosa dos mais alentados e na vinda faz o mesmo. Tomamos o café de súcia e conversamos sobre mil coisas até às oito e meia, inclusive a guerra. Depois que o Ângelo se foi, pus-me a assistir ao botar feijão ao sol, no terreiro ladrilhado. Depois dei volta por fora para ver a porcada e tive lá um atrito com um bode Toggenburg que me está virando uma fera. Lutei com ele, porque contra mim investiu de chifre e não arredava por mais que lhe batesse com um pau. Furioso, dei-lhe uma sova com uma enxada que apanhei por ali, e o olho da enxada forçou-o a dar-se por vencido. O bode afastou-se. Voltei para casa alagado em suor, cansadíssimo, mas triunfante. Vencera o bode! Almoço. Na mesa conto a façanha, e Purezinha e duas primas que estão cá horrorizaram-se com a "minha maldade". Se fosse o bode que me moesse com o olho da enxada, elas se horrorizariam com a maldade do bode. Ouço-lhes o sermão enquanto vou comendo um rico tutu com torresmos e laranja de umbigo — e filosofo de mim para mim que o tal de meter o pau é o único remédio que realmente cura nas fazendas. Digo-o em voz alta e elas vaticinam-me coisas pavorosas, vinganças, etc. Depois do almoço saio a cavalo, ver o serviço da colheita que justamente teve início hoje. Adverti severamente a um fiscal de que não me estava fazendo as coisas direito. Volto para o café do meio dia, que é sempre à uma hora. Tomo o café, com mandioca frita. Vou para a rede da sala e pego num Barbey d'Aurevilly interrompido na véspera, sujeito horrível, mas interessante. Às duas horas vou ver um cercado de porcas com cria para onde entraram ontem setenta leitõezinhos novos. Divirto-me com aquele formigueiro de apetites e rabinhos encaracolados. Conto-os. Falta um. Descubro-o morto a um canto, na palha. Era um maninguera — conheces esta palavra? Depois vou dali ver a malhação do feijão. Quadro pitoresco. Eles sabem escolher varas no mato — compridas, rijas e bem flexíveis. Só de certos paus. E malham num ritmo lindo. As varadas conjuntas produzem um som especial que fica na memória — *lhá, lhá, lhá...* Suo de vê-los suar naquilo e lembro-me de que é hora do banho na cachoeira. Para chegar à cachoeira tenho de atravessar o pomar velho. De passagem vejo um começo de erva-de-passarinho num pé de laranja. Trepo e extirpo a praga, e chupo várias laranjas. Desço. Alcanço a cachoeira e tenho o meu banho. Volto. No terreiro estão a varrer em montes o feijão malhado. Tomo duma vassoura de guanxuma e esquento o corpo, e fico varrendo até que me chamam para o jantar. O jantar é sempre às quatro e meia. Janto. Há um frango Orpington da minha criação, gordo e grande como um peru. Vou saber umas coisas e dar umas ordens ao administrador, e volto para a Casa Grande. Sento-me numa das cadeiras de vime da varanda, a olhar a tarde que cai. O Guilherme vem para meu colo e começa a parolar.

— Papai, por que você não corta essa árvore? diz apontando para uma velha casuarina fronteira, em cujos galhos secos do topo estão pousados muitos passarinhos.

— Para que, meu filho?
— Para eu pegar os passarinhos.
Prometo cortar a árvore, *amanhã*.

Escurece e esfria. Recolho-me. Prosa na sala sobre almas do outro mundo. As mulheres falam dum médium célebre que anda assombrando S. Paulo. Nisto lembro-me de você e vou para o escritório. Releio tua carta última e passo a responder.

Eis, Rangel, o que é a minha vida na roça. Os dias voam. Não há tempo para nada e há tempo para tudo. A minha hora literária é hora furtada no meio do dia e à noite. Conte-me lá agora um teu dia de Juiz, ó coruja de Têmis!

Lobato

Fazenda, 4,5,1916

Rangel:

Horrível começar um romance! É partir daqui, a pé, e lembrar-se a gente que tem de ir até Meca — sem conhecer o caminho, abrindo picadas. Requer tremendas qualidades — e daí a minha admiração por você, autor de tantos romances sem título, apenas numerados ... Que prodígio és, Rangel!

Tua carta recordou-me a tentativa d'*Os Faroleiros*, esboçado em Areias. Reli o conto. Chinfrim. Refi-lo inteiro e parece-me menos mau. Vou refazer outras coisas daquela época e quem sabe se não sairá o nosso projetado livro de contos a dois, com ilustrações? Com uma edição feita em Portugal, à Nogueira, erigiríamos um monumentozinho à nossa velha camaradagem. Pelo menos em português de lei seriam esses contos escritos, o que é mérito nestes tempos de língua bunda. Se não, veja. O Veiga Miranda tem nome, já pariu três romances, mereceu do Oliveira Lima um artigo encomiasticíssimo e, no entanto, pelos Serralhos de Apolo! que estilo, que nabiça! Mando-te uma amostra, coisa do *Jornal do Comércio*, Rio. Numa época em que a um Veiga dão-lhe com superlativos pelas ventas, nós venceremos com os nossos livros. A história dos faroleiros é fantasia. De farol nunca vi senão a luzinha distante. Tem para mim esse demérito de ser todo imaginado, sem vinco de impressão pessoal e por isso mesmo procurei dar-lhe o tom da coisa vista e vivida. E engana, parece-me.

Reeditei *O Plágio*. Não era bem conto, sim coisa para bulir com o Artur Goulart e os Macucos daquele tempo. Não tenho o talento da composição. Tudo me sai crônica. No fundo não passo dum cronista.

Na *Revista Brasileira* do José Veríssimo li uma novela dum Oliveira Paiva, cearense morto aos trinta anos, que me encheu as medidas. Penso em escrever um estudo sobre esse livro, *D. Guidinha do Poço*, a coisa mais nacional que tenho lido. Acho que se não morre tão moço, esse Oliveira Paiva seria o Messias do romance brasileiro. Vê se achas aí a revista. O romance começa no tomo 17. Infelizmente falta-me o final.

Lobato

Fazenda, 15,5,1916

Rangel:

Tatá é um belo conto, com um tipo magnífico, o Dr. Augusto. Podes extrair dele uma versão concentrada, cabível em sete ou oito tiras, e mandá-la para a *Vida*, reservando a coisa como está para o volume. O conto galináceo também está muito interessante; só observo que também devias dar à cor das aves tons galináceos, como pedrez, carijó, malhada; e falar nas suras (sem rabo), nas calçudas e nas nanicas. Haverá aumento de pitoresco e propriedade.

Invejo-te a aula. A indiscrição dos decotes e o mais buliram com o Casanova que há em mim e em toda gente. Conheces as *Memórias* desse genial maroto? São os seis volumes de coisas mais pitorescas e crespas que apareceram em todas as literaturas. Casanova correu a Europa inteira, passando a fio de espada todas as mulheres que encontrou, meninas e velhas — e conta as aventuras com uma vivacidade e colorido de incendiar um frade de pedra. Hoje, dadas as nossas condições sociais — sobretudo aqui — os Casanovas atêm-se à libertinagem da imaginação. E nas letras, que *pruderie*! Como se vai santificando o mundo!

A pandilha do *Estado* recusa o teu *Legionários* como indecente. Se fossem um bocadinho coerentes deviam recusar-se a si próprios, porque são indecentíssimos. Não te incomodes com esses juízos. Não valem um vento intestinal.

Iniciei na *Vida Moderna* uma espécie de "Queijo":

O CENTRO DE CULTURA ARTÍSTICA DE ITAOCA
OU
LUCAS DE ESPARAVÃO
História Natural e Social dum Patriota de
Carapinha nos Tempos de Wenceslau

Espero botar lá dentro todos eles, sem que nenhum o perceba. O protagonista — Zé Correto, é a súmula de vários conhecidos nossos, meus e teus. Das tuas cartas depreendo que levas vida muito sem ação física. Precisas espairecer, andar a cavalo, caçar; precisas, em suma, de quinze dias aqui neste meu sertão. Obtém de D. Bárbara férias conjugais e vem. Lembra-te: a vida é breve e envelhecemos 365 dias por ano.

Recebi grande quantidade de Camilos, e nos intervalos que estes tempos da colheita do café me folgam regalo-me. Entrementes, leio Barbey d'Aurevilly, um crítico ultramontano, rico de verve como o Carlos de Laet. Que sova dá ele no Victor Hugo! Este Barbey fez tal rebuliço em seu tempo que o Larousse, ao biografá-lo, esquece-se de que é um dicionário e dá-lhe uma página inteira de surra impiedosa. E no fim conclui: "Mas é uma pena, porque o raio do homem tem muito talento!".

Barbey aproxima-se do Camilo polemista na riqueza dos recursos viperinos e na maleabilidade da língua.

Apareceu-me um novo amigo, um tal Nilo Cairo, médico. Como é interessante a carta que me escreveu! Aí vai ela.

Perguntas-me que acho da frase: "Desejo-lhe bons dias, senhor doutor!". Acho-a asnática. Sei que se abusa desse solecismo na literatura epistolar, mas a mim me causa nojo. Quando me escrevia, o Nogueira usava e abusava do "lhe" no dirigir-se a mim — e me vinham nevralgias no nervo sintático. Para a autoridade dos que a autorizam baseados no uso dos cretinos, dou uma banana. Acho que se trata de uma questão de asseio, de decência. Quero a tua opinião de gramático oficial do Estado de Minas.

Lobato

Fazenda, 16,5,1916

Rangel:

Pobre Frango Sura! Cá me veio de cartãozinho humilde, acompanhado de tua carta, pedindo-me a opinião sobre o ovo que botou e um artigo no jornal. Está crente de que salvou, senão a Pátria, pelo menos a arte feminina da Pátria. Deu-me dó a caretinha dele no frontispício do livro. É o Zé Correto, não há dúvida — e o Américo é mau fessô de português. O aluno único não lhe recomenda muito a veia. Frango escreve com o sério de um "imortal" da B. de Letras. O estilo dele me lembra o andar do Paulo de Morais Barros, o homem de andar mais pausado e cauteloso de S. Paulo. O Filinto Lopes explica: "O Paulo anda assim de medo de perturbar o movimento de rotação da terra". O medo de ser interessante faz do Frango Sura um caixão de defunto.

Ando com saudades das tuas cartas antigas. As de hoje parecem apenas desencargos de quem já está farto de tanto Lobato. Até no papel encolheste, homem! Será a cavação gramatical? (5)

Tenho muito a dizer, mas temo importunar um juiz tão grave, tão sem tempo para futilidades tais. Cumpre-me arranjar outro amigo, não resta dúvida nenhuma.

O Beccari manda-te uma história de cavalos e cocheiras. Não posso imaginar o que o nosso da Vinci pensa de Pégaso.

Haverá uma coisa mais sem expressão que a minha careta pelo Wasth saída na *Vida Moderna*? Foi desenho feito cá na fazenda.

Lobato

Fazenda, 21,5,1916

Rangel:

Encontrei na minha papelada uns capítulos do nosso *Queijo de Minas*, mas só na parte da tua colaboração. Não o terás inteiro aí na tua barafunda? Ando com vontade de reler aquela brincadeira. Uma pena, Rangel, sermos assim tão relaxados! Produzimos coisas e as perdemos. Quando a saudade vem, é tarde. Hoje eu dava bom dinheiro por uma coleção completa do *Minarete* e o que não darei por ela aos sessenta anos?

---

5 Godofredo Rangel andava escrevendo uma pequena gramática.

E que tal um segundo *Queijo* para a *Vida Moderna*? Ou reeditar aquele, melhorado? Acho-te marasmado, Rangel. Vivo a propor planos e não te decides, foges com o corpo indecentissimamente. Será que há em tua vida qualquer coisa que não corre bem e me escondes?

Mandei para a *Vida* um mundo de notas tiradas do meu *Diário*, que o Simões espalha pela revista como *sueltos*. Infelizmente a Revisão colabora e me "melhora" de maneira apavorante...

Lobato

FAZENDA, 7,6,1916

Rangel:

Anos de Prosa não conheço, mas *Os Brilhantes do Brasileiro* li em Caçapava e dele penso como você. Gautier há muito que não abro. Faz anos que li o *Fortunio, Mlle. Maupin* e *Capitain Fracasse* (este, uma obra prima de sensaboria, mas com ilustrações do Doré — é o que o salva).

Ando a reeditar o Hélio Bruma, com ilustrações, pela *Vida Moderna*. Segue um número (tem volta) para te estumar a fazer o mesmo com os teus contos. Manda-os cá. Eu faço as ilustrações e remeto-os ao Simões Pinto, que é o mais belo pinto que conheço. Enorme. Um pinto do pássaro Roca. A *Vida Moderna* está nas graças da gente do Cenáculo, a qual anda boicotando a pífia *A Cigarra* do rubicundo Pimenta, Gelásio.

Ando farto, saturado de literaturas. Absolutamente não escrevo, nem leio nada. A veneta agora é venatória, alpinista e construtora. Estou pintando o caneco aqui na fazenda, erguendo cercas inexpugnáveis, à prova de porco e zebu, rompendo caminhos em morros virgens, plantando café, construindo casas — santo Deus! Uma revanche de quem passou meses inativo. Estou nessa boa atividade material de dirigir homens, utilizá-los como instrumentos para a realização de ideais. "Quero uma casa naquele morro!" Determino, especifico, ordeno. Os homens movem-se como formigas e a casa vai aparecendo. Disto imagino as delícias dum general no comando de formidáveis massas de homens. Mas como tudo me acode por épocas e crises iterativas, espero que o furor passe e venha a furo, pela milésima vez, a reincidente, intermitente e insofreável postema anual da literatura — e então tentarei organizar o meu livro.

Pinheiro anda graúdo. Tem entrevistado figurões e por último ao Olavo Bilac. Deu duas colunas de entrevista *gommeuse*, com o jamegão no fim — Pinheiro Júnior. É topetudo e irá subindo depressa. Que suba como um foguete. No nosso passinho de jabutis malandros, Rangel, e pelos nossos atalhos, chegaremos ao céu muito antes deles todos.

Lobato

Fazenda, 11,6,1916

Rangel:

E aquela baboseira da aproximação de Portugal e Brasil? Ah, eu não tolero essas coisas que não têm nada dentro — e os nossos jornais pelam-se por isso. Sendo lugar comum, patriotismo comum, ideia-mãe, coisa do não-fede-nem-cheira, é com eles. O Pinheiro, em nome do Nestor, me pergunta por que não tenho mandado mais coisas para o *Estado*. Respondi que quem tem um Zé Correto sempre no poleiro daquelas colunas, não precisa dum cavalo bravo da minha marca.

Na *Vida Moderna* um Saul Maia faz filosofia para moças. O Oswald de Andrade dá uns palminhos de futurismo e o Guilherme e o Inácio Ferreira criam uma língua mista de português e francês muito engraçada. Aquelas coisas lisas de cimento, por onde andávamos e pensávamos que eram "calçadas" são *trottoirs*. Aquelas pequenas do Belenzinho que passavam rumo às fabricas, com a garrafa do café com leite pendurada no dedo, são agora, *midinettes*. E na primeira coluna oficiam sentenciosamente, em itálico, um Bergstrom e o Júlio César da Silva, inevitáveis futuros acadêmicos.

Mas vamos às *midinettes* do Guilherme. Diz o meu Larousse sobre o Hospital de Midi, que deu o nome ao bairro de Midi donde saem as midinetes como saem saúvas dum formigueiro: "Desde a aparição da sífilis no reinado de Carlos VIII até meados do século 18, essa doença foi olhada como um castigo sobrenatural do 'Deboche' e os sifilíticos eram tratados com bárbaro rigor. Restauraram contra eles as velhas ordenações sobre os leprosos, e depois os admitiram em certo número no Hôtel-Dieu de Paris. De lá os enviavam ao Bicetre, onde eram surrados antes de entrar". E por fim criaram o tal Hospital do Midi para os sifilíticos homens. Para que as nossas meninotas do Brás sejam midinetes é preciso que haja alguma sífilis nos miolos de alguém. Mas a literatura do Gui e do Ferrignac é bonita e elegante. Não tem nada de substancial, mas vale como sorvete de distração em dia de calor. Gosto. Leio. O que não leio é o Zé Correto. Ah, como me está atravessado na garganta esse espinho de bacalhau!

Quanto a não te responderem às cartas, a culpa é só tua, Rangel. Você os trata com muita delicadeza, com muita humildade, e eles tomam tudo ao pé da letra. Seja bruto como eu, que eles derrubam as orelhas e atendem.

Mande mais sueltos para a *Vida Moderna*. E contos pequenos. Novos, improvisados. Quero ter o gosto de encontrar-me contigo lá. Sinto-me muito só entre tanta gente diversa de mim.

O Bernardo manda-me uma poesia onde põe em verso uma ideia minha (minha e de todo mundo; aquela da *Hostefagia*, de Cain como o pai da guerra). Se visses como o Bernardo me lisonjeia e adula! Com que fim? Manda-me uma das cartas dele a você em que fale de mim; quero ver o que diz pelas costas. Duvido sistematicamente de todos os elogios. Têm sempre um gato escondido dentro.

Já leu a *Vingança* de Camilo? Belo *entrain*! O primeiro capítulo é dum cômico soberbo, digno dos maiores cômicos ingleses. Recebi um Antonio Cabral, *Camilo de Perfil*, onde encontro revelações curiosas. Num exemplar da *Relíquia* Camilo deixou isto em nota: "Este livro tem duas partes — a primeira é *porcaria*, a segunda é *maçada*. É uma *pochade* à Paul de Kock — chalaças hiperbolicamente inverossímeis

— uma vontade despótica de fazer rir à custa de tudo; mas não é isso o que o torna um mau livro: é a falta absoluta de bom senso e bom gosto".

Quanta antipatia pessoal isto ressuma!

Lobato

FAZENDA, 6,7,1916

Rangel:

Passou cá uma quinzena o Pinheiro Júnior e está aí a razão da demora na minha resposta. Levou o teu *Tatá* para a *Revista do Brasil*, refundido, com os progressos feitos aqui na fazenda. Vejamos se o povo gosta de coisas assim horrendamente trágicas. Irão também *Os faroleiros*, devidamente refeitos. E irá... um romance encomendado pelo Plínio! Vê que topete. O Pinheiro está aborrecido com o caso dos *Legionários* e com medo de que estejas zangado com a *Revista*.

Não creio que estejas. Como zangar-nos com a única janelinha de que dispomos, aberta para o público?

O carão patriótico do Nogueira já lá apareceu num púlpito *ad hoc*, armado para continuar a catequese que a falta de papel do *Estado* interrompeu. Não há dúvida, o homem salva a pátria.

Quando te asar ensejo, compra o Casanova. Não sei de memórias mais interessantes. E no gênero erótico tenho uns clássicos — Mirabeau, Aretino, Marquês de Sade, John Cleland. O gênero de que falas é outro — é o pornográfico. Não vale nada. Nestes que cito há muita filosofia. É o fescenino filosófico, ou o documento humano, como nos do marquês.

Lobato

FAZENDA, 10,7,1916

Rangel:

Remeti à *Vida Moderna* o teu conto e o do Gorgulho. Não ilustrei nenhum dos dois porque não ando de maré — nem aos meus. O furúnculo *delineandi* é como o furúnculo *scribendi*. Intermitente. Depois de períodos em que *tenho* necessidade de desenhar ou de escrever, vêm as fases de fobia. Estou agora em fase de fobia, e bem sabes como respeito os histerismos dessa dama.

O Barbeiro, na versão mandada, ficou tal qual eu o tinha na memória. É um episódio só compreensível pelos leitores casados, enfilharados, encrencados na vida. A esses sobrevém muitas vezes o desejo de pôr a trouxa às costas, na ponta dum pau, e sair andando até o fim do mundo.

Tenho aqui outra coisa tua que quero mandar para a *Vida*, caso não te oponhas, uma cena de visitas, *Como se faz uma visita*, desovada no *Minarete*. Não há nada que retocar — está ótima.

Nogueira anda meio estomagado comigo porque toquei com o dedo o tumor maligno, beletreante, que o ensandece desde o *Amor Imortal*. Para que avalies a que estado de exasperação lhe chegou o orgulho, aqui junto suas últimas cartas. Derramei um pouco de água fria nessa fervura e ele estorceu-se. Não me parece que o Nogueira venha a sobrenadar como artista. Seus contos, pelo gênero que escolheu, pela super-humanidade revelada, dar-lhe-ão nome nos intermúndios siderais; cá na terra, não. Nós, terráqueos, queremos que a arte espelhe a vida como a vemos e sentimos. Além de que o estilo do Nogueira revê Fr. Pantaleão do Aveiro e mais frades descritores de fontes, pátios de convento, a Benfica e outras (veja-se *Seleta Nacional* do Aulete); há lá abuso da palavra "seráfico" e mais expressões defumadas, denunciadoras de ranço seminarista; e há desprezo da observação pessoal. Tudo isso o faz um frade à paisana, tão destoante do nosso meio como do nosso tempo. No fundo é um teólogo, é o bispo de Alexandria que fez lapidar Hipátia. Tentamos, eu e o Ricardo, impor o Nogueira à nossa rodinha de S. Paulo, a qual, por pouco que valha, é exponencial — e nada conseguimos. A rodinha acha-o rançoso. O *Amor Imortal* não entra naquela roda, apesar das belezas reais que encerra. Isto digo-te eu aqui no maior segredo. Não deixes que transpire, vê lá! O orgulhoso Nogueira morreria de paixão.

O Bernardo pouco entendeu do que eu disse nas entrelinhas, e continua a literatejar em cartas mais que toda uma academia. Enquanto isso a filoxera lhe vai roendo a vinha. Mas aquelas teorias não se entendem conosco, que formamos um duo à parte, que não incomodamos o mundo com as nossas letras, que não andamos a pedir opiniões, nem a extorquir elogios de ninguém. Conversamos epistolarmente sem testemunhas e longe do público. Tudo quanto dizemos é só para nós. Somos decentíssimos, Rangel!

O que acentuas de Camilo, já o notou Purezinha. Ela gosta de vê-lo surgir por entre os personagens. Isso encanta-me a mim também — essa coragem de pôr-se de pé dentro do livro e mostrar-se, conversar com o leitor. Há os cuidadosamente objetivos, como Flaubert, que só fazem falar aos personagens, nunca aparecem em cena, fingem que não existem. Camilo existe, faz questão de que saibam que ele existe e está sempre presente em tudo quanto escreve. Veja este pedacinho de *Maria Moisés*: "O tonsurado entreabriu um sorriso de forçada complacência e não deu aso a que o espírito forte abrisse a válvula dos sarcasmos, por causa dos quais havia sido expulso dum convento graciano onde noviciava, e também porque sabia francês e lia o *Citador* de Pigault Lebrun, e chamava a carniceira da Revolução Francesa a grande operação de catarata social. *Dizia coisas como os socialistas de hoje, que estão a chocar o ovo de uma coisa pior, que há de ser o socialismo de amanhã*". Nesta frase está inteiro o Camilo de que Purezinha gosta — o que não resiste e pula em cena.

Eu continuo a não achar salvação fora de Camilo, a ponto de não conseguir ler *Os Maias*. Já o Machado de Assis eu o alterno com Camilo. Donde concluo que em matéria de estilo há dois, Camilo lá e Machado aqui. Todos os mais cansam. Agradam muito no começo, como um pedaço de bolo inglês, mas acabam enfarando. Camilo e Machado são como o pão com manteiga — coisas de que ninguém enjoa nunca.

Rangel, não abandonemos o Camilo! É um par de halteres, um trapézio, uma barra fixa, um campo de futebol, um barco de regata ou um salão de ginástica dos mais completos onde apuramos todos os músculos da língua. A razão de haver eu parado de escrever é que estou amolando o estilo no rebolo camiliano. Se me pega o fio, volto à arena. Se não, paciência. Fico de fora, no sereno.

Lobato

Fazenda, 8,8,1916

Rangel:

Recebi carta e livrecos, que não servem para a experiência porque demasiado crus. Vou mandar-te um para que conheças uma das obras primas do gênero. Também o Beccari te manda uma coisa por meu intermédio. O nosso Leonardo da Vinci está nos saindo sesquipedal. Entrou no concurso para as armas de S. Paulo e recusaram-lhe o projeto. Danou, enfiou, e defende o seu tamanco na linguagem mais cômica deste mundo. Lê isso e regala-te.

A *Vida Moderna* trouxe as tuas notas sobre o Euclides e uns sueltos que me parecem teus. Errei?

Lobato

Fazenda, 12,8,1916

Rangel:

Não respondi à última há mais tempo... adivinha por quê? Por falta de papel! Aqui na roça, quando o papel acaba não existe o recurso de mandar a criadinha ao empório da esquina em busca dum bloco.

Recebi *Os Faroleiros* e as notas, boas todas. Vão os galináceos, que reli e estão no ponto. Quis anotar à margem, dispus-me a isso — nada me saiu. Tu não erras mais, infame! Também segue a opinião do Medeiros e Albuquerque sobre o *Policarpo Quaresma*. A do Osório não vale nada. Esse Osório não é Osório, nem Duque, nem Estrada; é um cretino insolente. Crítico! ... Crítico é Taine. Crítico é Araripe Júnior.

Cada vez mais pasmosa a burrice revisora da *Vida Moderna*! Pela asneira que te fez dizer, imagina as que, por alheias, não percebemos ou supomos ser originais dos autores. Vivo a malhar erratas nos deslizes que a revisão me faz cometer — e vai a burra e estropia-me também as erratas. Na errata ao último capítulo publicado, onde pus: "A revisão é a Parca que me persegue", ela estropiou o nome da deusa. Com a mão na consciência, a burra achou que a palavra Parca com que a mimoseei era elogio imerecido e trocou o a pelo o — acertando!... Ficou Porca!

Essas mazelas da composição tiraram-me o gosto de continuar a história natural e social dum patriota de gaforinha nos tempos do Wenceslau. Vou matá-la, como matamos o *Queijo*.

Lobato

Fazenda, 30,8,1916

Rangel:

Quando esteve aqui, por várias vezes o Pinheiro voltou ao assunto da V*ida Ociosa* — se era boa "mesmo", se era coisa de valor, etc. Ele não sabe julgar por si. Respondi: "Não escrevo ao Rangel sugerindo que mande a *Vida à Revista*, 1) porque a recusa do primeiro conto foi um grande desaforo; e 2) porque não há na *Revista* competência para julgá-lo. O que Rangel vai fazer é dar em livro a *Vida Ociosa*, com um sucesso tremendo, e vocês terão de convencer-se de que não passam duns asnos". Isso calou no ânimo do Pinheiro e o levou a escrever-te pedindo a *Vida*.

Quanto ao que me perguntas sobre ela, concordo com o Nogueira na supressão da Lua (como já disse em carta). E as mais observações do Nogueira parecem-me muito razoáveis. O Nogueira sabe o que diz. Só deves cortar isso. O resto corrigirás, sempre atento a um ponto: Próspero não é um caipira ignorante e sim um velho de algumas letras que decaiu por pobreza. Guia-te pelo Nogueira, e ao del Picchia (que ainda é muito tenro) deixa-o de lado. Também vou com o Nogueira no relativo à linguagem. Limpe-a do "insucesso", do "banal" e do mais que cheirar a francês. Abaixo a França! A minha germanofilia me está beneficiando o vocabulário. Da antipatia pelo gaulês passei à execração do galicismo; e se de passagem pilho algum, mato-o entre as unhas como a um piolho.

Mande depressa a *Vida*, a tempo de apanhar o próximo número — e sairemos juntos. Vou sugerir ao Pinheiro uma convergência *casual* num futuro número da *Revista* de todo o pessoal do Cenáculo — Ricardo, você, eu, Albino, Nogueira e Raul. Que tal a ideia? A vantagem de dar a *Vida* em revista é poderes tê-la em forma impressa para o "passar a ferro" final. Em manuscrito a gente não vê totalmente um livro.

Lobato

Fazenda, 2,9,1916

Rangel:

A notícia da ressurreição chegou. O mal, se não é o que pensei, é embolia conjugal que enturvou o céu, afuzilou relâmpagos e afinal descaiu para uma lua de mel serôdia, com projetos de vidinha a dois, tal qual a preluzida nos tempos do noivado. Resta-me dar os parabéns e calar-me, para não perturbar as delícias da paz em Varsóvia.

Lobato

P. S. — A *Revista* anuncia o teu nome para colaborador de números próximos. E o *Tatá*? O meu horrendo *Bocatorta* saiu. Se eu pudesse ouvir o mal que estarão a dizer dele por aí... Na frente todos elogiam. Oh, se pudéssemos ouvir o murmurado por trás, e conhecer as restrições, a assinalação dos defeitos, que proveitoso não seria!

Lobato

Fazenda, 8,9,1916

Rangel:

Lamento o teu nervoso. Conheço isso em mulher, e já é horrível. Mas num homem como você, sensível, e além disso sedentário, e juiz, e gramático, e professor e escritor, a coisa agrava-se de um ponto para cada coisa que és. Eu sei de um remédio decisivo, mas é remédio para homem de fibra mais aventurosa; era te transformares em fazendeiro, em rei dentro dum pequenino estado. Tomavas desta minha enorme fazenda uns trezentos ou quatrocentos alqueires de terra para pagar um dia, como no caso dum meu bisavô. Numa viagem foi este bisavô conversando com um sujeito de pé no chão, ocasional encontro de acaso, e simpatizou-se. E acabou vendendo-lhe uma grande terra para ser paga depois que o homem formasse a lavoura e pudesse arrancar do próprio chão o preço. E o homem mourejou, criou o sitio com cafezais e o resto, pagou a terra e acabou rico. Os filhos dele são meus vizinhos aqui — e ainda desfrutam essa propriedade: os Pereiras. Por eles é que vim a saber da história. Por que não reproduzirmos o lance, Rangel? Vinhas para cá, afundavas num sertão já manso e, como Robinson, ias, de par com a restauração da fibra estragada, formando uma fazenda. Só o prazer de criar, de tirar da terra bruta mil coisas latentes, vale por *vida nueva*, das que fazem ou refazem um homem. Seria algo esplêndido. E da minha parte eu fazia mais: dava-te dado o pedaço de terra que iria ser o pedestal de tua saúde e da tua prosperidade. Ser juiz — a vida inteira Juiz! Isso achata a alma. Passar a vida inteira lidando com tiquinhas, a engolir escrivães a almoçar meirinhos, a jantar autos, e defecar sentenças... Isso vai te embolorar a alma e o fígado. Isso está bom para o Frango Sura e aqueles cágados para os quais o Estado é o Ser Supremo de Robespierre. Aquele Frango... Lá está no poleiro como sonhou, elogiado e publicado.

Guardo as tuas notas sobre Malazarte. Um dia talvez aborde esse tema. Ando com várias ideias. Uma: vestir à nacional as velhas fábulas de Esopo e La Fontaine, tudo em prosa e mexendo nas moralidades. Coisa para crianças. Veio-me diante da atenção curiosa com que meus pequenos ouvem as fábulas que Purezinha lhes conta. Guardam-nas de memória e vão recontá-las aos amigos — sem, entretanto, prestarem nenhuma atenção à moralidade, como é natural. A moralidade nos fica no subconsciente para ir se revelando mais tarde, à medida que progredimos em compreensão. Ora, um fabulário nosso, com bichos daqui em vez dos exóticos, se for feito com arte e talento dará coisa preciosa. As fábulas em português que conheço, em geral traduções de La Fontaine, são pequenas moitas de amora do mato — espinhentas e impenetráveis. Que é que nossas crianças podem ler? Não vejo nada. Fábulas assim seriam um começo da literatura que nos falta. Como tenho um certo jeito para impingir gato por lebre, isto é, habilidade por talento, ando com ideia de iniciar a coisa. É de tal pobreza e tão besta a nossa literatura infantil, que nada acho para a iniciação de meus filhos. Mais tarde só poderei dar-lhes o *Coração* de Amicis — um livro tendente a formar italianinhos...

Lobato

Fazenda, 13,9,1916

Rangel:

Não tenho tido carta do Pinheiro Júnior, nem sei o que, nosso, virá no próximo número da *Revista*, mas vou escrever-lhe que nos ponha juntos, um ao pé do outro. Se o Ricardo e o Albino quisessem, podíamos combinar um número inteiro só nosso. Seríamos, com o Nogueira, cinco, o suficiente para um açambarcamento. Lembrei-me de escrever ao Ricardo, mas desisti diante do seu propósito de não dar resposta a cartas. Que mistério isso e que desaforo! Mas quando for a S. Paulo falar-lhe-ei — tentarei arrancá-lo da hibernação.

O Cenáculo, Rangel, onde vai isso! Estamos todos envelhecendo a grandes pernadas. Um balanço em tantas promessas desanima. Ricardo abandonou a musa para amigar-se com Têmis. Lino, o Desmoulins, o Dantonzinho, renegou tudo, as cóleras divinas e o fogo sagrado, pelas lentilhas, ou o prato de feijão preto de um cartório. Tito faz jornalismo com má graxa, pior papel e nenhum estilo. Albino filosofa para alunos ginasiais a tantos mil réis por mês. O Edgard Jordão está delegado e prende gatunos. Cândido o Turista lá anda pelos intermúndios siderais a viajar a Grande viagem. Raul... Estiveste com ele — com o nosso barão do Diretório? Dizem que anda como revisor da *Revista do Brasi*l e desagradando o Pinheiro com os muitos gatos que deixa passar. Ou então já pulou de lá e continua, bem enfarpelado e surdíssimo, a procurar emprego no Largo do Rosário. O Beccari saltou sem transição do Céu para as cocheiras do Brás.

Atracados ainda ao Sonho, só dois: nós, os rijos abencerragens de vontade tesa e topetuda. A mim nem a fazenda, nem o caboclo, como a você nem o foro, conseguem sopitar o nosso foguinho. Esqueci-me do Nogueira. Esse é todo um fogão. É uma imensa labareda de fogo greguês. Arde literalmente de patriotismo e, se não lhe acodem bombeiros, é capaz de incendiar Baependi e adjacências. Que luciferinas entranhas escondia o sutil escolástico que lia Zola à chama azul do álcool no Minarete! Se tem deflagrado por lá naquele tempo, assava-nos a todos.

Restamos três, em suma. E que tal a ideia de *renascermos*? Cairmos a fundo numa produção intensa — de qualidade? A mim ainda me faltam muitas leituras, mais Camilo, talvez o Bernardes da *Nova Floresta*. Que bem escreve esse raio de padre! Como deliberei aprender a língua de ouvido, e meu ouvido é lerdo, despendo mais trabalho que os que vão logo às regras — à Gramatica. Terminada a lição de Camilo e Bernardes, esses dois colossos, tentarei produzir algo. Por ora o que me sai são uns contitos de pé quebrado — e vejo você já sabedor da língua e a correr! Anseio por ver-te publicado e sinceramente te digo que um livro teu me daria mais prazer que um meu. Agora não aconselho que dês livro — tudo está caríssimo com a guerra, mas podes deixar o manuscrito pronto para quando voltar à normalidade. Que lindo não será! E depois publicaremos o nosso livro conjunto, por amizade, não por cabotinismo, como o Oswald e o Guilherme de Almeida.

Dé brin, o dé bran...

Lê na *Revista* última o Olímpio Portugal; vê como escreve bem esse homem. Foi-me revelação.

Lobato

Fazenda, 20,9,1916

Rangel:

Se me hás de corrigir depois de impresso, por que não agora em manuscrito? Segue *Gerebita*, evolução duns *Faroleiros* que fiz em Areias e leste. Escrevi ao Nogueira sabendo como se faz para imprimir livro em Portugal — ando com ideia de desovar uma coleção de contos. Dei balanço na bagagem e encontrei matéria para 150 páginas. Que tal irmos de súcia, com outras 150 páginas para você?

O Zé Correto (o meu Frango Sura) aparece amiúde no *Estadinho* com excelentes demonstrações de que é possível ser-se Conselheiro Acácio com vinte anos e gaforinha. Qualquer dia — estou vendo — o bicho penetra pela porteira dos fundos na *Revista do Brasil* e vai ornejar lá dentro. Aproveitemo-la enquanto está sem bode. No número a sair nada virá nosso — a fim que haja espaço para o bagaceira duns medalhões.

Lobato

Arrumando ontem a papelada separei tuas cartas. Devo ter umas quatrocentas!

S. Paulo, 1,10,1916

Rangel:

Recebidas as notas sobre *Os Faroleiros* e *A Vingança da Peroba*. A razão de dares mais pela *Vingança* do que pelo *Bocatorta* é que este, como os *Faroleiros*, é coisa velha, de Areias — quanto tempo vai! — que eu remendei mal e mal, ao passo que a *Vingança* é todinha de agora e coisa saída de um jacto. Veremos se para o diante conservo o tom e o ponto da *Vingança*. Pela *Colcha de Retalhos*, a sair, você o aquilatará.

Ricardo deu um ar de sua graça pelo *Estadinho* de ontem — belíssima tradução do Leconte. Infelizmente só anda a traduzir.

Conheces Lima Barreto? Li dele, na *Águia*, dois contos, e pelos jornais soube do triunfo do *Policarpo Quaresma*, cuja segunda edição já lá se foi. A ajuizar pelo que li, este sujeito me é romancista de deitar sombras em todos os seus colegas coevos e coelhos, inclusive o Neto. Facílimo na língua, engenhoso, fino, dá impressão de escrever sem torturamento — ao modo das torneiras que fluem uniformemente a sua corda d'água. Vou ver se encontro um *Policarpo* e aí o terás. Bacoreja-me que temos pela proa o romancista brasileiro que faltava.

Nogueira escreveu-me, respondendo. Mais sibilino que todas as sibilas juntas. Nega sinceridade à sua atitude patriótico-retórica. Sempre o homem das mil e uma atitudes.

O Plínio Barreto prometeu no *Estado* uma crítica ao *Amor Imortal* e até agora não achou tempo; mas gastou meia página da *Revista* com o livro do Frango Sura. E o Plínio é dos mais conscienciosos. Imagine agora os Osórios Estradas, os Caxias Caminhas e mais percevejos de Apolo que senhorearam a crítica e distribuem varadas ou louros. Agora que desapareceu é que vemos o quanto valia o José Veríssimo.

Quem lhe ocupa a vaga? O Osório talvez se julgue o sucessor — mas que houve um passar de cavalo a burro — isso houve — e que burro!

Apareceu no Rio um Antônio Torres que sabe o que diz, diz o que quer e prende sempre. É um que se quisesse apanhar o bastão substituiria, e até com vantagem, ao velho Veríssimo. Ele ou o Medeiros — se já não estivesse de miolo mole.

Isto de falar na crítica e dar balanço aos críticos é sintoma de gravidez de livro. Mal a gente pensa em editar-se e já o pensamento nos vai para os tais juízes que declaram ao público se somos gênios, talentos, simples promessas ou cavalgaduras. Que asneira fazer um livro! Arriscar-se a dolorosas decepções — para que e por que, santo Deus?

Lobato

Fazenda, 8,10,1916

Rangel:

Cá estou novamente na roça. Planejei e esteve a pique de realizar-se a minha mudança para Santos, a advogar com o Heitor de Morais, meu cunhado. Mas deu-me de repente tal nojo da civilização com seus cartórios, seus autos e oficiais de justiça, suas traficâncias e tranquibérnias e pulhices, que voei para cá como quem voa para uma Canaã. Antes os meus urupês daqui, de pés no chão, do que os urupês encolarinhados e de sapatos de verniz das cidades. Mal por mal, os daqui são meus inferiores socialmente — toco-os quando é mister, e como tocar da vida da gente os urupês da cidade que se nos agregam?

Recebi tua carta. O livro de contos, podes ficar com ele; possuo-o em duplicata. Não vi publicado o teu estudo sobre o Nogueira e tenho curiosidade de te conhecer como *crítico público*, grave e solene. Manda-me a coisa.

Não te incomodes com o F. e com o juízo do F. que só o tem suficiente para andar bem arreado e citar Paris a cada frase — perfeito tapuia deslumbrado em que se transformou depois que foi, viu e se convenceu de que Paris existe. Nem te ponhas com modéstias e humildades nas cartas, que ele toma tudo ao pé da letra. Essa gente temos de tratá-la d'alto, com certo estabanamento. Quem tem poder intelectual para te julgar — e isso mesmo só para o fim especial de entrares com os teus romances para o *Estado* — é o Amadeu Amaral. Se outro qualquer se atrever a isso, escreve-me, que o demolirei em três tempos.

Tenho lido Camilo — *A Brasileira dos Prazins*. Estou em meio, e se do meio para o fim não descair, terei esse livro como dos melhores da literatura portuguesa. Que ressurreição de tipos! Que possante naturalismo o de Camilo, o romanticão! Cada vez mais o Eça me sabe a *mièvre*, a amaneirado, a simples *talento*, perto do gênio que é Camilo. A cena da prisão do falso D. Miguel tem uma vida que você só encontra parelha em certas cenas de Shakespeare. Que prodigioso é o Camilo! E que besta é o F. que "não o consegue ler"... "Não o tolera..."

Teve a coragem de dizer-me isso. E eu respondi: — A maior homenagem que jamais se prestou a Camilo é essa: não ser tolerado por você. Se Camilo ainda estivesse vivo lá em S. Miguel de Seide, eu mandava-lhe um telegrama: "F. não gosta de você" — e seria de ver o alegrão do velho.

Veio comigo muita coisa de S. Paulo — mas só leio Camilo, não acho graça nos outros — e sinto remorso do tempo que perco em outras leituras. Fora o Camilo lá e o Machado aqui, não há salvação, Rangel.

Lobato

FAZENDA, 12,10,1916

Rangel:

Em mãos tuas notas. Dei com os pronomes mal colocados e corei de vergonha. É indecentíssimo colocar mal os pronomes, e a mim ainda me escapa um ou outro. "Biloca": não encontro a palavra nos únicos dicionários da casa, Morais e Aulete. Por via das dúvidas tiro-a de lá. "Estorcegões": tens razão, não é o que me pareceu. "Médico da casa": médico da família; toda casa ou família tem o seu médico, que mora muitas vezes longe. No meu caso o médico não morava no arraial — não há médicos em arraiais — e veio da cidade próxima, chamado com urgência. A intenção era essa, mas não ficou bem claro. "Prematuro fim": sei que é lugar comum, mas nada acho melhor. "Talvez comova o calendário": tomo o calendário como o convento dos santos. "Alcançar pé": não concordo contigo; não é preciso ter pé para alcançar pé. E além disso varejão tem pé; toda ponta de vara ou pau voltada para baixo é pé (pé do esteio, pé do mourão). "Mundéu": os dicionários dizem que é armadilha de apanhar caça, e eu tenho observado o pessoal cá da roça chamar assim a várias espécies de armadilhas, quer desabem ou não, inclusive um buraco recoberto em falso, onde a caça ao passar afunda.

Todas as mais observações me aproveitaram e se algum dia der o *Bocatorta* em livro, escoimá-lo-ei desses senões. Faze lá agora o mesmo à *Vingança da Peroba*.

Confesso-te que o *Bocatorta* me desapontou, depois de tantos elogios que me rendeu a *Vingança*. Bem do *Bocatorta* só você falou, mas apontou um tal número de senões que vi logo: louvavas mais por amizade ao pai do que por mérito do filho. Muito indeciso andei em publicá-lo. Coisas velhas, restauradas, nunca ficam potáveis.

Mandei para lá, a esperar a vez, *Colcha de Retalhos*, conto pequenininho e escrito dum jacto. Veremos se alcança melhor cotação e me ergue o câmbio derrubado pelo horrendo negro. Estou com uma ideia: não mando mais nada sem um repasse aí pela tua fieira ou crivo, porque me envergonho muito quando me escapam deslizes, sobretudo maus pronomes. Como é difícil esta peste de língua portuguesa! Haverá alguma pior?

Conheces a *Águia*, revista portuguesa orientada pelo grupo que pretende criar a "Renascença Portuguesa"? Há uma história de saudosismo muito interessante. Querem os seus corifeus que seja toda uma filosofia nova. Portugal é a terra da saudade. Só o português sente saudades, pelo fato das muitas viagens por mar e da vida afastada da pátria. Isso criou no coração português um sentimento novo no mundo e único na Espécie: a saudade. E malabarizam com isso e erigem o saudosismo às alturas de filosofia racial. É curioso — mas bobinho a valer. O papa do Saudosismo é um Teixeira Pascoais, poeta, pensador, filósofo, publicista, etc. Pascoais! Cheira-me a nome de guerra, se bem que não haja nome absurdo que não exista em Portugal. Num *Almanaque de Lembranças* encontrei uma respeitável matrona chamada D. Maria Encerrabodes! Se tens tempo a perder, corre os olhos na *Águia*, que é bem curiosa e revela qualquer comichão lá em Portugal — alguma urticária. Eles dizem que é movimento de ideias. Que seja Renascimento, duvido. Bizantinismo de decadência, isso sim. Não há Renascenças com panelinhas e programas e um papa... alvo à frente.

Lobato

Fazenda, 20,10,1916

Rangel:

Ricardo matou-se. Que dizer depois disto? As palavras que me acodem são as mesmas que te acudiriam, irmãos que somos e que éramos dele. O mundo me parece mais apequenado, Rangel, e eu choro, choro. Tudo está menor, com a ausência de Ricardo. Tudo mais velho, mais odioso, mais ruim. Tenho o retrato dele aqui defronte. Aquela expressão triste do olhar, tão premonitória do tiro! Cada vez que o olho, sinto uma bola na alma. Uma dor lá dentro. Ricardo, aquele nosso Ricardito maravilhoso, morto, coberto de terra, apodrecendo. Morto! *Extinto!* Apagada para sempre aquela luz do olhar todo bondade e inteligência extraterrena. Parado aquele coração, o maior que ainda houve no mundo. O cavalo que ele beijou na rua Quinze, aquela noite...

Nós o que devíamos fazer era morrer também, num suicídio em massa, Cenáculo inteiro, como protesto contra a Estupidez da Vida.

Que tens dele aí? Vamos reunir tudo quanto ele produziu e enfeixar num livro lindo, que seja o nosso livro de cabeceira.

Que alma! Chego a crer na necessidade de haver céu — pois onde, fora do céu, abrigar-se-á a imensidão da alma do Ricardo?

Lobato

Fazenda, 29,10,1916

Rangel:

Falas tanto nas minhas cartas que estou na suspeita de que se enchem de coisas boas pelo caminho. Chegas a insistir na absurda ideia da publicação! Estou curioso de relê-las e verificar que enxertos são esses, tão do teu agrado. Se eu fosse o Frango Sura ou outro qualquer dos muitos que te desconhecem a sutilíssima ironia, era provável que me iludisse. Mas conheço-me e também te conheço, meu tranca! E digo como o malandro: "Não brinca, mano!". Dois quilos de cartas! Quanto *non-*

sense nelas, quanto sonhinho tolo! Mas desempenharam uma grande missão. Com o trocá-las anos a fio, e escrever-nos virou hábito, e bom hábito — e a vida é uma sedimentação de hábitos.

Por falar em cartas, mando-te duas de minha irmã sobre a tragédia do Ricardo. Lá estão as pobres criancinhas em casa do Heitor — o novo Ricardito e a irmã. *A Capital*, no intuito de "salvar a honorabilidade" do M. (que palavra comprida!) publicou umas tantas infâmias sobre o nosso grande morto, escritas em língua de negra suja. Aquela mulher é um problema moral que ainda não resolvi. Ou a entrevista dela n'*A Capital* foi torcida e ajeitada ou... não sei o que pensar. Mudemos de assunto.

Pretendemos editar os versos do Ricardo. Está à frente disso o Roberto Moreira, que também prefaciará o livro. O mais qualificado seria você, Rangel, e depois eu. Quem melhor que nós conhecia a maravilhosa criatura?

Tens aí completo, o teu *De S. Paulo ao Guarujá*? Reli uns recortes truncados e senti saudades do resto. Quantas saudades! Como éramos felizes naquele tempo, sem o saber! As *Memórias dum Velho* que comecei no *Minarete*... Interrompi-as no momento de falar no Ricardo — sabes por quê? *Porque eu dava o Ricardo como suicidado!* Vê que horrenda profecia?

Ricardo, Ricardo! Que obsessão!... Mudemos de assunto, se é possível.

Já contei que me meti — ou melhor, que me meteram — na política? Política do Buquira, uma viloca a uma légua daqui, sede do município onde está a fazenda. Dentro de poucos dias correrá a eleição municipal, a mais renhida que jamais houve. Botaram-me como "chefe da oposição", e vou conhecer as "delicias da vitória" ou as "agruras da derrota". O curioso é que ando a rezar para perder, pois perdendo ganho — ganho a manutenção do sossego em que sempre vivi e as mais mil coisas boas com que nem sonham os políticos. Domingo cheguei até lá e corri o risco duma "manifestação espontânea", com vivas e flores. Quando me contaram do projeto, corei como menina de colégio e disse com o maior vigor aos cabos eleitorais: "Se me berram um só viva ou me lançam um só malmequer, volto a galope para a fazenda e adiro ao governo". Em vista disso, a conspirata floral falhou.

Como é pitoresca a política da roça! A cabala dos eleitores tabaréus, as ameaças, as traiçõezinhas, as rasteiras, os rabos-de-arraia, os pealos. O eleitor do mato é um prodígio de astúcia. Fui cabalar um para ver. O homem mostrou faro de cachorro perdigueiro e me disse que "pela cara do novo delegado de polícia ele sabe pescar qual o partido que tem o apoio secreto do governo" e só me daria resposta depois de ver a cara do novo delegado. Amanhã vou fazer uma "excursão eleitoral" pelo bairro dos Souzas. Um prodígio, Rangel!

Lobato

P. S. — Depois desta fechada, tive de abri-la para pôr as cartas da irmã, e aproveito o ensejo para mais alguma coisa. Ainda não cuidei de ensinar a ler aos meus pequenos, que aliás já conhecem todas as letras. Valerá a pena neste país saber ler? Teria ido à Presidência da República o Hermes, se soubesse ler? Minha mulher, apesar de professora normalista, tem horror a ensinar filhos, e eu não tenho tempo... nem fé no alfabeto. Mas tua carta abriu-me os olhos e vou mandar vir os livros indicados. Outra coisa, antes que me esqueça: quero que me mandes as tuas regras de colocação dos pronomes. Desconfio sempre dos meus pronomes. Colocam-se nas frases meio politicamente.

Ando a ler as *Memórias de Mr. Goron, ancien chef de la Sûreté*. Como são curiosos os bastidores do mundo, e como seria sem graça, se todas as criaturas fossem bem comportadinhas como nós, Rangel! Os "anormais" funcionam como o sal, a pimenta, a mostarda, o coentro, a salsa da vida. O tal Goron estava numa situação privilegiada para bem observar o mundo da *haute et basse pègre*. Para te *allécher*, mando um volume.

Que tens aí do Ricardo?

Lobato

Fazenda, 5,11,1916

Rangel:

Reli as cartas minhas que mandaste, e que saudades tive do que já lá vai nesses treze anos de palestra pelo correio! *Saudades*... Pela primeira vez ponho aqui esta palavra. E sabe o que no fundo quer isso dizer? Velhice... Até aos trinta anos, não há saudade em peito de homem. Daí por diante começa a brotar, a crescer e viçar essa florzinha roxa, uma aqui, outra ali, e alastra-se, e com o dobrar dos anos viramos um canteiro de saudades. Um canteiro de "perpétuas".

Poucas correspondências haverá como a nossa, tão longa e tão fora do mundo. Estão nela os tempos loucos do Minarete, a guerra da Cainçalha, os primeiros namoros, os noivados, os primeiros filhos, as leituras, os sonhos de arte, as implicâncias, a nossa Guerra dos Cem Anos com o Nogueira, cheia de tréguas admirativas, os ciúmes de D. Bar, os livros que idealizamos, a ambrosia do elogio mútuo de que fomos tão pródigos. Em suma: um riacho da mais cristalina amizade. Façamos de nossas cartas duas cópias à máquina bem batidinhas, em bom papel, para as relermos na velhice. São, afinal de contas, as nossas memórias íntimas — mas memórias só para nós. Nem nossos filhos entenderão o que fomos um para o outro.

Delas vejo que prometi mil vezes pagar-te a visita que me fizeste em Areias. ([6]) Mas um dia hei de surpreender-te — e estou vendo a cena! Chego, indago na estação onde mora o "senhor Juiz" e vou bater à tua porta. Campainha já sei que não há; em Minas ainda é nó-de-dedo. E eu bato: tóc, tóc. Ouço lá dentro uma voz: "Há de ser algum pobre. Vá dizer a ele que hoje não é sábado". O Nelo vem abrir com o "não é sábado" na boca, mas dá com um sujeito que evidentemente não é pobre. "O senhor Juiz está?" pergunto. O Nelo entra e ouço-o dizer ao pai no escritório: "Papai, está aí um sujeito esquisito, com ar de gente de fora. Tem cara de turco...". Uma voz grave soa no escritório: "Bar, veja quem é". D. Bárbara abre a porta, dá comigo e sem querer deixa escapar um "Ele!" muito parecido com o célebre *Eux!* do Tartarin de *Tarascon*. Seu rosto afoguea-se. Pensa na vassoura, agarra-a e zás...

Eis, Rangel, a razão de haver eu abandonado a ideia da visita de surpresa; medo puro! Só irei visitar-te caso me apadrinhes com um *habeas-corpus* preven-

---

[6] Essa visita só foi paga trinta anos depois desta carta, em vésperas de Monteiro Lobato seguir para a Argentina, em 1946.

tivo e que tenha o "Visto" dela. Outra razão da falha de surpresa está na ignorância geográfica das voltas que tenho de dar para cair aí. Olho no mapa de Minas e tonteio. Parece-me o báratro. Só com um itinerário, como o dos Cruzados que iam para a Terra Santa. Mande-me um.

  Esta semana sigo para S. Paulo com a família e, caso venha o *habeas-corpus*, de lá te avisarei da minha penetração em Minas — nesse Tibet que é Minas... Pena estar morto o Ricardo. Eu o levaria também. E também ao Raul. E chegados à casa do senhor juiz, berraríamos do corredor o *Dé brin, o dé bran*... a três vozes. Era o plano. O Destino não quis. O *Dé brin* duas vozes tem menos graça.

  Esteve uns dias aqui o Joaquim Correia — creio que já te contei isso. Como falha a memória dos velhos! Vamos ficando *radoteurs*.

Lobato

Fazenda, 13,11,1906

Rangel:

  Vieram as cartas e a *Desforra*. Na cena do sapezal noto um erro de observação: o sapé para colmo de casebre não se corta a foice; é arrancado com raiz. Sei porque este ano construí meia dúzia de casinhas cobertas de sapé.

  Relendo as minhas cartas assombrei-me das muitas maluquices que nelas pôs a minha insofrida mocidade, e a irreverência para com os próprios amigos do peito. Imagine o que o mundo iria pensar do Tito e do Nogueira, com base no que eu disse deles — desses dois generosos e queridos amigos! Vou devolver as tuas, e quero saber que sensação te dá o passado.

  Esteve cá cinco dias o Joaquim Correia, que disse te conheceu em Caldas. É verdade? O excelente Correia *exagera* um bocadinho. E eu estou de preparativos para uma estação em S. Paulo — um mês, dois, um ano, toda a vida. Que sabemos do futuro? Depois que para lá fui por três dias e passei ano e meio, nunca mais me atrevi a marcar prazos.

  Obrigado pelas regras pronominais. Vou segui-las; e se me acusarem de alguma má colocação, indigito você como o culpado.

  Acabo de receber carta da *Revista do Brasil*, anunciando que figurarei nos números de novembro, dezembro e janeiro. Isto é sintoma de que minha cotação cresce. Em S. Paulo conversarei com eles sobre os teus contos e os convencerei de que és um gênio ainda maior que eu!

  Se tens algo inédito do Ricardo, manda ao Roberto Moreira. Andam a caçar tudo quanto ele deixou esparso pelos jornalecos e álbuns de meninas. Propus-me historiar o Ricardo dentro da moldura do Minarete, com todos nós em redor, quais satélites do solzinho. Falam em polianteia para cima dele! Infâmia. Ricardo é nosso, é do Cenáculo, era o Cão que Ladrava à Lua. Gente de fora não tem o direito de meter-se.

  O herói da casa é agora um miquinho (falta o resto).

Lobato

Fazenda, 7,12,1916

Rangel:

O teu conto não me parece bom no fim. Não se entende (opinião minha e de Purezinha). O final antigo era muitíssimo melhor, tão melhor que entre os teus contos foi o de que guardei melhor lembrança — e justamente por causa do final. É preciso pintar o barbeiro indo embora, é preciso mostrar o caminho, rasgar um horizonte final como o do *Guarani* — "E a palmeira perdeu-se no horizonte..."

O miquinho morreu. Deram-lhe lá um dia geleia de mocotó, que ele comeu gulosamente e afinal morreu — sem assistência médica. Enterramo-lo num formigueiro de ruivas para conservarmos a caveirinha. Todos da casa apiedaram-se, e houve olhos vidrados.

Que aconteceu com o Gervásio? perguntas. Nada. Simples implicância coletiva. Ao Menotti apenas conheço de nome; nada sei dele. É inútil andares ajuntando e mandando opiniões sobre minhas literaturas. Não dou valor a essas reações, nem as procuro. Escrevo porque tenho de escrever, porque sou forçado a escrever, para dar vazão ao pus dum furúnculo *scribendi* de incurável intermitência — não para conquistar nome, glória, o que seja. E a prova é que para não me inscreverem no rol dos literatos, a mim que não passo de simples fazendeiro, voltei a usar os velhos pseudônimos com que me escondia no *Minarete* — Hélio Bruma, Mem Bugalho e Chico Taboca (este, invenção do Simões Pinto e saiu como o nariz dele). E não escrevo mais no *Estado* nem na *Revista do Brasil*, à qual havia prometido um artigo sobre o pintor Almeida Júnior, porque estou em maré vazante e com horror aos literatos. As rodinhas do *Pirralho*, da *Vida Moderna*, do *Estado*, da *Cigarra* e outras que frequentei em meu último mês em S. Paulo, fizeram-me mudar de opinião quanto a estes urupês daqui. O caboclo parece-me hoje açúcar refinado perto do açúcar preto que são os urupês citadinos de gravata. Que pulhas!

E o Nogueira que está às raias da demência com a ninfomania da glória? Que fome ugolina de elogios! Não há o que lhe baste. Dei-lhe pelo *Estadinho* uma grosa de superlativos. Pensei que o empanturrasse. Só serviu de aperitivo. Agora quer que eu leia tudo quanto ejacula e *dê opinião*. Este dê opinião traduz-se por: "Mais superlativos, Lobato! Aqueles não chegaram para a cova de um dente". Acho que os críticos literários devem sempre derrancar. Do contrário os fregueses acarrapatam-se, viram bernes. Quanto à venda do livro, não creio na "colossal" saída do livro. Vendem-se bem porcos de ceva e milho — que está a sete mil réis o alqueire, um preção. Letras, é mentira. Nunca se vendeu bem um livro neste país, exceto os pornográficos. E livro atochado de filosofias como o dele, pode ser ótimo; mas que se venda duvido. Não há público para filosofias no Brasil.

Quando vens com a filharada passar um mês aqui? A casa é um convento. Cabem nela, não duas famílias, mas cinco do tamanho das nossas. Já contei: tem oitenta portas e janelas. A sala de jantar mede catorze metros de comprimento. Precisamos nos rever, Rangel. Do contrário encontramo-nos na rua um dia e não nos reconhecemos nos dois velhinhos.

Lobato

1917

Fazenda, 10,1,1917

Rangel:

Que bela gramática és, amigo! Recebi o cartão e graças a ele tirei do lombo o peso duma dúvida horrenda. Como o que me pareceu asneira vinha logo no começo do artigo do *Estado*, corei e tremi ante a hipótese de cinquenta mil risinhos de mofa gramatical. Quis consultar uma gramática; só encontrei na minha biblioteca uns pedaços da gramática francesa de Sevène dos meus tempos de escola e lá vi a tal Silepse. E armei-me com o Sevène para tapar a boca ao primeiro que me articulasse o desconchavo. Mas sem certeza nenhuma, porque desconfio que aquele Sevène é uma besta. Estive depois com Amadeu Amaral e quase o interpelei. O Amadeu tem cara de entender de silepses. Mas recuei. E se alguém me abordava falando do artigo, eu desconversava. Na redação do *Estado* descobri uma gramática e abri-a furtivamente, como quem não quer; mas não tive ânimo de ir além. Medo da verdade. Qualquer coisa lá no fundo das tripas me bacorejava que aquilo não era silepse. Por fim resolvi consultar-te. Recebi a resposta e respirei. Renasci como se houvesse recebido na testa um beijo de Minerva. Obrigado, generoso e amigo.

Ando com uma ideia. O Plínio Barreto insiste em que eu escreva um romance para a *Revista* e estou com ideia de um romance à Dumas ou Paulo de Kock, cheio de ação e diálogos, tudo tão violento que o leitor perca o fôlego. O público anda farto de psicologia e descritivo — a mania dos nossos romancista atuais — e é a razão de deixá-los às moscas.

Vamos fazer uma coisa: destrinçar o segredo dos eternamente lidos. Depois seguiremos a maneira deles, mas sem nos afastarmos da observação, do real, do verismo que está em nossa essência.

Tens lido os meus artigos? Produziram efeito interessante: um despertar de consciência adormecida. E por causa deles relacionei-me com uma porção de artistas daqui, escultores e pintores. Entusiasmaram-se todos com a ideia da arte regional. O saci, sobretudo, impressionou-os muito, e eles (quase todos italianos ou de outras terras) vêm consultar-me sobre o saci, como se eu tivesse alguma criação de sacis na fazenda. Finjo autoridade, pigarreio e invento — e eles tomam notas. Mas na realidade nada sei do saci — jamais vi nenhum, e até desconfio que não existe. Manda-me as tuas luzes. Como é o saci em Minas? Minha ideia é de que se trata dum molecote pretinho, duma perna só, pito aceso na boca e gorro vermelho. O Correia jura que já viu um, mas de duas pernas, embora andasse com uma só, aos pulinhos, como o tico-tico — mas lá posso acreditar no Correia depois de o ter pilhado em tantos exageros? Diz também que tem olhos de fogo — outra impossibilidade. Minha ideia de menino, segundo ouvi das negras da fazenda de meu pai, é que o saci tem olhos vermelhos, como os dos beberrões; e que faz mais molecagens do que maldades; monta e dispara os cavalos à noite; chupa-lhes o sangue e embaraça-lhes a crina. Consulte os negros velhos daí, porque já notei que os negros tem muito melhores olhos que os brancos. Enxergam muito mais coisas.

Tens lido o Frango Sura? É o próprio conselheiro Acácio que ressurge de gaforinha e bacharel em ciências jurídicas e sociais. Lê o que ele anda a expluir pelo *Estadinho*.

Lobato

P. S. — O Simões Pinto, da *Vida Moderna*, quer uns dois ou três quilos de literatura de tua fábrica para essa revista. Como lhe gabei os teus contos pequeninos, gênero "O Destacamento", Pinto assanhou-se como diante de quirera. Mas mande só dos miúdos, porque a revistinha dele é miúda.

Lobato

S. Paulo 1917

Rangel:

Abri no *Estadinho* um concurso de coisas sobre o Saci-Pererê e convido-te a meter o bedelho — você e outros sacizantes que haja por aí. Dá o toque de rebate.

A *Revista* traz o teu *Fialho*. Deves fazer coisa idêntica sobre material nosso. A *Revista* está se afastando do seu programa. Neste número só falamos de coisas nossas, o Medeiros e eu. Tudo mais é coisa forasteira. Anda a nossa gente tão viciada em só dar atenção às coisas exóticas, que mesmo uma "revista do Brasil" vira logo revista de Paris ou da China. Nascida para espelho de coisas desta terra, insensivelmente vai refletindo só coisas de fora. Estou me preparando para um ensaio sobre lendas e mitos, e um dia te mandarei o programa para que colabores.

O *Queijo de Minas* ressuscitou na *Vida Moderna*. Foi o meio que achei de colaborar naquela indecência.

O último número da *Revista do Brasil* está "canino"; aparece você, o Ricardo, o Albino e eu. O Pinheiro tem a mania das "enquetes". Quer abrir lá uma "enquete" mas não acha sobre o que, e pediu-me a opinião. Sobre que enquetear, Rangel? Cutuca o cérebro a ver se sai o piolho duma ideia.

Lobato

S. Paulo, 15,1,1917

Rangel:

Recebi o pito. Mas há tanta coisa a contar que não cabe em carta. Fica para a visita prometida, que será logo.

Não tenho perdido tempo aqui. A marreta canta na sinagoga de vários paredros, expoentes do esnobismo paulistano. Até o pobre e extinto general Glicério levou a sua dose na Estátua do Patriarca. Fiz cem relações novas e "estou consagrado", se não mentem os lisonjeadores. Ontem ouvi de pé firme ao Alfredo Pujol um elogio que me deixou de cara à banda — e que não ponho aqui por escrúpulos da modéstia. Acham-me um bando de coisas. Para mim, o que há no fundo de tudo é medo. Os homens procuram aproximar-se e andar às boas com os escritores que misturam ácido fórmico à tinta.

Mas estou doido por voltar para a roça e reatar a nossa interminável conversa carteada. Tenho ainda, entretanto, de chegar até Mato Grosso. Quero ver se aquilo realmente existe ou é uma ficção geográfica do Moreira Pinto, como deve haver muitas no planeta.

Em que correria tenho andado! Não paro, não durmo, perdi quilos de peso — mas como é boa a vida intensa! Até em dramas de amor alheio ando metido. Há um curiosíssimo caso do nosso jovem Barba Azul com uma jovem dançarina...

Adeus, adeus, adeus! Carta comprida, só na roça.

Lobato

Como vamos de letras? Qual o número do teu romance no estaleiro? Tua responsabilidade está cada vez maior. Há dias, numa roda de paredros dos mais pintados, afirmei que lá num socavão de Minas havia um desconhecido maior que todos eles somados uns com os outros e multiplicados pela Academia de Letras. "Quem é?" quiseram saber. "É a avó!... Um dia vocês saberão."

Estas minhas reclames podem te fazer mal em vez de bem, porque todos se metem a esperar coisa ultra suculenta, e você é mimoso demais. O público quer violências, arrombamentos. Se um novo entra humilde, a pedir licença, todas as portas se fecham. É preciso aparecer de machado em punho, faca nos dentes e arrombar as portas a pontapés.

E o Sete Orelhas? Não encontraste nada a respeito? Eu tinha vontade de ser o Sete Mil Orelhas — todas cortadas aqui neste S. Paulo...

Lobato

Fazenda, 3,3,1917

Rangel:

A homeopatia!... Eu pensava como você; ou, pior ainda, não me dava ao trabalho de pensar coisa nenhuma a respeito. Não acreditava nem descria — não pensava no assunto e pronto. Mas um dia sobreveio o "estalo" e fiquei tonto. O meu Edgarzinho apareceu com uma doença no nariz. Isso na fazenda. Ele tinha dois anos. Corro a Taubaté. Consulto os médicos locais. "O melhor é ver um especialista em S. Paulo." Vamos para S. Paulo. "Quem é o baita para narizes?" J. J. da Nova. Vou ao Nova. Examina, cheira, fuça e vem com um grego: "Rinite atrófica. Só pode sarar lá pelos dezoito, vinte anos — mas vá fazendo umas insuflações com isso" e deu-me uma droga e um insuflador. Voltamos para Taubaté, muito desapontados. Dezoito anos! Mas minha casa lá era defronte à duma prima. Vou vê-la. Tenho de esperar na sala de visitas um quarto de hora. Em cima da mesa redonda está um livro de capa verde. Abro-o. "Bruckner, O Médico Homeopata." Instintivamente procuro a seção Nariz. Leio conjuntos de sintomas. Um deles coincide com os sintomas da rinite do

Edgard. Prescrição: "Mercurius". Entra a prima. Conto o caso do menino e aquele encontro ali. "Vale alguma coisa isto de homeopatia?" pergunto, cético. E ela: "Experimente. Não custa". Quando saí passei pela farmácia. "Tem Mercurius?" Tinha. Comprei cinco tostões. "Almeida Cardoso — Rio." Levo para casa. Falo à Purezinha. Sem fé nenhuma, dou automaticamente os carocinhos ao Edgard, mais do que mandavam as instruções. Cinco em vez de três. Depois, mais cinco. De noite, mais cinco. No dia seguinte, o milagre: todos os sintomas da rinite haviam desaparecido!... Mas sobreviera uma novidade: purgação nos ouvidos. Cheio de confiança, corro à casa da prima, atrás do livro de capa verde. Procuro "Ouvidos" e leio esta maravilha: "Às vezes sobrevém purgação no ouvido por abuso de Mercurius, e nesse caso o remédio é Súlfur". Vou voando à farmácia. Compro Súlfur. Mais quinhentos réis. Dou Súlfur ao Edgard e pronto — sarou do ouvido! Sarou da Rinite, sarou de tudo! Preço da cura: mil réis. Pela alopatia, em troca da não cura: várias consultas médicas, viagem a S. Paulo, drogas insuflantes e aparelho insuflador — e a desesperança.

Que fazer depois disso, Rangel, senão mandar vir um livro de capa verde e uma botica com todas as homeopatias do Almeida Cardoso? Cem mil réis custou-me, e desde então curo tudo. Curo tudo em casa e no pessoal da fazenda. Fiquei com fama de mágico. Vem gente dos sítios vizinhos. "Ouvi dizer que o senhor é um bom doutor que cura" — e curo mesmo.

Chega a vir gente até do município vizinho atrás dos "carocinhos mágicos"...

Lobato

Fazenda, 17,4,1917

Rangel:

Eis-me de novo no meu seio de Abraão. Deixei S. Paulo farto e refarto da comédia da civilização; e para que a ruptura fosse completa, não assinei jornal nenhum. Desde o dia 8 que estou sem saber quantos novos países declararam guerra à Alemanha, etc. Que paz! Que alívio! Que decência! Como cansa viver na atmosfera da beligerância imbele do sapo que chia de longe, e odeia de longe, e apaixona-se de longe, ou pateia de palanque, na rua, nos cafés, nas redações, nos artigos, nos discursos, sem nunca um minuto de serenidade! A nossa imbecilização é das mais curiosas: vem de cima para baixo, e decresce quando chega ao povo. Quanto mais conheço os paredros, mais admiro o equilíbrio, a sensatez, a sanidade mental destes meus bons caboclos da roça. Quando Bilac aparece em S. Paulo, vira cachorrinha com todo um bando de cachorros atrás. Eles não se limitam a admirar Bilac, eles babam Bilac. Hoje não me espanto do Frango Sura querer mudar-se para S. Paulo. Aquilo é o *habitat* dele. O Frango nasceu em Minas por deslize. E muda-se para lá e ainda acaba chefe de todos aqueles cogumelos. Se o encontrar por aí, diga-lhe que se apresse, que vá conquistar S. Paulo, porque S. Paulo está a berros pedindo um frango sura.

E tu, homem feliz, poço de bom senso, virgem incontaminada que não trocas esse empíreo de Santa Rita do Sapucaí pelas escarradeiras cheias de pontas de cigarro que se chamam "centros de civilização", que fazes? Conta-me da tua evolução nos últimos meses, porque tu vales mais que todos os camelídeos que andam a apostar uns com os outros qual tem maior bossa. Acho, Rangel, que nunca mais arredo o pé do sertão. Que delícia conviver com estes porcos que engordo e como assados, e com estas vacas que me dão leite e manteiga! O leite das vacas paulistanas chama-se *suffisance*.

Lobato

Fazenda, 22,4,1917

Rangel:

Recebi a de 20. Pela irregularidade de tudo lá dentro, a *Vida Moderna* ainda acaba mudando de nome; passa ao que é: — *Vida Airada*. Não merece a nossa atenção. Não vale a pena botar lá o *Queijo de Minas*. A tua *Desforra* está aqui. Não serve para sair nos tais volumezinhos. Muito grande. Vê coisa menor.

Menotti mandou-me *Moisés*. Bela edição conseguiu ele! Mas aqueles desenhos serão realmente de Menotti? Estou achando-os bons demais. Nalguns há traços de mestre. Evidentemente houve "inspiração".

Espero o teu livro gramatical. Se queres opinião, manda um ao Adalgiso, que a dará com a mais alta competência. Ainda agora recebo dele uma carta; está como revisor da *Revista* e queixa-se de meus descuidos e deslizes. Vou responder que o meu colocador de pronomes é você, e também o meu mondador de ingramaticalidades; de modo que qualquer queixa contra mim deve ser encaminhada a você, pois assim encurtamos caminho. A indignação do Adalgiso é contra o *Engraçado Arrependido*, que mandei sem revisão rangelina, e portanto sujo, cheio de cascas de banana e carurus. O meu lava-cachorro é você, Rangel.

Mandei também *O Farol* — esse farol que vem desde Areias e está caindo aos pedaços de velho. É incrível como sou inimaginativo! Por mais que esprema o útero não sai filho, quando não há prévia impregnação dos ovários e gestação inconsciente. Será todo mundo assim? Se quero parir à força, sem estar grávido, não me sai coisa nenhuma. Se tens aí algum esqueleto de conto encostado e que não queiras aproveitar, manda-mo, que o revestirei de carnes e jogarei com ele para cima da *Revista*. Aquilo está se tornando um Moloch insaciável. Querem dar um conto meu em cada número, como se eu fosse máquina.

Lidei este ano em S. Paulo com a fina flor dos literatos, e me convenci de que, com exceção do Adalgiso, nenhum vale você. O Adalgiso é o único em S. Paulo que tem a inteligência que eu quero: como olho de mosca, multifacetada. Inteligência verdadeira me parece aquilo. Muitas outras há lá, mas com menor número de facetas.

Ontem li uma coisa de Almaquio Diniz, um pedaço de *Bodas Negras*. Não diz: "Os grilos cricrilavam"; diz: "Os ortópteros saltadores cricrilavam" Também li *Une Vie* de Maupassant, e ataquei *Le Lys Rouge* e vários Camilos novos. A sova nos três Joaquins — o Teófilo Braga, o Silva Pinto e o Vasconcelos!... Homérica!

Bom. Chega. O estafeta vem entrando.

Lobato

Fazenda, 10,5,1917

Rangel:

Vai a *Desforra*. Está primorosa no descritivo, que é o teu forte. Tens microscópio no olho. A *Vida Ociosa*, por exemplo, é uma seriação de miniaturas desenhadas a bico de pena. Hoje o gosto geral está mudando, voltando a Boccacio e todos os narradores. Camilo em muitas novelas é modelar na narrativa. Nada mais vivo e movimentado que o começo da *Maria Moisés*: "O pequeno pegureiro contou as cabras à porta do curral; e dando pela falta de uma, desatou a chorar com a maior boca e bulha que podia fazer. Era noite fechada. Tinha medo, etc.". Releia isso e veja como é "pinturesco" desde a primeira palavra até a última. O fim visado num romance ou conto deve ser o máximo de impressão no leitor com o mínimo de meios. É neste sentido que voga o meu barco. Progrido em "concentração", fujo sistematicamente à "diluição". Prefiro fabricar um martelo de pinga a um barril de garapa azeda. E se a ilusão me não transtorna o senso crítico, creio que estou com a verdade. Que verdade? A deduzida dos melhores capítulos das melhores obras dos melhores autores. Por que melhores autores? Porque mais intensa e duradouramente lidos. A *Desforra* ganharia se voltasse ao fogo para apertar o ponto. Ficaria metade em volume e o dobro em grau alcoólico.

A humanidade gosta de bebidas fortes — *whiskey*, rum, *kümmel*, vodka e mais "fogos líquidos". Já os xaropes e águas panadas, e mesmo a água pura, têm menos fregueses — e com eles ninguém se vicia.

Esta minha observação vai com todas as reservas. Será assim no caso de aceitares como verdadeiro o meu critério da concentração. Porque em boa crítica todos os gêneros se equivalem, contanto que as obras sejam filhas do talento.

Ando a preparar um livro de contos — assinado Hélio Bruma — coisas antigas refeitas. A refusão limita-se a podas, desgalhes, descascamentos — sempre "des", isto é, concentração. E sinto que ganham com o desbaste. Em regra somos na mocidade extremamente excessivos, folhudos como certas árvores tão enfolhadas que não há ver nelas a beleza maior: o tronco e o engalhamento.

Também preparo para o chumbo o *Inquérito do Saci*, que fiz no *Estadinho*. Dá trezentas páginas, mas não aparece com meu nome. Demonólogo Amador, é como assino. Será livro popular e de vender bem. De modo que a minha estreia será um livro não assinado e feito com material dos outros. Meu, só os comentários, prefácios, prólogos, epílogos — os adminículos, diria o Frango Sura.

Hoje escrevi à *Revista* (como por ordem tua) que ou publicassem a *Vida* ou devolvessem os originais. Estão a mangar contigo aqueles paredrecos. Tiro-a de lá e publico-a em rodapé no *Estadinho*.

Lobato

Fazenda, 5,6,1917

Rangel:

A *Vida Ociosa* vai afinal sair. Aquela intimação surtiu efeito. Respondeu o Plínio que a não devolvia porque ia publicá-la já. Escute: já mandou *O Destacamento* para o Simões Pinto? O modo de publicação, paginado para livro, dá uns volumezinhos interessantes. O Simões é um pinto que vale a pena. Põe de vez em quando uns ovinhos curiosos. Está saindo lá agora uma coisa do Amadeu, mas o Amadeu é mais poeta que contista. Não lhe vejo nervo.

Sabe o que estou lendo com enorme agrado? Macaulay o incomparável, e Dickens. *As memórias de Pickwick* são um modelo de arte. Diz-se lá num capítulo o que os cacetíssimos psicólogos de hoje dizem em todo um livro. Acho arqui-preciosa a leitura dos ingleses: livra-nos de absorver a infecção luética dos franceses: galiqueira mental que vai dessorando as nossas letras e fazendo-as um luar da francesa. E, fora dos ingleses, leio Camilo; não passo dia sem umas páginas.

Que tenho feito? Domingo, como amanhecesse chovendo, abanquei e pari *Pollice Verso*, uma violenta mercurial contra os médicos. É a história dum facínora moderno, defendido por todas as leis e todos os preconceitos sociais, que mata um cliente rico para apresentar conta gorda no inventário. Vou mandá-lo para o número de junho em vez do *Faroleiros* que lá está — muito bem escritinho, mas que não passa dum *pot-pourri*.

O presente da Loveling e o urso de Tolstói são demonstrativos de que para bem dizer é mister escrever pouco e concentrado. A prolixidade é o grande mal. Antigamente eu "borrava" dez tiras e no último "a limpo" obtinha vinte. Hoje borro dez para obter cinco. Podo impiedosamente — e nunca me arrependo. Ontem li no *Imparcial* uma crítica do João Ribeiro que abunda nestas ideias. Aí vai.

O fato de não termos livros mostra que não somos literatos à moda comum. Você, juiz, nas horas vagas beletreia. Eu, fazendeiro, quando chove e não posso sair a cavalo é que me sento à mesa e esvurmo um berne. Que ligação temos nós com isso que se chama lá fora "literato"? Nem sequer os conhecemos. Você conhece o Menotti e lá um ou outro. Eu não conheço nenhum, nem quero conhecer. Enfarei-me dessa fauna depois que vi alguns de perto, inclusive Bilac. Aceitarei as obras dessa gente, não as pessoas.

Espero o teu livrinho de gramática. E o Sete Orelhas? Nada até agora? De Caldas o Francisco Escobar mandou-me o que dele há nas *Efemérides Mineiras* de Xavier da Veiga. É pouco. Não traz detalhes interessantes. Eu queria muito encontrar o trabalho de um Galpi, ou Galdino Pinheiro, de S. João Nepomuceno. Em matéria de orelhas, o meu Sete Orelhas foi batido longe pelo Bartolomeu Dias, que cortou sete mil e oitocentas num quilombo de escravos que assediou e destruiu. Levou-as de presente ao Conde de Bobadela. Que destino daria o conde a tal massa de orelhas? Comê-las-ia sob forma de orelheira do Porto? Magníficos brutos eram os nossos antepassados. Há em Calecut as oitocentas orelhas que Vasco da Gama cortou. Camões pula por cima delas nos *Lusíadas*.

Tens já aí o último número da *Revista*? Sai um conto meu de Areias, refundido. E também um do Nogueira, com belas ideias filosóficas desartisticamente apresentadas. O ponto fraco do Nogueira é a arte; e o forte, a filosofia. Diz em arte coisas incríveis. Acha, por exemplo, "majestoso, imponente, obra d'arte monumental", sabe o quê? O palácio do governo de São Paulo, aquela nauseabunda indecência arquitetônica, tão indecorosa que o próprio Congresso, que é um conglomerado de trufas, já condenou e mandou demolir. E assim outras coisas. Ele é filósofo e grande, mas só filósofo. Se pudéssemos dizer-lhe isto, sem que aquele ouriço de orgulho se irritasse, que bom seria para ele e o mundo!

Lobato

Fazenda, 6,7,1917

Rangel:

Retiro tudo quanto disse a propósito do teu estilo, em tantas cartas anteriores. Em vez de mudar alguma coisa, podar, concentrar, fazer, em suma, o que sugeri não deves fazer coisíssima nenhuma. Estás sedimentado definitivamente e lindo. Encantou-me tanto a *Vida Ociosa* que me envergonhei de todas as minhas velhas sugestões. Compreendi agora. Você nasceu miniaturista, tal qual Meissonier. Há na pintura francesa dois casos típicos de miniaturismo: Mignard e Meissonier. Este pintou com grande minúcia de detalhes, mas manteve-se grande; nas telas militares punha reflexos das coisas vizinhas nos botões dos soldados, mas manteve-se grande. Seu nome figura entre os maiores pintores da França. Mignard fez a mesmíssima coisa, mas sem talento; quanto mais miniaturava, quanto mais pintava pelinhos um por um, menor ficava como pintor. Quando alcançou o prodígio, de pintar um por um todos os pelos das pestanas dum filhote de pulga — assombro jamais realizado no mundo — Mignard ficou ainda menor que a pulga e acabou dando à língua francesa uma palavra nova e pejorativa — *mignardise*. Você é um miniarista nato, mas à Meissonier. Que lindos quadrinhos parciais descreves para formar com eles o quadro grande!

Renego todas as minhas observações. Estilo é cara, vivo dizendo. E querer que por causa disto ou daquilo o vizinho reforme o nariz ou a boca, é besteira. Sustente a cara que Deus te deu e Camilo apurou, e os Lobatos que vão às favas.

Vais ver a *Vida Ociosa* classificada como a melhor coisa até hoje aparecida na *Revista do Brasil*. Eu chego a ter inveja. Tu me alijaste para a esquerda, bandido! Por que mudou a primeira forma do Zé Correto? Estava ótima, muito melhor que o José atual. José, José... Zé é o certo.

E a Academia, hein? Está capitalista agora. Vamos ter imortalidade remunerada, uma novidade no Parnaso. Apolo deve estar cismabundo.

Lobato

Fazenda, 8,7,1917

Rangel:

Espero o teu *Animal Estranho*, pela moderna. Nesta fúria, acabaremos escrevendo com podão, em vez de pena! Botei ultimamente quatro ovos novos, da nova fase: *Pollice Verso*, *O Matapau*, *O Estigma* e *O Comprador de Fazendas*. Vou dar um livro inçado de dramas e mortes horrendas, mas com pantomima cômica no fim, como nos circos. Já tenho prontos uns quinze contos, matéria para umas cento e cinquenta páginas. Se quisesses aparecer junto comigo, era boa a ocasião; mas tu és maroto — preferes andar só a mal acompanhado. A letra de forma melhora as obras boas (nada melhora as más); gostei muito da *Vida Ociosa* depois de impressa. Vais ver com que agrado te receberão. É uma arte pessoal que surge sem muletas, sem apelar para o apoio de ninguém, sem prisão a nenhuma escola, diferente de tudo quanto se escreve por aqui, em sarrafaçal ou parnasianamente.

Recebi o livrinho de gramática e aprendi nele alguma coisa. O que acho é caro. Você, judeu, começa esfolando a humanidade — dois mil e quinhentos réis!

Andou por cá um fazendeiro aí da tua zona, um Leite de Paraguaçu. Conhece-te mal-e-mal. E agora espero outro. Andam com ideias de comprar-me a fazenda — mas não creio coisa possível: os mineiros são muito pechincheiros. O homem esteve me contando da calamidade que é a Rede Mineira. Diz que é pior que a Central. Por que não se amotinam vocês todos e não empastelam a caranguejola?

Aquele nosso grande poeta parece-se com a água: é inodoro, incolor e insípido quando faz prosa. No verso, melhora. Mas vem surgindo um Guilherme de Almeida, cujo *Nós* revela muita coisa. Parece-me poeta de verdade — não apenas burilador de versos como o F. ou parnasiano de miolo mole, essas venerandas relíquias do passado, Alberto, etc. E Bilac, que era a salvação, deu agora para rimar filosofia alheia e fazer patriotismo fardado. Alberto está um perfeito *vieux bean*.

Bilac perguntou ao Heitor de Morais por que motivo eu lhe fugia (isto é, por que o não incensava) e achou-me "esquisito". Acostumou-se o grande poeta ao coro perpétuo de "Ohs!" da rodinha do *Estado*. Os literatos célebres lembram-me os políticos que jamais caem, como o Rodrigues Alves. Estes espantam-se duma oposiçãozinha; aqueles não admitem essa coisa linda que é uma pequenina animadversão gratuita. Porque têm um nome do tamanho dum bonde amarelo e moram no andor da apoteose, acham inadmissível que um ignaro anônimo tenha a preguiça do rapapé e por higiene fuja ao beija-mão.

Guilherme é o balbucio duma corrente nova que acabará levando para o bueiro os lecontistas de cabelos pintados com Juventude Alexandre. Tenho muita fé nesse menino de Almeida. São os dois de S. Paulo: Vicente de Carvalho, glória legítima mas já sem uma asa, e Guilherme, uma linda manhã. O espaço entre ambos é interestelar: é o Saco de Carvão da Via Látea. Menotti também desponta, meio papagaio ainda, meio discursante; mas é capaz de dar coisa. Tem coragem. O resto, meu caro, é saparia de lagoa; coaxam rimadamente. No romance irrompeu o Veiga Miranda. *Ressurreição* é positivamente bom, apesar da descaída do final. Como é difícil manter um romance no crescendo! Se a política (a dos políticos e a literária) o não arrastar, teremos em Veiga um verdadeiro valor. Lembro-me d'*O Margarida* — o seu desastrado conto de estreia na *Revista do Brasil*. Pois evoluiu e melhorou muito. E é só naquele S. Paulo — uma cidade de quinhentos mil habitantes! Que penúria, hein?

Que coisa vem a ser o *Animal Estranho*? Por que não aproveitas *O Sebastião* aparecido no *Minarete*? Há coisinhas ótimas ali.

Lobato

Fazenda, 21,7,1917

Rangel:

Em mãos o *Comprador de Fazendas* e duas cartas. Cada vez que me devolves um conto, envergonho-me da ortografia. Quantos erros anotaste — zz por ss, yy por ii... Se algum dia eu virar literato de profissão, tenho de contratar o Álvaro Guerra para secretário dos pronomes e da ortografia. Os pronomes já me saem melhores, depois das abençoadas notas que você mandou. Como andavam desafinados, no meu período anterior às notas!

Entristeceu-me a classificação de "chinfrim" que deste ao *O Estigma*, coitadinho! Quanto ao fato, é verdadeiro, do lado científico e do entrecho. Foi coisa acontecida cá destas bandas. Para documentação do lado científico, segue como meu advogado um livro do Alberto Seabra. Quando ao entrecho te direi que há na cidade de C. uma senhora "marcada no peito com sangue espirrado", uma cobrinha e uns borrifos no lugar da cabeça. Está subentendido que não espiei o peito da dama, mas pessoa bem informada garantiu-me. E a causa dada pelo povo é que quando ainda em estado fetal essa dama foi testemunha dum crime: sua mãe matou a tiro de garrucha uma mocinha aparentada que criava e pela qual o marido passara a mostrar muito interesse. Abafou-se o crime; tratava-se de gente de posição. O tiro foi dado como casual. Meses depois nasce a atual dama estigmatizada, com a cobrinha e os respingos, situados em lugar correspondente ao em que levara o tiro a mocinha.

Em todo caso, como reputaste bom o estilo, consolo-me com o sopro.

Pelo que vi e li, gostaste do *Matapau*. Está aí um que "saiu à toa". A ideia era descrever o parasita vegetal que chamam aqui gameleira e é uma figueira. Isso feito, o resto, a associação com um sentimento e uma tragédia humana, brotou como a pena quis.

O teu *Animal Estranho* desdisse a má nota com que veio precedido. Foi gostadíssimo. Purezinha, que, como rato para queijo, não erra na escolha do melhor, leu-o e releu-o, e fez que mais gente da casa o lesse. No *Pollice Verso* a tua observação coincidiu com a dela: que está muito insistido naquele ponto das estrelas. Eu respeito os pareceres de Purezinha, porque é a única pessoa que quando não gosta diz "Não gosto — Não presta". Os outros vêm sempre com atenuações e panos quentes. Foi quem me revelou Camilo, e é sinceríssima — e antes severa que benévola. Vai logo dizendo na cara: "Tire isto e mais isto. É asneira. E aqui está comprido demais; corte". E acerta sempre. E como tem gostado muito da *Vida Ociosa*, aquilo é bom mesmo. Admirou sem reservas a cena da galinha a entrar pela sala a dentro, como também a do pinto que vomitava (cenas que melhoraste muito, na última fase).

Quanto ao meu livro, espero completar aí uns quinze contos que me agradem; publico-os na *Revista do Brasil* e depois de impressos dou-lhes a forma definitiva. Só então arriscarei nos quinze contos os dois contos de réis que me custará a edição. Não tenho pressa nem entusiasmo. Já estou muito longe do assanhamento dos dezoito anos.

Se me seduz uma ideia, ponho-a em conto, mas sempre com muita preguiça. O gosto vem depois, na polidura do borrão, no acepilhamento, no envernizamento. O ato bestial de parir um mostrengo, informe, sujo de sangue e placentas, é o mesmo na arte e na vida feminina. O gosto da mãe começa depois de lavado e vestido o fedelho.

Li ou estou lendo a *Mulher Fatal* — conheces? Que ótimo está ali o Camilo! Eu agora não o largo mais. Paro defronte das minhas estantes, corro os olhos sobre centenas de lombadas e invariavelmente pego um Camilo. Que desprezo de todas as regras da composição francesa! Quando se lhe depara lance de morder num adversário, larga da cena romântica com que está maçando o leitor e desanca. Na *Mulher Fatal* há isto. "Aí apareceu certa vez um arqui-tolo com grandes foros para maior graduação, etc." E embaixo da página a nota: "O senhor doutor Joaquim Teófilo Braga, na *Visão dos Tempos*, 1.ª série". Imagine Flaubert fazendo isso na *Salambô*!

Não lhe perdoavam nada a Camilo, mas com que furor revidava os assaltos! Há dele não sei qual romance que em certo ponto está lamecha demais e "pau"; parece que Camilo mesmo percebe isso e, de repente, sem mais nem menos, larga a história e dá uma surra tremenda nesse mesmo Teófilo Braga. Depois continua a história, como se não tivesse havido coisa nenhuma.

Nas *Noites de Insônia* noto o capítulo "Os Três Joaquins" que é um desaforo de gênio. Ele encambulha três Joaquins — o Teófilo Braga, o Joaquim de Vasconcelos ou dos Músicos e mais um terceiro, e lança-os com um pontapé à Posteridade. Quem se lembraria hoje desses três Joaquins, se não fosse o pontapé camiliano?

Ando vendo-não-vendo a fazenda. Este mês resolvo. Poderemos então realizar um dos nossos velhos projetos: a estação à beira-mar juntos. Será lindo — mas quanto mais lindo se ainda vivesse o Ricardo e fôssemos para Itanhaém ou Ubatuba os três! Que saudades tenho do Ricardo! O tempo passa, mas a saudade não passa.

Lobato

Fazenda, 3,8,1917

Rangel:

Acabo de ler o último capítulo de *Vida Ociosa*. Se algum tranca me disser que não és o sucessor de Machado de Assis, leva bofetada nas ventas. Ninguém é juiz em matéria própria. Teu juízo sobre a *Vida* é suspeito, não tem valor legal nenhum. Os outros é que tem de dizer, como eu, que aquilo é uma obra prima de psicologia e realismo das mais puras. Depois dos livros de Machado, nada apareceu em nossas letras que a iguale. Quero ter a glória de ser o primeiro a dizer que a *Vida Ociosa* só pode figurar em nossas letras junto ao melhor de Machado. E se depois de publicado o livro o mundo inteiro não disser a mesma coisa, paciência: é que o mundo inteiro é uma grande besta.

Vendi a fazenda a um senhor Alfredo Leite, de Vila Paraguaçu; e embora ainda não passasse a escritura (será a 10 ou 15), já o movimento começou a correr por conta dele. Saio daqui para Caçapava, provisoriamente, e de lá tomarei rumo definitivo. Não tenho planos. Espero que o vento me leve para não sei onde. E se não houver vento, escolherei descansadamente um ponto do mundo para armar o meu rancho e viver. Duma coisa tenho a certeza que faço agora: ir visitar-te aí em Minas!

Adeus.

Lobato

Fazenda, 9,8,1917

Rangel:

De fato, o Álvaro Silveira, com quem trago relações epistolares embora sem conhecimento pessoal, bolou as trocas, como verdadeiro habitante da Lua que é. Boa piada, o Sete Orelhas de Januária! Imagino o assombro dos seus amigos recebendo lá o estranho pedido de informação.

O Alfredo Leite chegou hoje. Vamos lavrar a escritura amanhã. Vendo a fazenda e vou para o olho da rua com os trastes às costas, sem saber onde morar. Fico uns tempos em Caçapava, assuntando. O mais provável é cair em S. Paulo, já que estou com Portugal impedido pela guerra. Que bela ocasião para a realização daquele sonho de viver uns tempos em Samardan, a aldeia de Camilo — ou em Cabeceiras de Basto! Mas o homem põe e Marte dispõe.

Penso em visitar-te aí antes de deixar Caçapava. Penso, penso... Quantas vezes já pensei nisso?

Espantou-me a rapidez do retorno do livro do Seabra. Ele quis converter-me e deu-me várias obras. Não nego o ocultismo, aceito tudo quanto eles têm como provado — mas meu horror às trevas me vai deixando do lado do Sol. Tão lindo o Sol! Não me interessou o Eliphas Levi. Nem o resto. Tentei ler alguns: enfadaram-me. Acho que isto é mera questão de temperamento. O meu não vai com aranhóis tecidos nas trevas.

O Pinheiro Júnior pensa numa série de "edições" da *Revista do Brasil* e estamos em sua lista. Só aguarda a "baixa do papel." Também o Pinheiro põe e Marte dispõe.

Adeus. Vou fazer sala ao Alfredo Leite, que vem chegando duma vista d'olhos pelas divisas.

Lobato

Caçapava, 24,9,1917

Rangel:

Demorei-me em escrever por causa da corrimaça. Estive meio mês no Rio e dez dias em S. Paulo, donde voltei ontem. Minha tenção era fixar-me no Rio, onde pelo menos há *la naturaleza* e o Wenceslau; mas a mulher dispôs o contrário. Quer São Paulo e, pois, muito a contragosto, tenho de fixar-me em S. Paulo, terra bem pior que o Buquira. No Buquira ninguém se embasbaca com o Frango Sura.

O fim desta, porém, não é contar da minha vida, senão dar-te o meu abraço pela vitória da *Falange Gloriosa*. A apresentação do *Estado* operou um efeito siderante. Os que te admiravam à socapa (medo de puxar fila), proclamam agora desassombradamente que és um Machadinho de Assis mineiro. Estás lançado, afinal! Agora é deitar-se em livro e mandar D. Bárbara ir bordando a farda da Academia de Letras. Os ouros ela encontra em qualquer empresa funerária daí mesmo — ou no Rio, Casa Sucena.

Para fazer alguma coisa, resolvi tornar-me editor. Começo publicando os contos do Valdomiro Silveira, outros do Agenor Idem e o *Saci-Pererê*. Faço a experiência com esses três livros e, conforme correrem as coisas, ou continuo ou vou tocar outra sanfona. O *Saci* é um livro *sui-generis* — para crianças, para gente grande fina ou burra, para sábios folclóricos; ninguém escapa. Dará dinheiro. Depois edito você. Faço tal reclame de você que todo mundo em S. Paulo está de olho em Santa Rita. Isso aí já nem é cidadinha mineira: é aquela sarça ardente da Bíblia que Moisés olhava de olho arregalado. Jeovah Shammah!.

Lobato

Caçapava, 30,10,1917

Rangel:

Na impossibilidade de escrever qualquer coisa, venho para esta nossa simbiose. Vai uma inferneira aqui em casa. São três os diabretes e gritam e pinoteiam como três maluquinhos. E há as conversas, os ralhos da dona da casa, os rumores da rua. Nem carta é possível escrever. A nossa cabeça nos momentos de *fiat* é uma harpa eólia. Se no silêncio dum gabinete só as emoções íntimas gravitam pelos bordões, sai coisa. Mas se por ele se metem guinchos de crianças, ralhos de mãe, as vozes da rua e o mais, o que nos sai é uma salgalhada de pepinos crus. À noite raro emudecem dois fonógrafos fronteiros e rivais. Apostam corrida. Mal ataca um deles a *Cabocla do Caxangá*, o outro muda a agulha e vem com o *Hino Nacional* — e a mistura via Wagner. E mais noite a dentro, quando a voz de Edison cala, é o cachorro dum terceiro vizinho que se põe a ladrar à lua. Ora, a quem saiu, como acabo de sair, da *Casa dos Ramires*, onde passei três saudosos dias em visita àqueles amigos velhos, o bom Gonçalinho, o querido Titó, o Bento, a tia Rosa, a ouvir Gonçalo escrever e ler para mim a história do seu Tructesindo avô, no silêncio da torre, entre goles de chá forte e intempestivas serenatas do Videirinha, esta Caçapava, toda filhos grulhentos, cães poéticos e sons inimigos do estilo, derranca. E me vem inveja de tua tenda em Santa Rita, onde só há o Nelo e nenhum fonógrafo, nem cão, pois nunca te queixaste dessas coisas. Há silêncio aí, Homem Feliz de Moura Rangel! Eis porque levas a cabo romances inteiros.

Fialho é um estilo, Rangel! São dois os grandes estilos — Camilo e Fialho. Eça, que eu tanto admirava, parece-me, ao pé destes dois molossos, um alegre cozinheiro de operetas parisienses. Um arreglador. Sabe o que é? Calão de "mambembe". O trabalho deles aparece nos anúncios de espetáculo.

> HOJE   HOJE
> O REI BABAU
>
> Arreglo de *Le Roi Bobeche* de Coignard
> Por
> EÇA DE QUEIROZ

A palavra me arrepiou quando a topei pela primeira vez; hoje compreendo o valor expressivo do neologismo. Com grande talento, Eça arreglou Paris para uso de Lisboa.

Mas em Fialho há gênio, há estilo. Possui ele uma visão toda artilhada de telescópios e microscópios. Vai logo aos recessos mais íntimos, às privadas, aos subterrâneos da alma humana e revela as pudicas e escondidíssimas escorrências. E quando descreve cenários, usa lucilações de relâmpagos. "Quis a janela aberta: estava um dia supremo, vivo de sol, com tintas loiras de inverno sobre os montes."

Nós, Rangel, nós do Minarete, viciados pelo senhor Emile Zola até no modo de pegar na caneta, pervertemo-nos com a maneira de Zola — ótima e certa nele, porque era dele, mas péssima em nós porque nos sufocava o surto da nossa maneira; nós, Rangel, diríamos assim:

"Pediu que abrissem a janela. Fora, um dia soalheiro (interferência do Eça) derramava o ouro de sua luz sobre a terra inteira, e nos montes punha tons alaranjados de outono."

Nove palavra a mais e quatro calorias de expressão pictórica a menos. E isso se nos contentássemos apenas com 28 palavras, o que seria um puro milagre de economia vocabular, dada a nossa verborreia incoercível. E hoje que o "naturalismo" zolaico passou, ainda andamos patinhando por lá, como gente de anquinhas em estação de vestidos colantes. Eu já dei limpa de enxada em meu terreno, mas há muito rebroto que preciso estar sempre quebrando. É preciso deixar o chão totalmente livre das coisas plantadas, para que nele brotem as sementinhas que os ventos trazem — as guanxumas, os carurus, as beldroegas, os cordões-de-frade, as gramíneas congeniais e personalíssimas desse conglomerado de órgãos, sangue e células que Caçapava vê passar na rua e classifica no gênero *Homo*, indivíduo Lobato. E como somos, eu e você, uma velha parelha a puxar o mesmo carro, convido-te a empreender esta terrível obra de sacha, extirpadora das ervas francesas. E melhores gadanhos não conheço, que o velho Camilo e este truculento Fialho. Gadanhemo-nos, Rangel! Com um ano deste regime, curamo-nos da sarna gálica. Para filosofia, Nietzsche, que é um tanque desbravador de tudo, e tem a sublime coragem de nos dizer: *Vade mecum? Vade tecum!* Queres seguir-me? Segue-te!

Tens aí *Novelas do Minho*? Lê *Maria Moisés*, começos, as páginas mais profundamente descritivas e naturalísticas jamais escritas. Quando o tal naturalismo fotográfico fez melhor? Veja a cena entre o abade, o desembargador e duas irmãs deste. É Portugal inteiro.

Saiu no *Estado* mais uma escorrência minha. Ainda é produto do Lobato francês em transição. O Lobato limpo com cacos de telha e potassa cáustica, desgafado da sarna gálica, esse ainda não veio a público porque o *Estado* não é o picadeiro conveniente. Eia, Rangel! Na assembleia escassa dos que têm a coragem de apresentar os respectivos Eus em pelo, entremos desassombrados com os nossos. E com um letreiro na bunda, à Raul Pompeia: "Mau, mas meu".

Lobato

CAÇAPAVA, 11,10,1917

Rangel:
Rui Barbosa me dá a impressão, na ciência, duma superposição de autores; no

estilo, duma superposição de clássicos. Vejo nele Vieira, Bernardes, Latino, Frei Luiz, Herculano, Camilo — dele pessoalmente, só a sabedoria e fina arte do misturador. Rui é uma grande Central telefônica a que vão ter todos os fios; e do conglomerado ressoa uma voz eólia, de qualquer lado que bata o vento. É uma focalização. Toda a ciência, toda a literatura de todos os tempos e povos converge seus raios naquele refletor mental que os emburilha, funde e dá — como as cores fundidas dão a luz branca — esse clarão cegante, excessivo, que atrai todas as mariposas e afugenta todos os morcegos: RUI BARBOSA.

Rui tem o gênio dos cadinhos: funde. Falta-lhe o gênio das retortas: que cria. Rui dá "misturas" geniais: não dá "combinações" novas. Tenho para mim que Rui é muito mais Força da Natureza do que Força Individual. É um estuário amplíssimo onde cada punhado d'água que tomemos mostra o nome do afluente contribuinte; ou cada folha ou flor carreada conta de que árvore caiu.

Acho Rui imenso como o Amazonas, mas sem a imensidade dum Shakespeare, dum Nietzsche, dum qualquer Grande Emissor de ideias. Dele me disse ainda há pouco Martim Francisco, em Santos: "Rui é um grande escritor sem talento: porque não cria". Nada mais falso. Impossível talento maior que o de Rui. Chega até às raias da genialidade — mas fica-se na categoria do gênio sem medula criadora.

Eu já tive o meu período febril de ruísmo, igual ao teu de hoje: foi em fins de Afonso Pena e Nilo e todo o Hermes. Aquele Rui combativo, cruel como Jeová, feroz como Ezequiel, foi a culminância do "fenômeno Rui". Mas ainda nessa fase funcionou como o refletor de todas as ânsias, queixas e desejos da nação. Fez-se Voz da Natureza, Boca do País. Naquele tempo, por política, estavas divorciado dele. Tentei conversar contigo sobre a Águia que depenava o Avestruz e tu fugiste com o corpo. Hoje dá-se o contrário. Eu é que estou divorciado de Rui... por motivos bélicos. E não o leio. Como torço pela vitória da Alemanha e Rui é o paladino da derrota alemã, resumo a minha opinião sobre ele com a imbecilidade dum calouro: "É uma besta!". Mas sei ou sinto que isso é pura imbecilidade minha diante de imbecis ainda maiores que eu. E se não o leio é na certeza de que se o ler, a "besta" me converte com a sua lógica de aço e cá me põe o germanismo de cuecas, de pernas para o ar. Porque o meu germanismo tem fundamentos grotescos: a causa número um é ser aliadófilo o meu barbeiro; a número dois é serem aliados o *Estado de S. Paulo*, todos os meus amigos e toda gente. Germanizando, eu me isolo do barbeiro, do mal e duma súcia de amigos. Pura questão de higiene mental.

A tua descoberta da serventia do vernáculo bem aprimorado como tampão do vazio de ideias, cai na regra de que a Forma salva tudo. Haja Forma, e o leitor, engodado pela beleza exterior, esquece-se de pedir beleza interior (ideia). E assim os patifes da Elegância fazem com meia arte o que a pede inteira.

A minha *Cavaleria Rusticana*, que vou mudar para *Os Faroleiros* porque toda gente confunde "cavaleria" com "cavalaria" (que cavalos!), é uma colcha de retalhos cozida com panos de diversas épocas e de várias qualidades — linho, algodão, estopa. Coisas feitas e refeitas a intervalos nunca saem a preceito — e no entanto o Albino gosta imenso desse conto; há de ser aquele constante som de mar; Albino não tem cara disso, mas pode ter sido um viking em outra encarnação.

Estou guardando os rodapés da *Falange Gloriosa* para uma leitura de assentada. Todos a filiam ao *Ateneu* de Raul Pompeia. Que bestas! A única aproximação é que nos dois romances a coisa se passa num colégio.

Mudo-me para S. Paulo na próxima semana. Fico na rua Formosa 53 até tomar casa. Adeus.

Lobato

S. Paulo, 4,11,1917

Rangel:

Explica-se tudo. Não há em Shakespeare tragédia igual à saída das covancas do Buquira para uma fixação na rua Genebra 9, com "estações de Passos" em Caçapava e no 53 da rua Formosa. Brotam na vida comum batalhas que valem a de Verdum. Venci uma. Chamo vitória ao fato de ver de novo nas estantes, embora atrapalhados e metade de cabeças para baixo, a infernal livralhada que sempre me perseguiu na vida. Lá na fazenda eu mesmo os encaixotei. Nunca deixo ninguém arrumar meus livros. Ainda ontem, se quisesse, não podia responder ao teu bilhete. Nem tinta, nem papel nem mesa — e tenho tudo hoje no lugar, Rangel, graças à maravilhosa invenção da Roda. Se não fosse a Roda, como operar o milagre de transpor tantos móveis e caixas lá do alto da Serra da Mantiqueira para aqui, nesta rua Genebra? E em cidade nenhuma há um monumento de gratidão à Roda!

E já pude tomar o meu gole de Camilo n'*O Vinho do Porto* — cem páginas do mais terrível humorismo, onde, como sempre, ele esquece o assunto e vai cabritando, de associação em associação de ideia, pela estrada da Veneta afora — esbanjando provas de que é, como o Hotel Pereira em Taubaté, único no gênero.

Entrementes, o nosso Nacionalismo Vermelho — que tem vários pais, entre eles o Nogueira (que cá esteve, gordo e forte, sempre com aquelas teses que casam Bizâncio com o século 30) e o indefectível Frango Sura (sura só no apelido, pois está com rabos na alma) — estruge e muge, corcoveia e rabeia, e percorre a cidade em procura de inofensivas placas de firmas alemãs. Não sei, mas juro que à testa dos arrancadores da placa do Banco Alemão estava o Frango Sura, com o patriotismo mais ereto que um *Lingam* sagrado da Índia. As formas de rua da nossa guerra à Alemanha ainda acabam ressuscitando o Mark Twain. Só ele, e com a mesma pena com que escreveu aquela história da caça ao elefante branco, pode fixar o grotesco destes paspalhões do grito na rua.

Lá pela *Revista do Brasil* tramam coisas e esperam deliberação da assembleia dos acionistas. Querem que eu substitua o Plínio na direção; mas minha ideia é substituir-me à assembleia, comprando aquilo. Revista sem comando único não vai. Mas a coisa é segredo — nada contes aos vereadores de Santa Rita; pode trazer complicações diplomáticas e ocasionar algum desvio na rota de Saturno.

O Saci está no prelo; depois, Ricardo!

Meu projeto de ir a Minas gorou. Venha você a S. Paulo. Meus projetos goram como ovos, porque não sou um, sou dois. Eu ponho, Purezinha impõe. Como a tua Bárbara. Ambas são "imponentes".

Lobato

S. Paulo, 8,12,1917

Rangel:

Parabéns pelos trinta e três do dia 21. Sou ano e meio mais velho. Meu *Saci* está pronto, isto é, composto; falta só a impressão. Meto-me pelo livro a dentro a corcovear como burro bravo, em prefácio, prólogo, proêmio, dedicatória, notas, epílogo; em tudo com o maior desplante e topete deste mundo. Ontem escrevi o Epílogo, a coisa mais minha que fiz até hoje — e concluo com a apologia do Jeca. Virei a casaca. Estou convencido de que o Jeca Tatu é a única coisa que presta neste país.

Se o negócio correr bem editarei outros livros — o teu dado no *Estadinho*, por exemplo. Aquilo é ótimo. Purezinha não perde número, mas faz restrições; acha que o exagero das charges prejudica o efeito.

Quanto ao meu livro de contos, fica para o Centenário da Independência. Imagina que eu o quero ilustrado. E sabe por quem? Por mim mesmo. Ora, como desenho pior que um caranguejo, entrei no curso Elpons-Zadig-Wasth. Das 7 às 9 da noite lá estou a desenhar modelos vivo. Vários colegas. Um, o dono da Casa Kosmos. Devo nestes cinco anos estar apto para ilustrar o meu livro, e então...

Quem vai cair nas minhas unhas editoriais é você, juiz duma figa! Editar-te-ei inteirinho, com porcentagem dobrada; para os outros, 10% do preço de capa, tabela geral e universal; para você 20%! Felizardo...

As minhas cartas antigas são ultra ingênuas; só as devolverei se você me prometer nada extrair delas nunca. Comprometem um cidadão que breve estará "negociante matriculado".

Adeus. São horas de ir desenhar um nu.

Lobato

S. Paulo, 11,12,1917

Rangel:

Será possível que afinal vamos nos ver depois de dez anos de interregno? Terás já uns fios brancos? Eu tenho uma dúzia.

Moro na rua Genebra 9. Chega-se cá partindo da rua Direita, descendo o Piques, subindo a ladeira Santo Amaro e quebrando à esquerda. Com mil e quinhentos passos chegas do Largo da Sé ao meu número 9. Vem, vem, que é tempo — já que eu não fui.

O que me increpas ao estilo é certo. Reconheço-o e é deliberadamente que sorvo as brutezas de Camilo. Esse galego soa a carne crua numa terra em que, a avaliar pelo "amarelão" do estilo comum, os escritores só se alimentam de marmelada branca. Em todas as literaturas eu procuro sempre o carnívoro — os Kiplings, os Menckens, os Gorkis — e ponho os alfenins de banda: Pierre Loti, Catulle Mendes e mais mimos de Vênus. Meu regime dietético é o dos cloróticos: Ferro Bravais, bifes vermelhos, coisas bem azotadas. Evito farinhas. O fim em vista é mineralizar o Verbo para ver se não morro da tísica mesentérica do "estilo brasileiro", para o qual devo ter predisposição congenial: "Colhe hoje mais uma primavera no jardim risonho da sua preciosa existência, etc.". O estilo nacional, morno e sorna, reve capilé com goma, xarope de melancia, mingau de araruta.

Camilo é o estilo estadulho. Dá porradas geniais! Kipling é o estilo White Label. Inebria depressa. Gorki é vodka. Derruba. E nós? Alencar é capilé com Água Florida, bebido em "copo de leite". Macedo é capilé com canela, bebido em caneca de folha. Bernardo Guimarães é capilé com arruda, bebido em cuia. Coelho Neto é capilé com Grécia, bebido em ânfora de cabaça. Machado de Assis é capilé refinado, filtrado, puríssimo, bebido pela taça da cicuta de Sócrates. Afrânio é capilé com ácido fênico. Rui é... Mentira! Rui não é capilé. Euclides também não é — mas se o fosse, seria capilé com geodesia. Grandes ou pequenos, bons ou maus, em todos nós o capilé *perce*; como transparecem em todos nós, socialmente, as taras vindas naquela nau de Tomé de Souza que nos abasteceu a estirpe com quatrocentos degredados e quarenta jesuítas.

— Ora, eu sou também capilé — mas um capilézinho que se convenceu disso a tempo e procura avinagrar-se. Está claro que o não conseguirei nunca. Serei sempre, no fundo, um capilé com farofa — mas reajo e procuro desvencilhar-me da predestinação. Como não miro academias, nem glória — coisas ao alcance da "habilidade" — divirto-me cá com os meus três espectadores, a pena, o papel e a tinta, no trabalho de embrechar fibras no que, por gomoso de nascença, não as comporta. E assim o que sai do meu laboratório varia muito; ora entremostra fibras de empréstimo, porque o mingau intercalar escorreu (não era um bom *binding*, diria um inglês), ora é só mingau, porque as fibras alheias nele se dissolveram.

Quanto às sinalefas, acho-as um elemento de força. Dizes que as tomo de Fialho. Não, porque não foi Fialho quem as inventou. São velhas como a língua. Tomo-as da gramática, como da gramática também as tomou Fialho. Mas não há dúvida que Fialho delas abusou — e por isso obteve tons e efeitos fortes, nunca antes vistos na arraia miúda dos ecléticos.

Meu estilo está em formação. Talvez fique em formação toda a vida. O de hoje é uma fase. Fase da Lua Cheia, talvez precursora de mais equilibrada e discreta Minguante.

Leio com encanto *History of England* de Sir Macaulay. E também leio as cartas de Taine. Nelas encontro este juízo, numa a Cornélio de Witt: *"J'ai lu Macaulay que j'admire infiniment. Merci de cette idée"*. Para que um dia me agradeças, aconselho-te a leitura dos *Essays* e também da correspondência de Taine. Outro mártir da má saúde, o Taine — espécie de Adalgiso Pereira. A sua correspondência com E. de Suckau lembra a nossa em certos pontos. Há uma eterna referência a Edmond de About e Prevost Paradol, como na nossa há uma eterna recorrência do Ricardo e outros.

Que fim levou o Raul? perguntas. Se os pirarucus ainda o não devoraram, Raul vige e viça em Belém. Sumiu-se para lá depois da subida do Lauro Sodré e dos Chermonts, dos quais é amigo. Fizeram-no qualquer coisa importante na administração, com oitocentos mil réis por mês — zelar pela multiplicação dos carapanãs, marcar peixe-boi, qualquer coisa assim.

Tua carta me chama a atenção para a bisbilhotice do Veiga Miranda. De verdade só há naquilo a fulminante saída do *Saci*. O resto é por metade fantasia, por metade sugestão — embora sejam coisas possibilíssimas se todos os *Sacis* saírem no prazo que espero. O que ele não disse e é certo, é que editarei as poesia do Ricardo. *A tout seigneur, tout honneur.*

Mas o momento não me parece próprio para qualquer iniciativa editorial. Só se cuida de guerra à Alemanha — "Tiros", quépis, Alsácia-Lorena, Isonzo, General Cadorna, von Mackensen, potocas. O nosso esforço de guerra se resume nessa "torcida" de longe, que o Frango Sura considera efetiva e decisiva. Como o futebol de domingo. Uma bola morta "ia entrando" no *goal*; um sujeito ao meu lado torceu o corpo como a lavadeira torce roupa e a bola entrou — e ele, ah, que ar de triunfo pessoal lhe vi na cara!

Um livro de sucesso comercial seria agora um: *Brasil invicto, avante! Ao Reno, ao Reno!* da autoria do Frango Sura, mas o Frango Sura está tão entretido em matar hunos nos seus jornais que ainda não pensou nesse *best seller*.

Doí-me ter filhos, Rangel. Como educá-los, nesta terra? Em que princípios? Que moral ensinar-lhes? Nossa ascensão como povo é ladeira abaixo. A monstruosidade do hermismo não foi nenhuma crise; aquilo é endêmico. Arrepiamo-nos porque Ruy levantou a tampa e disse ao país: "Veja!". Wenceslau tampou de novo — mas quem ainda se ilude quanto ao que referve, e é, debaixo da tampa? Cada vez mais me convenço da sabedoria do Ricardo, matando-se. E, por falar, que é que nos mandas dele?

Estou com aquele conto gramatical a me morder a cabeça como um piolho. Vida, aventuras, males, doenças e morte trágica dum sujeito, tudo por causa da gramática. Nasce em consequência dum pronome fora do eixo e morre vítima de outro pronome mal colocado. Entram na personalidade do Aldrovando Cantagalo meia dúzia de gramaticantes cá de S. Paulo. Coisa *pince sans rire*.

Todos me falam da *Vida Ociosa* e da *Falange*. E o mais que te digo é o que já disse. Purezinha dá-te grau dez. E bem sabes que o juízo dela vale ouro, porque é instintivo e portas a dentro. É a única pessoa que condenou uma porção de coisas que escrevi. Diz que não presta e acabou-se. Não justifica. Eu que me fomente.

Adeus.

Lobato

S. Paulo, 28,12,1917

Rangel:

Devo-te muita parolice e se já não paguei é que caí nas unhas duma neurastenia das negras. Estado d'alma do caçador que só tem uma carguinha de chumbo na espingarda pica-pau e não sabe no que atirar. Só vê passarinhos miúdos — curiós, tico-ticos; nenhum jacu. Falta-me o jacu, Rangel! Não há jacus nestes matos batidos.

Vejo ao longe uma ave exótica: a Europa. Não mais o projeto antigo da aldeia minhota, mas Paris. Acho que só de lá posso ver bem e bem estudar este Brasil. Cá dentro somos um pau da floresta, e os paus das florestas não podem fazer ideia das florestas em conjunto. Falta-lhes o longe da perspectiva aérea. Aquele soldado de Stendhal que andou perdido uma porção de tempo, muito se admirou mais tarde quando lhe disseram que "aquilo" havia sido a famosa batalha de Waterloo. Tenho de colocar-me longe para olhar e ver se o Brasil é coisa que mereça consideração. Possuem os que na América não são bugres puros, duas pátrias: a mãe nativa, a mestiça simplória que nos pariu por obra e graça duma fecundação de europeu, e a mãe-de-criação, a Europa, que nos dá desde o berço uma língua, aos quinze anos nos dá Robinson e Júlio Verne, aos vinte nos dá toda a França e daí por diante nos dá a "heimatlândia", essa coisa sem pátria, formada da secreção de toda a mentalidade universal. Acho penoso viver toda a vida no regaço da mãe tapuia, ainda de argolas nos beiços da alma, embora vestida de Eloys Chaves e Wenceslaus e com o Freitas Vale ao colo. Mas minha fuga à Europa depende do fim desta maldita guerra.

Para apressar o desfecho, encarreguei uma prima em muito boas avenças com o Céu de fazer uma promessa a um Santo Antoninho de chumbo, que ela possui e é extremamente milagroso; promessa para que a guerra acabe logo, nem que seja com a vitória do Wenceslau.

Que maravilha o antropocentrismo! Até aqui eu queria a perpetuação da guerra porque me regalava com os tremendos títulos e subtítulos dos jornais; mas já não a quero, agora que vendi a fazenda, porque me está a estragar a Europa com que sonho! *Eu!* Que maravilha os nossos pequeninos eus! Somos pequeninos centros a que vão ter todos só raios do universo.

Irá comigo o Wasth Rodrigues, como cicerone, ou pedaço da pátria tapuia; é o rei dos jesuítas, mas bom para a troca de impressões. Já você não pode ir; não vendeu a comarca! Que bom seria o mundo visto por nós dois juntos! Mas como dar asas a esse raizame em que você se transformou? De lá escrever-te-ei carta; como as do Presidente Debrosses...

Pretendo ir sem prazo de volta. Deixo os filhos num colégio, estudando o padre Feijó e outras beterrabas.

Eis, Rangel, o sonho atual — o meu livro atual, o romance em que trabalho com a "pena do devaneio na tela da imaginação", como diria o Macuco. E para isso já me afastei do mundo das letras, onde me ia insinuando com a gazua daqueles contos do Buquira. Vai sair agora o *Matapau* e depois o resto do que escrevi no paraíso da fazenda. E pronto! Fica encerrada uma fase da minha vida e vou começar outra muito diferente: dedicar-me à pintura, afinal! Só a pintura me faz esquecer a vida.

Bom, chega de mim; agora você. Queres editar em livro a *Falange*? Resolva duma vez, porque estou habilitado a dá-la depois do *Saci*. Estou tirando dois milheiros. Que África, hein? Dos nossos só compareceu no inquérito sobre o saci — e excelentemente — o Nogueira.

Se por "saber português" entendes conhecer por miúdo os bastidores da Gramática e a intrigalhada toda dos pronomes que vem antes ou depois, concordo com o que dizes na carta: um burro bem arreado de regras será eminente. Mas para mim "saber português" é outra coisa: é ter aquele *doigté* do Camilo, ou a magnificente *allure* processional do Ramalho, ou a sublime gagueira do Machado de Assis. Aqui em S. Paulo o brontossauro da gramática chama-se Álvaro Guerra, um homem que anda pela rua derrubando regrinhas como os fumantes derrubam pontas de cigarro. As regras desse homem tremendo, quando vêm ao bico da pena dos escritores, matam, como unhas matam pulgas, tudo o que é beleza e novidade de expressão — tudo que é lindo mas a Gramática não quer. Outro gramaticão daqui escreveu um enorme tratado sobre a Crase; e consta que o Sílvio de Almeida tem novecentas páginas inéditas sobre o Til. O livro vai chamar-se: *Do Til*...

A esta gente o Camilo chamava lombrigas do intestino reto de Minerva. Estou com ideias de escrever um conto gramatical, *O Colocador de Pronomes*. Isto logo que me enjoe do curso Elpons e volte à pena. O Plínio Barreto oferece-me a direção da *Revista do Brasil*, mas sou um burrinho muito rebelde e chucro para ter patrão — e iria ter dois: Júlio Mesquita e Alfredo Pujol.

Vê se tiras logo uma sorte grande, para irmos mamar juntos o leite da Ísis europeia. Creio que Ísis era uma vaca sagrada do Egito. E adeus. Acabou o papel.

Lobato

1918

S. Paulo, 8,7,1918

Rangel:

Recebi tua carta e a de D. Bar, e vi as muitas coisas que elas deixam entrever.

Os *Urupês* vão se vendendo melhor do que esperei, e neste andar tenho de vir com a segunda edição dentro de três ou quatro semanas. Há livrarias que no espaço duma semana repetiram o pedido três vezes, e como os jornais ainda nada disseram, julgo muito promissora essa circunstância. O *Saci Pererê* também se vende bem; estou já só com um resto — talvez um quarto da 2ª edição. Se as coisas continuam assim, ponho mais uns ovos: faço um livro com coisas do *Minarete*.

Os meus negócios hoje cifram-se nuns dinheiros a juros (que infâmia pôr dinheiro a juros! Devia ser proibido por lei) e a *Revista do Brasil*, onde estou desenvolvendo furiosamente a propaganda. Espero dobrar-lhe a tiragem ainda este ano. E dou-te parabéns pela prosperidade — a tua prosperidade. É o que serve, como diz o galego. A alta do papel impede-me de lucros maiores na *Revista* e nos livros; mesmo assim, cada milheiro deixa líquido um conto e tanto... quando não encalha. A mim me favoreceu muito aquela campanha pró-saneamento que fiz pelo Estado. Popularizou a marca "Monteiro Lobato". O público imagina-me um médico sabidíssimo, e a semana passada tive um chamado telefônico altas horas da noite.

— "É o doutor Monteiro Lobato?"

— "Sim."

— "Doutor, minha mulher está sentindo dores. Poderá vir atendê-la?"

Meu primeiro ímpeto foi ir e puxar para fora o filho daquele sujeito — depois contar o caso na rodinha. Mas a respeitabilidade venceu. "Não sou médico parteiro, meu caro senhor" — "Queira desculpar. Eu pensei que..."

Ele pensou que e eu penso que chegou a hora de publicar na *Revista* todos os teus contos do *Minarete*. Depois os reuniremos em livro e os soltaremos com grandes toques de caixa. Preciso dum romance para rodapé. Manda-me um daqueles "números". Sou hoje um dos que decidem do destino das coisas literárias do país. Curioso, hein?

Lobato

S. Paulo, 1918

Rangel:

Escapei da grande encrenca. Purezinha não viu a carta. Eu te disse aquilo muito de propósito para que tua mulher lesse. O caso foi assim. Esteve cá não sei quem de Minas e me contou que te achara excessivamente magro e tua mulher muito gorda. E vou eu então e escrevo aquilo, para que ela emagrecesse um pouco e desse modo se aproximasse do equilíbrio conjugal quanto ao peso. Ótimo o sistema das mulheres lerem as cartas do marido: serve até para fins terapêuticos.

Estiveram cá tua irmã e o sobrinho. Pouca valia tenho para colocar gente, mas talvez arrume o moço. Estou agindo.

Achei bastante "preciosa" a tua carta (no sentido de Molière) e com amabilidades que em geral só usamos com os inimigos ou os indiferentes. Será que o juizado já está agindo? E até para os amigos escreves em língua "magistral"? Deixa-te disso, meu pulha, que ainda que vás para o Supremo para mim serás sempre o Rangel que fez de "gato pingado" no enterro do Orelha Gorda. Não há grande homem para o criado de quarto de Napoleão.

Quando te removes para Estrela? Estou ansioso pelo teu ancoramento, a ver se cumpres o prometido à *Revista*. Que ou qual revista não desiste de publicar os *Bem Casados* mesmo como estão. Isso de melhorar o escrito velho não melhora coisa nenhuma; há o caso do santeiro que de tanto apurar o olho do santo deixou-o cego. Manda-me os *Bem Casados*, e para lá com a burrice. Cheira-me a burrice de juiz — que é a pior. Eu queria, agora que a *Revista* é minha, ver-te ali como gato da casa, em todos os números, com coisas filológicas, com romances e contos, espiolhados ou não. Vamos, meu juiz estrelado! Pendura a toga no porta-chapéus e "minaretiza" à moda velha.

Lobato

S. Paulo, 30,7,1918

Rangel:

Chegaram os teus cartões. Há dias fui com o Oswald em procura do velho Minarete — pela primeira vez desde aquele nosso tempo. Está na mesma coisa, só que pintado de fresco. O carvalho da entrada, maior; mas sempre sentimental e poético, mormente agora que se despede das últimas folhas amarelas. Os carvalhos conservam os seus hábitos europeus; ainda não aprenderam o mau costume das árvores indígenas, de se conservarem verdes o ano inteiro — essa monotonia que desespera os pintores. Espiei do portão aquele "Paradou" da entrada, aquela cercadura de canteiros maltratados que nem poda conheciam, e minha sensação foi a de coisas idas — deliciosamente idas — paisagenzinhas do *Tartarin de Tarascon* e do *Robert Helmont*... O que mudou, e desastrosamente, foi o arredor. Aquela rua de pinheiros, que ia do portãozinho à avenida do bonde da Penha lá embaixo, já não tem pinheiros, nem é de terra e matinhos marginais, está sórdida, infamemente calçada de paralelepípedos e compactamente edificada dos dois lados. Casas, Rangel, em vez daquelas sebes de espinheiro atrás dos pinheiros! A "cidade" alcançou a paisagem que aquilo ali era e matou-a. Em vez de paisagem, virou uma coisa reles chamada "Rua Cesário Alvim". Esse Cesário devia ter sido um sujeito prodigiosamente desinteressante, para interessar à imaginação dum lote de vereadores paulistas.

Mas a cidade alcançou o nosso Minarete, entalou-o dentro duma concreção chamada "casas do Brás", tão feias, coitadinhas, tão pobres, tão humildes... O grande terreno em volta do nosso chalé tornou-se um terreno pequeno. Lotearam a maior parte da chácara e venderam-na aos miseráveis bípedes que destroem as paisagens com a sua mania de construir casas. Mas o Minarete, o nosso chalezinho amarelo, persiste, resiste, insiste. Está assediado pelo casario invasor, está sem os pinheiros da frente, está sem a paineira dos fundos — mas insiste, resiste, persiste. Não adere. Não se alviniza. É um símbolo. Parece que está lá dentro a alma do Ricardo, de marreta em punho, escorando, detendo a invasão urbana.

É um símbolo. Nós cá fora também resistimos. Nenhum ainda aderiu. A Caiçalha morre, como o Ricardo, mas não se vende. O Albino, estive com ele em Ribeirão Preto; está cada vez mais Albino — rijo ali na filosofia, sempre a dar de ombros, sempre dubitativo, sem nenhuma certeza de coisa nenhuma. Você, aí nessa Estrela,[7] continua uma fera, a produzir. O Nogueira, sempre tremendo, cada vez mais moço, ainda não engordou e revela-se nogueiríssimo quando encontra um dos velhos cães. Insiste em Deus. Quer Deus. Impõe Deus com ferocidade teológica — esquecido de que o matou naquela famosa festa do Sant'Ana. Raul requinta-se na surdez. Teima em não ouvir. Para que isso de ouvir, uma coisa ao alcance de todos os asnos orelhudos? Está uma porta. Há aparelhos de ouvir, mas Raul não quer ouvir eletricamente, como o Malta, que aderiu à Audição e anda cheio de pilhas elétricas lá pelos bolsos de dentro. (Ninguém lhe aperta a mão, de medo de choque.) Eu finjo que aderi, Rangel, mas não aderi, juro! O Tito também não aderiu: ainda perpetra horrendos trocadilhos. Ninguém mais sabe o que é trocadilho e Tito continua na ejaculação! É o último tílburi do Trocadilho.

Meu livro esgotou-se no dia 26 — exatamente um mês após a saída. Estou a rever as provas da segunda edição — eu e o Adalgiso, esse maravilhoso mestre em vírgulas e pronomes no lugar. Ele pega as menores pulgas e estala-as nas unhas, dizendo: "Tu és uma besta, Lobato". Não esperei uma saída assim, nem igualmente a boa recepção do público e da crítica. Mando-te alguns recortes (devolva-os) e umas cartas recebidas. Só a Livraria Alves vendeu duzentos e cinquenta exemplares. A primeira edição deixou-me livre um conto e quinhentos mil réis; e como a segunda edição me vai ficar em novecentos e sessenta mil réis, não há mais meio de perder dinheiro com a experiência. Em virtude disso é possível que para o ano eu bote um segundo ovo — coisas velhas, do *Minarete*. A clientela quer.

Vi, mas não tenho acompanhado o tal concurso. Como és concorrente, vou segui-lo.

Sairá no próximo número da *Revista* o teu *O Destacamento* e vá preparando mais coisas. Hei de publicar-te inteirinho, na *Revista* e depois em livro — e vais ver que teu triunfo será muito maior que o meu.

Lobato

---

7 Rangel estava juiz de direito em Estrela do Sul.

S. Paulo, 17,8,1918

Rangel:

Obrigado pelo oferecimento, mas prefiro que digam de meus livros os estranhos. Aos amigos quero-os calados: já lhes conheço a opinião e também conheço o grau de amizade de cada um. A amizade nunca foi boa crítica. E, entretanto, recorreria a ela se o livro empacasse. Quem quer um filho empacado? Mas não empacou. Fui feliz. Não pedi juízo crítico a ninguém e estou tendo mais e melhor do que realmente mereço. Ainda ontem falou a *Gazeta de Notícias* em artigo especial, e na véspera havia falado *O País*. Mando os recortes. De você eu queria uma crítica à nossa moda, confidencial, em carta — sobretudo apontando os defeitos. Um defeito apontado é muitas vezes um defeito corrigido. Já uma qualidade elogiada é quase sempre um vício futuro: o autor passa a apurá-la em demasia e cai no excesso, como o econômico cai na avareza ou o liberal na prodigalidade.

O Adalgiso Pereira apontou-me bom número de deslizes, que já foram evitados na segunda edição. A minha gramática, você bem sabe, é de ouvido, e os ouvidos humanos sofrem as injunções da meteorologia: ora está mais fino, ora mais lerdo, conforme o tempo lá fora.

A *Revista do Brasil* vai bem. Quando me fiquei com ela, entravam em média doze assinaturas por mês. Hoje entra isso por dia. Nesta primeira quinzena de agosto registrei cento e cinquenta assinantes novos. Meu processo é obter em cada cidade o endereço das pessoas que leem e enviar a cada uma o prospecto da revista, com uma carta direta e mais coisas — iscas. E atiço em cima o agente local. Estou a operar sistematicamente pelo país inteiro. Mande-me pois daí o nome das pessoas alfabetas menos cretinas e merecedoras da honra de ler a nossa revista. E aguardo a tua resolução sobre a *Vida Ociosa*.

Lobato

S. Paulo, 29,8,1918

Rangel:

Estive pensando no seguinte: é preciso editar a *Vida Ociosa* e a *Falange Gloriosa* — você é o homem dos "osas". O fato do teu romance ter saído na *Revista do Brasil* corresponde a quase ineditismo. Ninguém lê essa maçuda e irrespirável revista cheia de cracas acadêmicas — Hélios, Mário e outros plagiadores da dureza da peroba. Que perobas! Estás ali e estás tão inédito como se te publicasse o *Correio Paulistano*. É indispensável vires a público em livro, porque o livro é como o germe que faz a palma, a chuva que faz o mar. Anda lá, pois, com as correções, elimina aquele final da expulsão do juiz, que está idiota e ninguém aceita e ainda ontem vi condenado por uma dama de faro apuradíssimo — e manda-mo. Vou editar o Ricardo em setembro — *Ipês*. Já temos, paridos pelo prelo, o Nogueira e eu; saindo você e o Ricardo, restará em estado interessante só o Albino com o seu tratado de psicologia. E o Cenáculo terá vencido, hein?

Aquela história do Adalgiso sobre o aspecto do livro é pura ancilostomose mental. O pobre Adalgiso é uma caixa de fósforos com os fósforos já queimados. Não dá fogo.

Sim, esqueci-me do Menotti. São tantos... Logo que eu tiver mais *Urupês* mandar-lhe-ei um. Onde está ele?

Parabéns pelo juizado. Isso. Ferra-te no Orçamento *ad perpetuam*. A Pátria necessita de bons carrapatos. Terás então o lazer preciso para cuidar da "tua obra".

Eu já ando farto de tudo isto — desta reclame indecente dos jornais amigos, do célebre almoço que o Simões Pinto inventou, da *Revista* com seus Hélios Lobos, desta Calábria paulistana, deste saneamento dos sertões do Belisário Pena, da geada, de tudo... Felizmente os fiscais da Sorocabana estão me processando por crime de injúria e calúnia; conforta-me a esperança de passar na cadeia alguns meses, a ler o Sílvio Pellico e outros tratadistas do "pau". Palavra de honra que hoje me seduz mais a cadeia do que a Academia. Mas vais ver que me absolvem. Ando em maré de "caguira". Conheces esta palavra nova? Equivalente da "urucubaca" tão em uso no tempo do Hermes. Meu mal é curioso, Rangel. Excesso de chance. Tudo me sai sorteado. Um dia, de boca, te contarei mil coisas.

O José Maria Belo e *O País* falaram dos *Urupês*. Vão os recortes e uma carta do Herman Lima, que não conheço pessoalmente. Quem merecia esta tremenda reclame eras tu, meu Rangel, cem vezes mais artista que eu — e estás silenciado! Parece incrível que não descubram em meus contos a pura obra de carpintaria que aquilo é. Peças ajeitadas *ad hoc* para produzir efeitos cênicos ou sentimentais — coisa de "curioso" da roça, nada mais. Ando com vontade de arrasar o meu livro numa crítica tremenda e desmascaradora, com um pseudônimo. Já me engulha esse livro. Nem rever as provas da segunda edição pude — revê-lo seria relê-lo e meu estômago rebela-se. Vem-me ímpetos infanticidas. Por que o reedita então? Porque se vende. Já que o público é besta, toca a explorar o público. Mas isto cá só entre nós. Com os outros eu me tomo a sério e com a maior gravidade.

Resolve quanto à *Vida Ociosa* e escreve-me.

Lobato

S. PAULO, 19,9,1918

Rangel:

O juizado te deu volta à cabeça. Escreves sobre o sobrinho toda uma xaropada e esqueces de me indicar o seu endereço, de modo que fico sabendo de tudo mas sem meios de dar a favor dele um passo prático.

Parabéns pelo juizado, e espero que desta feita te cures de metade de tuas doenças. Para a solenização do prodigioso acontecimento é indispensável que venhas tomar um chope no Guarani. Eu, se fosse o governo de Minas, forçaria por lei todos os juízes mineiros a um mês anual de Rio ou S. Paulo, a título de desasnamento. Um juiz enterrado anos a fio numa dessas bibocas opiladas que vocês chamam "cidades" cria bolores no cérebro; enche-se-lhe a alma de carunchos, baratas, percevejos, todos os pernícolas da estagnação. É condição de higiene um periódico desasnar-se nestas metrópoles safadas, onde há francesas e outros revulsivos — nefastos como a estricnina, quando ingeridos em doses maciças, mas benéficos como a estricnina, quando sabiamente dosados. Ora, viveste longos anos sopitado entre a filarmônica de Santa Rita do Sapucaí e o fitar o umbigo da vida introspectiva. Estás fatalmente com mais ostras na quilha do que navio alemão internado em porto neutro. A Harmonia Universal impõe-te um espreguiçamento, um *clean up* da casa cerebral. Inventa lá uma carta de bacharel que só possa ser tirada com a tua presença aqui; ou vem a chamado urgente do Tribunal de Justiça; ou vem trazido por um dos mil modos de vir inventados pelos maridos mais espertos que as esposas. Mas vem — e logo. Queremos ver a cara do novo juiz mineiro.

Lobato

S. Paulo, 30,9,1918

Rangel:

O teu sobrinho (que ainda não sei onde mora) veio procurar-me, mas justamente quando eu não estava. Não tem o senso da oportunidade e isso deixou o negócio no mesmo pé. Não posso comunicar-me com ele porque nem ele nem o tio me favorecem com o endereço. Que família desastrada!

Reclamo a berros os *Bem Casados*. A *Revista* anda à procura de bons romances e não há notícia de nenhum melhor que o teu. Manda-mo a toda brida! Depois de impresso na *Revista*, fazes o repasse último e soltamo-lo em livro.

Já pedi às oficinas orçamento para a 4.ª edição dos *Urupês*. Como sai esse livro! Vende-se tão bem quanto o *Tenente Galinha*...

Adeus.

Lobato

S. Paulo, 14,11,1918

Rangel:

Se já sararam todos em tua casa, parabéns. Parabéns que ainda não posso receber porque tenho na cama três filhos e duas criadinhas. Só em minha mulher não deu a infernal gripe, mas deu no pobre Adalgiso. Acabo de vir do cemitério onde o enterramos. Morreu ontem às 7 da noite, dias depois de sair no Estado o seu último artigo, um em que fazia a mais extravasante apologia do Gelsemium para a gripe. O nosso pobre Adalgiso deu essa droga como o remédio infalível contra a peste — foi para a cama e morreu da peste. Das mortes havidas, nenhuma senti tanto. Que bela inteligência! E das servidas pela mais primorosa cultura literária. Fino, o Adalgiso. Ultrafino. Um encanto. Mas seu corpo era dos mais mal servidos de nervos e músculos. Teve tudo para uma esplêndida vitória no mundo das letras, mas falhou porque o corpo o não ajudava — corpo tão fraco que não resistiu à gripe, nem com a maciça apoteose do Gelsemium.

O que tem havido por aqui e no Rio é um rosário de horrores e tragédias. Aquelas infernais pestes da Idade Média deviam ser assim. Um furacão inopinado. Rajadas de morte. Só quem aguentou o lance num centro populoso como este, pode fazer ideia.

Arranjei colocação para o teu sobrinho no Correio, mas justamente quando o Administrador mandou chamá-lo, ele, pá! cai com gripe... Não tem o mínimo senso da oportunidade.

Lobato

S. Paulo, 24,11,1918

Rangel:

A peste penetrou em casa. Adoecemos oito pessoas — ou todos, menos Purezinha. Mas saramos todos e espero que estejamos quites com o flagelo em troca da perda de uns tantos quilos de carne.

Das mortes próximas e sentidas doeram-me mais a do Adalgiso e a do Simões Pinto. Adalgiso nestes últimos tempos convivia comigo tal qual vocês do Cenáculo antigamente. Tenho-lhe a imagem — ou mil imagens — gravadas em todas as células do cérebro — e tenho aqui em casa todos os seus livros (a viúva entregou-mos para que os venda), e recortes de jornais, autógrafos. Pobre Adalgiso! Era a melhor inteligência de quantas sei por aqui, mas num corpo de valetudinário. Gibson devia ser assim.

Como ainda estou de resguardo e preso em casa, leio como nos bons tempos de Taubaté. Fechei neste momento um romance de Lima Barreto, *Isaías Caminha*. É dos tais legíveis de cabo a rabo. Romancista de verdade. Amanhã vou assinar com ele contrato para a edição dum livro novo, *Vida e Morte de M. J. Gonzaga de Sá*, cujos originais já estão aqui. A letra é infamérrima e irregularíssima. Há trechos em que o autor positivamente cambaleia, e outros em que para para "destripar o mico". Mas quanto talento e do bom! Também contratei a edição do cinco livros do Martim Francisco, esse homem que chispa como curto circuito. A coisa vai, Rangel. Tenho esperanças de que desta brincadeira da *Revista do Brasil* me saia uma boa casa editora. Pena morarmos num país em que o analfabetismo cresce. Cresce com o aumento da população... Vou mandar-te a lista dos livros do Adalgiso; talvez alguma coisa te interesse. Avisa-me da fixação definitiva na Estrela. Uma cidade chamada Estrela! Há um Mar-de-Espanha aí. Que é que não há em Minas, Rangel?

Lobato

1919

S. Paulo, 8,2,1919

Rangel:

Recebi *Vida Ociosa*. Parece-me aconselhável trocar a simples enumeração dos capítulos, coisa anticomercial, pela denominação dos capítulos, coisa comercialíssima. Acho horrivelmente árido um romance de capítulos numerados. E é fértil o em que cada capítulo tem um titulozinho tentador. Como faz Mestre Machado. O do Léo Vaz também é assim. Tudo que nos livros predispõe bem o público ledor e comprador é agradável a Deus. Se queres, eu mesmo batizo os capítulos — ou então mandas-me daí os nomes.

Lobato

S. PAULO, 20,2,1919

Rangel:

Recebi teu cartão. É tanto o serviço, mas tanto, tanto, que já nem me canso: falta de tempo. Eis a causa do meu mutismo. A *Revista* cresce e engorda como bananeira, e a seção das edições toma corpo. Ontem saiu o romance do Lima Barreto; sai hoje o primeiro da série Martim Francisco — e quantos na bica! O negócio vai crescendo de tal modo que já estamos montando oficinas próprias, especializadas na fatura de livros. Talvez o número de março já seja feito em casa. Também iniciamos a importação de papel. Ontem chegou de Santos uma partida de 40 toneladas. Já meço literatura às toneladas. Há mil coisas a atender, e o tempo voa e não dou conta do serviço. Ah, os belos dias contemplativos da fazenda! Começo a não ler nada, estou no caminho da bestificação. Três anos de vida como esta, e estou galego de balcão, com os pés virados para fora. Vendendo, vendendo coisas. Que sórdido fiquei! Como estou traindo o Ricardo! Olegário Ribeiro, Lobato & Cia Limitada — vê que horror! Meu nome, que aparecia no alto dos livros ou em baixo de artigos, virou agora objeto de registo na Junta Comercial. Creio que desta vez o vírus literário que havia em mim — e você, miserável Rangel, alimentou, — está morto e bem morto.

O quanto é interessante, ativa, risonha e franca a perspectiva do negociante matriculado, é mesquinha, fechada e árida a do literato — esse bicho caspento e sempre com o almoço em atraso. Nosso país não comporta ainda a arte — nenhuma arte, fora a do galego de pé virado. A árvore-Brasil ainda não chegou à fase da floração. Ainda é um pé de mamona que nasceu ao léu, no monte do esterco lusitano. Machado de Assis, Pedro Américo, Bilac, Carlos Gomes: flores de papel de seda europeu amarradas nos talos do arbusto. Nada os liga ao pé de mamona, salvo a embira do amarrilho. Desbotam com o tempo e ficam tal qual as flores secas de mastro de S. João em agosto. Quem se mete a literato no mamonal ou é tolo ou patife. E por esse motivo, creio que passo definitivamente de escritor a tirador de leite dos escritores. Esta indústria tem enriquecido vários galegos analfabetos, ou "burros" de nascença; talvez também enriqueça a um sujeito que, embora não burro de nascença, seja um "burro deliberado". A *Revista* começou a prosperar depois que se desliteratizou, isto é, que se afastaram os homens de letras que a dirigiam. Agora já não há cabeças na redação; há bundas. Somos cozinheiros. Todo mundo lê lá fora a *Revista*; aqui dentro quem a lê vai para o olho da rua. Seria perder tempo e paralisar a prosperidade da casa.

Somos uma leiteria com várias vacas lá fora. Você é uma delas. Temos aqui um leite que você produziu, chamado *Tatá* — que nunca sai porque nunca há espaço.

É um leite muito grande — é toda uma lata de leite. Você é vaca holandesa, das que dão leite demais, e dão leites muito compridos. Se puder meter a tesoura nesse conto e reduzi-lo a dois, ou a três, seria ótimo. E arruma logo o *Bem Casados* para sair sob forma de livro. O livro é leite transformado em queijo. Há mercado para queijos. O *Vida Ociosa* também. Ficarás sendo uma vaca de dois queijos.

Adeus. Aí vem o professor de inglês. Estamos todos da *Revista* aprendendo a falar inglês — inglês comercial, o sórdido, e é hora da lição.

Abraça-te o amigo leiteiro.

Lobato

S. Paulo, 4.3.1919

Rangel:

Que mudez é essa? É tão espesso assim o ar dessa Estrela? Que eu, abarbado com mil coisas, seja escasso e galopante, entende-se; mas você um juiz estelarmente vazio, não se entende. Que opilado me estás saindo! Picou-te acaso algum "barbeiro"? Estás já de papo? Quando mandas os originais dos *Bem Casados* e da *Vida Ociosa* para o lançamento em livros? Anda, mexe-te, vive — sai dessa água verde da Estrela — primaveriza-te, ó toupeira em hibernação! Raul contou-me ontem que lhe escreveste. Escreves a ele e a mim não, cachorro?

Aqui morre-se de trabalhar. Já temos oficinas próprias e problemas operários. E firma registrada na Junta Comercial. Chamamo-nos, na "praça", Olegário Ribeiro, Lobato & Cia. Limitada! A "Praça"! Uma coisa seriíssima, Rangel. Temos dum lado, literariamente, o Público Ledor; e de outro, comercialmente, a Praça!... O próximo número da *Revista* já será impresso em nossas oficinas, com tintas nossas, tipos nossos — e verás como melhorará de fatura. Temos absoluta necessidade dum conto teu para o número de abril. Manda um dos humorísticos. Não faz mal que não seja inédito.

O Público, Rangel! A Praça!...

Lobato

S. Paulo, 13.4.1919

Rangel:

Tive ideia do livrinho que vai para experiência do público infantil escolar, que em matéria fabulística anda a nenhuma. Há umas fábulas de João Kopke, mas em verso — e diz o Correia que os versos do Kopke são versos do Kopke, isto é, insulsos e de não fácil compreensão por cérebros ainda tenros. Fiz então o que vai. Tomei de La Fontaine o enredo e vesti-o à minha moda, ao sabor do meu capricho, crente como sou de que o capricho é o melhor dos figurinos. A mim me parecem boas e bem ajustadas ao fim — mas a coruja sempre acha lindos os filhotes. Quero de ti duas coisas: juízo sobre a sua adaptabilidade à mente infantil e anotação dos defeitos de forma. Mas pelo amor de Deus não os elogie. Ando elogiado demais — como quem se regalou demais com o mel e está com a boca a arder, e a querer tudo no mundo, menos mel... Desanca-me um pouco, Rangel. Sinto necessidade de humilhação...

Lobato

S. PAULO, 20,4,1919

Rangel:

Recebi carta e *Clamores Vãos*. Irra!... Será verdade todo aquele furor uterino? Mas, Rangel, onde ficam as minhas leitoras puritanas? Onde fica a honesta *pruderie* da *Revista do Brasil*, essa vestal? Se te publico o Noé de Matos, decaio e decai a revista no conceito dos seus três mil assinantes envergonhadíssimos — gente que só faz as coisas atrás da porta. E este meu rebanho é precioso. Tenho de evitar estouros de boiada. Mande-me coisa moral, com casamento no fim e o dedo de Deus. Agora compreendo a sabedoria do Buloz, aquele diretor da *Revue des Deux Mondes* que o Eça escorchou. E venha conto com teu nome, sim? Nada de pseudônimo. Conto, ouviu? Há escassez por aqui de contos bons (como os nossos).

O discurso do Rui foi um pé de vento que deu nos *Urupês*. Não ficou um para remédio, dos sete mil! Estou apressando a quarta edição, que irá do oitavo ao décimo segundo milheiro. Tiro-as agora aos quatro mil. E isto antes de um ano, hein? O livro assanhou a taba — e agora, com o discurso do Cacique-Mor, vai subir que nem foguete.

E você, Juiz? Estou sequioso por ver-te na boca da crítica — ver-te aclamado e com discurso do Rui em cima. E tu te metes nas encolhas, feito bicho-de-conta, enrodilhado aí nessa Estrela, a matar "barbeiros". Isso não é nada honesto, senhor Juiz.

A Academia, perguntas. Ah, Rangel, não tenho tempo nem de pensar nisso, apesar das sugestões havidas. O Vicente, com muito acerto, já o disse ao Júlio César: "O Lobato não tem feitio acadêmico". Nada mais certo. Nada pode existir menos acadêmico que eu. Se eu vivesse no primitivo céu, era mais provável que fizesse camaradagem com Lucifer do que com qualquer anjo bem comportado. E, depois, eu me sinto terrivelmente mortal. A "imortalidade" me assusta...

Tenho no prelo outro livro, sem nome ainda. Coisas velhas. Infame exploração da reclame do Rui...

Lobato

S. PAULO, 1,5,1919

Rangel:

Só agora, que as reclamaste com autoridade de Juiz, quase sob vara, disponho-me a devolver-te as cartas. Mas antes quis relê-las. Estão comigo há quanto tempo? E só agora pude correr os olhos sobre algumas. Que fotografias, meu caro! *Snap-shots*. Estamos ali inteirinhos, com os sonhos todos e a grande ânsia de criar... Nas minhas noto também um furor de argentário que lembra o de Balzac. Quantos planos para enriquecer! Quanta imaginação! E quantas saudades me deram! Naquele tempo era você o meu público — só você. Hoje sou um decaído: meu público é toda gente. Recebo cartas de toda parte e vou me reduzindo à epistolografia telegráfica. Zás, trás — pronto! E nada do prazer antigo. O grande sonho realizou-se, e mais completo do que jamais me atrevi a desejar. Cheguei. Cheguei ao tal país preluzido em nossos devaneios. E estou desapontado. Não vale o caminho, a travessia... Que encontrei aqui neste término? Alguns espíritos encantadores e uma legião de "penetras". Nas letras, como na política, não sobe o que mais vale, senão o mais jeitoso. Olhe a escalada da Academia. A coisa que hoje eu mais desejo me é já um impossível: voltar ao sossego da fazenda. Tanto que eu gostava de ler — e já não leio, não tenho tempo. Meu tempo não é meu, é duma porção de porcarias — negócios, "socialidades". Começo a compreender aquela forma de evasão medieval: o convento. Virar Frei Pantaleão do Aveiro e numa bem-aventurança terrestre, bem arrotada, esperar a morte na paz do Senhor, no vazio cerebral da paz do Senhor...

Minha situação é esta: sinto-me maduro e apetrechado para a expressão; tenho na cabeça belos germes de contos, romances, o diabo. E tenho, o que é mais raro, público. Mas não disponho duma hora minha! Vou virando uma espécie de mictório literário. Quanto "homem de letras" passa por S. Paulo se julga no dever de vir dar a sua mijada de ideias em mim, lá no escritório E fala nos *Urupês*. Mija-me em cima aqueles contos e diz como absolutas novidades coisas que eu já ouvi cem vezes. — "*A Colcha de Retalhos*! Que mimo!..."

E as mijadas são tantas que eu vou para casa tresandando a literatura amoniacal. Felizmente há o "banho desodorante" de todas as noites no Café Guarani — ou o que o René, com cara de nojo, deve chamar a "roda do Lobato". Um dia te conto o que é a minha roda. Compõe-se dum "pau d'água", dum "tungador" engraçadíssimo, dum empregado de banco e mais coisas assim. Conversa-se de tudo, menos de literatura e arte; e a obrigação é só dizer coisas interessantes e que façam rir — e todos nós rimos continuamente ainda que não haja graça. O tungador é um prodígio de gíria malandra; conta com tal graça as patifarias que faz, que até as vítimas se regalariam, se o ouvissem. Nenhum deles sabe que sou escritor, porque eu funciono com uma coisa só: o "pagante". Há dias o empregado de banco me perguntou, muito impressionado:

— É verdade, Lobato, que você tem um livro? Ouvi dizer...

Dei uma grande risada. "Se eu tivesse um livro, Gama, punha-o no sebo. Não tolero livros, nem gente que escreve livros."

Ele sossegou.

Ninguém compreende que eu me reúna todas as noites a essa roda, diante de chopes lá no Guarani, em vez de estar nos salões elegantes da *haute* conversando sobre os sonetos do Bilac. Mas eu, que passo o dia no escritório exposto a todas as mijadas literárias com que hajam por bem mijar-me, sei que alívio, que desodorante, que repousante, é a "roda do Lobato".

Você aí nessa biboca se queixa do "barbeiro". Sim, esses insetos chupam o sangue, transmitem a papeira — mas não são *raseurs*, Rangel! Ah, os barbeiros daqui, os barbeiros bípedes! Que te direi destas minhocas que roem o duodeno de Minerva? Cada um deles é o centro do Universo e "o mais" qualquer coisa. Poços de vaidade, sem fundo. Himalaias de suscetibilidade. A meta suprema, a Academia. Para entrar lá não há o que façam — até livros! Mas livros que só têm um intuito: receber as tremendas "dedicatórias de penetração". Dedicatórias-tatus, que abrem túneis rumo aos objetivos. Dedicatórias cheias de adjetivos titilantes, que provocam espasmos de deleite nas vaidades que as recebem. Ah, Rangel, você não sabe o que é a dedicatória — sutil gazua literária, velha como o mundo e sempre eficaz, porque é um cafuné.

Aquele nosso período áureo do Minarete no Belenzinho! Quanto mais vivo, mais dou valor a tão lindo sonho vivido.

A-ca-zon-de-mo-ra-que-la
Me-ni-na-côr-da-çu-ce-na...

Estou vendo o Ricardo a medir os versos desse soneto, a repeti-los vezes e vezes, com os olhos na nossa paineira do quintal... Que saudades! Quanta aurora dentro de nós!... Ricardo acertou, matando-se. Só vale a pena viver a manhã da vida — ou quanto muito até ali pelas duas horas da tarde. Tenho medo do anoitecer. Rangel...

Adeus. Escreve-me à moda antiga, para desencrostar-me a alma que está virando mais pública que uma mulher pública.

Lobato

S. Paulo, 26,5,1919

Rangel:

Que ideia sinistra a tua, de publicarmos as minhas cartas! Seria dum grotesco supremo, porque cartas só interessam ao público quando são históricas ou quando oriundas de, ou relativas a, grandes personalidades. No nosso caso não há nada disso: não são históricas e nós não passamos de dois pulgões de roseira — eu, um pulgão publicado; você, um pulgão inédito. O interesse que achas nas tais cartas é o interesse da coruja pelas peninhas dos seus filhotes. Formam um álbum de instantâneos da nossa vida. Mas o público quer penas de pavão, plumas de avestruz ou *aigrettes* de garça: não quer peninhas de filhote de coruja. Todos iriam rir-se de nós, além de que estão cheias de maldadezinhas endereçadas a amigos e conhecidos, sobretudo por mim, que tenho a mania de arrasar tudo, a começar por mim mesmo. Não. Varra com a ideia.

Ando querendo mudar para o Rio a *Revista do Brasil*. Em S. Paulo ela terá sempre o caráter regional, provinciano, e isso a diminui. Veja em França. Todas as revistas irradiam de Paris. As capitais são o centro natural de certas irradiações. E é bem possível que eu mude a *Revista* ainda este ano.

Adeus. Ando num desânimo, numa neurastenia trágica. Faço tudo sem vontade, maquinalmente. Cada vez mais me convenço de que o Ricardo era de fato o mais inteligente de todos os cães: bem cedo resolveu o seu problema da vida. Nós outros cá ficamos a viver — a fazer essa coisa tão sem graça que é viver... Para que viver, diga-me?

Lobato

Taubaté, 25,6,1919

Rangel:

Só agora recebo, devolvida de S. Paulo, tua última carta. Estou em Taubaté desde o dia 5, para um mês ou mais de vadiação absoluta, a ver se me curo das várias neurastenias que a vida paulistana vai infiltrando nos condenados a lhe absorverem algum gás úrico ambiente. Aqui em Taubaté "ouve-se o silêncio". Já prestaste atenção na música do silêncio? Parece a zoada de milhões de grilinhos microscópicos que nos envolvem de todos os lados — e isso opera como eliminador das toxinas urbanas. Não fazer nada... Comer, dormir, não ler, viver como um pé de abóbora: não há melhor Urodonal. Você aí toma esse remédio a vida inteira — o que me parece grande erro. A paz do marasmo vale como medicamento; como alimento perpétuo, traz doenças contrárias. A solução da vida está no alternarmos coisas inversas — rumor e paz do silêncio, pasmaceira e tumulto, capital e cidadinha do interior. Deves organizar tua vida de modo a teres pelo menos cinco ou seis semanas de capital por ano. Estás há tanto tempo amachadado, assilvestrado, santarritado, estrelado...

Estou organizando as coisas para a mudança de sede o ano que vem, Rio. Tenho de localizar-me no centro social do país. E então veremos um jeito de anualmente fazeres uma cura de Rio, que te produzirá o mesmo bem que a mim uma cura de Taubaté. Lembra-te, Godofredo, que a vida é um minuto e só temos uma vida — pelo menos aqui neste planeta. Se não equilibramos o nosso minuto, se o não vivermos bem, a hora da morte nos torturará com amargos arrependimentos.

O Rio! Dei de sonhar com ele agora. Parece-me que é lá o crânio dentro do qual têm de viver todos quantos funcionam como células encefálicas do país — nós dois, por mal nosso, somos matéria encefálica. É lá compreensível uma bolinha de matéria encefálica localizada nesse curanchim do Brasil que é a Estrela? Ou naquele musculoso bíceps que é S. Paulo? Acho que essa qualquer coisa que nos agonia e neurasteniza não passa da sensação orgânica do mal-locamento, isto é, da nossa indevida situação no organismo nacional. Ao contrário do conselheiro Rodrigues Alves, temos de dizer: "Aqui não é o nosso lugar". Eu me sinto uma abelha dentro dos túneis dum formigueiro — e você aí deve sentir-se como flor nascida numa raiz. Desconchavo. Erro.

Hoje, pescaria no Paraíba. Já chegou a aranha que nos vai levar. Um dos meus pequenos, o Edgard, está num entusiasmo que dá gosto ver. Tirou a rede do gancho para levá-la. Ele confunde rede de pesca com a rede em que o Guilherme dorme de dia, embalado pelo nhem-nhem do gancho. Ontem ouviu a minha conversa com o Tonico sobre os tipos de rede de pesca usados pelos piraquaras do Paraíba... Pesca — a pesca que me evoca a tua *Vida Ociosa*, esse livro maravilhoso que teimas em não editar e que seria um sucesso de primeira ordem. Grande erro publicar romances em revistas mensais, um fragmento em cada número. No mês de intervalo entre um pedaço e outro, o leitor esquece o fio — e acaba não lendo o resto. De modo que apesar de saído na *Revista*, o teu romance continua positivamente inédito, e teimas em não dá-lo em livro...

É hora. O Edgard grita lá da rua que a rede e a lata de minhocas já estão na aranha... Adeus.

Lobato

S. PAULO, 6,7,1919

Rangel:

Recebi a tua resposta à minha de Taubaté. Ora até que enfim resolves soltar a *Vida Ociosa*! Vais ver o sucesso. Antes, porém, de tratar comercialmente a coisa, vou explicar-te onde estamos e ao que vamos. Acaba de fazer um ano que comprei a *Revista do Brasil*. Fiz isso por esporte, por falta de ocupação depois que vendi a fazenda, e consumi um ano em apalpadelas e experiência do negócio. Saiu melhor do que esperei. Para o comprovar, basta uma olhadela no balanço. Quando fiz a compra, o ativo era de três contos e o passivo de dezesseis: custou-me portanto treze contos. Hoje, um ano depois, estamos com um ativo de setenta contos e um passivo de zero. Isto me induziu a tomar a coisa a sério e criar a Empresa Editora "Revista do Brasil" com o capital de cem contos. Estamos organizando a sociedade e com planos de localizá-la no Rio. Entre as coisas futuras projetadas está uma seção argentina, para lançar coisas nossas, traduzidas, no mercado de língua espanhola, que é grande. Estamos estudando a nossa associação com a Cooperativa Editorial Argentina e uma agência de publicidade. Iniciaremos a série com Alencar e outros artigos já em domínio público, dando simultaneamente uma edição em português e outra em espanhol. Os bons livros brasileiros encontram grande saída em espanhol. Afirmam-me que *O Mulato*, de Aluísio, deu na Argentina dez edições (para apenas três aqui). O meu *Urupês* vai ser lançado pela Cooperativa; estamos trocando cartas a respeito. Ora, tudo isto para te dizer que podemos lançar também lá a tua *Vida Ociosa*. Ao mesmo tempo aqui e em Buenos Aires. E este fato forçará aqui a atenção do público. Que tal? Manda-me os originais definitivos para calcularmos o custo da edição e fazermos proposta. Estou ansioso por te ver no giro.

O meu *Urupês* continua a sair bestialmente. Até enjoa. Tirei em fim de março mais quatro milheiros; pois só tenho em estoque uns quinhentos e estou premeditando a 5.ª edição. Vou dar agora *Ideias de Jeca Tatu*, coisas publicadas em jornal, sobretudo no *Estado*. Em seguida darei *Cidades Mortas*, contos de Areias e Taubaté, dados no *Minarete*. Ponho tudo se passando em Itaboca, lugarejo imaginário. Depois...

E se entrasses para a nossa sociedade e viesses trabalhar conosco aqui ou no Rio? E poderíamos então entrar para a Academia os dois juntos, de braços dados, ocupando cada um meia cadeira. E de lá enviaremos um psiconema ao Ricardo: *Dé brin o dé bran, cabussaran!*... Vitória! E ele nos berraria através duma mesinha: Té, Bezuquet!... Vê, Pascalon o Engraçado!

Lobato

S. Paulo, 1,10,1919

Rangel:

Recebi ontem tua carta quando estava acabando de rever *O Gordo Antero*, que achei estupendo e me fez dar uma boa gargalhada na cena do anjo sem costas. Tu és um cão egoísta! Não me conformo com o teu irredutível ineditismo. Ando já cansado de propor a edição de tuas coisas e não sei o que esperas. Estás mesmo um Jeca Tatu da pior espécie, acocorado nessa Estrela do Sul como um bonzo diante dum Buda. Vamos ver se com a mudança para Três Pontas te desembotas e crias pontas. No número do Natal queremos dar uma revista melhor, mais gorda e com mais coisas decentes. É imperioso que colabores. Bota para cá o que tiveres mais à mão, na gaveta ou na cachola, e dá um pulo até aqui para conversarmos. Deves estar mais cheio de musgo que um pau velho lá da Serra da Bocaina. É preciso vires lixar-te, coçar-te, nesta civilização. Há aqui uma coisa chamada "bonde elétrico" que anda sem burros, sabes? Vem ver a maravilha. E há no Pinoni uma coisa fria, com gosto de abacaxi ou morango, chamada "sorvete" — escreva: "Sor-ve-te". A gente toma-o com uma colherinha. Venha conhecer o bonde e o sorvete. Não imaginas como S. Paulo é maravilhoso. Lembra a Bagdad das *Mil e Uma Noites*. O ar é perfumado com os fumos dum incenso de origem americana, lá da terra do Egard Poe, chamado, "gasolina". Escreva no caderninho: "Ga-so-li-na". E paira no ar, de mistura, o espírito do sultão Harun Freitas Vale; lembra o gás sulfídrico do próprio Apolo. Pede uma licença e vem cá a esta delícia, desencrostar-te dos musgos que te pegou essa miserável Estrela do Sul, donde em boa hora vais sair, removido para Três Pontas.

Lobato

S. Paulo, 21,10,1919

Rangel:

Você estragou a *Ascensão*. Há um fecho magnífico: o homem sobe, com aquela tragédia toda, colhe a orquídea e desce radiante. Ao chegar em baixo, porém, dá com a esposa (é preciso um arranjo novo para calhar este lance) e... oferece-lhe a flor! Se me dás licença, refaço o conto para acabar assim e assinaremos de súcia, Rangel & Lobato.

Vejo que Três Pontas é lugar mais acessível que Estrela. As tuas cartas chegam mais depressa. Para a semana mandarei um dos meus novos livros.

Adeus.

Lobato

S. Paulo, 5,11,1919

Rangel:

Se é assim, parabéns por não te promoverem a ministro — se cada promoção te arrasa assim dessa maneira. Andas o Pirro da magistratura mineira: com mais duas ou três promoções de comarca, vais para o asilo de mendigos. Mas essa Três Pontas, afinal dos afinais, é ou não é melhor que a Estrela?

O Albino também me comunicou o casório e do modo mais lacônico. "Lobato: Casei-me, Albino." E parece que assim se livrou da tremenda portuguesa.

Aguardo a *Vida Ociosa*. Tenho no prelo várias obras, somando aí uns quinze mil volumes, inclusive novos *Urupês, Cidades e Ideias*. Tenho de explorar o nome que, diz você, até no sertão está popular. Tiro de cada um quatro mil. Resta que o público absorva tanta livralhada. Os *Urupês* entram agora na 5.ª edição. Quando poderíamos imaginar isto, Rangel, se até a hipótese de achar editor era uma vaga probabilidade? e discutíamos os argumentos dos contos naquelas cartas que não acabavam mais?... E até para o Cinema vão meus contos entrar. Duas empresas rivais querem fazer *Os Faroleiros, O Estigma, Bocatorta* e *O Comprador de Fazendas*. Uma dessas empresas produziu uma fita *Caipirinha* que não é totalmente droga.

Estou editando um livro à Machado de Assis, de um novo, Leo Vaz. Creio que já o conheces da *Revista*. Tenho mais fé em contos do que em romance, porque a preguiça nacional aumenta e o conto é mais curto. Em janeiro estou habilitado a editar o teu. Condições: lucros divididos ao meio — Tabela especial para os amigos. Os outros só têm dez por cento e ainda acabo não lhes dando nada, como fazem os editores espertos. A função do literato na vida é engordar os editores — e para que perturbar tão venerável praxe?

Lobato

S. Paulo, 30,12,1919

Rangel:

Gratíssimo pela escovadela e conserto das *Ideias de Jeca Tatu*, que foi atamancado numa semana, depois de encalhado numa miserável tipografia falida e mudada para outra pior ainda, que também ia falir ou mudar, não sei. Agora te mando um exemplar de edição mais decente, com a condição de dares o que tens aí ao porco mais magro de Minas. Aquilo não foi edição para gente ler e sim para porco magro comer.

A saída desses dois livros decepcionou-me às avessas. Tirei de ambos oito mil e antes que os jornais falassem vendi quatro mil e quinhentos!... Já estou promovendo nova tiragem. Vendo-me como pinhão cosido ou pipoca em noite de "escavalinho". Por que gosta o público de mim dessa maneira? Ando intrigado. Tudo que imprimo voa. A 5.ª edição dos *Urupês*, como se retardasse no prelo, foi vendida antes de sair. Os pedidos das livrarias estavam tão acumulados que depois de feita a entrega bem pouco sobrou. Tenho de pensar já na sexta...

E você, infame? Eu sempre ansioso por lançar-te com todas as zabumbas e não te mexes. Venham logo os originais, que a nossa casinha editora vai de vento em popa — mais que vento: furacão! Não há memória de triunfo igual.

Ótima a ideia do livro de poesias do Ricardo! Venha a coisa e com prefácio ou comentários teus. Mas depressa, homem! *Time is money!*

Lobato

1920

S. Paulo, 17,1,1920

Rangel:

Tens toda e não tens nenhuma razão. Tens-na no meu caso: não sou literato, não pretendo ser, não aspiro a louros acadêmicos, glórias, bobagens. Faço livros e vendo-os porque há mercado para a mercadoria; exatamente o negócio do que faz vassouras e vende-as, do que faz chouriços e vende-os. E timbro em avisar ao leitor de que não sei a língua. Se por acaso algum dia fizer outro livro, hei-de usar aqueles letreiros das fitas:

> Contos de Monteiro Lobato, com pronomes por
> Álvaro Guerra; com a sintaxe visada por José
> Feliciano e a prosódia garantida no tabelião por
> Eduardo Carlos Pereira. As vírgulas são do
> insigne virgulógrafo Nunálvares, etc.

Tudo gente de mais alta especialização — e a crítica que se engalfinhe com eles. Isso, para não haver hipótese de me sair coisa vergonhosa como a primeira edição de *Ideias de Jeca Tatu*. Não houve o que não houvesse na impressão desse livro. Era numa oficina do largo do Arouche que estava de mudança, e era o último trabalho que atamancavam lá. Quando vim a saber e quis acudir ao coitadinho, era tarde. Fui lá de noite. Encontrei o único prelo ainda não mudado rodando na impressão da primeira folha. Pedi que parassem para eu examinar o serviço. Li várias páginas e corei até à raiz da alma. Não tinham feito revisão nenhuma. Erros indecorosos pululavam ali como pulga em cachorro sarnento. Corrigi o que pude. Era composição manual — uns tipos velhos, desbeiçados, indecentes. Tudo indecente. Estive lá até meia noite caçando pulgas no resto, mas desanimei: havia mais pulgas do que estrelas no céu. Mandei tudo para o inferno e fui dormir.

Pois a indecência saiu e o público absorveu os 4 milheiros dessa primeira edição, levando de choro as pulgas. Mas não me pejo de confessar a minha infâmia. O público — o respeitável público dos circos de cavalinhos — merece um pouco de atenção. Porque, afinal de contas, Rangel, é o público que marcha com os cobres. Hás de crer que não tive a coragem de abrir esse livro, depois que mo entregaram impresso?

Sabe como se chama isso? Relaxamento, desordem, má organização. E foi bom que viesse num livro meu. Imagine que a vítima do desastre é lá a tua *Vida Ociosa*! Mas a *Vida*, vais ver! Juro que a ponho na rua sem uma só pulgazinha, sem uma vírgula errada.

Minha vergonha é daquelas que levavam os antigos a cobrir a cabeça de cinzas. Na Índia parece que num caso assim o sujeito besunta-se com bosta de vaca. Aqui, o cínico permanece com a mesma cara de sempre e embolsa os lucros da infâmia...

Adeus. Um abraço do sórdido, indecoroso

Lobato

S. Paulo, 14,2,1920

Rangel:

Até que enfim pilho folga para te escrever sem pressa telegráfica. Já reli *Ideias* e fiz as correções. Imagine o meu ódio: só agora verifiquei que o tipógrafo não respeitou a minha segunda revisão de provas e lá deixou aqueles erros. Por isso saiu tão imundo, até com pastéis. Isso de gráficos é uma canalha que não merece confiança nenhuma. Obrigam-me até a rever provas de máquina.

A *Vida Ociosa* ainda não chegou. Ao receber tua carta falávamos dela, eu e o Menotti: que era um crime deixá-la inédita. Felizmente acordaste e a coisa "evem" vindo. Vou caprichar na edição e dá-la digna do autor.

Estrondoso triunfo está tendo o Leo Vaz. A primeira edição do *Jeremias* esgotou-se antes que os jornais tivessem tempo de falar — em pouco mais de quinze dias!...

Estou triste, Rangel, porque verifiquei que só escrevo coisas que prestem quando sob a influência da indignação. É a minha musa, a Cólera! Todos os meus contos e artigos brotam desse sentimento criador. Ora, com os anos, a faculdade da indignação vai arrefecendo, substituída pela tolerância filosófica. Passo hoje meses sem um assomo dos antigos ódios. Resultado: zero. Triste coisa a velhice...

Pretendia escrever-te longamente, mas nem ficando em casa tenho sossego. O Taunay acaba de telefonar-me e vem para discutir uma edição do Visconde. Por falar: íamos dar na "Resenha do Mês", da *Revista*, aquele teu estudo sobre o veterano da retirada da Laguna que ainda existe nessa Minas, mas na tipografia perderam-me o original. Manda outro, para que saia no número de março. O de fevereiro está quase pronto e deve aparecer logo — se S. Majestade o Operário não mandar o contrário. Andam lá em greve nas oficinas. Bom. Adeus. O Taunay chegou.

Lobato

S. Paulo, 15,3,1920

Rangel:

Receberás aí um pedaço de carta. A atrapalhação é tanta que nem meter dentro do envelope uma carta inteira é coisa que faço direito. O teu conto sairá logo que haja vaza. Não o li ainda. A *Vida Ociosa* ficará para quando estivermos mais folgados. Atualmente somos obrigados a dar execução a uma série de edições contratadas. Ai que saudades da boa vidinha de outrora, vazia de comercialidade, sossegada, com bezerros chamando a mamãe e o jumento zurrando pelas éguas! O meu lampião belga lá da fazenda! E Areias com o Julinho; e Taubaté com o Eugênio e a bicicleta! Hoje é o turbilhão e o Otales, uma fera de menino que quer ficar Matarazzo e tem mais negócios na cabeça do que o Frango Sura tem piolhos na trunfa. Até com o xadrez da minha sala se implicou. É um modo de dizer como o D'Argenton do *Jack*: "A vida não é um romance, Lobato".

Lobato

S. Paulo, 23,3,1920

Rangel:

Confirmo o cartão de 15, quanto ao teu romance. O triunfo das nossas edições está excedendo aos meus cálculos; desde janeiro, doze mil volumes vendidos: quatro mil *Cidades Mortas*, quatro mil *Ideias de Jeca*, três mil *Urupês* e mil *Jeremias*. Estamos a reeditar tudo isso e mais essas novidades do impresso incluso. Estão a sair *Sem Crime*, de Papi Júnior, lá do Norte, romance; *Madame Pommery*, uma obra prima de sátira bordelenga, do Toledo Malta ou "Hilário Tácito": Tácito, porque aquilo é história, e Hilário porque é história alegre. E penso numa coisa revolucionária e notável: o *Dicionário Brasileiro*, cujo programa aparecerá em artigo no *Correio da Manhã*. Por modéstia, atribuo a coisa ao Assis Cintra, um filólogo novo que me apareceu e ao qual talvez eu encarregue da obra.

Comercialmente o negócio encorpa dia a dia. Já entram mais de vinte contos por mês. A coisa vai, Rangel — e vai também, embora meio empurrado, o *Amor Imortal* do Nogueira, cujo defeito é ser muito alto para a mediania do público.

Ando a colaborar no *Correio da Manhã* e tive convite d'*O Jornal*. Cinquenta mil réis o artigo. Vou custear com as unhas a sucursal da *Revista* aberta no Rio, isto é, com esses artigos. Ontem escrevi dois; as porcas lá da fazenda eram mais férteis: pariam seis, sete leitões de cada vez. Está me renascendo a facilidade antiga, amodorrada por falta de treino.

Flama e Argila não é livro vulgar, mas não fixa tipos. Li-o e conservo nomes na cabeça, mas "não vejo" as criaturas. Tem tido crítica ótima, mas o Menotti me disse que se vende pouco. O *Jeremias*, sim, está tendo saída excelente. Leste-o? Perpassa nele um humorismo displicente de quem não quer — tal qual o autor. Aquilo é o Leo escarrado. Uma espécie de Machado de Assis sem a gagueira. S. Paulo está se saindo. Os "novos" entram "feitos" e impõem-se de jacto. Eu, o Leo, o Menotti e vai ver que também o Malta.

E você? Continua a encambar os contos humorísticos? Que venham. No que aqui está ainda não tive tempo de fazer aquele enxerto. É tanta coisa picadinha em que pensar, cuidar, fazer e mandar fazer... Sou eu para tudo na parte intelectual; o Otales só cuida da comercial. Pelo meu programa, a *Vida Ociosa* entra em cena em junho, e mandarei a última prova para o "repasse de autor".

E tua fuga até cá? Apresse isso; faça como o Nogueira, que vem sempre — e gordo de dar inveja no Correia, o ultra magro da roda. Excelente Correia! Não me larga e é quem me julga os livros de verso; apresentados, porque, como amaldiçoado das Musas eu nunca sei se um verso presta ou não.

Raul aparece raras vezes, como uma sombra do passado. Surdíssimo e cada vez mais solitário, porque os homens que ouvem fogem dos que não ouvem. Anda sempre em companhia de outros surdos, pois formam um clã e lá se entendem maravilhosamente. Tito, coitado! Que pena me dá o Tito — o nosso Titâmetro de outrora... Lino, próspero e fulgente, cá esteve recém-vindo de Buenos Aires, onde tem sogro Embaixador. Não perdeu uma só chispa. Albino casou-se, como você sabe, ainda filosofa, incerto de tudo — até se teria feito uma asneira, casando-se. E eu... eu cá me fico, porque o papel está no fim.

Lobato

S. PAULO, 8,6,1920

Rangel:

A carta do Paula Ney não tem nenhum interesse. Confidencinhas caseiras sem importância. Aí volta.

Estive no Rio uma boa temporada e de retorno esforço-me para a readaptação a este vácuo absoluto que é S. Paulo. Ah, Rangel, que saudades do tempo em que lá na fazenda eu lidava com leitões e pintos em vez de homens de letras! Que erro trocar a solidão da serra por esta *curée* da capital! Se não fossem as raízes — mulher e filhos — sumia-me de vez num fundão e passaria o resto dos meus anos acocorado à beira dum corguinho, de pito na boca e vara de pescar na mão.

E você? Satisfeito com a sorte? Há quanto tempo não me escreves, não te abres em confidências como outrora! Tudo passa, disse aquela besta do Victor Hugo. Sinto que já passou a nossa fase de convívio epistolar. Matou-a a minha pressa, o remoinho idiota em que vivo, o turumbamba da cidade. A esgrimir de todos os lados contra inimigos e amigos, a dar e levar porradas, vai-se-nos a vida, chegam os cabelos brancos e mais a esclerose — e adeus vida! E, velhos, convencemo-nos de que, em vez de viver, apenas esperneamos — apenas nos agitamos.

Lobato

S. PAULO, 11,6,1920

Rangel:

Tarde piaste. A revista deste mês está pronta. Traz o teu *Croisé*, que é engraçadíssimo. Como, entretanto, não circula por aí, o Binho nunca suspeitará que anda metido em letra de forma. Terrores vãos os teus. Os Binhos não leem.

Aqui vamos remando contra a maré. Nossa gente não tem educação comercial. Deixa de cumprir os compromissos com a mesma inocência com que tira ouro do nariz. Crédito, só para turco ou italiano. Quem o abre ao nacional, está perdido. Esse bicho é inocentemente, ingenuamente, sinceramente desonesto, e nem sequer desconfia disso. Dá dó. Todos os nossos calotes, até aqui, foram nacionais.

Lobato

S. PAULO, 4,8,1920

Rangel:

Queria pregar-te uma surpresa: dar a *Vida Ociosa* pronta quando menos esperasses. Mas o sentimentalismo entrou em conflito com o utilitarismo — e lá vão as provas para o teu repasse final. Falha a surpresa, mas escapas ao perigo de erros por descuido aqui. Creio que entre nós não é preciso contrato. Tudo meio a meio, como já combinamos. Mas é forçoso que cortes aquele final com que toda gente — e com carradas de razão — se implica.

Lobato

S. Paulo, 30,8,1920

Rangel:

Vieram as provas. Mandarei segundas. Dos dois títulos, melhor o velho. Bonança! Desenxabido demais. Molenga. Vê se achas coisa mais forte, mais, sugestiva.

Lobato

S. Paulo, 4,10,1920

Rangel:

Chegaram as provas completas de teu livro. Eu mesmo farei a última revisão, que será simples conferência das correções finais. Vou começar com dois ou três milheiros, e fica combinado que receberás os cobres aqui, pessoalmente.

Lobato

S. Paulo, 29,11,1920

Rangel:

Entristeceu-me tua carta; é carta dum sujeito doente e arrasado. O remédio está na fuga por uns três meses. Tire licença e venha. Ficas em minha casa, e eu te arranjo meios de ganhares aqui, sem esforço, o que te podarem na licença e mais as despesas da viagem.

Prêmio da Academia! Meu Deus, aquilo é para obras saídas no ano anterior. Só no concurso do ano que vem é que poderás apresentar o teu romance. Mas há também um concurso para coisas inéditas. Entre nesse com os contos. Datilografe e mande.

O retardamento de teu livro veio de que encomendei um prefácio ao Malta e ele demorou um bocadinho. Só amanhã descem para a oficina as provas desse prefácio já revistas — e vinte dias depois teremos o livro.

Lanço meu agora um verdadeiro filhote de livro — *Negrinha*, para fazer uma experiência: se vale mais a pena lançar "livros inteiros" a quatro mil réis, ou "meios livros" a dois mil e quinhentos réis. A simples lógica do raciocínio não vale em casos desses; temos de experimentar. É o que me aconselharia Bacon, se ainda estivesse vivo e à mão.

O Torres escrevia-me, e cartas muitos compridas. Cansei daquilo e a correspondência morreu. Uma de suas cartas revelou-me que não era boa bisca — uma simples frase contra Bilac. Interessante! Eu "pio" às vezes contra Bilac, mas se outra pessoa o ataca, eu dano. Acho prova de mau caráter não gostar de duas coisas: Bilac e Machado.

Escute: se você vem depois do aparecimento da *Vida Ociosa*, não escapa aos massacres canibalescos a que damos o nome de "jantares". Eu e o Malta já "fomos jantados" — e o nosso espanto no fim termos saído incólumes daquilo. Todos falam. Discurseira contínua, mas arrasando o homenageado. No meu jantar, Maneco chegou a puxar faca, e no do Malta aconteceu uma coisa prodigiosamente cômica.

A mesa era enorme, para uns trinta ou quarenta comensais, tudo gente da literatura e arredores. Raul sentou-se ao meu lado, e lá longe, na ponta da mesa, ficou o Malta — a vítima, como um carneiro na ara do sacrifício. Houve discursos em cima de discursos, cada qual mais doido, inclusive um monumental do Moacir Piza. Está claro que o Malta não ouviu coisa nenhuma, mas no fim levantou-se para agradecer a "homenagem". Silêncio geral de atenção. Súbito, me vem uma ideia. Volto-me para o Raul e grito-lhe ao ouvido: "É de você que ele está falando, Raul!" O pobre Raul aprumou-se, de olhos fixos no Malta e absolutamente "todo ouvido", na esperança de assim pegar alguma coisa. Está claro que não pegou. A falação do Malta, lá longe, era para o Raul "cena muda". E eu, dali a pouco: "Continua a falar de você, Raul. Diz que aquela crônica do *Minarete*, 'Manhãs de rosa com alacridade de festivos sinos', é plágio..." Raul avermelhou. Seus olhos começaram a fuzilar o Malta. Dali a pouco, eu novamente no ouvido do Raul: "Está dizendo agora que você visitava o Macuco às escondidas..." O Raul, rubro de cólera, levantou-se: "Peço a palavra!" Eu fi-lo sentar-se à força e berrei-lhe ao ouvido: "A lei da jângal não permite que dois falem ao mesmo tempo. Depois que o Malta sentar-se, então você responde e arrasa-o. Ele está abusando da tua surdez, Raul. Está dizendo infâmias sobre infâmias — e engraçadíssimas: não vê como todos se riem?" e continuei a atribuir ao Malta perfídias e mais perfídias contra o Raul, enquanto inocentemente o pobre Malta falava do papel de Hilário Tácito na "regeneração dos costumes paulistanos" e outras coisas do *pince sans rire*. Por fim, quando o Malta se sentou e "estrugiram os aplausos" (verdadeiro massacre), o Raul pôs-se em pé como impelido por mola. "Meus senhores! Esse homem acusou-me de plágio; esse homem insinuou relações minhas, secretas, com o Macuco. Esse homem..." Ora, o Malta não havia acusado nem insinuado coisa nenhuma, de modo que todos ficaram sem entender, com caras "no ar". E o Raul a esmoer o Malta, a provar que não plagiara coisa nenhuma, que jamais conhecera o Macuco pessoalmente, que o Malta era o rei dos infames, que... E lá na ponta da mesa o pobre Malta a não compreender coisa nenhuma e a perguntar ao Moacir: "Que é?". E o Moacir a berrar-lhe ao ouvido: "Ninguém entende. O Raul está se defendendo dumas tais acusações que você lhe irrogou". E o Malta, a compreender menos ainda: "Acusações? Eu?..."

Homem, Rangel, não me lembro nunca de haver assistido a uma situação mais digna de ser aproveitada num vaudeville. Sempre gostei dos surdos por causa disso: com eles acontecem coisas formidáveis. Na minha roda lá no escritório tenho quatro — quando estão reunidos, eu saro de todas as neurastenias incipientes...

Lobato

1921

S. Paulo, 3,2,1921

Rangel:

Seguem quarenta *Vidas*, para os amigos e parentes. Querendo mais, peça. A encadernação anda caríssima; e talvez tenhamos de dispensá-la, enquanto o dólar estiver no que está. A percalina que o ano passado nos ficava em dois mil réis o metro subiu a cinco e seis. Temos que ir temperando com brochuras, já que em matéria cambial somos uns brochas. A edição foi de três milheiros e vai saindo regularmente. Todos dizem maravilhas do livro. Leu o Augusto de Lima no *Imparcial*? Estupendo. Estás consagrado.

Lobato

S. Paulo, 9,2,1921

Rangel:

Recebi tudo — revistas, *Onda*. Estou frio a respeito desta, e talvez não a publique. O nome é lindo — *Onda Verde*! — e merece aproveitada (como diz o Nogueira) em obra melhor.

É puro crime não publicares a *Falange Gloriosa*. Crime de morte. Que importa ao mundo o desagrado de meia dúzia de nabos mineiros? Põe de lado o respeito humano e resolve. Por que timidez? Você hoje é um dos grandes desta terra. Tem direito de colocar-se *au delà du bien et du mal*.

Aproveitei a folga de carnaval e reli ontem a *Vida Ociosa*. Que pena seres o autor! Não poderás nunca saber que delícia aquilo é. Eu, cujo paladar só suporta Maupassant, Kipling e Anatole, já li teu livro três vezes depois de saído. No catálogo novo que está no prelo classifiquei-o de "genial". O único defeito é não ser romance de enredo intenso, dos que o público adora e determinam grande venda. O capítulo do *Sentenciado Lourenço* já está traduzido e de viagem para *La Nación*.

Pode pedir quantos exemplares quiser. A tiragem foi de três mil e sai lindamente.

Insisto na *Falange*. Não tens o direito de abafar esse filho. Nasceu? Pois então viva.

Mando-te o *Narizinho* escolar. Quero tua impressão de professor acostumado a lidar com crianças. Experimente nalgumas, a ver se se interessam. Só procuro isso: que interesse às crianças.

Lobato

S. Paulo, 25,4,1921

Rangel:

Cá espero o primo, por quem farei o que puder. A M. escreveu sobre o J. V. e este a mim sobre ela. Vê a carta. Classifica-a entre as feias — que desastre! Mulher feia merece pau, diz ele.

O Nogueira está trepidantemente apavorado com a próxima saída do *País de Ouro e Esmeralda* — medo de ser demitido pelo Epitácio como bolchevista!... Fala até em recolher a edição... Mas há de sair, e se causar escândalo (no que não creio), tanto melhor.

Venham os contos.

Lanço agora mais um meu, *Onda Verde* e outro para crianças — *O Saci*, E tenho novos na bica, sempre infantis — *Fábulas* e o *Marquês de Rabicó*.

Andamos com ideia de alargar a empresa, com admissão de sócios novos e o Francisco Escobar no meu posto. Assim terei tempo de produzir e atacar o encruado e celebérrimo romance do qual já tenho o título e a errata.

Corre aqui que vens pela Semana Santa. Será possível, Santo Deus de Misericórdia?

Lobato

S. PAULO, 21,5,1921

Rangel:

O artigo do Nogueira no *Estado* sobre *Vida Ociosa* teve reflexos na venda. Cresceu a procura. Depois de encadernada faz melhor vista, como verás. Recebeu a crítica do Moacir Deabreu? Mando aqui a dum jornal campineiro. Agradece-lhe.

Tenho lido a tua colaboração n'*O Dia*, coisas que de fato não são da melhor colheita. Por que não enfias lá os contos que tens aqui, com os nomes mudados? Ou pelo menos alguns saídos em jornalecos? Depois irão para o livro, tendo já dado sua rendazinha.

O *Ouro e Esmeralda* do Nogueira está pegando boa imprensa, mas não é gênero de grande saída. É filosofia social e o público assusta-se. O meu *Narizinho*, do qual tirei cinquenta mil e quinhentos — a maior edição do mundo! — tem que ser metido bucho a dentro do público, tal qual fazem as mães com o óleo de rícino. Elas apertam o nariz da criança e enfiam a droga e a pobre criança ou engole ou morre asfixiada. Gastei quatro contos num anúncio de página inteira num jornal daqui. Faz de conta que é o Gelol. "Dói? Gelol." E preparo outros: *O Saci* e *Fábulas*, este com silhuetas em negro do Voltolino. Nunca imaginei que cinquenta mil e quinhentos fossem tanta coisa! Encheu-me os vazios das nossas salas da rua Boa Vista. Tive de alugar uma vizinha, que também se encheu até o forro. E ainda acomodei milhares no porão lá de casa. Quando Purezinha viu aquilo, pôs as mãos na cabeça. "Você está louco?" O problema agora é vender, fazer que o público absorva a torrente de narizes.

Experiência, meu caro. Fora do processo do *trial and error*, como adquirir conhecimentos positivos?

Lobato

S. PAULO, 25,5,1921

Rangel:

Recebi a de 18 e cá espero o homem dos sessenta e três mil e quinhentos réis. Também forneci aqueles cem a D. Bar. O livro do Nogueira foi recebido melhor do que esperávamos. Está tendo ótima imprensa e conspícuas opiniões. Hoje devolvo-te a carta da M. e a crítica de que falei. Vou editar um livro de João Pinto da Silva em que há um capítulo sobre você e a *Vida*.

Adeus.

Lobato

S. Paulo, 30,5,1921

Rangel:

E o teu retrato? Tenho um aqui, mas indecoroso. Quero um "artístico". Vá ao Rio ou venha cá tirá-lo, porque não creio nos fotógrafos de Minas. Zebus. A *Revista* está dando a "Galeria dos Editados", retrato de página inteira, em *couché*, de todos que têm a honra de virem a público por nosso intermédio. Já saímos o Guilherme, o Malta e eu. A Posteridade exige que tua careta figure lá.

Estamos em vias de aumento de capital; pulamos para quinhentos contos — e então estudaremos uma proposta de compra dos direitos autorais do teu romance e dos contos, de modo que possas arrumar a finança e acabar com essas eternas dívidas. Pense lá quanto queres pelos dois livros.

A minha obra literária, Rangel, está cada vez mais prejudicada pelo comércio. Acho que o melhor é encostar a literatura e enriquecer; depois de rico e, portanto, desinteressado do dinheiro, então desencosto a coitadinha e continuo. E não será longo o encostamento — uns três anos, a avaliar pela violência com que este negócio cresce.

Lobato

Rangel:

Recebi *Tempestade*. Vai traduzindo os outros contos shakespearianos, em linguagem bem simples, sempre na ordem direta e com toda a liberdade. Não te amarres ao original em matéria de forma — só em matéria de fundo. Quanto ao *D. Quixote*, vou ver se acho a edição de Jansen. Venha logo!

Lobato

Rangel:

Jeremias, coisa séria! Livro que vai ficar, como o teu *V. O.* Incluo uma crítica do Diário Popular. O *C. da M.* de hoje traz outra. Recebi o *Urupês* em espanhol lançado na Argentina. Bela edição. Garay. Nos Estados Unidos quer traduzi-lo Isaac Goldberg. E em França, um Julien Fauvel. Livro de sorte.

Estamos a pescar sócios para o aumento de capital da empresa. Cento e vinte contos já arranjados, mais oitenta o mês que vem. Breve, nova fase e oficinas próprias.

Não tenho lido *O Dia*, que não permuta conosco. Sai em dias certos? A *Novela Semanal* deu qualquer coisa tua. Vou mandar para lá aquele teu conto de bonecas.

Adeus

Lobato

S. Paulo, 17,6,1921

Rangel:

Quem sabe pode e quer você empreitar um serviço de que precisamos? Pretendemos lançar uma série de livros para crianças, como *Gulliver*, *Robinson*, etc., os clássicos, e vamos nos guiar por umas edições do velho Laemmert, organizadas por Jansen Müller. Quero a mesma coisa, porém com mais leveza e graça de língua. Creio até que se pode agarrar o Jansen como "burro" e reescrever aquilo em língua desliteraturizada — porque a desgraça da maior parte dos livros é sempre o excesso de "literatura". Comecei a fazer isso, mas não tenho tempo; fiquei no primeiro capítulo, que te mando como amostra. Quer pegar a empreitada? A verba para cada um não passa de trezentos mil réis, mas os livros são curtinhos e o teu tempo aí absolutamente não é *money*. Coisa que se faz ao correr da pena. E só ir eliminando todas as complicações estilísticas do "burro". Se não tens por aí essas edições do Laemmert, mandarei.

Lobato

S. Paulo, 30,6,1921

Rangel:

Não há tempo ainda para julgarmos da comercialidade do teu romance, mas já vi que se ressente do preço; quatro mil réis é salgado; devia ser no máximo três mil réis. Isso retardará um pouco a saída da edição. Veio-me hoje carta do Tristão de Athayde, e falando da *Vida* acha-a excelente; grifou duas vezes o adjetivo. E o Dr. Artur Neiva entusiasmou-se tanto, que quando aparece por aqui não fala em outra coisa. Volta e meia cita um pedacinho. Aquilo é formidável; e se o público não se apressa, é que a "quantidade" sempre desprezou a "qualidade". Para tudo há uma fábula. O galo encontrou uma pérola. "Antes fosse um grão de milho", disse e passou. Você deu pérola ao galo. Eu dou milho. Eis a razão do meu sucesso. Mas eu dou milho, meu caro Rangel, por uma razão muito simples: incapacidade de dar pérolas...

Lobato

S. Paulo, 8,7,1921

Rangel:

A publicação dos teus contos virá melhorar a saída do romance, de modo que é mais comercial imprimi-los agora do que depois. E não te incomodes com a parte econômica do negócio — se dá ou não dá lucro para a casa. É coisa que não tem a mínima importância. O importante é que você vá se imprimindo e imprima-se todo — nem que o editor leve a breca.

Li os *Oitenta Contos* n'*O Dia*. Interessante, mas frouxo no fim. Não acaba de modo satisfatório para o leitor e para Apolo. Fecho de conto é como fecho de soneto; é o tudo! É onde está o busílis. Porque o conto inteiro não passa dum preparo para o fecho — e se depois de cacetearmos o leitor com o tal preparo lhe dermos fecho desapontante, ele diz como cá a dona Nenê: "Outro ofício!" Mas apesar disso, esse teu conto bate longe o comum dos contos que aparecem, mesmo os assinados por gente grossa.

Temos editado brutalmente. Já trinta edições este ano, e mais quinze que estão para este mês — de dois em dois dias uma. Isto me cheira a recorde...

Lobato

S. Paulo, 25,7,1921

Rangel:

Li a carta de D. L. Admirável criatura! Creia, Rangel, que me deu impressão de talento ainda maior que o da M. E que dedicação, que nobilíssimo espírito de sacrifício! Diante de coisas assim, invejo os milionários: qualquer deles pode fazer felizes criaturas que tanto o merecem. Cada vez mais me convenço de que é na mulher que reside o melhor da humanidade. E talvez também o pior. O que quero dizer é que elas levam até ao grau cem qualidades ou vícios que nós homens só conseguimos levar até o grau oitenta.

Recebi uma carta da M. e vários dos seus contos. Vou lê-los e dar opinião sincera. Sinto que ela merece. E o retratinho que veio mostra-a extremamente simpática. Coisa interessante! Já quero bem à M. e à L., como se fossem velhas conhecidas — e o mais certo é não conhecê-las nunca.

O romance do Nogueira vai hoje para as livrarias.

Lobato

S. Paulo, 10,8,1921

Rangel:

Curiosas as cartas do V. Significam apenas um torneio esportivo de conquistador finamente requintado, que se compraz nas negaças do caminho, pouco se interessando pelo fim. Quer mais uma para a coleção de borboletas. É um igual a todos os que têm imaginação. Colecionar mulheres é o mais agitado esporte dos sensuais-imaginativos. O curioso é ver-me eu metido no embrulho lá deles, como tabela...

Pensamento que escapou a Chamfort: "Não te dispas, mulher, porque é a toalete que te personaliza e te torna apetecível".

Lobato

S. Paulo, 29,9,1921

Rangel:

Vieram afinal os contos. Pensei em pô-los na *Coleção Brasílica*, que é muito boa para vulgarizar um autor, dado o preço (mil e quinhentos réis) e as tiragens (de quatro mil), mas essa série exige retrato na capa e não possa recorrer ao retrato que mandaste. Feio demais. Você era lindo antigamente, Rangel. Naquele retrato do Cenáculo, de 1903, eras a flor — e agora me mandas uma infame cara de coruja. Nunca! O "meu Rangel" era bonito. Esse do retrato não é o meu — há de ser o do Francisco Sales, aquele bicho de óculos pretos, mais feio ainda.

Os versos do Ricardo já estão na oficina. Num mês saem. Infelizmente é verso, e verso vende-se pouco. Parece que o país anda farto e refarto de poetas. E virou prosaico — isto é, amigo só de prosa.

Adeus. Estou hoje numa neurastenia que nem queira saber...

Lobato

S. Paulo, 8,10,1921

Rangel:

O tempo corre tão depressa que já não me lembro de nada do sucedido no Rio — além de que é coisa que só de viva voz. E afinal vens! Vai realizar-se o milagre da quadratura do círculo! Custa-me a crer. Esfrego os olhos e releio tua carta. Sim, vens... Mas vens em janeiro e o provável é me encontrares longe, de férias. Não faz mal. Avisar-me-ás e virei ver-te. Há quantos anos! E desta feita hás de tirar novo retrato e lindo. Aquele que veio está tão feio que não o publiquei na "Galeria dos Editados".

Cansado, Rangel. Preciso de férias.

Lobato

S. Paulo, 27,10,1921

Rangel:

Sábado convidei o Malta e o Raul para uma visita a você, lá no alto de Sant'Ana, mas o dia foi atribuladíssimo, de modo que só às cinco e tanto me desocupei. Chegam os companheiros. Apronto-me. Na hora de sair, que é do endereço? Não houve meio de achá-lo, nem a carta onde mo comunicavas. Nem me ocorreu o nome de tua irmã, nem do teu sobrinho. Vê que tragédia a *surmenage* mental? Por falha da minha memória a visita falhou — e fomos trucidar a mágoa com um aperitivo na esquina.

Esteve por aqui o Graça Aranha. Foi interessante o nosso encontro. O Jacinto, daquela livrariazinha *O Livro*, telefonou-me dois dias seguidos. Primeiro dia: "O

Graça Aranha está em S. Paulo e quer conhecê-lo". Fiquei ciente e agradeci. Segundo dia: "O Graça Aranha quer conhecê-lo. Venha cá". Respondi: "Não posso. Muito serviço. Se de fato ele quer me conhecer, que venha procurar-me aqui". Sim, porque quando eu quero conhecer alguém, eu o procuro, não o mando chamar sob vara. E afinal o Graça Aranha veio ontem e conversamos longamente e ficamos amigos. Falou tão bem da *Vida Ociosa* que me entrou no coração. Eu hoje avalio os homens pela capacidade de compreensão do teu livro. Amanhã vamos almoçar juntos.

Lobato

S. PAULO, 9,11,1921

Rangel:

Mandei-te uma batelada de coisas: *Narizinho Arrebitado*, *La Nación*, *Plus Ultra* e *Nosotros*. O Garay traduziu o *Sentenciado Lourenço* para *La Nación*. Está entusiasmado contigo, Como todos, aliás. Só ouço elogios ao Rangel. Há unanimidade. Vamos dar a *Falange Gloriosa*. Dizes que perdeste os recortes... Se é assim, poderei tirar cópia da coleção do *Estado*. Tudo se arruma, quando há boa vontade. Meu empenho é só editar novos, mas novos de talento. Medalhão não me entra aqui. Que gosto soltar livros de múmias acadêmicas, gente rançosa? Quero *tendrons* brotos. Sinto-me velho, e para burro velho, pasto novo — diz o Manequinho Lopes.

Lobato

S. PAULO, 8,12,1921

Rangel:

Não percamos tempo com os adjetivos da amabilidade e da modéstia. Até fedem. E não duvide da saída do teu romance; por isso respondemos nós. A máquina está bem montada — a máquina de gavar gansos ou de obrigar este país a ler à força. O nosso sistema não é esperar que o leitor venha; vamos onde ele está, como o caçador. Perseguimos a caça. Fazemos o livro cair no nariz de todos os possíveis leitores desta terra. Não nos limitamos às capitais, como os velhos editores. Afundamos por quanta biboca existe. Ainda não recebemos a edição inteira, mas a *Vida* já está à venda em quatrocentos localidades do Brasil.

Na *Revista* pus o Breno Ferraz na crítica. Ele tem dedo e é sério, decente. Convidei o Amadeu e o Afrânio Peixoto para diretores, um aqui, outro no Rio. Eu me contento com ser o editor.

Mando-te o *Narizinho* colorido, formato álbum, e com ele uma revista que mostra a minha penetração na Argentina.

Não chegaram ainda aí os originais dum livro meu, novo, que vou publicar?

Lobato

1922

S. Paulo, 25, 1, 1922

Rangel:

Passei as férias em Santos, como um anfíbio. Sinto-me salgado como um bacalhau de venda. E de retorno tomo a tua, das cinquenta cartas que encontrei sobre a mesa. O primeiro será sempre o Rangel. Falhou a ida à Argentina. Os maridos põe e os nervos das esposas pospõem. Vivo indo para a Argentina. Morrerei indo para a Argentina.

Aqui vive-se e muda-se. Mudamo-nos para a rua S. Efigênia 3-A — um grande armazém térreo onde adquirimos a feição normal dos grandes negociantes de cebolas. Vendemos cebolas literárias. Infelizmente, o ano começa escuro. Câmbio sempre mau, país cada vez mais miqueado e poucas perspectivas de bons negócios. Que vontade de mudar de terra — ir viver num país vivo, como o dos americanos! Isto não passa dum imenso tartarugal. Tudo se arrasta.

Apareceu sobre a *Vida* uma crítica desfavorável no Rio Grande. Gaúcho só entende de boi. Em compensação ouvi isto em Santos, dum homem de bela cultura: "É a melhor coisa que você editou, Lobato".

Adeus, rua Boa Vista 52 onde comecei como um espermatozoário! Adeus, salinha do xadrez com os meus surdos, e o Maneco, e o Neiva, e tanta coisa já saudosa! Aquilo lá ainda era "arte". Aqui na Santa Efigênia já somos só cebolas. O "Monteiro Lobato & Cia." está chegando ao fim. De repente víramos sociedade anônima ou qualquer coisa limitada, e pronto...

Lobato

S. Paulo, 15, 2, 1922

Rangel:

A ideia da Academia falhou por birra minha. Não quis transigir com a praxe lá — a tal praxe de implorar votos, e eles são extremamente suscetíveis nesse ponto. Um acadêmico aqui de S. Paulo chegou a dizer: "Se o Lobato me pedisse o voto, claro que eu o daria; mas não pedindo, prefiro votar num pedaço de pau". Ora, não há gosto em fazer parte dum grêmio de mentalidade assim e não pedi nada a ninguém; fiz mais: mandei outra carta desistindo da minha candidatura. O Carlos de Laet não leu essa segunda carta em sessão, alegando que deixaria a Academia mal. "Seria o mesmo que pedir uma moça em casamento e depois escrever que não a quer mais. Todos ficam fazendo mau juízo da honra da 'despedida'".

Está aqui o Ronald de Carvalho. Falou da *Vida Ociosa* em tais termos que quase o beijei. Vou sugerir-lhe que escreva qualquer coisa a respeito. Excelente menino, o Ronald. A crítica ainda não te faz justiça plena, mas há de fazer. Vou ao Rio por oito dias; se queres algo de lá, escreve.

Lobato

S. Paulo, 7,4,1922

Rangel:

Recebi o recorte do artigo *Lobatite*. Já é popularidade — e que coisa incômoda, pegajosa, a popularidade! Choro aqueles tempos antigos do Minarete em que eu escrevia de dentro da toca, ultra escondido por cinquenta pseudônimos.

É preciso que venhas enquanto eu esteja cá. Em dezembro saio de férias, e em janeiro vou a Buenos Aires por uns quinze dias. Só tomar o cheiro e conhecer pessoalmente mais um surdo da minha coleção: o Manuel Gálvez, que me escreve sempre. Vindo agora, visitarás a exposição de pintura do Cesáreo Bernaldo de Quirós que tem fama de ser o maior pintor argentino e é realmente grande pintor. Estamos muito amigos. Anda agora a pintar o meu retrato aqui no escritório: eu em mangas de camisa, com o *Narizinho* álbum entreaberto no colo, e ao fundo a minha secretaria na barafunda de sempre e os desenhos pregados na parede — o Maneco de barbas à Jeová, o Correia comprido como um gafanhoto...

Lobato

S. Paulo, 9,5,1922

Rangel:

Recebi a de 6, com os *Oitenta Contos* que vou ler no bonde, logo que saia para o almoço. Meu silêncio explica-se: mudamo-nos de novo (duas mudanças em dois meses, forçadas pelo crescimento excessivo!). Estamos agora na rua dos Gusmões 70, prédio enorme onde instalamos afinal as tão sonhadas oficinas — e o mês inteiro correu na infernal dobadoura da mudança. O Otales é incansável. Lida com tudo com o maior desembaraço e eficiência. Um grande menino. A maior descoberta que eu fiz na vida. E felizmente está agora tudo arrumado e já em pleno funcionamento. Venham, pois, os teus contos. Faremos o livro em máquinas nossas. Vivo a publicar bagaceiras, porque as coisas boas se retraem. Há dias recebi uma carta do Silva Ramos sobre a *Vida Ociosa*, muito lisonjeira para você e para ele, visto como revela bom gosto e discernimento. Está ali um academicozinho decente. Poderás sair na *Biblioteca da Rainha Mab* ou em edição comum. Que preferes?

Lobato

S. Paulo, 15,12,1922

Rangel:

É verdade! Há quanto tempo não te escrevo! Mas houve muita coisa neste final de ano. A projetada fusão com o Leite Ribeiro forçou-nos a muitos estudos e viagens ao Rio e afinal fracassou. Não nos convinha o negócio. Mas para não perder o trabalho feito, aproveitamo-nos do bom ensejo e reformamos a sociedade, metendo vários comanditários e subindo o capital para mil contos. Entraram o Paulo

Prado, que vai dirigir a *Revista*, Macedo Soares e outros. Vamos ampliar as oficinas e expandir o negócio. E eu vou passar um mês de férias em Campos do Jordão. Terei lá o Ribeiro Couto e o Oliveira Viana, dois companheirões.

Teu livro faz-se lentamente porque está abarrotada a oficina com as eternas coisas urgentes. A pobre da literatura paga o pato, coitadinha. Quando querem, ou precisam, encostar qualquer coisa, é dela que se lembram.

A *Vida* vai indo. O balanço de 30 de outubro acusou uma existência de 396. Quer isso dizer que teremos para o ano a segunda edição. E havemos de fazê-la de luxo. Queremos estrear a série de luxo com o teu romance, que continua ainda a melhor coisa publicada. Sigo para Campos a 7 de janeiro.

Lobato

1923

S. Paulo, 16,1,1923

Rangel:

Que interessante a M.! É unidade de um grande milhão esparso pelo mundo. O milhão de criaturas femininas que anseiam por mil coisas vagas, incertas, bruxuleantes, indefiníveis — e que um casamento de amor contentaria pelo resto da vida. Sou hoje um honrado negociante matriculado na Praça de S. Paulo; não posso, pois, gastar o tempo da minha correspondência sobre edições, etc., com esmiuçamentos da psicologia feminina — mas quanta coisa me sugere a M.!

Chegaram os contos. Vamos encadernar mil exemplares da *Vida*, a quatro mil réis. *O Dia* te convidou por que já és "um nome". E não te admires de novos convites. *La Nación* dará uma nota a teu respeito, acompanhando a tradução do Lourenço. Vês como o teu mérito, apesar do teu retraimento e falta de reclame, está se impondo? E quando saírem os contos a coisa dobra.

Ontem fiz a conta e achei isto: minha tiragem está em cento e nove mil e quinhentos exemplares. Veja se era possível esperar isto há dois anos e meio, quando soltei timidamente o primeiro milheirinho dos *Urupês*!

Lobato

S. Paulo, 2,2,1923

Rangel:

Ciente de tudo. Está me voltando a mania e creio que dou mais dois livros este ano. Como sempre, parto gêmeo. Um, de ideias e impressões extraídas daquele meu velho *Diário* de solteiro, com leve apuros da forma e da filosofia. Outro de contos — contos novos. Não dispenso teu juízo preliminar à moda de sempre. Ponho-os na *Revista* e depois dou-os em livro — o bom sistema.

O teu livro arrasta-se. (⁸) Imagine que empastelaram a composição. Coisas de tipografia. Andam a compô-lo novamente.

Lobato

S. Paulo, 7,2,1923

Rangel:

Estou numa dúvida e preciso do teu parecer. Extraí daquele meu velho *Diário* de Areias e Taubaté matéria para um pequeno volume. Mas dará livro? Valerá a pena? Lá vai a coisa e quero opinião. Se acaso votares pela publicação, lê com o teu olho de lince e tira as pulgas encontradas. Se vetares, lixo com os originais. Desde que tenho o *Diário*, escusa a devolução. Vens mesmo em agosto?

Lobato

S. Paulo, 10,2,1923

Rangel:

Não sei onde para a tua *Princesinha*... Perdeu-se aqui neste caos da minha mesa. Hei de encontrá-la e dar-lhe destino. Estás mesmo de azar. As *Andorinhas* também encrencaram. Numa mudança de oficina soltaram-nas e elas voaram. Creio que já te mandei dizer que estão a compô-las de novo. E são uns cágados lá. Mas um dia hão de sair. Tudo custa, tudo pega, tudo amarra. Eu, se fosse andorinha, voava para longe, como aquelas cegonhas do Brás Cubas...

Mundo da Lua é o nome do meu livrinho, porque de fato naquele tempo eu vivia no mundo da lua. Não me interessa a crítica. Não o mandei para ninguém. Acho-o muito para mim, pouco para a crítica e zero para o público. Imprimi esse livro num papel maravilhoso, em elzevir, por que se destina a um público muito especial: nós dois.

Crítica... Conheces a de Torrendall? Segue. Se valer a pena, traduze-a para a *Revista*. Ou a *Revista* já deu isto? Não sei de mais nada. Estou virando um pedaço d'asno maior que um asno inteiro. Quem vai fazer um lindo livrinho, de sensações, é a Murila. Não te mandou ainda? Tem real talento aquela moça. É sincera, sólida, honestíssima de caráter. Admiro-a e respeito-a tremendamente.

Lá pelo fim do ano darei livro para o público. Contos. Inda hoje escrevi um. *O Rapto*. Fui a Campos do Jordão com o Macedo Soares e na estação de Pinda vi um aleijado num carrinho, enérgico, a ralhar com os filhos que o puxam. Senti uma coisa: aquele homem, apesar de aleijado, era o importante e rico da família, o que ganhava a subsistência de todos com as esmolas recebidas. Daí o seu tom mandão, apesar de viver sem pernas dentro do carrinho. Um conto formou-se em minha cabeça, e de volta despejei-o no papel, como quem despeja a bexiga.

---

8 *Andorinhas*.

Ando cheio de contos lá por dentro. Contos são bernes. A gente pega os germes aqui e ali, e eles ficam germinando, gestando-se em nossos misteriosos úteros subconscientes. Um dia, como o feto das mulheres aos nove meses, eles vêm à tona da consciência e anunciam-se: "Queremos sair!". E então escrevemos aquilo com a facilidade com que as fêmeas dão cria. Os contos fluem da pena para o papel como um "berne de tempo", bem esvurmado. O curioso é que quando produzo um conto, de forma nenhuma o tenho completo na cabeça; tenho lá dentro uma só coisa: a ideia central do conto. Tudo mais se forma no ato de escrever. A primeira frase que lanço determina todas as mais. N'*O Rapto* não havia nem rapto nem nada; só havia esta ideia central: um cego que justamente por ser cego era o único da família que ganhava dinheiro e tinha importância.

Lobato

S. Paulo, 13,5,1923

Rangel:

Queixa-se o público de que editamos muita borracheira. Mas que fazer, se um diabo como o Rangel tem mil romances "numerados" e até agora só permitiu a publicação de um? Por falar, *Vida Ociosa* está no fim. Vou mandar ver a tua conta. Temos logo de reeditá-la.

Vieram as tiras. Aceito, na quase totalidade, as tuas observações. Resisto a algumas.

Geografia é ciência sim — hoje. No tempo do nosso Lacerda não era... Virou ciência depois que o Lacerda morreu. Ciência da boa, ciência de alemão. Leia o Retzel.

"...e bem Brasil": gosto de bulir com os patriotas. O Frango Sura arrepia-se todo quando esbarra em coisas assim.

"...das cozinheiras ao promotor": não escalejo retoricamente e sim anoto um fato. Fui para a janela, eu, o promotor, e vi na outra janela a preta.

Mas não tenho tempo de nada — e há tanta gente que vive "matando o tempo"! Por que em vez de matá-lo não no-lo vendem, a mim e ao Otales? Depois que me meti na indústria, vivo esmagado entre engrenagens. A gente enfia o dedo, a engenhoca segura-o, puxa a mão, puxa o braço e por fim nos mói o corpo inteiro. Mais uns anos desta vida, e estou bagaço de cana. Meu sonho era parar, mas com dinheiro no banco; e numa Paz do Senhor, como a da fazenda do Buquira, retomar o fio dos *Urupês*. O que publiquei depois foram subprodutos, como disse o João Ribeiro. Só agora estou dando produtos novos — e bons. Gosto dos meus últimos contos. E estou com ideia dum romance histórico — *Titila*. Tenho de estudar o primeiro império para romancear historicamente a famosa marquesa do Pedro I. É o nosso único romance histórico capaz de interessar vivamente o público. A Titila titilava. Prendeu aquele garanhão durante oito anos.

Lobato

S. Paulo, 10,9,1923

Rangel:

Incrível. Vens a S. Paulo e pouco podemos estar juntos. Ou nós não nos gostamos em carne e osso e sim só epistolarmente? Começo a desconfiar... Desta vez tua visita coincidiu com a ausência do Otales e a sobrecarga do serviço com que fiquei. Mas creio que não é isso.

Depois da mudança meti-me em automobilismo. Comprei um Ford e já ando a perturbar o trânsito da cidade. Ontem dei o primeiro tranco numa carroça, mas ainda não esmaguei nenhum pedestre. Curiosa a mudança de mentalidade que o automóvel ocasiona. O pedestre passa a ser uma raça vil e desprezível, cuja única função é atravessar as ruas. Quem adquire auto promove-se de "pedestre" a "rodante" — e passa a desprezar os miseráveis pedestres que se arrastam pelas superfícies, como lagartas. Quando estropia um pedestre, a sensação do rodante é de que libertou o mundo de um embaraço. E diz o Filinto Lopes que quando um *chauffeur* de praça vê vários pedestres formando um grupo na rua, infalivelmente lança o auto em cima, "porque mata dois ou três com a mesma gasolina".

Lobato

S. Paulo, 7,10,1923

Rangel:

Mandei tirar tua conta e considerar esgotada a edição. De fato está no fim. Restam uns trezentos exemplares. Como vou ao Rio amanhã e demoro-me lá, dirige-te ao Otales, depois de recebida a conta.

As moscas! Vejo que são fontes de inspiração. Tens que ler o Fabre nos *Souvenirs Entomologiques* e admirarás a mosca e todos os bichinhos. Que maravilha o mundo superior do Instinto! Às vezes penso que a Inteligência não passa de fase rudimentar do instinto — fase em que o instinto em formação ainda vacila, escolhe e erra. Sobre o assunto mandei um artigo para *La Nación*, que receberás quando sair.

O Raul Vergueiro escreveu isso sobre você. Está bem vivo e certo. Vergueiro não é crítico dos que escrevem e se publicam. Fez porque gostou imenso do romance. Compreendeu-te. Raul é um dos tipos mais interessantes que conheço. Reduz tudo a piadas, e espirituosíssimas.

As *Andorinhas* regressaram como pombos correios que tornam ao pombal. Breve estarão na rua. O título é bom. Andorinha lembra movimento, revoo. Já "vida ociosa" lembra lentidão. Por isso o teu segundo produto livresco vai sair com maior velocidade que o primeiro. Quem não se sentirá tentado a adquirir um livrinho cujo título lembra os dias de sol nas fazendas, quando o céu está azul e elas o riscam de voos?

Raro leio, como sabes, mas agora ferrei nas *Memórias de Constant*, o criado de quarto de Napoleão. Obra desigual, evidentemente de vários autores, mas com trechos sangrentos de verismo — a passagem do Beresina, a morte de Lannes e a visita que sua mulher faz ao cadáver horrendo lá num *caveau*...

Estou revendo provas do meu livro — *O Macaco que se Fez Homem*, no qual reformo o *Genêsis* e Darwin quanto ao surto do *Homo sapiens*.

Lobato

S. Paulo, 2,11,1923

R.

Já de dias mandei as provas de *Andorinhas*, o livro encruado. Chegaram? Desconfio fugiram pelo caminho... O de que precisamos é que revoem depois de impressas.

Lobato

S. Paulo, 15,11,1923

R.

Tudo calúnias, Rangel. Fui ao Rio e a Belo Horizonte apenas a passeio, para descanso. Não fui "cavar" coisa nenhuma. Bem sabes do meu horror à cavação e da minha orgânica antipatia para com todos os governos. Apenas tratamos um álbum histórico, de luxo, com o Assis Cintra e ele, por conta dele, andou a cavar subvenções. Os jornais atacaram-me quando viram a Câmara daqui destinar trinta contos para trezentos exemplares do *Brasil de Outrora*. Era cavação do Cintra, só dele — mas eu nunca me defendo das acusações dos jornais. Não vale a pena. É perder tempo. Para o público só vale a acusação, a calúnia inicial. Se vem defesa, todos pulam por cima, não a leem. E dizem: "Eu te conheço, meu santinho!".

Não vi Minas. Fui e voltei de noturno. Só vi Belo Horizonte, capital nova e, pois incaracterística. Deu-me a impressão duma cidade de quinhentos mil habitantes dos quais quatrocentos e cinquenta mil estão perpetuamente viajando por longes terras. Diz o Nogueira: "É uma cidade maravilhosa, habitada por gênios invisíveis e gnomos visíveis".

O Raul fez um livro de sonetos satíricos e ótimos. Até no nome é bom: *Sonetaços*! Título de primeira. Pontaço, lançaço... Com este livro do Raul, já somos cinco do Cenáculo que deram livros. E seríamos seis, se o Albino, naquela eterna indecisão, não estivesse feito o asno de Buridan diante da sua Psicologia: "Publico? Não publico?"

Lobato

S. Paulo, 1,12,1923

Rangel:

O meu *Macaco* está desmentindo a espécie. Não pula. Vai devagar. Parece mais um bicho-preguiça do que um macaco ("animal de trejeitos delirantes", segundo a definição do dicionário do Padre Bacelar). A vendagem dos livros tem caído; todos os livreiros se queixam — mas o público tem razão. Câmbio infame, aperto geral, vida cara. Não há sobras nos orçamentos para a compra dessa absoluta inutilidade chamada "livro". *Primo vivere.*

As encrencadas *Andorinhas* começam a armar voo. Quando menos esperares, estão pousando aí. Quantas queres?

Tomo nota do teu plano de traduções. Estamos refreando as edições literárias para intensificação das escolares. O bom negócio é o didático. Todos os editores começam com a literatura geral e por fim se fecham na didática. Veja o Alves.

Lobato

1924

S. Paulo, 3,1,1924

Rangel:

Teu livro está impresso e dobrado. Se demora, é porque a proximidade da abertura das aulas põe a mercadoria didática à frente de tudo mais. Só cuidamos agora de cartilhas, gramáticas, aritméticas — todos os instrumentos de torturar as crianças.

Os projetos são cada vez maiores. Uma das possibilidades está no aumento de capital de modo a permitir-nos a fusão com a maior empresa gráfica de S. Paulo, avaliada em seis mil contos. Ou então nos mudamos mais uma vez para um grande prédio próprio no Brás e entupimo-lo de máquinas novas — e até livros em branco faremos. Uma delícia! Não exigem revisão. Isso porque parece que obstruímos o estômago literário do país, o que nos força a entrar por indústrias, ou campos novos. O livro em branco! Viva!

Lobato

S. Paulo, 7,4,1924

Rangel:

Chegou a resposta à enquete de *Nosotros*. Muito boa mas excessivamente lisonjeira para mim. Aquela gente de Buenos Aires anda a supor que sou alguém nesta terra, e vive às voltas comigo. O maior culpado é o Garay — e você também tem a sua culpazinha.

Entreguei a *Revista* ao Paulo Prado e Sérgio Milliet e não mexo mais naquilo. Eles são modernistas e vão ultramodernizá-la. Vejamos o que sai — e se não houver baixa no câmbio das assinaturas, o modernismo está aprovado.

Estamos em pleno *fervet opus* de reinstalação no novo prédio da rua Brigadeiro Machado, no Brás. Cinco mil metros quadrados de área coberta, tudo cheio de máquinas; entre elas, novidades: os primeiros monotipos entrados em S. Paulo. O linotipo compõe linhas inteiras; o monotipo funde tipo por tipo. Maravilha. Mas as oficinas esperam dar uma tacada na fabricação de livros em branco — esses livralhões comerciais. Livros em branco! O antigo Lobato do *Saci* e dos *Urupês* metido numa sociedade anônima para a fabricação de livros em branco! Pobres autores nacionais! Até um colega não quer saber de editá-los. Que o Otales aceitasse essa situação, compreende-se; ele não é escritor. Mas o pai do Jeca, o autor dos *Urupês*? Isto cheira-me a deserção das mais indecorosas, Rangel.

Não sou mais nada. Não passo dum ex-escritor de rabo entre as pernas. E às vezes me dá um medo. E se o arranha-céu desaba? Nós, que lá na rua Boa Vista não devíamos um vintém, agora devemos milhares de contos. Há lá um mundo de linotipos e prelos e o diabo, adquiridos a prazo. O prédio é uma beleza — é um monstro. Adquirido também — e a pagar-se em prestações mensais de contos e contos. Na rua da Boa Vista a nossa salinha nos ficava em duzentos mil réis, e eu era infinitamente mais feliz. Jogava xadrez todos os dias na hora do expediente. Cultivava surdos...

Lobato

S. Paulo, 30,7,1924

Rangel:

Uf!... Felizmente nada de grave nos aconteceu. Todos os cães estão vivos. Lá nas nossas oficinas da rua Brigadeiro, só duas granadas legalistas e marcas dumas duzentas balas de carabina. Depois da debandada geral e da parada à força, já retomamos o trabalho. Os fugitivos vão ressuscitando, saindo das tocas.

Eu a nada assisti. Estava de férias no Rio. Deixei o meu povinho em Santos, lá com o Heitor, e fui por mar. De volta do Rio, uma semana depois, também por mar, fiquei preso em Santos, até a evacuação de S. Paulo pelas forças do Isidoro. Que horror! Reentrei com a minha gente em S. Paulo no mesmo dia da evacuação, à tarde. Fios telefônicos por terra, casas em ruínas, paredes cravejadas de balas. Um burro morto na várzea do Carmo. Aspectos das cidades belgas e francesas depois da saída dos alemães. Mas a vitalidade de S. Paulo é muito grande. Reparará tudo com rapidez. Quando vim de Santos e entrei na cidade deserta, já havia homens remendando fachadas. A guerra havia terminado pela manhã e a reconstrução já estava em andamento.

A situação agora é de expectativa. Tudo no ar ainda. Que vontade de emigrar para não sei onde! Nem mais em S. Paulo, a terra clássica da paz, existe paz hoje! Revolução em S. Paulo! Bombardeio de S. Paulo! Quem jamais admitiu semelhante absurdo?

Lobato

Rangel:

Esse Valdez já me escreveu sobre o caso e já lhe respondi. Isso de traduções é uma eterna lástima. Alguns de meus contos aparecidos em revistas de Buenos Aires são até de irritar. E pelo que fazem nos meus contos, imagino a borracheira em que os lusitanos terão transformado as centenas de obras internacionais que traduziram. Tenho diante de mim a tradução do *The Vicar of Wakefield*, que é uma obra prima da literatura inglesa; pois o raio do labrego transformou-a em "bota" — com s. Gosto tanto desse livro, que me vem vontade de eu mesmo pô-lo em língua nossa.

Fechamos a torneira aos poetas e aos literatos nacionais de segunda classe. Só editaremos gente de primeira e as boas coisas da literatura universal. Mas insisto em obter traduções como as entendo. Essas traduções infamérrimas que vejo por aí, não as quero de maneira nenhuma. Mas é difícil... *D. Quixote* você pegou, mas parou no começo. E há as *Viagens de Gulliver*, e as *Mil e Uma Noites*, e *Peter Pan* — todas essas coisas que vêm galhardamente resistindo ao roçagar dos anos. O realmente bom, é de todas as pátrias e de todos os séculos.

Venha a tempo de ver os buracos de bala. O rombo de granada em nosso portão lá na fábrica tem que ficar até que você o veja e apalpe.

Lobato

S. PAULO, 30,8,924

R.

Que tabaréu! Que Seu Ozébio da *Capital Federal*! Vem, então, a S. Paulo e não acha a casa do Lobato? Não sabe que Bell inventou o telefone e há aqui "listas telefônicas"? Cretino!

Breve te mandarei provas da *Tempestade*, com as emendas que fiz tendentes a puerilizá-lo um pouco mais. Os leitores vão ser crianças. Teu estilo estava muito "gente grande".

Lês Le Bon e eu nada! Que saudades do tempo em que eu também lia! A engrenagem não dá folga para coisa nenhuma intelectual. Acabarei esquecendo até o alfabeto.

S. Paulo está fúnebre e assim ficará até setembro — ou pelo resto da vida, se Bernardes erguer o patíbulo ali na praça da Sé. O patíbulo! Parecia um abantesma retórico e no entanto é coisa desejada...

Lobato

S. PAULO, 15,9,1924

Rangel:

Escreveu-me, sim. Podes ir, sim, traduzindo o *Dafnis e Cloé*. Eu já havia tido essa ideia. Dá um volumezinho lindo. Estamos agora com um programa de edições sem direitos autorais, coisas já em domínio público, desde Dumas até Alencar. Se tens tempo, poderei dar-te muita coisa a fazer.

Sabe até o que quero? Verter a *Menina e Moça*, ou *Saudades* do velho Bernardim Ribeiro, em língua quase atual. Fiz uma parte, que já dei a imprimir. Depois te mostrarei. Aquilo está já muito recuado, muito antiquado; mas se o pusermos mais perto, em língua, não digo de hoje, mas de pouco antes de Herculano, fica uma delícia. O rouxinol que cantou, cantou e morreu — que lindo! É o melhor rouxinol que conheço. Os outros cantam e fazem cocô — o do Bernardim canta e morre...

Lobato

S. Paulo, 25,9,1924

Rangel:

Já conclui a semi-desarcaizaçāo do Bernardim Ribeiro, mas coisa tāo leve que o leitor nem sente. Nada se perdeu da ingenuidade daquele homem. De ilegível que era, ficou delicioso de ler-se. Fiz a experiência ontem em casa, com as provas. Purezinha, sempre tão exigente, leu-o e com encanto. Só agora, Rangel, vai o Bernardim popularizar-se no Brasil. Antes apenas lhe citavam o *Menina e Moça*, e os "imortais" recorriam ao seu rouxinol sempre que precisavam dum passarinho que não fosse vira-bosta. Eu tinha-o na estante e jamais o li. Pegava e largava. E como eu, todo mundo. Logo que saia tê-lo-ás aí. Vamos fazer uma linda edição. Aquele rouxinolzinho merece gaiola dourada.

Dafnis e Cloé, não tenho. Vou ver se o encontro nas livrarias. Há um romance encantador que está aos berros pedindo tradução: *O Vigário de Wakefield*, do Goldsmith, aquele a quem o Doutor Johnson chamou "imbecil de gênio". Li-o com regalo. Se queres traduzir, mandarei o original inglês que tenho em casa.

Da edição das *Andorinhas* ainda há no poleiro um bom lote: 2.185. Parece que saíram em má estação, de modo que a revoada se retardou. Setembro, mês quente. Era em junho, ou fins de maio, que as andorinhas lá da fazenda migravam. Que lindo! Um belo dia começavam a reunir-se no telhado do casarão. Súbito, voavam todas, davam várias voltas bem alto e pousavam — e essas também vinham. Por fim, quando todas as da zona já estavam reunidas, erguiam-se de repente e lá se sumiam ao longe. O inverno na Serra é forte. Elas fogem para o quente do litoral. Findo o frio, regressam. Certo ano houve um erro, não delas, mas do tempo. Já se acabara o inverno e haviam voltado as coitadinhas, quando sobreveio uma onda de frio com geada à noite. De manhã encontrei inúmeras mortas, na estrada, nos buracos dos barrancos.

Aguardemos o "fins de maio" das *Andorinhas* do Rangel.

Lobato

S. Paulo, 7,10,1924

Rangel:

Li as páginas assinaladas no manuscrito e o resto. São as melhores e está um encanto a cena da mulher que se desfolha em nudez. Resta agora que o diretor real da *Revista* (eu sou honorário) aprove a "imoralidade". Há sempre confusão de "beleza" com "imoralidade". Nossa era é Tartufa. Há bispos, há púlpitos, há uma porção de velhos ultra-safados e por isso mesmo altamente "moralistas". Muito curioso a questão da moralidade na arte. De nada serviu o *plaidoyer* de Flaubert... Não tenhas pressa com o Michelet. Faze-o sossegado. Acho ótimo esse livro, apesar de meio grande. Podemos reduzi-lo com o corte da introdução. E se puseres pedra-hume na tinta, ainda poderás na tradução encurtar umas cinquenta páginas. Logo terás aí o meu *Menina e Moça* do Bernardim.

De fato, meu caro, já *passei* literariamente, e estou com a vida oca, porque era a literatura que a enchia. E por mais que me comercialize e industrialize, não há tapar o vácuo. A vida agora é material, estúpida — e se não volto às letras ou à pintura é por me parecer grotesco pensar em tais coisas em tal terra. Meu ideal hoje é um só: assegurar a independência econômica e emigrar para uma terra bem distante do fenômeno "sociedade".

O Macaco dava realmente um lindo romance à Wells — mas para quê? O maldito "Para que?" matou o Ricardo e inutiliza todas as aptidões sérias dos que nascem com um toquinho de asas. Nada vale a pena neste Brasil.

Lobato

1925

S. PAULO, 11,1,1925

Rangel:

Já mandei os originais do Michelet. Os contos extraídos das peças de Shakespeare vão para que escolhas alguns dos mais interessantes e os traduzas em linguagem bem singela; pretendo fazer de cada conto um livrinho para meninos. Traduzirás uns três, à escolha, e mos mandarás com o original; quero aproveitar as gravuras. Estilo água do pote, hein? E ficas com liberdade de melhorar o original onde entenderes. O *D. Quixote* é para ver se vale a pena traduzir. Aprovado que seja esse resumo italiano, mãos à obra. E também farás para a coleção infantil coisa tua, original. Lembra-te que os leitores vão ser todos os Nelos deste país e escreve como se estivesse escrevendo para o teu. Estou a examinar os contos de Grimm dados pelo Garnier. Pobres crianças brasileiras! Que traduções galegais! Temos de refazer tudo isso — abrasileirar a linguagem.

Lobato

S. PAULO, 15,2,925

Rangel:

Recebi o *Rei Lear*. Continua. Faze os mais interessantes, não todos, pois temos de experimentar o público com os primeiros.

Vou esta semana para a roça, descansar um mês. Em junho, começos, estarei de volta. Até lá.

Lobato

S. Paulo, 8,3,1925

Rangel:

O Edgard não está aqui. Quando voltar dar-lhe-ei o teu cartão e ele vai abrir a boca: será o primeiro que recebe. Um cartão de "gente grande" vindo pelo correio!

Andas com tempo disponível? Estou precisando de um *D. Quixote* para crianças, mais correntio e mais em língua da terra que as edições do Garnier e dos portugueses. Preciso do *D. Quixote,* do *Gulliver,* do *Robinson,* do diabo! Posso mandar serviço? É uma distração e ganhas uns cobres. Quanta coisa tenho vontade de fazer e não posso! Meu tempo é curto demais.

Lobato

S. Paulo, 5,4,1925

Rangel:

Vai a *Menina do Nariz Arrebitado* e depois irá o nosso *Sargento de Milícias* com os pronomes no lugar e outras limpezas. Ficou muito mais decente que nas outras edições.

Tens aqui um crédito. Dá as ordens.

A cidade de Passos dizem-me que é boa — e vejo que é mesmo, já que te recebeu com flores e música. Estive no Rio. Cheguei hoje. Pavoroso aquilo.

Lobato

S. Paulo, 10,6,1925

Rangel:

O teu conto já estava composto e ia sair. Aí volta ele em provas. Se as coisas continuarem e a *Revista* ressuscitar, escrever-te-ei pedindo-o de novo. Em caso contrário, está o seu com o seu dono.

Nada sei de como desfechará o nosso caso. A situação piora. A Light, que prometera restabelecer a força este mês, avisa hoje que fará nova redução na energia fornecida. Só podemos trabalhar agora dois dias por semana! E como a horrenda seca que determinou esta calamidade continua, é voz geral que teremos completa supressão de força em novembro. O desastre que isto representa para S. Paulo é imenso; e como se juntou à crise da energia elétrica a crise de água da Cantareira e a crise bancária, o mal é enorme. Até o recurso de montarmos um motor Diesel falhou; depois de assentado, faltou-nos água para o resfriamento... Verdadeira calamidade, Rangel. O mesmo que um daqueles terremotos do Japão. Estou pensando em mudar-me, continue ou não com a empresa editora. Mudar-me para a beira dum rio — para a beira do Amazonas — do Mississippi... Isto de secar à moda cearense é horrível.

Há por aí algum rio que não seque? Muda-te para perto dele, Rangel.

Em S. Paulo hoje tudo depende da eletricidade — o transporte, a indústria, o aquecedor do banheiro, o fogareiro de emergência, o fogão das cozinhas, o aspirador de pó, tudo, tudo. Se a corrente elétrica falta, tudo degringola. Estamos completamente parados — e por quanto tempo assim? Tem havido missas pró-chuva, mas os deuses andam mais surdos que o Malta. Estamos aqui de cócoras na nossa empresa, parados, com os juros das dívidas a crescerem, à espera de que chova e a Light se normalize. Eu podia prever tudo no meu negócio — menos isso: seca do Ceará em S. Paulo...

Lobato

S. Paulo, 10,7,1925

Rangel:

Lê o papel junto. A crise da energia elétrica da Light vai dar-nos um tombo — mas há de ser tombo passageiro. Breve estaremos novamente de pé. As feridas cicatrizarão e em um ou dois anos ninguém falará mais no caso. É a tempestade hoje; será o azul amanhã. Aviso-te porque és amigo; e antes o saibas por mim do que de boca alheia. Recebi o *Rei Lear*. Continue a traduzir, e também continue o novo livro. A vitória é matemática. Perderemos uma batalha, mas no fim ganharemos a guerra — como os ingleses.

Lobato

S, Paulo, 7,8,1925

Rangel:

Teu artigo saiu hoje no *Estado* e impressionou. Ainda não posso dizer que rumo tomarão as coisas. Só em fins de setembro estará tudo liquidado, pois vai ser adiada a reunião de credores. Pensamos em propor concordata com cinquenta por cento, mas eu torço pela liquidação. Antes construir uma casinha nova e só da gente do que remendar um casarão de todo mundo. Havendo liquidação, lançaremos sem demora a Companhia Editora Nacional, pequenininha, com o capital de cinquenta contos em dinheiro e dois mil em experiência — e em poucos anos ficaremos ainda maiores que o arranha-céu que desabou. Perder uma batalha não é perder a guerra — eu já te disse isto. Na nova sociedade ficamos só nós dois — eu e o Otales. Com ela provaremos ao país que somos de sete fôlegos. O que nos fez mal foi a montagem daquela enorme oficina. A nova empresa será só editora — imprimirá em oficinas alheias. A indústria editora é uma e a impressora é outra. E como nada faremos a crédito (que por felicidade não teremos,) a nova árvore crescerá com solidez de granito, à prova de secas, terremotos e vulcões. Escreva. Como a experiência foi dura, doravante admitiremos a hipótese de tudo — até de terremoto em S. Paulo. Seja lá como for, a dupla Lobato-Otales insiste, teima, pula e não larga a trincheira. Podes continuar a traduzir os contos shakespearianos. Não pares, como nós aqui, mesmo debaixo dos escombros, não paramos. Parar é morrer. E, por falar nos contos, recebeste a *Tempestade*? Que interessante! Justamente quando imprimimos a *Tempestade* de Shakespeare, tivemos a tempestade shakespeariana que nos botou por terra... Mas Caliban não vencerá. O dia de amanhã pertence a Ariel — ou a Próspero.

Um abraço do teimoso

Lobato

S. Paulo, 29,9,1925

Rangel:

Parto amanhã para o Rio de mudança. A nova empresa está formada e vai ter ramal lá. Desta vez construímos alicerces de cimento armado. A experiência adquirida vale dez mil contos. Antes de tomar casa fico uns dias com o Leonídio Ribeiro, rua S. Francisco Xavier, 367. Quero ver se moro em Santa Tereza, com vista para o mar. Oh, abrir a janela de manhã e exclamar: "Thalassa! Thalassa!" como espetacularmente fez o Tito aquela vez em Santos.

Voltarei algum dia a este S. Paulo? Gosto de São Paulo, destes seus plátanos que perdem as folhas, deste seu clima sempre frio, destas suas garoas dentro da qual passeávamos à noite com o Ricardo, ouvindo-lhe os versos maravilhosos.

Taubaté... Areias... fazenda do Buquira... Caçapava... S. Paulo... Rio de Janeiro... E depois? Shanghai? Londres? New York?... Mas onde quer que estivesse ou estiver, sempre estive e estarei com você.,.com o Rangel do Minarete... com o Rangel de Caldas... com o de Silvestre Ferraz... com o de Santa Rita do Sapucaí... com o da cidade de Passos... com o de Três Pontas...

Lobato

Rio, 7,10,1925

Rangel:

Toca o bonde. Podes continuar a traduzir os contos de Shakespeare. O hiato que nos ocorreu na vida com o desabamento do nosso arranha-céu já está fechado. A nova Companhia Editora Nacional vai prosseguir na obra partindo do ponto em que a outra estava no momento do tombo. Com a diferença que o negócio agora é só nosso — meu e do meu velho companheiro — não há acionistas nem capitalistas estranhos. É um barquinho pequeno, mas com apenas ele e eu no comando, sem o amarramento que há nas empresas em que os diretores têm que dar contas aos acionistas. Há de vencer e ser uma coisa formidável.

Tenho cá o *Rei Lear*. Podes fazer o resto sem pressa, e em estilo que não perca de vista os leitores que vai ter — meninos. Chegou aí algum exemplar do primeiro volume já publicado — *A Tempestade*?

Vamos ter muito trabalho de traduções, e se dispões de tempo e tens gosto para traduzir, conversaremos.

Adeus. Vai recomeçar a Inana!

Lobato

Rio, 8,11,1925

Rangel:

Em mãos a de 26. Fiz leilão da minha casa em S. Paulo e montei outra aqui — rua Professor Gabizo 97. Vida nova, tudo novo. Não quero nada que lembre o passado. Quem vive a olhar para o passado é como quem caminha de calcanhares para a frente. A nova companhia está fundada e com todas as rodas girando. Eu e o Otales, só. Primeiro livro dado: o meu *Hans Staden*. Outros virão. Em três ou quatro anos a nossa Cia. Editora Nacional estará maior que o Pão de Açúcar — e sólida como ele. Fizemos proposta para a compra do estoque de edições e direitos autorais da falida, coisa que só em dezembro se resolve. Se a aceitarem, começaremos com um fundo de negócio cujo valor só nós — eu e o Otales — conheceremos, e rapidamente refaremos o perdido. A coisa que menos me mete medo é o futuro.

Fui convidado para dirigir um jornal e estou pensando. Não me seduz o jornalismo. "E a Academia?" perguntas. Não sei, Rangel. Tenho medo de academias, coisa algemante, e não possuo o "feitio acadêmico", já o disse o Vicente de Carvalho. A Academia é bonita de longe, como as montanhas. Azulinha. De perto... que intrigalhada, meu Deus! Que pavões! Quanta gralha com penas de pavão lá dentro!... E depois, aquela farda! Já figuraste o grotesco do fardão? Eu, metido naquilo! Você, metido naquilo! O Ricardo, metido naquilo, com o espadim de cortar papel à cintura... Não sei por que um acadêmico fardado me lembra caixão de defunto. Os galões, talvez.

Gosto do Rio e sempre quis morar aqui. Há umas coisas velhas. O Cosme Velho do Machado de Assis. A Ascurra. Mas a paisagem tropical me cansa. Sinto que vou logo me enjoar destes verdes eternos, destas palmeiras de presepe e do eterno Pão de Açúcar. Meu sonho é a paisagem dos países frios, com invernos, árvores desfolhadas, outonos vermelhos, neve — e depois a maravilha que há de ser a "ressurreição da cor" na primavera. Não tenho o índio ou o negro na alma. O tropicalismo me parece coisa de índio e negro da África.

Uma aventura terrível, Rangel, ter de começar vida nova em idade que já pede aposentadoria — mas não deixa de ter seus encantos, como todas as aventuras. Vem passar as férias aqui. A casa é grande e há um quarto de hóspedes com janelas para um pedraçal imenso. Lá no topo repimpa-se uma casa velha e atarracadas, com um letreiro enorme no liso da pedra: Fazenda Turano.

Otales dirige tudo em S. Paulo e eu tomarei conta duma espécie de sucursal aqui. Projetos, projetos.

Faço ponto na livraria Leite Ribeiro. Reúnem-se lá figurões. Gosto de conversar com o Rocha Pombo, um excelente velhinho. O Almáquio Diniz não falha. E vem o Humberto. Esses homens que o Brasil do sertão conhece pelos jornais e admira como paredros, a gente os vê em carne e osso. São glórias e gloríolas que passam, fazem estação nos "pontos", ingerem aperitivos e vão para casa com pacotes de empadinhas no dedo. Gosto do Antonio Torres. Faz ponto à noite no grande bar fronteiro, naquele bloco do Hotel Avenida. O chope é servido em rodelas de papelão, em vez de pires. Um papelão mata-borrão, ótimo para lápis-tinta quando está úmido. E o Torres, em eterna guerra contra Portugal, escreve na sua linda letra em cada um daqueles discos de papelão: "Duarte Leite, Encaixotador de Portugal no Brasil". Duarte Leite é o Embaixador português...

O Rio me dá ideia dum tremendo cancro que parasita e suga toda a seiva do Brasil. Ou o Brasil dá cabo deste Rio de Janeiro, ou o Rio de Janeiro dá cabo do Brasil. O Artur Bernardes me disse isto em Belo Horizonte, antes de ocupar a Presidência: "Só não mudarei a Capital Federal se me for impossível. Nunca haverá governo decente nesta terra, enquanto a sede do governo for no Rio — naquele antro". Eu hoje compreendo o que há de certo em tais palavras.

Lobato

1926

Rio, 26,1,1926

Rangel:

Pois é. A vadiação forçada em que me encontro fez-me pensar no suicídio, não à moda do Ricardo, mas por meio da "imortalidade" acadêmica. Aquilo está se transformando em matadouro. Nossos "imortais" morrem como formigas. Há tantas vagas agora e tantas "quase-vagas", que num momento de desespero inscrevi-me. Visitas não faço, mas mandarei uma carta a cada um fazendo um gentil rapazinho. Serão trinta e sete cartas — e fazer mais que isso repugna-me. Quanto à farda, não visto. E nem tomo posse. Pronunciar um discursão, de casaca ou farda — nunca! Sei que está assentada a eleição de Adelmar Tavares, mas quero ver. Estou com alguma curiosidade.

Mando-te um *Staden*, a edição primogênita da nova companhia e, por coincidência, o primeiro livro que se publicou sobre o Brasil. É obra realmente interessante e merecedora do sucesso que tem tido. A edição inicial de três mil está no fim. Vamos tirar outra e maior.

O Nogueira parece que também quer concorrer à Academia, e um jornal de hoje diz que "o Melo Viana vai pedir por ele". Pedir! O Nogueira, com dois livros excelentes, lá necessita pedir! A nossa Academia é essa indecência por puro espírito de imitação: sua mãe, a Academia Francesa, é uma polaca velha dez vezes mais indecente. Leia as ironias do Anatole France a respeito.

Lobato

Rio, 11,2,1926

Rangel:

Recebi teu cartão e leio agora o recado no frontispício do livrinho — salvando-o. O mais, que não é teu, tomo-o como sintoma da doença mental que está em desenvolvimento no Brasil: tênia nos miolos. Imagina que ao receber aquela filariose pensamentífera eu estava lendo Chamfort, que é para mim o pensador número um da França, em finura e verdade. De modo que ao invés da tua previsão "... que não lerás", lio-o todo, já que no contraste reside o sabor das coisas e ninguém conheceria o doce do mel se desconhecesse o amargo das quássias. Minha política literária hoje é ficar nos extremos. Só ler os Balzacs ou os Macucos — os gênios ou os imbecis, já que estes são os mesmos gênios às avessas.

O bonde é cá no Rio um promotor de leituras. Ninguém escapa de dar ao bonde uma hora de vida por dia, e a leitura impõe-se como amenizadora dessa hora. Voltei a ler, eu que até do alfabeto já andava esquecido. E a ler "sucos" — vê lá: *Manon Lescaut*, *Guilherme Tell* de Schiller (que primor!), La Bruyère, Chamfort, Courrier, Sevigné, Benjamim Constant no *Adolphe* e quantas mais coisas vêm numa coleçãozinha azul de Nelson. Neste andar ponho-me aí um sábio com jus a uma cadeira de literatura não sei onde. Como vês, leio os grandes; e fora deles, só os do extremo oposto, igualmente interessantes. Há um Jarbas Loretti, autor das *Vozes Andinas*, que é abrir ao acaso e gozar ao acaso, já comecei a citá-lo em meus artigos n'*A Manhã* — e hei de citá-lo até morrer. Faço empenho em revelar ao Rio o poeta que diz coisas assim:

> Homem, tens um jardim? Faze-o mais lindo e róseo;
> Se acaso és caçador, caça o feroz famacósio
> Que erra no Paraguai.
> Mas, não! Queres dinheiro, ou libra, ou franco, ou rublo.
> Não temes contemplar-me o cariz, se me enublo?
> Sou irmão do Shanghai.

Diz coisas assim ao acaso, pelo livro inteiro; e apesar de nas livrarias figurar na prateleira dos poetas, entre Hugo e Saturnino, vai se perpetuando ignorado!

O teu recomendado pensamenteiro não vale o Loretti, embora pense em ortografia portuguesa. Apesar do nome, não levará nenhum Napoleão a Waterloo, porque é um Waterloozinho de si próprio, para uso caseiro. Rangel, Rangel: que prodigiosos admiradores descobres nessas Minas Gerais, ricas de todos os minérios!

Minha segunda aventura na Academia... Da primeira vez me apresentei e logo depois me arrependi e retirei a apresentação. Desta vez foi o Leonídio Ribeiro, grande amigo daqui, quem me empurrou. Inscrevi-me, e cheguei mesmo a fazer duas ou três visitas. Mas a velha vergonha voltou. Larguei mão. Um dos meus competidores está se revelando prodigioso na cabala. Faz tudo quanto eu não tenho ânimo de fazer. A força dele, porém, estava no ineditismo. Como não possuísse nenhuma obra que o exteriorizasse sob forma gráfica, dele diziam os seus cabos eleitorais maravilhas: que era um gênio todo latências e, pois, merecia entrar como entraram Afrânio e Graça Aranha, esses dois que se "imortalizaram" inéditos mas depois produziram coisas excelentes e desse modo perderam as aspas. Ora, você compreende que é difícil lutar com um homem assim, armado com armas em que eu não pego e tão tremendo de latências. Eu, que dei? Uns livros de contos. Mostrei, pois, as minhas cartas. E ele? Ah, ele tinha lá dentro *Comédias Humanas* e *Divinas Comédias*. Luta muito desigual. Desisti.

Mas aconteceu uma coisa curiosa. Não satisfeito com a magnífica contagem de pontos, o Latente resolve dar amostra das riquezas internas: mostrar um rabinho da *Divina Comédia* ou um cabelinho da *Comédia Humana*. E, inopinadamente, com surpresa geral, bota um livro, como franga nova bota um ovo. Ouça agora esta.

Gosto muito do Coelho Neto e vou lá sempre. Da última vez encontrei-o furioso (Neto é o maior padrinho do Latente).

— "Que houve, Neto? Que zanga é essa?"

E ele, brandindo no ar um livrinho:

— "É este sujeito. Deu-me um trabalhão preparar a sua entrada para a Academia e agora, que estava com tudo quase assegurado, sabe o que ele faz? Publica este livro — veja! Mas já o adverti severamente pelo telefone: 'Se você publica outra coisa qualquer antes da eleição, retiro o meu apoio ao seu nome e retiro até o meu voto pessoal!'".

Rangel, Rangel: nós somos dois matutinhos do sertão...

Lobato

Rio, 7,5,1926

Rangel:

Após longo silêncio me chega uma tua, relembrativa das boas cartas de dantes. E a nota ainda é a mesma: tua luta com o problema econômico. Ainda pagas dívidas com o dinheiro mais duramente ganho deste mundo! Tudo por erro de localização. Minas é um estagno. (Existirá esta palavra? Brotou-me agora. Boa, não?) Breve reentraremos na ativa, e a Cia. Editora Nacional te dará muito trabalho — e também te pagará o que a falida te ficou a dever. Nossa nova fase avança maravilhosamente bem, apesar de tão bebezinha: nasceu em fevereiro. Desde esse mês até hoje tivemos um líquido de cento e trinta contos, e aquisição do estoque de livros da velha companhia vai ser tacada. Decididamente temos estrela, porque é difícil conseguir, a quem sai duma estrondosa falência, o que estamos conseguindo em tão pouco tempo. E breve serão duas casas, uma em S. Paulo, a matriz e outra aqui, a filial. E depois três, quatro, cinco — uma livraria em cada capital do Brasil. Só de gramáticas do Eduardo Carlos Pereira vendemos de fevereiro até hoje vinte e sete mil. A edição do *Hans Staden* (recebeu?) foi um triunfo — oito mil em três meses — e está entrando nas escolas.

E tenho lido muito no meu gabinete de leitura ambulante, o bonde. Até Pascal, esse Nogueira francês em sua eterna bebedeira de Deus. Até Anatole e coisas inglesas.

Quem me estimula no inglês é a criatura mais bela e inteligente do Brasil: Rosalina. Rangel, Rangel: quem passou pela vida e não conheceu Rosalina, falhou — perdeu o bonde. É a mulher da beleza tríplice — física, moral e mental. Vou dizer dela aos argentinos pelo *Plus Ultra*, com um retrato de página inteira.

Aborreci-me de escrever n'*O Jornal* por causa da letrinha miúda e dos erros de revisão. Passei-me para *A Manhã* do Mário Rodrigues, que está com a maior tiragem do Brasil. Cada número é um estouro de bomba. Mando-te alguns artigos. *O Pátio dos Milagres* doeu e fez que o governo pensasse em assistir aos pobres. Estava uma vergonha a mendicância nas ruas.

Vou ver os *Bonecos* do W. Brandão, embora me falte fé nos novos. Estou de sorte. Fui traduzido na Síria por E. Kouri; na Alemanha por Fred Sommer; na França por Duriau. E como de muito tempo ando com a Espanha e a Argentina no papo, já apareci em seis países. Quer dizer que só fali comercialmente.

Breve teremos de cuidar de você: nova edição da *Vida Ociosa*. Precisamos "gavar" este país com o teu romance.

Não ficarei muito tempo nesta terra. O calor!... Já te disse que não tenho o trópico no sangue. Detesto os verdes eternos, o calor quase eterno, a tal primavera eterna que não passa da mais eterna e desesperante monotonia. Verde, verde, o ano inteiro! Tudo verde, como o *Menino Verde*, um álbum colorido com que me diverti em criança, companheiro do *João Felpudo*: Lembra-te disso? Pobres das crianças daquele tempo! Nada tinham para ler.

Ando com ideias de entrar por esse caminho: livros para crianças. De escrever para marmanjos já me enjoei. Bichos sem graça. Mas para as crianças, um livro é todo um mundo. Lembro-me de como vivi dentro do *Robinson Crusoe* do Laemmert. Ainda acabo fazendo livros onde as nossas crianças possam morar. Não ler e jogar fora; sim morar, como morei no *Robinson* e n'*Os Filhos do Capitão Grant*.

Lobato

Rio, 8,7,1926

Rangel:

Não sei se já te avisei da chegada dos artigos. Também comecei a ler o W. Brandão no livro mandado. Realmente, muito interessante e de grande pitoresco. Há ali coisas deliciosas de observação e expressão. Pena escrever na tal cacografia portuguesa.

Sabe o que ando gestando? Uma ideia-mãe! Um romance americano, isto é, editável nos Estados Unidos. Já comecei e caminha depressa. Meio à Wells, com visão do futuro. O *clou* será o choque da raça negra com a branca, quando a primeira, cujo índice de proliferação é maior, alcançar a branca e batê-la nas urnas, elegendo um presidente preto! Acontecem coisas tremendas, mas vence por fim a inteligência do branco. Consegue por meio dos raios N, inventados pelo professor Brown, esterilizar os negros sem que estes deem pela coisa.

Já tenho um bom tradutor, o Stuart, e em New York um agente que se entusiasmou com o plano e tem boa porcentagem no negócio. Imagine se me sai um *best seller*! Um milhão de exemplares...

Conheces a série *Tarzan*? Curiosa e bem infantil. Anda em milhões. Eu me acho capaz de escrever para os Estados Unidos por causa do meu pendor para escrever para as crianças. Acho o americano sadiamente infantil.

Lobato

1927

Rio, 7,2,1927

Rangel:
Recebi os livros e alegrei-me da tua volta à ativa desta vez em rodapé. E do rodapé acabo de sair hoje pois que *A Manhã* concluiu a publicação do meu "romance americano". Quero ouvir tua opinião, mas mandá-lo-ei já em provas tipográficas para livro — e assim te filo mais uma revisão. Nunca me julguei capaz de conduzir um romance até o fim, e no entanto lá o pari em vinte dias. Como é "canja" escrever um romance. Disse-o ontem ao Coelho Neto e ele amoitou. Saiu um romance inteiramente desligado da minha velha literatura regional. Veio coisa do futuro — lá do ano 2228.

A nossa nova empresa editora vai com todos os ventos favoráveis. Cada edição, um triunfo. Do *Príncipe de Nassau*, do Setúbal, tiramos vinte mil e já está perto do fim. Cheira-me que o romance histórico é mina. Por que não pensas num? Bem dramático, bem cinema? Há em Minas aquele período áureo da mineração do Tejuco, ou no distrito diamantino. Com o Viriato já apalavramos um, *Chica da Silva*, que há de fazer barulho.

Queres ver como entre nós vão as coisas evoluindo e como está ficando *yankee* a nossa técnica editora? Anos atrás, na velha companhia, quando tirávamos de uma obra três mil, todo mundo achava que era arrojo. Pois hoje começamos muitas com dez mil; e se a obra tem qualidades excepcionais, começamos logo com vinte mil, como o Nassau de Setúbal, o meu *O Reino Louro* ou *O Choque das Raças* ou *O Presidente Negro* (ainda não o batizei definitivamente) vai sair com vinte mil no mínimo. E soltamos a avalanche de papel sobre o público como se fosse uma droga de farmácia, um Biotônico. Anúncios, circulares, cartazes, o diabo. O público tonteia, sente-se asfixiado e engole tudo. Mando-te hoje a minha tradução do livro do Henry Ford e o Jean de Lery.

Não conheço o teu *Filha*. Filha do quê? Eu, se fosse você, transformava-o em romance histórico. *A Filha do Conde de Bobadela*, por exemplo. O público prefere ler coisas de condes, duques, príncipes, reis e magnatas, em vez de aventuras e vidinhas miseráveis como a do M. J. Gonzaga de Sá. Aquele livro do Lima Barreto encalhou por causa disso. Que importa a alguém a vida dum M. J. Gonzaga de Sá que ninguém sabe quem é, nem quer saber? O público reclama coisas e tipos diferentes dos que vê em redor de si — e é natural. Que me interessa um romance sobre a vida da minha cozinheira, se a tenho de aturar em pessoa todos os dias? Podemos fazer uma coisa, Rangel: refazer nossos livros! Nobilitar nossos personagens! Você transforma o Zé correto em Barão do Onyx e eu faço do Jeca Tatu um conde do papa.

Você nunca soube batizar o que escreve, *Filha*!... Quem no mundo comprará um livro com esse nome? Filha tem-se, não se compra. Na velha companhia mudei muito título. Punha de preferência um nome feminino, porque, em cheirando a mulher lá dentro, os leitores concupiscentes compram "para ver". Editar é fazer psicologia comercial.

Lobato

Rio, 12,2,1927

Rangel:

Diga-me se recebeu *O Choque das Raças*. O teu silêncio a respeito me causa espécie. E estou com outro livro novo já com a cabeça de fora: *Mr. Slang e o Brasil*. Já não é ser lobo, dirás: é ser coelho... neto...

Lobato

Rio, 23,3,1927

Rangel:

Passei a manhã de hoje emaçando cartas — como tenho cartas, meu Deus! Apesar do destroço que a cada mudança nelas faço, ainda as conservo às centenas; das que dizem algo interessante para a história da minha vida e da contemporânea, não me desfaço. Tuas, quantas e quantas! Conservo-as todas. Desta feita parto para longe. Estou a fazer a bagagem. A 27 de abril sigo de mudança para os Estados Unidos, para onde fui nomeado Adido Comercial. Verei se lanço lá a edição inglesa do *Choque das Raças* e estudarei a hipótese do transplante da nossa segunda empresa editora. Se for possível, chamar-se-á Tupy Publishing Co., e há de crescer mais que a Ford, fazendo-nos a todos milionários — editores e editados. O Brasil é uma coisa perrengue demais para os planos que tenho na cabeça. Esses planos no Brasil permanecerão toda vida lêndeas: lá virarão piolhos do tamanho de iguanodontes. O cargo assegura-me subsistência e deixa-me liberdade de ação. Espero em dois anos dispensá-lo e ficar apenas o chefe da Tupy Co. Que sonho lindo! Que maravilha! Morar e ter negócio na maior cidade do mundo, onde os homens se envenenam com o fedor da gasolina de oitocentos mil automóveis! América, a terra de Henry Ford, o Jesus Cristo da Indústria! Mandei-te o meu livrinho em inglês. *As Henry Ford is regarded in Brazil*. Sabes que recebi dele uma carta, lá de Dearbon? Logo irei a S.

Paulo e te mandarei *Tempestade*. Incrível que ainda o não tenhas recebido. Ficou um livrinho lindo. E resolverei sobre o caso do *Rei Lear*.

Qualquer coisa que queiras do Thomas (Edison) ou do Calvino (Coolidge) é ires dizendo.

Lobato

Rio, 22,4,1927

Rangel:

Só partirei no dia 25 de maio, pelo American Legion. Para a semana vou a S. Paulo por uns dias. Não sei se te encontrarei lá. Foi para a América um telegrama da United Press sobre *O Choque*. Telegrama para uma cadeia de jornais. Uma revista americana deu notícia e falou da provável edição inglesa. De lá te escreverei. "Lá," agora, quer dizer New York. De volta de S. Paulo também te escreverei sobre um negocinho. Adeus.

Lobato

Rio, 24,5,1927

Rangel:

No momento de partir não me esqueço do grande amigo. Vai esta — a última que te escrevo do Brasil. Em New York City, Brazilian Consulate, U. S. A., terás, como sempre, o velho

Lobato

P. S. — Qualquer coisa que queiras da Cia. Editora Nacional é só escreveres ao Otales Ferreira, que fica na direção de tudo. Já lhe recomendei que te pagasse a tradução do *Rei Lear*.

L.

New York, 17,8,1927

Rangel:

Recebi tua carta. Em vez de pegá-la do "seu Martins", aquele estafeta que descrevi no *Suplício Moderno*, peguei-a no Consulado. Interessante os nossos destinos. Você condenado a pular duma "cidade morta" para outra, e eu a saltar duma cidade viva para outra mais viva ainda: Taubaté — S. Paulo — Rio de Janeiro — New York...

Sinto-me encantado com a América. O país com que sonhava. Eficiência! Galope! Futuro! Ninguém andando de costas! E há aqui até sabiás... O robin, anunciador da primavera (o robin emigra no inverno e é o primeiro passarinho que volta quando a primavera vai romper), tem aquele mesmo papo cor de telha nova do nosso sabiá-laranjeira.

Passarinho aqui é gente, Rangel. Todos os bichos aqui são gente — cães, gatos, esquilos... E há hospitais para os bichinhos como não os há aí para os Jecas. Uma conhecida minha aqui de Jackson Heights mandou para o Hospital dos Passarinhos o seu canário hamburguês e o recebeu perfeitamente curado e alegre. O pobrezinho havia amanhecido com a pata esquerda enganchada numa forquilha da gaiola e estava manquitolando... foi como Mrs. Blunt me explicou o caso.

Rangel: eu sou um peixe que esteve fora d'agua desde 1882, quando nasci, e só agora caiu nela. Isto aqui é o mar do peixe Lobato. Tudo como quero, como sempre sonhei. E a pátria aí me custeia com setecentos dólares por mês. Hei de devolver esse dinheiro com juros fabulosos. Meu plano agora é um só: dar ferro e petróleo ao Brasil. Estou em carteação com Mr. W. H. Smith, de Detroit, sobre um novo processo siderúrgico, perfeitamente *fit* às condições carbônicas do Brasil. Terei de ir lá estudar o processo e então visitarei a Ford e o Ford. Como você sabe, fui o tradutor do Ford no Brasil, e ao chegar a New York, quem encontro no cais de Hoboken? O agente geral da Ford em New York. Abordou-me, deu cartão e disse que tinha ordem de Mr. Ford para receber-me e facilitar-me tudo. Foi ótimo, porque vim com bagagem enorme (todos os meus livros, imagine) e onde guardar aquilo? O agente encarregou-se de tudo. Levou-me para o hotel numa Lincoln e guardou meus caixões no depósito da companhia até que eu alugasse este apartamento. Tome nota: 205 — 24th Street — Jackson Heights, L. I. — New York City — USA.

Vê que gente gentil? Eu diante do Ford sou pulga magra diante do Everest. Pois o Everest desce das alturas, põe o microscópio no olho, enxerga a pulga magra e, em vez de esmagá-la entre as unhas, acolhe-a como se fosse gente! Será que pulga também é gente aqui?

Lobato

New York, 5,9,1927

Rangel:

Recebi tua carta, como as recebia em Areias, em Taubaté, em S. Paulo. A maior invenção humana é o Correio.

Que dizer-te, Rangel? Isto é tão imenso, tão desmarcado, tão fora de proporções com o nosso mundinho aí, que é tolice querer dar uma ideia. Teatros, beleza feminina... os arranha-céus... o orçamento da cidade... o perpétuo Amazonas de automóveis...

Maomé sonhou com um paraíso de huris e o Ziegfeld realizou-o na terra, pondo-o ao alcance dos olhos (dos olhos só) de quem tem três ou quatro dólares no bolso. *Glorifying the American Girl* — é o moto desse homem, que em seu teatro reúne e exibe quase nua a flor da beleza americana. E é diante delas que um basbaque vindo daí primeiramente se extasia. Como bom basbaque, já me fui extasiar com aquele *glamour*. Esta palavra tem enorme consumo aqui. *Gorgeous*, também. As *girls* do Ziegfeld são todas *gorgeous*. Esta palavra é filha do *se regorger* dos franceses: estufar o papo, como os perus...

Sabe onde li tua carta? No trem de Corona, que é o que me traz para casa — trem subterrâneo. Aí em Minas só as minhocas andam no fundo da terra; aqui todos nós, dentro de trens. Conta isso ao Chico Sales. Tomo meu trem numa caverna de Ali Babá maravilhosa, chamada Grand Central, lá no fundo da terra, e o trem me leva pelo túnel que passa debaixo do rio Hudson. Eu estava passando sob o Hudson, quando cheguei ao pedaço em que falavas no jatobá. Farei e pensei comigo: "A cidadinha de Passos, Rangel olhando para o jatobá — e eu no fundo do Hudson vendo o Rangel de olhos fixos no jatobá!" E repeti alto essa palavra "jatobá"... Um americano ao meu lado olhou...

Meu romance não encontra editor. Falhou a Tupy Company. Acham-no ofensivo à dignidade americana, visto admitir que depois de tantos séculos de progresso moral possa este povo, coletivamente, combater a sangue frio o belo crime que sugeri. Errei vindo cá tão verde. Devia ter vindo no tempo em que eles linchavam os negros. Os originais estão com o Isaac Goldeberg, para ver se há arranjo. Adeus, Tupy Company!...

O Brasil... Como está longe, no espaço e no tempo! Aí vivemos, bem pouco adiante da era de D. Maria Primeira. O Antonio Torres dizia sempre: "Minas ignora que D. Maria I já morreu". Acho que até São Paulo não tem bem certeza da morte dessa rainha...

Moro em Jackson Heights, o mais belo bairro residencial de New York. Em certas ruas há canteiros de tulipas, que as dividem pelo meio — canteiros estreitos mas compridos como as ruas. Quando florescem, que linda fita de cor de um extremo ao outro! Tulipas, Rangel, aquilo que parecia privilégio da Holanda!

O americano troca o "t" por "r", de modo que até um inglês de Londres se atrapalha em New York. Há dias pedi *water* num restaurante. O *waiter* — isso aí que vocês chamam garçon — olhou-me com cara d'asno. Repeti. "*A glas of water, please!*" Ele ainda ficou no ar uns instantes. Depois seu rosto iluminou-se (era um garçon inteligentíssimo) e disse: "*Warer?*" e trouxe-me a água pedida. *Tomato* é tomeiro — e eu sou *Mr. Lobeiro*. Filha é *dórar* e *What of it?* é *Oróvet*. Fui comprar uma fita de máquina. "*Standard* ou *Pôrabal?*" perguntou o homem. Espertissimamente adivinhei que *pôrabal* queria dizer *portable* — máquina portátil.

Se gostar de ler inglês, poderei mandar-te um milhão de coisas — sobretudo jornais e revistas.

So long, old chap!

Lobato

1928-1943

NEW YORK, 17,8,1928

Rangel:

Será que já morremos um para o outro? Em parte é assim, tanto a vida nos soprou para rumos diferentes. No começo escrevíamos como riachos que correm. Era fácil. As mesmas ideias na cabeça, os mesmos sonhos — e que bonitos, lindos, os sonhos da "primeira infância" literária! Ontem, mexendo numa gaveta, (não é mais gaveta, é *file*...) encontrei uma velha carta e li-a cheio de saudades do nosso tempo, das nossas coisas, da nossa comunhão de ideias. Tudo tão longe agora, já em estado de *will-o-the wisp* em minha imaginação... Eram fáceis, a correspondência e o mútuo entendimento naqueles períodos. Hoje é mais difícil. Tenho de falar daqui e é muito difícil falar das coisas que "só vendo". New York é uma cidade que "só vendo".

O *rush* deste país rumo ao futuro é um fenômeno, Rangel! Quando escrevi O *Choque*, pus entre as maravilhas do futuro a televisão. Pois já é realidade. O *Times* de hoje anuncia que a estação WCFW vai inaugurar comercialmente a irradiação de imagens. O sonho que localizei em séculos futuros encontro realizado aqui.

A primeira vítima da televisão vai ser a velha e boa Saudade, que no fundo é filha da Lentidão e da Falta de Transportes. A saudade desaparecerá do mundo. (Pobres poetas! Dia a dia vão perdendo as cocadas da sua quitandinha.) Porque a saudade vem de não podermos ver e ouvir a pessoa querida que está longe ou já morreu. Mas o rádio e a televisão destroem o longe. Em breve futuro a palavra "longe" se tornará arcaísmo. Como longe essa tua Minas, se poderei ver-te e ouvir-te daqui? E quanto ao longe da morte, logo o De Forest inventa uma válvula metapsicotônica para a comunicação entre vivos e mortos. Em vez de ter saudades do Ricardo, eu chego ao aparelho e ligo-me com a "frequência ricardiana".

— "*Hello!* É você, Ricardo?"

— "Sim..."

— "Pois eu estou aqui, meu caro, neste perpétuo curto-circuito que é New York."

— "E o nosso Rangel, que fim levou?"

— "Inda há pouco estivemos conversando. Sempre em Minas. Achei-o mais magro. É de tanto traduzir livros de moças, creio. O Otales explora-o infamemente. E você aí, como vai?"

— "Eu estou me preparando para mudar de esfera."

— "A frequência é lá a mesma?"

— "Não. É outra, tome nota" — e eu tomo nota da nova metapsicofrequência do Ricardo.

Como ter saudades dum diabo desses?

Adivinhe quem apareceu por aqui!... O Otales. Tanto insisti que veio. Mas aconteceu-lhe um desastre horrível: no terceiro dia o choque desta besta do Apocalipse feita cidade de encontro à "mineirice" do Otales (ele é dum lugarejo de Minas) causou-lhe um tal transtorno de nervos que o remédio foi correr à agência Lamport e pegar o primeiro vapor *South American bound*. De modo que o Otales esteve aqui só cinco dias, incluindo o da chegada e o da volta. Breve o Rippley do *Believe it or Not* está com desenho nos jornais: "O homem que fez a mais curta visita aos Estados Unidos," — e lá aparecerá no desenho o Otales em mangas de camisa, ordenhando uma vaca tradutora mineira...

Estive em Detroit oito dias, vendo só duas coisas: a Ford e a General Motors. Mr. Smith, o meu hospedador, manda nas duas. O que vi lá dá um livro maior que a Enciclopédia Britânica; portanto, adeus.

Lobato

P.S. — Na Ford almocei com Edsel Ford na mesa redonda da *staff*, ou dos "executivos". Sorensen é muito parecido com o Roberto Simonsen. Ao Ford velho não vi. Estava na Escócia.

Lobato

New York, 28,11,1928

Rangel:

Tu quoque! Até você a publicar trechos de cartas minhas! Não há nada que me desaponte tanto, porque sou um perante o Respeitável Público e outro na intimidade.

Lamentas que estejam a desaparecer as nossas preocupações comuns. Em parte é certo. Distanciamo-nos bastante em nossas órbitas, você seguindo uma muito coerente com os começos, com a vocação e as ideias centrais, e eu... Quando olho para trás fico sem saber o que realmente sou. Porque tenho sido tudo, e creio que minha verdadeira vocação é procurar o que valha a pena ser. Aquela minha fúria literária de Areias e da fazenda: quem visse aquilo proclamava-me visceral e irredutivelmente "homem de letras". E errava, porque o Lobato que fazia contos e os discutia com você está mortíssimo, enterradíssimo e com pesada pedra sem epitáfio em cima. O epitáfio poderia ser: "Aqui jaz um que se julgou literato e era metalurgista". Porque a minha vocação pela metalurgia é muito maior que a literária. Jamais conversei com qualquer literato mais atentamente e mais encantado do que converso com Mr. William H. Smith, o anjo Gabriel anunciador da metalurgia de amanhã. O ferro esponja, Rangel! Eis a beleza suprema. Perto do *sponge iron*, todos os livros de Camilo e Machado de Assis só valem materialmente pelo papel, porque o papel contém carbono e o carbono é necessário à Reação diante da qual todos devemos nos ajoelhar porque é a mãe da Civilização: $FeO — O + C = FeC$.

Não te assustes. FeO é como a ciência de Mr. Smith denomina o que vocês aí, gente ignara, chamam "morro de ferro", "pedra de ferro", "ferrugem", etc. O Pico de Itabira não é pico de Itabira nenhum: é FeO, isto é, uma combinação do elemento Fe, vulgo ferro, com o elemento O, vulgo Oxigênio. No estado natural o Fe aparece mais agarrado ao O do que a Orelha Gorda ao dinheiro. Mas se conseguirmos separá-los, divorciá-los, e depois casarmos o elemento livre Fe com o elemento C (ou Carbono), teremos a maravilha que é o metal chamado Ferro, com todas as suas modalidades de Aços. E temos o pai da Civilização! Abstraia-se dela o ferro e a que fica reduzida? Esta New York imensíssima voltará a ser aquela ilha de Manhattan que o holandês Peter Minuit comprou dos índios por vinte e cinco dólares. E não haverá nenhum Peter Minuit para comprá-la de novo, porque Peter já era um filho da civilização europeia, filha por sua vez do ferro.

Isto é o que o brasileiro não compreende, Rangel, e só agora vim a compreender. O segredo de todas as prosperidades e culturas está no FeC, porque o FeC (ou aço) é a matéria prima do Instrumento e da Máquina, e do Instrumento e da Máquina é que sai este belo horror chamado Civilização. *Vida Ociosa*, por exemplo, é um produto da civilização e, portanto, um produto do Instrumento e da Máquina, e, portanto, um produto do FeC. Porque para que esse livro existisse foi mister que existissem vários instrumentos de ferro. Instrumentos: machado que corta a árvore na floresta, serra que divide o tronco em toras — e é no papel produzido com a polpa dessas toras que mestre Rangel escreveu o que pensou, com um instrumento chamado pena, feito de ferro. E máquinas: o carro que puxou as toras de madeira, o moinho que as reduziu a polpa, todas as máquinas do que chamamos uma "fábrica de papel"; e depois, o trem que transportou para tua Minas o papel em resmas, etc. De que modo escreverias o teu romance, se vivesse a vida do índio que não dispõe de ferro? Na areia das praias, com um pauzinho, como fez Anchieta, para que o vento e as ondas o lessem e apagassem?

Estamos com uma empresa em organização no Rio para ferrar o Brasil, isto é: para produzir ferro pelo maravilhoso processo de Mr. Smith e com esse ferro construir as máquinas e instrumentos por falta dos quais ainda vagimos no "berço do atraso", como diria o Macuco.

Ah, Rangel, o Macuco! O nosso tempo do Minarete! És o único amigo efetivo que me resta daquele tempo; efetivo porque produz efeitos a mim relacionados: carta, troca de ideias e impressões, elogios. Como nós nos elogiávamos, Rangel! Como gostávamos da comidinha! Todas as nossas cartas levavam bombons dentro, dos de licor interno. Elogios aos nossos estilos!

Conversar com você foi o meu substituto do conversar comigo mesmo em noites de lua — porque nunca tive tempo de conversar comigo mesmo de dia e ainda menos agora que minha vida virou um *rush* de *subway* no Times Square às cinco horas. E só conversávamos um assunto...

A lua! Eu só falava comigo mesmo quando sozinho no campo, com a lua em cima. A lua, a velha lua... Sabe que a vi ontem?

Meu escritório é na Battery Place, a praça à beira d'água onde esta cidade começou, e chama-se assim porque foi onde os holandeses de Manhattan armaram uma bateria para se resguardarem dos índios. Como aquela fortaleza da Bertioga que o "coronel" Tomé de Souza construiu para a defesa contra os tupinambás e onde esteve como artilheiro o Hans Staden. Pois é onde tenho o meu escritório. Das janelas vejo a pequena praça mal ajardinada, com bancos, com o Aquário num extremo — um aquário cheio de focas que latem como cachorro e onde fui conhecer a piranha do Brasil. Depois, o cais e a água, e a estátua da Liberdade, pequenina lá longe.

Pois bem: ontem retardei-me no escritório e quando saí, já noite, dei com a lua no céu. Entreparei, comovido. Era a primeira vez que a via em New York. Será verdade? exclamei lá por dentro. Então há também lua nesta terra? Lua sempre me pareceu uma coisa lá do Brasil, lá da fazenda, lá de Areias. E fui sentar-me num dos bancos da praça já deserta, com os olhos fixos na lua — na minha velha e boa lua! E quedei-me a recordar o passado. E lembrei-me da cena do Ricardo beijando o focinho do pobre cavalo de tílburi; e do Raul "tentando" ouvir; e do Albino vacilando; e do Nogueira lendo Zola à luz azul do teu fogareiro de álcool; e do Cândido com as suas gravatas maravilhosas; e do Tito babando um trocadilho; e do Lino curto-circuitando estrepitosa e nervosamente; e do Correia exagerando; e de você carregando com cara fúnebre o caixão do Orelha Gorda enquanto mentalmente dava destino aos cem mil réis que afinal não recebeu. (⁹) Não houve o que aquela boa lua me não recordasse. Até da minha "égua moura" lá da fazenda. Excelente criatura! Um tanto nervosa. Levava-me a Caçapava no galope — três léguas. Um dia assustou-se com um Jeca que seguia pela estrada com uma porção de balaios na cabeça, nas costas, nos ombros — um verdadeiro "balaial" semovente que ela não compreendeu. E como não compreendeu, fez volta brusca e projetou-me longe. Lei da inércia. Ela interrompeu de súbito o movimento do galope; eu, misero títere das leis físicas, continuei no movimento adquirido. Tudo isso a lua de Battery Place me evocou.

Pois não é que no dia seguinte me chega tua carta? Com que prazer a li! Era a continuação do devaneio da véspera.

Lobato

New York, 20,6,1929

Rangel:

Recebi a tua de 1.° deste. Falas num teu romance. Não sei qual é. Coisa das velhas ou nova? Quando sair, não te esqueças de mim.

Perguntas por que não figura meu nome nas "festas" à Miss Brasil... Se não estivesse fazendo tanto calor, eu te contaria o que é essa vergonhosa mistificação. Não há aqui nenhuma de tais festas. Tudo é armado nos telegramas que o nosso cônsul e mais uns gatos pingados da colônia inventam para assombro do indígena *down there*. E o botocudo cai. O bonito, as "festas", é só nos telegramas que as folhas daí publicam. Tenho-os lido e coro de vergonha. Nunca supus que fosse possível mentir com tamanho descaro — e com tanto sucesso *down there*.

A verdade é esta. Miss Brasil, coitadinha, passou absolutamente desapercebida aqui — nem podia ser de outro modo, imensa como é New York e indiferente a tudo que não seja Lindbergh, Dempsey e Babe Ruth. O tal concurso de beleza de Galveston *ninguém* aqui sabe que existe, porque nenhum jornal trata do assunto — é coisinha local, municipal, lá de Galveston, que também ninguém sabe onde é. É *somewhere*. Foi com dificuldade que consegui saber o resultado desse concurso, onde a pobre menina foi desclassificada, não obtento nenhum dos onze lugares. O fato é esse. O mais é Cônsul Sampaio e repórteres vindos daí. Mas pelos jornais hás de ter visto como esse nada foi transformado em tremenda glorificação da beleza indígena. Manipulação pura!

Senti arrepios, Rangel, quando vi *O Estado de S. Paulo*, com toda a sua velha gravidade, consagrar páginas inteiras de telegramas e comentários a uma coisa inexistente e que aqui manipulam numa sala contígua à minha. E que fazer? Quem se atreve a desmentir ou desmascarar a cínica mistificação? Cheguei a interpelar um dos autores. "Isso é uma infâmia, Fulano. Não se abusa assim da boa-fé de todo um povo." Sabe o que me respondeu? "Ninguém lá percebe nada, Lobato. Aquilo é um povo de sarambés." E seria muito fácil desmascarar esses patifes. Era só intimá-los a

---

9 O Orelha Gorda, um usurário do Brás, deixou no testamento uma verba para ser distribuída pelos que lhe carregassem o caixão até ao cemitério — a 100$000 por cabeça. Rangel arranjou um fraque preto e lá foi carregar o Orelha Gorda. Ao chegarem ao Viaduto do Chá, correu que os herdeiros não iam pagar coisa alguma — e o caixão do usurário foi largado ali...

mostrar os jornais americanos que hajam noticiado qualquer coisa. Cada vez mais me convenço de que a nossa gente é safada e cínica fora de conta e medida.

Há dias assisti à germinação de outra "festa". Esteve cá um figurão da medicina brasília e o cônsul arranjou-lhe um telegrama para o Rio dizendo que ele fora ou ia ser homenageado em Chicago ou Filadélfia com um banquete de quatrocentos mestres da ciência americana. O homem estranhou esse número tão alto.

— "Quatrocentos? Não acha meio muito?"

— "É pouco," foi a resposta. "Vou botar quinhentos" — e botou quinhentos. E *down there* a taba encheu-se de ufania com a tremenda homenagem dos "maiores mestres da ciência americana ao nosso eminentíssimo sábio." E assim tudo que vai daqui para aí.

Adeus. Que venha o romance.

Lobato

New York, 13,3,1930

Rangel:

Recebi *Filha*. Bravos! Mais um broto da árvore que antigamente os numerava em vez de dar-lhes nomes! Comecei a ler e fui admirando a perfeição do estilo. Como acompanhasse a formação do teu modo de exprimir ideias e pintar cenas, naquele nosso tempo de correspondência ativa e copiosa, leio-te hoje como ninguém nunca te lerá — comparando, vendo os progressos, as marchas de flanco, as variantes de curso, etc. Como quem passa por um lugar onde já andou muito e vai vendo as mínimas modificações operadas. E acho que teu estilo ainda descobriu meios de ganhar em pureza, boleio e elegância. E duvido que entre nossos escritores haja algum que analise e diga melhor. Estou que chegarei ao fim do livro com a impressão de que mais uma vez te saiu do tutano uma obra prima.

— *Chegarei?*... Por que não chega já, se é tão pequeno o volume?

— Por que a leitura foi interrompida por um cabograma do Brasil. Meu filho Edgard apanhou gripe aqui e foi restaurar-se na terrinha natal, mas lá saiu com pneumonia. Num organismo fraco como o dele, uma pneumonia é coisa grave, de modo que fiquei aqui em suspenso, não podendo dar atenção a outra coisa. O período crítico e decisivo é esperado para amanhã. Ou entra a melhorar ou leva a breca. Compreendes agora porque *Filha* ficou no meio do caminho. Interferência do Edgard. Filho versus filha.

Adeus. Fica o resto para tempo de mais calma.

Lobato

New York, 26,6,1930

Rangel:

Tirei hoje o dia para uma série de cartas em atraso; e, embora seja a tua a última recebida, a ela respondo em primeiro lugar.

Já não gosto de te escrever, Rangel. A escassez de tempo, consequente às mil tribulações novas com que o mundo inglês me sobrecarregou, força-me a te escrever às carreiras, sem aquele sossego antigo, tão gostoso. Para os outros, galopo nesta Remington; mas para você eu queria escrever com as unhas, à moda de dantes.

Não posso. Não há tempo. Não há sossego de espírito. Esta New York é um maelstrom devorador de nervos.

Sabe que estou em vésperas de ressuscitar literariamente? A famosa comichão vem vindo — e terei de coçar-me em livro ou jornal. Só me volto para as letras quando o bolso se esvazia, e agora, em vez de pegar milhões de dólares, perdi alguns milhares na Bolsa. Resultado: literatura *around the corner*. E se não me sai logo uma tacada em que tenho grande esperança, boto livro, Rangel, boto jornalismo, boto literatura infantil! Mas se sai a bolada, então adeus Minerva!

Quando me chegou o teu *Filha* eu andava com o Edgard à morte no Brasil. Escapou, mas ainda não está totalmente bom. Logo que tive notícias de sua melhora, li teu livro. Minha impressão foi das mais estranhas. Era uma longínqua voz do passado — a voz dum mundo morto em que eu já vivera. Um eco... Minha vida tem sido um tal romance de Edgard Wallace, um tal *rush* em direções tão opostas, que me sinto hoje a mil léguas do que fui e do que ainda és. Você ficou no mesmo canteirinho onde te plantaram. Permaneceu árvore e por isso dás lindos frutos e em cada estação uma safra. Eu virei nem sei o que — cigano, *fumping bean*, tudo-quer-e-nada-pega e acabei expatriado neste mundo tão avesso do nosso mundinho afro-latino. Passei de água a vinho — a mais que vinho, a *whiskey*. De modo que quando me batem aqui jactos do passado, como *Filha*, fico-me besta, tonto, azoado de saudades do mundo perdido.

Perdido até na língua. Nunca mais, senão ocasionalmente, li português. Meus jornais matutinos são o *Time* e o *Sun*. Minha *Revista do Brasil* é o *American Mercury*, com o tremendíssimo Henry Mencken lá dentro. Meus autores: esse Mencken, O'Neil e tantos outros cujos nomes nada te dizem. Meus homens do rádio são o Amos and Andy, o Floyd Gibbons e não sei quem mais. Meu enlevo é a risada *by air* de Julia Sandersen.

Até à música me entreguei, eu, tão pouco musical. O *jazz* me deleita, e enlevo-me nos *songs*, nos Broadway *hits*, no perpétuo marulho oceânico desta Broadway onde moro. Subo ao Chrysler Building e lá de cima penso em Areias, na Anastácia ama do Edgard, no Julinho Sampaio, no Bigeu tabelião. Eles estavam convencidos de que Areias era o umbigo do Universo... Inda agora examinei a letra dum *song*. Dizer que a língua destes menestréis é a inglesa, seria arrancar Dickens da cova. Veja se isto lembra qualquer daquelas coisas shakespearianas que lemos no Brasil:

> AIN'TCHA
> Ain'tcha kinda glad, Ain'tcha kinda gay,
> When you hear me say I loves — ya
> Tell me, baby, ain'tcha?
> Don'tcha kinda miss that little bit of bliss
> When a hug or kiss I gives — ya.
> Tell me, baby, ain'tcha?

Parece tupi-guarani, mas é a língua que New York fala — e pela estranheza da língua podes imaginar a estranheza do resto, irrelembrativo de qualquer coisa nossa.

Estou avô, já sabes, duma americanazinha, a Joyce; e compreendo por que os vovôs ficam babões. É que, mais vividos, sabem melhor apreciar o milagre que é a criança; quando somos apenas pais, estamos ainda muito moços, muito perto da criancice, e não a apreciamos devidamente. A neta passa uns dias aqui e outros com a mãe, de modo que não cansa um lado nem outro. Talvez isto contribua para que a achemos tão engraçadinha.

Tenho vontade de fazer um livro sobre esta cidade. Inda há pouco Paul Morand lançou o seu *New York*, muito bem observado, coisa rara nos franceses quando se afastam do *terroir*.

Tenho receio de indicar livros para o Otales. Já me sinto desambientado daí e não sei qual o gosto da nossa gente hoje. Gosto é coisa que muda muito e depressa. Há aqui e no mundo sucessos de livraria na realidade monstruosos, como agora o *Sargento Griska* e o livro de Remarque, coisas de milhões e que no Brasil passam despercebidas. O nosso Brasil anda tão fora do mundo moderno, tão aparte de tudo, que necessita para o seu estômago de comidinhas *ad hoc*, meio século atrasadas do menu das grandes terras.

Também vou fazer mais livros infantis. As crianças sei que não mudam. São em todos os tempos e em todas as pátrias as mesmas. As mesmas aí, aqui e talvez na China. Que é uma criança? Imaginação e fisiologia; nada mais.

Sabe que concentrei um *Robinson*? Otales encomendou-me e fi-lo em cinco dias — um recorde: 183 páginas em cinco dias, inclusive um domingo cheio de visitas e partidas de xadrez com o Benzinho.

Este Benzinho (como Purezinha o apelidou) é a mais curiosa das criaturas. Germano-americano, mais germano que americano. Um dia apareceu-nos oferecendo os aspiradores Hoover. Trocamos umas palavras e ele só saiu à noite depois de jogar comigo vinte partidas de xadrez. Passou desde então a vir todos os domingos, sempre para o xadrez. Esteve na guerra e até agora ainda tem a zoada do canhão nos miolos. Cultíssimo. Sabe quanto filósofo há na Alemanha, e enchemos os domingos com discussões de filosofia e xadrez. Mas o curioso é que não entendo o inglês germanizado dele, nem ele entende o meu inglês latinizado. Como conversam então? perguntarás — e eu explico. O Weissman diz uma coisa longa e magistral, que pelo jeito me parece Hegel. Eu respondo "ao que me pareceu que ele disse". Ele não me entende mas faz a mesma coisa: imagina que eu disse isto ou aquilo — e responde "ao que lhe parece que eu disse".

Há um ano já tenho este amigo em casa todas as tardes de domingo, e nunca entendi uma palavra do que ele me disse, nem ele outro tanto das que eu disse. Jogamos uma média de vinte partidas cada domingo. No intervalo entre as partidas há essa sessão filosófica de *guessings* recíprocos. Lá pelas sete e meia o Weissman levanta-se, perfila-se, saúda-me militarmente e desaparece...

Hás de pensar que isto é blague, mas não é. Nunca duvides de nada do que te contarem dos Estados Unidos. Exemplo: estive há dias na conferência dum Eisenstein, diretor de cinema russo. Sentei-me junto a um casal de velhotes. Pegamos prosa. Saímos juntos no fim e na rua ainda conversamos um pedaço. A mulher havia estado no Brasil e muito apreciara as ruínas de Ouro Preto. À despedida trocamos cartões. Olho: era o famoso De Forest, inventor da válvula de rádio, o homenzinho que um mês antes (li nos jornais) ganhara contra a Radio Corporation uma demanda de cinco milhões de dólares por infração de patente...

Bom, hoje é domingo. O Arthur Coelho não tarda: é meu companheiro de conversas mecânicas e de invenções. E depois do Coelho tenho o Benzinho...

Adeus

Lobato

S. Paulo, 3,12,1931

Rangel:

Esperamos-te pelo Natal, para, diante dum peru recheado, discutirmos o plano do Dicionário Webster Brasileiro — uma coisa colossal. Sim, meu caro: em minha caixa de segredos há o diabo, tudo aguardando ensejo — e também que saia o negócio do ferro.

Vai bem este grande negócio. Tenho diante dos olhos amostras do maravilhoso aço produzido com o ferro esponja que obtivemos nas experiências do Rio. Aço de lâmina Gilette, coisa que nunca houve no Brasil!

Amanhã entra a nossa proposta ao governo, num tremendo relatório técnico de noventa páginas, que exaure a questão. Sindicato Nacional de Indústria e Comércio, chama-se a nossa companhia. Mas nem vale a pena falar nisto: pensas que é literatura de ficção...

Quanto ao petróleo, continuo com esperanças de dá-lo ao Brasil num ano ou dois. Estou imprimindo um prospecto para o lançamento da Companhia Petróleos do Brasil. Primeira fase: pequeno capital só para as experiências com o aparelho Romero, o *Indicador de Óleo e Gás*. Bem sucedidos que sejamos, virá a companhia perfuradora a exploradora — e havemos de afogar em petróleo este país que nega as verdadeiras riquezas que tem.

Já viste *Reinações de Narizinho*? Vou falar na Editora que te mandem. Dei também *Alice no País das Maravilhas* e *Robinson*, tudo na mesma semana. E ontem falei no Rádio com a filhinha do Otales, a Cleo, uma menina que é um encanto de desembaraço. Dialogamos inventadamente sobre o que nos veio à cabeça e todos gostaram. Acharam "uma coisa muito bem feita". Não foi feita coisa nenhuma. Alguém me havia convidado para dizer algo ao microfone. Recusei. Nesse momento apareceu o Otales com a Cleo. Contei o caso e ela: "Vamos falar, Lobato!" e resolvi então aceitar o convite. "Sobre o que falaremos, Cleo?" E ela: "Sobre o sítio de Dona Benta, sobre a Emília, o visconde... Você pergunta e eu respondo."

— "E se engasgamos, Cleo?"

— "Eu desengasgo você e você me desengasga..."

Com um diabrete destes, quem não falará no rádio? Meia hora depois estávamos no ar. Vê o recorte incluso, com o nosso retrato.

Vida ativa, Rangel, que delícia! Pena sermos um país ainda tão água-choca. O que não era possível fazer aqui, se houvesse mais compreensão, mais cultura universal, mais ciência, mais eficiência...

Lobato

S. Paulo, 6,6,1934

Rangel:

Dividamos ao meio a *Story of Philosophy* do Will Durant e assinemos com iniciais os capítulos que traduzirmos. Juntos sempre, até na história da filosofia... Minha ideia é fazer trabalho perfeito. O Otales não tem muita pressa. Durant merece todo o carinho, e nós temos responsabilidades.

Estou relendo, sabe o quê? A *Vida Ociosa*, meio de matar as saudades daquele tempo. Juro que é obra prima até à raiz da unha. Ponho-a ao lado do melhor de Machado de Assis. Mandei um exemplar para a América, endereçada a uma professora minha amiga lá, Miss Pidgeon, que já esteve em Minas e sabe português. Se ela o traduzir e publicar, ficas universal. A nova edição que o Otales vai fazer, fatalmente provocará mais barulho que a primeira. O Brasil já está menos tabaréu.

Tens ainda aquele artigo lindo que sobre o teu romance publicou *in illo tempore* o Moacir Deabreu? Se tens, manda. Queremos preparar uma publicidade especial. Quatorze anos já se passaram do primeiro lançamento. O romance está com a virgindade restabelecida. Entra para uma coleção nova intitulada *Os Grandes Livros Brasileiros*, na qual só caberá o que realmente for grande e já estiver consagrado pelo tempo. Quatorze anos? Muito mais! Quatorze anos faz que esse livro está *out of print*. Não perdoo isso ao Otales. Deixar o Brasil sem *Vida* durante quase uma década e meia... O melhor livro que a Editora tem...

Lobato

S. Paulo, 16,6,1934

Rangel:

Ando com preguiça de atacar a tradução do Will Durant. Comecei o capítulo sobre Spinoza e parei. Mas é estupendo! Não mexas nesse capítulo. É meu! De repente, pego que nem sapo e não largo mais.

Tenho empregado as manhãs a traduzir, e num galope. Imagine só a batelada de janeiro até hoje: Grimm, Andersen, Perrault, *Contos* de Conan Doyle, *O homem Invisível* de Wells e *Pollyana Moça*, *O Livro da Jângal*. E ainda fiz a *Emília no País da Gramática*. Tudo isto sem faltar ao meu trabalho diário na Cia. Petróleos do Brasil, com amiudadas visitas ao poço do Araquá. Positivamente não sei explicar como produzi tanto sem atrapalhar o meu trem normal de vida.

Gosto imenso de traduzir certos autores. É uma viagem por um estilo. E traduzir Kipling, então? Que esporte! Que alpinismo! Que delícia remodelar uma obra d'arte em outra língua! Estou agora a concluir um Jack London, que alguém daqui traduziu massacradamente. Adoro London com suas neves do Alaska, com o seu Klondike, com os seus maravilhosos cães de trenó.

Ando a fiscalizar as traduções para o Otales, e bom dinheiro perde ele com essa fiscalização! Mas, faça-se-lhe justiça: perde-o com prazer. Prefere perder dinheiro a enfiar no público uma tradução que eu condene. Que outro editor faz isto? Já perdeu assim mais de vinte contos este ano. E o público engoliria do mesmo modo todas as infâmias condenadas, porque o público é o maior bueiro do mundo. Eu às vezes até me revolto de dar à bola em certos trechos de difícil tradução, ao lembrar-me do que é a média do público. Mas sou visceralmente honesto na minha literatura. Duvide quem quiser dessa honestidade. Eu não duvido. Nem você.

Lobato

S. PAULO, 7,10,1934

Rangel:

Acabo de receber a carta de 18 e o recorte. Boa crítica. Nesses dois palmos há muitas ideias — e pela qualidade do crítico acho que será coisa de ler-se a tal *Oscarina*. Se me aparecer de jeito, fisgo-a, apesar da minha crônica falta de tempo. Que estupidez, isto de dias de 24 horas! Acabo mudando-me para Netuno. Os dias lá têm 1916 horas.

Minha popularidade apavora-me. Com a ausência e silêncio de seis anos, esperei estar hermeticamente esquecido; mas vejo o meu nome por toda parte, ligado ao ferro e ao petróleo.

Que aventura tremenda, Rangel! Dar petróleo ao Brasil como quem dá cocada a uma criança! Se o governo me não atrapalhar, dou ferro e petróleo ao Brasil em quantidades rockellerianas. As perfurações estão em marcha.

Tenho em composição um livro absolutamente original, *Reinações de Narizinho* — consolidação num volume grande dessas aventuras que tenho publicado por partes, com melhorias, aumentos e unificações num todo harmônico. Trezentas páginas em corpo 10 — livro para ler, não para ver, como esses de papel grosso e mais desenhos do que texto. Estou gostando tanto, que brigarei com quem não gostar. Estupendo, Rangel! E os novos livros que tenho na cabeça ainda são mais originais. Vou fazer um verdadeiro *Rocambole* infantil, coisa que não acabe mais. Aventuras do meu pessoalzinho lá no céu, de astro em astro, por cima da via Látea, no anel de Saturno, onde brincam de escorregar... E a pobre da tia Nástacia metida no embrulho, levada sem que ela o perceba... A conversa da preta com Kepler e Newton, encontrados por lá medindo com a trena certas distâncias astronômicas para confundir o Albert Einstein, é algo prodigioso de contraste cômico. Pela primeira vez estou a entusiasmar-me por uma obra.

O Otales está uma fera. Quanto maior a crise, mais livros lança. Ontem encheu uma página dos jornais com uma avalanche de anúncios. Otales foi a minha maior invenção. Começou comigo aos dezessete anos e é o dono único da Editora Nacional. Já te contei que, quando na América, lhe vendi minha parte para sustentar um jogo de Bolsa (compra de títulos com margem) e perdi tudo? Mas se o petróleo me sai, fico mais uma vez endinheirado e volto a associar-me a ele e então, com o capital novo do "ouro líquido", havemos de revirar este país de pernas para o ar — e civilizá-lo à força.

Rangel, hás de estar estranhando o tom eufórico desta carta e pensarás que é o ferro ou o petróleo que vem vindo *around the corner*. Nada disso. É a perspectiva do encontro de tia Nástacia com Isaac Newton que me põe de bom humor. Imagine a coitada lá pelos intermédios, escorregando dum rabo de cometa, caindo de estrela em estrela e afinal aparada por um par de braços. De quem? De Sir Isaac Newton! E o Burro Falante, que andava gostando dela e com honestíssimas ideias de casamento, derruba as orelhas, enciumado...

Adeus, Rangel. A literatura ainda é o meu consolo...

Lobato

S. Paulo, 1,6,1938

Rangel:

Em mãos tua "carta". Tão pequena que tive de recorrer a um microscópio para enxergá-la. Perguntas que faço. Vivo! Que se pode fazer numa terra destas, senão viver? Se eu estivesse na América, onde há estradas, acompanhar-te-ia nesse desejo compensatório de nomadismo civilizado. Curioso esse retorno a um velho instinto selvagem! Fomos nômades durante milênios e milênios; mas de uns tantos séculos para cá a vida nos fez forçadamente sedentários, fixos num ponto. Mas esse sedentarismo é apenas uma "segunda natureza" e muito tenra ainda, não encoscorada em rija cristalização. A nossa natureza verdadeira é a anterior — a do nomadismo. Pois bem: os americanos resolvem o problema do retorno ao nomadismo sem o abandono da civilização. Como? Com o *trailer*.

Mas essa maravilha da casa ambulante, que lá já beneficia os instintos nomadísticos de quatrocentos mil famílias, cá entre nós ainda é um sonho. Não temos estradas, não temos *trailers*, não temos dinheiro, nem coragem... nem anúncios. Esta União Jornalística Brasileira, de cujo escritório te escrevo, só me dá prejuízos, contos e contos de réis, porque não consegue a publicidade que lhe seria mister para subsistir e dar lucro. Tudo apodrece por aqui, Rangel. Tudo arrasta.

Eu apodreço no petróleo; lido com ele há oito anos e nada; não consigo vencer os embaraços oficiais. E apodreço nesta UJB que é um sorvedouro. E apodreço no ferro, onde também só encontramos obstáculos (já estou no ferro há dez anos!). E você apodrece nas traduções. Por falar: leia a *Filosofia da Vida* do Will Durant, a maravilha das maravilhas. Mas leia a 2.ª edição, ainda no prelo. As segundas edições de coisas minhas são sempre melhores que as primeiras. Revi ontem as últimas provas. Maravilha, Rangel.

Esse Adler esteve comigo mas tive preguiça de atacá-lo. Ou medo! Adler — águia... Preferi pegar *Towards the Stars*, de Bradley, livro de tremendas revelações mediúnicas e que te aconselho. Pena não termos um Valentine. Este nosso mundo aqui anda tão chucro e sórdido que o consolo é pensar em outro. A outra vida, o *au-delà*... Minha ideia é que morrer significa passar do estado sólido para o gasoso, como o bloco de gelo que com a mudança de temperatura derrete e se transforma em vapor. O vapor é invisível e tem propriedades totalmente diversas das do bloco de gelo, e no entanto é o próprio bloco de gelo reduzido a estado de vapor. E se resfriarmos o ambiente onde está o vapor, o vapor invisível condensa-se, vira líquido e depois vira o mesmo gelo que era no começo da experiência. Eis a Reencarnação! Vapor condensado!...

Que aconteceu com o nosso Ricardo? Passou do estado sólido para o gasoso, e simplesmente por isso se tornou invisível aos nossos olhos. Nada mais. Eu ando tão enjoado desta UJB e desta terra, cujos dirigentes tanto me atrapalham no ferro e no petróleo, que só aspiro uma coisa: passar para o estado gasoso e ir dar parabéns ao "gás Ricardo" pela sabedoria com que resolveu aos vinte e poucos anos o problema com que arcamos ainda. Rangel: que horror a vida dentro da atmosfera da incompreensão, da inveja e da malevolência nacional! O supremo gosto entre nós é ver alguém cair, fracassar, levar a breca. Começo a duvidar da viabilidade da nossa sub-raça

Lobato

S. Paulo, 15,4,1940

Rangel:

Evidentemente perdeu-se uma carta que te escrevi logo após ao teu telegrama. Ah, Rangel, eu a chamar-te para aqui, e tu a chamares-me para aí... O bom será que a Magra nos chame a ambos para o outro mundo. Creio que o nosso lugar já é lá. Estamos "sobrando".

A ideia da Tebaida é boa — e quem sabe? Um "retiro espiritual" antes do voo... Mas tudo depende de mil coisas, neste encrencadíssimo país. Estamos agora em luta tremenda contra o maior obstáculo que ainda defrontou o nosso petróleo, obstáculo oficial mais duro que a diábase do Araquá. Imagine que a Cia. Petróleos foi impedida de continuar a perfuração do seu poço lindo, que já estava em 1530 metros; e a Cia. Matogrossense, coitada, com duas sondas erguidas em Porto Esperança, com oficinas lá e o diabo, e engenheiros e o pessoal a postos, até agora não teve licença para perfurar! Já um ano e seis meses de espera. Espera de licença para tirar petróleo e salvar este país da miséria que o rói... Inda hoje escrevi uma grande carta ao chefe do governo denunciando a patifaria. Dará resultado?

Ora, essas coisas me têm aborrecido tanto, que passei a estudar o problema da morte como uma aspirina que cura tudo duma vez. Morrer e ir para o Inferno, que delícia! Porque se formos para o Céu, encontraremos lá toda a turba dos sabotadores — tão influente e poderosa ela é. E, pois, como pensar em "retiro espiritual' em Belo Horizonte?

Continuo traduzindo. A tradução é a minha pinga. Traduzo como o bêbedo bebe: para esquecer, para atordoar. Enquanto traduzo, não penso na sabotagem do petróleo.

Bom. Chega. O meu escritório está cheio de parasitas. Tenho de parar para ouvi-los repetir o que disseram ontem e vão redizer amanhã. Que saudades do nosso Minarete, com o Nogueira ferrado no Zola e o Ricardo a medir versos. "A-ca-son--de-mo-ra-que-la-me-ni-na-cor-da-çu-ce-na." Quem seria essa menina? A Beatriz? Nunca Ricardo me confidenciou os seu amores. [10]

---

10   Era um vago vulto feminino entrevisto à janela dum chalezinho, certa vez em que passeávamos pelo Belenzinho. Na noite desse dia Ricardo começou a escrever o soneto. (Nota de Rangel.)

> Bom. Entrou mais um — e este com cara de facada...
>
> *Lobato*

S. Paulo, 17,9,1941

Rangel:

Também me vou enfarando cada vez mais. Mas que lazer para enchimento dos dias de espera? Tenho agora diante de mim uma obra sobre Lincoln e ontem acabei a revisão do meu *Kim*. Leia-o, Rangel. Depois do *Livro da Jângal*, é a melhor coisa de Kipling. A primeira tradução do *Kim* lançada pela Editora era uma neblina. A gente lia e entendia vagamente. Otales encomendou-me outra. E meu último trabalho — ou "trabalheira" — foi retraduzir uma tradução do tremendo *For Whom the Bell Tolls*, do Hemingway. Encontrei "pérolas do Agripino" nessa tradução, e das mais preciosas. Esta, por exemplo: — *"What is this?"* pergunta lá um cabra quando Jordan tira do bolso a frasqueira de absinto. E Jordan responde: *"That is the real absinthe. That is wormwood." Wormwood* é o nome inglês da nossa velha losna, o ingrediente do absinto; mas como se trata duma palavra composta — *worm*, verme; e *wood*, pau, madeira — lá o tradutor tomou a pobre losna como "bicho de pau podre" e verteu assim: "Isto é o absinto, uma bebida feita de bicho de pau podre." E acrescentou: "No verdadeiro absinto há verme de pau, cupim..."

Na primeira tradução do *Kim* também encontrei uma boa pérola agripinesca. No original está: *"We who go down to the burning-gaths cluch at the hands of those coming up from the River of Life*, etc." E na tradução vem: "Nós que vamos descendo para o campo do carniceiro, etc". Essa tradução de *burning-ghats*, ou fogueiras onde na Índia queimam os mortos, por "campo do carniceiro", deixou-me profundamente intrigado. Eu estava na prisão, cumprindo sentença, e matava o tempo com a nova tradução do *Kim*. Pus os olhos nas grades e fiquei a matutar naquele quebra-cabeças. De que modo fogueira de cremar defunto pôde virar "campo do carniceiro?" Por fim descobri. Na tradução francesa do *Kim* deve estar *bucher*, fogueira, palavra que muito se aproxima de *boucher*, carniceiro. O tradutor, que evidentemente traduzia do francês e não do inglês, confundiu as duas palavras e pôs "carniceiro" em vez do "fogueira". Mas achando esquisito aquela "procissão rumo ao carniceiro", inventou o "campo" e botou "campo do carniceiro..." O Agripino coleciona destas "pérolas", e se recorresse a mim eu lhe forneceria colares maravilhosos. Tenho uma coleção que vale ouro. E eu também solto de vez em quando a minha perolazinha. Na História da Literatura traduzi *The Village Blacksmith*, *O Ferreiro da Aldeia*, por *A Aldeia de Blacksmith* — e mais que depressa o Agripino, com aquele seu bico de ave, nhoc! fisgou-me a pérola e lá a pôs em sua coleção.

Mas o nosso tédio, Rangel, chama-se "velhice". Somos uma porcaria. Somos uns cacos de pote. Nada mais nos sabe ao paladar, porque já perdemos o paladar. Você relê os velhos ídolos da mocidade e desaponta-se. Eu não releio os meus para evitar o desapontamento. Camilo, Anatole... Levei vários Anatoles para a prisão e pouco li. Já me não sabiam como antes. A beleza que encontramos nas coisas e nas gentes não estão nelas, estão em nós — e a idade a vai apagando. Mas Machado de Assis no *Brás Cubas* ainda não me desaponta.

Nem livros novos para crianças tive coragem de fazer este ano, apesar de ter na cabeça ideias magníficas. Vem vindo a indiferença por tudo. Se eu for para a Argentina, talvez ainda bruxuleie antes de apagar-me completamente. Aqui nesta terra, nem ânimo de bruxulear eu tenho. Não vale a pena. Depois que me vi condenado a seis meses de prisão, posto numa cadeia de assassinos e ladrões só porque teimei demais em dar petróleo à minha terra, morri um bom pedaço na alma. Espero que seja esse o meu último desapontamento. Nada mais empreendo, não correrei risco de nenhum outro.

Sessenta livros já traduziu você? Tremendo! Eu não sei quantos tenho, nem quero saber.

Estive em Taubaté depois de vinte e cinco anos de ausência — lá de onde tanto te escrevi no tempo em que tinha mais literatura e sonho na cabeça do que hoje tenho ódios e nojo de tudo. Nós nos procurávamos, Rangel. E tanto nos procuramos que nos achamos. Nós nos construímos lentamente, não nascemos feitos. E a nossa longa troca de cartas foi uma coisa linda. As duas chamas trocavam as suas fumaças — e nenhum de nós previu o que estava na frente. Você estacionou no meio do caminho, ocupado em distribuir justiça. Escreveu o melhor livro da época e amoitou — brocheou — desinteressou-se. Eu continuei a produzir coisas e até agora ainda ponho meus ovos de galinha velha. Mas o que nunca jamais imaginei é que alcançasse as tiragens que tenho. Já passei do primeiro milhão e marcho para o segundo. Quando o ano passado o Otales me apresentou a lista das minhas edições, uma a uma, arregalei os olhos: estava em um milhão e duzentas mil, por mais absurdo que te pareça. E como isso aumenta de uns cem mil por ano, vou morrer "bimilionário."

Estamos agora aqui com a maravilha das maravilhas, que é a *FANTASIA* do Walt Disney. Já me deliciei seis vezes. Não a percas, Rangel. Faça uma viagem ao Rio especialmente para te assombrares com essa amostrazinha das tremendas coisas futuras que nossos netos verão. Uma vez em meninote fugi de Taubaté para ver a Sarah Bernhardt em S. Paulo — a Sarah, que era apenas uma coruja. Fuja de Belo Horizonte e vá ver a *FANTASIA*. Nós fomos uma *FANTASIA*, Rangel...

Lobato

S. Paulo, 1,2,1943

Rangel:

Há séculos não nos encontramos, e o encontro de hoje vem por mero acidente. Acabo de satisfazer à insistência do *WHO'S WHO* para a América do Sul; e como depois de pedirem todos os informes do que a gente é também pedem indicações de outros nomes who's whoáveis, lembrei-me de mandar o teu, porque os velhos amigos, apesar de aparentemente se esquecerem, não se esquecem nunca. E disso a esta carta o pulo foi natural.

Quanta coisa, Rangel! Mas para pormos em dia a nossa escrita, precisamos conversar uma semana. Em carta só cabe um sumário. Se eu não tivesse tantos conhecidos em Belo Horizonte, dava um pulo até aí para a prosa; mas as "criaturas públicas" padecem muito quando saem da toca. Todos querem conhecer o bicho raro...

O Artur Neves, da Editora Nacional, falou-me que estás querendo penetrar na literatura infantil e já andas com livro no prelo. Estou curioso de ver como abordas a aventura. Porque é uma aventura. Tenho ideias a respeito, que se fosse botar aqui me consumiria toda uma fita de máquina — ficaria em doze mil réis. Economizarei esses cobres — e talvez saias lucrando...

Rangel: apareceu-nos uma senhora Dupré que está operando uma revolução literária. Está nos ensinando a escrever — e eu já muito aproveitei a lição. Revelou-me um tremendo segredo: o certo em literatura é escrever com o mínimo possível de literatura! Certo, porque desse modo somos lidos, como ela está sendo e como eu consegui ser nos livros em que me limpei de toda "literatura". Como nos envenenou aquela gente que andamos a ler na mocidade! Só agora me sinto completamente sarado, graças à medicação Dupré. Para que bem me entendas, terás que ler o *ÉRAMOS SEIS*, romance que a Editora acaba de publicar com um prefácio meu, que a autora não encomendou, pois nem sequer de vista a conheço. O caso me interessou tanto (li o livro em provas), que me lancei a esmiuçá-lo nesse prefácio.

Coisas que te disse antigamente confirmam-se agora, depois duma conversa tida com o Marques Campão, um pintor excelente e inteligente (coisa rara) e do livro da Dupré. Campão revelou-me o segredo da aquarela: não empastar as cores, não sobrepor tintas, pois só assim alcançamos o que nesse gênero há de mais belo: a transparência. No estilo literário dá-se a mesma coisa: o empastamento mata a transparência, tal qual nas aquarelas. Se eu digo "céu azul", estou certo, porque não sobrepus tintas e obtive transparência. Mas se venho com aqueles "lindos" empastamentos literários que nos ensinaram ("céu azul turquesa" — "a cerúlea abóbada celeste"), estou fazendo literatura; e sobre a coisa linda que é a palavra "azul" sobreponho um tom empastante "turquesa" que no espírito do leitor irá sugerir a esposa dum Abud qualquer, ou "cerúleo", que nos sugere cera, positivamente borro o azul do céu — em vez do céu lindo que eu quis descrever me sai uma "literatura". A Dupré mostrou-me que se pode escrever com zero de "literatura" e cem por cento de vida. É o que estudo no prefácio.

Parece incrível! Pois não é que com a tirada acima voltei atrás e estou naqueles tempos de Taubaté e Areias em que nos carteávamos semanalmente, a debater a eterna "procura" dos nossos "eus" literários?

Como nos procuramos, Rangel — e parece que nos achamos... Faltou-me naquele tempo uma Dupré mas a mim me salvaram as crianças. De tanto escrever para elas, simplifiquei-me, aproximei-me do certo (que é o claro, o transparente como o céu). Na revisão dos meus livros a saírem na Argentina estou operando curioso trabalho de raspagem — estou tirando tudo quanto é empaste.

O último submetido a tratamento foram as *Fábulas*. Como o achei pedante e requintado! Dele raspei quase um quilo de "literatura" e mesmo assim ficou alguma. O processo da raspagem não é o melhor, porque deixa sinais — ou "esquírolas", como eu diria se ainda tivesse coragem de escrever como antigamente.

Estou receitando a Dupré e a raspadeira a vários amigos de talento e ainda "salváveis", como o Cesídio Ambrogi de Taubaté, o qual está tonto como quem tomou dose muito forte de 914. Escreveu-me uma carta curiosíssima, que te mandarei.

Também creio, Rangel, que estou sarado da mania de negócios. Cortei as relações com a ambição monetária e fiquei sozinho com a literatura — a sem aspas. E estou até em lua de mel com a coitadinha.

Daí o escrever-te. Quando fico "inocente", a pessoa de quem me lembro é você — o você daqueles tempos de Silvestre Ferraz, de Santa Rita, do Machado.

Em teu caso, eu suspendia o novo livro até ver o efeito do remédio Dupré, pois que, apesar de cristalizado, te suponho ainda capaz de reagir à medicação — como o Cesídio está reagindo. Sem conhecer teu livro, juro que rasparias dele pelo menos meio quilo de "literatura", como me aconteceu com *Fábulas*.

Diz o Neves que você gostou d'*A Chave do Tamanho*. Isso me deu prazer. *A Chave* é filosofia que gente burra não entende. É demonstração pitoresca do princípio da relatividade das coisas.

Muito interessante o que se passou com meus livros para crianças. Os personagens foram nascendo ao sabor do acaso e sem intenções. Emília começou uma feia boneca de pano, dessas que nas quitandas do interior custavam duzentos réis. Mas rapidamente evoluiu, e evoluiu cabritamente — cabritinho novo — aos pinotes. Teoria biológica das mutações. E foi adquirindo uma tal independência que, não sei em que livro, quando lhe perguntam: "Mas que você é, afinal de contas, Emília?" ela respondeu de queixinho empinado: "Sou a Independência ou Morte!". E é. Tão independente que nem eu, seu pai, consigo dominá-la. Quando escrevo um desses livros, ela me entra nos dois dedos que batem as teclas e diz o que quer, não o que eu quero. Cada vez mais, Emília é o que quer ser, e não o que eu quero que ela seja. Fez de mim um "aparelho", como se diz em linguagem espírita.

A última da pestinha está me dando dor de cabeça. Imagine que encasquetou conhecer a história da América "auto-contadamente". A história completa da América, desde o tempo em que isto foi um pedaço da Atlântida até agora. Quer conhecer a formação dos Andes e de todas as plantas e animais que evoluíram no lombo dos Andes e à margem das "crias" dos Andes (ela acha que até o rio Amazonas não passa do desenvolvimento duma pequenina cria dos Andes). E quer saber, depois, como apareceram os aborígenes (ela sabe o que quer dizer aborígene), e quer ao vivo a história de todos os descobridores da América até Colombo (que, segundo Wells, é o 18.°). E quer assistir a toda a tragédia da destruição dos incas, astecas e maias pelos espanhóis invasores.

Até aí, muito bem. Qualquer criança quer saber isso e pergunta-o ao pai ou ao professor. Mas Emília, que está agora "estratosférica", não acredita em pai ou professor, que pertencem ao gênero *Homo sapiens* e ela sorri da sapiência do homem. Quer ouvir a história da América, sabe da boca de quem? Do Aconcágua, Rangel! E isso, diz ela, porque só um Aconcágua pode ter a necessária isenção de ânimo para contar a coisa como realmente foi, sem falseações patrióticas, nacionalísticas, raciais ou humanas...

E como é assim, tenho, num próximo livro, de levá-la ao topo do Aconcágua para que o pobre vulcão extinto lhe satisfaça o desejo. E já sei que ela vai obrigá-lo ao supremo esforço de uma erupçãozinha "própria para menores". Estou vendo a cena. Quando, no seu tremendo esforço de reumático, o velho vulcão extinto espremer as tripas e roncar, Emília, que estava em seu colo, foge correndo para a cidade próxima, onde havia deixado dona Benta e outros; e lá, da janela dum hotel Emília assiste à sua erupção do Aconcágua...

Esse livro me irá dar muito trabalho. Tenho não só de ler Humboldt e outros, como de fazer uma demorada viagem pela costa do Pacífico, beirando os Andes — um velho sonho meu.

E assim, independente de qualquer cálculo, evoluiu essa Emília que hoje me governa, em vez de ser por mim governada. É quem realmente manda lá no Sítio. Emília põe e dispõe.

Já o Visconde de Sabugosa é um *raté*. Tentou várias evoluções e sempre "regrediu" ao que substancialmente é: um sábio. Um sábio é coisa cômoda, espécie de microfone: não tem, não precisa ter personalidade muito bem definida. Todos os esforços que o visconde fez para mudar de personalidade falharam — e hoje resigno-me a vê-lo como começou: um "sabinho" que sabe tudo.

E assim, Rangel, se foi criando, por sucessivas agregações, à moda dos polipeiros, um mundinho no qual milhares de crianças vivem. Vale a pena conhecer as cartas que diariamente recebo!... Mas o curioso é que o Sítio do Pica-Pau Amarelo já passou a remédio de gente adulta. Há dias recebi do Rio Grande, duma senhora mãe de filhos, uma carta em que diz: "No meu desespero diante de tanta coisa que sucede a uma família grande e de poucos recursos, quando não vejo caminho e o desespero chega ao limite, sabe o que faço? Corro ao sítio de dona Benta. Fecho-me lá por uma hora ou duas — e saro! Meus desesperos adormecem. Chego a rir-me das asneirinhas da Emília. A razão desta carta é esta: agradecer ao senhor o verdadeiro colo que seus livros me têm proporcionado. Li-os em menina para me divertir, e agora, depois de velha, uso deles como remédio."

Não é curioso, Rangel?

Ando parado com traduções. Meu tempo se escoa na revisão e alguma adaptação dos livros a saírem em espanhol na Argentina. Imagine a Emília a dizer "*Caramba!*", "*Que vá!*", "*Caracoles!*"...

Perdi o meu último filho homem, como sabes. Ficaram-me as filhas, duas, uma casada, outra ainda comigo. Se até lá não casar-se, também irá comigo na coisa única que hoje me interessa: a viagem pela beira dos Andes, da Terra do Fogo ao Istmo. Sonho uma peregrinação *sui-generis*, de um ano, dois, três, toda vida, sem itinerário ou prazo. Ir andando e parando. Um mês ou um ano em Cusco. Pescarias no Titicaca. Caçada de lagartixas no deserto de Atacama. Sem tempo marcado. Sem objetivo aparente. Tudo pelo prazer do caminho. E então escreverei O ACONCÁGUA.

Lobato

S. PAULO, 20,2,1943

Rangel:

Pois é. Perdi o meu segundo filho, o Edgard, um menino de ouro, tal qual o Guilherme. Impossível filhos melhores que os meus, e talvez por isso foram chamados tão cedo. O Guilherme se foi aos 24 anos e agora o Edgard com 31. Ele nunca se esqueceu da primeira carta recebida pelo correio, uma tua.

Eu não me desespero com mortes porque tenho a morte como um alvará de soltura. Solta-nos deste estúpido estado sólido para o gasoso — dá-nos invisibilidade e expansão, exatamente o que acontece ao bloco de gelo que se passa a vapor. Mas Purezinha não se conforma. Impossível maior desespero. E do ponto de vista humano, tem razão. Foram dois filhos perfeitos. Creia, Rangel, que não me lembro de nenhuma coisa má, ou levemente má, que eles hajam feito em vida. Quantos pais podem dizer isto?

O Guilherme era caladão, metido consigo, como esses que vivem em eterno monólogo interior — e morreu a mais linda das morte. Passou em pleno sono. Dormiu e não mais acordou para este mundo. Já o pobrezinho do Edgard sofreu muito — e com que estoicismo, Rangel! Com que filosofia de grande filósofo!

E assim vamos também nós morrendo. Morrendo nos filhos, pedaços de nós mesmos que seguem na frente. Morrendo nas tremendas desilusões em que desfecham nossos sonhos. E morrendo fisiologicamente no torpor das glândulas, no decair da vista, no desinteresse cada vez maior por coisas que na mocidade nos eram de tremenda importância.

Se estamos aqui como numa escola de aperfeiçoamento, meus filhos acabaram o curso mais depressa do que eu — prova de que eram melhores alunos do que eu. E tive de assistir à morte dos dois e ficar no maior desapontamento — "sobrando"...

Lobato

S. Paulo, 28,3,1943

Rangel:

Vim do Otales. Anunciou-me que com as tiragens deste ano passo o milhão só de livros infantis. Esse número demonstra que meu caminho é esse — e é o caminho da salvação. Estou condenado a ser o Andersen desta terra — talvez da América Latina, pois contratei vinte e seis livros infantis com um editor de Buenos Aires. E isso não deixa de me assustar, porque tenho bem viva a recordação das minhas primeiras leituras. Não me lembro do que li ontem, mas tenho bem vivo o *Robinson* inteirinho — o meu *Robinson* dos onze anos. A receptividade do cérebro infantil ainda limpo de impressões é algo tremendo — e foi ao que o infame fascismo da nossa era recorreu para a sórdida escravização da humanidade e supressão de todas as liberdades. A destruição em curso vai ser a maior da história, porque os soldados de Hitler leram em criança os venenos cientificamente dosados do hitlerismo — leram como eu li o *Robinson*. Para que bem avalies o que é a criança, mando cópia duma carta recebida ontem, muito típica das centenas que recebo dizendo sempre a mesma coisa, embora com menos expressão e intensidade.

Ah, Rangel, que mundos diferentes, o do adulto e o da criança! Por não compreender isso e considerar a criança "um adulto em ponto pequeno", é que tantos escritores fracassam na literatura infantil e um Andersen fica eterno. Estou nesse setor há já vinte anos, e o intenso grau da minha "reeditabilidade" mostra que o meu verdadeiro setor é esse. A reeditabilidade dos meus livros para adultos é muito menor. Não posso dar a receita. Entram em cena imponderáveis inapreensíveis. A carta desta menina revela todo um mundo para o psicólogo. E cartas assim constituem os verdadeiros prêmios que possa ter um escritor no fim da vida.

"Querido Monteiro Lobato:

Chamo-o assim porque desde pequenina me habituei tanto a você, 'tivemos' tantas palestras juntos na minha imaginação, que não teria jeito de tratá-lo de outra forma. Creio que somos íntimos.

Aos oito anos li *Reinações de Narizinho* e vivi todos os lances do livro. Desde então tenho lido todos os outros da sua série. Adoro a Emília e desafio quem diga que a ama mais. Naquela época meus pais me haviam dado de presente uma boneca de pano que se parecia muito com ela (fora mandada fazer especialmente), e essa boneca tornou-se a minha companheira de todos os momentos. Dormíamos juntas, abraçadinhas. E tínhamos muito de comum. Tudo quanto a sua boneca dizia ou fazia nos livros, era por nós (eu e ela) repetido em nossos brinquedos. Se não realmente, ao menos pelo método do 'faz-de-conta'. Essa boneca foi o meu ídolo. Vivia sentadinha numa poltrona do meu quarto junto à estante das aventuras da Emília. Certa vez, eu já bem taluda e de volta para casa nas férias, recebi a notícia do desastre: um cãozinho novo, nascido em nossa casa e muito reinador, tinha-a estraçalhado completamente! Eu já estava com treze anos e no curso secundário, mas não me envergonho de confessar que chorei. Chorei como um bebê. Choro entremeado de soluços. Era um pedaço de mim mesma que lá se fora para sempre!

Tenho vários retratos da Emília nas paredes de meu quarto, mandados fazer segundo os seus livros, sempre com a indefectível sainha de xadrez.

Desde que comecei a ler seus livros 'resolvi' tornar-me escritora. Isso aos oito anos! Que audácia!... Com o tempo, porém, verifiquei que para conseguirmos ser uma coisa é preciso 'nascer-se' essa coisa e eu não 'nascera', eis tudo.

O que você escreve eu devoro com delícia. Tudo! Livros infantis e não infantis. Seus contos e o mais são perfeitos. Não há neles uma palavra supérflua. Artigos que saíram antes da sua prisão, eu os devorei todos. Não pude ir visitá-lo na cadeia, mas ficou-me sempre na lembrança essa prisão. Não a esquecia nem um só momento.

Lembra-se dum artigo seu em que diz ao repórter que se ele, repórter, começasse a entender você isso significaria que ele estava deixando de ser humano? Ótimo!

Meus pais são do tipo antigo, cheios de preconceitos e essa foi uma das razões de o não ter visitado. Só saio com minha tia, já idosa, ou com uma criada, "cria" da minha avó, que é uma terrível *chaperonne*.

Desejo imenso conhecê-lo, mas não acho coisa possível. Com tão ferrenha família, tornei-me cheia de inibições e sem confiança em mim. Eles não aprovam as minhas 'audaciosas' ideias, como, por exemplo, querer ser apresentada a um homem.

Sou uma atormentada, cheia de curiosidades, e não podendo satisfazer a nenhuma. Tudo é proibido. *Défendu*, como diz a Superiora. 'Não fica bem a uma menina.'

Leio muito, mas às tontas e às escondidas. Sou duma ignorância crassa, que me revolta. Desejaria saber ao menos o papel que represento na vida. Ah, se eu tivesse quem me orientasse as leituras, para não perder tempo com inutilidades...

O tempo que consigo roubar ao estudo é escasso, e somos tão vigiadas! Como sei escrever à máquina, elas pedem-me para fazer certos trabalhos; e gosto, porque gosto de escrever 'maquinalmente'. Fico só no escritório e então devaneio. Foi o que sucedeu agora, e resolvi realizar um velho sonho, escrevendo-lhe esta carta. Não creio que esteja cometendo nenhum crime, mas receio que você me ache enfadonha e não responda. Se alguém me perguntasse qual a oitava maravilha do mundo, eu diria: a Emília, ou o Sítio do Pica-Pau Amarelo, pois tudo se confunde.

Passos se aproximam. Adeus...

F."

Quando, ao escrever a história de Narizinho, lá naquele escritório da rua Boa Vista, me caiu do bico da pena uma boneca de pano muito feia e muda, bem longe estava eu de supor que iria ser o germe da encantadora Rainha Mab do meu outono.

Adeus, caro Rangel.

Lobato

S. Paulo, 24,8,1943

Rangel:

Devo ter, sim, as minhas cartas antigas que devolveste há uns vinte anos e que por essa época examinei. Achei-as então tremendamente tolas. Como éramos livrescos e literários! Depois que me pus a adquirir um pouco de cultura científica, mudei muito, e hoje considero o bicho exclusivamente literário, e vazio de cultura científica, como um animal sem possível classificação zoológica e sem direito a um lugar no mundo moderno. Reclamas essas cartas, essa antigalha; queres relê-las... Garanto que não aturas o Lobatinho daquele tempo, tão "suficiente" e pernóstico. Só me admira como daquele pedantinho saísse este Monteiro Lobato que até jubileu está tendo — e merecidamente, diga-se entre parêntesis. Um pai escreveu-me: "Com os meus agradecimentos pela cartinha que o senhor mandou em resposta à do meu filho Lindbergh, dou-lhe a notícia de que essa missiva está concorrendo enormemente para a cura do rapaz. Diz ele que ontem foi um dos dias mais felizes de sua vida." O menino estava no fundo da cama convalescendo de doença grave, e minha carta fê-lo melhorar... Ora, evidentemente este sujeito taumaturgo vale muito mais que aquele *magister dixit* de Taubaté.

Mário Matos? Quem é? Ando muito fora das coisas e dos homens deste país.

O Nogueira continua como dizes. É de fundo irredutivelmente místico: sempre foi assim e só muda de ídolos. Poucas vezes nos encontramos, mas cada vez que o encontro vejo-lhe um novo ídolo na velha moldura mística. Há quatro anos andou por aqui: o deus do oratório era Allan Kardec. Agora parece que é o Presidente. O Nogueira escapou do hospício por uma razão glandular: engordou muito. Sabe que não há louco gordo? Como também não há profeta sem barba.

Não me recordo da história do Stancchina. Não me recordo de mais nada, Rangel. Estou ficando gagá e em ponto de *radotage*. Lembra-se de como enxertávamos francês na nossa correspondência? Mudamos até de língua, parece incrível! Hoje andamos a "morar" na língua inglesa, que naquele tempo bem pouco sabíamos.

Bom. Vou ver se encontro as minhas cartas antigas. Acho que não conseguirei relê-las, e não acredito que as atures hoje. Mudamos muito, ambos.

Lobato

S. Paulo, 5,9,943

Rangel:

Fui mexer na minha tremenda papelada epistolar e tonteei. É coisa demais. É um mundo. Pus a Ruth separando aquilo e classificando por ordem de data — é o primeiro passo. O segundo será separar certas cartas, como as tuas, que são as mais numerosas; e como por milagre tenho aqui as minhas, estou vendo que desse passo vai sair coisa grossa e talvez muito interessante. Desconfio, Rangel, que essa nossa aturada correspondência vale alguma coisa. É o retrato fragmentário de duas vidas, de duas atitudes diante do mundo — e o panorama de toda uma época. Literatura, história e mais coisas.

Numa das minhas cartas, que peguei ao acaso, encontro esta nota: "Estou escrevendo na *Tribuna*, de Santos, jornal cor de rosa, a dez mil réis o artigo. Mandei para lá hoje o *Bocatorta*." Desconfio que falei em "dez mil réis" para te dar inveja, pois tenho uma vaga ideia de que realmente só me pagavam cinco. Está aí um ponto que qualquer criticastro do futuro resolverá com a maior segurança — e no entanto eu, que afirmei os dez mil réis, sou obrigado a deixar o ponto em obscuro. Talvez eu falasse em dez mil réis porque para todos nós naquele tempo ganhar dez mil réis com um piolho extraído do cérebro devia ser um sonho de grandeza — e de todos do Cenáculo era talvez eu o primeiro a alcançar a extraordinária bonança. Haveria em nosso grupo outro que estivesse ganhando tanta coisa, ou com possibilidades de ganhar tanto, com os piolhinhos cerebrais?

Bom. Esta vai apenas para te comunicar que meti mãos à mina. Quando estiver tudo datilografado, você vai se assombrar, e verificar que éramos muito mais interessantes nos bastidores epistolares do que no palco — e juntos penetraremos na posteridade à moda do Edgard Jordão, lembra-se? "E agora, penetramos desassombradamente na estrada da vida", foi como ele concluiu o seu célebre discurso de orador da turma. Pobre Edgard! Teve a pior das mortes — creio que louco ou à beira da loucura. Vítima da Alemanha. Arruinou-se com os marcos alemães.

Minha correspondência geral é incrível. Tenho cartas de todo mundo importante desta terra e de outras. Se procurar bem, sou capaz de descobrir algum autógrafo do *Pithecantropus erectus*...

Lobato

S. Paulo, 15,9,943

Rangel:

Reuni minhas cartas. Estou a relê-las — e encantado com a nossa fúria literária daquele tempo. Que irredutíveis! Que Macucos viscerais os dois! O espantoso me parece que de semelhantes palermas saíssem duas "glórias nacionais"... Eu estou sendo "jubilado" — e de repente dão-te também com um jubileu pelas ventas, apesar de que foste um infame desertor. Amoitaste — deixaste-me sozinho nesta faina de botar livros, como as galinhas põem ovos.

Fiquei ciente das homenagens havidas aí; aqui também há coisas prometidas, mas estão esperando que saia o meu ovo de avestruz, um livrão de setecentas páginas — URUPÊS outros Contos e Coisas. Aguardo a remessa dos recortes com as manifestações de Minas. Considero Minas o melhor lobo cerebral do Brasil e pois dou tento ao que Minas diz. Que venham os recortes. Quero agradecer aos manifestantes.

Achei ótima a ideia de você mesmo bater na máquina as tuas cartas. Farei isso às minhas, e assim as depuraremos dos gatos, do bagaço, das inconveniências. Deixaremos só o bom — como as canas de chupar que a gente atora a ponta e o pé. Depois decidiremos sobre o que fazer. Imagine uma edição de *Cartas Nossas* em dois ou três volumes, coisa que nunca foi feita neste país!

Não posso formar opinião definitiva antes da datilografagem de tudo, da poda das pontas e pés e da "limpeza" — a raspagem da cana. Numa das tuas há uma pequenina confissão que se sair impressa te deixa raso aí em Belo Horizonte. Aquela história do...

Também recebi pelo mesmo correio uma carta do Nogueira, e vários recortes do *Jornal do Comércio* — paus da *Nova Floresta* que já de longo tempo vem lá publicando. Nogueira quer editar aquelas meditações teólogo-filosóficas. Quer e não quer, porque no mesmo dia em que me confessava isso, pelo correio da tarde se desdisse. O nosso caro Nogueira está tremendamente gordo, tremendamente juiz e cada vez mais teólogo. Da mesma forma que naquela festa acadêmica tentou em discurso provar que não há Deus, quer agora, a "paus de floresta" provar que há. Deus sempre foi uma espécie de urticária de que o Nogueira jamais sarou. Vem e vai. Aparece e desaparece. Evidentemente, ou é caso de "encosto" ou de reencarnação. Ou ele tem um Doutor Seráfico encostado à moda espírita, ou ele é o próprio Doutor Seráfico reencarnado. E a fúria do Nogueira hoje é contra os que têm preguiça de pensar em Deus, de procurar Deus por meio da contemplação do umbigo; é fúria tirada da mesma pipa donde naquele tempo ele tirava a cólera contra os que admitiam Deus.

Mandei-lhe parabéns por haver ressuscitado Deus no mesmo dia em que os S. S. de Hitler ressuscitaram Mussolini. Mussolini ou Mussolino? Já nem me lembro mais...

Estas coisas são aragens da mocidade morta.

Lobato

S. Paulo, 28,9,1943

Rangel:
Fui hoje ao Otales e vim com uma batelada de coisas: a tua conferência sobre mim na Academia Mineira, a tua entrevista na *Folha de Minas*, um belo artiguete de

Luiz Lúcio (será filho do João Lúcio?). E um de Teixeira da Costa no *Estado de Minas*. E ainda mais coisas.

    Acho que vocês deviam esperar que eu morresse, porque tanta coisa dita assim cara a cara pode envaidecer-me. E diante desses artigos tão bem feitos tive a prova do sistema de compartimentos estanques que é o Brasil. Nada do que vocês escrevem tem repercussão aqui — e não a terá em nenhum dos outros compartimentos. Este Brasil, Rangel, é uma coisa que só eu era capaz de endireitar — e meu ódio por tudo vem de não me terem deixado endireitar nem o petróleo! Tudo torto... Por que esses jornais de Minas não mantêm venda pelo menos nas bancas especializadas em jornais do resto do país? Em Detroit eu podia comprar qualquer folha de Salt Lake City ou Providence. Aqui em S. Paulo, quando por milagre cai um jornal de Minas, os amigos são telefonados: "Venha ver um bendengó que me caiu em casa!" e eles correm, e extasiam-se diante do papiro tutankamesco, e leem pedaços, e dizem admirados, olhando uns para os outros: "Escrevem em português, sim — e como escrevem direitinho!..."

    Teu artigo está excelente — e certo, porque você é a única pessoa no mundo que me conhece por dentro. Escrevemo-nos tanto e tanto, mês a mês e em todas as situações da vida, que nos sabemos de cor. Nada tenho a opor ao teu artigo. Não posso deixar de ser senão aquilo mesmo. E se não garanto que minha ideia sobre mim mesmo se ajusta como luva ao que disseste, é porque nunca tive tempo de estudar-me, de fazer um exame de consciência que me ponha às claras diante de mim próprio — e morrerei ignorante do que sou. E como não posso ter opinião própria sobre mim, reporto-me à tua. Quando me vêm pedir entrevista, ou confissões, remeto o inquiridor a você. Faço como faz o Presidente quando o interpelam sobre algum ponto do Estado Novo: "Vá perguntar ao Chico Campos, que é quem entende disso".

    Já te contei a história do "ônibus"? É a edição lobatina com que a Editora Nacional quer contribuir para a minha aposentadoria — porque isso de jubileu não me parece outra coisa. Um livrão de setecentas páginas com todos os meus contos sentados nos bancos; de pé entre eles, enxertos tirados de outros livros. Serão os pingentes — o excesso de lotação. E há um prefácio do Artur Neves, do tamanho de um bonde, espécie de baú de mascate onde não há o que não haja. Até um trecho do *Lambeferas* que você também recordou na entrevista e vai deixar muitos fãs de boca aberta. Receberás aí o *Ônibus*, e também o mandarei aos amigos que andam a dizer bem de mim. Vingo-me, atirando-lhes um tijolo em cima! Porque livros desse tamanho não passam de tijolos de papel...

    Estou datilografando minhas cartas, e espero que estejas fazendo o mesmo às tuas. Tanto as minhas como as tuas só poderão ser lidas em letra mecânica. Nas nossas horrendas caligrafias, impossível! A tua letra daquele tempo, Rangel, fazia tais malabarismos, dava tantas cabriolas no fixar teu pensamento, que ler-te foi o que me salvou de virar charadista ou logogrifista — as doenças da época. Como atracar-me com os enigmas pitorescos, se eu tinha diante de mim, cada semana, o tremendo enigma chamado "carta de Rangel"? A rija decifração tornou-me tão perito nessa ginástica que mais tarde me permitiu longa correspondência com Oliveira Viana, homem de letra dez vezes pior que a tua. E depois atraquei-me vitoriosamente com o Lima Barreto, que a tinha dez vezes pior que a do Oliveira Viana. Tudo venci, graças ao aturado treino que tua letra me impôs.

Ainda não posso dizer o que penso das cartas em livro. Só depois de tudo passado à máquina é que poderei examiná-las na ordem cronológica e ver se é leitura que prenda. O Edgard Cavalheiro e outros também as lerão — e então decidiremos. O mesmo farás com as tuas. E se os dois lotes suportarem a prova do teu julgamento e do de outros leitores, ah, então bombardearemos o mundo com vários tijolos — *Correspondência Epistolar* entre Lobato e Rangel ou seja lá que nome venha a ter. Difícil botar um nome decente numa tijolada dessas. Penso em consultar a Emília, que é a "dadeira de nomes" lá do Pica-Pau Amarelo.

A ideia que por enquanto tenho das cartas é que constituem uma tremenda "história natural e social duma família do Segundo Império", (¹¹) digo, de duas formações literárias que cresceram e apareceram. As minhas mostram que não houve erva de Santa Maria que matasse a lombriga literária — nem a pintura, nem a promotoria, nem os porcos lá da fazenda, nem a fúria industrial, nem a falência, nem New York, nem a siderurgia, nem a campanha pelo petróleo, nem a morte dos filhos, nem o ódio à literatura, nem a prisão por ofensas ao Presidente — e receio que nem a morte me liberte da lombriga. Tenho medo de que, mesmo depois de morto, me ponha, como o Humberto de Campos, a escrever com a mão do Chico Xavier. E só então mudarei de estilo. Parece que lá no Além há qualquer polícia que capa nas "manifestações" tudo que é broto de roseira enfeitado com pulgõesinhos verdes. A Censura Astral não admite pulgões verdes.

Quem é Mário Matos? Vives a citá-lo e com entusiasmo. Manda-me o artigo dele a que te referes. Nós aqui nada sabemos de Minas, senão o que está na história do Brasil de Lacerda: que houve o enforcamento dum dentista no tempo de D. Maria I, por causa dum rei Silvério, lá em Curral del Rei, ou perto. Também sabemos, vagamente, dum sucessor de D. Maria, de nome Valadáguas ou dares, uma coisa assim. E lá no Instituto Histórico aquelas múmias também sabem que houve por aí um Bernardo, ou Bernardino, ou Bernardes, que também substituiu D. Maria I e foi decapitado pelo Valadares — coisas assim. Só. Nada mais sabemos de Minas. Como, pois, posso saber de Mário Matos, se você não me conta quem ele é e limita-se a citá-lo? E já que o citou em carta e artigo, deduzo que é um bamba e quero informes.

E chega. Quando me meto a te escrever, volto ao menino de outrora e custa-me a parar com a *babillage*. Adeus. Você nunca me falou nos teus amigos daí. Quem são? Com quem te abres, como te abrias comigo? Instrui-me nisso.

Lobato

S. Paulo, 27,10,1943

Rangel:

Já tenho todas as cartas passadas a máquina e estou a lê-las de cabo a rabo. Noto muita unidade. Verdadeiras memórias dum novo gênero — escritas a intervalos e sem nem por sombras a menor ideia de que um dia fossem publicadas. Que pedantismo o meu no começo! Topete incrível. Emília pura. Estou pondo notas. Fiz

---

11 Alusão ao subtítulo dos *Rougon Macquart*, de Emile Zola.

hoje uma explicando o caso do *Minarete* do Benjamim — toda uma historinha bem curiosa. Também transcrevo em nota a célebre bomba arrasa-quarteirão do Lino Moreira, ou "Sheridan", na qual nos deslombou a todos, menos a você. E dou alguma coisa sobre *O Combatente* do Oscar Breves. Ao falar do teu *De S. Paulo ao Guarujá* contei que empreendeste aquela excursão com treze mil réis no bolso; e como o dinheiro acabasse, teve você de voltar a pé de Guarujá a Santos. Foi assim mesmo?

A coisa parece que vai ficar com grande unidade. Um verdadeiro romance mental de duas formações literárias, animado por um grupo de atores — os "Cães" do Cenáculo — que começam invadindo a cena e no decorrer do tempo vão desaparecendo em névoa. Estou quase me apaixonando pela obra. As cartas são os andaimes; as notas completam-nas. Creio que não há em literatura nenhuma uma série tão longa de cartas entre duas vocações, sempre sobre o mesmo assunto e no mesmo tom. O Edgard Cavalheiro aprovou-as com calor, achando que dá um livro dos mais originais. Fizemos também uma prova feminina — e a julgadora disse ao Edgard: "Comecei a ler e não parei — terminei a leitura de madrugada; e estou a reler várias cartas". Os livros de cartas que existem, como as de Euclides e outros, são dum mesmo homem para vários, de modo que não há unidade de estilo, tom e assunto.

Minha ideia no começo era dar as tuas e as minhas juntas, articuladas, mas vi que isso iria estragar tudo. Para quem está de fora, tem muito mais interesse uma conversa telefônica da qual só ouve um lado; o fato de não ouvir o outro lado força mais a imaginação. Fica um imenso campo de colaboração aberto à imaginativa do auditor. Solto agora as minhas cartas a você, e depois você solta as tuas a mim.

Outra coisa está me parecendo: que na literatura fiquei o que sou por causa dessa correspondência. Se não dispusesse do teu concurso tão aturado, tão paciente e amigo, o provável é que a chamazinha se apagasse. Você me sustentou firme na brecha — e talvez eu te haja feito o mesmo. Fomos o porretinho um do outro, na longa travessia...

Lobato

Véspera de S. João, 1948

Rangel:

Chegou afinal o dia de te escrever, e vai a lápis, porque a pena me sai mal. Ainda estou com uma perturbação na vista. Uma perturbação que se vai deslocando do meu campo visual, e que num mês deve estar desaparecida. Só então voltarei a ler correntemente. Tenho estado, todo este tempo, privado da leitura — e que falta me faz! A civilização me fez um "animal que lê", como o porco é um animal que come — e dois meses já sem leitura me vem deixando estranhamente faminto. Imagine Rabicó sem cascas de abóbora por trinta dias!

Tive a 21 de abril um "espasmo vascular", perturbação no cérebro da qual a gente sai sempre seriamente lesado de uma ou outra maneira. Depois de três horas de inconsciência voltei a mim, mas lesado. A principal lesão foi a da vista que no começo me impedia de ler sequer uma frase. As outras perturbações ando eu agora a percebê-las: lerdeza mental, fraqueza de memória e outras "diminuições". Não sou o mesmo: desci uns pontos.

Não é impunemente que chegamos aos sessenta e seis de idade. O que eu tive foi uma demonstração convincente de que estou próximo do fim — foi um aviso — um preparativo. E de agora em diante o que tenho a fazer é arrumar a quitanda para a "grande viagem", coisa que para mim perdeu a importância depois que aceitei a sobrevivência. Se morrer é apenas "passar" do estado de vivo para o de não-vivo, que venha a morte, que será muito bem recebida. Estou com uma curiosidade imensa de mergulhar no Além! Isto aqui, o corporal, já está mais do que sabido e já não me interessa. A morte me parece a maior das maravilhas: isto mesmo que tenho aqui, mas sem o corpo! Maravilha, sim. Não mais tosse, nem pigarros, nem (ilegível) da coisa orgânica!

— E se não for assim? dirá você. E se em vez de continuação da vida a morte trouxer extinção total do ser?

— Nesse caso, vis-ótimo! Entro já de cara no Nirvana, nas delícias do Não-ser! De modo que me agrada muito o que vem aí: ou continuação da vida, mas sem estes órgãos já velhos e perros, cada dia com pior funcionamento, ou o NADA!...

Você sempre lidou com doenças, a que não prestava atenção. Porque isso de doença só dói na gente. Agora que também me tornei um doente, quero que contes o ponto em que está a tua saúde, e as belezas patológicas que enriquecem o teu patrimônio. Como está o coração? Conheces a Digitalis? o Estrofanto?

Depois d'amanhã vou ser examinado pelo Jairo Ramos, o médico que é o Supremo Tribunal desta terra em questão de medicina, e na próxima te comunicarei a minha sentença. Antes que o Jairo fale, não sei como estou.

Adeus, Rangel! Nossa viagem a dois está chegando perto do fim. Continuaremos no Além? Tenho planos logo que lá chegar, de contratar o Chico Xavier para psicógrafo particular, só meu — e a 1.a comunicação vai ser dirigida justamente a você. Quero remover todas as tuas dúvidas.

Do

Lobato

NÃO FICCÃO

Não Ficção

Miscelânea e fragmentos

MISCELÂNEA

Traduções

> *Foi M. L. quem rompeu com o preconceito de que "não ficava bem" a um escritor traduzir. Traduziu muito, deu o exemplo — e depois dele os escritores tomaram a si uma tarefa até então confiada a anônimos.*

Entre os aspectos novos que o movimento editorial criou nestes últimos tempos cumpre assinalar a fúria tradutora. Começou-se em São Paulo a traduzir intensamente e o movimento estendeu-se a outros estados onde também se editam livros, como o Rio Grande.

Começou-se... Sim, começamos agora. Até bem pouco tempo o Brasil só conhecia em traduções Escrich, Ponson du Terrail e Alexandre Dumas. Positivamente só. Jornais gravíssimos davam e redavam em rodapé os romances populares desses autores — e alguns mais avançados inovavam com Heitor Malot e Zamacois e mais coisas. Mas só traduzíamos do francês e do espanhol.

A literatura inglesa, tão rica de monumentos, era como se não existisse. A alemã, a russa, a escandinava, idem. A americana, idem. Um dia um editor inteligente teve a ideia de arejar o cérebro dos nossos eternos ledores de escrichadas e ponsonadas. Aventurou-se a lançar no mercado Wren, Wallace, Bourroughs, Stevenson, e que tais. E foi além. Lançou alguns dos sumos: Kipling, Jack London — e já pensa em Joseph Conrad e Bernard Shaw.

A surpresa do indígena foi enorme. Sério? Seria possível que houvesse no mundo escritores maiores do que Escrich e Dumas? Que fora da França e da Espanha houvesse salvação?

Era sim. Havia salvação e o mundo mental revelado pelos novos livros fez abrir a boca à nossa gente. Foi com verdadeira avidez que o público se atirou às traduções, fazendo que as tiragens se sucedessem num enlace imprevisto. Basta dizer que o *Rosário* de Florence Barclay alcançou uma saída de cinquenta milheiros, suponho.

A novidade era absoluta. Livros arejados, cinematográficos, de cenário amplíssimo — não mais a alcova de Paris. Almas novas e almas fortes, violentíssimas, caracteres shakespearianos, kiplinguianos, jacklondrinos — novos, fortes, sadios. E deliciado com tanto novo, o público passou a pedir mais, mais, mais, até que se saturou, ou antes, que os editores saturaram o mercado.

Só então os leitores começaram a dar tento ao mérito das traduções. Foi verificando que com a pressa de apresentar novidades os editores descuravam da qualidade, dando inúmeras traduções perfeitamente infames. E o público reclamou, ao mesmo tempo que vários autores indígenas bradavam contra o fato de se traduzirem autores de fora enquanto eles permaneciam inéditos.

Realmente era um desaforo. Dar Kipling, Jack London, Dickens, Tolstói, Tchekhov e outros quando poderíamos dar Almeidas, Sousas, Silvas, etc. Dar *O Lobo do Mar*, de Jack London em vez da *Mulatinha do Caroço no Pescoço* do senhor

Coisada Pereira, que é o grande gênio literário do Pilão Arcado, onde vive pálido como cera e todo caspas. E eles apelaram para o governo. Em Pilão Arcado, governo ainda é palavra mágica.

Quanto à reclamação do público, os editores estudaram o caso e verificaram que havia razão na queixa. Traduzir é a tarefa mais delicada e difícil que existe, embora realizável quando se trata da passagem de obra em língua da mesma origem que a nossa, como a francesa ou a espanhola. Mas traduzir do inglês, do alemão ou do russo, equivale de fato a quase absurdo. Ocorrerá fatalmente uma desnaturação.

Se a tradução é literal, o sentido chega a desaparecer; a obra torna-se ininteligível e asnática, sem pé nem cabeça, o que não se dá com uma tradução literal do francês ou do espanhol.

A tradução tem que ser um transplante. O tradutor necessita compreender a fundo a obra e o autor, e reescrevê-la em português como quem ouve uma história e depois a conta com palavras suas.

Ora isto exige que o tradutor seja também escritor — e escritor decente. Mas os escritores decentes, que realmente são escritores, isto é, que possuem o senso inato das proporções, esses preferem e têm mais vantagens em escrever obras originais de que transplantar para o português obras alheias. Os editores pagam menos e o público não lhes reconhece o mérito. Daí um impasse.

Mas o caminho é esse. Os editores têm que resignar-se a sacrificar a quantidade das traduções pela qualidade; e têm de procurar por todos os meios descobrir bons tradutores. Nos países mais civilizados a função do tradutor está equiparada à do escritor. Vemos Baudelaire receber em França tantos aplausos pelas suas traduções de Edgar Poe como pelos seus versos. E ainda agora no *Mercure de France* há várias páginas de necrológio sobre o recém-falecido Luiz Fabulet, cuja atividade literária se resumiu em transplantar para o francês a obra inteira de Rudyard Kipling.

Os tradutores são os maiores beneméritos que existem, quando bons; e os maiores infames, quando maus. Os bons servem à cultura humana, dilatando o raio de alcance das grandes obras. Baudelaire e Fabulet, por exemplo, dilataram o raio de alcance da obra de Poe e Kipling, tornando-a acessível ao mundo latino ou pelo menos a parte do mundo latino que joga com a língua francesa. Sem eles ou sem outros que fizessem o mesmo, Poe e Kipling ficariam limitados ao mundo inglês.

A literatura dos povos constitui o maior tesouro da humanidade, e povo rico em tradutores faz-se realmente opulento, porque acresce a riqueza de origem local com a riqueza importada. Povo que não possui tradutores torna-se povo fechado, pobre indigente, visto como só pode contar com a produção literária local.

Quatro línguas já merecem o nome de universais — a inglesa, a espanhola, a francesa e a alemã, porque nelas já se acha vertido tudo quanto todos os outros povos produziram de primacial. Dentro delas um homem tem ao alcance pelo menos a nata do grande tesouro. Já a nossa língua, língua de pobre, só teve até bem pouco tempo o que o homem de Portugal e do Brasil produziu — bem pouco. O grande tesouro comum da humanidade nos era inacessível na nossa língua — e daí a necessidade para os cultos de estudarem outros idiomas.

Toda a antiguidade greco-romana ainda nos está fechada. Não temos a nossa tradução de Homero, de Sófocles, de Heródoto, de Plutarco, de Ésquilo. Como não temos Shakespeare, nem Goethe, nem Schiller, nem Molière, nem Rabelais, nem

Ibsen. Falta-nos quase tudo, e isso por causa da vida indigente que ainda é a nossa. Sem enriquecimento material, sem desenvolvimento econômico, um povo não pode enriquecer-se espiritualmente.

Bem consideradas as coisas, um homem que apenas conheça o português fica com o seu horizonte espiritual deveras trancado. A norte limita-se ele com Herculano, Camilo, Castilho e a récua dos freis quinhentistas absolutamente vazios de ideia; a sul limita-se com Eça, Ramalho, Antonio Nobre, Fialho, etc.; a leste limita-se com Machado de Assis, Nabuco, Euclides da Cunha, José de Alencar; a oeste limita-se com imortais da Academia de Letras e alguns iconoclastas do futurismo. Com tantos limites o pobre diabo acaba sentindo-se numa verdadeira prisão mental.

Daí a avidez com que a nossa gente unilinguística se atirou às traduções dos romances ingleses e russos dados pelos editores atuais. É avidez de ar, de luz, de amplidão, de horizontes. Recebe essas obras como outras tantas janelas abertas numa prisão escura. E, pois, benditos sejam os editores inteligentes que descobrem bons tradutores, e malditos sejam os que entregam obras primas da humanidade ao massacre dos infames *tradittores*.

Processos americanos

Em 1886 um tal Thomas Adams viu em Nova York, numa roda, um general mexicano de nome Santanna, a mascar constantemente uma certa coisa. O general mascava e remascava.

Aquilo intrigou Adams e fê-lo aproximar-se do grupo.

— Que é que o general masca, poderá informar-me?

— Chicle.

— E que é chicle?

O consultado explicou que era a goma duma árvore existente no México, e que o hábito de mascar semelhante goma era lá antiquíssimo entre os índios.

Adams pôs-se a refletir. Se os índios do México mascam essa goma e já até os generais mexicanos fazem o mesmo, então temos aí um negócio. Se eu conseguir introduzir esse hábito entre os americanos prestarei um grande serviço à humanidade com a criação dum vício novo (na realidade os vícios são escassíssimos, muito mais que as virtudes) e ainda por cima poderei ganhar muito dinheiro.

A ideia tomou vulto em seu cérebro e tempos depois Adams estava no México, metido entre os descendentes dos velhos astecas, a estudar a fisiologia e psicologia da mascação do chicle. E voltou para Nova York com vários quilos dessa goma para mais estudos, já com um grande plano na cabeça.

O resultado foi o aparecimento duma novidade nas casas de bombons: — o *Chewing Gum*, ou *Chiclet*, que não passa de pequenas doses de chicle envoltas em açúcar e saborizadas com essência de frutas.

O público não deu atenção ao novo produto. Não comprou. Adams insistiu. Obteve que as casas de bombons distribuíssem de graça um pacotinho de chicle a cada criança que viesse em busca de balas ou doces. Conseguiu assim viciar as crianças, e estas depois viciaram os adultos. A consequência foi que dentro de alguns anos a América estava contaminada pelo vício mexicano e com mais um grande negócio criado.

Formaram-se várias companhias, das quais duas alcançaram grande desenvolvimento. A Wrigley, uma delas, elevou suas vendas a quarenta milhões de dólares anuais — hoje oitocentos mil contos.

Numa das vezes em que o príncipe de Gales esteve na América os chewingumistas conseguiram que ele aparecesse numa reunião boêmia a mascar o *chiclet*. Os graves ingleses, que pautam todos os seus atos pelos do futuro rei, fizeram caretas e também se puseram a mascar o *chewing gum* — e o negócio das companhias vendedoras de chicle açucarado estendeu-se à Grã Bretanha.

Quando sobreveio a Grande Guerra, as tropas americanas receberam toneladas de *chiclet* — e serviram de veículo para que o hábito penetrasse na França e outros países envolvidos na luta. De tal arte foi o negócio conduzido que o vício já está disseminado pelo mundo inteiro.

Agora nos vem notícia dum fato semelhante. Não se trata de novo vício e sim de novo alimento — ou melhor, de nova gulodice — ou *delicatessen*, como dizem os alemães.

Um fazendeiro da Flórida teve a ideia de experimentar o gosto do lombo da cobra cascavel, muito abundante em sua propriedade. Preparou-o, comeu e gostou. Imediatamente seu cérebro pôs-se a raciocinar à americana. Se eu gostei, outros podem gostar; se muita gente gostar, terei nas mãos um negócio: — reduzir a dólares todas estas cascavéis que me infestam a fazenda.

Preparou mais lombo de cobra e convidou vários amigos para um jantar onde haveria uma surpresa. A surpresa foi um petisco novo de linda cor rósea e gostosíssimo. Que é? Que é? indagaram os amigos depois do saboreamento da misteriosa delicatessen.

— Lombo de cascavel!

Espanto geral. Seria possível que a cascavel fosse um manjar assim tão fino? Era. E tanto que aqueles amigos só saíram dali com a promessa de novo jantar com mais cobra.

O fazendeiro esfregou as mãos. Estava feita a experiência. Como ele próprio gostara, e como seus amigos gostaram, todo o povo americano iria gostar e consumir lombos de cascavel — se a gulodice aparecesse no mercado com boa apresentação.

Tempos depois vinha numa revista que alcança milhões de leitores um anúncio de página, psicologicamente muito bem feito, lançando à curiosidade gastronômica do país a nova maravilha — lombo de cascavel em lata. Os termos do anúncio, com a sabedoria com que lá fazem reclames, era de fazer vir água à boca do leitor.

No dia seguinte afluíram ao escritório do fazendeiro pedidos de lombo de cascavel em quantidade que o tonteou. Pedidos por telegrama, por carta e ordens telefônicas de grandes mercearias. O estoque já preparado esgotou-se como por encanto e a caça às pobres cascavéis das redondezas assumiu proporções impressionantes. Não havia cobra que chegasse. O fazendeiro teve de dar passos imediatos para a organização dum imenso campo de cobricultura — e pensou logo em incubadeiras elétricas e outros engenhos que pudessem intensificar a vinda de cobras ao mundo.

O lombo de cascavel enlatado passou logo a moda elegante. Nas reuniões chiques tornou-se o suprassumo oferecer aos hóspedes sanduíches de cascavel — e todo mundo sabe que quando uma moda é lançada de cima para baixo espalha-se de maneira vertiginosa.

O preço do petisco alcançou logo o do caviar, que é uma das coisas caras com que os *gourmets* gratificam o estômago. Mas até isso ajudou a firmar o negócio. O que é caro seduz muito mais do que o que tem a desgraça de ser barato. E estão hoje os Estados Unidos com uma nova indústria alimentar em vias de rápido desenvolvimento.

O homem é um bicho onívoro. Mais onívoro que o homem só o porco, que de longa data também come cobras.

E por ser onívoro o homem não conseguiu até hoje resolver com sabedoria o seu problema alimentar com uma solução matemática como a tem as abelhas, por exemplo. Fabricam elas o mel, no qual coexistem todos os elementos indispensáveis à nutrição ápica, nem mais nem menos. Daí a ideia de Henry Ford — ideia em estudos nos seus laboratórios — de inventar ou criar o mel dos homens, isto é, um alimento absolutamente perfeito, que nos liberte do atual caos alimentar — afastando-nos do porco e aproximando-nos das abelhas.

Para a consecução desse ideal imagina Ford um estudo de laboratório dos mais complexos, com base numa série imensa de provas *in anima nobile* e consequente troca da multiplicidade infinita de alimentos que temos hoje por um único, perfeitamente estandardizado. O mel humano, em suma.

Mas o raio do fazendeiro da Flórida, em vez de contribuir para o trabalho de Henry Ford vem complicá-lo com a adição de mais um prato de luxo ao menu sem fim das nossas comedorias. E a aceitação que teve o seu petisco revela que os homens não mostram sintomas de querer abandonar o onivorismo — isto é, de se afastarem do porco para se aproximarem das abelhas...

Primeiro amor

A luta de Sandino contra os americanos entusiasmou muita gente.
M. L. viu o caso dum ângulo sadiamente humorístico.

Nicarágua é a terra dos selos comoventes. Quando nos sobrevém no colégio a febre filatélica, mal a que nenhum menino escapa depois do sarampo e da catapora, a República de Nicarágua assume para nós proporções de seríssimo vulto. Porque a filatelia nos leva, mui logicamente, a dividir os povos em duas classes: a dos que têm selos bonitos e a dos que os têm feios.

Entusiasmamo-nos com as repúblicas da América Central, com os países de turbante e com certas colônias inglesas e belgas. É fatal o *béguin* por Guatemala, Nicarágua, Venezuela, Afeganistão, Pérsia, Jamaica, Ilhas Salomão, Tasmânia, Congo, Bornéu, Labuan, Gwalior.

Inglaterra, Alemanha, França — os grandes países não nos falam aos olhos. Selos muito repetidos e de desenhos nada românticos...

Mas Nicarágua, que amor! Seus selos chegam a comover. Existe uma série de cores vivíssimas, na qual o mesmo desenho se repete: cinco picos de montanha, postos um atrás do outro como pirâmides decrescentes. O primeiro pico esconde um sol que nasce — esse imaginoso símbolo que vemos repetido em quase todo o armorial américo-latino e num dos sabões das Industrias Reunidas F. Matarazzo. Sabão ou óleo, não tenho a certeza.

No terceiro pico há um pau espetado com um barrete frígio na ponta — outro imaginoso símbolo (o barrete, não o pau) de que até nós não escapamos. Vários dos nossos selos e moedas ostentam a Théroigne de Méricourt *casquée* à frígia — o que está muito conforme.

O barrete frígio fica muito bem numa cabeça de mulher bonita. Que é que não fica bem numa cabeça de mulher bonita? Asas de pombo, colibris secos, fitas de veludo, palha d'Itália, flores de pano, tudo... exceto ideias, dirá algum marmanjo despeitado. Mas barrete sem cabeça dentro, posto como espanta-passarinho num espeque, que quererá dizer?

E o jovem filatelista cisma... Não haverá em Nicarágua cabeças? Estará o dono do barrete atrás do morro?

Mistério. *Cosas de Nicaragua...*

Outro selo dessa República que também muito nos fala à imaginação dos dez anos é um de dois centavos, no qual, em moldura de arabescos da American Bank Note Co., se enquadra uma linda locomotiva, evidentemente da Baldwin Works Co. Depois dos soldadinhos de chumbo, o trem de ferro sempre foi o brinquedo que mais seduziu as crianças, de modo que Nicarágua nos conquista, assim de arrancada, o coração. Passamos a ver nela a república dos nossos sonhos, toda brinquedos — trenzinho, pauzinho, morros para trepar e escorregar de costas, como as montanhas russas.

Mas os anos sobrevêm frios e desiludentes. Crescemos, mudamos de fala, a primeira mulher nos faz esquecer a primeira mania e adeus Nicarágua! Aos trinta anos já essa palavra maia só nos evoca remotíssimo sonho, embora encantador. E surge-nos uma dúvida:

— Existirá realmente Nicarágua? Existirá fora dos selos? Estará lá ainda o pauzinho? Não será uma capetagem devida ao gênio comercial de Gerbruder Senf, a grande casa alemã de selos?

Muito natural essa dúvida. Depois do buço e consequente abandono do álbum de selos nunca mais ouvimos falar em Nicarágua. Nicarágua não existe nos telegramas da United Press. Nicarágua não tuge na Liga das Nações. Nicarágua não estabiliza moeda. E fixamo-nos de vez nesta ideia:

— Nicarágua é aquilo só. Cinco picos perfilados, um espeque, um barrete sem cabeça dentro e o trenzinho.

Mas eis que de inopino, com assombro geral, Nicarágua explode. Os picos viram generais e se engalfinham. O trem apita socorro. E o mundo entrepara, atônito, de olho sarapantado:

— E não é que o raio da Nicarágua existe mesmo?

E gemem os prelos. E vibra o telégrafo e a retórica se abespinha com o ouriço dos adjetivos, e a meninada filatélica freme de cóleras impúberes:

— Não pode! Não pode!...

A criançada não quer que tio Sam desembarque lá sob pretexto de garantir interesses americanos, mas na realidade para ir ajeitando a construção de um novo canal.

Tio Sam é um cavouqueiro prático. Já dotou o mundo com a obra ciclópica do canal do Panamá. Aperfeiçoou assim o regime dos transportes. Suprimiu a rota penosa e onerosíssima pelo Cabo Horn — o chifre patagão com que a América do Sul marra o polo. Encurtou as distâncias, fez o mundo dar larguíssimo passo à frente.

Tão útil se demonstrou essa obra, filha do ultra dinâmico binômio Roosevelt-Goethals, que já não basta para o tráfego dos navios. Faz-se mister abrir outro canal, que não pode ser senão pela base dos cinco picos nicaraguenses.

Tio Sam é expedito. Sabe como se lida com aqueles desordeiros do istmo. Arma uma facção política contra outra, bombardeia-os com uns sacos de dólares, improvisa governos e, a sorrir como Gulliver em Liliput, realiza a coisa dentro de rigorosas fórmulas constitucionais.

Mas o berreiro internacional irrompe. O "não pode" filatélico estruge. Nuvens de adjetivos tonitruantes pairam como nuvens de mosquitos por sobre a cabeça da águia construtora.

A águia faz um muxoxo e continua. Realiza a obra que o progresso do mundo impõe e permite mais tarde que passem pelo canal os gritadores do "não pode", proporcionando-lhes a economia de maçada e dinheiro que a volta pelo cabo Horn exigiria.

Tio Sam é uma criatura alegre. Trabalha divertindo-se. Possui um alto-falante que atroa os ares em coro com a meninada dos selos: o senador Borah. Havia outro que também gritava muito, Lodge, mas já estourou. *E cosi va il mondo.*

Nosso país é um dos em que mais se colecionam selos. Isso explica a vivacidade dos nossos protestos sempre que Tio Sam desembarca no istmo, de picareta ao ombro, para abrir esgoto entre os mares. Apesar da consequência biológica que somos de um desembarque semelhante (Cabral desembarcou em Porto Seguro no ano de 1500), os desembarques de Tio Sam nos irritam singularmente.

— Desaforo! Imperialismo! Vá fazer canal em sua casa! berramos em meeting ao pé do resignado José Bonifácio da estátua.

Mas ninguém creia que fazemos isso por ódio aos canais. Apesar de em matéria de canais só termos aqui o do Mangue, nada em nossa formação étnica nos arrasta a uma hostilidade ingênita contra a ruptura dos istmos. Não somos anti-canalíferos em absoluto! Admiramos Lesseps, o rasgador de Suez, e se tivéssemos dinheiro abriríamos um canal ligando o Atlântico a Mar de Espanha, em Minas.

O que acontece é que temos a filatelia romântica. Os selos de cores vivas nos comovem de modo incoercível... Jamais protestaremos contra um desembarque em país de maus selos. Não protestamos contra o bombardeio de S. Paulo porque S. Paulo não possuía selos. Não protestaremos contra o bombardeio ou desembarque em qualquer colônia lusa, porque os selos lusitanos são horrendos.

Mas ninguém ponha o pé em Guatemala, Venezuela, Bornéu, Gwalior. E sobretudo ninguém mexa com a Nicarágua. Isso não! Doí-nos. Equivale a cuspir em folhinha seca de malva, doce *recuerdo* dum primeiro amor. Nicarágua é o nosso primeiro amor filatélico...

— Para trás, tio Sam!

A DOUTORICE

Um dos primeiros artigos de M. L., quando ainda estudante.
O quadro da bacharelice e do afastamento em que os
moços se mantinham das atividades econômicas, assusta-o.

Gil Vidal, da sua tribuna do *Correio da Manhã*, pôs o dedo na mais grave chaga dourada da nossa vida social: a superabundância de "diplomados".

Como tantas e tantas, é mais uma decorrente da escravidão, aquele horroroso lúpus que, extirpado em sua morfologia externa, deixou no organismo nacional uma diátese propícia ao vicejar de numerosos males.

Com o tirar ao trabalho a sua nobreza, e o desmerecê-lo como coisa de escravo e, portanto, degradante, ela deu origem a essa linha divisória, que ainda se não apagou, entre os que trabalham e os que ou promovem o trabalho alheio ou dele vivem, aparasitados.

Arredou, assim, o brasileiro, das profissões manuais, da indústria e do comércio, entregues ao elemento alienígena, e marcou-lhe a giz, como campo único para o exercício de suas energias e o só compatível com a sua dignidade, o funcionalismo público, as profissões liberais, a política e o feitorismo, sob qualquer forma que seja, da massa que lavra a terra. Tudo mais desprezou, como coisas que degradam ou são "impróprias". Indústria: coisa de ingleses; comércio: coisa de português e italiano; trabalho manual: coisa de negro. E assim a ideia se cristalizou. A permanência embaixo da sociedade, como um soco formidável, de milhões de máquinas de trabalho que o "bacalhau" movimentava, permitia tão absurda concepção. Um dia, porém, foi bruscamente suprimido esse plinto secular, e nossa sociedade, nascida sobre ele, feita para viver sobre ele, viu-se às súbitas na situação de um homem a quem decepassem os pés. Uma modificação de mentalidade correlativa àquela modificação do regime social não era coisa factível com outra lei áurea, e deixamos que o processo lento da evolução natural corrigisse o desequilíbrio criado.

Esse desequilíbrio tem sido a causa indireta de todos os males morais, sociais, econômicos e financeiros que nos afligem. Até que aprenda a andar com o coto da tíbia, quem sempre caminhou pelo amplo, sólido e achatado pé africano...

Para o estado mental coletivo que se formou e apurou durante o período antirrepublicano, o "decente," o "bonito", o "próprio" a uma família rica era doutorificar os filhos, para metê-los na política; a uma família remediada, o alistá-los na coorte do funcionalismo; a gente pobre, o ensinar-lhes a arte de fazer trabalhar os pretos. Consequência: abarrotou-se de doutores a sociedade alta; de estafermos orçamentívoros a média; de vagabundos indisciplinados a baixa.

Levada pela concorrência excessiva, a política despiu o seu caráter elevado de arte de bem governar a nação para cair no desapoderado "avança" atual; e os cursos científicos deixaram empoeirar a ciência a um canto, transformando-se em árvores de diplomas — que o matriculado a estes vai, não àquela. E vai aos diplomas como ao Sésamo de todas as portas e coraçõezinhos femininos que possuem dote. Que vai, minto; que ia, porque a situação já não é a mesma. O país tem sofrido abalos profundos. Houve mudanças radicais. O negro, fator secular da movimentação agrícola, empolgou-o a cachaça e a calaçaria; e reduzido ficou a uma quantidade negativa depois que viu suprimido pela lei da abolição o chicote espevitador dos seus brios.

 A monarquia com os seus sessenta anos de lenta estratificação desfez-se em república — encurtada assim para um dia a evolução que reclamava um século. Monstruosas anomalias se seguiram a essa infração das leis naturais: ditaduras, guerra civil, Floriano, câmbio arrasado, encilhamento, café alto, invasão imigrantista, etc. A ossatura da sociedade, contorcida, estalou nas juntas, muitos órgãos se lhe deslocaram, outros sofreram lesões profundas, outros foram ganhos de rápida atrofia. De alto a baixo nada ficou incólume diante daquela série ininterrupta de tremores de terra.

 Figure-se um homem quarentão, pacato e prudentíssimo, que nunca se meteu em aventuras de qualquer espécie; preguiçosão, amigo da rede e das chinelas, com umas apólices e uns escravos que lhe dão calma ao sono: o tipo médio do brasileiro ronceiro. Um dia, depois de quarenta anos de sossego e paz, este homem é agarrado de surpresa em plena rua e sangrado à força: 13 de maio; dá dois passos, cambaleante e um grito estridente azoa-lhe o ouvido: 15 de novembro; e logo após se vê metido numa roda de pau: Floriano; sente uma mão revolver-lhe as algibeiras: o "encilhamento"; percebe um tumulto desconhecido remoinhando-lhe em derredor: o estrangeiro invasor; olha para a frente: o buraco da crise econômica; volve os olhos para a direita: o precipício da crise do crédito, da sua moral, das suas velhas ideias, dos seus velhos hábitos e costumes; levanta-os para o alto e nas regiões governamentais, onde se habituara a enxergar um velho bonachão e amigo, topa uma legião de esqualos políticos voracíssimos. Sangrando, depredado, sovado, estonteado, o mísero apalerma-se e deixa rodar água abaixo a sua fazenda. Implora depois socorro, pede ao onipotente governo que o salve — e sorri; o governo bondosamente lhe acena com a salvação do Convênio de Taubaté; o mísero chora de prazer e, como lhe pedem a alma em troca daquela prosperidade entremostrada, ele a hipoteca prazeirosamente. O Convênio desce afim do Olimpo; mas à medida que desce transforma-se, muda de cor e de jeito, alonga-se deformado; e quando lhe chega as mãos, ó triste, tem o aspecto de uma "boa corda de cânave de quatro ramais". O pobre homem sente uma tonteira, uma zoada nos ouvidos, um obscurecimento na vista e cai em profundo marasmo. Se não enlouquece é porque tem a sorte de ser já meio bobo de nascença.

 Tal o nosso país ante os terremotos sucessivos que de 88 para cá o tem derreado.

 Não houve tempo para que o estado mental da população acompanhasse as largas passadas da Revolução que entre nós se substituiu à Evolução. E ficamos reduzidos a um curioso fenômeno de desequilíbrio orgânico.

 Somos um anacronismo vestido pelo derradeiro figurino. Na mentalidade: pouco mais de 1888; nos costumes: quase 1909. Continuamos a abarrotar as academias; o ideal da classe média continua a ser o funcionalismo; a tal dignidade das classes baixas, tão cômica, continua a subsistir.

 Enquanto isso o estrangeiro toma todas as posições e assedia-nos economicamente.

 O português, que menoscabamos, é o dono do Rio de Janeiro; o italiano, que tratamos d'alto, monopoliza as indústrias e o comércio de São Paulo; ingleses e americanos, aos quais criticamos os sapatões de sola grossa, senhoream-nos o alto comércio.

Fortunas enormes amontoam-se-lhes nas mãos, laboriosamente acumuladas umas, outras conquistadas de pronto por meio de inteligentes rasgos de audácia.

E nós os nacionais? Nós ficamos com a carrapatosa vaca do Estado e a legião dos doutores de vinte anos. E o país orgulha-se disso: desse platonismo científico! Temos doutores em leis, doutores em comércio, doutores em farmácia, doutores em dentaduras, doutores em engenharias, doutores em medicina. E academias sobre academias se fundam cá e lá, de Comércio, de Letras, de Poucas Letras, de Nenhumas Letras, de Costura.

Cada ano que se passa são novos enxames de diplomados que delas revoam. E como não há demandas, nem doentes, nem cárie, nem coisa nenhuma que dê ganha-pão suficiente a tal exército, ficam eles de boca aberta e olhos fixos no Estado, única senda que lhes resta.

E tão parasitado já anda este que lembra boi coberto de carrapatos sanguessugas. Em redor do Estado inumeráveis carrapatinhos novos esperam que os velhos caiam no choco da aposentadoria para que por sua vez eles se acarrapatem.

É triste e cômico o espetáculo que dá ao país essa mocidade — os pretendentes à colocação e os novos diplomados.

Vagueiam à toa pelas ruas, de anelão no dedo e níqueis cantando nas algibeiras do colete; comentam a política interna, discorrem sobre a Borelli e a Nina Sanzi, que conheceram do alto das torrinhas por quinze tostões filados à mamãe; destroem nomes feitos na arte e na ciência e ditirambizam-se uns aos outros. E quando passa um inglês rijo, pisando forte, ou um italiano lépido e ativo, resumindo energia, o doutoriço acotovela o companheiro, anunciando-lhe ao ouvido: — É Gamba, é Carbone, é Matarazzo.

E, enlevados, param, voltam o rosto, ficam a olhar o argentário que passa, o imigrante de ontem enriquecido pela tenacidade do trabalho inteligente, o aventureiro audaz que veio e venceu, o estrangeiro de raça mais apta que soube aproveitar as trilhas que levam à fortuna pelo comércio e pela indústria desprezados pelos nacionais. E continuam o passeio nostálgicos, vagamente tristes, beliscando o buço com a mão adamada em cujo indicador reluz o rubi de vidro de um formidável Montana...

Alice in Wonderland

Inglaterra e Estados Unidos disputam os originais da obra prima de Lewis Carroll. M. L. historia e comenta o caso.

No distrito de New Forest, a oitenta milhas de Londres, na aldeia de Lyndhurst, mora uma velhinha octogenária esquecida do mundo — Mrs. Alice Pleasance Hargreaves. A curiosidade jornalística descobriu ser ela a menina Alice do livro que todas as crianças do mundo hoje conhecem — *Alice in Wonderland*, ou *Alice no País das Maravilhas*, como diz a tradução em nossa língua.

Entrevistada, Mrs. Hargreaves contou a origem da obra prima. Chamava-se em menina Alice Liddel, filha do deão do Christ Church College, dr. Liddel, autor dum léxico muito considerado em todas as universidades. Um professor de matemática desse colégio, Mr. Dodgson, era grande amigo de seu pai e frequentador da casa. Um dia levou-a, e mais duas irmãzinhas, a um passeio de bote pelo Tâmisa.

Estavam em pleno verão. Incomodado pelo revérbero do sol na água, Dodgson acostou o bote e foi refugiar-se com as meninas na única sombra que havia — atrás dum monte de feno. Imediatamente Alice pediu o que todas as crianças pedem — uma história.

— Conte uma história bem bonita, Mr. Dodgson.

O professor de matemática era desses homens que não se conhecem, que passam a vida sem se conhecer. Puro gênio literário, criador do mais alto tipo, dos destinados a gozar renome mundial, nem de longe entressonhava isso. Intimado a contar uma história, contou-a. Foi inventando, atento apenas ao interesse que via nos olhos das meninas. Em certo ponto, já cansado, fez ponto, declarando que o resto ficava para outro dia.

— Não, não! Conte tudo já, — elas insistiram — e ele prosseguiu.

Depois, como o sol descambasse, tornou ao bote, e mesmo lá teve de continuar a história. "Às vezes Mr. Dodgson fingia cair de sono, mas nós o sacudíamos para que não parasse", recordou Mrs. Hargreaves ao jornalista que a entrevistava.

Nasceu assim *Alice in Wonderland*.

No fim do ano, pelo Natal, Dodgson deu de presente à sua amiguinha toda a história escrita de seu próprio punho, num volume de noventa e duas páginas em caprichada caligrafia e com ingênuos desenhos de sua lavra — desenhos que mais tarde serviram de base para as clássicas ilustrações de John Tenniel. Na última página colou um retratinho de Alice aos dez anos, e na primeira escreveu:

A Christmas gift to a dear child in memory of a Summer day — Um presente de Natal para uma querida menina em memória dum dia de verão.

Os anos passaram-se, como passam as águas do Tâmisa.

Um dia a obra foi publicada e teve aceitação imensa. Julgaram-na os críticos uma obra prima, e as crianças inglesas por ela se apaixonaram com o mesmo ardor das três meninas que a ouviram ao nascedouro atrás do monte de feno. Com a intuição misteriosa do gênio, Dodgson — já então transformado em Lewis Carroll — realizara o milagre de fixar com palavras um movimentadíssimo sonho de criança. Um sonho com a rigorosa lógica dos sonhos, que é um ilogismo incompreensível.

Do mundo inglês emigrou o livro para os demais mundos étnicos deste nosso mundinho terreal. Foi passado para todas as línguas, inclusive a que falamos no Brasil. E acaba agora de entrar para o cinema num maravilhoso filme da Paramount. Charlote Henry, estrelinha de dez anos, com rara felicidade escolhida num concurso de sete mil candidatas, faz com incomparável naturalidade e encanto o papel de Alice.

Mas a Alice verdadeira lá seguiu o seu destino pela vida em fora. Casou-se. Passou a chamar-se Mr. Alice Hargreaves. Teve dois filhos, que em 1915 foram devorados pelo Moloch da guerra. No cemitério de Lyndhurst duas lápides atraem a atenção dos visitantes: *Captain A. K. Hargreaves, D. S. O., Rifle Brigade* e *Captain L. R. Hargreaves, M. C., Irish Guard*. São os filhos de Alice.

Perdida a mocidade, perdidos o marido e os filhos, a velhinha que em criança lidara em sonhos com o Coelho Branco, a Tartaruga Falsa, Twidledum e Twidledee, a Lagarta Malcriada e tantos outros seres do Mundo das Maravilhas, passou a viver de saudosas recordações.

Um dia o seu velho solar em estilo georgiano amanheceu com letreiros: "Mansão histórica: aluga-se com mobília".

Mas Mrs. Hargreaves não se mostrava aos pretendentes.

— Ela já não recebe visitas, — explicava o mordomo. — Está muito velhinha e doente, já no fim.

Depois do cortejo de desgraças, sobreviera a necessidade. Mrs. Hargreaves vira-se forçada a vender preciosas relíquias do bom tempo — e entre elas o manuscrito de Dodgson, que conservara consigo durante sessenta e cinco anos.

A notícia de que o manuscrito de *Alice in Wonderland* estava no giro agitou a roda internacional dos negociantes de preciosidades, e mais ainda quando se soube que ia ser posto em leilão. Trocaram-se telegramas entre Londres e a América. Fizeram-se cálculos. Os mais entendidos prejulgaram que os lances poderiam subir a vinte e cinco mil dólares. Soube-se que o Museu Britânico estava interessado, o que significava um duelo entre dois países — Inglaterra e Estados Unidos. Os dois colossos iriam disputar a posse do presentinho de Natal que o modesto professor do Christ Church College dera à filha do deão.

Chegou o dia. A casa Sotheby, em plena Bond Street, no coração de Londres, começa a encher-se. Mais de trezentos curiosos aglomeram-se na sala para assistir o duelo entre o dólar e a libra. De Filadélfia tinha vindo expressamente o dr. Rosenbach, da Rosenbach Company, disposto a demonstrar ao inglês que a América é a América. Outro negociante de Nova York, Gabriel Wells, mostrava grande empenho pelo manuscrito e telegrafara ao seu agente em Londres dando ordem para que lançasse até quinze mil e duzentas libras.

Vai começar o leilão. O dr. Rosenbach toma assento à direita do leiloeiro. Vinha depois Mr. Dring, da Quaritch, célebre firma londrina no negócio de raridades e naquele momento representando o Museu Britânico. Depois vinha Mr. Maggs, agente de Gabriel Wells.

Lá no fundo da sala, escondida de todos, uma velhinha olhava para aquilo filosoficamente. Mrs. Hargreaves viera de Lyndhurst especialmente para assistir a luta pela posse do manuscrito que estivera sessenta e cinco anos numa gaveta da sua escrivaninha. Se ela soubesse... Se tivesse adivinhado...

— Lote número 319! — anuncia afinal o leiloeiro.

Um sussurro percorre a assistência. Era o manuscrito de *Alice in Wonderland*. Faz-se o silêncio — o silêncio dos grandes momentos.

— Cinco mil! — murmura um pretendente. É o primeiro lance.

Os assistentes entreolham-se. Cinco mil libras, hein?

— Seis mil! — lança outro. E os lances se sucedem precipitados. Sete mil, oito mil, nove mil, dez mil — a marcha ascensional é de mil em mil libras.

O lance de dez mil libras, ou sejam cinquenta mil dólares, trouxe um afrouxamento na intrepidez dos pretendentes. Reconcentravam-se. Faziam cálculos mentais. Pesavam o negócio.

— Dez mil e cem libras! — rompeu o agente do Museu Britânico.

— Mais cem! — gritou Mr. Maggs.

— Mais cem! — murmurou o dr. Rosenbach.

Houve uma parada. O leiloeiro correu os olhos pelos candidatos, com o martelo erguido.

— Mais cem, — lançou o Museu Britânico — e a luta prosseguiu.

Em certa altura o dr. Rosenbach murmurou firme:

— Quinze mil e quatrocentas libras! — e esperou.

Os demais pretendentes abandonaram a luta. O martelo do leiloeiro sentiu que era o fim e bateu a pancada que põe termo a tudo.

Ganhara a América. O poder aquisitivo da antiga colônia inglesa afirmava-se mais uma vez naquele duelo com a orgulhosa metrópole. Por exatamente 75.259 dólares o manuscrito de Lewis Carroll ia mudar de continente. Foi o preço mais alto ainda pago por um manuscrito. Agredido pelos repórteres, o dr. Rosenbach, chefe da Rosenbach Company, declarou que antes daquele o manuscrito pago por mais alto preço fora um original de Shakespeare — setenta e cinco mil dólares. Outros livros hão alcançado mais — mas não manuscritos. Sua companhia, por exemplo, pagara cento e seis mil dólares por um exemplar da Bíblia de Gutenberg, e J. P. Morgan dera duzentos mil por um livro de horas com iluminuras do século 15. Mas no ramo manuscrito Lewis Carroll passava para o primeiro lugar.

A reunião dissolveu-se. Os repórteres correram a lançar ao mundo a notícia do notável prélio — Mrs. Hargreaves, pensativa, foi para a estação tomar o trem de Lyndhurst...

O SEGREDO DE BEM ESCREVER

M. L. não filosofa aqui com ideias suas, apenas expõe as de uma escritora americana a propósito do assunto.

Há tempos recebi carta dum rapaz da Bahia, perguntando qual era o "jeito de escrever bem". A resposta só poderia ser que se eu soubesse esse jeito, muito provavelmente o guardaria para mim, num natural impulso de egoísmo — a não ser que em troca do segredo ele me mandasse uns cocos. Outra carta, doutro rapaz de não sei onde, conta que perdeu a inspiração poética e pede remédio.

Esta última missiva fez-me lembrar uma escritora americana morta afogada em Coney Island, em 1928 — Marguerite Wilkinson, poetisa e crítica de arte. Também ela perdera a inspiração após um primeiro livro de valor, e estudando-se a fundo concluiu que o mal lhe vinha da depressão da coragem física. Para reagir ou curar-se adotou um feroz regime fortificante da coragem. Ia nadar em pleno oceano nos dias mais rigorosos do inverno; e nas outras estações voava, sem esquecer de operar com o seu avião os mais perigosos volteios. Criar perigos e arrostá-los, era a sua fórmula. E desse modo de fato restaurou a coragem física e viu renascer a inspiração. Prova disso foi a *Oração dos Aviadores* que logo depois escreveu e ficou o Padre Nosso dos aviadores da sua terra. Não contente, porém, Miss Wilkinson exagerou na dose dos fortificantes — excedeu-se em perigos e morreu afogada.

A propósito de "aprender a escrever" lembro-me duns conselhos que outra escritora americana dá às suas colegas — e talvez sirvam ao meu baiano. Diz Kathleen Morris, afamada autora, que não há escrever sem primeiro viver. Escrever é contar a vida, e quem não vive não pode escrever. Não há maiores livros, diz ela, do que os que refletem a vida de verdade, a vida como a vida é — e cita *Le Père Goriot*, *Adam Bede*, as angustiantes histórias dos mujiques russos, os romances em que Dickens põe em cena vulgaríssimos devedores que vão para a cadeia, e os contos de Maupassant onde "vivem" os mais emperrados campônios franceses. O próprio Shakespeare, diz ela ainda, para dar vida aos inúmeros reis e rainhas das suas peças teve de humanizá-los ao nível da gente comuníssima existente em redor dele — e só desse modo os tornou sensíveis a todos nós. Perto dos reis shakespearianos, os reis e rainhas das tragédias clássicas — das de Racine, por exemplo — não passam de bonecos de engonço.

Mrs. Kathleen escreve para moças que desejam seguir a profissão literária, uma profissão que realmente existe na América, como existe aqui a de professora ou datilógrafa; e faz ver que não bastam dons naturais. Sem trabalho rijo ninguém pode sair vitorioso nesta ou naquela profissão, O caso de escrever um trololó e cair em êxtase diante da obra, e nada mais fazer antes de "colocar" a maravilha, não conduz a nada.

E dá uma receita prática. Manda que a candidata às letras sente-se e comece. Comece pensando no que pretende escrever. Um conto? Muito bem. Mas... de que jeito abri-lo? Vá aos clássicos — Kipling, Cobb, ou Tarkington; folheie-os, veja como começam. Mas não copie — receba sugestões, certa de que a primeira palavra dum conto, bem como a última, são importantíssimas e decisivas.

Depois olhe para a folhinha. Suponha que está no dia 2 de maio de 1928 e admita que se a 2 de maio de 1930 estiver gozando o primeiro sucessozinho literário, será isso grandemente promissor. Escreva um pouco todos os dias — umas linhas apenas durante esses setecentos e trinta dias que vão de um 2 de maio a outro. Setecentas e trinta horas em que o cérebro estará moldando, afeiçoando, escolhendo, conformando, em suma, os tipos e o ambiente do conto.

Os resultados serão maravilhosos. A diferença entre as primeiras horas, nas quais a candidata derrubará a testa sobre a mesa, envergonhada do ousio de haver posto ombros à empresa, e as últimas, em que o cérebro já trabalhará como máquina bem ajustada e azeitada, se mostrará enorme. Terá nascido na candidata, como da semente nasce a planta, a *workmanlike consciousness*.

Essa hora de trabalho diário, embora aparentemente a mais inútil do dia, acabará tornando-se a grande hora do dia — a hora sempre esperada com ânsia. Porque será a hora da autocriação — e momento chegará em que a candidata *sentirá* dentro de si, em todo o vigor da sua plenitude, a força donde promanam as criações literárias. E um dos produtos dessa força — o vigésimo conto escrito, ou talvez o quadragésimo, já não surgirá aleijado como os anteriores e saberá manter-se de pé sobre as próprias pernas, em perfeito equilíbrio, como um ser vivo.

Enquanto isso a candidata deve ir experimentando colocar a sua produção nos jornais e magazines de menor vulto. Pouco valerão para eles, mas menos ainda para a gaveta em que ficariam encerradas. O filão donde saíram está apenas escavado na superfície, e quanto mais a mineração avance, tanto mais puro virá o minério.

O "instinto das palavras", próprio da candidata, e o instinto dos entrechos, deverão ser o pivô da sua personalidade literária. Mas que o aperfeiçoe com leituras, muita reflexão e trabalho sistemático. Ambiente, não importa. A vida que a candidata vive, não importa. Uma das mais aclamadas novelistas de hoje começou a vida vinte anos atrás como esposa dum fazendeirinho de trigo do oeste, tendo de cozinhar para o marido, cuidar de três filhotes e aguentar com a mais trabalheira da casa. Outra, que está aparecendo com muito destaque, é ainda professora duma escola de Chicago, com dezoito anos de classes; outra, que fez impressionante estreia no conto, é enfermeira dum hospital de tuberculosos na Califórnia.

Isto mostra que não há necessidade de um certo ambiente para que surjam escritoras; todos os ambientes servem — a casa da fazenda, com a sua trabalheira rústica; a escola, com a inferneira dos meninos; o hospital com toda a miséria dos doentes.

Estes conselhos práticos Kathleen Norris os dá às suas colegas de sexo, porque na América a profissão literária está por oitenta por cento monopolizada pelas mulheres. Inúmeros cursos ensinam como escrever coisas vendáveis. Há sempre a preocupação da vendabilidade do produto literário. Isso de escrever por esporte, sem fito de lucro, é absolutamente incompreensível para o americano — e mais ainda para a americana, bípede que se por fora ainda usa saias, por dentro é toda calças masculiníssimas.

Em país como o nosso não pode haver profissão literária por falta de desenvolvimento econômico. Fazem literatura uns tantos pobres diabos, mal vistos da sociedade porque os produtos literários não dão dinheiro — e a sociedade de todos os países despreza quem não possui ou não ganha bastante dinheiro. O respeito que na terra de Tio Sam gozam os escritores procede da renda que eles tiram dos miolos.

Uma Miss Eleanor Porter, por exemplo, escreve a novela duma encantadora menina simplória, chamada Pollyanna, e vende novecentos mil exemplares a dois dólares. O sucesso fá-la espichar a história de Pollyanna por mais cinco romances — e até o ano passado havia ela vendido um milhão e quinhentos mil exemplares, no valor de três milhões de dólares, dos quais lhe couberam, de direitos de autora, quinze por cento, que sejam quatrocentos e cinquenta mil dólares, o que em nossa moeda representa no câmbio negro, quatro mil e quinhentos contos. Está claro que o vendeiro da esquina, que é um dos baluartes da sociedade, não se ri dessa "literata", pois que com as simples ingenuidades da menina Pollyanna a diaba ganha mais que ele a vender ovos e presunto o ano inteiro.

Entre nós não é assim. Que respeito o Manoel da Venda, lá na rua Cosme Velho, onde morava Machado de Assis, poderia ter por aquele seu vizinho — "o raio do mulato de óculos que vive a escrevinhar" — se tudo quanto Machado de Assis obteve pela propriedade da sua obra literária — dezesseis livros — foram os oito contos que recebeu do editor Garnier? Oito contos líquidos ganha o Manoel por ano só no que furta no peso da manteiga e da banha. E talvez que já tivesse ganho oito contos só no que furtou no peso da manteiga que vendeu ao pobre Machado de Assis — se é que o romancista máximo da nossa língua pôde em vida dar-se ao luxo de comer pão com manteiga...

Fim do esoterismo científico

Há hoje uma tendência para abrir ao público as cortinas da ciência. A tendência de sempre foi cerrá-las. De epistemologia entendesse o epistemólogo. Ao público só deviam chegar as conclusões, sob forma de decretos da mais alta infalibilidade. O porquê, a justificação dos decretos, não era da conta dos leigos.

Os recintos científicos se fechavam com as cercas de arame farpado da terminologia técnica — e lá dentro ficavam os sábios falando um volapuque só deles entendido. Mas, afinal, cansados da clausura, eles mesmos abriram as portas — e começou o movimento de humanização da ciência. Will Durant chegou a realizar o impossível: traduzir em língua de toda gente a filosofia, essa hispidez que aterrorizava o mundo. Resultado: tornou inteligível até o próprio rei da ininteligibilidade — Emmanuel Kant.

Não escaparam ao movimento as ciências biológicas. Alexis Carrel, o grande fisiologista que opera milagres por conta do Instituto Rockefeller, anda com o seu *Man the Unknown* traduzido até em português — e em todas as livrarias. Nessa obra nos mostra que o que o homem sabe sobre si mesmo é pouco mais que zero, diante do que resta a saber. E a humanidade abriu a boca, porque vivera até agora na crença de que a fisiologia e a psicologia já sabiam o homem de A a Z. Carrel prova que estamos ainda no A.

Li, como toda gente, a obra de Carrel, com maior atenção para o capítulo sobre as "Funções Adaptativas", porque é ali que está o segredo das doenças, coisa que muito nos interessa. Sim, as doenças são os salteadores da estrada da vida. Ocultas nas margens, espreitam os passantes para cair-lhes em cima a golpes de micróbios e vírus. Se esses pequeninos agentes conseguem atravessar as fronteiras do nosso organismo e invadir os tecidos, a doença expulsa de lá a saúde e instala-se como em casa própria.

A ação da doença invasora do nosso organismo depende do comportamento dos tecidos que o compõem. Esses tecidos (tudo é tecido, até o sangue) reagem ou adaptam-se — ou deixam que o organismo pereça, se a reação ou a adaptação se faz em grau insuficiente. Temos pois dois modos de nos comportarmos diante do ataque dos invasores. Um é impedir-lhes a entrada; outro, é ir reparando os estragos que eles fazem depois de entrados e instalados. Sistema da formiga ruiva, que reconstrói o seu formigueiro a proporção que um pé malvado os vai desmanchando.

A doença é isso, diz Carrel; é o desenvolvimento desses dois processos. Quando, por exemplo, sobrevém febre, temos o primeiro caso; a febre é o calor da batalha dos nossos soldadinhos interiores contra o inimigo invasor. E temos o segundo caso quando os soldadinhos são derrotados e o inimigo instala-se, ficando dentro de nós a fazer requisições. A vida do organismo passa a ser um penoso esforço de formiga para constantemente refazer ou restaurar o que as requisições da doença desfalcam — e a coisa segue até a vitória final do organismo ou do invasor.

Logo, o bom é não permitirmos que o inimigo entre; e o mau é deixá-lo instalar-se e forçar os tecidos ao trabalho da adaptação.

Temos pois no organismo uma organização de defesa. Quando a organização está perfeita, o inimigo não entra; mas se se revela inadequada, ai de nós! Cada organismo possui o seu exército interno, de tremenda eficiência quando está em forma.

Mas em que parte do corpo está localizada a defesa — onde são os quartéis das forças armadas? No sangue, esse líquido vital ainda tão desconhecido do homem. O sangue é um dos grandes mistérios da natureza. Há nele mundos para os quais ainda não foi achado o microscópio e o telescópio.

Metchnikoff percebeu alguma coisa: que os leucócitos, os glóbulos brancos do sangue, constituem a "polícia especial" que ataca e devora as bactérias invasoras. Outros sábios estão percebendo mais coisas. Já sabem que os glóbulos vermelhos não são células vivas e sim saquinhos de carregar oxigênio. Em giro perpétuo na corrente sanguínea, eles enchem-se de oxigênio nos pulmões e levam a todas as células esse elemento, do qual são gulosíssimas. Meros carregadores e distribuidores de oxigênio, como os nossos leiteiros são distribuidores de leite.

Que maravilha o sangue! Assim que uma colônia de micróbios ataca um ponto do organismo, o sangue manda para lá um exército de leucócitos com ordem de envolver e expulsar o inimigo. Expulsar devorando-o, isso é que é o interessante. Se, por outro lado, cortamos o dedo, o sangue acode com um material de socorro, um coagulante com o qual obtura aquela portinha aberta e acaba tapando-a com o remendo de uma cicatriz.

A medicina, a velha arte de curar, era uma cega. Vinha tateando desde os tempos mais remotos, presa a uma técnica única: enfiar dentro do organismo, por todas as vias possíveis, quanta coisa há sobre a terra — até o chamado "jasmim de cachorro". O seu objetivo sempre foi curar, mas o certo é que talvez matou dez vezes mais do que curou. Em regra o pobre organismo tinha de lutar com a doença e mais o remédio.

Um dia a fisiologia ensinou à medicina uma grande coisa: que o que cura é a própria reação defensiva do organismo — e a partir desse momento a cegueira da velha matrona começou a melhorar. Compreendeu que só podia fazer uma coisa: não atrapalhar o processo curativo natural, e em certos casos também auxiliá-lo cá de fora. Porque em matéria de cura o que se dá é a autocura do próprio organismo.

E sobreveio a pergunta: se pudéssemos reforçar a defesa natural dos tecidos? Os investigadores de gênio entraram por aí — e nisso está o grande futuro da medicina.

Pearl Harbor

7 de dezembro, 1941

Ontem à noite aparece a Marta por aqui com a notícia do rompimento da guerra entre Japão e os Estados Unidos. "O rádio está falando. O Japão atacou Hawai. A Alemanha e a Itália também declararam guerra. Vou voltar para ouvir o resto" — e saiu.

Levei um choque no coração. Senti-me no ar, com uma dor de pressentimentos. Para consolo pus os óculos e fui reler um telegrama de dois meses atrás, de Londres, que recortei e preguei na parede. Aquilo me aliviou. Mas a impressão do choque continuou a fazer mal à minha cabeça. Por quê? A incerteza. Os Estados Unidos são tudo quanto nos resta; e vê-los agora ameaçados pelo turbilhão das forças loucas da demência totalitária me deu calafrios no plexo. Por mais que creia na força desse país e em sua vitória final, tenho medo. É a dúvida da fé. É o medo da fé. É o desespero da fé. Tenho a certeza da vitória final, quando raciocino e meço as reservas dos dois grupos — mas a sensação de peso no sentimento continua.

Pensei naquilo, na cama (eram nove horas) por algum tempo. Hawai, aquele paraíso terreal, bombardeado, atacado, estraçalhado. Aquela felicidade de saiote de palha e grinalda de flores ao pescoço, atormentada, despedaçada pela infinita brutalidade cega dos estilhaços que ferem ao acaso, e tanto furam os olhos duma criança como derrubam uma biblioteca. E se os amarelos atacaram, terá sido de surpresa, com todas as vantagens da surpresa. O americano não tem na alma a infâmia totalitária, feita de traição, de assalto longamente estudado e sempre desfechado com tremendas vantagens desarticuladoras. Até que os americanos se preparem e neutralizem os ganhos do ímpeto atacante...

11 horas

A depressão passou. Saí em busca de notícias. De caminho para pegar o ônibus cruzei-me com um sujeito que vinha com o *Diário*. Pude apenas entrever os enormes títulos da primeira página. Que diriam eles? Pus-me a imaginar títulos sensacionais. *O Japão declara guerra aos Estados Unidos! Honolulu destruída! 150 mil mortos*. Passei por três negras, essas criaturas tão baixas, produtos da velha escravidão. Vi um molecote de dez anos, descalço, brincando. Um carrinho de criança com uma de meses puxada por uma de sete anos. Perto, a ama.

Parei no ponto de espera, triste, mãos para trás, olhos no chão. No ônibus, tudo normal. Como se ninguém se desse conta do desastre imenso. Ninguém lia jornal, pois os jornais só aparecem nos carros que voltam da cidade. Só na Praça da Sé percebi ser hoje feriado. Estado Novo... Estaria a Editora fechada? Nos momentos graves vou à Editora — essa filha que se casou com o Otales e está tão rica.

Compro o *Diário da Noite*. Leio-o ansiosamente. Dois couraçados americanos a pique, o *North Caroline* e o *Oklahoma*. Respirei quando vi que o *North* era de 1923, construção já antiquada. Tive medo fosse um dos lançados este ano. O *Oklahoma* me parece moderno, mas tive medo de o verificar. Antes a dúvida.

Fui a UJB. Estava o Geraldo e o Mário Benini. Telefonei para a Editora. Fechada. Estado Novo... Li todo o jornal e a depressão foi passando. Nada dos 150 mil mortos, nem de declaração de guerra da Alemanha e da Itália. Melhor assim. E li o telegrama abaixo, que recortei.([1]) Quero guardar essas palavras de Hull, naquele momento o representante da dignidade humana. Nobre indignação! Palavras que só um diplomata americano tem coragem de dizer. O Nomura e o Kuruzu saíram em silêncio, como cachorros batidos.

Mas que pena a civilização americana impeça reação à moda antiga! Ali é que cabia o *Tar & Feather*. Deviam ser pichados e "empenados" e soltos na rua para que o

---

1 WASHINGTON, 8 (A. P.) — Urgente — O embaixador Nomura, enviado especial do Japão, e o sr. Kurusu, achavam-se no Departamento de Estado na ocasião em que a Casa Branca noticiou os ataques japoneses contra Honolulu. Os dois enviados haviam ido avistar-se com o sr. Hull e ali permaneceram vinte minutos. Depois de terem saído do Departamento de Estado, o sr. Cordell Hull anunciou aos jornalistas que havia declarado aos representantes japoneses que o documento era um "amontoado de infames falsidades". Segundo informações obtidas pelo próprio Departamento, Hull voltou-se para ambos, dizendo-lhes com o máximo de indignação: "Devo dizer-vos que em todas as minhas conversações, jamais pronunciei uma palavra que não representasse a verdade. Tudo isso está rigorosamente registado. Em todos os meus cinquenta anos de serviços públicos nunca vi um documento que contivesse tamanho amontoado de infames falsidades e distorções da verdade em tão alto grau e jamais pude imaginar, até o momento, que houvesse no planeta um governo capaz de emiti-las". As palavras enérgicas do sr. Cordell Hull não tiveram qualquer reação dos dois enviados japoneses. Não havia nem sombra de sorriso nas suas faces, ao deixarem o gabinete do sr. Hull. Os repórteres que ali se achavam ainda ignoravam a nota da Casa Branca sobre os ataques japoneses, e, um deles, tentando interrogar o embaixador Nomura se era a sua ultima conferência que realizava em Washington, não obteve resposta. "A embaixada fornecerá alguma nota mais tarde?" — perguntaram os repórteres. "Nada sei", responde secamente o embaixador. E dirigiu-se com Kuruzu para o elevador.

povo os linchasse. O japonês é a saúva humana, só com formicida. Ah, que vontade ser eu o povo americano para tratá-los a formicida!...

Mas os telegramas de Washington me animaram. Mobilização, reação, indignação — ódio. Uma guerra não se faz sem a tremenda força do ódio — e as grotescas saúvas nipônicas o que conseguiram com a traição foi acogular mais ainda os reservatórios de ódio que hão de acabar destruindo esta porca, suja, humanidade. Dá nojo o *Homo*. Mas há entre eles elementos dignos. O inglês salva-se. Salva-se o americano. Mas na luta de traição que Hitler desencadeou, as vitórias cabem sempre ao mais sem escrúpulos, ao mais torpe. *Timeo*... Se o reverso se houvesse dado, os japoneses teriam empalado vivos o Nomura e Kuruzu *yankees* que lá estivessem a engambelar Tojo enquanto a aviação americana despejasse o ataque a Tóquio.

O mal das democracias é serem mais civilizadas que os totalitários. Não conseguem ser totalitariamente infames — e pois jogam com menos armas. Mas a luta há de asselvajá-las e fazê-las recorrer também a essas armas — a infâmia, a traição, aos gases contra inocentes, a todos os horrores que temos tido e que temos de esperar dos fascismos e nazismos e niponismos.

Quando Carlos XII derrotava os exércitos de Pedro o Grande, esse tzar ria-se. "O rei da Suécia é um grande militar que está ensinando meus soldados a combater. Tantas serão as sovas, que meus russos acabarão aprendendo e ganharemos a guerra." E assim foi. À força de derrotas o totalitário está instruindo as forças da Democracia — e elas acabarão aprendendo e ganhando a guerra.

Por que sarei da depressão? Por força do ódio. Curioso.

São as forças polares do homem — Ódio e Amor. A força que cria e a que destrói. Odiemo-nos uns aos outros. É preciso que nos destruamos. Cristo estava errado. É preciso que acabe sobre a terra o domínio do macaco glabro. Quando houver a coragem de ser publicada a verdadeira, a sincera história do homem na terra, o homem baixará a cabeça vencido pela vergonha. Damiens. Há anos e anos li a narração do suplício de Damiens ordenado pelo pustulento Luiz 15, o *Bien Aimé*. Nunca mais os gritos daquele pobre louco me saíram da cabeça. Foi o maior suplício jamais inflingido a uma dolorosa carne humana. E enquanto o horror se processava na praça pública, assistido e gozado pela multidão, o rei, levissimamente ferido, jogava uma partida de gamão. Numa janela alugada por alto preço Casanova e as Lambertinis, sobrinhas do papa, assistiam à tortura. Os gritos lancinantes do mártir excitaram a Lambertini mãe e fez que Casanova perpetrasse o seu inconcebível (para os cavalos, para as feras, para o tigre, não para o homem) feito de amor.

O homem me repugna. Começo a ter medo desse monstro. Olho com pavor para cada cara que vejo na rua. São monstros de estupidez e crueldade. Quero morrer. Quero ver-me em outro mundo, ou em outra condição. Já vivi muito neste circo romano e não suporto mais.

Vem-me à ideia Jesus. Jesus foi bom. Jesus foi a coisa mais alta, e acabou no alto duma cruz. Quem sofreria mais, ele ou Damiens? Mas que adiantou a bondade de Jesus? Praticam-na só os fracos. O homem é o eterno vilão. Deem-lhe a vara e Hitler se revela. E os Hitlers recebem a veneração íntima, a admiração absoluta, até dos que se têm como bons.

Chega de Terra. Venham os intermúndios. Morrer... Gaseificar-se... Tudo escuro, escuro — e tão doloroso...

A informação dos jornais é deficientíssima, porque sempre tendenciosa. Não sabemos a verdadeira realidade europeia. A Rússia ainda resiste. Timochenko é o herói do dia — mas a marcha contra Moscou, apesar do inverno, prossegue inexorável. O rolo esmagador esmaga. O que Hitler lança contra a Rússia é toda a massa infinita do armamento europeu — todas as armas da Alemanha, todas as da França, todas as que a Inglaterra deixou na retirada, todas as da Polônia, da Tcheco, da Bélgica, Holanda, Yugo, Romênia, Finlândia... E isso dirigido por um cérebro horrendamente especializado em destruir e por essa crudelíssima alma nazista. A aritmética diz que a Rússia não pode vencer mas a esperança lá no fundo do nosso imo não morre.

E se tudo for perdido, se a Rússia, o inglês e os americanos caírem, ainda nos resta uma coisa, uma solução — a morte. O suicídio. Ah, só a morte então nos libertará da brutalidade alemã.

Acendo a lâmpada. Pego um livro. Veríssimo, seu romance dos três meses na América. Encanto-me com sua maneira e estilo, e serenidade de pensamento, e inventiva, e tantas qualidades daquele menino moreno. Sim, penso comigo; é valor dos mais altos hoje. Ele diz aqui coisas que eu queria ter dito. Também tenho uma *AMÉRICA*. Ponho-me a pensar no meu livro sobre a América e comparo. Vou escrever ao Veríssimo agradecendo a remessa e dizendo coisas. E ponho-me a pensar no que lhe direi. E vou lendo. Li cinquenta páginas, sempre deleitado e concordando.

Estou cansado e com algum sono. Purezinha suspira e geme. Cada vez que o Edgard, tão mal, lá em seu quarto, tosse, ela arranca gemidos da alma. Que horror ser mãe! O pai não sofre, comparado com a mãe. O pai, como homem, tem o coração na cabeça. Em vez de sentir, pensa, raciocina, filosofa. Adapta-se. A mulher, a mãe, só sabe sentir. E Purezinha geme. É toda ela uma dor constante, sem tréguas, de supliciado medieval num potro da Inquisição.

Durmo. Sonho. Acordo. Procuro lembrar-me do sonho mas só consigo farrapos. Desisto — e gosto tanto de conhecer meus sonhos — e os dos outros... Madrugada. Passa o leiteiro e deixa o litro diário. Quatro horas, portanto. É o seu horário. "Que saúde!" digo a Purezinha acordada. "Que diferença do Edgard..."

Acendo a luz e retomo o Veríssimo. Leio o diálogo final do autor com o leitor. Tenho de escrever-lhe. Veríssimo merece todos os aplausos. É honesto.

Levanto-me às seis. Sento-me à máquina e retomo a tradução do *ENGINES OF DEMOCRACY*, que comecei no dia 1.º. Vinte páginas por dia. É puxado. Mas eu traduzo como o bêbedo bebe: para esquecer. Burlingame é um autor difícil. Embrulha o pensamento, como se seu objetivo fosse evitar a clareza. Tenho de ir tirando aquelas faixas e pondo nuas as ideias.

Café. Não há pão fresco. Segunda-feira. O Estado Novo com suas reformas...

Volto à máquina. Retomo o capítulo "Central", sobre o telefone na América. Que estilo, meu Deus! Que homem difícil! Que caça arisca este Burlingame! Só tenho três cigarros no maço. Pouco para quem largou de fumar...

Vou indo, vou indo.

Purezinha entra no quarto com uma notícia: "cento e cinquenta mil americanos mortos". Paro. Não posso continuar. Penso no Hawai e digo para consolo: "Pobre gente. Não serão americanos esses mortos, mas hawaienses — aquela gente feliz..."

Impossível continuar na tradução. Tenho de sair e ver os jornais. Mas hoje, segunda-feira, não há jornais da manhã. O Estado Novo...

E o programa de vinte páginas por dia? Paciência. O mundo está nos *stakes* e eu também. Sou parte do mundo. Por quem os sinos dobram? Por mim também. Fui morto nalguma coisa com a morte daqueles cento e cinquenta mil.

Uma ideia. Lançar daqui por diante minhas sensações no papel. Tenho a impressão de que entrei em nova fase da minha vida. A fase do DRAMA — o começo do fim. Edgard tão mal, coitadinho. Purezinha naquela ânsia de desespero de mãe. Pearl Harbor massacrado. São horrendos esses ataques totalitários de surpresa, longamente estudados enquanto os diplomatas mentem e dão *dopes* aos ingênuos democráticos. Aquele Kuruzu... Vi-o num *newsreel*. Cara cínica. Ah, se os americanos o pegassem e linchassem! Foi lá para enganar, ganhar tempo, possibilizar o ataque. Morte, morte, bendita sejas. Não tenho mais gosto em viver. Guilherme acertou, morrendo aos vinte e cinco anos. Edgard acertará, morrendo já. Viva a morte! É linda. Mister Ceifas. Não me esqueço da elegância daquela morte americana, nas HORAS ROUBADAS.

Creio na imortalidade do átomo e de tudo. Lavoisier está certo. Nascimento e morte, começo e fim: ilusões da nossa relatividade. Tudo é, sempre foi e sempre será. Apenas mudamos de condição. O Eterno Retorno de Nietzsche. A Roda da Vida do lama vermelho do Tibete. A metempsicose do hindu. Lavoisier e Buda. O que reconhece a eterna volta das coisas e o que quer o fim. Mme. Curie desferiu um golpe na ideia de Lavoisier. O rádio se esvai. Logo, tudo se perde. Que dirá a verdade de amanhã?

Que importa? Antes esvairmos no nirvana do que assistirmos ao desmoronamento do mundo. Galeão Coutinho teve uma frase profunda no que escreveu hoje no inquérito do Edgard Cavalheiro. O aprendiz do Mágico da *FANTASIA* aprendeu com o mestre os grandes segredos e depois atormentou-se, não sabendo como deter as forças liberadas pelo chapéu. O chapéu da humanidade é a ciência aplicada — as invenções. Ampliaram-se desmesuradamente. Precipitaram-se. O homem pôs na cabeça o chapéu do mágico Ciência e a tempestade se desencadeou — veio a inundação — e ele não sabe a receita para deter o Robot... A Democracia boia no mar de ruínas e sangue e percorre aflita o livro da ciência, a ver se encontra a receita para salvar-se.

Vou começar a pôr aqui as minhas impressões diárias. Quem sou eu? Kim, Kim, Kim. Quem é Kim? Eu sou Kim. Quem sou eu? Uma árvore da floresta. Menos: uma folha. O vendaval tudo devasta. Vou ser apisoado, arrancado e jogado. E vão comigo as minhas folhas companheiras — Purezinha, o coitadinho do Edgard. Fica o Rodrigo, nos seus três anos. Linda cabeça tem ele. Mas fraco. A fraqueza da família. Fim de raça? Estamos no Rodrigo todos nós, folhas que caem. Assistirá ele a aurora do pesadelo que começou em 1914 e abriu o segundo ato em 1939?

Coitados de todos nós — do Hitler, do Tojo, do Roosevelt, do Rodriguinho...

Lá está ele brincando, vivendo a prodigiosa vida da criança, ativo, incapaz de repouso, todo movimento e queros. "Eu quero." Passa o dia a querer e em embate com o querer social dos grandes. Um instintozinho nu na ratoeira da sociedade. Educar é socializar, é artificializar uma coisa natural, espontânea, linda — bichinho selvagem.

Não terá sido esse o erro do *Homo*? Sua socialização permitiu-lhe tomar conta da Terra, com prejuízo de todas as coisas naturais, sobretudo da vida das outras espécies. E agora começa a destruir-se. *O Destino do Homo sapiens*. Wells é capaz de ter razão nesse mais sinistro de todos os livros. Parece-me realmente um profeta, o novo Nostradamus. Bom. Basta. Vestir-me e sair. Dia perdido para o Burlingame.

Pelo Triângulo Mineiro

Em sua campanha pelo petróleo M. L. viajou muito, pelo norte, centro e sul do país. Sua passagem pelo Triângulo Mineiro foi fecunda em observações.

I

Bernardim Ribeiro, o maior chorão de Portugal, começa o seu livro *Saudades* dum modo que todos sabemos de cor: "Menina e moça levou-me para longes terras..."

A nós, ferro e petróleo levaram-nos para longes terras, para os maravilhosos chapadões do Triângulo, esse bico de terra mineira na carne de São Paulo fincado, como imensa cunha de pradarias sobre as quais pendem as longas orelhas dos zebus nostálgicos do Gir indiano.

Para o paulista antigo, Uberaba era um fim de mundo. Dispunham nossos avós de apenas um meio de locomoção, o cavalo; e tinham de martirizar o cóccix e os cavalos durante dias para alcançar o agrupamento uberabense. Mas veio o carvão de pedra e a viagem passou a fazer-se de trem em dois dias. Veio depois o petróleo e já a fazemos em três horas.

Estamos a imaginar as homéricas risadas dos bandeirantes, se alguém lhes profetizasse que a viagem de São Paulo a Uberaba ainda seria feita em três horas — risada irmã da que damos hoje quando alguém nos profetiza uma futura redução dessas horas para três minutos. Ou três segundos.

Loucura? Sonho?

Tudo é loucura ou sonho no começo. Nada do que o homem fez no mundo teve início de outra maneira — mas já tantos sonhos se realizaram que não temos o direito de duvidar de nenhum.

Voando de automóvel por aquelas serpentinas de pó vermelho que se estiram pelo escampo dos chapadões do Araxá, íamos ouvindo a lição de francês da preciosa escola de Nhô Totico, esse gênio mímico da nossa raça. "'Chateau' — cavalo; 'petit' — cachorro. Cala a boca, criançada!" Ouvindo-o... "vendo" diante de nós a pasmosa burrice do Chicote, o pernosticismo cafajéstico do Chicorea, a comovente santidade do Chiquinho, a delicadeza nipônica do Soko — extasiamo-nos ante o verismo de tantos alunos duma escola que não existe, que é um homem sozinho elevado a alta potência, que é sempre nhô Totico, o qual por sua vez também não existe, porque o que existe é um moço que na rua ninguém distingue dos demais. A genialidade só se denuncia quando em ação.

Como duvidar da possibilidade de realização de todos os sonhos, se já temos até essa do transporte instantâneo da palavra humana em todos os rumos e captável em todos os pontos da terra? Para bem figurarmos o que isso é, havemos de figurar a hipótese de milhões de receptores espalhados pelo mundo inteiro, de polo a polo, pela China imensa, por toda a Europa, pela África, por todos os países da América, por todas as ilhas e dentro de todos os navios que sulcam os mares. Um simples movimento de comutador numa dada hora e todos esses rádios, em todos os pontos da terra, transmitirão aos seus ouvintes uma aula da escola de Nhô Totico, dada aqui em São Paulo...

Ora, havendo já o homem realizado tão assombrosos prodígios, nem chega a ser sonho esta campanha do petróleo em que vivemos empenhados — tão fácil, tão rasteira é a tarefa de dar ao Brasil o combustível mágico, alma da civilização moderna, já que solve todos os problemas materiais da vida, na sua aliança com o ferro sob forma de máquina.

Apesar disso, apesar da força da evidência lógica, somos nós no Brasil tão errados de cabeça que os que se empenham em tirar petróleo têm que promover verdadeiras catequeses. Têm que deixar uma metrópole como São Paulo, onde se concentra uma grande parte da riqueza nacional, para ir pregar petróleo, ensinar petróleo, levantar dinheiro para petróleo, lá longe, entre agrupamentos humanos ainda bem reduzidos, como esses do Triângulo Mineiro.

Razão? Talvez porque todos os problemas do transporte numa cidade como São Paulo já se acham solvidos, fato que impede aos seus habitantes a visão do país em conjunto. Quem está com a barriga cheia ri-se da palavra fome. Mas no interior, a premência, a urgência, a exigência da solução do problema do transporte sobreleva a todos os demais — e não há nenhuma pessoa consciente que, abordada e falada, não perceba, com a maior clareza, que o problema máximo é esse, só esse, pois todos os nossos outros problemas se ligam ao do transporte, como a corda à caçamba.

Nas campanhas de caça aos eleitores nossos estadistas fazem longa discurseira com variações sonoras sobre a democracia. O povo ouve e coça a cabeça. Não consegue compreender de que modo uma dose maior ou menor dessa panaceia que cura tudo possa praticamente influir-lhe na vida. Mas se um candidato a estatismo formulasse o seu programa de governo em quatro palavras: "Gasolina a duzentos réis!" esse candidato apanharia todos os votos de todos os habitantes do país, porque seria instantaneamente compreendido.

Uma frase do senador Charles Dawes ficou célebre no Senado americano. Em meio de acalorado debate sobre as grandes coisas de que os Estados Unidos precisavam (entre elas mais democracia), Dawes lançou um aparte imortal: "O de que o país realmente precisa é dum bom charuto de cinco centavos!".

De fato, o que naquele apogeu de prosperidade do povo americano, sufocado pela pletora de tudo, realmente fazia falta era um bom charuto de cinco centavos, porque os charutos só começavam a ser bons de dez centavos para cima.

Ainda é cedo para reclamarmos um bom charuto de duzentos réis como a única coisa de que nossa terra precisa. Atrasados em nosso desenvolvimento, temos de querer muitas coisas antes desse charuto; mas o que há a querer, já, já, já, não é a tal democracia que cura tudo, sim uma boa gasolina a duzentos réis o litro — e nossa, de produção caseira, para que os duzentos réis não saiam do nosso bolso.

A gente do Triângulo Mineiro compreende isto com a maior clareza, sobretudo quando para seu carro diante duma bomba da Anglo-Mexican e despende mil e setecentos réis para obter um litro daquilo que podemos ter a duzentos réis. Daí o interesse enorme que os triangulinos mostraram pela novidade anunciada: conferências sobre o petróleo.

Até ontem as conferências públicas só versavam sobre temas políticos ou literários. Um sujeito que ia dizer mal do partido A e maravilhas do partido B, para uma assistência absolutamente convencida de que se há uma coisa no mundo igual ao partido A é justamente o partido B. Ou então, conferências sobre os velhos assuntos clássicos. O amor na Idade Média — A dança na Espanha — A pena ou a espada? — Qual o maior guerreiro, Aníbal, César ou Napoleão? O orador sonorizava o ar com as flores da sua retórica e concluía indefectivelmente com um rapapé ao elemento feminino da sala. Palmas, bocejos, abraços no conferencista, elogios — e lá ia a assistência para a cama, a resmungar contra a seca.

Mas conferências sobre o petróleo constituem novidade absoluta. Conferências de negócio! Para promover a venda de ações duma companhia! Para levantar dinheiro! Tudo isso francamente confessado e explicado por "a" mais "b", com todas as cartas na mesa. A novidade seduziu os mineiros; daí uma acolhida que jamais ousamos esperar.

Por que assim? É que o mineiro de elite, dotado de fina inteligência natural, sabe distinguir entre negócios. Há negócio e negócio. Há os negócios que só beneficiam aos que estão neles e há os que vão além, os que se erguem à categoria dum verdadeiro serviço público. Nesta classe está o do petróleo. É negócio e é serviço público, tal a infinidade de repercussões para a vida do país inteiro que esse negócio trará, quando vitorioso. Sendo exatamente assim, claro que não podia escapar a percepção dos mineiros a diferença entre o negócio de promover a exploração do petróleo e o de promover uma nova fábrica de sabão ou uma nova usina de açúcar.

Mais sabão ou mais açúcar não influencia em nada a vida do país; enriquecerá uns tantos homens apenas. Mas petróleo, petróleo a jorrar de mil poços, gasolina a duzentos réis, óleo combustível a cem réis, influencia e tremendamente, pois equivale à maior das revoluções econômicas e ao começo do Brasil de amanhã — sadio, forte, poderoso. Eis explicada a razão do entusiasmo dos mineiros pela nossa iniciativa.

Não conhecíamos Minas senão duns rápidos três dias passados em Belo Horizonte. Fomos conhecê-la agora — e ficamos a pensar, a pensar... O paulista é um tanto presunçoso. Quando sai da sua terra vai de sorriso nos lábios, certo de só encontrar inferioridades. Mas o paulista também sabe reconhecer a verdade e proclamá-la. Sabe, por exemplo, dar a Minas uma acentuada superioridade de cristalização mental e social, devida talvez à lentidão do processo formativo e à ausência das contínuas intrusões dos fortes elementos alienígenas que em São Paulo perturbam o processo cristalizante. Daí a finura de inteligência, o equilíbrio, o senso de proporções e de matizes que o opulento bárbaro paulista reconhece no mineiro tão modesto.

A elite de Minas é algo mais apurado que a elite de São Paulo. Forma uma verdadeira quinta-essência. O paulista enriqueceu muito depressa e ainda cheira a dinheiro — e não é cheirar bem isso de cheirar a dinheiro. O maior encanto de Minas está justamente na completa ausência desse cheiro. O homem rico de lá esconde o leite; o homem rico de cá, mesmo quando só é rico de dívidas, faz praça de mais do que tem. Se deve mil contos, arrota uma dívida de cinco mil.

Numa fazenda mineira, naquela simplicidade tão serena, nada há, nem nas palavras do dono da casa, nem nos móveis, nem nos quadros das paredes, nem nas benfeitorias que circundam a vivenda, nada há que denuncie o peso em contos de réis do proprietário. Talvez venha daí o ditado popular: o homem e o porco só depois de morto, querendo dizer que só depois de morto podemos saber ao certo o peso do porco e o valor monetário do homem.

Lembro-me duma viagem que fiz pela Paulista até Barretos, na qual fui prestando atenção às conversas. Até hoje tenho nos ouvidos o som dessas conversas. "Cem contos, duzentos contos, trezentos contos, mil contos, cinco mil contos." No meu passeio pelo Triângulo não ouvi a palavra "contos" senão aplicada aos que em tempos eu publiquei. Quem por lá falou em contos dinheiro fomos nós, os paulistas itinerantes.

Há doenças vergonhosas, de que ninguém fala em público; há palavras vergonhosas, que só se dizem com a mão na boca. O mineiro, na sua finura de cristalização, vai empurrando a palavra "conto de réis" para a lista das que não se devem pronunciar numa roda de gente fina.

Que esplêndidos tipos lá encontramos, sobretudo entre os prefeitos. No de Araxá vimos um filósofo de infinita serenidade, de altíssima superioridade mental e moral, dotado da eficiência e capacidade realizadora dum engenheiro americano. Mas realiza suas obras às ocultas, porque o emperrado oficialismo do Brasil ainda segue aquela forma clássica do "não fazer nem deixar fazer."

Em outro vimos um curioso casamento de capacidade administrativa com um alto humorismo. Mas humorismo de verdade, à Mark Twain. Nas aperturas dum orçamento municipal que não dá nem para metade das realizações reclamadas pelo povo, ele faz com dinheiro a metade que pode — e a segunda metade faz com a moeda do humorismo. A população o adora. *Pay and smile*.

O Triângulo Mineiro importou da Índia os grandes zebus que serviram de base à prosperidade de hoje, tão sólida. Excelente ideia, se São Paulo importasse prefeitos de Minas...

II

A coisa que mais me surpreendeu em Uberaba foi ler o nome de Henry Ford no frontal dum bloco de construções.

— Henry Ford por aqui?

— É uma escola profissional que não chegou a ser aberta porque a revolução a transformou em quartel. Obra de Fidélis dos Reis, um amigo de Henry Ford, com o qual se corresponde. Nesse pavilhão ia ser instalada uma das seções da escola, montada de acordo com as ideias de Henry Ford e dirigida por um técnico que ele mandaria de Detroit.

— E virou quartel...

— Temporariamente, enquanto não concluem o quartel novo, já quase no fim. Logo que isso se dê, será instalada aqui a grande escola.

Fiquei a pensar na significação desse pequeno fato, suscetível de grandes consequências futuras. A palavra Ford significa eficiência elevada ao grau máximo. Se em Minas já há quem ponha a eficiência acima de tudo, Minas está salva e com o caminho aberto a todas as grandezas. Porque só o que falta a Minas é uma grande base de progresso material. A cristalização moral e mental já foi atingida, numa forma toda sua, caracteristicamente mineira. E para orientar a construção material eles apelam para o mestre dos mestres — Henry Ford o mágico da eficiência.

Assim também fez a Rússia comunista. Os extremos tocam-se. Minas e a Rússia de Stalin reconhecem que na eficiência está o segredo de tudo e apelam para o homem de gênio que a definiu com estas palavras simplicíssimas: "eficiência é fazer ponta num lápis com lâmina bem afiada, em vez de com faca sem corte".

Na sua segregação de estado central, Minas considera-se muita coisa, mas diante do que pode vir a ser é ainda nada. No dia em que puder mobilizar as tremendas reservas minerais do seu subsolo, sobretudo o ferro, que possuem em quantidades suficientes para ferrar o Brasil e boa parte do mundo, Minas transformará o seu bucolismo de hoje num grande metropolismo industrial. Mas tudo ainda está, por nove décimos, em estado de casulo.

Houve no começo a exploração do ouro, e há hoje a morosa transformação das pastagens em carne e leite. O ouro é o único metal cuja exploração não enriquece um país, em virtude do seu emigracionismo congênito. Emigra sistematicamente para as zonas produtoras e manipuladoras do ferro, isto é, para os países industriais. O ferro tem a propriedade de atrair o ouro — quando transfeito em máquinas aumentadoras da eficiência do homem.

Onde está hoje o ouro de Minas, de Cuiabá, de todos os distritos de mineração do Brasil colonial? Em Londres, em Nova York, em Paris — nas metrópoles dos países produtores e manipuladores do ferro.

Na indústria do perfume há certas substâncias, como o âmbar-gris, usadas como "fixadores" dos cheiros. O ferro é o âmbar-gris do ouro — ou, melhor, da riqueza dum povo. O ouro que o Brasil colonial tirou do fundo dos córregos não está conosco. Estivesse — e o nosso ministro da Fazenda não se plantaria em Washington, fazendo prodígios para obter, não a propriedade, mas o uso apenas, de algumas toneladas desse metal monetário, ou sejam sessenta milhões de dólares.

Tais toneladas de ouro correspondem a bem pequena parte do que foi extraído só de Minas, e se agora, que tanto necessitamos desse metal, havemos de tomá-lo por empréstimo, foi porque nossos avós não souberam, antes de extraí-lo, desenvolver entre nós o fixador do ouro. Como os Estados Unidos tiveram a sorte de só descobrir o ouro depois de desenvolvido o ferro, o ouro não emigrou — lá ficou, fixado pelo ferro.

Em Minas o ouro foi mas ficou o ferro — e com ele um dia Minas construirá o arcabouço metálico do país. Em suas montanhas de minério, e em seu subsolo jaz adormecido o Brasil de amanhã — o Brasil grande, do mesmo modo que num rude pedaço de mármore jaz a maravilhosa estátua que o gênio do escultor extrai.

Com a máquina que o ferro de Minas nos dará e com o nosso futuro petróleo, motorizar-nos-emos intensamente — e cada um de nós valerá um dia vinte, trinta vezes mais do que valemos hoje, medidos pelo estalão da eficiência.

Foi para advertir disso ao mineiro que fizemos palestras de didática comercial pelo Triângulo — e o Triângulo nos compreendeu. Compreendeu que no coração de Minas está a dormir o sono dos séculos o nosso tremendo potencial em máquinas, como em tantos pontos do nosso território dorme a energia mecânica que vai mover essas máquinas. Pela mobilização e conjunção de ambos teremos o milagre. O fato de haver Minas alcançado o sentido dessa equação explica o apoio que vem dando à campanha do petróleo.

— O senhor é um sonhador, — disse-me um homem de Uberaba.

— Haverá alguma coisa no mundo que não se gestasse por esse processo, primeiro o sonho, depois a realização?

— É verdade, — disse ele, com os olhos pensativos.

Minas sonha hoje o nosso grande sonho. Nós paulistas, estamos atrasados nesse ponto. Sonhamos menos, talvez pela convicção, inoculada pela propaganda oficial, de que já somos uma grande realização.

Engano ledo e cego. Somos um comecinho. A estrada do progresso é intérmina. O paulista partiu para a viagem sem fim com o café às costas — um começo brilhante que a inépcia administrativa federal matou. Daí sermos hoje riquíssimos sobretudo de uma coisa: dívidas. E talvez seja o peso das dívidas que nos estraga a capacidade sonhadora. Interferência do mais infame dos espetros — o credor.

Havemos de sonhar porque o sonho é o primeiro passo de todas as realizações. Ferro, petróleo, carvão e trigo; havemos de sonhar com a nossa libertação econômica assentada nessas quatro colunas, que até aqui fomos proibidos de levantar porque a isso se opunham os grupos de interesses que põem a juros a nossa miséria.

Fizemos no Brasil uma experiência das mais curiosas; a mentira como o material de construção duma nacionalidade. A letra do hino nacional é a mentira número um — e essa mentira foi insinuada nas escolas para que o brasileiro, apanhado ainda bem criança, fizesse da mentira uma segunda natureza.

"Nossos campos têm mais flores, nosso céu tem mais estrelas." Aqui está a mentira mãe, oficializada no hino da nação cantado em todas as escolas apesar dos protestos mudos da botânica e da geografia. E essa inoculação inicial da mentira poética deu de si tais rebentos que permitiu a Rui Barbosa a sua página de maior revolta e eloquência, quando na campanha civilista nos revelou a nós mesmos como o povo da mentiralha.

Hoje percebemos que a mentira não constrói coisa nenhuma e já começamos a arrepiar caminho. Já queremos a verdade, por amarga, dolorosa e humilhante que seja. Já duvidamos da inteligência do "povo mais inteligente do mundo", diante dos resultados funestos que tal inteligência produziu na vida pública. Já admitimos a penúria chinesa do "país mais rico do mundo". E como a confessamos, *ipso facto* entramos no caminho da riqueza. O *Nosce te ipsum* sempre será o alicerce de todas as construções, tanto nos indivíduos como nos povos.

O último arranco da nossa torpe fase da mentira foi quando, a pretexto de reprimir um comunismo que não passava do protesto da miséria em eretismo de desespero, nos reduzimos a uma coisa só: polícia. E o Brasil está hoje metido na cadeia.

Em poucos lugares como no Triângulo uma pessoa apalpa o Brasil nas suas qualidades e defeitos — mais qualidades que defeitos, e em poucos lugares como lá sentimos como o Brasil é uno em ideia e coração.

Grandes verdades enunciou Afonso Arinos em sua conferência em São Paulo. O regionalismo é criador porque estabelece competição e estímulo, e é da competição e do estímulo que sai o progresso. A ideia de São Paulo, como a ideia do Rio

Grande, como a ideia da Bahia não são ideias que separem, porque o que chamamos Brasil não passa da soma dessas ideias.

Não conheço todos os estados do Brasil, mas em todos que conheço me senti tão em casa como na minha cidade natal. Senti-me nacionalizado. Daí minha ideia enunciada em *América*: "A primeira significação do ferro é transporte em todas as suas modalidades. Só o transporte suprime o regionalismo e, portanto, só o transporte nacionaliza". A virtude está no meio. O regionalismo levado ao excesso acarreta diferenciação de mentalidade e antagonismo invencíveis, fomentando a ideia separatista. Sem excesso, apenas significará estímulo construtor.

Ferro e petróleo *sub* espécie avião levaram-me para longes terras — para a Minas do Triângulo; e o que pudesse haver em mim de hostilidade, por desconhecimento da "ideia de Minas", desapareceu. Senti-me em casa e absolutamente irmão. No dia em que com a produção intensa do ferro e do petróleo tivermos o problema do transporte integralmente resolvido, conhecer-nos-emos no Brasil de Norte a Sul e de Leste a Oeste — e a unidade pátria estará assegurada com a morte do extremismo regionalista. Reconheceremos todos, inclusive o meu generoso amigo Alfredo Éllis, que somos, de Norte a Sul, feitos da mesmíssima carne e tremendamente irmãos.

Ferro e petróleo deram aos Estados Unidos a sua incomparável homogeneidade. Por que há de falhar o remédio no Brasil?

Paulo Setúbal

O dia de hoje amanheceu tétrico. Nada mais triste que em vez do sol da manhã o dia comece morto, empapado de chuvisqueiro, sem luz no céu e só lama peganhenta nas ruas. E as folhas vieram agravar aquela tristeza com uma notícia profundamente dolorosa — a morte de Gaspar Ricardo. As folhas da manhã. E como se não fosse bastante, as da tarde informaram-nos de outra coisa profundamente estúpida: a morte de Paulo Setúbal. Seriam a chuva e o tom plúmbeo do céu a lágrima e o crepe da natureza diante de dois irreparáveis desastres?

Setúbal era o encanto feito homem. Impossível maior exuberância, maior otimismo, maior entusiasmo — mais fogo. Dava-me a impressão duma sarça ardente — e talvez por isso se fosse tão cedo; queimou-se demais, ardeu numa vitoriosa chama contínua. Os homens prudentes regulam com avareza esse processo de combustão que é a vida. Ardem, mas como a brasa sob as cinzas — no mínimo — para ganhar em extensão o que perdem em intensidade. Mas Setúbal não se continha: era uma perpétua labareda de entusiasmo, de amor, de dedicação, de projetos, de serviço, de cooperação, de boa vontade. Não havia nele uma só qualidade negativa.

Lembro-me de quando me apareceu pela primeira vez na rua Boa Vista, escritório da antiga *Revista do Brasil*. Entrou aos berros, com um pacote de versos em punho — *Alma Cabocla*. Era a primeira vez que nos víamos, mas Setúbal tratou-me como a um conhecido de mil anos. Entrou explodindo e permaneceu a explodir durante toda a hora que lá passou. O serviço do escritório interrompeu-se. Alarico Caiuby, o correspondente, largou a máquina e veio "assistir". Antônio, o menino filósofo, abandonou a trancinha de barbante que costumava fazer — e veio "assistir". E se os outros empregados não fizeram o mesmo foi porque o pessoal da *Revista do Brasil* naquele tempo se reduzia a esses dois.

Ficamos todos num enlevo, a assistir aquele faiscamento recém-chegado do interior, cheirando a natureza, numa euforia sem intermitência — e não houve discutir sobre a edição dos versos, nem sequer examiná-los para "ver se eram bons" (tarefa a cargo de Joaquim Correa, o nosso especialista em distinguir versos bons dos maus, pelo cheiro, como fazem os classificadores de café em Santos). O ímpeto de Setúbal, a tremenda força da sua simpatia irradiante, inundante e avassalante, fez que sem nenhum exame os originais voassem daquele escritório para a tipografia. O editor contentou-se com os que, sem a menor sombra de falsa modéstia, ele recitou com a maior vida, precedendo-os de um santo e lealíssimo "Veja, Lobato, como isto é bom!".

E o público confirmou-o nesse juízo. *Alma Cabocla* teve enorme procura. Setúbal era tão bom que tudo quanto dele saía era bom — bastava sair dele para ser bom.

Um dia amanheceu romancista histórico, e fui ainda eu o seu editor. Os originais da *Marquesa de Santos* só tiveram do meu lado uma objeção. Havia ali pontos de admiração demais, pontos que davam para cem romances do mesmo tamanho. Sempre foi, em cartas e na literatura, uma das inevitáveis exteriorizações de Setúbal, esse gasto nababesco de pontos da admiração. Por ele, todos os mais pontos da língua desapareceriam da escrita, proscritos pelo crime de secura, frieza, calculismo, falta de entusiasmo...

Objetei contra aquele excesso e consegui licença para uma poda a fundo. Cortei quinhentos pontos de admiração! Setúbal concordou com a minha crueldade — mas suspirando; e na primeira revisão de provas não resistiu — ressuscitou duzentos.

A *Marquesa de Santos* teve um sucesso inaudito, sobretudo entre as mulheres de idade. Podemos sem medo de erro afirmar que foi o romance de maior sucesso que tivemos na República. Subiu rapidamente ao número, para nós fantástico, de cinquenta mil exemplares — e ainda hoje, anos e anos passados, tem procura firme. É livro permanente.

Ninguém será capaz de descrever a reação de Setúbal diante da vitória tremenda da sua *Marquesa*, e duvido que a literatura, no mundo inteiro, haja proporcionado a um autor maior regalo. A perpétua exaltação do entusiasmo de Paulo Setúbal vinha disso: desse integrar-se na obra, desse absoluto identificar-se com ela. Em regra, o escritor é um pai desnaturado; só sente prazer no ato da criação. Nascido o filho, joga-o às feras e esquece-o. Setúbal não. Setúbal sabia ser pai. O mesmo prazer que sentia em criar, sentia em acompanhar carinhosamente a vida pública do filho impresso. Se eu fora representá-lo num desenho, pintá-lo-ia levando pela mão, qual pai baboso, todos os filhos que publicou.

E muitos filhos teve ele no gênero histórico em que armou tenda. Mas nenhum lhe encheu tanto a vida como o primeiro. Duvido que Pedro I haurisse tanto prazer da Domitila quanta hauriu Setúbal da *Marquesa de Santos* literária. Se há um a invejar, não é D. Pedro.

E está morto Setúbal!... A morte sabe escolher; pega de preferência o que é bom — as pestes ficam por aqui até o finzinho. Morreu Setúbal e com isso nossa terra está podada de algo insubstituível. Onde, em quem, aquele fogo olímpico, aquela bondade gritante e extravasante como a champanha, aquele dar-se loucamente a todas as ideias nobres, ricas de beleza? Onde, em quem, a coisa maravilhosamente linda, e boa, e saudável, e reconfortante, que foi a breve passagem de Setúbal pela terra? Desse Paulo tão generoso, nobre e despreocupado no dar-se, que em quatro décadas queimou uma reserva de vida que para outro, mais calculista, daria para oitenta anos?

Sim, o céu ontem fez muito bem em chover. Setúbal mereceu grandemente essa homenagem — esse misturar das lágrimas do tempo com as dos seus amigos...

Moeda regressiva

A civilização humana está minada por um mal cuja verdadeira causa ainda não foi apreendida. De modo direto ou indireto todos lhe sofrem as consequências, mas não há acordo no diagnóstico. Surgem ideologias salvadoras: esses extremismos sintomáticos do estado de desespero a que a humanidade chegou. As causas que os extremismos apontam, entretanto, não passam de efeitos com aparências de causa. A causa real do sofrimento moderno, da persistência da miséria ainda nos países de maior desenvolvimento econômico, da periodicidade das crises ou "depressões" comerciais e industriais, permanece teimosamente oculta.

Os extremistas tudo atribuem ao "capitalismo", e para a salvação da humanidade querem destruí-lo ou condicioná-lo. O marxismo ataca o capital de frente, dando-o como fonte de todos os males; o totalitarismo ataca-o de flanco, procurando condicioná-lo por meio da "economia dirigida". Isto quer dizer que as duas grandes correntes ideológicas reconhecem nele o inimigo comum.

Mas para um pensamento claro o capitalismo é simples efeito da moeda, e portanto não há destruir o capitalismo sem destruir a moeda — o que é um absurdo, porque destruir a moeda equivale a destruir a própria civilização. O que chamamos civilização humana não passa do "desenvolvimento do poder do homem" em consequência da maravilhosa invenção da moeda.

Uma hipótese talvez nos dê a solução do problema: não haverá na essência da moeda um vício orgânico causador dos males apontados? E descoberto esse vício não haverá meios de saná-lo mecânica e automaticamente?

Que é a moeda?

Para bem compreendê-la temos de estudar a situação das coisas anteriores ao seu aparecimento — e o nosso raciocínio tem que ser o que segue.

"Não pode haver sociedade sem troca de produtos do trabalho humano. O fenômeno da troca iniciou-se de modo direto. X permuta com Z as sobras do que o seu trabalho lhe produziu acima das necessidades pessoais — e desse modo aumenta-se economicamente. Aumentar é enriquecer. O enriquecimento das unidades determina o enriquecimento do grupo. Logo, a troca dos produtos do trabalho do homem foi o fator mecânico da civilização."

A troca direta, porém, tinha o inconveniente do limitadíssimo raio de ação. Esse inconveniente sugeriu a invenção da moeda, isto é, de um "vale-produtos-do--trabalho", permutável a qualquer tempo com qualquer produto, de acordo com o valor do momento. O valor, portanto, não constituía nada fixo; não passava de "relação momentânea" entre o que era procurado e o que era oferecido. Surgiu a lei da oferta e da procura, com a noção de valor reduzida a simples relação momentânea entre a oferta e a procura, isto é, ponto de acordo entre duas vontades convergentes para a realização de uma troca.

Com o advento dos vales-moeda cessou o regime da troca pelo sistema primitivo — e as consequências da inovação foram imensíssimas. A troca direta, só possível entre "vizinhos conhecidos entre si", tornou-se "anônima, liberta da contingência do espaço e da premência do tempo". Desmaterializou-se, ficou em estado de latência no seio da moeda.

Deduz-se, portanto, daqui a definição da moeda. "Moeda é uma potencialidade de troca liberta da contingência do espaço e da premência do tempo."

Todo o progresso material do mundo, ou a civilização, saiu disso. O fato da moeda ser "troca potencial liberta da contingência do espaço" possibilitou o intercâmbio entre as nações com amplitude que sabemos. O chá da Índia, o caviar da Rússia, a pele siberiana ou o carvão inglês tornaram-se permutáveis com a lã da Argentina, com a cera de carnaúba do Brasil, com o petróleo venezuelano ou com o sabão de Marselha, porque essas trocas ficaram em latência na moeda; impossível concebê-las no regime da troca direta. O fato, pois, da moeda liberar a troca da contingência do espaço constituiu o maior dos bens. Poderemos dizer a mesma coisa da segunda qualidade da moeda, ou da sua liberação da premência do tempo?

Não. E não, porque foi justamente esta qualidade da moeda que gerou o capitalismo que as ideologias atacam. "O" capitalismo, sim, já que há dois capitalismos — um que decorre naturalmente da existência da moeda e outro que decorre da manipulação da moeda. O primeiro é um bem; humaníssimo, natural, irredutível, mera consequência da desigualdade produtora dos homens; o segundo "parece que é o grande mal", já que o vemos no fundo do armamentismo, da guerra preconizada como o grande remédio, da usura, dos "imperialismos", da subordinação das indústrias à finança, do prodigioso endividamento dos países que hipotecam até a alma das gerações que só virão daqui a séculos, etc.

Ora, é este o capitalismo que as ideologias atacam; o comunismo, para destruí-lo; e o totalitarismo, para condicioná-lo ou, melhor, monopolizá-lo. Mas atacando o capitalismo maléfico, atacam também o benéfico. Podemos denominar a este, "capitalismo-proprietarial" e ao outro, "capitalismo-financeiro". O primeiro se resume em ter coisas, e surgiu como natural consequência de um homem produzir mais que outro. Se X normalmente produz mais trigo que o necessário ao seu consumo, claro que tem de acumular, de ir-se tornando proprietário de coisas — das coisas que vai trocando pelos seus excessos de trigo. Esse capitalismo é bom, humano, benéfico à comunidade, estimulador do trabalho, criador de todos os aspectos grandiosos da civilização — e indestrutível. Já não há dizer o mesmo do capitalismo-financeiro, que não é bom para o mundo, pois nasceu do mal compreendido egoísmo do primeiro homem que ponderou sobre as vantagens da retenção da moeda. Os tremendos males da vida moderna, tão agudos hoje, decorrem exclusivamente deste capitalismo manipulador da moeda e, portanto, desnaturador das suas verdadeiras funções.

A experiência da moeda está feita; foi de fato a invenção precipitadora do progresso humano; mas também está verificado que, como todas as invenções, necessita de aperfeiçoamento — ou de corretivo. A sua liberação absoluta da premência do tempo constituem um vício essencial, já que permite ao detentor da moeda verdadeira função. Se moeda é troca em estado latente, retê-la é retardar trocas; entesourá-la ao modo dos avarentos é suprimir trocas; alugá-la ao modo dos "manipuladores do capital" é tirar proveito de operações ainda não realizadas, e, portanto, onerar com sobrecargas as trocas futuras.

E por que motivo a ideia de retirar moeda da circulação, entesourá-la ou alugá-la, ocorreu ao homem? Claro que em virtude da absoluta independência do tempo em que ficam as trocas em estado potencial contidas na moeda. O egoísmo humano teria fatalmente de tirar partido da situação.

X produz trigo e Z produz vinho. Necessitado de vinho, X permuta com Z um saco de trigo por um barril de vinho. Mas como no momento Z não necessita de trigo, aceita de X a moeda, isto é, um "vale-um-saco-de-trigo", que guardará até o momento em que precise de trigo ou que trocará por qualquer outra coisa equivalente em valor a um saco de trigo — isto é, negociará o vale. Mas assim que Z entrou na posse do vale de X, ocorreu-lhe o pensamento diabólico de onde saiu o maligno "capitalismo-financeiro".

O seu raciocínio foi este:

"As coisas que podem ser trocadas por este vale estragam-se com o tempo. Ou são trocadas sem demora ou perdem-se. Mas este vale não se estraga, 'está liberto da premência do tempo'. Posso, portanto, guardá-lo para aproveitar-me da má posição em que muitas vezes ficam os possuidores por muito mais coisas do que ele realmente vale — porque realmente só vale um saco de trigo. Se eu o conservar, posso, conforme seja a situação, obter com ele não um, mas dois ou três sacos de trigo — e tudo mais nessa proporção. O negócio depende da minha esperteza em espiar a vida dos produtores de coisas perecíveis, a fim de tirar partido dos seus apuros. Com suas mercadorias deterioráveis eles estão sob a premência do tempo; mas com o meu vale indeteriorável eu estou liberto dessa premência. Posso guardá-lo por um ano, dois, três, para só trocá-lo quando a situação me for vantajosa."

Este raciocínio criou o capitalismo-financeiro, manipulador da moeda e causador de todas as perturbações modernas.

O mundo está completamente dominado por ele. Os governos agem movidos por forças ocultas; fazem guerras, movidos por forças ocultas; erigem o armamentismo em ideal supremo, movidos pelas manobras das forças ocultas. Que forças ocultas são essas? As do capitalismo-financeiro.

A humanidade "sente" isso e revolta-se. O proletariado, que constitui a grande massa humana, investe cegamente contra tal ordem de coisas e cai no desespero das ideologias. E fixa os olhos no homem que disse: "O capital, eis o inimigo".

Mas atacar o capitalismo em geral é ideia mal formada, porque o capitalismo não passa de simples efeito. Para destruí-lo seria necessário destruir a sua causa, a moeda, e destruir a moeda será *ipso facto* destruir a civilização, regredindo ao regime primitivo das trocas diretas — o que é absurdo.

As duas soluções extremistas, portanto, não resolvem, porque atacam efeitos, deixando intacta a causa. Daí a falência de todas as medidas compulsórias, leis e decretos, por mais drásticos que sejam. Dirigindo-se a efeitos da moeda só conseguem afetar a moeda no seu princípio vital, que é a liberdade de circulação. Cercear, condicionar, embaraçar o livre uso da moeda equivale a afetar as trocas latentes em seu seio, fundamentais para que a civilização continue a desenvolver-se, já que civilização nada mais é que *a extrema amplificação do fenômeno da troca*.

Ora, este regime do duplo capitalismo está evidentemente no fim. Falhou. O desespero em que se encontra o mundo, a ponto de não enxergar diante de si outro caminho senão o "salto no escuro" da guerra, é a prova. Falhou, porque só trouxe como *solução universalmente aceita o armamentismo extremo*, isto é, a admissão de que é destruindo-se uns aos outros que os povos consertam a vida — uma pura bestialidade de raciocínio. O armamentismo de hoje, do qual nenhuma nação escapa, significa "desespero cego" — incapacidade de encontrar solução racional para um estado de coisas que chegou ao limite da tensão. Mas poucos enxergam a causa secreta dos males oculta no fundo de tudo.

Essa causa é a "fixidez da moeda", isto é, a sua absoluta independência da premência do tempo.

Se lhe tirássemos essa qualidade, se tornássemos a moeda tão sujeita à premência do tempo como tudo mais na vida, mecânica e automaticamente eliminaríamos o *morbus* que ameaça a civilização de ruína completa.

E como destruiríamos a fixidez da moeda? De um modo muito simples: adotando a Moeda Regressiva. A moeda deixaria de ter, como tem, um valor fixo; passaria a ter um valor regressivo. Em vez de constituir a grande exceção, isto é, de estar *liberada da premência do tempo num mundo onde tudo se condiciona ao tempo*, também se tornaria deteriorável.

A moeda regressiva não será mais o ouro, porque no regime regressivo o ouro volta ao seu papel de simples metal, de mercadoria como qualquer outra, carvão, trigo ou sapatos; volta a ser um simples produto do trabalho humano — trabalho extrativo. *A moeda regressiva será um papel de curso forçado que vai perdendo dia a dia o seu valor até chegar a zero.*

Para facilidade de compreensão admitamos um caso concreto — um país com um meio circulante composto de moeda regressiva que perca totalmente o valor ao cabo de cinco anos. Denominemo-la Dólar Regressivo. No giro dessa moeda haverá um contínuo cálculo de câmbio, porque o valor do dólar emitido em 1939, por exemplo, só valerá 100 centavos no momento da emissão: cada dia valerá menos; um ano depois valerá exatamente 80 centavos; dois anos depois; 60; três anos depois, 40; quatro anos depois, 20 — e ao fim do quinto ano valerá zero.

O Estado emitirá cada ano a quantidade de moeda necessária à substituição da que desapareceu com a decadência anual dos 20%; isto é, emitirá cada ano 20% do total do meio circulante estabelecido.

Só isso. O nosso sistema de moeda regressiva não passa disso. A ação do Estado fica resumida em manter o nível do meio circulante por meio de emissões periódicas.

Vejamos as principais consequências do novo regime na economia e na administração de um país.

Em primeiro lugar, o Estado resolve de vez o eterno problema da taxação, e livra o povo desse aparelho arrecadador chamado Fisco, com suas alfândegas embaraçantes, coletorias infernais, selos incomodíssimos, etc. Que é o Fisco senão um "sistema de embaraços" opostos à livre atividade do homem, que deles só se livra por meio de entrega ao Estado de uma certa quantidade de dinheiro? Nada mais justo do que qualquer sistema fiscal, de todos os existentes; e por mais que a tributação seja estudada, "nunca será resolvida de modo favorável ao pagante de impostos". O choque de interesses é eterno. De um lado, os governos necessitando arrecadar o máximo; de outro, os governados insistentes em pagar o mínimo. Daí as iniquidades tributárias, os impostos extorsivos, os impostos antieconômicos, como o do selo, os alfandegários que anulam as vantagens do livre câmbio de produtos entre as nações, os impostos sobre a renda sempre fraudados. Daí essa iniquidade suprema que é o imposto sobre a produção — ou castigo ao trabalho!

Há ainda o preço absurdo por que fica a arrecadação — e há um aspecto moral de suma importância: a crescente corrupção da burocracia arrecadadora — crescente por ser crescente em todos os países do mundo a imposição de taxas. Cada vez mais tributado, o homem defende-se subornando cada vez mais a burocracia arrecadadora. A história da civilização cabe dentro da história do Fisco. Grandes convulsões sociais, como a Revolução Francesa, tiveram como verdadeira causa as iniquidades do Fisco.

No regime da moeda regressiva desaparece completamente esse monstro, uma vez que cessa para os governos a necessidade da arrecadação de dinheiro. Não haverá imposto de espécie alguma. Em vez de arrecadar dinheiro do povo pelo sistema iníquo, brutal e antiquadíssimo da taxação, o Estado faz que o dinheiro necessário às suas despesas surja pela simples regressão do valor do meio circulante.

Num país em que o meio circulante seja de cem milhões de dólares o povo pagará anualmente vinte milhões, no caso de regressão ser de vinte por cento por ano; ou cinquenta milhões se for de cinquenta por cento por ano. A velocidade da circulação da moeda ficará na dependência do índice regressivo da moeda — índice que a experiência estabelecerá. Em vez de uma inútil campanha de persuasão, como a do *Buy now*, que os Estados Unidos fizeram durante a crise de 1930, basta que o Estado aumente a porcentagem de desvalorização da moeda regressiva *para que a velocidade maior da moeda corrija uma depressão econômica*.

O Estado emitirá anualmente *na proporção do meio circulante que regrediu* — e com esse dinheiro fará suas despesas, sem necessidade de alfândegas, sem coletorias, sem selos, sem sombra de aparelhamento fiscal, sem qualquer escrita. Tudo funcionará mecânica e automaticamente. Ora, resolvido o problema do Estado ter cada ano a quantidade de moeda necessária às suas despesas, sem o mínimo incômodo para os governados, sem vexame de ninguém, sem a menor injustiça, cessa o governo de ser o "mal necessário" que é para tornar-se um "bem comum".

As despesas públicas reduzem-se enormemente com a supressão da máquina arrecadadora e dos mais aparelhos necessários à compulsão, mas o aspecto mais curioso do sistema se revelará na absoluta equidade tributária. *Só pagará imposto quem estiver retendo a moeda.* No momento em que o seu detentor a troque por qualquer coisa, cessa de pagar imposto. A moeda fica assim plenamente restaurada na sua função essencial de *instrumento de troca em giro ininterrupto.* Ninguém a deterá mais que o tempo necessário para resolver sobre a troca. O interesse do detentor deixa de ser, como no caso da moeda fixa, "guardá-la"; passa a ser "usá-la" o mais rapidamente possível. Mas o detentor não é de forma nenhuma compelido a devolver a moeda à circulação; tem absoluta liberdade de retê-la, de entesourá-la, de fazer com a moeda regressiva tudo o que os atuais manipuladores fazem com a moeda fixa; apenas incorrerá numa sanção mecânica: quanto mais a retiver em seu poder, mais imposto pagará, e se insistir nisso, pagará uma soma de imposto equivalente ao valor total da moeda açambarcada. Guardar moeda equivalerá a guardar sorvete no forno. Quem quiser que o faça.

No regime da moeda fixa é lógica a tentação de economizá-la, guardá-la, isto é, retirá-la da circulação, com grave dano público; daí o tremendo fenômeno das crises que assolam as nações. Quando por qualquer circunstância sobrevém o pânico, os eventuais detentores da moeda encolhem-se e retiram-na da circulação, deixando o povo a sofrer todos os horrores da súbita escassez de um instrumento indispensável à vida econômica.

Os bondes e autos de uma cidade são os veículos que asseguram a movimentação dos seus habitantes. Mas se em dado momento, por este ou aquele motivo, esses veículos fossem açambarcados e retirados da circulação, o maior dos transtornos sobreviria. Ninguém mais alcançaria o escritório a tempo; os operários perderiam a hora nas fábricas; a vida econômica da cidade sofreria um abalo de terremoto, com falências e desastres de toda ordem. E essa perturbação só cessaria quando os bondes e autos fossem restabelecidos em sua função normal, que é a de circular.

O mesmo acontece com a moeda nos tempos de crise. O pânico dos seus detentores fá-los retraírem-se e retirarem da circulação uma coisa que só lhes pertence a título momentâneo, porque a moeda é uma utilidade pública. Eles esquecem-se de que a possuem como um passageiro de bonde possui o lugar que ocupa. Se esse passageiro insiste em não largar o banco, claro que prejudica inúmeras pessoas igualmente necessitadas daquele banco.

Mas o meio de impedir que o detentor da moeda a retire da circulação só pode ser mecânico — jamais compulsório. E esses meio mecânico só pode ser a destruição da fixidez da moeda. Se ao passageiro teimoso em não sair do bonde o banco se derretesse sob suas nádegas, claro que o deixaria, sem que sequer fosse intimado a isso. A moeda regressiva também se derrete nas arcas de quem a retém — portanto jamais será retida.

Pagar impostos é coisa desagradável porque significa dar moeda em troca de coisas que não nos aproveitam diretamente. Em todos os tempos o homem sempre fugiu de pagar impostos. Paga-os compulsoriamente. No regime da moeda regressiva tudo continuará na mesma; persistirá a repulsa pelo pagamento do imposto, mas como só o paga quem estiver detendo a moeda, a preocupação de todos será desfazer-se da moeda para desse modo escapar ao imposto — *e aqui temos a primeira grande revolução que a moeda regressiva determinará.*

A humaníssima repulsa pelo pagamento de imposto fará que quem receba a moeda imediatamente a troque por um produto qualquer do trabalho humano. Assim que se efetuar essa troca, cessará automaticamente o pagamento do imposto por parte do comprador, o qual, com a passagem da moeda para outras mãos, transmite a outrem a obrigação do imposto; o novo detentor da moeda procurará também, imediatamente, ver-se livre dela, trocando-a por coisas — e assim por diante. Teremos então a Consequência Máxima da moeda regressiva: *a tremenda valorização do trabalho humano, justamente o reverso do que vemos hoje.*

Que vemos hoje? Apenas esta coisa dolorosa: excesso de oferta do trabalho humano e procura mínima. Daí milhões e milhões de desempregados; daí as fábricas a meia produção; daí a queima de estoques de coisas já produzidas, como o café e o trigo. Por quê? Porque como a moeda é fixa, os seus eventuais detentores têm todo o interesse em açambarcá-la, em retirá-la da circulação. Se só ela é fixa num mundo ínfimo, senhoreá-la equivale a ser dono do mundo.

Na moeda regressiva, o contrário. O trabalho humano passa para a primeira plana. A procura suplanta a oferta, em vez de, como hoje, a oferta suplantar ou ser muito maior que a procura. Não haverá trabalho humano que chegue para satisfazer as urgências da procura. Não haverá artista, poeta, homem que possa produzir qualquer coisa, que não encontre imediata colocação para seus produtos, porque entraremos num regime de verdadeira caça aos produtos humanos. Os detentores da moeda regressiva ou a reduzem a objetos que não pagam imposto, ou ficam com ela na mão a pagar o imposto da desvalorização regressiva.

Ora, nada mais lógico que do momento em que o trabalho humano passe da condição miserável de hoje e de sempre, isto é, de artigo que se oferece de todos os lados nas condições mais humilhantes, para artigo de tremenda procura, cesse a grande perturbação do mundo. Que é a perturbação do mundo senão consequência do excesso de oferta de trabalho e da escassez da procura?

E não se diga que isso venha ser a morte do capitalismo. O bom capitalismo subsistirá. Desaparecerá apenas o capitalismo que "comercializa a moeda" — esse bem público, esse oxigênio indispensável à respiração dos homens, mas que, em consequência da fixidez, se tornou suscetível de ser monopolizado, açambarcado, retirado da circulação.

O oxigênio do ar é a moeda da nossa circulação sanguínea. Se milhões e milhões de homens vivem, é porque o oxigênio está fora do açambarcamento capitalístico. Se os capitalistas-financeiros fizessem com o oxigênio o mesmo que fazem com a moeda, como seria possível no homem a circulação do sangue?

O capitalismo subsistirá. Mas só o capitalismo de coisas — não o de moeda. Ter é humano. Juntar posses é humaníssimo — e eterno — e ótimo. Mas juntar posses, juntar coisas — não moeda. O financista que hoje detém um milhão de dólares em moeda é um mal porque está açambarcando oxigênio; mas se ele reduz esse milhão de dólares a propriedades, torna-se um bem. Para o governo do milhão de dólares-moeda ele não empregará ninguém, não dará trabalho a ninguém; mas para o governo, para a conservação das propriedades adquiridas com esse milhão de dólares, terá de dar trabalho a muita gente — pedreiros, carpinteiros, zeladores, etc.

A moeda regressiva tornar-se-á brasa nas mãos de quem a recebe. O seu detentor pensará unicamente em passá-la a outras mãos, adquirindo qualquer coisa. Só sossegará quando se vir livre dela. Mas ao desembaraçar-se da brasa sossegará. Não estará perdendo coisa nenhuma. Não estará a assistir ao seu gradual deperecimento.

Qual a moeda hoje que presta maiores serviços? A de mínimo valor: o níquel. A soma de negócios diários em que um mesmo níquel intervém é enorme. Por quê? Porque ninguém açambarca níqueis, porque são deixados permanentemente na sua função de moeda, de instrumento de troca — a circular. Isso dá ao níquel uma velocidade, digamos, de cem. Já é muito menor a velocidade de circulação da moeda de um dólar. E muitíssimo menor a da moeda de cem dólares. Se ninguém se lembra de reter um níquel, não há quem não "defenda" uma nota de cem dólares. No regime da moeda regressiva a velocidade da circulação da moeda de todos os valores seria a mesma da do níquel atual. Ora, o que o mundo está precisando é justa e simplesmente isto: que o meio circulante adquira a benéfica velocidade demonstrada pelo níquel. No dia em que as moedas de todos os valores atingirem a velocidade de cem, do níquel, estarão resolvidos todos os problemas que hoje aturdem os nossos pobres estadistas. E qual o meio de o conseguir automaticamente, sem compulsão de espécie nenhuma? Um só: *destruir a calamidade que é a fixidez da moeda, por meio da adoção do sistema regressivo.*

Inúmeros outros aspectos ainda nos ocorrem neste sistema, mas bastam os apresentados para esclarecer a ideia. O leitor de imaginação que se divirta em prever-lhe todas as consequências nos inúmeros setores da atividade humana. Caminhará de surpresa em surpresa — mas a surpresa maior será a verificação de que todas as consequências da moeda regressiva são tremendamente benéficas, tanto para as minorias até aqui dominantes como para as maiorias eternamente chafurdadas na miséria.

E acabará convencendo-se de que sob o regime da moeda regressiva o capitalismo, salvo da destruição vermelha e da calamitosa "economia dirigida" dos totalitários — e finalmente liberto dos efeitos que o tornam odioso — poderá florescer com um esplendor jamais previsto.

NOTA

— E qual nesse regime a situação da terra? — sussurra-me cá um objecionista. E eu respondo:

— Terra, ar e água, esses elementos da natureza, não são produtos do trabalho humano, e pois não poderiam ser adquiridos no regime da moeda regressiva. Cessaria a absurda propriedade pessoal da terra, como não há, nem nunca houve, a propriedade pessoal do ar. O homem que hoje compra terras, passaria a adquirir do Estado o direito ao uso da terra.

La moneda rescindible

Sobre o mesmo assunto M. L. publicou no EL ECONOMISTA, do México, a seguinte sugestão.

La civilización humana, evidentemente, sufre de un mal secreto cuya causa todavia no ha sido precisada. Surgen guerras, revoluciones e ideologias salvadoras, mas los problemas no se resuelven. La conflagración general del mundo, la mutua destrucción en que los más adelantados países de hoy están empeñados, muestra el completo fracaso de los remedios directos hasta aqui empleados. En los cuentos orientales, cuando las celebridades médicas del reino no conseguían descubrir la dolencia de la joven princesa, el rey abria las puertas del palacio a todo el mundo, y todos daban su diagnóstico. El caso del oculto mal de la humanidad está abierto a los Don Nadies, ya que, positivamente, los estadistas no atinan con él.

¿A qué atribuye usted ese mal de la humanidad, Don Nadie? — pregunta el rey — y un Juan Don Nadie responde: "A un defecto existente en la moneda".

En los comienzos de la sociedad humana había el trueque directo de producto contra producto. Los trueques eram locales, entre vecinos, y momentáneos, esto es, sólo de productos que existieran en el momento. Sistema muy rudimentario y de muy reducido radio de acción.

En Brasil decimos que la necesidad pone la liebre en el camino, o sea que las invenciones humanas surgen por presión de la necesidad. Las deficiencias del trueque directo impusieron la invención de la moneda.

"A" producía trigo y "B" producía higos. Necesitado de higos, "A" cambiaba un saco de trigo por unas cuantas docenas de higos; mas como por el momento no precisase de trigo, "B" aceptó de "A" un "vale". La operación se repitió con otras cosas y los "vales" comenzaron a circular. Así surgió la moneda, que es un "vale" impersonal e indiscriminado, permutable en cualquier época por servicios o productos, de acuerdo con el valor convencional del momento.

La moneda pública emitida por el Estado nació de los "vales" personales, como la mariposa nace de la crisálida; y la moneda pública es para el "vale" personal lo que la mariposa es para la crisálida.

Con el advenimiento de la moneda, cesó el régimen del trueque directo. Las consecuencias de la innovación fueron tremendas. El trueque, hasta entonces solo posible entre vecinos y en el momento de la existencia de los productos, se hizo anónimo e independiente de la contingencia de espacio y tiempo. Puede decirse que se desmaterializó, quedando latente en el seno del "vale". Y se deduce de aqui la definición de moneda como una potencialidad de trueque en el espacio y en el tiempo. Esto es, liberada de la contingencia de espacio y de la premura del tiempo.

Era una cosa de utilidad pública, la más maravillosa de las invenciones, pues permitia el progreso indefinido del mundo. Eso, sin embargo, en el caso que permaneciese como de utilidad pública, una espécie de aire que todos respiran y a ninguno le hace dano.

Mas no fué eso lo que sucedió. El destino de la moneda para trueque potencial, liberada de la contingencia del espacio, hizo posible la maravilla del comercio nacional e internacional, fenómeno supresor de todas las barreras de longitud y latitud. Fué un gran bien para la unidad de la especie humana.

El hecho de que la moneda fuera también un elemento de trueque potencial liberada del tiempo, hizo que fuese desviada de sua función de utilidad pública y se transformara en cosa "apropiable". ¡Y adiós para el mundo la belleza de un instrumento de trueque que era como el aire: de todos y de nadie!

En consecuencia, la posibilidad de apropiación de la moneda hizo surgir el tipo actual de capitalismo, hoy tan atacado y condenado por las ideologias. Mas a Juan Don Nadie le parece que atacar a ese capitalismo es atacar el efecto, y que nada podrá modificar el actual capitalismo si la causa nos es descubierta y suprimida. ¿Qué causa podrá ser esa, si no la fileza y la perdurabilidad de la moneda, esto es, aquella liberación de la premura del tiempo que ya subrayamos arriba? Aqui está el punto crucial de la cuestión. Si la moneda es una cosa absolutamente buena, no puede determinar efectos malos, como los atribuídos al actual capitalismo; y nadie niega que los tremendos males de la humanidad de hoy no sean el *reductio ad absurdum* del actual capitalismo. Luego, todo viene de alguna cosa equivocada en la existencia de la moneda.

La experiencia de la moneda está hecha: fué la maravillosa invención impulsora del progreso hacia la unidad humana. Mas también está hecha la prueba de que la segunda cualidad de la moneda (fijeza y durabilidad) es lo que indujo al hombre a desviarla de su función de utilidad pública, o de aire que todos respiraran y ninguno acaparara.

El mal secreto que roe al mundo está en esa facultad que tiene el hombre de apropiarse de la moneda, en vez de usarla solamente. ¿Y por qué esa tendencia humana para apropiarse de la moneda, en vez de solo valerse de ella? Porque *la moneda es una, fija e indeteriorable*, en un mundo carente de fijeza, mundo de cosas deteriorables. Mientras la moneda sea fija, el hombre la considerará como una cosa buena por excelência y la preferirá a todo, porque quien sea dueño de la moneda será dueño del mundo.

Esa idea de la moneda como la propiedad por excelencia, surgió muy pronto, en tiempo de los "vales" "individuales". En uno de los negocios de aquel "A" del trigo, con aquel "B" de los higos, "B", que era más experto, hizo el seguinte raciocínio: Las cosas que pueden ser trocadas por este "vale" son cosas que se destruyen con el tiempo; mas este "vale" no pierde valor; puedo por lo tanto guardarlo y aprovecharme de la situación de apierto en que frecuentemente se encuentran los poseedores de cosas deteriorables, y entonces lo trocaré por muchas más cosas de las que realmente este "vale" representa, porque lo que realmente vale es un saco de trigo, ya que lo recibí como el equivalente exacto de un saco de trigo. Con sus productos *deteriorables*, ellos están bajo la presión del tiempo; mas como mi vale es *indeteriorable*, estoy libre de esa premura. Puedo retenerlo por un ano, dos, o tres, para usarlo en el momento oportuno.

De este raciocínio salió el capitalismo detentador y manipulador de la moneda, contra el cual la humanidad se rebela hoy.

Mas atacar al capitalismo es atacar un mero efecto de la moneda. Para destruir al capitalismo seria necesario destruir la moneda, y destruir la moneda seria, *ipso facto*, destruir la civilización y volver al sistema primitivo del trueque directo, lo que es absurdo.

Las soluciones extremistas con las que se intenta combatir el capitalismo solo consiguen una cosa: obstruir, condicionar, embarazar el libre curso de la moneda. Esto equivale a afectar los trueques latentes en el seno de la moneda, trueques fundamentales para que la civilización se desenvuelva, ya que la civiiización no es sino la extrema amplificación del fenómeno del trueque.

Las soluciones, eclécticas, amigas del capitalismo, no consiguen sino mudar la forma de los males o transferirlos a otro sector. ¿Será, entonces, un caso sin solución? Es posible que sí. Es posible que no haya solución directa; y entre las soluciones indirectas, una se impone a primera vista: eliminar de la moneda su fijeza y su absoluta liberación del tiempo.

Para *eliminar la fijeza de la moneda*, el medio seria la adopción de un sistema de moneda rescindible, en que el valor fuese constantemente cayendo hasta extinguirse del todo. En vez de permanecer como es, una cosa fija e imperecedera en un mundo sin fijeza, de cosas perecedoras, la moneda también se subordinaria al tiempo, haciéndose perecible.

La nueva moneda, por lo mismo, seria un papel de curso forzoso, fechada, y que iria perdiendo continuamente su valor, de cien a cero.

Para facilitar la comprensión, figurémonos un país cuyo medio circulante decaiga cada ano un veinte por ciento de su valor. En el giro de ese medio circulante, habrá un continuo cálculo de cambio, porque la moneda fechada solo valdrá cien en el momento de su emisión: a partir de ahí irá haciéndose rescindible, dia a dia, hasta que al cabo del primer ano valdrá ochenta; al del segundo ano sesenta, y así en adelante hasta llegar a cero al fin del quinto año.

El Estado emitirá anualmente la cantidad de moneda necesaria en substitución de la rescindida, de *modo de conservar el valor del medio circulante siempre al mismo nível. El sistema de moneda rescindible se reduce exclusivamente a eso*. La acción del Estado se restringe a mantener el nível del medio circulante por medio de las emisiones periódicas. El Estado no impone nada. No obliga a nadie a cosa alguna. Deja que la destrucción de la fijeza de la moneda cause sus efectos de manera natural y mansamente.

¿Y cuáles son esos efectos? Tenemos que imaginárnoslos con nuestra fuerza de lógica.

Una de las consecuencias más interesantes seria la maravillosa solución del eterno problema de los impuestos. Y — ¡caso curioso! — la perfecta solución del problema fiscal vendría con la absoluta supresión del Fisco. Se acabarían todos los impuestos. No más aduanas, colecturías, timbres, multas, todas las misérias e iniquidades dei Fisco. ¿Qué es el Fisco, sino un complejo y estúpido sistema de embarazos opuestos a la libre actividad del hombre, de los cuales este se libera pagando los rescates que impone el Estado?

La história de la civilización cabe dentro de la história del Fisco. Convulsiones sociales tremendas, como la Revolución Francesa, nacieron directamente de las iniquidades fiscales.

Y los impuestos desaparecen porque cesa para los Gobiernos la necesidad de arrancar dinero al pueblo. El dinero para los gastos del Estado vendría de la simple depreciación del medio circulante. Si el medio circulante pierde, supongamos, un veinte por ciento de su valor por ano, la emisión anual de ese otro veinte por ciento para mantener el importe total de la circulación al mismo nivel constituirá el presupuesto del Estado.

El segundo efecto de la moneda rescindible seria la imposibilidad de que fuese retirada de la circulación, acaparada, manipulada, etc. y eso sin ninguna vigilancia. El eventual detentador de la moneda tiene la más completa libertad de retenerla hasta el final de cinco años solamente (en el caso considerado arriba), porque al fin del quinto ano la moneda que guardó estaria completamente sin valor. La sanción en que incurriría el detentador de la moneda seria esa: ver que su valor fuese desapareciendo. Una sanción mecánica, automática.

La constante depreciación de la moneda haría que el impuesto solo fuese pagado por quien estuviere detentándola, en la proporción en que lo hiciere y sólo cuando la detentara. El tenedor que la trocara por qualquier cosa, cesaría inmediatamente de pagar el impuesto invisible; ese pago se transferiría para el nuevo tenedor, y así sucesivamente. Guardar moneda rescindible seria lo mismo que guardar un helado en el bolsillo. Quien quisiera hacerlo, que lo haga; con eso no perjudicaría a la sociedad ni a nadie: solo se perjudicaría a si mismo.

En el régimen de la moneda fija, lo lógico, lo natural, lo humano, es conservarla lo más posible, es retirarla de la circulación, con los graves danos públicos que sabemos. El fenómeno de las crisis o depresiones periódicas se caracteriza justamente por la desaparición de la moneda en circulación, con inenarrables sufrimientos para el pueblo. ¿Y qué sanción existe para quien retira de la circulación el instrumento básico de cambio? Ninguna. Quien lo hace solo recoge ventajas, así el mundo perezca. Es el régimen de los *"robber barons"*, *"The public be damned"* ("que el público sufra"), dicen ellos.

Los tranvías y autos de una metrópoli son los vehículos de la circulación de sus habitantes; si en un momento dado fueren acaparados, ocultos y retirados de la circulación, los mayores transtornos sobrevendrían a la metrópoli — y la llevarían hasta la parálisis. La pertubación solo cesaría cuando los vehículos fueran nuevamente puestos en circulación.

Es lo que sucede con la moneda en los tiempos de pânico. Sus eventuales detentadores la retiran de la circulación, la esconden: a ella, que es para la circulación económica lo mismo que los tranvías y los autos son para la circulación de las gentes.

Todos los medios han sido empleados ya, en las crisis pasadas, para hacer que la moneda vuelva a la circulación. Hasta Ia campana persuasiva del *"buy now"* en 1930; pero todos han fallado.

En el régimen de la moneda rescindible, la sanción es inherente a la moneda. La moneda castiga al tenedor con el propio hecho de la depreciación. En el régimen de la moneda fija es el natural egoísmo del hombre el que lo lleva a retener la moneda. En el régimen rescindible, ese mismo egoísmo lo llevará a no retenerla.

En el régimen de la moneda fija, las crisis hacen que de tal modo la moneda desaparezca de la circulación que en muchos lugares los hombres se ven obligados a volver al sistema primitivo del trueque directo; todo porque la fijeza de la moneda pone al que la retiene en una posición de absoluta superioridad sobre el resto de la humanidad. En el régimen rescindible sucede lo contrario — es el detentador el que queda en posición de inferioridad.

Una de las consecuencias lógicas de la moneda rescindible será subrayar el tremendo valor del trabajo humano; justamente lo contrario de lo que tenemos hoy.

¿Qué vemos hoy? Una cosa dolorosa: exceso de oferta de servicios o de productos de trabajo humano y un mínimo de demanda. De ahí millones de desempleados, fábricas a media producción, quema de productos agrícolas, etc. ¿Por qué? Por causa de la retracción de la demanda. Como sólo la moneda es fija en un mundo sin fijeza, aduenarse de la moneda, retener la moneda, guardar la moneda "para los dias de lluvia" equivale a ser el dueño del mundo. Ese raciocínio reduce la demanda al mínimo.

En el régimen de la moneda rescindible todo se invierte. El despotismo que la demanda ejerció siempre en el mundo, cederá el cetro a la oferta. El dictador pasará a ser el Trabajo Humano.

Por otra parte, nada más lógico que a parte del momento en que el trabajo humano pase de la miserable condición en que siempre vivió (esto es, de um artículo que se ofrece por todas partes en las condiciones más humillantes para ser un artículo de tremenda y constante demanda) desaparezca el mal secreto referido arriba.

El capitalismo subsistirá, mas solo el "capitalismo de las cosas", si es posible llamarlo así, no el de la moneda. Tener es humano y bueno. Juntar bienes es humanísimo y óptimo; mas juntar bienes será juntar cosas y no monedas. Este precioso instrumento de cambio no podrá ser por más tiernpo manipulado, acumulado, guardado, prestado, puesto a rendir rédito.

El símil entre la moneda y los vehículos de una ciudad es perfecto. Ambos son rigurosamente instrumentos de circulación, a condición de que sólo existieran mientras estén circulando.

No valen por sí, sino por la función que ejercen y mientras la realizan. Un tranvía o un ómnibus retenido en el depósito prácticamente deja de existir para los efectos de tráfico de la ciudad. Cierta cantidad de moneda retenida en una gaveta o en un banco de depósito deja de existir para los efectos de los fenómenos del cambio. Mas si hay sanciones policiales contra las empresas de ómnibus que dejan sus carros en depósito, perturbando de ese modo el tránsito de la ciudad, no hay sanción ninguna para quien retira la moneda de la circulación y perturba de esa manera la vida económica. Y no la hay, porque no puede haberla. El hombre solo dejará de retener la moneda cuando la moneda sea rescindible.

Estas ideas chocan con nuestros principios aceptados en materia monetaria vistos desde el régimen de moneda fija en que vivimos. Pero no importa. Una civilización que está llegando al absurdo de destruirse a sí misma por intermedio de sus pueblos de mayor desenvolvimento, no tiene nada que alegar contra cualquier idea nueva por el simple hecho de ser nueva; esto es, nunca experimentada en el mundo.

La actitud verdaderamente científica es una sola: la del *trial and error*. Seria, pues, curioso que en algún lugar del mundo se hiciese la experiencia de la moneda rescindible: único médio de verificar si las objeciones contra ella levantadas son las "objeciones de los hechos" o meras racionalizaciones de nuestra predilección personal.

NOTA DEL DIRECTOR: Como se podrá apreciar por la biografia del señor Monteiro Lobato, que se publica en las páginas de esta revista, el autor del artículo "La Moneda Rescindible" es uno de los escritores más conocidos y populares de la

República del Brasil; y para nosotros es un honor que él figure como miembro del Instituto de Estudios Económicos y Sociales.

El ensayo que nos ha enviado relativo a un nuevo tipo de moneda es verdaderamente una novedad y muestra la viva imaginación del autor. Sin embargo, deseo hacer algunas observaciones a su artículo para advertir desde luego a los lectores algunos de los serios inconvenientes que resultarían de poner en práctica el método indicado.

Como observación inicial puede decirse que el capitalismo no surgió del hecho de que la moneda se transformara en cosa "apropiable". La característica esencial del capitalismo es la de que los medios de producción y distribuición de la riqueza estén en manos de los particulares, en vez de que el Estado sea el patrón único, como en los regímens comunistas, nazistas y facistas.

Deseo también observar que el valor de la moneda está muy lejos de ser fijo: varia de acuerdo con su poder adquisitivo, y precisamente uno de los diversos factores que afectan su valor es la abundancia de los medios de pago.

Si bien es cierto que a los billetes de banco podría ponérseles una fecha con el objeto de que, en relación con ella, perdieran parte de su valor, desde cien a cero, el limite del valor de las monedas de plata (el oro desde luego quedaria eliminado), de cobre, de níquel, etc., seria su valor intrínseco. ¿Y como podrían "fecharse" los depósitos de los bancos, cuando el monto de los saldos individuales varia constantemente?

Es evidente que si se pusiera en práctica la sugestión del señor Monteiro Lobato, se introduciría una gran diversidad de valores de papel moneda; y habría tantas complicaciones por lo que respecta al valor de los depósitos que la supuesta ventaja de hacer la moneda "inapropiable" quedaria destruída como resultado de mayores inconvenientes; y por lo que respecta a las monedas metálicas, hasta un cierto limite estas no podrían circular de otro modo que de acuerdo con su valor intrínseco, pues no podrían llegar a tener un valor menor que el precio del metal que contienen. Así unas monedas (los billetes de banco) serían rescindibles, y otras (las monedas metálicas) no podrían serlo.

Por otra parte, creer que por medio de la emisión anual de billetes se acabarían todos los impuestos, es ilusorio. Actualmente el producto anual de los impuestos, en naciones como los Estados Unidos de Norteamérica, es superior al monto total de la circulación monetário.

Y por lo que respecta al símil de las monedas con los vehículos no son, ni pueden serlo, medios de cambio; y aunque las monedas "circulan", lo hacen de muy diferente manera que los automóviles o los tranvías eléctricos.

En síntesis, aunque la sugestión del señor Monteiro Lobato es novedosa y no por "nueva" debe descartarse, al ponerse en práctica tal vez introduciría inconvenientes de mayor consideración que la ventaja que desea obtenerse. Sin embargo, el plan del señor Monteiro Lobato es muy interesante, y podrá sugerir nuevas ideas sobre la cuestión que él tan hábilmente trata.

OBSERVAÇÃO

Esta ideia de moeda, que me parece original, está apresentada nestes dois artigos apenas como sugestão. É uma ideia a ser longamente "pensada" e depois disso "experimentada". Só depois da experiência poderá ser julgada, pois só a experiência revelará todas as reações de que uma tão fundamental mudança na essência da moeda seria capaz. Uma coisa me parece: sob o regime de tal moeda a terra teria de sair do regime de propriedade individual. Teria de ficar como o ar — que todos respiramos mas ninguém apropria.

As objeções do Diretor do EL ECONOMISTA não atingem a ideia em sua essência; apenas tocam em consequências que com pouca meditação previ e apressadamente escrevi num simples artigo sem responsabilidades. Repito que não apresentei nenhum estudo da Moeda Regressiva, ou Rescindível, e sim uma sugestão. Estudem-na os homens de boa cabeça. Façam a experiência numa zona qualquer. Quem sabe se em vez duma fantasia lógica não está aí uma solução automática de grandes problemas da economia humana?

Sobre o assunto o Eng.º J. B. Meiller, de Marília, tem um ensaio interessantíssimo e muito merecedor de divulgação e atenção.

Planalto

Um romance que prenuncia outro

A grande revelação mental do mês findo foi um livro de capa roxa, com o título *Planalto* em letras brancas, da autoria de Flávio de Campos, um rebento da velha cepa dos Campos de São Paulo. Há um desenho em negro nessa capa, figurando um moço afundado numa poltrona, de costas para o público, braço pendente, cabeça caída sobre os joelhos. A apresentação mais afugentadora possível dos leitores que, aborrecidos com as cruezas da vida real, procuram no romance tabloides de heroína.

E na realidade há ali dentro muita tristeza — a pior de todas, a social, essa tristeza hoje espalhada pelo mundo inteiro em consequência da sensação de fim de fase que a humanidade atravessa. *Declínio e Queda do Império Romano*, foi como Gibbon denominou o seu grandioso panorama da desintegração do mundo romano. Um futuro Gibbon talvez escolha o mesmo título para o quadro da desintegração do mundo de hoje — essa civilização que teve o seu planalto de repouso estendido de meados do século 19 até 1914, e aí rolou na barrocada da Grande Guerra, e desce, e vai caindo ao modo das avalanches, com um esbrugamento de tudo quanto parecia conquista social definitivamente cristalizada.

Os romancistas são os modernos fixadores dos aspectos transitórios da vida. Desenham as almas e os ambientes do caminho. Fazem a verdadeira história da aventura humana no planeta. Preparam os cortes anatômicos necessários aos estudos dos sociólogos a virem. Romance nenhum deixa de ser um documento; na pior hipótese, documento da incapacidade estética do autor. Um gomo inteiro da vida ecológica da França está fixado na *Comédia Humana* de Balzac. Huxley está hoje fixando o drama da inteligência científica em choque com os encrostamentos da tradição. Wells vai além: transforma-se numa universidade viva e consegue alçar-se à profecia. *The Shape of Things to Come* realiza o milagre da introdução da matemática na história. Wells soma os algarismos do passado com os do presente e dá os números — o bicho, a dezena, a centena e o milhar do futuro próximo.

Neste nosso pedaço do continente americano, que apesar das suas resistências faz parte do todo Humanidade, existe um trecho de território que geograficamente é planalto — e mentalmente se vem demonstrando planaltíssimo. Clima favorável, povoamento imigratório e terras bem nitrogenadas permitiram que, ao acaso, ao léu, ao Deus dará, um esboço de civilização bastante complexa na mentalidade composta, e com o duplo alicerce da agricultura e da indústria, nascesse — como varredura de sementes lançada na terra negra de um quintal. Nasceu de tudo em São Paulo — ou no Planalto — e a competição frenética de tanta semente heterogênea faz dele uma "mancha de civilização" incompreensível para si próprio e para o país que a rodeia.

O paulista mental, ou o planaltino, estuda-se, tenta abarcar a totalidade do fenômeno, metê-lo dentro de um quadro compreensível, com um bandeirante no fundo, um fazendeiro de café no meio e um caos de raças no primeiro plano. Mas o fenômeno, por excessivamente complexo, não cabe em quadro nenhum. Tudo muito interferido. Muito provisório, instável, depois da liquefação que nos veio de uma pacatíssima cristalização de quatro séculos. Ninguém sabe o que se está formando no Planalto, nem sequer se realmente se estará formando alguma coisa.

Outros têm feito livros ao molde dos instantâneos tomados com explosão do magnésio. Apanham num quadro geral todo o visível; mas não é esse quadro visível o mais interessante do Planalto, sim o que fermenta, ou a futura recristalização. E para o desenho antecipado, ou a previsão desse futuro, ainda não apareceu o nosso artista-profeta, à Wells.

Flávio de Campos entra em cena — e surpreende-nos. Primeiro, revelando uma capacidade perceptiva que amiúde nos faz pensar em Aldous Huxley: segundo, revelando-se um escritor orgânico, coisa rara. Há os que aprendem a escrever, como os papagaios aprendem a falar; e há os que escrevem por destino, tão organicamente como respiram, suam e o mais. A arte de escrever de Flávio de Campos é puramente orgânica: ele não constrói períodos, deixa que os períodos borbotem feitos de dentro do seu subconsciente. Escreve como fala. Quase todo mundo fala organicamente, sem pensar, sem *self-consciousness*: mas ao pegar da pena raríssimos conseguem "falar graficamente" — como Machado de Assis.

A arte de Euclides da Cunha, por exemplo, era uma esplêndida demonstração da engenharia e do cienticismo feita com palavras literárias. Alberto Rangel levou ao apogeu a arte de construir pirâmides de acrobacia, com ideias que se agarram umas às outras, pelas mãos ou com os dentes, e com encantadora perícia tenteiam no nariz vocábulos raros ou técnicos — tudo perfeitamente matemático, e a tal ponto que se retirarmos um toda a pirâmide desaba em escombros. Os assuntos, os temas, as paisagens, os tipos e o enredo só entram ali como pretexto para a demonstração da perícia malabar do autor.

— Quer ver que maravilhoso arranjo melo-estético-científico eu faço com caboclo maleiteiro do Amazonas?

E faz. Faz uma perfeita maravilha melo-lítero-científica, com todas as dificuldades brilhantemente vencidas, para encanto dos cultos apreciadores do "raro". Mas a coisa descrita não tem importância. Mera talagarça. Mero pretexto para a "performance", como diria Guilherme de Almeida.

O estilo de Flávio de Campos é o reverso disso. Apaga-se da maneira mais humilde para que só fique em cena o personagem, o estado d'alma ou a paisagem que descreve. Sobretudo o estado d'alma, porque é a alma dos personagens o que mais o interessa. Tamanha humildade de estilo — estilo servo, que dá o seu recado e afasta-se, admitindo que ele, estilo-servo, não tem importância nenhuma diante do recado — faz de Flávio de Campos o que ele não procura ser — um estilista. Seu estilo dá ao instrumento-língua empregado na obra a dutilidade das folhas de estanho — ou uma adaptabilidade de gás. Rigidez nenhuma: amaneirado nenhum; fuga sistemática a tudo que seja regra constritora; absoluta ausência de respeito humano na escolha da palavra exata, por crua que seja. Ele quer tons. Toma as palavras como o pintor toma as tintas, e mistura-as sem atenção a outra coisa que não seja o efeito que "precisa" obter. E consegue assim tornar absolutamente vivos os seus personagens e o ambiente em que pererecam.

E como pererecam! Nenhum deles se conhece, nem sabe o que quer. Refletem maravilhosamente o mal do mundo — esse estado d'alma de "declínio e queda" da Coisa Estabelecida e de entressonho de um novo sistema de equilíbrio menos desagradável. E na falta de melhor, atordoam-se com o álcool e o sexo. Exigem demais do pobre sexo e do pobre álcool. Fazem do primeiro um violino de que querem extrair sinfonias debussynianas; e como para tal música a prosaica natureza impõe a colaboração feminina, eles procuram a Mulher e só encontram mulheres com emezinho minúsculo — pobres mulheres elementares, como aquela prodigiosa Irene do Fernando.

E, assim, de bar em bar e de mulher em mulher, vão empurrando a vida não sabem para onde; e debatendo ideias do dia dentro da técnica freudiana, e afinal se convencendo de que a vida não passa de um pau-de-sebo com uma nota falsa na ponta.

O mais bem dotado do grupo, Lauro, o moço de todas as sensibilidades morais, não consegue o equilíbrio de adaptação e suicida-se — e esse drama tira ao livro de Flávio de Campos o caráter de crônica para dar-lhe o de romance. *Planalto* resume-se no romance dessa alma do futuro (caso o futuro do mundo seja o que Wells prediz), nascida muito antes do tempo próprio. O pobre cérebro de Lauro referve num incessante devaneio autoanalítico, sempre desfechado na mesma conclusão: a sua inadaptabilidade a um meio ainda muito canibalesco para uma alma inimiga de comer carne humana.

Fora daí, *Planalto* não é um romance, no sentido comum de conto com trezentas páginas de desenvolvimento, isto é, uma história em que há um pedestal preparatório, um crescendo de ação convergente e um desfecho dramático. *Madame Bovary*, por exemplo. *Planalto* não é assim. Dá ideia de um livro feito por partes, com um começo que não previa o fim. O autor começa pintando tipos familiares; faz uma crônica fragmentaria de moços paulistanos que alternam as mulheres com os *drinks* da moda — Canadians, White Labels, etc. Nenhum toca em álcool indígena — esses cauins feitos de cana-bambu. E conversam, perguntam-se uns pelos outros, comentam com enfaro as mulheres próprias e alheias, céticos de si e do mundo, todos eles planaltíssimos. Nenhum alça voo rumo a um pico — nem há picos no planalto.

Todas as correntes ideológicas encontram ali simpatizantes e até mártires. Como sempre acontece, o martírio cabe aos extremo-esquerdistas. Mas a divergência de ideias não os separa. A confraternização é linda. Riem-se das ideias dos outros; humanamente acham que a sua é certa — e às vezes nem isso.

Em dado momento uma crise emocional na vida do planalto os sacode. Surge a guerra intestina. Um equívoco qualquer na política faz esses moços fardarem-se e marchar — e em poucas páginas Flávio de Campos dá a melhor pintura que conheço da Revolução Paulista. Um tríptico. O arrastamento do entusiasmo inicial, o mês de tiros às tontas e o inenarrável desapontamento final. O Planalto batido pela Baixada...

A decepção bélica reconduz os rapazes ao bar, ao Canadian, às mulheres de entre-cá-e-lá. Todos se sentem sem asas. O pântano é enorme, e todo ele rãs coaxantes, mexeriqueiras e aquisitivas. Há um azul em cima que tenta a muitas delas. Mas rã não voa. No máximo, salta.

Lauro, afinal, desiste de uma vida assim, chocha em excesso. Estuda num livro de medicina os efeitos do gás de iluminação no organismo, fecha-se na sala, senta-se na poltrona desenhada na capa do livro, abre o gás, põe na vitrola a "Morte de Isolda" e espera. "Olhou o céu, olhou as estrelas, olhou lá longe a infinita paz do infinito. Depois fixou a vista no porta-retratos (um retrato de moça) e ficou a olhá-lo de longe, de muito longe, através da nuvem que veio vindo, veio vindo, veio vindo..."

Assim termina o romance, com a fuga de Lauro para longe do pântano de rãs mexeriqueiras e aquisitivas.

Antes disso havia devaneado pela última vez, "Mas... para que perder tempo com essas divagações? Ele precisava de dinheiro. Não hoje, mas daí a dois-três dias. A necessidade de dinheiro reapareceria imperiosa, sem devaneios, e é preciso comer, é preciso andar, mexer-se, viver — é preciso dinheiro. E o dinheiro não vem. Os homens de estudo não são homens do dinheiro. Os filósofos, os poetas, os santos, os guerreiros, os artistas e os cientistas, todos eles são desfavorecidos da fortuna. Ganhar dinheiro é um instinto. O instinto do dinheiro só vê beleza, elevação e alegria no ganhar dinheiro, no acumular dinheiro; falta-lhe o outro lado humano. E o dinheiro só vem para os que vivem para ele..." e por aí além. Lauro não se sente aquisitivo num mundo de criaturas visceralmente aquisitivas — e desiste de permanecer espectador da luta.

Está justificada a cor roxa da capa. José Olímpio desmente o seu róseo otimismo com a frequência das capas roxas de suas edições — roxo de flor da Paixão.

Ignoro como a crítica vai receber o romance de Flávio de Campos, mas admito que fará criminosa injustiça se não o tratar como a exuberante revelação de um peregrino valor mental. Tudo ali indica um novo sol que se ergue. Talvez esteja nele o romancista de São Paulo — do Drama Paulista. No livro de agora temos apenas uma aproximação do tema. O próprio autor o reconhece. Falta ali a terra. Faltam os rios andando, falta o sertão, a fazenda, as "entradas". Falta a visão dos fundadores das Baurus, das Marílias e Garças, falta o plantador de café que chorou com a geada de 1918 e a seguir viu toda a sua imensa obra desagregar-se ao assalto da broca e da valorização — o parasita natural e o artificial. Falta o paulista velho batido de cem raças novas, misto de peão e chaufer, que em menino cavalgava pangarés, em moço pinoteava num fordinho de bigode e hoje debate-se para a contínua adaptação ao caleidoscopismo do momento nacional, ora verde, ora vermelho, ora azul, e sempre furta-cor. O paulista surrado, humilhado, com todos os calos pisados, mas sempre confiante na vitória final do clima, da altitude e do roxo-terra.

Será Flávio de Campos o esperado fixador do grande drama? Terá ânimo e vida para depois deste trabalho de "aproximação" arregaçar as mangas e intrepidamente amassar no barro magicamente vivo do seu estilo o monumento que todos reclamam e ninguém tem coragem de atacar — o Drama do Planalto de Asas Cortadas?

Esperemos.

De São Paulo a Cuiabá

I

Até Santos Dumont o homem viveu vida de verme, isto é, de animalzinho que se arrasta sobre a superfície da terra. Para tais seres o grande óbice é sempre a distância, que nós dividimos em pedacinhos denominados passos, metros, quilômetros, léguas ou milhas. O progredir humano tornou-se sinônimo de vencer a distância, como a própria palavra em seu sentido original latino o indica — *progredior*, ir para diante.

Nossa engenhosidade fez que fossemos aperfeiçoando os nossos meios de combate à distância — e surgiu a canoa, o cavalo, o carro, o trenó, o trem e por fim o automóvel, esse besourinho de ferro que "bebe a distância".

A medida mais elementar da distância foi naturalmente o passo, porque era a passos que o homem vencia a distância. A milha dos romanos: mil passos, simples múltiplo do passo, como o quilômetro o é do metro. Com as invenções que trocaram o andar a passo pelo deslizar da canoa ou do trenó, pelo trotar do cavalo, pelo rodar do carro ou do trem, pelo chispar do automóvel, fomos insensivelmente mudando o termo de medida da distância; em vez do termo espaço já usamos hoje o termo tempo. Ninguém mais pergunta quantas léguas há de São Paulo ao Rio, e sim em quantas horas se vai.

Se tomarmos ao acaso cem pessoas, noventa saberão que a distância entre Rio e São Paulo é de 12 horas, e talvez nem todas as dez restantes saibam a distância em léguas ou quilômetros. Eu, por exemplo, não sei — nem quero saber. A hora como medida de distância subentende-se como aplicada ao veículo mais empregado no vencer o percurso. Como entre o Rio e São Paulo é o trem, a distância marcada em horas se relaciona ao trem. No dia em que o transporte por automóveis suplantar o transporte por trem, a medida-hora se relacionará ao automóvel.

O que mais impressiona a quem chega a Cuiabá é ouvir constantemente falar em léguas, uma medida que em São Paulo já está entrando em desuso. E como há léguas por lá! Aqueles homens falam em cem léguas, em duzentas léguas sem a menor consideração para com os visitantes, esquecidos de que quem procede de zona onde a medida de distância é a hora, falar em légua é dar facadas no coração. A légua sugere imediatamente um cavalo magro e lerdo, uma estrada buraquenta ou lamacenta, um sol de rachar, um deserto em torno, mutucas, vascolejamentos de todas as vísceras, sede e fome, medo às chuvaradas — todas essas coisas lá dos bandeirantes, não do homem moderno que mede a distância em termos de tempo.

E o problema do imenso Estado de Mato Grosso se torna imediatamente claro: matar todas aquelas léguas, destruir as serpentes-léguas que se enroscam na perna dos homens.

De uma cidade a outra, por exemplo, há cem léguas; quer dizer que há cem serpentes que o viajante tem de ir matando uma a uma até a derradeira. Ora, o trabalho é imenso. O viajante chega derreado, com o curanchim a arder, reclamando a berros semicúpios de salmoura. E o trágico é que as serpentes-léguas que ele matou renascem todas, logo que trata de voltar. Nova trabalheira de Hércules, nova matança das cem léguas. E, pois, como há de progredir uma terra onde o homem se vê forçado a consumir o melhor das suas energias físicas na matança de serpentes que perpetuamente renascem?

O problema de Mato Grosso se torna claríssimo: petróleo. Só o petróleo vence a légua. Que é uma légua para um automóvel em boa estrada? Três minutos. Que é uma légua para o avião? Um segundo. Aqueles heroicos patrícios de Cuiabá apenas montam guarda ao território, sitiados que se acham por milhões e milhões de léguas. Há dois séculos resistem nos redutos brotados dos acampamentos de garimpagem estabelecidos pelos bandeirantes, à espera de um milagre qualquer. Esse milagre só poderá vir sob forma de petróleo — o Flit que mata as léguas.

O homem deixou de temer a légua a partir do momento em que deixou de arrastar-se sobre a superfície, à moda dos vermes. Santos Dumont deu-lhe asas, ensinando-o a voar como já o faziam as aves e os insetos. E sua mentalidade, até então subordinada à condição de verme rastejante, dilatou-se furiosamente. Seu raio visual, grande quando olhava para cima, pois chegava até às remotíssimas estrelas, era dos mais curtos quando dirigido horizontalmente ou para baixo. Um simples grupo de árvores bastava para limitá-la; e para ver alguma coisa de cima para baixo tinha de trepar ao pico de uma montanha.

A aviação veio mudar tudo. Podemos ver para baixo num raio de alcance só limitado pela esfericidade da terra. E desse modo nos equiparamos ao condor dos Andes — oticamente...

Quem voa no bojo dum condor de alumínio movido a petróleo, vê aspectos muito diferentes dos que apreendemos na leitura de livros ou por informação verbal da gente que se arrasta lá embaixo. Vale a pena, portanto, passar em revista as reações mentais dum estreante do percurso aéreo São Paulo-Cuiabá.

Em primeiro lugar, vemos tudo miniaturescamente. Não há montanhas, nem rios, nem cidades, nem rodovias como as conhecemos na nossa habitual visualização de vermes reptantes. O que há é um tapete sem fim de verdura, tecido de pequeninas malhas redondas: a copa das árvores; com intervalos de tela nua: os campos; com delgadíssimas tênias torcicolantes: os rios; com um emaranhado de minúsculos riscos vermelhos: estradas, caminhos ou trilhas. A espaços, em meio da verdura tapetante, uns quadradinhos de "estrago" como nos velhos tapetes de sala o esfiapamento que entremostra a tela básica: as fazendas ou sítios, com suas colônias e roças.

A natureza criou o tapete sem fim que recobre a superfície da terra. Dentro da pelagem desse tapete vivem todos os animais, respeitosamente. Nenhum o estraga, nenhum o rói, exceto o homem. Ah, que terrível estragador do tapete é o homem! Que traça daninha!

Agora, uma cidade. Só aquilo? Que coisinhas de presepe são as nossas cidades do interior! Aglomerados de minúsculos retângulos de cor suja (os telhados) apensos aos retângulos dos quintais, divididos entre si geometricamente pelas estreitíssimas faixas das ruas. Lá está um retângulo maior: a praça da matriz, ex-praça João Pessoa, com certeza. E outro de verde uniforme: o campo de futebol. Só isso — e mais as cobrinhas corais das estradas que de todos os pontos do quadrante vão absorver-se nela.

Gente, nenhuma. O micróbio-homem não é perceptível de mil metros de altura. E ficamos a pensar que sob aqueles pequeníssimos retângulos vivem famílias desses micróbios, machos e fêmeas, uns capitalistas, outros comunistas. E que se amam, e que brigam, e que se reproduzem, e que discutem política e se odeiam, porque um que é P. C. se julga muito menos micróbio que outro que é P. R. P. Coitadinho do homem!

Mas a cidade passa. Continua o tapete verde, sempre com os estragos microbianos. Agora, dois pauzinhos, como filamentos de capim, sobre uma faixa sinuosa cor de café com leite: a ponte do Jupiá, no rio Paraná, que liga o pedaço de tapete pertencente a São Paulo ao pedaço pertencente a Mato Grosso.

Entre os riscos vermelhos há um mais insistente que os outros. Não acaba nas cidades. Passa por elas e continua. Que risco é esse tão uniforme e mais calcadinho? A Noroeste!... Uma estrada de ferro de penetração. Súbito, nossos olhos divisam a custo uma lesminha comprida, um mandrovazinho sobre o risco vermelho: é um trem, um comboio em marcha. Em marcha? Será acaso marcha aquele arrastar-se imperceptível? Lá em baixo e...

São Paulo já ficou atrás. Na zona de Araçatuba, a última do estado líder, o estrago do tapete verde é intensíssimo — e estrago novo, em progresso rápido. Quer isto dizer, na linguagem dos micróbios, que há ali culturas novas, que a zona é rica e está prospera. A prosperidade do homem se resume em estragar o tapete natural, fazendo a terra produzir umas tantas coisas que os governos "protegem".

E que é o governo visto lá de cima? Visualmente nada, uma coisa que não existe. Só pela imaginação o sentimos. Uma entidade triforme — municipal, estadual e federal, que rói um pedacinho de cada estrago que o bípede faz no tapete verde: rói o café, rói o algodão, rói o milho — rói, rói, rói... Rói até uns caixõezinhos de tábuas, montados sobre duas rodas, chamados carroças, aos quais o bípede atrela um animal de nome burro, para transportar coisas dum ponto para outro. Cada um daqueles microscópicos caixõezinhos sobre rodas traz sobre si uma plaquinha de esmalte com um número — sinal de aferimento, isto é, de que chega até ali o rói-rói do governo.

Mato Grosso, enfim! Cessam os estragos na verdura do tapete. O tapetamento está como a natureza o fez — dum verde contínuo, plano, sem riscos fora o da Noroeste. O tapete verde parece não ter fim. Súbito, um estraguinho: a cidade de Três Lagoas — e de fato surgem as três lagoas que deram o nome à localidade, as primeiras das inúmeras que iremos ver adiante.

O condor de alumínio desce para a sua refeição de escala. Não come nada, porém; apenas bebe. Bebe umas tantas latas dum líquido que Rockefeller nos vende. Enchido o papo-tanque, a hélice regira. O condor novamente levanta voo.

O tapete mudou de aspecto. A urdidura é outra. Padrão novo. Começam a aparecer os rios-verdes. Que é isso? Refranzimos a testa — sinal de esforço para compreender. Perguntá-lo a algum companheiro de viagem, inútil. Quem voa não fala, porque não é ouvido. Só fala nos aviões o motor azoante. Temos que recorrer à indução, à dedução, à ilação, a toda tralha da mecânica cerebral — e por fim a inteligência nos explica o fenômeno. Aqueles rios-verdes são as águas mortas, paradas, ou então que correm com velocidade imperceptível até para as plantas aquáticas que lhes revestem a superfície dum forro contínuo, dum tom verde mais claro e fosco do que o tom geral do tapete infinito. Esses rios-verdes seguem em manso colear pelo tapetamento afora, muito mais largos que os rios de água corrente, e com um cordão verde escuro a marcar o eixo do talvegue.

Curioso o fenômeno desses cordões. A região é de campo com vestimenta muito rasteira. As árvores só se desenvolvem no eixo dos rios-verdes, em linha contínua prolongada em coleios por grandes extensões. Não há viajante que não sinta vontade de descer para verificar como é aquilo realmente.

Mas o condor que voava a mil metros começa a descer. Nossos tímpanos avisam-nos disso. A natureza não previu os condores de alumínio, de modo que nossos pobres tímpanos se veem seriamente atrapalhados com as mudanças bruscas da pressão atmosférica. Mas lá se arranjaram, com as engulidelas em seco que o instinto nos sugere. Adaptam-se.

Desce o condor. Parece que vai roçar a copa das árvores. O campo de aterrissagem está à vista. A ave pousa. Cessa de roncar.

Campo Grande. A futura São Paulo de Mato Grosso fica a dois minutos dali — minutos-auto. Todos descem. Novas engulidelas em seco. Olhares agradecidos ao Lins, o piloto seguro que nos depôs em terra intactos, apenas um tanto azoados.

O condor dormirá ali para a continuação do voo no dia seguinte. E vamos ver Campo Grande.

II

Em Três Lagoas o condor de alumínio pousa apenas para tomar o seu mata-bicho de gasolina, de modo que Campo Grande é a primeira cidade mato-grossense que vamos ver com algum vagar. Ponto de pouso. O avião entra no seu galinheiro e os viajantes seguem para o hotel.

Começaram as surpresas. Naquela distância de São Paulo, e depois de atravessada uma zona extensíssima de campos e floresta sem quase nenhum vestígio humano, a gente imagina o que será o tal Campo Grande: casebres de palha, igrejinha duma torre só, rua João Pessoa, tabaréus de chapelão e faca à cinta, caras lampionescas, rastos de onça pintada pelas ruas barrentas, Como chefe político ou prefeito, um tremendo coronel barbudo, tataraneto dum não menos tremendo bandeirante, desses que andam com as caras nos selos e bônus.

Todas essas expectativas falham, com exceção de uma: a clássica, inevitável, a idiotíssima rua João Pessoa. É esse o único rasto de onça que há lá — a onça do sul que subiu dos seus pagos para outubrizar o Brasil, criando a beleza que sabemos. Em tudo mais só transparece o pau rodado. O estrangeiro, o novato que vem de outras zonas, em Mato Grosso é pau rodado.

O maior elemento de progresso num país como o nosso é exatamente o pau rodado, pois traz consigo uma mentalidade nova e um saco de ambições. São

Paulo é o que é por ser um atracadouro do pau rodado universal. Nova York é o maior centro de pau rodado do mundo inteiro. Campo Grande é também toda ela pau rodado.

Não há raça, não há gente deste ou daquele país, deste ou daquele estado, que não seja vista por lá. Italianos, sírios, japoneses, russos, cearenses cuiabanos. E o parigato é do bom. Vale quem pode mais, quem sabe agir, vencer. Nada embaraça a seleção da competência, ou do mais apto, como quer Spencer. Campo Grande surpreende e força a ejeção de adjetivos sinceríssimos. Porque aquilo não é cidade de fim de civilização, de beira-sertão, como o viajante logicamente é levado a supor. É cidade de começo de civilização, é a coisa mais reconfortadora que em tais alturas alguém possa esperar.

Um município de área enorme — 35.500 quilômetros quadrados. Um pouco menos que o Estado do Sergipe, um pouco mais que a Holanda. Mas a Holanda tem 8 milhões de habitantes, o município de Campo Grande só tem cinquenta e quatro mil. A cidade vinte e quatro mil.

Mas o melhor de Campo Grande não é o que Campo Grande já é e sim o que promete ser. Reúnem-se nela todas as condições favoráveis para uma das grandes futuras cidades do Brasil. Subirá a cinquenta mil, a cem mil, a duzentos mil habitantes — e parece que o urbanista que lhe traçou as ruas e praças teve perfeita consciência disso. Tudo em Campo Grande é grande, espaçoso, arejado.

As ruas da mor parte das cidades brasileiras pecam por demasiado estreitas. Parece que os seus fundadores não tinham a menor noção da área territorial do país, e com medo que o espaço tomado pelas ruas viesse fazer falta aos campos, traçaram-nas extremamente estreitas. Em muitas ruas de Campinas o ator Chaby teria de andar de lado, como os caranguejos. Nas primeiras ruas abertas no Rio de Janeiro, como a D. Manuel, um boi gordo não passa.

Campo Grande discrepa. Tem todas as ruas larguíssimas. Todas! Tão largas que os *chauffeurs* estão esquecendo as manobras da marcha a ré. Como para darem volta ao carro basta uma graciosa curva em qualquer ponto da cidade em que estejam, não existe lá marcha a ré, o tal vai para a frente, desterça, vem para trás, desterça, essa coisa incomodíssima, com frequentes trombadas e encrencas.

O viajante nota aquilo e pergunta:

— Quem foi a abençoada criatura que traçou esta cidade?

Ao informarem-me disso, deram-me um nome, que infelizmente minha má memória não guardou. Um engenheiro militar, suponho. Traçou tudo com visão bem ampla do futuro. Praças magníficas, ruas ultra largas, passeios de três metros; e ainda ergueu alguns monumentos.

O órgão local chama-se *Folha da Serra*. Por que *Folha da Serra*? Ahn! Trata-se da Serra do Maracaju, a única existente na zona, para lá de Aquidauana. No dia seguinte bem cedo o condor de alumínio nos engoliu de novo e de novo nos ergueu nos ares. Pudemos então ver a Serra do Maracaju, em grande parte apenas ruínas de serra, com o seu muramento, ou o seu pregueamento original já intensamente corroído pela erosão.

Meu Deus! Como o condor insignificantiza tudo! Até a pobre Serra do Maracaju, que devia ser uma barreira terrível para o bandeirante, lá de cima nos aparece um zero, um nada, uma dunazinha insignificante.

Transpomo-la em segundos — e recomeça a infinita planura rasa, de campo com entremeios de capões arbóreos. Na zona do Rio Negro o aspecto muda. Surgem lagoas. Lagoas de não acabar mais — lagoas, baías e coxipós. Vistas de cima as lagoas lembram aqueles olhos da ágata polida, com orladuras equidistantes em torno. São orladas de praias branquinhas; outras não mostram o menor sinal de praia.

— Por que isso? — indagamos.

Vem a explicação. As lagoas com praias são as de água salgada; as sem praia, as de água doce. A intensa impregnação salina das margens impede nas primeiras o surto de qualquer vegetação — e formam-se praias como à beira-mar. Rondon contou na zona cento e setenta lagoas grandes, noventa e cinco das quais salgadas. Essa região é uma das mais indiciosas de petróleo. Em seu livro sobre radiestésica, o padre francês Bourdoux, que foi durante anos missionário em Mato Grosso, diz o seguinte.

"Atravessando o Brasil em toda a sua largura, do Rio às fronteiras da Bolívia, notei manchas estéreis no meio de ricas pastagens. Tirei do bolso meu pêndulo e às ocultas dos companheiros procurei investigar a causa daquelas manchas de esterilidade. A resposta foi: petróleo."

A viagem aérea por sobre a zona das lagoas é inesquecível. Lembra um jardim imenso, de canteiros arbóreos alternando com peluses e todo agatizado de lagoas, umas bem redondas, outras ao comprido. Por sobre elas pairam garças alvíssimas, aos bandos de centenas, e em certos pontos, de milhares.

A visibilidade das garças é enorme. São perfeitamente vistas até de três mil metros, distância em que um boi só se torna perceptível para os viajantes de olho de lince, e uma figurinha humana, nem para os do próprio lince.

O estranho avejão de alumínio que passa a roncar no céu as assusta. Revoam, lindas, dando a impressão de fragmentos de mica em rebrilho sobre a imprimadura lisa das lagoas.

Pantanal! Pantanal! Pantanal! Será que não tem fim aquele pantanal? De tudo quanto vemos de cima, a coisa única que a distância não apequena é o pantanal. Serras e rios, cidades e fazendas ficam insignificantes — mas o pantanal impõe-se como terrivelmente grande.

O pantanal não chega ao fim por mais que o condor devore quilômetros a duzentos e setenta por hora. E se o viajante corre os olhos pelo mapa da América do Sul, verá, assustado, que o pantanal se prolonga indefinidamente, embora mudando de nome, até às serras do sistema Parima, nas fronteiras venezuelanas. Que é toda a Amazônia senão um pantanal?

Faltou o Humboldt que estudasse essa curiosíssima região do globo. Não temos nenhuma visão do conjunto, nenhuma filosofia do centro da América do Sul. Os sábios que por lá andaram perderam-se em detalhes. A teoria do extinto mar do Xaraés está a pedir formulador de gênio. Euclides da Cunha seria capaz de nos visualizar aquilo, mas o próprio Euclides se deteve na beiradinha norte.

Hoje, a região imensa é um deserto que ainda desafia a fraqueza do homem. Mas tudo parece mostrar que aquele deserto verde está sobre um mar de petróleo. O ouro aluvial existente por cima da terra atraiu os primeiros povoadores. A extração da borracha, em seguida, prosseguiu na obra de devassamento e povoamento. Coisinhas mínimas. Insignificâncias. Para vencer aquele mundo, só uma força ingente, só a maior de todas — o petróleo.

Mas petróleo tirado de lá — não comprado fora.

III

De Aquidauana a Corumbá são duzentos e setenta quilômetros em linha reta. Uma minhoca fará esse percurso em anos, se mover-se sem parar e não for engolida em caminho por alguma garça. Um homem a pé, se tiver sangue de bugre e nada de calos, o fará em quinze dias. A cavalo esse mesmo homem fará o percurso em uma semana; e em automóvel numas seis horas.

Tudo isso, porém, teoricamente. Na prática a façanha varia muito, pois depende da veneta das estações. Será uma coisa na estação da seca e coisa muito diversa na das águas. Hoje o percurso regular se faz de trem até Porto Esperança, e daí a Corumbá em lancha ou gaiolas que sobem o rio. A pobre da Noroeste perdeu o fôlego em Porto Esperança, dois terços do caminho a Corumbá.

Dadas as peculiaridades do terreno, esses duzentos e setenta quilômetros constituem um pedaço. Mas para o condor de alumínio não passa de isca. Estirão para uma hora do voo apenas. Uma hora!

Milagres do petróleo. Graças a ele a ave metálica deixa as asperezas do chão e sobe a magnífica estrada gasosa da atmosfera. Nessa estrada, feita de azoto e oxigênio, com pitadinhas de dióxido de carbono, hélio, neon, crípton, xênon e outros ingredientes que respiramos mas só conhecemos de nome, não há pó nem lama. Tudo muito diferente das estradinhas dos vermes lá embaixo, feitas de sólidos, líquidos e semilíquidos — chão seco, lameirões e atoleiros, com pitadas de pontilhões esburacados, porteiras e mais inventos dos seres que se arrastam.

Pobres vermes! Como se condoem deles os que viajam em papo de condor... e como os invejam quando sobrevêm o enjoo e a incoercível ânsia de vomito!

Nossos olhos se repastam no mapa da terra visto de dois mil metros de altura. Uma das sensações do voar é que a terra deixa de ser o que é — passa a mapa — um mapa da natureza, não do Castiglioni. E sempre o mesmo desenho pantanalesco, naquele pedaço entre Aquidauana e Corumbá: capões de arvoredo intervalados de campos e alagadiços.

Vai pelo pantanal uma luta silenciosa de milhares ou milhões de anos, entre a água e a terra firme. Tudo aquilo já foi água contínua e permanente, com a só interrupção das espacejadas serras, que figurariam como ilhas. A erosão foi desmontando as serras e com o aterro elevando o nível da planura inundada. Ilhas pequenas e rasas foram emergindo — ilhas periódicas, que na estação das chuvas ficavam cobertas de água. Entrementes os leves declives deram formação aos rios e riachos, de leitos cada vez mais profundos e de maior capacidade de vazão.

A obra de drenagem está em andamento. Mas os drenos dos rios só atendem ao escoamento das águas nas estações de seca. Nas chuvosas ainda se mostram insuficientes — e tudo se inunda. A tendência da natureza, porém, é transformar aquilo que foi água contínua, e hoje é pantanal, em terra firme e seca.

Completará o homem, algum dia, esse trabalho da natureza? Fará no pantanal obra semelhante à que os dinamarqueses e holandeses fizeram nos brejos que hoje constituem os territórios sólidos desses extraordinários países? Talvez o petróleo, a riqueza do petróleo, em futuro ainda bem distante, quando Mato Grosso se tornar o abastecedor dos Estados Unidos já esgotados, venha a realizar a obra gigantesca da drenagem do pantanal — o maior feito da engenharia humana. A drenagem do pantanal! A transformação do fundo do Xaraés numa pradaria holandesa!

Se quanto a essa drenagem o petróleo apenas nos permite que sonhemos, uma coisa já ele nos permite realizar: ver o pantanal em toda a sua desmesurada extensão, reduzido a um mapa vivo que não cessa de desdobrar-se verticalmente aos nossos olhos. Antes dos condores ninguém tinha visto o pantanal senão de escorço e num raio extremamente curto. Visão de verme.

É sempre uma terra negra, com bordadura verdecana nos campos, verde mais branquicento nos alagadiços e verde carregado nas partes já revestidas de vegetação arbórea. De longe em longe, uns punhadinhos de quirera — as boiadas. Os bois gostam de ruminar juntos, em rebanhos de centenas, nos pontos de terra mais firme. Quedam-se imóveis, filosofando. Sobre quê? Evidentemente sobre a cotação da carne frigorificada, do charque, dos couros crus.

Mas uma hora no ar passa mais depressa do que uma hora na superfície da costa, tanto nos leva aos olhos maravilhados o mapa natural.

Súbito, uma mudança topográfica nos chama a atenção. Coisa lá longe. Um longe que em segundos fica perto. Uma cidade. Corumbá! A terra passa de preta a branca. A zona ali é calcária.

O avião aterrissa. Vai haver mudança de aparelho. Do condor terrestre que nos trouxe temos de passar para um anfíbio, que vemos quietamente pousado sobre as águas espelhantes do rio Paraguai. Um jacaré voador.

A demora é de quarenta minutos, mas a brasilidade nos vai impedir de conhecer a praça. Avisam-nos de que é necessário tirar um passaporte, salvo-conduto ou coisa assim.

— Por quê?

— Porque é fronteira, — responde um soldado.

Quem desce das alturas vem zaranza e incapacitado de compreender de pronto o modo de raciocinar dos bichos terrestres. Fronteira? Mas há então fronteiras entre os municípios de Corumbá e Cuiabá?

Com os ouvidos ainda azoados pomo-nos a refletir enquanto o auto nos leva ao quartel dos passaportes. Um refletir tonto, aéreo. "Estado de Guerra..." Quem sabe se a guerra que determina esse estado da dita é alguma luta com a Bolívia, que graças à censura o resto do país ignora? E quem sabe se a Bolívia conquistou o município de Cuiabá e traçou as tais fronteiras referidas pelo soldado?

Tudo é possível em nosso abençoado país, de modo que sem mais indagações nos submetemos — e ainda porque sem passaporte seria impossível prosseguir viagem.

Após um vai-e-vem de meia hora, conseguido o salvo-conduto, tocamos na volada para o porto. O condor anfíbio já roncava. Por esse motivo só vimos da cidade de Corumbá a rua calcária que leva do porto ao quartel. Impossibilitados de colher informações, tornamo-nos terrivelmente apreensivos. Pobre Corumbá! Nas mãos dos bolivianos! Conquistada! Com fronteiras novas estabelecidas pelo invasor cruel! Obrigada a essa exigência de passaportes que tanto amofina quem passa dum país para outro! Mas como uma coisa dessas, gravíssima, se passava em tamanho silêncio, sem que o resto do país o soubesse?

Seja o que Deus quiser, suspiramos — e surdos pelo barulho do motor fomos erguidos para a estrada gasosa. Recomeça o pantanal. A mesma terra negra e chata, as mesmas manchas de verdura de vários tons. De quando em longe, a mesma quirerinha de bois filosofantes.

— Para onde vamos agora? — surge a pergunta.

E vem uma resposta assustadora:

— Para Porto Jofre.

Jofre, Foch, passaporte tirado no quartel, estado de guerra... Nossa suspeita de que o vizinho município de Cuiabá estava em poder dos bolivianos se acentua. Por sugestão sentimos no ar um cheiro de pólvora.

Após menos de hora de voo o condor começa a descer. Pousa na água serenamente. Porto Jofre, sim, mas nada de canhões ou guarnições militares. É apenas um posto de gasolina perdido no imenso deserto. Sobre a barranca do rio, uma bela casa de fazenda, rodeada de pomares com velhas mangueiras. Enquanto o anfíbio bebe latas e mais latas de gasolina saltamos todos para o desentorpecimento dos músculos.

— Há muito jacaré e piranha por aqui, — diz um malvado.

Ui! Nossos olhos ávidos esmiúçam os guapés sobrenadantes naquelas águas, em procura duma cabeça de jacaré ou duma dentuça de piranha. Infelizmente não vemos nada. Essas brasilidades são arredias e medrosas. Fogem ao ronco do condor de alumínio. Em vez de cabeça de sáurio aparece-nos uma bandeja de café. Que maravilha, um café fumegante naquele fim de mundo, à beira de guapés com jacarés! E surge o dono da fazenda, Otávio da Costa Marques, que nos leva para dentro da casa linda porque o sol está tirânico.

Não há delícia maior que esses imprevistos encontros de gente amiga na solidão dos desertos. Aquele homem ali, com sua fazenda, era um contato com a civilização — com o mundo paulista que deixamos lá atrás, lá longe, lá terrivelmente longe. A vontade nossa é de que o anfíbio adira à brasilidade do desamor ao tempo e não tenha pressa, e se deixe ficar dormitando nos guapés por duas, três horas, até que a conversa encetada com Costa Marques chegue ao fim. Tanta coisa interessante começara ele a dizer...

Mas na cabeça do condor há um cérebro chamado Lins, que é implacável. O relógio que tem no pulso, de vidro grosso, não se brasiliza. Lins manda:

— Embarcar!

E lá atropelamos as palavras com que nos despedimos do fazendeiro de ilustre cepa, homem de cultura fina que em Porto Jofre mantém sua fazenda como um posto da civilização no deserto.

O motor ronca. Os jacarés no fundo d'água enfiam as cabeças no lodo. O condor desliza, ganha impulso, ergue o voo novamente...

O rio em baixo vai se apequenando à medida que subimos. É uma serpente sem fim, cor de café com leite. Lado a lado, o pantanal de sempre, o eterno pantanal de Mato Grosso, a eterna terra preta, as eternas manchas arbóreas. E tudo reduzido a mapa — miudinho visto lá das nuvens para onde nos leva o Lins.

Maravilhoso homem, este Lins! A gente se enternece ante a sua bondade infinita. Uma criatura que pode despejar-nos no rio das piranhas e não o faz! Nunca lhe vem essa veneta...

Pantanal, pantanal, pantanal. Súbito, após uma hora de voo, as margens daquele afluente do Paraguai começam a mudar. Surgem casebres de pescadores. Pequeninas roças.

— Cuiabá?

— Sim.

Olhamos ansiosos para o aglomerado de casas já à vista. Nenhuma bandeira boliviana desfraldada ao vento. Suspiro geral de alívio. A capital de Mato Grosso ainda é nossa.

Que susto!...

IV

Que é Cuiabá? Um abcesso que se fixou. Um garimpo de século 17 que se cristalizou em cidade. Um galho da civilização litorânea que há duzentos anos os paulistas fincaram a quinhentas léguas de São Paulo. Um marco já bicentenário do nosso *gold-rush*.

Pegar o que tem valor comercial e está *in natura* na superfície da terra constitui o primeiro impulso duma civilização — e esse pega-pega traz em seus inícios uma febre aguda. Quando a goma da seringueira começou a ter crescente aplicação industrial nos países civilizados, vimos aqui a febre da borracha. Os homens de espírito aventureiro correm em massa para a Amazônia, na ânsia de ordenhar as vacas vegetais produtoras do látex coagulável.

O mesmo fenômeno se deu quando foram descobertos os sertões ricos de ouro aluvial ou diamantes. O sonho de todos os aventureiros tornou-se batear cascalho, garimpar. Peneirada a terra do ouro e do diamante fáceis, a febre arrefeceu. Com a desvalorização da nossa moeda papel, a caça ao ouro está agora renascendo.

A moda feminina trouxe por certo tempo a febre da *aigrette*, uma certa pena que as garças trazem displicentemente na cauda e as mulheres elegantes queriam em suas cabeças de vento. A *aigrette* era vendida às gramas, como o ouro — e nunca houve tamanha hecatombe de garças. Com a mudança da moda, a febre da *aigrette* passou.

No trecho do rio entre Corumbá e Cuiabá anda hoje uma febre de capivara. Há bom preço nos Estados Unidos para o couro da capivara, de modo que as margens desse rio, que sempre foram um viveiro de capivaras, estão sendo limpas desses pobres mamíferos. São mortos aos milheiros.

Nossos avós notabilizaram-se em duas febres desse tipo: a caça aos negros africanos, feita pelos negreiros, e a caça aos índios dos sertões, feita pelos bandeirantes. Dois negócios de grande vulto, dos maiores da época.

Quando Sancho Pança teve a promessa dum reino na África, sua primeira ideia foi vender os súditos — e esfregou as mãos no antegozo dos lucros maravilhosos. Os sertões do Brasil andavam cheios de índios. Caçá-los para vendê-los no litoral iria tornar-se o grande sonho dos aventureiros — e surgiu o bandeirantismo.

O bandeirantismo era negócio e esporte a um tempo; o esporte da caça com todas as suas emoções primitivistas e o negócio de enriquecer depressa. Animal de presa que é o homem, nada o seduz tanto quanto a caça seja de veados ou de gente.

Perseguir uma criatura viva, matá-la, que delícia! Pegá-la viva no sertão para vendê-la no litoral, que negócio!

Nossos pobres avós bandeirantes viram-se privados do maior prazer do esporte cinegético, que é matar. Muito a contragosto tinham de limitar-se a aprisionar os índios. O espírito comercial impunha-lhes esse grande sacrifício.

Como já estivesse intensa a caça ao ouro, a qual exigia músculos escravos em doses crescentes, fornecer aos mineradores tais músculos passou a ser tão bom negócio como juntar ouro. De modo que enquanto uns ficavam fossando a terra, outros afundavam pelos sertões atrás dos índios.

Pires de Campos sai de São Paulo com sua gente, disposto a varar quantas léguas de sertão fossem necessárias para dar com uma boa aldeia de índios desprevenidos. Entra por água, a única estrada daqueles tempos. Entra pelo rio Cuiabá, sobe-o, e afinal encontra uma presa fácil: os coxiponés, tribo selvagem que nem as demais.

Os bandeirantes eram a Civilização. Os coxiponés, a barbárie. Por entre estrondos de trabucos a Civilização assalta a aldeia da barbárie e vai trucidando o que não pode capturar. E Pires de Campos volta gloriosamente com uma grande ponta de gado bípede manietado e já sob o regime do chicote. A Civilização de hoje faz isso na África com meios ainda mais civilizados — gases asfixiantes e aviões de bombardeio. E o caso é que civiliza. O selvagem ou resiste e morre, ou à força de chicote se adapta a sífilis, ao álcool, ao alfabeto e mais mimos da civilização.

Em caminho Pires de Campos cruza com outro bandeirante, Pascoal Moreira, também saído à caça de índio. Conversam. Pires conta de como lhe ocorreu a expedição e traça o roteiro. Há ainda lá os coxiponés que ele não conseguiu matar nem capturar. Com um pouco de habilidade Pascoal pode conseguir outra redada.

Separam-se. Pascoal segue o rumo indicado. Alcança o rio Coxipó, que sobe, margeando. Cruza outro rio a que dá o nome de do Peixe, em virtude da grande quantidade de peixe seco encontrada na margem. Como o peixe não sai da água de moto-próprio para secar-se em varais o bandeirante conclui que chegara à zona dos índios visados.

Prossegue cauteloso no avanço. Mais um rio, o Motuca — e esbarra numa defesa. Avisados da presença da Civilização, os índios haviam erguido uma forte paliçada, detrás da qual rechaçam os assaltantes.

Mas enquanto os trabucos troam e as flechas assobiam, um homem da bandeira lembra-se de examinar o cascalho do Coxipó. Bateia-o em seu prato de ferro estanhado — e arregala o olho. Granetes amarelos! Ouro!

Naquele momento a cidade de Cuiabá nascia.

A descoberta do ouro mudou imediatamente os objetivos da bandeira. Pascoal desiste de caçar índios para catar ouro. O índio estava duro de roer e o ouro facílimo. Ninguém mais pensou noutra coisa.

A nova da descoberta corre mundo. Chega a São Paulo, a Minas, ao Rio. E como fosse notícia de polpa, toda gente começa a sonhar com a sorte grande. Ir a Cuiabá era voltar magnata. Cuiabá! Cuiabá! Cuiabá! Essa palavra nova encheu o orbe.

Quem duvidar que a fama de Cuiabá tenha enchido o orbe, consulte as *Crônicas* de Barbosa de Sá. Diz ele: "Foi uma trombeta que chegou ao fim do orbe, soando a fama de Cuiabá por todo o brasílico hemisfério até Portugal, e ainda pelos reinos estranhos, tanto que chegaram a dizer que no Cuiabá se serviam de granetes de ouro em vez de chumbo nas espingardas de caçar veado, e que eram de ouro as pedras em que nos fogões se punham a cozer as panelas".

Esboça-se no Coxipó o arraial de S. Gonçalo. Plantam-se roças por ali. Organiza-se a defesa contra os coxiponés. Nisto corre a notícia da mina de Miguel Sutil, um sorocabano — a maior ninhada de pepitas de ouro ainda descoberta no Brasil. Ouro de juntar aos punhados. No primeiro dia esse homem de sorte recolheu meia arroba.

O primitivo arraial é abandonado. Todos correm para a zona do Sutil. A cidade de Cuiabá começa a germinar. Acode gente de longe. Improvisam-se acomodações toscas. Ranchos de palha são vendidos a quatrocentas, quinhentas oitavas de ouro; se possuem mais alguns cômodos, alcançam o preço de setecentas oitavas. Tendo a oitava quatro gramas, há aqui dois quilos e oitocentos gramas de ouro por um rancho de palha, ou sejam cinquenta contos em nossa moeda outubrista.

Esses abcessos formados pela febre do ouro têm um curso fatal. Em todos acontecem as mesmas coisas. Há notáveis pontos de encontro entre as tragédias do Klondike e as de Cuiabá. Jack London e Barbosa de Sá encontram-se.

O atropelo do povoamento se faz cada vez mais intenso. Sobrevêm calamidades. Doenças, comboios de víveres que se atrasam, com a mercadoria apodrecida pelo caminho. Carestia. Escassez de tudo. Milho pela hora da morte. Por quatro alqueires de milho dava-se um negro. Maleita. Opilação. O sal por preço fantástico. Um frasco de sal chegou a valer meia libra de ouro — ou nove contos de hoje. Crianças ficavam sem batismo. Onde o sal?

As primeiras plantações foram um desastre. O milho das roças, logo que semeado os ratos o comiam, diz Barbosa de Sá; e as sementes que escapavam dos ratos e germinavam, não escapavam aos gafanhotos; e o que escapava do gafanhoto vinha com espigas falhas, só sabugo — e algum grão que aparecesse, a passarinhada o levava.

Sobrevieram ratos às legiões. Nada, nem as roupas lhes escapavam ao rói-rói. E aquela gente em desespero entrou a parodiar Ricardo III da Inglaterra: "Meu reino por um gato!"

Surgiu por fim um casal de gatos, instantaneamente vendido por uma libra de ouro — ou sejam dezoito contos de agora. Que excelente negócio fez quem os comprou! A criação de gatinhos virou mina. Quantos vinham ao mundo eram vendidos a dois contos por cabeça. Por fim foi tanto gato que já ninguém os queria nem de graça. A eterna lei da oferta e da procura.

Por mal de pecados desabou sobre a incipiente Cuiabá o inferno, sob forma do Fisco Português. Surge d. Rodrigo César de Menezes, com trezentos e oito canoas e três mil homens, entre negros escravos e brancos. Era o fim de tudo. Portugal vinha reabilitar os ratos, a maleita, os gafanhotos, a opilação. O Fisco! E a pobre Cuiabá entrou a morrer.

Os ranchos caíram do valor de quinhentas oitavas para cinquenta; roças de milho que valiam quatro mil oitavas, ou trezentos contos, passaram a valer sete contos — e por fim foram abandonadas. D. Rodrigo abrira a boceta de Pandora.

"Tudo era morrer, gemer e chorar", diz Barbosa de Sá. Mas um dia as águas que trouxeram a calamidade levaram-na de novo — e Cuiabá respira. "Tudo melhorou", diz Barbosa; "cessaram as excomunhões, execuções, lágrimas e gemidos, pragas, fome, enredos e mecelanias, apareceu logo o ouro, produziram os mantimentos, melhoraram os enfermos."

Este depoimento mostra que se a civilização inventou os gases asfixiantes, os lança-chamas e a metralha, o fisco português se antecipou com a câmara de horrores do Fisco. Era coisa que, como diz o cronista, fazia piorarem os doentes, não produzirem as roças, esconder-se o ouro, espirrarem dos olhos lágrimas, virem gemidos das gargantas, amiudarem-se execuções, pululares excomunhões — e, por cima de tudo, semearem-se enredos e "mecelanias" — que não sei o que é.

Paulo Setúbal já contou a história do ouro de Cuiabá. Havia de fato muito metal amarelo aflorante, e o que foi feito de peneiramento naqueles cascalhos assombra o homem de hoje. Graças ao negro escravo, a cascalheira foi lavada e catada numa área enorme. O que lá ficou foi apenas o ouro difícil, incrustado nos blocos de quartzo. O fácil saiu todo.

Por toda parte, ainda hoje, vê-se o solo revolvido, com amontoamentos de cascalho e regos abertos, lembrando as zonas de França logo depois dos tremendos bombardeios da Grande Guerra. E ficou a aridez, o deserto. Que triste o destino das terras que têm a desgraça de revelar ouro!

E para onde foram os milhares de arrobas de ouro cuiabano? Desenterrou-se de lá para enterrar-se em outros pontos muito longe de nós. Está no fundo das caixas fortes dos bancos da Inglaterra e da Wall Street. A vida do ouro é essa: desenterrar-se com imenso esforço humano em um ponto para enterrar-se sem esforço nenhum em outro. Salva-se desse enterro só a pequena parte que sob forma de joias vai enfeitar o pulso, o dedo e o colo das mulheres, e também barrear de amarelo os dentes das pessoas de má calcificação orgânica.

As indústrias filhas do carbono e do ferro têm sobre o ouro a mesma atuação do ímã sobre a limalha. Os países produtores do ferro donde sai a máquina, e do carbono donde sai a energia que move a máquina, veem correr para si todo o ouro do mundo. Os milhares de arrobas extraídas de Cuiabá dormem nos cofres dos manipuladores do ferro e do carbono. Está na Inglaterra, na França, nos Estados Unidos, na Holanda — essa grande acionista da Royal Dutch.

O Brasil, produtor do ouro, reteve para si os buracos abertos no chão cascalhento. E lá naqueles fundões mato-grossenses ainda vegeta, como memória do feito, uma cidade pensativa, toda saudades e resignação — a veneranda Cuiabá.

A bateagem da zona aurífera exigiu o trabalho sem descanso, o suor, o sangue, a vida de dezesseis mil escravos negros. Graças ao sacrifício dessa pobre carne dolorosa, os depósitos da Wall Street regorgitam com uma boa contribuição nossa — e bem guardada. Se queremos tirar de lá um grama do ouro cuiabano, temos de dar em troca uma arroba de café, quase.

O bom bocado não é para quem o faz, sim para quem o come. O mundo é dos que manejam o ferro e o carbono. Se em vez de ouro Cuiabá houvesse explorado suas jazidas de Petróleo e ferro, o ouro de lá extraído estava lá mesmo, e ainda muito ouro de outras terras; e aquela imensa região estaria transformada num intensíssimo e povoadíssimo centro de civilização. Portugal jamais percebeu isso, e nós, seus digníssimos filhos, vamos pelo mesmo caminho.

O ouro esteriliza. Só o ferro e o carbono fecundam.

Quem reflete sobre a tremenda quantidade de ouro, milhares e milhares de arrobas, tiradas de Cuiabá, espanta-se do pouco dessa riqueza que ficou no local.

Toda ela emigrou. Não havia a ideia de permanência. Tudo eram acampamentos provisórios, coisa de juntar a nata de ouro fácil que as chuvas agrumam à superfície da terra e abalar.

Não houve povoamento sistemático em Mato Grosso, à moda de São Paulo. Houve correria atrás do ouro, apenas. *Rush*. Saque da terra. Consequência; o despovoamento. Um estado de milhão e meio de quilômetros quadrados com uma população que cabe toda no bairro do Brás, positivamente não está povoado.

Ao saqueador só interessa o ouro aluvial: daí o nomadismo da mineração. Nessa corrida iam ficando para trás pequenos núcleos humanos. Desses núcleos nasceram as pequenas cidades contemplativas do norte mato-grossense — arraiais que não tiveram ânimo de levantar acampamento e por lá se deixaram ficar.

O maior desses núcleos virou a cidade de Cuiabá, um posto da civilização perdido no deserto imenso. Ficou parada, a crescer vegetativamente e à espera... De quê? Até bem pouco tempo nenhum cuiabano o saberia dizer. A espera de qualquer coisa. Dum imprevisto. Dum milagre. Por que esse milagre esperado ha dois séculos não há de ser o petróleo?

A distância faz de Cuiabá uma ilha de urbanismo no pantanal sem fim. De todos os lados, a mesma barragem implacável das léguas. Léguas e mais léguas. Só léguas. Sempre léguas. Tudo léguas. Léguas às centenas.

Na realidade só existe um problema em Cuiabá; a Légua, essa inimiga do homem que só pode ser vencida pela Velocidade. Não obstante, em matéria de velocidade, o homem em Mato Grosso permaneceu até anos atrás na mesma situação de inferioridade dos primitivos povoadores. Contavam só com os mais rudimentares meios de vencer a distância — as pernas, o cavalo e o rio. Ora, não foi com as pernas, nem com o cavalo, nem com os rios que o homem moderno matou a légua como quem mata uma cobra. Foi com a máquina a vapor e é hoje com o motor de explosão.

A tentativa de ligar Cuiabá ao mundo por meio da velocidade que a máquina a vapor desenvolve, falhou. A Noroeste não teve fôlego para lançar seus trilhos além de Porto Esperança. E Cuiabá ficaria condenada a outros dois séculos de isolamento, se não entrasse em cena a maravilha que é o motor de explosão.

A elite de Cuiabá é muito fina. Cuida bastante da educação. Abundam homens de linda cultura, até filosófica. Seria interessante fixar as reações mentais dum homem como Estevam de Mendonça, precioso diamante Culliman perdido por lá, quando o primeiro veículo acionado por um motor de explosão surgiu na cidade.

— "Fim dum ciclo", devia ter ele pensado; "começo de era nova. Máquina supressora da distância. Solução dum problema de transporte que parecia insolúvel. Multiplicação da eficiência do homem..."

De fato. O automóvel é o homem tremendamente multiplicado em sua eficiência pela máquina. É sua força muscular, sua resistência, aumentada mil vezes.

O mesmo indivíduo que com seus músculos não transporta aos ombros mais de trinta quilos de carga a uma distância de mais de uma légua em todo um dia de esforço, ao plantar-se num caminhão está *ipso facto* com a sua eficiência tremendamente aumentada. Ele que não carregava mais de trinta quilos, pode levar agora três mil; e em vez de uma légua que andava, pode vencer num dia quarenta ou sessenta, conforme as estradas, e sem derrear-se. Que aconteceu? Apenas aumento da eficiência desse homem graças à máquina que a si ele agregou.

Infelizmente, quando esse homem se articula com a máquina fica mais na dependência das estradas do que quando ia a pé ou a cavalo — e em matéria de estradas o Brasil continua perfeitamente caxiponé. Chamamos estradas a meros leitos para estrada, visto como esta, para o ser, exige pavimentação. Propriamente não temos estradas e sim leitos para futuras estradas.

Idênticas considerações deveria ter feito Estevam de Mendonça quando pousou lá o primeiro avião. Era a eficiência do homem mais aumentada ainda por um novo tipo de máquina movida pela energia mecânica. Era o esmagamento definitivo da distância, o fim do bissecular isolamento cuiabano. E como a generalização é rápida no cérebro dos homens de espírito filosófico, ele devia ter concluído que se pousava lá uma daquelas aves, pousariam no futuro milhares. Porque o tudo é começar.

Infelizmente todas as soluções humanas são parciais. O automóvel exige estradas de rodagem com pavimentação, coisa ainda fora de alcance da nossa penúria brasileira. Nessas fitas de terra solta a que chamamos estradas, mal niveladas, mal conservadas, esburacadas pelo trânsito, acamadas de terrível pó durante a estação seca, ou toda ela atoleiros e lama na estação das chuvas, o automóvel é quase um peixe fora d'água. Sua capacidade de vencer a distância fica reduzida ao mínimo, e ainda assim restrita aos meses do inverno.

Mais feliz, o avião não está na dependência das estradas de rodagem visto que dispõe da maravilhosa volovia da camada atmosférica. O suave conde de Afonso Celso esqueceu-se de ufanar-se da nossa camada de ar atmosférico ser tão boa como a da Alemanha, da Inglaterra ou dos Estados Unidos. Mas a solução do avião também não é integral; muito restrita quanto ao transporte de cargas e muito cara por não produzirmos ainda o maravilhoso líquido que se transforma em energia mecânica.

O de que necessita Mato Grosso, e com ele o Brasil inteiro, ressalta imediatamente: estradas de rodagem pavimentadas e petróleo nosso. Com isso venceremos todos os obstáculos da distância em terra e do custo muito elevado das viagens pela aerovia universal.

Em estado nenhum, como em Mato Grosso, uma cabeça que pensa vê mais claro as linhas gerais do problema brasileiro — que não é outubrismo, nem dezembrismo, nem marxismo, nem estadodessitismo, nem reforma eleitoral ou de instrução, nem octologogias e sim algo charramente rastejante: estradas de rodagem de verdade, ferro e petróleo.

Meu Deus! Como uma noção elementar como esta não entra na cabeça do indígena! Parece tão simples mas deve ser terrivelmente obscura, já que pouquíssimos a percebem.

Ferro: matéria prima da máquina, essa coisa aumentadora da eficiência do homem. Petróleo: matéria prima da energia mecânica que move a máquina. Estrada de rodagem pavimentada: pista por onde corre a máquina número um, a que suprime a distância, a que vence a légua, esse terrível inimigo dos países de território imenso.

Resolvam-se esses problemas parciais e teremos tudo, tudo, tudo. Fiquem sem solução e não teremos nada, nada, nada.

Ninguém ainda mediu os serviços tremendos que o automóvel já prestou ao Brasil, apesar da deficiência das estradas. Esses serviços, entretanto, foram reduzidos ao mínimo pelo eterno matador da galinha dos ovos de ouro chamado Governo.

Com os bárbaros impostos que lançou contra o automóvel, ficaram encarecidos em extremo o custo e o custeio da máquina número um; com os impostos canibalescos lançados sobre o combustível líquido, o Dá-Para-Trás impediu o esmagamento da distância.

Basta acentuar um ponto: a gasolina americana chega a Santos a trezentos réis o litro: se o consumidor paga por ela de mil e duzentos a mil e oitocentos, a culpa não cabe aos americanos, sim ao fato de não sermos governados pela inteligência.

O progresso do Brasil está diretamente condicionado à facilidade, rapidez e baixo custo do transporte. Se houvesse inteligência, ainda que rudimentar, no que chamamos Governo, taxava-se tudo, menos o transporte, porque taxar o transporte é positivamente matar a galinha dos ovos de ouro.

O que se dá é justamente o contrário. Para pegar um imposto imediato sobre a gasolina, o governo mata impostos cem vezes mais avultados, que fatalmente adviriam da riqueza criada pelo barateamento do transporte graças ao combustível entrado livre de taxas.

Essa entrada livre de taxas, entretanto, seria apenas uma solução de passagem, porque a perfeita só a teremos quando o combustível líquido for produzido aqui. Nada mais básico, nada mais fundamental para o desenvolvimento duma nação do que produzir em casa o combustível necessário à sua economia. A grandeza e a riqueza dos países que o fazem atestam o axioma — e para contraprova temos a miserável situação de dependência e penúria dos países que consomem combustível alheio.

Um país pode importar tudo, menos combustível, seja sob a forma de pão para alimento dos organismos humanos, seja sob a forma de petróleo para alimento das máquinas — e o Brasil importa pão e petróleo. Quem corre os olhos pelas nossas estatísticas assombra-se ante a persistência da inépcia. Metade do que vendemos no estrangeiro esvai-se na compra de combustível: pão para os estômagos e petróleo para as máquinas. Economicamente, que é isso senão um lento e doloroso suicídio?

Está claro que o homem se adapta a tudo. O chinês está tão adaptado à sua miséria milenária que a tem como irredutível contingência humana. O pária da Índia acha natural que ele seja pária e não se rebela. Nós brasileiros vamos de tal modo nos afazendo à nossa miséria crônica que nem sequer a enxergamos. Não vemos uma população rural de milhões de criaturas descalças, vestidas de farrapos, roídas de todas as doenças. Não vemos a decadência fisiológica desse triste gado humano, que os da cidade olham comiseradamente como seres de outra espécie, novo tipo de pária da América. E são milhões! É toda uma multidão imensa de homens verminados, gemebundos, que se esfalfam no trabalho da terra para benefício e gozo duma elite urbana parasitária. Não vemos e não queremos ver. A avestruz nos ensinou a moda de esconder a cabeça sob a asa no momento do perigo.

Numa arguta opinião de Carvalho de Brito, publicada domingo último neste jornal pelo insigne Mathias Ayres, vêm estas palavras: "Precisamos quanto antes melhorar o padrão de vida das nossas populações do interior, verdadeiros zeros econômicos no cômputo da riqueza do país. O caboclo que planta o seu algodão, fia e tece o seu vestuário rudimentar e come a roça que planta, é uma força econômica perdida para a coletividade".

Estude-se a fundo o porquê da coisa e ver-se-á que reside na deficiência e no preço excessivamente alto do transporte. Só nisso. E como o governo ataca o problema? Encarecendo ainda mais o transporte com as taxas ferozes sobre o combustível líquido e as máquinas de transportar. A ciência, a inventiva dos homens, deu à humanidade a maravilhosa máquina de solver todos os problemas do transporte terrestre, marítimo, fluvial ou aéreo: o motor de explosão acionado a gasolina. E que faz o governo do país que mais necessita de transporte? Taxa ferozmente, tranca, proíbe que aqui funcione ao alcance de todos a máquina maravilhosa...

A libertação, o fim do seu isolamento de dois séculos que Cuiabá entreviu quando por lá roncaram o primeiro automóvel e o primeiro avião, foi ilusório. Estevam de Mendonça esqueceu de levar em conta a contribuição que o governo iria dar às duas maravilhosas máquinas de suprimir a distância: o extremo encarecimento de ambas por meio de impostos que nem aos zulus ocorreria. E Cuiabá continua isolada, esperando, esperando.

A convicção dos que raciocinam com clareza é uma só: unicamente o petróleo arrancará Mato Grosso do seu entrevamento de duzentos anos. O gigantesco Laocoonte, enrolado pelas serpentes das léguas sem fim, só será libertado pelo sangue negro da terra — não vindo de fora, de longe, caríssimo, agravado pelas taxas ferozes da coisa federal, mas tirado dali mesmo e fornecido ao consumidor por preço mínimo.

Por preço mínimo, sim, porque por mais incrível que o pareça, a nova Constituição criou a semente donde vai sair a ressurreição econômica do Brasil. Há lá um artigo áureo, o 17, que diz: "É vedado ao município, ao Estado e a União, a tributação sob qualquer forma do combustível produzido no país para os motores de explosão".

Nesse artigo a Constituição assegura o arranque de Mato Grosso. Por isso os que têm olhos de ver longe já estão a olhar para a frente. Estão a ver no pantanal o surto de torres de sondagem aos milheiros. Estão a ver a terra sangrando de mil poços o líquido redentor.

Sim. Só o petróleo vence a distância. Só ele é o Flit destruidor das léguas que trazem manietado o nosso Laocoonte. Só ele permitirá que o homem domine a vastidão mato-grossense e integre no mundo econômico tão desmesurado e rico território.

A CIDADE DOS POBRES

No rosário de surpresas que me foi Belo Horizonte, tive as contas graúdas, as médias, as pequeninas — e duas delas luminosas. Entre as graúdas, ver a cidade inteiramente asfaltada, toda nesse "tom de lisura" que só o asfalto dá. Não se trata do asfalto acidental, aqui e ali, que vemos em São Paulo e Rio. Mas em toda ela. Foi conta de surpresa graúda, e a número um.

Entre as contas luminosas, acentuo uma unidade de direção estética visivelmente provinda dum espírito único. Em todos os melhoramentos novos, e nos em construção, sempre o mesmo vinco.

— Quem é? Que é? Há um dedo em tudo isto...

A explicação veio logo. Há três anos que o desenvolvimento da cidade é presidido por um desses homens excepcionais que os americanos classificam de *ag-*

gressive man, mas que além de *aggressive* (no alto sentido) possuem também uma funda sensibilidade artística. Sente-se nos mil nadas que formam o impressionante todo, a preocupação desse homem em fazer da sua administração uma obra prima. Otacilio Negrão é o nome amorosamente sussurrado por todas as novidades urbanas de Belo Horizonte, e com tanta insistência, que no cérebro do observador duas palavras se juntam para a classificação da raridade: o prefeito-perfeito.

Aliás, Belo Horizonte impõe hoje esse tipo altíssimo de diretor urbano. Quem pode conceber a Cidade-Certa, dirigida por um prefeito incerto? Não somente a *noblesse oblige*. A Beleza, também.

A política, essa velha arte de errar na escolha dos homens, às vezes cochila e acerta. Acertou maravilhosamente com o prefeito Negrão, criando assim uma contingência das mais sérias: Belo Horizonte nunca mais tolerará prefeitos medíocres. O padrão do homem adequado foi estabelecido duma vez para sempre. E tal é o valor de quem o estabeleceu, que diante dele o facciosismo político desaparece. O juízo a seu respeito é o mesmo até nos oposicionistas por sistema.

O encontro de tal prefeito foi a primeira conta luminosa do meu rosário de surpresas. Outra foi Ozanan, a cidadezinha dos pobres, obra ainda em via de realização.

Todas as cidades dão de si resíduos. Dão o lixo comum, resíduo das casas, e dão a mendicalha, resíduo demográfico. Note-se que a pobreza não constitui um mal. Simples contingência da desigualdade econômica. Mas a mendicalha é um mal que envenena, suja, afeia, os agrupamentos humanos. Ora, uma cidade tão linda e certa como Belo Horizonte, não podia ser afeiada por esse doloroso lúpus facial. Não podendo admitir o afeiamento, os mineiros procuraram e acharam talvez a única solução: a cidade Ozanan.

O mendigo é um produto residual das cidades. Assim como na indústria do algodão sobeja o linter, resto último da matéria prima trabalhada, assim os agrupamentos humanos produzem a mendicalha — linter demográfico. Mas por que motivo não proceder com a mendicalha do modo inteligente com que os industriais procedem com o linter? Se as fábricas "industrializam" o linter, por que não hão as cidades de "humanizar" a mendicalha? Esse raciocínio certo trouxe a solução certa. Tudo vai certo na Cidade Certa.

O linter humano será retirado da cidade e localizado na verdadeira usina de transformar mendigos em gente, que é a cidadezinha Ozanan. Lá será lavado, desinfetado, descaroçado, purgado, desverminado, higienizado, mercerizado, melhorado no possível e por fim humanizado. Humanizar o mendigo! Transformar o mendigo em gente! Positivamente a ideia é nova.

Como isso está longe da solução comum que ao problema dão todas as cidades do Brasil, consistente em deixar que a mendicalha siga o seu destino residual, se arrume como possa, coexista disseminada no corpo da população sadia, a encher o ar dos sábados com o cantochão da "esmolinha pelo amor de Deus" e a apodrecer em "casas de cachorro" que ela mesma ergue à beira das cidades, com barro, palha e lataria velha?

E quando não é esse deixar que a pobreza defectiva se arrume e se organize para a dolorosa caça aos vinténs dos sábados, temos a solução número dois: o asilamento. Os mendigos encarcerados em casarões odiosos, que os apavoram ainda mais que as célebres "misericórdias" onde os doentes sem recursos vão servir de material para experiências *in anima vile* dos estudantes de medicina.

A mendicalha solta determina a zoada típica, o tom, o som da mor parte das nossas cidades do interior — a música mendicante, o "esmolinha pelo amor de Deus" gemido em todos os tons da humanidade rastejante, sobretudo nos pontos de maior aglomeramento humano — portas de hotel, cinema ou igreja, e mais ainda nas estações de estrada de ferro. Quando o trem para e o viajante enfia a cabeça na janelinha para uma espiadela, o que inevitavelmente vê é um chapéu roto estendido diante da cara clássica do "pobre" que geme no tom mais apiedante possível o "esmolinha pelo amor de Deus". O contato habitual do viajante com a maioria dos nossos agrupamentos urbanos, na curta parada dos trens, não pode ser mais feio, mais doloroso nem mais deprimente.

E se acaso não é assim, então temos a certeza de que os mendigos estão asilados, isto é, presos nas cadeias denominadas asilos pelo crime de terem nascido residuais.

(Noutras cidades, como São Paulo e o Rio, a toada das ruas não é mendicante — é zoológica. "Cabra com 24", "Hoje é o touro", "Elefante com 45", "Urso", "Vaca", "Borboleta", "Águia", "Burro"...)

Mas os mineiros de Belo Horizonte, metrópole filha da inteligência e da previsão, de nenhum modo podiam admitir qualquer dessas soluções que não solucionam — e ei-los a criar a cidade Ozanan, a solução que soluciona. Ao lado da cidade dos normais estão a erguer a cidadezinha dos anormais, dos defectivos, dos mendigos por *contingência mental ou fisiológica. Mas nada que lembre o* odioso asilamento; tudo, assistência inteligentissimamente organizada. Em que consiste?

A cidade Ozanan comporta uma série de órgãos a serviço dum corpo *sui generis*. Há as casas dos pobres — casinhas singelas, mas elegantes e confortáveis, com instalações sanitárias e banheiro de chuva, distribuídas em ruas asfaltadas — asfaltadas, sim. O mineiro acredita no asfalto, sabe da influência melhorante e civilizante desse resíduo do petróleo.

Um mendigo a quem foi mostrada uma das primeiras casinhas construídas, deslumbrou-se, mas franziu o nariz diante do chuveiro.

— Chuva dentro de casa? Para que isso?

— Para banho, meu caro. Para lavar o corpo, porque a lavagem do corpo vai ser obrigatória.

— Então não venho morar aqui, — disse ele. — Nunca tomei banho em toda a minha vida e não é agora, que estou velho, que hei de me molhar...

Quer dizer que até limpos serão os corpos dos moradores de Ozanan. Limpos e curados. A assistência física disporá dum Isolamento, duma Farmácia e dum Lactário.

E haverá ainda todo o aparelhamento para a mais assistência necessária: a espiritual, na capela da cidadezinha; a educativa infantil (porque os mendigos também se dão ao luxo de procriar), no Grupo Escolar, no Pavilhão de Recreio e na Biblioteca. O linter passará por uma série de máquinas até que se humanize, e para o seu aproveitamento final existirão oficinas de trabalho ajeitadas de modo a tirar o melhor partido da operosidade ainda subsistente nesses cacos humanos.

A ideia central da cidade de Ozanan consiste em elevar o nível físico, mental e moral da mendicalha até o ponto da *recovery*, isto é, até que ela possa produzir trabalho. Mas trabalho consentido, livre, diferente do trabalho forçado dos asilos. O mendigo deixará de ser mendigo e ingressará na classificação normal de "gente" — embora gente que em vista da sua condição defectiva não dispensa a ajuda guiadora do cérebro que lhe falta.

Na cidade Ozanan viverão em liberdade; curados, se curáveis; ensinados, se ensináveis; afeitos ao uso da água e do sabão; com escola para os filhos; com biblioteca; com capelinha para rezar; com cinema onde possam deslumbrar-se com Shirley Temple; com ruas asfaltadas por onde circulem — com esse conjunto de coisas catalíticas da civilização, que agem educativamente pelo simples fato de nos rodearem.

Talvez quem isto leia tenha a impressão de algo excessivo, puramente ideológico e pois suscetível de fracasso. É que esse quem não leva em conta certas qualidades especialíssimas da mentalidade e da "civilização mineira": o senso da justa medida, o pragmatismo, o instinto da economia e do realizar o máximo com o mínimo de recursos — e sobretudo o senso da *mise au point*.

Inimigos da ostentação, os mineiros não fazem aquilo para espantar os povos, nem para inglês ver. O fim é um único: resolver de modo definitivo, e da maneira mais inteligente, o problema da mendicância numa cidade certa, cuja beleza não poderia, de maneira nenhuma, ser afeiada pela miséria às soltas, e cuja consciência não toleraria o remorso de sabê-la encarcerada num simples casarão de asilo.

As consequências próximas e remotas ressaltam à primeira vista. Arrancado ao pântano e colocado na terra firme da dignidade humana, parte do linter será recobrado e reintegrado no grupo humano normal. A parte insanável, irremediável, incurável, essa permanecerá improdutiva e como peso morto — mas sem a liberdade de ir macular a cidade linda. E se está certo Henry Ford no dizer, com base na sua experiência de aproveitamento dos defectivos, que só o idiota é caso perdido, Belo Horizonte conseguirá resolver de maneira radical um problema até aqui insolúvel.

E como está sendo feito isso? Com recursos do povo, assegurados por meio de donativos, renda de festas, subvenções, etc. Iniciativa mista, particular e pública a um tempo e que provoca na população um entusiasmo comovedor. O prefeito-perfeito, diretor da obra, sente mais orgulho em mostrar aquilo do que a enorme área que asfaltou, porque de fato aquilo diz mais da superioridade do povo de Belo Horizonte do que todos os outros melhoramentos, comuns a tantas outras cidades. Aquilo é só de lá.

No dia em que a lição mineira for meditada e todas as nossas cidades tiverem como apêndice a cidadezinha dos pobres, humaníssimo disfarce da "usina recuperadora dos resíduos demográficos", a terrível e dolorosa chaga da mendicância estará curada.

Minas *docet*.

JÚLIO CÉSAR DA SILVA

Há mais de um ano, uma notícia estúpida correu: morrera Júlio César. Notícias de morte há que nos alegram; outras, nos entristecem; outras nos revoltam. A notícia da morte de Júlio César eu a recebi com profunda revolta. Era uma estupidez da Morte levar uma criatura tão boa, tão fina, dessas que tanto enriquecem o mundo. Se numa galeria figura por muitos anos um quadro de Corot e de súbito o retiram, o lugar ficará vago, por mais telas novas que ali entrem.

Fui um profundo amigo de Júlio César. Sua morte valeu por me arrancarem à galeria da alma um Corot que já se me fizera orgânico. Revoltado, insultei os depredadores — a Vida, a Morte, o Destino.

Frequentemente, depois do serviço na repartição, vinha ele ao meu escritório, à tarde, antes de pegar o ônibus para o Belém, onde ficava a sua velha casinha. Estou a vê-lo surgir, sempre alinhado, como saído do alfaiate naquele momento. Também muito aprumado de físico. Os anos não tiveram força para perturbá-lo na indumentária nem no sereno brilho da inteligência.

Sereno, sim. Há inteligências de brilho fulgurante, faiscante, atordoante, como a desse esplêndido Martins Fontes que também nos deixou. Júlio era o dono da serenidade inalterável.

Nunca o vi exaltado. A maior ofensa que lhe fizessem, a maior injustiça, não o tirava daquele tom de Sócrates quando Xantipa, depois duma torrente de injúrias, lhe lançou ao rosto uma bacia d'água: "Depois da trovoada, o aguaceiro".

Júlio César havia alcançado esse cume da compreensão equidistante de todos os extremos — que é a filosofia. Estava na zona mais alta a que pôde chegar uma criatura obrigada a viver num mundo de criaturas "certas de que estão certas" — e agressivas no demonstrar que é assim. Todos os conflitos da humanidade vêm da intolerância da certeza.

Homem que era, entretanto, Júlio também tinha suas certezas — mas com que suavidade! Nunca insistia em impô-las pela violência, nem sequer pela argumentação — que é a violência da lógica. Admitia a relatividade de tudo. Se um aguaceiro repentino o pegava na rua, mudava temporariamente de ideias sobre o grotesco dos guarda-chuvas. Uma agulhada nos rins afrouxava-lhe o cepticismo quanto aos médicos.

Tentei um dia convencê-lo de qualquer coisa. "Quanta razão eu te daria, Lobato, se não fosse esta dor que me está torturando!" Isso me fez lembrar duma passagem de Camilo. Certa vez Guerra Junqueiro, em plena crise mística, fez uma viagem a S. Miguel de Seide para converter o grande torturado. Boa parte da noite passou o poeta a amontoar argumentos esmagadores do cepticismo — e ia acompanhando no rosto de Camilo a marcha da conversão. Vencera a campanha! Trouxera ao redil da fé aquela alma desgarrada. E certíssimo do triunfo, perguntou, no fim: "E então?". Camilo respondeu: "Dar-me-ia por vencido, se não fossem três bolinhos de bacalhau que me estão a espernear cá no estômago como três Voltaires".

Ter certezas é bom — mas admitir que até a má digestão as altera é sábio.

O prazer do meu convívio com Júlio César vinha da amplidão da sua tolerância por tudo quanto não fosse atentado contra a língua. Ah, nesse ponto era um sanguinário. Exigia correção gramatical até nas descomposturas. Sartorial e gloticamente, Júlio lembrava um manequim. Por idiota que fosse a ideia, ele a perdoava se vinha bem vestida.

O mundo o considerava pobre, porque para a ingenuidade do mundo pobre é não ter dinheiro. A mim, entretanto, Júlio sempre me deu a sensação dum dos homens mais opulentos de São Paulo — tanta era a riqueza que a cultura, a observação da vida, a experiência dos anos nele acumularam. Riquíssimo e pródigo: Júlio dava nababescamente. Um mão-aberta.

Sua memória ficara com o tempo um precioso museu de ideias, imagens, pontos de vista, finuras, pensamentos engenhosos, observações agudas, filosofias, graciosas galanterias — tudo que é flor espiritual. A quinta-essência dos grandes mestres da humanidade, de Luciano a Anatole France e Machado de Assis, ele a trazia consigo, bem digerida, para a educação estética dos que o rodeavam. Júlio, mais que poeta, foi um grande educador.

Muito espírito anda pelo mundo que lhe deve a lapidação. Muito primor humano, em sentimento e ideia, foi orientado e plasmado por ele. Sua força criatriz exercitava-se sobretudo num mister — formar criaturas femininas. Deixou poemas vivos de maior valor que seus poemas em verso.

Dar. Enriquecer os outros. Júlio era isso. Dos nossos numerosos encontros sempre saí aumentado — sem que ele, com o dar-me, se empobrecesse. Júlio veio ao mundo com o destino de cornucópia.

Raro na vida o que não cansa. *Tout lasse...* Júlio não cansava. Não era desse tipo de amigos de meia hora, uma hora ou duas — dos que passado esse tempo nos força ao "Até logo". Todos temos o nosso ponto de saturação — na amizade como no amor. Mas, amigo nenhum se saturava de Júlio César. Horas, dias que com ele conversássemos, era tempo encantado no começo, no meio e no fim do encontro. Eu, de mim, nunca o larguei por outra causa que não as contingências do horário da vida.

Os que o viam pela primeira vez implicavam-se com o seu apuro externo e interno, vendo nisso uma atitude. Não era, Júlio jamais teve atitudes. Seu apuro não passava da sua naturalidade. Quando muito, podemos dizer que Júlio César foi uma atitude da Vida.

Sua bondade filosófica chegava a ponto de não ver a maldade humana. "Deixe, deixe." Tão longe foi nisso, que me dava a ideia do Perdão feito homem. Consequência social: a Mesquinhez Humana jamais o perdoou...

Júlio!... Posso dizer que sei o tesouro que essa palavra me diz.

Apelo aos nossos operários

Programa proposto por M. L. aos operários da empresa editora que trazia o seu nome.

Toda empresa industrial que se respeita e pretende desenvolver-se cada vez mais, deve basear-se nos seguintes princípios:

1°) O verdadeiro objetivo de uma indústria não é ganhar dinheiro, e sim bem servir ao público, produzindo artigos de fabricação conscienciosa e vendendo-os pelos preços mais moderados possíveis. A indústria que se norteia por estes princípios nunca para de crescer, nem de desdobrar-se em benefícios para todos quantos nela cooperam. Torna-se uma obra de paciência, consciência e boa vontade — três elementos sem os quais nada se consegue no mundo.

2°) Uma empresa industrial depende da cooperação de três elementos: os diretores, os operários e o consumidor. Sem o concurso destes três fatores a indústria não pode substituir. Assim, os diretores, os operários e o consumidor funcionam como sócios da empresa, e nessa qualidade têm direito a participação nos lucros.

O sócio consumidor participa nos lucros recebendo artigos cada vez mais caprichados e por preços cada vez mais baixos. A indústria que procura lesar esse sócio impingindo artigos mal feitos e caros, não é indústria, é pirataria.

O sócio-operário participa nos lucros sob forma de constantes aumentos de salários. A indústria que não sabe ou não pode proporcionar este lucro ao sócio operário não cumpre a sua alta missão.

O sócio capitalista participa dos lucros sob forma de dividendos razoáveis. Ele forneceu o capital necessário à montagem da indústria e tem direito a uma remuneração proporcional.

3°) Os diretores da empresa fazem parte do seu operariado, com a única diferença que lhes cabe o trabalho mental da organização e da coordenação. A eles incumbe promover com inteligência e segurança a venda dos produtos de modo que nunca falte trabalho na fábrica e que, pela boa direção dos negócios, os três sócios aufiram os lucros a que têm direito.

Mas a todo direito corresponde um dever. O dever do sócio capitalista é não desprezar os outros sócios, querendo tudo para si; é contentar-se com uma quota justa, que não sacrifique o sócio consumidor nem o sócio-operário.

O dever do sócio-operário é dar à empresa a soma de trabalho que ao nela ser admitido se comprometeu a dar. Tanto lesa a indústria e a aniquila o mau patrão como o mau operário. Por mau operário entende-se todo aquele que trabalha de má vontade, procurando nas horas de oficina "encher o tempo", em vez de produzir. O operário que assim procede prejudica a si próprio, à sua família e à sociedade em que vive. Se todos fizessem o mesmo, que sucederia? A empresa cessaria de dar lucros, teria de baixar os salários, e por fim de fechar as portas, privando de trabalho inúmeras criaturas humanas.

Precisamos não nos esquecer nunca de que o trabalho é a lei da vida.

Sem trabalho não se vive. Tudo que na terra existe a mais da natureza, é produto do trabalho humano. Só o trabalho pode melhorar as condições de vida dos homens. Se assim é, nada mais inteligente do que trabalhar com alegria, consciência e boa vontade.

Nas empresas industriais de alto tipo o salário é uma forma prática de dar ao sócio-operário a sua parte nos lucros da produção. Mas como há de uma empresa auferir lucros suficientes para isso, se o operário produz pouco e de má vontade? Quem paga o salário não é o capital. Este apenas fornece as máquinas. Quem paga o salário é a produção, o que vale dizer que o operário se paga a si próprio. Ora, se assim é, quanto maior, mais eficiente, mais econômica e rápida for a produção, mais os lucros avultam e maiores serão os salários. Como pode pretender melhoria de salário o operário que produz mal, se o salário é uma consequência da sua produção?

A economia de tempo e material representa lucro e aumento de salário. Quem pode fazer um serviço em uma hora e o faz em duas; quem mata o tempo em vez de produzir; quem dá dez passos em vez dos oito necessários; quem espicha a sua tarefa; quem se esconde atrás de uma porta; quem maltrata uma máquina; quem estraga uma folha de papel; quem perde um minuto que seja de trabalho, lesa a empresa, e lesa, portanto, a si próprio. No fim do ano a soma desses pequenos desperdícios representa muito. A empresa que consegue evitá-los habilita-se a beneficiar ao público com melhoria de preços e ao operário com melhoria de paga.

Trabalhemos, pois, com amor e boa vontade, conscientes de que somos um organismo capaz de ir ao infinito, se todas as células cooperarem em harmonia para o fim comum. Podemos nos transformar numa empresa que nos orgulhe a todos — e a todos beneficie cada vez mais. Para isto o meio é a preocupação constante de produzir com o mais alto rendimento em perfeição e presteza.

Quem não pensar assim prestará um verdadeiro serviço à empresa, ao público e aos seus colegas, retirando-se. Nossa empresa saiu do nada, é filha de um modesto livrinho e tendo vencido mil obstáculos já faz honra a São Paulo. Mas devemos considerá-la apenas como um início do que poderá vir a ser. Está em nossas mãos torná-la um jequitibá majestoso à cuja sombra todos nós possamos nos abrigar — nós e mais tarde nossos filhos. Mas se não trabalharmos com boa vontade e consciência do que estamos fazendo, o jequitibá não assumirá nunca a majestade que tem na floresta e não dará a sombra de que todos precisamos.

A GEADA

A grande geada de 1918 foi a maior jamais observada na terra paulista. M. L. percorreu durante dez dias as linhas da Paulista, da Mogiana e da Sorocabana "vendo a geada" e de volta publicou suas impressões.

I

Em linhas gerais a situação determinada pelos grandes frios de junho desenha-se com bastante relevo. A lavoura principal do país, a parte sólida por excelência do patrimônio nacional, foi destruída por metade, e está rudemente combalida no restante. Daí a premência de restaurá-la. Para isso: necessidade absoluta de adotar uma cultura de transição, cujo produto valha ouro como vale o café; e dotá-la em proporções tais que permitam um relativo equilíbrio. Só há um produto capaz disso: o algodão. Mas muito algodão!

Uma safra que baste apenas para o consumo interno seria em tempos normais uma grande coisa. Agora é nada. São Paulo precisa produzir, dentro de poucos meses, fibra que baste para o seu consumo, e que saia exportada em fortíssima escala. Do contrário é a bancarrota.

As futuras colheitas de café, por quatro ou cinco anos pelo menos, serão insignificantes. A de 1919 não irá além de 3 milhões, se lá chegar. Produzirá 120 mil contos. Que valem 120 mil contos? Que valem 120 mil contos para quem só ao Estado precisa dar metade, e para o seu giro interno necessitou sempre de 400 mil?

Vê-se daqui como é séria a situação das nossas finanças públicas. Como se comportarão elas com tão súbita embolia na entrada anual de ouro?

O sistema político de São Paulo, e em grande parte o do Brasil, repousa na exportação do café. Café e borracha foram os bois de coice que na República sempre arcaram com todo o peso da carreta financeira, arrancando-a dos maus passos lamacentos. Fiados na rijeza do seus músculos, os nossos estadistas cometeram os maiores crimes administrativos e econômicos, sacando desapoderadamente sobre o futuro para cobrir lacunas do presente.

Um belo dia, porém, graças à esperteza do inglês congregada à nossa proverbial inépcia, o boi da borracha se viu retirado do serviço. Ficou sozinho na canga o pobre boi do café — e obrigado a puxar carga dupla.

Lá ia indo, mordido da berneira dos impostos, taxas e sobretaxas, escorvado com as alfafas das valorizações e outras mezinhas de curandeiro. Mas vem a geada, desaba sobre o café o Polo — e ei-lo descadeirado de vez. Como, agora, assim perrengue de três quartos, pôde ele operar com o quarto restante um serviço de tiro anteriormente distribuído por oito valentes pernas?

A situação agravou-se seriamente; e ou os nossos governantes colocam na canga um heroico auxiliar capaz de façanhas, enquanto o boi "Rubídio" sara e restaura as forças, ou desta feita o carro afunda até aos fueiros na lama da derrocada.

Está visto que este auxiliar não pode ser outro senão a preciosa fibra do ouro branco.

Basta, porém, indicá-lo? O lavrador está farto de saber melhor do que ninguém que o bom esparadrapo é de algodão. Mas, derrancado, tonto ainda com a pancada que levou na cabeça, tem direito de esperar que pressurosamente o ajudem a atrelar no carro, bem arreado e sadio, o novo boi. E como é assim, nunca foi imposta à ação governamental uma tarefa mais séria e urgente.

Vai nisso a salvação de ambos, lavoura e governo. Para salvar-se, o governo há de botar espeques na lavoura. Do contrário, desabamento a dois. Até aqui o café despejava no Tesouro, todos os anos, com regularidade de ampulheta, a carrada de ouro que constituía a base, o núcleo central, o peão da nossa vida financeira. Apesar disso o país ia escorregando pela rampa da falência, como por um pau de sebo abaixo.

O regime do déficit normalizou-se. Não há ingênuo que admita a hipótese de vê-lo expungido dos orçamentos. O déficit persiste, insiste, estufa, engorda, prolifera — e dá até crias municipais.

Já se alteou, na República, a mais de dois milhões de contos. Já forçou o ilustre financista Bulhões a inventar uma teoria explicativa *sui-generis*: o déficit cresce porque enriquecemos. A riqueza pública aumenta: logo, é natural que o déficit aumente.

A orgia republicana alterou até as velhas regras da lógica e da aritmética. Outrora, "mais" dava "mais". Hoje, dá "menos". Mais riqueza pública significava menos recurso ao crédito, mais abundância, mais saldos. Hoje, mais riqueza significa mais déficit, pior câmbio, moratórias maiores. Uma charada. A ciência das finanças do velho Adam Smith está positivamente revogada e substituída por uma espécie de ciência esotérica.

Só os grandes iniciados possuem a chave dos mistérios. Breve veremos como este ocultismo financeiro malabariza o problema.

Mas, malabarize-o como malabarizar, venham as teorias cabalísticas que vierem, um ponto do problema não admite "histórias": — ou o Estado acode à lavoura e salva as suas finanças, ou despenha-se com ela no abismo — como aconteceu na terra da borracha.

A lavoura está nesta posição: necessitada de crédito mais do que nunca e mais do que nunca sem crédito. Do capital particular não pode socorrer-se. Além de escasso, esse capital é arisco e caro: a lavoura não suporta juros de um por cento.

O mecanismo comissário de Santos não tem forças para ampará-la. Opera adiantamentos por um ano: não tem elasticidade para dilatá-los a quatro ou cinco. Também não adiantará dinheiro com a garantia de algodão: não é seu negócio o algodão. Fechadas essas duas portas, só resta uma: o estado. Ele, só ele, pode e há de remediar o aperto.

Forças conjugadas, nascida uma da outra, lavoura e estado vivem em simbiose — e são sócias forçadas na prosperidade e na desgraça.

Um fazendeiro da Noroeste formulou assim o seu caso, que é o caso de metade da lavoura paulista: "Perdi quinhentos mil pés. Estou reduzido a benfeitorias e terra nua. Quero recomeçar. Quero lançar-me no algodão. Tenho as energias precisas, mas falta-me o dinheiro para a empreitada. Recorri a um capitalista amigo, e tomei com o previsto não. Recebi outro não do meu comissário em Santos. Ora, por mais boa vontade e fibra que eu tenha, por melhor que sejam as minhas terras, posso tudo, menos inventar dinheiro. Sem dinheiro esta máquina não anda. Negam-mo de todos os lados? Paciência. Vou vegetar à moda do caboclo, e a fazenda que leve à breca. Resta-me uma esperança, o estado. Se ele for inteligente, virá ajudar-me. O proveito será recíproco."

Outro fazendeiro torrado pela geada dizia: "Eu tenho um sócio fidalgo que mora na capital. Sempre viveu à custa do meu trabalho. Come-me todos os anos uma boa parte dos lucros, e em troca me dá, principalmente, a honra de ser meu sócio. É poderoso, influente, acatado, e vive com estadão num palácio. Se paro de trabalhar e produzir, quero ver como ele se aguenta! Fio-me nisso. Todos andam inquietos; eu, não. O meu sócio desta vez há de pular, há de fazer das tripas coração, inventar, falsificar dinheiro se preciso for, para me socorrer nesta apertura. E vai fazê-lo, fingindo que o faz pelos meus belos olhos, porém na realidade movido pelo interesse próprio, pelo instinto de conservação".

— Quem é esse sócio?

— O Governo.

É isso mesmo. Lavoura de café e governo são entidades xifópagas, interdependentes, sócias. O lavrador sabe muito bem disso, e por essa razão está calado, esperando. Em crises infinitamente menos graves gritou muito mais. Hoje não grita, espera. Sabe por intuição que pela primeira vez a geada alcançou o sócio rico; e que este não poderá limitar-se a belas palavras e promessas, como tantas vezes. As boas cartas desta feita vieram parar às mãos do parceiro que sempre "ficava burro".

Em relação ao comércio do café sucede o mesmo. Os ases passaram para as mãos da lavoura. Quem ditará os preços será, por um lustro no mínimo, o escalavrado produtor, mormente se o algodão lhe correr a contento. Poderá resistir. Senhor de duas culturas contíguas, tocadas pelo mesmo braço, na mesma terra, escorar-se-á numa quando lhe procurarem arrebatar, a preço de custo, a outra. Resistirá — e pela primeira vez, porque na monocultura toda resistência era impossível. O café vai entrar em alta longa. Coliguem-se contra ela todas as forças baixistas: a alta existirá, resistirá, persistirá. Com uma série de safras de café pequenas, e muito algodão nas tulhas, os lavradores de S. Paulo serrarão de cima durante longos anos. E quem sabe se um dia não hão de abençoar esta grande geada, e cognominá-la de Geada de Ouro? Que não é possível neste mundo?

II

Um lavrador geado em cem mil pés definiu ornitologicamente a situação:

— "Antes do dia de São João éramos um periquito verde; veio o pealo e víramos tico-tico arrepiado. E vai ver que ainda acabamos em vira, depois das queimas de agosto..."

A imagem não é das piores. Até no que tem de jocosa é típica. Quando a desgraça é "por demais", dá mesmo vontade de rir sem gosto e fazer pilhérias macabras.

Quem se der ao trabalho de gastar uma semana em excursão pelo ex-oceano do café — a coisa de que mais nos orgulhávamos, nós paulistas, pela sensação de riqueza vitoriosa que todos ali sentíamos — voltará murcho, cabisbaixo, e geado por dentro nas esperanças — tamanho foi o desastre.

Quase tudo destruído. Tudo torrado. Tudo pardacento. Verde, coisa nenhuma...

Pelas colinas onde exuberavam as ondas verde-escuras dos cafezais sem fim, e as manchas esmeraldinas da cana, e a poliverdura das copeiras, matas e pastos, impera hoje a gama grisalha das sépias, dos ocres secos e dos vermelhos queimados, numa moxinifada de tons sujos e mortos.

Não é a paisagem clássica do outono — folhas amarelas a soltarem-se ao vento, e na desnudez incipiente das árvores a certeza de que elas se precavem contra as insídias do frio, para um despertar mais belo após a estagnação do letargo hibernal. A vegetação não hibernou: morreu. As folhas estorricadas não se destacam dos ramos, porque estes, mortos, não têm mais força para alijá-las de si. Morreram ambos, dum mesmo traumatismo celular: — a seiva congelou-se-lhe nos vasos e pela dilatação rompeu a rede de canalículos por onde circulava. E assim permanecerão unidos até que venham separá-los as chuvas.

As árvores mortas lembram aqueles cadáveres descritos por Euclides da Cunha nos *Sertões* — "higrômetros singulares..." Conservam-se intactas, guardando a atitude que tinham em vida, cheias, repolhudas. Às primeiras chuvas, porém, esboroar-se-ão e transformar-se-ão em lenha arreganhada.

Cafezais belíssimos, a flor da lavoura cafeeira de São Paulo e, portanto, do mundo, em linhas como tiradas a régua, uniformes, a mesma altura, o mesmo bojo, — granadeiros da riqueza perfilados aos milhões..., mas mortos, imóveis, como asfixiados por um gás de guerra — em forma ainda, com todas as folhas a postos...

A impressão é dolorosíssima. E se dum cafezal erguemos os olhos para pousá-los na mata que surge adiante, a impressão persiste. Foram-se as matas. O aspecto atual é de um fim de tudo.

Submetidas à congelação, cada planta comporta-se a seu modo. Há as que enegrecem a fronde, e semelham árvores emersas dum banho de nanquim. Ostentam outras colorações terrosas, que sobem, em escada, da terra de Siena ao amarelo claro da palha de arroz. As pastagens de catingueiro batidas de geada confundem-se com o roxo-terra do chão. E nesses plainos escampos, léguas e léguas, em todas as direções, outra nota de verdura não nos reconforta os olhos além do pontilhado verde-veronês da vassourinha. Só ela, as laranjeiras, a alfafa, o eucalipto e uma ou outra praga de campo, resistiram à torra. Dos capins, só o infame barba de bode, nos cerrados de terra seca.

O gado, nas invernadas de catingueiro onde engordava ou criava, dispersa-se faminto, de focinho sempre rente ao chão. Não ergue a cabeça sequer para ver passar o trem, tão sério se tornou para ele o problema alimentar. Se acode às capoeiras de "encosto", encontra lá a mesma penúria: a torra foi uniforme e geral.

Em torno às casas, os alegres retângulos sempre verdejantes das hortas e pomares são hoje um amontoado infame de galhaça resseca. Foram-se as belas mangueiras copadas. Das bananeiras viçosas não se salvou uma. Os mamoeiros, a cana, a mandioca, a mamona: torrados.

Nunca se fez maior dispêndio deste adjetivo e do verbo correspondente. Tais palavras dão o tom em todas as palestras. Nos trens, nas estações, nas ruas, nos clubes, nos hotéis, nos cafés, o assunto é sempre o mesmo, obsedante, e sempre escondido pelos lúgubres vocábulos.

— A fazenda tal?

— Torrada.

— S. Manuel? Jaú?

— Torradinhos.

— Tem notícias da Noroeste?

— Torrada inteira.

— E do Paraná? A Araraquarense? A Douradense?

— Tudo torrado.

E não há nisso, o que é o pior, nenhum exagero. A maioria das mais belas fazendas de São Paulo ficaram numa noite reduzidas a chão apenas. Tudo quanto nelas representava o labor do homem, anos e anos de trabalho paciente, o melhor do esforço e da inteligência dos nossos fazendeiros, tudo desapareceu, completamente destruído. Ficaram a terra e as benfeitorias.

— Volta, brota de novo, — dizem os otimistas.

Perfeitamente. Mas, brotado ou replantado, não representará isso uma nova formação de cafezais? Essa volta não exigirá uma soma de trabalho e um espaço de tempo iguais aos despendidos com a primeira formação? Logo, a geada de junho se traduz numa fantástica destruição de capital, feita em escala de que não há notícia de outra em nenhum país do mundo. Faça o que fizer, pule o que pular: quem perdeu, digamos, cem mil cafeeiros, perdeu, destruído, queimado, incinerado, um capital de cem contos.

É, portanto, necessário, no ativo das nossas magras riquezas, dar baixa às centenas de mil contos representadas pelas centenas de milhões de cafeeiros torrados.

Essa é a dura verdade. Por enquanto, iludidos pelas aparências, ninguém dá a devida importância ao prodigioso desastre.

Fiam-se em que há exagero, e não percebem como o café é ainda o supedâneo sobre o qual toda a economia de São Paulo repousa.

Mas dentro de poucos meses, à medida que se escoar a safra deste ano, todos sentiremos, direta ou indiretamente, os reflexos da nevada. Que há exagero, isso há. Mas para menos. Pela primeira vez em nossa terra acontece semelhante anormalidade: exagero às avessas...

No meio deste quadro apavorante, como se comporta o homem?

Percebe-se que ele ainda está sob uma impressão de estupor. A pancada foi demasiado forte e insidiosa. Há uma tonteira geral. As ideias andam embaralhadas.

Uns sacodem os ombros: Que fazer? Outros riem-se — riem um riso *sui-generis* — um riso de geada. A maioria queda-se num langor fatalista. "O que tem de ser tem muita força" — é um princípio corrente, de alta sabedoria, repetido amiúde pelos que, por força do bom senso, exercem entre os demais a função de pajés. "Deus tira, Deus dá" — é outra ficha de consolação.

Apela-se para o governo, sem grande fé no governo. Apela-se para o algodão, sem muita fé no algodão. Apela-se para a Providência — Deus é brasileiro, mas sem grande fé nesse brasileirismo. "Vê-se que Deus é brasileiro", dizem os céticos, apontando a balbúrdia em que isto vai. E todos aguardam o mês de setembro, a ver como se comportam na primavera as plantas queimadas.

Até agora nenhum movimento sério se denunciou entre os fazendeiros — as vítimas, para uma associação, um congregamento de esforços, uma ação conjunta. A grande geada não foi suficiente para movê-los a isso. Esperam, talvez, uma chuva de formicida no rabo...

Num clube de formosa cidade oestina, centro de intensa produção de café, os grandes fazendeiros da zona comentavam calmamente a situação. — "Precisamos nos reunir, formar o centro da lavoura, organizar partido, congregar energias", — declamava um deles.

— "Impossível", — interveio outro; — "nós descendemos na maioria de negociantes de animais. Se nos reunimos, logo um procura jeito de embaçar o outro. À toa, sem fito de lucro muitas vezes, só para poder depois piscar o olho e considerar-se o mais esperto."

Há bastante psicologia nessa charge. O vício do barganhismo aciganado estragou a nossa gente. E tanto, que ainda hoje, quando se negocia uma fazenda, as partes interessadas não se referem à transação em termos honestamente lisos. É sempre de jeito a permitir a clássica piscadela d'olho.

— "Impingi a minha fazenda a Fulano", diz o vendedor. E o comprador vai nas mesmas águas: — "Passei a perna em Sicrano: ele não sabe o que me vendeu."

Ambos, entretanto, estão convencidos de que nenhum foi logrado: o negócio se fez pelo valor real.

Ora, com este vício no sangue, como hão de associar-se os lavradores, se a base da associação é a confiança recíproca? Isso faz morrer em germe todas tentativas de agremiação, e impede, ainda num momento grave como este, que parta da lavoura o grande movimento coesivo que lhe daria uma força gigantesca. E no entanto todos sabem de que prodígios é capaz a união.

Sabem, mas inconvenientemente sacrificam tudo pelo prazerzinho atávico de piscar o olho...

III

Os estragos da geada não ficarão apenas — apenas! — no que hoje se vê. Irão além. O fogo não tardará a completar a obra do gelo. Já começaram as queimas, detidas, felizmente, pelas últimas chuvinhas. Inda assim enormes extensões de matas, capoeiras e campos já estão reduzidas a cinzas. Logo que agosto, o mês clássico do fogo, entre com as suas longas estiagens, São Paulo assistirá ao maior incêndio que jamais assolou as suas terras.

Com a frouxidão das nossas posturas municipais relativas ao caso, com os nossos costumes, com a escassez da população rural, não há aceiro, nem ação prática protetora da vestimenta do solo.

É incalculável a soma de males que faz ao nosso país o regime do fogo anual. Os sertões do Centro são já um deserto, árido e nu, carrasquento e inútil, por obra da queima sistemática. Inúmeras outras regiões caminham para esse mesmo fim. Aqui em São Paulo, nos campos marginais da Sorocabana, observa-se a fatura do deserto artificial. Há até o caso típico da palmeirinha indaiá, que num prodígio de adaptação meteu terra a dentro o caule, de modo que as palmas brotam á flor do solo. Só assim consegue subsistir, conformada ao regime periódico do *fogo*.

Os males da queimada, os prejuízos que ela acarreta ao solo, ninguém os poderá calcular. São infinitos. Todos os sais extraídos da terra pelas plantas durante um período vegetativo, se veem de um momento para outro em estado de cinzas, depositados à superfície, de onde as águas os arrastam para os córregos, para os rios, para o mar, anemiando assim o solo. Ninguém dá ao fenômeno o devido valor, porque tais prejuízos não se fazem sentir no momento e em moeda. Mas representam ônus tremendos, e dificuldades sem conta, que amontoamos para o futuro.

Quem ateia o fogo? Ninguém. Ninguém e todo mundo. Os malvados de alma neroniana, amigos do belo espetáculo anual. Os descuidados. O acaso. As estradas de ferro. E até — diz o caboclo manhoso, inventando álibis para isentar-se de uma culpa velha — o sol. "Fogo de agosto gera por si." Mas a grande incendiária, não resta dúvida, é a locomotiva das nossas estradas de ferro que usam lenha. Basta uma delas, a Sorocabana, por exemplo, para atear fogo no mundo. Esta estrada, hoje inglesada em *Railway*, parece até que, para divertir os seus passageiros, ou aliviá-los da infinita lombeira causada pela velocidade de vinte S. P. (entenda-se *Snail Powder*) que imprime aos seus trens maravilhosamente bem organizados em matéria de atraso, transforma a chaminé das locomotivas em pistolões pirotécnicos. É de ver, por entre rolos de fumo, o lindo efeito daqueles borbotões de faíscas que o vento espalha em todo o percurso pelos campos marginais.

Por estas e outras razões a opinião sensata pende a crer no incêndio geral em agosto. E assim, aos prejuízos já verificados da geada, teríamos de acrescentar ainda os iminentes, em ser, mas inevitáveis, do fogo. Só em setembro, pois, com a entrada das chuvas, é que se tornará possível um cálculo completo do desfalque determinado pela grande geada na economia de S. Paulo.

Quanto aos estragos só da geada, não há ainda base segura para um cálculo sério. Entretanto, medido a olhômetro, único instrumento de emprego possível no momento, não haverá exagero em computar em quatrocentos milhões o número de cafeeiros perdidos. Ao preço de mil réis o pé, só aqui temos uma destruição de capital equivalente a quatrocentos mil contos. Porque — insistimos — brotados após uma poda geral, ou replantados de novo, em qualquer das hipóteses o fato significará uma "reconstituição" exigidora de novos capitais, muito trabalho e muito tempo.

Em seguida aos do café vêm os prejuízos da cana. Esta cultura, generalizada como está no Estado inteiro, em grande escala nos centros açucareiros, em pequena escala por todos os recantos onde se produz rapadura e pinga para o consumo local, avulta fortemente no ativo da riqueza paulista. E como o açúcar, a rapadura e o álcool são gêneros de primeira necessidade, a nossa população haverá que importá-los, caríssimos, desfalcando assim as suas reservas monetárias. Depois da cana virá, talvez, a mamona, cultura nova que assumiu em consequência da guerra uma amplitude imprevista.

Quase completa como foi a queima dos mamonais, um milhão de sacas, pelo menos, da colheita em perspectiva, deixará de entrar em movimento.

Há ainda a mandioca, atrasada de um ano; há as frutas. Destas, a banana exerce uma importante função alimentar. Cultivada em toda parte, em todos os quintais, em todas as sitiocas, entra na alimentação popular numa quota que só agora será devidamente avaliada. A sua ausência forçará o consumidor à substituição — e milhões de criaturas vão pagar a preços da hora da morte as tantas calorias que a preciosa fruta lhes proporcionava de graça.

Também as mangas, o abacaxi, o mamão e mais miuçalha, representam, pela abundância, um valor econômico muito mais alto do que parece, e sua falta determinará a necessidade de carregar a mão nos sucedâneos. Inúmeras outras coisas, de pequeno valor econômico nas unidades, mas avultado no total, entram ainda em jogo. Tudo somado alçará a meio milhão de contos os prejuízos da inexorável onda de frio com que nos mimoseou o polo.

Quer isto dizer que São Paulo vai, durante um lustro pelo menos, trabalhar com redobrado esforço afim de restaurar-se na situação em que se achava no dia do flagelante meteoro.

E para isso ainda é mister recorrer a uma cultura intermediária — transitória — de espera. Uma cultura que se faça no próprio terreno ocupado pelo café; que lhe não prejudique a brotação; que se dê bem nas terras e no clima cafeeiro; que tenha nos mercados uma cotação; que seja mercadoria exportável; que não desequilibre o funcionamento normal das fazendas; uma cultura providencial, em suma, espécie de dom do céu para consolo e arranjo das vítimas que esse mesmo céu, em momento de inclemência, arruinou. Essa cultura — o Estado de São Paulo inteiro, numa estupenda unanimidade de vistas já a elegeu — é o algodão.

Mais estradas...

Depois de sua volta dos Estados Unidos M. L. manteve-se em silêncio. Só o rompeu quando, após a revolução paulista, o interventor Valdomiro Lima lançou um planejamento de construção de quinze mil quilômetros de estradas de rodagem. Na onda de condenação do projeto pelos paulistas ressentidos, a nota discordante foi este artigo de M. L., o qual punha as estradas acima até do amargor da derrota.

São Paulo fala novamente em estradas. O governo traçou um plano de quinze mil quilômetros, ao custo de quinhentos mil contos, distribuídos por uma série de anos. A "opinião pública" imediatamente se assanhou e os catões de sobrecasaca murmuraram que era muito, que o momento não comportava obra de tal vulto, que não estávamos em condições, etc. Consequência: o governo fez como o caramujo — encolheu-se, e parece que São Paulo vai continuar como até aqui — ridiculamente descalço, isto é, sem rodovias pavimentadas.

Porque São Paulo, apesar de supor que tem estradas, não tem estradas; ou as tem em tão miserável mínimo que é como se as não tivesse. Vejamos isso.

Diz a estatística oficial que há em São Paulo três mil quilômetros de estradas estaduais; vinte e cinco mil de municipais e mil e tantos de particulares.

Seria alguma coisa tal quilometragem, se merecesse o nome de estrada a infâmia de poeira, buracos, pontilhões furados e lameiros que esses vinte e cinco mil quilômetros de vias municipais na realidade representam. Se chove uns dias, o tráfego intermunicipal para. Só a nado pode alguém passar duma cidade a outra — e natação em lama. Os Fords viram anfíbios, viram jacarés e operam os maiores prodígios de malabarismo nas derrapagens e atolamentos mais inconcebíveis. Apesar disso a serpente de lama de vinte e cinco mil quilômetros continua a receber o nome de estrada!...

Se não chove, a serpente de lama transforma-se em serpente de pó infernal. Os Fords — sempre eles! — trafegam dentro dum rolo móvel de horrendo pó vermelho. O audacioso viajante, ao chegar em casa, sacode-se e "dá aterro". E a coisa continua a receber o nome de *estrada*...

Além dessas *estradas* municipais, existem três mil quilômetros de vias apedregulhadas que devemos ao "presidente estradeiro". Quando Washington Luís, mostrando-se com mais visão do que todos os governos anteriores, iniciou a abertura dessas estradas, foi um brado de alarma! A "opinião pública" protestou — que ele estava pondo fora o dinheiro do povo, que era aquilo um crime contra a economia paulista, que a ocasião não era oportuna, etc. Os mesmos argumentos que agora se erguem contra o projeto Valdomiro Lima. E Washington Luís foi depreciativamente cognominado "estradeiro". Hoje isso constitui o seu maior título de glória.

São essas estradas do "estradeiro" as únicas que merecem o nome de estradas. E que o merecem em parte, porque estão ainda muito longe de ser o que precisam ser. O simples fato de estarem na categoria das estradas de pedregulho mostra que são de terceira classe. Há acima delas as de macadame, as de asfalto e as de concreto.

Deste último tipo, que constitui a primeira classe, só nos consta que haja o trecho que vai de São Paulo a Santo Amaro — uma miséria.

Quer dizer que São Paulo, o orgulhoso São Paulo que até guerras já faz, continua tão rudimentar em matéria de estradas como os mais capengas países do mundo — China, Paraguai...

Tomemos, para comparar, três estados americanos de população equivalente à de São Paulo — Illinois, Ohio e Texas, dos quais temos uma estatística de 1926 — já bem atrasada. Apesar disso seus números nos envergonham. De estradas de 4.a classe tinham esses estados, respectivamente, 7.942, 2.254 e 15.150 quilômetros.

De estradas de 3.a classe (correspondentes às nossas famosas rodovias washingtonianas) tinham: o Ohio, 5.000 e o Texas, 9.555 quilômetros. O Illinois, nenhuma — nem sequer as usa.

Estradas de 2.a classe, ou de macadame: Illinois, 7.200; Ohio 2.800 e Texas, 3.400 quilômetros.

Estradas de 1.a classe, de asfalto ou concreto: Illinois, 7.300; Ohio, 5.200; Texas, 1.180 quilômetros.

Essas estradas acarretavam em 1926 uma despesa de 66.200.000 dólares para o Illinois; de 45.500.000 dólares para o Ohio e de 44.000.000 de dólares para o Texas.

As taxas sobre automóveis arrecadadas em 1927 produziram para o Illinois, 14.797.000 de dólares; para o Ohio, 10.379.000; e para o Texas, 15.028.000.

Os números relativos à construção e conservação das estradas desses três estados em 1926, correspondem em nossa moeda (treze mil réis o dólar) a oitocentos e sessenta mil contos para o Illinois, quinhentos e noventa mil contos para o Ohio e quinhentos e setenta e dois mil contos para o Texas.

Isso num ano. Aqui toda gente arrepia os cabelos com um minguadíssimo dispêndio de menos que isso repartido numa longa série de anos! O defeito do projeto Valdomiro Lima está apenas em ser pequeno demais para São Paulo, isso sim. Por estreito, por mesquinho, por muito pequeno para São Paulo, sim, devia ser criticado. Os recursos de São Paulo, já desenvolvidos ou latentes, estão a exigir, a clamar em altos brados pela extensão desse projeto.

Porque é supremamente ridículo o que sucede entre nós. Quem viaja pelo interior entusiasma-se com o que vê produzido pela iniciativa particular. Fez ela por toda parte o máximo que lhe estava nas forças; mas esse trabalho formidável de criação se vê peado, paralisado, sabotado, anquilosado pela inépcia ou miopia duma série de governos que jamais estiveram na altura do povo paulista. Este faz sempre o máximo; seus governos dão-lhe sempre o mínimo. É soberanamente grotesco esse mínimo de estradas que até hoje os governos de São Paulo deram ao heroico povo paulista — heroico no trabalho.

O mal vem dos governos serem compostos de homens que vivem muito a cômodo na capital. Desconhecem as necessidades do interior. Não amassam a lama das estradas municipais. Não se empoam de vermelho dos pés à cabeça. Não veem os seus carros derraparem horrorosamente nos dias de chuva. Não sabem o que vai de atolamentos por aí afora.

Nós precisávamos botar tropeiros, carreiros e *chauffeurs* no governo. Então, sim, teríamos lá em cima gente na altura de compreender o que a estrada de rodagem significa e precisa ser.

Mas o dinheiro?

Ora, o dinheiro! Já faltou alguma vez dinheiro para uma patota? Para ser gasto em coisas improdutivas acaso faltou? Se o povo pacientemente o dá para a infinidade de coisas inúteis em que o gastamos, com que prazer não o daria para um serviço que vem tão enormemente beneficiá-lo de modo direto e indireto!

O triste deste incidente das estradas de rodagem de São Paulo é a verificação de que elas têm ainda de ser "pregadas", apesar de toda a vida da humanidade, sobretudo depois da conquista romana, não fazer outra coisa senão provar e reprovar, demonstrar e redemonstrar até ao infinito da exaustão, que o transporte é tudo, absolutamente tudo num país; e que, portanto, não há vida, nem civilização, nem riqueza, nem nada, sem caminhos facilmente trafegáveis, por onde as gentes e as mercadorias escoem.

Dias atrás o diretor do serviço de estradas de rodagem de São Paulo fez uma longa conferência sobre o assunto. Dá tristeza isso. O fato de aparecer um conferencista procurando demonstrar a necessidade de estradas quer dizer que estamos ainda em fase de catequese...

Se num país realmente civilizado aparecesse alguém a demonstrar em público a necessidade de estradas, seria recolhido ao hospício mais próximo, ou a um museu, como curiosidade teratológica. Aqui, não. Aqui ainda é preciso demonstrar (e a quem? a paulistas!) que a estrada é isto e aquilo, e que sem estradas não é possível transporte, e que sem transporte não é possível riqueza nem coisa nenhuma...

Também cremos que é aqui o único país no mundo em que se faz necessário demonstrar com argumentos de Anchieta para os índios que é necessário ter petróleo e ferro, porque sem a máquina que sai do ferro e sem a energia que move a máquina não existe civilização, nem riqueza possível.

No entanto constitui axioma indiscutido no mundo inteiro — ou nas partes do mundo onde o homem raciocina com a cabeça e não com o rabo, que o problema supremo da humanidade é o TRANSPORTE; que tudo, tudo, tudo na vida se resume a uma questão de transporte. E que para o transporte são indispensáveis três elementos: ferro, para a construção do veículo que recebe a carga; energia (carvão ou petróleo), para mover esse veículo; e uma superfície plana, lisa, rígida, convenientemente pavimentada, sobre a qual o veículo possa deslizar. Matéria prima do progresso, portanto: ferro, carvão ou petróleo e estradas — conjugados.

Esta noção rudimentaríssima, que até os negros d'África já assimilaram, ainda não entrou na cabeça da nossa gente. Ainda necessita ser pregada nos jornais, na tribuna e nas palestras de esquina. E o argutíssimo *Homo brasiliensis* ainda pisca o olho finório, dizendo: "Marosca. Neste pau tem mel!" e outras observações chimpanzéicas.

E ainda a opinião pública se levanta, formalizada, como se houvesse ingerido todo um conselheiro Acácio, com sobrecasaca e tudo, para murmurar: "O momento não é oportuno para pensarmos em obra de tal fôlego. Prudência, amigos, prudência..."

E o pobre país continua sem transporte, a cair em buracos, a derrapar, a atolar-se, sem estradas decentes, sem ferro, sem carvão, sem petróleo, pobre, encalacrado, perebento, analfabeto, eusebíssimo... (²)

Jesting Pilate

Sob este curioso título, que é tirado de uma frase de Bacon e significa a ironia indiferente de Pilatos quando perguntou a Cristo o que era a verdade, um escritor inglês, já de nome no mundo das letras com um romance, publicou um livro de viagens que está fazendo carreira. Aldous Huxley é um filósofo de grande penetração; em vez, porém, de escrever um tratado de sistemática, meteu-se a viajar em redor do mundo e vai produzindo filosofia à medida que a paisagem humana a sugere.

Foi sobretudo na Índia que Huxley filosofou, porque não há ambiente mais próprio para ideias gerais do que aquele inconcebível viveiro humano. Não pretendo falar desse livro, que já anda transplantado em todas as línguas e bem merece passar também para a nossa. Apenas quero citar as observações que lhe ocorreram em Benares e me parecem de invulgar penetração.

---

2 Monteiro Lobato estava em luta contra o Departamento Mineral, cujo diretor era Eusébio de Oliveira...

Huxley chegou a Benares num dia de eclipse do sol e pôde observar como o animal humano da Índia reage diante desse velho fenômeno da interposição de um astro entre dois outros.

Foi um espetáculo extraordinário. Pelo menos um milhão de hindus se reuniram no "ghaut" dessa cidade — isto é, na escadaria imensa, para fins de banho, que vai ter ao Ganges. Todos os arredores de Benares estavam agitados. As estradas, cheias de peregrinos em silenciosa procissão rumo ao rio sagrado. Nas cabeças vinham trouxas e utensílios caseiros, e provisões, e as roupas novas que os hindus piedosos entrajam depois do banho ritual. Os velhos apoiavam-se em bastões. As mulheres traziam os filhotes enganchados nas ancas. Uma procissão de cansaço e fatalismo.

O eclipse gerou a crença de que uma grande serpente ia devorar o sol. E para salvar o sol dava-se aquela gigantesca mobilização de indianos rumo ao rio sagrado.

O "ghaut" grande de Benares (porque existem outros menores), compõe-se de uma série de degraus de duzentos metros cada um. De bordo de uma lancha Huxley viu a imensa escadaria literalmente cheia de gente às camadas; uma verdadeira escada de cabeças.

Toda aquela inumerável multidão tinha os olhos no céu. A serpente já começava a cravar a dentuça no astro-rei. Chegara o momento de interferir — de salvar o sol, e então todos os que se achavam no primeiro degrau, o que é banhado pela suja água do rio, nela se atiram. E foi um lavar-se, um esfregar-se, um gargarizar, um escarrar, um murmurar orações que não tinha fim. Numerosos agentes policiais apressavam os banhistas, para que novas levas humanas viessem cumprir o velhíssimo ritual. Dada a massa imensa de um milhão de seres ali reunidos, o banho, mesmo apressado pela polícia, iria durar o dia inteiro.

O tempo corria e a serpente continuava a roer o sol. Isso impunha muita unção no desfiar dos rosários, no murmurar palavras de rezas, no gargarejar o mais convictamente possível e no esfregar-se com vontade — e depressa, como gritavam os guardas da lei.

Depois de contemplar durante duas horas aquele espetáculo, Huxley sentiu-se refarto e desembarcou. As ruelas estreitas que ligam o "ghaut" à cidade estavam formigantes de mendigos, que nesse abençoado país são criaturas sagradas (como o foram durante certo tempo em São Paulo). Acocoram-se ao sol, diante das escudelas onde os passantes caridosos jogam alguns grãos de arroz. No fim do dia a escudela está com a quantidade de arroz necessária para que o mundo não se prive da vida de um pitoresco mendigo.

Huxley ia rompendo caminho pelas ruelas cheias de peregrinos de rumo ao "ghaut" quando em dado momento viu sair de sob uma abóbada um touro. Um touro sagrado, porque na Índia não são somente os pobres que gozam desse privilégio. O mendigo mais próximo cochilava de cabeça sobre os joelhos porque os "que comem pouco dormem muito", para poupança das energias. O touro viu a escudela já pelo meio de arroz e aproximou-se muito naturalmente. Sacou fora a língua e em duas lambidas trasfegou aquele cereal para outro depósito. O mendigo prosseguiu na sua soneca, sem perceber que a renda de todo um dia de pedinchamento escapara de suas mãos. O touro correu os olhos indiferentes sobre a massa humana e voltou a abrigar-se sob a sua abóbada.

Até aqui um quadro da pitoresca paisagem humana, que é na Índia mais interessante que em qualquer outra parte do mundo. Agora a reação que o fato provocou em Huxley, e o modo singularmente lógico e penetrante como filosofou.

Diz ele que, sendo estúpidos e desprovidos de imaginação, os animais se conduzem muito mais sabiamente que os homens. Levados pelo instinto fazem em dado momento o que é necessário fazer. Comem quando sentem fome, procuram a água quando sentem sede, fazem amor na estação propícia, repousam ou movem-se quando têm tempo para isso.

Já os homens, como possuem inteligência e imaginação, olham para trás e para a frente; para o ontem e para o amanhã; observam os fenômenos e inventam para eles engenhosas explicações; depois concebem jeitos complicados e indiretos de atingir fins remotos. A inteligência que os tornou senhores do mundo força-os a agir como perfeitos cretinos.

Nenhum animal, por exemplo, admite que o eclipse seja obra de uma serpente a devorar o sol, isso porque não possuem inteligência nem imaginação. Essa teoria só pode ocorrer a um ser dotado de inteligência. E só um animal inteligente como o homem pode conceber que uma série de micagens, ou gestos rituais — gestos e sons — tenha força para influir nos fenômenos da natureza. Enquanto o animal, fiel ao seu instinto, deixa que o eclipse transcorra naturalmente, em nada alterando o seu viver normal, o homem, o ser inteligente, larga de tudo, empreende uma peregrinação penosa e consome as suas energias em fazer coisas absolutamente idiotas.

Com o tempo, é verdade, o homem vai aprendendo que fórmulas mágicas, gestos rituais, sons chamados rezas, etc., de nenhum modo lhe dão o que ele quer ou pede. Mas até que a experiência lhe ensine isso (e o homem leva séculos para aprender uma coisinha mínima) conduz-se de um modo infinitamente mais estúpido que o animal irracional.

"Foi o que pensei ao ver o touro sagrado lamber dum golpe o arroz do mendigo adormecido", diz Huxley. Enquanto milhares e milhares de homens, isto é, seres racionais e inteligentes, empreendiam uma peregrinação longa, por caminhos poeirentos, padecendo toda sorte de incômodos, com o fim de praticar num certo trecho de certo rio de água imundíssima uma série de gestos tendentes a beneficiar uma estrela distante de nós noventa milhões de quilômetros, o touro tratava de seu estômago e apanhava o alimento onde o via mais fácil. Não é claro que o cérebro vazio do touro o fez agir com muito mais "inteligência" que os seus senhores?

Para salvar o sol, aquele milhão de hindus se reuniu na margem do Ganges, observa Huxley, mas para salvar a Índia quantos deixariam suas casas? Uma soma imensa de energia que, canalizada numa orientação prática de boi sagrado, poderia libertar e transformar o país, é despendida na prática de superstições imbecilíssimas.

E o filósofo inglês, que é um produto requintado dos séculos e séculos de experiência inglesa, conclui com a lógica habitual: "A religião é um luxo que no seu estado presente a Índia não pode cultivar. A Índia nunca será livre enquanto seus filhos não tiverem pela religião o mesmo entusiasmo frio e cético que nós temos pela igreja anglicana. Se eu fosse um milionário indostânico, legaria minha fortuna para a instituição da propaganda ateísta".

Essas dúvidas que sobre a inteligência do homem o viajante inglês teve na Índia são as mesmas que todos os cérebros bovinamente racionantes têm em qualquer campo da atividade humana. A ação da inteligência no Estado, por exemplo. Não há boi que faça o que os grandes estadistas fazem, visando o bem da humanidade e só conseguindo a nossa desgraça.

O último artigo de Francisco Nitti mostra bem claro os desastres para os quais a inteligência dos estadistas vai arrastando o mundo. O homem, porém, continua a crer no Estado; continua a apelar para o Estado; continua a delegar para o Estado a função de providência. Serão precisos séculos e séculos de misérias para que compreendamos que isso a que chamamos Estado não passa de um cancro que deu na humanidade, um cancro talvez inexplicável e com o qual temos de viver em simbiose. Nada de bom pode vir de um cancro para o organismo que ele parasita — e o homem — tão longe ainda de raciocinar como o boi sagrado de Huxley — continua a esperar do seu monstruoso cancro toda sorte de salvações...

Quem é esse Kipling?

Nós no Brasil sempre vivemos de tal maneira no mundo da lua que só agora a nossa gente está a conhecer Rudyard Kipling, um dos três ou quatro escritores realmente grandes da atualidade. E a conhecê-lo por uma pontinha, porque o único livro de Kipling aqui traduzido e publicado — *Mowgli, o Menino Lobo* — constitui metade da matéria de uma das suas obras — *The Jungle Book*, o Livro da Floresta. E, no entanto, já está ele velho em anos vividos, e mais velho ainda dentro da sua notoriedade universal de glória indisputada.

Há bem pouco tempo só quem conhecia alguma outra língua podia entre nós pôr-se em contato com a universalidade — e para isso veio a fúria de absorver francês na classe que chamamos alta, ou que se chama a si própria alta. Essa gente escapou de um mal: muramento em vida dentro de uma língua paupérrima em literatura e para qual, de tudo quanto a humanidade produziu, desde Lucrécio até Henry Mencken, só foram vertidos uns trabucos lacrimogêneos de Escrich e aquela galopada sem fim, para ganhar dinheiro, de Dumas. Escapou de um muramento para cair noutro: murou-se no francês. O fascínio da França foi tão forte nessas almas simples, que não conseguiram ir além. Pararam em Paris e, a fim de justificar a parada, encamparam a sério, botocudamente, a altíssima ideia que o francês faz de si *próprio*, do seu "*esprit*", da sua comida, das suas francesinhas de bem fazer a quem lhas paga, da sua civilização *faisandée*, da sua *grivoiserie* eterna, etc., etc.. E tivemos por cá essa geração, ou essas compridas gerações de basbaques mais realistas do que o rei — mais franceses que o francês, negadores do resto do mundo por puro amor à França.

O mundo continuou seu caminho, mau grado a nossa geração — e se em represália não fomos também negados é que o mundo desconhece a nossa existência. Surgiram enormes vultos nas várias literaturas que pelo mundo vicejam — como esse Kipling na Inglaterra, como Eugene O'Neill e Mencken na América, como Joseph Conrad... no mar, como toda uma plêiade na Rússia — e nós a deles só termos notícias unicamente através das diluídas traduções francesas, sempre muito orgulhosos do nosso *bras dessus bras dessous* com a gente gálica! Engalicamo-nos assim até à medula. Mantivemo-nos com o máximo heroísmo na atitude do cachorrinho que, orgulhosamente, sacudindo a cauda, segue um viandante, certo de que é esse quem move o mundo.

A Editora Nacional rompeu com o mito. Começou a dar livros de autores outros que não os franceses, e nessa literatura o povo, com certo espanto, começou a ver que o mundo não é apenas bordel ou alcova, com uma eterna historinha de *lui, elle et l'autre*. Que há descampados e florestas imensas, montanhas, planuras de neve, tigres e panteras e elefantes. Que há perspectivas, em suma, e ar livre. E que há almas pânicas (de Pan, o deus das pastagens, das florestas, dos pastores, de todos que lutam ao ar livre).

Pânico. Detenhamo-nos um momento nesta palavra, hoje com algum uso por aqui. O suavíssimo Cândido de Figueiredo, pobre homem que nos envenena as origens, insinuando-lhes definições idiotas através de seu dicionário, diz que pânico é "o que assusta sem motivo: terror infundado".

Mentira, asneira. Asneira, como tudo quanto esse dicionário diz. Primacialmente, pânico significa, como define Webster, emoção contagiosa como a que era suposta produzir-se à aproximação do deus Pan.

Em face do desconhecido, do inexplicável da natureza, das ameaças ocultas no sombrio da floresta, do escachoo das grandes quedas d'água, do rugir das feras, o homem sente essa emoção contagiosa chamada pânico. É Pan que se aproxima, é alguma montaria de Pan, é um elemento, uma força qualquer das com que Pan brinca — e a emoção pânica surge, sempre com a sua caraterística de contagiosa.

Diante dos mistérios da natureza, Kipling sente essa emoção pânica, fixa-a com os recursos artísticos do seu estilo e faz que ela contagie o leitor. Reside nisso o seu gênio.

O cenário de Kipling é quase sempre a Índia, como o de Jack London, outra alma pânica, é quase sempre a fria terra do Alaska. Seus personagens nunca são os personagens franceses — um macho que caça uma fêmea pertencente a um terceiro e num hotel exercita uma função fisiológica que o deixa desapontado e de crista caída. É o tigre crudelíssimo e covarde — Shere Khan; é a pantera negra de movimentos elásticos — Bagheera; é a tribo dos Bandar-logs, que nas ruínas de uma cidade morta, engolida pela jângal, brinca de cidade, como nós aqui, bandarloguissimamente, brincamos de país; é a serpente das rochas, Kaa, magnífica de velhice a arte; é Jacala o Mugger do Mugger-Ghaut, velho crocodilo comedor de *coolies*; é Purun Bhagat, o Primeiro Ministro de um principado indiano que se fez santo e gastou meia vida num pincaro do Himalaia, meditando sobre o grande milagre da vida; é Quiquern, o cachorrinho do esquimau Kotuko; é Dick Heldar, gênio artístico vitimado pela inferioridade egoística de uma tal Maisie — a Mulher; é Kim, o menino que cavalgava canhões...

Kipling é a vida, a natureza, o Ar Livre, a Fera, a Índia inteira, como Joseph Conrad é o Mar com todos os peixes e tempestades. Pan, em suas infinitas modalidades, o surpreende e assusta, e Kipling anota esses sustos e os põe em composição artística para que também os leitores o sintam e se assustem panicamente.

Cândido de Figueiredo diz candidamente que pânico é medo sem motivo. Eu queria metê-lo no caminho dos Dholes, os Cães Vermelhos do Dekkan em *razzia* depredatória pelos domínios de Mowgli — para ver se os figos do figueiral desse homem não se arrebentavam todos e se ele não rasgaria imediatamente aquela página do seu dicionário. O medo causado por um avanço de Dholes é para ele medo sem motivo...

Cada conto de Kipling é uma obra prima que vale toda a clorótica literatura francesa atual. Tomemos *The Undertakers* que poderíamos traduzir como *Os Necrófagos*. Três personagens só — Jacala o velho mugger (crocodilo da Índia), o Chacal e o Adjudantcrane. Este Adjudant é uma espécie de Grou, coisa parecida com o nosso Jaburu de bicanca tucanal, mas reta.

Encontram-se ao pé de uma ponte e conversam. O Chacal, miserabilíssimo e sempre faminto, lamuria e bajula o mugger, de cujos restos vive. Chama-lhe Protetor dos Pobres, Orgulho do Rio e outras coisas que os nossos Chacais de dois pés costumam dizer dos muggers que viram governo.

Toda a psicologia do lambujeiro, do fraco, do covarde, do miserável, estampa-se nos gestos e palavras desse animalzinho no qual Kipling, talvez sem intenção, pinta o bajulador humano. Nas atitudes e palavras do Grou estampa-se a esperteza do "aproveitador". Dá ideia de um tabelião da roça que faz política e rói verbas da Câmara. Já o mugger, cônscio da sua força, reproduz exatamente a psique dos nossos grandes homens, isto é, dos homens que galgam posições e pelo simples fato de se verem lá em cima, com a faca e o queijo na mão, julgam-se não só onipotentes como oniscientes. "Eu penso assim. É assim. Eu, eu, eu..."

O Mugger do Mugger-Ghaut era, do focinho à cauda, todo eus — todo ele — e o Chacal batia no peito, concordando até com o que o crocodilo não dizia.

Nessa conversa dos três necrófagos, o mugger rememora ou, melhor, conta a história de um dos mais terríveis dramas da dominação britânica na Índia, o *Indian Mutiny*, no qual se ergueram, para o massacre em massa dos ingleses todas as tropas de sipaios.

Como a conta? Conta como podia contá-la. Um crocodilo dos rios só pode ter conhecimento de uma guerra pelos cadáveres que boiam nas águas e ao sabor da corrente vão derivando rumo ao mar. Jacala teve notícia, pelo seu primo o Gavial, comedor só de peixe, de que as águas do Gunga — o Ganges — "estavam muito ricas" — e rumou para lá. De fato, encontrou-as riquíssimas, tantos eram os cadáveres de ingleses que passavam boiantes. Jacala engordou como nunca em sua vida e muito apreciou o fato dos "caras-brancas" não usarem as pesadas joias que usam os nativos. Joias pesadas fazem mal até a estômagos de crocodilos. Fartou-se e refartou-se do sólido *beef* britânico.

Depois houve um arrefecimento na procissão de cadáveres. As águas começaram a empobrecer-se. Por pouco tempo, aliás. Novas ondadas de corpos recomeçaram a derivar — mas desta vez cadáveres de nativos. Era a revanche, era o inglês já a dominar o motim e a massacrar a carne indiana a tiros de canhão.

É preciso parar. Quem se mete a falar de Kipling esquece-se de que o mundo tem mais o que fazer e espicha-se como se estivesse a escrever livro. Kipling é a vida, é a Natureza — e a Natureza sempre foi muito comprida.

Forneçamos Kipling, e autores que tais, ao nosso pobre povo, até aqui envenenado pelos romancistas da alcova francesa e por dicionaristas como o tal do medo sem motivo. Demos-lhe escritores pânicos — porque só eles sabem a Vida e só suas obras contagiam os leitores com a mais alta das emoções — a Emoção Pânica.

Machado de Assis

Por ocasião do centenário de Machado de Assis, La Prensa encomendou a Lobato um artigo a respeito — Lobato escreveu-o comovidamente.

A 21 de junho do ano da graça de 1839, reinando no Brasil a jovem majestade de D. Pedro II, nascia no Rio de Janeiro, de pais pobres, uma criança de sangue misturado. Três quilos de carne humana, pigmentada, nevrótica — mas que misteriosamente evoluiriam presididos por musas e filósofos, na predestinação de dar ao mundo Alguém.

> Les petites marionettes
> Font, font, font,
> Trois petits tours
> Et puis s'en vont.

Emergem do oceano do *Unde*, dão três voltinhas e submergem-se no oceano do *Inde*. Emergem as *marionettes* aos milhões, e aos milhões se submergem. Folhas da árvore da vida. As folhas passam, leva-as o vento — só a árvore parece eterna. *Marionettes, marionettes* — brancas, pretas, amarelas, cor de cobre, de olhos azuis ou negros, de cabelos encaracolados ou lisos. Surgem carne sensível apenas, rãzinhas nuas e inermes, que choram e mamam, e exigem das mães prodígios de amor para lhes assegurar uma sobrevivência que qualquer filhote de inseto alcança sem o ajutório de ninguém. Crescem, *"font trois petits tours et puis s'en vont"* — desintegram-se na crise da morte, desaparecendo do plano físico.

Nem todas se somem, entretanto. Nalgumas de exceção, por influxo de causas misteriosas, uma coisa imponderável e inanalisável se desenvolve, a que chamamos inteligência criadora, esse algo que aumenta a natureza por meio de contribuições não previstas pela *Mater* Suprema: que a aumenta com as obras do pensamento artístico. Do pensamento. Todas as *marionettes* pensam. Sua função última é pensar, mas pouquíssimas — uma em milhares — pensam construtivamente e de modo a darem ao mundo flores novas.

Muitas dessas flores vieram da Grécia antiga — e nenhuma da moderna. Outras nasceram em Roma. No marasmo medieval o clarão das fogueiras iluminou uma orquídea preciosa — Erasmo. A liberdade moderna fez que desabrochassem muitas. Essas flores, filhas do pensamento, penetram na história simbolizadas pelas poucas letras de um nome. Dizemos Homero, dizemos Horácio, dizemos François Villon — iremos dizer Machado de Assis. Nomes. Nomes das orquídeas raras que floriram no caudal sem fim das *"marionettes qui font, font, font, trois petits tours et puis s'en vont"*.

Ninguém as adivinha ao nascedouro. Todas nascem a mesma coisa — três quilos de carne que mama e chora. As que vingam sobreviver transformam-se em seres astuciosos ou tontos — os adultos — cheios de defeitos ou tortuosidades adaptativas, deformados pela terrível premência de serem forçados a viver na multidão sob o regime darwínico da luta, a parasitarem-se uns aos outros ou às ideologias que se vão formando — religiões, estados, morais. E morrer de mil maneiras, de mil moléstias, apagando-se da memória coletiva da maneira mais absoluta.

Que ideia, que lembrança, temos hoje dos milhões de criaturas que deram suas três voltinhas durante o grande século de Péricles?

No dia acima citado, de junho de 1839, nasceu no Rio de Janeiro a humílima criança que ia dar ao pedaço de mundo chamado Brasil o maior nome da sua literatura, isto é, a mais bela orquídea de pensamento jamais desabrochada nesse setor das Américas.

Joaquim Maria Machado de Assis. Um "pardinho". Era com este nome que as orgulhosas *marionettes* de tez branca denominavam pejorativamente os filhotes das *marionettes* de pele pigmentada. A pele pigmentada estava em desfavor, por ser característica dos homens primitivos que os brancos caçavam nos *kraals* africanos, para metê-los no trabalho duríssimo da cana de açúcar ou do café. Negros. O negro misturado com o branco dava o pardo.

Joaquim Maria veio ao mundo misturado. E pobre, paupérrimo, humílimo. Um zero. O mais absoluto dos zeros. Perfeito nada social.

Mas recebera a marca divina. Iria subir sempre. Talvez que o Destino o fizesse nascer no degrau último justamente para que a sua ascensão fosse completa e ele pudesse ter a intuição perfeita de tudo. Quem nasce em degrau do meio só adquire experiência daí para cima — e jamais será um completo.

E o moleque Machadinho foi crescendo na rua, e foi subindo o morro social. E foi estudando como e onde podia, ao acaso dos encontros e dos livros, sem mestres, sem protetores, apenas guiado pelas forças internas. E vendeu balas em tabuleiros, e ajudou missas como coroinha, e fez-se tipógrafo — meio de ainda no trabalho manual ir aperfeiçoando a sua cultura nascente. Aproxima-se dos letrados, ouve-os com respeito, assimila o que pode, observa-os, classifica-os. Aprender, foi a sua primeira paixão, e vai aprendendo sobretudo a observar o jogo das *marionettes* entre si, na eterna luta miudinha da vida — a enganarem-se mutuamente, a pensar uma coisa e dizer outra, a fingir, a mentir em benefício próprio, a enfeitar os "*trois petits tours*" de todas as engenhosas truanices que a luta impõe.

Machado sobe sempre. Começa a escrever, isto é, a lançar no papel as suas ainda informes reações mentais. Mostra-se desde o começo extremamente cauteloso. Não inova. Não destrói. O senso da justa medida será sempre o eixo perfeitamente calibrado de sua existência e da sua estética.

Sobe. Firma o lado econômico da vida acarrapatando-se ao Estado. Compreende bem cedo que no Brasil só como funcionário público teria o sossego da ausência de cuidados materiais, propício à realização do seu sonho instintivo — perpetuar-se sob a forma de um nome. Mas admitiria ele, em seus devaneios *de* moço, que o seu nome iria no Brasil ser o maior de todos, o único inacessível à lima do tempo?

E no entanto o Destino marcara-o para isso. Machado de Assis é o grande nome do Brasil, tão grande que ficou em situação de absoluto destaque, acima até da meteórica rutilância de Rui Barbosa. Imenso gênio que este era, faltou-lhe o dom da criatividade artística para ascender ao degrau supremo da escada, lá onde Machado de Assis se assentou sozinho.

Talvez o mais luminoso espírito da crítica no Brasil, uma mulher, Lúcia Miguel Pereira, publicou sobre ele, há três anos, um livro. Trezentas e quarenta páginas espelhantes. A mais alta realização indígena em matéria de análise literária — uma lição da mulher aos homens. Não há estudo biográfico menos enriquecido de anedotas, menos policial, menos sensacionalista — nem mais empolgante.

Para abordar o perigoso tema, Lúcia Miguel Pereira deixa-se ficar no estado d'alma de Thoreau diante da placidez de Walden Pond. Situa-se diante da misteriosa lagoa humana que foi Machado de Assis e com extrema simplicidade conta as reações que a contemplação do plácido mistério lhe causa. E o leitor sai do livro com a sensação física do biografado.

Entre as obras de Machado de Assis cumpre acrescentar mais esta: a biografia que ele determinou.

Machado de Assis, na sua ascensão ao Perfeito, parte do quase enfadonho. O medo de inovar, de exceder-se, de dizer demais, tira qualquer interesse aos seus primeiros romances — mas o leitor enfadado sente que há ali uma inapreensível superioridade. Talvez a da língua, que começa a produzir efeitos novos. De uma plasticina pobre, como é a língua portuguesa, começam a brotar surpreendentes finuras — e ficamos sabendo que a riqueza de uma língua não vem da sua opulência vocabular. Pobre também é a argila, que dá toscas panelas nas mãos do oleiro ou dá o Perseu nas de Benvenuto Cellini. Por fim a grande revelação veio: não há língua pobre, não há argila pobre, para um grande artista. Há artistas pobres. Há artistas tão miseravelmente pobres que só sabem escrever jogando com toda a riqueza vocabular da língua. "Fizeste-la rica porque não pudeste fazê-la bela", disse Zêuxis ao discípulo que pintara uma Vênus excessivamente enfeitada.

Machado de Assis ensinou o Brasil a escrever com limpeza, tacto, finura, limpidez. Criou o estilo lavado de todas as douradas pulgas do gongorismo, do exagero, da adjetivação tropical, do derramado, da enxúndia, da folharada intensa que esconde o tronco e o engalhamento da árvore.

Antes dele havia grandes mestres que começavam contos assim: "O pegureiro tangia o armento para o aprisco". Era o lindo, o extasiante, a beleza de espernear. Machado de Assis provou que isso é o idiotamente feio. Como o provou? Fazendo o contrário. Escrevendo. "O negro tocava o gado para o curral."

Machado de Assis expulsou do estilo todas as falsidades. Expulsou até o patriotismo e a grotesca brasilidade — essa intromissão da política de *terroir* na arte. Foi contemporâneo de casos de super-idiotia, em que poetas de nome falavam em "céu brasileiramente azul". Para Machado de Assis um céu azul é simplesmente, e sempre, um céu azul — só.

Ensinou-nos a escrever tão bem, dando-nos uma série de obras tão perfeitas de equilíbrio e justa medida, que "abafou a banca", como diria um meu amigo analfabeto, impenitente jogador de roleta. E não só a abafou no Brasil, como ainda em Portugal. Nem o próprio Eça de Queiroz, o talento mais rico em arte que Portugal produziu, chega à perfeição de Machado. Em Eça há "elegâncias", maneirismos, atitudes — deliciosas atitudes, mas que o impediram de planar nas regiões sereníssimas do estilo de Machado de Assis.

Os contos de Machado de Assis! Onde mais perfeitos de forma e mais requintados de ideia e mais largos de filosofia? Onde mais gerais, mais humanos dentro do local, do individual? Temos de correr à França para em Anatole France encontrarmos um seu irmão. Este, entretanto, desabrolhou no mais propício dos canteiros — animado por uma alta civilização, estimulado por todos os prêmios, rodeado de todos os requintes do conforto e da arte. Já o pobre Machado de Assis só teve como ambiente um sórdido Rio colonial, e prêmio nenhum afora a sua aprovação íntima, e parquíssima renda mensal para a subsistência; e como leitores, nada do mundo inteiro, que era o leitor de Anatole — mas apenas meia dúzia de amigos. O preço pelo qual vendeu ao editor Garnier a propriedade literária de toda a sua obra — oito contos de réis, quinhentos mil réis cada livro — mostra bem claro a extrema redução do seu círculo de leitores.

Mesmo assim, cercado por todas as limitações, foi de sua pena que saiu a primeira obra prima da literatura brasileira, essas *Memórias Póstumas de Brás Cubas*, livro que um dia o mundo lerá com surpresa. "Será possível que isto surgisse num país *in fieri*, lá pelos fundões das Américas?" dirão todos.

E deu-nos depois *Dom Casmurro*, o romance perfeito, e *Esaú e Jacó* e *Quincas Borba* e finalmente *Memorial de Aires*, obra em que estiliza e romanceia o nada — o nada de uma velhice — da sua velhice de quase setenta anos.

Entremeio aos romances foi produzindo contos — e que contos! Que maravilhosos contos, diferentes de tudo quanto se fez no Brasil ou na América! Contos sem truques, sem *machine*, sem paisagem de enchimento, tudo só desenho do mais cuidado, como os de Ingres. Tipos e mais tipos, almas e mais almas — uma procissão imensa de figuras mais vivas do que os próprios modelos. E em que estilo, com que pureza de língua!

A literatura brasileira é pobre de altos valores. Muita gente na canoa, muito livro, muito papel impresso, muita vaidade e, modernamente, muito cabotinismo. Mas está redimida de todos esses defeitos pela apresentação de uma obra de solidez eterna, tão duradoura quanto a língua em que foi vazada.

"Missa do Galo", "Uns Braços," "Conto Alexandrino," "Capítulo dos Chapéus", "Anedota Pecuniária" — é difícil escolher entre os contos machadianos, porque são todos água da mesma fonte. Ah, se a língua portuguesa não fosse um idioma clandestino...

Antes de escrever estas linhas reli várias obras de Machado de Assis — e só por já me haver comprometido com *La Prensa* é que me animei a dizer sobre ele, tão pequenino, tão insignificante, tão miserável me senti. Envergonhei-me de juízos anteriores em que, por esnobismo ou bobagem, me atrevi a fazer restrições irônicas sobre tamanha obra. E se não desisti da incumbência foi por me proporcionar ensejo de penitenciação em público. Porque, francamente, acho grotesco que na atualidade brasileira alguém ouse falar de Machado de Assis conservando o chapéu na cabeça. Nossa atitude tem de ser a da mais absoluta e reverente humildade. Quem duvidar, releia o "Conto Alexandrino" ou a "Missa do Galo".

Somos todos uns bobinhos diante de você, Machado...

A cautela desconfiada com que o Machado de Assis social viveu no meio carioca permitiu-lhe o máximo de felicidade possível no seu caso — um caso difícil, de extrema superioridade mental aliada à extrema sensibilidade de um orgulho sem licença de manifestar-se em vista do tom da pele e do cargo incolor que ocupava na administração. Quantos ministros orgulhosos e ocos não foram seus superiores legais e sociais — a ele que, por natureza, era o mais alto do Brasil? A vassoura do esquecimento já varreu para a lata do lixo o nome de todos esses magnatas, de todos esses seus "superiores"; mas o nome de Machado de Assis continua em ascensão.

Havia nele um curioso gregarismo. Sempre gostou de grêmios, sociedades literárias; chegou até a fundar uma academia de "imortais" da qual foi o presidente e se tornou o único imortal sem aspas. A explicação disso talvez fosse a sua ingênita necessidade de observar o "jogo das *marionettes*": agremiando-as em torno de qualquer tolice humana, tinha-as comodamente à mão para o estudo, como o anatomista tem em seu laboratório reservas de coelhos, cães e macacos em gaiolas, para uso experimental.

A filosofia, de Machado foi mansamente triste. Estudou demais as cobaias, conheceu demais a alma humana. Filosofia sem revolta, calmamente resignada. A conclusão última aparece em Brás Cubas, o herói da vulgaridade satisfeita que termina as memórias póstumas com um balanço em sua vida terrena. Balanço com saldo. Que saldo? "Não tive filhos, não transmiti a nenhuma criatura o legado da nossa miséria."

Saldo equivalente apresentou a vida de Machado de Assis. Não teve filhos. Não legou a criatura alguma os seus pigmentos, a sua gagueira, a sua tara epiléptica, o seu desencantamento das *marionettes* — já que não poderia legar-lhe também o seu gênio. E não houve em sua vida ato de maior generosidade. Que coisa terrível para uma criatura qualquer, ainda que de mediana sensibilidade, conduzir pela vida afora a carga tremenda de ser filho de Machado de Assis!

— Sabe quem é aquele corvo triste que vai saindo daquela repartição?

— Aquele corcovado, moreno, careteante?

— Sim. Pois é o filho de Machado de Assis...

Estamos a ver o ar de apiedada compunção que se estamparia no rosto do informado.

A natureza só permite aos gênios uma filha: sua obra. Machado de Assis compreendeu-o como ninguém, e depois de dar ao mundo a mais bela das filhas afastou-se do tumulto sozinho, cabisbaixo, na tranquilidade dos que cumprem uma alta missão e não deixam atrás de si nenhuma sombra dolorosa.

FRAGMENTOS

O FARMACÊUTICO

O papel do farmacêutico no mundo é muito especial. O farmacêutico representa o órgão de ligação entre a medicina e a humanidade sofredora. É o guardião do arsenal de armas com que o médico dá combate às doenças. É quem atende às requisições a qualquer hora do dia ou da noite. O lema do farmacêutico é o mesmo do soldado: servir. Um serve a pátria, outro serve a humanidade sem nenhuma discriminação de cor ou raça. O farmacêutico é um verdadeiro cidadão do mundo. Porque por maior que sejam a vaidade e o orgulho dos homens, a doença os abate — e é então que o farmacêutico os vê. O orgulho humano pode enganar todas as criaturas; não engana ao farmacêutico. O farmacêutico sorri filosoficamente no fundo do seu laboratório, ao aviar uma receita, porque diante das drogas que manipula não há distinção nenhuma entre o fígado de um Rothschild e o do pobre negro da roça que vem comprar quinhentos réis de maná e sene.

O TOM ORIENTAL

Em minha frente, no vagão, viajava um casal de turcos. A turca deu-me impressão dum epítome completo do tipo oriental. Morena, do moreno turco que é diferente em valor e tom do nosso, cabelos negros, olhos negros, sobrancelhas fortes e bem arqueadas. No braço um feixe de pulseiras de ouro. No pescoço, mais ouro. Ouro na orelha. Estava ali o segredo do Oriente explicado na tonalidade capitosa do ouro a rebrilhar sobre um fundo de carne. Resulta uma cambiante de opulência — opulência oriental. O perfume típico, o encanto, a sedução, o prestígio, a alma do Oriente é essa associação de ouro e carne.

CONHECIMENTOS NOVOS

O encanto de um conhecimento novo nos primeiros dias em estações de água, em viagem, etc., está em que se permutam as ideias mais da alma. Prolongado o convívio, esgotam-se esses recursos íntimos — e os novos amigos oscilam entre a trivialidade sem interesse e a repetição cansativa. E o encanto dos primeiros tempos foge... Conclusão prática: usar, mas não abusar, tanto em matéria de vinhos como de amigos novos.

GRANDILOQUÊNCIA

Existe pelo interior um sem número de aptidões jornalísticas capazes do Grande Estilo. Uma delas escreveu isto: "Há já mais de oito meses que a fatal, destruidora e cruel Parca, com a misteriosa pena do Destino, colocou o ponto final em uma preciosa existência Há já mais de oito meses que o lúgubre manto do luto abriu suas negras dobras e envolveu-nos em tétricas trevas. Há já mais de oito meses que deixou de existir o Dr. F., meritíssimo juiz desta comarca. O que foi ele como homem social, como amigo, como juiz, não preciso repeti-lo aqui: outros mais competentes já o fizeram!"

É o patético! É a modéstia na grandiloquência.

Como retrogradamos, nós outros que reduzimos todas essas belezas grandiosas à pequice de um período seco: — Faz oito meses que morreu o Dr. F.!

O CARRO DE BOI

A conversa na botica versava ontem sobre os Estados Unidos, suas grandezas, seus milhões, seus arranha-céus, seu Teodoro Roosevelt, sua Alice Roosevelt que se casou espalhafatosamente com um figurão. E degenerava num hino de sofreguidão ao progresso *yankee* quando a chiada rechinante dum carro de bois que passava o interrompeu. E todos, apontando o carro, tiveram a mesma frase: Nós!

— Nós... afora a graxa, — completou um.

É isso mesmo. O Brasil é um carro de boi.

Mas um carro que vexado de o ser traz ensebados os eixos para não rechinar. Falta-lhe a bela coragem de ser carro de cabeça erguida, e chiar à moda velha, indiferente ao motejo de Paris — a grande obsessão brasileira. O mal não está em ser carro de boi. Está em o esconder. Seríamosß alguém na assembleia dos povos se o país falasse assim:

— É verdade, sou carro de boi e não o escondo; sou carro como tu, França, és uma velha *maquerelle*; e tu, Albion, uma hiena com farda do *Salvation Army*; e tu, Germânia, um apetite criminoso; e tu, Itália, uma gaita de fole; e tu, Portugal, uma zorra...

O GRANDE PALCO

O palco dos grandes dramas é a mentalidade. A grande arte é a que reproduzindo a mímica dum personagem deixa entrever o drama desenrolado em seu cérebro. Hamlet parecerá ilógico ao observador superficial que procure o sentido de suas palavras relacionando-o ao que segue e ao que antecede. Porque as palavras do príncipe não respondem ao que lhe pergunta Polônio ou a Rainha ou Horácio — respondem a si próprio, respondem às ideias que lhe sugere um estímulo externo, donde a vaga relação imediata entre o que ele diz e o que lhe dizem. Daí a consequente beleza profunda do drama. Ponham um homem comum, a refazer o *Hamlet* e sairá um primor de lógica, o diálogo liso e claro como no catecismo; mas...

O INDIVIDUALISMO CRIADOR

Os artistas deixam a estrada real por onde segue toda gente e caminham por veredas laterais. Os grandes abrem picadas, os miúdos repisam-nas.

A ARTE

A arte nasce quando o homem domina o meio adverso; como um luxo, como floração da planta após a vitória desta sobre todos os óbices opostos à sua desenvoltura. Na Grécia, a amenidade ambiente, não opondo resistências ao homem, permitiu que, em vez de dispersar suas forças na luta contra a natureza agressiva, ele as convergisse para a inflorescência.

Nós no Brasil ainda estamos a crescer, a enfolhar, a radicar. Por isso o que chamamos arte não passa de simples reflexos de artes alheias. Arte como a grega — em bloco, conglomerada, todas reunidas em torno dum mesmo tronco (um ideal racial) como vergônteas de igual pujança — tê-la-emos um dia, no ano 2.000 ou 2.500, quem o sabe? E tê-la-emos porque não há planta que não venha a flor. Se vem a rosas ou a flor de abóbora, já é outro caso.

Aparências

O Samuel saiu com a Winchester em direitura à jabuticabeira do quintal, apinhada àquela hora de sanhaços, saíras e sabiás. Voltou logo depois sem desfechar um tiro.

— Não tive coragem de atirar...

Eu ia dar-lhe parabéns pela sensibilidade do coração, quando ele completou a frase:

— ... porque só tinha duas balas e não valia a pena desperdiçá-las em sanhaços.

Deus brasileiro

É sabido que existe uma Providência especial, ou pelo menos um dedo da Providência comum, escalado para montar guarda à cabeceira do Brasil. Os namorados e os bêbedos já tinham o seu deus protetor — o Brasil entra para o farrancho neste recrudescer de politeísmo. Nas mais graves das nossas crises, a invasão holandesa, a questão Christie, o Amapá, a ocupação da Trindade, o Convênio de Taubaté, o Marechal Hermes, sempre se manifestou a intercessão milagreira do deus nacional, evolução, quem sabe, de Tupã.

O subsolo

Uma rápida vista d'olhos pelo mundo só nos mostra riqueza e poder nos povos que industrializam o subsolo, dele tirando a hulha, o ferro, o petróleo e todas as mais riquezas entesouradas. Os que se limitam a arranhar a superfície por meio da agricultura, esses jamais serão estrelas de primeira grandeza, jamais serão poderosos, jamais passarão de satélites inermes.

Até aqui vivemos como os demais bichos da terra, a explorar umas tantas plantinhas que crescem na superfície — a cana, o cacau, o café, o fumo, o coco, etc. — produtinhos coloniais.

Daí nossa fraqueza econômica, a nossa pobreza intensa, o nosso encarangamento. Temos de mudar de política. Fazer o que os Estados Unidos fizeram. Arrancar do seio da terra o ferro e transformá-lo em mil máquinas que nos aumentem a eficiência dos músculos. Arrancar o petróleo para o reduzir a essa potente energia mecânica que move as máquinas. Não mais homens resignados que se repimpam na anca de pobres jegues e minúsculos cavalicoques — mas *he-men* que chispem em autos, que risquem o céu em aviões, que espantem os sururus das lagoas com a velocidade dos *motor-boats*.

A imbuia

Todas as nossas madeiras de lei, da cabreúva ao pau marfim, merecem grandes honrarias; mas é a imbuia a que esplende em galas de verdadeira realeza. Esta canela é um puro dom da natureza. De talhe macio, duração ilimitada, inatacável pela carcoma, é de todas as nossas madeiras a mais rica em tons e desenhos. Conforme a direção do corte, variam seus aspectos. Vemo-la, ora desenhando estrias, feixes de linhas retas, ora furtando tons ao gorgorão amarelo, ora copiando ao cetim o seu jogo de luz alternado de brilhos e embaciados. A raiz dá magníficos efeitos esponjosos, vegetações de muscíneas, que a habilidade do marceneiro dispõe de modo a compor belíssimos desenhos simétricos.

Função suavizante do peru

Ao trinchar do peru cessam todas as divergências, estabelece-se um acordo risonho de anjos na presença do Senhor. A Revisão Constitucional divide novamente o campo. Mas ninguém se tema da discórdia. Meia dúzia de perus conciliatórios trarão, como recheio, a Harmonia. Essa ave é uma predestinada. Desd'os ex-ominosos tempos do Império vem pingando o ponto final do seu papo em todas as nossas pendengas, brigas, lutas, salvamentos de pátria, conspirações, etc. Muito já nos deu, e dele muito ainda há a esperar. Bênçãos lhe chovam em cima.

Colonialismo

Somos um povo de mentalidade colonial. Nascemos colônia e até agora só conquistamos a independência política. Econômica, espiritual, mental e cientificamente, continuamos colônia. Damo-nos pressa em adotar tudo quanto vem das várias metrópoles que nos seguram pelo barbicacho — Paris, Berlim, Nova York, Londres. Mal surge entre nós uma criação original, olhamo-nos desconfiados uns para os outros, incapacitados de formular juízo até que das metrópoles venha o *placet*.

Rápido croquis

Um volver d'olhos ao país revela uma estrutura sui-generis. Em baixo, a massa imensa dos Jecas, meros puxadores de enxada; em cima, na cúspide, um bacharelismo furiosamente apetrechado de diplomas e anéis com pedras de todas as cores, verde, vermelha, azul — o arco-da-velha inteirinho. E no meio? Nada. A classe fecunda, a classe obreira do progresso industrial, o pedreiro, o marceneiro, o entalhador, o tipógrafo, o negociante, o mecânico, o eletricista, o bombeiro, etc., essas formigas enfim do trabalho técnico, faltam-nos. E como são indispensáveis, importamo-las. Entre o Jeca de pé-no-chão, que carpe e roça, e o bacharel que requer *habeas-corpus* e faz discursos, ambos nacionais, temos que admitir uma cunha estrangeira, de técnicos imigrados.

O problema é abrir à classe de baixo o caminho à imediata. Temos de descascar o Jeca na escola primária, ensinando-lhe, depois, na profissional, a utilizar-se da leitura e da técnica.

Espingarda, sim. Mas... e a pólvora?

Como está a nossa instrução, não há dela colher frutos preconizados. Ensina a ler aos meninos e lança-os na vida sem nenhum aparelhamento técnico, como se a cartilha fosse um miraculoso sésamo abridor de todas as portas. Isso não basta. É fazer deles parasitas sociais, incapazes duma função econômica. Vão ser eleitores, vão "cavar", e passam a vida em procura de miseráveis empreguinhos públicos de ínfima categoria, julgando indignas de exercício as profissões manuais. A escola pública sem o complemento da escola técnica forma nas classes baixas um estado mental correspondente ao bacharelismo nas altas. É o bacharel de vinte e cinco letras apenas, e sem anel, mas tão inútil quanto o seu colega de cima em matéria de eficiência econômica.

Se ao deixar a primária, entretanto, cursasse uma escola profissional, apetrechando-se de um ofício, entraria para a vida armado em pé de guerra. E venceria. E seria para o país uma unidade de produção eficientíssima. Assim como é um crime atirar ao combate soldados desprovidos de armas, não é crime menor lançar na vida meninos desprovidos de ensino técnico. O alfabeto vale como meio, não como fim. É cartucho que para ter valor pede espingarda do mesmo calibre.

Degradação

Uma casa de fonógrafos anuncia um novo disco, o *Ai, Filomena*, com um rápido estudozinho do figurão que lhe deu origem. Começa assim: "Somos capazes de apostar que os senhores julgam que o Dudu não serve para coisa nenhuma desta vida. Atirado à sarjeta da troça de rua, o Dudu transformou-se num trapo que o enxurro das gargalhadas atira ora para um, ora para outro lado. Lembrem-se, porém, que tudo nesta vida tem sua utilidade. O Dudu serve para desopilar o fígado, etc."

E vai por aí além. Um anúncio comercial inserto em todos os jornais de grande circulação! É duro!

A reação contra o Presidente Hermes não podia ser mais feroz. O povo não pegou em armas para varrê-lo da presidência; fez pior: riu-se e ri-se dele. Um trapo diz o anúncio; de fato o Marechal Hermes é hoje um trapo, um judas atirado a fúria estraçalhadora da populaça.

Saber ler e escrever

S. Paulo, com toda a sua prosápia de estado líder, locomotiva da União, puxa-fila dos vinte caranguejos, — estado *nec plus ultra* de fama bimbalhada em todos os sinos, chegou após seis lustros de regime republicano à maravilha de fornecer pão do espírito à terça parte de seus meninos, deixando em jejum os dois terços restantes — apenas quatrocentos mil paulistinhas.

O problema torna-se grave. Prosseguir no regime do pão com manteiga para uns e de brisas fagueiras para a grande maioria, além de inepto é iníquo. E ainda é o meio de encruar na América do Sul uma eterna e irredutível costa d'África. Mas há um meio caminho.

Se não posso matar a cobra cortando-lhe a cabeça, contento-me em deixá-la viva, mas de espinha macetada. É um grande progresso semi-matar a cobra, macetá-la, quebrar-lhe a espinha, e mantê-la assim inofensiva enquanto não nos caia do céu o porrete que a derrancará de vez.

O QUE DEVE SER O GOVERNO

Uma nação é o conjunto organizado das criaturas humanas que habitam um certo território. Para promover a ordem e a justiça essas criaturas delegam poderes a certos indivíduos para a aplicação de uma coisa chamada lei, a qual não passa da vontade coletiva aceita por consenso unânime. Tais homens constituem o governo. O governo, é pois, um delegado, uma criatura da Nação. Só esta é soberana, porque só esta é a força e a verdade.

Quando os delegados fogem aos seus deveres e voltam contra a Nação os aparelhos defensivos que ela lhes entregou para salvaguardar a sua soberania das agressões externas, esse governo deixa de ser governo. Cessa de funcionar legalmente e — ou rei como Luiz XVI, ou ministro, ou presidente, ou congresso — deve ser incontinente varrido por todos os meios, a guilhotina como na França, ou a processo criminal como nas repúblicas livres.

O dever mais elementar dos delegados da Nação é aplicar sensatamente os dinheiros públicos. O povo dá o imposto para receber em troca um certo número de benefícios de caráter geral. Para fiscalizar esse emprego existe a imprensa, plenário onde se ventila o abuso, o qual abuso, competentemente autuado, sobe a Opinião Pública para o julgamento supremo Se a opinião pública, por vício incurável, não toma as providências do caso. Paciência. A imprensa não tem culpa disso. O seu papel limita-se a esclarecer o público.

Assim, todo jornalista, ou todo cidadão, tem o dever de agarrar pela gola os funcionários relapsos, sejam reis ou ministros, e expor os seus crimes na grande montra.

O TUMULTUÁRIO DAS FLORESTAS

A pecha de tumultuário dada pelos observadores levianos ao interior das florestas, vem de que lhes foge justamente a coisa bela por excelência nas matas: o regime ingênito de cada espécie vegetal, o seu modo normal de crescer e engalhar, as modificações a que se submete por contingentes de vizinhança. A adaptação daquele jogo de "ânsias de viver" é tão bem realizada que a flora inteira — da árvore gigantesca ao arbusto mesquinho — subsiste íntegra como um todo harmônico, esplendidamente belo, onde cada vida — orquídea, parasita, liana, musgo ou líquen — tem uma função de nota musical em sinfonia. A floresta é um concerto sinfônico de formas, de cores, de apetites e lutas.

O mapa escolar

O mapa de frequência escolar... Um dia entrou-nos em casa uma cozinheira nova. Era mãe de uma rapariguinha de sete anos que não frequentava escola, mas que de vez em quando saía para a rua de cartilha debaixo do braço.

— Para onde vai ela? — indagamos uma vez.

— Não vê que o inspetor está na cidade e a Beatriz, quando ele chega, costuma ir "encher" a escola. Ela e uma porção de outras. E ganha seus quinhentos réis de ficar lá sentadinha. Serve. Dá para o cinema...

Industriazinha nova: fingir de menino de escola, a quinhentos réis por cabeça, nos dias de inspeção!...

Sub-técnica

O nosso mal é a incapacidade técnica. Ninguém trabalha porque ninguém aprende a trabalhar. E o remédio é uma coisa só: escolas de trabalho. Foram estas escolas que fizeram a Alemanha. Foram as criadoras dos Estados Unidos. A escola primária fornece ao homem a pólvora, dá ao homem a espingarda dentro de cujo cano a pólvora e o chumbo adquirem eficiência mecânica.

A escola técnica opera como redutor do elemento parasitário do país. Salva milhares de criaturas da calaçaria sórdida, impede-as de irem engrossar a nuvem dos *faineants* que vegetam à custa do conhecimento da cartilha: a nuvem dos eleitores, dos biscateiros, dos barganhistas, dos bicheiros, dos capangas, dos fósforos políticos, dos literatos de sarjeta, dos cafajestes pernósticos, dos poetas caspentos, dos incompreendidos — dos *ratés* em suma.

Melting pot

São Paulo é um cadinho. Variados fatores étnicos para ele confluem e, sob a preponderância do fator italiano, borbulham na fervura da decantação em que se plasma o futuro. Do mosaico virá a unidade. O sistema de cristalização, entretanto, é imprevisível. O elemento indígena bem pequena contribuição dá, porque, acuado na concorrência, ou foge à luta, abandonando o campo, ou acantoa-se nos palanques da bacharelice e do funcionalismo. E que frutos dão estas árvores?

Quem molda a Pauliceia?

Quem molda a cidade e a enfibra de caráter próprio é o operário, é o comerciante, é o industrial, é o artista — é o que confeiçoa a matéria prima, o que a mobiliza, o que imprime às coisas a forma estética. Assim, na vegetação seivosa com que o alienígena cria em nossa casa um estado sui generis de civilização, nós, os donos da casa, com pouco mais contribuímos além do doutor — a orquídea; o funcionário público — o cipó; e o governo — o mata-pau.

O medo de voar

O medo que o nosso público tem da aviação decorre do barulho que a imprensa faz com qualquer desastre. O telégrafo se apressa em espalhar pelo mundo inteiro a notícia destes desastres, mas se mantém silencioso a respeito dos milhares de cavaleiros que todos os dias morrem de quedas de cavalo, ou de carreiros que morrem espetados nas guampas dos bois, ou carroceiros que são esmagados pelas respectivas carroças. Se se noticiassem estes desastres, verificariam que o cavalo, a carroça e o carro de boi são coisas diabólicas em face do angelicismo da aviação.

Enfin Malherbe vint...

A aviação sempre foi o sonho dos homens. Mas, mera aplicação mecânica que é, estava condicionada ao progresso mecânico. Tudo consistia em imprimir um certo número de rotações a uma hélice. Por meio da força muscular a coisa era impossível — e a aviação permaneceu sonho enquanto o motor foi o músculo, humano, bovino ou cavalar.

Papin revelou-nos o vapor. Um mundo inteiro irrompeu da sua chaleira de água a ferver — e a era ferroviária consequente já atingiu o apogeu. Mas a máquina a vapor manifestou-se impotente para dar à hélice as rotações requeridas no voo. Muito pesada. Muito quilo de ferro para cada cavalo de energia obtida.

Enfin Malherbe vint...

O Malherbe da energia foi o motor de explosão. Veio e revolucionou tudo, criando o automóvel e por fim a aviação. No começo sofria do mesmo mal que a máquina a vapor: muito peso por cavalo. Mas foi se aligeirando. Quando chegou a cinco quilos por cavalo, já permitiu a Santos Dumont o primeiro voo — voo tatibitati, de borboleta de asas úmidas que acaba de romper o casulo. Mas continuou a aperfeiçoar-se. Passou a um quilo por cavalo e hoje está em fração de quilo.

Quando a nova fonte de força que se prenuncia na dissociação atômica da matéria estiver conquistada, chegaremos talvez a um cavalo por grama, por decigrama, por miligrama. Em vez da pesada carga de gasolina que os aviões levam hoje, o piloto trará no bolso do colete o fragmento de matéria que, dissociado, lhe fornecerá a energia precisa para conduzir o seu aparelho de polo a polo, veloz como onda hertziana.

Até o Jeca Tatu voará nesse dia. O avião será como o guarda-chuva de hoje. Cada criatura trará o seu, enrolado debaixo do braço. E haverá diálogos deste naipe:

— Que calor! Vamos tomar um sorvete ali no polo?

O convidado adere. Ambos abrem os seus aviões-guarda-chuvas e vão refrescar as tripas entre os ursos brancos e focas, "ali no polo", onde um bisneto de Amundsen terá montado o seu barzinho de sorvetes de... brasas, únicos aceitáveis na zona hiperbórea.

Quanto leitor não sorrirá disto, murmurando o clássico — "Utopia!". Se esse cidadão olhar para trás há de ver na sua prosápia um avô que teve idêntica exclamação quando lhe contaram do trem de ferro, máquina de transformar lenha e água em corrida por cima de trilhos. Verá um bisavô que se riu com superioridade quando lhe contaram de um palito cabeçudo que friccionado dava fogo. Verá um tataravô que não acreditou na invenção da pólvora. Verá um milésimo avô que também sorriu quando Gê-Ahah lhe contou de uma tribo que andava polindo a pedra dos machados.

— Qual, Gê-Ahah, utopias! Pedra, só lascada...

A PALAVROSIDADE

O tempo, o papel e a tinta gastos em glosar o melhor modo de "fazer" patriotismo e salvar esta Pátria, se os aplicássemos no estudo das coisas prosaicas da vida de que tudo mais deflui, redundaria em uma forma de patriotismo prático de tremendo alcance. Quanto se disse por aí este ano sobre o sorteio militar, a crise do caráter e os males vários da alma nacional, não vale para a vida e futuro do país um caracol bichado; no entanto, a difusão pela imprensa do combate às saúvas pela batata de arroba, se a prática vier confirmá-la, far-nos-á caminhar uma passada gigantesca para a frente.

No país das invenções

O motor da evolução social é um: a invenção. Progredir não passa de inventar. O carro do progresso foi carro de boi na contemplativa Idade Média; passou a trem no século dezenove; é aeroplano hoje.

Mas não em toda parte. É aeroplano nos Estados Unidos e na Alemanha, países onde o cérebro do homem dá de si o rendimento máximo, mantido a pressão de noventa e nove atmosferas, antepenúltimo grau da escala psicomanométrica. O último grau é cem, ponto de explosão — que no caso é a loucura.

Entre nós o progresso é ainda carro. Anda sobre rodas nem sempre redondas. Carro de boi? Não. Nosso progresso é trole. Gozamo-nos das invenções alheias e não tiramos os olhos das terras donde nos vêm cinemas, autos, telégrafos, rádios, etc.

Muito mais cômodo adotar do que criar.

No entanto o brasileiro é ferozmente inventivo. Raro o jornal que não anuncia qualquer maravilhosa astúcia mecânica, destinada a revolucionar o mundo, saída de um cérebro brasileiríssimo. Os funcionários da Central, por exemplo, vivem inventando motos-contínuos, para-choques, modificações no aparelho Morse e grelhas de queimar carvão inqueimável. Mas um vício de morte inquina os nossos inventos. Nascem paralíticos, ou porque são de inutilidade absoluta ou porque são de absoluta impraticabilidade.

Os inventos de que realmente precisamos não aparecem. A Central, por exemplo, reclama um "para-desastre", aparelho que é de crer já exista em uso nas vias férreas americanas, dado o coeficiente mínimo de desastrabilidade que revelam.

O "CORONEL"

Será possível que cheguem a um acordo as nossas damas quanto à fundação da Academia de Letras e Ciências Femininas? Haverá temas feminilmente científicos e literariamente feminis capazes de absorver a atividade de quarenta damas? Se a associação fosse histórica, um problema surgiria capaz de por si só encanecê-las todas no estudo: qual a primeira mulher que veio ao Brasil?

Nós homens sabemos, com certeza de pedra e cal, qual o antepassado branco que primeiro pisou estas plagas. Era um Pero, ou Pedro... a não ser que fosse um Vicente, o Yáñez Pinzón. Mas nossas gentis contrárias em sexo ignoram em absoluto qual a vovó inicial que veio diluir a brancura de pele no pigmento dos Gês e Nu--Aruaks, que é como o sr. Roquete Pinto, com muito pico etnológico, chama o nosso velho bugre.

Seria portuguesa? Seria francesa?

Jean de Léry conta que em seu navio, além do reforço masculino mandado por Coligny ao senhor Nicolau de Villegaignon, vinham cinco francesas. Seriam Rosemonde, Yvette, Colette, Suzanne e Louise as primeiras arianas que respiraram o ar brasileiro?

Léry, Staden... Que sabor delicioso possuem os velhos livros!

E quantos detalhes pequeninos neles encontramos, desses que os historiadores *au grand complet* desprezam, apesar de profundamente sugestivos!

Léry conta-nos das primeiras francesas. Staden, do primeiro coronel. Foi ele Tomé de Souza, vindo em 1557.

As cinco francesas vieram em 1556. Nenhum homem de boa-fé poderá ligar os dois acontecimentos. As gaulesas chegaram num tempo em que tudo eram araras e papagaios por cima das frondes e apetites canibalescos por baixo. Nada indiciava o surto da nova fauna cuja semente Tomé de Souza fez vir consigo.

Reverenciemos, pois, a memória de tão honestas vovós.

A INFUÊNCIA AMERICANA

Ponto em que a influência americana se faz sentir por cá é nas pequenas invenções jornalísticas — paginação, escolha da matéria, dosagem das ideias, cinematografismo policial, etc.

Partimos da convicção de que os nossos jornais não prosperam por não darem o que o público instintivamente deseja.

Erro. O de que precisamos é melhorar o público. Enquanto for o que é, o melhor jornal do mundo levará aqui a mesma vida precária que caracteriza os atuais. Basta frisar o seguinte: ou por pilhagem, ou por arranjo com as agências, temos em nossos periódicos a flor do jornalismo mundial, os Lausanne, os Brisbane, os Harden. E o público não o percebe.

Isto de perceber não é para qualquer. Casagrande não percebeu que para transvoar o Atlântico a frieza de cálculo vale mais que o d'annunziano eretismo da imaginação. A retórica ensopada em nitroglicerina do Duce terá forças para arrastar multidões de camisas pretas ao assalto dos focos oposicionistas, mas é impotente para corrigir um defeito de lubrificação num motor. E se o óleo não circula matematicamente bem, não há Casagrande que chegue ao fim da prova.

A escultura e o cemitério

Um só campo existe aberto, hoje, para as obras esculturais de algum vulto: o cemitério. Quando um rico morre e no testamento deixa ordem para que o glorifiquem na necrópole, os herdeiros arrenegam, mas lá contratam um escultor para um amontoamento de mármore e bronze sobre a sepultura. E em meio de muita obra de fancaria, onde há sempre um anjo pendurado na ponta duma trombeta, emergem de quando em quando lídimos primores de arte pura. Os escultores de real mérito, por acaso contratados, dão largas às suas faculdades criadoras e, usando da licença poética, fazem do enterrado (em regra um simples rico) um herói merecedor de maravilhoso desdobramento alegórico. Mas para a Arte pouco importa qualquer ligação entre a individualidade do defunto pagante e a sua apoteose estética. Para a Arte basta que haja ali beleza. A condenação da vaidade humana é iníqua. Muito do que há de belo na terra, unicamente à vaidade o devemos.

A mais cara das artes

A desgraça dos escultores está em que raramente podem executar, com o vulto necessário, as grandes obras concebidas. O poeta, mais afortunado, põe-se todo num poema, porque um poema, mesmo que seja a *Divina Comédia*, cabe num livro. O pintor se realiza em grande nas telas murais. O músico, igualmente, dá ao mundo a sua criação na íntegra. A *Nona Sinfonia* de Beethoven ocupa bem pouco papel. Mas o escultor?

Trabalha na mais penosa e cara das artes, a que pede mais trabalho físico, material mais especializado e de maior vulto e preço. Vem daí que só em ocasiões excepcionais, quando surgem papas como os da Renascença, ou, aqui e ali, um Mecenas, ou um louco sublime como Luiz da Baviera, podem os escultores realizar suas obras como as concebem na imaginação, mas como esses ensejos são excepcionalíssimos, têm que contentar-se os escultores com dar em gesso apenas uma reduzida amostra daquilo de que seriam capazes se o mundo não fosse a mesquinha coisa que é.

A química moderna

A idade moderna se chamará um dia a idade da química, tanto a ciência das agremiações moleculares imprime nela, e cada vez mais, os vincos da sua influência. Tudo se faz pela química. Tudo ela resolve. Penetrando no âmago da matéria desfá-la nos seus íntimos componentes e, senhora destes em liberdade atômica, pela síntese a recompõe em formas novas, ao sabor das proteiformes exigências da civilização. Valem os povos pelo valor da sua química. Todo o esplendor da Alemanha tem na química o grande segredo. Um povo que não sabe química é um povo antecipadamente subjugado nesta perene batalha do Somme que é a concorrência industrial moderna — tremenda-batalha pacífica de resultados mais extensos que as fulgurantes Marengos e as formidáveis Tannenbergs. Esse primado da química revelou-o ao mundo a guerra. Na surpresa do arranque germânico, Inglaterra e França vislumbraram a falha do arnês que as inferiorizava tanto nas lutas da paz como nas mais persuasivas da guerra. E lançaram-se, sôfregas, ao laboratório, como ao antro mágico onde se organizam, na equação e nas fórmulas, todas as vitórias. Vencerão se conseguirem dotar-se de química superior à da rival. Em caso negativo suas vitórias serão vitórias de Pirro, serão ganhos aparentes, domínio de momento, coisa de esvair-se em névoa quando, volvida a paz, cessar o trem dos obuseiros para recomeçar a guerra sem pólvora em que os laboratórios é que bombardeiam.

O LITERALISMO

A tradução literal, isto é de absoluta fidelidade à forma literária em que, *dentro de sua língua,* o autor expressou o seu pensamento, trai e mata a obra traduzida. O bom tradutor deve dizer exatamente a mesma coisa que o autor diz, mas dentro da sua língua de tradutor, dentro da sua forma literária de tradutor; só assim estará realmente traduzindo o que importa: a ideia, o pensamento do autor. Quem procura *traduzir a forma do autor* não faz tradução — faz uma horrível coisa chamada transliteração, e torna-se ininteligível...

CONHECER-SE...

Nosce te ipsum, eterna verdade psicológica, fonte única do aperfeiçoamento moral, mental, social e físico, tanto nos indivíduos como nas coletividades. Só quem se conhece progride e vence. A apatia do nosso viver coletivo, explicada em parte pela rarefação do habitante, exige o agrumar de núcleos sistematizadores e orientadores. Mil boas vontades desligadas entre si, trabalhando fora do amplexo fecundo de uma norma comum, ou não trabalhando de todo (e é este o nosso caso) em virtude do sentimento de impotência de quem se vê só, valem menos do que meia dúzia unidas em ação conjunta.

Só no dia em que bem nos conhecermos teremos nas mãos todos os dados do "nosso problema". E só quando tivermos nas mãos todos os dados dos nossos problemas é que se nos deparação as soluções exatas. Soluções nossas aos nossos problemas — eis o rumo verdadeiro.

* * *

Um meu amigo, grande patriota, dizia sempre:
— Meu ideal é a diplomacia. Viver do Brasil, mas longe dele, de modo a sentir sempre doces saudades da pátria, que delícia!

* * *

Os trogloditas da pedra lascada, quando entalhavam num osso de urso a cabeça duma rena, faziam arte mais elevada que neste nosso século 20 as senhoritas que pespegam num vaso a paisagem japonesa tirada... de outro vaso, ou bordam a seda, numa almofada, um lombricoide pilhado... de outra almofada. Eles lá criavam; elas aqui furtam.

A laranja

É a mais generosa dádiva com que nos enriqueceu Pomona. Se o país ainda o não percebeu, culpa não cabe à deusa nem a fruta. Já o norte-americano a levou daqui para constituir na Califórnia o paraíso da laranja. Nós...

Nenhuma fruta vai melhor com nosso irregularíssirno facies meteorológico. De sul a norte, na boa e na má terra, na quente e na fria — variando embora em qualidade consoante a riqueza do solo — em todas as zonas a laranja prospera, e em nenhuma vegeta improdutiva. Zomba das secas como zomba da geada. Quatro inimigos mortais dão-se mãos para esmagá-la — a formiga, a erva de passarinho, a broca e a incúria do homem.

Premida por essa quádrupla *entente*, ela reage de mil maneiras e, operando maravilhas de adaptação, vinga subsistir. Nas taperas antigas, onde é já tudo morto de quanto o homem plantou e construiu, só as velhas laranjeiras sobrevivem, ocultas na maranha retrançada da "erva". E à sombra do maldito dossel da parasita tentacular, que lhe rouba a seiva e intercepta o sol, ela ocultamente frutifica e redobra de sementes na ânsia de perpetuar a espécie. Como pela adaptação vence a "erva" pela paciência vence a formiga, explodindo a cada tosa em rebentos novos; e pela tenacidade vence a broca, emitindo da base ou de grossas raízes vergônteas destinadas a substituir o velho tronco minado pela carcoma. Se neste estado de miséria vital o homem intervém e a liberta do bloqueio, com que esplendor reviça a mais sovada laranjeira! Em virtude de tão preciosas qualidades tornou-se a nossa grande fruta nacional.

Do português degenerado

É assombroso como do português retaco, robustíssimo, que de sol a sol brita pedra nas pedreiras do Rio, o "meio" extrai em duas gerações... um candidato a porteiro de grupo escolar!

Copyright © 2023 by Global Editora

1ª Edição, Editora Nova Aguilar, São Paulo 2023

Jefferson L. Alves – diretor editorial
Jiro Takahashi – editor executivo
Gustavo Henrique Tuna – gerente editorial
Flávio Samuel – gerente de produção
Jefferson Campos – assistente de produção
Homem de Melo & Troia Design – capa e projeto gráfico
Ana Dobón e Danilo David – editoração eletrônica
Márcia Benjamim, Luiz Maria Veiga e Fernanda Lubatchewsky Ishibe – revisão
Ana Lima Cecílio e Ana Lucia de Oliveira Brandão – curadoria e organização dos textos

Agradecimentos a Antonio Carlos D'Angelo, da Biblioteca Infantojuvenil Monteiro Lobato, pelo apoio com os exemplares da edição original da *Obra completa* de Monteiro Lobato (São Paulo: Brasiliense, 1947/1948).

Agradecimentos à diretora Marta Nosé Ferreira, da Biblioteca Infantojuvenil Monteiro Lobato, pela cessão das imagens das pranchas da exposição "Emília: a boneca de Lobato", realizada em 2008. As pranchas dos primeiros ilustradores das obras de Monteiro Lobato compõem o caderno iconográfico do volume 1 desta edição.

Agradecimentos à equipe do Cedae (Centro de Documentação Cultural Alexandre Eulálio), do Instituto dos Estudos da Linguagem da Unicamp (Universidade de Campinas), pela cessão das fotos utilizadas no caderno iconográfico do volume 3 desta edição.

Dados Internacionais de Catalogação na Publicação (CIP)
(Câmara Brasileira do Livro, SP, Brasil)

Lobato, Monteiro, 1882-1948
 Monteiro Lobato : obra completa, v. 3 : livros adultos, caderno iconográfico. -- 1. ed. -- São Paulo : Editora Nova Aguilar, 2023.

 ISBN 978-65-89645-37-5

 1. Contos brasileiros 2. Literatura brasileira 3. Lobato, Monteiro 1882-1948 4. Textos - Coletâneas I. Título.

22-129207 CDD-B869

Índices para catálogo sistemático:
1. Literatura brasileira   B869
Cibele Maria Dias - Bibliotecária - CRB-8/9427

Obra atualizada conforme o
NOVO ACORDO ORTOGRÁFICO DA LÍNGUA PORTUGUESA

EDITORA
NOVA AGUILAR

Editora Nova Aguilar
Rua Pirapitingui, 111 — Liberdade
CEP 01508-020 — São Paulo — SP
Tel.: (11) 3277-7999
e-mail: novaaguilar@novaaguilar.com.br

Direitos reservados.
Colabore com a produção científica e cultural.
Proibida a reprodução total ou parcial desta
obra sem a autorização do editor.

Impresso na Índia

Nº de Catálogo: **10041**